P9-EML-377

LE DICTIONNAIRE DU LITTÉRAIRE

LE DICTIONNAIRE DU LITTÉRAIRE

PUBLIÉ SOUS LA DIRECTION DE

PAUL ARON
DENIS SAINT-JACQUES
ALAIN VIALA

AVEC LA COLLABORATION DE

MARIE-ANDRÉ BEAUDET, JEAN-PIERRE BERTRAND,
JACQUELINE CERQUIGLINI-TOULET,
PERRINE GALAND-HALLYN, LUCIE ROBERT,
ISABELLE TOURNIER

OUVRAGE PUBLIÉ
AVEC LE CONCOURS
DU CENTRE NATIONAL DU LIVRE

PRESSES UNIVERSITAIRES DE FRANCE

ISBN 2 13 0516904
Dépôt légal – 1re édition : 2002, mai

6, avenue Reille, 75014 Paris

PLAN DE L'OUVRAGE

AVANT-PROPOS

Pourquoi un dictionnaire du littéraire aujourd'hui ?

Paul Valéry l'avait, entre autres, remarqué et remarquablement dit : en matière d'art et de littérature, le langage qui paraît commun ne va pas sans obstacles et obscurités, et des mots tels que « genre » ou « style » sont loin d'être aussi clairs qu'il le semble. Le lexique qu'on utilise dans ce domaine est particulièrement sensible aux fluctuations de la pensée. Il met en jeu des sentiments spontanés qui sont de l'ordre de l'adhésion : adhésion du créateur à ce qui fonde son être, adhésion du lecteur quand il aime l'œuvre, adhésion du critique et du chercheur à ce qui constitue leur identité sociale, adhésion de l'enseignant aux textes et aux savoirs qu'il a pour mission de transmettre. Cette adhésion est la mesure de l'engagement de ceux qui font vivre la littérature. Mais elle peut également être un piège. Comme la littérature est un objet de passions, souvent chacun se sent en droit d'affirmer avec force des certitudes à son sujet alors qu'en fait ces certitudes ne traduisent qu'une expérience particulière. D'où, comme pour toute certitude, mais plus encore lorsqu'elle naît d'une réaction affective, le besoin d'un regard critique et réflexif. En littérature, rien ne va de soi, rien n'est « sûr ». Aussi un dictionnaire du littéraire peut et doit avoir pour mission de tenir l'esprit en vigilance.

La vigilance est d'autant plus nécessaire à l'heure actuelle que les études littéraires s'organisent autour de propositions très diverses. Les traditions interprétatives sont aussi variées que les mouvements littéraires. Et le nombre des étudiants, des élèves, des professeurs de littérature, et des écrivains et critiques, et plus encore celui des lecteurs curieux, est immense. La multiplicité d'écoles critiques et l'abondance de lecteurs et de pratiquants font que le vocabulaire littéraire prolifère et se disperse. Ce phénomène, somme toute récent – et démocratique –, vient s'ajouter à un usage aussi ancien que la littérature elle-même : elle a eu toujours besoin d'un discours d'escorte. Ces deux faits conjugués induisent une tension : d'un côté, un vocabulaire critique qui se veut un peu précis est vite perçu comme un jargon tandis que de l'autre, comme la littérature est un objet culturel commun, un art élaboré dans la langue commune, il semble que le langage qui la commente, l'explique et la juge soit lui aussi un langage commun. Or, comme il n'en est rien, comme des mots tels que « littérature » ou « critique », ou même « texte » et « œuvre » sont loin d'être transparents, un inventaire s'imposait. Le risque est grand en effet qu'il y ait d'un côté des termes obscurs, perçus comme barbares, et de l'autre des mots banals, perçus comme clairs mais qui ne le sont guère en réalité.

Les écrivains sont, par définition, en droit de jouer avec les mots, de faire jouer les mots et les genres. Encore ont-ils pour cela usage et besoin d'en explorer les significations mêlées. Les amateurs, bibliophiles ou collectionneurs, en chaque époque et aujourd'hui particulièrement, sont nombreux qui accumulent et se transmettent des connaissances ; les bibliothécaires et la critique journalistique sont attentifs à ce qui se publie et ont besoin de faire fonds sur des références exactes. Enfin, l'élève, l'étudiant, le chercheur, le professeur, doivent affronter les ambiguïtés et autant que possible les lever. Pour eux, comme aussi pour le lecteur exigeant, le jugement, la pensée et l'imagination elle-même veulent trouer autant que faire se peut le brouillard des mots.

Dans le monde scolaire et académique d'aujourd'hui, l'enseignement, et en particulier celui de la littérature, fait l'objet de débats vifs, comme jamais sans doute depuis le début du XXe s. : débats sur la nature et sur la fonction du littéraire comme sur les méthodes qu'il convient de lui appliquer, et sur les corpus qu'il faut transmettre. Or jamais les méthodes et les corpus n'ont été aussi hétérogènes. D'autre part, l'organisation académique de la recherche repose sur des savoirs trop souvent peu ou mal liés à ces débats : les traditions disciplinaires (littérature comparée, littérature française, littérature francophone, philologie, rhétorique) et les spécialisations (par périodes, voire par mouvements ou par auteurs) n'accordent guère de place à une vue d'ensemble et à l'histoire de longue durée.

Pourquoi ce dictionnaire critique du littéraire ?

Ces constats appellent des réponses, auxquelles le travail collectif proposé ici voudrait apporter son écot.

Outre l'inventaire des notions, dont on vient de rappeler le besoin, un dictionnaire rend compte d'un état des savoirs, de la recherche, et de l'enseignement. S'impose donc aussi le besoin de prendre en compte l'histoire. Songe-t-on toujours bien que « style » par exemple, tel que nous l'employons aujourd'hui, n'a pris cette acception que depuis un peu plus de cent ans ? Pourquoi a-t-il ainsi évolué ? Et que disait-on auparavant ? Et qu'en est-il des sens de « genre » ?... Dès lors, chaque article entre dans le regard critique sur les notions et les faits, par l'histoire même des mots qui les désignent.

Il s'agit bien ici, quant à la critique et à son lexique, de traiter, à travers elle et lui, de la littérature et de mettre en regard la richesse critique et le trésor littéraire. La confrontation se révèle féconde : en nombre de domaines, l'abondance des réflexions est immense, et de longue date, l'Antiquité ayant donné force matière déjà ; mais en retour, il est frappant de voir combien de vastes chantiers restent à peine ébauchés, voire en attente. Les recherches de demain, nous en sommes convaincus, brasseront la matière littéraire dans son ampleur réelle et donneront à ceux qui la lisent, l'aiment et la transmettent encore plus de forces pour affirmer et assumer leur rôle dans une société attachée aux valeurs humanistes.

Aussi ce dictionnaire-ci, par son exigence de lisibilité d'abord, exprime le souci d'éviter le vocabulaire de la connivence ou le langage réservé aux seuls initiés. Par son économie ensuite, qui a requis de la part de chacun des contributeurs de s'écarter de son domaine de spécialité, il s'efforce à chaque fois de considérer les problèmes dans leur ampleur historique. Ces deux exigences, humilité dans l'écriture et ambition dans l'ouverture, tentent de respecter au mieux l'objet littéraire dans sa diversité et sa complexité, et le lecteur.

En effet, pour avoir quelque chance de dissiper le flou des fausses évidences, il importe de restituer le mouvement même qui a érigé des réactions subjectives en notions, en certitudes, voire en concepts. Ce souci définit la méthode adoptée ici.

Ce dictionnaire ne vise pas à répertorier les termes de tel ou tel courant de critique ou de théorie, mais tous les termes qui s'emploient pour parler du littéraire, pour peu qu'ils soient d'un usage qui ne se borne pas à un essai ou à une micro-spécialité que seuls les initiés connaissent. Un bon millier de mots s'imposaient ainsi. Pour que l'ouvrage reste abordable – de tous les points de vue – il a donc fallu opérer des choix, dessiner des hiérarchies, entre ceux qui feraient l'objet d'un article, ceux qui y renverraient – signe de l'abondance des quasi-synonymes en la matière – et ceux dont l'index permettra de trouver les occurrences réparties au sein des articles.

Une autre hiérarchie s'inscrit aussi dans la dimension respective des articles. Le souci a été de tenir compte des données historiques dans leur ensemble. Ainsi le roman, qui a aujourd'hui une prépondérance manifeste, justifiait une place de premier rang ; mais, historiquement, il n'est pas un genre plus prégnant que d'autres, par exemple l'épistolaire ou le biographique qui, sur la longue durée de l'histoire littéraire, représentent des volumes considérables d'œuvres et des foules de lecteurs et d'usages – ceci sans parler, évidemment, de la poésie, du théâtre et des essais. De même, surtout dans des pays où le système d'enseignement privilégie le commentaire approfondi d'un nombre limité de textes, des pans entiers de la production textuelle demeurent souvent dans l'ombre. Aussi, pour donner une perception globale de la littérature, il convenait d'accorder le même nombre de signes à, par exemple, la littérature populaire, la littérature courtoise et la littérature prolétarienne. Enfin, les termes littéraires n'existent pas dans un ciel empyrée et éthéré d'idées abstraites. Ce qu'ils disent tient du social à maints égards. Les œuvres mettent en jeu la langue, des émotions, des nécessités sociales. Si intime que soit leur expérience intérieure, les écrivains ne sont jamais seuls devant la page puisqu'elle est faite pour être lue. Ils se collettent avec le langage, le discours, les images de la tradition littéraire qu'ils ont intériorisés. Par là même ils entrent dans la socialité dès le premier mot qu'ils tracent. Par ailleurs, pour être en littérature, encore faut-il qu'ils publient : la littérature n'est pas que dans l'âme, ni dans les tiroirs, elle circule. Un répertoire ne peut occulter ces dimensions.

Il ne peut non plus omettre de définir l'extension de son corpus. Comme le lien entre langue et littérature est indissoluble, le domaine dont il est ici question est celui des littératures de langue française. Les faits et phénomènes qui se sont joués et se jouent dans une aire plus large sont pris en compte mais sans prétendre à l'exhaustivité. Il est donc traité ici du littéraire en ce qu'il a de plus général à partir de la langue française.

La diversité des termes et notions ici envisagés et leur répartition sont donc fruits d'un souci de respecter l'histoire. Cette exigence, bien entendu, s'applique à chacune des notions analysées. Puisque tous les termes littéraires ont une histoire, il faut en suivre le fil chronologique pour construire ce qui se joue à chaque moment de leur existence. Le massif des concepts dissimule souvent des inflexions et des traces significatives. Dessiner une genèse, tracer – fût-ce brièvement – un récit des origines et du devenir de chaque notion, et envisager les limites de celle-ci et les divergences qu'elle peut inclure ou susciter, donne une chance de se prémunir des illusions d'optique. C'est la condition même du regard critique. Aussi chaque article donne-t-il, outre les définitions, un parcours historique et un état de la question (dans cet ordre ou l'inverse, selon les cas et selon le choix des auteurs d'articles).

Le soin de souligner les diverses interprétations attachées à une même notion fait apparaître des différences, voire des divergences. La richesse et le risque à la fois sont bien là. De même, entre contributeurs il peut y avoir – il y a – des différences de pensée, de méthodes, de références[1].

1. La diversité des usages en francophonie a ainsi été respectée, notamment en ce qui concerne la féminisation des noms de métiers.

Le souci a été de fédérer les apports en suivant une même démarche et d'unifier autant que possible l'écriture. En retour, la vigilance exige aussi de donner place à ces différences, voire à ces divergences là aussi – on comprendra que nous nous dispensions de donner des exemples, laissant au lecteur curieux le soin de les chercher et de les déceler. Elles sont constitutives de la matière. Non seulement de la critique, mais de la littérature elle-même.

La multiplicité irréductible est aussi la force du littéraire. Et c'est en cela qu'il est si souvent rébellion, fût-elle inconsciente, contre les certitudes et les dogmatismes. C'est en cela qu'il ne se laisse pas enfermer dans une définition. C'est en cela que la littérature est indéfiniment prismatique.

Paul ARON, Denis SAINT-JACQUES, Alain VIALA

Utilisation du dictionnaire

Il est traité ici des mouvements, des registres, des genres, des pratiques, des institutions, des concepts critiques et des questions d'esthétique littéraire. Tous les termes retenus s'entendent dans cette acception littéraire : aussi les lignes que nous consacrons au « cinéma », par exemple, sont-elles bien à entendre comme « cinéma et littérature » et de même pour « peinture », « musique » ou « théâtre ». Le choix a été aussi de prendre en compte l'espace francophone, en fonction de la langue qui est la nôtre – sans exclure les apports d'autres langues et cultures.

Ce corpus n'est pas complet et n'a pas vocation à l'être. Les notions qui ne sont pas reçues dans le discours critique ou qui renvoient à un critique en particulier et les mouvements d'importance secondaire ou qui sont rarement enseignés ou les faits institutionnels trop particuliers ne font pas l'objet d'articles ; en règle générale, les informations majeures les concernant sont accessibles via l'index. Les analyses sont également tributaires de l'état de la recherche : les études sur les différentes zones de la francophonie sont très inégalement partagées : la Belgique, la France, le Québec ou la Suisse bénéficient de travaux précis et nombreux, dont le Maghreb ou les Mascareignes sont encore largement dépourvus (en de tels cas encore, cet ouvrage révèle ainsi des problématiques à explorer).

Les notices comprennent, sauf exception, trois parties principales :

– Une définition *du domaine ou de la notion en une dizaine de lignes au maximum. Elle donne les principales acceptions du terme dans ses usages ancien et contemporain, en mettant, selon les cas, l'accent sur l'évolution du sens ou sur l'intérêt de l'une ou l'autre acception.*

– Un historique *de la notion ou du domaine, présenté de manière chronologique, qui relate l'évolution du concept (de la chose et non pas du mot). Le propos est illustré par les œuvres, les mouvements ou les repères les plus connus ou les plus importants.*

– Une problématique *qui comprend quatre parties – qui ne sont pas toutes obligatoires : 1) thématique (que recouvre, au total, la notion ?) ; 2) rhématique (comment elle en parle ?) ; 3) institutionnelle (dans quel champ, quelle est la légitimité de la notion ou des débats qui portent sur elle ?) ; 4) épistémologique enfin (quel est son lien avec d'autres objets ? Qu'en est-il de la notion dans l'espace de la critique, et de son devenir ?).*

L'ensemble de ces notations peut faire apparaître un parti pris, une position engagée, de l'auteur de l'article, mais toujours à partir des données factuelles aussi précises qu'il se peut.

Par ailleurs, chaque notice est accompagnée d'une bibliographie – délibérément limitée à 5 titres au maximum – et de corrélats ; un index de notions complémentaires figure en fin d'ouvrage.

Remerciements

Le projet n'aurait pu voir le jour ni aboutir sans les personnes qui ont assuré le rôle de coordination rédactionnelle et scientifique ; il doit donc reconnaissance à : Nathalie Aubert, Sereine Berlottier, Isabelle Dumont.

Des amis, des curieux, des critiques perfides et donc exigeants ont aussi bien voulu se faire relecteurs de parties de ce dictionnaire. Nous remercions donc, collectivement et chaleureusement : René Audet, Bruno Blanckeman, Véronique Boulhol, Manuel Couvreur, Isabelle Daunais, Delphine Denis, Michel Fincœur, Pierre Halen, Jean-Jacques Heirwegh, Christina Howells, Anouk Langreney, Karine Lanini, Dinah Ribard, Michèle Rosellini, Marie-Hélène Sabard, Richard Saint-Gelais, Gisèle Sapiro, Jean Valenti, Eric Van der Schueren, Cécile Vanderpelen.

Ces remerciements vont aussi et particulièrement aux auteurs d'articles, pour leur savoir, leur disponibilité, leur participation aux discussions.

Table des entrées

Présentation des auteurs

ADAM Jean-Michel, professeur à l'Université de Lausanne

AMOSSY Ruth, professeur à l'Université de Tel Aviv

ARON Paul, directeur de recherches au FNRS, professeur à l'Université libre de Bruxelles

AUBERT Nathalie, Lecturer Brookes University

AUDET René, doctorant au Centre de recherches sur la littérature québecoise (CRELIQ), Université Laval

BAETHGE Constanze, assistante à l'Université d'Osnabrück

BASCH Sophie, professeur à l'Université de Mulhouse

BEAUDET Marie-André, professeur à l'Université Laval et chercheure au Centre de recherche en littérature québécoise (CRELIQ)

BENOIST Michèle, professeur, docteur de l'Université Paris III-Sorbonne nouvelle

BERNIER Marc André, professeur à l'Université du Québec à Trois-Rivières

BERTRAND Jean-Pierre, professeur à l'Université de Liège

BLOCKER Déborah, membre du Groupe de Recherches Interdisciplinaires sur l'Histoire du Littéraire (GRIHL)

BOISSINOT Alain, inspecteur général de l'Éducation nationale, professeur associé à l'Université de Cergy-Pontoise

BOMBART Mathilde, ATER à l'Université de Montpellier, membre du GRIHL

BORDAS Éric, professeur à l'Université de Paris III

BUSQUE Anne-Marie, doctorante à l'Université de Montréal

CANOVA-GREEN Marie-Claude, professeur à Goldsmiths' College, Université de Londres

CANTIN Annie, étudiante au doctorat et membre du CRELIQ

CARON Pascal, étudiant à l'Université du Québec à Montréal

CAZANAVE Claire, allocataire monitrice normalienne à l'Université Paris III-Sorbonne nouvelle, membre du GRIHL

CERQUIGLINI Bernard, professeur à l'Université de Paris VII, directeur de l'INALF

CHALONGE Florence de, maître de conférences à l'Université de Lille III

CHASSAY Jean-François, professeur à l'Université du Québec à Montréal

CHEVALIER Jean-Frédéric, maître de conférences à l'Université de Reims

CLAISSE Frédéric, doctorant à l'Université de Liège

COLLET Olivier, maître d'enseignement et de recherche à l'Université de Genève

DAUNAIS Isabelle, professeur à l'Université Laval

DÉCARIE Isabelle, chercheure à Harvard University

DELVAUX Martine, professeur à l'Université du Québec à Montréal

DENIS Benoit, assistant à l'Université de Liège

DESJARDINS Lucie, professeur à l'Université du Québec à Montréal

DESSONS Gérard, professeur à l'Université de Paris VIII

DE VOS Wim, assistant à la Bibliothèque royale de Belgique

DEVROEY Maud, étudiante à l'Université libre de Bruxelles

DIAZ José-Luis, professeur à l'Université de Paris VII

DION Robert, professeur à l'Université du Québec à Rimouski et chercheur au CRELIQ

DOMINGUEZ Véronique, maître de conférences à l'Université de Nantes

DUMORA-MABILLE Florence, maître de conférences à l'Université de Paris VII

DURAND Pascal, professeur à l'Université de Liège

FAIVRE-DUBOZ Brigitte, doctorante et chargée de cours à l'Université de Montréal

FOEHR-JANSSENS Yasmina, professeur à l'Université de Genève

FORTIER Frances, professeur à l'Université du Québec à Rimouski

FOURNIER Michel, étudiant à l'Université du Québec à Montréal

FRAGONARD Marie-Madeleine, professeur à l'Université de Paris III

GALAND-HALLYN Perrine, directeur d'études à l'École pratique des Hautes Études (IVe section) et professeur à l'Université de Paris IV

GALLY Michèle, maître de conférences à l'École Normale Supérieure de Lyon

GRAWEZ Damien, doctorant à l'Université catholique de Louvain

GRIHL, Groupe de recherches interdisciplinaires sur l'histoire du littéraire (EHESS-Paris III)

GROJNOWSKI Daniel, professeur à l'Université de Paris VII

GRUTMAN Rainier, professeur à l'Université d'Ottawa, Canada

GUAY Patrick, doctorant au CRELIQ, Université Laval

HAVERCROFT Barbara, professeur à l'Université de Toronto

HERMAN Jan, professeur à la Katholieke Universiteit Leuven

JACKSON John E., professeur à l'Université de Berne

KLINKENBERG Jean-Marie, professeur à l'Université de Liège, membre de l'Académie royale de Belgique

KWATERKO Józef, professeur à l'Université de Varsovie

LANINI Karine, A.M.N. à l'Université de Paris III, membre du GRIHL

LAUDOUAR Isabelle, professeur à la Maison d'Éducation de la Légion d'honneur des Loges

LEBEL Jean, PRAG à l'Université de Valenciennes

LELOUCH Claire, professeur, membre du GRIHL

LETENNEUR Cerise, Allocataire de recherche à l'Université de Paris III

LOICQ Aline, docteur en lettres de l'Université libre de Bruxelles

LUCKEN Christopher, maître de conférences à l'Université de Genève

MAGGETTI Daniel, maître-assistant et chercheur à l'Université de Lausanne

MARZO Stefania, collaboratrice scientifique à la Katholieke Universiteit Leuven

MÉCHOULAN Éric, professeur à l'Université de Montréal

MÉLON Marc-Emmanuel, chargé de cours à l'Université de Liège

MENDELSON David, professeur à l'Université de Tel Aviv

MICHAUX Ginette, professeur à l'Université catholique de Louvain

MICHON Jacques, professeur à l'Université de Sherbrooke

MIMOUNI Isabelle, professeur au lycée de Levallois-Perret

MOLINIÉ Georges, professeur à l'Université de Paris IV

MOLLIER Jean-Yves, professeur et directeur du Centre d'histoire culturelle de l'université de Versailles Saint-Quentin-en-Yvelines

NÉDÉLEC Claudine, maître de conférences à l'Université de Paris III

PARMENTIER Bérengère, maître de conférences à l'Université de Provence

PARUSSA Gabriella, maître de conférences à l'Université F. Rabelais de Tours

PEETERS Kris, assistant à l'Université d'Anvers UFSIA

PERNOT Denis, maître de conférences à l'Université de Nancy II

PERRON Annie, étudiante à l'Université Laval

PONTON Rémy, professeur à l'Université de Paris VIII

POPOVIC Pierre, professeur à l'Université de Montréal

PREUMONT Yannick, professeur de français à l'Université de Rome « La Sapienza »

RANDALL Michael, professeur à l'Université de Brandeis

RANVIER Alain, aspirant de recherches

RIBARD Dinah, professeur au lycée d'Épinay-sur-Seine, membre du GRIHL

RIENDEAU Pascal, chercheur et chargé de cours de l'Université de Toronto

RIOT-SARCEY Michèle, professeur à l'Université de Paris VIII

ROBERT Lucie, professeur à l'Université du Québec à Montréal

ROMAGNOLI Patrizia, assistante à l'Université de Genève

ROOSE Alexander, assistant à l'Université de Gand

ROSIER Jean-Maurice, professeur à l'Université libre de Bruxelles

ROXBOURGH Nathalie, doctorante à l'Université Laval, membre du CRELIQ

ROY Max, professeur à l'Université du Québec à Montréal

SAINT-GELAIS Richard, professeur à l'Université Laval

SAINT-JACQUES Denis, directeur du CRELIQ et professeur à l'Université Laval

SARFATI Georges-Élia, professeur à l'Université de Tel-Aviv

SCHOENTJES Pierre, professeur à l'Universiteit Gent

SEGINGER Gisèle, professeur à l'Université de Strasbourg

SELAO Ching, étudiante à l'Université du Québec à Montréal

SICOTTE Geneviève, docteure en lettres de l'Université de Montréal

TACK Lieven, assistant à la Katholieke Universiteit Leuven

TÉTU Michel, professeur à l'Université Laval, directeur de l'*Année francophone internationale*

THIESSE Anne-Marie, directeur de recherche au CNRS

TOURET Michèle, professeur à l'Université de Rennes II

VAILLANT Alain, professeur à l'Université Paul-Valéry (Montpellier)

VANDERPELEN Cécile, chercheuse à l'Université libre de Bruxelles

VAN DER SCHUEREN Éric, professeur à l'Université Laval

VIALA Alain, professeur à l'Université de Paris III et à l'Université d'Oxford, co-directeur du GRIHL

VIGNES Jean, professeur à l'Université du Maine

VINCENSINI Jean-Jacques, professeur à l'Université Pascal Paoli de Corte

A

ABSURDE

« Absurde » est une notion philosophique exprimée dans *Le mythe de Sisyphe* (1942) par Camus, et conceptualisée par Sartre dans *L'être et le néant* (1943). Mais l'absurde est apparu en premier lieu dans les romans de Sartre, *La nausée* (1938), et de Camus, *L'étranger* (1942) : il désigne un sentiment né du divorce entre l'homme et le monde et du refus de toute espérance.

La solitude et le délaissement des personnages de Sartre et de Camus ne sont peut-être pas d'une absolue nouveauté (on peut notamment penser aux personnages de Céline), mais on décèle dans leurs romans un ton nouveau : le désespoir sans pathétique, la non-appartenance à quelque communauté que ce soit, la dénonciation de l'absurdité de la société, mettent en place une idéologie de l'étrangeté au monde, sorte d'exil intérieur sans transcendance religieuse ou historique. Héros sans passé, Roquentin dans *La nausée* « est un être qui s'éveille à l'existence, coupé de son passé, sans possibilité de retrouver "le temps perdu", privé à tout jamais de ce qui constituait son essence » (G. Poulet). D'une intuition toute corporelle, le héros de *L'étranger*, quant à lui, met en évidence les limites de l'intelligence en même temps que l'insignifiance du réel. Pour reprendre un titre de Camus, l'expérience de l'absurde, c'est avant tout l'expérience d'un *Malentendu* (1944). Exister sans nécessité, agir sans caution, aller à l'aventure dans un monde sans Dieu, sans fin, sans « eschatologie », où la seule certitude est la condition mortelle de l'homme, sont aussi des caractéristiques essentielles du roman beckettien et, par certains aspects, de l'œuvre de Nathalie Sarraute dont le premier ouvrage, *Tropismes*, est contemporain de *La nausée*. Chez Beckett, de *Murphy* (publié en anglais en 1938 et en français dix ans plus tard) à *L'innommable* (1953) en passant par *Molloy* (1951) et *Malone meurt* (1952), c'est toute l'existence humaine qui évolue vers une dissolution dans l'immobilité finale de l'agonie. La fiction elle-même est niée et le roman atteint un équilibre instable : aucune raison pour s'arrêter, mais aucune pour continuer. Les limites d'un genre semblent avoir été rejointes : ensuite, Beckett se consacre surtout à l'écriture dramatique, explorant sur scène l'effondrement généralisé du décor, du temps, des personnages, de l'action, et du langage même. Globalement, l'absurde s'est déplacé d'ailleurs rapidement du roman vers le théâtre.

Parce que l'absurde est une interrogation sur le sens, il est peut-être avant tout une question sur la valeur du langage. Il se définit toujours non tant par absence de sens, mais par l'impossibilité de trouver celui-ci quand on le cherche. Camus remarque que l'absurde naît toujours d'une « comparaison » entre deux ou plusieurs termes disproportionnés, antinomiques ou contradictoires, et « l'absurdité sera d'autant plus grande que l'écart croîtra entre les termes de [la] comparaison » (*Le mythe de Sisyphe*, p. 120). Dès l'origine cependant, il existe des différences entre les deux initiateurs : pour Sartre, exister, c'est « une sorte de péché originel, sans juge, sans faute et sans coupable qui ferait qu'on se découvre tombé dans l'existence » (G. Poulet), tandis que l'absurde exige, pour Camus, « qu'on n'y consente point » (*Le mythe de Sisyphe*, p. 124). C'est par quoi ce dernier finalement s'oppose au nihilisme nietzschéen dont il hérite cependant en partie – dans la récusation de toute transcendance notamment – parce qu'il est fait d'« adhésion totale à une nécessité totale ». Pour Camus en effet, le sentiment individuel de l'absurde doit se transformer en sentiment collectif de révolte : « Je me révolte donc nous sommes » (*L'homme révolté*, 1951). Il revient peut-être davantage à des écrivains comme Beckett et Sarraute d'avoir lié ce problème à une interrogation sur le langage, un retour sur ses moyens. En effet, si les personnages de Beckett se racontent des histoires absurdes, incohérentes, indiquant par là le renoncement de l'auteur aux éléments traditionnels du roman, cela ne veut pas dire qu'il renonce pour autant à la littérature. Son œuvre fascine par la présence anonyme, ténue mais obstinée, de cette voix que l'on entend prononcer inlassablement ces mots absurdes. De même, c'est à partir d'une réflexion sur le roman et d'une recherche sur le langage que Nathalie Sarraute a mis en évidence, dans ses œuvres, l'absurdité de l'existence humaine qui se résume, semble-t-il, à « des efforts vagues pour faire quelque chose qu'on devine dans l'ombre » (Sartre). La lignée philosophique née de Kierkegaard et de ses interrogations pessimistes sur le manque de sens se trouve ainsi inscrite au cœur même du langage.

▶ AMIOT A.-M., MATTÉI J.-F., *Albert Camus et la philosophie*, Paris, PUF, 1997. — « S. Beckett », *Cahiers de l'Herne*, Paris, L'Herne, 1976 — CAMUS A., *Le mythe de Sisyphe*, Paris, Gallimard, [1942, 1965], 1990. — POULET G., *Études sur le temps humain, 3. Le point de départ*, Paris, [Plon, 1964], Presses Pocket, 1990. — ROSSET C., *Le réel, traité de l'idiotie*, Paris, Minuit, 1977.

Nathalie AUBERT

→ *Absurde (Théâtre de l') ; Engagée (Littérature) ; Essai ; Exil ; Existentialisme ; Nouveau Théâtre ; Philosophie ; Roman.*

ABSURDE (Théâtre de l')

« Absurde » est un terme philosophique apparu au XXᵉ s. dans les œuvres de Camus (*Le mythe de Sisyphe*, 1942) et Sartre (*L'être et le néant*, 1943), où il désigne l'absence de sens logique de la condition humaine. Dans le domaine dramaturgique, on a appelé Théâtre de l'absurde une forme d'écriture théâtrale, née après la Seconde Guerre mondiale, qui met en scène l'aspect dérisoire de la condition humaine et bouscule les conventions et les principes du théâtre bourgeois.

Les premières manifestations de ce théâtre adviennent en 1950, avec *La cantatrice chauve* de Ionesco – qui laisse les rares spectateurs perplexes – et *La grande et la petite manœuvre* d'Adamov. Ionesco poursuit avec *La leçon* (1951), *Les chaises* (1952), et *Victimes du devoir* (1953) ; Adamov avec *L'invasion* (1950), *La parodie* (1952) et *Le professeur Taranne* (1953). En 1953 est créé *En attendant Godot* de Beckett, œuvre majeure de ce courant, suivie de plusieurs autres (certaines très brèves), dont *Fin de partie* (1957) et *Oh! les beaux jours* (1961), écrit d'abord en anglais.

On associe parfois à l'absurde des auteurs du Nouveau Théâtre qui, à l'occasion, ont écrit dans le même esprit : Tardieu (*Un mot pour un autre*, 1950), Schéhadé (*Monsieur Bob'le*, 1951), Vian (*Les bâtisseurs d'empire*, 1959), Pinget (*La manivelle*, 1960). Certains critiques y rattachent Genet, mais la plupart préfèrent distinguer sa dramaturgie et l'univers de l'absurde. Hors de France, plusieurs dramaturges ont été vus comme les successeurs d'Adamov, Beckett et Ionesco : l'Anglais Harold Pinter, l'Américain Edward Albee, le Tchèque Vaclav Havel et le Québécois Jacques Languirand.

Après 1955, Adamov renonce à l'« absurde » (terme qu'il récuse) au profit d'un théâtre politique. De même, à partir de *Rhinocéros* (1959), Ionesco propose des pièces plus longues et d'un sens politique ou éthique plus immédiat. La force novatrice de ce théâtre paraît s'être éteinte au milieu des années 1960. C'est aussi le moment de son institutionnalisation : l'absurde a rejoint le répertoire classique contemporain.

L'appellation « théâtre de l'absurde » a été construite en référence au courant philosophique de même nom et par distinction d'avec d'autres courants dramaturgiques. Elle réunit des auteurs qui se veulent individualistes, mais qui présentent plusieurs traits communs : nés à l'étranger et installés à Paris, de langue maternelle autre que le français, ils se trouvent en porte-à-faux à l'égard du théâtre engagé de l'après-guerre qui pose un regard critique sur une société dont ils ne partagent pas l'héritage. Joués dans de petites salles de la Rive gauche, servis par des metteurs en scène qui ont fait de l'avant-garde leur spécialité (Blin, Bataille, Dhomme, Serreau, Planchon), ils se distinguent aussi de la tradition et du Boulevard.

Les pièces concernées, en nombre somme toute restreint, se rejoignent par leur caractère insolite et mêlent de façon inusitée les éléments tragiques et les situations comiques. Les textes sont parodiques, ironiques, cyniques ; ils tendent à réduire l'action théâtrale à presque rien et rejettent toute référence historique, devenant par là le reflet inversé du théâtre engagé. Le personnage est presque toujours un antihéros (Ionesco), un marginal (Beckett) ou un aliéné (Adamov), souvent sans psychologie et sans contours définis. De même, les auteurs font preuve d'une grande suspicion envers le langage et montrent l'impossibilité de la communication. Les dialogues tournent à vide, abondent en clichés, et sont caractérisés par l'excès tant dans le trop (Adamov et Ionesco) que dans le trop peu (Beckett). Il en résulte souvent un théâtre statique, fait de longs silences, que l'on a pu relier au théâtre symboliste : refusant à la fois le réalisme et le naturalisme, le psychologisme et l'engagement, l'absurde se rattache à une dimension métaphysique et non sociologique ou psychologique de la condition humaine. Cette remise en cause des traditions théâtrales s'apparente au dodécaphonisme en musique, au nouveau roman en littérature, à la nouvelle vague au cinéma.

On peut discuter la pertinence de l'appellation « théâtre de l'absurde » et la trouver réductrice ;

elle reste une façon utile de regrouper ces dramaturges qui ont poussé jusqu'à la limite la logique de l'action théâtrale.

▶ BRATER E., COHN R. (dir.), *Around the Absurd. Essays on Modern and Postmodern Drama*, Ann Arbor, Univ. of Michigan Press, 1990. — ESSLIN M., *Le théâtre de l'absurde*, Paris, Buchet / Chastel, 1963. — GAENSBAUER D., *The French Theater of the Absurd*, Boston, Twayne, 1991. — HUBERT M.-C., *Langage et corps fantasmé dans le théâtre des années cinquante*, Paris, Corti, 1987. — JACQUART E., *Le théâtre de dérision*, Paris, Gallimard, [1974], 1998.

Pascal RIENDEAU

→ *Absurde ; Comédie ; Engagement ; Nouveau Théâtre ; Philosophie ; Tragique.*

ACADÉMIES

À l'origine lieu d'enseignement (sens qui l'a emporté dans certains pays), une académie est une société qui rassemble des savants et des lettrés en des réunions réglées.

Le grec *Akadémia* désignait le lieu où Platon enseignait la philosophie. Au Moyen Âge apparurent les linéaments d'une sociabilité lettrée, dans des sociétés de poésie (Jeux Floraux de Toulouse, au XIVe s.). Mais l'histoire des académies commence véritablement à la Renaissance, en Italie. En 1462, Ficin et Pic de la Mirandole fondent un cercle de lettrés humanistes, l'*Academia platonica.* L'essor est dès lors considérable, et l'Italie en compte jusqu'à plusieurs centaines au XVIe s. Deux tendances distinctes se dessinent ensuite. L'une, liée à l'encyclopédisme humaniste, consiste en des réunions privées touchant à toutes sortes de savoirs : tel fut par exemple en France le cercle des frères Dupuy, au début du XVIIe s. L'autre consiste à former des groupes spécialisés. Ainsi l'*Academia della Crusca*, à Florence (1582) avait pour but la promotion du toscan, et l'Académie française (1635), celle de la littérature et de la langue françaises – par la rédaction d'un dictionnaire, d'une grammaire, d'une poétique et d'une rhétorique. Cette seconde tendance, qui contribue à la division du champ intellectuel en disciplines distinctes, l'emporte en France dans les académies d'État, telles, outre la française : l'Académie Royale de peinture et de sculpture (1648), l'Académie des sciences (1666) et, aussi, la « Petite Académie » (1663) d'abord vouée aux éloges de Louis XIV, puis devenue Académie des Inscriptions et Belles-Lettres (1701)... Sur le modèle français, des académies d'État se multiplient en Europe (1662 : *Royal Society*, 1700 : Académie de Berlin...). À l'Académie française, les travaux avancent peu, même pour le dictionnaire, le plus dynamique des projets, qui n'aboutit qu'après des ouvrages concurrents. À la fin du XVIIe et au XVIIIe s., les académies de province se développent. Réunions de lettrés et de notables, elles se mettent souvent sous la protection des autorités et demandent leur affiliation aux académies royales. Elles servent de relais aux idées des Lumières (par leurs publications et les correspondances de leurs membres) autant qu'elles assurent une « fonction de cohérence sociale et surtout linguistique » (Roche). Mais elles deviennent souvent des lieux de conservatisme social, politique et esthétique. La dissolution des académies royales à la Révolution, puis leur réorganisation par Napoléon en Institut de France, accentuent cette tendance. Au XIXe et XXe s., alors que se multiplient des instances de consécration littéraires concurrentes – ainsi la fondation de la « contre-Académie » Goncourt (1902), destinée d'abord à aider de jeunes romanciers inventifs – et que la professionnalisation des écrivains s'accroît, les académies, et en premier lieu l'Académie française – puis aussi la Goncourt à son tour – apparaissent davantage encore comme des bastions d'une orthodoxie intellectuelle et littéraire.

Institutions de la vie littéraire, les académies sont des formes de sociabilité intellectuelle, qui se différencient d'une part de pratiques festives traditionnelles – qui persistent pour certaines : concours poétique pour les Jeux floraux, banquet pour l'Académie Goncourt, par exemple –, et d'autre part des salons. Elles sont des lieux de reconnaissance et de soutien mutuel, mais, à la différence des autres cercles et cénacles, elles disposent de règlements écrits et d'un rituel, qui visent à les instituer comme des « corps ». Leur recrutement est socialement homogène : amateurs et notabilités locales en province, et, à l'Académie française, intellectuels renommés mais aussi hauts dignitaires – l'intronisation peut couronner une carrière sans grand lien avec la littérature. Apparaît là l'ambiguïté de leur lien aux pouvoirs. Elles-mêmes instances de consécration et d'édiction de normes lexicales et littéraires, donc de pouvoir symbolique, les académies contribuent à l'autonomie du champ intellectuel ; mais, institutions officielles, elles sont dépendantes du politique : aussi, si le mythe d'une indépendance préservée par l'esprit de corps persiste (Fumaroli), leur recrutement et la recherche de protections inféodent ces institutions aux pouvoirs (Sapiro). En France, le rôle de la langue et de la littérature dans la définition de l'identité nationale rend ce problème sensible : en témoigne la virulence des débats autour du conservatisme orthographique des académiciens.

▶ FUMAROLI M., « La Coupole », in *Trois Institutions littéraires*, Paris, Gallimard, [1986], 1994. — MERLIN H., *L'excentricité académique*, Paris, Les Belles-Lettres, 2001. — ROCHE D., *Le siècle des Lumières en province. Académies et académiciens provinciaux, 1680-1789*, Paris, Éd. de l'EHESS, 1978. — SAPIRO G., *La guerre des écrivains, 1940-1953*, Paris, Fayard, 1999. — YATES F., *Les Académies en France au XVIe siècle*, Paris, PUF, [1947], 1996.

Mathilde BOMBART

→ *Champ littéraire ; Dictionnaire ; État ; Institution ; Langue française ; Norme ; République des lettres ; Salons ; Sociabilité.*

ADAPTATION

Conçue au sens le plus large, l'adaptation est une pratique de transposition d'une œuvre (texte ou image) d'un mode d'expression vers un autre. Ainsi comprise, et bien que ce soit son terrain privilégié, l'adaptation ne concerne pas seulement la littérature, mais l'ensemble des arts dont elle décloisonne le territoire. L'usage courant emploie cependant « adaptation » pour désigner plus spécifiquement la transposition d'un texte littéraire en un spectacle (cinéma, télévision, et théâtre ou opéra lorsqu'il s'agit de textes qui ne relèvent pas de ces genres) ou en des ouvrages en images (la bande dessinée, le roman-photo).

Innombrables sont les œuvres qui ont été adaptées, à commencer par les textes mythiques (d'*Œdipe* à *L'Odyssée*, du *Maha-Bharata* aux *Évangiles*), les classiques du patrimoine littéraire mondial (d'*Hamlet* à *Moby Dick*, de *Don Quichotte* à *Dracula*, de *Faust* aux *Misérables* ou à *Germinal*, y compris les œuvres réputées « infilmables » comme *À la recherche du temps perdu*) mais aussi l'énorme production paralittéraire – l'excellente comme la médiocre – où scénaristes et adaptateurs ont largement puisé des récits complets, des personnages ou des situations narratives qu'ils ont transformés, pour le meilleur (les films noirs inspirés des romans de la même veine) ou pour le pire (la plupart des adaptations de Simenon par exemple).

L'adaptation remonte à l'Antiquité et à la tragédie grecque, qui emprunte ses sujets aux mythes et aux poèmes épiques. L'*Œdipe roi* de Sophocle transpose une légende thébaine, retranscrite au VIIIᵉ s. par le poète Kinethon. Au Moyen Âge, puis à la Renaissance, les *Mystères* et les *Miracles*, dans lesquels le spectaculaire domine le littéraire, adaptent les Saintes Écritures (*Le mystère de la Passion, Le mystère des Actes des Apôtres*) ou les Vies de Saints. Le théâtre élisabéthain (ainsi le *Docteur Faustus* de Marlowe), le théâtre classique français (par exemple, Racine écrit *Esther* et *Athalie* en adaptant des passages de la *Bible*) jusqu'au théâtre réaliste de Zola qui adapte ses propres romans (*L'assommoir*, par exemple) font aussi de l'adaptation une pratique courante. De même l'opéra, de Monteverdi (*Orfeo*) à Rossini (*Le Barbier de Séville*, d'après Beaumarchais), de Verdi (*Rigoletto*, d'après Hugo) à Alban Berg (*Woyzeck*, d'après Büchner) décline d'innombrables adaptations à travers toute son histoire. C'est cependant au cinéma que l'adaptation est devenue systématique, et cela dès son origine. À la différence du théâtre et de l'opéra, le cinéma est une industrie qui a des exigences de productivité. Très tôt, le besoin d'histoires prêtes à être tournées s'est fait sentir et, dès 1896, Méliès adaptait, à côté de ses propres spectacles de magie, les mythes et les légendes (*Faust et Marguerite*, 1897 ; *Pygmalion et Galatée*, 1898) ou certaines fables de La Fontaine (*La cigale et la fourmi*, 1897). Les chefs-d'œuvre de la littérature romanesque et théâtrale, réduits à de simples canevas, sont largement exploités. En 1900, Sarah Bernhardt interprète *Hamlet* dans un film de Clément Maurice. Mais c'est avec la vogue du « Film d'art », à partir de 1908, que l'adaptation devient une pratique courante, destinée à conquérir un public bourgeois et instruit qui boudait le cinéma jusqu'alors. On porte à l'écran les pièces à succès, souvent interprétées par les comédiens de théâtre qui les avaient jouées sur scène, et la littérature romantique dont certaines œuvres – *Les misérables* par exemple, adaptés dès 1907 et dont on a tiré plus d'une trentaine de versions – révèlent une structure romanesque particulièrement adéquate au cinéma (certains parleront même, abusivement, d'une nature « pré-cinématographique » de cette littérature). Au fil de l'histoire du cinéma, les auteurs les plus fréquemment adaptés sont Shakespeare, Dumas père, Dickens, Tolstoï, Hugo, Balzac, Pouchkine, Jack London, Zola, Dostoïevski. Souvent c'est la popularité des œuvres, plus que leur qualité littéraire, qui justifie leur adaptation au cinéma, lequel, en retour, contribue à les faire connaître auprès d'un public de plus en plus large. Cette popularité gomme les distinctions entre littérature savante et littérature populaire, cette dernière partageant avec le cinéma ses conditions de production commerciale à grande échelle. La structure en épisodes du roman-feuilleton, idéale pour fidéliser un public – voir le succès remporté par le *Fantômas* de Marcel Allain et Pierre Souvestre et sa magistrale adaptation par Louis Feuillade en 1913 –, convient au cinéma (puis à la télévision) qui l'applique aux adaptations des œuvres d'une certaine longueur.

Bien que proche dans son principe, l'adaptation se distingue des autres formes d'intertextualité que sont la traduction, l'imitation, la reprise, la continuation, la citation, le plagiat, la parodie, le pastiche, ou encore le *remake* cinématographique. L'adaptation n'est pas seulement une appropriation d'un texte source, elle est une transposition, un transfert d'une forme artistique vers une autre (du poème à la chanson, de l'épopée au théâtre, du roman au cinéma, du conte à la bande dessinée, etc.) et donc d'un langage vers un autre, ce qui implique une sorte de traduction. Dès lors, on ne peut pas dire que Corneille « adapte » la pièce de Guillén de Castro quand il écrit *Le Cid* ou que Molière « adapte » Tirso de Molina quand il écrit *Dom Juan*. L'un et l'autre s'emparent d'un texte écrit pour le théâtre, le réécrivent, l'imitent, mais en conservent forcément la théâtralité. Cependant, l'usage n'a que faire de ces distinctions, car l'adaptation, comme l'imitation ou la reprise, implique forcément une relation hypertextuelle à l'œuvre de départ, et un travail de transformation plus ou moins important. C'est pourquoi certains diront que La Fontaine « adapte » Ésope ou Phèdre, alors qu'il se maintient dans le cadre bien défini de la fable, et que Vigny « adapte » l'*Othello* de Shakespeare en écrivant *Le More de Venise*, alors qu'il le traduit assez fidèlement.

Le problème de l'adaptation est un faux problème, selon François Truffaut. C'est pourtant lui qui, dans des diatribes demeurées célèbres à l'encontre des adaptateurs dans la « Tradition de la Qualité » que connaissait le cinéma français dans les années 1950, pose la question de l'adaptation en termes de morale, de fidélité (ou de trahison) à la lettre ou à l'esprit du texte source. Il reproche à Aurenche et Bost, adaptateurs de Gide, Colette, Bernanos ou Radiguet, de prétendre être fidèles à l'esprit du texte tout en le dénaturant et en lui substituant leur propre discours. Effectivement, on trouve dans leurs scénarios une même thématique anarchisante et anticléricale. L'adaptation systématique d'auteurs différents par les mêmes adaptateurs a donc pour effet d'éradiquer les différences entre les œuvres littéraires et d'en effacer ce qui fait leur singularité : le style. Truffaut prône un cinéma qui ne nie pas la littérarité de son texte source, ce qu'André Bazin appelait « un cinéma impur » et dont le modèle était, pour lui, l'adaptation du *Journal d'un curé de campagne* par Robert Bresson, dans un film dont l'intention était de suivre le livre page par page, sinon phrase par phrase. Dans ses propres adaptations des romans d'Henri-Pierre Rocher, Ray Bradbury ou William Irish, Truffaut tente de conserver le caractère littéraire de son récit, notamment par l'utilisation d'une voix-off lisant des fragments du texte original. Cependant, le respect du texte d'origine semble être aujourd'hui un problème dépassé. Truffaut lui-même reconnaît, en citant Carlo Rim, qu'« une adaptation honnête est une trahison ». Une adaptation cinématographique, parce qu'elle visualise le texte littéraire, y introduit par la force des choses un basculement d'images à construire par le lecteur en images données toute faites au spectateur. De plus, elle impose un regard appartenant à une autre époque, une autre culture, une autre sensibilité. Quand Welles filme *Macbeth* en respectant la théâtralité du texte de Shakespeare, il réalise une œuvre aussi wellesienne que shakespearienne. Qu'on le veuille ou non, la fidélité d'une adaptation à son texte de départ est un leurre. Seuls comptent encore les modalités du transfert, les choix esthétiques qu'il suppose, et l'honnêteté de les afficher.

▶ BAZIN A., « Pour un cinéma impur », in *Qu'est-ce que le cinéma ?*, Paris, Le Cerf, 1959. — CLERC J.-M., *Littérature et cinéma*, Paris, Nathan, 1993. — GENETTE G., *Palimpsestes. La littérature au second degré*, Paris, Le Seuil, 1982. — HELBO A., *L'adaptation. Du théâtre au cinéma*, Paris, Armand Colin, 1997. — VANOYE F., *Récit écrit, récit filmique*, Paris, Nathan, 1989 ; *Scénarios modèles, modèles de scénarios*, Paris, Nathan, 1991.

Marc-Emmanuel MÉLON

→ *Cinéma ; Image ; Intertextualité ; Parodie ; Pastiche ; Scénario ; Traduction.*

ADHÉSION

En son emploi le plus courant, « adhésion » connote l'approbation donnée à une doctrine, une idéologie ou une esthétique dominantes. Mais obtenir l'assentiment, l'approbation ou le ralliement de tout ou partie du public constitue aussi la finalité de la création artistique ou littéraire : « adhésion » désigne donc l'ensemble de ce phénomène, y compris dans ses aspects aléatoires (approbation obtenue ou non). Comme telle, elle représente une problématique majeure de la littérature et de l'esthétique – même quand elle est considérée comme une fin en soi et allant de soi.

Selon P. Ricœur, les formes de la fiction ou des images littéraires construisent des schèmes de perception du monde qui rendent celui-ci intelligible et pensable. Elles sont donc des éléments de la communauté de représentations qui assure l'adhésion, au moins minimale, des hommes à une collectivité culturelle. Mais cette problématique peut et doit aussi être envisagée de façon historique et, pour partie au moins, différentielle. Depuis l'Antiquité, dans l'art rhétorique, la finalité du discours est d'emporter l'adhésion des auditeurs. Pour la poésie, Platon associait le Beau (donc l'assentiment esthétique, le plaisir), le Vrai et le Bien, et entendait régir les arts (le Beau) selon le Bien défini par les philosophes. La finalité de la poésie a été très longtemps envisagée de la sorte, selon une logique que résume l'*utile dulci* (Horace). Généralement traduit par « plaire et instruire », il renvoie doublement à l'idée d'adhésion : le plaisir esthétique y suppose l'assentiment – le partage d'un même goût – et l'instruction implique l'approbation ou le ralliement à une façon de voir, à une éthique. Dès lors, l'adhésion peut être une idéologie qu'un pouvoir établi impose ou prône : alors, elle est la finalité de la littérature officielle. Mais plus largement, elle est participation à une doxa. La modalité de création correspondante est en de tels cas l'imitation de modèles établis en classiques. Ces modèles peuvent être reconnus à l'échelon de toute une société (ainsi les classiques dans les programmes scolaires) ou par un groupe plus restreint. La problématique de l'adhésion renvoie donc aux questions du goût et de l'esthétique. Révélatrice à cet égard, la *Lettre sur la règle des 24 h* de Chapelain fonde la nécessité des unités dans la tragédie sur le besoin de vraisemblance. Mais celle-ci se traduit par un argument de bienséance sociale autant que par une qualité de nature : l'unité de temps – et par suite celles de lieu et d'action – correspond, dit-il, à ce qui satisfait le goût des « gens de bien ». Et il oppose ce goût à celui – mauvais – de la « canaille » populaire. L'adhésion à un plaisir implique ainsi la participation à un goût, qui implique à son tour la participation à une façon de penser ou d'être, et, ici, à une distinction sociale. En retour, le contraire dialectique de l'adhésion, l'opposition (le conflit, le discord, la rébellion), constitue aussi une modalité permanente de la création littéraire : face aux modèles établis, l'invention novatrice se réalise souvent par un geste de rupture, rupture esthétique et rupture idéologique allant souvent – mais non obligatoirement – de pair. La définition de l'esthétique comme plaisir du Beau éprouvé « gratuitement », c'est-à-dire sans finalité éducative (un « plaire » n'impliquant plus nécessairement un « instruire ») à partir du XVIIIe s. dissocie en apparence l'adhésion par le goût et l'adhésion idéologique. Mais la question resurgit sous une autre forme : quand la littérature remet en cause, sans cesse, les formes d'adhésion esthétique établies, par là même, elle remet en jeu des implications idéologiques dont elles sont porteuses. Ainsi Hugo prône le mélange du grotesque et du sublime, contre la distinction classique des genres, pour manifester l'incertitude du sort de l'homme dans l'histoire : le changement esthétique traduit un changement dans la façon de concevoir la condition de l'homme. Aux XIXe et XXe s., les avant-gardes littéraires se sont manifestées par des gestes de rupture avec les cadres de pensée et de sensibilité dominants, donc dans des actes de refus d'adhésion. L'absurde, puis le Nouveau Roman, en témoignent encore après la Seconde Guerre mondiale. Les effets d'adhésion mettent ainsi en mouvement les valeurs portées par les formes et les manières. Celles-ci désignent des postures, des images de l'écrivain, des éthos. Le partage de ces éthos est fondateur de la connivence au sein du champ littéraire. Mais l'importance des gestes de réitération d'adhésion aux modèles en place ou de rupture va au-delà. En France, le développement de la laïcité a transféré sur l'école et la littérature des valeurs communes de référence, auparavant davantage assumées par la religion, donc un enjeu identitaire. Dès lors, les tensions sur les effets de connivence induits par le partage de sensibilités et goûts littéraires sont d'une portée qui dépasse le seul champ littéraire, et qui fait de la littérature un espace symbolique dont l'adhésion représente l'enjeu central. Ainsi, dans les anciennes colonies ou outre-mer, le maintien ou la rupture des modèles établis dans l'ex-(la) métropole, manifestent fortement la dialectique entre l'adhésion à une communauté linguistique et le rejet de l'identification au seul modèle français. En France même, l'adhésion des lecteurs lettrés aux modèles instaurés par la sphère restreinte du champ littéraire – notamment l'art pour l'art – a pu induire un sentiment d'exclusion et de malaise de la part d'une majorité qui ne peut avoir, en pratique, les mêmes formes et objets d'adhésion.

▶ EAGLETON T., *Théorie de la littérature, une introduction*, trad. fr., Paris, Le Seuil, [1983], 1993. — RANCIÈRE J., *Le partage du sensible*, Paris, La Fabrique, 2000. — RICŒUR P., *La métaphore vive*, Paris, Le Seuil, 1975 ; *Temps et récit*, *ibid.*, 1983.

Alain VIALA

→ *Affects ; Catharsis ; Esthétique ; Éthos ; Goût ; Idéologie ; Littérature ; Plaisir littéraire ; Société ; Utilité.*

AFFECTS

Le terme « affect » vient du latin *affectus*, signifiant « état, disposition de l'âme ». Il apparaît au XIIe s. comme synonyme de sentiment ou passion. À la fin du XIXe s., son emploi se généralise pour traduire le terme allemand *affekt* employé par la psychanalyse pour désigner une charge émotive entravant la liberté de l'esprit et troublant l'équilibre psychique d'un être. L'usage actuel lui accorde donc un sens étendu.

L'Antiquité analysait les phénomènes affectifs en termes de passions et d'humeurs. Elle les liait étroitement à la poésie : dans sa *Poétique*, Aristote a notamment défini le spectacle tragique en fonction des deux principales émotions ressenties par le spectateur, la terreur et la pitié, moyens de la catharsis. Elle les liait également à la rhétorique, l'orateur devant faire naître chez ses auditeurs des émotions propres à entraîner leur adhésion. La philosophie moderne reprit d'abord les termes antiques : ainsi le *Traité des passions* de Descartes, puis Spinoza, Malebranche, Maine de Biran, notamment. Kant (*Critique de la faculté de juger*, remarque sur le § 29) distingue les affects, sentiments irréfléchis et fugaces (par exemple la colère), des passions, durables et qui assujettissent la raison en profondeur (comme la haine). Au même moment, la littérature sentimentale est en essor : la poésie lyrique, qui offre une peinture de l'âme en imitant des sentiments et non des actions, met en lumière des affects de l'auteur. Le romantisme leur donne une place majeure, tandis qu'à l'inverse l'art pour l'art préconise l'« impassibilité ». Wundt, fondateur de la psychophysiologie et de la psychologie expérimentale, reprend alors l'analyse des correspondances entre les phénomènes psychiques et physiologiques. Puis Freud accorde aux affects une fonction déterminante puisqu'il les place au cœur du mécanisme des névroses en considérant l'hystérie, l'obsession et l'angoisse comme trois conséquences des modifications qu'un état psychique subit par l'effet des affects. Les surréalistes ont accordé la plus grande attention à ses hypothèses, et la littérature s'est ensuite souvent nourrie des apports de la psychanalyse.

Dans le domaine de la littérature, l'omniprésence des affects est manifeste à travers la question des émotions à éveiller dans le cœur du lecteur ou du public. Les théories médicales qui remontent à l'Antiquité et qui préconisent l'équilibre entre les quatre humeurs (la bile jaune, l'atrabile, le flegme et le sang) définissent des « caractères » en leur associant les affects correspondants. Ainsi, elles ont permis de théoriser des éthos de personnages et d'auteur, mais aussi les catégories d'émotions esthétiques. Mais dans la *Poétique* d'Aristote et dans les traités de rhétorique se dessine une codification des affects à solliciter chez les auditeurs ou spectateurs (le pathos). En effet, ils se rattachent à l'un des trois moyens assignés à la rhétorique : *movere* (émouvoir). Chacun des trois domaines de l'action rhétorique définis par Aristote correspond à des affects dominants : le judiciaire (accuser ou défendre) suscite sévérité ou douceur ; le délibératif (persuader ou dissuader) provoque espérance ou crainte ; le démonstratif (louer ou blâmer) engendre l'admiration ou l'indignation. Cicéron distingue, de même, les principales émotions qu'un orateur doit faire naître chez son public : la colère et la plainte, la crainte et la violence, enfin la joie et l'abattement (*De oratore*). La rhétorique des passions constitue ensuite une longue tradition, que les jésuites en particulier ont contribué à entretenir. La littérature, indissociable de la rhétorique – en particulier du registre épidictique –, est aussi un art des affects. Tel est le cas de la catharsis, mais aussi de l'épopée et de la poésie héroïque, où l'admiration est prépondérante. Dans le *Traité du Sublime* (pseudo-Longin vers le Ier s. de notre ère), l'auteur exclut les passions basses (lamentations, chagrins, craintes), l'enflure et la froideur, pour privilégier la grandeur et l'élévation : la passion généreuse suscite une émotion qui inspire le sentiment du sublime. L'*ekphrasis* (description détaillée) et l'hypotypose (mise en lumière de l'objet décrit) relèvent aussi de la rhétorique des affects puisque les émotions naissent des « représentations mentales » : ces figures jouent un rôle essentiel dans la poésie lyrique, invitant le lecteur ou auditeur à partager les affects de l'auteur. Mais le jeu des affects est aussi central dans certaines théories de l'inspiration. Platon (*Ion*) estime que l'émotion doit circuler comme par magnétisme de l'« enthousiasme » par lequel les dieux se saisissent du poète à l'œuvre et de l'œuvre aux spectateurs (mythe de la pierre aimantée d'Héraclée). Aristote insiste davantage sur le rôle de la mélancolie : un tempérament en proie à l'inquiétude et à l'angoisse est propice à la création. L'idée de « génie » au sens moderne du terme s'est emparée de cette façon de voir. Né sous le signe de Saturne, proche de la folie, le mélancolique accède au statut du grand homme (héros tragiques, romantiques, mais aussi artistes et poètes). L'image du poète mélancolique est une constante en littérature, de Du Bellay et Tristan l'Ermite, par exemple, à Verlaine (*Poèmes saturniens*, 1866) notamment.

▶ GALAND-HALLYN P., *Les yeux de l'éloquence (Poétiques humanistes de l'évidence)*, Orléans, Paradigme, 1995. — GREEN A., « L'Affect », *Revue française de psychanalyse*, XXXIV, sept. 1970, p. 885-1169. — KIBÉDI VARGA A., *Rhétorique et littérature*, Paris, Didier, 1970. — KLIBANSKY R., PANOFSKY E., SAXL F., *Saturne et la mélancolie*, trad. F. Durand-Bogaert et L. Evrard, Paris, Gallimard, [1939-1964], 1989. — PLETT H. F., *Rhetorik der Affekte (Englische Wirkungsästhetik im Zeitalter der Renaissance)*, Tübingen, 1975.

Jean-Frédéric CHEVALIER

→ *Anthropologie ; Catharsis ; Esthétique ; Éthos ; Génie ; Humeurs ; Inspiration ; Mélancolie ; Passions ; Réception ; Registres.*

AFRIQUE SUBSAHARIENNE

L'Afrique francophone sahélienne et subsaharienne correspond aux anciennes colonies françaises et belges d'Afrique occidentale et centrale. Elle compte une importante littérature en langue française apparue sous la colonisation mais largement développée depuis l'indépendance de ces pays.

Les premières manifestations de la littérature sahélienne et subsaharienne de langue française remontent à la fin du XIXe s. L'essai (Stefano Kaoze, dès 1911) et le conte traditionnel adapté à l'écrit en sont les formes dominantes. Du côté des Européens, l'intérêt pour la culture africaine est inséparable du modernisme artistique du début du XXe s. Cendrars découvre l'abondante littérature ethnographique qui existait déjà lorsqu'il publie son *Anthologie nègre* (1919). Le prix Goncourt attribué à *Batouala* de René Maran en 1921, suivi de *Force Bonté* de Bakary Diallo en 1926 sont les signes d'une première reconnaissance. Avec des œuvres locales anticoloniales (*La violation d'un pays* par Lamine Senghor, 1927), puis avec *Pigments* (1937) du Guyanais Léon Damas, prend forme le mouvement de la Négritude : la revue l'*Étudiant noir* (fondée en 1931) et le *Cahier d'un retour au pays natal* du Martiniquais Aimé Césaire (1939) en affirment la force, en un déploiement auquel participe le Sénégalais Léopold Senghor (*Chants d'ombre*, 1945). Naissent alors une multitude d'œuvres poétiques qui font entendre la voix révoltée de la culture africaine. Cette prise de conscience se mue en un combat pour l'indépendance : ainsi notamment les Camerounais Mongo Beti (*Le pauvre Christ de Bomba*, 1956) et Ferdinand Oyono (*Le vieux nègre et la médaille*, 1956).

Après 1960, année-pivot des indépendances de la plupart des pays d'Afrique, les écrivains cherchent leur voie entre l'enthousiasme militant et la prudence qu'imposent leurs nouveaux gouvernements. Ils se penchent sur la difficulté de concilier la tradition et le progrès : *L'aventure ambiguë* (1961) de Cheikh Hamidou Kane (Sénégal) et de gérer la nouvelle liberté des pays africains – *Les soleils des indépendances* (1968) d'Ahmadou Kourouma (Côte-d'Ivoire) apparaît à tous égards comme un ouvrage charnière. Ils font le procès de cette nouvelle Afrique en mal de cohérence et d'organisation, dont, entre autres, le Congolais V. Y. Mudimbe s'est fait à la fois le romancier et l'essayiste. La littérature qui en résulte est marquée par le nationalisme de ses écrivains, par une africanisation du vocabulaire et de la syntaxe, et par l'intégration de l'oralité dans l'écrit (Amadou Hampâté Bâ).

Depuis les années 1980, la littérature africaine s'est fortement renouvelée et affiche ce que les critiques nomment volontiers de « nouvelles écritures ». Elle mise notamment sur la parodie et le burlesque pour prendre ses distances avec les modèles culturels transmis par l'enseignement et traduire la dureté des relations sociales africaines. Les œuvres (notamment de Calixthe Beyala et de Sony Labou Tansi) sont marquées par l'hyperbole et le grotesque.

La littérature traditionnelle, orale, mais également écrite (en arabe ou en amharique notamment), remonte très loin en Afrique : des épopées du XVe s. sont toujours vivantes (*Soundiata*) et les générations se transmettent contes, légendes, devinettes ou proverbes. Mais en langue française, la littérature est récente, née de l'appropriation de genres occidentaux comme l'essai, d'abord journalistique, le récit autobiographique, et l'oralité écrite. Encouragés par les colonisateurs, ils permettent cependant d'exprimer des griefs et des doléances, voire d'affirmer une personnalité. Après 1960, le français se généralise via l'instruction scolaire. Étant donné le grand nombre de langues vernaculaires et les difficultés économiques, il s'impose plus ou moins selon les pays en s'adaptant aux conditions locales, permettant une expression originale tout en maintenant le contact avec le reste de la francophonie. Les Africains tendent alors à libérer leur écriture des modèles occidentaux et à utiliser un langage qui puise autant dans l'oral traditionnel – qui se retrouve notamment sous forme de récits inclus – que dans la découverte d'une langue délivrée des impératifs scolaires de rédaction, plus proche donc des ressources de la langue parlée actuelle.

La vie littéraire a été animée par *La voix du Congolais* (1945-1959) et *Présence universitaire* (1959-1971) au Congo belge, ou par la revue d'Alioune Diop, *Présence africaine* (devenue maison d'édition à Paris). Dans les années 1970, l'espoir de créer un marché littéraire africain a été un moment crédible, mais il s'est étiolé dans les années suivantes, en raison des conflits politiques et d'un niveau de scolarisation qui stagne ou souvent recule. La production contemporaine est caractérisée par l'existence d'un « double marché », local et européen (surtout parisien), dont les valeurs et les attentes peuvent être différentes et engendrer ainsi des conflits entre centre et périphérie. Cet éclatement va de pair avec un éclatement des lieux de légitimation qui rend ces littératures, malgré leur dynamisme, encore très fragiles.

▶ BOKIBA A-P., *Écriture et identité dans la littérature africaine*, Paris, L'Harmattan, 1999. — CHEVRIER J., *Littérature nègre*, Paris, Armand Colin, 1984. — KANE M. K., *Roman africain et traditions*, Dakar, Les Nouvelles Éditions Africaines, 1982. — KAZI-TANI N.-A., *Roman africain de langue française au carrefour de l'écrit et de l'oral. Afrique noire et Maghreb*, Paris, L'Harmattan, 1995. — MOURA J.-M., *Littératures francophones et théorie postcoloniale*, Paris, PUF, 1999.

Michel TÉTU, Anne-Marie BUSQUE

→ *Centre et périphérie ; Coloniale (Littérature) ; Francophonie ; Oralité ; Postcolonialisme.*

ALGÉRIE → Maghreb

ALLÉGORIE

Du grec *allos* « autre » et *agorein* « parler », le terme renvoie à un procédé littéraire selon lequel, en parlant d'une chose, on parle d'autre chose. Dès l'origine donc, l'allégorie est, du point de vue strictement littéraire, une sorte de métaphore continuée. Mais elle représente aussi bien un procédé d'interprétation.

Les théologiens chrétiens du Moyen Âge ont suivi une tradition selon laquelle l'allégorie était un moyen pour relire des textes plus anciens, et ils ont fait de cette pratique littéraire un moyen de déployer les différents sens cachés des textes sacrés. Les auteurs médiévaux vernaculaires ne tarderont pas à adapter ce procédé aux textes profanes (comme par exemple dans l'*Ovide moralisé*). À partir des premiers textes en français l'allégorie est utilisée comme mode d'expression pour représenter une idée, ou une notion. Mais dès la fin du XIIe s., et sous l'influence de la pratique de l'allégorie religieuse, elle peut devenir le fondement d'une œuvre toute entière (ex. : *Le château de l'âme* de R. Grosseteste, *L'armure du chevalier* de Guiot de Provins). Les premiers poèmes allégoriques en langue vulgaire datent du XIIIe s. et témoignent de cette laïcisation de l'allégorie religieuse : les référents deviennent de plus en plus proprement littéraires et contribuent à la création d'une véritable rhétorique du double. Il serait impossible d'énumérer les différentes procédures (énumérative, descriptive, narrative, etc.) et les *topoi* qui caractérisent ce genre littéraire au Moyen Âge ; les cadres les plus utilisés sont celui du songe, du voyage, de la bataille ou de la quête. La littérature à sujet plus spécifiquement amoureux, connaît, elle aussi, la tentation allégorique et produit même le chef-d'œuvre du genre avec le *Roman de la Rose* (1220-1240), long poème où l'expérience amoureuse est présentée, dans le cadre d'un songe, comme une aventure à la fois autobiographique et exemplaire. À la Renaissance on cherche encore à objectiver des concepts, des idées par l'image, mais le poème allégorique semble disparaître de la scène littéraire au profit de genres brefs tels les emblèmes. Si les auteurs français abandonnent le genre allégorique, ils ne délaissent pas pour autant l'allégorie, mais elle se restreint à un simple procédé rhétorique dont ils se servent occasionnellement, en particulier dans les éloges de l'autorité royale ou dans les écrits officiels du XVIIe au XIXe s. Allégorie et symbole étaient les deux formes d'un même procédé, notamment au Moyen Âge, mais, à partir du XIXe s., on procède à une distinction nette entre ces deux notions. L'allégorie renvoie ainsi uniquement à un moyen de représenter le réel par des abstractions. Peu appréciée par les positivistes, l'allégorie semble connaître un nouvel essor avec le symbolisme et les correspondances baudelairiennes, si l'on admet qu'il existe un lien historique entre les acceptions anciennes et modernes du mot.

Au Moyen Âge l'allégorie est bien plus qu'une simple figure de style, et les critiques parlent à juste titre d'une esthétique allégorique à propos de cette époque, car le genre allégorique correspondait parfaitement à une vision du monde, à une forme de la pensée. L'allégorie médiévale se fonde en effet sur la conviction qu'il existe un réseau analogique de correspondances entre monde réel et monde des idées, entre humain et divin, chaque élément pouvant être le reflet d'un autre. À partir du moment où cette lecture du monde n'est plus possible, où l'on ne croit plus à la correspondance entre ces deux systèmes, ou plus simplement aux pouvoir de la « lettre », l'allégorie redevient un ornement, un mode d'expression ponctuel, et l'existence des grands systèmes allégoriques est mise en cause. D'où la disparition des poèmes allégoriques avec la fin du Moyen Âge et l'hostilité des auteurs – et surtout des romantiques – envers ce mode d'expression qu'ils considèrent de plus en plus comme froid et raide. Seuls les symbolistes, et Baudelaire en premier pour qui l'allégorie était « l'une des formes primitives et les plus naturelles de la poésie », semblent avoir su redonner vie à l'écriture allégorique. Les critiques littéraires contemporains aussi ont eu du mal à aborder les textes allégoriques en oubliant tous les préjugés qui pèsent sur cette forme particulière. Beaucoup essaient de rationaliser l'allégorie et de tout expliquer, en détruisant de ce fait la structure même du poème, d'autres se limitent à exprimer des réserves sur ce procédé qu'ils trouvent souvent mécanique et conventionnel, en oubliant qu'il s'agit de l'une des formes littéraires dominantes au Moyen Âge. On oublie trop souvent la richesse sémantique du terme allégorie qui, surtout au Moyen Âge, n'était pas un simple synonyme de personnification ou d'abstraction, mais renvoyait, on l'a dit plus haut, à un procédé global de lecture, de représentation et d'interprétation du réel.

▶ JAUSS H. R., « Entstehung und Strukturwandel der allegorischen Dichtung », in *Grundriss der Romanischen Literaturen des Mittelalters*, VI/1, Heidelberg, Winter, 1968, p. 146-244. — JUNG M.-R., *Étude sur le poème allégorique en France au Moyen Âge*, Berne, Francke, 1971. — MURRIN M., *The Allegorical Epic. Essays in Its Rise and Decline*, Chicago / Londres, Univ. of Chicago Press, 1980. — STRUBEL A., *La Rose, Renart et le Graal*, Paris, Champion, 1988. — TUVE R., *Allegorical Imagery. Some Mediaeval Books and Their Posterity*, Princeton, Princeton Univ. Press, 1966.

Gabriella PARUSSA

→ *Correspondance des arts ; Emblème ; Moralités ; Rhétorique ; Symbole.*

ALPHABET

Un alphabet (des deux premières lettres de l'alphabet grec, *alpha* et *bêta*) est un ensemble fini de signes graphiques permettant, par leur combinaison, de former tous les mots d'une langue, contrairement à l'écriture idéographique qui exprime la pensée directement en mots. Le mot alphabet lui-même (tiré du latin *alphabetum*) semble apparaître en français vers 1395 et signifie « lettres rangées selon un ordre convenu ». Ces signes ou lettres composent des phonèmes et sont énumérés selon un ordre conventionnel.

Le passage de l'écriture idéographique à l'écriture alphabétique est le résultat d'une longue évolution. Il semble que les premières tentatives aient eu lieu dans la région syro-palestinienne vers le XVIIIe s. avant J.-C., mais c'est vers l'an 1000 avant J.-C. qu'apparaît un alphabet de 22 lettres (alphabet sud-arabique ou encore paléo-hébraïque qui se retrouve même sur certaines monnaies du début de l'ère chrétienne). Il ne notait alors que les consonnes sans tenir compte des éléments vocaliques. À partir de là, de nombreux autres alphabets se sont développés L'alphabet araméen, né vers le IXe s. avant J.-C., connaît une ample diffusion, mais ce sont les Grecs qui, les premiers, notent les voyelles. L'alphabet romain, enfin, tire son origine du grec via les Étrusques et, du fait de sa survie à la chute de l'Empire, se répand dans le monde entier, connaissant, selon les pays, de légères modifications. Il sert d'ailleurs de base à l'alphabet phonétique international.

Outre son rôle essentiel dans l'écriture, l'alphabet est directement objet de littérature en plusieurs manières. L'alphabet constitue la base de structuration des dictionnaires. D'autre part, la série de sons figurés par les lettres de l'alphabet a fait l'objet des premiers travaux de linguistique, vers la moitié du XVIIe s. On en trouve l'écho chez Molière par exemple, dans *Le bourgeois gentilhomme* (1670). L'alphabet est ensuite devenu un motif littéraire, offrant l'image de l'exploration du langage : ainsi le sonnet des *Voyelles* de Rimbaud (1871), le recueil de poèmes en prose *Alphabet* de Valéry (1924-1928), enfin le lettrisme. Par ailleurs, les abécédaires forment un genre très prolifique d'initiation enfantine à la langue et aux textes.

Les problèmes principaux liés à la notion d'alphabet sont la prise en compte des lettres en tant que telles et la prise en compte de l'ordre selon lequels elles sont organisées.

Dans son *Discours préliminaire de l'Encyclopédie* (1751), D'Alembert affirme : « Nous croyons avoir eu de bonnes raisons pour suivre dans cet ouvrage l'ordre alphabétique. Il nous a paru plus commode et plus facile pour nos lecteurs, qui désirant de s'instruire sur la signification d'un mot, le trouveront plus aisément dans un Dictionnaire alphabétique que dans tout autre. » Une question de commodité, donc, préside au choix de l'ordre alphabétique dans un dictionnaire, ce qui est aisément compréhensible. Mais dans d'autres formes de listes, le choix de l'ordre alphabétique n'élude-t-il, précisément, la question du choix ? D'Alembert évoque en un autre endroit la difficulté de ne faire entre chaque savant ayant participé à l'*Encyclopédie* « aucune distinction de rang et de mérite » et il choisit à ce moment-là « l'ordre encyclopédique des matières dont ils se sont chargés ». Sous cette différence de traitement, il est évident que l'intention n'est pas la même. L'ordre alphabétique, outre la facilité d'accès qu'il procure, n'est-il pas le reflet du refus d'une hiérarchie engageant de manière plus forte son auteur ?

Mais la littérature ne s'est pas occupée uniquement de l'ordre alphabétique : la question du statut même de la lettre s'est souvent posée. Au Moyen Âge, la lettre était mise en valeur dans les enluminures. La lettrine, en effet, attirait l'attention sur certaines initiales. Elles jouent un rôle pratique de repère visuel des différentes parties des textes, mais elles peuvent aussi être une illustration du texte ou d'un événement s'y rapportant. Ainsi, loin d'être seulement des repères esthétiques sans signification particulière, elles sont déjà une forme de commentaire du texte dans le texte.

Des poètes se sont penchés sur la symbolique de la lettre. Rimbaud voit dans les voyelles bien plus que de simples lettres, mais des images faisant directement appel aux sens. Pour Valéry, les lettres servent de point de départ à l'inspiration dans son recueil de poèmes en prose. Le lettrisme va encore plus loin dans la prise en compte de la lettre : récit métagraphique ou encore poésie réduite aux lettres tentent de donner à cette forme une valeur de signifiant en soi.

▶ BONFANTE L., CHADWICK J., COOK B. F., DAVIES W. V. et al., *La naissance des écritures*, trad. de l'anglais, Paris, Le Seuil, 1994. — COHEN M., *La grande invention de l'écriture et son évolution*, Paris, 1958. — GOODY J., *La raison graphique, la domestication de la pensée sauvage*, Paris, Minuit, 1998. — MARTIN H.-J., *Histoire et pouvoirs de l'écrit* [1986], Paris, Albin Michel, 1996.

Isabelle LAUDOUAR

→ *Dictionnaire ; Écriture ; Lettrisme ; Typographie ; Vocabulaire.*

ANA

On appelle « ana », d'après la terminaison commune à leurs titres, des ouvrages, manuscrits ou imprimés qui recueillent les réflexions, notes, bons mots et traits d'esprit d'un érudit disparu, ou plus généralement d'un homme célèbre : *Menagiana, Huetiana*... L'auteur, souvent anonyme, parfois collectif, s'efface derrière le nom de la célébrité qui lui sert de garant. Les ana mêlent la science à l'anecdote plaisante, au potin, et, parfois, à des observations subversives. Ils sont composés d'unités brèves et sans continuité, parfois rangées par ordre alphabétique, souvent sans ordre ; de longs index en facilitent presque toujours la consultation. Le genre s'est constitué progressivement au cours du XVIIe s. ; sa vogue a duré jusqu'à la fin du XVIIIe s.

À la fin du XVIe s. commencent à apparaître des recueils manuscrits, qui se présentent comme la collection de propos notés par les familiers d'un érudit au sortir de conversations privées. Ils comprennent des observations scientifiques, des jugements individuels sur des hommes et sur des œuvres. Rédigés en latin, ils sont voués à une diffusion restreinte : ils circulent par prêts et copies dans les cercles savants de l'Europe.

Le genre des ana ne se constitue vraiment que lorsque ces manuscrits accèdent à l'impression. En 1666-1669, le savant Vossius fait imprimer en Hollande les copies de trois manuscrits rédigés entre 1600 et 1620, et conservés dans le cabinet des frères du Puy. Ainsi paraissent le *Scaligerana*, le *Perroniana*, et le *Thuana*, du nom de trois savants du siècle précédent (Scaliger, du Perron, de Thou). Encore rédigés en latin, ces ouvrages connaissent cependant un succès remarquable. Le modèle est constitué, mais l'âge d'or des ana ne commence que dans les années 1690 : plus de dix titres pour cette seule décennie, et désormais en français. On y reprend de très anciens manuscrits, comme le *Casauboniana* de 1614, imprimé en 1699. Tel érudit publie son propre ana (*Chevraeana*, 1697), tel fils dévoué fait imprimer les propos de son père (*Valesiana*, 1692). Le genre est bien constitué (des *Mélanges d'histoire et de littérature* sont considérés comme un ana, malgré leur titre) et les imprimeurs et les auteurs-collecteurs tirent parti de l'engouement du public pour publier sous le nom d'*ana* des extraits de lettres, des poèmes, des documents divers... On mesure l'ampleur de cette vogue en remarquant que le 17e volume de l'*Encyclopédie méthodique* Panckoucke à la fin du XVIIIe s. lui est entièrement consacré. D'autres parasitent le genre en inventant des *Arlequiniana* (1694) ou bien l'ana d'un érudit fictif (le *Parrhasiana*, J. le Clerc, 1699). Le déclin se fait très progressivement ; en 1789-1791 paraît encore un vaste recueil collectif sous le titre *Ana ou collection de bons mots* et certains auteurs du XIXe ou du XXe s. se sont amusés à reprendre le titre.

La particularité des ana tient aux enjeux de la publication au XVIIe s. Le cabinet des frères du Puy, dépositaire des manuscrits publiés par Vossius, était au centre d'un vaste réseau d'érudits européens. Ces érudits privilégiaient souvent une diffusion manuscrite restreinte de leurs travaux, par crainte des censures, mais aussi pour ne pas dévaluer, en les divulguant, les « arcanes » d'une « république des lettres » sans frontières, mais réservée à une élite. Lorsque les ana manuscrits connaissent l'impression, un large public se voit offrir l'illusion de pénétrer dans les secrets du monde savant ; il accède au plaisir subtil d'apercevoir ces grands hommes « au naturel », « dans leur déshabillé », et de s'introduire dans leurs cercles intimes, « république des lettres » ou « conversations » privées.

Il peut aussi goûter les plaisirs de l'interdit : des propos privés du début du siècle paraissent vite teintés d'hérésie ou de libertinage lorsqu'ils sont publiés dans le contexte censorial des années 1660. En revanche, les recueils réellement subversifs restent rares ; citons le double *Naudeanea et Patiniana*, publié en 1701 avec la contribution de Bayle : exploitant à la fois l'anonymat et la discontinuité de l'ana, il noie ironiquement, sous un flux d'anecdotes bénignes, des propositions violemment irréligieuses.

Plus généralement, la mode des ana s'inscrit dans la vogue générale des formes brèves, les « maximes », « pensées », « caractères », imitées de La Rochefoucauld, de Pascal ou de La Bruyère qui se multiplient en la fin du XVIIe s. Ils partagent en effet des choix esthétiques voisins : mélange, brièveté, variété ; ils refusent de choisir entre le sérieux et le plaisant ; ils appellent un mode de lecture non linéaire ; ils prennent pour modèle la souplesse de la conversation entre intimes, de l'entretien à bâtons rompus.

▶ BEUGNOT B., « Forme et histoire : le statut des ana », in *La mémoire du texte*, Paris, Champion, 1994, p. 67-88. — MABER R., « L'anecdote littéraire aux XVIIe et XVIIIe s. Les ana », in *L'anecdote. Actes du colloque de Clermont*, 1988, p. 99-108. — WILD F., *Naissance du genre des ana (1574-1712)*, Paris, Champion, 2001.

Bérengère PARMENTIER

→ *Anecdote ; Biographie ; Formes brèves et sententiales ; Mélanges ; Publication ; Recueil.*

ANALYSE DE CONTENU ET DE DISCOURS

Approches herméneutiques, les analyses de discours et de contenu sont liées au souhait scientifique de repérer des constantes discursives à travers un large corpus d'étude. Nourries par la linguistique, elles visent à dégager la signification de manifestations langagières usuellement écartées par celle-ci, dont les outils traditionnels ne permettaient pas une interprétation dépassant la phrase. Elles prennent donc en charge des ensembles discursifs écrits ou oraux. L'analyse de contenu, davantage centrée sur l'information même, constitue une technique de recherche empirique visant à produire des interprétations vérifiables. L'analyse de discours formalise l'organisation sémantique des textes et fait émerger son lien aux conditions de production.

Issue au début du XXe s. des études américaines de la communication, l'analyse de contenu a cherché d'abord à quantifier le contenu des journaux puis à y évaluer la place accordée à la propagande pendant les deux guerres mondiales. Le travail était donc celui d'une analyse idéologique. Dès les années 1960, l'ordinateur est considéré comme l'outil idéal pour traiter les unités lexicales de grandes quantités de textes. L'informatisation des données représente ainsi une révolution méthodologique, fondée sur le calcul des fréquences. Conjuguée à l'influence de la sémiologie, cette démarche ouvre peu à peu l'analyse de contenu à l'analyse de discours.

Ce qui est aujourd'hui désigné comme l'*analyse de discours* regroupe plusieurs méthodes. Depuis les travaux de Z. S. Harris (*Discourse Analysis Reprints*, 1963), la branche américaine a développé une analyse du discours conçu d'abord comme acte oral et interactionnel : les formes de la communication orale sont étudiées dans une perspective ethnométhodologique. La branche française de l'analyse de discours, à partir des réflexions théoriques de Bakhtine, Foucault, Althusser et Pêcheux, observe davantage la distribution du pouvoir dans les échanges verbaux, en envisageant les textes écrits, analysés dans leur contexte institutionnel, social et politique. L'analyse de discours s'est ouverte sur des pratiques autres que la politique et inclut désormais aussi bien les discours littéraires, religieux, scientifiques, philosophiques que publicitaires.

Utilisées dans plusieurs disciplines (sociologie, anthropologie, communication, histoire, études littéraires), les analyses de contenu et de discours s'intéressent aux valeurs, à l'imaginaire social et aux représentations, et contribuent ainsi à une histoire des idées.

L'analyse de contenu suppose qu'à partir d'une catégorisation des termes utilisés dans un texte, l'analyste peut émettre sur le contenu de celui-ci des inférences vérifiables par un autre chercheur étudiant le même corpus. Mais elle exige pour cela une grille de lecture, donc des catégories établies *a priori*, en fonction des objectifs de recherche.

L'analyse de discours suppose de définir d'abord des unités discursives minimales. Mais la primauté accordée traditionnellement au contexte socio-politique rend problématique la formalisation des autres données de situation (contraintes propres à l'interaction verbale, déterminations génériques, champs disciplinaires, dimension psychologique, etc.).

Ces méthodes, nées des études sur la communication, soulèvent donc diverses difficultés en matière d'études littéraires, où elles ont nourri notamment l'analyse du discours social, mais aussi nombre d'études de thèmes et d'histoire des idées. Elles se fondent en effet sur le postulat que la transmission d'un message repose d'abord sur son contenu. Une telle position risque de dissoudre les spécificités formelles des œuvres littéraires. L'analyse du discours diverge aussi de l'analyse narratologique, puisqu'elle vise à mettre au jour non pas les structures du récit, mais la posture idéologique du texte et sa situation dans une formation discursive donnée.

▶ BARDIN L., *L'analyse de contenu*, Paris, PUF, 7e éd., 1993. — GARDIN J.-C., *Les analyses de discours*, Neuchâtel, Delachaux et Niestlé, 1974. — KERBRAT-ORECCHIONI C., MOUILLAUD M. (dir.), *Le discours politique*, Lyon, Presses universitaires de Lyon, 1984. — MAINGUENEAU D., *Initiation aux méthodes de l'analyse du discours. Problèmes et perspectives*, Paris, Hachette, 1976. — VINCENT D. (dir.), *Des analyses de discours*, Québec, CÉLAT/CRELIQ, 1989.

René AUDET, Frances FORTIER

→ *Communication ; Contextualisation ; Discours ; Herméneutique ; Information (Théorie de l') ; Linguistique ; Narration.*

ANCIEN FRANÇAIS, MOYEN FRANÇAIS → Langue française (Histoire de la)

ANCIENS → Antiquité ; Modernités ; Querelles

ANECDOTE

Petit événement sans importance, en marge des histoires officielles, l'anecdote doit sa fortune à la narration qui met en relief son caractère plaisant, scandaleux ou secret. Par extension, « anecdote » désigne donc le récit qui la fait connaître : de sujets variés mais prétendant toujours à l'authenticité, elle constitue une narration autonome, qui doit en peu de mots piquer la curiosité de son auditoire. Relevant de la conversation, l'anecdote est souvent insérée, à l'écrit, dans un premier discours, le plus souvent romanesque ou historique, au sein duquel ses fonctions peuvent être multiples : exemplaire, elle illustre une idée générale ; rhétorique, elle donne autorité au discours dans lequel elle s'insère ; divertissante, elle relance l'attention du lecteur ; présentée comme une histoire vraie, elle renforce la prétention d'authenticité du discours.

Le terme d'anecdote vient d'un ouvrage de l'historien byzantin Procope de Césarée (490-562 ?), *Histoires Secrètes*, ou *Anekdota*, qui constituent le pendant officieux, et non destiné à la publication, de l'*Histoire des guerres de l'Empereur Justinien*, vaste œuvre panégyrique. Écrites à la mort du souverain, les *Anekdota* rapportent toutes les histoires scandaleuses et secrètes qui marquèrent le règne de Justinien, et le présentent sous les traits d'un tyran orgueilleux. D'usage privé, ces anecdotes seront pourtant publiées et donneront leur nom aux révélations des affaires secrètes et cachées des grands personnages. C'est, en France, le cas des *Historiettes* de Tallemant des Réaux (1619-1692) : quelque 350 petites histoires qui peignent une fresque inattendue et irrévérencieuse des règnes d'Henri IV, de Louis XIII et de la Régence.

Pourtant, ces ouvrages, dont la tradition se poursuit de Saint-Simon jusqu'aux révélations des histoires secrètes de nos dirigeants actuels, ne constituent pas l'essentiel de la fortune littéraire des anecdotes. En effet, c'est surtout dans le domaine mondain et privé que les anecdotes se développent, au gré des petites histoires piquantes que d'habiles conteurs mettent en scène, comme Madame de Sévigné dans ses *Lettres* (1671-1696). Dès lors, le curieux l'emporte sur l'authentique, et le narratif sur l'historique : les anecdotes sont surtout des bons mots dont il convient d'agrémenter une conversation.

Se développent alors deux types d'ouvrages ; les premiers, fort prisés du public et ouvertement destinés à nourrir les conversations, font commerce du petit fait vrai : des compilations d'anecdotes, de « causes célèbres » (des recueils rapportant toutes les circonstances de tel ou tel procès), d'historiettes, ou des textes de quelques pages dont l'auteur publie, sans souci de style, les éléments d'une querelle ou d'un procès qui le concerne. Ces ouvrages paraissent surtout dans la seconde moitié du XVIIIe s., et trouvent une continuation, au XIXe s., dans les faits divers qu'impriment désormais les journaux. Les autres textes se concentrent, eux, sur l'aspect narratif de l'anecdote : surtout dans la seconde moitié du XIXe s., des « Anecdotes » ou des « Historiettes », diversement qualifiées (« galante », « bourgeoise », « moderne »...) se multiplient, petites pièces populaires, parfois mises en musique, parfois destinées à la scène, qui n'ont en commun que leur brièveté et leur peu de recherche. Ces pièces sont d'ailleurs vite oubliées, et c'est plutôt du côté des romans qu'il faut chercher une postérité aux anecdotes.

Seule la publication constitue un événement en anecdote, selon divers modes. Publiée oralement ou dans la presse, elle est vite oubliée, à moins d'être réemployée dans un texte second. Elle peut en être la source : c'est le cas de toutes les œuvres inspirées de faits réels, que leurs auteurs choisissaient souvent dans des recueils d'anecdotes. Tallemant rapporte ainsi une histoire, qui, dit-il, inspira Molière pour son *Tartuffe* (*Histoire du Père Joseph*, in *Historiettes*, rééd. à partir de 1657, éd., posth., 1834). Au XIXe s., les rubriques de faits divers joueront le même rôle : c'est dans un article de journal que Stendhal puise l'idée du *Rouge et le Noir*. Une « idée » et non un roman : l'anecdote n'est qu'un matériau qui doit être ranimé par un style pour devenir un objet littéraire, si bien qu'une même anecdote peut servir de point de départ à deux œuvres que tout distingue.

Néanmoins, l'anecdote n'est pas toujours transformée : quoique dépourvue de style à l'état brut, elle constitue une forme narrative complète, qui peut interrompre, le temps d'une histoire, le cours de la narration. Récit dans le récit, les anecdotes enrichissent le texte, et, par leur brièveté, se donnent à lire comme autant de romans possibles. Elles ouvrent ainsi un espace de liberté, que certains auteurs exploitent : ainsi les Goncourt, dans leur *Journal*, qui en font les sources d'une infinie variété de style et de sujets.

À travers ces usages littéraires, l'anecdote semble proche d'autres formes brèves. Elle l'est notamment des ana. Avec les maximes ou les apophtegmes, elle partage une forme volontiers sentencieuse ; toutefois, elle s'en distingue par son aspect narratif. Mais c'est une forme narrative minimale, ce qui la différencie du conte ou de la nouvelle.

▶ HOURCADE Ph., « Problématiques de l'anecdote à l'âge classique », *Littératures classiques*, 1997, n° 30. — MONTANDON A., *Les formes brèves*, Paris, Hachette, 1992.

Karine LANINI

→ *Ana ; Exemplum ; Fait divers ; Formes brèves et sententiales ; Nouvelle.*

ANONYMAT

L'anonymat est la pratique éditoriale qui consiste à tenir cachée l'identité de l'auteur d'un livre. Cette pratique a varié au cours de l'histoire, en fonction de plusieurs critères : importance relative attachée à la personnalité de l'écrivain, danger de l'activité littéraire face à la censure, habitudes éditoriales, règles de bienséance.

L'anonymat fut assez courant, dans l'Antiquité comme au Moyen Âge, avant de céder le pas, à la Renaissance, époque de promotion de l'individualité, à une tendance à l'exhibition glorieuse du nom d'auteur. Mais à ce schéma valable en gros, il convient d'ajouter quelques correctifs. Comment parler d'habitudes d'anonymat dans l'Antiquité, lorsque tout dit le souci des auteurs du temps de transmettre leur nom, avec cet orgueil qu'affiche l'épilogue des *Métamorphoses* d'Ovide : « et mon nom sera impérissable » ? De même, en ce qui concerne le Moyen Âge, E.-R. Curtius a montré que la mention du nom de l'auteur devient de plus en courante parmi les poètes néolatins de la fin de la période, puis pour les poètes en langue vulgaire. Difficile en la matière de proposer une philosophie de l'histoire unitaire. Car on trouve, à la même époque, des pratiques contradictoires. À la Renaissance, tandis que Montaigne, tout en signant les *Essais*, ironise sur l'arbitraire dérisoire des noms – auxquels on attache indûment la gloire (le « renom ») –, du Bellay est fier de l'éternité du sien : « Mon nom du vil peuple incongnu / N'ira soubz terre inhonoré. » Au XVIIe et au XVIIIe s., anonymat et pseudonymie – complétés par des attributions fausses et le déguisement du lieu éditorial (Amsterdam pour Paris) –, font partie de l'arsenal des procédures destinées à tourner la censure. Pas d'unification des pratiques nominales pourtant, comme il apparaît lorsqu'on compare les trois « grands » : Voltaire, usant de l'anonymat et de la pseudonymie avec une agilité provocante ; Diderot, polygraphe insoucieux de sa signature, acceptant de se fondre dans la communauté encyclopédique ; Rousseau, en revanche, faisant de l'exhibition de son prénom une mise en cause de son identité sociale et un dispositif singularisant.

De même, au siècle suivant, on aura conjointement les rêveries mégalomaniaques d'un Hugo sur son nom (*Ego/Hugo*), et les fantasmes de Chateaubriand ou de Lamartine sur la « tombe sans nom » ; et, au plan des pratiques éditoriales, l'anonymat initial des *Méditations poétiques* (1820) comme de *Han d'Islande* (1823), mais pour des raisons bien différentes. Ici, dispositif d'exténuation mélancolique de l'identité du poète ; là, prudence nécessaire d'un auteur d'odes qui, à l'abri de l'anonymat, s'essaie à ce genre alors non légitimé qu'est le roman. Enfin, il ne faut pas perdre de vue que l'anonymat fut parfois une façon de piquer la curiosité du public, un truc d'éditeur pour attirer l'attention en jouant la politique du mystère... Aujourd'hui, il est sorti de l'usage ordinaire.

Dans un article célèbre, « Qu'est-ce qu'un auteur ? », Michel Foucault a fait valoir la thèse selon laquelle il y aurait eu une sorte de jeu de balançoire des pratiques d'anonymat entre ouvrages scientifiques et ouvrages littéraires. Alors qu'au Moyen Âge les énoncés scientifiques devaient s'appuyer sur l'*auctoritas* du nom de l'auteur, cette obligation se serait perdue dans la science moderne. En littérature, en revanche, on serait passé d'une tradition d'anonymat à une pratique moderne gravitant tout entière autour de la personnalité de l'auteur : ce qui interdit de faire coïncider modernité et « mort de l'auteur », comme Roland Barthes était tenté de le faire. Cette thèse a été en partie corrigée par Roger Chartier, qui remarque que la science a encore aujourd'hui besoin de s'appuyer sur l'autorité du savant, et que la littérature ancienne a été moins tentée par l'anonymat qu'on ne le dit.

Le recours à l'anonymat doit être pensé en relation avec la pratique pseudonymique ou hétéronymique, qui est une autre forme, plus ludique, de déguisement de l'identité de l'auteur. On remarquera que ces divers réglages « négatifs » du nom de l'auteur sont tributaires de contraintes réelles, mais aussi du statut de l'auteur et d'*imaginaires auctoriaux*, variables au cours de l'histoire.

▶ CHARTIER R., *L'ordre des livres. Lecteurs, auteurs, bibliothèques en Europe entre le XIVᵉ et XVIIIᵉ siècle*, Aix-en-Provence, Alinéa, 1992. — FOUCAULT M., « Qu'est-ce qu'un auteur ? », *Bulletin de la société française de philosophie*, 1969, LXIV, p. 73-104, puis *Littoral*, 1983, nº 9, p. 3-32. — LAUGAA M., *La pensée du pseudonyme*, Paris, PUF, 1986. — TALER A., MOSHER F. J., *The bibliographical history of Anonyma et Pseudonyma*, Chicago, Univ. of Chicago Press, 1951. — TRAVERS DE FAULTRIER A. de, « Le nom d'auteur. Une histoire de légitimité et de bâtardise », *Elseneur*, nº 9 ; *Le sujet de l'écriture*, Presses Universitaires de Caen, 1994.

José-Luis DIAZ

→ *Auteur ; Censure ; Livre ; Mystification ; Propriété littéraire ; Pseudonyme ; Signature.*

ANTHOLOGIE

Une anthologie est un ouvrage composé de textes, ou d'extraits de textes, choisis dans un ensemble préexistant qui peut être l'œuvre d'un auteur unique ou de plusieurs auteurs, appartenant à une communauté linguistique, à une époque, à une région, ou qu'on peut rattacher à un même courant ou à un même genre littéraire.

Pour désigner ce type d'ouvrages, le terme d'*anthologie* est le plus couramment utilisé aujourd'hui mais il existe des mots de sens voisin, qui sont plus ou moins sortis de l'usage, comme *florilège*, *spicilège* et *chrestomathie.*

Anthologie, mot d'origine grecque introduit en français à la Renaissance, signifie « cueillette de fleurs » (de *anthos* : fleur et *légëin* : cueillir). La première anthologie fut constituée par Méléagre de Gadara, poète grec du IIᵉ s. avant J.-C., à partir d'épigrammes, écrites entre le VIIᵉ et le IIᵉ s. Son titre était *Stéphanos* (la *Couronne*). Le *Syllogè (Cycle)* d'Agathias, au VIᵉ s., collecte des épigrammes classées, non pas selon l'ordre alphabétique mais selon leur thème : épigrammes funéraires, votives, descriptives, satiriques, amoureuses ou bachiques. Toutes ces anthologies sont aujourd'hui perdues mais c'est à partir d'elles qu'au IXᵉ s., Constantin Képhalas constitua l'*Anthologie Palatine* (découverte dans la Bibliothèque Palatine d'Heidelberg). Aux quinze tomes de cet ensemble fut ajouté un volume supplémentaire d'épigrammes rassemblées au XIVᵉ s. par un savant byzantin, Maxime Planude. Le tout forme ce qu'on appelle l'*Anthologie grecque.* Une *Anthologie latine*, composée en Afrique au début du VIᵉ s., contient surtout des petits poèmes en latin d'auteurs africains, et quelques pièces plus anciennes.

Florilège (nom masculin), vient de *florilegium*, traduction latine d'*anthologie* (de *flos* : fleur, et *legere* : cueillir). C'est sous le nom latin de *Florilegium* qu'est plus connu l'*Anthologion* de l'érudit grec du Vᵉ s. Jean de Stobes, pour un recueil d'extraits d'auteurs grecs abordant tous les domaines de la connaissance. À partir du XVIIIᵉ s., *florilège* fut utilisé pour désigner des anthologies. Aujourd'hui, on se sert parfois du mot pour qualifier un choix de choses remarquables qui ne sont pas toujours des écrits.

Spicilège (nom masculin) vient du latin *spicilegium :* glanage (de *spica :* épi, et *legere :* cueillir). Ce mot latin fut employé, avec un sens figuré qu'il n'avait pas dans l'Antiquité, par le bénédictin français Luc d'Achery, comme titre d'un recueil de documents sur l'histoire ecclésiastique, écrit entre 1655 et 1667. Introduit à partir du XVIIIᵉ s. sous sa forme francisée, le mot fut repris par l'écrivain français Marcel Schwob, en 1896, pour son *Spicilège* qui contient des citations mais aussi des commentaires de l'auteur.

Une *chrestomathie*, (du grec : *chrestos :* utile, et *mathèma :* connaissance) est un recueil de morceaux choisis destiné à l'enseignement. Proclus et Helladius, auteurs grecs du Vᵉ s., ont écrit chacun une *Chrestomathie.* Le terme de *chrestomathie* n'est plus guère utilisé au XXᵉ s.

Si l'on recueille des textes pour le plaisir des amateurs, il s'agit plutôt d'une *anthologie* ou d'un *florilège.* Si l'intention est plus didactique, ce serait un *spicilège* ou une *chrestomathie*, mais ces derniers mots n'ont plus cours. Très souvent le titre des ouvrages indique seulement l'ensemble où le choix a été opéré. La première anthologie de la littérature française est le *Recueil des plus belles pièces des poètes François depuis Villon jusqu'à Bensérade*, constitué par Fontenelle en 1692. Au XVIIIe s., commence à se mettre en place un enseignement de la littérature avec des manuels comme le *Cours de Belles Lettres* de l'abbé Batteux (1747), qui propose des morceaux choisis, classés par genres. À partir de 1950, les ouvrages de Lagarde et Michard présentent, du Moyen Âge au XXe s., les « grands auteurs français du programme ». C'est une anthologie à l'usage de l'enseignement au lycée, assortie d'une abondante iconographie. Après 1968, cette approche historique, sans disparaître tout à fait, est remplacée par des regroupements selon des formes d'écriture, les hiérarchies de valeur entre les auteurs et les époques tendant à s'effacer.

C'est surtout au XXe s. que les anthologies se sont multipliées. Parmi les plus célèbres, l'*Anthologie nègre*, composée en 1921 par Blaise Cendrars à partir de transcriptions de la littérature orale africaine, et l'*Anthologie de l'humour noir*, constituée et préfacée par André Breton en 1940.

Toute anthologie suppose un choix, un classement et des regroupements selon un point de vue *a posteriori* qui recourt souvent à des notions peu ou pas utilisées par les écrivains concernés. Ainsi, les anthologies ne se contentent pas de refléter les goûts et les préoccupations d'une époque ou d'un groupe social, elles peuvent aussi créer une nouvelle façon de lire et d'interpréter les textes du passé.

▶ FRAISSE E., *Les anthologies en France*, Paris, PUF, 1997.

Michèle BENOIST

→ *Enseignement de la littérature ; Recueil.*

ANTHROPOLOGIE

Selon son étymologie grecque (*anthropos*, l'homme), l'anthropologie est la science de l'homme en général. Selon une acception traditionnelle en français, l'anthropologie serait strictement l'étude des caractéristiques physiques et biologiques de l'homme. Mais au sens plein et moderne, elle concerne toutes les caractéristiques générales de l'humain : les données physiques et biologiques, mais aussi mentales et culturelles, donc y compris le langage et la littérature (même si l'usage français a longtemps dévolu cette acception à l'ethnologie et à une sociologie générale, et continue encore parfois de le faire). Selon ce second sens, le rapport de l'anthropologie à la littérature peut s'entendre de deux façons : pour éclairer une conception de l'homme et de ses comportements exprimés dans les textes, et pour analyser le littéraire comme une des composantes de l'anthropologie culturelle.

En tant que science constituée, l'anthropologie est récente : elle apparaît au XIXe s. Mais elle a connu des antécédents nombreux et riches. Les théories sur le comportement humain selon les relations entre le corps et « l'âme » – incluant l'esprit en général – remontent à l'Antiquité. Ainsi, les analyses des passions et affects selon les humeurs constituent *de facto* une anthropologie avant la lettre. De même, lorsque la philosophie grecque (Aristote) considère que le propre de l'homme est d'être un être imitateur (« mimétique »), c'est, de fait aussi, un substrat anthropologique qui est ainsi instauré, et qui se trouve au principe même de toute l'activité artistique. L'Église, par la suite, a promu l'idée que les sources du comportement humain résidaient dans la condition « déchue » de l'Homme plutôt que dans des schémas physiques et psychiques ; mais elle a intégré ces schémas dans l'examen des conséquences de la Chute : les passions sont constitutives de la nature humaine comme conséquences de la faute première. Les récits de voyage dus aux premières grandes découvertes ont suggéré des comparaisons entre les peuples nouveaux alors observés et les schémas d'usages en Europe et ont commencé d'ébranler ce mode d'interprétation. De plus, l'évolution des sciences, notamment de la médecine, y a contribué aussi. Si des religieux comme le P. Senault, des rigoristes comme Pascal, voient dans les passions les manifestations de la nature corrompue de l'homme, Descartes (*Traité des passions*, 1649) les envisage comme des effets du dynamisme de la vie, comme des énergies, ni bonnes ni mauvaises en elles-mêmes. Commencent alors à se manifester des considérations de physiognomonie, associant des types physiques et des types psychologiques, qui prennent une place accrue au siècle suivant – avec Lavater notamment – et qui plus tard influencent fortement Balzac. Au XVIIIe s., la naissance de la théorie esthétique met en mouvement des catégories – le goût, le sens du beau et du laid, le plaisir attaché à l'art en lui-même – qui sollicitent aussi une représentation des modes d'être de l'Homme. Mais ce n'est qu'au XIXe s., dans le mouvement général de formation des sciences humaines, dans la mouvance du positivisme, que l'anthropologie se constitue en tant que science proprement dite. Elle est imprégnée alors de références médicales. D'où, dans ses échos littéraires, le lien que fait Zola, en proposant l'« histoire naturelle d'une famille », entre des données médicales – sur l'hérédité et les tempéraments – et des données sociales pour édifier la psychologie de ses personnages. L'apparition de la psychologie expérimentale et surtout de la psychanalyse donne ensuite un essor décisif à l'anthropologie en même temps qu'elle influence la création littéraire, avec le surréalisme notamment. L'anthropologie se trouve aussi profondément influencée par les sciences sociales : *Les formes élémentaires de la vie religieuse* de Durkheim (1912), les travaux de M. Mauss, ou encore le *Manuel d'anthropologie culturelle* de Kroeber (1948, [rééd. 1957]), aux USA, qui définit l'anthropologie culturelle comme l'étude des relations entre « ce qui dans l'homme est biologique et ce qui est social et historique ». Deux courants se dessinent : l'un (Kroeber) qui garde un strict ancrage dans le biologique, l'autre (Mauss, Durkheim, mais aussi la suite d'une part de la psychanalyse, y compris ses extensions envisagées par Freud lui-même dans *Totem et tabou*, 1913) considérant plutôt que les faits psychiques et culturels ont une autonomie. La linguistique structurale, puis la diffusion du structuralisme, contribuent alors à un renouveau de l'anthropologie (C. Lévi-Strauss, *Anthropologie structurale*, 1958). Au même moment, une version de la psychanalyse se tourne vers la recherche des archétypes (Jung, *Métamorphoses de l'âme et des symboles*, 1953). Mais c'est par l'application de l'interrogation aux domaines des représentations du monde et de l'homme (G. Dumézil, *Jupiter, Mars, Quirinus*, 1941), des mythes (Mircéa Eliade) et des *Structures anthropologiques de l'imaginaire* (G. Durand, 1969) que l'anthropologie culturelle s'affirme. Les travaux de Bachelard, plus tard ceux de C.-G. Dubois, sur l'imaginaire lui donnent une présence forte dans les études littéraires, du côté de la mythocritique et de la critique thématique, tandis que la critique psychanalytique connaît un essor de vaste ampleur.

L'anthropologie a parfois été mobilisée dans des considérations discriminantes entre les races ; elle porte le poids des suspicions éthiques dues à ces déviations. Mais dans l'histoire de la critique littéraire, des catégories et des modèles anthropologiques ont été sans cesse convoqués, et de plus en plus fortement dans la seconde moitié du XXe s. On peut noter que si certaines propositions, en particulier au sujet des mythes, autonomisent ces derniers de façon telle qu'ils semblent devenir des acteurs de l'histoire en eux-mêmes, la perspective anthropologique propose des moyens de lier différents plans des modes humains d'activité. Ainsi notamment les travaux de C. Lévi-Strauss sur des peuples d'Amazonie montrent que des conceptions du monde, des pratiques artistiques (le tatouage par exemple), des contes et les mythes qu'ils portent, et des formes d'organisation sociale (la répartition des habitats) obéissent à de mêmes structures profondes de pensée et de comportement. Et si l'on entreprend de lier la littérature et des modes de sensibilités et de représentations, en un mot des « mentalités », la question de l'échelle d'observation que l'on adopte devient inéluctable. Les textes littéraires, outre les traits langagiers et les situations historiques de publication et de signification, mettent aussi en jeu des durées et des extensions géographiques plus amples. Des œuvres antiques restent – au-delà des curiosités académiques – objets d'attention et d'émotion, des textes issus de cultures différentes circulent et touchent des publics renouvelés, enfin des traits structurels se retrouvent dans les contes et les mythes au moins, par-delà les différences d'aires culturelles. Dès lors, l'étude du littéraire peut être envisagée du point de vue de l'anthropologie, à trois égards, qui incluent chacun une condition correspondante. L'approche anthropologique peut éclairer des affects fondamentaux (des émotions ou catégories d'émotions, des registres de la littérature) en rendant compte de leur présence par-delà les variations culturelles et au sein même de celles-ci. La condition correspondante est alors de faire, de ces données fondamentales du sens, des éléments eux-mêmes pertinents à l'échelle d'une même histoire culturelle : le tragique a sans doute une présence de la Grèce antique à l'Occident moderne, et des formes qui se sont constituées et transmises, et n'est peut-être pas envisageable dans les mêmes termes dans les cultures de l'Inde et de l'Orient par exemple. L'approche anthropologique peut contribuer à l'étude des données mythiques ; la condition correspondante est d'inscrire celles-ci dans l'histoire, puisqu'il en apparaît et disparaît et que celles qui persistent prennent des formes différentes. Enfin, la dimension anthropologique peut être envisagée comme une perspective pour analyser des éléments de sens qui dépassent les situations et contextes « historiques », mais à la condition de prendre les textes et œuvres comme le lieu même de l'analyse, et non de les aborder à partir d'une grille préétablie de conception de l'homme. Ainsi envisagée, l'anthropologie culturelle permet l'observation et la comparaison de traits communs dans la littérature sur des durées et espaces de grande dimension. Elle permet de ne pas devoir postuler comme des « universaux » des éléments pertinents à l'échelle d'une aire culturelle, mais de les analyser dans leur historicité. Elle permet aussi de ré-interroger des propositions de la sémiotique, quand celle-ci donne pour des structures élémentaires du sens des configurations qui ne sont en fait que des dispositifs historiquement vrais sur une très longue durée. L'anthropologie culturelle peut se concevoir comme une des dimensions de l'histoire générale : sur la très longue durée, certains schémas culturels déterminent des modes d'être et des structures de pensée. Mais du même coup, loin de fournir une grille interprétative, elle consiste à chercher ce que les œuvres font surgir comme interrogations sur l'homme et sur les modes d'expression où il manifeste ce qu'il ne peut manifester dans des discours scientifiques ou juridiques, et comment les modes de représentation (par la fiction, par l'image poétique) peuvent contribuer à orienter les autres formes de discours.

▶ CORBIN A., *Historien du sensible*, entretiens avec Gilles Henré, Paris, La découverte, 2000. — DURAND G., *Les structures anthropologiques de l'imaginaire*, Paris, Dunod, [1969], 1992. — LÉVI-STRAUSS C., *Anthropologie structurale*, Paris, Pocket, [1958], 1998. — VAN DELFT L., *Littérature et anthropologie. Nature humaine et caractère à l'âge classique*, Paris, PUF, 1993.

Alain VIALA

→ *Caractères ; Esthétique ; Ethnologie ; Humeurs ; Imaginaire et imagination ; Médecine ; Mythe ; Passions ; Psychanalyse ; Registres.*

ANTIQUITÉ

« Antiquité » désigne, en Occident, le vaste héritage des civilisations grecques et latines anciennes. À vrai dire, les contours de ce que l'on désigne ainsi sont flous, et variables dans le temps : le terme, apparu à la Renaissance, englobe alors tant l'Antiquité païenne (depuis ses plus anciens poètes, Homère et Hésiode, VIIe avant J.-C.) que l'Antiquité chrétienne jusqu'à la chute de l'Empire romain (Ve s.) et se réfère plutôt à un ensemble de textes et de savoirs écrits (la *res literaria*) ; la sécularisation de la « littérature » a tendu à réduire la part de sa composante biblique et chrétienne, recentrant l'intérêt sur les périodes « classiques » (V[e]-IVe av. pour la Grèce, Ier avant et après J.-C. pour Rome), tandis que le développement de l'archéologie accentuait la part plastique de cet héritage, élargi à des périodes longtemps méconnues (la civilisation crétoise, les Étrusques, voire l'Égypte ancienne).

L'apparition du terme à la Renaissance est le signe d'un phénomène paradoxal. Le rapport à l'Antiquité a été vécu pendant le Moyen Âge comme un héritage sans solution de continuité, même si l'on a dès le XIIe s. ressenti la nécessité de mettre à la portée de ceux qui ignoraient le latin cet héritage de fictions et de savoirs (ce dont témoignent les « romans antiques », adaptation en langue vernaculaire des grandes épopées légendaires – la guerre de Troie – ou historiques – *Le roman d'Alexandre*, qui donne naissance à l'alexandrin) ; mais sa constitution en entité la renvoie dans un passé révolu : ces civilisations (du moins dans leur histoire pré-chrétienne) commencent à apparaître comme autres, et comme mortes. Mais elles apparaissent en même temps comme brillant d'un tel éclat que les écrivains ne sauraient se proposer de meilleure ambition que de les imiter, pour espérer un jour les égaler (Du Bellay exprime ce double sentiment dans *Les antiquités de Rome*, 1558). Pour cela, il faut d'abord les connaître mieux : un immense effort de rénovation du savoir se développe de la part de ceux qu'on appellera plus tard les humanistes (Érasme, Budé, les Estienne...) : travaux de lexicologie, éditions de textes (dont celles, capitales pour la littérature, du *Banquet* de Platon par Marsile Ficin, et de la *Poétique* d'Aristote), traductions (*Plutarque* par Amyot, 1559, dont l'impact fut considérable, tant par son contenu que par ce qu'il a apporté à la définition de la prose française)... La Pléiade développe une doctrine de l'imitation des Anciens comme règle esthétique majeure : il faut à l'écrivain, au « poëte », puiser à pleines mains dans les légendes et la mythologie, ornements nécessaires, dans les formes, modèles parfaits de composition et d'harmonie, dans les pensées, sources inépuisables *d'inventio.* Invention, disposition, élocution : on retrouve là les trois étapes de la rhétorique, de l'art des beaux discours, lentement élaboré à Athènes et à Rome, qui demeure le socle de l'enseignement « supérieur », après l'enseignement de la langue (latine surtout), et le fondement nécessaire de toute prétention à l'écriture.

Au XVIIe s., le dogme de l'imitation des Anciens persiste. Il est particulièrement actif dans le genre majeur du siècle, le théâtre, dont toute la théorisation se constitue autour de la référence (vraie ou faussée, voire fausse) à Aristote. L'éducation des écrivains, mais aussi de leur public, est faite par l'enseignement de la langue, de la rhétorique et de la littérature latines. Vivante dans l'enseignement, la langue latine ne perd que très lentement du terrain : on continue à produire de la littérature néo-latine et on continue, dans le monde savant européen, à correspondre en latin, langue des savoirs ; rédiger le *Discours de la Méthode* (1637) en français constitue un choix novateur de la part de Descartes. Cependant la conception de l'homme dominante au XVIIe n'est pas tant celle de Descartes que celle de l'héritage antique et chrétien, marqué par saint Augustin (qui se diffuse bien au-delà des cercles jansénistes) ou, davantage, par l'aristotélisme adapté par saint Thomas et la scolastique, ou celle d'Épicure chez les libertins, tandis que la vision de l'histoire est imprégnée de celle de Tacite.

Pourtant, les premières failles apparaissent : dès 1620, un premier groupe d'écrivains prône une littérature « moderne » (Théophile de Viau, Saint-Amant) ; le développement de l'influence des femmes (qui, n'allant pas au collège, ignorent souvent le latin) fait prévaloir la culture et la littérature mondaines (les « belles » lettres) au détriment de la culture savante (les « bonnes » lettres), et la grande figure de l'humaniste se dégrade en celle du régent de collège, du pédant immanquablement crasseux et ridicule ; les parodies burlesques des épopées antiques ont leur temps de gloire.. Chez les théoriciens, le débat (parfois violent) revient régulièrement sur le devant de la scène dans la seconde moitié du XVIIe, et au début du XVIIIe s., constituant ce qu'on a appelé la Querelle des Anciens et des Modernes. Sans que l'influence du modèle antique s'efface complètement (la pensée politique de Montesquieu se nourrit de la réflexion sur l'histoire romaine, et la tragédie classique a encore de beaux succès, avec Voltaire et l'effort de grands acteurs pour une mise en scène plus proche des réalités antiques), le XVIIIe s. la voit ainsi s'atténuer, avec le développement de genres « modernes » (le roman, le drame) où l'Antiquité n'offre que pas ou peu de modèles. La découverte érudite y prend le pas sur la fiction, comme en témoigne le succès du *Voyage du jeune Anacharsis en Grèce* de l'Abbé Barthélemy (1787). Le romantisme entreprend ensuite une démarche de modernisation des références littéraires et valorise les passés nationaux contre les modèles antiques.

Pourtant l'Antiquité continue d'inspirer les créations. La Révolution puis la Restauration sont marquées par un néoclassicisme, « retour à l'antique », plus sensible dans les arts plastiques qu'en littérature. La découverte de Pompéi, relayée par le roman de Bulwer-Lytton, *Les derniers jours de Pompéi* (1834), joue un rôle majeur dans sa diffusion vers la littérature « populaire », voire enfantine (sans oublier l'immense écho de la campagne d'Égypte : ainsi *Le roman de la momie*, 1858, de T. Gautier). Les Parnassiens fondent leur théorie de l'art pour l'art par référence à l'Antiquité, conçue comme modèle du « classicisme » et d'une forme « impeccable » (Leconte de Lisle, *Poèmes antiques*, 1852-1874), puis Mallarmé, et Valéry (idéalité et harmonie, *L'après-midi d'un faune*, 1876, et *La Jeune Parque*, 1917) défendent la conception platonicienne de la poésie.

Au XXe s., mythes, légendes et histoire antiques aideront notamment les écrivains de théâtre à témoigner des angoisses et des contradictions de leur temps, de Cocteau (*La machine infernale*, 1934) à Camus (*Caligula*, 1945), en passant par Giraudoux (*La Guerre de Troie n'aura pas lieu*, 1935), Sartre (*Les mouches*, 1942), Anouilh (*Antigone*, 1944). Et ce sont aussi elles qui donnent à la psychanalyse (désormais inséparable de la littérature et de la critique littéraire) son symbole, par la diffusion de sa lecture du mythe d'Œdipe. Si la littérature s'est totalement affranchie désormais du dogme de l'imitation des Anciens, l'Antiquité peut donc encore être pour elle source d'inspiration et de méditation, comme en témoignent aussi *Les Mémoires d'Hadrien* de M. Yourcenar (1951) ; elle continue enfin de nourrir en profondeur la définition de la poésie lyrique (où le mythe d'Orphée, repris par Cocteau, reste très présent).

L'imagerie antique nourrit aussi (outre la publicité) la « paralittérature », avec le succès des romans historiques antiques (souvent à destination du public adolescent), et des bandes dessinées comme *Astérix* ou *Alix*, ainsi que le monde des images : le cinéma s'est dès ses débuts emparé de l'histoire de Pompéi, et le péplum a connu quelques immenses succès (souvent bâtis sur des romans, comme *Quo vadis ?*, 1951, et *Ben-Hur*, 1960).

Si l'héritage antique a pu apparaître parfois comme un obstacle à la nécessaire adaptation de la langue et de la littérature à leur temps, et aux forces d'innovation et de renouvellement, il n'a cessé de nourrir des débats, parfois violents, mais fertiles. Dès la Renaissance, le primat accordé au modèle antique se double indissociablement, en France comme en Italie, du souci de promouvoir, grâce à ce même modèle, la langue nationale (*Défense et illustration de la langue française* de Du Bellay, 1549) contre la langue latine, et de donner naissance à une littérature capable d'égaler un jour ces grands modèles. La Querelle des Anciens et des Modernes (qui touche tous les domaines de la vie culturelle) voit l'affrontement des admirateurs et des contempteurs de l'Antiquité, ce qui les conduit à aborder des questions esthétiques majeures : la relation du Beau et du goût, le rapport de la littérature (conçue comme lieu de mémoire) avec son temps et avec le Temps. Enfin, l'histoire de l'enseignement est aussi l'histoire des conflits sur la place, le rôle, la fonction (dans la formation des auteurs et de leurs lecteurs) des « humanités », face à l'introduction des matières « modernes » (mathématiques et sciences, littérature française, langues vivantes...) – les langues mortes ont perdu du terrain, mais la rhétorique fait un retour sensible dans le dernier quart du XXe s.

Cet héritage, principalement gréco-romain, n'a pas cessé non plus de nourrir la littérature francophone de concepts (esthétiques et philosophiques), d'images (mythiques et mythologiques), et de formes (plastiques ou textuelles). La transformation de l'enseignement des langues anciennes d'une part, la prise de conscience de la multiplicité des traditions dans un monde qui s'extrait de l'européocentrisme d'autre part sont des faits nouveaux qui se traduisent en nouvelles questions : sur l'influence de traditions non écrites dans d'autres cultures, ou sur les stéréotypes véhiculés par les médias notamment. L'Antiquité, en ce sens, suscite donc des débats très contemporains sur la conscience historique de la culture, et sur les substrats anthropologiques.

▶ Coll : *Antiquités imaginaires : la référence antique dans l'art moderne, de la Renaissance à nos jours*, Paris, PENS, 1996. — *XVIIe siècle*, 1995, n° 131, 1981 et 27. — *Moyen Âge chrétien et Antiquité*, G. Guyon (éd.), Paris, L'Harmattan, 1999. — *La Révolution et l'Antiquité*, R. Chevallier (éd.), Tours, 1991. — *Nos Grecs et leurs modernes : les stratégies contemporaines d'appropriation de l'Antiquité*, B. Cassin (éd.), Paris, 1992. — *Peplum, l'Antiquité dans le roman, la B. D. et le cinéma*, J.-M. Graitson (éd.), Liège, Céfal / Bibliothèque des paralittératures de Chaudfontaine, 1993.

Claudine NÉDÉLEC

→ *Archéologie ; Classicisme ; Humanisme ; Imitation ; Parnasse ; Querelles ; Renaissance ; Rhétorique.*

APHORISME **→ Formes brèves et sententiales**

APOLOGIE

L'apologie désigne à l'origine un discours ou un texte de défense produit en réponse à une accusation portée contre quelqu'un ou quelque chose. Les auteurs ayant souvent recours à la louange pour étayer leur justification, le terme d'apologie est parfois employé comme synonyme d'éloge et c'est le sens le plus courant aujourd'hui. L'ensemble des apologies forme le genre apologétique.

Le mot « apologie » apparaît pour la première fois en Grèce chez Antiphon (Vᵉ s. avant J.-C.) pour désigner le discours prononcé par l'avocat pour réfuter les griefs de l'accusation. Mais l'accès aux tribunaux n'est pas ouvert à tous : l'impossibilité de se défendre oralement suscite l'apparition d'apologies écrites, le plus souvent adressées aux magistrats, comme en témoigne l'*Apologie* de Tertullien (197) à l'intention des gouverneurs de province. La réfutation seule se révèle cependant très vite insuffisante et on prend l'habitude de consacrer une deuxième partie de l'apologie à l'exposé positif des vertus de l'accusé, si bien que dès l'Antiquité s'instaure une confusion générique entre apologie et éloge qu'Isocrate dénonce dans son *Éloge à Hélène* et dont joue Lucien dans son *Éloge de la mouche* – défense parodique de l'insecte contre la double accusation d'être petit et de piquer. D'élément central, la réfutation peut ainsi devenir prétexte à un réquisitoire de valeurs ou à une dénonciation morale qui déborde le cadre strict de la cause défendue. Si dans l'*Apologie de Raymond Sebond* (1580-1595), Montaigne s'attache à répondre à ceux qui contestent les raisons alléguées par celui-ci en faveur de la vérité de la religion chrétienne, il saisit l'occasion pour dénoncer l'orgueil humain trop confiant dans la raison. De même G. Naudé, rédigeant une *Apologie pour tous les grands personnages qui ont été faussement soupçonnés de magie* (1625), se lance dans une réflexion générale sur les superstitions, leurs causes et les moyens de leur diffusion.

De par son origine, l'apologie a vocation à défendre des personnes. Si elle peut survenir après la mort de l'accusé, comme le fait Platon dans l'*Apologie de Socrate*, prenant ainsi une valeur de réhabilitation, l'apologie se produit essentiellement dans des contextes de polémique. Les procès, bien sûr, sont le premier d'entre eux et celui de Théophile de Viau en 1623 en est un bon exemple. La politique, par les oppositions qu'elle suscite, constitue également un champ fécond pour les apologies. Fréquentes sous l'Ancien Régime en faveur du roi ou des ministres, elles justifient un acte politique qui prête à caution : sous la Fronde, les *Apologies de Mazarin* firent réponse aux *Mazarinades* et la révocation de l'Édit de Nantes appela des *Apologies de Louis XIV*. Mais c'est surtout dans le cadre des querelles littéraires qu'on rencontre l'apologie, ce qui explique leur prolifération au XVIIᵉ s. : ainsi l'*Apologie pour Monsieur de Balzac* (1627) en réponse aux griefs formulés à l'encontre de l'écrivain à l'occasion de la querelle des *Lettres* ou l'*Apologie des femmes* (1694) que Perrault rédige contre la *Satire X* de Boileau pendant la querelle des Anciens et des Modernes et à laquelle répond une *Apologie pour M. Despréaux ou Nouvelles satires contre les femmes.* Ce dernier exemple illustre la relation dialectique que l'apologie, en tant que défense, entretient avec la satire, en tant qu'accusation.

De défense de personnes, l'apologie s'est faite défense de valeurs. Là encore, la littérature en est un domaine privilégié, comme en témoignent la *Défense et Illustration de la langue française* (1549) de du Bellay, l'*Apologie du théâtre* (1639) par G. de Scudéry ou, plus récemment, l'*Apologie du poète* (1947) par P.-J. Jouve. Mais c'est surtout au service de la croyance que l'apologie se consacre, en réponse aux accusations portées contre le christianisme. Si les premières apologies des Pères du IIᵉ s. – Aristide, saint Justin – s'attachent à défendre la foi, à partir du XVIᵉ s., l'apologétique chrétienne se constitue progressivement en discipline fondée sur l'exposé des motifs de croire, à l'attention, selon les époques, des juifs, des protestants, des libertins, des déistes et des noncroyants. Les *Pensées* de Pascal (1670, posth., réd. à partir de 1658), ébauche d'une *Apologie de la religion chrétienne*, marquent une étape importante en substituant à la démonstration rationnelle une conviction fondée sur le cœur.

Produite en réponse à une accusation, l'apologie est inséparable du lieu et du moment de son élaboration, non seulement envisagés comme circonstances, mais en tant qu'ils légitiment sa publication et fondent sa signification. L'apologie est ainsi un exemple particulièrement révélateur des liens de la littérature avec un contexte et invite à envisager le sens comme un phénomène relevant d'une situation, donc instable et relatif. Multiforme, et donc extensive à divers genres dès les origines, elle participe du registre épidictique autant que du polémique.

▶ FREDOUILLE J. C., « L'apologétique chrétienne antique : naissance d'un genre littéraire », *Revue des études augustiniennes*, 1992, n° 38. — MONOD A., *De Pascal à Chateaubriand. Les défenseurs français du christianisme de 1670 à 1802*, Paris-Genève, Slatkine reprints, [1910], 1970.

Claire CAZANAVE

→ *Épidictique ; Judiciaire (Littérature) ; Parodie ; Polémique ; Religion ; Satire.*

APOLOGUE → Didactique (Littérature) ; Fable

ARCHÉOLOGIE

L'archéologie, qui s'attache à l'étude des civilisations anciennes, s'est constituée comme discipline scientifique dans la seconde moitié du XIXe s. Cette science, qui a été comparée par Freud à la démarche psychanalytique qui déblaie les ruines de la mémoire, a marqué la littérature, comme thème et comme modèle. Michel Foucault a également fait un usage métaphorique de l'archéologie pour établir une théorie de la pratique discursive.

Entre la Renaissance et la fin du XVIIIe s., la mode des cabinets d'« antiques » est symétrique de celle des cabinets de « curiosités » scientifiques. L'attention accordée par les écrivains aux vestiges de l'Antiquité se fond volontiers dans la poétique des ruines. La sensibilité de la Renaissance a chanté dans le registre élégiaque la ruine-mémorial (du Bellay, *Les Antiquitez de Rome*, 1558) et à la fin du XVIIIe s., les ruines de l'Orient hellénistique inspirent au philosophe Volney une méditation sur le destin des tyrannies. L'« antiquaire » est alors avant tout un amateur, comme le comte de Caylus, auteur d'un *Recueil d'antiquités égyptiennes, étrusques, grecques, romaines et gauloises* (1757). L'expédition de Bonaparte en 1798 puis les découvertes de Champollion suscitent une « égyptomanie » chez les écrivains ; l'intérêt de la littérature pour l'Antiquité classique se réveille après les découvertes archéologiques en Italie et en Grèce. L'émancipation politique de la Grèce et le philhellénisme suscitent quantité d'odes et d'élégies (Victor Hugo, *Les Orientales*, 1829) nourries de références à l'Antiquité et à ses monuments. Des écrivains par ailleurs critiques d'art ressuscitent l'Antiquité égyptienne, grecque et romaine dans leurs romans et nouvelles (Théophile Gautier : *Arria Marcella*, 1852 ; *Le roman de la momie*, 1858 ; Prosper Mérimée : *La Vénus d'Ille*, 1852). L'hellénisme des parnassiens succède à celui des romantiques. Leconte de Lisle traduit Homère, Eschyle, Sophocle et Euripide en archéologue de la littérature. Les essais sur l'Antiquité, souvent inspirés par un voyage en Italie ou en Grèce, se multiplient (Ampère, Houssaye, Renan). La fin du siècle recherche dans l'alexandrinisme et le byzantinisme les signes de sa propre décadence (Paul Adam, Jean Lombard, Anatole France, Pierre Louÿs). De leur côté, les antiquisants, de plus en plus archéologues professionnels, rédigent des ouvrages de vulgarisation non dépourvus d'ambition littéraire (Beulé, Burnouf, Diehl, Maspero).

Au XXe s., l'archéologie des civilisations non-européennes a influencé le surréalisme et l'expressionnisme. Par ailleurs, les thèmes archéologiques sont volontiers repris dans des romans à grand tirage (Christian Jacq par exemple), comme dans des films « péplums ». La figure de l'archéologue aventurier connaît un succès populaire au cinéma (*Indiana Jones*), mais aussi dans la littérature (Gérard Macé, *Le dernier des Égyptiens* [Champollion] ; Philippe Beaussant, *L'archéologue*). La bande dessinée ne demeure pas en reste, avec par exemple Hergé (*Les cigares du Pharaon*).

Cette thématique est très élitaire à l'origine (la méditation devant les ruines relevant d'une aristocratie de la sensibilité), puis se spécialise au XIXe s. où la précision des descriptions semble dériver des rapports de fouilles. Ensuite, à partir des années 1890, elle inspire des « romans-péplum » (Jean Bertheroy, Paul Adam, Félicien Champsaur, Maurice Magre), veine populaire qui domine toujours.

Sur un mode discret (Robbe-Grillet, *Les romanesques* ; une partie de l'œuvre de Lorand Gaspar ; Bernard Fauconnier, *Kairos*), une évolution fait apparaître un processus identitaire en deux temps : à la réappropriation historique du passé, où l'écrivain jouait le rôle de simple témoin, succède une réappropriation de soi, relative à la mémoire des lieux et à la mémoire personnelle ; la démarche de l'archéologue devient métaphorique de la plongée introspective, dans la lignée de la comparaison formulée par Freud entre l'archéologie et la démarche psychanalytique.

Par ailleurs, la philosophie aussi s'est approprié l'archéologie. Dans *L'archéologie du savoir* (1969) Michel Foucault tente de soumettre à une analyse distanciée les transformations des pratiques discursives qui constituent les sciences humaines : sa description cherche à contextualiser les discours selon des structures de mentalités (les « épistémé ») et non selon les événements. Il substitue ainsi à une archéologie qui tendait à l'histoire parce qu'elle ne prenait sens que par la restitution d'un discours historique, une histoire tendant à l'archéologie.

▶ BASCH S., *Le mirage grec. La Grèce moderne devant l'opinion française, depuis la création de l'École d'Athènes jusqu'à la guerre civile grecque (1846-1946)*, Paris-Athènes, Hatier, 1995. — DESHOULIÈRES V., VACHER P. (éd.), *La mémoire en ruines. Les songes archéologiques de la littérature moderne et contemporaine, Cahiers du CRLMC*, Clermont-Ferrand, Printemps 2000. — FOUCAULT M., *L'archéologie du savoir*, Paris, Gallimard, 1969. — HADDAD A. et G., *Freud en Italie. Psychanalyse du voyage*, Paris, Albin Michel, 1995. — MORTIER R., *La poétique des ruines ; ses origines, ses variations, de la Renaissance à Victor Hugo*, Genève, Droz, 1974.

Sophie BASCH

→ *Orientalisme ; Philologie ; Philosophie ; Psychanalyse.*

ARCHÉTYPE

La notion, qui n'est pas spécifiquement littéraire, hésite entre un usage commun, pluriel, et un usage réservé, dont l'origine renvoie à une pensée constituée et à ses auteurs de référence, essentiellement Platon et Jung. Au sens usuel, l'archétype emprunte volontiers au *prototype* son acception de premier exemplaire, mais plus souvent, dans le contexte littéraire, c'est en tant que *modèle* qu'il est convoqué : c'est le « comment par Homenaz nous fut montré l'archétype d'un pape » de Rabelais dans le *Quart livre*, en 1548, tenu pour la première apparition du terme dans la littérature française. Simple élément initial ou véritable parangon, il peut revêtir une forme concrète : l'archétype est personnage, événement ou situation, décor même. Mais, avec de forts accents platoniciens, il s'impose également en tant que *type éternel* ou comme *modèle de perfection* et ne peut être appréhendé qu'au travers de ses répliques : dans ce cas, il entretient tant avec le *symbole* qu'avec *l'image* (iconique ou poétique) de fortes affinités.

L'ancienneté théorique revient à l'archétype platonicien, coextensif de l'Idée, situé dans un monde dont la préexistence à l'univers sensible constitué d'apparences fait le seul monde réel. D'autres philosophies lui ont ensuite accordé une place, comme celle de Malebranche, mais on le retrouve aussi chez Locke, Berkeley et Condillac. Son actualité théorique et critique est cependant beaucoup plus récente. Elle est due aux propositions jungiennes, d'inspiration platonicienne, pour leur résonance anthropologique. Chez Jung, dès 1912, l'archétype est reconnu comme une figure dynamique, porteuse des représentations symboliques siégeant dans l'inconscient collectif dont dépend, selon lui, la nature psychique de l'individu, en deçà même de ses déterminations culturelles. Il vient alimenter mythes et contes, folklores et religions, il informe les manifestations psychiques individuelles (rêves, névroses, etc.) et féconde les œuvres d'art (C. G. Jung, *Les racines de la conscience*,1954). Toutefois, la véritable entrée en littérature des archétypes jungiens est le fait de la poétique de Bachelard, et du renouveau critique qu'elle signifie dans les années 1940-1950. À partir des quatre éléments d'Empédocle (Terre, Air, Eau, Feu), l'auteur s'attache à une psychanalyse de la matière qui met en avant le pouvoir créateur des archétypes inconscients, portés par l'image littéraire et retrouvés lors des rêveries sur l'œuvre. C'est ainsi que, dans son *Lautréamont*, lorsque Bachelard rencontre la figure du chien, il ne la retient pas au motif que rien ne permet de reconnaître en elle « l'expérience profonde du centaure » (p. 28). Plus largement, à partir de ces propositions de lecture se développe l'orientation critique du courant thématique qui, en dépit de l'inflexion donnée par les sciences du langage aux études littéraires à partir des années 1960, saura préserver son autonomie et convoquer les archétypes.

Il est malaisé de délimiter la sphère d'intervention de l'archétype dans le domaine littéraire tant il a, en vertu de ses caractères universels, vocation à être recherché en tous lieux. Remonter à l'archétype – considéré comme simple modèle ou envisagé comme image primordiale – est en particulier le mouvement naturel de la critique thématique où sont choisis comme objets un personnage, un motif, un thème, un décor, dans une œuvre, chez un auteur, au sein d'un mouvement littéraire, à l'intérieur d'un genre ou durant une période. La recherche des archétypes, dans une conception où imaginaire et symbolique ne s'opposent pas, est plus spécifiquement l'apanage du courant représenté par Gilbert Durand qui reprend à son compte les orientations de Bachelard (et leurs fondements jungiens). Il y a, dans la recherche des schèmes qui sous-tendent et prédéterminent l'œuvre, la volonté de reverser le littéraire dans le grand fonds où vient s'alimenter l'imaginaire, ce qui ne va pas sans négliger les différences et les inflexions historiques – c'est à ce titre que la notion a souvent été combattue (Soriano, p. 467). On comprend alors que cette orientation critique se soit peu à peu tournée vers la mythocritique. Ainsi, et hors de cette perspective, il reste le plus souvent à l'archétype ce sens faible où il voisine couramment avec le prototype (pour l'origine) et le stéréotype (pour la reprise).

▶ BACHELARD G., *Lautréamont*, Paris, Corti, 1939. — DURAND G., *Le décor mythique de* La Chartreuse de Parme, Paris, Corti, 1961 ; *Les structures anthropologiques de l'imaginaire*, Paris, Dunod, 1969. — FRYE N., *Anatomie de la critique*, trad. fr., Paris, Gallimard, [1947], 1969. — SORIANO M., *Les contes de Perrault*, Paris, Gallimard, 1968.

Florence DE CHALONGE

→ *Anthropologie ; Image ; Imaginaire et imagination ; Modèle ; Mythocritique ; Psychanalyse ; Stéréotype ; Symbole ; Thématique (Critique) ; Type.*

ARGOT → Catégories linguistiques ; Niveaux de langue ; Vocabulaire

ARGUMENTATION

L'argumentation comprend l'ensemble des moyens verbaux qui permettent, dans les domaines les plus divers, d'emporter ou de renforcer l'adhésion de l'auditoire à une thèse ou à une vision des choses. En tant que théorie des effets du discours, elle est synonyme de rhétorique (entendue en ce cas comme art de persuader). Dans le sillage de la rhétorique antique, on a pu limiter l'argumentation aux discours qui visent à convaincre. Cependant la pragmatique contemporaine tend à considérer que tout échange verbal comporte une dimension argumentative, et la théorie, dans les travaux d'Anscombre et Ducrot, va jusqu'à poser que l'argumentation n'est pas un fait de discours, mais qu'elle est inscrite dans la langue et inséparable du sens de l'énoncé.

Née dans la Grèce antique, dans une société démocratique où il était important de pouvoir influencer les choix et les décisions des citoyens, l'argumentation a été le fait des sophistes avant d'être théorisée dans la *Rhétorique* d'Aristote (384-322). Elle y est conçue comme un discours destiné à mener vers certaines conclusions un public non spécialisé, par le moyen d'un raisonnement fondé sur l'enthymème (un syllogisme incomplet) et l'exemple (induction). La rhétorique n'est pas le domaine du vrai, mais du vraisemblable : le raisonnement vise à faire admettre la plausibilité d'une thèse dans des domaines où il n'y a pas de certitudes scientifiquement démontrables. Aristote distinguait la rhétorique de la logique, mais aussi de la dialectique où deux interlocuteurs s'affrontent en une joute oratoire (étudiée dans les *Topiques*). Pour lui, elle s'exerce dans les trois grands genres rhétoriques : le judiciaire, le délibératif et l'épidictique. Et elle implique une relation au sein de laquelle un orateur adresse à un auditoire des arguments, qui sont de trois ordres : le *logos*, qui est la qualité intrinsèque du discours, son rapport à la raison ; l'*éthos*, ou la personne de l'orateur, sa qualité morale ; le *pathos*, relatif aux dispositions affectives de l'auditeur. Aristote ouvrait une voie que suivirent les Romains, comme le montrent *La rhétorique à Herennius*, anonyme (86-83 av. J.-C), l'œuvre de Cicéron connu pour ses plaidoiries mais aussi pour son *De l'orateur* (55 av. J.-C), et celle de Quintilien *L'institution oratoire* (93 apr. J.-C). Peu à peu, cependant, la rhétorique tend à devenir un « art de bien dire ». Une distinction s'établit entre l'art de l'argumentation raisonnée, domaine de la logique et de la philosophie, et la rhétorique réduite à l'élocution, c'est-à-dire à un art de l'ornement. Cette séparation des disciplines, qui trouve sa formulation extrême sous la plume de Pierre de la Ramée (1515-1572), marque le déclin de l'argumentation. Celle-ci se distingue dès lors de la rhétorique, de plus en plus limitée à l'étude des figures (Dumarsais et Fontanier). Accusée d'artificialité, cette rhétorique « restreinte » est dépréciée par le XIXe siècle qui prise l'originalité et la spontanéité. Par ailleurs, la recherche de la vérité fondée sur l'évidence, qu'elle soit rationnelle (Descartes) ou empirique (Locke), contribue dans le domaine philosophique à discréditer l'argumentation fondée sur le seul vraisemblable. C'est seulement dans les années 1950 que la réflexion sur l'argumentation effectue un retour en force, grâce aux travaux de Stephan Toulmin (*Les usages de l'argumentation*, 1958) et surtout de Chaïm Perelman dont la « nouvelle rhétorique » se ressource à la tradition aristotélicienne. Privilégiant l'adaptation de l'orateur à l'auditoire, Perelman sépare l'argumentation, qui mise sur des opinions partagées, de la démonstration scientifique, où les croyances de l'auditoire n'ont aucune incidence. D'où l'importance des points d'accord sur lesquels s'appuie le raisonnement : l'orateur doit transférer aux conclusions l'adhésion apportée aux prémisses, grâce à l'utilisation de stratégies discursives appropriées et à l'utilisation de lieux communs. Pour Perelman, l'argumentation permet seule de poser des normes de rationalité susceptibles d'orienter les décisions dans le vaste domaine de la vie sociale qui échappe à la logique formelle. Elle embrasse le discours philosophique et littéraire aussi bien que le discours public ou judiciaire. Peu en faveur dans les années 1960 et 1970 qui privilégiaient les déterminations inconscientes ou socio-économiques du discours, les travaux de Perelman ont intéressé les départements de *Speech Communication* aux États-Unis et les juristes, avant de connaître un regain de faveur en France avec le développement des études sur la communication.

L'argumentation jouit par ailleurs d'un grand intérêt à la faveur du développement de la pragmatique, qui étudie l'usage des énoncés en contexte. La notion d'acte de langage a mis l'accent sur le dire comme faire (Austin). Les théories de la conversation initiées par Grice (1975) et l'analyse des interactions verbales ont promu l'étude linguistique des argumentations dans la conversation (Moeschler), l'examen des procédures rationnelles de résolution des conflits (la pragma-dialectique de van Eemmeren et Grootendorst) et la description de l'interaction argumentative et de ses composantes (Plantin). En même temps, la *pragmatique intégrée*, qui refuse de dissocier l'usage de l'énoncé de son sens, étend l'argumentativité à la totalité de la langue. Considérant qu'il y a argumentation lorsqu'un locuteur « présente un énoncé E1 (ou un ensemble d'énoncés) comme étant destiné à en *faire admettre* un autre (ou un ensemble d'autres) E2 », Anscombre et Ducrot (1988) posent que « c'est un trait *constitutif* de nombreux énoncés, qu'on ne puisse pas les employer sans prétendre orienter l'interlocuteur vers un certain type de conclusion ». Le sens est ainsi conçu comme une direction, une orientation. Il importe donc d'examiner les connecteurs (« donc, mais, justement... ») et les *topoi* contenus dans un terme ou un énoncé, lieux communs culturels qui assurent l'acceptabilité des enchaînements.

L'argumentation est aujourd'hui prise en charge par des disciplines variées, selon des modalités souvent peu compatibles. Dans les sciences du langage, elle est en honneur non seulement en pragmatique, mais aussi dans les recherches sur le discours politique, le discours de presse et les médias, la publicité. En Lettres, la question la plus délicate en matière d'analyse de l'argumentation est celle de l'extension qu'on donne à ce concept. Nombre de textes littéraires en relèvent manifestement : les essais, les discours (de Descartes ou de Rousseau par exemple), les textes polémiques, les textes à thèse. Pour d'autres (fables, contes philosophiques...) les données sont plus complexes. Enfin, la pure fiction et la poésie formelle semblent échapper à cette perspective d'analyse. Cette distinction recoupe deux façons de concevoir ce qu'est un argument. Les uns veulent en réduire le concept à des données langagières rationalisables (alors, argumenter c'est convaincre), les autres considèrent que tout ce qui peut infléchir l'attitude du destinataire est argument (alors, la séduction ou la menace peuvent l'être aussi, au sens par exemple où jadis on faisait graver sur des canons *ultima ratio regis*). On peut ainsi distinguer deux tendances principales dans les études argumentatives (outre celle qui privilégie le seul examen interne des discours, qu'il s'agisse des paralogismes ou arguments fallacieux, des schémas argumentatifs ou des relations causales). L'une privilégie l'interaction avec l'auditoire, la construction de l'*éthos*, les prémisses et les *topoi*, les stratégies verbales propres à emporter l'adhésion (Perelman) : elle met en avant la part rationnelle de l'argumentation. L'autre considère que l'argumentativité est une composante du sens de tout énoncé (Ducrot). Ainsi, certains tendent à exclure de l'argumentation le *pathos*, associé à la manipulation, alors que d'autres revalorisent les fonctions de l'émotion dans l'interaction argumentative. On conçoit que la seconde perspective offre une plus grande richesse de possibilités pour les études littéraires, où les émotions jouent un rôle majeur dans l'enjeu esthétique même. La distinction entre ces deux lignes d'analyse recoupe la distinction entre une étude de l'argumentation *dans* les œuvres et une analyse de l'argumentation *par* le texte littéraire.

Aussi les études de l'argumentation en littérature se présentent sous deux formes différentes : celle d'une étude active de l'argumentation comme pratique du discours raisonné et bien construit, et celle de l'effet argumentatif des textes. Des études comme celles de A. Kibédi-Varga sur la littérature classique (1970), de M. Angenot sur le pamphlet, de A. Halsall sur le roman, ouvrent la voie à une analyse de la dimension argumentative inhérente à tout texte littéraire. Dès lors, ce ne sont pas seulement les textes à thèse qui sont objets d'investigation : l'analyse argumentative perçoit le texte littéraire comme un discours où un locuteur, souvent multiple et polyphonique oriente ou tente d'infléchir des façons de voir et d'interpréter le réel, non seulement pour soutenir une thèse, mais plus souvent pour instaurer une problématique ou éveiller une attention.

▶ AMOSSY R., *L'argumentation dans le discours*, Paris, Nathan, 2001. — ANSCOMBRE J.-C. & DUCROT O., *L'argumentation dans la langue*, Liège, Mardaga, 1988, p. 30. — ARISTOTE, *Rhétorique*, introd. Michel Meyer, Paris, Le livre de poche, 1991. — DECLERCQ G., *L'art d'argumenter, Structures rhétoriques et littéraires*, Paris, Éditions universitaires, 1992. — PERELMAN C. & OLBRECHTS-TYTECA O., *Traité de l'argumentation. La nouvelle rhétorique*, Bruxelles, Les Presses de l'ULB, 1970.

Ruth AMOSSY

→ *Adhésion ; Affects ; Discours ; Éloquence ; Épidictique ; Éthos ; Lieu commun ; Logique, logos ; Narration ; Orateurs ; Pragmatique (Littéraire) ; Rhétorique ; Topique.*

ART DRAMATIQUE → Dramaturgie

ART POUR L'ART

L'art pour l'art, ou « art pur », est un slogan qui naît au milieu du XIXe s., au moment où s'affirme le processus d'autonomie du champ littéraire. Il marque la volonté des artistes de s'affranchir de toute instance de jugement autre qu'esthétique (par exemple politique ou morale), et de produire des œuvres qui porteraient en elles-mêmes leur propre finalité. Pris en son sens positif, il caractérise la liberté de l'écrivain moderne. Ses détracteurs en ont souvent fait un synonyme de « formalisme » en voulant dénoncer son refus de s'intéresser au monde social.

Renouvelant la tradition du génie et de « l'enthousiaste », le romantisme donne naissance au mythe du Poète dont l'art n'est redevable que de la libre inspiration. C'est à lui que songe d'Arthez, dans *Illusions perdues* de Balzac (1837-1843), lorsqu'il propose à Lucien de choisir entre la voie du Cénacle qu'il incarne, et celle, plus aisée et plus enrichissante, du journalisme. Le Cénacle, c'est la « vie d'artiste », celle de la bohème impécunieuse, qui attend d'un avenir lointain la consécration d'une vie vouée à l'art pur.

La querelle de l'art pour l'art s'enflamme vers 1832, lorsque Hugo et Théophile Gautier réagissent à la ferveur humanitaire qui propose un art social et aux critiques qui demandent aux écrivains de rendre compte du contenu de leurs œuvres. « À quoi cela sert-il ? Cela sert à être beau » (Gautier, préface des *Poèmes*, 1832). La Préface de *Mademoiselle de Maupin*, 1835-1836, s'impose comme un manifeste auquel Baudelaire ou Flaubert demeureront fidèles. Le débat se poursuit jusque dans les années 1860, en particulier lorsque Flaubert, Baudelaire et les Goncourt font l'objet de poursuites judiciaires (vers 1852-1857). Le salon de Madame Sabatier, autour de Gautier, Baudelaire, Flaubert, les Goncourt, dans les années 1860, et le journal *L'artiste* dont Gautier devient le directeur en 1856, ainsi que le Parnasse, comptent parmi les instances de diffusion de la doctrine. Au sens strict, celle-ci disparaît en 1870, mais la problématique qu'elle a ouverte reste bien vivante et la défense de l'art pour l'art continue d'être régulièrement invoquée comme une position polémique efficace dans les querelles littéraires du XXᵉ s.

L'art pour l'art cristallise le rejet des valeurs sociales dominantes (utilitarisme, positivisme), et il apparaît désormais chaque fois que le monde des écrivains se sent menacé de l'extérieur, par des interventions judiciaires ou par une demande sociale pressante. Mais ses défenseurs les plus connus n'en font pas un principe constant : selon l'état du champ social, Baudelaire le défend ou le récuse, et si Flaubert le maintient dans sa correspondance, ses romans témoignent d'une attitude nuancée.

Les œuvres qui se réclamaient de l'esthétique « pure » ont souvent été ignorées par la sociologie de la littérature, parce qu'elles ne fournissaient aucun gage à l'esthétique du reflet des réalités sociales. Dans la tradition marxiste, l'École de Francfort et les thèses de Walter Benjamin ont su rompre avec cette ignorance. Adorno commentait Mallarmé, en voyant dans l'énigme et le Rien une traduction des relations sociales réduites par le capitalisme à l'état de relations de choses entre elles. Les travaux de Bourdieu, ensuite, insistent sur le fait que le monde de « l'art pur » ne constitue pas un milieu « pur » de tout conflit : c'est « à travers ce travail sur la forme que se projettent dans l'œuvre ces structures que l'écrivain, comme tout agent social, porte en lui à l'état pratique », et c'est dans la revendication de l'autonomie de l'art que se joue l'invention du « grand artiste professionnel » qu'incarnent Baudelaire ou Flaubert (*Règles*, p. 159 et 162).

En son acception la plus large, l'art pour l'art appelle d'autres réflexions. D'Aristote à Horace (*utile dulci*) et à La Fontaine (« il faut instruire et plaire »), l'idée selon laquelle l'art littéraire se définit par une fonction d'édification, morale ou religieuse, socialement utile en tous cas, est largement dominante. Le fait littéraire ne peut être défini indépendamment d'elle. L'art pour l'art, face à cela, représente un siècle et demi de transformation d'une partie des valeurs littéraires en finalité sans fin autre qu'esthétique, la dissociation du plaire et de l'instruire, une réduction de la triade Vrai, Beau, Bien aux seules valeurs que les spécialistes de la littérature ont reconnues pour les leurs. La capacité de ces spécialistes à s'imposer au reste de la société comme seuls qualifiés à donner des jugements littéraires les a conduits à insister particulièrement sur les œuvres et les auteurs de rupture, ceux qui, parce qu'ils pouvaient heurter la doxa, sanctionnaient leur pouvoir symbolique : d'où les débats à propos de Sade, de Flaubert, de Mallarmé ou de Céline, et l'insistance avec laquelle reviennent les interrogations sur la littérature et le mal, la défense de la littérature contre la morale ou l'affirmation qu'elle peut tout dire.

Une des conséquences de l'art pour l'art est la « lecture pure », modalité particulière de la lecture savante, qui impose l'idée que les œuvres doivent être lues pour elles-mêmes et non pas comme des lieux de réponse à des enjeux éthiques, le plaisir esthétique devenant l'unique raison de lire. À son tour, cette vision retentit sur l'écriture. Il faut sans doute comparer l'état présent de la production littéraire francophone au sentiment de nécessité qui anime des auteurs comme Nadine Gordimer en Afrique du Sud ou Toni Morrison aux États-Unis, pour évaluer les limites de cette vision de la littérature.

▶ ABASTADO C., *Mythes et rituels de l'écriture*, Bruxelles, Complexe, 1979. — ADORNO T. W., *Notes sur la littérature*, trad. fr., Paris, Flammarion, 1984. — BOURDIEU P., *Les règles de l'art*, Paris, Le Seuil, 1992. — CASSAGNE A., *La théorie de l'art pour l'art en France chez les derniers romantiques et les premiers réalistes*, Paris, Champ Vallon, [1906], 1997. — *Actes de la recherche en sciences sociales*, juin 1998, 123.

Paul ARON

→ *Autonomie ; Autotélisme ; Cénacle ; Champ littéraire ; Parnasse ; Poésie pure ; Positivisme ; Utilité.*

ART SOCIAL

Sans être une pratique aux contours clairement définis ni même théorisés, l'art social est une forme d'engagement de l'artiste qui inscrit dans la production artistique une critique sociale solidaire des courants progressistes.

L'art social est indissociable de la montée des courants réformateurs qui, de 1830 à 1848, attendent des artistes qu'ils contribuent à l'amélioration de la vie sociale, soit en reflétant les misères du monde dans leurs œuvres, soit, de manière d'ailleurs non contradictoire, en montrant ce que pourrait être une société meilleure. Des premiers modèles de cet art que sont *Les mystères de Paris* d'E. Sue procède une tradition parallèle au développement du socialisme, surtout en ses versions utopiques (Fourier, Proudhon et Morris en Angleterre). Pour une part, elle crée une attente de ce type d'œuvres dans le monde ouvrier, et, d'autre part, elle instaure la permanence d'une figure d'écrivain engagé, attentif au drame social et soucieux de s'adresser au public populaire.

Rares sont les auteurs consacrés qui se sont, volontairement, inscrits dans ce courant. Mais les créations poétiques, les feuilletons et les chansons de nombreux écrivains souvent issus de milieux populaires forment un vaste ensemble de textes, qui sont des réactions spontanées ou guidées par une idéologie de lutte contre l'oppression sociale. Des écrivains comme Pierre Dupont, Zola ou Ibsen ont été souvent perçus comme proches de l'art social.

Après 1851, la censure du Second Empire limite l'expansion de l'art social. La répression qui suit la Commune de Paris lui ôte toute possibilité d'expression. Il faut en fait attendre la dernière décennie du siècle pour que la notion revienne dans les débats artistiques et politiques.

Fin 1889, A. Tabarant, L. Cladel et quelques autres écrivains dont le jeune J.-H. Rosny Aîné fondent un Club de l'Art social, qui se recomposera en une revue, *L'art social* (1891-1894) et un Théâtre d'art social (1892), autour de F. Pelloutier. Au même moment, B. Lazare rédige *L'écrivain et l'art social* (1896), et A. Baju, l'ancien animateur du *Décadent*, adhère au parti de Jules Guesde et dénonce l'art pour l'art, en lui opposant les mérites de l'art social. En Belgique, des écrivains symbolistes comme Maeterlinck ou Verhaeren, ou naturalistes comme G. Eekhoud se rapprochent de *L'art moderne*, qui prône l'art social, pour accentuer leur rejet de l'esthétique parnassienne défendue par *La jeune Belgique*. Et, ce faisant, ils participent aux activités du Parti Ouvrier Belge à Bruxelles, dont la Section d'art encourage les « artistes qui vont au peuple ».

Les milieux anarchistes créent une ouverture semblable dans leurs revues. *Le révolté*, fondé par Kropotkine, diffuse ainsi les thèses de Proudhon, Ruskin et Morris, et compte Huysmans, Daudet, France, Loti, Leconte de Lisle et Mallarmé parmi ses abonnés.

Au XXe s., les partis d'extrême gauche privilégient souvent la vision d'un intellectuel organiquement lié au Parti et d'une littérature à thèse fondée sur l'optimisme révolutionnaire. L'art social tend dès lors à se dissoudre dans le réalisme-socialiste ou l'engagement des écrivains. Il resurgit toutefois dans certaines circonstances comme la guerre d'Espagne (Picasso, Malraux), les mouvements antifascistes (Heinrich Mann), le développement d'une nouvelle gauche non marxiste en Grande-Bretagne, où il fonde en partie les études culturelles, ou la contre-culture américaine des années soixante.

L'art social naît à peu près en même temps que les thèses qui affirment l'art pour l'art. On a souvent présenté les deux mouvements de manière symétrique. Cette façon de voir ne tient compte ni des rapports anciens que la littérature entretient avec le politique, ni de la durée propre à chaque notion. Mais il est vrai que l'une et l'autre peuvent caractériser l'éthos de milieux sociaux, celui des « littéraires purs » et celui des « militants ouvriers ».

L'art social est lié à certaines modalités de l'expression littéraire et artistique. De Courbet à Zola et de Tolstoï à U. Sinclair, l'œuvre réaliste a été perçue comme solidaire des démunis qu'elle n'hésitait pas à représenter. Toutefois les peintres impressionnistes (Signac, *Au temps d'harmonie*) et les écrivains symbolistes ont également constitué le peuple en sujet esthétique (Verhaeren, *Les villes tentaculaires*, 1896), incorporant aux formes savantes des thèmes, rythmes et contenus populaires ou folkloriques.

L'art social pose par ailleurs le problème de l'accueil par le public populaire des œuvres écrites à son intention. Comment faire coïncider l'intention morale, le descriptif réaliste et la fonction de divertissement ? Cette question se pose obstinément dans tous les textes traitant de l'art social qui ont été publiés de 1850 à 1950. C'est elle qui fonde la problématique commune à la littérature ouvrière, au théâtre populaire, à la littérature prolétarienne, au réalisme socialiste et à l'art engagé contemporain.

▶ ANGENOT M., « Champ contre-champ : sur l'invention de l'art social », in *L'Institution du texte*, Bruxelles, Labor, 1999, p. 35-64. — ARON P., *Les écrivains belges et le socialisme (1880-1913). L'expérience de l'art social : d'Edmond Picard à Émile Verhaeren*, Bruxelles, Labor, 1985. — EGBERT D. D., *Social Radicalism and the Arts. Western Europe. A cultural history from the French Revolution to 1968*, New York, Alfred A. Knopf, 1970. — PROUDHON J., *Du principe de l'art et de sa destination sociale* [1865], Paris, Garnier, 1971.

Lucie ROBERT

→ *Art pour l'art ; Engagement ; Éthos ; Marxisme ; Ouvrière (Littérature) ; Politique ; Prolétarienne (Littérature), Réalisme socialiste.*

ARTS DU DISCOURS

On appelle arts du discours, à l'époque médiévale et depuis, trois disciplines : grammaire, rhétorique et dialectique Elle composaient le *trivium*, tandis que les arts dits scientifiques (musique, arithmétique, géométrie et astronomie) constituaient le *quadrivium*. L'ensemble des arts libéraux formait le *septivium* qui faisait l'objet de l'enseignement fondamental, avant l'accès à la théologie. Trois « explications » étymologiques sont en balance pour justifier l'appellation d'« arts ». La première, en référence au latin *ars*, renvoie à l'idée de méthode, de savoir pratique, donc désigne des corps de doctrines définis en fonction d'un ensemble de règles. La deuxième fait dériver le terme du grec *arétè* (vertu) – qualité supposée pour suivre les voies de la sagesse. La troisième, admettant que l'agencement des arts obéit à un principe de raison, fait de leur disposition l'expression d'un *artis*, au sens de : système articulé.

Les disciplines du *trivium* ont organisé l'enseignement scolastique, voué à l'interprétation des Écritures. La grammaire est enseignée avec les textes de Priscien et de Donat, la rhétorique avec Cicéron et Boèce, la dialectique avec les textes d'Aristote. Toutes ces disciplines sont alors pratiquées bien sûr en latin. La *Grammatica*, qui signifie, au sens propre, l'art de d'écrire correctement, recouvrait l'étude de la grammaire proprement dite (formes et constructions de la phrase) et de la poésie profane. Elle repose sur la connaissance des lettres, syllabes, de la phrase, de la période et des figures. La *Dialectica* (ou *Logica*) – art de raisonner juste – reposait sur la pratique de la *disputatio*, qui met aux prises, à partir de la lecture d'un texte, un opposant et un répondant. La *Rhetorica* visait à enseigner la composition des lettres et des sermons – en latin, à l'intention des clercs, mais aussi en langue vulgaire, pour le peuple.

La répartition des trois a varié au fil du temps : la rhétorique a dominé entre le Ve et le VIIe s. ; la grammaire est en position d'hégémonie du VIIIe au Xe s. ; la logique (ou dialectique) marque la scolastique du XIe à la veille du XVe s. Au Ve-VIe s, Martianus Capella fixe la hiérarchie du *septivium.* La façade des cathédrales de Chartres ou de Paris portent témoignage de cette allégorisation. Capella influença Boèce (480-524) et Cassiodore (480-575). Ce dernier inféra d'une interprétation des *Psaumes* que les Écritures recèlaient les arts libéraux. Au VIe-VIIe s., Isidore de Séville propose une nouvelle classification des savoirs fondée sur l'opposition entre arts libéraux et sciences morales, naturelles et arts manuels. À partir du XIe s., d'importantes modifications apparaissent, d'abord avec Hugues de Saint Victor (1036-1141) puis avec J. de Salisbury (1115-1180) : se dessine alors une nouvelle répartition entre *Dialectica* et *Rhetorica*, qui préfigure la distinction entre « sciences » et « lettres ». Le *trivium* fut ensuite scindé.

La question se pose aujourd'hui de savoir quelles sont les traces, sinon le remembrement du *trivium*, dans la nouvelle configuration des savoirs suscitée par le développement des sciences du langage et de la littérature (puisque l'étude de la poésie relevait de la *grammatica*, et que la rhétorique impliquait des genres littéraires). Les théories qui envisagent le langage en contexte (sémiotique, pragmatique) donnent une nouvelle résonance à la dénomination d'arts du discours. Si la grammaire a été d'abord investie dans une linguistique restreinte, à l'échelon de la morphosyntaxe, les recherches sur la pragmatique du langage ont élargi cette problématique, et la perspective pragmatique assume largement les préoccupations initiales de la dialectique et de l'ancienne rhétorique. Le développement des recherches sur la réception a réactivé les questions d'interprétation où les textes, et les textes littéraires notamment, ne sont plus envisagés seulement comme objets de langage, mais comme *discours*, donc comme des faits de langage en situation. Ainsi une reconfiguration des arts du discours semble en cours. Pour ce qui concerne proprement la littérature, une tension est cependant induite avec les théories issues de l'art pour l'art, qui refusent de la considérer, au moins pour une partie d'elle, comme un discours.

▶ BARTHES R., « L'ancienne rhétorique » [1970], in *L'aventure sémiologique*, Paris, Le Seuil, 1985. — STEINER G., *Réelles présences – les arts du sens*, Paris, Gallimard, 1994.

Georges Elia SARFATI

→ *Analyse de contenu et de discours ; Grammaire ; Logique, Logos ; Pragmatique littéraire ; Rhétorique ; Scolastique ; Signification.*

ARTS POÉTIQUES

Les arts poétiques sont des ouvrages en vers ou en prose enseignant les règles de composition des poèmes. L'étymologie renvoie à *ars*, qui désignait le savoir-faire dont on fait preuve dans un métier, et à *poïèsis*, création ou fabrication d'un objet, qui s'appliquait en particulier à la production littéraire.

Les premiers arts poétiques apparaissent dans l'Antiquité, le principal en Grèce étant la *Poétique* d'Aristote qui définit la tragédie et l'épopée. L'influence de ce traité reste d'abord assez limitée, mais à Rome Horace s'en est indirectement inspiré pour la composition de son propre *Art poétique.* Ce texte commence par donner quelques conseils pour l'invention, la disposition ou le style ; il présente ensuite les différents genres poétiques et leurs règles métriques avant de terminer par des remarques concernant la formation du poète. Il a servi de modèle pour les poètes et les théoriciens français. Le Moyen Âge a vu fleurir un grand nombre de *poetriae* (tandis que l'*ars dictaminis* ou *ars dictandi* sert de modèle de style pour la rédaction des lettres) en latin : Matthieu de Vendôme (*Ars versificatoria*), Geoffroi de Vinsauf (*Poetria nova*), Gervais de Melkley (*Ars versificaria*), Évrard L'Allemand (*Laborintus*) et Jean de Garlande (*Poetria*). En 1393, Eustache Deschamps rédige le premier art poétique en prose de langue française, *L'Art de dictier.* Tous ces traités reprennent les schémas de la rhétorique : *dispositio* (ou comment structurer un poème) et *elocutio* (procédés d'amplification et ornements du style). Avec l'humanisme et l'imprimerie, la diffusion d'Horace s'accroît, grâce à sa traduction en vers par Jacques Peletier du Mans en 1541. *La défense et Illustration de la langue française* (Du Bellay, 1549) ou l'*Abrégé de l'Art poétique français* (Ronsard, 1565) ne s'y conforment cependant pas, dans leur souci de développer une lignée poétique proprement française. Mais les théories d'Aristote reprennent alors une influence majeure, par leur traduction dès le début du XVIe s., par ses commentateurs italiens et par la *Poétique* de Jules-César Scaliger (1561). Il devient en particulier le modèle pour la tragédie, genre prépondérant à l'âge classique. Boileau, cependant, s'inspire directement d'Horace pour son propre *Art Poétique* (1674), qui devient pour longtemps le modèle principal en France. Il préconise la distinction des genres, la soumission à la raison, les unités. Il constitue la doctrine des Anciens, dans la querelle des Anciens et des Modernes. Au XVIIIe s., son influence reste dominante, même si du Bos introduit une dimension renouvelée du goût (*Réflexions sur la poésie et la peinture*, 1719). C'est contre les épigones de Boileau que se fait la révolution romantique, dont la « Préface » de *Cromwell* de Hugo (1827) constitue le nouvel art poétique. Et contre les romantiques, une génération plus tard, Théophile Gautier insère dans son recueil *Émaux et camées* (1858) un poème intitulé « L'Art » où il expose les principes esthétiques de l'art pour l'art, puis Verlaine avance son propre *Art poétique* (dans *Jadis et Naguère*, 1884) qui donne la primauté au rythme et à la musicalité, contre le souci des contenus idéologiques. Claudel de même donne le sien, mais par la suite, les courants esthétiques ayant l'usage de se constituer en École, ce sont en fait les manifestes qui ont valeur d'arts poétiques (ainsi les *Manifestes* du surréalisme dans les années 1920). Aussi le domaine concerné par ce genre déborde du seul espace de la poésie (qui pour autant continue d'en susciter : ainsi les textes fondateurs de l'OuLiPo ou encore Ponge, *My creativ Method*, in *Le Grand Recueil*, 1961), et conformément aux évolutions du sens de « littérature », peut s'appliquer à l'ensemble des formes et genres : on peut ainsi considérer *Pour un nouveau roman* de Robbe-Grillet (1963) comme un art poétique du roman, genre devenu dominant au XXe s.

Un art poétique a pour objet d'instaurer une norme destinée à ceux qui ont l'ambition est d'écrire des poèmes. Il relève donc du registre didactique. Ces ouvrages sont généralement rédigés par des auteurs ou des théoriciens reconnus. Dans ce cas leurs préceptes sont généralement ceux d'une époque, reflètent les pratiques littéraires d'une société, et loin de ne concerner qu'un homme, traduisent le plus souvent les positions et l'esthétique d'un groupe. On peut donc les regarder comme des synthèses d'une esthétique. Mais historiquement, on constate que les arts poétiques relèvent, aussi du registre polémique : l'auteur y est nécessairement engagé dans les débats sur les conceptions, variables et conflictuelles, de la poésie et de la littérature, et ces textes portent ainsi les traces des querelles esthétiques d'une époque. Aristote se situe contre l'hostilité platonicienne envers la poésie, Horace s'en prend aux tenants de l'inspiration débridée, Boileau fait la synthèse des positions des Anciens, et on a vu ci-dessus que Ronsard, du Bellay, Hugo ou Verlaine se situaient dans une opposition à un modèle dominant en leur temps. Ainsi Du Bellay et Ronsard élaborent une nouvelle conception, par réaction à la poétique marotique affirmée par Thomas Sébillet, dans son *Art poétique* (1548). Ils reprochent notamment à Sébillet de ne pas rejeter les genres spécifiques du Moyen Âge comme le rondeau, la ballade ou le virelai : La Pléiade revendique, en effet, une poétique nouvelle pour rivaliser avec les grands genres antiques comme l'ode pindarique. Les arts poétiques engagent ainsi querelles et débats, jusqu'au XXe s. : le premier *Manifeste du Surréalisme* (1924), par exemple, est un art poétique de la rupture avec toutes les traditions esthétiques.

C'est qu'un art poétique propose non seulement des préceptes de composition, mais aussi une réflexion sur la poésie ou le poète. Par exemple L'*Art poétique* de Vida (1527) commence par évoquer l'éducation du poète, la nature de son inspiration, avant d'aborder des aspects plus techniques concernant l'épopée. L'*Art poétique* de Jacques Peletier du Mans (1555) s'achève sur des recommandations morales à l'attention du poète, en précisant quelles doivent être ses qualités. Mais s'il est vrai que l'auteur vise généralement à former des disciples, il peut également présenter son art poétique comme une réflexion explicitant sa propre démarche. Les *Notes* de Baudelaire *sur Edgar Poe* (1856-1857), sans être un art poétique au sens strict du terme, offrent des prises de position éclairant, autant que l'œuvre de Poe, celle de Baudelaire. Un art poétique peut même toucher à des questions d'une dimension qui dépasse largement le cadre habituel d'un traité. La « Préface » de Cromwell offre une vision et une philosophie de l'histoire autant que des principes de composition des œuvres. L'*Art poétique* de Claudel (1907) s'ouvre à la réflexion métaphysique et livre ainsi des clefs d'interprétation de l'ensemble de son œuvre. Aussi faudrait-il considérer comme art poétique non seulement les ouvrages qui revendiquent explicitement ce titre, mais aussi tout écrit où un poète parle de son œuvre et de sa conception de la beauté. Yves Bonnefoy (*Entretiens sur la poésie*, 1981), Roger Caillois (*Approches de la poésie*, 1978) ou Étiemble (*Poètes ou faiseurs ?*, 1966) donnent l'exemple de contemporains soucieux de livrer aux lecteurs des voies d'exploration de leur œuvre. Ainsi les arts poétiques doivent être réinscrits dans la perspective globale des théories littéraires et, dès lors, regardés non tant comme des codes de lecture assurés des œuvres de leur auteur et du courant auquel il appartient que comme des pièces du vaste intertexte des débats sur la littérature tout entière.

▶ ARISTOTE, *Poétique*, trad. par R. Dupont-Roc et J. Lallot, Paris, Le Seuil, 1980. — FARAL E., *Les Arts poétiques du XIIe et du XIIIe siècle*, Paris, Champion, 2e éd., 1958. — GOYET F., *Traités de poétique et de rhétorique de la Renaissance*, Paris, Le Livre de Poche, 1990. — GRIMAL P., *Essai sur l'Art poétique d'Horace*, Paris, SEDES, 1968. — MEERHOF K., *Rhétorique et poétique au XVIe s. en France (Du Bellay, Ramus et les autres)*, Leiden, E. J. Brill, 1986.

Jean-Frédéric CHEVALIER

→ *Art pour l'art ; Didactique (Littérature) ; Genres littéraires ; Littérature ; Manifestes ; Poésie ; Poétique ; Polémique ; Rhétorique ; Théories de la littérature ; Vers, versification.*

ASCÈSE

Le mot ascèse vient du terme grec *askèsis* dont le sens propre est « pratique » ou « entraînement » : le terme s'appliquait aux athlètes ou aux soldats. Avec l'essor de la philosophie, le terme fut associé à la pratique d'exercices intellectuels. Avec le christianisme, il désigne un mode de vie rigoureux, destiné à ouvrir les portes du monde spirituel, et nourrit une littérature qui le décrit ou qui en est un produit ou un moyen.

Les écoles philosophiques grecques anciennes pratiquèrent soit un renoncement au corps au profit de l'âme (pythagoriciens et disciples de Platon) soit un retour à la nature, par une frugalité extrême (cyniques et stoïciens). Les stoïciens développent la notion d'*apatheia*, ou maîtrise des passions dont les chrétiens des premiers temps s'emparèrent, en la concevant comme un cheminement qui permettrait à leur âme de s'élever vers Dieu. Au Moyen Âge, l'ascétisme monastique s'inspire des pratiques des premiers ermites qui se sont retirés dans le désert à partir du IIIe s. Les vies de saints décrivent le chemin vers une *apatheia* que le monde déchu ne permettait pas d'atteindre. Dans *La Vie de saint Alexis* (XIe s.), le saint renonce ainsi à la fortune familiale pour s'installer sur un grabat fruste sous l'escalier de la maison de son père. *La vie de sainte Marie l'Égyptienne* (XIIe s.), la montre menant une vie de débauche, puis se convertissant : elle part dans le désert où elle se livre à une ascèse érémitique extrême. Plus largement, la littérature du Moyen Âge est imprégnée d'un esprit ascétique que l'on trouve comme thème, à des degrés différents, dans des ouvrages aussi divers que les *canzos* des troubadours, les lais de Marie de France, et les romans chevaleresques de Chrétien de Troyes. À la fin du Moyen Âge, *L'imitation de Jésus-Christ* de Thomas a Kempis connaît un engouement général.

Sans nier la légitimité de ces valeurs, la Renaissance admet des formes religieuses moins coupées du monde réel. Si Marguerite de Navarre, dans la mouvance évangélique de Briçonnet et de Lefèvre d'Étaples, vante dans ses poèmes *Les prisons* et *Les chansons spirituelles* (1547) « l'oubliance du monde » et a cherché une forme d'*apatheia* chrétienne, Rabelais, dont la piété évangélique est plus influencée par Érasme et Luther, raille cette ascèse dans la dédicace de son *Tiers Livre* (1546). Dans ce récit, Gargantua promet également de prêcher l'Évangile dans le monde. Cette opposition entre le monde de Rabelais, ses rires, joies et plaisirs – y compris érotiques – et son « oubliance » chez Marguerite de Navarre est significative : la dédicace de Rabelais peut être lue comme une épitaphe de la littérature ascétique dans ses formes renaissantes, tandis que Marguerite de Navarre atteste de son maintien. Pendant la Réforme, certains protestants prônent une « ascèse dans le monde », et, du côté de la (Contre-) Réforme catholique, des formes d'ascèse corporelles réapparaissent pour lui faire contrepoids. Le mouvement ascétique s'essouffle cependant avec le « désenchantement du monde » (Marcel Gauchet) qui accompagne le surgissement de la modernité. Mais certains écrivains modernes continuent à puiser aux sources de l'ascèse. Les écrits de Pascal, de Mme Guyon, de Fénelon, à la fin du XVIIe s., en portent la marque. Au XIXe s., Lamennais s'est par exemple inspiré de *L'Imitation de Jésus-Christ*, et, au XXe, Simone Weil s'est également nourrie d'une spiritualité de type ascétique. En tant que pratique spirituelle, l'ascèse se détache peu à peu de la tradition catholique pour s'inspirer des pratiques bouddhistes et zen. La plupart des auteurs qui participent du mysticisme moderne en ont fait l'expérience ; ils l'ont parfois thématisée dans leurs œuvres (Henri Michaux, Lawrence Durrell).

L'écrit entretient depuis longtemps des rapports aussi étroits que conflictuels avec l'ascèse. Nombre d'auteurs ont longuement traité du problème de l'éducation de l'esprit et du corps. Cependant l'écriture de l'ascèse, donnant une voix au moi le plus profond de celui qui s'y livre, peut aussi entrer en conflit avec les finalités de la pratique qu'elle tente de décrire : l'ascète s'adresse au monde qu'il dit fuir et le récit de son chemin de souffrances est alors une image paradoxale de l'*apatheia*.

L'ascèse a également pu devenir le modèle de pratiques littéraires. L'auteur, selon Blanchot, doit se détacher du monde pour se mettre à l'écoute de la voix de l'au-delà. Avant lui, Mallarmé avait suggéré une écriture du dépouillement verbal, au service d'une beauté idéale. Cette quête a cependant parfois donné naissance à une écriture fort peu ascétique : lorsque, inévitablement liée à la lettre, l'expression cherche par tous les moyens à s'en détacher pour atteindre l'Azur mallarméen, le style peut en venir à une débauche de signifiants, avec pour effet de maintenir toujours l'écrivain dans le désir à jamais inassouvi de l'expression la plus parfaite et la plus minimale à la fois.

▶ BELL R. M., *L'anorexie sainte : jeûne et mysticisme du Moyen Âge à nos jours*, trad. C. Ragon-Ganovelli, Paris, PUF, 1994. — BIDAUD E., *Anorexie mentale, ascèse, mystique : une approche psychanalytique*, Paris, Denoël, 1997. — ELIADE M. et al., *Mystique, sexualité et continence*, J. Durandeaux (éd.), Paris, Desclée de Brouwer, 1990. — KAELBER L., *Schools of Asceticism : Ideology and Organization in Medieval Religious Communities*, Pennsylvania State University Press, 1998. — UNAMUNO M. de, *L'agonie du christianisme*, trad. p. J. Cassou, Paris, F. Riedler, 1925.

Michael RANDALL

→ *Bible ; Érotisme ; Hagiographie ; Jansénisme ; Lyrisme ; Méditation ; Mysticisme ; Religion ; Stoïcisme.*

ASIE DU SUD-EST

Le Viêt-nam, le Laos et le Cambodge forment un îlot francophone en Asie du Sud-Est. Ces pays, qui appartiennent à l'ancien territoire de l'Indochine française (1887-1954), ont respectivement le vietnamien, le laotien et le cambodgien comme langues officielles. Les auteurs francophones y sont rares depuis l'indépendance. Longtemps inscrites dans la contestation coloniale, leurs œuvres sont désormais pour la plupart très lyriques, souvent humanistes. Elles sont essentiellement habitées par le souci de faciliter le dialogue entre l'Orient et l'Occident.

Les Jésuites, qui s'établissent en Asie du Sud-Est dès le XVIIe s., y introduisent un système de transcription de la langue vietnamienne en caractères latins (le quôc ngu). La colonisation française, lancée sous le Second Empire, entraîne le développement du quôc ngu, favorisant ainsi le développement des études vietnamiennes en France puis l'émergence, à la fin du XIXe s. et dans la première moitié du XXe s., d'une littérature d'expression française indochinoise.

Le Viêt-nam est le plus peuplé et possède une littérature francophone plus ample que ses voisins. Elle naît avec Pham Quynh (*Essais franco-annamites*, 1913), premier d'une longue suite d'auteurs à se pencher sur le problème du dialogue entre l'Orient et l'Occident. Parmi eux, mentionnons Pham Van Ky (*Celui qui régnera*, 1954 ; *Perdre la demeure*, 1961). Le mouvement littéraire *Tu Luc-Van Doan* (« S'élever par ses propres forces », 1932-1942), mené par des écrivains désireux de rompre avec le formalisme et le moralisme de la littérature classique, entraîne bientôt une modernisation des thèmes et du style, influencée par la culture française. Une nouvelle littérature émerge : romans en prose, nouvelles, essais. De pair avec ce mouvement, l'école *Tho Moi* (« Poésie nouvelle ») se développe, apportant des innovations comparables en poésie. À partir de 1945, la littérature épouse la lutte pour l'indépendance et se fait patriotique. L'indépendance obtenue, elle tend ensuite à s'étioler. Il faudra attendre le *doi moi* (« renouveau »), survenu après la chute du système socialiste, pour lui insuffler une vie nouvelle : en 1987, au Congrès des écrivains, Nguyên Van Linh, secrétaire général du Parti communiste, déclara qu'il fallait « dire la vérité sans détour ». Aujourd'hui, une centaine d'écrivains vietnamiens sont publiés et connus. Parmi eux, on trouve Pham Thi Hoai (*La messagère de cristal*, 1991), Nguyên Huy Thiêp (*Un général à la retraite*, 1990), considéré comme le plus grand écrivain vietnamien actuel, et Duong Thu Huong (*Les paradis aveugles*, prix Fémina étranger 1991).

Les écrits laotiens d'expression française demeurent pour la plupart l'œuvre des orientalistes français, parmi lesquels Louis Finot. Leurs études ont largement contribué à la connaissance de la littérature laotienne ancienne. Mentionnons Charles Rochet qui, dans les années 1930, a participé à développer un nouveau théâtre lao. Avec la guerre, les rares œuvres en français prirent la couleur du militantisme. Elles s'en parent encore souvent aujourd'hui.

Au Cambodge, on retrouve une abondante littérature scientifique en français sur la civilisation khmère, établie en grande partie par les orientalistes français. Parmi les auteurs cambodgiens connus, signalons le prince Areno Iukanthor et Makhâli Phâl (*La favorite de dix ans*, 1940), dont les œuvres exposent les débats de civilisation opposant l'Orient et l'Occident.

La littérature de langue française a occupé une certaine place en Asie du Sud-Est, mais le nombre de locuteurs ayant le français comme langue d'usage représente maintenant moins de 2 % de la population. L'arrivée en France de nombreux réfugiés a donné naissance à une littérature de témoignage (Kim Lefèvre) et de quête identitaire, qui entraîna une nouvelle vitalité. Le VIIe Sommet de la Francophonie, tenu à Hanoï en novembre 1997, a attiré l'attention sur la péninsule indochinoise. Il aura peut-être aidé à un supplément de francisation. En sortira-t-il quelques œuvres littéraires ? On peut en douter. De rares ouvrages sont publiés localement qu'achètent les touristes de passage. C'est par le cinéma, traduit du vietnamien et du cambodgien, que ces pays acquièrent un certain rayonnement international.

▶ DE KONINCK R., *L'Asie du Sud-Est*, Paris, Masson, 1994. — NGOC H., *Esquisses pour un portrait de la culture vietnamienne*, Hanoi, Éditions Th. Gioi, 1996. — WANG N., *L'Asie orientale du milieu du XIXe siècle à nos jours*, Paris, A. Colin, 1993. — Coll. : *Asie et Francophonie*, Actes de la XIIIe session du Haut Conseil de la Francophonie, 23-25 avril 1997, tomes 1 et 2, Paris, 1997.

Michel TÉTU, Anne-Marie BUSQUE

→ *Coloniale (Littérature) ; Engagement ; Francophonie ; Postcolonialisme.*

ATTICISME

L'atticisme désigne, à Rome, puis dans la littérature française des XVIe et XVIIe s., un effort de retour à la langue pure et au style clair, concis et élégant des grands écrivains athéniens du Ve s. (Eschyle, Sophocle, Euripide notamment).

Vers le milieu du IVe s. avant J.-C., le dialecte attique s'impose comme langue de haute culture dans les pays grecs. Mais ensuite, avec les conquêtes d'Alexandre se forme la langue commune, ou *koinè*, dérivée de l'attique mais qui en perd peu à peu la pureté. À Rome, dans le courant du Ier siècle avant J.-C. l'atticisme est le sujet d'une querelle esthétique. Les définitions et les enjeux de ce débat sont donnés par Cicéron dans le *De Oratore* (§§ 23-32) et le *Brutus* (§§ 284-291). Partant de la constatation qu'il n'existe pas un style attique unique, Cicéron s'insurge contre un usage trop étroit du terme. La leçon de Démosthène l'incite à rejeter une pureté dépourvue d'ornement ou d'ampleur oratoire. En réalité, dans ce débat, Cicéron plaide pour lui-même. Les tenants du néoatticisme (Calvus) reprochaient à ses discours de manquer de fermeté, pour ne pas dire d'énergie virile, en raison du recours systématique aux périodes oratoires et aux clausules. Son style, à leurs yeux, était entaché d'asianisme, terme dont l'origine exacte reste obscure, mais qui désignait l'exubérance de la langue des îles de la mer Égée et de l'Asie. Chez les Romains, contempteurs de la mollesse asiatique, le mot était péjoratif. Cicéron plaidait donc en faveur d'une nouvelle forme d'éloquence, qui se situe dans un juste milieu entre la sécheresse des uns et l'emphase des autres. Derrière cet antagonisme se cache une réflexion sur la décadence de l'éloquence, thème largement débattu dans l'Antiquité, notamment par Tacite dans son *Dialogue des Orateurs*. Dans une société préoccupée par la dégénérescence de l'art oratoire, l'atticisme apparaît comme un mythe obsédant, celui d'un retour à la perfection idéalisée du passé. L'atticisme exige l'expression de l'essentiel dans le respect d'un style naturel, tandis que dans l'asianisme, la recherche constante de l'effet et du pathos laisse libre cours à un débordement d'images. Ce canon littéraire formait également un enjeu idéologique. En imitant la langue des Athéniens du siècle de Périclès, les Romains faisaient revivre la grande littérature grecque et ils s'affichaient comme les héritiers naturels de cette civilisation : Rome se voulait une nouvelle Athènes. Ainsi l'historien grec Denys d'Halicarnasse, au temps d'Auguste, s'efforçait-il de démontrer les origines grecques de Rome, sa ville d'adoption, et de défendre l'héritage attique. César a pu être considéré comme le modèle latin de l'atticisme, c'est-à-dire de l'élégance dans la sobriété, de la concision et de la pureté du langage.

Relayé par Quintilien au Ier s., puis par la tradition rhétorique, le débat se poursuit au fil des siècles. Pour des écrivains du XVIe et du XVIIe s. soucieux de la pureté de la langue et du rythme, l'atticisme représente toujours un idéal de perfection. Des humanistes (Budé, Amyot, Pierre de La Ramée) suivent ce modèle d'éloquence. La recherche d'une élégance fondée sur la morale et non sur l'ornement est l'un des courants de l'époque. Guez de Balzac s'exclame : « Soyons Spartiates, au moins Atticistes », dans l'Avant-Propos de son *Socrate chrétien* (1652). Fénelon, dans ses *Dialogues des morts* et ses *Dialogues sur l'éloquence*, accorde la palme à Démosthène, qui montre à Cicéron que « la véritable éloquence va à cacher son art ». L'atticisme nourrit le purisme de l'âge classique, dans la recherche d'une prose élégante et d'une poésie claire, chez Malherbe et Boileau. Certains débats ultérieurs de la poétique et de la rhétorique sur les niveaux et les genres de style utilisent des critères (clarté *vs* enflure, sécheresse *vs copia*) qui reproduisent les querelles sur l'atticisme ; en histoire littéraire, l'opposition entre classicisme et baroque ou maniérisme lui emprunte aussi.

▶ DESBORDES F., *La rhétorique antique*, Paris, Hachette, 1996. — MICHEL A., *La parole et la beauté. Rhétorique et esthétique dans la tradition occidentale*, Paris, Albin Michel, 2e éd., 1994. — SWAIN S., *Hellenism and Empire*, Oxford, Clarendon Press, 1996. — ZUBER R., « Atticisme et classicisme », dans *Critique et création littéraire au XVIIe siècle*, Paris, CNRS, 1977, p. 375-393. — Coll. : *Classicisme à Rome aux 1ers siècles av. et après J.-C., Entretiens de la Fondation Hardt*, tome XXV, 1978.

Jean-Frédéric CHEVALIER

→ *Antiquité ; Baroque ; Canon, canonisation ; Classicisme ; Éloquence ; Imitation ; Maniérisme ; Orateurs ; Rhétorique.*

AUTEUR

L'auteur d'un texte est celui qui l'a écrit, aussi bien en littérature qu'en tout autre domaine. Cette acception a valeur juridique et concerne les rapports de propriété, les droits d'auteur. On emploie aussi le terme intransitivement pour désigner une personne qui a écrit plusieurs ouvrages. En littérature, ces définitions sans ambiguïté se compliquent par la connotation du sens premier du terme, « personne qui se trouve au principe d'une chose », qui les dote d'une aura de puissance créatrice. Enfin, « auteur », qui s'applique à toute publication écrite, se distingue aujourd'hui d'« écrivain », qui concerne la littérature seule.

L'apparition de la signature des œuvres, au VIe s. avant J.-C., puis son usage fréquent dans le cadre de la cité grecque sont une étape de la généalogie moderne de l'auteur. Celui-ci se signale comme une source individuelle et profane de l'énoncé. Il en accepte la responsabilité. Il sort d'un stade plus ancien dans lequel il était le porte-parole d'une vérité établie en dehors de lui. Son activité est alors comparée souvent à celle d'un artisan.

Auteur, par son étymologie, se rattache au latin *auctor*, dérivé du verbe *augeo* (augmenter, garantir). L'auteur est vu comme quelqu'un qui apporte quelque chose de plus dans la culture et comme une valeur sûre. Cicéron appelle Platon « le garant et le maître le plus profond », « *Gravissimus auctor et magister* ». Au Moyen Âge, le mot latin *auctoritas* se réfère à l'autorité et désigne le grand auteur qui a une crédibilité considérable, par exemple Aristote ou les Pères de l'Église.

Le clerc médiéval consacre son activité à ces grands auteurs. Il en recopie les textes comme *scriptor*, il compose des morceaux choisis de leurs écrits comme *compilator*. Ce copiste intègre souvent, dans le texte qu'il reprend, des notes marginales ou gloses. En tant que *commentator*, il discute leurs raisonnements. Parfois, à travers une argumentation élaborée, le clerc devient un auteur. Par la pratique fréquente de l'apocryphe, il attribue à un grand auteur le manuscrit qu'il a rédigé. L'élargissement du corpus culturel se fait de la sorte, ainsi que par incorporation des textes ayant échappé à la censure religieuse. Une évolution s'engage vers le sens moderne du mot qui caractérise l'auteur comme celui qui produit un énoncé porteur d'innovation.

Le mode de production des textes apporté par l'imprimerie, après 1500, change l'échelle de la production. D'autres effets importants en résultent. Une association est désormais faite entre la publication et le statut d'auteur. Est considéré comme auteur celui qui a publié. Le manuscrit est relégué surtout à la sphère privée ; il apparaît comme un état non définitif de l'œuvre.

Dans le régime du livre imprimé, le nom de l'auteur qui figure sur la couverture page de garde à proximité du titre, depuis le XVIe s., est l'équivalent de la signature. L'*authorship*, défini, dans des travaux récents, comme la capacité pour un individu de penser et d'écrire en son nom propre – de sa propre autorité –, connaît son développement à partir de la Renaissance. Au XVIIe s., l'auteur commence à être défini comme un créateur.

Les formes du contrôle social évoluent avec la création, vers 1550, d'une censure civile et politique qui se maintient jusqu'en 1789. Il en résulte, chez les auteurs, la pratique fréquente de l'anonymat ou du pseudonymat. Les *Provinciales* de Pascal paraissent en feuillets anonymes en 1656, puis sous un pseudonyme. Le *Discours de la méthode* de Descartes est publié de façon anonyme, en 1637, ainsi que le *Tractatus théologico-philosophicus* de Spinoza, en 1670.

Dans les sciences est codifiée, au XVIIe s., l'attribution de la priorité en matière de découvertes. Est l'auteur d'une invention celui qui le premier en a exprimé l'idée de façon nette et l'a faite consigner par écrit. L'Académie des sciences, fondée en 1666, exerce un contrôle sur ce processus. Dans le domaine littéraire, se font sentir les effets d'une laïcisation des mœurs et d'une promotion de la liberté individuelle de pensée. L'auteur trouve les bases de son activité dans sa réflexion et dans sa sensibilité. Il cherche en lui-même ce qui rend son travail crédible. Au XIXe s., il est considéré, dans le cadre de courants relevant du romantisme, comme un commencement absolu. Cette élaboration intellectuelle de l'*authorship* n'exclut pas des situations de travail diverses. L'auteur est parfois présenté, comme Charles Perrault au XVIIe s. ou les frères Grimm, au XVIIIe s., comme celui qui recueille par écrit les traditions orales populaires et non celui qui « crée » le texte.

Surtout, l'auteur est désormais en relation avec l'imprimeur et le libraire (aux XVIe et XVIIe s.), puis avec l'éditeur quand cette profession acquiert son visage moderne, dans la seconde moitié du XVIIIe s. Avec le développement du marché du livre se met en place un statut juridique des auteurs. Se développe une réglementation des conditions d'acquisition de la qualité d'auteur et des droits qui en découlent. Ils obtiennent des droit moraux, une certaine protection contre le plagiat dans la seconde moitié du XVIIIe s., le droit de repentir, en modifiant un texte déjà publié et le droit de retrait d'un ouvrage de la vente. La propriété des auteurs sur leurs écrits est reconnue, et passe en loi à la fin du XVIIIe s. Pour la défense de leurs droits financiers, ils s'organisent en associations professionnelles, dont la plus ancienne, formée en 1777, à l'instigation de Beaumarchais, est la Société des Auteurs et Compositeurs dramatiques. Au XIXe et XXe s., se constitue une profession d'auteur, dans différents secteurs de la culture, ce qui s'accompagne d'un développement juridique en matière de contrat de travail, de fiscalité et de protection sociale des auteurs.

L'auteur conçoit, élabore et met en circulation des œuvres. Le mot, parfois, fait référence à un statut – au sens de profession – mais dans la tradition des études littéraires il en est venu à évoquer aussi une valeur transcendante. L'auteur n'est plus un artisan, mais plutôt un « créateur » avec ce que cela implique de puissance mystérieuse et donc de capital symbolique inestimable. Ainsi l'apparition du nom d'« auteur » dans un secteur de la culture où il n'existait pas encore, le cinéma français, après 1950 : le fait que des réalisateurs de film, notamment C. Chabrol, J.-L. Godart, E. Rohmer, F. Truffaut, se désignent et se soient vu désigner comme auteurs – on parle alors de « cinéma d'auteur » – relève le statut artistique de cette activité. Il en résulte une redistribution du prestige professionnel. Le réalisateur endosse la paternité symbolique de l'œuvre. Les dialoguistes, les décorateurs, les acteurs vedettes ou le producteur du film apparaissent comme de simples associés, si ce n'est employés.

Pour les études littéraires, le concept d'auteur est un outil de connaissance. Le travail et la biographie de l'auteur sont des moyens d'étude des textes. L'œuvre est donc prise en charge par des spécialistes. Ceux-ci, dès l'Antiquité, établissent parfois les « œuvres complètes » d'un auteur décédé. À la Renaissance, les textes sont émondés de toute notation ne provenant pas de l'auteur. En cas de doute sur leur origine, ils sont authentifiés par attribution vérifiée à un auteur. Des outils d'interprétation font référence à « l'intention » de l'auteur, à sa « biographie », à l'usage qu'il fait de ses « sources ». Ces méthodes et ces représentations de l'auteur font de celui-ci le facteur explicatif fondamental de l'œuvre. Dans une technique de recherche qui tient de l'enquête policière, toute information à son propos est versée au dossier en fonction d'une pertinence à établir. Sainte-Beuve et, après lui, l'histoire lansonnienne en fournissent la tradition maîtresse. Mais Rimbaud proclamait que « Je est un autre », avant que Proust n'écrive *Contre Sainte-Beuve*. Cette autre perspective épistémologique est imagée par l'emploi des expressions « disparition » ou « mort » de l'auteur dans les débats qui opposent, après 1960, adversaires et partisans de nouvelles méthodes d'analyse des œuvres, par exemple, en 1968, R. Barthes dans le titre d'un article repris dans *Le bruissement de la langue* (1984) et M. Foucault, dans un texte paru en 1969. Foucault note que, dans la tradition savante, l'auteur est souvent défini en termes psychologiques. Il est considéré, « purement et simplement » comme un individu concret et bien réel, ce qui méconnaît la complexité des situations. Il y a des manières multiples d'être auteur et leurs spécifications doivent être précisément établies. Foucault juge problématique l'individualité de l'auteur, qui peut adopter plusieurs postures énonciatives, à un même moment ou successivement, ce qui remet en cause la relation entre « l'homme et l'œuvre ». Pour éviter que le terme « auteur » ne devienne un leurre, il veut récuser le privilège de l'auteur dans l'explication et y substituer l'analyse des formes du discours.

Malgré ces critiques, la notion d'auteur continue de servir la critique et l'histoire littéraire et Compagnon a argumenté en faveur du point de vue de l'intentionnalité auctoriale (*Le démon de la théorie*, Paris, Le Seuil, 1999). Dans la théorie du champ littéraire, l'auteur est présent à travers des désignations de l'activité qui sont l'habitus (lié à l'éthos dans les travaux d'A. Viala), la stratégie et la prise de position s'inscrivant dans le déroulement d'une trajectoire sociale.

▶ CHARTIER R., *Le livre en révolution*, Paris, Textuel, 1997. — DIAZ J.-L., « La notion d'auteur (1750-1850) », *Histoires littéraires*, oct.-déc. 2000, 4, p. 77-93. — FOUCAULT M., « Qu'est-ce qu'un auteur ? » in *Dits et Écrits*, Paris, Gallimard, 1995. — LECLERC G., *Le sceau de l'œuvre*, Paris PUF, 1998. — VESSILIER-RESSI M., *Le métier d'auteur*, Paris, Bordas, 1982.

Rémy PONTON

→ *Anonymat ; Authenticité ; Autorité ; Écrivain ; Éthos ; Pseudonyme ; Publication ; Signature ; Sociétés d'auteurs ; Stratégie littéraire.*

AUTHENTICITÉ

Ce terme provient du grec *authentikos*, qui s'applique à quelqu'un dont l'autorité est indéniable, qualificatif lui-même dérivé de *authentes*, qui désigne l'auteur responsable d'une action particulière. En latin, le nom *authenticus* se réfère à un acte juridique qui peut faire foi, c'est-à-dire à une pièce originale qui possède toutes les facultés qu'on accorde à une telle qualité. Dans ses usages en critique littéraire, l'authenticité recouvre deux emplois. L'un, en philologie, concerne l'attribution des textes à leur auteur réel - il s'oppose alors à apocryphe, supercherie, contrefaçon, faux. L'autre, d'ordre proprement critique, touche à la valeur accordée au contenu d'un texte parce qu'il est un témoignage effectif - il s'oppose alors à mensonge, à enjolivement, voire à fiction.

Une telle notion relève tout d'abord du domaine du droit et s'applique à un acte officiel dressé par l'autorité compétente, sur lequel on peut se fonder en toute sûreté. De plus, un document authentique est un original et non une reproduction ; ainsi le code de Justinien distinguait les écrits *authentica atque originalia* des princes, par opposition aux *exempla*. Le terme d'« authentique » a servi en outre à définir l'ensemble des Écritures saintes et à les distinguer des écrits apocryphes. Au Moyen Âge, la notion est employée par les juristes, théologiens ou historiens afin de qualifier la valeur d'une source. Est authentique ce qui est donc pourvu d'une autorité. Les deux termes sont ainsi indissociables. Cette autorité peut appartenir à une personne, un magistrat, un prêtre, un témoin, etc., ou à un écrit. Elle peut reposer sur un auteur, surtout si celui-ci est ancien et d'une dignité incontestable, s'il est un *auctor*, un écrivain pourvu d'*auctoritas*, c'est-à-dire d'une reconnaissance garantie par la tradition et par les autorités (l'Église, l'Université) ; la graphie *author* introduite à côté des autres formes de ce mot (*auctor*, *actor*) le rapproche d'*authenticus* par le biais d'une étymologie fictive. Ainsi, selon le *Grecismus* d'Évrard de Béthune (XIIIe s.), *autor* provient du grec *autentim*. De nombreux textes médiévaux, dans tous les domaines, ont été attribués fictivement à des auteurs antérieurs dont le prestige était bien établi, afin de les doter d'autorité. L'autorité des textes a aussi ses lieux privilégiés : les bibliothèques et, principalement, les Archives où sont conservés tous les documents authentifiés par les autorités légales. Mais au début du XIIe s., à partir d'Abélard et de son *Sic et Non*, l'autorité fondée sur la tradition et les décisions des pouvoirs est mise en cause et concurrencée par des procédures rationnelles cherchant à déterminer l'authenticité d'un texte sur la base d'analyses scientifiques, stylistiques ou historiques, donc de la philologie. Dès lors, de nombreux textes considérés auparavant comme authentiques ont été reconnus apocryphes. La question de l'authenticité est ainsi devenue centrale dans la philologie. Et de fait, la plupart des disciplines, juridiques, théologiques, historiques ou même scientifiques, se construisent sur la base de textes dont on a commencé par déterminer l'authenticité. Ce fut également le cas de l'histoire littéraire. Selon Gustave Lanson (*La méthode de l'histoire littéraire*, 1910), la première opération pour connaître un texte est bien d'établir s'il est « authentique », notamment pour analyser la relation qu'il entretient avec l'auteur auquel il est attribué.

Dans ses usages littéraires, la notion d'authenticité a ainsi connu un double développement. D'une part, en relation avec l'essor de l'imprimerie, elle est devenue constitutive de la qualité d'auteur et de la qualité du texte : face aux nombreuses contrefaçons et au plagiat, le texte authentique constitue la seule référence de droit. D'autre part, avec l'essor des formes biographiques et auto-biographiques, la « bonne foy » revendiquée par l'écrivain est devenue synonyme d'authenticité (Montaigne, *Essais*, 1580). Ce qui n'a pas empêché de nombreux Mémoires apocryphes de circuler. De plus, même dans les textes authentiques, l'authenticité des faits relatés peut être douteuse. Aussi la quête d'authenticité s'est étendue à la littérature autobiographique, bien sûr, mais même à la fiction, lorsque celle-ci se voulait témoignage – comme dans la littérature militante et prolétarienne. Alors, l'authenticité a pour équivalent la sincérité.

La notion d'authenticité connaît aujourd'hui un statut paradoxal. Une de ses valeurs concerne le texte et son attribution effective à un auteur ; une autre, la valeur de vérité de ses contenus. Mais le prestige acquis par la littérature de fiction fait qu'un texte fictif, voire mensonger, écrit par un auteur prestigieux, peut avoir plus de valeur littéraire qu'un authentique. Les variations de l'authenticité signalent ainsi que la littérature s'est détachée des valeurs de vérité factuelle longtemps fondamentales pour les *litterae*, et que la qualité d'art en est devenue un critère majeur.

▶ GUENÉE B., « *Authentique et approuvé.* Recherches sur les principes de la critique historique au Moyen Âge », *La lexicographie du latin médiéval et ses rapports avec les recherches actuelles sur la civilisation du Moyen Âge (1978)*, Paris, CNRS, 1981, p. 215-228. — MINNIS A. J., *Medieval Theory of Authorship*, Londres, Scholar Press, 1984. — TRILLING L., *Sincérité et authenticité*, Paris, Grasset, 1994.

Christopher LUCKEN

→ *Auteur ; Autorité ; Mystification ; Œuvre ; Philologie ; Propriété littéraire ; Texte ; Variante.*

AUTOBIOGRAPHIE

Apparu dans le vocabulaire de la critique française dans la première moitié du XIXe s., le mot autobiographie (littéralement : vie relatée par l'intéressé lui-même) s'emploie pour désigner une catégorie de Mémoires qui portent plus sur la vie même de leurs auteurs que sur les événements dont ils peuvent témoigner. Une définition aujourd'hui à peu près constituée l'entend en rigueur comme : « récit rétrospectif en prose qu'une personne réelle fait de sa propre existence, lorsqu'elle met l'accent sur sa vie individuelle, en particulier sur l'histoire de sa personnalité » (P. Lejeune, 1975).

« Je suis le Héros véritable de mon Roman » (D'Assoucy, *Les aventures burlesques de Monsieur d'Assoucy*, 1677) : la pratique autobiographique existe de façon consciente depuis au moins le XVIIe s. et l'essor général des Mémoires. Ainsi, aux frontières du témoignage, de l'apologie personnelle et de l'autobiographie, *Sa Vie à ses enfants* d'Agrippa d'Aubigné (1629) est bien un récit de vie par l'intéressé lui-même, mais sous un masque transparent de troisième personne. En amont, il y a bien sûr les *Confessions* de saint Augustin (Ve s.), mais aussi les pratiques de l'examen de conscience à travers le récit de vie dans la tradition religieuse, et l'autoportrait de Montaigne dans ses *Essais*. Cependant, c'est avec les *Confessions* de Rousseau (1782-1789) que l'autobiographie s'impose comme un genre de premier plan en France. Elle connaît ensuite une large expansion, à partir des *Mémoires d'outre-tombe* de Chateaubriand (1848-1850) qui en constituent un autre monument majeur, avec la sensibilité romantique et la revendication des droits individuels (l'« humanité a son histoire intime dans chaque homme », G. Sand, *Histoire de ma vie*, 1854-55) qui se manifestent également, à la même époque, dans le roman dit de formation. Le genre est remis en examen au XXe s., à l'intérieur même de sa pratique : ainsi Gide (*Si le grain ne meurt*, 1921-1922) et Valéry (*Variété II*, 1929) interrogent les possibilités mêmes de l'autobiographie à exister en tant qu'acte littéraire en conjuguant authenticité, unité et qualité esthétique. Il devient par ailleurs un genre en grande vogue et populaire. Nombre de « personnalités » (artistes, écrivains – Leiris, Perros, Roubaud, Roy...), mais aussi des gens de condition « ordinaire » s'y livrent. En même temps, la critique théorise le genre, dans le cadre établi par Lejeune, selon le principe d'« identité narrative » (Ricœur). Et pourtant, les formes associées sont multiples : souvenirs, journaux intimes, carnets, ainsi que foule de romans autobiographiques (forme inaugurée avec *Le page disgrâcié* de Tristan au milieu du XVIIe s., et dont Céline et Proust ont fait l'apologie) et l'autofiction (S. Doubrovsky notamment), qui connaît un succès à la fin du XXe s.

Entre la dénotation restreinte du substantif *autobiographie* tel que la critique spécialisée veut l'entendre pour délimiter un genre autonome, et celle plus large de l'épithète *autobiographique*, évoquant un mode d'écriture et de lecture pratiqués dans de nombreuses formes, critiques et historiens ne s'entendent pas et la définition même de l'autobiographie reste un enjeu théorique. Une conception restrictive a convenu de lier le développement de l'autobiographie à celui de la conscience et de l'inquiétude de l'individu sur sa valeur et sa place dans la société, et de considérer les *Confessions* de J.-J. Rousseau comme texte inaugural. Elle refuse le nom d'autobiographie à des textes écrits alors que l'autoréférentialité du « je » n'était pas encore d'usage littéraire. On peut hésiter toutefois à poser l'autobiographie comme fait exclusivement moderne et laïc et à écarter du corpus tout récit antérieur où un auteur retrace sa vie. Ainsi certains, comme G. Gusdorf, soutiennent que cette pratique relève d'un désir (celui de se dire à l'autre) qui transcende les âges et les classes, et donc résiste à l'effort de périodisation et de catégorisation. La conception restrictive repose sur une délimitation du corpus à l'autobiographie moderne qui permet une description plus méthodique. Mais elle perd une large part de l'interrogation sur le rôle historique et social de la pratique : sans diluer la définition à l'autre extrême, il semble plus juste de considérer qu'il y a deux temps majeurs, celui de l'autobiographie mémorielle, puis celui de la revendication individuelle (avec Rousseau). Mais sous l'une et l'autre forme, l'autobiographie est à la fois quête de soi et effort pour construire son tombeau personnel, donc auto-apologie. Aussi les questions de « véracité » ou « sincérité » ne peuvent se poser qu'à travers la question clé de l'image de soi offerte à l'autre.

▶ GUSDORF G., *Lignes de vie*, Paris, Odile Jacob, 2 vol., 1991, 1992. — LECARME J., LECARME-TABONE É., *L'autobiographie*, Paris, Armand Colin, 1997. — LEJEUNE P., *Le pacte autobiographique*, Paris, Le Seuil, 1975. — MAY G., *L'autobiographie*, Paris, PUF, 1979. — *Revue d'histoire littéraire de la France*, 1975,6.

Annie CANTIN

→ *Apologie ; Biographie ; Discours funèbres ; Mémoires ; Personnelle (Littérature) ; Portrait.*

AUTOFICTION → Personnelle (Littérature)

AUTOMATISME

Technique d'écriture systématisée par les surréalistes qui consiste à transcrire une dictée ininterrompue de la pensée « en l'absence de tout contrôle exercé par la raison, en dehors de toute préoccupation esthétique ou morale » (A. Breton, *Manifeste du surréalisme*, 1924, p. 37).

L'automatisme est aussi un mouvement artistique québécois des années 1940, proche mais distinct du surréalisme.

Les romantiques allemands, Kleist notamment (*Sur le Théâtre des marionnettes*, 1810), avaient commencé à explorer la part d'ombre que refoule la raison. Ainsi l'intérêt très ancien pour les phénomènes analogues à l'automatisme que sont les transes ou les possessions s'est-il accentué dès le romantisme dans un esprit anti-rationaliste. Dans le dernier tiers du XIXe s., la science médicale s'intéresse au somnambulisme, aux états hypnotiques, aux éléments mal maîtrisés du psychisme. La psychanalyse les intègre, au début du XXe s., dans le concept d'inconscient.

Le terme d'automatisme est significativement repris des sciences humaines, et plus particulièrement de *L'automatisme psychologique* de Janet (1889). Breton, dès 1919, avec *Les champs magnétiques* qu'il écrit en collaboration avec Soupault, puis surtout, en 1924, avec le *Manifeste du surréalisme*, a fait de l'automatisme la définition même de son mouvement : « SURRÉALISME, n. m. Automatisme psychique pur par lequel on se propose d'exprimer, soit verbalement, soit par écrit, soit de toute autre manière, le fonctionnement réel de la pensée. » Dans le prolongement des romantiques allemands et en écho aux récentes découvertes psychiatriques sur l'hypnose, l'automatisme était là revendiqué comme une disposition à part entière de l'esprit, et pas seulement comme simple technique littéraire. C'est dans le domaine des arts plastiques que l'automatisme a donné le plus la mesure de ses préceptes et des ses apports, avec la peinture surréaliste (de Duchamp à Dali, en passant par Chirico), puis l'abstraction lyrique (de De Kooning à Pollock en passant par Rothko). Fantasmé comme force subversive par les premiers surréalistes, l'automatisme voit son importance décroître à mesure que le surréalisme constate ses limites conceptuelles et qualitatives.

Au Québec dans les années 1940, l'impact du surréalisme conduit un groupe de peintres, dont Borduas et Riopelle, à rejeter les voies figuratives du mouvement parisien en faveur de l'abstraction. Avec eux, des poètes comme C. Gauvreau (*Étal mixte*, *Brochuges*) et P.-M. Lapointe (*Le vierge incendié*) radicalisent l'écriture automatiste dans une poésie où l'inspiration dynamique fait exploser les codes.

L'automatisme apparaît à travers l'histoire, en amont même du surréalisme, comme un défi à toutes les formes de codification et un idéal d'expression « pure ». Comme tel, il est lié à l'idée même d'inspiration : il consiste à laisser s'exprimer une part masquée ou refoulée. Utopique, la notion suppose l'existence d'une primitivité expressive que le langage, quel que soit son degré de liberté et d'affranchissement des règles, ne peut que trahir ou, dans le meilleur des cas, faiblement révéler. Rimbaud appelait au dérèglement des sens qui en était une approche. Mais plus que comme une inspiration dont seul le poète aurait été investi, l'automatisme a été représenté comme participant d'un patrimoine commun. « Le propre du surréalisme est d'avoir proclamé l'égalité totale de tous les êtres humains devant le message subliminal », écrit Breton dans « Le message automatique » (1933) ; il reprenait là l'appel de Lautréamont à une poésie « faite par tous et non par un ». Ainsi l'automatisme érigé avec les surréalistes en principe esthétique et éthique visait à récuser les hiérarchies littéraires et plus largement toutes les formes d'aliénation sociale. Thèse d'avant-garde, il donnait, à son extrême limite, la possibilité d'une littérature partagée par tous. Les limites du propos ont été historiquement constatées. Reste que l'automatisme en littérature a trouvé au cours du XXe s. de nouvelles voies d'exploration : paradoxalement, la littérature potentielle de l'OuLiPo peut être regardée comme un avatar d'une esthétique en rupture avec le mythe de l'inspiration : la création naît de la magie du hasard, qui elle-même jaillit des contraintes que l'écrivain s'impose et exécute automatiquement.

▶ ABASTADO C., *Introduction au surréalisme*, Paris, 1971. — BANDIER N., *Sociologie du surréalisme* (1924-1929), Paris, 1999. — BOURASSA A.-G., *Surréalisme et littérature québécoise*, Montréal, Les herbes rouges, 1996. — DUROZOI G., LECHERBONNIER B., *André Breton, l'écriture surréaliste*, Paris, 1974.

Jean-Pierre BERTRAND, Frédéric CLAISSE

→ *Avant-garde ; Expérimentale (littérature) ; Psychanalyse ; Québec ; Romantisme ; Surréalisme.*

AUTONOMIE

Défini et diffusé par les travaux de la sociologie des champs, le concept d'autonomie caractérise une tendance générale de l'évolution des groupes sociaux qui ont un objet d'activité spécifique, et qui deviennent capables de gérer cet objet selon des codes et des raisons qui leur sont propres. L'autonomie sociale du littéraire croît lorsque les écrivains manifestent des comportements qui échappent aux déterminations directes de l'espace social et qu'ils retraduisent les contraintes extérieures dans les termes et selon les enjeux de leur sphère d'activité. Comme les autres champs, le champ littéraire n'est pas autonome par nature : il tend à une autonomisation qui résulte de la reconnaissance sociale du pouvoir propre aux écrivains et du rôle qu'on leur accorde pour comprendre le monde et agir sur lui.

Sur le plan théorique, l'autonomie recouvre des acceptions diverses et parfois contradictoires.

Elle est d'abord une *réalité de la vie sociale*, résultant de la situation du champ littéraire dans son contexte. Celle-ci indique, comme le montre Bourdieu, qu'un espace de pratiques et de bénéfices singuliers a été ouvert, qui permet à certains acteurs d'y consacrer l'essentiel de leurs efforts et d'en retirer des satisfactions vitales. Le sacre de l'écrivain peut s'interpréter comme la fusion de deux réalités jusque-là dissociées : un travail spécifique sur la langue commune, qui suppose techniques et compétences reconnues, et la constitution d'un groupe social de spécialistes de ce travail. Cette réalité sociétale se vit comme une appartenance identitaire, le plus souvent nationale. Saint-Jacques (*L'Histoire littéraire*, p. 241 *sq.*) et plus systématiquement P. Casanova ont démontré que ce facteur détermine aussi bien le champ français central que les littératures qui lui sont périphériques.

L'autonomie est ensuite un *discours* commun à certains agents du champ. Ce discours reprend pour l'essentiel celui qui a prévalu au XIXe s., à savoir l'art comme finalité sans fin ou, si l'on préfère, l'art pour l'art. Il réapparaît régulièrement pour fonder une solidarité professionnelle entre les auteurs en butte aux ingérences d'autres instances sociales (interdits religieux, effets de censure, mesures judiciaires).

L'autonomie est enfin une *réalité esthétique*, constitutive de l'art verbal dans ses rapports au réel et aux autres arts.

Dans cette triple perspective, le processus d'autonomisation caractérise non tant un stade de développement avancé du champ que la cristallisation momentanée d'un certain nombre d'effets de conflits et de pouvoir. Viala souligne que l'émergence d'un champ tient à deux séries de facteurs dont les effets cumulent « les structures propres de l'espace littéraire, et sa situation vis-à-vis des autres champs sociaux » (*L'Histoire littéraire*, p. 95). L'histoire du champ littéraire ne s'explique en effet pas seulement par sa dynamique interne, mais par le contexte dans lequel il se forme. Les moments d'autonomisation effective du champ dépendent donc autant de la possibilité pour l'écrivain de se tenir à l'abri du mécénat ou à l'écart du pouvoir que de sa foi dans une activité, la littérature, qui transcenderait ces contraintes.

Ces moments peuvent être synthétisés, pour le monde francophone, en quelques étapes que la recherche contemporaine a bien explorées. Au XVIe s., la Pléiade jette les bases de l'espace national littéraire français. Le champ évolue ensuite à partir d'un mouvement de constitution vers 1630, celui de la *naissance de l'écrivain*, il se consolide vers 1665 avec l'expansion des académies puis entre en déstructuration autour de 1750 sous l'effet des contestations philosophiques. Autour de 1830 s'enclenche une phase de consécration, celle du *sacre de l'écrivain*, qui connaît une expansion à partir de 1850 avec le clivage entre les champs restreint et élargi. Dans le domaine littéraire français, P. Bourdieu considère que la tendance à l'autonomisation s'impose en France lorsque des écrivains deviennent des professionnels de l'écriture et que se forme, au milieu du XIXe s., en réaction contre la littérature industrielle de grande consommation dominée par Dumas père, Soulié et Sue, un espace littéraire de l'art pour l'art où compte avant tout la sanction des autres écrivains, celle de Flaubert, de Baudelaire et des Parnassiens. Avec la fin du XIXe et le XXe s., le mouvement d'autonomisation identitaire des champs d'abord belge, canadien et suisse, puis des anciennes colonies africaines et antillaises repose la question des fondements du champ français métropolitain dans ses rapports équivoques avec ceux de la francophonie.

▶ BÉNICHOU P., *Le sacre de l'écrivain*, Paris, Corti, 1973. — BOURDIEU P., *Les règles de l'art*, Paris, Le Seuil, 1992. — CASANOVA P. *La république des lettres*, Paris, Le Seuil, 1999. — Coll. : *L'autonomisation de la littérature*. C. Moisan et D. Saint-Jacques (éd.), *Études littéraires*, 1987, 20. — *L'Histoire littéraire. Théories, méthodes, pratiques*, C. Moisan (dir.), Québec, Les presses de l'Univ. Laval, 1989.

Paul ARON

→ *Art pour l'art ; Centre et périphérie ; Champ littéraire ; Littérature.*

AUTORITÉ

Le terme latin *auctoritas* désignait le pouvoir de l'*auctor*, c'est-à-dire le fondateur et le détenteur d'une vérité, d'un bien ou d'un pouvoir. Dans le vocabulaire religieux, le mot renvoie au texte biblique, et, par suite, il caractérise ceux qui ont le pouvoir de l'interpréter. Les querelles de l'autorité, à la Renaissance, conservent au mot une grande part de sa signification latine : il s'agit d'accepter, de modifier ou de rejeter les interprètes et les interprétations des textes anciens, et, par là même, de définir quelles institutions ont le monopole de l'interprétation. C'est dans ce sens que le mot s'est spécialisé dans son usage moderne : l'autorité d'un texte est la confiance qu'on peut lui accorder.

Parce qu'elle renvoie au statut de l'énonciateur, l'autorité est une des qualités que la rhétorique accorde à l'orateur. Plus généralement, elle peut également caractériser les principes hiérarchiques à l'œuvre dans la vie littéraire (adhésion, canon, valeurs, tradition) ainsi que toutes les références aux modèles ou à la paternité des œuvres (voir : Authenticité, Signature).

Les manuels de prédication du Moyen Âge donnent aux Pères de l'Église le poids d'arguments d'autorité. Ils en tirent des citations et des *exempla* qui sont censés servir de preuve et entraîner l'adhésion de leurs auditeurs. Les Humanistes, à la Renaissance, brisent une part de cette unité entre le créateur et les choses créées lorsqu'ils montrent qu'une critique grammaticale des textes permet d'en modifier la portée. Ils réactivent donc une tradition rhétorique qui, de Cicéron à Quintilien, faisait de l'auteur le seul garant de la vérité, donc de l'autorité. Si les adages ou les sentences des sages sont présentés comme des autorités indispensables à l'ordre des choses, le fait même de traduire en français des textes latins – langue de l'autorité – modifie les hiérarchies. Les instances d'autorité se multiplient donc, d'abord à l'intérieur du système du mécénat ou de la commande, où l'autorité civile ou spirituelle, invoquée dans l'envoi, la préface ou la dédicace, partage avec l'auteur une part de l'autorité sur le texte produit. La genèse du clerc-écrivain – artisan d'abord, artiste ensuite – découle de son accession à l'autorité sur son œuvre. Cette laïcisation devient une donnée essentielle de la littérature.

L'histoire de la philologie est parallèle à la revendication par laquelle les auteurs font valoir leurs droits sur l'œuvre littéraire. La recherche de la source unique correspond à une recherche de la volonté d'un auteur unique (c'est par exemple ce qui motive la reconstitution du texte original de la *Chanson de Roland* et c'est en ce sens qu'une version d'un texte « fait autorité »). L'autorité de la science philologique culmine à la fin du XIXe s. au moment où triomphe la conception de l'auteur-producteur. À l'inverse, la dissémination du sujet auctorial, entraînée par les travaux de Marx (qui renvoie le sujet au social) et de Freud (qui décortique les couches qui le constituent) aboutit à la fin du XXe s. à une théorie des variantes qui a remis en question cette conception. Ce déplacement des lieux de l'autorité n'enlève rien à la pertinence du concept : il en déplace seulement la portée vers des notions comme la doxa, l'éthos ou l'idéologie.

Si l'autorité est affaire politique générale (lois, gouvernements, relations sociales et familiales), elle se manifeste particulièrement dans le monde du savoir (au sens où l'on dit qu'un penseur ou un savant « fait autorité »). L'autorité peut influencer la vie littéraire de manière explicite, à travers la bienséance, la censure, ou les règles morales et politiques. Elle passe également, de manière plus implicite, par une série d'appareils (par exemple : État, Église, École) qui imposent leurs lois ou distillent leur idéologie. Certains genres se révèlent des lieux privilégiés pour la transmission – voire pour la contestation – de l'autorité. C'est le cas des manuels scolaires, des maximes, dictons ou proverbes, des écrits didactiques et polémiques et des préfaces, citations, dédicaces ou manifestes. C'est également le cas des arguments de l'érudition ou du dictionnaire. Des écrits didactiques comme la fable ou le roman à thèse construisent une autorité fictive par le biais d'indices formels (personnages interprètes de leur propre histoire, présence marquée d'un système de valeurs univoque et d'une règle d'action par exemple).

Des procédés comme l'ironie, la parodie ou la satire, des genres comme la farce proposent une image renversée du monde et de son organisation sociale et politique, même si ce renversement de l'ordre établi s'accompagne parfois de l'appel à un ordre autre, neuf ou renouvelé, utopique ou ancien, à une autorité perdue. Enfin, la critique de l'autorité politique, religieuse, morale, de même que la représentation conflictuelle de figures d'autorité traditionnelles (père, prêtre, professeur) fondent une part constante de la fiction. Parce qu'elle participe d'un monde hiérarchisé, la littérature ne peut se soustraire aux lois de l'autorité.

▶ BOURDIEU P., *Ce que parler veut dire. L'économie des échanges linguistiques*, Paris, Fayard, 1982. — LECLERC G., *Histoire de l'autorité. L'assignation des énoncés culturels et la généalogie de la croyance*, Paris, PUF, 1996. — SCHAPIRA C., *La maxime et le discours d'autorité*, Paris, Sedes, 1997. — STAROBINSKI J., *Table d'orientation. L'auteur et son autorité*, Lausanne, L'g e d' homme, 1 989. — SULEIMAN S. R., *Le roman à thèse ou l'autorité fictive*, Paris, PUF, 1983.

Patrick GUAY, Frances FORTIER, Paul ARON

→ *Adhésion ; Auteur ; Bible ; Canon, canonisation ; Didactique (Littérature) ; Philologie ; Sources ; Tradition ; Valeurs ; Variante.*

AUTOTÉLISME

Principe esthétique selon lequel l'œuvre d'art est à elle-même sa propre fin. Il définit l'œuvre comme un ensemble autonome, clos sur lui-même, sui-référentiel et sans visée utilitaire ou éducative ; il marque alors une opposition avec les ouvrages à caractères mimétique et pragmatique.

Introduit avec le modernisme par le poète T. S. Eliot (*The Function of Criticism*, 1923), le terme d'autotélisme a surtout été repris par les critiques formalistes américains du courant appelé *New Criticism*. Inspirées des analyses sur la nature symbolique du langage menées par les critiques anglais I. A. Richards et William Empson, leurs recherches visaient principalement à dégager l'unité organique de l'œuvre en rendant manifeste la relation de chaque élément textuel à une idée ou un thème englobants, ce qui leur a permis d'émettre des hypothèses quant au fonctionnement du sens dans la poésie. On rapproche souvent leur méthode critique et leur conception de la littérature de celles des formalistes russes (Jakobson, Propp, Bakhtine) et des structuralistes (Todorov, Barthes, Genette). Ces trois mouvements critiques mettent l'accent sur la question de la littérarité ; mais si les tenants du *New Criticism* ont privilégié la mise au jour d'un sens unifiant, les formalistes et les structuralistes ont plutôt tenté de fonder la légitimité des études littéraires sur la primauté de la forme, en visant une description scientifique, une typologie de la littérature. Ainsi Barthes, dans ses premiers *Essais critiques* (1964), sans recourir au terme précis, définit la littérature et la critique littéraire comme des activités « tautologiques », auto-réflexives, immanentes à leur objet puisque le langage lui-même devient la fin propre de ce type de production : « Pour l'écrivain, *écrire* est un verbe intransitif ». Barthes aborde la littérarité du point de vue de son autoproduction, de la façon dont l'œuvre définit ses propres règles, distinctes de celles des usages ordinaires du langage.

Cette perspective a des liens avec les recherches menées par les romantiques d'Iéna à la fin du XVIIIe s. Selon Lacoue-Labarthe et Nancy, les premiers romantiques allemands, dont la visée était de produire une œuvre poétique énonçant sa propre théorie, auraient en fait cherché à cerner le phénomène littéraire lui-même, à en pénétrer l'essence en saisissant celle de son auto-production ; mais ils l'auraient ainsi enfermé dans sa propre organicité, alors même que leur programme incluait une perspective pédagogique. L'idée que le poème puisse être considéré comme un tout organique est également au cœur du principe de « l'art pour l'art » défendu, entre autres, aux États-Unis par Edgar Allan Poe (*The Poetic Principle*, 1850) et en France par Baudelaire et Mallarmé. En réponse à l'aliénation et à l'atomisation sociales croissantes, ils refusent de juger l'œuvre à l'aune de critères utilitaires et revendiquent l'art comme lieu d'unité possible, en privilégiant, par exemple, le recours au symbole qui établit une correspondance entre les parties et le tout de l'œuvre.

En suggérant que l'œuvre ne renvoie qu'à elle-même, l'autotélisme, tout comme la mise en abyme — notion proche mais antérieure —, problématise la notion de représentation. Le concept relance ainsi le débat autour des critères qui devraient servir de guides à l'interprétation mais, plus encore, il ouvre l'espace critique moderne et conduit à la question de la littérarité. La critique contemporaine semble avoir repris ce problème légué par les romantiques et les modernistes en le posant à partir de la question des rapports entre fiction et réalité. Alors que les formalistes affirment que seule l'autonomie de l'œuvre peut rendre compte de la distance entre langage et réalité, les théoriciens de la réception exigent que l'acte de lecture soit aussi pris en compte afin d'être fidèle à la pluralité du sens. Dans la foulée des travaux de Barthes, de Riffaterre et des théoriciens allemands de la réception (Iser, Jauss), la critique qui appelle aussi à l'intégration de la dimension de la réception, élément nécessaire, interroge la perception et les effets de l'illusion référentielle. Les adversaires de l'autotélisme relèvent que proclamer la non-référentialité de l'œuvre mène au désengagement et soulèvent donc les questions d'éthique que cette attitude implique.

▶ BARTHES R., « Écrivains et écrivants », *Essais critiques*, Paris, Le Seuil, 1964, p. 147-154. — LACOUE-LABARTHE P. et NANCY J.-L., *L'absolu littéraire. Théorie de la littérature du romantisme allemand*, Paris, Le Seuil, 1978. — RIFFATERRE M., « *L'illusion référentielle* », *Littérature et réalité*, Paris, Le Seuil, 1982, p. 91-118. — TODOROV T., *Poétique*, Paris, Le Seuil, 1968. — Coll. : « L'autoreprésentation. Le texte et ses miroirs », (numéro spécial), *Texte*, Toronto, 1982, n° 1.

Brigitte FAIVRE-DUBOZ

→ *Art pour l'art ; Formalistes ; Littérarité ; Nouvelle Critique ; Réception ; Structuralisme.*

AVANT-GARDE

Au sens militaire, une avant-garde est la partie de l'armée qui marche (et donc se bat) au devant des troupes. Par métaphore, le mot a désigné, en politique (aux lendemains de la Révolution française), puis dans le vocabulaire artistique, des idées et des formes d'expression en rupture avec l'idéologie et l'esthétique dominantes, généralement défendues et exprimées dans un manifeste par un groupe plus ou moins structuré.

La notion d'avant-garde peut être employée pour désigner les mouvements, courants et écoles qui l'ont historiquement (c'est-à-dire au XXe s.) revendiquée comme moteur de leur engagement esthétique et politique, mais elle peut aussi se présenter comme un modèle qui permet de décrire l'évolution de la littérature en dégageant des points de rupture, des stratégies de distinction, des pratiques de groupes et de manifestes. On peut en ce sens parler d'avant-garde, par exemple, à propos du Romantisme, dans son opposition aux classiques, du Parnasse tel que l'a dirigé Leconte de Lisle ou encore du Réalisme autour de Courbet, Champfleury et Duranty – et sans doute pour d'autres écoles qui au cours des siècles ont affirmé et pratiqué des ruptures esthétiques plus ou moins fortes. Une telle approche de l'avant-garde est assurément un moyen efficace pour analyser la constitution des groupes d'écrivains, l'affirmation d'options esthétiques nouvelles, et les luttes pour la domination dans le champ littéraire. Mais à être trop étendue, elle risque de vider la notion de sa substance historique propre, puisque l'idée d'avant-garde est datée, liée à l'époque où l'innovation a été perçue comme une valeur majeure du littéraire ; aussi elle ne s'applique pleinement comme telle que pour le XIXe et le XXe s.

Dans un sens large et métaphorique, l'avant-garde peut désigner toute esthétique en rupture avec la tradition et par conséquent qualifier le processus d'alternance dynamique qui est au fondement de l'histoire de la littérature. Dans cette acception, avant-garde désigne le pôle et le mouvement historiquement novateurs de toute création, dont la logique peut s'appréhender en termes de querelles des Modernes contre les Anciens, ainsi que le XVIIe s. en a défini le modèle.

Mais le concept n'acquiert son intelligibilité qu'en fonction de la notion moderne de littérature ainsi que de la philosophie de l'histoire. C'est au XIXe s., lorsque la littérature délimite son champ d'application en se dégageant des Belles Lettres et de la rhétorique, que l'expression d'« avant-garde » entre dans le vocabulaire de la pratique et de la critique littéraires. Vers 1830, le terme apparaît presque simultanément dans les discours politique, artistique et littéraire. En politique, il désigne la classe sociale qui se constitue en minorité oppositionnelle contre la bourgeoisie triomphante, le prolétariat créé par le capitalisme industriel. Le marxisme a ainsi fait ensuite un large usage du terme. En littérature, il est utilisé par la critique conservatrice pour railler les positions modernistes des jeunes générations. Les écrivains concernés, les symbolistes et les divers groupuscules qui émergent à la fin du siècle, de même que les impressionnistes dans les arts, n'utilisent pas eux-mêmes l'expression pour se qualifier. Mais rétroactivement, la critique du XXe s. a pu qualifier ces mouvements d'avant-gardistes – par exemple, J. Kristeva a désigné Mallarmé et Lautréamont comme étant à l'avant-garde de la littérature de leur temps. Au début du XXe s. en revanche, l'expression est reprise et assumée par des groupes littéraires ascendants. L'avant-gardisme affiché comme tel naît au sein d'une conception polémique et engagée de la littérature, parce qu'il entend sortir celle-ci de son repli sur elle-même et la réconcilier avec la vie. Contre les valeurs dominantes du symbolisme, la plupart des « *-ismes* » qui se manifestent entre 1890 et 1914 entendent ainsi, dans un projet qui est aussi politique, réconcilier l'art et la vie : le vitalisme, l'humanisme (F. Gregh, 1902), l'unanimisme (J. Romains et les poètes de l'Abbaye, 1908), le futurisme (Marinetti, 1913), l'Esprit nouveau (P. Dermée), etc., sont autant de prises de position qui, de plus en plus radicalement, affirment le primat d'une vie collective, harmonieuse et féconde, en exaltant le règne de la vitesse, de la machine et des forces vitales. En Allemagne, des valeurs semblables sont partagées au sein d'une seule avant-garde, l'expressionnisme, cependant plus pessimiste sur le sort de l'humanité que les petites chapelles françaises, et plus radicale qu'elles en ce qui concerne le statut de l'art et de la littérature – c'est de l'expressionnisme que naîtra le Dadaïsme (fondé à Zurich par Tzara en 1916).

Au sortir de la Première Guerre mondiale, les surréalistes ont compris la nécessité de mener un combat d'avant-garde plus radical et moins dispersé. De 1919 à 1924, Breton, Soupault et Aragon mettent au point une stratégie qui, forte de l'accueil que leur revue, *Littérature*, a réservé à Dada, aboutit à l'avant-garde la plus structurée de l'histoire littéraire française : le surréalisme – mais cette stratégie ne pouvait déboucher que sur une rupture avec les compagnons de Tzara dont A. Breton, dans l'article « Lâchez tout » (publié dans *Littérature*, nouvelle série, n° 2, avril 1922) récuse le nihilisme. En plus d'un projet esthétique fort (dès le premier *Manifeste du surréalisme*, 1924) et d'un programme politique plus ou moins radical et contestataire aux côtés du PCF (à partir du second, 1930), elle est dotée d'un *leader* en la personne d'André Breton. Aussi cette avant-garde a-t-elle pu se maintenir près de quarante ans durant tout en générant çà et là des ramifications plus ou moins dissidentes. Outre une constellation de petits groupes qui ont été rarement promus à la notoriété (comme le Daily-Bul ou Phantomas en Belgique, les automatistes au Québec), et les mouvements qui poursuivent la dynamique surréaliste en liaison avec la révolte anticoloniale (aux Antilles par exemple), l'après-guerre est marqué par une seconde vague d'avant-gardisme autour de trois revues : *Tel Quel* de Philippe Sollers, *Change* de Jean-Pierre Faille et le collectif *TXT* fondé par Christian Prigent et Jean-Luc Steinmetz. Trois revues, trois groupes, soutenus par trois éditeurs (respectivement Le Seuil, Seghers-Laffont et Christian Bourgois), qui ont une visée révolutionnaire commune : une réflexion pratique sur les pouvoirs transformateurs du langage en relation avec une théorie des pulsions. Sur le plan politique, les trois groupes se démarquent de la conception de la littérature engagée soutenue aux lendemains de la guerre par la revue de Sartre, *Les Temps modernes*. C'est en contre-pied de tout le programme « existentialiste » que l'avant-garde se déploie, en revendiquant tantôt le maoïsme (*Tel Quel*), tantôt le marxisme hétérodoxe (*Change*), tantôt le post-situationnisme anarchiste issu de 1968 (*TXT*). Un autre trait majeur de ces trois courants – par ailleurs relativement perméables comme en témoignent les nombreux échanges et collaborations – est qu'ils sont portés par un double projet théorique et pratique. Avec eux, les distinctions de genre s'estompent, et les catégories anciennes se fondent en une même pratique, celle de l'Écriture ou du Texte. Proclamer le primat de l'écriture ou du texte, c'est en finir avec le Sens : celui-ci n'est plus conçu comme un lieu de certitude, ni même de doute, ou même le dépositaire d'une pensée en mouvement ; la découverte dont on entend exploiter toutes les virtualités et qui sert d'arme de combat, c'est la Forme. Elle seule est dotée de pouvoirs transformateurs : *Tel Quel* autant que *Change* et *TXT* puisent dans les dernières avancées de la linguistique (leurs maîtres sont Jakobson et Chomsky) les arguments d'une poétique révolutionnaire qui fait état de l'ensemble de l'économie libidinale qui anime le sujet dans le monde. Par ailleurs, le poète-fétiche des trois revues est Francis Ponge : sa pratique du poème abolit les restes de la poésie romantique que même le surréalisme n'avait pas pu éliminer. Enfin, Marx et Freud sont revisités « scandaleusement » par ces jeunes frondeurs qui n'hésitent pas à renverser les orthodoxies qu'ont instaurées la psychanalyse et le marxisme.

Ces groupes sont généralement considérés aujourd'hui comme la dernière avant-garde du siècle, même si, depuis, d'autres mouvements (par exemple *Perpendiculaire*, ou la Nouvelle fiction) ont revendiqué l'étiquette. C'est pour d'aucuns le signe manifeste de l'entrée de la culture dans la postmodernité, laquelle réfute justement une conception de l'art portée par le mythe de l'originalité et du progrès.

▶ ESTIVALS R., « Schémas pour l'avant-garde », *Revue de l'Université de Bruxelles*, 1976, n° 3-4, p. 242-291. — KRISTEVA J., *La révolution du langage poétique. L'avant-garde à la fin du XIXe s. : Lautréamont et Mallarmé*, Paris, Le Seuil, « Tel Quel », 1974. — LOURAU R. « Sociologie de l'avant-gardisme », *L'homme et la société*, 1972, n° 26, p. 45-68. — SOMVILLE L. *Devanciers du surréalisme. Les groupes d'avant-garde et le mouvement poétique, 1912-1925*, Genève, Droz, 1971. — Coll. : *Exploration des avant-gardes*, n° spécial de la *Revue de l'Université de Bruxelles*, 1975-1.

Jean-Pierre BERTRAND

→ *Automatisme ; Cafés littéraires ; Innovation ; Modernités ; Périodisation ; Québec ; Surréalisme ; Symbolisme.*

B

BADINAGE

Dérivé de *badin* (bouffon de la farce, sot, ou plaisantin qui fait l'imbécile pour amuser la compagnie), *badinage* a pour sens initial « sottise » (Calvin, 1541), encore attesté au XVIIe s. (Molière, *Mélicerte*, 1666), mais ne garde aujourd'hui que celui de *badiner* (1549) : plaisanter avec légèreté. La critique l'emploie spécialement pour évoquer l'affectation de naïveté souriante qu'ont pratiquée sous l'influence de Clément Marot la bourgeoisie et l'aristocratie lettrées des XVIIe et XVIIIe s.

Dans les farces médiévales, le badin est un niais de convention, mais qui par instants dit la vérité, comme le fera le *gracioso* espagnol ou shakespearien ; sa bonhomie, sa simplicité, sa crédulité apparentes laissent parfois deviner la ruse et l'enjouement. Au XVIe s., Marot joue volontiers de ce personnage en cultivant l'autodérision légère et en agrémentant sa poésie de termes populaires ou vieillis. Moins goûtée par la Pléiade, cette familiarité plaisante triomphe à nouveau dans les salons du XVIIe s. Voiture, Sarasin, Malleville ou Pellisson remettent en honneur la ballade ou le rondeau, « genre d'écrire propre à la raillerie » (Voiture), et le badinage à la manière de Marot devient l'un des traits distinctifs de l'esthétique galante et de la sociabilité mondaine. Convenant notamment à l'évocation divertissante des menues circonstances de la vie quotidienne, au récit de voyage en prose mêlée de vers (Chapelle et Bachaumont, 1656 ; La Fontaine, 1663), au compliment galant rehaussé d'un zeste de grivoiserie, le badinage est aussi de règle lorsque le poète sollicite faveurs ou subsides. Il s'impose dans la poésie mondaine au moment où la noblesse voit régresser son poids politique sous la pression de l'absolutisme. Il trouve son expression la plus raffinée dans la *gaîté* de La Fontaine, qui n'est pas « ce qui excite le rire, mais un certain charme, un air agréable, qu'on peut donner à toute sorte de sujets, même les plus sérieux » (*Contes*, 1665-1666). Même Boileau le recommande : « Imitons de Marot l'élégant badinage » (*Art poétique*, I, 96, 1674). La société du Temple, la cour de Sceaux, puis le salon de Madame de Lambert transmettent au XVIIIe s. cette familiarité plaisante et enjouée, dite caractéristique de l'« esprit français », qui fleurit dans la conversation, chez les auteurs d'épîtres, de contes ou d'épigrammes (Jean-Baptiste Rousseau, Piron, Voltaire, etc.) et surtout dans certaines comédies de Marivaux. Tous, pourtant, ne l'apprécient pas : « La maladie de nos jours, note Vauvenargues, est de vouloir badiner de tout ; on ne souffre qu'à peine un autre ton » (*Fragments posthumes*).

Notion plurielle, le badinage participe de l'intertextualité en tant qu'imitation d'un ton, d'un rapport au monde incarné dans la poésie de Marot. Mais on le distinguera des autres domaines où s'exerce à l'âge classique l'influence marotique : au plan linguistique et stylistique, le « marotisme » (Fontanier) est un archaïsme artificiel et localisé pratiqué dans les genres mineurs (emploi de mots ou de locutions vieillis, ellipse de l'article et du pronom sujet) ; au plan formel et générique, les imitateurs de Marot cultivent le rondeau, la ballade, l'épître, l'épigramme et le décasyllabe ; c'est plutôt au plan de l'*éthos* que se situe le badinage proprement dit, dans la fausse naïveté et la familiarité souriante de l'énonciateur – dont Marivaux fait souvent usage. L'« élégant badinage » se définit aussi, notamment chez Boileau, par opposition (et en réaction) aux trivialités du burlesque, avec lequel il flirte parfois cependant. Enfin, si le badinage marque une forme de distance, il faut le distinguer de l'ironie, plus acerbe, du sens de la litote, et de l'humour, supposé typiquement britannique.

▶ FONTANIER P., *Les figures du discours*, Paris, [1830], 1968, p. 291-293. — GÉNÉTIOT A., *Poétique du loisir mondain, de Voiture à La Fontaine*, Paris, Champion, 1997. — LERBER W. DE, *L'influence de Clément Marot au XVIIe et XVIIIe siècle*, Lausanne-Paris, 1920.

Jean VIGNES

→ *Ballade ; Burlesque ; Éthos ; Galanterie ; Humour ; Intertextualité ; Ironie.*

BALLADE

Dérivé dès 1260 du provençal *balada* (chanson à danser), « ballade » désigne à l'origine une variété de chanson à strophes, le plus souvent avec refrain, qui n'est pas nécessairement mise en musique. Le mot renvoie ainsi à une forme, mais celle-ci varie dans l'espace et dans le temps. La ballade française, telle que la fixent aux XIVe et XVe s. Eustache Deschamps, Christine de Pisan, Charles d'Orléans et Villon, se compose de trois strophes isométriques à refrain, de même schéma rythmique et de mêmes rimes, suivies d'un envoi.

Empruntant certains éléments formels et thématiques (comme l'envoi) à la poésie courtoise des troubadours, la ballade séduit dès le XIVe s. autant la noblesse que la bourgeoisie du Nord de la France, qui la pratique abondamment dans les concours poétiques nommés *puys*. D'abord vouée à l'expression de l'amour courtois, la ballade s'ouvre à toute sorte de sujets moraux ou religieux, plaisants ou funèbres (Villon, *Ballade des pendus*). Encore pratiquée avec succès par Marot et recommandée par son disciple T. Sébillet (*Art poétique françois*, 1548), elle est rejetée par la Pléiade, mais remise en vogue au XVIIe s. dans les salons mondains marqués par le goût du badinage marotique en « vieux langage ». Après Sarasin (« D'enlever en amour »), Conrart ou Madame Deshoulières, La Fontaine en compose une dizaine. C'est alors un genre faussement populaire, goûté par l'aristocratie et la bourgeoisie lettrée ; hiérarchiquement, un genre mineur, qui « fait rire ou ne vaut un bouton » (La Fontaine, 1659). Mais elle retombe vite en désuétude et Molière fait dire à Trissotin : « La ballade à mon goût est une chose fade ; / Ce n'en est plus la mode, elle sent son vieux temps » (*Les femmes savantes*, 1672). Dans les îles britanniques en revanche se perpétue une tradition populaire de la ballade chantée, favorisée par le colportage. En 1765, l'évêque anglican Thomas Percy exhume un recueil manuscrit d'anciennes ballades anglaises et écossaises (*Reliques of Ancient English Poetry, consisting of old Heroic Ballads*) que complète ensuite Walter Scott (*The Ministrelsy of the Scottish Border*, 1802-1803). Ces textes folkloriques d'origine médiévale suscitent un engouement pour le genre et d'innombrables imitations romantiques voient le jour en Angleterre (Wordsworth et Coleridge, *Lyrical Ballads*, 1798-1802 ; D. G. Rosetti, *Ballades and Sonnets*, 1881), en Allemagne (G. A. Bürger, Goethe, Schiller, Uhland, Fontane) et, dans une moindre mesure, en France (Hugo, *Odes et ballades*, 1828 ; Banville, *Gringoire*, 1866 ; *Trente-six ballades joyeuses à la manière de Villon*, 1873). Tentant de faire renaître dans la ballade le « sentiment médiéval », le romantisme en fait un poème de tonalité populaire, ou pseudo-populaire, souvent d'inspiration historique ou légendaire, dont l'énonciateur ou le héros, généralement fictif, vit une aventure dramatique. Mise en musique et accompagnée au piano, elle enchante la bonne société anglaise, allemande ou autrichienne du XIXe s. sous le nom de *drawing-room ballad* (ballade de salon) ou de *lied*. Elle se prolonge dans des tendances archaïsantes de la poésie moderne, et spécialement dans la chanson (Brassens, ou la reprise des ballades de Mme Deshoulières par J.-L. Murat en 2000).

Dans la langue moderne, l'ambiguïté du terme vient de ce qu'il renvoie tantôt (surtout en France et en Italie) à une forme fixe ouverte à tous les thèmes et à tous les tons, tantôt à un contenu, voire à un registre : expression d'une émotion tragique, « tragédie racontée par une chanson » (A. Gréguss). Dans la tradition britannique, germanique ou hongroise, la ballade suppose un sujet sombre voire terrifiant, souvent héroïque ou macabre, merveilleux ou fantastique, et surtout un récit au moins sous-jacent. Dans cette acception, la ballade peut investir tous les genres et toucher tous les milieux : elle peut être poème narratif ou dialogique comme les *Balladak* du hongrois Arany János, longue méditation chrétienne comme le *Ballad of Reading Gaol* d'Oscar Wilde (1898), mais aussi comédie satirique et politique (J. Voskovec et J. Werich, *Ballade des chiffons*, 1905), drame (G. Hauptman, *Winterballade*, 1917), farce macabre (Michel de Ghelderode, *Ballade du grand macabre*, 1934), chanson traditionnelle popularisée par le disque (Brassens), voire « poème rock » avec Charlélie Couture ou Alain Souchon.

▶ ASSELINEAU Ch., *Histoire de la ballade*, Paris, Lemerre, 1873. — DEGOTT B., *Ballade n'est pas morte : étude sur la pratique de la ballade médiévale depuis 1850*, Paris, Les Belles Lettres, 1996. — GROS G. et FRAGONARD M.-M., *Les formes poétiques du Moyen Âge à la Renaissance*, Paris, Nathan Université, 1995. — ROUBAUD J., *La ballade et le chant royal*, Paris, Les Belles Lettres, 1998. — ROUGET F., « Une forme reine des puys poétiques, la ballade », *Première Poésie de la Renaissance : autour des puys poétiques normands*, colloque de l'Université de Rouen (1999), à paraître.

Jean VIGNES

→ *Badinage ; Chanson ; Fantaisie ; Formes fixes ; Médiévale (Littérature) ; Poésie ; Romantisme ; Tragique.*

BALLET

Le ballet est un spectacle de danse en musique, mais il comporte très souvent aussi une part de texte, et, comme tel, il participe de la pratique littéraire. Nombre de ballets mettent en scène des sujets empruntés à la littérature.

En France, la première forme de ballet qui ait eu recours à l'apport d'un texte est le ballet de cour, qui conjugue poésie, musique, danse et arts plastiques. Il débute avec la représentation du *Balet comique de la Royne* en 1581. Il avait eu des antécédents, mascarades de palais sous les Valois imitées des *mascherate* et *intermedi* florentins. Son émergence comme genre spécifique est liée aux travaux du cercle d'humanistes réunis autour de Baïf dans l'Académie de Musique et de Poésie, fondée en 1571, qui tentent de réformer la poésie sur le modèle de l'Antiquité et cherchent à introduire un style nouveau en musique et dans la danse. La naissance du ballet paraît être le résultat d'expériences visant à faire revivre la tragédie antique. Associées, danse et musique semblent capables de réaliser une harmonie imitée de celle des cieux et, en agissant sur les passions, de faire participer l'âme de l'homme à l'harmonie universelle. À la suite du succès du *Balet comique de la Royne*, les ballets se multiplient à la cour. Le genre s'oriente alors vers une forme plus littéraire où la poésie prend le pas sur le spectacle, et où la musique et la danse, ramenées à leur valeur imitative, sont utilisées pour rehausser l'éclat des tableaux dramatiques. La poésie fournit ainsi des récits d'abord déclamés puis chantés, auxquels s'ajoutent les vers pour les personnages, héroïques, galants ou burlesques. Malherbe, Racan, Théophile, Malleville, Saint-Amant et bien d'autres en composent. Honneur fort recherché, car, selon Furetière, « être désigné pour écrire les vers d'un ballet royal, c'est une fortune que les poètes doivent autant briguer que les peintres font le tableau du May qu'on présente à Notre-Dame ». Avec la vogue du *ballet à entrées* dans les années 1620-1630, la danse et la pantomime finissent par l'emporter, avant que le ballet ne se mue, sous Louis XIV, en un spectacle fastueux et allégorique dont Benserade est l'écrivain quasi attitré. En même temps Lully redécouvre les possibilités musicales du genre, réduites jusque-là à un rôle d'accompagnement de la danse. Les ballets sont aussi en honneur dans les comédies-ballets. Mais la cour abandonne l'usage des ballets et, avec la fondation de l'Académie royale de Musique (1672), ils sont versés dans la *tragédie en musique*, comme on appelait alors l'opéra, et dans les prolongements de la comédie-ballet. Une scission semble dès lors s'opérer entre ballet et littérature. Houdar de la Motte inclut des ballets dans son *Europe galante* (avec Campra) et la dimension littéraire subsiste dans de nombreux débats théoriques (chez Ménestier ou l'Abbé de Pure notamment). Le rêve d'un spectacle total hante encore des écrivains comme Rousseau. Au XIXe s., Th. Gautier, au XXe s., Céline ou Cocteau composent des textes de ballets (c'est-à-dire des scénarios). Signe que le lien du corps, des sons et des mots reste un désir implicite de la littérature, aspirant à retrouver par là les formes de la poésie première.

À l'origine divertissement que la cour se donnait à elle-même – les aristocrates, et parfois le roi lui-même, prenaient part aux danses –, le ballet est très tôt devenu également un passe-temps de moins grands personnages, nobles ou riches bourgeois, dans leurs demeures privées. Et comme il n'était pas rare qu'un même ballet se joue à plusieurs reprises dans des endroits différents, la pratique acquit un caractère de représentation publique. Les Jésuites, conscients de son potentiel éducatif, l'insèrent dans leur théâtre scolaire, lui octroyant un public élargi. Par ailleurs, malgré ses origines en partie italiennes, le ballet finit par incarner un genre national, axé sur la récréation et le divertissement, mais servant d'instrument de propagande politique à une époque où tout déploiement de faste est synonyme de grandeur et de puissance.

Le ballet de cour disparu, reste le désir d'une union, voire d'une fusion des arts, où la poésie se joindrait aux cadences de la musique et de la danse. Les Ballets russes, dans les années 1920, ont tenté de la concrétiser. Le ballet contemporain, en Europe, se dramatise de plus en plus en s'associant au mime, indiquant une voie où la poésie pourrait retrouver place dans l'espace du spectacle.

▶ BONNIFFET P., *Un ballet démasqué : l'union de la musique au verbe dans* Le printans *de Jean-Antoine Baïf et Claude Le jeune*, Paris-Genève, Champion, 1988. — CANOVA-GREEN M.-C., *La politique-spectacle au grand siècle : les rapports franco-anglais*, Tübingen, Biblio 17, 1993. — CHRISTOUT M.-F., *Le ballet de cour de Louis XIV, 1643-1715. Mises en scène*, Paris, Picard, 1967. — FRANKO M., *Dance as Text. Ideologies of the Baroque Body*, Cambridge, CUP, 1993. — MCGOWAN M., *L'art du ballet de cour en France 1581-1643*, Paris, CNRS, 1978.

Marie-Claude CANOVA-GREEN

→ *Corps ; Comédie-Ballet ; Cour (Littérature de) ; Musique ; Théâtre lyrique.*

BANDE DESSINÉE

La bande dessinée (en abrégé, BD), est une forme de récit fonctionnant à partir d'une suite d'*images fixes* (à la différence du cinéma) organisées en *séquences* (à la différence de la fresque). Elle est en outre caractérisée par l'association de l'image et du texte (de l'iconique et du linguistique) dans une relation de complémentarité.

Peeters fait remonter l'invention de la BD aux « histoires en estampes » du genevois Töpffer (*Monsieur Jabot*, 1833). L'essor du genre date néanmoins de la fin du XIXe s. et de l'apparition, dans les presses française (Christophe, *La famille Fenouillard*, 1889) et américaine (Outcault, *Yellow Kids*, 1895), de bandes dessinées à la place ou aux côtés des feuilletons. Nées aux États-Unis, les conventions modernes du genre (utilisation des bulles et de l'écriture manuscrite – le « lettrage » – de préférence à la composition typographique, etc.) sont introduites dans le domaine francophone par Alain de St-Ogan (*Zig et Puce*, 1925) et Hergé (*Tintin*, 1929). Dans l'immédiat après-guerre, la création des hebdomadaires *Tintin* (1946) et *Spirou* (1947), où publient Hergé, Jacobs, Cuvelier, Franquin ou Jijé, ainsi que l'adoption des lois françaises sur la protection de la jeunesse (1949), marquent « l'âge d'or de la bande dessinée franco-belge ». En limitant l'accès des *comics* américains au marché français, ces lois permettent l'essor de la production francophone, tout en l'assujettissant à un code moral assez strict ; ce dernier contribue à l'émergence d'un modèle narratif assez typé, associant divertissement (aventure héroïque, enquête, exotisme) et instruction (découverte du monde, vulgarisation scientifique ou historique). Destinée avant tout aux enfants et fortement dépendante des contraintes économiques, la BD reste à cette époque un produit à faible légitimité culturelle, comme en témoigne l'usage récurrent du pseudonyme chez les créateurs. Significativement, le genre s'épanouit alors en Belgique, à la périphérie de la production littéraire francophone.

Dans les années 1960, l'apparition de nouveaux auteurs et d'un public adulte détermine une modification du statut de la BD, dont la pratique s'autonomise progressivement en se dotant de structures institutionnelles propres. La production se recentre alors progressivement en France, avec maisons d'éditions, revues et librairies spécialisées ; création d'instances de consécration (festival d'Angoulême) ; élaboration d'un discours critique et de célébration ; hiérarchisation de la production selon le principe de la distinction. Ce mouvement est amorcé par l'hebdomadaire *Pilote* (1959) et se traduit notamment par l'apparition de héros désormais ambigus (Lieutenant Blueberry) ou d'une BD de dérision sociale (e. a. Gaston Lagaffe, Achille Talon). Il se radicalise à la fin des années 1960 : outre l'apparition de bandes dessinées érotiques (*Barbarella*, de Forrest ou *Valentina*, de Crepax), se développe un usage contestataire du médium, identifié dans la foulée de l'esprit 68 à une « contre-culture » (e. a. Gottlib, Brétécher, Reiser) ; on constate également un investissement dans la recherche formelle la plus exigeante (e. a. Druillet, Fred). Les années 1980 ont vu le « retour au narratif », lancé par Casterman et sa collection « À suivre » (e. a. Pratt et les *Corto Maltese*, Tardi et les *Adèle Blanc-Sec*, Sokal et *Canardo*), tandis qu'apparaissaient parallèlement des auteurs surtout préoccupés par la recherche graphique et picturale (technique de la « couleur directe »).

Le statut culturel de la BD francophone, aujourd'hui largement reconnue pourtant, reste inconfortable, notamment dans sa relation à la littérature. Occupant la place autrefois tenue par les images d'Épinal, la bande dessinée a d'abord été considérée comme une forme dégradée et populaire de littérature. Elle a acquis sa légitimité par l'affirmation de sa différence : celle d'un « neuvième art », doté d'un langage distinct de celui du littéraire. Néanmoins, Boltanski a montré que cette autonomisation s'est paradoxalement faite sur le modèle du champ littéraire, donnant naissance à une culture « en simili » caractéristique des arts « moyens » ou « légitimables ». Dès lors, si la bande dessinée est une pratique distincte, elle continue cependant d'entretenir avec la littérature une relation de dépendance symbolique, visible dans l'utilisation d'un système de références et de valeurs emprunté au littéraire, ce qui autorise certains à la considérer comme participant, de façon excentrique, au fait littéraire : la reconnaissance dont bénéficie Tardi, par exemple, doit beaucoup à l'adaptation des œuvres de Léo Malet et à son statut d'illustrateur de Céline. Le public de la BD lui-même est clivé par cette relation ambiguë à la littérature : d'un côté, on trouve des lecteurs pour lesquels la BD représente la seule forme de pratique culturelle, de l'autre, des agents fortement dotés culturellement, qui intègrent la BD dans un éventail élargi de lectures (« haute » littérature, roman policier, science-fiction, etc.) pourvoyeuses de distinction.

▶ BOLTANSKI L., « La constitution du champ de la bande dessinée », *Actes de la recherche en science sociale*, 1975, n° 1, p. 37-59. — FRESNAULT-DERUELLE P., *La bande dessinée. Essai d'analyse sémiotique*, Paris, Hachette, 1972. — PEETERS B., *Case, récit, planche. Comment lire une bande dessinée ?*, Bruxelles, Casterman, 1991.

Benoît DENIS

→ *Autonomie ; Centre et Périphérie ; Enfance et jeunesse ; Paralittérature.*

BAROQUE

L'adjectif « baroque » vient du portugais *barroco* (1563) issu du latin *verrucus* (verrue). C'est au sens propre un terme technique de joaillerie « qui ne se dit que des perles qui ne sont pas parfaitement rondes » (Furetière, 1690). Le mot en vient à qualifier au sens figuré toute irrégularité, et ce jusqu'à la « bizarrerie choquante » qui le définit chez Littré (1877). Dans le domaine esthétique (architecture, arts plastiques et littérature) l'adjectif et le substantif délimitent *a posteriori* soit un style, soit une période particulière, soit une combinaison des deux, généralement considérés dans leur opposition à un style ou une période dits classiques. La caractéristique la plus constante de la notion de baroque depuis plus d'un demi-siècle est certainement la difficulté reconnue d'en fixer la définition en compréhension (y a-t-il *une* esthétique baroque ?) aussi bien qu'en extension (où et quand est-elle pertinente ?).

Au XIXe s., les historiens de l'art allemands utilisent l'adjectif pour caractériser le style de l'architecture et de la peinture italiennes du XVIIe s., d'abord conçu comme une dégénérescence de l'art renaissant (J. Burckhardt), perspective favorisée en France par la critique positiviste qui érige en norme le classicisme national. H. Wölfflin, dans *Renaissance et Baroque* (1888) puis dans ses *Principes fondamentaux de l'histoire de l'art* (1915), propose une série de critères caractérisant sans jugement de valeur l'évolution de l'art italien entre le XVIe et le XVIIe s., à savoir le passage du *linéaire* (qui envisage la chose telle qu'elle est, selon son contour stable et tangible) au *pictural* (visant la chose telle qu'elle apparaît et privilégiant une vision globale), d'une représentation par ségrégation des plans à une représentation *en profondeur*, d'une forme fermée à une *forme ouverte*, d'une unité multiple (résultant de l'harmonisation de parties indépendantes) à une *unité complexe*, et d'une clarté absolue à une *clarté relative*. Le critique d'art italien Eugénio d'Ors se détache en 1929 (*Du baroque*) de l'ancrage du *seicento* pour exalter dans le baroque une sensibilité transhistorique (de la peinture paléolithique à Proust), liée à un art dionysiaque qui libère la sensualité, l'imagination et le mouvement, et s'oppose à l'art apollinien régulier selon une alternance repérable dans les couples de l'atticisme et de l'asianisme rhétoriques, du classicisme et du baroque, du classicisme et du romantisme. Après la guerre s'ouvre une phase d'enthousiasme pour le baroque, qui se traduit en France par l'application de la notion à la littérature des règnes de Henri IV et de Louis XIII. Elle comble une lacune typologique entre la Renaissance et le classicisme des années 1660 et évite la chape de plomb d'une doctrine du grand siècle unifiée en trompe-l'œil dès Voltaire et incapable d'intégrer la variété des formes et des écritures apparues entre Montaigne et Descartes. Ainsi, ceux que Gautier assemblait en 1844 sous le nom de *Grotesques* (Théophile, Scarron, Saint-Amant...), jusque-là considérés à l'aune des critères esthétiques classiques, bénéficient grâce au baroque d'une esthétique autonome positive. M. Raymond (1949) et J. Rousset (1953) en définissent les traits dominants par analogie avec les composantes du concept artistique, la dégageant des poncifs de l'informe et du pathologique. Ces traits formels ou thématiques sont placés par J. Rousset sous l'égide de « Circé et le paon », qui désignent le primat des pouvoirs de la métamorphose, de l'illusion et de l'artifice, opposés aux critères de spontanéité naturelle privilégiés par E. d'Ors. Le motif de l'inconstance, « blanche » dans les jeux de l'amour profane ou « noire » dans une poésie métaphysique hantée par la vanité du monde, fait écho dans toute l'Europe à l'adage qui restera attaché au nom de Calderon, *La vie est un songe* (1631-35), ainsi qu'au thème ancien du *theatrum mundi*, tous deux indissociables d'une méditation sur la mort et d'un appel à la transcendance. Quant au style baroque, il favorise l'équilibre instable des antithèses et le jeu dynamique de la métaphore, lié soit à l'analogie universelle objective, soit à l'ingéniosité créatrice (F. Hallyn, 1975). Ces composantes esthétiques renvoient à une perspective historique qui élargit l'éthos baroque à la religion, à la morale et à la politique dans les expressions d'« État baroque », d'« homme baroque » ou d'« éros baroque ». L'esthétique baroque répond à la tourmente européenne de la seconde moitié du XVIe s., c'est-à-dire à la perte des repères politiques, scientifiques et religieux consécutive à la Réforme et aux guerres civiles, origine à la fois de la faveur du scepticisme philosophique et des nouvelles formes de la dévotion post-tridentine. Au gré d'une approche de plus en plus différenciée des œuvres, la notion de baroque entre en concurrence avec celle de maniérisme, (E. R. Curtius, 1947 ; M. Raymond, 1971). Prolongeant l'opposition de ce dernier entre un baroque de conviction et un baroque de déception, G. Mathieu-Castellani propose à son tour une distinction dans la production poétique des années 1570-1640 selon le type d'énonciation : l'un, baroque, caractérisant une parole de Vérité destinée à convaincre, l'autre, maniériste, lié à la fonction expressive du langage et reconnaissable à l'incertitude du locuteur et au jeu conscient de l'œuvre avec l'artifice.

D'avoir été importé (à la fois des arts plastiques et de l'étranger) et incorporé *a posteriori* dans une culture qui ignore le concept (on parlait à l'époque ou d'une peinture « à l'italienne » ou d'une architecture « à la romaine », et la question du « baroque français » architectural reste problématique), le baroque est affecté dès sa naturalisation littéraire d'un statut théorique dont la légitimité est sans cesse à assurer, comme le montrent en diachronie les parutions annuelles de la revue *Baroque*, dès la publication en 1965 des actes du premier colloque international de Montauban. La périodisation historique est nécessairement différente selon le pays, de l'Italie à la Russie, et selon qu'il s'agit de peinture, d'architecture, de musique ou de littérature, hétérogénéité de fait qui disqualifie la propension à une histoire de l'art globale et linéaire (C. Mignot). La question apparaît singulièrement complexe en France, où, contrairement à l'Italie qui voit la peinture baroque succéder au classicisme renaissant, l'ère baroque littéraire précède le classicisme et anticipe le plein développement de l'art baroque européen, étendu sur les XVIIe et XVIIIe s. ; la situation politique et religieuse, d'opposition gallicane aux nations piliers du baroque européen que sont l'Italie, l'Espagne et l'Autriche, la succession problématique des poètes baroques catholiques comme Chassignet et La Ceppède aux poètes réformés comme Du Bartas et d'Aubigné, tendent à fragiliser l'idée d'une unité idéologique et esthétique du baroque français. À cette contestation de la pertinence historique du concept et de l'équivoque entre une période et un style s'ajoute dans *Le Mirage baroque* de Pierre Charpentrat (1967), auteur la même année de l'*Art baroque*, la considération du contexte polémique de son apparition en France : machine de guerre contre l'impérialisme critique du classicisme au XIXe s., il permet aux uns de réintégrer la France au sein d'un baroque européen, moyennant ces décalages ou inversions chronologiques plus ou moins gênants, qui autorisent les autres à nier purement et simplement la légitimité d'une notion forgée par fascination pour les symétries suggestives de H. Wöllflin ou par désir de s'en prendre au mythe classique.

Mais, après le retrait relatif de certains mêmes de ses promoteurs, le regain récent d'intérêt pour la notion (études de J.-P. Chauveau, B. Chédozeau, D. Souiller, monographies de P. Cahné ou de J.-P. Cavaillé sur Descartes, de Deleuze sur Leibniz, mises au point sur l'État baroque chez les historiens), qui porte J. Rousset, trente ans après le chapitre de l'*Intérieur et l'extérieur* intitulé « Adieu au baroque ? », à s'autoriser un *Dernier regard sur le baroque* (1998), entérine les effets indéniables du succès de la notion : la découverte de la poésie baroque et de ses résonances avec la poésie d'après Baudelaire, l'intérêt renouvelé pour une confrontation des esthétiques musicale, picturale et littéraire qui faisait précisément partie des habitudes de l'époque, selon le principe du *paragone*, l'élargissement de l'étude du XVIIe s. à l'échelle européenne, conduisent les spécialistes de la période, y compris les plus désillusionnés, à continuer d'employer le concept, souvent avec la distance des guillemets ou des « comme on dit » dont les Précieuses recommandaient l'usage pour les termes affectés mais utiles à la conversation des honnêtes gens.

▶ CHARPENTRAT P., *Le Mirage baroque*, Paris, Minuit, 1967. — HALLYN F., *Formes métaphoriques dans la poésie lyrique de l'âge baroque en France*, Droz, 1975. — MATHIEU-CASTELLANI G., *Anthologie de la poésie amoureuse de l'âge baroque, 1570-1640*, Paris, LGF, 1990. — RAYMOND M., *Baroque et renaissance poétique*, Paris, Corti, 1955. — ROUSSET J., *La littérature de l'âge baroque en France*, Paris, Corti, 1953.

Florence DUMORA-MABILLE

→ *Classicisme ; Maniérisme ; Renaissance ; Romantisme.*

BEL ESPRIT → Galanterie

BELGIQUE

Pays trilingue (français, néerlandais et allemand) comprenant un peu moins de 4,5 millions de francophones, la Belgique forme un état indépendant depuis 1830. Les questions littéraires ne peuvent y être séparées de l'évolution sociale, linguistique et économique. Parce qu'ils dépendent d'un marché national étroit et d'une littérature faiblement institutionnalisée, les écrivains francophones de Belgique sont confrontés à une alternative : s'identifier au pôle culturel parisien ou revendiquer une altérité ancrée dans une histoire spécifique, cette dernière pouvant se prévaloir d'une relation à la langue, aux traditions historiques et aux créations culturelles, qui s'éloigne souvent du modèle hexagonal. Les auteurs et les critiques partagent cette hésitation, puisqu'ils évoquent tantôt la *littérature belge de langue (d'expression) française*, tantôt les *lettres françaises de Belgique.*

Dès le haut Moyen Âge, dans les futures provinces belges, les grandes familles et les villes entretiennent une importante tradition littéraire : chroniques (Commynes, Froissart), mystique (Ruysbroeck), humanisme (Érasme), esprit des Lumières (Prince de Ligne). La fondation, en 1830, de l'État belge met en place une série d'institutions (prix, subventions) destinées à gérer cet héritage de plusieurs siècles de création artistique et à traduire, dans le domaine culturel, l'indépendance conquise dans le domaine politique. Les lettres en bénéficient, en particulier la littérature dramatique. Ce n'est toutefois qu'à partir des années 1880 que la vie littéraire prend un essor significatif ; elle met alors à profit l'héritage de ces institutions tout en rompant avec l'idéologie nationaliste.

Les courants qui émergent en Belgique sont comparables à ceux qui se succèdent en France. Le romantisme (André Van Hasselt), le réalisme (Emile Leclercq), le naturalisme (Camille Lemonnier), le symbolisme (Maurice Maeterlinck), le surréalisme (Paul Nougé) et bien d'autres illustrent la perméabilité de la frontière politique du pays. Toutefois, si le nom reste le même, la nature de ces mouvements, les itinéraires de leurs représentants et les enjeux d'écriture peuvent différer profondément de part et d'autre de la frontière. L'œuvre de Charles De Coster (*La légende d'Ulenspiegel...*, 1867), entre épopée et roman historique, n'a pas d'équivalent dans le domaine français. Les écrivains symbolistes ou surréalistes belges, qui sont étroitement liés à leurs confrères français, s'en distinguent également par les genres qu'ils pratiquent autant que par leurs engagements théoriques et politiques. Par ailleurs, certains courants plus spécifiques ont bénéficié d'une attention soutenue de la part des auteurs locaux. Tel est le cas du réalisme magique cher à Edmond Picard ou à Franz Hellens, et des genres marginaux qui accueillent les plus grands succès littéraires belges : Tintin et Maigret, le roman policier (Simenon, Steeman), le fantastique (Jean Ray) et la bande dessinée. Le vaste réservoir d'images culturelles issues de la tradition picturale flamande a été largement mis à profit par les auteurs, en particulier à la fin du XIXe s.

L'appareil d'État belge, faible et traversé de courants hétérogènes, s'est souvent satisfait de sa « déshistoire » (Quaghebeur). Rompant avec les inventaires partiels de l'histoire littéraire, l'historiographie récente s'est d'abord donné pour tâche de réévaluer le patrimoine en attirant l'attention sur des groupes ignorés ou délaissés précédemment comme le surréalisme ou les auteurs les plus contemporains. Trois préoccupations nouvelles se sont ensuite dégagées. L'école de Leuven voit la littérature belge, prise dans sa totalité, comme un polysystème spécifique où se croisent les deux communautés linguistiques. Un courant sociologique insiste sur l'interpénétration des milieux politiques et culturels dans le champ belge (Aron). Par ailleurs, l'histoire de la langue française dans le pays détermine également des effets d'infériorisation plus ou moins avoués ou compensés (Klinkenberg). Ces trois types d'analyse tentent de dépasser le débat qui préoccupait les auteurs – souvent réduits au dilemme entre intégration dans le champ français et stratégie d'émergence locale – et d'objectiver la relation entre centre et périphérie. En insistant sur les conditions réelles de production, l'historiographie montre tout l'intérêt de connaître une histoire locale que les écrivains ressentent comme problématique parce qu'elle a effectivement produit un « espace des possibles » bien différent de celui de Paris.

▶ ARON P., *Les écrivains belges et le socialisme, 1880-1913*, Bruxelles, Labor, [1986], 1997. — KLINKENBERG J.-M., « La production littéraire en Belgique francophone. Esquisse d'une sociologie historique », *Littérature*, 44, déc. 1981, p. 33-50. — QUAGHEBEUR M., *Alphabet des lettres belges*, Bruxelles, Labor, [1982], 1998 ; *Lettres belges entre absence et magie*, Bruxelles, Labor, 1990. — Coll. : *Textyles*, revue des lettres belges de langue française (depuis 1985).

Paul ARON

→ *Autonomie ; Centre et Périphérie ; Surréalisme ; Symbolisme.*

BELLES-LETTRES

Du début du XVIIe s., où l'on enregistre ses premières occurrences, au milieu du XVIIIe s., « Belles-Lettres » a été employé dans un jeu de voisinage et de distinction avec Lettres, Littérature, Lettres saintes, Lettres savantes, Bonnes Lettres. Le sens dominant du terme désigne toutes les pratiques textuelles qui comportaient une dimension esthétique, à savoir : l'Histoire, l'Éloquence et la Poésie – celle-ci incluant le théâtre – (*Dictionnaire* de Richelet, 1680).

Avec l'Humanisme, les Bonnes-Lettres mettent en valeur les bons auteurs de l'Antiquité gréco-latine. Au XVIIe s., la réorganisation du champ des savoirs (que peut désigner encore alors le mot Littérature) amène la distinction entre les Lettres saintes (textes religieux, histoire religieuse), et les Lettres humaines, ou profanes, qui englobent le reste des textes ; en leur sein, se distinguent les Belles-Lettres, où l'adjectif suppose une valeur attachée à l'esthétique. La période où son usage est courant et dominant peut être située entre *Le différend des Belles Lettres Narcisse et de Phyllarque* de J.-P Camus en 1630 (épisode dans la querelle des *Lettres* de Balzac et donc dans la querelle de la modernité) et, en 1750, le *Catalogue de la bibliothèque du roi* qui comporte encore une importante section *Belles-Lettres*. Les définitions des dictionnaires de cette époque attestent des divergences de vues : si, pour les modernistes comme Richelet, les Belles-Lettres correspondent à la définition ci-dessus, Furetière (1690), plus traditionnaliste, estime qu'« on appelle les Lettres Humaines et abusivement les belles Lettres, la connoissance des Poètes et des Orateurs, au lieu que les vrayes belles Lettres sont la Physique, la Géométrie et les Sciences solides » ; c'est une position excessivement traditionnelle et polémique. Le *Dictionnaire de l'Académie*, dans son édition de 1740, confirme : « On entend par Belles-Lettres, la Grammaire, l'Éloquence, la Poésie », et cela correspond aux contenus du *Catalogue* cité plus haut, à savoir : grammaire, éloquence, poésie – théâtre inclus – romans et pièces burlesques, philologie, dialogues, apologies, polygraphes. Si l'Histoire en a disparu, les contenus couvrent ce que Sorel, dans sa *Bibliothèque française*, appelle « la science des honnêtes gens », c'est-à-dire la culture lettrée par distinction d'avec le savoir pédant et les sciences exactes. La proximité avec le sens moderne de Littérature est patente : le *Dictionnaire* de Richelet appelle la Littérature la « science des Belles-Lettres ». De même, le manuel de l'abbé Batteux qui étudie les principaux genres poétiques et dramatiques s'intitule-t-il le *Cours de Belles-Lettres* (1748). Ainsi les Belles-Lettres ont-elles été le terme qui, concurremment avec Littérature, a désigné les pratiques littéraires dans cette période, et qui s'est étiolé lorsque l'Histoire a tendu à se constituer en discipline autonome.

Caron (1992) montre que le référent du signe « Belles-Lettres » peut varier selon le secteur du savoir interrogé : dictionnaires, manuels à visée didactique où les Institutions de la vie intellectuelle témoignent de répartitions conceptuelles diverses. Mais celles-ci ne sont pas essentiellement différentes des débats qui ont suivi sur l'extension du concept de Littérature. Ainsi, on voit qu'au fil de la période où le terme de Belles-Lettres est usuel, l'Histoire s'en est progressivement dissociée, mais en retour le roman y a gagné droit de cité, de même que, par les « apologies » et les « polygraphes », le genre de l'essai. Mais c'est aussi que le corpus d'usage a lui aussi varié : les premiers emplois sont le fait de lettrés qui souvent ont des référents latins - d'où l'Histoire - alors qu'ensuite une bonne part des « honnêtes gens » s'abstient de faire étalage de cette part de sa culture. Les Belles-Lettres françaises, dont Batteux fait l'apologie pour obtenir qu'elles soient consacrées comme objet d'enseignement, sont donc l'espace textuel du littéraire durant la « première modernité » et l'objet en jeu dans le premier champ littéraire. On notera cependant que souvent, jusqu'en 1750 et au-delà, les Belles-Lettres désignent tant la littérature que les études littéraires. On notera d'autre part que l'adjectif « belles » implique bien la qualification par la propriété esthétique, mais que celle-ci n'est pas là posée comme une fin en soi, comme elle l'est ensuite dans la sphère restreinte du champ littéraire après 1850 : alors, comme dans une large part de la production aujourd'hui, esthétique et fonctionnalité étaient conçues comme constituant un même ensemble littéraire.

▶ CARON Ph., *Des « Belles Lettres » à la « Littérature »*, Louvain-Paris, Peeters, 1992. — FOUCAULT M., *Les mots et les choses*, Paris, Gallimard, 1966, chap. X. — VIALA A., *Naissance de l'écrivain*, Paris, Minuit, 1985.

Jan HERMAN, Alain VIALA

→ *Bonnes lettres ; Littérature.*

BEST-SELLER

Le terme de best-seller est d'origine américaine et désigne un ouvrage qui a connu un succès de librairie remarqué. Techniquement, il concerne un titre figurant dans une liste de livres ayant connu les ventes les plus fortes durant une durée donnée correspondant à la périodicité, hebdomadaire le plus souvent, de la publication où la liste paraît. Par extension, la désignation s'applique à des ouvrages dont les caractéristiques ne semblent pas relever de cette catégorie, mais qui, par suite de leur consécration, ont été largement diffusés. Ainsi, même s'il s'agit là d'un classement propre au marché de grande consommation, on y retrouve régulièrement des textes littéraires consacrés (les « classiques », voire la Bible).

C'est à la fin du XIXe s. que la presse américaine a commencé à identifier comme « best-sellers » les livres qui connaissaient les meilleures ventes. Au cours du XXe s., cette pratique s'est répandue internationalement, comme moyen de publicité spécifique dans les industries culturelles (pour le livre, le disque). En France, l'usage du terme s'impose à la fin des années 1950 quand l'éditeur Robert Laffont lance une collection « Best-sellers » qui reprend en traduction des ouvrages américains à succès. Aujourd'hui des revues professionnelles comme *Livres hebdo*, mais aussi des magazines d'information comme *L'Express* tiennent une rubrique régulière pour l'identification des best-sellers courants. En un sens plus large encore, on a pu utiliser le terme pour désigner également les ouvrages les plus lus sur la longue durée et dire que la Bible, le Coran, les œuvres de Hugo ou les grands classiques sont aussi des « best-sellers » ; les professionnels du livre considèrent plutôt ces ouvrages comme des « livres de fond ».

L'affichage du succès auprès du public le plus large fonctionne comme indice de la valeur marchande, qui détermine le marché de grande consommation et s'oppose ainsi à la consécration par la critique des spécialistes reconnus du circuit restreint de la littérature. Cette forme de valorisation représente un moyen décisif pour la fortune « populaire » des œuvres imprimées : le mouvement conduit normalement de cette sélection vers la réédition en collection économique, la sérialisation ou l'adaptation vers d'autres médias. Les best-sellers en format de poche répètent souvent un succès connu auparavant en publication régulière, alors que les œuvres proprement sérielles, polars, récits sentimentaux ou autres, ne paraissent guère dans les palmarès.

Étant donné l'importance des enjeux financiers, la production et la distribution des livres destinés à ce marché exigent un soin particulier ; l'investissement s'y fait à la mesure des profits escomptés, qui sont considérables. De là à prétendre que le best-seller résulte exclusivement d'une mise en place tapageuse, il n'y a qu'un pas souvent franchi par ceux que la marchandisation de la culture préoccupe ou qui n'obtiennent pas le même traitement pour la promotion de leurs ouvrages. C'est mal comprendre l'extrême diversité de l'offre dans un marché où la compétition, très vive, ne connaît pas de monopole. Le consommateur y dispose d'une large variété de choix dont il profite avec discernement, comme tend à l'établir le modeste taux de saturation du lectorat concerné. En France, alors que les tirages atteignant le million sont tout à fait exceptionnels (les meilleures réussites touchant normalement plutôt les centaines de milliers d'exemplaires et même moins), les enquêtes sur les pratiques culturelles indiquent que le public lecteur correspond à plus de la moitié de la population, donc se compte en dizaine de millions. Le rapport entre ces deux ordres de grandeur suffit à faire comprendre la dispersion de la consommation. Pour évaluer plus clairement la pluralité de cette production, les magazines d'information cherchent à raffiner les classements. Leurs listes séparent couramment la fiction des livres pratiques et essais. Les professionnels vont plus loin, ainsi *Livres Hebdo* distingue cinq ensembles particuliers : beaux livres (livres illustrés), divers (dictionnaires, guides), poche, essais et documents, et romans.

La littérature est concernée surtout par les deux derniers, et dans les « essais », il s'agit principalement du biographique. On notera l'absence du théâtre et de la poésie ; pour le grand public, la littérature se réduit là essentiellement au récit, et avant tout au roman. Dans ce genre, des écrivains légitimés comme Marguerite Duras, Julien Green, J.-M. G. Le Clézio, Gabriel Garcia Marquez, Françoise Sagan, Michel Tournier figurent en bonne place et illustrent ainsi le domaine mitoyen à la littérature légitime.

▶ HACKETT A. P., BURKE J. H., *80 years of best sellers, 1895-1975*, New York, R. R. Bowker Co, 1977. — SAINT-JACQUES D., LEMIEUX J., MARTIN C., NADEAU V., *Ces livres que vous avez aimés. Les best-sellers au Québec de 1970 à aujourd'hui*, Québec, Nuit Blanche, 1997. — TODD C., *A century of French best-sellers (1890-1990)*, Lewiston, E. Mellen Press, 1994.

Denis SAINT-JACQUES

→ *Bibliographie ; Champ littéraire ; Histoire du livre ; Marché littéraire ; Paralittérature, Public ; Succès.*

BESTIAIRES

Un bestiaire est une succession de représentations animales (et seulement les œuvres ainsi organisées, non toutes les formes d'utilisation des bêtes, serait-elle importante comme dans le *Roman de Renart* ou les fables). Ce genre se distingue des traités zoologiques qui, depuis l'*Histoire des animaux* d'Aristote, classent et décrivent le monde animal.

On peut faire remonter les bestiaires au *Physiologus*, anonyme et rédigé en grec, vraisemblablement entre le IIe et le IVe s., à Alexandrie. Ce texte est formé d'une petite cinquantaine de chapitres indépendants, ne présentant aucun ordre défini et comprenant à chaque fois deux parties distinctes : une description, la *semblance*, attribuée au *physiologus*, c'est-à-dire au naturaliste, et limitée à un élément remarquable du comportement d'un animal donné, est suivie d'une *senefiance*, interprétation symbolique qui, s'appuyant sur la Bible, retrouve au sein de la nature créée par Dieu la présence du message chrétien. Par exemple, le pélican, ayant tué de colère ses petits, les ramènerait à la vie en versant sur eux le sang qui coule de sa poitrine après l'avoir ouverte à coups de bec, ce qui serait une manifestation de la crucifixion. Le *Physiologus* a été traduit en plusieurs langues, en latin notamment dès le IVe s., et a connu une importante diffusion, en particulier au XIIe s. dans les milieux anglo-normands. Il en existe quatre versions différentes en ancien français : *Bestiaires* de Philippe de Thaon, de Gervaise, de Guillaume le Clerc et de Pierre de Beauvais (*Bestiaires du Moyen Âge*, trad. et prés. G. Bianciotto, Paris, 1980), ainsi que des traductions allemandes, italiennes, etc. Aux animaux contenus dans le texte originel, tirés le plus souvent de la Bible et appartenant au Moyen-Orient (censés exister mais pouvant parfois devenir imaginaires), s'ajoutent de nouvelles espèces, ce qui a porté le nombre de bêtes sauvages, d'animaux domestiques, d'oiseaux et de reptiles contenus dans certains manuscrits latins à près de deux cents. Dès l'époque carolingienne, de nombreux manuscrits du *Physiologus* sont pourvus de miniatures et se présentent ainsi comme de véritables livres illustrés à usage bibliophile. Ces miniatures répondent en même temps au projet qui gouverne ces œuvres : elles manifestent la nature visible de chaque animal décrit, laissant au texte le soin d'en dégager la signification cachée. Le bestiaire se rapproche ainsi de l'emblème. À partir du milieu du XIIIe s., l'interprétation allégorique tend à être éliminée (même si on en trouve encore des traces jusqu'au XVIIIe s.) et les bestiaires finissent par se fondre dans des encyclopédies. Cependant, dès l'époque médiévale, cette tradition a été utilisée à d'autres fins. C'est le cas notamment du *Bestiaire d'Amours* de Richard de Fournival. Il faut ensuite attendre la fin du XIXe s. pour voir ce genre trouver un regain de faveur. Celui-ci est dû principalement aux *Histoires naturelles* de Jules Renard (1896), puis au *Bestiaire ou Cortège d'Orphée* d'Apollinaire (1918), respectivement mis en musique par Ravel et Poulenc. Parmi les textes postérieurs qui s'y rattachent, outre *Le livre des êtres imaginaires* de Borges ou certains écrits de Colette, Montherlant a repris le terme en titre d'un roman tauromachique, héroïque et érotique (*Les bestiaires*, 1946).

Le *Physiologus* et les bestiaires qui en sont issus ne sont pas des ouvrages d'histoire naturelle. Rejouant en quelque sorte la nomination des animaux que Dieu fit défiler devant Adam, ils réunissent sous forme de livre les deux versants – images sensibles et paroles intelligibles – du livre du monde, écrit par Dieu au moment de la Création mais qui a été divisé par la Chute. On peut les comparer aux cathédrales dont les sculptures représentent entre autres de nombreux animaux mais au sein desquelles résonne la Parole divine. Hors de cette perspective apologétique, ils fonctionnent principalement comme des réservoirs de comparaisons. Toutefois, comme c'est le cas avec les bestiaires chrétiens, l'utilisation qui en est faite ne manque jamais de mettre en question la nature même de l'homme, créé à l'image et à la ressemblance de Dieu mais toujours menacé de s'apparenter aux bêtes.

▶ HASSIG D., *Medieval Bestiaries. Text, Image, Ideology*, Cambridge UP, 1995. — LUCKEN C., « Les hiéroglyphes de Dieu. La *demonstrance* des *Bestiaires* au regard de la *senefiance* des animaux selon l'exégèse de saint Augustin », *Compar(a)ison*, 1994, I, p. 33-70 ; « Écriture et vocation des *Bestiaires* », *Compar(a)ison*, 1996, I, p. 185-202. — MCCULLOCH F., *Medieval Latin and French Bestiaries*, University of North Carolina, 1962. — Coll. : *Le bestiaire*, prés. et comm. X. Muratova et D. Poirion, Paris, Philippe Lebaud, 1988. — *Beasts and Bird of the Middle Ages : the Bestiary and its Legacy*, Clark W. B. and Munn M. T. ed., Philadelphie, 1989.

Christopher LUCKEN

→ Allégorie ; Emblème ; Médiévale (Littérature).

BIBLE

La Bible (dont le nom adapte le pluriel grec : *Biblia*) est par excellence le Livre, l'une des sources principales de la pensée occidentale, non seulement parce qu'il a passé pour inspiré (parole de Dieu contenant les éléments nécessaires au salut) et fonde les croyances des religions juives, chrétiennes et musulmanes, mais parce qu'il est le best-seller absolu, traduit en plus de 200 langues. La littérature l'a réécrit, transposé, jusqu'à imprégner même l'athéisme moderne de ses figures symboliques. Le rapport au texte biblique modèle par ailleurs une grande part de nos protocoles de lecture.

« La Bible » regroupe l'*Ancien Testament* (la Torah juive, les livres historiques et les Prophètes) et le *Nouveau Testament* (Évangiles, Actes et Épîtres des apôtres, Apocalypse de Jean). Sa composition s'est stabilisée en « canons » successifs, listes de livres jugés « authentiquement inspirés », différenciés d'ouvrages dits « apocryphes », eux-mêmes fort anciens. Le canon judaïque est suivi aussi par les protestants ; le Concile de Trente a confirmé (en 1546) le canon catholique du IVe s. qui reconnaît de surcroît des textes dits « deutérocanoniques ». Les apocryphes figurent encore dans les bibles anciennes jusqu'au Concile de Trente ; témoignant de l'intense activité des sectes religieuses du Moyen-Orient antique, ils font actuellement l'objet d'un regain d'intérêt depuis la découverte à Qumran en 1947 des plus anciens papyrus du corpus biblique judaïque, gnostique et paléochrétien qu'on ne saurait plus séparer désormais de l'étude des livres canoniques.

Les textes sont d'une grande variété générique. La Bible passait pour le plus ancien texte écrit : la croyance attribuait le Pentateuque à Moïse lui-même, vers 1700 avant J.-C. En fait la critique historique forme l'hypothèse de quatre grandes familles de récits rédigés entre le XIe s. avant J.-C. et la conquête romaine. Les manuscrits attestent dès lors une remarquable stabilité.

Cependant, la forme des textes et leur transmission ont varié ensuite selon la diaspora juive, puis avec l'expansion du christianisme. Après la Torah hébraïque et ses versions en langues orientales, la traduction grecque dite des Septante est réalisée à Alexandrie en 130 avant J.-C., puis, vers 385, la traduction latine de saint Jérôme, d'après les deux langues précédentes, devient la « Vulgate » que la chrétienté occidentale reprend dans sa liturgie jusqu'au XXe s. Le Nouveau Testament, rédigé en grec, lui aussi mêlé d'interpolations, est stabilisé dès le début du IIe s. La critique d'établissement des textes des Massorètes (docteurs des VIe-XIe s.) a donné au texte hébreu une transcription plus lisible grâce au système des points-voyelles qui complètent une transcription jusque-là purement consonantique. La répartition en chapitres telle que nous la pratiquons ne fut adoptée qu'au XIIIe s. pour la Vulgate, les chapitres et versets ne furent numérotés qu'au XVIe s. (Bible d'Henri Estienne), définitivement fixés dans la Bible dite de Clément VIII en 1594. Si l'hébreu est souvent sacralisé comme la langue la plus proche du temps des origines, il ne représente, même anciennement, qu'une des langues par laquelle se fait la communication effective de la Bible. Le rêve d'une présentation synoptique où les langues connues et les meilleurs manuscrits pourraient être confrontés se réalise dans les éditions des bibles polyglottes : celle d'Alcala en 1514-1517, et celle d'Anvers en 1569-1572. Ce sont les sommets, et en même temps le début des difficultés, tant sur le plan de l'exégèse philologique que parce qu'elles coïncident avec la crise de la Réforme, où la question de l'accès au sens du texte sacré est vivement débattue.

Car ce n'est qu'au XVIe s. que se pose la question *théorique* de la traduction de la Bible en langues vulgaires. Lorsque les grammairiens signalent des erreurs dans la Vulgate, l'étude du grec et de l'hébreu devient suspecte de mener aux pensées hérétiques ! L'enjeu est en fait l'accès des fidèles au texte biblique. En général l'Église catholique s'est efforcée de le contrôler en réécrivant et en interprétant les Écritures. Or les progrès culturels, le mouvement de la *devotio moderna*, puis son héritière la Réforme, militent pour un retour aux fondements de la spiritualité : répandues en grand nombre par l'imprimerie, les traductions de Luther en allemand, d'Olivetan en français, de Knox en anglais, sont des manifestes du schisme. La relève sera prise par les jansénistes et la traduction de Lemaistre de Sacy (1695). Les Bibles en langue vulgaire sont par principe mises à l'Index à Rome jusqu'au XIXe s. L'autorisation de traduction ne simplifie pas tout ; il est difficile de traduire sans interpréter, sans avantager l'interprétation de telle Église, ou sans mutiler la poésie du texte. La première traduction œcuménique est publiée après Vatican II.

Les difficultés du texte biblique servent inversement de prétexte aux attaques (Voltaire, *Dictionnaire philosophique*, 1764) contre les institutions ecclésiales qui en défendent le caractère sacré. La grande force du texte cependant tient à sa diversité même : si les exégètes sont dubitatifs sur les conquêtes du peuple hébreu, la force des textes sapientiaux n'en est pas atteinte, et l'usage privé et spirituel est certainement fort différent des préoccupations théologiques et archéologiques.

Les influences de la Bible sur la littérature sont multiples. Certains genres bibliques, par leur brièveté, ont pu être intégrés à la vie chrétienne et à la prière : les Psaumes. Leur traduction par Marot en français à partir de 1536 a doté la Réforme française de son signe de prédilection. Mais surtout le texte a généré des métatextes, imposant une valeur à tout ce qui porte le reflet du texte initial, de toutes fonctions, de toutes ampleurs, par des écrivains ecclésiastiques ou laïques, pour tous destinataires. La prédication qui commente les versets dimanche après dimanche, la méditation qui accompagne la prière jour après jour et se met en poèmes, le théâtre qui met la Bible en Mystères puis en tragédies, les vitraux des cathédrales, les prophéties médiévales et renaissances, les romans de chevalerie, les textes des mystiques et les livrets des catéchismes... : l'influence est manifeste sur des genres et des auteurs les plus divers, y compris les laïcs et anticléricaux. Et l'on ne saurait oublier que les apocryphes sont au Moyen Âge sans doute encore plus significatifs que les textes canoniques : piété mariale, enfances de Jésus, scènes de la Passion, légende du Graal de Joseph d'Arimathie viennent de ces fonds plus tendres, imagés et plus émotifs.

De façon moins proprement religieuse, la Bible est un répertoire de récits, homologue de l'épopée homérique et reconnu comme tel dans tous les débats sur le style. Parce que les récits (d'ailleurs d'une morale ambiguë) se mémorisent mieux que les préceptes, l'histoire sainte sert de mémoire à une partie de l'humanité. Pillée par tous les genres narratifs et théâtraux, elle se lit comme répertoire d'allégories et d'*exempla*. Le *Cantique des cantiques* resurgit dans toutes les litanies amoureuses. L'histoire avec ses contingences brutales et militaires s'y accompagne de toutes les figures de l'héroïsme contre l'ennemi et l'envahisseur particulièrement, d'où les relents de nationalisme facile (Samson et les Philistins, le sacrifice des Macchabées), de résistance à la persécution (la déportation à Babylone qui fonde la tragédie les *Juives* de R. Garnier sur la punition des péchés des rois, mais aussi le *Nabucco* de Verdi [1842] symbole du nationalisme italien opprimé par l'Autriche), et de toutes les possibilités du miracle qui rétablit *in fine* l'ordre juste (la sortie d'Égypte, la Terre Promise). La littérature prophétique et l'Apocalypse encadrent les grandes peurs et les grandes espérances, la polémique aussi (le Pape Antéchrist).

On ne peut alors séparer le Livre de l'iconographie : « les images sont les livres des illettrés », aussi les portes et porches, les vitraux, les tapisseries, les gravures, racontent, rapprochent, éduquent. Les *Biblia Pauperum* (fort coûteuses !) sont des bois gravés (superbes) ; les Bibles et les catéchismes, les ouvrages d'antiquités bibliques sont illustrés, les missionnaires prêchent à partir de tableaux. Le cinéma ne fait que prendre le relais (quelques 200 films bibliques jusqu'en 1990). Les athées à leur tour interrogent le texte biblique et les Vies de Jésus (Rossellini, Pasolini, Godard, Scorsese, Arcand). Grand spectacle et prédication sont mêlés (*Quo Vadis*, *Les dix commandements*, *Ben Hur* et même les *Aventuriers de l'Arche perdue*) : leur succès est dû à la somptuosité des mises en scène, mais d'un péplum l'autre, c'est à eux que sont allées les finances nécessaires, et la larme finale est bien nostalgique, identitaire et fondatrice des valeurs de l'Occident. Il s'y mêle à peine quelques versions pornographiques.

On ne se défait pas de plusieurs siècles d'imaginaire biblique, de symboles (aigles, agneau, arbre de Jessé, anges et démons.) et de topiques (Jugement dernier, consolation des persécutés, minorités de justes, Exil) ; la Bonne Nouvelle du futur ne peut que s'appeler des Évangiles (Zola) : l'ignorance en matière religieuse lui redonne même sa fondamentale et universelle valeur mythique.

À bien des égards enfin, la relation au texte biblique a construit la relation occidentale à tout texte institué, dans l'équivoque du respect imposé et de la liberté de lecture. Le premier livre imprimé fut une Bible (1455). Les Écoles ont toujours fondé l'apprentissage du latin sur les classiques (Virgile, Cicéron), mais la démarche même d'explication dans ses étapes philologiques et herméneutiques se ressent de l'attitude exégétique : vénération de la primauté du texte, transfert de l'autorité de celui-ci au moindre fragment cité, querelles d'authenticité, légitimité de la paraphrase institutionnelle. L'enseignement plus familier du Christ à travers les paraboles légitime par ailleurs le recours au codage, à la fiction, pour un plaisir éducatif. Le débat sur la compétence du magistère et l'initiative du lecteur individuel, sur l'intangibilité du texte et sa clôture ou au contraire sur son ouverture s'est transporté de la Bible à la littérature.

▶ COCAGNAC M., *Les symboles bibliques, lexique théologique*, Paris, Le Cerf, 1993. — *Le Film religieux*, dans *CinemAction*, 1988. — FRYE N., *Le grand Code, La Bible et la Littérature*, trad. de l'anglais Cl. Malamoud, Paris, Gallimard, 1984. — Coll. : *La poétique fondamentale du texte biblique*, Paris, Le Cerf / Montréal, Bellarmin, 1989. — *Les Bibles en Français. Histoire illustrée du Moyen Âge à nos jours*, P.-M. Bogaert (dir.), Brepols, 1991.

Marie-Madeleine FRAGONARD

→ *Autorité ; Christianisme ; Commentaire ; Exégèse ; Herméneutique ; Médiation ; Mythe ; Psaumes ; Réforme ; Réforme catholique ; Religion ; Texte.*

BIBLIOGRAPHIE

La bibliographie est, étymologiquement, l'art de décrire les livres. Cette description porte généralement sur les éléments d'identification du texte (auteur, titre, éditeur, année de publication, format, nombre de pages, etc.). « Bibliographie » signifie aussi, plus couramment, une liste de livres concernant un sujet : elle peut être consacrée à une question, à une époque ou à une personne. Enfin, en un sens spécifique, on parle, en français, de bibliographie matérielle ou analytique lorsque la description porte sur les aspects matériels du livre (caractères typographiques, papier, état de l'édition, reliure, etc. : la langue anglaise emploie en ce cas le terme général de *bibliography*).

Les catalogues de manuscrits, déjà en usage au Moyen Âge, visaient à inventorier les fonds monastiques et à les localiser. Mais on voit apparaître, à la Renaissance, des listes bibliographiques – d'ailleurs encore appelées « Bibliothèques ». Parfois, elles émanent encore d'une bibliothèque existante, mais plus généralement elles donnent des répertoires de références sur un sujet. Ainsi les *Bibliothèque française* de du Verdier et Lacroix du Maine sont, à la fin du XVIe s., des répertoires de la littérature en langue française : bibliographies commentées, elles constituent des linéaments d'histoire littéraire de la France. Au siècle classique, l'accroissement de la production de livres, la diversification et la laïcisation des savoirs favorisent cette activité bibliographique. La *Bibliographia gallicae* du P. Jacob (1643, poursuivie durant quelques années) représente la première tentative de bibliographie complète et périodique de la production imprimée nationale. Le temps des Lumières voit apparaître les premières bibliographies spécialisées – en général commentées – notamment sur le théâtre français. Au siècle suivant, le livre entre dans l'âge industriel, ce qui amène à étendre aux réalités matérielles (et artisanales) du livre ancien l'intérêt des bibliographes : la description matérielle de l'objet livre vient alors au secours de la bibliophilie en plein essor. Parallèlement, le développement des bibliothèques et la nécessité de fonder les sciences humaines en méthode tendent à faire de la science du livre un savoir à part entière. Sont inventées alors des classifications qui facilitent le travail de bibliographie. Apparaissent ensuite les publications bibliographiques régulières, comme, pour la littérature française, la *Bibliographie* de Rancœur, réalisée à la Bibliothèque nationale, et celle de Klapp, réalisée en Allemagne depuis les années 1960. Les bibliographies spécialisées, périodiquement mises à jour, sont désormais légion. Une difficulté nouvelle surgit avec l'informatisation : tant que tous les fonds de bibliothèque ne sont pas informatisés, la recherche bibliographique par ordinateur, sur place ou via internet, ne donne que des listes partielles que la consultation des catalogues sur papier doit compléter. Plus récemment, la prise de conscience, chez les historiens de la littérature et de la culture, de l'interaction entre la production des textes et leurs modes matériels de circulation et de réception, a conduit à inscrire la bibliographie, devenue une technique au service de la « bibliologie », dans un cadre scientifique plus large et plus explicitement attaché à l'analyse matérielle et quantitative.

La bibliographie constitue un acte doublement décisif dans l'étude de la littérature. D'une part, elle amène à fixer une liste des textes, donc à désigner un corpus, et tout propos sur la littérature ne vaut qu'en fonction du corpus sur lequel il se fonde – l'exemple de la mystification réalisé sur un pseudo inédit de Rimbaud l'illustre assez clairement. D'autre part, elle concrétise des choix philologiques et toute analyse ne vaut que selon l'état qu'elle envisage (exemple type : l'œuvre de Corneille avant ou après les modifications qu'il y a opérées en 1660). Or le plus souvent, les bibliographies sont réalisées par des experts – professeurs, chercheurs, bibliothécaires – et l'usager – critique, étudiant, voire chercheur, et parfois simple curieux – est tributaire de leurs choix. Plus même, des institutions peuvent s'arroger le pouvoir bibliographique : l'Église catholique par exemple a établi ses propres répertoires (cote catholique et *Index*). À ce titre, l'acte bibliographique au sens courant (l'établissement d'une liste de titres) engage d'abord la définition même de l'auteur : l'analyse et la définition précise des différentes responsabilités pour un même ouvrage (auteur proprement dit, mais aussi préfacier, illustrateur, traducteur le cas échéant, etc.) sont en effet une responsabilité de toute bibliographie scientifique. De même, le titre est un élément crucial d'identification des œuvres mais il varie souvent au fil des éditions. La succession des éditions, pour le bibliologue ou le « textologue », joue également un rôle analogue aux différents états manuscrits pour le généticien littéraire. La bibliographie matérielle amène ainsi à associer étroitement l'œuvre et sa pragmatique. Elle décèle les différents modes de mise en forme, en page et, le cas échéant, en image, les modes de réception que le texte imprimé ou manuscrit propose. Elle conduit à une esthétique de la page imprimée, qui est devenue une discipline indispensable à la critique littéraire, notamment dans le domaine poétique. Ainsi, en définissant le texte par les signes et les indices matériels qu'il offre au lecteur, elle l'inscrit dans un faisceau de réalités sociales et culturelles, qui complète l'étude de sa signification. Elle conduit à une meilleure connaissance du système que constituent ensemble les auteurs, les éditeurs, imprimeurs, libraires, censeurs, critiques et lecteurs. Elle participe donc de la sociologie culturelle, de l'étude des modes de création, mais aussi de production concrète des ouvrages, de l'analyse des publics et de l'interdépendance entre les instances dont dépend le livre ; elle touche aux habitus, en examinant comment les modes de réception sont influencés par les modes de présentation matérielle. Mais elle montre aussi que, quels que soient le lecteur visé et la forme du livre, il s'instaure entre le texte, ses supports et ses récepteurs, un jeu - *du* jeu - qui ne s'actualise qu'au moment de la lecture individuelle, et qui insinue de l'indécidable au cœur des mécanismes les plus manifestement déterminés. Enfin, la bibliographie exige des ressources importantes de temps et de personnes. Il en résulte que la bibliographie francophone ouest-européenne et américaine apparaît très développée en regard de la situation dans le reste de la francophonie où la faiblesse des moyens handicape lourdement l'établissement de références de qualité.

▶ CHARTIER R., *Lectures et lecteurs dans la France d'Ancien Régime*, Paris, Le Seuil, 1987. — KIRSOP W., *Bibliographie matérielle et critique textuelle, vers une collaboration*, Paris, Minard, 1970. — LAUFER R., *Introduction à la textologie*, Paris, Larousse, 1972. — MCKENZIE D. F., *La Bibliographie et la sociologie des textes*, Paris, Cercle de la librairie, 1991.

Alain VAILLANT

→ *Bibliothèque ; Génétique (critique) ; Philologie ; Recherche en littérature ; Sociologie de la littérature ; Texte.*

BIBLIOPHILIE

Le livre a été collectionné de tous temps, comme objet rare et précieux, par des amateurs fortunés. Ceux-ci ont été appelés bibliomanes (1654, Guy Patin) ou bibliophiles (1740). Le domaine de la bibliophilie recouvre une pratique éditoriale (l'édition de livres précieux destinés à un public restreint), une activité sociale (la collection) et un marché symbolique et matériel. Le bibliophile est un acteur singulier de la vie littéraire.

Au Moyen Âge, les manuscrits, rares et coûteux, étaient la propriété exclusive des communautés religieuses et de quelques grands seigneurs. Les textes calligraphiés et parfois richement illustrés n'avaient pas seulement une fonction utilitaire ; ils étaient des œuvres d'art dont la valeur n'a cessé de croître. Après l'invention de l'imprimerie, à partir de la Renaissance, les grands collectionneurs, princes de l'Église ou de la politique, se partagent l'essentiel de la production du livre de prestige. Ils entretiennent également un personnel spécialisé (bibliothécaires). En parallèle, des sociétés d'amateurs assurent la diffusion des ouvrages rares en constituant des Cabinets de lecture.

La bibliophilie moderne s'installe avec le Romantisme, au moment où la Révolution et les guerres de l'Empire contribuent à mettre en circulation de nombreux livres anciens : la Société des bibliophiles français est fondée à Paris en 1820 avec pour but d'éditer des ouvrages inédits ou extrêmement rares. Ce sont des bibliothécaires comme Charles Nodier et des libraires comme Jacques Brunet qui assoient la bibliophilie sur les bases solides de la bibliographie. Des éditeurs comme Auguste Poulet-Malassis et Alphonse Lemerre s'efforcent par ailleurs de présenter les poètes du Parnasse et du Symbolisme dans des ouvrages soignés, qui ne manquent pas de susciter l'intérêt des amateurs en même temps qu'ils forment le public au goût de la belle édition. Au XXe s., des amateurs d'art tel Jacques Doucet, mécène d'André Breton, jouent un rôle important dans la constitution de bibliothèques.

Le marché du livre de collection dépend d'une offre restreinte (les livres anciens authentiques se font de plus en plus rares et les prix - déterminés par l'ancienneté et la rareté de l'édition d'une part, par l'état de l'exemplaire de l'autre - n'ont cessé d'être à la hausse depuis le XVIIIe s.) et d'une demande croissante dont les motivations sont variées (érudition, passion de collectionner, spéculation financière, mission patrimoniale des bibliothèques et musées). En raison des contraintes matérielles, la plupart des amateurs se spécialisent dans un domaine particulier : éditions à tirage limité - illustrées souvent par de grands artistes contemporains - livres anciens, éditions originales d'ouvrages de littérature moderne. C'est cependant la notion de collection plus que celle de lecture qui est centrale dans la démarche du bibliophile ; aussi les critères les plus variés peuvent-ils être à la base des bibliothèques : ouvrages littéraires ou non, livres d'un auteur, d'un éditeur, d'une époque spécifique, qualité de la reliure. Les centres d'intérêt personnels déterminent largement le choix des collectionneurs. À côté des domaines traditionnels, on observe aujourd'hui un intérêt grandissant pour le fonds populaire : ouvrages de science fiction, romans policiers et surtout bandes dessinées. Les documents annexes de la vie littéraire (correspondances, documents biographiques) sont également recherchés.

L'art de collectionner implique des activités connexes : le classement et la conservation. Le catalogage des livres, qui organise la collection et communique sa valeur par une description précise, fonde une tradition dont les bibliophiles et les marchands spécialisés assurent la pérennité. La sacralisation des objets définit ainsi un code, qui a son vocabulaire et ses agents, ses marques (les *ex-libris*) et ses organes (par exemple *Bulletin du Bibliophile*, 1820, *Intermédiaire des chercheurs et des curieux*, 1951). En amont, la bibliophilie suppose la production d'objets spécifiques, dont l'intérêt se fonde sur la rareté, la qualité technique ou les particularités historiques. En aval, elle suscite des valeurs partagées par une communauté, des pratiques d'échange et d'acquisition. Une part du marché littéraire relève de ce processus. Elle conduit à des créations qui lui sont liées, tant en ce qui regarde la typographie (mise en page et caractères originaux, livres-objets), l'illustration (la confrontation d'un artiste plasticien avec un texte), la reliure ou encore le projet éditorial (commande d'un livre destiné à ce marché). La bibliophilie a ainsi conduit à des travaux historiques (J.-M. Quérard, *La France littéraire*, 1827), à la philologie (les éditions de textes par Paul Lacroix, dit le Bibliophile Jacob, au XIXe siècle), ou à des œuvres littéraires (par exemple Marcel Schwob, *Mimes*, 1894). Elle contribue également à la connaissance de réalités peu connues du monde du livre (supercheries littéraires, ouvrages anonymes, auteurs de second plan, livres érotiques, pastiches et parodies) voire à leur consécration (Béroalde de Verville, pour le XVIe s., ou Isidore Ducasse, pour le XIXe, lui doivent une part de leur notoriété).

▶ DESMARS H., *Histoire et commerce du livre : manuel à l'usage des bibliophiles, amateurs et professionnels*, Paris, GIPPE, 1994. — GALANTARIS Ch., *Manuel du bibliophile*, Paris, Ed. des Cendres, 1998, 2 vol. — MULLER R., *Une anthropologie de la bibliophilie*, Paris, L'Harmattan, 1997. — VAUCAIRE M., *La bibliophilie*, Paris, PUF, 1970.

Pierre SCHOENTJES, Paul ARON

→ *Bibliothèque ; Édition ; Illustration ; Librairie ; Livre ; Marché littéraire ; Typographie.*

BIBLIOTHÈQUE

Le mot *bibliothèque* vient du grec et signifie « case à livre ». De nos jours, il indique toute collection de livres, privée ou publique, quelles qu'en soient l'ampleur ou la diversité. Les bibliothèques associent souvent les livres et d'autres sortes d'ouvrages (périodiques, manuscrits, estampes...). On doit distinguer les bibliothèques, dont le rôle est de communiquer leurs documents, des archives, collections de documents originaux destinées à la conservation et non à la publication ou à la diffusion ; en revanche, la réalité matérielle de la bibliothèque comme lieu de conservation et de prêt et l'acception du terme comme synonyme de collection (« Bibliothèque de la Pléiade ») ont partie liée : l'une et l'autre en effet opèrent des choix dans une masse de documents.

Les premières grandes bibliothèques sont issues du monde grec. Une bibliothèque publique aurait existé à Athènes dès le VIe s. avant J.-C. Mais la bibliothèque la plus renommée de l'Antiquité grecque se trouvait en Égypte, à Alexandrie, où le « Museum » et le « Serapeum » rassemblèrent presque tous les textes existants. Ces collections prestigieuses auraient survécu jusqu'au IVe, voire au VIIe s. de notre ère (où l'on dit qu'un incendie – peut-être suscité par des chrétiens fanatiques ? – les détruisit). Pour leur part, les empereurs romains fondèrent une trentaine de bibliothèques publiques dans leur capitale, et les autres villes de l'Empire bénéficièrent également de cette politique.

Lorsque le livre passa du *volumen* de papyrus au *codex* sur parchemin, support plus solide, plus aisé à manipuler, et qui pouvait contenir bien plus d'informations, le stock de textes et d'informations conservé augmenta. Les invasions des Ve et VIe s. détruisirent la plupart de ces collections, et les textes trouvèrent refuge, au Moyen Âge, dans les bibliothèques des monastères, des cathédrales et plus tard des collèges d'université, ainsi que chez de grands personnages, religieux ou non. Les empires byzantin et ottoman assurèrent également la survie de nombreux livres. Toutefois, les bibliothèques médiévales contenaient moins de titres, non seulement que les bibliothèques modernes, mais aussi que les bibliothèques de l'Antiquité.

L'ampleur croissante des bibliothèques se répercute sur leur infrastructure. Les volumes ont d'abord été rangés dans des niches ou des armoires à livres ; dès le XIIIe s., les ouvrages les plus demandés, les « usuels », étaient présentés sur des pupitres, auxquels ils étaient attachés par des chaînes. Avec l'essor de l'imprimerie et la formidable multiplication des livres qui s'ensuivit, on commença à classer les livres dans des rayonnages le long des murs et des galeries dans la salle de lecture. Lorsqu'à son tour cette disposition ne suffit plus à abriter les collections devenues trop vastes, elle est remplacée, au XIXe s., par une organisation spatiale où les espaces de consultation sont séparés des espaces de rangement.

Les collections princières et royales qui se sont développées à l'époque moderne constituent les racines des bibliothèques nationales en Europe. La Bibliothèque nationale de France remonte à la collection de livres que, dès 1367, Charles V avait rassemblée dans le Louvre. Vers 1720, elle s'installe rue de Richelieu où les livres continuent à s'entasser dans les locaux toujours agrandis, jusqu'au moment où, au début de 1998, fut entrepris le déménagement de la plus grande partie des collections vers les nouveaux bâtiments de la Bibliothèque François Mitterand (BNF). Le *British Museum*, qui contenait le musée et la bibliothèque, fut ouvert au public en 1757 après que la collection privée du roi Georges II ait été ajoutée à deux collections privées dont le gouvernement britannique était déjà propriétaire ; les livres sont aujourd'hui conservés dans le nouveau bâtiment de la *British Library*. Le noyau de l'actuelle Bibliothèque royale de Belgique est constitué par la collection de manuscrits rassemblée par les ducs de Bourgogne au quinzième siècle.

À côté de ces institutions prestigieuses, et malgré les possibilités accrues de la diffusion du savoir, il faut attendre 1850, voire 1900, pour que des systèmes de bibliothèques publiques, accessibles à tous, se généralisent. De nos jours, elles offrent aux utilisateurs les livres les plus courants ainsi que de nombreux autres médias (disques, vidéo, films etc.). Les bibliothèques universitaires rassemblent généralement la littérature spécialisée destinée à favoriser les développements et les recherches scientifiques. Enfin, la plupart des pays conservent leur patrimoine en livres manuscrits et imprimés dans des bibliothèques nationales, dont le rôle de bibliothèque de conservation, souvent lié au dépôt légal, est prépondérant et devrait garantir l'accès à la production nationale, progressivement complétée, pour les générations futures. Souvent, les bibliothèques nationales remplissent également un rôle de bibliothèque scientifique générale, que toutefois des mesures de rationalisation leur feront partager de plus en plus avec les universités. Les principaux pays européens ont entrepris dans les dernières années du XXe s. de construire des bibliothèques nationales plus vastes, et les ont équipées des technologies nouvelles de l'information et de la communication, qui pourraient à terme constituer un réseau offrant une sorte de « bibliothèque mondiale ».

Le sens métonymique de la bibliothèque, compilation d'ouvrages de même nature ou portant sur le même sujet, rappelle que le classement et la conservation des ouvrages reposent sur des critères qui ont évolué dans l'histoire. Jusqu'à la Renaissance, la bibliothèque est un lieu clos, conçu à l'imitation du monde immobile que Dieu a créé. Les Temps modernes ont obligé la bibliographie à adopter des systèmes de classement évolutifs, qui tiennent compte à la fois de l'espace accordé aux lieux de conservation et de l'organisation intellectuelle du savoir. Aucune bibliothèque n'assure plus la mémoire des écrits du monde : toutes ont fait des choix et orienté leurs collections. Les lacunes de la plupart des collections actuelles en matière de best-sellers ou de littérature populaire sont un exemple significatif de l'influence de ces choix sur la définition du littéraire.

D'autres difficultés sont liées à l'objet lui-même. Depuis 1840 environ, le livre est devenu un produit de masse, fabriqué de façon mécanique en utilisant comme matière première la pâte de bois en remplacement de la pâte de chiffons. Mais ce matériau résiste très mal au vieillissement. D'où le besoin de protéger les livres, la limitation éventuelle de leur prêt, et parfois, dans les bibliothèques de recherche, le recours à la fabrication de microfilms de substitution. Mais cette solution onéreuse n'arrivera que rarement à couvrir l'ensemble des grandes bibliothèques et, de plus, ce support rebute souvent les lecteurs. Les possibilités nouvelles offertes par la numérisation et les réseaux électroniques placent les bibliothèques devant des défis majeurs. La digitalisation permet de conserver les textes et de préserver les livres sur un papier en dégradation, à condition que des moyens financiers énormes puissent être engagés. Mais la lisibilité future des documents électroniques reste une question ouverte. Le respect des droits des auteurs et la protection des droits intellectuels devront être adaptés aux réalités technologiques. De plus, la commercialisation croissante de la publication électronique met en question le rôle des bibliothèques comme centres d'information (presque) gratuitement accessibles à tous : le statut de service public des bibliothèques, qui sont confrontées à des coûts exponentiels, risque d'être mis en cause par la logique d'un marché commercial qui accepte difficilement de reconnaître le caractère particulier des biens culturels. La libre circulation des textes, qui est à la base même de la recherche et de la création littéraire, risque d'être ainsi compromise.

Car un troisième ensemble de questions tient aux fonctions sociales et culturelles des bibliothèques dans un cadre politique large. La demande de démocratisation de l'accès à la lecture est une constante. Les partis, les syndicats et les mouvements culturels populaires en ont toujours fait une revendication ferme. Pour autant, dans les pays francophones, l'usage des bibliothèques reste un fait minoritaire, contrairement à ce qui se passe dans le monde anglo-saxon. Les grandes bibliothèques restent d'un usage difficile. Elles tendent aujourd'hui à élargir leur mission première de diffusion de livres (vidéo, cédéroms, revues, etc.) pour devenir de véritables producteurs de services (action culturelle, formation...). On peut tenter d'en faciliter l'accès ou de développer d'autres modes d'accès à la connaissance. On peut aussi aider des collections grand public (livres de poche, collections « Que sais-je ? » et semblables...).

Ces choix, qui sont d'ordre politique, rejoignent ceux que l'on fera dans le domaine de la littérature. Car l'existence des lettres est liée à la conservation des créations. De là, l'intérêt porté dans l'imaginaire littéraire aux fictions qui mettent en scène des images de bibliothèques labyrinthiques, symboles à la fois de la richesse des possibles et de la difficulté d'y accéder (*Babel* de Borgès, *Le nom de la rose* d'Eco). De telles œuvres révèlent comment la bibliothèque devient un thème littéraire majeur : elle symbolise l'espace où s'édifie la création littéraire.

▶ CHAINTREAU A. M., LEMAITRE R., *Drôles de bibliothèques, le thème de la bibliothèque dans la littérature et le cinéma*, Paris, Cercle de la Librairie, 1993. — HARRIS M. H., *History of libraries in the western world*, Lanham / Londres, The Scarecrow Press, 1995. — MASSON A., SALVAN P., *Les bibliothèques*, Paris, PUF, 1975. — WIEGAND W. A., DAVIS D. G., *Encyclopedia of Library History*, New York / Londres, Garland Publishing, 1994. — Coll. : *Histoire des bibliothèques françaises*, Promodis / Éditions du Cercle de la librairie, 4 vol., 1988-1992.

Wim DE VOS, Pierre SCHOENTJES

→ *Bibliographie ; Bibliophilie ; Cabinet de lecture ; Édition ; Histoire littéraire ; Intertextualité ; Librairie ; Livre ; Recherche en littérature.*

BIENSÉANCE

La bienséance (ou, au pluriel, les bienséances) désigne la qualité de *ce qui sied bien (quod decet)*. Elle est à la fois une valeur sociale, en particulier à l'âge classique, et une notion de poétique. En son sens social, elle définit les limites à l'intérieur desquelles doit se tenir l'honnête homme. Celles-ci vont du vêtement ou du langage à l'agrément en société et à la moralité, selon un code mondain dont La Rochefoucauld souligne la force : « La bienséance est la moindre de toutes les lois, et la plus suivie ». En son sens restreint, elle intervient dans les théories poétique et picturale classiques, pour désigner la règle qui veut que les personnages soient représentés en accord avec ce qu'on sait de leurs mœurs, et qu'ils restent cohérents. Son équivalent aristotélicien est la convenance aux mœurs, ses équivalents latins l'*aptum*, le *decorum* et l'*urbanitas*.

La bienséance est un mixte de théorique et d'historique. Dans un cas son objet est directement relatif aux mœurs : c'est la convenance de la chose (action ou parole) à ses circonstances. Dans l'autre il tient à la conformité de la représentation à la chose ; mais le débat peut redescendre de la *conformité* des mœurs représentées à leur *recevabilité* même. Ce double versant a permis de distinguer dans la définition poétique les *bienséances internes* (appropriation de la représentation à l'objet représenté) des *bienséances externes* (appropriation de la représentation à cette personne fictive problématique qu'est « l'opinion du public »). La distinction répond à une conception doublement conditionnelle du beau lui-même : « [La raison] prendra pour règle générale qu'est beau ce qui convient à la nature de la chose elle-même, et également à la nôtre » (Nicole, 1659). Même placées au cœur du débat esthétique, les bienséances se dérobent à toute définition fixe. L'acception poétique, qui détaille les critères « du temps, du lieu, des conditions, des âges, des mœurs et des passions », est difficile à différencier du vraisemblable. Mais l'instabilité de la notion provient surtout de la coïncidence supposée en droit et délicate en fait du logique et du doxique, dont la moindre divergence provoque d'un côté l'immoralité, de l'autre la fausseté de la représentation.

Les théoriciens de la tragédie soulignent depuis Aristote que la convenance aux mœurs n'implique rien sur la nature de celles-ci, comme le répète par exemple Chapelain : « Les poètes [...] appellent bienséance non pas ce qui est honnête, mais ce qui convient aux personnes, soit bonnes, soit mauvaises » ou Corneille : « Dans la Poésie, il ne faut pas considérer si les mœurs sont vertueuses mais si elles sont pareilles à celles de la personne qu'elle introduit. » Mais la notion suscite un débat récurrent. Le même Chapelain, dans la querelle du *Cid*, condamne la solution choisie par Corneille pour « accorder la bienséance du Théâtre avec la vérité de l'événement », à savoir l'incertitude finale du mariage (historique) de Chimène et du meurtrier de son père. Corneille lui-même est obligé de supposer l'impact moral des dénouements de ses tragédies pour sauver la conception aristotélicienne de la *mimésis* dans ses *Examens* de 1660. C'est contre cette hypothèse que s'insurge Pierre Nicole dans sa critique du théâtre, montrant que l'absence de perspective morale est au principe même de la convenance esthétique. Le grief est repris par Rousseau (*Lettre à d'Alembert*, 1758) qui fait de la complaisance idéologique du théâtre l'occasion d'admirer les méchants. C'est en effet dans la mise en scène de ces derniers que la notion poétique de bienséance s'écarte le plus nettement du sens axiologique. Le relatif échec de la mise en scène de vertus authentiquement chrétiennes, dans la tragédie et l'épopée des XVIIᵉ et XVIIIᵉ s., confirme l'aporie. La bienséance sert de pierre de touche à la critique de l'esthétique classique tout entière dans la réflexion romantique. La critique et l'abandon de la notion n'empêchent pas le déplacement du problème au XIXᵉ s. vers le domaine de la censure, qui interdit les attaques contre les corps constitués, la représentation de la violence sexuelle ou sociale. Les procès des *Fleurs du Mal* ou de *Madame Bovary* en 1857 répondent à la querelle du *Cid* par le même nœud de difficulté entre la logique esthétique et la perspective sociale, morale et politique des bienséances.

▶ BRAY R., *La formation de la doctrine classique en France*, Paris, Nizet, 1927. — KIBÉDI-VARGA A., *Les poétiques du classicisme*, Paris, Klincksieck, 1990. — MERLIN H., *Public et littérature en France au XVIIᵉ siècle*, Paris, Les Belles-Lettres, 1994. — MONTANDON A. (dir.), *Dictionnaire raisonné de la politesse et du savoir-vivre...*, Paris, Le Seuil, 1995. — STROSETZSKI C., « Fondements sociaux des bienséances », *Rhétorique de la conversation...*, Biblio 17, 20, 1984.

Florence DUMORA-MABILLE

→ *Censure ; Classicisme ; Dramaturgie ; Honnête homme ; Mimésis ; Théâtre.*

BIGARRURE → Variété

BILINGUISME

Au sens strict, le bilinguisme (le cas échéant, le plurilinguisme) désigne en littérature l'emploi successif ou simultané de deux (ou plusieurs) langues de la part d'un écrivain, que ce soit dans son œuvre prise comme un tout ou à l'intérieur d'un texte particulier. Au sens métaphorique, tel qu'on peut le rencontrer dans des travaux qui s'inspirent de Mikhaïl Bakhtine, le terme a un champ d'application plus vaste, qui s'étend non seulement aux registres sociaux d'une seule langue (dialogisme), mais encore à l'exhibition d'une compétence culturelle (érudition), voire à toute autre forme de polyphonie énonciative (citation, intertextualité, parodie, par exemple).

Les auteurs de langue française ont connu des situations de bilinguisme fort différentes. Jusqu'au XVIIe s., le fait d'écrire en néo-latin ou en français a été une manière de prendre position dans un débat littéraire et politique animé dont la Querelle des Anciens et des Modernes est l'apogée. Par la suite, le choix de la langue d'écriture est déterminé par un rapport dialectique entre l'espace d'échanges qu'elle ouvre à l'écrivain et le sentiment d'attachement qu'elle lui inspire. L'universalité de la langue française au XVIIIe s. amène des écrivains européens à écrire une partie ou la totalité de leur œuvre dans cette langue. En parallèle, les textes de langue française portent la marque des langues qui se sont successivement imposées aux esprits cultivés : le latin (jusqu'à la fin du XIXe s.), l'italien et l'espagnol (surtout aux XVIe et XVIIe s.), l'anglais (depuis le XVIIIe s.) et même l'allemand (au XIXe s.). Les phénomènes liés à l'émigration et à l'exil forment également l'une des constantes du bilinguisme littéraire.

Au XXe s., la question prend une particulière acuité dans les zones de la francophonie où les écrivains de langue française sont en contact étroit avec d'autres langues.

Le bilinguisme peut d'abord être saisi comme une réalité individuelle. Tantôt le hasard biographique fait qu'un auteur passe d'une langue à une autre, créant ainsi des périodes successives (Nabokov, Conrad, Kundera), tantôt s'impose une division du travail littéraire où telle langue est réservée à la littérature canonique, telle autre aux genres moins prestigieux. Mais au-delà se profile un contexte collectif : le bilinguisme est en effet une modalité importante de contact et d'échange entre littératures. S'il a partie liée avec la domination d'une part du champ culturel sur une autre ou avec l'influence des déterminations politiques ou nationales sur le fait littéraire, on parlera de *diglossie*. Cette dernière, une superposition conflictuelle de deux langues ou variétés de langue, constitue une donnée concrète de l'institution littéraire dans les zones de contact linguistique (par exemple le voisinage du catalan et du castillan dans la Catalogne d'aujourd'hui, le français et le flamand dans la Belgique septentrionale d'hier) comme dans celles où la création poétique ou fictionnelle reste liée à l'oralité (par exemple le français et le créole dans les Antilles).

Par ailleurs, le bilinguisme forme également une réalité textuelle. La textualisation du contact linguistique est un phénomène aussi vieux que la littérature elle-même. Des goliards et troubadours qui, au Moyen Âge, entrelardaient leurs poésies de vers latins, aux Chicanos qui revendiquent le *Spanglish* (une combinaison d'espagnol et d'américain) comme faisant partie intégrante de leur identité hybride, la cohabitation textuelle des langues constitue une constante de la vie littéraire que la théorie peine souvent à saisir dans sa diversité. Il est clair pourtant qu'une lecture trop axée sur la ressemblance entre le texte et son référent ne rend pas compte des manières dont les langues se font écho à l'intérieur de l'œuvre littéraire. Loin de se limiter au discours rapporté ou narrativisé, le bilinguisme peut gagner tout l'appareil péritextuel, des dédicaces (celle d'Eliot à Pound dans *La Terre vaine* à partir de 1925), des épigraphes (dans *Le Rouge et le Noir* de Stendhal, 1830) aux titres, tantôt d'un seul poème (*El desdichado* de Nerval, 1853), tantôt d'un recueil entier (les *Illuminations* de Rimbaud, 1886, que Verlaine prononçait et écrivait à l'anglaise) ou d'une de ses parties (*Pauca meæ*, le quatrième livre des *Contemplations* de Victor Hugo, 1856), voire des notes explicatives aux glossaires (qui accompagnent parfois les romans d'Afrique francophone).

Le bilinguisme textuel n'implique pas toujours une maîtrise réelle des langues étrangères : Rabelais fit appel aux représentants des nations étrangères à l'université de Paris pour faire parler Panurge en basque, en danois, en flamand et en écossais (*Pantagruel*, 1532) ; Diderot reçut de l'aide pour rédiger les confidences polyglottes du Bijou voyageur (*Les Bijoux indiscrets*, 1748). Mais l'écriture bilingue est rarement gratuite, et il est intéressant de se pencher sur le rôle que les langues jouent dans un texte donné. Choix culturels (les citations en français des romans anglais ou russes), sociaux (le langage des ouvriers dans les romans naturalistes), politiques (l'emploi du joual au Québec ou du créole dans les Antilles) ou stratégies de reconnaissance (Ionesco), la matière est vaste, qui suggère que l'histoire littéraire du bilinguisme reste à écrire.

► CANONICA E., RUDIN E. (éd.), *Literatura y bilingüismo*, Kassel, Reichenberger, 1993. — COMBE D., *Poétiques francophones*, Paris, Hachette, 1995. — FORSTER L., *The Poet's Tongues*, Londres, Cambridge UP, 1970. — GAUVIN L. (éd.), *Les langues du roman*, Montréal, PUM, 1999. — GIORDAN H., RICARD A. (éd.), *Diglossie et littérature*, Talence, Maison des Sciences de l'Homme d'Aquitaine,

1976. — GRUTMAN R., *Des langues qui résonnent*, Montréal, Fides, 1997.

Rainier GRUTMAN, Paul ARON

→ *France ; Langue française (Histoire de la) ; Péritexte ; Polysystème ; Traduction.*

BIOGRAPHIE, BIOGRAPHIQUE

La biographie est le genre consacré à retracer des vies authentiques, dans des récits dont le sujet et l'auteur ne se confondent pas. Le biographique est l'ensemble des genres donnant des récits de vie (biographie mais aussi mémoires, journal, autobiographie...).

Né sous sa forme latine au Ve s., le mot de « biographie » n'apparaît en France qu'à la fin du XVIIe s. et ne commence à devenir courant qu'au XIXe s. Le genre existe pourtant depuis l'Antiquité, sous des formes diverses, mais toujours consacrées à des « vies » de grands personnages, empereurs et grands capitaines, comme chez Plutarque, philosophes, comme chez Diogène Laërce. Trois modèles sont dès lors établis : l'éloge (épidictique), les « vies exemplaires » à la Plutarque (*Vies des hommes illustres*), et le récit à vocation historique (Suétone, *Vies des douze Césars*).

Le Moyen Âge a donné la première place aux vies de saints (voir Hagiographie) ; on y trouve quelques vies de poètes (brèves *Vidas* de troubadours au XIIIe s.). À la Renaissance, la biographie laïque se développe en Italie d'abord (*Vie de Dante* par Boccace, XIVe s. ; *Vies des plus éminents peintres, sculpteurs, architectes* de Vasari, 1550, puis en France (Claude Binet, *Discours de la vie de Pierre de Ronsard*, 1585 ; Scévole de Sainte-Marthe, *Éloges*, 1588). Il a déjà son pendant dans la fiction parodique (Rabelais retraçant la vie et les aventures de Gargantua sous le titre de *Vie inestimable de Gargantua*, 1534) et ses formes – polémiques – d'autobiographie masquée – D'Aubigné, *Les aventures du baron de Fœneste* (1619). Parallèlement se développe l'art du portrait, en littérature et en peinture.

Savants, hommes de lettres et artistes deviennent ainsi des héros de biographies, et c'est un signe de la promotion de ces figures sociales. Ces récits de vies, en général assez brefs, ont avant tout vocation exemplaire et alimentent d'abord une pédagogie de la mémoire et de l'exemple. Mais Montaigne affirme son admiration pour « ceux qui écrivent les vies », surtout quand, comme Plutarque, ces historiens sont plus sensibles « à ce qui part de dedans qu'à ce qui arrive au-dehors » (*Essais*, « Des Livres », II, 10).

Au XVIIe s., le développement de la biographie est sensible. Elle reste consacrée aux grands hommes et grands capitaines, aux saints et hommes d'Église, mais les écrivains y ont une place accrue. Elle surgit sous la forme anecdotique et critique, dans les *Historiettes* de Tallemant des Réaux (vers 1660), mais de plus en plus comme introduction aux éditions d'œuvres d'un auteur récemment décédé (*Vie de Perrot d'Ablancourt* par Patru, *Vie de Pascal* par sa sœur en tête de l'édition des *Pensées* de 1684). À la fin du siècle, le genre s'affirme comme un des moyens de la polémique : dans les querelles philosophiques, où les vies de philosophes abondent (par exemple Baillet, *Vie de M. Descartes*, 1690) comme dans la querelle des Anciens et des Modernes, avec les *Hommes illustres qui ont paru pendant ce siècle* de Perrault (1696), recueil à la Plutarque qui renoue avec le genre avoué de l'éloge pour vanter les Modernes. En même temps, les éloges académiques se constituent, sous l'impulsion notamment de Fontenelle, en formes biographiques. La fin du siècle voit se développer les *ana*, recueils de bons mots et d'anecdotes à propos d'auteurs – *Scaligeriana* (1666), *Menagiana* (1693), *Huetiana* (1722). Et au tournant du XVIIIe s., les biographies d'écrivains abondent : *La vie de M. de Molière* de Grimarest (1705), *Vie de Saint-Évremond* (1711), *Vie de Boileau* (1712), *Vie de P. Bayle* (1732) de Pierre Desmaizeaux, enquête biographique de Brossette sur son grand homme Boileau (mort en 1711), *Vie de Corneille* (1702) – son oncle – par Fontenelle, *Vie de Molière* (1737) par Voltaire. Certes Voltaire estime que « la biographie d'un écrivain sédentaire est dans ses écrits » (*Le siècle de Louis XIV*, 1751) et que donc le vrai philosophe ne doit pas s'encombrer d'un fatras d'événements singuliers souvent déformés par des légendes. Mais l'essor du biographique est lancé. Dans la seconde moitié du siècle, il s'impose. D'abord sous la forme de l'éloge académique, chargé de glorifier collectivement le corps des « gens de lettres ». Puis l'attention se fait plus sensible à ce qu'on appelle le « personnel de l'écrivain ». Avec Bernardin de Saint-Pierre (*Fragmens sur Rousseau*, à partir de 1772), on entre dans l'âge des « secrétaires » des grands auteurs – dont le modèle est repris en Angleterre par Boswell (*The Life of Samuel Johnson*, 1791). Cet intérêt accru ne va pas sans des rituels de piété : c'est le début du « sacre de l'écrivain » (Bénichou). Sans aller jusqu'à chercher la vérité humaine *intus et in cute* (à l'intérieur et sous la peau), comme le voulait l'auteur des *Confessions*, les biographes n'en marquent pas moins une attention aux « particularités » physiologiques de l'écrivain (par exemple, Rousseau, si enflammé d'habitude qu'« il ne pouvait la nuit supporter que le simple drap sur lui » – Sébastien Mercier). Et la critique par « biographisme » est déjà à l'œuvre (on cherche Rousseau derrière Saint-Preux). Sous l'influence de cette piété biographique ambiante, on tente de remonter de l'œuvre à l'expérience humaine qui lui a donné vie : « Le style, c'est l'homme », dit-on en gauchissant un mot de Buffon (1753).

L'attention biographique portée aux auteurs permet que ceux-ci puissent, par extension, témoigner de l'héritage social qui les a marqués et fait entrer la biographie authentique – quoique toujours orientée, bien sûr – dans la littérature (Restif, *Vie de mon père*, 1779) où avait déjà conquis place la fiction sous habillage biographique (Marivaux, *Vie de Marianne*, 1731-41). À l'époque romantique, certains biographes érudits (Walkenaer, Taschereau) essayent de n'être que des historiens des faits, sans chercher l'âme. Le jeune Sainte-Beuve les dénonce, les caricature comme de simples bedeaux, alors que pour faire jaillir la vérité intime il faudrait des statuaires inspirés (« Pierre Corneille », 1829). D'autres, plus nombreux, se mettent à rédiger, de chic, de fastueuses « vies de poète », qui obéissent aux tendances du temps : glorieux malheurs d'abord (ceux du Tasse), puis vie aventurée et passionnée (celle de Byron), excentricités enfin (celles d'Hoffmann puis de Poe). Devant de telles facilités, l'âge suivant, avec Flaubert et Baudelaire, récuse le biographisme. D'abord pourtant biographe d'Edgar Poe (1852), Baudelaire vante Théophile Gautier de ne pas offrir de prise au biographe parce qu'on n'écrit pas « la biographie du soleil » (1859). Mais Sainte-Beuve, se spécialisant dans la critique, donne au biographique fonction explicative et même primauté sur l'œuvre : « Aller droit à l'auteur sous le masque du livre. » Dans cette voie, les universitaires rédigent des thèses sur le modèle « l'homme et l'œuvre », qui forment le substrat de l'histoire littéraire en train de s'imposer comme discipline dominante des études de Lettres. À l'extérieur de l'Université, la biographie devient au XXe s. un genre en vogue, et des auteurs s'en font des spécialistes à succès (André Maurois, Henri Troyat). Des Vies n'hésitent pas à se donner des allures avouées de roman (Boulgakov, *Le roman de M. de Molière* – rédaction 1933, 1e éd. russe 1962, en partie censurée, 2e éd., complète et trad fr. 1972 – parmi tant d'autres), et des collections spécialisées font leurs profits des vies de grands hommes. Mais apparaît aussi l'intérêt pour la biographie de « petites gens », comme témoignage de reconstitution historique, ou comme source d'inspiration romanesque (Pierre Michon, *Vies minuscules*, 1984). Du côté de la critique littéraire, le débat sur la biographie persiste. La « critique des créateurs » et des écrivains d'avant-garde reste fortement teintée d'antibiographisme : ainsi Blanchot, et aussi le structuralisme littéraire, allant jusqu'à proclamer « La mort de l'auteur » (R. Barthes, 1968) avant que Barthes ne chante lui-même la palinodie (*Roland Barthes par Roland Barthes*, 1975). Mais Sartre avait entrepris de scruter la biographie pour y chercher le projet existentiel qui éclairerait l'œuvre (*Baudelaire*, *Flaubert*) et la critique psychanalytique ou sociologique a recours au biographique. Dans la création contemporaine, les *bio-fictions* attestent la force de la biographie (Claude Arnaud, 1989). La biographie se sait désormais texte, la vie est devenue œuvre, œuvre en miettes et « œuvre ouverte ». La voici offerte au bricolage des nouveaux explorateurs du continent intime, qui ont compris tout le profit qu'ils pouvaient tirer des progrès de l'érudition, en particulier en matière d'éditions de correspondances.

La biographie est d'abord un genre fortement doxique : des auteurs rédigent des vies (de saints, de grands hommes, d'artistes ou de lettrés) pour faire comprendre la valeur de telle ou telle catégorie humaine, professionnelle, sociale, ou encore pour faire savoir qui on considère comme un véritable acteur de l'histoire (ou d'une histoire, celle de la littérature par exemple). La biographie est aussi un genre polémique, par éloge – comme ci-dessus – ou par blâme lorsqu'elle sert à désigner un responsable d'un événement quelconque (par exemple : Pétain et la collaboration). Elle est considérée tantôt comme un genre littéraire et les auteurs de biographies comme des écrivains (Chateaubriand et sa *Vie de Rancé*, 1844, donnant un modèle illustre), tantôt non. La biographie rejoint alors une part des questions que soulève la place de l'histoire dans l'espace du littéraire. En tout état de cause, elle est un genre et, aujourd'hui, un genre à succès, comme l'ensemble du biographique.

Comme catégorie critique la biographie connaît également une situation contrastée : requise comme facteur explicatif central par une part de l'histoire littéraire, écartée par la critique formaliste et réévaluée comme médiation entre l'œuvre et le social. Si la perspective psychanalytique est aujourd'hui abordée avec prudence, l'analyse prosopographique, qui étudie et compare des parcours sociaux, est une méthode employée en sociologie et en histoire. La sociologie des champs tente ainsi de séparer la biographie des individus empiriques d'une biographie « construite » par le chercheur, qui retient les éléments des « trajectoires » permettant d'interpréter les positions et prises de positions des auteurs, donc leur esthétique et la signification de leurs œuvres. Elle recourt pour cela aux catégories de l'habitus et de l'éthos.

▶ BOURDIEU P., « L'illusion biographique », *ARSS*, juin 1986, 62-63, p. 69-73. — MADÉLÉNAT D., *La biographie*, Paris, PUF, 1984. — Coll. : *Diogène*, juillet-septembre 1987, n° 139, n° spécial « La Biographie », p. 31-52. — « La Biographie », *Politix*, 27, 1994. — « Le biographique », *RSH*, 1991-4, n° 224.

José-Luis DIAZ

→ *Autobiographie ; Épidictique ; Hagiographie ; Histoire ; Histoire littéraire ; Mémoires ; Personnelle (Littérature) ; Portrait.*

BLASON

Le blason est un poème descriptif, voué à l'éloge d'un objet, d'un animal, d'une personne ou d'un groupe social (dame, corporation), d'une ville ou d'une entité abstraite, par analogie avec l'explication des armoiries de la noblesse. Laudatif à l'origine, il peut aussi déprécier son objet : on parle alors parfois de « contreblason », encore que « blasonner » s'emploie couramment aux XVe et XVIe s. dans le sens de railler. Souvent construit sur le mode de la litanie, multipliant les effets d'anaphore, le blason adopte généralement la forme de l'octosyllabe à rimes plates (plus rarement le décasyllabe).

Apparu en France au XVe s. et courant dans la première moitié du XVIe, le genre du blason multiplie très vite ses objets : P. Gringore compose le *Blason de Pratique* (1505) et le *Blazon des hérétiques* (1524) ; G. Corrozet rédige *Les blasons domestiques* (1539), P. Danché, *Le blason d'un bon cheval* (*ca.* 1535), G. Guéroult le *Blason des oiseaux* (1550) et P. Grosnet des blasons de Paris, Lyon, Rouen, Dieppe, Auxerre... Marot le spécialise dans le lyrisme érotique : après avoir composé à Ferrare son *Blason du beau tétin* (1535), il invite ses amis à blasonner tour à tour d'autres charmes féminins. Cet appel rencontre un large écho, consacré par une publication collective dès 1536. Tandis que la duchesse de Ferrare décerne la palme au *Blason du sourcil* de Maurice Scève, Marot encourage à poursuivre le jeu en inversant la règle : son *Blason du laid tétin* inspire ainsi à son tour une profusion de « contreblasons ». Le recueil *S'ensuivent les blasons anatomiques du corps fémenin, ensemble les contreblasons* (1543) réunit ainsi les principaux disciples de Marot, proches de la cour de François Ier : Héroët, Salel, Brodeau, Des Périers, Beaulieu, d'Aurigny, Chappuys, Carle, Saint-Gelais. Même l'humaniste Jacques Peletier du Mans, futur initiateur de Ronsard et du Bellay, ne répugne pas à insérer dans ses *Œuvres poétiques* (1547) un *Blason du Cœur* assorti de son contre-blason. La vogue s'étend rapidement. À l'imitation des éloges paradoxaux de Lucien et des poètes bernesques italiens, on compose aussi des blasons ironiques, vantant des objets vils ou effrayants, comme les anonymes *Blasons de la Goutte [...] et de la [fièvre] Quarte* (Lyon, 1547) et des « contreblasons » (J. Destrées, *Contreblason des fausses amours*, 1512).

Mais le blason ne survit guère à cette première vague de poèmes. Les aristocrates de la Pléiade et leurs émules semblent mépriser ce petit genre privé de modèles antiques et trop marqué par la gloire de Marot. Ronsard lui préfère l'ample majesté de l'hymne à la manière de Marulle.

Si le titre blason se raréfie après 1555, reste à savoir si la chose perdure. On en rapproche souvent deux types de textes. D'une part, Marcel Raymond a nommé hymnes-blasons des poèmes où Ronsard et Belleau célèbrent un objet ou un animal, dans une forme qui rappelle celle du blason marotique ; toutefois l'éloge initial n'y est souvent qu'un prétexte à un développement narratif ou moral. D'autre part, la critique a pu désigner comme blason des sonnets amoureux focalisés sur l'œil, le sein ou la main de la dame. De même l'aspect descriptif des tableaux animaliers d'un Leconte de Lisle ou les poèmes en prose de Ponge révèlent peut-être un héritage ou une influence, sans qu'ils relèvent exactement du genre pour autant. Ainsi, la logique du blason parcourt, sur la longue durée, la création poétique (par exemple Baudelaire, *La chevelure* ou L. Aragon, *Les yeux d'Elsa*), y compris dans la dimension parodique et humoristique (Brassens). Sans doute les notions de poésie descriptive, d'image et de registre épidictique permettent-elles de garder au terme *blason* sa spécificité historique en prenant en considération les traits formels et rhétoriques qui caractérisent le genre au XVIe s.

▶ TOMARKEN A., E., « The Rise and Fall of the Sixteenth-Century French Blason », *Symposium*, 1975, 29, p. 139-163. — TOMARKEN A., « The Lucianic Blason », in *Literature and the Arts in the Reign of Francis I* (Mélanges C. A. Mayer), P. M. Smith et I. D. McFarlane éd., Lexington, French Forum, 1985, p. 207-236. — WILSON D. B., *Descriptive Poetry in France from Blason to Baroque*, Manchester, Univ. Press, 1967 ; « Le Blason », in *Lumières de la Pléiade* (collectif), Paris, 1966, p. 97-112. — Coll. : Blasons du corps féminin, in *Poètes du XVIe siècle*, éd. A.-M. Schmidt, Paris, 1953, p. 291-364.

Jean VIGNES

→ *Cour (Littérature de) ; Description ; Épidictique ; Image ; Paradoxe ; Poésie ; Renaissance.*

BOHÈME

Le mot Bohème est apparu d'abord pour désigner les habitants de la Bohème, puis les tribus de Tsiganes nomades que l'on en croyait originaires et, par extension, les groupes de vagabonds qui vivent d'artisanat et de mendicité. Par une analogie complaisante avec la vie des Bohémiens – tenue pour errante mais libre, pauvre mais sublime –, « la bohème » désigne, depuis le XIXe s., des étudiants, artistes, littérateurs, intellectuels pauvres, débutants et non reconnus. Par métonymie, elle désigne également leur mode de vie. La bohème est l'une des composantes du mythe et de la figure de l'artiste, ainsi que de ce que l'on a appelé « l'art pour l'art ».

Issue de la longue tradition de la marginalité du poète en « fureur » caricaturé dans *L'art poétique* d'Horace, du « poète crotté » ou « vaguant » ensuite, l'image de l'artiste bohème prend tout son sens, entre 1830 et 1840, lorsque s'impose le mouvement romantique. Loin de se limiter à ses grands « mages », celui-ci charrie des aspirants écrivains issus en surnombre des écoles secondaires toutes récentes et jetés dans une société incapable de les accueillir. Plusieurs groupes se singularisent. Le « Petit Cénacle » (ainsi nommé par rapport au « grand » de Nodier, Hugo *et al.*) des « Jeunes-France » (1830-1833) rassemble des peintres comme Bouchardy, des sculpteurs comme Duseigneur, des littérateurs comme Philothée O'Neddy (Théophile Dondey), Gautier, Petrus Borel : on y proclame la prééminence de l'art sur la vie publique et politique. Le groupe de l'impasse du Doyenné ou « Bohème galante » (Nerval, Gautier, Gavarni, Houssaye, Rogier) prend le relais au milieu des années trente. On y cultive l'excentricité, la fantaisie, la fête, on y exècre le bourgeois, son matérialisme, son prosaïsme, son manque de goût, on s'y oppose, au nom de la Beauté, à l'idéologie du « Juste Milieu ». Une autre « bohème » lui succède, dont Henry Murger dresse le tableau dans ses *Scènes de la vie de Bohème* (paru en volume en 1851) : son lieu est le quartier latin, son état une vie provisoire et souvent de misère, et, si l'on y reste attaché à la primauté de l'art, l'on y est aussi plus réceptif à l'esprit des nouvelles utopies politiques. Les « bohèmes » présentent des caractères contradictoires : Béranger chante une bohème déjà mélancolique ; celle de Balzac (*Un prince de la bohème*, 1844) est jetée dans une ville où ne comptent que les relations de pouvoir et d'argent ; celle que décrit Sand (*La dernière Aldini*, 1838) est moins poétique que celle de Nerval (*La bohème galante*, 1855) mais aussi moins débrouillarde, moins insolente que celle de Murger. Celui-ci enregistre l'apparition de nouveaux phénomènes sociaux liés à la bohème : le prolongement des études, la lutte pour la survie des jeunes artistes, la course au contrat de journaliste, le combat pour décrocher une pige.

Dans la seconde moitié du siècle, Baudelaire (*Conseils à un jeune littérateur*), Corbière (*Bohème de chic*) et Rimbaud (*Ma bohème*) détruisent les lieux communs de la Bohème. Elle se perpétue néanmoins et se renouvelle d'avant-garde en avant-garde : à la « Belle Époque », celle des cafés-concerts de Montmartre et de Montparnasse a déjà quelque chose de touristique, puis il y eut une bohème surréaliste (rue de Grenelle) et une bohème existentialiste (Saint-Germain-des-Prés). Dans les États-Unis de l'immédiate après-guerre, on a appelé « bohemianism » le mode de vie des écrivains de la « Beat Generation ».

La bohème est avant tout une représentation de la littérature que définit le romantisme, en s'appuyant sur des modèles que lui proposent les carrières de Villon ou de Rousseau. Elle sublime les conditions de vie des jeunes artistes et littérateurs : leur situation précaire est présentée comme un temps de gestation de l'œuvre future, leur manque d'appuis et de relations comme la solitude fatale inhérente au talent nouveau. Par son refus du bourgeois, ses marques extérieures d'allure et de comportement (chevelure, habit, langage, vie amoureuse) et sa rupture avec les politiques dominantes, elle s'inscrit dans le mouvement d'autonomisation du champ littéraire. Le caractère éphémère des groupes indique d'ailleurs qu'elle ne devient une vocation que pour ceux qui ont échoué dans leur quête de succès. L'opposition entre la bohème et le bourgeois, entre la figure archétypale de l'artiste et la figure caricaturale de M. Prudhomme (H. Monnier, *Mémoires de M. Joseph Prudhomme*, 1857), type du bourgeois borné et vaniteux, est renforcée par la presse et par les littérateurs eux-mêmes. Cette opposition est cependant plus ambiguë qu'il n'y paraît : bohème et bourgeois sont deux pôles d'une même vision du monde (Siegel) ; la bohème est une forme de rupture inoffensive, une sorte de révolution toujours remise à demain, et, pour cette raison, tolérable par la bourgeoisie.

▶ BROWN M. R., *Gypsies and Other Bohemians : the myth of the Artist in Nineteenth Century France*, Ann Arbor, UMI Research Press, 1985. — GOULEMOT J., OSTER D., *Gens de lettres, écrivains et bohèmes : l'imaginaire littéraire, 1630-1900*, Paris, Minerve, 1992. — SEIGEL J., *Paris Bohème : culture et politique aux marges de la vie bourgeoise, 1830-1900*, [1986] trad. O. Guitard, Paris, Gallimard, 1991. — STEINMETZ J.-L., « Quatre hantises (sur les lieux de la Bohème) », *Romantisme*, 1988, vol. 18, n° 59, p. 59-69.

Pierre POPOVIC

→ *Art pour l'art ; Autonomie ; Cafés littéraires ; Champ littéraire ; Marginalité ; Poète maudit ; Sociabilité ; Stratégie littéraire.*

BONNES LETTRES

Littérature de langue savante et vernaculaire qui émerge en Europe du XVᵉ au XVIᵉ s. Elle se compose de commentaires sur les genres sacrés (psaumes, homélies, épîtres, proverbes) et profanes (sentences, récits, fables mythologiques, théâtre). Elle compte aussi une large production de genres traditionnellement enseignés par le grammairien et le rhéteur (fables, paraboles, récits, discours cités, facéties et conversations familières, proverbes).

Au début de notre ère, les genres du récit, de la fable et du discours cité sont enseignés par les rhéteurs, dans le cadre d'exercices préparatoires à la rhétorique (*progymnasmata*). Le professeur appelé grammairien (*grammaticus*) prend en charge l'exercice de la lecture et du commentaire. Au XVᵉ s., avec la renaissance de l'art grammatical antique, le grammairien devient professeur de Lettres, c'est-à-dire qu'il récupère les deux compétences : l'exercice du commentaire se joint à celui de l'écriture dans le cadre d'un programme global d'enseignement des *Lettres d'humanité* (*Litterae humaniores*). Ange Politien (*Sylva ambra*, 1485), Pontano (*De Sermone*,1499), Érasme (*Parabolae*, 1514) et Bebel (*Facetiarum libri*, 1551) sont par excellence des grammairiens : ils enseignent, commentent et composent un art des proverbes, des sentences, des facéties et de la discussion familière, qu'il soit savant ou populaire, de sociabilité étroite (cercles d'érudits) ou large (communauté rurale). Dans la première partie du XVIe s., en Europe du Nord, les Bonnes Lettres s'enseignent d'abord au sein des facultés d'arts, ensuite dans les collèges de grammaire, en dehors de la communauté universitaire, et finalement dans les académies de poésie et d'arts libéraux. En France, la création d'un *Collège des Lecteurs du roi* (1530-1539) (futur *Collège de France*) institue l'enseignement des Bonnes Lettres sous le mode de l'universalisme. Guillaume Budé définit le métier de maître ès Lettres comme une profession traitant de l'éloquence universelle « qui est une science, une faculté universelle couplant en un cercle toutes les sciences libérales et politiques » (Guillaume Budé, *De l'institution du prince*, 1547). Les Bonnes Lettres ont en effet des ambitions hégémoniques sur l'ensemble des disciplines universitaires, y compris sur la théologie et le droit. Cela explique en partie pourquoi les Bonnes Lettres ont longtemps été confondues avec le savoir encyclopédique, c'est-à-dire avec la *litteratura* antique, exercice du commentaire érudit, utile à la conservation d'une culture universelle, hellénistique et chrétienne. Ainsi, Sorel assimile les Bonnes Lettres aux Lettres Saintes ou à l'enseignement de la culture (les études d'humanité) et les distingue des Belles Lettres qui sont la littérature proprement dite, celle que pratique l'écrivain spécialiste de théâtre, de roman et de poésie (*La Bibliothèque française*, 1664). La professionnalisation du métier d'écrivain engendre à long terme l'autonomie de la littérature et une séparation plus nette entre la fonction d'écriture et d'enseignement. Mais des programmes d'enseignement similaires à ceux des Bonnes Lettres sont encore proposés au XVIIe par Juste Lipse (*Sénèque*, 1606) et au XVIIIe siècle par Giambattista Vico (*Principi di scienza nuova*, 1744), notamment. Aujourd'hui, l'enseignement de la littérature au sein des universités n'a plus pour ambition de former des écrivains, ou du moins des producteurs de textes, mais des enseignants de la langue, du fait culturel et du fait historique.

L'universalisme des compétences attribuées au grammairien est perçu comme une stratégie d'autonomie de l'homme de Lettres vis-à-vis de l'institution universitaire, d'une part, et des offices de l'État moderne, d'autre part. Par l'universalisme, l'homme de Lettres peut espérer éviter le piège de la politique de spécialisation entreprise par les universités et qui le cantonne dans des charges de fonctionnaire ou d'officier. L'universalisme des compétences se double d'un certain internationalisme, incompatible avec l'institution universitaire dès le XVIe s. Les premières « institutions de la vie littéraire » fondées par les grammairiens (les *sodalitates litterarum*) ont d'ailleurs une résonance fortement internationale, permettant de créer des réseaux de patronage à travers l'Europe, de cumuler et de partager les revenus et les donations divers. Une seconde problématique concerne la spécificité des genres pratiqués par les Bonnes Lettres. Les fables, proverbes, facéties et lieux communs concourent à l'établissement d'un sens communautaire commun, voire d'un idéal du consensus, dans une période historique où l'autorité de la loi et la légitimité des rapports sociaux, fondés sur les liens vassaliques de la soumission en échange de service, sont remises en question. L'histoire des Bonnes Lettres concerne donc en premier chef celle de la formation des États modernes et des assises de l'autorité de la loi et des dogmes.

▶ CAVE T., *Pré-histoires, textes troublés au seuil de la modernité*, Genève, Droz, 1999. — GOYET F., *Le sublime du « lieu commun », l'invention rhétorique dans l'Antiquité et à la Renaissance*, Paris, Champion, 1996. — GRAFTON A., JARDINE L., *From Humanism to the Humanities : Education and the liberal Arts in fifteenth - and seventeenth - Century Europe*, Londres, Duckworth, 1986. — LA GARANDERIE M.-M. de, *Christianisme et lettres profanes*, Paris, Champion, 1995.

Aline LOICQ

→ *Belles-Lettres ; Érudition ; Humanisme ; Latine et néolatine (Littératures) ; Littérature ; République des Lettres ; Sophistique.*

BOULEVARD (Théâtre de)

Aux XVIIIe et XIXe s., l'expression « Théâtres des Boulevards » désigne les salles de spectacles qui sont situées sur ces artères et, par extension, les vaudevilles et les comédies qu'on y propose. Dans la seconde moitié du XIXe et au XXe s., « Théâtre de Boulevard » ou « boulevard » tout court s'applique à des pièces d'esthétique traditionnelle, drames pseudo-réalistes et, surtout, comédies ou divertissements faciles.

Au XVIIIe s., les boulevards sont une promenade publique qui suit le tracé des anciens remparts de la ville de Paris. Marché, cafés, restaurants, baraques foraines et salles de spectacle y forment les lieux de rencontre où se côtoient ouvriers, bourgeois et aristocrates. Le plus fameux fut le boulevard du Temple, surnommé « boulevard du Crime », où étaient installés de nombreux théâtres. On parle alors des « Théâtres des Boulevards », au pluriel, pour désigner les cafés et les salles (par exemple la Gaieté, l'Ambigu-Comique, la Porte Saint-Martin) qui s'y trouvent, où l'on présente des spectacles de Foire (marionnettes, pantomimes, saltimbanques, vaudevilles et mélodrames). Ce rôle des boulevards comme centre de loisirs atteint son apogée entre 1830 et 1848. En 1862, plusieurs des petits théâtres sont démolis pour ouvrir, de la Madeleine à la République, une vaste artère : les Grands Boulevards. Les théâtres qui survivent sont alors fréquentés par un public plus bourgeois. Leur répertoire combine le vaudeville, le mélodrame et le drame bourgeois. Cette forme de l'écriture devient dominante à la fin du siècle, sous les signatures de Labiche, Courteline, Feydeau et Sardou. Elle atteint son plein développement au tournant du XXe s. dans les pièces de Lavedan, Porto-Riche, Donnay et Bataille.

Elle se développe en deux tendances principales : un genre sérieux ou Boulevard du drame et un genre gai ou Boulevard du divertissement. Guitry a fait sa spécialité de la comédie de mœurs et d'intrigue, autour du trio typique formé du mari, de la femme, de l'amant ou de la maîtresse. Bernstein, de son côté, développe une œuvre à dimension psychologique, située entre le mélodrame et le théâtre d'idées. Ce théâtre confère à ses auteurs statut et reconnaissance et permet à plusieurs d'être élus à l'Académie française. À partir de 1930, le Boulevard perd peu à peu sa veine sérieuse et se limite à la comédie. Depuis 1950, il connaît quelques-uns de ses plus grands succès : *Lorsque l'enfant paraît* (1951) d'A. Roussin, *Patate* (1957) de M. Achard, *Boeing Boeing* (1960) de M. Camoletti (16 000 représentation) et *La cage aux folles* (1973) de J. Poiret (pièce qui fait aussi un succès au cinéma). Parmi les auteurs plus récents, seule F. Dorin a réussi à imposer son œuvre, depuis *Comme au théâtre* (1967), une comédie, qui se veut aussi théorie du Boulevard, et dans *L'étiquette* (1983), parodie de *Roméo et Juliette.*

Peut-on parler du Boulevard comme d'un genre ou d'une esthétique unifiée ? L'usage de l'expression, au singulier, n'apparaît qu'au XXe s., quand la localisation géographique de cette forme de spectacle ne suffit plus à la définir. L'unité du Boulevard paraît alors tenir d'abord à son public et au circuit commercial propre aux théâtres privés (et donc loin des théâtres de répertoire, de recherche et de rue) auxquels les pièces sont destinées. Le Boulevard est préoccupé de divertir et de faire rire les spectateurs tout en conservant une forte tendance moralisatrice, véhiculée notamment par les mots d'auteur. Les pièces se caractérisent par une intrigue bien ficelée, ponctuée de coups de théâtre et centrée sur les questions domestiques (l'amour, la sexualité, la famille). Elles se terminent en général sur un retour à l'ordre des valeurs de la bourgeoisie.

Ce théâtre reste pris dans le moule de la « pièce bien faite ». Il est avant tout conçu pour les acteurs et pour leur performance en scène. Et il a été servi par les plus grands, de S. Bernhardt, L. Guitry, C. Boyer et Y. Printemps jusqu'à F. Périer, M. Serrault. Mais il est resté à l'écart des innovations que la mise en scène a connues au cours du XXe s. Il a été contesté par le théâtre de création (théâtre de l'Absurde, Nouveau théâtre) qui a contribué à le dévaluer. Mais, du même coup, cette crise a entraîné sa relecture par des metteurs en scènes contemporains d'avant-garde (Chéreau montant Labiche, par exemple).

▶ ALBERT M., *Les théâtres des boulevards (1789-1848)*, Paris, Slatkine, [1902], 1969. — BARROT O., CHIRAT R., *Le théâtre de boulevard. « Ciel mon mari ! »*, Paris, Gallimard-Jeunesse, 1998. — BEAULIEU H., *Les théâtres du Boulevard du Crime*, Genève, Slatkine, [1905], 1978. — CORVIN M., *Le théâtre de boulevard*, Paris, PUF, 1989. — KLEIN C.-A. (dir.), *Les pensées des boulevardiers*, Paris, Le Cherche-Midi, 1994.

Pascal RIENDEAU

→ *Comédie ; Comique ; Drame ; Mélodrame ; Théâtre ; Vaudeville.*

BUCOLIQUE

Du grec *boukolos* (bouvier), la bucolique ou églogue est un poème pastoral, tantôt narratif, tantôt dialogué, qui met en scène des bergers dans un cadre champêtre idéalisé (*locus amœnus*). Ce genre très codifié se fonde moins sur une *mimésis* de la réalité rurale que sur l'imitation de modèles poétiques illustres, à l'origine d'une tradition allégorique extrêmement féconde dans toute l'Europe, de l'Antiquité au XVIIIe s., non sans prolongements modernes. En un second sens, plus large, « bucolique » qualifie toute littérature qui peint les charmes de la vie naturelle, loin des miasmes de la civilisation.

À l'origine du genre, les *Idylles* de Théocrite (IIIe s. avant J.-C.), marquées par l'alexandrinisme raffiné de la cour de Ptolémée Philadelphe, manifestent un souci d'authenticité dans la peinture de la vie quotidienne du petit peuple sicilien. Mais les *Bucoliques* de Virgile (vers 37 avant J.-C.) rompent avec ce réalisme en faisant de l'Arcadie un univers poétique original, à la fois proche (par l'évocation à peine voilée des tensions politiques romaines) et lointain (par son caractère primitif et l'effacement des réalités économiques), si bien qu'on a pu y voir une « contre-image poétique de la réalité » (Snell, 1976). Ces *Bucoliques* constituent un modèle majeur de la poésie des clercs du Moyen Âge, qui y lisent l'annonce de la naissance du Christ. Après le centon *Tityrus* de Pomponius (vers 350), premier exemple connu de bucolique chrétienne, le genre est promis à un succès considérable de l'époque carolingienne à la Renaissance.

Les églogues allégoriques de Théodule (Xe s.) orientent le genre dans la voie du didactisme moralisant. Celles de Dante (1321), de Pétrarque et de Boccace (milieu XIVe) montrent que la fiction pastorale, allégorie de l'*otium* consacré à l'étude et à la poésie, peut servir la méditation spirituelle, l'expression d'idées littéraires ou politiques, mais aussi de véritables confessions autobiographiques. Ainsi ouverte à tous les sujets, la bucolique inspire abondamment les humanistes des XVe et XVIe s., en latin puis dans les diverses langues européennes. Au patron virgilien se superposent bientôt d'autres modèles. En France par exemple, l'influence de Pétrarque, sensible dès le XIVe s. dans les églogues néolatines de Jean Gerson, nourrit encore celles de Jean Salmon Macrin ou de Scaliger (également théoricien du genre dans ses *Poetices Libri VII*, 1561) ; elle s'y conjugue à l'imitation du Mantouan Baptista Spagnuoli (*Adolescentia*, 1498). Dans le domaine profane, l'influence de l'*Arcadia* de J. Sannazar (1501), qui enchâsse douze églogues dans une élégante prose poétique, diversifie la forme de la bucolique et l'enrichit des charmes de la description de paysages idylliques.

La fortune du genre en France illustre sa pérennité, sa diversité formelle et la pluralité de ses fonctions : après Jean Lemaire de Belges, qui orne d'un épisode bucolique ses *Illustrations de Gaule* (1511-1513), et Clément Marot, les poètes de la Pléiade et leurs émules suscitent abondamment la fiction pastorale pour célébrer leurs protecteurs ou leurs maîtresses, exprimer aussi leur idéal politique et leur nostalgie de l'âge d'or (Ronsard, *Églogues et Mascarades*, 1559-1565 ; Belleau, *Bergerie*, 1565-1572 ; Baïf, *Églogues*, 1572). Parfois conçues comme des divertissements de cour, ces *Bergeries* amorcent l'essor de la pastorale dramatique. Pendant les guerres civiles, la mode bucolique sert la promotion du gentilhomme campagnard, incarnant l'idéal d'une vie aristocratique simple, naturelle, honnête et libre, loin des corruptions aliénantes et des ruineux artifices de la cour. Avec le succès de *L'Astrée* (1607) le rôle social de la bucolique comme figuration d'un idéal de civilité s'accentue de Segrais (1648) à Fontenelle (*Poésies pastorales, avec un traité sur la nature de l'églogue*, 1688), elle offre à la société polie un modèle d'art de vivre et une allégorie des comportements amoureux raffinés. Mais Boileau raille déjà le caractère convenu de ces « sottises champêtres » (*Satire IX*, 1668), dont le public des Lumières finit par se lasser : malgré le succès de sa *Galatée* (1783) et de son *Estelle* (1788), Florian note l'ennui que suscite désormais le genre. Après André Chénier (*Bucoliques*, 1819), il ne connaîtra guère que des résurgences par des échos chez les romantiques (Hugo ; Vigny, *La maison du berger*, dans *Les destinées*, 1864) ou des reprises ironiques, voire parodiques (J. Renard, *Les bucoliques*, 1896 ; A. Gide, *Prométhée mal enchaîné*, 1899 ; R. Queneau, *Bucoliques*, 1947), à moins d'y associer certains auteurs régionalistes (M. Gevers, *Madame Orpha*, 1933).

Le genre pastoral suscite l'embarras des théoriciens : la bucolique est un mixte qui mêle l'imitation (les dialogues relèvent du domaine dramatique) et le récit, mais elle n'a pas vocation à être représentée au théâtre.

La place de la bucolique dans la hiérarchie des styles fait aussi difficulté : elle ressortit au style bas par le statut social de ses personnages, mais Virgile s'élève parfois au-dessus du style humble. Par ailleurs, elle met en scène des hommes privés sans pour autant être comique, d'où l'idée qu'elle évoque allégoriquement des hommes publics, ce qui la rapprocherait de la tragédie. Bien des auteurs d'églogues, affectant de pratiquer un genre humble, soulignent sa noblesse en rappelant la dignité de l'état pastoral et l'honneur qui incombait aux bergers dans les temps mythiques, proches de l'âge d'or : ainsi, avec Caïn et Abel, la Bible suggère la supériorité de l'élevage sur l'agriculture, tandis que Psaumes et Évangiles font du Seigneur un bon pasteur. Enfin le berger est souvent, comme chez Ronsard, une image idéale du Prince. Par souci esthétique enfin, poètes et théoriciens du genre soulignent volontiers son élégance raffinée, son « urbaine rusticité » (Scaliger). Il devient ainsi apte au panégyrique et le style s'y adapte librement au sujet et au destinataire. Il tend, de la sorte, à se fondre dans la poésie en prose de registre moyen. On en voit des manifestations dans les *Confessions* (1765-70, éd. posth. 1782) et les *Rêveries* (1776-1778, éd. posth. 1782) de Rousseau, le *Paul et Virginie* (1788) de Bernardin de Saint-Pierre. On touche là au second sens du terme, qui lui donne une très large extension.

Si on conçoit la bucolique comme « l'acte poétique par excellence » (F. Joukovsky, 1994), elle recouvre une thématique et une atmosphère idyllique que peuvent exploiter toutes les époques et tous les genres (à l'exception peut-être de la satire). Étiemble (1968) note que c'est lorsque la culture européenne n'est plus pastorale mais citadine qu'elle s'engoue de bergeries. La veine bucolique nourrit ainsi tous les genres de la poésie, mais aussi le théâtre, dans la pastorale dramatique, les intermèdes des comédies et bientôt les livrets d'opéra. Avec l'*Arcadia* de Sannazar (1504), la *Diana* de Montemayor (1559), la *Pyrénée* de François de Belleforest (premier roman pastoral français, 1571), la *Galathea* de Cervantes (1585), l'*Arcadia* de Sidney (1580) et celle de Lope de Vega (1598), plus encore avec l'*Astrée*, elle semble dans l'Europe entière à l'origine du roman moderne d'analyse psychologique.

▶ COLLETET G., *Discours du poëme bucolique*, Paris, Champhoudry, 1657. — ÉTIEMBLE, « Bucolique », *Encyclopedia Universalis*, 1968. — HULUBEI A., *L'Églogue en France au XVIe s.*, Paris, Droz, 1938. — Coll. : *La renaissance bucolique. Poèmes choisis (1550-1600)*, par F. Joukovsky, Paris, GF-Flammarion, 1994. — *Europäische Bukolik und Georgik*, Darmstadt, Wissenschaftliche Buchgesellschaft, 1976. — *Le genre pastoral en Europe du XVe au XVIIe siècle*, Actes du Colloque de Saint-Étienne, 1980.

Jean VIGNES

→ *Allégorie ; Antiquité ; Dialogue ; Imitation ; Pastorale ; Poésie ; Récit ; Registres ; Style.*

BURLESQUE

Le burlesque fait partie des registres comique ou parodiques et s'applique aussi bien à certains procédés des comédies d'Aristophane qu'aux personnages du cinéma muet incarnés par Buster Keaton ou les Marx Brothers. Cette extension sémantique large correspond aux tendances les plus anciennes du genre et à une veine particulièrement représentée au XVIIe s.

Le mot burlesque dérive de l'italien « burlesco », lui-même lié à un radical roman « burl- » qui désigne une plaisanterie, une raillerie, une farce (parfois une tromperie). Le *Roland furieux* (1532) de l'Arioste et le *Quichotte* de Cervantès (1615) en relèvent en ce sens. Il désigne alors une forme de comique débridé, bouffon, parfois « satyrique », apparenté au grotesque, parfois atténué en badinage, qui peut se manifester en divers genres (ainsi dans le *Recueil de quelques vers burlesques* de Scarron, 1643, et dans son théâtre), y compris en liaison avec l'héroïque (c'est en ce sens que Saint-Amant emploie le terme dans la Préface du *Passage de Gibraltar*, 1640, en se reconnaissant en cela héritier du Tasse et de Tassoni, *La secchia rapita*, 1624). Mais en un second sens, burlesque signifie, en France surtout : reprise parodique des modèles littéraires, réécriture dans un langage « bas » d'œuvres qui à l'origine appartenaient au « style » soutenu. En ce sens, il a fleuri surtout au milieu du XVIIe s.

Jouant sur la hiérarchie des « styles » – haut, moyen et bas –, le burlesque au sens strict consiste pour l'essentiel dans une parodie en style bas, et dotée d'un lexique hétéroclite, des récits épiques et mythologiques de l'Antiquité composés en style haut (l'inverse, le recours à un mode d'expression noble pour narrer des réalités triviales relevant de l'héroï-comique, même si la distinction des deux genres n'a pas toujours été limpide). Il s'agit d'une écriture en palimpseste qui s'est exercée tant en prose qu'en vers, tout en marquant une nette prédilection pour l'octosyllabe, qui a d'ailleurs reçu le nom de « vers burlesque ». Le modèle du genre est dû à Scarron : *Recueil de quelques vers burlesques* (1643), le *Typhon* (1644) et surtout le *Virgile travesti* (1648-1653) (qui s'inspire d'un modèle italien, l'*Énéide travestie* de Giovambattista Lalli, 1633). Le succès est immédiat, et les imitateurs multiplient les « travestissements » : par exemple *L'Ovide en belle humeur* (1653) de d'Assoucy, *Lucain travesti* de Brébeuf (1656). Lors de la crise de la Fronde en particulier, les pamphlets des mazarinades recourent volontiers à la veine burlesque et à l'utilisation de son mètre caractéristique, l'octosyllabe. Dans ce mouvement, le burlesque voisine avec le grotesque.

Le burlesque, revendiqué par Perrault comme une réussite des « Modernes », a été très vite condamné et combattu par les « Anciens », notamment Boileau (qui pratique l'Héroï-comique dans le *Lutrin*, 1683). Il cesse assez vite comme catégorie propre de parodie des épopées antiques – même si on en trouve des exemples encore au XVIIIe s. (Marivaux, le *Télémaque travesti*, 1736). En revanche, dans sa forme plus extensive de comique jouant sur le rire débridé, l'inadéquation du langage et du sujet, la fantaisie et la parodie, il persiste jusqu'aujourd'hui. Il a notamment engendré, dans le théâtre nord-américain, un genre populaire marqué par la rencontre de deux personnages, le *comic* et le *straight*, qui improvisent à partir d'un canevas de base. Cette comédie burlesque a été rapidement transposée au cinéma (Laurel et Hardy).

Le style bas auquel recourt le burlesque ne doit pas faire croire à une littérature populaire, bien au contraire : tant dans l'écriture que dans la lecture il s'agit d'un divertissement de lettrés dont l'éducation classique permet de saisir les décalages génériques et stylistiques. Si, sous peine d'effet perdu, la réécriture burlesque doit s'effectuer sur une œuvre suffisamment célèbre ou sur un genre très codifié, elle exige toujours un public qui dispose d'une bonne connaissance des modèles : le fond mythique, biblique ou rhétorique permet seul le jeu de renvois quelquefois littéraux. Le burlesque se situe aussi dans la lignée de Rabelais et d'une certaine veine populaire médiévale – les parodies des Goliards, ces clercs qui réécrivaient les poésies religieuses en parodie. Il ne s'agit pas d'une littérature réaliste, même s'il y a un penchant sensible pour les sujets « crus ». Sa rhétorique excessive et artificielle l'apparente à la poésie baroque.

Le côté débridé du burlesque a conduit les romantiques à se sentir des affinités avec cette manière, comme d'ailleurs avec le grotesque qui lui était déjà historiquement associé. Ils ont vu dans le burlesque une possibilité d'enrichir l'écriture et de réagir contre les règles qu'imposait le classicisme. Les fantaisistes et les parodistes au XIXe s. en multiplieront les exemples.

▶ BAR F., *Le genre burlesque en France au XVIIe siècle. Étude de style*, Paris, d'Artrey, 1960. — HÉBERT C., *Le burlesque québecois et américain. Textes inédits*, Québec, Presses de l'Université Laval, 1989. — JUMP J. D., *Burlesque*, Londres, Methuen, 1972. — Coll. : *Burlesque et formes parodiques. Actes du Colloque du Mans* (4-7 déc. 1986), Landy-Houillon I., Ménard M. (éd.), *Papers on French Seventeenth Century Literature*, Seattle-Tübingen, 1987. — *Poétiques du burlesque*. Dominique Bertrand éd., Paris, Champion, 1996.

Pierre SCHOENTJES

→ *Antiquité ; Fantaisie ; Grotesque ; Intertextualité ; Parodie ; Pastiche ; Récriture, réécriture ; Registres ; Satire.*

C

CABINET DE LECTURE

Le cabinet de lecture était un établissement où le public pouvait emprunter des imprimés, journaux, revues et livres. La lecture ou la consultation se faisaient soit sur place soit à domicile, un système d'abonnement permettant le prêt des livres. Ce sont essentiellement les libraires qui tenaient ces boutiques où la clientèle urbaine louait les imprimés coûteux, à défaut de les acheter. Du simple « loueur de livres » tenant une modeste échoppe au luxueux « cercle littéraire », l'offre visait à satisfaire une demande sociale étendue.

Dès le milieu du XVIIe s., Théophraste Renaudot se plaint de particuliers et de libraires du Quai des Augustins qui donnent à lire toutes sortes d'écrits « pour raison du profit qu'ils en tirent ». Mais la pratique de la location tend à se généraliser, en milieu urbain et principalement à Paris, à partir de la seconde moitié du XVIIIe s. ; elle accompagne les progrès de la lecture à un moment où l'imprimé reste encore très cher et où de véritables bibliothèques publiques n'existent pas. On distingue ces entreprises commerciales des « chambres de lecture », nombreuses en province, qui sont réservées à un regroupement limité de personnes et évoluent par la formule de « l'association littéraire » vers le statut informel d'académies.

D'abord destinés à favoriser la consultation des journaux, dont l'intérêt éphémère par rapport aux livres incite moins à l'achat, les cabinets de lecture appuient aussi, pour la même raison, la percée sur le marché des « nouveautés », plus précisément du roman. Les cabinets de lecture connaissent leur plus grande fortune sous la Restauration où on compte, à Paris seulement, près de 500 établissements faisant fond principalement des journaux d'opposition, des ouvrages suspects du XVIIIe s., libertins ou philosophiques, et des romans (Auguste Lafontaine, Ann Radcliffe, Walter Scott ou Paul de Kock). L'arrivée du journal bon marché et du « feuilleton-roman » vers 1840 conduit à la disparition progressive de cette pratique. On en trouve cependant encore à la fin du siècle, parfois associés à des maisons d'édition (comme Deman à Bruxelles, qui est un des éditeurs de Mallarmé).

Le Cabinet de lecture fut également une revue, créée par une société de libraires, qui pille allègrement les romans publiés, à l'instar du *Voleur*, son modèle, qui est la source de la fortune d'Émile de Girardin (1828). On trouve encore une autre institution qui porte ce nom : le « Cabinet de lecture paroissial ». Il s'agit en fait de bibliothèques publiques de propagande catholique par lesquelles le clergé cherche à promouvoir son « œuvre des bons livres » afin de « défendre la foi et les mœurs attaquées par les productions impies et immorales ». Elles ont servi, en particulier au Canada français durant les deux derniers tiers du XIXe s., d'alibi à la création de véritables bibliothèques publiques.

Des facteurs économiques sont à la base de la popularité des cabinets de lecture, mais également des demandes plus précisément idéologiques. On est facilement convaincu de l'importance pour la démocratisation de la lecture d'une institution qui élargit librement l'assiette du public lecteur. Le fait que, à une époque où les bibliothèques soutenues par l'État et les collectivités locales étaient vouées à l'érudition et à la conservation, l'avènement de la presse de grande diffusion signe son arrêt de mort suffit à en convaincre. Tout simplement, la location commerciale d'imprimés ouvre alors un accès à l'écrit qui n'est pas possible autrement, car il le permet à des acteurs sociaux pour qui l'achat est hors de portée et il le leur permet avec une intensité multipliée.

Mais il faut également prendre en compte l'orientation des textes diffusés par cette voie pour comprendre que la démocratisation en cause ne concerne pas uniquement la généralisation à un plus grand public de pratiques culturelles autrefois réservées. Les documents les plus demandés, journaux d'opposition, ouvrages suspects du XVIIIe s. et romans, révèlent clairement des comportements de résistance. Il s'agit d'une part de s'informer contre la doxa du pouvoir politique et religieux en place, de l'autre de s'abandonner aux « passions », fussent-elles fictives, qui contreviennent à l'ordre moral. On y verra les prodromes de ce mouvement vers la littérature de grande diffusion enclenché bientôt par le roman-feuilleton. On remarquera enfin que la littérature légitime, Chateaubriand, Lamartine ou Hugo à l'époque de la Restauration par exemple, n'y joue à peu près aucun rôle. La séparation des champs littéraires se profile déjà par cette voie.

▶ LAJEUNESSE M., *Les sulpiciens et la vie culturelle à Montréal au XIXe siècle*, Montréal, Fides, 1982. — PARENT-LARDEUR F., *Lire à Paris. Les cabinets de lecture à Paris au temps de Balzac*, Paris, EHESS, 1999.

Pierre SCHOENTJES, Denis SAINT-JACQUES

→ *Académies ; Bibliothèque ; Champ littéraire ; Lecture, lecteur ; Librairie ; Marché littéraire ; Populaire (Littérature).*

CAFÉS LITTÉRAIRES

On appelle cafés littéraires des débits de boisson qui ont été élus comme lieux privilégiés de sociabilité par des gens de lettres et servent de point de rencontre à des écrivains (célèbres et débutants), qui y viennent parfois pour écrire, mais surtout pour discuter.

L'histoire des cafés littéraires est liée aux formes modernes de la sociabilité urbaine. Elle a pour antécédents l'usage ancien de fréquenter le cabaret ou la taverne, dont on trouve des manifestations chez Villon (*Ballade de la grosse Margot*), comme plus tard chez Saint-Amant et chez des écrivains comme La Fontaine. Mais, avec la mode du café et la naissance des établissements publics où l'on en boit – et où l'on consomme aussi de l'alcool –, le « café » entre dans l'histoire des débats esthétiques, philosophiques et politiques à la fin du XVIIe s.

En France, le premier café littéraire proprement dit est *Le Procope*. Établi en 1686 dans l'actuelle rue de l'Ancienne-Comédie, il fut le lieu de rendez-vous du monde du théâtre, qui venait y discuter de la dernière pièce à la mode. Au XVIIIe s., il devient le quartier général des Encyclopédistes et abrite les discussions de Fontenelle, Diderot, Grimm, Buffon. Il subit un déclin à la fin du siècle, et devient le café *Zoppi*. Pendant la Révolution, s'y réunissent Danton, Desmoulins, Marat et Robespierre. Dans les premières décennies du XIXe s., Musset, Hugo, Gautier et Balzac le fréquentent. Mais la génération des bohèmes des années 1840 se donne de nouveaux quartiers généraux : le *Dagneaux* et le *Momus*, où travaillent Baudelaire, Nadar, Asselineau, Murger, Courbet, Champfleury. Sous le Second Empire, le centre de gravité se déplace vers les grands boulevards et leurs cafés et restaurants – *Hardy, Riche*, le *Café Anglais, Tortoni, le Napolitain* – plus luxueux qu'au Quartier Latin, qui reste le territoire de la Bohème. À la fin du XIXe s., les cafés se multiplient et rassemblent notamment des écrivains qui n'ont pas accès aux salons ; rive gauche, les avant-gardes décadentes et symbolistes se réunissent au *Soleil d'or*, au *Café de Cluny*, au *Vachette*, à la *Taverne du Panthéon* et à *la Closerie des Lilas*, tandis que la rive droite accueille des écrivains plus établis comme Toulet, Courteline, Catulle Mendès ou Proust. Mais cette époque marque surtout le triomphe de Montmartre comme lieu de la bohème artistique : cabarets comme le *Chat noir*, où se retrouvent Bruant, Degas, Manet, Renoir, Van Gogh, Gauguin, Toulouse-Lautrec, et les lieux d'élection des cubistes, comme le *Zut* et le *Lapin agile*. Montmartre est délaissé au début du XXe s. pour Montparnasse, dont *Le Dôme, La Rotonde, La Closerie des Lilas* attirent les avant-gardes picturales et littéraires. Les surréalistes rompent avec cette habitude en allant s'installer dans des cafés éloignés du Quartier Latin et de Montparnasse, le *Certa*, puis le *Cyrano*. Dans la plupart des grandes villes européennes, la tendance est semblable (Les Jeunes-Belgique se réunissent ainsi au *Sésino*), même si Paris conserve un usage qui a peu d'équivalent ailleurs.

Les années 1940 marquent un changement. Sartre ou de Beauvoir, au *Flore*, puis aux *Deux Magots*, font usage du café non plus seulement pour parler mais pour écrire. En ce sens, les pratiques des existentialistes appartiennent à un autre registre, celui du travail public de l'intellectuel engagé. Aujourd'hui, des « cafés philosophiques » et, parfois, « littéraires » affichés comme tels tentent de faire revivre le climat de débats animés des cafés d'antan, dont certains gardent vie tandis que ces nouveaux venus apparaissent, même si de nouvelles pratiques adviennent, par exemple des groupes de discussion sur Internet.

Les cafés littéraires sont des foyers où se forgent de nouvelles idées, où s'élaborent des programmes esthétiques, où naissent des écoles et des rivalités. À ce titre, ils participent à la constitution de l'espace littéraire, en tant que points de cristallisation des réseaux intellectuels. Lieux publics, ils présentent un caractère démocratique, voire populaire et égalitariste, et les groupes – essentiellement masculins – qu'ils rassemblent s'ordonnent souvent autour d'un chef de file. En cela, ils se distinguent des salons, et parfois s'y opposent. Notamment, leur sociabilité ouverte ne nécessitant ni des moyens financiers importants, ni la maîtrise de codes sociaux complexes, ils peuvent accueillir des écrivains non reconnus. Ils sont particulièrement propices à la constitution des avant-gardes, et apparaissent comme l'un des seuils symboliques de la « république des lettres ». Cette position liminaire se marque aussi du point de vue de l'écriture, puisque les cafés littéraires sont rarement des lieux où l'on écrit ; les textes les plus significatifs qui y ont pris forme sont de type manifestaire.

▶ COURTINE R., *La vie parisienne*, t. 3 : *La Rive gauche*, Paris, Perrin, 1987. — FOSCA Fr., *Histoire des cafés*, Paris, Firmin-Didot, 1934. — LANGLE H.-M. de, *Le petit monde des cafés et débits parisiens au XIXe siècle*, PUF, 1990. — LEMAIRE G.-G., *Les cafés littéraires*, Henri Veyrier, 1987. — RACINE N., TRÉBITSCH M. (dir.), *Sociabilités intellectuelles, Cahiers de l'IHTP*, CNRS, 1992 n° 20.

Jean-Pierre BERTRAND, Geneviève SICOTTE

→ *Avant-garde ; Bohème ; Cénacle ; Champ littéraire ; École ; Salons littéraires ; Sociabilité.*

CALLIGRAMME

Forme poétique systématisée par Apollinaire qui consiste à disposer un texte de manière qu'il figure typographiquement et iconiquement un ou plusieurs objets et les idées qu'il évoque (Apollinaire parlait aussi d'« idéogramme lyrique »).

Le calligramme remonte au moins à la tradition de la poésie figurative inaugurée chez les Grecs par Simmias de Rhodes (IVe s. avant J.-C.) – on parlait à l'époque de « poèmes rhopaliques ». Il réapparaît épisodiquement, dans une conception mimologique, chez Théocrite, puis en France, chez Rabelais (*Livre V*, chap. 44), lesquels font varier la longueur des vers en fonction de l'objet décrit (par exemple la « Dive Bouteille » dont la forme typographique épouse la silhouette de la bouteille). Au XIXe s., *Les Djinns* de Victor Hugo et, de manière plus systématique, *Un coup de dés* (1897) de Mallarmé présentent des dispositions calligrammatiques abstraites et non-figuratives, par l'espace et la disposition du vers (chez Hugo) et de la lettre (chez Mallarmé).

Mais c'est à Guillaume Apollinaire qu'il revient d'avoir institué le calligramme en tant que forme poétique à part entière. Composé entre 1912 et 1917, le recueil *Calligrammes* (1918, sous-titré « Poèmes de la Paix et de la Guerre »), rassemble des poèmes-conversations (qui entendent restituer les ambiances du quotidien), des poèmes simultanéistes (qui transposent des expériences picturales menées entre autres par Fernand Divoire) et ce qu'Apollinaire appelait lui-même des « idéogrammes lyriques ». Ceux-ci, qu'il aurait souhaité en 1914 réunir dans un recueil symptomatiquement intitulé *Et moi aussi je suis un peintre!*, participent d'une vogue typographiste lancée par les symbolistes. Les futuristes italiens à la même époque (Marinetti, Soffici et quelques autres) avaient publié des idéogrammes dans la revue *Lacerba*. Mais Apollinaire cherche à se démarquer de leurs « mots en liberté ». Il avait conscience du caractère abouti de son œuvre : « Quant aux calligrammes, écrit-il, ils sont une idéalisation de la poésie vers-libriste et une précision typographique à l'époque où la typographie termine brillamment sa carrière, à l'aurore des moyens nouveaux de reproduction que sont le cinéma et le phonographe. »

La tradition du calligramme s'est perpétuée, au-delà d'Apollinaire, dans les collages surréalistes (de Breton, d'Aragon), dans la poésie concrète et la poésie spatiale (entre autres chez E. E. Cummings, I. À. Finlay, etc.).

Alors que la poétique symboliste visait à faire de la musique l'idéal esthétique de référence, les modernistes du début du siècle font une alliance plus serrée avec les peintres, même si Apollinaire rêve, notamment dans *L'Esprit nouveau et les Poètes* (1917) d'une « synthèse des arts, de la musique, de la peinture et de la littérature ». La tentative des *Calligrammes* consiste ainsi à emprunter à l'image son bien ; mais il était nécessaire de proposer un codage nouveau plutôt que d'importer des techniques. Le calligramme, loin d'être un simple message verbal iconisé, fusionne le visuel et le scriptural : par exemple « UN CIGare allumé qui fum », imite typographiquement l'objet en situation (le cigare allumé), les majuscules esquissant le cigare, les minuscules le brasier et des verticales la fumée, l'amputation de la voyelle finale (par ailleurs muette) correspondant à la disparition de la volute. Le verbal et le visuel s'interpénètrent – au lieu d'entrer en redondance comme dans la calligraphie ou dans l'enluminure – et produisent ainsi un poème-dessin qui, en bien des cas, dépasse l'anecdote pour atteindre une grande complexité (par exemple « La cravate et la montre » ou encore « Voyage »). Si le poème, traditionnellement, oppose à la linéarité de la prose la circularité et l'opacité de son discours, le calligramme apparaît comme une contestation radicale du langage normé, déjouant les pratiques de déchiffrement inscrites dans les codes sociaux. Il inaugure ainsi tout un pan de la production poétique moderne, qui, de Michaux à Dotremont, d'Ernst à Roche, joue sur le visuel, l'idéogramme et le primat du signifiant.

▶ CHRISTIN A.-M., « L'écrit et le visible. Le dix-neuvième siècle français », *Cahiers Jussieu*, 3, Paris, UGE, 1977, p. 163-192. — DÉCAUDIN M., « Les *Calligrammes* d'Apollinaire et la tradition du poème figuré », *Bulletin de la Société toulousaines d'études classiques*, janvier-février 1959. — Coll. : *Revue des Lettres modernes. Guillaume Apollinaire*, Paris, Minard (articles de J.-Cl. Chevalier, S. I. Lockerbie, J. Levaillant, etc.).

Jean-Pierre BERTRAND

→ *Collage ; Image ; Peinture ; Poésie ; Typographie ; Vers, versification.*

CANADA FRANÇAIS

Le terme « Canada français », apparu à la suite de l'adoption du pacte confédératif fondant les États du Canada (1867), servait à l'origine à désigner la communauté francophone de ce pays, sans rattachement géographique bien délimité. Depuis la fin des années 1960, il sert à nommer l'ensemble des francophones répartis sur le territoire canadien, le plus souvent à l'exception des habitants de la province du Québec. De la même manière, l'expression « littérature du Canada français » (ou « littérature canadienne-française ») recouvre différentes acceptions selon les perspectives et les époques concernées. Désignant traditionnellement la littérature écrite en français sur le territoire canadien depuis la fin du XIXe s., cette appellation a vu progressivement son sens se modifier au fil des revendications autonomistes du Québec, unique province majoritairement de langue française, pour désigner – non sans difficultés – la littérature des communautés francophones du Canada hors du Québec.

Avant la Conquête, le terme « Canadien » a d'abord désigné les autochtones avant de passer aux colons français, pour les distinguer des métropolitains. Sous le régime anglais, les francophones gardèrent cette dénomination, alors que les nouveaux colons tinrent à garder leur qualité de « British subjects ». La croissance de la production littéraire au XIXe s. épouse avec un certain retard les changements d'appellation qu'impose la conjoncture politique. Ainsi les œuvres de langue française qui paraissent entre 1830 et 1890 (celles entre autres de F.-X. Garneau, d'Aubert de Gaspé, de L. Fréchette) relèvent d'une littérature qui se dit tout simplement canadienne alors que les œuvres produites au tournant du XXe s., et cela jusqu'au milieu des années 1960, participent à la constitution d'une « littérature canadienne-française ». Le professeur et critique C. Roy en fut l'un des grands promoteurs alors que les écrivains Nelligan, Saint-Denys Garneau, Grandbois ou G. Roy contribuèrent à son renom. L'avènement d'un nouveau nationalisme « québécois » durant les années 1960 pose la question de l'identité culturelle des francophones hors Québec et conduit à la réaffirmation de leur canadianité. Ils choisissent de rester des Canadiens français. Mais progressivement leur littérature tend à se distinguer en fonction de critères historiques ou régionaux : acadienne, franco-ontarienne et franco-manitobaine.

La littérature acadienne, de loin la plus ancienne et la plus affirmée, acquiert une identité autonome grâce, particulièrement, à la production de la romancière A. Maillet ou du poète H. Chiasson, mais aussi à l'action de maisons d'édition comme les Éditions d'Acadie et du centre de recherches acadiennes de l'université de Moncton. La position des littératures franco-ontariennes ou franco-manitobaines est moins assurée, malgré des actions tant éditoriales (Éditions Prise de parole de Sudbury, Éditions Du blé de Saint-Boniface) qu'universitaires (université d'Ottawa, collège Saint-Boniface). Parmi d'autres, l'essayiste F. Paré défend sans ambiguïté sa situation de franco-ontarien et la romancière M.-A. Primeau celle de franco-manitobaine.

Depuis les années 1980, l'appellation « littérature canadienne-française » se voit donc soumise à une réévaluation et à un processus de fractionnement. Se disant distinctes du Québec, puis de l'Acadie, d'autres communautés francophones du Canada ont commencé à réclamer leur part d'autonomie culturelle. Soumises à la tension entre leurs positions régionales dispersées et leurs revendications identitaires politiques communes, et menacées par la faiblesse des populations concernées, elles explorent les contraintes de ce que F. Paré a désigné comme « littératures de l'exiguïté ».

▶ GASQUY-RESH Y. (dir.), *Littérature du Québec*, Paris, EDICEF / AUPELF, 1994. — LEMIRE M., SAINT-JACQUES D. (dir.), *La vie littéraire au Québec*, Québec, Presses de l'Université Laval, 1991 et suiv. —MAILLET M., *Histoire de la littérature acadienne*, Ottawa, éditions d'Acadie, 1983. — PARÉ F., *Les littératures de l'exiguïté*, Hearst (Ontario), éd. du Nordir, 1992. — Coll. : *Frontières*, n° 12 de la *Revue d'histoire littéraire du Québec et du Canada français*, été-automne 1986.

Marie-Andrée BEAUDET, Denis SAINT-JACQUES

→ *Coloniale (Littérature) ; Francophonie ; Identitaire ; Idéologie ; Nationale (Littérature) ; Postcolonialisme ; Québec.*

CANON, CANONISATION

Terme de droit ecclésiastique surtout, le canon désigne en littérature la liste des ouvrages reconnus comme modèles, le catalogue des auteurs les plus représentatifs et, par extension, les règles esthétiques consacrées. La canonisation est l'opération par laquelle un ouvrage est symboliquement reçu dans cette liste. L'adjectif « canonique » est parfois synonyme de « classique ».

En grec ancien, le *kanôn* est un instrument de mesure utilisé dans les beaux-arts pour le procédé de la mise en carreaux du corps humain, laquelle définit une plastique académique qui – quoique constamment révisée à travers les siècles – constitue le modèle de référence. Cette idée de modèle, qu'on trouve chez Platon et Aristote, prend dans le *Canon d'Alexandrie* la forme d'une liste d'auteurs : principale mémoire de la littérature grecque ancienne, elle fut dressée au IIe s. avant J.-C. par Aristophane de Byzance et Aristarque, et rassemble les auteurs considérés comme modèles dans les genres de la poésie, l'histoire, l'éloquence et la philosophie. Il existe aussi des canons de législateurs, de peintres, de sculpteurs ou d'inventeurs. Au Concile de Nicée, en 325, pour la première fois, l'expression « canon ecclésial » est employée pour distinguer l'ensemble des règles et des lois utilisées par l'Église catholique de celles qui opèrent dans la vie civile. L'Église catholique a adopté en référence le *Canon des Écritures*, ensemble des livres reconnus comme d'inspiration divine, formant l'Ancien et le Nouveau Testament, puis le *Canon des saints*, qui désigne le registre tenu par l'évêque de Rome dans lequel était inscrit le nom des personnages morts pour leur foi, accompagné du récit de leur martyre et de la liste de leurs miracles. Le *Décret* de Gratien, au XIIe s., a donné au dogme la forme d'un traité à la fois pratique et scientifique, source du droit canon moderne. Ces Canons ont été un des principaux enjeux de la Réforme. Ainsi réservé à l'Église, le « canon » avait disparu du langage profane.

L'idée de « canonisation » réapparaît pour la littérature au XVIe s., sous la forme d'une métaphore désignant le type de renommée à laquelle aspirent les écrivains, comme en témoigne le poème « Canonisation » du britannique John Donne. Du XVIe s. au XIXe s., les arts poétiques et cours de littérature se réfèrant aux canons antiques conservent l'idée de formuler un ensemble de règles illustrées par des modèles. Mais au XVIIIe s., quand les littératures en langue vernaculaire font leur apparition dans les programmes d'enseignement, le vocable de « canon » réapparaît pour désigner une liste d'auteurs et d'ouvrages. En France, le modèle national s'élabore avec le *Cours de Belles-Lettres* de l'abbé Batteux (1747) qui répertorie, genre par genre, les principaux auteurs anciens, plus les auteurs français du siècle de Louis XIV, présentés comme les modèles de perfection du genre (Corneille et Racine pour la tragédie, Molière pour la comédie, La Fontaine pour l'apologue...). Cette liste canonique se perpétue dans les manuels et programmes de littérature aux siècles suivants (ainsi lorsque Nodier fonde en 1825 avec l'éditeur Delangle la collection des Petits classiques français). À mesure que les littératures nationales entrent dans les programmes d'enseignement secondaire et supérieur, de tels « canons » se répandent à travers l'Europe.

Dans la seconde moitié du XXe s., l'idée même d'un canon stable, universel et innocent, est remise en question. Ce mouvement, lancé par le *New Criticism* et nommé « ouverture du canon » (*opening up the canon*), se répand dans l'ensemble des pays anglo-saxons. Il trouve un écho dans la Nouvelle Critique française, avec notamment la formule de Barthes : « La littérature, c'est ce qui s'enseigne, un point, c'est tout » ([1968], *Le bruissement de la langue*, 1984, p. 49). À cette littérature canonique, devenue une sorte de nature morte ou de galerie de portraits des écrivains du passé, Barthes oppose la notion active d'« écriture ». L'idée de canon s'en trouve déconstruite en même temps que sont contestées l'autorité et la légitimité des instances qui avaient présidé à son élaboration. Le débat entre listes canoniques ou ouvertures des corpus de référence est toujours sensible aujourd'hui.

L'histoire du canon littéraire est tributaire de la manière dont les diverses sociétés assurent l'apprentissage de la lecture et de l'écriture. Aussi, les listes de modèles sont apparues avec l'enseignement de la rhétorique. L'établissement d'un canon littéraire est d'abord un instrument de formation pédagogique qui tient sa légitimité du fait qu'il est avalisé par l'École. Il résulte d'une opération de sélection et repose sur la conviction qu'il existe des valeurs esthétiques communes. La question se complique du fait que ces valeurs peuvent être envisagées soit à l'échelle nationale, soit à une échelle plus large (celle d'une aire culturelle comme l'Europe par exemple), voire mondiale ; dès lors, le temps d'enseignement étant limité, les auteurs effectivement lus dans les classes ne se distribuent pas de la même façon, et des oppositions idéologiques surgissent sur les modèles de référence – c'est, en résumé, le vieux débat « Racine ou Shakespeare ? », mais c'est aussi celui de la représentation des littératures francophones non hexagonales dans le canon littéraire de langue française.

L'intégration d'une œuvre dans le « canon » constitue, pour certains, la reconnaissance d'un chef-d'œuvre comme tel, mais pour d'autres, la formation du canon est déterminée par des intérêts de nature politique et idéologique. Si ces deux propositions sont vraies simultanément (puisque les valeurs esthétiques ont elles-mêmes des fondements politiques et idéologiques), il reste que le processus de canonisation est plus complexe qu'elles ne le laissent entendre. Le canon n'a jamais été adopté par un vote populaire. La sélection des textes suppose un acte de jugement, mais cet acte est nécessaire plutôt que suffisant dans la constitution du canon. Opérant par paliers de sélection, la canonisation concerne des œuvres qui ont d'abord été reçues par le public contemporain puis relues par plusieurs générations successives. Elle exige des pratiques d'établissement des textes et d'interprétation, donc la présence d'une écriture seconde, de commentaire et d'histoire littéraire, qui assure la pérennisation des œuvres. Elle exige aussi que la sélection repose sur une hiérarchie des genres (on parlera alors de « genres canoniques ») et sur un noyau de critères, dont les valeurs d'imitation et de pureté de la langue ont été longtemps des pivots, que celles de création et d'originalité ont remplacé. Ainsi, le canon se présente à la fois comme un objet (la liste des œuvres) et comme un système (les règles), qui autorise l'intégration de nouveaux textes en même temps que l'élimination de certains autres, devenus désuets.

L'idée même de canon littéraire a été mise à mal une première fois par l'introduction des littératures en langues vernaculaires dans les institutions et notamment dans l'enseignement – ce qui se joue déjà dans la Querelle des Anciens et des Modernes, qui remettait en question l'idée que le modèle de l'Antiquité fût un universel absolu. On a ensuite contesté la fonction normative du modèle ou de la règle, en érigeant en valeurs l'originalité et l'idée de transgression. Enfin, à la suite des travaux de Barthes, Foucault, Derrida et Lyotard, les études féministes et post-coloniales ont déconstruit le canon, donnant naissance à des contre-canons ou à des canons parallèles, destinés à des groupes d'intérêts particuliers : les femmes, les Noirs et les autres minorités ainsi que les écrivains du Tiers-Monde. De même, la hiérarchie des genres, longtemps restreinte aux fictions (poésie, théâtre et roman) est revue pour faire place à des formes relevant de la tradition orale, mais aussi aux essais, récits de voyage – genres mineurs du point de vue des métropoles, mais fondateurs du point de vue des ex-colonies – et aux écrits intimes, en forte expansion. Enfin, le regain des langues régionales remet en cause la détermination linguistique du canon littéraire : se pourrait-il, par exemple, qu'il existât une littérature française en langue autre que le français ?

Parallèlement à sa fonction didactique et normative, la notion de canon a acquis une valeur heuristique. Pour le formalisme russe, la littérature repose sur la tension entre ses propriétés canoniques (le répertoire des formes validées) et non canoniques (Chklovsky). Chez Lotman, la notion même de culture est associée à un réservoir de mémoire collective, dont la fonction est alors semblable à celle de l'exemplum. Dans la théorie des polysystèmes, la notion de canon devient synonyme de « littérature » et fait place à celle de *canonicité*, qui désigne certaines propriétés de l'œuvre (correspondant aux éléments permanents du système) plutôt que son support formel ou esthétique (variable dans le temps et dans l'espace). Tous ces travaux font de la tension entre le canonique et le non canonique, la source même d'une culture vivante. En ce sens, les diverses querelles qui traversent le canon littéraire seraient la meilleure garantie de sa survie même.

▶ JEY M., *La littérature au lycée : l'invention d'une discipline (1880-1925)*, Metz-Paris, Université de Metz-Klincksieck, 1998. — LAUTER P., *Canons and Contexts*, Oxford and New York, Oxford University Press, 1991. — LECKER R. (dir.), *Canadian Canons. Essays in Literary Value*, Toronto, University of Toronto Press, 1991. — SAINT-JACQUES D. (dir.), *Que vaut la littérature ? Littérature et conflits culturels*, Québec, Nota Bene, 2000. — Coll. : *Cambridge History of American Literature*, Cambridge, Cambridge University Press, vol 8, *Poetry and Criticism*, 1940-1995.

Lucie ROBERT

→ *Autorité ; Chef-d'œuvre ; Classicisme ; Féministe (critique) ; École ; Enseignement de la littérature ; Histoire littéraire ; Institution ; Modèle ; Réception.*

CANTIQUE

Le cantique est un chant de célébration qui s'intègre dans les cérémonies religieuses ou profanes. La cantate, poème lyrique mis en musique, et la cantilène, monodie en langue vulgaire, sont, de manière analogue, des genres spécifiques liés à la poésie chantée.

Le cantique est à l'origine un chant dédié à la gloire de Dieu (*Cantique de Moïse*). Il fait aussi référence à un poème biblique attribué à Salomon (*Cantique des Cantiques*). Dans le drame romain, le *canticum* désignait la partie chantée ou déclamée, parfois accompagnée de musique, par opposition au *diverbium* qui désignait la partie dialoguée. Au Moyen Âge, le cantique célèbre les vertus du Christ et de la Vierge et se compose de petites strophes tirées des Évangiles, parfois versifiées et accompagnées de musique. À partir du XVIIIe s. en France, le genre du cantique se sécularise et devient un chant d'inspiration profane que l'on a souvent associé à l'hymne. Le cantique proprement religieux se maintiendra cependant parallèlement.

La cantilène était pour la littérature médiévale un poème lyrique de source guerrière ou religieuse et destiné à la psalmodie publique (*Cantilène de Sainte-Eulalie*, 881). Par la suite, la cantilène a été associée à l'élégie par son inspiration lyrique et plaintive.

Quant à la cantate, son premier sens est celui d'un chant spirituel intégré entre les sermons et les Évangiles dans les offices protestants. Par la suite, la cantate est devenue un poème lyrique destiné à être mis en musique.

Les cantiques et les cantates sont nés d'une volonté de rendre accessibles et donc de populariser les Évangiles et les Épîtres des apôtres, en insérant d'abord des mélodies et chansons populaires dans les chorales de l'église, en ajoutant ensuite un contenu dramatique au chant spirituel.

Les cantiques du Moyen Âge étaient très souvent des traductions libres des hymnes latins. Ils avaient donné naissance à une poésie spirituelle qui fleurissait en Europe au XIVe s. Les premiers recueils de cantiques spirituels n'apparaîtront cependant en Allemagne qu'au XVIe s. sous l'effet de la réforme protestante (Schweitzer, 1967). Ils sont le fruit d'une réécriture de la poésie spirituelle autour des Psaumes et des Épîtres. Les mélodies qui accompagnaient ces chants étaient issues des chansons profanes. À la même époque se multiplient en France des mélodies du psautier réalisées à partir de chansons profanes. Dès le milieu du XVIe s., les maîtres allemands ont voulu donner un caractère dramatique à la musique des Évangiles en s'inspirant des italiens (V. Galileï ; Ph. Néri). Au XVIIIe s. paraissent en Allemagne les premiers recueils de cantates (J.-S. Bach) qui s'adapteront au goût italien et évolueront vers le genre de l'opéra profane. Ce caractère profane de la musique illustrant des chants spirituels a forcé les compositeurs à jouer leurs cantates en dehors des églises à l'intention d'un public de mélomanes, amateurs de ce mélange subtil de sacré et de populaire. En France, parallèlement, on assiste à la vulgarisation et au pastiche du recueil de cantiques spirituels. Apparaissent dès le XVIIIe s., sous l'appellation de cantiques, des recueils burlesques de facéties, de satires et de pastiches frivoles (*Cantiques et pots-pourris*, Londres, 1789). La similarité entre les cantiques et les chants des rues est remise en évidence. À la Révolution française, les cantiques commencent à se confondre avec les hymnes proprement dits, hymnes à la nation, à la divinité, à la nature, voire, ultérieurement, avec des chants de propagande laïque ou socialiste.

La tradition des cantiques et des cantates est donc liée à celle des hymnes populaires, des drames théâtraux et des cérémonies profanes. Elle rejoint ainsi l'histoire des anciennes cantilènes médiévales, ces poèmes lyrico-épiques qui traitaient de sujets religieux, politiques ou historiques (*Cantilène de Saint Faron*, *Carmina Cantabrigiensa*, XIe s.) et célébraient la victoire et la gloire des rois, faisaient les louanges des héros et déploraient les morts, le tout accompagné de danses en souvenir des rites païens. Cette tradition rejoint celle des hymnes latines, des chansons populaires, des chorales d'église, de la mise en musique des Évangiles et de la diffusion des lettres sacrées vers un public profane.

▶ PARIS G., *Histoire poétique de Charlemagne*, Paris, 1865 — RENAN E., *Le Cantique des cantiques*, Paris, Arlea, [1870] 1991. — SCHWEITZER A., GILLOT M.-H., *J.-S. Bach, le musicien-poète*, Lausanne, Foetisch, 1967. — SICILIANO I., *Les origines des chansons de geste : théories et discussions*, trad. P. Antonetti, Paris, 1951.

Aline LOICQ

→ *Bible ; Élégie ; Hymne ; Lyrisme ; Musique ; Parodie ; Réforme ; Réforme catholique.*

CARACTÈRES

On appelle « caractère » un ensemble de traits distinctifs, propres à un individu ou à une classe d'individus : la notion implique que le comportement ou l'apparence soit le « signe » d'une propriété essentielle. L'idée de caractère relève de la philosophie morale ou de la description psychophysiologique des tempéraments, mais c'est aussi le nom d'une sorte de genre littéraire dont les exemples traditionnels sont les *Caractères* du philosophe grec Théophraste, et ceux de La Bruyère au XVIIe s. En un sens plus flou, le terme de « caractère » est souvent utilisé en littérature pour désigner la description de types psychologiques ; on parle ainsi de « comédie de caractère ».

En grec ancien, le mot *charakter* désigne une marque, un signe distinctif. Théophraste, disciple et successeur d'Aristote, lui confère le sens d'une description morale des comportements humains : vers 319 avant J.-C., il donne le titre de *Caractères* à une galerie de portraits en situation, intitulés par exemple « De la dissimulation », « De la flatterie », « Du complaisant ». L'œuvre semble tenir à la fois de la fiction descriptive et de la typologie scientifique (Théophraste est aussi l'auteur de classifications naturalistes des plantes ou des animaux). Ces deux directions ont été reprises par la tradition ultérieure. En tant que forme descriptive, la fortune du « caractère » dans les siècles qui suivent est liée d'abord à la pédagogie rhétorique. Les figures de l'*éthopée* (description du comportement) et de la *prosopographie* (description de l'apparence physique), sur le modèle de Théophraste, prennent place parmi les exercices scolaires. Au XVIe s., l'humaniste Casaubon donne une traduction latine des *Caractères* de Théophraste, et le terme commence à qualifier un « genre » littéraire : en Angleterre, il figure au cours du XVIIe s. dans plus de 220 titres, et désigne des galeries satiriques à visée morale et religieuse plus ou moins marquée (Joseph Hall, 1608 ; Thomas Overbury, 1614 ; John Earle, 1628, etc.). En France, à la fin du XVIIe s., les *Caractères* de La Bruyère (1688-1694) connaissent un immense succès et suscitent de nombreux imitateurs. Il s'agit avant tout d'une forme d'écriture : le succès du « caractère » en France est lié à celui des formes littéraires brèves (maximes, sentences, pensées, caractères, et autres « pièces détachées ») qui caractérisent ceux qu'on appelle les « moralistes ». Ces formes brèves permettent un examen différencié des comportements humains et de leur rapport avec les catégories morales. On les rencontre encore au XVIIIe s. chez Vauvenargues ou Marivaux. La définition du « caractère » comme « portrait ou peinture des personnes ou des mœurs » est entrée dans les dictionnaires français autour de 1700. Parallèlement, la notion de caractère nourrit les recherches physiognomoniques, dont l'origine remonte également au corpus aristotélicien ; les traités de physiognomonie antiques mettent en relation des listes de traits physiques avec des séries de « caractères » moraux, en s'appuyant sur Théophraste, et en se référant à la physiologie des humeurs. Le médecin Cureau de la Chambre publie au XVIIe s. des *Caractères des passions*, avec des illustrations par Charles Le Brun : ils mettent en relation des traits *picturaux* et des passions qui ne sont plus conçues comme relevant de la nature de l'homme mais d'une affection momentanée. La science des Lumières tend à se défaire des postulats de la physiognomonie, ce qui suscite, dès la fin du XVIIIe s., des réactions irrationalistes qui poursuivent la tradition physiognomoniste. Le pasteur zurichois J. K. Lavater (*Physiognomische Fragmente*, 1775-1778) cherche à faire revivre l'ancienne conception mystique d'une ressemblance fondamentale du corps et de l'âme, dans l'unité de la création divine. Il exerce une influence considérable sur la littérature du XIXe s., en Allemagne mais aussi en France : Balzac ou Baudelaire sont de grands admirateurs de ses travaux, qui permettent d'associer la représentation des détails matériels à une conception » visionnaire » de l'art. Une fois de plus, une « science » incertaine du caractère enrichit la représentation fictionnelle. Les types qu'elle donne à lire se retrouvent également dans la caricature, et, aujourd'hui encore, dans une psychologie de large vulgarisation et dans nombre d'œuvres de fiction littéraire et cinématographique.

Depuis les origines, le caractère oscille entre typologie scientifique et représentation fictionnelle. Lorsqu'il vise à la scientificité, il semble conduire vers une nomenclature des comportements et des « types » moraux leur correspondant, éventuellement liée aux humeurs et aux « tempéraments ». En revanche, comme forme littéraire, le caractère s'ouvre aux singularités et à l'effet des conditions sociales. Ainsi, La Bruyère joue avec la notion pour insister sur l'impossibilité de « fixer » les hommes dans des catégories stables et intemporelles et prête une vive attention aux déterminations sociales et conjoncturelles. Balzac, quant à lui, combine des schémas physiognomoniques à la représentation des déterminismes sociaux.

Dans les études littéraires cependant, l'usage du mot « caractère » reste peu rigoureux. Ce qu'on appelle « comédie de caractère » renvoie souvent davantage à des catégories socio-historiques (« le bourgeois gentilhomme ») qu'à des types humains intemporels. D'autre part, la vulgate restreint le « caractère » à des analyses psychologiques insuffisantes, par exemple des personnages des tragédies de Racine chez qui l'expression lyrique, le rapport de l'humain aux dieux et au sacré et les passions jouent un grand rôle...

▶ AZOUVI F., « Remarques sur quelques traités de physiognomonie », *Les Études philosophiques*, oct.-déc. 1978. — BURY E., « La Bruyère et la tradition des *« Caractères »*, *Littératures classiques*, janv. 1991, n° 13. — COURTINE J.-J., HAROCHE H., *Histoire du visage*, Paris, Rivages, 1988. — DANDREY P., « La Physiognomonie comparée à l'âge classique », *Revue de synthèse*, janv.-mars 1983, n° 109. — VAN DELFT L., *Littérature et anthropologie. Nature humaine et caractère à l'âge classique*, Paris, PUF, 1993.

Bérengère PARMENTIER

→ *Anthropologie ; Formes brèves et sententielles ; Humeurs ; Moralistes ; Portrait ; Type.*

CARAÏBE

Les littératures caribéennes (ou antillaises) de langue française sont issues des îles francophones de la Caraïbe, qui regroupent Haïti et les Petites Antilles (Sainte-Lucie, la Martinique, la Guadeloupe et la Guyane). On retrouve, parmi les auteurs antillais, les chefs de file des mouvements de la Négritude, dont le retentissement à l'échelle mondiale est majeur. D'abord en lutte contre le colonisateur, ces littératures s'affirment aujourd'hui à travers un imaginaire ancré dans les réalités insulaires.

Découvertes en 1492 par Christophe Colomb, les Caraïbes sont connues en Europe à travers les « Relations » des missionnaires. Le père Labat a sans doute produit le texte le plus significatif du genre avec son *Voyage aux îles d'Amérique*, paru en 1722.

Colonisées comme îles à sucre, les terres sont investies par les planteurs. Pour assurer la main-d'œuvre sur les plantations, des esclaves venant de divers pays africains sont débarqués par navires entiers. Il s'ensuit un mélange de langues, de cultures et de races qui donne naissance aux peuples créoles antillais. Diverses œuvres littéraires « exotiques », c'est-à-dire d'inspiration coloniale, répandent peu à peu en Europe l'image d'un monde antillais peuplé de « primitifs » créoles stéréotypés.

Les Antilles ont en commun une même histoire coloniale, de l'implantation française en 1635 à l'indépendance d'Haïti en 1804. Les premiers textes littéraires sont des témoignages sur cette période : les littératures francophones caribéennes sont nées avant tout du besoin de valorisation et de réhabilitation de collectivités humaines brimées par l'Histoire et en proie à un vif questionnement identitaire. Dans ce travail d'écriture où la thématique identitaire domine se conjuguent deux langues et deux cultures qui se croisent dans un français souvent créolisé, et vice-versa.

En Haïti, le premier roman abordant le thème de l'esclavage et de l'émancipation, *Stella*, d'Émeric Bergeaud, paraît au début du XIXe s. La littérature haïtienne se développe alors en Haïti et en France, puis au Québec et aux États-Unis : la majeure partie de la production littéraire caribéenne de langue française revient encore de nos jours aux auteurs haïtiens de la diaspora (René Depestre, Émile Ollivier, Georges Anglade, Dany

Laferrière). Il faut attendre le XXe s. pour que se fasse entendre la voix des Petites Antilles. C'est à Paris, autour de la revue *L'Étudiant noir*, que se lient en 1935 les membres du groupe qui élaborera la Négritude. Parmi eux, deux Antillais : Léon Gontran Damas, avec *Pigments* (1937), et surtout Aimé Césaire, avec le *Cahier d'un retour au pays natal* (1939). La Négritude se traduit par une vaste entreprise de valorisation du vécu « nègre », jetant des ponts entre les Antilles et l'Afrique. La poésie de Césaire suscite toute une génération d'écrivains en quête d'identité.

À la Négritude des Petites Antilles répond le « négrisme lyrique » d'Haïti, qui expose le vécu « nègre » à travers un « réalisme merveilleux », sa misère tracée à coup de métaphores. Mais ce « merveilleux » est vite remplacé par une réflexion sociale ancrée dans le quotidien : le régime de Duvalier amène les Haïtiens à une réflexion critique qui se communique à l'ensemble de la production littéraire. La politique et la misère contraignent de nombreux Haïtiens à s'exiler, ce qui donne naissance à une importante littérature de la diaspora.

Au mouvement de la Négritude succède aux Antilles celui de l'Antillanité : Édouard Glissant, qui s'attache à la spécificité culturelle des Antillais, rompt avec le rattachement à l'Afrique prôné par Césaire et jugé trop passéiste. La Créolité, élaborée par Patrick Chamoiseau et Raphaël Confiant, succède à l'Antillanité, ancrant les Antilles dans une solidarité avec tous les peuples créoles.

Les écrivains haïtiens et antillais de langue française ont cherché avec acharnement leur identité, tiraillés entre trois continents (Afrique, Europe, Amérique) et aspirés par leur réalité insulaire. La littérature haïtienne a été, avec les littératures belge et québécoise, la première à poser la question de son identité et de son positionnement comme littérature francophone différente de la littérature française. La pauvreté du pays et les régimes dictatoriaux successifs ont empêché l'épanouissement d'une forte institution littéraire locale. Les journaux et les livres périodiquement censurés ou interdits ont poussé la vie littéraire hors d'Haïti dans les principaux centres de la diaspora. Pourtant, sur place, cette littérature est l'objet d'éditions populaires succintes et d'un enseignement à tous les niveaux. Les littératures de Guadeloupe et surtout de Martinique, publiées principalement en France, apportent d'autres paramètres au phénomène d'autonomisation de la littérature antillaise. La richesse littéraire des départements français d'outre-mer n'empêche pas les auteurs de revendiquer la succession de l'esclavage et l'imaginaire créole pour prendre définitivement leurs distances avec la littérature française. Habitées par le rêve, participant du surréalisme à leur manière, elles s'attachent à combattre les préjugés et à affirmer leur personnalité créole à travers le français. Les écrivains antillais ont acquis une visibilité de premier plan à l'échelle mondiale.

▶ ANTOINE R., *Rayonnants écrivains de la Caraïbe : Haïti, Guadeloupe, Martinique, Guyane. Anthologie et analyses*, Paris, Maisonneuve & Larose, 1998. — CÉSAIRE A., *Cahier d'un retour au pays natal* [1939], Paris, Présence africaine, 1968. — CHAMOISEAU P., BERNABÉ J., CONFIANT R., *Éloge de la Créolité*, Paris, Gallimard, 1989. — CONDÉ M., *Le roman antillais*, 2 t., Paris, Nathan, 1977. — GLISSANT É., *Le Discours antillais*, Paris, Le Seuil, 1981.

Michel TÉTU, Anne-Marie BUSQUE

→ *Centre et périphérie ; Coloniale (Littérature) ; Créole ; Exotisme ; Francophonie ; Identitaire ; Postcolonialisme.*

CARICATURE → Humeurs ; Satire

CARNAVALESQUE → Dialogisme

CATÉGORIES LINGUISTIQUES

On appellera ici catégories linguistiques les normes, variations et transformations qui affectent les langues. Ces catégories retentissent sur la littérature dans les questions des modèles, du style et de l'écriture.

Moyen de communication humaine, la langue est affectée par les divers besoins humains (besoin de communication rationnelle ou affective, d'intellection, de survie, de pouvoir, etc.) et, en retour, affecte les individus et les groupes dans leur statut (exclusion, intégration, marginalité, conformité, etc.). Elle varie donc, dans tous les composants de sa grammaire (phonétique, syntaxe, pragmatique). Ces variations se font selon trois axes en étroite relation les uns avec les autres : le temps (variation dite diachronique), l'espace (variation diatopique) et la société (variation diastratique et variation stylistique ou diaphasique). Sur chacun de ces axes, les langues subissent deux sortes de forces antagonistes, qui prévalent l'une ou l'autre selon les circonstances historiques : des forces centrifuges, de diversification, et des forces centripètes, d'unification. Les catégories linguistiques sont les résultats de ces tensions.

Dans l'espace, les produits de la diversification sont les dialectes ou les variétés régionales des langues (dont les créoles) tandis que le produit des processus centripètes est la langue dite « standard ». Ces standards naissent et se généralisent dans des situations où s'impose la nécessité d'une communication large, pour laquelle les variétés et les difficultés d'interprétation qu'elles génèrent doivent se poser le moins possible, et où donc il s'agit de réduire les différences régionales. Ce fut par exemple le cas dans tous les pays occidentaux au cours du XIXe s. Répondant en premier lieu à des besoins de communication, la normalisation sert aussi d'autres fins moins explicites, comme celle d'assurer la suprématie d'un groupe. Liée à un processus de légitimation, la langue standard connaît souvent une forte institutionnalisation où interviennent des facteurs politiques, économiques ou religieux (comme le montrent le rôle de l'arabe classique dans les pays musulmans, ou celui joué par la Réforme dans maints pays d'Europe). La langue écrite figure parmi les instances linguistiques de légitimation (par l'enseignement, les dictionnaires et grammaires, les textes de lois et d'administration). Elle sélectionne certaines variétés de la langue, et met en évidence certains traits de ces variétés en les autonomisant plus ou moins par rapport à la langue orale. Ainsi le français de l'Académie a-t-il été, à l'origine, fondé sur l'usage de la Ville (Paris) et de la cour et plus particulièrement sur celui des écrivains qui vivaient dans l'une et l'autre (Vaugelas, *Remarques sur la langue française*, 1647).

Sur l'axe du temps, la variation linguistique est étudiée sous le nom d'évolution linguistique. Elle est perceptible dans les usages courants, mais se manifeste particulièrement dans des textes littéraires. En effet, la lecture des textes anciens offre la possibilité d'exploiter la profondeur historique de la langue. Ainsi les recours aux effets d'archaïsme, particulièrement exploités, par exemple au XIXe s., dans le roman historique ou dans les contes romantiques, ou encore dans le procédé poétique de réactivation sémantique d'un mot par retour à l'étymologie (une étymologie souvent fantasmée d'ailleurs). Le procédé du néologisme exploite la même variation, en sens inverse.

La langue varie aussi selon le statut (économique, social, culturel) des locuteurs (axe diastratique) et selon le contexte de l'énonciation. La sociolinguistique situe ces contextes sur deux échelles. L'une va de la situation de pouvoir (qui postule l'emploi des variétés les plus standardisées) à la situation de solidarité dans les groupes dominés (qui suscite l'emploi de variétés moins légitimes, l'argot par exemple). L'autre dépend de la situation, de la plus instituée et codée (qui impose l'usage d'une variété précise : langue de politesse, de cérémonie) à la plus informelle qui laisse le choix. L'adoption des registres, des styles et des niveaux de langue est fortement déterminée par ces variables. Elle intervient donc de façon majeure dans la littérature, soit comme moyen de distinguer des genres et registres (par exemple l'usage d'un vocabulaire soutenu dans l'épique), soit parce que la littérature donne une représentation des « parlures » des personnages, milieux et situations. Les catégories linguistiques sont donc des moyens d'analyse utiles des faits de forme et d'expression en ce qu'ils ont de collectif (ils rejoignent alors la question de l'écriture au sens que Barthes a donné à ce terme), et, par distinction d'avec ceux-ci, dans l'analyse des traits individuels de style.

▶ BALIBAR R., *L'institution du français. Essai sur le colinguisme des Carolingiens à la République*, Paris, PUF, 1985. — BRUNOT F., *Histoire de la langue française des origines à nos jours*, Paris, A. Colin, [1916-1938], 1966-1972. — KLINKENBERG J.-M., *Style et archaïsmes dans* La Légende d'Ulenspiegel *de Charles De Coster*, Bruxelles, ARLLF, 1973 ; *Des langues romanes*, Louvain-la-Neuve, Duculot, 1994.

Jean-Marie KLINKENBERG

→ *Académies ; Dictionnaire ; Écriture ; Grammaire ; Niveaux de langue ; Norme ; Style.*

CATHARSIS

Le mot grec *catharsis* signifie « purgation ». Il a été employé par Aristote dans sa *Poétique* pour désigner l'effet de la tragédie, qui doit, selon lui, exciter chez le spectateur des émotions de terreur et de pitié, de façon à ce que, les ayant ressenties vivement au vu d'un spectacle fictif, celui-ci soit par ce moyen « purgé » de l'excès de telles passions (c'est-à-dire, peut-être moins exposé à les ressentir exagérément dans sa vie au sein de la Cité).

La mention de la catharsis est brève dans la *Poétique* d'Aristote. Aussi son interprétation a-t-elle ensuite été très variable. Pour Aristote, il semble que la catharsis soit l'un des effets de la tragédie, le plaisir proprement tragique n'étant pas incompatible pour lui avec des sentiments de frayeur extrême et de compassion. Pour le principal commentateur arabe d'Aristote, Averroès (XIIe s.) – notamment auteur d'un commentaire de la *Poétique* qui fit autorité pendant tout le Moyen Âge, dans une traduction latine de Herman l'Allemand (Tolède, 1256) –, la notion de catharsis reste assez obscure : glissant sur les quelques lignes qu'Aristote lui consacrait, il semble en vérité lui substituer celle de l'utilité morale et politique de la poésie. Par la suite, la conception de la catharsis, toujours liée à celle de la tragédie, connaît une histoire parallèle à celle-ci. Lorsque les manuscrits grecs de la *Poétique* réapparaissent à Venise au début du XVIe s., les commentaires se multiplient rapidement (F. Robortello, V. Maggi, P. Vettori, A. Piccolomini, L. Castelvetro, etc.). Cependant, dans le contexte intellectuel qui fut celui des universités de l'Italie du Nord au milieu du XVIe s., la *Poétique* est lue à travers les liens que ces universitaires aristotéliciens tissent alors avec la *Politique* (VIII, ch. 6 et 7, 1340b 20 à 1342b 30 en particulier), la *Rhétorique* et la pensée morale du Philosophe. Ces humanistes interprètent alors la catharsis en termes médicaux et éthiques, à travers la notion de « purgation des passions », qui leur permet en particulier d'articuler l'art de persuader à la morale et à la politique. C'est ainsi que le lieu rhétorique que constitue la « purgation des passions » devint la clé de voûte de tout un nouvel édifice doctrinal, acquérant très rapidement une forte légitimité dans les milieux universitaires et les cercles humanistes. En France, à la fin du XVIe et au XVIIe s., quand la tragédie est réactivée et que, là aussi, la *Poétique* ressurgit, la « purgation des passions », issue des conceptualisations des poéticiens italiens, s'acclimate vite. Comme en Italie, sa construction doit beaucoup à la pratique médicale et elle rejoint les théories thérapeutiques de l'époque, dont celle de la saignée : celle-ci visait à retirer du corps un excès d'humeurs pour rétablir un meilleur équilibre ; la « purgation des passions » en apparaissait comme un équivalent dans l'ordre psychologique. Mais des discussions se sont élevées sur la nature des sentiments concernés. Certains théoriciens, comme parfois Jean Chapelain, s'en tiennent à la terreur et la pitié indiquées par Aristote, d'autres, en particulier Corneille, envisagent, en s'appuyant notamment sur les usages que les Jésuites préconisaient du théâtre, des effets de la tragédie plus étroitement liés à la rhétorique, notamment l'admiration (qui doit elle-même beaucoup à la notion de sublime). Boileau, dans *L'art poétique* (1674) reprend certaines des positions de Chapelain, mais en nantissant les deux émotions cathartiques d'adjectifs qui semblent paradoxaux : « Une douce terreur, une pitié charmante. » Il rappelle ainsi que la tragédie, parce qu'elle est mimésis, procure non des sentiments bruts mais des impressions qui portent avec elles le plaisir de la conscience artistique. Racine de son côté les synthétise dans le sentiment de « tristesse majestueuse qui fait tout le plaisir de la tragédie » (Préface de *Bérénice*, 1671). Dominante aux XVIIe et XVIIIe s., quand la tragédie est un genre dominant, l'idée de « purgation des passions » est remise en question, aux XVIIIe et XIXe s., par les théories du drame. Elle subsiste ensuite surtout comme fait historique et élément d'enseignement, plus que comme théorie littéraire réellement active. Cependant la question resurgit, sur des modes différents, chez Brecht et chez Artaud. Le premier préconise la distanciation et, par là, exclut l'idée d'identification, donc de catharsis, comprise comme « purgation des passions » (*Écrits sur le théâtre*, textes traduits par J. Tailleur et Guy Delfel, L'Arche, 1963 et 1972, 2 vol). Artaud (*Le théâtre et son double*, 1938) désire que le spectateur se sente mis en danger, qu'il soit saisi de terreur dans un « théâtre de la cruauté » qui déstabilise l'assistance et la communauté politique dont elle est l'image. En même temps, il dénonce les modèles établis (un de ses textes s'intitule *Pour en finir avec les chefs-d'œuvre*) et donc bouleverse les schémas hérités de la tradition. Ce faisant, il révèle peut-être – sans en reprendre explicitement le terme ni la théorie – un des éléments de la catharsis : elle est un effet du spectacle autant que du texte (Aristote estimait que le spectacle et la musique étaient des moyens forts de l'émotion). Des théâtres inspirés de lui (Grotowski, le Living Theatre et le happening, Arrabal...) ont insisté sur ce rôle émotif, et émotionnel, du spectacle.

La brièveté de la référence à la catharsis chez Aristote indique peut-être qu'il s'agissait pour lui d'un lieu commun de la poétique tragique, qui, comme tel, n'appelait pas d'explicitations. Ce laconisme a rendu la transmission de la notion aussi difficile que fructueuse. La catharsis repose sur l'idée que les passions résultent des mouvements des humeurs devant un objet : l'art théâtral, parce qu'il est mimésis, peut aussi bien qu'un objet réel susciter des émotions ; mais étant un artefact, il permet d'en choisir la nature, le moment et l'intensité, et donc peut jouer un rôle dans un contrôle des passions. À partir de ce fondement, les deux passions citées par la *Poétique*, la terreur et la pitié, certes conformes aux contenus du spectacle tragique, sont-elles les seules qui lui correspondent ? Ou bien sont-elles les seules qu'il est nécessaire de « purger » ? Diverses réponses sont possibles, et le débat est en fait indécidable. De même, ces effets peuvent-ils s'étendre à d'autres genres ? La cohérence de l'idée à l'âge dit classique donne à penser que si les passions sont liées aux humeurs, leurs effets passent par des manifestations physiologiques de ces humeurs ; ainsi les larmes nées de la terreur et la pitié seraient le moyen de la « purge » tragique (Biet, 1996), mais il est possible de concevoir que la comédie, excitant le rire, donc une dépense énergétique, puisse avoir le même usage pour d'autres passions (Dandrey, 1998). Dans tous les cas, la catharsis – désignant pour Averroès une théorie de la perception de la poésie mais surtout, depuis la Renaissance, du spectacle – est, au sens le plus propre, une catégorie esthétique, qui définit non les contenus de l'œuvre – tels *l'hybris* (la « démesure ») ou le chagrin éprouvés par les personnages, mais bien sa réception – et l'effet de l'identification éventuelle du spectateur envers un personnage ou une situation. Par l'idée de « purgation », elle implique une fonction de l'émotion esthétique et une utilité civilisatrice indirecte de celle-ci, puisqu'au moyen d'un déséquilibre émotionnel affectant momentanément le cœur des spectateurs le spectacle contribuerait à l'équilibre plus général de la Cité. Cette conception éclaire le principe du « plaire et instruire » classique et se confond parfois avec une interrogation, toujours renouvelée, sur la finalité de la fiction littéraire.

▶ ABDULA A. K., *Catharsis in Literature*, Bloomington, Indiana U.P., 1985. — BIET Ch., *La tragédie*, Paris, Hachette, 1996. — DANDREY P., *Molière et la maladie imaginaire, ou De la mélancolie hypocondriaque*, Paris, Klincksieck, 1998. — OXENBERG RORTY A. (éd.), *Essays on Aristotle's Poetics*, Princeton, Princeton University Press, 1992. —

UBERSFELD A., *L'École du spectateur. Lire le théâtre 2*, Paris, Belin, [1981], 1996.

Alain VIALA

→ *Adhésion ; Affects ; Classicisme ; Drame ; Esthétique ; Mimésis ; Passions ; Réception ; Théâtre ; Tragédie ; Tragique ; Utilité.*

CATHOLICISME

La religion catholique est le courant religieux le plus important du monde occidental depuis 2000 ans. Cette longue hégémonie se traduit par une emprise institutionnelle de l'Église sur la vie intellectuelle, par la circulation d'écrits sacrés (la Bible) ou apologétiques et, dans le domaine littéraire, par une série de missions confiées aux écrivains. En tant que croyants, ceux-ci sont appelés à participer à l'enseignement et à la transmission de la foi et, dans certaines circonstances, à polémiquer en sa faveur. En tant qu'auteurs, ils sont censés obéir aux règles de la vie sociale que fixe l'Église : des normes (morales ou religieuses) et des instruments de coercition (l'*Index* par exemple) sont appelés à encadrer la vie littéraire.

La Bible et les écrits des Pères de l'Église forment le socle de la littérature catholique : ils consacrent les mythes et les allégories de la représentation symbolique autorisée. Les premiers écrivains chrétiens, les apologistes Tertullien et Justin, ont cherché à s'extraire de la tradition antique et païenne tout en conservant son efficacité rhétorique. La synthèse entre les deux cultures s'accomplit chez saint Augustin qui fusionne des figures inspirées par Cicéron et des croyances et des images tirées de la Bible (*Les confessions*, 393-401). Philosophe, il expose la doctrine qui dominera longtemps la pensée médiévale : l'homme est radicalement corrompu par le péché originel et Dieu n'accorde sa grâce qu'à un petit nombre d'élus ; cette corruption empêche l'homme d'accéder par sa raison à la connaissance du Créateur, aussi doit-il par la foi se soumettre à l'autorité transcendante.

Au Moyen Âge, si on excepte les invasions et les mouvements « hérétiques » réprimés, le catholicisme, religion officielle depuis le IVe s., n'a guère eu à se situer face à des influences exogènes. C'est à la préservation de la société qu'il travaille. La littérature reflète cette réalité politico-sociale : odes, hagiographies, hymnes, psaumes, poésies mystiques et liturgiques, mystères et jeux de la Passion constituent l'essentiel des œuvres connues ou conservées par l'écrit. Les chansons de gestes, romans courtois et épopées exaltent les vertus chevaleresques et, de ce fait, participent à l'effort pour intégrer le système féodal dans le droit divin. Quant aux Croisades, conséquences des exhortations papales, elles sont chantées par les historiens Villehardouin et Joinville.

À partir du XIIe s., des ordres mendiants sont fondés afin de lutter contre les hérésies et retourner à une pauvreté évangélique. La piété, plus humaine, s'exprime dans une littérature mystique (saint François d'Assise, *Œuvres spirituelles*, 1209-1223) et de dévotion à l'humanité de Jésus et à la Vierge (saint Bernard, *Traité de l'amour de Dieu*, 1126). En Rhénanie et en Flandre, sous l'impulsion de Maître Eckhart et de Ruysbroeck, naît un courant ascétique, la *devotio moderna* qui, persuadé que le progrès de la vie spirituelle relève d'une démarche individuelle, produit en nombre des ouvrages de piété et des poèmes mystiques qui prolifèrent dans toute la chrétienté. L'aboutissement de ce mouvement est *L'Imitation de Jésus-Christ* de l'Allemand Thomas a Kempis (1424). Il influence profondément Luther mais aussi le fondateur de la Compagnie de Jésus, Ignace de Loyola, sainte Thérèse d'Avila et Jean de la Croix.

Au XIIIe s., dans la même lignée anthropocentriste, saint Thomas et des scolastiques cherchent à catégoriser le savoir grâce à des concepts – repris d'Aristote – accessibles à la connaissance humaine. Ils imposent une codification de l'esthétique qui oriente la littérature à venir : l'œuvre doit être belle, raisonnée, morale et proportionnée à l'homme.

La Renaissance, en même temps que l'invention de l'imprimerie et le début de la Réforme, voit vaciller les certitudes religieuses. Pour prémunir les fidèles de ces influences néfastes, l'Église dresse un catalogue des livres à éviter et à ne pas garder chez soi, l'*Index* (publié jusqu'à au moins 1960). Cependant, les humanistes, s'ils interrogent le fait religieux et le cléricalisme, ne remettent pas en cause l'existence de Dieu. Montaigne, fidéiste, n'interroge que la réalité sociale, estimant que la transcendance est hors de portée des facultés humaines. Quant à Ronsard, il utilise la mythologie païenne afin de compléter sa vision des dimensions cosmiques du religieux. Mais les conflits religieux sollicitent l'engagement des écrivains catholiques (par exemple Ronsard), comme, dans l'autre camp, les protestants (par exemple d'Aubigné). En outre, la Contre-réforme provoque un accroissement de la ferveur et de la propagande catholiques qui favorisent la diffusion de la littérature mystique.

Au XVIIe s., le catholicisme triomphe grâce à l'alliance, ratifiée par Louis XIV entre la monarchie et les institutions religieuses. L'Église choisit de promouvoir une littérature de la dévotion proposée par l'évêque François de Sales (*Introduction à la vie dévote*, 1609) aux dépens de la mystique, dangereusement individualiste. Mais l'harmonie ne règne pas et les écrivains prennent part aux différends religieux : surgissent alors des textes qui resteront des modèles durables, comme l'apologie des Jansénistes par Pascal ou l'éloquence de Bossuet contre le protestantisme et le quiétisme. La ferveur religieuse de l'époque s'accommode difficilement des libertés de la littérature profane. Pour ne pas être suspectée, celle-ci tente d'associer éthique et esthétique et nombre d'auteurs souhaitent traiter des sujets chrétiens. Corneille écrit une *Théodore vierge et martyre* (1645) et une *Imitation de Jésus-Christ* (1653) et Racine, *Esther* (1689) et *Athalie* (1691) ; les écrivains jésuites sont actifs, et Desmarets de Saint Sorlin démontre que les paraboles de Jésus doivent être prises comme le modèle de la fiction. Mais l'Église reste méfiante, surtout contre le théâtre. Dans la foulée de la révolution exégétique qui secoue croyants et incroyants, le XVIIIe s. est critique envers l'Église, mais majoritairement croyant.

La Révolution française, tandis qu'elle destitue les fonctions sociales des institutions catholiques, cherche à se donner une justification en prétendant travailler à la création d'un paradis terrestre. Dans les pamphlets, poèmes et écrits propagandistes, les thèmes chrétiens de crucifixion, résurrection, souffrance et économie sont réinterprétés dans ce sens, et Jésus devient l'incarnation du sans-culotte révolutionnaire. Les romantiques reprennent cette dialectique, particulièrement autour de la révolution de 1848. Cette conception est également adoptée par certains clercs – tels que Lamennais – qui acceptent la Révolution et inaugurent le catholicisme social. Cependant, tous les catholiques ne se satisfont pas de la déchristianisation. Ainsi, Chateaubriand loue les vertus culturelles et civilisatrices de cette religion (*Le Génie du Christianisme*, 1802). Dans le même temps, les anti-révolutionnaires, Bonald et Maistre, se lancent dans une défense virulente du catholicisme qui influencera toute la tradition des pamphlétaires réactionnaires et ce jusqu'au XXe s. (Lacordaire, Veuillot, Daudet, Maurras, Bardèche).

En France, l'une des conséquences de la séparation entre État et Église – entérinée par la loi de 1905 – est l'éclosion d'une forte conscience identitaire à l'intérieur de la minorité catholique. Dans ce contexte, un réseau d'écrivains convertis travaille à un renouveau des lettres catholiques et à la création d'un art spécifique, parfois en marge des courants esthétiques contemporains. Ce courant atteint toute sa force à partir de 1870 avec Verlaine, Huysmans, Claudel, Bloy, suivis par Mauriac et Bernanos. Ces écrivains mêlent l'exaltation de la révélation à une description réaliste des turpitudes de l'homme sans Dieu, mais aussi – c'est une nouveauté – des doutes vécus par l'homme croyant. Le Québec et la Belgique ne connaissent pas cette sécularisation des structures. Au Québec, la littérature est restée largement soumise à l'hégémonie d'un catholicisme timoré jusqu'au milieu du XXe s. L'autonomisation littéraire s'y est constituée précisément contre la contrainte religieuse. De ce fait, des écrivains catholiques belges comme H. Carton de Wiart, H. Davignon, P. Nothomb, ou québécois, C. Roy, L. Groult et L.-A. Savard, incorporés de fait dans les institutions culturelles, ressentent moins la nécessité de produire une esthétique innovante.

La tradition de la littérature catholique apologétique se poursuit dans la seconde moitié du XXe s. avec des écrivains tels qu'A. Frossart, J. Daniélou ou dans une moindre mesure G. Cesbron et C. Nys-Masure. Parallèlement, se développe une littérature dite d'« inspiration catholique » : non explicitement engagée, elle s'affranchit des impératifs moraux mais témoigne de préoccupations religieuses (J. Green, F. Mallet-Joris, M. Jouhandeau, M. Clavel). Les écrivains A. Decoin et J. Cayrol assortissent, eux, réflexion religieuse et procédés du nouveau roman.

Insérée dans la tradition évangélique, une conscience peut-elle demeurer créatrice ? Cette question domine l'histoire de la littérature catholique durant les périodes où l'hégémonie de l'Église catholique ne s'impose pas. Les auteurs catholiques ont souvent été déchirés entre la nécessité de faire œuvre morale et édifiante et les lois du champ littéraire qui valorisent la liberté de l'écrivain. Certains catholiques, comme Mauriac, estiment que leur orthodoxie suffit à assurer celle de l'œuvre puisque cette dernière ne peut être qu'un reflet de leur croyance.

L'engagement de certains écrivains en faveur de l'Église catholique peut, par ailleurs, provenir de motivations non religieuses. Les apologies du catholicisme qu'on trouve dans les œuvres de Barrès sont essentiellement le fait d'une position politique conservatrice (*Le roman de l'énergie nationale*, 1897-1902).

La forte imprégnation du catholicisme dans les structures sociales (enseignement, santé, institutions culturelles), longtemps dominante en Belgique, au Québec et, quoique moindre, sensible encore en France, explique la part importante qu'il prend dans la littérature moderne, que ce soit dans l'utilisation de sa symbolique et de ses mythes ou dans des dénonciations de ses abus et dérives doctrinales (S. de Beauvoir, *Mémoires d'une jeune fille rangée*, 1958 ; F. Weyergans, *Franz et François*, 1997). En parallèle, l'Église exerce une influence directe sur les lecteurs, par le biais d'un classement moral des livres (du type Société pour la diffusion des bons livres, ou *Index*), de réseaux de production et de diffusion qui lui sont propres, de revues et de sociétés d'écrivains. L'efficacité de cet ensemble d'appareils dépend du contexte social : il est relativement faible dans la France républicaine, mais très puissant au Canada français jusqu'à la « révolution tranquille » québecoise. Les réalités de l'influence catholique sur la littérature ne peuvent donc se mesurer au nombre de catholiques pratiquants, mais bien à celle de la prégnance durable d'institutions et de leurs idéologies.

▶ BOWMAN F. P., *Le Christ romantique*, Genève, Droz, vol. 134, 1973. — GUGELOT F., *La conversion des intellectuels au catholicisme en France (1885-1935)*, Paris, CNRS, 1998. — ORCIBAL J., *Études d'histoire et de littérature religieuses (XVIe-XVIIIe siècles)*, Paris, Klinksieck, 1997. — Coll. : *Je sais-Je crois. Encyclopédie du catholique au XXe siècle. Les Lettres chrétiennes*, vol. 114-120, Paris, Fayard, 1957. — *Littérature et religion au Moyen Âge et à la Renaissance*, Vallecalle J.-C. (dir.), Lyon, Presses universitaires de Lyon, 1997.

Cécile VANDERPELEN

→ *Ascèse ; Bible ; Engagée (Littérature) ; Hagiographie ; Jansénisme ; Mystères ; Mysticisme ; Passions ; Patristique ; Quiétisme ; Réforme catholique ; Religion.*

CÉNACLE

Dérivé du latin *cenaculum*, le terme désigne dans la tradition chrétienne la salle où le Christ célébra l'Eucharistie avec ses disciples. Dans une acception large, le cénacle peut caractériser toutes les formes de réunion de gens de lettres et être même pris comme synonyme d'École littéraire. En un sens strict, il désigne les cercles littéraires de l'école romantique (sens attesté dès 1829 dans Sainte-Beuve, *Vie, poésies et pensées de Joseph Delorme*).

Après les premiers regroupements romantiques (comme le groupe qui se réunit à Coppet autour de Mme de Staël), les cénacles les plus en vue entre 1824 et 1830 sont ceux de Nodier et de Hugo. Nodier réunit ses amis à la bibliothèque de l'Arsenal – dont il était conservateur – à partir de 1824. Des écrivains aussi divers que Hugo, Dumas, Vigny, Gautier, Balzac ou Musset y côtoient des peintres comme Delacroix, David et Devéria. Dans ses *Illusions perdues* (1837-1843), Balzac décrit la « camaraderie littéraire » d'« un Cénacle où l'estime et l'amitié faisaient régner la paix entre les idées et les doctrines les plus opposées ». Car les cénacles romantiques ne restent pas étrangers aux contradictions idéologiques, en particulier à l'opposition entre Légitimistes et Libéraux. La première génération romantique, celle d'Hugo, Lamartine, Vigny et Nodier, est généralement royaliste, tandis que Stendhal ou Mérimée défendent l'idée d'une monarchie constitutionnelle. Ainsi advient une rupture entre Hugo et Nodier. Se liant alors avec *Le Globe*, revue d'obédience libérale, et affirmant dans la préface des *Odes et Ballades* (3e édition, 1826) la fonction morale et critique du poète dans l'ordre monarchique (« Le poète dans les révolutions »), Hugo réunit dès 1827, rue Notre-Dame-des-Champs, un cénacle plus combatif. Des anciens du cénacle Nodier et de jeunes admirateurs d'Hugo y préparent notamment la « bataille d'Hernani » à la Comédie française (25 février 1830). Hugo a en effet compris que le théâtre constitue le terrain le plus propice à l'affirmation d'une nouvelle esthétique : d'une part, il est le genre qui a l'audience publique la plus immédiate et la plus propice aux résonances socio-politiques, d'autre part, il représente le domaine où les règles héritées du classicisme sont les plus manifestes.

La révolution de Juillet marque l'avènement de la bourgeoisie. Cette fois, d'anciens légitimistes, comme Vigny, Hugo ou Lamartine expriment leur évolution politique par la poésie lyrique : ils reconnaissent l'importance du peuple, de la révolution sociale et donc la nécessité de l'engagement politique. Aussi la deuxième génération, qui incline vers les idées républicaines, éprouve-t-elle le besoin de se souder en groupe pour marquer son originalité. Elle forme le « petit cénacle » des *Jeunes-France* (selon le titre d'un roman de Théophile Gautier, 1833) et cherche à se distinguer des anciens en affichant des attitudes plus bohèmes. Le « Petit Cénacle » du graveur Jehan Duseigneur – Théophile Gautier désigne ainsi le groupe des Jeunes-France dans son *Histoire du romantisme* (après 1874) – ou le groupe de Nerval, réuni impasse du Doyenné (la « bohème galante »), se veulent une « camaraderie », revendiquant une originalité poétique destinée à un public limité et une claire indépendance sociale. Cette nouvelle bohème, « avant-garde de l'avenir » selon le propos d'Ernest Havet, est montée aux barricades en 1830, et elle est rapidement déçue par une révolution qui consolide le règne de la bourgeoisie. Dans sa quête d'originalité, cette seconde génération développe certaines tendances du romantisme – le goût du rêve chez Nerval, la fantaisie – mais amorce aussi des évolutions nouvelles – les thèses de l'art pour l'art chez Gautier. Les cercles littéraires n'usent ensuite plus guère du nom de « cénacle », même si l'image en ressurgit parfois (ainsi, idéalisée, dans le « phalanstère poétique » du groupe de l'Abbaye autour de G. Duhamel au début du XXe s.).

Les cénacles de la première génération romantique ont créé le modèle des Écoles littéraires : un groupe, un lieu, un chef de file, une théorie et un organe de publication. Ils ont ainsi dessiné les processus de consécration des avant-gardes littéraires. Mais dans un monde littéraire de plus en plus soumis à la pression du marché, qui les contraint à développer des stratégies d'adaptation et de vivre de leur plume (journalisme), les jeunes auteurs de la seconde génération, conscients de leur statut de poètes maudits, ont fait de la marginalité un signe de connivence : leur désir d'autonomie littéraire rejoint celui de l'indépendance sociale. Aussi les cénacles furent des institutions typiques de la vie littéraire d'alors et représentent une étape essentielle dans le processus d'autonomisation du champ littéraire.

▶ BÉNICHOU P., *Le sacre de l'écrivain*, Gallimard, 1992, [1973]. — MILNER M., *Le romantisme* (I : 1820-1843), Paris, Arthaud, 1973. — PONTON R., « Programme esthétique et accumulation de capital symbolique. L'exemple du Parnasse », *Revue française de sociologie*, XIV, 1973, pp. 202-220. — SÉCHÉ L., *Le cénacle de « la Muse française »*, Paris, Mercure de France, 1908 ; *Le cénacle de Joseph Delorme*, Paris, Mercure de France, 1912.

Constanze BAETHGE

→ *Autonomie ; Cafés littéraires ; Champ littéraire ; Écoles littéraires ; Institution ; Romantisme ; Sociabilité.*

CENSURE

La première édition du *Dictionnaire de l'Académie française* (1694) distingue deux acceptions de « censure » : le sens général de « jugement critique », souvent assorti de blâme, et le sens spécifique de « condamnation d'un livre » par une autorité. Dans le premier cas, il s'agit de l'imposition d'une norme dictée par les opinions dominantes, de la contrainte de la *doxa* – de ce sens dérive l'usage psychanalytique qui désigne le mécanisme interdisant l'accès à la conscience de certains désirs. Dans le second, la censure implique l'intervention d'un pouvoir, soit par la « censure préalable » qui peut interdire une œuvre en tout ou en partie avant sa diffusion, soit par la censure « punitive », une fois l'œuvre rendue publique. C'est cette pratique juridique de la censure qui donne lieu aux procès littéraires.

La censure existe en pratique depuis aussi longtemps que la littérature : ainsi dans *La République*, Platon revendique-t-il le contrôle des poètes par les philosophes, ou encore Ovide fut-il exilé pour ses écrits. De même, le sens de « jugement critique » est constant, et Boileau l'emploie comme une évidence dans son *Art poétique* (1674) en recommandant aux auteurs de consulter un « censeur » exigeant. Dès le Moyen Âge, l'Église a exercé une censure au nom de l'orthodoxie religieuse. Mais ce n'est qu'avec l'invention de l'imprimerie et la diffusion massive des textes que s'est constituée une réglementation officielle. Trois instances concurrentes se disputent alors le droit de censure : l'Université, l'Église et l'État.

Au XVIe s., les conflits de religion poussent l'Église à systématiser ses interventions. En réaction, l'État, soucieux de protéger le pouvoir civil, s'arroge le rôle de censeur. L'Ordonnance de Moulins, en 1566, oblige les imprimeurs à demander une « permission d'imprimer ». Une seconde mesure institue la fonction de censeur royal en 1617. L'administration royale fixe ainsi peu à peu les règles de l'appareil censorial, supplantant toutes les instances rivales – alors même que l'Église a instauré au XVIe s. le système de l'*Index librorum* – et érigeant un système administratif qui lie l'octroi d'un privilège, garantissant à l'éditeur des droits exclusifs sur un livre, et celui de la permission d'imprimer, laquelle est soumise à la censure préalable des textes. À celle-ci s'ajoute l'action répressive d'une censure punitive qui multiplie les perquisitions et surveille les entrées aux frontières, car le système suscite en retour un essor de l'édition clandestine. Les peines encourues peuvent être lourdes, emprisonnement, saisie des ouvrages ou arrêt des représentations au théâtre – ainsi le *Tartuffe*, *Dom Juan* – mais aussi confiscation des biens et même condamnation à mort (treize sont prononcées entre 1610 et 1698).

Malgré cette sévérité, l'appareil censorial ne contrôle que le contrôlable. Anonymat, presses clandestines et impressions à l'étranger, trafic de livres interdits : au cours du XVIIIe s., le marché de l'illicite acquiert une importance comparable, peut-être supérieure, à celui du livre permis. Aussi la censure royale, contrainte réelle mais assez facile à déjouer dans les faits, vit-elle dans la crainte qu'un zèle excessif ne ruine une industrie nationale exposée à une forte concurrence étrangère. Il en résulte une politique où l'ambiguïté et l'impuissance tiennent lieu de tolérance. De ce fait, se met en place en 1729 la « tacite permission » qui permet d'imprimer par simple inscription dans un registre. À partir de 1750, on accorde même des permissions sur simple accord verbal. Et Malesherbes, devenu Directeur de la librairie en 1750, envisage de limiter la censure aux ouvrages qui troublent la morale et l'ordre public.

Ainsi le système s'était déjà effondré en pratique lorsque la *Déclaration des droits de l'homme* de 1789 proclame que tout citoyen peut « parler, écrire, imprimer librement, sauf à répondre de l'abus de cette liberté dans les cas déterminés par la loi ». Ces dispositions ouvrent la voie à un régime qui renonce à la censure préalable et au système des privilèges (lesquels survivent néanmoins au théâtre) au profit de trois nouvelles procédures : la déclaration, la caution financière et la censure après impression, trois types d'intervention aux lourdes conséquences économiques pour les contrevenants. Les journaux sont soumis à un contrôle insistant et les livres, passibles d'être déférés aux tribunaux, qui en disposent suivant les catégories fluctuantes du tolérable et de l'intolérable. En témoignent les procès intentés contre *Madame Bovary* de Flaubert et *Les fleurs du mal* de Baudelaire en 1857 : si le tribunal déplore certaines scènes mais acquitte *Madame Bovary*, en revanche six pièces des *Fleurs du mal* sont retranchées du recueil. En 1890, l'acquittement de Lucien Descaves, traduit devant les tribunaux pour *Les Sous-Offs*, marque la fin des grands procès littéraires même si, à l'occasion et pour atteinte aux bonnes mœurs, des poursuites continuent d'être entreprises (contre C. Lemonnier à Bruges en 1900). Mais la censure persiste. La censure théâtrale, qu'alimentent les dernières survivances du système des privilèges qui lie un genre à une salle sous la surveillance des autorités politiques, survit jusqu'en 1904. La censure de l'imprimé frappe la seconde génération des naturalistes (l'éditeur Kistemaeckers notamment). Au XXe s., elle réapparaît durant les guerres. Surnommée « Anastasie » en 1914-1918, elle vise les livres et les journaux – d'où le nom du *Canard enchaîné*. Elle est alors politique, comme aussi durant la Seconde Guerre, l'Épuration et la Guerre d'Algérie. Les jugements contre des auteurs sont aussi une censure, avec la condamnation, par exemple, de *La question*, d'H. Alleg durant la guerre d'Algérie. De nos jours, elle s'exerce contre les ouvrages jugés pornographiques (par exemple *Histoire d'O*) qui peuvent être interdits d'affichage. À titre préalable, elle continue d'intervenir sur les publications destinées à la jeunesse et au cinéma (films interdits pour certaines classes d'âge pour cause de violence ou de sexe et classés en catégorie « X »). Une censure ecclésiastique s'est maintenue par la mise à l'index d'ouvrages de fiction (les *Œuvres complètes* de Gide le sont encore en 1952).

Au Québec, le pouvoir politique n'a jamais organisé de véritable institution censoriale. Bien que, sous le régime anglais, certains journalistes aient pu être emprisonnés pour sédition, comme F. Mesplet et V. Jautard, fondateurs de la *Gazette littéraire de Montréal*, en 1778-1779, ou les directeurs du *Canadien*, en 1810, c'est l'Église catholique qui a exercé une censure effective après 1840. Ostracismes, excommunications (*Institut canadien*, 1858) et mises à l'index (L.-O. David, 1896) se multiplient. Vu l'ascendant du clergé, cette censure a été puissante : un « rescrit » signé de la main du cardinal Léger était toujours requis en 1959 pour se procurer les *Essais* de Montaigne. Ce système s'est effondré après 1960, avec la « Révolution tranquille ». Pour autant, la censure est loin d'avoir à présent totalement disparu du champ francophone, notamment dans maints états d'Afrique ou subsistent des formes plus ou moins déclarées de censure politique ou morale.

La censure littéraire suscite quatre sortes de problèmes. Le premier est évidemment celui de la liberté de pensée. La censure est un obstacle à la liberté de publication, mais elle établit une responsabilité dans l'écriture : son histoire est donc indissociable de celle du droit d'auteur. En dépit de son abandon graduel à partir de la fin du XVIIIe s., au nom des droits à la libre pensée et à la libre expression garantis dans la plupart des constitutions démocratiques, elle persiste dans l'application des lois contre les discriminations raciales par exemple. Elle appartient à cet égard au domaine du débat éthique général. Une deuxième question est plus spécifiquement littéraire : ses catégories peuvent influencer la critique et elle frappe davantage certaines formes que d'autres – le théâtre, toujours, le roman, au XVIIIe s. Aussi des formes d'écriture et même des genres s'inventent dans sa mouvance : ainsi l'écriture ambivalente chez les libertins, le conte philosophique, ou encore le roman par lettres, présenté à l'époque comme un « document authentique » afin de contourner l'interdit. En troisième lieu, elle ne fait pas que réprimer l'objet qu'elle réprouve : elle peut aussi lui donner de la publicité. Dans sa *Lettre sur le commerce de la librairie* (1767), Diderot note que plus la proscription « est sévère, plus elle hausse le prix du livre, plus elle excite la curiosité de le lire, plus il est acheté, plus il est lu ». La quatrième question tient au double sens du terme : si l'appareil répressif est aujourd'hui communément réprouvé, le jugement critique peut être largement doxique et non moins efficient. À la fin du XXe s., les effets paradoxaux de la censure alimentent toujours ce débat, où intentions généreuses et moralisme hypocrite s'entremêlent – comme le montre, en 2000, la polémique sur les dimensions antisémites du *Journal* de Renaud Camus et la censure éditoriale qui s'ensuivit, avec la coupure des passages incriminés : comment réprimer les textes racistes, révisionnistes, ou comment réglementer les publications destinées à la jeunesse sans risquer d'induire des effets de limitation des libertés d'expression et de conformisme par auto-censure, donc une déperdition de liberté créatrice ? Aussi l'analyse de la censure ne peut se borner à celle de l'institution censoriale étatique ou religieuse, et à dénoncer l'ingérence dans le champ littéraire, qui soumet celui-ci à une loi qui lui est extérieure, mais doit resituer ces questions dans celle, plus générale et fondamentale, des modes de jugement, selon le sens premier du terme.

▶ DARNTON R., *Édition et sédition. L'univers de la littérature clandestine au XVIIIe siècle*, Paris, Gallimard, 1991. — HÉBERT P., *Censure et littérature au Québec. Le livre crucifié (1625-1919)*, Montréal, Fides, 1997. — KRAKOVITCH O., *Hugo censuré. La liberté au théâtre au XIXe siècle*, Paris, Calmann-Lévy, 1985. — LECLERC Y., *Crimes écrits. La littérature en procès au XIXe siècle*, Paris, Plon, 1991. — MINOIS G., *Censure et culture sous l'Ancien Régime*, Paris, Fayard, 1995.

Marc André BERNIER

→ *Autonomie ; Doxa ; Érotisme ; État ; Idéologie ; Institution ; Politique ; Privilège d'imprimerie ; Publication ; Religion.*

CENTON → Rapsodie

CENTRE ET PÉRIPHÉRIE

La distinction entre centre et périphérie est un concept sociologique qui permet de modéliser les relations de prestige, de pouvoir et d'indépendance qui s'établissent entre les pôles géographiques du champ littéraire. Elle oppose le « centre », de qui dépend l'accès à la notoriété internationale, souvent même l'accès à l'édition, et la « périphérie », qui désigne des zones moins dotées en moyens matériels ou symboliques.

Plus que tout autre littérature, la littérature de langue française est marquée par la confusion entre capitale politique et capitale littéraire. Depuis le XVIIe s. au moins jusqu'au troisième quart du XXe s., la centralisation sans cesse renforcée a rassemblé à Paris l'essentiel des institutions : maisons d'édition, presse spécialisée, grandes écoles, bibliothèques, académies, jurys littéraires. La province a longtemps été tenue pour un envers : elle était le « désert » où se retiraient les auteurs qui n'étaient pas « bien en cour » (Guez de Balzac) et elle était ce que fuyaient les écrivains soucieux de participer à l'actualité littéraire (Diderot, en butte aux difficultés matérielles et à la censure à Paris, n'envisagea pas plus de se retirer à Langres que de s'installer à Saint-Pétersbourg). Rares sont les auteurs qui participent à la vie littéraire en étant éloignés de la capitale. Seul l'exil politique l'a imposé, et ses victimes ont cherché un refuge aux frontières (Voltaire à Ferney, Hugo à Guernesey...). Le thème du provincial débarquant à Paris pour y faire carrière est devenu un topos littéraire (*Illusions perdues*). Dans le courant du XIXe s., deux mouvements rendent ce scénario moins unilatéral : la naissance des nationalismes, qui conduisent à l'autonomie politique de pays partiellement ou entièrement francophones, et les régionalismes qui reprennent force à l'intérieur des frontières de la république. Au XXe s., l'indépendance des anciennes colonies françaises multiplie le nombre de zones périphériques qui ont désormais accédé à l'autonomie politique tout en conservant des liens privilégiés avec le centre culturel parisien. Le Québec a affirmé son autonomie culturelle, la Belgique la cherche et, de l'Afrique francophone à l'Asie du Sud-Est, l'équilibre entre logique centripète et logique centrifuge est aléatoire.

Le modèle « centre-périphérie » permet de penser les logiques à l'œuvre dans l'histoire littéraire et culturelle de la France et de la francophonie. La périphérie peut se soumettre au centre et tenter de suivre son exemple, mais elle peut également insister sur son identité (politique ou culturelle) : dans ce cas, il lui arrive de se constituer à son tour comme un centre (en se dotant d'institutions littéraires propres, comme des académies ou des prix par exemple). Il y a là des objets d'étude importants pour l'histoire littéraire.

Le couple centre / périphérie a trouvé sa formulation la plus rigoureuse dans les années 1970 à l'intérieur de la théorie du polysystème et de la sociologie du champ littéraire. La relation entre centre et périphérie est une relation de dominant à dominé : une littérature dite périphérique se caractérise par une dépendance à l'égard du centre, tout en constituant un « sous-système » moins prestigieux. La distance entre centre et périphérie est aussi temporelle et se manifeste sous les espèces du « retard » : les innovations (formelles ou thématiques) du centre n'atteignent les zones latérales qu'avec un délai qui « signe » la situation dominée de celles-ci.

Mais la notion de littérature périphérique recouvre au moins trois types distincts de situations : 1. celle des littératures situées géographiquement en bordure d'un système littéraire dominant (les littératures francophones de Belgique ou de Suisse aujourd'hui) ; 2. celle des littératures généralement qualifiées de « régionales » ou de « dialectales », qui constituent des sous-ensembles relativement autonomes, bien que sans légitimité reconnue ; 3. celles des littératures dites « marginales » ou encore « paralittéraires », où la relation entre centre et périphérie est hiérarchique (de dominant à dominé). Les critères géographiques et sociologiques peuvent bien sûr se combiner. Les études post-coloniales ont mis en évidence des stratégies d'écriture propre aux littératures périphériques : multiculturalisme syncrétique, réécriture parodique ou ironique des grands modèles centraux, hybridation linguistique par introduction, sous des formes diverses, des variétés vernaculaires dans le standard hérité des puissances coloniales. Inspirées par les intellectuels qui ont théorisé la décolonisation (Fanon, Memmi, Dorsinville), ces études entendent aussi contester les relations de dépendance avec le centre, en mettant en évidence la créativité que recèlent ces stratégies d'écriture : elles tendent ainsi à inverser le sens de l'innovation, qui se diffuserait en certains cas de la périphérie vers le centre.

▶ EVEN ZOHAR I., « Polysystem Studies », n° spécial de *Poetics Today*, 1990, 11/1. — KLINKENBERG J.-M., « La production littéraire en Belgique francophone. Esquisse d'une sociologie historique », *Littérature*, 1981, n° 44, p. 33-50. — LAMBERT J., « L'éternelle question des frontières : littératures nationales et systèmes littéraires », dans Angelet Chr. (dir.), *Langue, dialecte, littérature. Études romanes à la mémoire de H. Plomteux*, Louvain, Universitaire Pers Leuven, 1983, p. 355-370. — MOURA J.-M., *Littératures francophones et théorie postcoloniale*, Paris, PUF, 1999.

Benoît DENIS et Rainier GRUTMAN

→ *Champ littéraire ; France ; Francophonie ; Géographie littéraire ; Polysystème ; Postcolonialisme ; Régionalisme ; Stratégie littéraire.*

CERCLE DE PRAGUE → Formalistes

CHAMP LITTÉRAIRE

Le champ littéraire est un volet de la théorie des champs élaborée après 1965 par Pierre Bourdieu dans des travaux qui portent sur la littérature, mais aussi sur la religion, l'université, le patronat... « Champ littéraire » est une notion corrélée à celle de champ intellectuel, comme une partie qui s'inscrit dans l'ensemble que désigne celle-ci. Le champ est défini comme une « structure de relations » entre les agents, les pratiques et les objets d'un domaine d'activité ; soit, en littérature, les écrivains, les éditeurs, critiques et lecteurs, la création, la publication, la lecture, et les œuvres. On ne peut parler d'une activité en termes de champ que si elle représente, au sein de la société, un domaine identifiable doté d'une certaine autonomie, c'est-à-dire qui a ses codes, ses valeurs et ses règles propres.

Pierre Bourdieu parle du champ intellectuel comme d'une « totalité concrète régie par ses lois propres ». Le champ est caractérisé par une histoire spécifique et par une forme d'autonomie particulière. Mener une analyse en termes de champ revient, comme y insiste Bourdieu, à faire aussi méthodiquement que possible des comparaisons. La notion de « position » a dans le raisonnement un rôle central, identique à celui que jouent, dans la tradition de l'histoire littéraire, des termes tels que « l'homme », « l'œuvre », ou le « génie ». On caractérise comme position, à un moment de l'histoire du champ, une théorie ou une doctrine esthétique (par exemple, après 1830, l'Art pour l'Art, l'art social ou la référence au « bon sens » chez certains auteurs de théâtre). Une position peut être représentée par une école littéraire (comme le Parnasse après 1870 ou le Naturalisme après 1885), une revue, une maison d'édition, un genre littéraire donné, ou une spécification à l'intérieur d'un genre (roman rural, roman policier). De la configuration des positions qui caractérisent le champ littéraire dépendent les possibilités d'expression et de carrière des écrivains.

Une position, selon Bourdieu, se laisse caractériser en termes quasiment techniques, à la façon d'un poste de travail. La désignation de la position, les jugements portés sur elle, les rythmes de travail et de publication, les revues et les tirages, la coopération avec d'autres, éditeurs, ou troupes d'acteurs dans le cas du théâtre, ou encore les modes de vie qui se rattachent à la position, sont des points qui doivent être précisément cernés. L'écrivain qui débute dans le champ littéraire peut se porter vers une position déjà existante en adoptant une pratique littéraire reconnue et bien codifiée. Il peut vouloir aussi créer une nouvelle position et s'associer dans ce but avec d'autres dans une avant-garde. Si l'entreprise aboutit, il en résulte un remaniement de la structure d'ensemble du champ littéraire. Dès lors, les œuvres peuvent être analysées comme des « prises de position » et les carrières des écrivains comme des trajectoires à l'intérieur du champ, c'est-à-dire la série des positions qu'il y occupent. Leurs choix se révèlent influencés par leur habitus. L'étude du champ littéraire suppose que soient analysées précisément les propriétés sociales des écrivains : âge, origine sociale et géographique, type et niveau d'études, situation, condition des débuts. Cette information, réunie sur une large échelle et complétée par des recherches sur les effectifs d'écrivains et sur leur répartition par secteur d'activité, permet de caractériser la morphologie sociale du champ littéraire. Elle inclut l'analyse des auteurs et des œuvres considérés individuellement, mais en les situant dans le réseau d'ensemble. Le champ littéraire est lié au champ intellectuel, qui lui-même est en relation avec le politique, le religieux, l'économique. Le champ littéraire est donc une médiation entre la littérature et les autres activités, valeurs et représentations sociales.

La problématique apportée par le concept de légitimité – repris de Max Weber – oriente la réflexion sur le champ littéraire vers une sociologie historique de la formation des hiérarchies intellectuelles et des jugements. Le concept de légitimité tourne aussi le regard vers l'examen des fins et motifs poursuivis par les écrivains. Les significations attachées au travail, « le sens visé » par le fait d'être actif dans un contexte social bien particulier, les représentations de soi et d'autrui qui en résultent, sont alors les thèmes qui apparaissent au premier plan. Correspondances, journaux intimes, brouillons, variantes des textes, et, pour les écrivains en activité, l'enquête directe par entretien, sont des outils du sociologue qui viennent compléter l'analyse des œuvres dans leur forme et leurs significations.

L'analyse en termes de champs est avant tout une recherche relevant de la sociologie. Appliquée à la littérature, elle a permis de renouveler les analyses d'histoire littéraire ainsi que l'étude des médiations et des valeurs esthétiques et formelles.

Depuis les années 1980, le terme de champ est largement employé dans les études littéraires, mais souvent en un sens très élargi et donc dilué.

Comme domaine d'activité qui se différencie progressivement des autres (la littérature a été longtemps tributaire de l'Église et des pouvoirs aristocratiques), le champ littéraire s'inscrit dans une évolution de longue durée vers plus de spécificité. Sa formation et son développement sont inséparables de la diffusion de la scolarisation et de la lecture, de la formation d'un « marché » des œuvres, rendu possible par l'essor de la presse et de l'édition, et d'une transformation du statut des intellectuels et des écrivains qui en résulte. L'état premier de formation du champ littéraire en France se situe au XVIIe s., lorsque le public s'accroît et que des auteurs se spécialisent dans le métier d'écrivain et peuvent commencer à en vivre, en même temps que la littérature est une valeur reconnue, attestée par des institutions (Académie française, 1635 ; Comédie Française, 1680...).

Le milieu du XIXe s. a vu advenir une évolution majeure, avec une nouvelle expansion des publics - par la scolarisation - et des publications - par l'industrialisation et l'essor de la presse à grands tirages. Il en est résulté la division du champ en deux sphères : celle de large diffusion relève des succès de vente et des gains financiers ; celle de la diffusion restreinte relève des valeurs symboliques et de la reconnaissance par les pairs ; elle affirme l'autonomie accrue du champ et elle est incarnée particulièrement par les théories de l'art pour l'art. Ainsi le champ apparaît comme un espace où sont en concurrence diverses manières de concevoir la littérature, et chacune tente d'imposer sa définition de la « vraie » littérature. Et même au sein de chaque sphère, les écoles et tendances sont en concurrence (ainsi l'art pour l'art s'oppose au romantisme socialement impliqué).

Le concept de légitimité intervient pour désigner une forme particulière de prestige, un « enjeu » qui exprime les règles de la concurrence et de la lutte pour la suprématie. Placés dans cet éclairage, les groupes littéraires peuvent être vus comme des entreprises pour l'obtention d'une légitimité aussi considérable que possible. L'analyse des relations entre l'évolution de la composition et de la structure de ces groupes littéraires, de leurs mots d'ordre et de leur esthétique d'une part, et d'autre part les positions successives qu'ils détiennent en fonction de l'influence et de la notoriété acquises, révèle la dynamique des évolutions esthétiques. Selon une conception qui se développe après 1850 dans l'art pour l'art, la politique est considérée comme une forme d'hétéronomie : l'écrivain court le risque de trahir sa fonction s'il ne se cantonne pas à des préoccupations d'ordre spirituel, « purement littéraires ». L'affaire Dreyfus transforme cette représentation. La mobilisation des écrivains, aux côtés des savants et des universitaires et au service des droits de l'homme, rétablit dans le champ littéraire une signification positive de l'engagement politique. Prendre une position, se battre pour une cause sociale ou politique va être considéré comme une des tâches majeures de l'écrivain, et plus largement, de l'intellectuel, dans certaines circonstances. Le débat entre engagement ou non, ainsi que celui sur les formes de l'engagement, animent le champ littéraire français au XXe s. À côté de recherches sur les intellectuels pleinement légitimes, comme Flaubert ou Sartre, les travaux qui portent sur des situations de moindre légitimité - ainsi les recherches pionnières d'A.-M. Thiesse sur le roman-feuilleton - sont nécessaires pour éclairer la configuration d'ensemble du champ, donc la signification des choix qu'y opèrent les auteurs, et, de là, la signification des œuvres.

Le modèle du champ littéraire est avant tout français et hexagonal. L'histoire et la configuration des champs est différente selon les pays. Ainsi la Belgique francophone, pays indépendant et doté de traditions culturelles anciennes, n'est pas seulement une périphérie du champ français, pas plus d'ailleurs que la Suisse ou le Québec ; les ex-colonies le sont encore pour une bonne part. L'histoire se lit aussi, à l'échelon francophone, comme l'émergence de champs nationaux différenciés, où les questions identitaires jouent un rôle plus fort qu'elles n'en ont eu dans l'hexagone.

▶ BOURDIEU P., *Les règles de l'art*, Paris, Le Seuil, 1992. — PONTON R., « Naissance du roman psychologique », *Actes de la recherche en sciences sociales*, 1975, 4. — SAPIRO G., *La guerre des écrivains*, Paris, Fayard, 1999. — THIESSE A.-M, *Le roman du quotidien*, Paris, Le Seuil, [1984], 2000. — VIALA A., *Naissance de l'écrivain*, Paris, Minuit, 1985.

Rémy PONTON

→ *Autonomie ; Esthétique ; Histoire littéraire ; Sociologie ; Sociologie de la littérature.*

CHAMP SÉMANTIQUE → Sémiotique

CHANSON

Traditionnellement définie comme une pièce en vers destinée à être chantée ou comme une forme de poésie orale mise en musique, la chanson compte au nombre des manifestations culturelles les plus anciennes et les plus universelles. Musicalement, elle se distingue depuis le XIXe s. de la « mélodie » qui relève du registre savant (Berlioz, Fauré, Debussy, etc.)

Accompagnant les rites religieux et ponctuant les travaux et les fêtes, la chanson est répandue depuis l'Antiquité. Dans le domaine littéraire français, elle témoigne du lien étroit entre la fiction et l'oralité (chansons de geste), mais également de la valeur que l'on pouvait accorder à des textes liés à la vie quotidienne (« chansons de toile » où la femme aimante évoque l'attente de son chevalier). Aux XVe et XVIe s., sous le règne de plus en plus affirmé de l'écriture, la chanson, auparavant largement confondue dans le domaine de la poésie (ballade, pastourelle, etc.), devient progressivement un genre musical propre, distinct des pratiques littéraires, mais que les écrivains continuent d'alimenter (Marot, Baïf au XVIe s., Piron, Crébillon au XVIIIe). La chanson reste inséparable de la littérature populaire, et ce sont les événements sociaux (Révolution française, Commune de Paris par exemple) qui entraînent à la fois de grandes phases créatrices (*La Carmagnole* par exemple) et l'intervention d'écrivains soucieux d'y inscrire leurs idées à l'intention d'un large public (tels Béranger au début du XIXe siècle, Pierre Dupont, auteur du *Chant des ouvriers* en 1846 ou Jacques Gueux, en Belgique vers 1890, pour le quotidien socialiste *Le Peuple*). Les Chansons insérées par Hugo dans *Les Châtiments* (1852), ou celles de Verhaeren sont indissociables de cette connotation populaire.

En 1851, la création de la Société des auteurs compositeurs et éditeurs de musique (SACEM) marque avec netteté l'appartenance de la chanson au domaine musical. Cédant ainsi à la littérature la chanson imprimée (dite « littéraire ») et celle des chanteurs-poètes (dite « à texte »), ce partage entraîne les distinctions actuelles du système où la chanson se voit classée plus ou moins dans la hiérarchie des valeurs (inverse de celle de la diffusion) selon qu'elle appartient au champ restreint (chanson littéraire ou à texte de Brassens, Barbara ou Brel, ou chanson écrite par des écrivains ou poèmes mis en musique de Prévert, Baudelaire ou Aragon) ou à la culture du champ élargi (chanson de variété, de tradition orale, chansonnette, chanson à danser, à boire). Cette dichotomie se traduit dans les choix éditoriaux (la collection *Poètes d'aujourd'hui* inclut Brel ou Brassens) et dans les modes d'édition et de conservation des textes, notamment en bibliothèques.

La double réalité, littéraire et musicale, mais aussi poétique et commerciale de la chanson donne lieu à des débats sur la légitimité qu'il convient de lui reconnaître. Le débat touche aux productions modernes (où classer le rap, par exemple?), mais également aux textes plus anciens (Aristide Bruant est-il un écrivain ?). L'admiration des surréalistes pour Yvonne George montre que la chanson peut ainsi constituer un enjeu littéraire. À l'école, où elle sert parfois d'introduction à la poésie, son statut reste également problématique, parce qu'elle n'est pas, en soi, reconnue comme un genre légitime.

D'autre part, la chanson est un objet d'étude. Les ethnologues, les musicologues ou les folkloristes, au XIXe s. surtout, ont cherché les sources et influences et compilé de vastes recueils de chansons populaires. L'approche sociologique et historique, au XXe s., insiste sur son intérêt pour une histoire orale, témoignage des mentalités et des utopies sociales.

L'approche sociologique étudie plus particulièrement la chanson par le biais des conditions de sa production, de sa diffusion, de sa circulation, de sa consommation tout aussi bien que par celui des influences musicales (tels le rock, le punk et le rap) liées aux phénomènes de générations et de classes sociales. Relation privilégiée entre une société et sa culture, la chanson apparaît ainsi comme un espace de contestation (*protest song*) ou de ralliement (comme *l'Internationale*) et sait à l'occasion se faire manifestation politique. En témoignent les ponts-neufs et les mazarinades (contre le cardinal Mazarin pendant la Fronde), les chansons satiriques et antigouvernementales de Béranger, les cabarets et les caveaux, et plus tard, les goguettes et les cafés-concerts, sociétés chantantes des milieux ouvrier et artisan d'où émerge la chanson contestataire de la monarchie de Juillet (Gille, Pottier, Leroy, par exemple), ou encore les boîtes à chansons qui, dans les années 1960 et 1970, permettent au mouvement des chansonniers (Vigneault, Léveillé, Lévesque, etc.) de catalyser et d'exprimer la conscience nationale et linguistique des Québécois.

Chant des peuples et des nations (comme dans les hymnes nationaux) d'une part, la chanson représente aussi, d'autre part, une vaste industrie soumise aux lois des marchés. La chanson et son industrie possèdent leurs lieux de consécration (académies, prix, palmarès, festivals), mais ils sont en fait des moyens de publicité de cette industrie et de son commerce. De sorte qu'à la faveur des avancées technologiques qui en assurent une diffusion et circulation plus larges (arrivée du disque en vinyle, puis du CD, développement de la radiophonie, puis des nouvelles technologies) et des efforts déployés sur une plus grande échelle pour la promotion des artistes (*star system*), le statut de la chanson se déplace de plus en plus de celui de production culturelle identitaire à celui de produit commercial standardisé, mondialisé (*World music*) et médiatisé (vidéo-clip, chaînes et magazines spécialisés, etc.). Ce mouvement explique les mesures politiques prises au Québec et en France afin de protéger (sous la forme de quotas radiophoniques) la chanson en français – symbole culturel fort – d'une concurrence étrangère et économiquement plus riche, notamment américaine.

▶ CALVET L.-J., *Chanson et société*, Paris, Payot, 1981. — LAFORTE C., *Poétiques de la chanson traditionnelle française*, Québec, PUL, 1993. — TIERSOT J., *Histoire de la chanson populaire en France*, Genève, Minkoff reprint, [1889], 1978. — ZUMTHOR P., *Introduction à la poésie orale*, Paris, Le Seuil, 1983.

Annie CANTIN

→ *Folklore ; Lyrisme ; Marché littéraire ; Musique ; Oralité ; Poésie.*

CHANSON DE GESTE → Épopée

CHEF-D'ŒUVRE

« Chef-d'œuvre » apparaît en français au XIIIe s., dans le langage des métiers et des corporations : il désigne un objet difficile à réaliser qu'un compagnon artisan doit produire pour être reçu maître dans sa corporation. « Œuvre » renvoie ici à son sens initial : ce qui est fait, fabriqué, en utilisant un art – au sens premier, une technique, un savoir-faire ; la valeur de « chef » est ambivalente : le terme signifie « tête » (de *caput*), et l'expression peut donc renvoyer à une œuvre « capitale », ou connoter « celle qui vient en tête, la première ». En art et en littérature, et dans le langage courant, chef-d'œuvre désigne une œuvre majeure, magistrale, l'accomplissement d'un auteur ou d'un genre dans une de ses réalisations.

L'usage de la notion de chef-d'œuvre implique toujours un jugement de valeur. Dans son emploi d'origine, le compagnon qui réalise un chef-d'œuvre le présente devant un jury de maîtres du métier, qui décident de le recevoir ou non comme l'un des leurs. Le chef-d'œuvre est donc indissociable de la reconnaissance et de la consécration. De ce fait, la notion ne peut être objectivée. Sauf à considérer qu'un sentiment commun (le *consensus omnium*), en attribuant la qualité de chef-d'œuvre à certaines œuvres, reconnaît une valeur intrinsèque : mais au fil du temps, les appréciations ont changé sur les mêmes œuvres (ainsi Homère adulé par les Anciens et critiqué par les Modernes), et elles varient au sein d'une même société – c'est la substance de nombre de querelles littéraires. Aussi cette notion n'a-t-elle guère été théorisée. En revanche, elle fait l'objet, outre sa fréquence dans le langage courant, d'usages institutionnels : des collections éditoriales ou des manuels de littérature proposent des inventaires des « chefs-d'œuvre de » (tel auteur, tel genre, telle époque, telle littérature). Cet usage est lié à celui de catégories comme celles des « grands écrivains », des « modèles » et des « classiques ». Elle a été largement employée dans l'histoire littéraire. Le découpage de celle-ci en périodes caractérisées par la prééminence d'une école et d'une esthétique a conduit à considérer que celle-ci s'accomplissait au mieux possible dans certaines œuvres : ainsi, *Phèdre* (1687) pour la tragédie classique et *Ruy Blas* (1838) ou *Lorenzzacio* (1834) pour le drame romantique, *Nana* (1879) pour le roman naturaliste, etc. Cette façon de voir, commode pour une présentation pédagogique, a l'inconvénient d'imposer une conception téléologique : le chef-d'œuvre n'y est alors plus la qualification accordée à une œuvre généralement reconnue comme très réussie, mais une sorte d'aboutissement nécessaire, d'apogée dont d'autres œuvres antérieures seraient des ébauches, et des œuvres ultérieures des copies plus ou moins affadies. Alors un phénomène effectif, le jeu d'imitation, de reprises, d'héritages et d'intertextualité, est transformé en tracé d'un destin des esthétiques, et, en fin de compte, de l'histoire. D'où, chez certains historiens et critiques, une seconde analyse téléologique, qui considère que l'œuvre d'un grand auteur comporte un ou des sommets de perfection, ses chefs-d'œuvre, que ses autres écrits ne font que préparer ou accompagner. Ce type de démarche a reçu une formulation maximaliste chez G. Lanson. Il appelait de ses vœux une histoire littéraire capable d'établir une « loi d'apparition du chef-d'œuvre », par conjonction de la maturation d'une esthétique et d'un genre, la maîtrise artistique d'un auteur, la maturité d'un public (« La méthode de l'histoire littéraire » ([1905], 1925). Mais l'idée avait été parodiée longtemps avant, par Le *Chef-d'œuvre d'un inconnu*, de Saint-Hyacinthe (1714) : cette œuvre consiste à présenter une chanson banale assortie de quantités de gloses et commentaires érudits (fictifs) qui la traitent comme une œuvre majeure, et du coup la font passer pour un chef-d'œuvre.

La notion de chef-d'œuvre, évidemment tributaire de la notion d'œuvre et d'art, donc de vouloir, est passible des mises en questions dont celle-ci a fait l'objet. Ainsi M. Blanchot par exemple (1959) considère que vouloir produire des chefs-d'œuvre est une illusion, nécessaire à l'écrivain – elle le pousse à écrire – mais néfaste, et qu'une œuvre majeure n'est pas tant le fruit d'un art que le résultat d'une disponibilité que l'esprit a su s'imposer pour se rendre réceptif.

La tension entre ces conceptions manifeste l'ambivalence de la notion. Mais sa fréquence d'usage correspond à un besoin et un enjeu : le nombre des œuvres exige donc de distinguer celles qui méritent d'être connues et retenues ; d'où les collections des « chefs-d'œuvre de... », « bibliothèque idéale », etc. L'exercice du jugement, individuel mais plus encore collectif, est partie intégrante de la vie littéraire : l'idée de « chef-d'œuvre » exprime les enjeux esthétiques et idéologiques, les modèles qu'une société veut ou peut partager.

▶ BLANCHOT M., *Le livre à venir*, Paris, Gallimard, 1959. — LANSON G., *Méthode de l'histoire littéraire*, Paris, Les Belles Lettres, 1925 ; repris dans *Essais de méthode, de critique, et d'histoire littéraire*, L. Peyre (éd.), Paris, Hachette, 1965. — « Qu'est-ce qu'un classique ? », *Littératures classiques*, automne 1993, n° 19, éd. A. Viala.

Mathilde BOMBART

→ *Canon, Canonisation ; Classicisme ; Histoire littéraire ; Imitation ; Institution ; Modèle ; œuvre.*

CHŒUR

Dans le vocabulaire du théâtre, le chœur désigne un groupe de danseurs, de musiciens, de chanteurs ou d'acteurs qui présentent l'action ou interviennent dans son déroulement. Les « choreutes » peuvent être plus ou moins nombreux, et ils sont souvent dirigés par un chef de chœurs nommé le coryphée. Dans certains cas, leur nombre est rituellement fixé, mais la fonction du chœur peut également être assumée par une seule personne.

Le chœur est un élément central du théâtre antique, qu'il s'agisse du dithyrambe, de la tragédie, de la satire ou de la comédie. Ses chants forment près d'un tiers du texte dans les tragédies d'Eschyle et les comédies d'Aristophane. Il rythme le spectacle en remplaçant l'entracte, mais sert également à commenter l'action en exprimant l'opinion de la cité à propos des événements représentés. À ce titre, il participe à la démocratie et à la symbolique du pouvoir à Athènes. Le rôle du chœur s'atténue dans les périodes ultérieures. Il reste toutefois très présent dans les compositions musicales et dans les pratiques cultuelles et religieuses.

Redécouvert par les humanistes à la Renaissance, le rôle du chœur théâtral s'impose à leurs yeux comme une composante de la tragédie à l'antique. Les *Iphigénie*, *Médée*, *Didon* ou *Phèdre* de l'époque utilisent le chœur comme une transition, à l'instar des intermèdes religieux. Il est souvent un commentateur de l'action, mais dans certains cas, comme la *Cléopâtre* de Jodelle (1552) ou le *César* de J. Grévin, 1561, les chœurs sont plus directement associés à l'action. Ils subsistent jusqu'aux tragi-comédies d'A. Hardy, poète de l'Hôtel de Bourgogne au début du XVIIe s. La réaction moderniste, dès les années 1620, en diminue la part. Mais les chœurs réapparaissent chez Molière, sous la forme d'intermèdes dansés et chantés dans les comédies-ballets (*Le mariage forcé*, 1664 ou *Le malade imaginaire*, 1673), et chez Racine, qui, dans *Esther* (1689) ou *Athalie* (1691) renoue avec le modèle antique à un moment où la cour, devenue dévote, souhaite donner une ampleur particulière à la tragédie religieuse. Mais les tragédies s'écrivent désormais sans recours systématique au chœur. Nombre d'auteurs de théâtre qui tentent de renouer avec la leçon de l'Antiquité l'utilisent encore fréquemment, comme Hugo, Musset, Büchner, Giraudoux, Anouilh ou Tremblay. Au XXe s., Claudel s'associe avec le compositeur Darius Milhaud pour rendre vie aux *Choéphores* d'Eschyle.

La forme privilégiée du chœur dans le théâtre politique du XXe s. est le chœur parlé. Plusieurs voix ou groupes, d'importance numérique variable, récitent un texte sur un certain rythme. Ils en amplifient ainsi la portée et en augmentent l'impact ; ils peuvent aussi utiliser diverses modulations : tantôt le chœur parlé fera bloc, tantôt il se divisera en paroles différenciées, individuelle (soliste ou récitant) ou voix d'ensemble. Le chœur parlé se développe en URSS après 1917, et se répand en Europe aux alentours de 1930 avec le développement du mouvement « d'agit-prop » (des troupes amateurs, militantes, composées d'ouvriers, de chômeurs, de jeunes travailleurs) qui se vouent à l'agitation et à la propagande communiste et socialiste auprès des masses, hors théâtre mais par des moyens théâtraux ou para-théâtraux. Brecht en fait une des clés de la distanciation. En France, *La scène ouvrière*, organe de la Fédération du Théâtre Ouvrier Français, fait du chœur l'organe du pathos prolétarien révolutionnaire. Il prend une place suffisamment remarquée dans la revue pour que celle-ci, un jour, s'emploie à réfuter le préjugé que « FTOF = chœur parlé » (Ivernel). *Naissance d'une cité* de Jean-Richard Bloch, avec chœurs de masse, mérite d'être citée comme une des rares créations dans l'esprit d'un Front populaire avancé. Le monde catholique, au Québec comme en Belgique, organise également de grands chœurs célébrant le Christ-Roi, ou proclamant les valeurs de la Jeunesse ouvrière chrétienne. Ces manifestations collectives survivent rarement à l'apparition des médias de masse.

Le chœur touche forcément à l'expression de la vie collective, et il a vocation à assumer un rôle cultuel ou religieux et des fonctions civiques ou pédagogiques autant que culturelles et artistiques. Son emploi donne un éclat ou une solennité particulière au spectacle. Il peut être, comme dans le théâtre grec, le porte-parole de l'opinion commune (la doxa), dont la voix contraste avec l'emportement passionnel des protagonistes du drame. Il peut également former un appel à la conscience critique et politique du spectateur, comme dans le théâtre brechtien.

Relais entre la salle et la scène, le chœur peut remplir également un rôle à part entière, souvent confondu avec celui de l'annonceur ou du récitant. Dans certains genres, son emploi est ritualisé. C'est le cas dans les revues de fin d'année, dont il est le final obligé, dans le théâtre lyrique, l'opéra, l'opérette ou la comédie musicale mais aussi, de manière plus improvisée, dans les apostrophes de Guignol aux spectateurs.

▶ LOUVAT B., *Théâtre et musique en France, 1550-1680*, Paris, Champion, 1999. — WANGERMÉE R., « Esthétique et technique du chœur parlé », *Bulletin de la classe des Beaux-Arts*, Bruxelles, Académie royale de Belgique, 1997, 1-6, p. 129-167. — WILSON P., *The Athenian Institution of the Khoregie : The chorus, The City and the Stage*, Cambridge-New York, Cambridge U. P., 2000. — Coll. : « Entre poésie et propagande. Charles Plisnier et les chœurs parlés en Belgique », *Rue des usines* (Bruxelles), printemps 1997, 34-35.

Paul ARON

→ *Antiquité ; Didactique (Littérature) ; Distanciation ; Doxa ; Musique ; Revue théâtrale ; Théâtre ; Tragédie.*

CHRESTOMATHIE → Anthologie

CHRISTIANISME

En sa qualité de religion dominante en Occident, le christianisme a exercé une influence prépondérante sur les pratiques culturelles en général, la littérature en particulier. Elle peut être envisagée selon deux perspectives : celle d'une littérature chrétienne d'une part, celle de l'influence idéologique d'ensemble d'autre part. La première étant traitée par ailleurs (voir : Bible, Catholicisme, Jansénisme, Jésuites, Réforme et Réforme catholique), on se limitera ici à la seconde.

Si la littérature entretient partout des relations privilégiées avec le fait religieux, dans les civilisations fondées sur l'écriture s'ajoutent au fond mythique religieux qui nourrit la création artistique, les nécessités du culte et la formalisation des rites : elles contribuent le plus souvent au développement d'une caste de prêtres qui détiennent le pouvoir, souvent sacralisé, de l'écrit. Cette double influence fonde les rapports du christianisme à la littérature.

On ne saurait passer sous silence les relations que le christianisme entretient avec le judaïsme. La tradition hébraïque a donné naissance aux deux autres religions monothéistes et c'est à son image que le christianisme et l'islam se définissent comme religions du Livre. Les formes de piété propres aux religions monothéistes induisent une relation personnelle du croyant avec la référence scripturaire. Une telle focalisation sur l'Écriture sainte a amené les religions du livre à valoriser l'acquisition des compétences liées à la lecture et à l'écriture comme l'un des moyens de perfectionnement de la nature humaine.

Or le christianisme est à considérer dans son statut de « culture seconde ». En effet, il a émergé en contexte juif et s'est constitué sur la base de concepts clés de la religion hébraïque. Il entretient avec la tradition dont il est issu un rapport qui a été d'emblée marqué par une profonde ambiguïté, puisqu'il prétend en annexer toute la portée au profit de la mise en évidence du statut messianique du Christ : il consiste donc à ajouter des textes (les Évangiles) au texte premier (l'Ancien Testament), et à réinterpréter celui-ci à la lumière de ceux-là. Il est donc par essence une entreprise intertextuelle et herméneutique. D'autant que la parole du Christ elle-même est en règle générale de l'ordre de la parabole, donc exige interprétation. De plus, il revendique une vocation universelle là où le judaïsme lie une foi et un peuple ; donc il impose à la pensée de revisiter les expressions clés de la foi juive pour leur assigner une valeur métaphorique. La lecture chrétienne de l'Ancien Testament a ainsi longtemps reposé sur une appréciation figurée des récits et une interprétation christocentrique des prophéties.

Ce rapport de compétition est à la racine de l'anti-judaïsme chrétien : les lignes de fracture à partir desquelles se définissent les spécificités des trois religions du livre relèvent des efforts de chacune pour affirmer sa vérité, là où leurs rapports sont historiquement marqués par un élargissement progressif du corpus sacré et du propos. La distinction avec le judaïsme s'est imposée comme une évidence, avec le développement de communautés chrétiennes hors de Palestine. Mais en même temps, elles ont accueilli en leur sein des païens convertis, et un second univers de référence a pris de l'importance : la doctrine des disciples du Christ a été mise en demeure de se mesurer à la culture gréco-romaine et aux traditions philosophiques du monde antique.

La culture chrétienne se définit par référence et aussi en réaction à cette double antériorité, juive et païenne. Assumant une filiation à la fois complexe et ambiguë, elle s'est livrée à une immense entreprise de réinterprétation de ces antécédents. À partir des méthodes exégétiques élaborées par des juifs hellénisés comme Philon d'Alexandrie, elle a forgé les instruments herméneutiques qui marquent l'histoire de la pensée occidentale. Cette attitude intellectuelle explique peut-être l'importance de la notion de renaissance dans l'histoire de la pensée chrétienne : le prestige des anciens se conjugue avec une volonté de réforme toujours active, la nouveauté, entendue non comme une exigence d'originalité subjective, mais comme un impératif d'incessante régénération.

Contrairement à la Torah ou au Coran, la Bible chrétienne n'est pas le livre d'une langue unique et sacrée. L'alliance de l'Ancien et du Nouveau Testaments implique une double référence linguistique, au grec et à l'hébreu. De plus, l'Évangile s'adresse à toutes les nations, c'est pourquoi il a été traduit très tôt dans les grandes langues de culture, puis dans les langues vernaculaires. Même si le langage liturgique ne saurait se passer de la référence au latin, dans la tradition catholique, ou au grec et au slavon, dans la tradition orthodoxe grecque et russe, aucune de ces langues ne peut prétendre détenir le monopole de la diction du divin. Cet incessant effort de traduction n'a pas peu contribué au développement des sciences du langage, comme la critique de texte ou la philologie.

Car le livre saint, outre qu'il n'a pas d'unité linguistique, se caractérise encore par la pluralité de ses autorités. La vie du Christ Jésus, sa mort et sa résurrection sont au centre du Credo, mais celui que les évangiles présentent comme le Messie n'a laissé aucune trace écrite de sa prédication. C'est aux écrits des principaux disciples que revient cette tâche (propager la Bonne Nouvelle : en grec *Eu-vangelion*). Les quatre Évangiles s'accordent en général sur les principaux événements de la vie de Jésus, mais chacun répond à un plan d'ensemble et à une visée théologique qui lui est propre. De même, les Épîtres des apôtres présentent des divergences doctrinales. Ainsi, si l'établissement du canon biblique repose sur la reconnaissance de l'inspiration divine de chacun des textes retenus, les lecteurs de la Bible, confrontés aux obscurités et aux divergences de l'Écriture, ont dû se doter de compétences herméneutiques et linguistiques. Le christianisme constitue de la sorte la source majeure des usages de ces disciplines dans la culture occidentale. Les études littéraires en ont hérité, en en transférant les protocoles et les procédures à l'examen des textes de fiction.

Mais la pensée chrétienne a laissé aussi une profonde empreinte dans la substance même de la culture qu'elle a forgée. Outre que l'Ancien Testament contient nombre de mythes qui circulent aussi dans les traditions païennes (Samson peut être comparé à Hercule, Judith et Lucrèce se ressemblent, etc.), les principaux dogmes du christianisme induisent une valorisation de certaines formes de pensée et, partant, d'expression. La foi en l'incarnation du Verbe divin, par exemple, repose sur un *adynaton*, un impossible : elle impose la croyance en un être à la fois vrai homme et vrai Dieu. La double nature du Christ doit être confessée comme ce qui atteste le caractère inouï du plan de Dieu. La révélation chrétienne repose sur une logique du paradoxe : la gloire du Messie réside dans son humiliation, sa force dans sa faiblesse ; le scandale et la folie de la croix sont l'expression de la sagesse de Dieu.

Le dogme de la Trinité n'est pas moins complexe. Le christianisme a développé une théorie du divin dans laquelle la distinction des points de vue prend le pas sur l'affirmation de l'unicité de Dieu. Il privilégie la relation d'amour entre les personnes – ou hypostases – divines plutôt que l'omnipotence de la divinité.

Avec une telle propension à la complexité, la foi chrétienne semblait promise au destin d'une religion à mystères, dont le plein entendement n'est possible qu'à une petite élite d'initiés. Pourtant, le langage biblique est narratif et concret, la tradition des paraboles évoque un monde rural et prosaïque. De fait, tout au long de son histoire, le christianisme a été sollicité par les exigences contradictoires d'une prédication universaliste et d'une réflexion théologique extrêmement subtile. La piété chrétienne s'exprime aussi bien au travers de la foi du charbonnier que de la sagacité du clerc. Dans ces conditions, à côté du registre didactique inhérent à la production religieuse, le sublime en constitue une manifestation particulièrement significative : rétablissant la simplicité au sein même, et au-delà, de la complexité, il a constitué un pan majeur des préoccupations de l'esthétique en général, et de l'esthétique littéraire en particulier.

▶ SAINT AUGUSTIN, *La doctrine chrétienne = De doctrina christiana*, texte critique de l'éd. de J. Martin, revu et corrigé, introd. et trad. de Madeleine Moreau, Paris, 1997 (Bibliothèque augustinienne). — FRYE N., *The Great Code : The Bible and Literature* [1982] ; trad. C. Malamoud, *le Grand Code : la Bible et la littérature*, Paris, 1984 ; *Words with power : being a second study of « The Bible and Literature »* [1990], trad. C. Malamoud, *La parole souveraine : la Bible et la littérature II*, Paris, 1994. — *Histoire du Christianisme des origines à nos jours*, sous la dir. de J.-M. Mayeur, Ch. Pietri, A. Vauchez, M. Venard, Paris, Desclée de Brouwer-Fayard, 1990, 14 vol.

Yasmina FOEHR-JANSSENS

→ *Apologie ; Bible ; Didactique (Littérature) ; Exégèse ; Herméneutique ; Imaginaire et imagination ; Judaïsme ; Mythe ; Patristique ; Religion ; Sublime ; Utilité.*

CHRONIQUE

D'origine grecque (construit sur *chronos*, le temps), le terme de chronique n'a guère été employé par l'historiographie antique pour désigner un genre particulier (Cornélius Népos a toutefois composé une *Chronica* – perdue – résumé des principaux événements de l'histoire universelle avec leurs dates). Le terme est utilisé au Moyen Âge pour désigner des œuvres historiques privilégiant l'ordre chronologique des faits dont on conserve la mémoire. En un sens dérivé, il est utilisé à partir du XIXe s. pour qualifier un cycle de romans retraçant l'histoire d'une famille (voir : Roman familial). En un autre sens, il désigne également un article de journal relatant les nouvelles du moment dans un domaine particulier, accompagnées le plus souvent d'un commentaire.

La tradition médiévale des chroniques remonte aux *Canons chronologiques* d'Eusèbe de Césarée (265-340), dont la première partie est constituée de chronologies comparées des différentes nations de l'Antiquité et des Hébreux, et la seconde d'un abrégé de l'histoire universelle. La version en latin complétée par saint Jérôme est connue sous le titre de *Chronica*, qui fixe le terme. Différentes compilations et continuations la reprennent, jusqu'au *Miroir historial* de Vincent de Beauvais (XIIIe s.). Le texte le plus répandu au XIIe s. est la *Chronographie* de Sigebert de Gembloux. Furent également rédigées des chroniques des croisades et/ou nationales : *Chronique des Ducs de Normandie* écrite par Benoît de Sainte-Maure en français pour Henri II Plantagenêt (vers 1170), *Chroniques de Saint-Denis* (vers 1250) relatant en latin puis en français l'histoire des rois de France. Les *Chroniques* de Froissart (vers 1370 et 1400) font le récit des guerres et grands événements du XIVe s. en France, en Flandre et en Angleterre.

Mettant en évidence l'ordre temporel de la narration historique, la chronique apparaissait comme la forme emblématique de l'historiographie médiévale. Le terme est repris au XIXe s. pour des récits historiques ou pseudo-historiques (*Chronique du règne de Charles IX* de Mérimée, 1839 ; *Chroniques italiennes* de Stendhal, 1865 ; *Chroniques de l'œil de Bœuf*, 1830-1832, compilation d'anecdotes sur le Grand siècle, par G. Touchard-Lafosse). Quand des écrivains étudient l'histoire et la société, elle leur fournit une forme appropriée : ainsi Zola, avec les *Rougon-Macquart*, représente la chronique d'une famille sous le Second Empire, et plus tard, par exemple, Duhamel *La chronique des Pasquier* (1933-1944). Le mot prend une extension de plus en plus large, dont témoignent la diversité des récits titrés « chroniques » : textes plus ou moins autobiographiques et valant témoignage (*Chroniques maritales* de Jouhandeau, 1938, *Chroniques du plateau Mont-Royal* de Tremblay, 1978-1989), récits de voyage (P. Morand, *Chroniques du XXe siècle*, 1930) mais aussi poèmes (A. Dhôtel, *Chronique fabuleuse*, 1960).

Dans le vocabulaire journalistique, la chronique propose des articles d'actualité paraissant régulièrement, sur un sujet donné, et le mot s'applique notamment à la critique : ainsi les *Lundis* (1849 *et sq.*) de Sainte-Beuve sont des chroniques, comme les articles que donnent Gautier, Barbey d'Aurevilly, Mirbeau, ou aujourd'hui Bertrand Poirot-Delpech par exemple, et qui peuvent être rassemblés en recueils (Aragon, *Chroniques du bel canto*, 1947).

La chronique hérite en partie des chroniques universelles, et en partie des Annales, qui racontent ce qui s'est passé année après année. En cela, elle se distingue d'une histoire pourvue d'une unité et répondant aux règles de la rhétorique, à laquelle on demande d'ordonner les faits en établissant entre eux des relations causales et d'offrir des récits exemplaires à valeur morale. L'histoire implique, en théorie, le témoignage de l'auteur et une vision explicative, tandis que la chronique est un simple enregistrement de faits, dans la succession des temps.

Composées selon l'ordre temporel dans lequel sont pris les événements du monde créé par Dieu, les chroniques incarnent l'historiographie médiévale et correspondent à la conception chrétienne de l'ordre temporel. C'est pourquoi, dès la Renaissance, le terme de chronique tend à caractériser de manière plutôt péjorative ou condescendante une telle tradition.

On voit quel déplacement il a connu ensuite. L'extension de son usage à partir du XIXe s. se fonde d'abord sur l'idée de « suite de faits » : relatée au jour le jour, elle donne la chronique au sens journalistique, retraçant l'ordre historique, elle suscite la « chronique romanesque ». Mais surtout, l'idée du témoignage et du commentaire y est devenue majeure.

▶ ANGENOT M., « La chronique parisienne » in *1889. Un état du discours social*, Longueil, Le Préambule, 1989, p. 547-550. — BUSCHINGER D. (éd.), *Chroniques nationales et chroniques universelles*, Göttingen, 1990. — GUENÉE B., « Histoires, annales, chroniques. Essai sur les genres historiques au Moyen Âge », *Annales ESC*, 1973, 28, p. 997-1016 ; *Histoire et culture historique dans l'Occident médiéval*, Paris, Aubier-Montaigne, 1980. — POIRION D. (éd.), *La chronique et l'histoire au Moyen Âge*, Paris, 1984.

Christopher LUCKEN

→ *Guerre ; Histoire ; Historiographie ; Journalisme ; Médiévale (littérature) ; Roman ; Roman familial.*

CINÉMA

On peut classer schématiquement les rapports entre littérature et cinéma en deux grandes catégories : d'une part, les discours de chacun sur l'autre, et d'autre part toutes les formes de collaboration ou d'imbrication des pratiques littéraires et cinématographiques, avec tous les effets stylistiques que ces expériences impriment aux œuvres elles-mêmes. On y englobe les films réalisés par des écrivains (Pagnol, Guitry, Cocteau, Pasolini, Duras, Robbe-Grillet, Toussaint), les textes littéraires de certains cinéastes (Epstein, Gance, Buñuel, Renoir), l'écriture de scénario par des écrivains, la collaboration active entre un écrivain et un cinéaste sur un ou plusieurs films (Artaud et Dulac pour *La coquille et le clergyman*, Prévert sur nombre de films de Carné, James Agee et John Huston pour *African Queen*, Duras et Resnais pour *Hiroshima mon amour*), l'édition de scénarios ou de ciné-romans (Robbe-Grillet, Duras), les adaptations cinématographiques d'œuvres littéraires et, à l'inverse, les adaptations romancées de films ou de téléfilms.

Avant même l'invention du cinéma, Jules Verne (dans *Le château des Carpates*) et Villiers de l'Isle-Adam (dans *L'Ève future*) avaient imaginé des dispositifs illusionnistes dans lesquels on reconnut par la suite des anticipations du cinéma. Cependant, dès les origines de celui-ci, Gorki, épouvanté par les premières vues de Lumière, étranges et silencieuses, dépourvues des couleurs de la vie, parlait du cinéma comme du « royaume des ombres ». Il affirmait ainsi un parti pris naturaliste que le cinéma ne satisfaisait pas, et marquait le peu d'estime que l'institution littéraire a éprouvée à l'égard du premier cinéma. Du reste, les « cinéromans » produits par Pathé dès 1905, à partir de textes d'écrivailleurs payés au mètre de pellicule tirée ont attiré le mépris de Montherlant, Anatole France ou Georges Duhamel envers le cinéma, « divertissement d'ilotes », « passe-temps d'illettrés », dans lequel ils voyaient « la fin d'une civilisation » ou « un des plus grands facteurs d'abrutissement du XXe siècle ». S'exprimait ainsi le point de vue de l'élite à l'égard d'un mode d'expression populaire. Quand, d'aventure, un film de Chaplin comme *La ruée vers l'or* emporte l'adhésion d'André Gide, celui-ci écrit : « Cela est si bon de pouvoir ne point mépriser ce que la foule admire. » Même Roland Barthes, qui apprécie pourtant Antonioni, avoue plus tard ne pas aimer le cinéma dont il regrette le manque de « pensivité ».

À l'inverse, des écrivains ont été très tôt enthousiasmés par le cinéma et n'ont pas hésité à l'exprimer dans leurs critiques de films ou leurs réflexions sur la nature du nouvel art. L'un des premiers, Riccioto Canudo, a attribué au cinéma la septième place sur l'échelle des arts. Pour Guillaume Apollinaire, Blaise Cendrars ou Max Jacob, le cinéma muet (surtout le jeune cinéma américain d'après-guerre, celui de Chaplin, Fairbanks, Stroheim, De Mille) offre enfin l'espoir d'une réconciliation sociale, d'un art qui s'adresse aussi bien aux masses qu'aux intellectuels. Dans les cercles avant-gardistes des années vingt, le cinéma apporte non seulement le moyen de réaliser le rêve moderne de l'art égalitaire, que la littérature trop ancrée dans la tradition n'avait pas pu accomplir, mais aussi l'occasion de rénover en profondeur l'écriture romanesque et poétique. En 1917, Apollinaire invite les poètes à « se préparer à cet art nouveau ». Il encourage les écrivains à produire des scénarios originaux. Immédiatement, Philippe Soupault écrit un « poème cinématographique » intitulé *Indifférence*, qu'il propose à ceux qui ont les moyens de le réaliser. En 1919, Jules Romains publie un « conte cinématographique », *Donogoo-Tonka*, dont la forme scénaristique lui aurait été suggérée par Blaise Cendrars. Ce dernier, passionné de cinéma et collaborateur d'Abel Gance sur le tournage de *La roue*, cherche à fondre écriture littéraire et écriture de cinéma : *La perle fiévreuse* se présente comme un découpage technique d'un film dont nul ne sait s'il a jamais été tourné, tandis que *La fin du monde filmée par l'ange Notre-Dame* (1919), sous-titré « roman », est une sorte de scénario en même temps qu'un poème apocalyptique. En 1925, Gallimard lance une nouvelle collection, destinée à créer une littérature propre au cinéma et intitulée « Cinario », et annonce la collaboration de romanciers célèbres ; mais ils font défaut et la collection périclite. Au même moment, Desnos exprime l'admiration des surréalistes pour le *Fantômas* de Louis Feuillade. Mais il ajoute, à propos du théâtre filmé et des adaptations commerciales : « Malheureusement, la littérature gâta tout. » C'est qu'à ce moment, avec l'arrivée du cinéma parlant, « l'art du théâtre ressuscitait sous une autre forme », comme l'écrivit Pagnol pour qui le film n'était qu'un moyen de diffusion de l'œuvre théâtrale ou romanesque. Guitry, qui se déclare l'unique auteur de ses films, et des scénaristes comme Spaak, Prévert et Jeanson, qui apportent au cinéma français des histoires solidement charpentées et des dialogues relevés, sont considérés comme les véritables auteurs des films, ce qui confirme l'annexion du cinéma par la littérature.

En revanche, la littérature elle-même se transforme considérablement au contact du cinéma. On parle de « romans cinématographiques » pour désigner le recours par certains écrivains, notamment américains (Dos Passos, Hemingway, Faulkner, Steinbeck), à des méthodes narratives d'origine filmique : visualité, objectivité et refus d'entrer dans l'esprit des personnages, ellipses et successions de tableaux rapides, effets de montage accéléré, etc. De même, Giraudoux, Kessel et Morand écrivent leurs impressions d'Amérique dans un style dont la nouveauté est associée, un peu hâtivement, au langage du cinéma. On parle aussi d'écriture cinématographique pour désigner le style de Simenon. Cette extériorité du récit que le cinéma suggère influence également *L'étranger* de Camus et rejaillit plus tard dans le Nouveau Roman (Roland Barthes évoque, à propos des *Gommes* de Robbe-Grillet, « la nature proprement optique du matériel romanesque »). C'est cependant chez deux écrivains cinéastes, Marguerite Duras et Alain Robbe-Grillet, que la conjonction du cinéma et du roman sera la plus radicale et la plus aboutie. L'un et l'autre publient, sous l'appellation ici renouvelée de « ciné-roman », les textes de leurs films. Dans *Nathalie Granger*, Duras ajoute des indications relatives au tournage, comme si le fait du film devenait un événement romanesque. L'absorption du cinéma par le roman n'est pas seulement stylistique, elle est aussi thématique. Les films, les stars, les situations spectaculaires et les mythes du cinéma font le menu de nombreux romans (entre autres dans *Les choses* de Georges Perec, *Ciné-Roman* de Roger Grenier, *Souvenirs Écran* de Claude Ollier, *Triptyque* de Claude Simon). D'autre part, les cinéastes de la Nouvelle Vague ont renoué avec la littérature dans les années 1950, en réalisant ce qu'on peut appeler des « films littéraires ». En 1954, Alexandre Astruc avait avancé l'idée de la « caméra-stylo », c'est-à-dire de la possibilité, pour un cinéaste, de s'exprimer avec une caméra aussi librement que l'écrivain avec un stylo. C'est le credo de François Truffaut, dont les adaptations des romans d'Henri-Pierre Roché (*Jules et Jim*, *Les deux Anglaises et le continent*) se montrent respectueuses du texte source, également d'Éric Rohmer dans son adaptation de *La marquise d'O*, d'après la nouvelle d'Heinrich von Kleist ou encore de Jean-Luc Godard qui émaille *Pierrot le fou* de citations de Rimbaud. Cependant, la littérarité d'un film n'est pas seulement le fait de l'adaptation. Associée à l'expression de la subjectivité, elle traverse des scénarios originaux qui attribuent un rôle essentiel au commentaire subjectif en voix-off (*Brève rencontre* de David Lean, *Une simple histoire* de Marcel Hanoun), ou encore toutes les formes de films subjectifs comme le film autobiographique (Fellini, Woody Allen, Boris Lehman), le film épistolaire (*News from home* de Chantal Akerman), l'essai (*Sans soleil* de Chris Marker), ou le journal filmé (Joseph Morder, Jonas Mekas). En dépit de ces rapprochements, les deux langages restent cependant distincts : leurs rapports sont plus souvent de l'ordre du dialogue que de la fusion, même si certains réalisateurs-écrivains ont rêvé celle-ci.

▶ CLERC J.-M., *Écrivains et cinéma*, Paris, Klincksieck, 1985 ; *Littérature et cinéma*, Paris, Nathan, 1993. — GAUDREAULT A., *Du littéraire au filmique*, Paris, Méridiens, Klincksieck, 1988. — ROPARS-WUILLEUMIER M.-C., *De la littérature au cinéma, genèse d'une écriture*, Paris, Armand Colin, 1970. — VIRMAUX A. et O., *Le ciné-roman, un genre nouveau*, Paris, Edilig, 1983. — Coll. : « L'écriture du « je » au cinéma », *Revue belge du cinéma*, printemps 1989, n° 19.

Marc-Emmanuel MÉLON

→ *Adaptation ; Dialogue ; Espace ; Image ; Narration ; Scénario ; Théâtre.*

CIRQUE

Cet article ne concerne pas le cirque tel qu'il apparut chez les anciens Romains qui le destinaient aux jeux publics. En revanche, le type de spectacle appelé cirque à l'époque moderne eut un impact sur la littérature à partir du moment où Paris devint la capitale mondiale du cirque, suite au succès obtenu en 1774 par l'écuyer anglais Astley qui y présenta le premier spectacle hippique. À côté des structures provisoires de bois et de toile, s'élèvent ensuite des établissements de pierre comme les Deux Cirques, d'Été (1841) et d'Hiver (1852), le cirque Médrano (1875), le Nouveau Cirque (1886) et différents Hippodromes. Le cirque apparaît ainsi comme une invention du XIXe s. C'est à cette époque, où le cirque se développe dans une architecture qui lui est propre et où il se constitue en art spécifique, qu'il attire l'attention des peintres et des écrivains, intéressés par l'exception de ce spectacle singulier, qui acquiert bientôt une dimension mythique.

Au départ essentiellement équestre, destinée à un public aristocratique et nullement enfantin, la représentation s'enrichit d'intermèdes acrobatiques et comiques au cours desquels s'affirme un écuyer parodique, le grotesque « parleur » ou « sauteur », dont le personnage se dédouble, vers 1865, en clown blanc et Auguste. Pierrot et le traditionnel Paillasse français, héritiers de la Commedia dell'arte et du Théâtre de la Foire, subissent la concurrence du clown anglais, dont Baudelaire décrit les sinistres grimaces dans *De l'essence du rire et généralement du comique dans les arts plastiques* (1855-1868).

Après la démolition du « Boulevard du Crime » par Haussmann, en 1862, le cirque recueille l'héritage du Théâtre des Funambules, en récupérant le monopole des représentations de pantomimes. À la fin du XIXe s., son identité tend parfois à se confondre avec le music-hall, qui évince progressivement le café-concert (Joris-Karl Huysmans, *Croquis parisiens*, 1880). Par l'entremise des chapiteaux itinérants, la thématique du cirque voisine aussi avec la fête foraine, surtout chère aux poètes (Rimbaud, Verlaine, Richepin, Mallarmé), et qui inspirera plus tard Raymond Queneau (*Pierrot mon ami*, 1943).

Théophile Gautier, dès les années 1830, consacre une chronique régulière aux exploits de la piste, où il trouvait l'expression idéale du mélange des genres cher aux romantiques (*Histoire de l'art dramatique en France depuis vingt-cinq ans*). Par la suite, entre 1850 et 1880, Jules et Edmond de Goncourt (*Journal*, 1851-1896 ; *Les frères Zemganno*, 1879) ainsi que Jules Barbey d'Aurevilly (*Le théâtre contemporain*, 1892), accordèrent une attention particulière à cette forme de spectacle qui commence aussi à fasciner les peintres (Renoir, Degas, Seurat, puis Chéret, Toulouse-Lautrec, Picasso, Rouault, Léger). Au début du XXe s., cet intérêt gagne les musiciens du Groupe des Six qui, en collaboration avec Jean Cocteau, élaborent des fantaisies musicales inspirées par le cirque (Erik Satie, *Parade*, 1917, et Darius Milhaud, *Le bœuf sur le toit*, 1920). Avec le développement du cinéma, les scénaristes, succédant aux dramaturges (Marcel Achard, *Voulez-vous jouer avec moâ ?* 1923), portent le cirque à l'écran (Jacques Feyder, *Les gens du voyage*), et adaptent des œuvres littéraires concernant le cirque (André Cayatte, d'après Balzac, *La fausse maîtresse*).

Rapidement, le monde à part du cirque apparut aux écrivains comme un instrument polémique pour dénoncer la vanité de l'exercice de la poésie (Gautier), « l'ineptie » du théâtre contemporain (Goncourt, Barbey), et, par-delà le théâtre, la sottise de leurs contemporains tout court. Parmi les sectateurs du cirque, on retrouve en effet la plupart des négateurs de la religion du progrès (Baudelaire, Huysmans). L'admiration pour ce spectacle dont la démocratisation n'a pas entamé l'originalité va souvent de pair avec une attitude de retrait, d'isolement ou d'opposition politique, et l'on ne s'étonnera pas de rencontrer, dans l'entre-deux-guerres, la plupart des articles sur le cirque dans des revues conservatrices.

Mais surréalistes et dadaïstes engagent aussi le théâtre à se rénover sous l'influence de l'esthétique du cirque. Firmin Gémier et Jacques Copeau invitent les comédiens à observer le jeu des clowns Fratellini.

Depuis les années 1970, se développe un « Nouveau Cirque » qui, à rebours des déclarations avant-gardistes qui voulaient moderniser le théâtre par l'exemple du cirque, cherche à transformer le cirque en le théâtralisant. Cette modification, qui abolit l'enjeu même d'un cirque captivant les artistes par son irréductibilité, n'affecte guère la littérature qui continue de se référer aux rôles et à l'image du cirque légendaire (Romain Weingarten, *La mort d'Auguste*, 1986 ; Michel Braudeau, *Fantôme d'une puce*, *1985*).

▶ AMIARD-CHEVREL C. (éd.), *Du cirque au théâtre*, Lausanne, L'Âge d'Homme, « Théâtre des années 20 », 1983. — BASCH S. (éd.), *Romans de cirque, 1870-1914*, Paris, Laffont-bouquins, 2002. — DELANNOY J.-C., *Bibliographie française du cirque*, Paris, Odette Lieutier, 1944.

Sophie BASCH

→ *Commedia dell'arte ; Romantisme ; Théâtre.*

CITATION

La citation est l'emprunt qu'un écrit fait à un autre discours. Au plan formel, la citation est généralement mise en évidence par des marques linguistiques ou typographiques, mais elle peut être implicite et passer inaperçue. Dans les deux cas, elle se caractérise par sa fonction référentielle : sa signification est liée au rappel du contexte original.

Pour la tradition rhétorique antique, d'Aristote à Quintilien, la citation est à la fois un ornement du discours et une source de son autorité. Au Moyen Âge, avec Origène, elle devient une des formes privilégiée du commentaire. La Bible, puis les Pères de l'Église et, dès Abélard et saint Thomas, quelques auteurs anciens (Aristote surtout) constituent alors le réservoir où tous les discours doivent puiser pour étayer leur propos. La maîtrise des citations donne la maîtrise du discours ; l'enseignement prépare à cette exigence fondamentale de la théologie et du droit : l'une et l'autre tentent d'adapter les cas concrets qui leur sont soumis à la lettre des textes qui font loi. La science également procède par ces emprunts littéraux. Mais dès le XIVe s., la création littéraire, avec Pétrarque notamment, théorise la transformation de l'héritage et définit les conditions d'une esthétique plus personnelle. La Renaissance marque une première brisure de l'emprise dogmatique de la citation. L'imprimé instaure des règles de sa mise en évidence, qui est aussi mise à distance. D'autre part, la matière citée s'élargit avec la découverte du corpus antique. La citation se problématise, son sens est discuté, sa signification remise en cause. Les formes gnomiques (sentences, proverbes, adages) et les emblèmes prennent une place importante dans le débat théologique et politique (Érasme). En parallèle, les formes ludiques de la citation connaissent un grand succès : les centons, connus depuis l'Antiquité, fleurissent en latin comme en français, et les parodies ou les satires se nourrissent de la lettre des textes qu'elles détournent.

À l'âge classique, l'esthétique de l'honnête homme se constitue contre la rhétorique des citations surabondantes. Molière fait de celles-ci un signe distinctif de ses médecins et de ses pédants. En faisant appel au « bon sens », le *Parallèle des Anciens et des Modernes* de Perrault (1688-1697) déplace les critères : la valeur d'un texte tient désormais moins au savoir qu'il exhibe qu'au naturel dont il fait preuve. Sentences et citations sont proscrites comme lourdeurs de style. Par ailleurs, leur capacité à dire le vrai est également mise en doute, parce qu'elles ne reposent pas sur la raison. Voici donc la citation remisée au rang inférieur, celui de l'érudition, tandis qu'on lui préfère l'imitation créatrice.

Pour autant, la citation, pas plus que l'imitation, ne peut disparaître de la création littéraire. Mais son statut change. Elle devient un des signes de l'intertextualité. Elle forme une part du matériau littéraire. Sa variété devient innombrable. Elle intègre du verbal et du non verbal (comme dans le collage que Breton fait de l'annuaire des PTT), des références plus ou moins lisibles, et fait alors, comme toutes les formes de réécriture, appel à la « bibliothèque » d'un destinataire chargé de décoder l'énigme de son origine ; les avant-gardes en particulier multiplient les « corps étrangers » enchâssés dans leurs textes. La citation garde, en revanche, ses rôles de preuve et d'autorité dans les textes savants et juridiques.

A. Compagnon distingue la *citation* du *travail de la citation.* L'une est consubstantielle à la tradition littéraire depuis l'Antiquité. Elle n'a, au sens strict, pas d'histoire. Le second se réalise, on l'a vu, selon des modalités et dans des contextes qui diffèrent. Il révèle des enjeux sociaux (une relation à l'autorité par exemple), ou définit des manières littéraires (comme la parodie). Il traduit également l'éclatement des références communes d'une civilisation : Montaigne citant en latin, même allusivement, pouvait compter sur les références qu'avaient ses lecteurs ; Joyce, Eliot ou Perec sèment la plupart des leurs sur les sentiers tortueux de leur érudition, que tous les lecteurs ne partagent pas.

Il reste que la citation n'est pas laissée au seul plaisir des auteurs. Elle est régie par les lois sur le droit d'auteur, et les limites de son usage sont celles du plagiat. Elle continue d'autre part de former un des signes distinctifs de « l'honnête homme » et du discours scolaire : en témoigne le nombre de dictionnaires qui rivalisent sur le marché contemporain (du *Dictionnaire des citations* de P. Dupré, 1959, au *Dictionnaire des citations françaises* de P. Oster, 1979, par exemple).

▶ COMPAGNON A., *La seconde main ou le travail de la citation*, Paris, Le Seuil, 1979. — GENETTE G., *Palimpsestes. La littérature au second degré*, Paris, Le Seuil, 1982. — MEYER H., *The Poetics of Quotation in the European Novel*, trad. Th., Y. Ziolkowski, Princeton University Press, 1968 (éd. or. allemande, 1961). — WEISGERBER J., « Propos sur la citation, sa forme et ses fonctions dans la littérature contemporaine », in *Écritures à Maurice-Jean Lefebve*, A. Mingelgrün, A. Nysenholc (éd.), Bruxelles, Éditions de l'ULB, 1983, 281-293.

Paul ARON

→ *Auteur ; Collage ; Emblème ; Formes brèves et sententiales ; Lieu commun ; Plagiat ; Récriture, Réécriture ; Signature.*

CLASSICISME

« Classicisme » a été formé à partir de « classique » sur le modèle de « romantisme », et désigne une catégorie esthétique ou une période historique, assimilée en France à ce que dès Voltaire on a appelé le « siècle de Louis XIV ». Le mot est inventé au XIXe s. lors de l'affrontement entre les partisans (néoclassiques) de la tradition et de valeurs conçues comme intemporelles, et les romantiques qui fondent inversement leur révolution esthétique sur la conscience de la relativité du goût et de leur propre ancrage dans l'histoire.

Le terme « classique », bien antérieur, est dérivé du bas latin *classicus* désignant l'appartenance à la classe supérieure des citoyens, puis, rarement, celle des meilleurs auteurs, et donc la qualité qui fait qu'un auteur est enseigné dans les classes : cette acception isolée passe à l'avant-scène dans sa reprise par l'humanisme, qui, érigeant ces auteurs *classiques* de l'Antiquité en modèles, prolonge et adapte les synthèses des théoriciens anciens sur l'atticisme grec ou la grande littérature du siècle d'Auguste.

« Classique » s'emploie donc longtemps en référence à l'Antiquité, avant de qualifier les auteurs du XVIIe s. considérés comme majeurs, dans le domaine des lettres ou des arts plastiques. On attribue alors à ce groupe d'auteurs une esthétique partagée destinée à plaire à un public d'honnêtes gens. Parmi les critères variés de cette esthétique (ordre et harmonie, grandeur et pudeur, raison et analyse), c'est la valeur accordée à l'imitation de l'Antiquité qui anime le parti des Anciens dans la Querelle des Anciens et des Modernes, ou à nouveau le mouvement « néoclassique » à la fin du XVIIIe s. Outre les conflits internes à la France, le terme intervient dans l'opposition entre cultures : ainsi le « classicisme allemand » désigne la génération de Goethe et Schiller, qui refuse la prépondérance française et vise à la dépasser. La philosophie esthétique reprend le terme pour désigner, surtout en référence à l'Antiquité grecque (Hegel), une forme d'art fondée sur la mesure et la raison, tandis que l'histoire littéraire, avec Lanson, voit dans le classicisme l'époque de maturité du génie français (le Moyen Âge étant l'enfance, la Renaissance l'adolescence, et le romantisme un temps de déclin). Mais au XXe s., un écart s'est creusé entre « classicisme », qui désigne spécifiquement l'art de la période louis-quatorzienne, « âge classique », plus large, et « les classiques », désignant sans limite de temps ni de nationalité les auteurs dignes d'être enseignés dans les classes.

La notion impose de rendre compte de la tension sémantique entre un modèle esthétique apte à générer une norme et des œuvres canoniques, et l'identification d'une période ou d'un ensemble d'auteurs constituant le cœur ou l'apogée d'un patrimoine culturel. Cette dernière acception soulève à son tour des questions d'extension à tel corpus ou telle période : soit à l'antiquité des « lettres classiques », soit, en France, aux auteurs du XVIIe s. ayant rejoint leurs propres modèles latins et grecs dans l'enseignement des collèges ; dans ce dernier cas apparaissent à nouveau diverses limitations temporelles, souvent liées à l'histoire politique, de la plus stricte, entre 1661 et 1685, ou entre 1635 (Académie française) ou 1652 et 1715, à la plus large, entre la Renaissance et les Lumières (M. Foucault), parfois même étendue à toute la préhistoire du romantisme. La réflexion sur la notion met en jeu des oppositions temporelles et esthétiques, comme les couples antinomiques classique/baroque ou maniériste, classique / romantique et classique / moderne, ou les distinctions classicisme/atticisme, classicisme / académisme, qui engagent aussi bien des critères esthétiques à prétention objective que des jugements de valeur.

L'approche esthétique du classicisme tente de constituer un ensemble cohérent de traits communs à partir des œuvres jugées classiques à tel moment de l'histoire : ont régulièrement été invoquées en France les notions d'ordre, d'unité et d'harmonie, d'équilibre entre raison critique et affects, de grandeur et de mesure, sans oublier, dans la vulgate scolaire, les « règles » d'unité propres au théâtre auxquelles se greffent les notions délicates de vraisemblable et de bienséance. R. Bray a ainsi décrit une hypothétique « doctrine classique » unifiée, tandis que plus récemment P. Dandrey a proposé de fonder la réussite classique sur la tension entre deux esthétiques réparties selon les deux sens du « canon » classique, étudié par Curtius : d'un côté une norme autoritaire associant étroitement l'absolutisme esthétique à l'absolutisme politique autour de la notion de grandeur, éventuellement prolongée par celle de sublime ; de l'autre, le canon comme mesure et proportion harmonieuse, relative à la *manière* d'un auteur (intermédiaire entre norme objective ancienne et originalité créatrice à venir), et à son choix d'une matière et d'un style appropriés au goût d'un public, éventuellement transcendés dans les notions irrationnelles de la grâce et du *je ne sais quoi* issues de l'ehos galant. Cette alternative, liée à l'assomption conjointe au XVIIe s. du rationalisme étatique et d'une subjectivité nouvelle, évite l'appréhension essentialiste de qualités intemporelles, fortement mise en cause par l'approche historiciste du classicisme, qui détourne de la production des œuvres pour envisager avant tout sous l'étiquette « classique » une valeur inhérente à leur réception.

Contrairement au romantique, aucun auteur ne peut en effet se dire classique – même si d'aucuns y ont aspiré, comme Gide –, il est désigné *a posteriori* comme tel par un cercle de lecteurs autorisés, relayé par les institutions qualifiantes que sont l'école, l'académie ou l'édition, qui tirent différemment parti de la fonction pédagogique et idéologique d'un patrimoine culturel destiné à forger l'identité nationale. Cette logique de la réception, dépendante d'une histoire du goût dont on ne peut exhiber, à défaut d'une rationalité absolue, que des consensus relatifs et variables dans la durée, met à mal dans les faits la prétention d'une période précise (le XVIIe s. français) à incarner des valeurs intemporelles. À côté de Molière et de Racine, des auteurs des XVIIIe et XIXe s. entrent progressivement dans l'enseignement scolaire, jusqu'à ce que Flaubert, Baudelaire, Gide, voire tout le corpus de la « bibliothèque de la Pléiade », finissent par intégrer la catégorie des « classiques », dont il devient impossible de produire une quelconque unité esthétique : et ce d'autant moins qu'une tradition post-romantique érige en norme, exactement symétrique à celle de la tradition et de l'imitation, le pouvoir d'innovation et de rupture d'œuvres incomprises de leur public immédiat.

Une lecture sociologique de l'aporie à laquelle se heurte toute définition du classicisme unitaire dans la durée consiste à voir dans la mise en avant de l'esthétique le masque de la fonction politique réelle des *processus de classicisation* (A Viala). Le même Boileau, qui a si longtemps servi, par son *Art poétique* (1674), de modèle commode quoique un peu tardif à la reconstitution d'une doctrine esthétique essentialiste à laquelle ne manquait même pas, en guise d'appendice, la notion de sublime du pseudo-Longin, se trouve, par son appel à la glorification du roi de France et son lien direct à la politique de propagande colbertiste, le meilleur témoin aux yeux de l'historien de l'institution littéraire des enjeux véritables d'une littérature prétendue universaliste et intemporelle. L'examen des réactions européennes, comme celle de Goethe explicitement dirigée contre l'emprise française, ne fait que confirmer cette dimension politique.

En dépit d'une présentation possible comme leurre et mystification, la mise en évidence de l'*intéressement* de la production, voire de la lecture des classiques, habitus social autant que plaisir du texte, rend cependant moins caduque la conceptualisation esthétique qu'elle n'accuse la disparate interne de la notion. Même le caractère rétrospectif de cette esthétique ne saurait la condamner : l'étymologie du mot « esthétique » suppose bien le déjà-là d'une œuvre et de son destinataire et non un programme *a priori.* Il reste que la question du classicisme montre l'impossibilité de fonder la valeur littéraire sur des critères intrinsèques, indépendamment de la logique historique de la réception et du goût. Il est dès lors difficile de rendre compte, entre dogmatisme brutal et relativisme intégral, de l'intuition commune liée à l'argument par la postérité, qui convainc pourtant à la fois ceux qui imaginent l'histoire débarrassée progressivement de ses illusions immédiates au profit des valeurs sûres ou au contraire rendant finalement justice aux œuvres occultées dans un premier temps par leur originalité même. Il semble décidément que la notion draine derrière elle d'inévitables querelles des Anciens et des Modernes, suscitant des oppositions toujours renouvelées, comme celle inventée par R. Barthes entre la moderne « jouissance du texte » et les sages « Plaisirs du texte », définis comme suit : « Classiques. Culture (plus il y aura de culture, plus le plaisir sera grand, divers). Intelligence. Ironie. Délicatesse. Euphorie. Maîtrise. Sécurité : art de vivre. »

▶ BRAY R., *La formation de la doctrine classique en France*, Paris, Nizet, 1927. — BURY E., *Le classicisme...*, Paris, Nathan, 1993. — PEYRE H., *Qu'est-ce que le classicisme ?*, Paris, Hachette, 1953. — VIALA A. (dir.), *« Qu'est-ce qu'un classique ? », Littératures classiques*, 1993, n° 19. — ZUBER R., *Les « Belles Infidèles » et la formation du goût classique*, Paris, A. Colin, 1968 et 1995.

Florence DUMORA-MABILLE

→ *Baroque ; Enseignement de la littérature ; Goût ; Histoire ; Institution ; Querelles ; Réception ; Romantisme ; Valeurs.*

CLERC → Intellectuel

CLÉS (Textes à)

Une œuvre à clé est un texte dans lequel les protagonistes et les lieux renvoient à des personnes et à des endroits réels dont les noms sont soumis à un cryptage – noms de convention, initiales, anagrammes. La clé peut être fournie par l'auteur en appendice à son récit, ou être reconstituée par le lecteur.

Dès l'Antiquité, on a cherché à découvrir un sens caché à des formes narratives diverses, telles que les *Fables de* Phèdre (Ier s. avant notre ère) ou le récit burlesque d'Apulée, *L'âne d'or* (IIe s. de notre ère), soit pour la découverte d'une sagesse philosophique ou religieuse cachée derrière le voile de la narration, soit (surtout avec le *Satyricon* de Pétrone) pour servir la satire sociale et politique en masquant derrière des noms de fantaisie ceux des personnes visées.

L'âge d'or du roman à clé commence en Europe à la fin du XVIe s. avec les romans pastoraux (*Diane*, de l'Espagnol Montemayor, en 1558, *L'Astrée*, d'H. d'Urfé en 1607). La tradition allégorique perdure comme en témoigne, en 1659, *Macarise* de d'Aubignac, qui expose le stoïcisme sous une forme romancée. Mais la clé est surtout le fait du roman précieux. Sous des déguisements empruntés à des temps reculés ou à des contrées exotiques, souvent imaginaires, ces récits dévoilent les aventures et galanteries de leurs contemporains pour les railler (*L'histoire amoureuse des Gaules*, de Bussy-Rabutin, écrit en 1660) ou les idéaliser.

L'écriture à clé devient ainsi autour de la romancière Melle de Scudéry un phénomène de société qui voit d'étroites connivences se nouer entre lecteurs à partir des conversations et jeux mondains que provoquent les énigmes offertes par les textes. Au XVIIIe s. les clés quittent les cercles galants pour s'offrir à un public toujours plus large, parfois sous la forme de publications autonomes. Les récits à clé se font en outre l'instrument de la critique philosophique : les pamphlets recourent au cryptage et à l'anonymat pour déjouer la censure, comme *La relation de l'île de Bornéo*, violente charge contre le catholicisme (écrite par Fontenelle au XVIIe s., mais publiée en 1768).

Le roman à clé devient plus rare aux XIXe et XXe s. dans la littérature « sérieuse », bien que l'on puisse encore citer *Les mandarins* de Simone de Beauvoir et *Femmes* de Philippe Sollers en France ou *Le ciel de Québec* de Jacques Ferron au Québec. Mais le codage n'est pas là systématique et les allusions éparses ne suffisent pas à faire une clé. L'écriture à clé persiste toutefois, jusqu'à aujourd'hui, dans les récits s'attachant à la révélation de la vie des personnages publics ou de scandales politiques. La lecture à clé s'institue quant à elle, au XIXe s., comme un des modes de la recherche érudite. Les clés attisent la curiosité des bibliophiles (Ch. Nodier, F. Drujon, *Les livres à clé*, 1885), donnant lieu à des collections et à des spéculations – dont l'objet privilégié est le roman du XVIIe s. (V. Cousin et, de nos jours, A. Niderst) – sur les événements ayant pu inspirer la fiction. On notera d'autre part que l'écriture à clé peut se rencontrer dans la polémique et dans des aspects polémiques du roman (chez Céline, par exemple).

Toujours polémiques, que ce soit de la part des auteurs (rares sont ceux avouant une clé), ou des critiques, partagés entre passion de l'anecdote et haine du référent, les œuvres à clé posent la question du rapport entre extralinguistique et fiction. La valorisation, depuis le XIXe s., de l'idée d'une autonomie des œuvres a conduit à souligner le danger du « repl[i] de l'œuvre sur son référent » (B. Beugnot). La clé se trouve donc au cœur des débats sur les rapports du « littéraire » au contexte social et aux écrits exclus de sa définition légitime pour leur caractère documentaire (correspondance, recueil d'anecdotes). Ce qui est « à clés » perdrait, par là même, la qualité littéraire pour n'être que jeu social ou polémique faussement masquée. Mais la clé est aussi le lieu d'une ouverture de l'œuvre à plusieurs niveaux de sens qui mobilisent différentes compétences de lecture, où déchiffrer est moins réduire l'œuvre à un reflet du réel que reconnaître sa transfiguration par la fiction. L'analyse des écrits à clés est donc à mener à partir d'une histoire des modes d'appropriation des textes.

▶ BEUGNOT B., « Œdipe et le Sphinx », *La mémoire du texte*, Paris, Champion, 1994, p. 171-186. — DENIS D., *Le Parnasse galant. Institution d'une catégorie littéraire au* XVIIe s., Paris, Champion, 2001. — ESCOLA M., « Le lisible et l'illisible », *La lecture littéraire*, 1999, n°3, p. 123-133. — MAÎTRE M., *Les précieuses. Naissance des femmes de lettres en France*, Paris, Champion, 1999. — MESNARD J., « Pour une clé de *Clélie* », dans *Les trois Scudéry*, Paris, Klincksieck, 1993, p. 371-408. — *Les romans à clé*, J.-J. Lefrère et M. Pierssens (dir.), Tusson, Éditions du Lérot, 2000.

Mathilde BOMBART

→ *Allégorie ; Anonymat ; Code ; Contexte ; Exégèse ; Galanterie ; Histoire ; Lecture, lecteur ; Littérarité ; Mystification ; Référent, référence ; Signature.*

CODE

Originaire du langage du livre (le *codex* est le rouleau sur lequel on écrivait dans l'Antiquité), puis des juristes (« recueil des lois ») le terme de code désigne, par héritage de ce second sens, les conventions qui permettent qu'un message se construise et soit compris. C'est donc une notion nécessaire en sémiologie, et, s'agissant du langage verbal, elle est centrale en linguistique ; enfin, dans le domaine littéraire, elle recouvre les conventions, souvent implicites, qui définissent les formes : ainsi les genres littéraires sont des codes.

D'un point de vue sémiotique, un code constitue « le modèle d'une série de conventions de communication dont on postule l'existence pour expliquer la possibilité de communication de certains messages » (Eco, 1972). Cette définition, valable en général, suffit à indiquer que la notion de code n'appelle pas à proprement parler un historique : celui-ci serait en fait l'histoire des diverses espèces de codes dans leurs réalisations, à moins de la réduire, pour la littérature, à l'histoire des arts poétiques qui sont autant de codes – mais toujours partiels et partiaux – de formes, de genres, d'esthétique. La notion s'applique de façon forte en linguistique ; la critique littéraire – en particulier le courant structuraliste – l'emploie d'abondance depuis les années 1960. Ainsi, dans sa lecture de *Sarrasine* de Balzac, Roland Barthes (*S/Z*) tient compte d'un étagement de cinq codes figurant un « tissu des voix » qui traversent un texte classique, « lisible », mais offert à un déchiffrement infiniment « pluriel ». Dans un ordre d'idées différent, J. Leenhardt et P. Józsa (*Lire la lecture*, 1982), comparant des réactions de lecteurs français et hongrois, par des lectures croisées des mêmes romans, ont montré combien le mode de lecture change en fonction des codes de référence et du système de valeurs de chaque culture. Tout texte en effet suppose simultanément plusieurs niveaux de code (ou de codage) : un *code de la langue* correspondant à un état de langue donné, un *code générique* et un *code stylistique* qui englobe aussi bien les marques d'expression normées d'une époque que celles, individuelles, d'un auteur et celles d'un groupe littéraire (ainsi l'usage ou le rejet des codes précédents, comme dans le cas du vers libre ou du poème en prose). Il réfère aussi – fût-ce au nom de leur absence – à un *code rhétorique* et un *code esthétique*. Ce dernier concept, flou et polyvalent, renvoie aux systèmes de valeurs et de conventions dominant dans une situation historique et sociale, et dont chaque texte porte les signes. Ainsi chaque texte trouve place dans un espace tissé de *codes culturels* et *idéologiques* qui assurent sa recevabilité et sa lisibilité. Le péritexte (le titre, la préface, etc.) et, dans le texte lui-même, l'*incipit*, les discours du narrateur et des personnages constituent des lieux privilégiés de marquage des codes. De leur côté, les présupposés, les stéréotypes, les lieux communs, les maximes et opinions générales, ont, selon Barthes, un statut connotatif – citationnel en quelque sorte – renvoyant à des normes codées. Mais un code n'a de pertinence que par sa réception : la reconnaissance des codes par les lecteurs est la condition même de la réception des textes, et en constitue l'acte principal. Elle suppose une compétence de lecture, qui se forme avant tout par l'École. Les codes varient historiquement, aussi leur identification s'avère parfois approximative sinon erronée : par exemple tenir pour « noble » un style qui, à l'époque de rédaction, était « moyen ». De plus, on peut parler d'un code propre à chaque auteur, signalé par son « style » ou son « discours ». Par conséquent, on ne saurait reconnaître « parfaitement » tous les codes d'un texte ni tous les effets de sens qu'il peut virtuellement produire ; ce qui donne à la critique la tâche d'analyser les codes des textes. Aussi le concept de code a sollicité une réflexion approfondie de la part des sémiologues et poéticiens (R. Barthes, A.-J. Greimas, T. Todorov) sur la nature des contraintes génériques et formelles du texte. Et s'il a été critiqué (ainsi J. Baudrillard parlant du « terrorisme » du code, F. Gaillard de la « fétichisation » et d'un concept « fourre-tout »), il reste largement opératoire. Les pratiques de l'imitation, du pastiche et de la parodie et des pans entiers des intertextes reposent sur des similitudes et oppositions de codes. De même, l'analyse des genres et des esthétiques ne peut être entière sans envisager leur nature de codes sociaux. L'une des caractéristiques des littératures francophones hors de France repose ainsi sur un jeu constant avec les codes esthétiques et culturels de la « métropole » française. La confrontation de la problématique de l'identité culturelle (l'« afro-antillanité », la « créolisation ») avec la langue et les canons esthétiques français semble être singulièrement présente dans les littératures haïtienne et antillaise (de R. Depestre à É. Glissant et P. Chamoiseau). Pour les écrivains du Québec, le phénomène appelé par A. Belleau le « conflit des codes » (composer avec les normes du discours littéraire français dans une culture québécoise) s'impose encore comme voie d'accès à la consécration internationale. Mais, inversement, l'appropriation par le « code québécois » (le langage vernaculaire), sur le mode de la parodie ou du pastiche, des styles, des genres et des discours français (« hexagonaux ») a eu une fonction émancipatrice qui a renouvelé l'écriture dramatique et romanesque (R. Ducharme, J.-C. Germain, J. Godbout, R. Gurik) et joué son rôle dans l'autonomisation littéraire du Québec.

▶ BARTHES R., *S/Z*, Paris, Le Seuil, 1970. — BELLEAU A., « Le conflit des codes dans l'institution littéraire québécoise » in : *Y a-t-il un intellectuel dans la salle ?*, Montréal, Primeur, 1984. — DUBOIS J., « Code, texte, métatexte », *Littérature*, décembre 1973, n° 12, p. 3-11. — ECO U., *La structure absente* [1968], Paris, Mercure de France, tr. fr. 1972. — GRIVEL Ch., *Production de l'intérêt romanesque. Un état du texte (1870-1880), un essai de constitution de sa théorie*, La Haye-Paris, Mouton, 1973.

Józef KWATERKO

→ *Canon, Canonisation ; Centre et périphérie ; Forme ; Genres littéraires ; Imitation ; Institution ; Lecture, lecteur ; Modèle ; Norme ; Poétique ; Rhétorique.*

COGNITIF, CONNAISSANCE

Dans son sens le plus large, l'adjectif « cognitif » signifie « qui concerne les processus de la connaissance » : on parle aujourd'hui de « sciences cognitives » (en psychologie, en intelligence artificielle...). En son sens ancien, « littérature » désignait « l'ensemble des savoirs » (on parle encore de la « littérature médicale »). On peut dire que la littérature est une démarche cognitive dans la mesure où elle génère des connaissances. Elle est, par ailleurs, un objet de connaissances, par la gnose ou par tout autre processus herméneutique.

Les Lettres sont depuis longtemps un instrument de connaissance, un moyen de développer la mémoire, un réservoir de morale ou de sagesse, un recueil d'exercices pratiques. « Avant donc que d'écrire apprenez à penser » écrit ainsi Boileau dans son *Art poétique* (1674). Dès la fin du Moyen Âge, avec la levée des interdits pesant sur la connaissance de l'œuvre de Dieu, des auteurs comme Maurice Scève (*Le microcosme*, 1562), Jacques Peletier du Mans ou Baïf (*Premier livre des Météores*, 1567) ont donné ses lettres de noblesse à la poésie scientifique. À l'âge classique, à la fois moyens d'expression et procédés didactiques, d'autres genres littéraires ont propagé une pensée scientifique, liée au développement des savoirs et des techniques comme à celui de leurs conséquences. *L'histoire comique des États et Empires de la lune* (1657) de Cyrano de Bergerac, les utopies en jouent largement, tandis que d'autres en font un objet de diffusion par la littérature (Fontenelle, *Entretiens sur la pluralité des mondes*, 1686). À travers de telles œuvres se dessine la lutte contre la tradition scolastique et l'obscurantisme. Mais, à l'inverse de cette tendance rationaliste, une littérature plus mystique propose une voie de « savoir » fondé sur l'intuition, l'irrationnel ou le religieux. De sorte que le littéraire est lié à la connaissance de deux façons, soit comme vecteur, soit comme voie propre de savoirs.

Selon la première et la plus générale, les Lettres ont pris en compte tous les domaines du réel que l'homme a jugé dignes d'être explorés, dans le monde, le langage et l'humain. Elles ont donc enregistré la prise en compte de plus en plus fine de l'individualité (des types et caractères à la psychologie et à la psychanalyse), du social (à travers l'émergence du genre romanesque), du moi (par les mémoires et l'autobiographie), du monde physique (littérature des voyages), de l'histoire (des mémorialistes au roman historique) ou de l'imaginaire (des clés des songes de la Renaissance à l'écriture automatique du XXe s.). À chaque fois, également, les découvertes scientifiques ou médicales ont contribué à relancer la fiction.

Au XXe s., selon la seconde voie, frayée notamment par Paul Valéry (par ailleurs épistémologue des mathématiques), la réflexion s'est orientée chez certains tenants de la « théorie littéraire » (Kristeva, *Semeiotikè*, 1970-1978 ; Barthes, *Théorie du texte*, 1974) vers une capacité propre de la littérature à construire de la connaissance dans et par le langage.

Dans la seconde moitié du XXe s., le mot « cognitif » a pris un sens plus précis avec l'avènement des sciences cognitives. Celles-ci ne forment pas une discipline institutionnalisée mais constituent plutôt une communauté de préoccupations, formant l'assise d'un lieu-carrefour où viennent converger la neurologie, la génétique, l'anthropologie, la psychologie sociale, la pédagogie, la sociologie, l'informatique et les sciences du langage (particulièrement la philosophie du langage et la sémiotique).

Dans ce dernier domaine, les recherches se fondant sur le postulat de l'autonomie du langage – lequel dominait les débats des années 1960 et 1970 – ou sur celui de la conventionnalité (le code s'imposant de manière impérative aux partenaires de l'échange) ont fait place à des travaux soucieux d'articuler les structures langagières à l'activité consistant à connaître et à utiliser le monde.

Un tel élargissement permet de revoir la théorie de la communication : celle-ci, loin d'être un simple transfert d'informations inertes, met en jeu la faculté qu'a l'être humain de se représenter son environnement et de lui attribuer du sens de façon à orienter son action. La perspective cognitiviste a également permis de reprendre à nouveaux frais la notion classique de catégories linguistiques. La recherche sémantique a en effet mis en évidence l'existence de niveaux de représentation dans l'organisation hiérarchique des catégories, variables selon les pays et les milieux (par exemple le moineau ou le merle comme représentants de la catégorie « oiseau », et non le pingouin ou le kiwi). Les appartenances à des catégories ne sont plus, dès lors, traitées en termes d'ensemble stricts, mais en termes de typicalité, autrement dit de plus ou moins grande distance d'une expérience par rapport à un prototype. Les théories cognitivistes du langage permettent alors de donner une place importante à des phénomènes comme la généralisation, l'inférence et le transfert. Ainsi, elles permettent de présenter sous un jour nouveau les figures de rhétorique. Loin d'être les instruments d'un formalisme esthétisant et creux, les figures jouent un rôle authentiquement herméneutique ; elles opèrent en effet la redescription d'une expérience (neuve, ou difficilement exprimable) par des termes renvoyant le lecteur à une expérience plus familière ou du moins plus accessible. Et en retour, une figure inattendue suggère une possible expérience inédite. Ces avancées débouchent sur une définition du sens qui n'est plus simplement conceptuelle : le sens devient un dispositif permettant d'anticiper les événements ou les nouvelles perceptions en les simulant virtuellement par des actions symboliques internes au langage. La rhétorique, la poésie et la fiction constituent ainsi des ensembles de scénarios de possibles du savoir, autant que des transcriptions de savoirs constitués en amont. On retrouve ainsi les deux voies discernées dans l'histoire des liens entre littérature et connaissance.

Si la perspective cognitiviste a jusqu'à présent peu influencé les études littéraires, le contact est toutefois inévitable, dans la mesure où la littérature peut partiellement être définie comme une conduite symbolique d'anticipation, comme une série d'opérations herméneutiques où s'opèrent des transferts de catégories, ou encore comme un lieu de mémoire.

▶ ANDLER D. (dir.), *Introduction aux sciences cognitives*, Paris, Gallimard, 1992. — OUELLET P., *Voir et savoir*, Candiac, Éd. Balzac, 1992. — PELISSIER A., TÊTE A., *Sciences cognitives. Textes fondateurs (1943-1950)*, Paris, PUF, 1995. — RICŒUR P., *La métaphore vive*, et *Temps et récit*, Paris, Le Seuil, [1975], 1983-1986.

Jean-Marie KLINKENBERG

→ *Communication ; Didactique (Littérature) ; Linguistique ; Rhétorique ; Sciences et Lettres ; Sémiotique.*

COLLAGE

Technique qui consiste à prélever des fragments d'un ensemble quelconque préexistant pour les intégrer dans une création nouvelle. Abondamment pratiqué dans les arts plastiques, du cubisme au

Pop'Art, le collage s'apparente en littérature au travail de la citation et relève de l'intertextualité.

Le collage apparaît avec les avant-gardes contemporaines. La technique est héritée des papiers collés que le cubisme, avec Braque, Picasso, Matisse entre autres, a introduits sur la toile.

Les futuristes et Apollinaire ont tiré les leçons d'un Rimbaud qui entendait fonder une poésie nouvelle sur les « enseignes », les « enluminures populaires, « la littérature démodée », les « livres érotiques sans orthographe » (*Alchimie du Verbe*, 1873), ainsi que de Jules Laforgue, qui dans sa *Grande Complainte de la Ville de Paris* (1885), a juxtaposé en les modifiant à peine des « cris publics » et des messages publicitaires. Lautréamont, dans ses *Chants de Maldoror*, a systématiquement « collé », en les plagiant, des extraits entiers de romans populaires, de traités scientifiques, etc. Dans ses *Poésies II* (1870), ce sont les maximes et pensées de Pascal, La Rochefoucauld, Vauvenargues et quelques autres qui se voient retournées au sein de collages parodiques : ainsi « Les grandes pensées viennent du cœur » (Vauvenargues) deviennent chez Ducasse « Les grandes pensées viennent de la raison ». Dans les années 1910, avec le poème-conversation, Apollinaire, sous l'influence des « mots en liberté » des futuristes et de l'Esprit Nouveau, introduit un lyrisme du quotidien par la citation juxtaposée de propos recueillis au hasard des flâneries urbaines (*Ondes*, 1918). Dans une visée subversive, Dada fait du collage, parmi d'autres techniques, un moyen de déclassement de toutes les catégories artistiques en même temps qu'une des formes de l'exaltation d'un nouveau langage « total » et primitif. Les revues *Dada, Cannibale* et *391*, entre autres, exploitent les ressorts de l'imprimé moderne pour en subvertir les codes. Les surréalistes font du collage un usage plus littéraire renouant de la sorte avec leurs précurseurs, Rimbaud et Lautréamont. Aragon, dans *Le paysan de Paris* (1926), insère pancartes, affiches, avis publicitaires et autres extraits de journaux ; Max Ernst, plus radicalement, propose un roman-collage, *La femme 100 têtes* (1929).

On retrouve encore le collage au cœur des pratiques du Nouveau Roman dans les années cinquante et soixante, soit de manière allusive comme chez Robbe-Grillet ou Sarraute, soit de façon plus systématique chez Butor dont quelques livres sont entièrement faits de textes collés (par exemple, *6 810 000 litres d'eau par seconde* [1965] où il « suture » ses phrases sur celles de Chateaubriand). Au Québec, G. Miron fait jouer le violent contraste du « joual » et d'un commentaire désespéré dans « Aliénation délirante » (*L'homme rapaillé*, 1970). Au sein des groupes *Tel Quel*, *Change* et *TXT*, la pratique du collage trouve son expression-limite durant les années 1960 et 1970. Au nom d'une intertextualité posée comme fondement esthétique et idéologique de toute pratique du texte, le collage affirme la circulation incessante des discours dans la société moderne. Ainsi, à leur manière, *Codex* de D. Roche (1974) puis *Paradis* de Sollers (1981) se présentent, dans la lignée de *Finnengan's Wake* de Joyce (1939), comme de véritables opéras citationnels.

De Lautréamont à Roche, le collage apparaît comme une technique de subversion des codes littéraires, comme il l'est des catégories et des pratiques artistiques. Il nie le mythe romantique du génie et de l'inspiration, en même temps qu'il prétend à la possibilité d'un art à la portée de tous. Ironique, irrévérencieux, parodique ou, au contraire, tout en hommage – et le plus souvent, les deux à la fois –, il met en scène des fragments de discours hétéroclites, de toutes provenances, dont il exalte la polyphonie. Extrait, recomposé et réagencé, le fragment se colle tout à la fois dans la rupture et dans la reconnaissance ; il emblématise la vision moderne d'un monde non plus soumis à des principes d'unité, mais dynamisé par la pluralité, la dissémination et la mosaïque des sens.

▶ ARAGON L., *Les collages*, Paris, Hermann, 1965. — DUBOIS Ph., « Esthétique du collage : un dispositif de ruse », *Annales d'Esthétique*, 1976-1977, t. 15-16. — GROUPE µ (dir.), « Collages », *Revue d'Esthétique*, 1978, 3/4, Paris, UGE « 10/18 », 1978.

Jean-Pierre BERTRAND

→ *Avant-garde ; Citation ; Intertextualité ; Modernités ; Surréalisme.*

COLONIALE (Littérature)

La littérature coloniale comprend l'ensemble des œuvres nées de – ou en relation directe avec – l'expansion des colonies européennes aux XIXe et XXe s. Elle ne se limite donc ni aux textes produits dans les colonies, ni à ceux qui participaient directement de l'idéologie coloniale. Elle recoupe pour une part la littérature de voyage et entretient une relation complexe avec la thématique exotique en littérature métropolitaine.

Des premières découvertes et jusqu'au XIXe s., les lettres coloniales – rarement définies – étaient considérées comme relevant de la littérature exotique dont l'apparition coïncide avec le début des conquêtes. Ce n'est qu'à l'apogée de l'impérialisme européen (1870-1914) que la notion de littérature coloniale se précise. Elle utilise l'exotisme comme repoussoir, ainsi que le révèle le titre même de l'essai que lui consacrent les frères Leblond, *Après l'exotisme de Loti : le roman colonial* (1926). Une rivalité entre centre et périphérie est ici déterminante : les écrivains coloniaux, qui sont loin, se sentent spoliés de leur seul sujet possible par des écrivains de métropole, qui éditent facilement à Paris ou à Londres des ouvrages à succès, rédigés après deux semaines de tourisme en « saison sèche », au mépris d'une vraie connaissance des lieux. Même un Genevoix, pour ne pas parler de Gide ou des frères Tharaud, fait des best-sellers à la suite de Loti. La situation française contraste ainsi avec celle des lettres anglo-saxonnes, qui font d'emblée une large place aux auteurs issus des colonies : Kipling, Maugham, Conrad, etc. Elle se traduit également dans une série d'institutions, comme la Société des écrivains coloniaux fondée en 1926, puis l'ANEMOM (Association nationale des écrivains de la Mer et de l'Outre-Mer), laquelle est en 1964 à l'origine de l'actuelle ADELF (Association des écrivains de langue française).

Les frères Leblond, eux-mêmes nés dans l'île de la Réunion, dressent une liste des auteurs dits coloniaux, de Louis Bertrand (*Le sang des races*, 1899) au créole Pierre Mille (*Barnavaux et quelques femmes*, 1908) et Robert Randau (*Les colons*, 1905) dont ils font le « Kipling algérien » (p. 22). En dépit du titre de leur ouvrage, ils intègrent Pierre Loti, allant jusqu'à suggérer qu'il est supérieur à Kipling, et Victor Segalen (*Les immémoriaux*, 1907).

La littérature coloniale est importante en Belgique, où la colonisation proprement dite débute avec la « reprise » officielle du Congo en 1908. Mais l'activité coloniale avait commencé dans les années 1870, à l'initiative (privée) de Léopold II. Le premier roman colonial, *Udinj*, de C. A. Cudell, date de 1905 ; le premier écrit en français dû à un Congolais, Stefano Kaoze, date de 1911. La colonisation belge, étendue au Rwanda et au Burundi sous le mandat international après 1918, se singularise par une politique beaucoup moins assimilationniste que la française. L'africanisme littéraire, culturel et scientifique y connaît un développement constant. Gaston-Denys Périer, en métropole, et un auteur plus proprement colonial comme Joseph-Marie Jadot sont les principaux critiques du domaine littéraire. Parmi les écrivains, on retient surtout Jules Minne, poète de la forêt équatoriale, le gouverneur général Pierre Ryckmans et Henri Cornélus pour son roman *Kufa* (1954).

Dans son *Histoire de la littérature coloniale en France* (1931), Roland Lebel la définit selon trois critères : l'auteur colonial doit être né dans une colonie ou y avoir vécu pendant de nombreuses années ; elle repose sur la véracité et la compréhension psychologique du colonisateur et du colonisé ; les textes appuient la colonisation et contribuent à sa propagande. À dire vrai, les choses sont plus nuancées, parce que les motivations des coloniaux ont pu être diverses selon leurs positions spécifiques (planteur, missionnaire, juriste, administrateur), des auteurs ont pu exprimer des critiques ou des réserves. La littérature coloniale est donc l'objet d'un débat toujours ouvert qui porte à la fois sur le corpus et sur la façon de l'envisager. On peut certes rabattre cette littérature sur sa fonction idéologique majeure : le roman colonial fait souvent le portrait du colonisé à des fins justificatives, mais y borner l'analyse fait renoncer à lire les œuvres dans leur diversité et leur singularité. C'est ce constat qui motive les études postcoloniales.

▶ ASTIER-LOUFTI M., *Littérature et colonialisme. L'expansion coloniale vue dans la littérature romanesque française (1871-1914)*, Paris, Mouton Éditeur, 1971. — HALEN P., *Le petit Belge avait vu grand. Une littérature coloniale*, Bruxelles, Labor, 1993. — MOURA J.-M., *L'Europe littéraire et l'ailleurs*, Paris, PUF, 1998 ; *Regards sur les littératures coloniales*, Paris-Montréal, L'Harmattan, 1999. — SAID E. W., *Culture et impérialisme*, trad. P. Chemla, Paris, Fayard et Le Monde diplomatique, [1992], 2000.

Martine DELVAUX, Ching SELAO

→ *Exil ; Exotisme ; Postcolonialisme ; Voyage.*

COLPORTAGE

Le terme de colportage renvoie à un mode de diffusion, actif sous l'Ancien Régime et jusqu'au milieu du XIXe s., de textes visant un très large public : almanachs, livres bleus, romans médiévaux modernisés, recueils d'histoires mais aussi de recettes, vies de saints... qu'un marchand ambulant, le colporteur, offrait à petit prix. Entreprise commerciale, œuvre d'éditeurs habiles, la littérature de colportage fut aussi une des premières tentatives de vulgarisation du savoir sous l'Ancien Régime.

La Réforme et la Contre-Réforme (ou Réforme catholique) ont entraîné la publication d'images pieuses à l'usage des analphabètes. Dès le XVIe s., des feuillets imprimés diffusent des faits divers ou des annonces de circonstance. Ces pratiques conduisent, au début du XVIIe s., à l'impression de livres destinés au colportage. Nicolas Oudot, éditeur à Troyes, publie dès 1602 des vies de saints et des romans de chevalerie sur du papier bon marché. La couverture gris-bleu de ces brochures donne rapidement le nom de « Bibliothèque bleue » à cette production populaire. La littérature de colportage pratique largement l'anonymat car ces ouvrages sont souvent publiés sans permission ni privilège ; le lectorat est lui aussi fluctuant, les livres passant d'un lecteur à l'autre, quand ils ne font pas l'objet d'une lecture collective.

L'importance de ce type de livres et du mode de diffusion est attestée par la multiplication des centres de production au long des XVIIe et XVIIIe s. (Troyes, Rouen, Paris...) et par un chiffre de vente sans commune mesure avec celui du circuit traditionnel : si le tirage moyen d'un roman au XVIIIe, genre à succès, variait entre mille et deux mille exemplaires, certains almanachs furent diffusés à la même époque à 40 000 exemplaires. Caractéristique du système de production et de distribution de livres sous l'Ancien Régime, le colportage connaît son apogée sous la monarchie de Juillet. Harcelé par la police sous le second Empire, il disparaît aux environs de 1880 parce que l'alphabétisation et le développement de l'imprimé industriel rendent ce mode de diffusion de plus en plus désuet.

Du XVIIe au XIXe s., la gamme des livres colportés change considérablement : le roman de chevalerie, d'abord florissant, disparaît presque entièrement vers la fin du XVIIe s. ; le conte connaît une grande vogue surtout à la fin du XVIIIe et au début du XIXe s. Peu de romans-feuilletons ont emprunté la voie du colportage, du fait de l'apparition des nouvelles formes de communication et de lecture qu'impose la révolution industrielle : journaux, cabinets de lecture, etc.

Outre les almanachs, récits et vies de saints, cette littérature faisait une large place aux recettes médicales et de cuisine, aux horoscopes, voire à des pages de magie. Le tout constituait une véritable encyclopédie répondant aux besoins de la vie quotidienne des paysans et des artisans et traduisant des valeurs économiques, sociales, religieuses et politiques. L'étude de ce secteur immense de production textuelle est indispensable pour la reconstruction de la géographie mentale de l'Ancien Régime. L'étude de l'édition peut ainsi compléter celle des catalogues de bibliothèques privées ou publiques, qui n'existaient que dans les classes aisées, pour donner une image complète des habitudes de lecture des Français.

Selon R. Darnton, on constate que la production et la distribution des livres colportés influencent directement les modes de lecture des Français, selon la légalité et la nature des ouvrages. Le colportage, souvent semi-clandestin, a parfois des liens avec les émeutes (par exemple, lors de la Fronde). Cependant, il est prudent de ne pas exagérer certains clivages. Le colportage n'est pas un phénomène exclusivement populaire : Lise Andriès a montré que des romans de chevalerie et des almanachs se rencontraient jusque dans les boudoirs de l'aristocratie. De la même manière, il ne se répand pas seulement dans la société rurale : le phénomène est largement citadin à l'origine. Et les valeurs qu'il contribue à diffuser ne sont guère plus populaires : les ouvrages sont, pour une large part, des versions vulgarisées de la doxa religieuse et morale.

L'influence de la littérature de colportage sur les écrivains est considérable, même si elle n'a pas été systématiquement étudiée. Elle est en tout cas un vecteur de transmission de la matière médiévale (romans de chevalerie) ; un Perrault leur doit *Griselidis* et le *Cabinet des fées* une bonne part du merveilleux.

▶ ANDRIES L., *Le grand livre des secrets. Le colportage en France aux 17e et 18e siècles*, Paris, Imago, 1994. — BOLLÈME G., *La bibliothèque bleue. Littérature populaire en France du XVIIe au XIXe siècle*, Paris, Julliard, 1971. — DARNTON R., *Bohème littéraire et révolution. Le monde des livres au XVIIIe siècle*, Paris, Le Seuil, 1983. — FONTAINE L., *Histoire du colportage en Europe, XVe-XIXe siècles*, Paris, Albin Michel, 1993. — *Histoire de l'édition française*, Paris, Promodis, 1983.

Jan HERMAN

→ *Conte ; Doxa ; Livre ; Marché littéraire ; Merveilleux ; Populaire (Littérature).*

COMÉDIE

« Comédie » a d'abord désigné toute pièce de théâtre, quel qu'en soit le genre (comme dans « Comédie Française »). À partir du XVIe s., au moment où l'humanisme reprend les modèles antiques, le mot en vient à désigner une pièce ayant pour but la peinture de travers privés ou de vices sociaux (ce qui sera le sens de la « Comédie humaine »). Peu à peu, l'idée de comique s'est plus étroitement associée à ce genre. Mais, forme mimétique oscillant entre jeu ludique et volonté de didactisme, la comédie est restée, au fil des siècles, un cadre suffisamment large pour accueillir des formes dramatiques multiples, où le rire n'est pas toujours essentiel.

La comédie telle qu'elle est apparue en France dans les cercles humanistes des années 1550 a ses origines dans le modèle de la comédie latine des IIIe et IIe s. avant J.-C. (Plaute, Térence - qui était resté enseignée et pratiquée dans les écoles au Moyen Âge), elle-même issue de la comédie nouvelle grecque. La reprise est le fait d'un petit groupe de lettrés (dont Jodelle et Grévin notamment) qui cherchent à imposer cette forme de théâtre comique par opposition à la farce médiévale jugée grossière. Ils donnent une vingtaine de pièces en un demi-siècle. Chez eux, la comédie est envisagée comme développement d'une action mimétique du réel. On y retrouve les personnages types, les intrigues de trompeurs-trompés et d'amours contrariées de jeunes gens aidés par des valets intrigants de la comédie latine. Le genre vise alors à divertir, mais pas nécessairement à faire rire, et a un but moral. On ne le propose qu'en représentations privées, les auteurs ayant renoncé à conquérir le grand public, resté fidèle aux genres médiévaux. Après une courte éclipse, la comédie devient vraiment spectacle public dans les années 1630, dans le cadre d'un essor général du théâtre. Le développement de la vie mondaine, du modèle de l'honnête homme et, en particulier, la présence des femmes du monde dans le public des théâtres incite à plus de décence que dans les farces, dans la recherche d'un enjouement sans trivialité. Ainsi Corneille, dont les premières pièces sont des comédies à large succès, définit ce genre comme « une peinture de la conversation des honnêtes gens ». D'autre part, dans le même mouvement que la tragédie, et contre la tragi-comédie, la comédie classique adopte les règles et les unités. Certains auteurs empruntent en revanche à la « comédie d'intrigue » latine et italienne leurs schémas moins réalistes d'amours juvéniles contrariées par des vieillards grincheux mais protégées par des valets inventifs. Dans les années 1640 se fait sentir aussi en France l'influence de la *comedia* espagnole, qui ajoute à la galerie des personnages types le *gracioso* ou valet couard (*Jodelet ou le Maître Valet*, 1645, de Scarron par exemple). Dans la seconde moitié du siècle, la comédie devient un genre majeur avec Molière. Ses pièces exploitent toutes les formes du comique, et il réussit à concilier les attentes des publics multiples du théâtre. Sans renier la farce et la comédie d'intrigue, il développe la comédie-ballet et la comédie « de caractère » qui allait constituer pour longtemps le modèle de la « grande comédie » (par exemple, *Le tartuffe*, 1664, *Le misanthrope*, 1666, ou *Le malade imaginaire*, 1673). Après sa mort, la comédie privilégie des pièces courtes et la critique des mœurs d'une société entraînée dans la course au plaisir et à l'argent (*Turcaret*, 1709, de Lesage).

Au siècle suivant, sous l'influence de la nouvelle esthétique de l'émotion et de la sensibilité, la comédie se fait moralisante en dépeignant les tribulations de la vertu (Destouches, *Le glorieux*, 1732). Elle devient sentencieuse, didactique, et n'accorde plus qu'une place réduite au comique. Ce côté pathétique et attendrissant (chez Nivelle de La Chaussée, on a pu parler de « comédie larmoyante ») suscite une évolution vers la comédie sérieuse, genre moyen, à mi-chemin de la gaieté et de la tragédie. Diderot définit ce genre dans la perspective du drame. Dans les années 1770-1780, Beaumarchais revigore le comique en « ramen[ant] au théâtre l'ancienne et franche gaieté en l'alliant avec le ton léger de notre plaisanterie actuelle » (*Le barbier de Séville*, 1775 ; *Le mariage de Figaro*, 1784). Reste que la grande comédie, jouée à la Comédie-Française, s'oriente dans le sens du sérieux. Aussi, et à l'inverse, prospère la petite pièce, comédie en un acte et résolument comique dans la tradition gauloise et licencieuse. Elle intéresse aussi bien les amateurs des théâtres de société que les publics payants des théâtres de la Foire et des Boulevards. Sa popularité s'étend à la Comédie-Française et à la Comédie-Italienne, où elle sert couramment de complément au spectacle principal. Ses formules sont multiples, dancourades satiriques, parades obscènes ou scatologiques, proverbes dramatiques, comédies poissardes, dont le style imite le parler populaire du petit peuple parisien, etc. ; mais toutes reposent sur une intrigue très simple qui ridiculise des types sociaux aisément reconnaissables.

Les années révolutionnaires sont marquées par quelques essais de comédie politique ou satirique, tandis que, après la Restauration, la grande comédie classique de caractère sans cesse reprise au Théâtre-Français ou à l'Odéon finit par s'essouffler. Le nouveau grand public bourgeois des Boulevards préfère la comédie de mœurs. Après 1848, celle-ci se scinde en deux : d'un côté elle devient vaudeville et évolue vers le théâtre de Boulevard, de l'autre elle se transforme en comédie réaliste et se rapproche du drame. Le ton moralisateur de la nouvelle comédie de mœurs réaliste en fait un genre didactique, correspondant au goût bourgeois, ayant « en vue la perfectibilité, la moralisation, l'idéal, l'utile en un mot », avec Dumas fils, Augier, et leur École du Bon Sens (*Le gendre de M. Poirier*, 1854). Comme le vaudeville, elle reste une « pièce bien faite » selon le modèle développé par Scribe dans la première moitié du siècle. D'autre part, elle ne fait plus qu'une part réduite au comique. Elle finit par se confondre avec le drame. Vers 1880, comédie de mœurs, comédie sérieuse et drame bourgeois ne sont plus que les différentes facettes d'un même genre, plus ou moins satirique (par exemple, Becque, *Les corbeaux*, 1882), plus ou moins moralisateur. Bataille, Bernstein, Becque y dénoncent également la perversion par l'argent et les hypocrisies en tous genres de la société

Sous l'influence du naturalisme, la comédie renonce aux conventions dramaturgiques post-classiques et opte pour une esthétique de la « tranche de vie ». Appelé parfois comédie rosse, ce type de pièce renonce également au moralisme et au sentimentalisme pour viser plus de vérité, comme dans *Le pain de ménage* (1898) ou *Poil de Carotte* (1900) de Jules Renard.

Le début du XXe s. n'apporte pas de changement notable. À l'écoute de l'actualité, la comédie se mêle de questions sociales (*Maternité*, 1903, de Brieux), avant de s'engager dans les années 1930 dans une thématique plus directement politique (*Les temps difficiles*, 1934, de Bourdet). Apparaissent aussi, à côté, des formes de comédie fantaisistes et poétiques, qui affranchissent le genre du réalisme de la pièce commerciale (*Jean de la lune*, 1929, de Marcel Achard). Depuis les années 1950, les dramaturges les plus créateurs n'appellent plus leurs pièces « comédies », même quand spontanément le public les rattache à ce genre (ainsi pour certaines œuvres de Ionesco), et le théâtre de boulevard s'est approprié le comique (mais « comédie » est employé comme nom de genre au cinéma).

Le sens initial de « comédie » (tout jeu théâtralisé servant à la représentation critique des mœurs et des affrontements dans la société) a par ailleurs persisté, notamment dans l'emploi qu'en fait Balzac en titre de sa *Comédie humaine.*

Historiquement, la comédie s'est presque toujours définie par rapport à d'autres genres. Par rapport à la tragédie, tout d'abord, dont elle a longtemps paru constituer le contrepoint : pour la dramaturgie classique, dans la lignée de la *Poétique* d'Aristote, la comédie a en charge une action « commune et enjouée », dans un style « médiocre », alors que la tragédie peint les malheurs des Grands en style soutenu. Aussi, prenant pour objet les ridicules et les vices, elle a fait du rire un moyen de corriger les mœurs, comme dans la satire. Dans la comédie sérieuse, en revanche, que Diderot a voulu réserver à la représentation de la vertu et des devoirs des hommes, elle ne s'est plus bien distinguée du drame bourgeois que par un ton plus léger, distinction floue qui a fini par s'effacer à la fin du XIXe s. Il apparaît donc que comédie et comique ne se recouvrent pas. Si Molière a fait sien le principe du *castigat ridendo mores* des Anciens, Corneille a affirmé que la comédie pouvait se passer de faire rire et les comédies sérieuses de Nivelle de La Chaussée, puis d'Augier et de Dumas fils ont presque évacué le comique. La volonté de promouvoir la comédie au rang de grand genre a, dès la période classique, entraîné le rejet, au moins la limitation des effets faciles du comique.

De fait, dès son origine, la comédie a été un genre instable, tiraillé entre deux tentations opposées. D'un côté, l'application de la mimésis l'a entraînée vers un réalisme toujours plus poussé, ce qui l'a amenée à sacrifier le comique. Cette volonté de suivre la nature jusqu'au bout a abouti plus tard à l'interpénétration du sérieux et du plaisant, du pathétique et du bouffon dans les pièces de Becque, de Sardou ou de Courteline. D'un autre côté, le goût de la fantaisie a poussé la comédie aussi bien vers le romanesque, les imbroglios ou les féeries mythologiques, c'est-à-dire vers des formes où domine la gratuité irréaliste.

Comment isoler alors les dénominateurs communs des diverses incarnations de la comédie au fil des siècles ? La multiplication des épithètes ajoutées au terme de « comédie » pour indiquer la tonalité (« gaie », « larmoyante », « attendrissante », « sérieuse »), la nature de la mimésis (« réaliste », « poétique »), la qualité des personnages (« héroïque »), ou, enfin, l'aspect moral et didactique (« moralisante »), suggèrent que l'espace ainsi délimité ne serait que la somme des combinaisons possibles des variables du genre. Sa seule constante serait, alors, que ce spectacle entretient toujours une distance entre ce qui est montré et son public, distance qui est la condition même de la critique et la posture fondamentale du comique.

▶ CANOVA M.-C., *La comédie*, Paris, Hachette, 1993. — CORVIN M., *Lire la comédie*, Paris, Dunod, 1994. — GAIFFE F., *Le rire et la scène française*, Paris, éd. de Paris, 1931. — REY-FLAUD H., *La comédie*, Paris, Laffont, 1997. — VOLTZ P., *La comédie*, Paris, Armand Colin, 1964.

Marie-Claude CANOVA-GREEN

→ *Boulevard (Théâtre de) ; Comique ; Commedia dell'arte ; Proverbe ; Satire ; Vaudeville.*

COMÉDIE FRANÇAISE → Théâtre

COMÉDIE-BALLET

La comédie-ballet est un spectacle mêlant musique, danse et texte comique. Elle a été surtout en vogue au XVIIe s.

La comédie-ballet est restée associée au nom de Molière : sa première réalisation en ce genre est la pièce des *Fâcheux* (créée pour la fête de Vaux-le-Vicomte en 1661) et il a donné de nombreuses pièces représentées à la cour dans le cadre de fêtes somptueuses, puis reprises à la ville, au théâtre du Palais-Royal, dans des versions un peu allégées. Le genre a en fait une histoire plus ancienne. En Italie, il se développe dans les spectacles offerts par les Médicis à Florence. En France, dans la première moitié du XVIIe s., il produit une forme de « théâtre dans le théâtre », avec des pièces comme *L'hôpital des fous* (1634) de Beys ou *Les songes des hommes éveillés* (1645/1646) de Brosse : les intermèdes de musique et de danse n'y sont pas seulement juxtaposés à la pièce comique, mais enchâssés dans sa trame même. Dans les années 1640 se développe aussi le théâtre à machines et Mazarin essaye d'implanter en France le modèle de l'opéra italien ; des ballets sont ainsi ajoutés à la *Finta Pazza* (1645) et à *Orfeo* (1647). Enfin, sous l'égide de Lully, dans le ballet de cour, le récit monologué qui précédait les entrées se fait dialogue chanté, parfois même saynète, comme en témoignent le *Ballet de l'Amour malade* (1657) ou celui de *La raillerie* (1659).

Chez Molière (qui collabore le plus souvent avec Lully), la fusion des arts ainsi réalisée n'exclut pas la diversité des formules. De la création des *Fâcheux* en 1661 à celle du *Malade imaginaire* en 1673, il donne des comédies galantes et héroïques (*La Princesse d'Élide*, 1664 ; *Les amants magnifiques*, 1670), des satires des mœurs bourgeoises (*Le bourgeois gentilhomme*, 1670) ou provinciales (*George Dandin*, 1668, *La Comtesse d'Escarbagnas*, 1671) ou la représentation d'un univers pastoral idéalisé (la pastorale du *Grand divertissement de Versailles*, 1668), mais parfois parodié (la pastorale comique du *Ballet des Muses*, 1666-1667). Certaines pièces sont des impromptus en un acte, d'autres des comédies élaborées de trois, voire cinq actes. Mais dans ses créations sur commande royale, la comédie-ballet moliéresque est un élément d'un ensemble beaucoup plus vaste, la fête de cour, qui tente la fusion de tous les plaisirs accessibles.

Molière disparu, le genre décline. Quelques comédies enchâssant des divertissements en musique, comme *L'inconnu* (1675) de Thomas Corneille ou *Les fous divertissants* (1680) de Poisson, en sont des prolongements ; Dancourt, Regnard, Dufresny essayent de continuer la comédie-ballet, mais l'abandon des fêtes de cour condamne ce genre en tant que tel et le fait s'orienter vers d'autres formes, celles de l'opéra comique.

La comédie-ballet répond à une des postulations de l'esthétique galante qui aime à combiner des genres variés. Satisfaisant les sens autant que l'intelligence, elle est aussi une façon de traduire le « plaire et instruire » de la dramaturgie classique. Elle a cherché à plaire au public de la cour, comme à celui, moins homogène, de la ville, en célébrant le triomphe de l'amour dans des pièces qui reprenaient des schémas de pastorale. En glorifiant un art de vivre poli et raffiné, elle a flatté le goût mondain et galant d'une élite qui y voyait le fondement de la civilisation. Mais elle a également cherché à instruire par la satire de bourgeois et de comtesses chimériques, comme par la critique des déclassements sociaux d'un Pourceaugnac ou d'un Dandin. Toutes les composantes du public contemporain ne l'ont certainement pas reçue de la même façon. Mais elle atteste un goût pour le théâtre spectaculaire, en vogue à l'époque.

Si les pièces de Molière ont été éditées avec la mention simple de « comédies », en revanche les livrets imprimés pour les fêtes de cour portent des titres comme *divertissements mêlés de comédie, de musique* et *d'entrées de ballet* qui mettent en évidence la mixité des œuvres. L'équilibre des arts était également envisagé dans des tragédies-ballets. Aussi la comédie-ballet a-t-elle rejoint la tragédie en musique : Lully, devenu maître de l'Académie royale de musique (1672), fait interdire les comédies-ballets et impose la tragédie en musique, qui a donné à son tour l'opéra.

▶ ABRAHAM C., *On the Structure of Molière's Comédies-Ballets*, Tübingen, Biblio 17, 1984. — BÖTTEGER F., *Die « Comédie-ballet » von Molière-Lully*, rpt Hildesheim, Olms, 1979. — COUVREUR M., *Jean-Baptiste Lully, musique et dramaturgie au service du Prince*, Bruxelles, Marc Vokaer, 1992. — MAZOUER Ch., *Molière et ses comédies-ballets*, Paris, Klincksieck, 1993. — PELLISSON M., *Les comédies-ballets de Molière*, Paris, Hachette, 1914.

Marie-Claude CANOVA-GREEN

→ *Ballet ; Baroque ; Comédie ; Cour (Littérature de) ; Galanterie ; Musique ; Théâtre.*

COMIQUE

En un sens premier, est *comique* ce qui appartient au théâtre (comédie ayant été longtemps employé pour signifier « pièce de théâtre en général » : d'où le titre d'*Illusion comique* donné à une pièce de Corneille (1636) montrant le flou des frontières entre la réalité et la fiction dramatique). Est également comique – et ce sens est devenu le plus courant – tout ce qui est cause de rire. Le terme est alors synonyme de ridicule et de risible. Mais la source du rire peut se trouver dans le sujet ou dans la forme (une matière sérieuse, voire triste, traitée de façon risible). Aussi, au sens large, le comique est le registre qui concerne les formes du rire, les manifestations de la prise de distance que celui-ci implique.

Le comique est défini chez Aristote comme l'effet produit par le « domaine du risible, lequel est une partie du laid. [...] Car le risible est un défaut et une laideur sans douleur ni dommage ; ainsi, par exemple, le masque comique est laid et difforme sans expression de douleur ». Le comique, dont la comédie est donnée comme la mise en forme dramatique, résulterait donc d'un défaut ou d'une laideur aussi bien physique que morale, dont la représentation susciterait chez le spectateur un sentiment de supériorité doublé d'une attitude de distance. Dès lors le comique est propice à l'expression d'une sensation de contentement agréable – qui rit se sent différent de ce dont il rit – et à l'exercice de la satire – il suscite le désir de ne pas être semblable à ce dont on rit. Il se manifeste dans tous les genres.

Dans la chrétienté médiévale, pénétrée de l'idée du péché originel et de la vie en ce monde comme en une « vallée de larmes », le rire est suspect. Lorsque Rabelais le revendique comme « le propre de l'homme », il fait acte de rébellion. Il insiste cependant, avec Montaigne, sur le caractère positif du rire ; celui-ci serait à la fois bénéfique pour l'individu et la société et, qui plus est, inséparable du plaisir de vivre. Dans son *Éloge de la folie* (1515), Érasme fait du rire une possibilité d'émancipation de l'esprit. Après eux, Hobbes y trouve la résultante d'une « vue imprévue et bien claire de notre supériorité sur un autre homme », conception qui faisait du rire le pendant naturel du rapport de forces universel entre les hommes (*Léviathan*, 1651). Cette idée du rire comme expression d'une supériorité et de la soudaineté du sentiment de ce triomphe a ensuite nourri une lignée de réflexion chez Descartes, Darwin, Stendhal. Une autre lignée, dont Pascal est le représentant le plus illustre, refuse le rire corporel, signe de la bassesse humaine. Elle se poursuit jusqu'à Baudelaire, qui revient aux conceptions chrétiennes premières et pour qui le rire, signe de l'orgueil humain, est d'origine diabolique et intimement « lié à l'accident d'une chute ancienne, d'une dégradation physique et morale » (Baudelaire, « De l'essence du rire, et généralement du comique dans les arts plastiques », dans *Curiosités esthétiques*, 1868). Dans cette perspective, le seul rire recevable est le « rire dans l'âme », acte de conscience de soi, de mesure de la dérision que l'homme mérite, et non sentiment de supériorité ou raillerie à l'égard d'autrui. En revanche les philosophes intellectualistes des XVIIIe, XIXe et XXe s. minimisent l'élément affectif du rire pour accentuer son subjectivisme, et le comique vient alors du rapport entre deux représentations mentales. Pour Kant, l'origine du rire est dans une attente que rien ne suit. Pour Schopenhauer, il s'agit de « la perception subite d'un désaccord entre notre concept et l'objet réel qu'il sert à représenter, c'est-à-dire entre l'abstrait et l'intuitif ». Plus tard, Nietzsche et Bataille insistent tour à tour sur le caractère métaphysique du rire et l'associent volontiers à la sagesse ; alors que Kierkegaard et Jankélévitch, moins catégoriques, mettent plutôt l'accent sur certaines formes de comique qu'ils privilégient, notamment l'ironie, y voyant la possibilité pour l'homme de transcender sa condition et d'affiner sa lucidité. Bergson et Freud montrent tous les deux comment le rire vient du rapport entre deux représentations, l'une étant tenue pour supérieure à l'autre. Bergson oppose le vivant et le socialement adapté au raide et au mécanique, mais sans séparer toutefois sa conception du rire d'un jugement de valeur (*Le rire. Essai sur la signification du comique*, Paris, Alcan, 1900). En effet, s'appuyant bien souvent sur des exemples tirés de la comédie moliéresque, il voit dans le rire une sanction sociale châtiant les inadaptations de l'individu à la vie collective. Freud, pour qui les termes opposés sont l'adulte et l'enfantin, fait du rire un mécanisme de défense contre l'angoisse. Le rire peut dès lors prendre une valeur de signe et parfois de remède au mal ontologique et c'est bien dans ce sens que le théâtre de l'Absurde l'utilise, comme un moyen d'arracher l'homme à l'absurde et au tragique de la condition humaine.

Comique et comédie ont été associés chez Aristote, qui définit la comédie comme « l'imitation d'hommes de qualité morale inférieure, non en toute espèce de vice mais dans le domaine du risible ». Mais l'histoire de la comédie et l'histoire du comique ne se superposent pas. La comédie n'a pas toujours été comique et le comique a animé des formes dramatiques diverses allant de la farce et de ses avatars – parade, théâtre de la foire, comédie poissarde – au vaudeville et au théâtre de Boulevard, et a tenu une large place dans bien d'autres genres, de la polémique au roman, du conte à la poésie en passant par la fatrasie. Car, en tant que perception d'une anomalie réelle ou imaginaire, il est en lui-même inépuisable et protéiforme. Aussi n'a-t-il pas de domaine qui lui soit propre.

La diversité des formes et significations du comique a donné lieu à des essais multiples de typologies et d'interprétations. Une typologie usuelle et commode se fonde sur les moyens utilisés : comique de situation, comique de caractère, comique de mots, comique de gestes. Plus fondamentalement, il est aussi possible d'établir une classification selon l'intention de l'auteur, ou plus exactement selon les effets visés, donc en prenant comme objet le registre comique. Ainsi Baudelaire ramenait la variété du comique à deux catégories essentielles : d'un côté le comique « significatif », de l'autre le comique « absolu » qu'il voit comme grotesque et excessif : dans le premier type, on rit *de* quelque chose ou de quelqu'un, dans l'autre, on rit *avec*, d'un rire qui est celui du corps tout entier et qui ne laisse place à aucune valeur morale, sociale ou politique. S'ordonnerait ainsi une gamme du comique, entre le comique satirique et, à l'opposé, le comique ludique. S'agissant de la littérature, cette analyse est insuffisante. Dans l'œuvre littéraire, le comique engage un effet lors de la réception, et établit donc un lien entre le discours de l'œuvre et les lecteurs ou spectateurs qui le partagent. Dès lors, il y a toujours à la fois « rire avec » quelqu'un en même temps que « rire de » quelqu'un ou de quelque chose. Cette dimension sociale du comique peut expliquer des différences de sensibilité importantes : on ne rit pas toujours de la même chose ni de la même manière à Bruxelles, à Kinsasha, à Montréal ou à Paris.

Le comique est historiquement daté et socialement diversifié. Ainsi les types comiques disparaissent avec les sociétés qui leur ont donné naissance (le parasite de la comédie antique a disparu, comme la nourrice et la maquerelle) ; jeux de mots et situations se démodent. Le comique moliéresque n'a pas grand chose à voir avec l'ironie du siècle des Lumières, et le comique troupier de la Belle Époque n'amuse plus, en tout cas au premier degré. En un même moment donné de l'histoire, les effets du comique ne sont pas garantis ; tout ne fait pas toujours rire tout le monde. Les moyens et les effets du comique varient selon le public auquel les œuvres s'adressent, son goût, son éducation, son niveau social. Au public populaire de l'Ancien Régime la gaieté franche et gauloise de la farce ou du théâtre de Foire, à la clientèle plus élégante des théâtres établis le comique fin et nuancé de la grande comédie. C'est pour avoir voulu se concilier des destinataires multiples que Molière s'est vu reprocher par Boileau d'avoir mêlé dans son théâtre bouffonneries et « rire dans l'âme », les premiers donnant au parterre matière à s'esclaffer, le second offrant aux spectateurs privilégiés des galeries des sujets de rire plus nuancés. En outre, le genre lui-même a son importance. Ainsi, au théâtre, à chaque salle peut correspondre un type particulier de comique, et, par exemple, au XVIIIe s., les mêmes personnes qui se seraient offusquées de la moindre plaisanterie équivoque à la Comédie-Française allaient rire à gorge déployée aux parades grossières de la Foire.

La seule constante que l'on puisse alors envisager pour le registre comique semble résider, comme le discernait Baudelaire, dans le rapport aux normes et tabous et à la transgression. Le rire naît de ce qui est autre, de ce qui, même s'il se présente sous des dehors familiers, se révèle étrange. Le rire en ce cas dit la norme ou la satire et condamne ceux qui la transgressent sans le savoir. Mais le rire marque aussi un autre rapport de transgression : le droit de traiter de ce qui est interdit, de ce qui touche au corporel tabou, notamment à l'interdit de la sexualité, mais aussi ce qui touche aux pouvoirs. Ce qui apparaît dès lors, c'est que, contrairement à ce qu'ont affirmé les Anciens, la qualité du risible n'est pas attachée à l'objet, mais à sa relation avec l'esprit du sujet. C'est en effet le spectateur placé en position de juge qui réalise ou non le comique, qu'il jouisse du sentiment de sa propre supériorité ou qu'il prenne conscience d'un décalage entre la réalité et sa représentation. Le comique peut donc avoir un rôle de défoulement dans les situations où les normes sont mises en jeu : en jouant de la transgression, il dit leur existence même et leur poids. De ce fait, le comique ne recouvre pas toutes les manifestations du rire. S'il peut se nuancer et se complexifier dans l'humour et l'ironie, il se distingue de la joie, qui peut donner naissance à rire ou sourire, mais qui relève plus du lyrique que du comique.

▶ EMELINA J., *Le comique. Essai d'interprétation générale*, Paris, SEDES, 1991. — GAIFFE F., *Le rire et la scène française*, Paris, éd. de Paris, 1931. — GOLDZINK J., *Les Lumières et l'idée du comique*, Fontenay-aux-Roses, École normale supérieure Fontenay-Saint-Cloud, 1992. — JARDON D., *Du comique dans le texte littéraire*, Bruxelles, De Boeck-Duculot, 1988. — SAREIL J., *L'Écriture comique*, Paris, PUF, 1984.

Marie-Claude CANOVA-GREEN

→ *Absurde ; Boulevard (Théâtre de) ; Burlesque ; Comédie ; Folie ; Humour ; Ironie ; Paradoxe ; Registres ; Satire ; Tragique.*

COMMEDIA DELL'ARTE

Expression italienne, *commedia dell'arte* signifie « théâtre professionnel » et s'oppose à la *commedia erudita*, ou « théâtre savant » qui était joué surtout par des amateurs et des dilettantes. Apparue en Italie au XVIe s., elle désigne un genre théâtral populaire caractérisé par l'absence de texte dramatique fini. La *commedia* repose ainsi sur le jeu des acteurs qui improvisent des dialogues à partir d'un canevas de base et de personnages très typés. Cette comédie d'intrigue a pour but de divertir, notamment par la caricature et la satire sociale.

L'avènement de la *commedia dell'arte* date de la fin du XVIe s. en Italie, bien que l'appellation elle-même ne remonte qu'au XVIIIe s. Le terme *arte* signifie d'abord *art* au sens de savoir-faire. C'est dire que la formation des troupes professionnelles d'acteurs dans la seconde moitié du XVIe s. a été décisive dans l'élaboration de la *commedia dell'arte*. La première compagnie naît à Padoue en 1545 et présente ce qu'on nomme à l'époque la comédie à l'impromptu (*commedia all'improviso*), dialogues improvisés dans un dialecte local, mettant en scène des types populaires. Progressivement, les monologues sont appris par cœur par les comédiens ; à partir du XVIIe s., on publie les plus fameux dans des répertoires. Les sujets favoris sont le cocuage et les malentendus amoureux. Ils tendent peu à peu au schéma de « la satisfaction amoureuse du fils par une mise hors jeu du père grâce à la fourberie du serviteur qui vise, dans le même temps, à sa propre satisfaction » (Jonard).

Les troupes italiennes voyagent à travers l'Europe. En France, les premiers Italiens jouent à Paris, dès 1570. En 1653, la compagnie de Fiorelli-Locatelli s'installe au Petit-Bourbon puis au Palais-Royal (qu'elle partage avec Molière). Ces comédiens commencent à utiliser des mots français et obtiendront en 1684 l'autorisation de jouer dans cette langue. La reconnaissance officielle vient en 1680 avec l'établissement de la Comédie-Italienne par le même ordre royal qui crée la Comédie-Française.

Chassés en 1697, pour avoir monté une pièce critique à l'égard de Madame de Maintenon, les Italiens reviennent en 1716, où L. Riccoboni rassemble une nouvelle troupe. La Comédie-Italienne se francise de plus en plus pour accueillir les pièces de dramaturges français, dont Marivaux, qui y connaît un succès considérable (*Arlequin poli par l'amour*, 1720, *La surprise de l'amour*, 1722). Goldoni, qui vient lui aussi à Paris, remplace les personnages-types par des personnages plus réels. La transformation du répertoire sur la scène française conduit à la disparition du genre en tant que forme créative à la fin du XVIIIe s. Mais les techniques de scène de la *commedia* continuent de marquer l'histoire du théâtre moderne, à travers la pantomime comme à travers les réalisations du théâtre populaire.

La *commedia dell'arte* est une forme théâtrale qui privilégie la théâtralité, le visuel, le mouvement. Elle mise sur l'expression corporelle de l'acteur et sur des techniques de jeu spécifiques, l'improvisation et les *lazzi*, qui s'apparentent à la pantomime : ce sont des gestes, postures et propos qui visent à déclencher le gros rire. Les personnages sont des types, identifiés par des masques et des costumes conventionnels : on y trouve notamment deux vieillards, Pantalon, personnage risible, caricature du bourgeois vénitien, et le Docteur, un soi-disant savant ridicule qui étale sa fausse science dans de longs monologues, ainsi que deux valets (appelés *zanni*), Brighella, querelleur et futé – qui donnera naissance à Scapin – et Arlequin, paysan naïf et glouton. En France, Arlequin s'impose comme personnage central, mais il subit une transformation progressive en valet plus fin et plus sophistiqué. La présence des femmes sur scène (qui vaudra aux troupes italiennes plusieurs conflits avec les autorités civiles et religieuses) constitue un bouleversement dans le monde du théâtre. Rarement masquées, elles jouent les rôles d'amoureuses, mais aussi de servantes, dont le type est Colombine. Parmi les autres personnages, on retrouve Polichinelle, naïf, enfantin et bavard, le Capitan, soldat vantard et pleutre, ainsi que les amoureux, des rôles conventionnels mais indispensables pour l'action.

L'influence de la *commedia dell'arte* est importante chez Molière, capitale chez Goldoni et déterminante chez Marivaux. Au XXe s., elle est une des forces qui contribuent au renouvellement de la mise en scène : les films muets de Charlie Chaplin sont de bons exemples de ses effets sur le jeu des acteurs.

▶ BOURQUI C., *La commedia dell'arte*, Paris, Sedes, 1999. — DUCHARTRE P.-L., *La commedia dell'arte et ses enfants*, Paris, Librairie théâtrale, 1955. — JOLIBERT B., *La commedia dell'arte et son influence en France du XIVe au XVIIIe siècle*, Paris, L'Harmattan, 1999. — JONARD N., *La commedia dell'arte*, Lyon, Éd. L'Hermès, 1982. — MAMCZARZ I., « L'improvisation et les techniques du jeu théâtral dans la commedia dell'arte », *Revue d'esthétique*, 1977, n° 1-2, p. 113-138. — Coll. : *Arlequin et ses masques*, Dijon, PUD, 1992.

Pascal RIENDEAU

→ *Comédie ; Comique ; Corps ; Satire ; Théâtre.*

COMMENTAIRE

Un commentaire est d'abord une somme de notes servant à conserver la mémoire de faits ou d'écrits importants (César, *De bello Gallico commentarii*). Ce genre a donné naissance au commentaire historique (B. de Montluc, *Commentaires*, 1563-1576). Il peut aussi désigner un essai critique et prendre la forme de gloses, de petites remarques ou de discours destinés à l'enseignement. Quant au commentaire de texte, il s'agit d'une discipline traditionnelle (notamment une des épreuves du baccalauréat français).

Dès la basse Antiquité, le commentaire de texte est lié à la tradition de l'*ars grammatica* qui comporte deux parties, la *litteratio* ou exercice de l'écriture et de la lecture, et la *litteratura* qui a pour tâche d'interpréter les textes mythologiques sur la base d'enseignements grammaticaux. Certains commentaires sont continus, d'autres sont rédigées comme des gloses interlinéaires. La critique de textes littéraires se présente sous la forme de traités d'exercices scolaires (*progymnasmata*). À la Renaissance, ces formes subsistent, mais d'autres apparaissent, comme les emblèmes, véritable genre interprétatif (Aneau, *Picta poesis*, 1563) et les Allégories qui se plaisent à décrypter l'infinie variation des sens, sans logique apparente (Cl. Marot et B. Aneau, *La métamorphose d'Ovide, préparation à la lecture intelligente des poètes fabuleux*, 1556). Naissent aussi les premiers essais littéraires qui proposent un art de l'invention, à l'exemple des *Sylves* d'Ange Politien (1480) qui sont des mélanges. Vers la seconde moitié du XVIe s., des commentateurs suggèrent de suivre un procédé rationnel d'interprétation, de type dialectique (Schoppius, *De arte Critica*, 1597). Se forment alors les grands commentaires de textes, suivis et composés, soumis aux exigences rationalistes, comme le *Sénèque* de Lipse (1606). Le XVIIe s. voit apparaître la critique des genres littéraires, comme le *Discours du poème dramatique* de Corneille (1660) et la *Lettre sur l'origine des romans* (Huet, 1669). Débutent alors des réflexions littéraires sur le goût (Montesquieu, *Essai sur le goût dans les choses de la littérature et de l'art*, 1757) qui seront suivies, au XIXe s., par des commentaires visant à l'interprétation scientifique (Taine, *Essai de critique et d'histoire*, 1858). Mais, face à ces grands ensembles, subsistent encore des petites remarques, des mélanges et des écrits variés (Proust, *Pastiches et mélanges*, 1919) qui sont de véritables compositions critiques rédigées sur le mode de l'essai.

Le commentaire de texte est officiellement entré dans les programmes du baccalauréat français en 1880. Il porte soit sur un poème assez court, soit sur une page choisie de prose. Il vise à rendre compte des propriétés du texte (sémantiques et stylistiques) pour dégager son originalité. Il a pu se spécifier en sous-catégories (commentaire suivi ou linéaire, composé). Il est un écrit argumentatif, visant à montrer la beauté du texte. Il relève alors de la critique d'éloge.

Si l'on devait faire la généalogie de la « science des Lettres », on débuterait sans doute par le commentaire grammatical et on conclurait par *une philosophie de la littérature* (Derrida, *L'écriture et la différence*, 1967). Mais la recherche d'une scientificité du commentaire littéraire est souvent faite au détriment de la pluralité des interprétations possibles offertes par la lecture. Certains critiques ont alors cherché à restaurer le commentaire médiéval qu'ils considéraient comme « le seul capable de découvrir la nature symbolique du langage qui implique la pluralité des sens » (Barthes, *Critique et vérité*, 1966). Reste que, dans ses usages scolaires, le commentaire peut privilégier, selon les modes critiques, la grammaire et la composition, les thèmes et le contexte historique, voire la structure et le style... Il peut être selon les cas et les consignes, composé (c'est-à-dire regroupant en sections les caractéristiques majeures du texte) ou linéaire. Sa rédaction suppose une analyse et une « explication » préalable du texte. Et dans cet usage scolaire, il s'applique à des textes brefs ou des extraits, pour les gloser en détail. Il n'est, en soi, pas une méthode critique, mais le lieu de l'application de méthodes. Cette permanence suggère le fait qu'il contribue à la maîtrise intellectuelle de la langue et de la littérature française et à l'apprentissage des modèles textuels. Son contenu révèle la nature de ce que l'on souhaite transmettre, et l'ensemble des valeurs qui lui sont associées.

▶ CAVE T., *The Cornucopian text*, Oxford, Clarendon Press, 1979. — IRVINE M., *The Making of textual culture*, Cambridge, Cambridge Univ. Press, 1994. — JEY M., *La littérature au lycée : Invention d'une discipline (1880-1925)*, Metz-Paris, Université de Metz-Klincksieck, 1998. — MATHIEU-CASTELLANI G. (éd.), *Les Commentaires et la naissance de la critique littéraire*, Paris, Aux Amateurs du livre, 1990. — REYNOLDS S., *Medieval reading : grammar, rhetoric, classical text*, Cambridge, Cambridge Univ. Press, 1996.

Aline LOICQ

→ *Allégorie ; Critique littéraire ; Emblème ; Enseignement de la littérature ; Exégèse ; Glose.*

COMMUNICATION

La communication se définit minimalement comme l'action d'établir une relation entre un destinateur (ou émetteur) et un destinataire (ou récepteur) dans le but de transmettre un objet ou une information. On peut également entendre, dans le cadre *des* communications, l'ensemble des moyens et techniques permettant la diffusion de messages (écrits, audiovisuels) auprès d'un public plus ou moins vaste.

La communication langagière a fait l'objet de nombreuses recherches théoriques. La question est de savoir si elles peuvent être étendues à la communication littéraire, impliquant une relation entre un auteur (destinateur) et un lecteur ou un auditeur (destinataire) par le biais d'un texte lu ou entendu reposant sur un code spécifique, la langue, et dépendant de divers médias (livre, spectacle) et intermédiaires (l'imprimeur, le libraire, l'acteur).

Le mot « communication » est un emprunt au latin du XIVe s. (*communication*, *communicare* renvoient à l'idée de « mettre en commun », « être en relation avec »). Dans un premier temps, le mot se rapporte aux relations économiques, ensuite à la topographie : s'intéresser aux communications au XVIIe s. consiste à étudier la structuration de l'espace national marchand via l'établissement de voies d'accès. Dès le XVIIIe s., la communication concerne des domaines très variés, comme en fait foi la définition de l'*Encyclopédie* qui souligne que « ce terme a un grand nombre d'acceptions ». La communication remonte donc aux sources de la langue et de l'écriture, et son histoire peut se lire notamment à travers celle de l'écrit, puis de l'imprimé, comme de celle des spectacles.

La mémorisation du savoir et de l'information a longtemps été autant orale que manuscrite. L'invention de l'imprimerie a suscité un changement de ces conditions, à cause de la diffusion large qu'elle permet : « Par l'intermédiaire du livre, l'idée s'introduisit dans un circuit marchand. [...] L'idée, en acquérant une valeur grâce aux nouvelles techniques de reproduction et de diffusion, commença à pouvoir être regardée comme une information » (Breton et Proulx, 1989). Entre culture, communication et économie, les liens deviennent ensuite de plus en plus étroits.

Au XIXe s., temps de croissance prodigieuse de la communication sous diverses formes (train, télégraphe, téléphone, TSF, automobile, avion), la multiplication des journaux et l'essor de l'édition resserrent les liens entre culture et industrie, permettant l'apparition et le développement de la publicité. L'espace communicationnel se voit ainsi de plus en plus investi par la production capitaliste et industrielle. Dès lors, la communication s'entend surtout dans son acception médiatique. L'importance prise par l'expression « mass media » à partir de 1930 est tributaire du rôle joué par l'électronique (radio puis télévision et enfin informatique). On avance souvent aujourd'hui le fait que nous vivons dans une société de l'image qui remplacerait la société de l'écrit (que Marshall McLuhan a nommée « la galaxie Gutenberg »). P. Lévy parle plutôt de trois « pôles » qui se seraient succédé dans le temps : celui de l'oralité primaire, puis de l'écriture, enfin celui qu'il qualifie d'« informatico-médiatique ». Les productions littéraires ne peuvent être dissociées de ce contexte, qu'elles enregistrent soit en s'adaptant au marché (littérature de grande production, best-sellers), soit en thématisant ses effets négatifs sur les relations entre les hommes (thème de « l'incommunicabilité » ou résistance au langage commun). Les recherches sur les communications se sont développées au XXe s. Le mot a été largement utilisé par les sciences et les technologies. La linguistique a décrit la langue comme un instrument de communication et la sémiologie a analysé les systèmes de signes et de codes verbaux et non verbaux. Certains de leurs apports ont été directement appliqués à l'analyse littéraire. Jakobson a du reste proposé une modification du schéma fondamental de la communication de

Bülher pour y introduire une fonction « poétique » en 1963. Pour sa part, Habermas tente de résister au déferlement de l'« irrationalisme » moderne, en critiquant le « discours de la modernité » qui s'ancre notamment dans l'expérience littéraire des XIXe et XXe s.

La communication littéraire pose des problèmes de trois ordres. Le premier est celui du développement de la diffusion des textes, jusqu'à la massification et mass-médiatisation de la littérature. Mais ces questions concernent surtout la littérature de large diffusion. Le deuxième tient à l'essor de la communication d'images, qui concurrence de façon forte la culture écrite. Enfin, le troisième problème est celui de la pertinence même de ces analyses. La transmission d'un message repose d'abord sur son contenu. Or le texte littéraire met davantage l'accent que d'autres sur le signifiant. Les questions de forme posent des problèmes spécifiques de transmission, comme en font foi par exemple les difficultés que soulève la traduction, notamment pour le genre poétique. On peut donc analyser la communication littéraire en fonction de paramètres courants, concernant les thèmes, les personnages, etc., et d'autres plus spécifiques, propres aux modalités de l'expression dans la littérature. Pour utiliser une formule propre aux théories de l'information, les « bruits », ces informations neuves et inattendues qui viennent brouiller le message, participent activement à ce qu'on nomme à propos de la littérature « subversion », « opacité », « transgression », « énigmaticité », etc. C'est-à-dire ce qui distingue la littérature, telle que la conçoit l'esthétique contemporaine, des autres sortes de messages.

Un autre aspect paradoxal du traitement de ce type de communication tient aux rapports entretenus entre l'émetteur et le récepteur du message. S'il existe des publics cibles en fonction de certains genres spécifiques (notamment certaines collections de littérature sérielle ou de best-sellers), l'auteur ne peut entièrement soumettre son texte à la détermination d'un public défini. Une série de facteurs interfèrent entre l'auteur et son public potentiel : la critique, la publicité, le bouche à oreille, l'actualité du texte par rapport à des événements socio-historiques, l'éventuelle adaptation du texte (au théâtre, à l'écran), etc. D'autre part, la lecture des textes change dans le temps et dans l'espace. Les interprétations se multiplient et varient et la polysémie du texte littéraire en offre une pluralité de lectures. La littérature ne peut ainsi être justiciable des analyses développées par les théories modernes de l'information et de la communication : sa spécificité esthétique est indissociable du caractère aléatoire de sa destination (elle suppose une communication « différée », elle implique une « différance »).

D'autre part, aujourd'hui, le développement de l'édition électronique et la multiplication des hypertextes imposent l'hypothèse de nouvelles données de la communication, y compris littéraire, dans de nouveaux termes.

▶ Breton P. & Proulx S., *L'explosion de la communication*, Paris - Montréal, La Découverte - Boréal, 1989. — Escarpit R., *L'information et la communication. Théorie générale*, Paris, Hachette, 1991. — Habermas J., *Théorie de l'agir communicationnel*, trad. J.-M. Ferry et J.-L. Schlegel, Paris, Fayard, [1981], 1987. — Mattelart A., *L'invention de la communication*, Paris, La Découverte, 1994. — Onimus J., *La communication littéraire : culture et savoir*, Paris, Desclée de Brouwer, 1970.

Jean-François Chassay

→ *Code ; Discours ; Information (Théorie de l') ; Lecture, lecteur ; Médias.*

COMPARATISME → Littérature comparée

COMPILATION → Anthologie ; Rapsodie

COMPLAINTE

Une *complainte* présente, à travers un récit ou des tableaux successifs, une destinée ou une situation affligeantes. Une *lamentation* est un discours tenu publiquement, par lequel une personne, ou un groupe de personnes, exprime sa douleur consécutive à une disparition ou à une destruction. L'une et l'autre relèvent du registre élégiaque.

Dans l'Antiquité, le deuil se manifestait par des conduites très codifiées, dans les gestes, comme de répandre sur soi de la cendre ou de se frapper (*plainte* vient du verbe latin *plangere* : « frapper »), et les discours. Mis sous formes de poèmes chantés à l'occasion des funérailles, ces discours étaient appelés *thrènes* par les Grecs et *nénies* par les Latins. Il subsiste des fragments de thrènes écrits par Pindare au Ve s. avant J.-C. Chez Homère, au chant XVIII de *L'Iliade*, quand Hector est tué par Achille, sa mère Hécube puis son épouse Andromaque se lamentent au milieu des Troyennes : prenant à témoin l'assistance, elles font un éloge de la valeur du mort et évoquent la vie malheureuse qui les attend. Dans la *Bible*, le livre des *Lamentations*, attribué sans doute à tort au prophète Jérémie, exprime, en cinq chants d'une forme littéraire très élaborée, la douleur du peuple juif après la destruction de Jérusalem en ~587.

Au Moyen Âge, la lamentation s'exprime dans le *planctus* (en latin) ou *planh* (en occitan), écrit à l'occasion de la mort d'un personnage réel, mais aussi dans les *chansons de gestes*, où, comme chez Homère, des lamentations sont prononcées par des héros, comme Charlemagne pleurant son neveu dans *La chanson de Roland.*

Survivant comme pratique dans certaines régions du monde, par exemple en Corse avec le *Vocero*, les lamentations ont disparu peu à peu de la littérature où elles ne reviennent que de manière parodique, à propos de la disparition d'un animal ou d'un bien matériel. Ainsi, dans *L'avare* de Molière, le monologue d'Harpagon, privé de sa cassette, a beaucoup de ressemblances avec une lamentation. Cependant, la forme antique du *thrène* en est parfois réactivée, comme dans le long poème de ce titre de M. Deguy (*À ce qui n'en finit pas : thrène*, 1995), pour déplorer la mort de l'aimée.

Il est parfois difficile de différencier la *lamentation* de la *complainte*, quand cette dernière a pour thème la mort d'un être cher, ainsi dans la *Complainte* qu'écrit Alain Chartier, au début du XVe s., pour déplorer le trépas de la femme aimée. Le mot *complainte* est attesté dans des textes français à partir du XIIe s. avec le sens général de « plainte ». Ce n'est qu'au XIIIe s. qu'il commence à désigner un texte poétique dans lequel un narrateur attire l'attention sur ses malheurs personnels. Ainsi, la *Complainte Rutebeuf* est adressée à un protecteur susceptible d'aider le poète qui se présente comme misérable et abandonné de tous. Au XVe s., Roger de Collerye écrit une *Complainte de l'infortuné*, de contenu comparable ; Antoine Héroet, dans la *Complainte d'une dame surprise nouvellement d'amour*, fait parler un personnage qui analyse le trouble de ses sentiments ; une *Complainte du pauvre commun et des pauvres laboureurs de France*, parfois attribuée à Alain Chartier, donne à voir les malheurs du peuple.

À partir du XVIIe s., la complainte devient un genre populaire. Souvent les colporteurs montraient des images en chantant au public les complaintes qu'elles illustraient et qui avaient pour thème le récit d'une triste destinée. Il pouvait s'agir de personnages légendaires comme le Juif errant ou Geneviève de Brabant, mais aussi, vers la fin du XVIIIe et au XIXe s., de personnages réels à qui leurs actes avaient valu de lourdes condamnations, tel Mandrin, le brigand généreux, ou Latude, prisonnier héroïque, ou encore de sombres criminels comme l'empoisonneur Desrues au XVIIIe s., ou l'égorgeur Fualdès, au début du XIXe s. À Paris, au XVIIIe s., l'habitude s'était prise de chanter et de vendre, sur la place de Grève, des « complaintes sur les pendus et les roués que le peuple écoute la larme à l'œil, et qu'il achète avec empressement » (Louis-Sébastien Mercier, *Tableau de Paris*, n° 463, 1781-1788), et Restif de la Bretonne blâme ces « vils colporteurs avec leur joie barbare » (*Nuits de Paris*, n° 186, 1788-1793).

À la fin du XIXe s., des poètes ont créé des formes littéraires inspirées de la complainte populaire. Ainsi, entre autres, les *Chansons* de Bruant, ou certains textes de Gaston Couté, comme la *Complainte de l'estropié*, qui dit, en patois beauceron, les souffrances d'un ouvrier meunier. Sur le mode de l'humour noir, Franc-Nohain écrit *La complainte de Monsieur Benoît.* Mais c'est Laforgue qui a renouvelé le genre avec le plus de liberté dans son recueil de *Complaintes* (1885). Il garde l'allure de la ritournelle triste, ses refrains, ses élisions, ses mots pathétiques, mais multiplie les métaphores et les inventions rythmiques ou lexicales, pour montrer toutes les facettes de l'espoir et du désenchantement. Peu narratives, ses *Complaintes* sont plutôt des *lamentations* sur la condition humaine, mais leur violence est contenue par l'humour et le travail poétique. La complainte survit au XXe s. dans la chanson populaire notamment (*Complainte de la Butte*).

▶ BERTRAND J.-P., *Les complaintes de Jules Laforgue. Ironie et désanchantement*, Paris, Klincksieck, 1997. — LYOTARD J.-F., article « Performance », in *Encyclopœdia Universalis.* — Coll. : *Mille et cent ans de poésie française, de la Séquence de Sainte-Eulalie à Jean Genêt*, éd. ét. et ann. par B. Delvaille, Paris, Laffont « Bouquins », 1991.

Michèle BENOIST

→ *Chanson ; Congé ; Élégie.*

CONGÉ

Le « congé » (ou les « congés ») est une forme poétique lyrique – mais non chantée – du Moyen Âge, en vogue notamment à Arras au XIIIe s. Un trouvère y dit ses adieux, ses regrets et ses remerciements à ses amis, à ses bienfaiteurs ou aux habitants de la cité, qu'il doit quitter dans des circonstances dramatiques.

Le congé s'inspire de la formule strophique et prosodique des *Vers de la Mort*, composés en 1195 par Hélinand de Froidmont : douzains d'octosyllabes sur deux rimes (*aabaabbbabba*), qui débutent chacun par une apostrophe. L'œuvre d'Hélinand est surtout latine, seules ses apostrophes à la mort relèvent de la langue d'oïl. Il dresse un réquisitoire contre les mœurs du temps, non de manière générale et abstraite mais en s'adressant à des contemporains bien connus de lui. Ces traits se retrouvent dans les « congés » où le poète malade et exclu de la société s'adresse à ses compatriotes, compagnons ou mécènes. L'inventeur de la forme serait Jean Bodel, auteur d'une œuvre variée, narrative (neuf fabliaux), épique (*Chanson des Saisnes*), dramatique (*Jeu de saint Nicolas*), et lyrique (cinq *pastourelles*) : trouvère professionnel, inscrit à la Confrérie des Jongleurs et Bourgeois d'Arras, il voit sa carrière interrompue par la lèpre et dit son « congé » (1202) en 45 strophes. Vers 1272, un autre trouvère d'Arras, Baude Fastoul, compose, dans les mêmes circonstances, 58 douzains d'octosyllabes. Son « congé » – sa seule œuvre conservée – est remarquable par la richesse des rimes et la recherche d'expressions qui peignent avec un humour tragique la dégradation de son corps. On y dénombre plus de 120 noms que des documents d'archives authentifient. On est donc passé du thème de la mort à celui la lèpre, cette maladie qui transforme un être humain en mort-vivant, « moitié sain et moitié pourri » et en fait un paria.

Avec Adam de la Halle (vers 1276, contemporain de Fastoul), le genre évolue. Celui qui est sans doute le plus célèbre poète arrageois utilise le « congé » pour faire ses adieux à sa ville qu'il quitte en pleine santé et de son plein gré et pour régler ses comptes avec ses compatriotes. L'invective prend le pas sur la plainte, la provocation sur la résignation amère. Ses 13 douzains détournent le genre en retrouvant le ton violent et polémique des vers d'Hélinand, mais conservent le caractère de bilan d'une vie qu'avaient les congés des lépreux. Les poèmes des lépreux ne perdurent pas au-delà du XIIIe s., ni en dehors d'Arras. Leur postérité serait à rechercher du côté des Testaments à la fin du Moyen Âge, en particulier celui de Villon, à la fois dans la thématique du départ, dans l'évocation d'un corps défait et mourant, et dans la litanie des noms. Au-delà, les adieux à un lieu aimé d'où l'on s'exile plus ou moins volontairement, avec émotion ou humour, constituent une forme lyrique dont on peut suivre le long cheminement : Eustache Deschamps, au XIVe s., dit adieu à Paris et à ses plaisirs, au XVIIe s., Saint-Amant peint un *Poète crotté* qui lui aussi prend congé de la capitale, et Scarron donne un *Adieu à Paris*... Encore au XXe s., la veine est vivante, dans la chanson populaire notamment, par exemple *La chanson de Craonne* des Poilus de 1914-1918 dans le registre tragique, le *Déserteur* de Vian, ou, dans le lyrisme humoristique, l'*Adieu Venise provençale* de Vincent Scotto.

Les « congés » illustrent les échanges entre la littérature médiolatine des clercs et la poésie en langue vernaculaire des trouvères. Le *je* qui clame sa souffrance prend un autre sens que dans la poésie lyrique de la même époque, non seulement parce qu'il ne chante pas l'amour, mais parce que le poète s'inscrit dans une communauté précise, avec ses réseaux de solidarité et d'intérêts, et fait part d'une expérience personnelle. L'intérêt des « congés » réside, en effet, dans le rapport qu'ils instaurent entre le poète et sa communauté : poésie personnelle et poème de circonstance, ils mêlent des traits réalistes à des comparaisons prises dans des domaines et des lieux familiers aux Arrageois. Arras au XIIIe s. possède des sociétés littéraires où se côtoient les trouvères et l'élite économique et politique. S'il s'agit de repeupler par la parole un univers vidé par la maladie (M. Zink), transmuer la laideur en beauté, les « congés » témoignent, comme les *jeux* dramatiques des mêmes poètes, d'une poésie où l'individu ne saurait exprimer sa souffrance intime sans la projeter sur la place publique et appeler chacun à la partager. Cette thématique se maintient dans une part de la suite du genre (*Craonne*) mais le comique y a pris une place prépondérante.

▶ PAYEN J.-Ch., « L'aveu pudique de l'écriture dans les congés de Jean Bodel », *Mélanges Charles Foulon*, Rennes, 1980. — RUELLE P., *Les congés d'Arras*, Bruxelles, 1965. — ZINK M., « Le ladre, de l'exil au royaume », *Senefiance* 5, Aix-en-Provence, 1978.

Michèle GALLY

→ *Chanson ; Discours funèbres ; Humour ; Ironie ; Lyrisme ; Médiévale (Littérature).*

CONSOLATION → Discours funèbres

CONTE

Le conte se caractérise par trois critères principaux : il raconte des événements imaginaires, voire merveilleux ; sa vocation est de distraire, tout en portant souvent une morale ; il exprime une tradition orale multiséculaire et quasi-universelle. D'abord « populaire » et oral, il est passé tôt en littérature lettrée, où il est devenu célèbre par le « conte de fées », puis a donné toutes sortes de variantes.

L'écriture naît dans les comptes et les contes : un papyrus égyptien du XIIIe s. av. J.-C conserve le plus ancien qui nous soit parvenu, le conte des *Deux frères*. *L'Âne d'Or* d'Apulée (IIe s. ap. J.-C) se présente comme un conte milésien (*Sermo Milesius*, conte à la mode orientale). Il inclut *Amour et Psyché*, l'un des contes les plus répandus. Le récit médiéval s'alimente de récits issus des traditions biblique, antique et celtique (les *Lais* narratifs). Les prédicateurs illustraient alors leurs sermons par des *exempla*, narrations empruntées à la Bible, aux vies des saints mais aussi à la tradition orale. Le conte devient ainsi un enjeu théologique et moral ; sa fonction divertissante éveille la suspicion. « Li conte de Bretaigne sont si vain et plaisant » écrit J. Bodel (*Chanson des Saxons*, fin XIIe s.). Le Moyen Âge ignore la dénomination générique « conte de fées ». Elle n'est pas non plus chez Rabelais, dont l'œuvre est pourtant nourrie par ailleurs de culture traditionnelle (les histoires relatives au diable de Papefiguières dans *Le quart livre* renvoient au cycle de l'Ogre dupé). Au XVIe s., l'Italie voit naître des recueils de contes littéraires, *Les nuits facétieuses* de Straparole (1550, 1553), puis le *Pentamerone* de Basile (1634-1636). En France aussi, ils constituent un genre à la mode et les conteurs, comme Bonaventure des Périers, s'inspirent des nouvellistes italiens. Le terme de conte s'applique alors à toute sorte de récits brefs, même aux nouvelles de Boccace ou de Marguerite de Navarre. À l'époque classique, les lettrés « Anciens » n'ont que mépris pour les contes populaires. Mais La Fontaine a du succès avec une version libertine du genre, en prose ou en vers. Avec les « Modernes », le conte de fées devient un genre apprécié des salons. Perrault fait paraître en 1697 huit *Histoires ou contes du temps passé* dont six sont inspirés de la tradition populaire. Ils incluent, de façon ludique, des moralités, qui rattachent le conte à l'apologue. Considérant le merveilleux comme un refus du rationnel, Leibniz regrette (en 1716) cette vogue du conte, ennemi des lumières. Mais la mode mondaine faiblit, et les contes de fées entrent dans la Bibliothèque bleue vers les années 1750. Avec *Zadig* (1747) Voltaire inaugure le conte philosophique (*Babouc*, 1748 ; *Micromégas*, 1752 ; *Candide*, 1759 ; *La Princesse de Babylone*, 1768). Nodier, fasciné par les érudits et les conteurs de la Renaissance, suit la nouvelle mode qui éclate après 1830 (*La fée aux miettes*, 1832). En 1843 il préface une réédition des *Contes ou Nouvelles récréations et joyeux devis* de Bonaventure des Périers. Le conte merveilleux moderne s'était en effet imposé à la suite des publications de Grimm (1812 et 1815) et Andersen (ses premiers contes, *Aventures contées aux enfants*, paraissent en 1835). La veine littéraire se poursuit avec les *Trois Contes* de Flaubert (1877), les *Contes cruels* (1883) de Villiers de l'Isle-Adam, ou ceux de Maupassant ; Musset utilise ce nom pour ses poèmes des *Contes d'Espagne et d'Italie* (1829). Au Canada, au tournant du XIXe s., L. Fréchette s'adapte à la tradition anglo-américaine du *Christmas Carol* en publiant *La Noël au Canada*. En France au XXe s., M. Aymé s'illustre également dans ce genre avec les *Contes du chat perché* (à partir de 1937). La distinction entre tradition populaire et veine littéraire tend à s'effacer sous l'effet de la signature de l'écrivain : les contes d'A. Césaire, de P. Chamoiseau, de Dadié ou de Diop (*Contes d'Amadou Koumba*, 1947) allient ainsi les deux versants.

Par sa brièveté et sa typicité, le conte populaire s'est imposé au XXe s. comme un objet privilégié des méthodes critiques et des débats qui les animent. Influencées par l'utopie romantique de la pureté des origines, les recherches historicistes scrutent les sources des contes (indo-européennes, M. Müller, G. Dumézil ; indianistes, E. Cosquin) et les processus de leur expansion. Les folkloristes (A. Aarne, S. Thompson, P. Delarue, M.-L. Ténèze) collectent et recensent dans de vastes catalogues, les motifs et les types de contes. Dans *La morphologie du conte* (1928), V. Propp a donné un des fondements de la narratologie contemporaine par l'analyse des structures narratives dégagées d'un ensemble de contes russes. Cette contribution a été l'objet de reprises mais aussi de débats, auxquels ont contribué entre autres Greimas, Lévi-Strauss, Brémond, débats dans lesquels l'autre versant de l'entreprise de Propp, l'interrogation sur la réalité historique des sources et la portée anthropologique des contes a été laissée au second plan, puis réintégrée (Lévi-Strauss recherchant le mythe derrière le conte). Au même moment, les études freudiennes consacrées aux contes des « Trois coffrets » et au « Loup et les sept chevreaux » ont incité les psychanalystes à utiliser ces récits pour étayer leurs conceptions du psychisme humain, justifier les mécanismes oniriques et les rouages évolutifs de la personnalité (Freud, M. Klein, B. Bettelheim), ou découvrir (Jung) les archétypes de l'inconscient collectif. Ainsi, le conte associe fonction ludique et dimension anthropologique. Aussi constitue-t-il un objet d'étude très riche. Reste que le conte « populaire » appartient à une narration transmise oralement et relevant du folklore au même titre que les fêtes, les chansons, etc. En tant que genre littéraire, le conte puise à cette production, adapte le « conte de fées » à la culture lettrée, mais il désigne plus largement un récit bref sans modèle populaire obligé et qui manifeste des thématiques variées (conte libertin, conte philosophique, conte fantastique...). Le *conte littéraire* pose par conséquent un difficile problème quant à son statut de genre. Historiquement, il est assez malaisé à distinguer des autres genres brefs (fabliau, exemplum, nouvelle) ; il garde au mieux de son origine populaire une forme où la présence du narrateur s'affiche. Mais c'est cette marginalité même qui fonde la liberté avec laquelle on en use.

▶ LÉVI-STRAUSS C., « La structure et la forme », *Anthropologie structurale II*. Paris, Plon, 1973. — ROBERT R., *Le conte de fées en France de la fin du XVIIe siècle à la fin du XVIIIe siècle*. Nancy, Presses Univ. de Nancy, 1981. — SORIANO M., *Les contes de Perrault. Culture savante et traditions populaires*, Paris, Gallimard « Tel », 1977. — VELAY-VALLANTIN C., *L'histoire des contes*, Paris, Fayard, 1992. — Coll. : *Réception et identification du conte depuis le Moyen Âge*, Zink M., Ravier X. (dir.), *Actes du Colloque de Toulouse, 1986*. Toulouse, Univ. de Toulouse-Le-Mirail, 1987.

Jean-Jacques VINCENSINI

→ *Fabliau ; Folklore ; Genres littéraires ; Merveilleux ; Narration ; Nouvelle ; Réalisme ; Structuralisme.*

CONTEXTE

Le terme latin *contextus* désigne un assemblage réunissant des éléments aussi étroitement liés entre eux que le sont les fils d'un tissu. Aussi le mot français qui en dérive sert-il, au sens premier, à nommer une forme spécifique d'assemblage : celui des mots ou des phrases qui, dans un texte, détermine le sens et la valeur de chaque élément en fonction de son environnement linguistique immédiat. Mais la notion ne se réduit pas à ce seul sens de « contexte textuel » (que certains, comme C. Duchet, appellent « co-texte »). Elle renvoie aussi à l'« intertexte », c'est-à-dire à l'ensemble des relations d'un texte avec d'autres textes. De manière plus générale, on entend par *contexte* l'ensemble des circonstances dans lesquelles s'inscrit un acte de discours, sa situation d'énonciation proprement dite, mais aussi les conditions sociales, politiques, économiques et culturelles qui en orientent la production et le sens.

La mise en contexte est une catégorie fondamentale de l'art d'interpréter. Parce qu'elle procède par analogie, par étymologie ou par le recours à une autorité, l'exégèse fait appel à des données complémentaires au fait ou aux mots qu'il s'agit d'expliquer. Le commentaire ne procède pas autrement et les premiers classements du matériau littéraire renvoient à des catégories mentales (le genre, la tradition par exemple) qui impliquent la prise en compte d'une série, donc des éléments qui inscrivent chaque œuvre singulière dans un ensemble plus large. Au XIXe s., la pensée critique et historique a donné des méthodes et fixé des programmes de recherche pour comprendre les textes en les rapportant au contexte qui les a rendus possibles en un temps et en un lieu déterminés. Tel a été en particulier l'objectif de la philologie et de l'histoire littéraire, puis de la sociologie de la littérature. L'intervention massive du formalisme dans les études littéraires, au début du XXe s., a déplacé la problématique vers la notion d'intertexte, qui suppose que toute œuvre intègre et transforme les textes antérieurs. L'étude du contexte s'est cristallisée à la fin du XXe s. autour de ces deux acceptions du mot : renvoi du texte littéraire à ses conditions sociales, historiques et formelles de production d'une part, inscription d'un écrit dans une série de l'autre.

La recherche contemporaine a largement dépassé l'opposition entre texte et contexte ou entre « analyse interne » et « analyse externe ». L'approche des actes de langage et la pragmatique ont fait sentir la nécessité d'aller au-delà en montrant que « le contexte n'est pas placé à l'extérieur de l'œuvre », mais porté par l'énonciation elle-même (Maingueneau, 1993) : une phrase n'a de sens que par référence à un certain contexte qui, à l'arrière-plan, mobilise une pluralité de présomptions et de savoirs. En littérature, les analyses poétiques insistent sur l'« encyclopédie » impliquée par un texte (Riffaterre) ; elle se manifeste parfois par la citation, qui inscrit un co-texte explicite, mais souvent par un intertexte plus implicite. L'histoire et la sociologie de la littérature ont proposé des concepts visant à organiser le passage entre le texte littéraire et les circonstances dans lesquelles il s'insère : c'est ce que visent les notions de reflet, médiation, champ littéraire, discours social.

Surtout, la question du contexte n'intervient pas que dans l'activité interprétative. Elle concerne d'abord la production littéraire. Même pour une œuvre aussi « pure » et autonome qu'il se peut, un auteur opère toujours des choix dans un matériau langagier et formel complexe. D'autre part, les préfaces, avertissements, manifestes, appels au lecteur, invocations, envois et autres déclarations d'intention sont autant de marques des liens entre l'œuvre et son contexte (ou ses contextes quand il s'agit de rééditions, donc de contextes de lecture différents). Enfin, toute pratique littéraire met en jeu des systèmes qui ne peuvent être saisis que dans leurs relations de proximité ou d'opposition avec d'autres, relations qui forment le contexte général de cette activité : ainsi dans l'univers du théâtre les rapports entre les genres majeurs (tragédie) et mineurs (farce), longtemps associés dans une même séance de représentation, ou encore l'insertion d'une pièce dans une fête de cour, etc. ; en poésie, la publication en recueil ou en poèmes séparés, dans des revues, au milieu de textes d'autres auteurs voire d'autres genres. En matière de recherche, il est donc indispensable de faire intervenir pour chaque texte les trois strates de contextes.

▶ MAINGUENEAU D., *Le contexte de l'œuvre littéraire. Énonciation, écrivain, société*, Paris, Dunod, 1993. — NEEFS J., ROPARS M.-C. (dir.), *La politique du texte. Enjeux sociocritiques. Pour Claude Duchet*, Lille, PU de Lille, 1992. — SEARLE J. R., *Sens et expression. Études de théorie des actes de langage*, Paris, Minuit, 1982.

Marc André BERNIER

→ *Contextualisation ; Discours ; Énonciation et énoncé ; Genres littéraires ; Herméneutique ; Intertextualité ; Lecture, lecteur ; Péritexte.*

CONTEXTUALISATION

La contextualisation est l'opération qui consiste à inscrire un texte dans une situation d'énonciation (celle de sa production et celle de sa réception). En histoire et en sciences sociales, la notion s'applique pour un événement, une pratique, un texte ou toute espèce de discours ; en littérature, elle concerne les textes et leur publication.

La notion est récente, les pratiques anciennes. De longue date, les Vies d'écrivains, de philosophes et d'artistes ont tâché d'éclairer les œuvres en les situant dans le contexte d'une époque et d'une biographie. Au XIXe s., la critique de Sainte-Beuve privilégie un contexte limité, la biographie, et celle de Taine considère la « race [la nation], le milieu et le moment » [l'époque] comme des facteurs contextuels déterminants. L'histoire littéraire avec Lanson, puis les historiens de l'École des Annales avec Lucien Febvre, envisagent, à leur tour, la recherche des situations qui éclairent les significations des œuvres littéraires en y prenant en compte les mentalités des auteurs et des lecteurs, et les situations de création (mais Lanson réserve la contextualisation à l'enseignement supérieur, et le commentaire de texte, moins attentif au contexte, au secondaire). Leurs projets théoriques restent longtemps sans lendemain. Goldman, s'il est attentif à la « vision du monde » des auteurs, n'analyse pas la situation immédiate de création et de réception. Pour sa part, Bourdieu conçoit le champ littéraire comme le premier contexte, mais n'aborde guère l'analyse détaillée des situations concrètes de production et de réception de chaque œuvre. C'est la démarche historique, surtout depuis les années 1980, qui privilégie l'idée de contextualisation pour les documents qu'elle examine de façon critique. Cette problématique réactive les analyses littéraires du contexte.

La contextualisation est inséparable des idées de contexte et de situation, et d'une approche pragmatique des textes. Mais la notion de contexte a pu être entendue de façon extensive, alors que l'acte de contextualiser suppose qu'on réinscrive le texte envisagé dans la situation précise où il a été produit, et dans celle où il est lu, entendu ou vu. En particulier, cet acte exige que l'on considère les autres discours et pratiques avec lesquels il se trouve en interaction. Aussi la contextualisation est essentiellement pragmatique. Elle étudie les motivations, enjeux, conditions pratiques et idéologiques et situation concrète de création et première publication des œuvres, ainsi que leur réception liée en particulier aux attentes des diverses catégories de lecteurs et aux façons dont l'auteur peut anticiper sur celles-ci. Elle tient donc compte de toutes les dimensions de la situation d'énonciation pour, à partir de celle-ci, aborder les questions liées aux enjeux idéologiques, sociaux et politiques.

Une telle démarche se heurte à la question du « désancrage » énonciatif propre à la littérature et l'art : une œuvre reste significative même une fois que la situation où elle a été produite a disparu. Mais l'action de contextualisation s'applique aussi bien à l'analyse des situations de réception qu'à la production des œuvres, en considérant que leur sens n'est pas un « en-soi », mais une construction toujours située et motivée. Et la contextualisation, elle-même opération avouée de construction de sens, implique que toute signification est relative. Connaître la situation première de production d'une œuvre n'oblitère pas la possibilité de ses significations ultérieures, mais permet de confronter les significations qui lui sont reconnues et leur évolution : une œuvre n'existe pas en dépit des situations qui la suscitent – qu'une critique d'esthétique pure réduit au rang de simples « circonstances » accessoires. En ce sens, la contextualisation ne se substitue pas à une interrogation sémiologique ou esthétique, mais elle assure la prise en compte de l'historicité des textes et de leurs réceptions, donc elle est la clef d'accès à l'histoire des mentalités. Les débats sur la contextualisation renvoient en fait à une opposition entre une conception de type platonicien de la littérature (elle serait le fruit d'une « inspiration divine » comme telle, coupée, ou du moins fortement indépendante, des autres discours humains) et la conception du littéraire comme partie intégrante des pratiques sociales.

▶ JAUSS H. J., *Pour une esthétique de la réception*, Paris, Gallimard, 1990. — JOUHAUD C., *Mazarinades, la fronde des mots*, Paris, Aubier, 1987. — MOLINIÉ G., VIALA A., *Approches de la réception, II*, Paris, PUF, 1993. — Coll. : *La vie littéraire au Québec*, M. Lemire, D. Saint-Jacques (dir.), Sainte-Foy, Presses de l'Université Laval, 4 vol. parus.

Alain VIALA

→ *Contexte ; Énonciation et énoncé ; Histoire culturelle ; Histoire littéraire ; Pragmatique littéraire ; Publication.*

CONTRE-RÉFORME → Réforme catholique

CONTREFAÇON → Édition ; Privilège d'imprimerie

CONVENTIONS → Dramaturgie ; Norme ; Règles

CONVERSATION → Oralité ; Salons littéraires

CORPS

L'art littéraire engage le corps et pas seulement l'esprit : la diction et le jeu pour l'acteur, le ton et le geste pour l'orateur, mais aussi le tracé matériel de l'écrit impliquent une maîtrise de la voix et du geste. C'est pourquoi l'histoire de la littérature ne peut ignorer qu'elle concerne aussi les constitutions physiques qui l'ont produite et diffusée. En un autre sens, le corps est une thématique majeure dans la création littéraire.

Parce qu'elle a d'abord surtout résonné, dans l'Antiquité et longtemps dans l'âge moderne, sur la place publique, la littérature s'accompagne d'une gestuelle (l'action rhétorique, le jeu de l'acteur, la diction du jongleur). L'orateur contrôle l'intensité et la hauteur de sa voix ; il apprend les mouvements qui en renforcent la portée et les effets. Le prêcheur sait également symboliser et faire reconnaître les scènes sacrées. Le plaideur mesure ses « effets de manches ». La parole à voix haute est ainsi liée au geste, comme elle l'est aussi aux mimiques. Les muscles de la mâchoire, les mouvements des yeux et du visage, les contractions des nerfs et le déplacement des membres forment des figures intelligibles dont témoignent les codes des arts plastiques (Baxandall), que l'on peut apprendre et reproduire. Certains genres littéraires comme le conte, le dit, la fable, le théâtre et toutes les formes liées à la musique impliquent ainsi la présence matérielle d'un interprète dont les expressions relaient l'énoncé verbal.

Par ailleurs, l'art d'écrire impose ses propres contraintes. Les représentations abondent d'écrivains choisissant des postures de travail spécifiques, nécessaires à leur inspiration : Rousseau associant la marche et la composition littéraire, comme, plus tard, Verhaeren, Proust dans son lit, comme aussi Anna de Noailles, Hugo et Gide debout devant leurs pupitres comme l'artisan devant son établi... De là, une pathologie (scoliose de la colonne vertébrale ou atrophie musculaire) ou, plus communément, des maux bénins (la crampe de l'écrivain), des tics et des manies de compensation (fumer, se gratter, ronger ses ongles...). Certains ont décrit les maladies caractéristiques de la profession (Tissot, *De la santé des gens de lettres*, 1768). L'idée que l'art lui-même était par nature lié à certaines pathologies comme la mélancolie, qui ont leurs implications corporelles et qui, à l'extrême, mènent au suicide, est des plus durables.

D'autre part, l'écriture qui anticipe sur la parole ou qui lui succède porte les marques de l'engagement physique. Le rythme, la scansion, le découpage en vers sont liés au souffle. Les périodes, les gradations, l'ordonnance et le choix des mots, la ponctuation ou encore l'organisation typographique aussi. Celui qui écrit mime souvent la parole. L'écriture elle-même est liée à l'oralité. Elle a été largement produite par des corps qui savaient l'art de la parole publique – fût-elle à usage privé. Voltaire dicte plusieurs lettres en même temps en arpentant son cabinet de travail ; Flaubert essaie ses phrases dans son « gueuloir » et Gide découvre les œuvres de ses amis en les lisant à haute voix. Et que dire des auteurs de théâtre dont les scènes s'esquissent dans le feu de l'improvisation ? Parfois même, le geste devient un critère de composition : l'écriture automatique se fonde sur une accélération du mouvement de la main censé suspendre le contrôle du moi conscient.

Enfin, des « corps-écrits » nombreux et divers parcourent l'histoire littéraire. Le discours amoureux, par le lyrisme et les descriptions, fait l'éloge des corps aimés ou désirés : des genres comme le blason lui sont voués ; la littérature érotique existe depuis l'Antiquité, de manière plus ou moins clandestine. À travers leur typologie, les corps participent de la définition des types et caractères littéraires (du Matamore au jeune premier...). À travers la maladie et la mort – de la mélancolie à la tuberculose ou au sida –, l'écriture est un lieu de ressaisissement de soi ou d'expression de la souffrance. À certaines périodes, et notamment à la fin du XIXᵉ s., la crise devient une notion centrale du discours littéraire (Mallarmé, *Crise de vers*, 1886-1896) ; relayées par la psychiatrie, la pathologie et ses traductions somatiques forment un des grands thèmes littéraires du XXᵉ s. (A. Artaud, ou A. Baillon, *Le perce-oreille du Luxembourg*, 1928).

La problématique du corps littéraire touche ainsi à tous les usages de l'expression écrite. Le corps littéraire ne peut donc être réduit à un thème ou à un motif : il participe intimement à l'historicité même du littéraire.

▶ BAXANDALL M., *L'œil du Quattrocento : l'usage de la peinture dans l'Italie de la Renaissance* [1972], trad. Yvette Delsaut, Paris, Gallimard, 1985. — DENEYS-TUNNEY, *Écritures du corps, de Descartes à Laclos*, Paris, PUF, 1992. — *Le corps à la Renaissance*. J. Céard, M.-M. Fontaine, J. C. Margolin (éd.), Paris, Aux amateurs de livre, 1990. — Coll. : *Le corps au XVIIᵉ siècle*, R. W. Tobin (éd.), Papers on French seventeenth Century Literature, Paris-Seattle-Tübingen, 1995.

Paul ARON

→ *Éloquence ; Inspiration ; Médecine ; Mélancolie ; Oralité ; Rhétorique ; Théâtre.*

CORPUS → Philologie

CORRESPONDANCE

Une correspondance est un ensemble de lettres réellement expédiées qui mettent en scène un *je* non métaphorique s'adressant à un destinataire également non métaphorique (Melançon, 1996). Elle se distingue ainsi du roman épistolaire ou des lettres fictives. Toutefois, la correspondance authentique, parce qu'elle implique l'absence du destinataire, connaît une « différance » qui l'apparente fondamentalement à toute la création littéraire.

La pratique épistolaire dispose de modèles latins de première importance, comme les *Ad familiares* de Cicéron ou les *Lettres à Lucilius* de Sénèque. D'autre part, le genre de la correspondance dialogue avec celui de l'Épître en vers, bien établi depuis l'antiquité romaine. Le Moyen Âge connaît des « Arts de dictier » qui le codifient. Au XVIᵉ s., la lettre se généralise, peu à peu, et les premiers recueils de lettres en français sont associés à la parution de petits ouvrages rassemblant modèles et conseils à l'usage de qui veut correspondre : les « secrétaires ». Le XVIIe s. est l'âge d'or du genre. L'instruction alors plus largement répandue dans les classes dominantes et la vie mondaine en essor le favorisent, mais aussi la création à cette époque d'un service public de poste, qui permet des relations épistolaires régulières. Le genre reste dominé par une pratique de la lettre éloquente, régie par une tradition savante (Guez de Balzac). C'est aussi le temps où les érudits entretiennent des correspondances qui ont vocation de diffusion des savoirs autant ou plus que de relation personnelle. Mais cette période se signale surtout par l'essor d'une forme épistolaire mondaine. Ainsi les *Lettres* de Voiture (1650, posthumes, mais déjà célèbres de son vivant par les lectures et les copies qu'on en faisait dans les salons) fondent le modèle de la lettre galante, à la frontière (indécise) entre correspondance privée et art littéraire. La publication de la correspondance de Madame de Sévigné en 1725 (posthume, mais déjà réputée et objet de copies de son vivant, notamment par son cousin Bussy-Rabutin qui en a publié de premiers échantillons) en marque l'affirmation. Du XVIIIe s. jusqu'à nos jours, l'engouement pour la publication de lettres intimes ne s'est pas démenti, y compris dans l'usage d'éditer la correspondance d'un auteur dans ses œuvres complètes.

La correspondance privée est-elle une œuvre littéraire ? On notera d'abord que nombre d'auteurs ont appris la manière de correspondre dans un enseignement qui donnait en classiques les épistoliers latins. En second lieu, la « spontanéité » et le « style simple » (la *figura tenuis* des rhéteurs) sont parmi les exigences essentielles de cette pratique, lorsqu'elle cherche à donner l'impression d'être « vraie », « sincère ».

Ces liens intrinsèques avec des usages littéraires font que nombre de critiques considèrent qu'il est possible de lire la correspondance comme un texte littéraire et de la soumettre à la même analyse que celui-ci. À l'inverse, d'aucuns considèrent que la lettre privée ne peut être assimilée à la littérature, puisqu'elle ne fait pas « œuvre ». Enfin, on peut envisager la correspondance dans ses rapports avec l'œuvre, mais en lui conférant un statut différent de celle-ci. Ainsi Vincent Kaufmann (1990) remarque que s'il y a, chez Rilke et Valéry, une « continuité entre le registre épistolaire et la pratique littéraire », chez Baudelaire, Proust et Kafka, il y a, au contraire, une « discontinuité entre la lettre et l'œuvre ». Reste que dans tous les cas, la lecture de correspondances privées donne le sentiment de pénétrer par effraction dans le secret d'une intimité, et qu'en cela, elle rejoint celle du roman par lettres, voire du journal intime.

▶ DUCHÊNE R., *Madame de Sévigné et la lettre d'amour*, Paris, Klincksieck, 1992. — KAUFMANN V., *L'équivoque épistolaire*, Paris, Minuit, 1990. — GRASSI M.-C., « L'étiquette épistolaire au XVIIIe siècle », *in Étiquette et politesse, Littératures* (Clermont-Ferrand), 1992. — MELANÇON B., *Diderot épistolier. Contribution à une poétique de la lettre familière au XVIIIe siècle*, Montréal, Fides, 1996. — Coll. : *La correspondance. Les usages de la lettre au XIXe siècle*, R. Chartier (dir.), Paris, Fayard, 1991.

Marc André BERNIER

→ *Autobiographie ; Épistolaire ; Femmes (Littérature des) ; Personnelle (Littérature).*

CORRESPONDANCE DES ARTS

Qu'il s'agisse de peinture, de musique ou d'architecture, chaque langage reflète volontiers son pouvoir en le comparant à celui d'autres arts. Cette correspondance met en jeu les statuts respectifs des formes artistiques et celui de la représentation. On indique ici quelques-unes des modalités de ces rencontres, en renvoyant aux entrées qui leur sont consacrées les liens de la littérature à la musique et à la peinture.

Au Moyen Âge – que les spéculations d'un Boèce alimentèrent en théories pythagorisantes – et encore à la Renaissance, l'idée de la concordance entre les arts s'appuie sur une métaphysique : chaque créateur célèbre dans son registre particulier un aspect de l'unité du monde voulue par Dieu. Le *Solitaire second* de Pontus de Tyard (1555) rêve l'union de la poésie et de la musique en un art syncrétique, en vertu d'une numérologie révélant une sorte de nombre d'or de l'âme humaine et de ses rapports avec l'univers. L'*ut pictura poesis* règne longtemps (voir : Image). Ainsi Ronsard dresse-t-il pour François Clouet, au premier livre des *Amours*, le tableau des beautés de Cassandre qu'il exhorte son ami à peindre : l'élégie se fait l'équivalent verbal d'un tableau imaginaire. Un peu plus tard, Montaigne place son chapitre « De l'amitié » de ses *Essais* (1580) sous l'égide des « crotesques » dont un peintre remplit les vides de la paroi autour du tableau situé en son centre, tableau dont le *Discours de la servitude volontaire* de La Boétie (éd. posth. 1574) serait l'équivalent. La traduction par Blaise de Vigenère des *Tableaux de platte peinture* de Philostrate (1578) impose pour plus d'un siècle une pratique de l'*ekphrasis* qui consacre la parenté de la peinture et de la littérature.

À l'âge classique, c'est du côté de l'architecture que s'oriente le parallélisme entre les arts. Le sonnet de Malherbe (« Beaux et grand bâtiments... », 1607) traduit le goût d'un ordre des formes dont l'ordonnance claire reflète le désir de clarté poétique. Dans le *Songe de Vaux*, La Fontaine organise le parallèle entre quatre arts différents et dans le préambule des *Amours de Psyché et de Cupidon* (1668), il décrit la « grotte » de Versailles, très récemment construite, comme l'emblème de la « langue du Parnasse ».

Au siècle suivant, des théoriciens comme du Bos et Batteux cherchent le « principe » qui unit les beaux-arts (dont la poésie) du côté de la mimésis puis de l'esthétique. Du Bos (*Réflexions sur la poésie et la peinture*, 1719) insiste surtout sur la question de l'émotion qu'elle suscite ; Batteux (*Les beaux-arts réduits à un même principe*, 1746) associe les effets de l'imitation, dans tous les arts, au choix du sujet.

Diderot et Rousseau apparaissent à cet égard comme des penseurs significatifs. Diderot, dans le lien entre peinture et poésie toujours, critique les limites de l'imitation pour mettre en avant la recherche du sublime (*Salon* de 1765). Pour Rousseau, la communauté serait plutôt à chercher du côté de la musique. Selon l'*Essai sur l'origine des langues* (1755), « les vers, les chants, la parole ont une origine commune », qui est la nature passionnelle d'une humanité pour laquelle la raison ne joue qu'un rôle second. En insistant sur l'importance de la voix, Rousseau inaugure une tradition qui court chez Chateaubriand, dont la mémoire est marquée des voix entendues dans l'enfance, ou Nerval, chez qui le thème du chant est élevé au rang de mythe. De Wordsworth à Hölderlin en passant par Jean-Paul Richter et Leopardi, la thématisation de la voix traverse l'ensemble du romantisme européen. Le parallélisme de la musique et de la parole s'y trouve affirmé dans une mémoire fondatrice du geste littéraire.

Mais l'autonomisation du littéraire conduit les écrivains à pratiquer les correspondances comme une utopie destinée à stimuler la création ou comme la manifestation d'une unité déniée par les valeurs sociales. C'est à quoi participent, notamment, les théories hermétistes ou ésotériques.

Les thèses de l'art pour l'art insistent sur ces « correspondances » auxquelles Baudelaire est particulièrement sensible. Il affirme que « la musique souvent (le) prend comme la mer », même s'il situe ses poèmes du côté de la peinture (une section des *Fleurs du Mal*, 1857, a pour titre « Tableaux parisiens »). Le « culte des images » a bien été sa « grande », son « unique », sa « primitive passion ». À sa suite, dans le contexte du développement d'un « réalisme » pictural autant que littéraire, Zola dans *Le ventre de Paris* (1873) puis dans *L'œuvre* (1886) se sert du regard d'un peintre pour métaphoriser l'acte créateur. De son côté, Huysmans publie en 1883 avec *l'Art moderne* une défense vigoureuse de l'impressionnisme. Chez ces auteurs, le rapport de la littérature et de la peinture se fait sous l'égide d'un « combat » commun mené contre les forces réactionnaires d'un public bourgeois. Par ailleurs, Baudelaire a été aussi le premier à reconnaître Wagner en France. *Richard Wagner et Tannhäuser à Paris* (1861) inaugure le « wagnérisme », et le défi que l'œuvre du Maître allemand pose aux écrivains français par l'ambition syncrétique par laquelle parole, musique, mythe et théâtre sont fondus dans l'idée du *Gesamtkunstwerk*. Mais Mallarmé exhorte les poètes à « reprendre (leur) bien » ; l'injonction quasi pythagoricienne qui le guidait dans son projet de *Livre* restera largement à l'état de projet. Sous une autre forme, dans *À la recherche du temps perdu*, Proust n'hésite pas à symboliser la création artistique par les figures de Bergotte et du héros (l'écriture), d'Elstir (la peinture) et de Vinteuil (la musique).

Si Proust représente la dernière grande synthèse, pour Breton la célébration de certains peintres a surtout pour finalité d'affirmer la cohérence d'une poétique du surréel. L'image s'y voit célébrée pour sa valeur de rupture ou de rêve. D'autres surréalistes (Éluard, *Les mains libres*, 1936) ont tenté de prolonger en poèmes la transgression qu'ils voient dans des œuvres picturales de Man Ray. Le cinéma à son tour a été considéré à la fois en lui-même, comme alliance de la parole, de l'image et de la musique, et comme interlocuteur des autres arts. Et même le nouveau roman est hanté par l'idée de l'image (notamment de la photo).

▶ BECQ A., *Genèse de l'esthétique française moderne ; de la raison classique à l'imagination créatrice (1680-1814)*, [1986], Paris, Albin Michel, 1996. — BRUYNE E. de, *Études d'esthétique médiévale*, Paris, Albin Michel, [1946], 1998. — LECERCLE F., *La Chimère de Zeuxis : portrait poétique et portrait peint à la Renaissance*, Tübingen, G. Narr, 1987. — LEE R. W., *Ut pictura poesis*, trad. fr. Paris, Macula, [1967], 1991.

John E. JACKSON

→ *Allégorie ; Art pour l'art ; Cinéma ; Critique d'art ; Emblème ; Illustration ; Image ; Musique ; Peinture.*

COSMOPOLITISME

En grec, *kósmos* impliquait l'idée de « monde ordonné » et *politês* signifiait « citoyen » : aussi est-ce au sens de « citoyen du monde » que, dès l'Antiquité, le philosophe Diogène se prétend « cosmopolite » (Diogène Laërce, VI, 2, 63) – même si l'idée de « citoyen du monde » se trouve surtout chez Socrate. En français, le terme ne devient usuel qu'au cours du XVIIIe s. Il désigne le sentiment d'appartenance à une civilisation européenne commune, voire à l'humanité tout entière, par-delà les frontières et les usages particuliers qui divisent les États et les peuples. Il suppose que les personnes et les idées circulent plus ou moins librement, condition nécessaire à la confrontation des coutumes et des habitudes que chaque nation tient pour absolues. À ce titre, cosmopolitisme et tolérance sont indissociables.

Dès l'époque hellénistique, les stoïciens formulèrent les premiers l'idéal d'une *cosmopolis*, communauté suprême réunissant tous les hommes. Chez les humanistes du XVIe s, la renaissance du cosmopolitisme marque un retour à cette conception d'une citoyenneté du monde qui, chez eux, se trouve favorisée, autant que par les grandes découvertes, par la République des Lettres. Comme en témoignent l'éducation de Montaigne ou bien l'œuvre d'Érasme, le latin non seulement confère une culture commune aux élites, mais encore il perpétue la mémoire de l'ancien Empire, laquelle nourrit la conscience de l'unité européenne. C'est dans ce contexte qu'apparaît, dès 1560, la première occurrence française du mot « cosmopolite » dans le sous-titre d'un ouvrage de G. Postel, *De la République des Turcs*. Mais la fortune de ce terme date du XVIIIe s., comme l'atteste l'édition de 1721 du *Dictionnaire* de Trévoux qui, le premier, admet le nouveau vocable. Inventer une culture ignorant les limites prescrites par les préjugés nationaux définit le projet de ce cosmopolitisme (et le fait que le *Trévoux* soit produit par les Jésuites n'est pas indifférent à cet égard). L'universalité alors revendiquée par la langue française, les principes de tolérance de la philosophie des Lumières, les académies, et jusqu'aux correspondances littéraires et aux salons parisiens, tout cela contribue alors au cosmopolitisme de la vie intellectuelle. Rousseau infléchit cette conception du cosmopolitisme dans le sens d'une générosité, celle des « grandes âmes cosmopolites » qui aspirent à une fraternité universelle entre les peuples (*Discours sur l'origine de l'inégalité parmi les hommes*, 1755 ; voir aussi *Jugement sur la paix perpétuelle*, éd. posth. 1792). Par la suite, le terme reste associé à la civilisation des Lumières, voire à une sorte d'« Internationale de "l'honnête homme" » (Pomeau, 1991). Au XIXe s., l'essor des bourgeoisies et des États nationaux fait reculer dans l'échelle des valeurs culturelles et sociales cette forme d'internationalisme dont le destin semblait lié à la société d'Ancien Régime. À la fin du siècle et pendant la première moitié du XXe s., le cosmopolitisme devient même un terme injurieux chez les tenants d'un nationalisme souvent antisémite (M. Barrès, *Mes cahiers*, éd. posth. 1929) face à des idéaux humanistes ou marxistes. Mais, en parallèle, des traductions et des adaptations de plus en plus nombreuses ouvrent le champ culturel à l'Angleterre, à l'Allemagne, à la Scandinavie. Le symbolisme, en littérature, et la littérature comparée, à l'Université, témoignent de ce renouveau du cosmopolitisme qui se prolonge, au moins dans les milieux de l'avant-garde, jusqu'aux années 1930. Au XXe s., les crimes du nazisme, puis la planétarisation actuelle de l'économie et du politique, des arts et des lettres invitent à interroger de nouveau l'idée de cosmopolitisme (Derrida, 1997).

« L'Univers est une espèce de livre dont on n'a lu que la première page, quand on n'a vu que son pays », lit-on dès l'incipit du *Cosmopolite ou le citoyen du monde* (1750) de Fougeret de Monbron. En confrontant cette « première page » avec celles qui suivent, le cosmopolitisme implique un rapport à son pays et aux autres qui procède d'un double refus : celui d'un nationalisme étroit et celui d'une uniformisation niant les spécificités. C'est même à la faveur de cette tension essentielle entre le particulier et l'universel que la réflexion sur le cosmopolitisme semble connaître, de nos jours, une fortune nouvelle (P. Casanova, 1999). Dans un contexte où domine la problématique de la mondialisation, le cosmopolitisme ne saurait survivre ni à la ruine de la diversité ni à un repli identitaire. En associant la vie intellectuelle à un choc salutaire entre les cultures, le cosmopolitisme suppose que chacune soit à la fois appelée à l'universel et sollicitée dans sa différence nationale (Jacques, 1998).

▶ CASANOVA P., *La République mondiale des lettres*, Paris, Le Seuil, 1999. — COULMAS P., *Weltbürger : Geschichte einer Menschheitssehnsucht* ; tr. fr. J. Étoré, *Citoyens du monde. Histoire du cosmopolitisme*, Paris, A. Michel, 1995. — DERRIDA J., *Cosmopolites de tous les pays, encore un effort !*, Paris, Galilée, 1997. — JACQUES D., *Nationalité et modernité*, Montréal, Boréal, 1998. — POMEAU R., *L'Europe des Lumières. Cosmopolitisme et unité européenne au XVIIIe siècle*, Paris, Stock, 1991.

Marc André BERNIER

→ *Exil ; Influence ; Lumières ; Nationale (littérature) ; Latine et néolatine (Littérature) ; République des Lettres ; Traduction.*

COUR (Littérature de)

Le mot « cour » vient du bas latin *curtis* (VIe s.) issu de *cohors*, et associe comme lui un sens local (la cour de maison, de ferme) et humain (l'entourage d'un grand). Ce second sens renvoie à un ensemble de personnes et d'activités ; parmi celles-ci, les arts et les lettres constituent très tôt des fonctions à la fois de divertissement, de propagande et des moyens de gouverner.

Dès la fondation du régime impérial à Rome, le mécénat avait constitué la littérature en une activité liée à la cour et visant à célébrer le régime. En France, apparaît au XIIe s. un idéal de raffinement de la vie à la cour, lié à l'*otium* aristocratique, à la présence des femmes et à l'amour dit courtois. Les cours de la Renaissance italienne élaborent un idéal de civilité mis en forme dans *Il Cortegiano* de Castiglione (1528), portrait du parfait courtisan, où la culture a sa place. Les valeurs principales en sont la grâce (*sprezzatura*) et le discernement (*discrezione*), fondés sur la rhétorique et la philosophie antiques. Cet idéal d'élégance désinvolte s'infléchit bientôt vers la diffusion pédagogique des bonnes manières, rhétorique du comportement, qui s'impose à la cour de France, de François Ier à Louis XIV.

N. Élias a centré sur cette période une étude, devenue canonique, de cette « formation sociale », qu'il considère non comme un élément mais comme la structure même de la société d'Ancien Régime, dès lors baptisée « société de cour ». Le monarque absolu y tourne à son bénéfice la compétition entre les divers groupes d'influence du royaume (aristocratie, noblesse de robe, bourgeoisie d'offices), ajoutant ce moyen aux autres instruments de domination que sont ses monopoles fiscal et militaire. Élias fait de la cour le dispositif central du « procès de civilisation », processus éthique et esthétique de longue durée d'intériorisation de la contrainte sociale, qui caractérise le gentilhomme, l'honnête homme puis l'homme du monde jusqu'à la fin de l'Ancien Régime. On a généralement salué la richesse de cette étude. Elle doit cependant être nuancée : sa limitation à une période tardive française (la cour s'installe à Versailles en 1682) occulte le rôle des cours italiennes et renaissantes, et superpose l'ère louis-quatorzienne et l'esthétique dite classique, plus tributaire en réalité de lieux comme les salons.

En matière littéraire, la cour a un effet ambivalent. D'un côté, la littérature en fait partie intégrante, fournissant des ballets et des pièces de théâtre pour les fêtes de cour, et des historiens au service du régime. Et la cour apparaît vite comme un modèle, le lieu où s'expriment le bon goût, la distinction, le véritable esprit. *Savoir la cour*, c'est, à l'âge de la littérature galante, le moyen de ne pas être un pédant. « La plus saine partie de la cour » est avec les bons auteurs l'origine du bon usage linguistique (Vaugelas). Elle est aussi la juridiction en matière de goût (« la grande épreuve de toutes vos comédies, c'est le jugement de la cour », Molière). Son pendant, « la Ville » (Paris), prédominante dans la vie culturelle des XVIIe et XVIIIe s., est bien moins son opposé que le premier espace de diffusion de ses modèles. Ainsi la cour apparaît comme le foyer d'une culture de la conversation par laquelle Mme de Staël définit le « génie français ».

Mais son statut de microcosme social et moral fait aussi de la cour la cible de la comédie ou des moralistes, comme La Rochefoucauld et La Bruyère, puis Saint-Simon et Voltaire (*L'ingénu*, 1767). Cependant, la critique de la cour, de l'arrivisme, de la dissimulation et du « peuple caméléon, peuple singe de son maître » (La Fontaine) provient alors de la cour elle-même.

La littérature de cour comporte une part indéniable de flatterie et de propagande. Mais la dimension critique qu'elle peut prendre empêche de la réduire à ces seules fonctions. Elle manifeste en fait deux traits majeurs. D'une part l'inclusion de la littérature dans un réseau de pratiques culturelles (ainsi des pièces de Molière ou Racine créées à la cour au milieu de ballets, soupers, bals, jeux, feux d'artifice...). D'autre part, une fonction didactique : la littérature de cour entretient l'idéal du « miroir du prince », selon lequel le littérateur est autant l'éducateur – au besoin critique – du monarque que son thuriféraire.

▶ COUPRIE A., *De Corneille à La Bruyère, images de la cour*, Lille, 1984. — ÉLIAS N., *La société de cour* [1930], intr. R. Chartier, Paris, Flammarion, 1985. — MARIN L., *Le portrait du Roi*, Paris, Minuit, 1981. — OSSOLA C., *Miroirs sans visage. Du courtisan à l'homme de la rue*, Paris, Le Seuil, 1997. — SMITH P. M., *The Anti-courtier trend in XVIth century literature*, Genève, Droz, 1967.

Alain VIALA

→ *Ballet ; Comédie-ballet ; Courtoise (Littérature) ; Didactique (Littérature) ; Galanterie ; Goût ; Honnête homme ; Moralistes.*

COURTOISE (Littérature)

La « littérature courtoise » désigne une partie des œuvres lyriques et romanesques médiévales liées aux cours seigneuriales et royales du XIIe au XVe s., en particulier dans le Midi puis dans le Nord de la France, en Italie et en Allemagne. Lieu de production et de diffusion, la « cour » détermine une esthétique et une éthique profanes. Est « courtois » ce qui n'est pas « vilain » (paysan, non noble) : un ensemble d'attitudes, de goûts et de valeurs proposé comme modèle littéraire aristocratique et chevaleresque. Dans ce contexte se développe un art d'aimer caractéristique qui encourage la soumission du chevalier à la dame qu'il sert et qu'on appelle l'amour courtois.

La littérature courtoise est d'abord lyrique et de langue d'oc. Guillaume IX, comte de Poitiers et duc d'Aquitaine, en serait l'inventeur au XIe s. Jusqu'au XVe s. – avec le prince poète Charles d'Orléans – des nobles rivalisent en poésie avec des hommes d'humble origine, comme Bernard de Ventadour ou Cercamon, et, surtout en langue d'oïl, avec des clercs comme Richard de Fournival ou Adam de la Halle par exemple. Ces trouvères ou troubadours chantent la *fin'amor.* L'amour « pur », « affiné » correspond autant à l'exigence d'une prosodie complexe qu'à la représentation d'un amour irréalisable à cause de l'éloignement spatial ou social d'une dame hautaine et muette, le chant du désir du poète aspirant à une possession qui se dérobe.

Cette poétique évolue dès le XIIe s. vers un exercice formel : le traité latin d'André le Chapelain (*Tractatus De Amore*, vers 1181-1186) définit l'amour courtois à travers des lois et des règles de conduite. Cette tendance à la codification tendra à figer la définition de la courtoisie, par exemple comme un jeu mondain dans les « Cours d'amour » de la noblesse champenoise.

Elle alimente par ailleurs les romans de Troie et d'Enéas et la « matière de Bretagne » et, en particulier, les romans arthuriens de Chrétien de Troyes (*Lancelot*, vers 1177-1181). Après les romans antiques et la légende de Tristan, Chrétien repense les rapports de la chevalerie et de l'amour. Il forge la figure du chevalier errant au cœur de forêts mal désenchantées. Émaillée de duels sanglants, l'aventure prend le visage de la femme dont il faut concilier les exigences avec les devoirs du guerrier. En gagnant sa dame, le chevalier devient sauveur de communautés en péril, pourfendeur de géants, ferment de civilisation conquise sur les forces obscures qui menacent l'espace du royaume arthurien.

Tandis que le roman arthurien au XIIIe s. exploite et amplifie les données du siècle précédent, d'autres récits, dits réalistes car ils écartent tout merveilleux, décrivent un parcours à travers différents milieux où le caractère invraisemblable des situations côtoie des effets de réel : référents géographiques, descriptions... Les conflits n'y sont qu'amoureux et les héros retrouvent la cour comme leur milieu naturel.

En 1380, Froissart écrit le dernier roman arthurien, *Méliador*, mais Antoine de la Sale critique dans *Jehan de Saintré*, au XVe s., ce qui n'est plus que vernis courtois et attitudes mondaines. Les nobles jouent à être courtois au cours de fêtes ou de passes d'armes comme pour actualiser dans le réel la fiction romanesque.

Sur le modèle d'*Amadis de Gaule*, le roman chevaleresque, issu de vastes compilations, est abondamment remanié aux XVe et XVIe s. et il se répand dans toute l'Europe ; *Don Quichotte*, orchestrant une parodie critique, prétend vainement renverser la « machine mal assurée des livres de chevalerie ». Au XVIIe s. le roman héroïque et galant balance entre des aventures fabuleuses interminables et des intrigues sentimentales décrites dans un cadre contemporain. Ainsi la politesse amoureuse, affadissement de l'amour courtois, et le goût des exploits inouïs perdurent sous divers avatars. Ils assureront le passage de la matière courtoise dans la littérature de colportage du XVIe au XIXe, dans les contes de fées réécrits au XVIIe s., puis dans les romans populaires du XXe s.

Redécouverte et théorisée à la fin du XIXe s. (G. Paris, 1883), la littérature courtoise a suscité de nombreux débats chez les érudits en quête des sources populaires, latines ou arabes de cette sensibilité. Ce courant traduit l'évolution de codes de savoir-vivre et transmet à l'Occident des mythes et des thèmes littéraires de longue durée (comme le mythe de Tristan et Iseut ou l'érotique des troubadours). Parce que le service de la dame aimée est calqué sur celui de la relation féodale, pour E. Köhler, à la suite de Marc Bloch, cette littérature valorise la situation des jeunes nobles sans terre au service des grands féodaux. Elle montre comment de leur vaillance et de leur fidélité dépendent la survie et le rayonnement du pouvoir. La christianisation du Graal serait la pointe extrême de l'universalisation de ces valeurs en leur conférant une dimension messianique. G. Duby, lui, voit dans l'amour pour la Dame une forme particulière de l'attachement dû au suzerain, celle-ci jouant comme un leurre dans le dispositif de la fidélité du chevalier pauvre exclu des alliances matrimoniales.

▶ AUERBACH E., *Mimésis*, Paris, Gallimard, [1946], 1968. — BEZZOLA R., *Les origines et la formation de la littérature courtoise en Occident*, Paris, Champion, 1958-1963. — KÖHLER E., *L'aventure chevaleresque. Idéal et réalité dans le roman courtois*, Paris, Gallimard, [1956], 1980. — REY-FLAUD H., *Le chevalier, l'autre et la mort*, Paris, Payot, 1999. — ZINK M., *Roman rose et rose rouge. Le « Roman de la Rose » ou de « Guillaume de Dole » de Jean Renart*, Paris, Nizet, 1979.

Michèle GALLY

→ *Cour (Littérature de) ; Lyrisme ; Médiévale (Littérature) ; Poésie ; Roman.*

CRÉATION LITTÉRAIRE

La littérature est création au sens où elle produit des textes neufs. Dans une acception stricte, « création » serait à entendre comme écriture d'un texte à tous égards original, mais dans la pratique, la création littéraire contient toujours une part de reprise de modèles antérieurs. En un sens plus large encore, la littérature est création en ce qu'elle invente des idées, des images, des personnages voire des mondes nouveaux.

Dès l'origine, quatre façons de représenter l'acte créateur sont en présence et en lutte. L'une consiste à regarder le poète comme un « enthousiaste », habité par l'inspiration divine (Platon, *Ion*). Une autre consiste à le voir comme un fabricateur, un artisan disposant d'une technique propre (*poeïen* signifiant, en grec, « faire », « fabriquer ») ; dès lors, on peut définir des démarches appropriées pour produire des œuvres : c'est l'objet de la *Poétique* d'Aristote. Une troisième s'attache aux auteurs de textes d'éloquence, aux orateurs : elle-même se subdivise en deux, selon que l'on tient l'orateur pour un homme de bien qui parle avec raison, justesse et émotions sincères (Aristote, *Rhétorique*) ou qu'on le considère comme un manipulateur du langage et des opinions, un sophiste (que Platon condamnait). Enfin, une quatrième représentation porte sur celui qui parle ou écrit pour énoncer le vrai tel que la raison l'établit. Il s'agit par excellence du sage, le philosophe. Une autre image est venue s'y ajouter rapidement, celle du témoin (*histor*), l'historien, qui lui aussi est traité soit en homme de bien, auquel cas il rejoint le philosophe et le bon orateur, puisqu'il parle en vérité, soit en menteur, auquel cas il rejoint le sophiste et le poète. Ainsi s'est instauré d'emblée un cadre polémique (par exemple le choix entre les termes d'orateur ou de sophiste en témoigne) qui influence ensuite toute l'histoire des conceptions de la création littéraire.

Celle-ci se trouve aussi marquée, très tôt, par une question supplémentaire : celle de l'imitation et de l'invention. Ainsi à Rome, Virgile entreprenant son épopée de l'*Enéide* imite le modèle homérique. Horace, dans son *Art poétique*, défend l'auteur qui a de la raison mais aussi du savoir, et prétend ne pas être un « génie inspiré », un « original ». L'idée que la création se fait par imitation domine longtemps la scène littéraire. Elle ne supprime pas celle d'inspiration, mais elle donne le pas au travail spécifique sur le langage. Aussi, elle implique une focalisation de l'acte créateur vers la forme. Les moralistes classiques, de Pascal à La Bruyère, reprennent l'idée que « tout est dit », mais que l'on peut « le dire comme [s]ien » ou encore, que « la disposition des matières [peut être] nouvelle » et que là réside l'apport même de l'auteur.

Les trois termes principaux pour désigner ceux qui créent des textes ont été : « poète », longuement, pour désigner le versificateur et/ou l'inspiré, puis « auteur », qui implique qu'il n'y a pas seulement une mise en forme, mais un apport neuf et, à partir du XVIIe s., « écrivain » qui suppose que la forme est un apport en soi.

Au temps des Lumières, un autre terme intervient, avec un sens en évolution : « génie ». Jusqu'alors, « génie » désigne le naturel propre à chacun ; mais au XVIIIe s., il devient, chez Diderot notamment, un don particulier réservé à quelques-uns. Cette vision s'impose ensuite chez les romantiques. De sorte que, dans le champ littéraire moderne, les images de la création littéraire se trouvent à nouveau fortement contrastées. D'un côté, certains considèrent l'écrivain, et le poète en particulier, comme un génie inspiré, donc un porte-parole, voire un « mage » (Hugo) qui dévoile des vérités que le langage commun ne sait pas dire, ou même un prophète, donc un personnage sacré dont la création est en fait l'accès à un message d'origine transcendante. Une autre attitude privilégie la représentation de l'acte d'écrire comme un travail, un artisanat des mots et du style : elle domine avec le Parnasse et l'Art pour l'Art. Enfin, les auteurs de littérature de large diffusion, les romanciers feuilletonistes, les journalistes, sont regardés non comme des créateurs, mais des « producteurs ». Ces clivages se prolongent aux XIXe et XXe s. La création comme accès à une transcendance se retrouve chez Rimbaud (dans l'image du « voyant »), chez Mallarmé, chez les surréalistes, chez Blanchot. Elle porte en corollaire l'idée d'une malédiction : le créateur est différent, donc incompris (ainsi la figure symbolique de *L'albatros* chez Baudelaire). L'image de la création comme travail minutieux de la forme, de son côté, parcourt l'espace littéraire, jusqu'à l'OuLiPo et au Nouveau Roman. Les deux façons de voir peuvent d'ailleurs se conjuguer. Mallarmé voit le travail de la forme comme le moyen d'explorer le langage à la recherche d'un sens caché, et Valéry estimait que le destin (ou « dieu ») donne l'idée initiale et que le reste appartient au travail de l'écrivain.

Une autre conception encore s'est dessinée avec l'apparition de la figure de l'intellectuel, de l'écrivain qui, tout à la fois, est en quête de formes neuves et ne recule pas devant les prises de position sur la scène publique. En ce cas, la création littéraire contribue non pas à susciter un monde autre, différent du présent, ni un langage autre, mais à faire évoluer le langage et le monde, à essayer de les changer progressivement. Au présent, il semble que l'image dominante soit celle de l'écrivain comme artiste-artisan du langage.

En Amérique du Nord, depuis la fin des années 1960, la création littéraire, en plus de faire l'objet d'un enseignement dans des « ateliers d'écriture » animés par des écrivains reconnus, est inscrite dans les programmes de formation des collèges et des universités et peut mener à l'obtention d'un diplôme au deuxième comme au troisième cycle.

L'histoire même de l'idée de création littéraire montre qu'elle est sujette à représentations diverses, contradictoires et, dès l'origine polémiques. Aussi serait-ce une impasse que de vouloir faire autre chose que relever les termes de ces débats, qui sont constitutifs de l'histoire de la littérature. L'histoire de ces débats impose deux constats et deux hypothèses. Le premier constat est que les conceptions de la création sont tributaires du corpus concerné, donc de ce qu'on rattache à l'idée de « littérature » : ainsi, y inclure ou en exclure l'éloquence et l'histoire, se limiter à la fiction ou y inclure le lyrisme et l'autobiographie, etc., modifient les conceptions. De plus, il est manifeste que les modes de publication, par l'oral ou par l'écrit, influencent les images de la création : l'écrit, surtout imprimé, suppose une stabilisation du texte, donc favorise l'image de l'écrivain-artisan, alors que l'oral, surtout impromptu, appelle celle de l'inspiré. On renverra donc les conceptions de la création littéraire à celles de la littérature et à leur histoire. Un second constat, cependant, est la tension permanente entre l'idée d'« inspiration » et celle de « travail » (avec son corollaire, le savoir). L'inspiration a reçu diverses représentations : « enthousiasme » ou « fureur » divins, « démon » ou « génie », mais aussi des explications par l'anthropologie. Dans la médecine classique, un déséquilibre des humeurs, en particulier de la bile noire ou mélancolie, entraînait, pensait-on, une propension au rêve, à l'imagination, un des exutoires de cet excès de mélancolie étant de donner expression aux rêves et imaginations, dans la création artistique et littéraire. Dès lors, la création est un moyen, non une fin. Mais en retour, les textes, comme les autres œuvres d'art et à certains égards davantage parce qu'ils sont plus reproductibles, offrent une extraordinaire résistance au temps. La création littéraire devient, en cela, le moyen d'exister dans la durée, de résister à la mort, donc une valeur en soi : non plus seulement un acte curatif, mais un acte de vie. Cette problématique a été reprise en d'autres termes par l'anthropologie psychanalytique. Elle éclaire possiblement l'acte créateur, mais ne dit pas ce qu'en sont les objets, ni la valeur collective (laquelle est la condition même de la résistance au temps). D'où une réflexion nécessaire sur la nature de la création littéraire comme acte social. Si l'on entend le terme en son sens le plus général, sa socialité est flagrante : écrire a pour fin d'être lu (et éventuellement, de vivre des revenus de sa plume). Alors la création est, en tout état de cause, un travail : c'est d'ailleurs ce que la législation sur la propriété littéraire enregistre. Mais entendu en un sens plus strict, la création littéraire suppose un acte d'originalité. À partir de cela, deux façons de voir sont possibles. L'une qui voit dans la création un effet et un reflet de l'histoire : créer une œuvre, c'est donner à voir, pour le présent et le futur, le monde où l'on vit. Cette conception a eu du succès au XIXe s. (« Un roman est un miroir », Stendhal, *Le Rouge et le noir*), et est encore en vogue. En ce cas, la création fondamentale est l'histoire, et l'écrivain en est en quelque sorte le « secrétaire » (Balzac). Son originalité se mesure à sa différence avec les autres producteurs de textes. Une autre interprétation consisterait à voir dans la littérature un réservoir de scènes, de schèmes et de scénarios pour l'imaginaire humain, et dans l'auteur, leur créateur. À l'échelon anthropologique, des contes, des mythes, des modèles narratifs se retrouvent dans diverses aires culturelles. La création littéraire consisterait alors non à inventer de nouveaux schèmes, mais à reprendre, réinterpréter et réorganiser quelques schèmes fondamentaux pour les adapter aux situations historiques et culturelles changeantes. Ces deux interprétations ne sont pas radicalement incompatibles, mais elles correspondent à une tension entre deux façons d'envisager le travail créateur et ses finalités : en un cas, la littérature est régie (par l'histoire, par la société, par une idéologie) et l'écrivain porte la plume en greffier – si habile soit-il dans la mise en forme ; dans l'autre cas, la littérature est régente : au sein même des variations historiques et sociales, l'acte créateur de l'écrivain consiste à réactiver sans cesse les schèmes de l'imaginaire pour que l'humain s'adapte aux changements du temps. Dans la première hypothèse, on peut dire que la littérature est créée par la société, et dans la seconde, que la création littéraire est une façon de créer les sociétés humaines.

▶ BLANCHOT M., *Le livre à venir*, Paris, Gallimard, 1959. — COMPAGNON A., *Le démon de la théorie*, Paris, Le Seuil, 1999. — KLIBANSKI R., PANOFSKY E., SAXL F., *Saturn and melancholy* [1964], trad. *Saturne et la mélancolie*, Paris, Gallimard, 1989. — ZILSEL E., *Le génie, histoire d'une notion de l'Antiquité à la Renaissance* [1926] trad. de Michel Thevenaz, préf. de N. Heinich, Paris, Minuit, 1993. — Coll. : *Critique et création littéraire en France au XVIIe siècle*, Paris, CNRS, 1977.

Alain VIALA

→ *Art pour l'art ; Auteur ; Écrivain ; Imaginaire et imagination ; Imitation ; Inspiration ; œuvre ; Poète ; Propriété littéraire ; Publication ; Utilité ; Valeurs.*

CRÉOLE

Le mot « créole », du portugais *crioulo* (serviteur nourri dans la maison) repris par les Espagnols d'Amérique, est utilisé aussi bien pour décrire des personnes que des langues. Il sert, dès la fin du XVIIe s., à désigner, du point de vue des métropoles, les « Blancs (Européens) nés aux colonies », sens qu'il a d'ailleurs conservé jusqu'à tout récemment dans les dictionnaires. Mais il en va autrement dans les colonies où le mot désigne, dès le début du XVIIIe s., toute personne née sur place, qu'elle soit blanche, noire ou métisse. Le terme est également employé pour désigner des réalités locales indigènes et les différencier de celles qui sont importées (« café créole », « cheval créole », etc.). Les langues dites créoles, apparues rapidement vers la fin du XVIIIe s., se sont codifiées plus tard dans ces territoires coloniaux reposant sur une économie de plantation (esclavage). Elles résultent principalement de la greffe d'un lexique occidental sur une base grammaticale africaine. Ainsi, le créole haïtien serait en grande partie le résultat d'un croisement du fon (langue africaine) et du français parlé aux XVIIe et XVIIIe s. Le mélange s'est effectué d'autant plus aisément que la norme linguistique du pays d'origine était pratiquement rendue inaccessible par l'éloignement. Il existe des créoles anglais (*pidgins*), espagnols, français, néerlandais, portugais (*papiamento*), qui forment autant de langues complexes et riches.

La littérature d'expression française des espaces créolophones (surtout les Petites Antilles, Haïti et la Guyane) est l'œuvre d'écrivains bilingues dont la langue maternelle est le créole. De tout temps, le créole a posé problème au point de vue de l'identité, ayant été renvoyé au statut de langue « enfantine » par les colonialistes, et souvent considéré comme un « patois » ou un « dialecte populaire » par ses propres locuteurs. Cela a amené, à la fin du XXe s., un groupe d'écrivains martiniquais (Patrick Chamoiseau, Raphaël Confiant, Jean Bernabé) à élaborer le concept de la créolité : « la créolité est l'agrégat interactionnel [...] des éléments culturels caraïbes, africains, asiatiques et levantins, que le joug de l'Histoire a réunis sur le même sol. Elle est la recomposition d'une diversité assumée et revendiquée, aboutissant à la création d'une culture syncrétique » (*Éloge de la créolité*). La créolité se traduit par une valorisation du vécu créole, la quête d'identité et l'affirmation nationale passant par l'écriture. Elle s'inscrit dans la lignée de la « créolisation » du langage, telle qu'elle a été élaborée par É. Glissant qui invente dans ses écrits une langue entre oralité et écriture, née de sa relation au créole.

L'écriture du créole, calquée arbitrairement sur le français, a été normalisée par les linguistes réunis en 1975 à Port-au-Prince, à partir de l'écriture phonétique (exemple : *mwen* [moi], au lieu de *moin*). Les locuteurs créolophones ont mis du temps à s'habituer à cette écriture qui s'est peu à peu imposée. À présent, la norme se répandant, la diffusion d'une littérature créolophone est grandement facilitée. Mais elle reste peu importante.

Une question demeure entière, récurrente chez les spécialistes : les créoles seraient-ils les dernières des langues latines ? Ou plutôt des variétés de langues africaines ? Le débat sur le mélange entre les langues et les cultures est complexe.

▶ CHAMOISEAU P., BERNABÉ J., CONFIANT R., *Éloge de la créolité*, Paris Gallimard, 1989. — CHAUDENSON R., *Les Créoles*, Paris, PUF, 1995. — CONDÉ M., COTTENET-HAGE M., *Penser la créolité*, Paris, Khartala, 1995. — GLISSANT É., *Introduction à une poétique du divers*, Paris, Gallimard, 1996. — VALDMAN A., *Le Créole, structure, statut et origine*, Paris, Klincksieck, 1978.

Anne-Marie BUSQUE, Michel TÉTU

→ *Caraïbe ; Identitaire ; Langue française (Histoire de la) ; Mascareignes ; Oralité.*

CRITIQUE D'ART

La critique d'art concerne la critique picturale uniquement. Elle se manifeste sous forme journalistique ou essayistique, mais surtout dans le genre propre des « salons », compte rendu des expositions annuelles de peinture, dont le nom provient du *Salon carré* du Louvre où exposaient les Académiciens depuis 1725. Plus récemment, le catalogue d'exposition tend à en devenir un genre spécifique.

La critique artistique constitue une pratique littéraire relativement récente. Certes, l'Antiquité a donné des théoriciens de l'art comme Vitruve et l'époque baroque des historiens de la peinture comme Vasari ; en France, les travaux de l'Académie de peinture et les *Entretiens sur les vies et les ouvrages des plus Excellens Peintres Anciens et Modernes* d'André Félibien (1666) permettent de situer les débuts de la critique artistique au XVIIe s. L'abbé Dubos y consacre ses *Réflexions critiques sur la poésie et la peinture* (1719). Mais on peut en situer la véritable affirmation en 1759 avec le *Salon* de Diderot, adressé à la *Correspondance littéraire* de Grimm. Diderot envisage la peinture comme le résultat d'une observation réaliste sous-tendue par une idée, conception qui rejoint son esthétique littéraire au point d'assimiler sa critique d'art aux genres du conte et du dialogue, genres dont il reprend les procédés afin de donner vie au monde inanimé de l'œuvre d'art.

Diderot inaugure ainsi une « critique de créateur », plus littéraire et esthétique que technicienne et plastique. Cette pratique a été ensuite illustrée par des écrivains importants : Stendhal, Baudelaire, Zola, Huysmans, Proust, Breton, Malraux, Bonnefoy. D'abord journalistique, elle prend également, surtout au XXe s., la forme d'essais, de préfaces de catalogues, de livres d'art. Parallèlement à celle-ci, une critique issue de l'histoire de l'art a gagné en importance au cours du dernier siècle, rejoignant la lignée de Félibien : ainsi notamment celle de Panofsky, Francastel ou Greenberg. Les artistes eux-mêmes donnent souvent des « autocommentaires » de leurs œuvres (Rops, Dali, Magritte, Kandinsky, Dubuffet), pratique longtemps marginale mais dont l'importance a crû avec l'influence grandissante des effets de discours dans les classements du monde de l'art.

À la différence de l'esthétique philosophique et de l'histoire de l'art, la critique d'art au sens strict est axiologique : « S'y instaurent toujours des systèmes de valeurs, esthétiques certes, mais aussi idéologiques, logiques, moraux » (Leduc-Adine, 1991). Elle repose sur trois fonctions : descriptive, judicative et normative (*ibid.*, p. 94). La fonction descriptive est d'autant plus importante que la critique d'art apparaît à une époque où la reproduction des œuvres demeure peu répandue et peu fidèle. La fonction judicative peut varier d'un véritable magistère normatif exercé sur la création jusqu'à une attitude d'accompagnement se fondant sur une alliance entre les arts verbal et plastique. Par ailleurs le critère de contemporanéité semble déterminant : la critique d'art se borne en général à la synchronie, à l'occasion d'une exposition ou d'un salon. Elle est depuis le XIXe s. et Baudelaire un espace de débat et une forme particulièrement efficace d'intervention dans les valeurs culturelles.

Pour les écrivains du XIXe s., la critique d'art est également un moyen d'affirmer les correspondances qui surgissent entre les arts ou leur maîtrise de la « transposition » ; elle constitue une stratégie d'investissement d'un autre champ dont les conflits et les enjeux sont souvent parallèles à ceux qu'ils connaissent dans leur domaine. La toile de fond de ces rencontres est la question de la « modernité », que pose précisément Baudelaire dans ses *Salons* (1845, 1846), et qui est animée par les tensions qui surgissent chez lui entre, par exemple, les sujets modernes (ville, vitesse) et une certaine facture académique (Louis David), entre l'attrait du nouveau et le sentiment d'une inéluctable décadence.

La « crise » de l'art et de la critique est devenue un thème constant pour la plupart des commentateurs d'aujourd'hui : elle est liée à la carence des systèmes de référence, abandonnés depuis les années 1910 et 1920, au nom d'une émancipation requise par la modernité. La perte des repères et des valeurs aboutit à l'art conceptuel, qui vise à instaurer la primauté du discours sur l'image et donc la domination du marché (de l'art) sur la création (Piotrowski).

▶ BAILBÉ J.-M. (dir.), *La Critique artistique, un genre littéraire*, Paris, PUF, 1983. — BOUILLON J.-P. et al., *La promenade du critique influent. Anthologie de la critique d'art en France 1850-1900*, Paris, Hazan, 1990. — COMPAGNON A., *Les Cinq Paradoxes de la modernité*, Paris, Le Seuil, 1990. — LEDUC-ADINE J.-P., « Des règles d'un genre : la critique d'art », *Romantisme*, 1991, n° 71, p. 93-100. — PIOTROWSKI P., « L'Autocommentaire destructeur. Critique et modernité », *Ligeia. Dossiers sur l'art*, 1988, n° 3-4, p. 129-134.

Robert DION

→ *Correspondance des arts ; Critique littéraire ; Espace ; Image ; Journalisme ; Peinture ; Salons littéraires.*

CRITIQUE IDÉOLOGIQUE

Les termes de « théorie politique de la culture » ou de « critique idéologique et politique » renvoient principalement aux travaux du critique britannique Terry Eagleton (*Critique et idéologie*, 1976) ; mais ils peuvent désigner aussi une part de la critique française et québécoise (ainsi certains des travaux de R. Barthes - *Mythologies*, 1957 - et P. Macherey). Cette démarche entreprend d'étudier la littérature dans le champ général des pratiques culturelles, d'analyser les effets que les discours culturels produisent et la façon dont ils les produisent. Dans l'optique d'Eagleton, cette théorie n'est pas politique par opposition à d'autres qui ne le seraient pas : elle adopte simplement une approche qui avoue sa dimension politique, là où les études littéraires choisissent le plus souvent de la dissimuler ou de l'ignorer.

T. Eagleton est l'un des fondateurs des études culturelles telles qu'elles se sont développées en Grande-Bretagne. Influencé par Lukacs, puis L. Goldmann, le marxisme et le structuralisme, il d'abord publié des essais sur la littérature (*Shakespeare et la société*, 1967, ou encore *Mythe du pouvoir : une analyse marxiste des Brontë*, 1975). Par la suite, sous l'influence de Louis Althusser, de Walter Benjamin et de Pierre Macherey, il est passé d'une critique qui cherche à éclaircir le rapport du texte à la société, à l'élaboration d'une théorie qui étudie la littérature en tant que pratique sociale (*Marxisme et théorie littéraire*, 1976). Dans ses travaux sur W. Benjamin (1981), Eagleton exprime avec force la nécessité de se tourner vers des questions relatives à la production culturelle et à l'usage social des produits culturels. Il réitère ces principes dans *Critique et théorie littéraires : une introduction* (1983), qui offre aussi un panorama de la théorie littéraire contemporaine, du formalisme à la psychanalyse en passant par les théories de la réception et le post-structuralisme. D'autres ouvrages traitent de la fonction sociale de la critique littéraire, de l'esthétique dans ses rapports avec l'idéologie (*L'idéologie de l'esthétique*, 1990), ou encore offrent une critique du postmodernisme (*Les illusions du Postmodernisme*, 1996). En amont ou en parallèle de ces travaux, en France, de nombreux pans des analyses de Barthes, des *Mythologies* aux *Essais critiques* (1964), à la *Leçon* (1978) en passant par *Le système de la mode* (1967) soulignent les enjeux idéologiques des pratiques culturelles, et, en leur sein, de la littérature. Même si le rapprochement paraît paradoxal, P. Macherey (*Théorie de la production littéraire*, 1966) a lui aussi insisté sur les enjeux idéologiques du littéraire. Aux États-Unis, une critique du même ordre a été développée à partir des années 1970 par Frederic Jameson (par exemple, *The political Unconsciousness : Narrative as a Socially Symbolic Act*, 1981).

Enfin, Eagleton a rassemblé sous le titre *Ideology* (1994) une anthologie de critiques participant de ce courant. L. Goldmann, L. Althusser, J. Rancière et R. Barthes y figurent aux côtés de - entre autres - K. Marx, K. Mannheim, N. Poulantzas, J. Habermas, R. Williams.

T. Eagleton s'interroge sur l'autonomie de la littérature et récuse l'idée que la critique littéraire ait un caractère a-politique. Il demande de reconnaître que la première est une pratique discursive liée à d'autres, et la seconde une activité d'autant plus idéologique qu'elle ignore sa dimension socio-politique. Il montre que nombre de théories littéraires, en se tournant vers l'imagination, le mythe, les vérités éternelles, l'esthétique en soi..., c'est-à-dire en refusant de prendre en compte le socio-politique, sont idéologiques en cela même. Il veut substituer à une critique littéraire refermée sur elle-même une théorie des pratiques signifiantes consciente de ses enjeux et de ses visées. En cela, sa position reprend celle de Barthes, dans *Critique et vérité* (1966), qui récuse une critique positiviste qui prétendrait être scientifique et objective. Barthes avait, dans une livraison de *Communications*, suscité une reprise de la réflexion sur la rhétorique. De même, Eagleton rapproche l'activité critique, qu'il appelle de ses vœux, de la rhétorique, où les discours étaient conçus comme des activités inséparables de relations sociales plus larges et incompréhensibles en dehors de ces conditions sociales. Les enjeux d'identité collective, de communauté culturelle et d'inclusion ou d'exclusion sont au cœur de celles-ci. Ces questions rejoignent celles qu'aborde J. Rancière, sur les enjeux du partage esthétique comme unificateur d'une idéologie, voire les analyses des « mythes » décelés par Barthes dans ses *Mythologies*, et y compris jusque dans le langage, la langue elle-même (*La leçon*). Elles tendent à resituer la littérature dans l'ensemble des pratiques culturelles, comme son étude dans l'espace des études culturelles, dans une approche globale des discours.

▶ EAGLETON T., *La fonction de la critique*, [1983], (Paris, PUF, 1994) trad. de *The Function of Criticism. From the* Spectator *to Post-Structuralism*, London & N. Y, 1984 ; *Critique et Théorie littéraires* [1983], trad. Paris, PUF, 1993. — MACHEREY P., *Théorie de la production littéraire*, Paris, Maspero, 1966. — RANCIÈRE J., *Le partage du sensible. Esthétique et politique*, Paris, La Fabrique, 2000.

Ruth AMOSSY

→ *Culture ; Discours ; Doxa ; Études culturelles ; Idéologie, Marxisme ; Politique.*

CRITIQUE INTUITIVE

La critique intuitive est celle qui postule une réceptivité en sympathie, des « rapports harmonieux d'idées et de sensibilité » (Hellens, 1967, p. 8) entre le critique et l'œuvre, donc un art de se prêter aux textes ou au contraire de les ramener à soi. Elle cultive plutôt l'empathie, l'inspiration, les pensées et sensations que l'œuvre suggère au critique qui renonce à se donner le recul d'une démarche méthodique. Il s'agit donc d'une critique de l'effet esthétique, orientée vers la subjectivité du lecteur. On la désigne plus couramment sous le nom de « critique impressionniste » – à distinguer de la « critique d'humeur » qui renvoie à la chronique journalistique partielle et partiale. On pourrait l'appeler critique subjective. Elle s'exerce dans le journalisme littéraire soutenu ainsi que dans une réflexion plus détachée de l'actualité, celle de l'écrivain-critique par exemple ; on parle alors de « critique d'écrivain » ou de « critique de créateur ».

Il semble impossible de retracer l'histoire de l'intuition en critique : de tout temps, elle a guidé le jugement et le travail littéraires, même dans les démarches revendiquant le plus de scientificité. La critique impressionniste, en revanche, même si elle désigne une attitude présente tout au long de l'histoire, se constitue en modèle à la fin du XIXᵉ et au début du XXᵉ s. Illustrée entre autres par Anatole France et Jules Lemaître, pratiquée avant eux par des précurseurs tels Sainte-Beuve, les Goncourt et Ernest Renan, elle se développe en réaction, d'une part, contre la critique dogmatique – moraliste et néoclassique – de Désiré Nisard et de ses successeurs, d'autre part, contre la critique positiviste d'Hippolyte Taine et de ses épigones. C'est à cette dernière qu'elle s'oppose surtout, se montrant sceptique à l'égard de ses prétentions scientifiques. Plus tard, Charles Péguy s'en prend également au scientisme de l'histoire littéraire de Gustave Lanson, mais sans pour autant sacrifier à l'impressionnisme ; militant pour une critique de créateur, il fera plutôt appel au savoir-faire professionnel de l'artiste qu'à l'intuition du lecteur.

Le XXᵉ s. a vu la critique universitaire s'imposer aux côtés de la critique journalistique et de la critique de créateur. Mais plusieurs grandes individualités de la critique d'écrivain, Marcel Proust et Jean-Paul Sartre par exemple, ont su imposer une réflexion critique d'envergure qui faisait place à l'intuition. D'autre part, la critique universitaire lui a conservé une large place ; Philippe Hamon (1985, p. 495) note par exemple que l'analyse thématique « paraît bien avoir progressivement pris le sens d'« analyse subjective » ou d'« analyse impressionniste » ou d'« analyse de surface ». Elle est présente dans les débats sur la Nouvelle Critique, du côté de Picard, certes, mais Barthes aussi fait souvent appel à son intuition et aux effets de « sympathie » avec les textes.

En réinscrivant le sujet au cœur du projet critique, la postmodernité a contribué au retour en grâce sinon de l'intuition, du moins de la subjectivité. On peut du reste se demander si la critique de créateur très personnelle et très libre du début du siècle n'a pas eu plus d'influence sur la nouvelle critique que celle, universitaire, de Taine et de Lanson. Marcel Proust et Paul Valéry, pour ne citer que ces deux cas, semblent en effet avoir eu beaucoup d'échos dans les orientations ultérieures de la critique. Sur la longue durée, il convient enfin de se demander si, dans la plupart des pratiques de la critique intuitive, le désir d'échapper à tout système, qu'il soit rhétorico-poétique, psychanalytique, sociocritique, etc., ne s'exprime pas au détriment des savoirs disciplinaires et de tout engagement qui dépasse le strict investissement personnel dans le tête-à-tête avec l'œuvre. Dès lors, la critique intuitive ou renvoie en fait à des options idéologiques et esthétiques qui, pour être implicites, n'en sont que plus prégnantes.

▶ DELFAU G., ROCHE A., *Histoire / littérature. Histoire et interprétation du fait littéraire*, Paris, Le Seuil, 1977. — HAMON Ph., « Thème et effet de réel », *Poétique*, novembre 1985, 64, p. 495-503. — HELLENS F., *Essais de critique intuitive*, Paris / Bruxelles, Sodi, 1967. — MOREAU P., *La critique littéraire en France*, Paris, Armand

Colin, 1960. — POULET G. (dir.), « Une critique d'identification », *Les chemins actuels de la critique*, Paris, Plon, 1967, p. 9-24.

Robert DION

→ *Critique littéraire ; Positivisme ; Sujet.*

CRITIQUE LITTÉRAIRE

La critique désigne l'art d'appliquer des critères, donc de porter un jugement. Le mot a d'abord été un adjectif du domaine médical (1372) avant de caractériser une part de l'activité littéraire (1580). Dans sa plus grande généralité, il indique des pratiques qui ont accompagné la vie des lettres depuis l'Antiquité : l'évaluation et l'interprétation des œuvres.

L'activité critique se fonde sur des goûts et des valeurs, mais elle prétend procéder en fonction de règles et de méthodes ; elle sert à améliorer ou à condamner les productions littéraires. Elle peut être le fait d'amateurs ou de professionnels. On en distingue trois formes et fonctions : la critique journalistique, qui informe et juge ; la critique par des écrivains, qui juge et interprète ; la critique universitaire, qui oscille entre recherche et interprétation. Ses objets varient autant que la définition de la littérature elle-même : la critique porte sur les auteurs comme sur les œuvres, sur la lettre du texte comme sur les idées explicites ou implicites, ou sur le respect des règles. Elle peut prendre enfin les formes les plus diverses (commentaire et glose, description, philologie ou histoire) et emprunter les registres de la polémique, de l'éloge ou de l'adhésion.

Dans un sens moderne, plus restreint et lié à la définition philosophique de la faculté critique (Kant), la critique littéraire énonce un jugement esthétique personnel sur tout objet soumis à la doxa commune.

Les premières traces de l'activité critique remontent à l'Antiquité (les pièces d'Aristophane font référence à celles d'Euripide ou à Socrate). On peut sans doute considérer que la première grande œuvre critique et polémique en français est la *Défense et illustration de la langue française* (1549) de Joachim Du Bellay ; en 1561, Jules César Scaliger publie en latin le sixième livre de sa *Poétique* intitulé *Criticus*, qui se place sous l'autorité de Virgile pour énumérer les lignes de forces de la critique de l'âge classique. La critique commence dès lors à se séparer de la grammaire et de la rhétorique. Elle régit les polémiques littéraires qui se développent au début du XVIIe s., tant dans le débat entre Anciens et Modernes (Boileau, Racine, Saint-Evremond, Fontenelle) que dans l'accueil des œuvres (Querelle du *Cid*, en 1637, opposant Mairet, Scudéry, Chapelain et l'auteur). D'abord centrée sur le respect des règles, la critique, dès 1750, dépasse le carcan normatif pour aborder l'analyse des moyens et des fonctions de la littérature, les mérites comparés des genres, et pour formuler une interrogation sur l'art des lettres. C'est en particulier l'objet de la bataille opposant les Encyclopédistes aux défenseurs de la tradition politique et religieuse.

La multiplication des journaux (dont *L'Année littéraire* de Fréron) crée de nouveaux espaces d'expression. Une critique professionnelle et spécialisée apparaît entre 1830 et 1860. Son avènement est subordonné à l'affirmation du concept moderne de « littérature », à la constitution du champ littéraire moderne, ainsi qu'à l'émergence d'un public plus large que favorisent le développement de l'imprimerie et l'éclosion de la presse quotidienne. Sainte-Beuve impose à ce moment une nouvelle figure de critique plus attentif à expliquer et à comprendre qu'à juger intuitivement.

La première critique professionnelle est pratiquée autant par des journalistes (Jules Lemaître, Paul de Saint-Victor, par exemple) que par des écrivains (Sainte-Beuve, Théophile Gautier, Émile Zola, notamment) et elle privilégie les journaux et les revues. Ce n'est que progressivement que des écrivains se mettent à pratiquer cette forme particulière de l'essai qui évalue la production de leurs confrères et se prononce sur des faits de littérature. Entre-temps, sous l'effet de la réorganisation de l'enseignement universitaire à la fin du XIXe s., s'instaure une critique érudite, positiviste et historienne, dont les principaux représentants sont Hippolyte Taine, Ferdinand Brunetière, Émile Faguet, Gustave Lanson.

Le XXe siècle représente indubitablement un âge de la critique. L'importance du commentaire n'a jamais paru aussi grande qu'aujourd'hui, au point que la critique, tant celle des écrivains que celle des professeurs (celle des journalistes, réduite la plupart du temps à des « capsules », ayant beaucoup perdu de son lustre), est devenue à son tour un objet d'étude. Non seulement le développement de la critique a été phénoménal, les tendances et les modes se succédant à toute vitesse dans le champ universitaire, mais elle a envahi nombre d'œuvres qui se donnent désormais pour des « théories-fictions » ou pour des commentaires de textes réels ou imaginaires (*Les fruits d'or* [1963] de Nathalie Sarraute, par exemple). Une partie des critiques contemporains continue de plaider – comme le faisaient Montaigne, Ronsard ou Boileau – en faveur de l'abolition de la frontière entre création et critique ; une autre insiste en revanche sur la spécificité du travail de recherche.

▶ DELFAU G., ROCHE A., *Histoire / littérature. Histoire et interprétation du fait littéraire*, Paris, Le Seuil, 1977. — FAYOLLE R., *La critique*, Paris, Armand Colin, [1965], 1978. — TADIÉ J.-Y., *La critique littéraire au XXe siècle*,

Paris, 1987. — WELLEK R., *A History of Modern Criticism, 1750-1950*, Cambridge, [1955], 1981.

Robert DION

→ *Critique intuitive ; Critique psychologique et psychanalytique ; Journalisme ; Polémique ; Querelles ; Recherche en littérature ; Théories de la littérature.*

CRITIQUE PSYCHOLOGIQUE ET PSYCHANALYTIQUE

La critique psychologique s'entend comme une observation et une interprétation des œuvres en fonction d'une conception de la psyché humaine. Présente au long de l'histoire de façon spontanée, elle s'est constituée en discipline au tournant du XIXe et du XXe s. Elle a dominé dans la conception des recherches visant « l'homme et l'œuvre ». Elle a été ensuite supplantée par la critique psychanalytique.

À la fin du XIXe s., une tendance nouvelle se dessine dans la façon de considérer les textes littéraires. La critique ancienne jugeait normativement selon des principes esthétiques établis. La « nouvelle critique » qui apparaît alors envisage l'œuvre comme un organisme vivant et mouvant qu'il faut analyser en tant que tel. Paul Bourget en est le principal théoricien dans ses *Essais de psychologie contemporaine* (1883). Selon lui, les critiques doivent s'attacher aux « lois de la sensibilité ou de l'intelligence » pour travailler, « au moyen des littératures, à une histoire naturelle des esprits ». Cette idée était déjà chez Taine : « la littérature est une psychologie vivante », et la tâche du critique est d'en rendre compte, dans une perspective d'élargissement de ses implications vers la connaissance de l'esprit humain. Bourget répète ainsi que « les œuvres de littérature et d'art sont le plus puissant moyen de transmission de l'héritage psychologique : il y a donc lieu d'étudier ces œuvres en tant qu'éducatrices des esprits et des cœurs ». C'est ainsi qu'il lit Flaubert, les Goncourt ou Amiel ; c'est ainsi qu'il attire l'attention sur Stendhal, négligé à l'époque, en tant que révélateur de structures spirituelles contradictoires, explorateur profond du cœur humain. La démarche de Bourget est marquée par son contexte historique. Il redécouvre dans les générations qui écrivent entre 1860 et 1880 un « mal du siècle », aboutissement de l'approche naturaliste en esthétique et du positivisme scientifique en philosophie. Pour lui, le critique est un analyste qui travaille sur ce qu'il y a de plus concret, de plus net, dans la matière humaine : « La psychologie est à l'éthique ce que l'anatomie est à la thérapeutique. Elle la précède et s'en distingue par ce caractère de constatation inefficace, ou, si l'on veut, de diagnostic sans prescription. » Les textes sont des documents à cette fin. Sur cette base épistémologique, Bourget développe des réflexions thématiques ou stylistiques souvent d'une grande acuité, qui expliquent les phénomènes d'expression par des conditionnements socioculturels (par exemple le « nihilisme de Flaubert »). Bourget pratique lui-même le roman d'analyse.

La psychologie s'est ensuite enrichie des révélations apportées par la psychanalyse sur l'inconscient. Deux tendances se sont alors fait jour. L'une, celle de Freud puis de Lacan, fait dialoguer psychanalyse et littérature (voir cet article). L'autre a souhaité psychanalyser l'auteur comme un cas clinique. Une étude fondatrice de Marie Bonaparte sur Edgar Poe a été suivie de travaux aux mérites divers comme celui de Marthe Robert sur Flaubert, une étude de Sartre sur le même, moins strictement psychanalytique quoique très proche, et plus soucieuse de proposer une biographie intellectuelle synthétique. Dans cette voie, prolongée par la psychocritique de Ch. Mauron ou les travaux de Bellemin-Noël, le but est de saisir les motivations inconscientes du processus créateur, de discerner la solidarité qui unit la vie psychique d'un homme à sa production artistique.

La critique psychologique apparaît aujourd'hui dépassée. Mais elle a été présente largement jusque dans les années 1960 : dans la « Querelle de la Nouvelle Critique », Barthes reprochait aux traditionalistes de fonder leurs certitudes sur une conception de la psychologie elle-même datée (en gros, celle de Ribot, à la fin du XIXe s.). En dépit de leurs différences, et même si le lien semble paradoxal, la psychanalyse appliquée à la critique littéraire a pris le relais. Mais l'on doit distinguer l'emploi de notions empruntées à la psychanalyse pour les appliquer à la littérature, qui s'est banalisée, les études thématiques initiées par Bachelard (voir « Image-imagologie ») et le souci d'élaborer des psychobiographies d'auteurs, qui étudient dans les œuvres les répercussions d'un trauma infantile. Chez Mauron par exemple, à partir de traits distingués dans l'œuvre, l'interprète avance une interprétation de la psyché de l'auteur. La psychobiographie est alors l'étude de l'interaction entre l'homme et l'œuvre et de leur unité saisie dans ses motivations inconscientes ; elle tente ainsi de rendre compte du désir d'écrire et du processus premier de l'inspiration. À ce titre, elle prolonge sous une autre forme la critique « psychologique ».

▶ ASSOUN P.-L., *Littérature et psychanalyse. Freud et la création littéraire*, Paris, Ellipses, 1996. — BELLEMIN-NOËL J., *Psychanalyse et littérature*, Paris, PUF, 1978 ; *Vers l'inconscient du texte*, Paris, PUF, 1979. — BONAPARTE M., *Edgar Poe, une étude psychanalytique*, Paris, Denoël & Steele, 1933. — MAURON Ch., *Des métaphores obsédantes au mythe personnel : introduction à la psychocritique*,

Paris, Corti, 1988. — Robert M., *En haine du roman (étude sur Flaubert)*, Paris, Balland, 1982.

Éric Bordas

→ *Biographie ; Génétique (Critique) ; Interprétation ; Image, imagologie ; Psychanalyse.*

CROTTÉ (Poète) → Poète maudit

CROYANCE (Production de la) → Adhésion ; Champ littéraire

CULTURAL STUDIES → Études culturelles

CULTURE

Les définitions de la culture sont diverses et problématiques. Globalement, on peut distinguer 1) une acception élitiste du terme (mais qui en est l'usage courant), où « culture » désigne l'ensemble des connaissances qui distinguent l'homme cultivé de l'être inculte, à savoir un patrimoine philosophique, artistique et littéraire ; 2) une conception non-hiérarchique héritée de l'ethnologie où le terme de culture désigne l'ensemble des systèmes symboliques transmissibles dans et par une collectivité quelle qu'elle soit, les sociétés primitives y compris.

Selon les disciplines, « culture » peut aussi s'entendre selon une conception restreinte, pour ne désigner que les productions symboliques (langue, idées, coutumes, mythes, etc.), ou selon une conception élargie, qui inclut aussi les aspects matériels (outils, habitat, habitudes vestimentaires ou culinaires, etc). La « culture littéraire » recouvre des savoirs et des compétences (ceux de « l'honnête homme » par exemple) et un ensemble de pratiques qui relèvent avant tout de la culture au sens restreint.

Le terme de « culture », d'abord appliqué au travail de la terre, n'est d'usage courant en son sens figuré qu'au XVIIIe s. Dans l'optique des Lumières, il est le propre de l'Homme et désigne une accumulation du savoir associée à l'idée d'éducation et de progrès. Il est alors presque synonyme de « civilisation ». Au XIXe s., culture et civilisation en viendront à s'opposer dans un débat franco-allemand entre une conception universaliste et une conception particulariste : les Français voient dans la civilisation le développement et le perfectionnement de la société humaine en général, liés à la suppression de la violence et de la barbarie, les Allemands à la suite de Herder qui déjà au XVIIIe s. plaidait pour le « Volksgeist », le génie national de chaque peuple, voient dans la culture nationale le fondement de l'identité et de l'unité de chaque nation (Élias).

La notion de culture entre dans le domaine de l'investigation scientifique par le biais de l'anthropologie. L'anthropologue britannique E. B. Tylor la définit comme un « tout complexe qui comprend la connaissance, les croyances, l'art, la morale, le droit, les coutumes et les autres capacités ou habitudes acquises par l'homme en tant que membre de la société » (1871). L'étude des cultures primitives et des différences culturelles est engagée par Franz Boas et par de nombreux chercheurs aux États-Unis, comme Ruth Benedict qui pose l'hypothèse des « patterns of culture » (configurations culturelles), ou Margaret Mead qui éclaire la façon dont la culture modèle la personnalité. En France le concept de culture ne s'impose que progressivement. Il devient un objet de recherche central avec l'anthropologie structurale de Claude Lévi-Strauss, qui définit la culture comme « un ensemble de systèmes symboliques au premier rang desquels se placent le langage, les règles matrimoniales, les rapports économiques, l'art, la science, la religion » (1950). Tout en examinant chaque culture comme un ensemble autonome doté de sa logique propre, Lévi-Strauss cherche à dégager des universaux culturels comme la prohibition de l'inceste.

L'ethnologie et l'anthropologie occupent une place centrale dans les sciences de la culture ; la psychanalyse y participe par la visée générale que lui assignait son fondateur, S. Freud, lorsqu'il englobait dans son investigation de la psyché et de l'inconscient toutes les productions humaines. Par la suite, un courant inspiré de la psychanalyse n'a cessé d'utiliser ses concepts selon des voies diverses pour analyser une culture en en dégageant la cohérence (courant dit « herméneutique »). À cela s'ajoutent d'autres disciplines comme la psychologie sociale qui étudie à partir des années 1950 la question de l'identité culturelle des individus et des groupes, la sociologie, la sémiotique qui se constitue en sémiotique de la culture avec les sémioticiens russes regroupés autour de I. Lotman et les adeptes de la théorie des polysystèmes de I. Even-Zohar. Les historiens contemporains ont défini un domaine d'investigation, l'« histoire culturelle », qui étudie « des formes de représentation du monde au sein d'un groupe humain ».

La sémiotique culturelle vise à comprendre l'organisation et le dynamisme de la culture conçue comme un système complexe de signes de divers types dont la combinaison est régie par des règles. Inspirés de la linguistique, des chercheurs des Université de Moscou (Boris Ouspenski) et de Tartu (Iouri Lotman) proposent dans les années 1960 une description structurale fondée sur les éléments et les liaisons du système culturel qui restent invariants (cette description n'est pas à confondre avec celle qu'une culture donne d'elle-même, laquelle fait partie du corpus d'étude à titre de métalangage). En même temps, les sémioticiens russes explorent le dynamisme de la culture en étudiant la façon dont les éléments extra-systémiques en réserve peuvent intervenir dans un état ultérieur de la culture (qu'ils soient des matériaux rejetés hors du système ou empruntés à un autre système, étranger ou antérieur). Les lois de ce dynamisme, qui permet d'expliquer une évolution historique, sont aussi formulées en termes de passage de l'univocité à l'ambivalence ou d'échange entre noyau et périphérie. Cette sémiotique s'attache à des mécanismes généraux, et les régulateurs de conduite comme la honte et la peur y sont pris en compte de même que le rôle que jouent le mythe et la poésie dans l'évolution des cultures. Plus particulièrement, la poésie est étudiée comme cas exemplaire de système complexe et dynamique, par rapport aux systèmes primaires statiques – étant bien entendu que le « tout sémiotique » qu'est la culture se constitue dans une tension entre ces deux pôles.

Dans la lignée de ces études systémiques, l'équipe de Tel Aviv regroupée autour de I. Even-Zohar propose une sémiotique de la culture qui s'intègre dans la théorie des polysytèmes. Even-Zohar définit la culture comme un « répertoire » de possibilités qui organisent notre existence. Elles le font soit en produisant des modèles d'interprétation du réel, soit en fournissant un ensemble d'instructions qui orientent des comportements. Le répertoire culturel offre une cohésion qui permet à différents groupes sociaux de fonder leur identité, voire d'émerger ou de survivre comme entité collective. Ce répertoire ou ses éléments sont élaborés par des individus ou des groupes de façon tantôt spontanée, tantôt délibérée. Le littéraire est vu là comme produisant des modèles d'interprétation du réel.

Une autre approche, plus sociologique, explique la logique des pratiques culturelles en les reliant aux rapports de forces qui s'instaurent entre classes ou groupes sociaux ; ainsi les travaux de T. Eagleton ou de P. Bourdieu. Pour ce dernier, la logique qui sous-tend le dynamisme culturel doit être analysée en termes de lutte pour le pouvoir. La classe qui détient le pouvoir impose la légitimité de ses conceptions et de ses pratiques culturelles et fait passer comme allant de soi sa perception du monde et ses valeurs. La culture dominante ne peut exercer sa « violence symbolique » que grâce à la complicité des dominés, c'est-à-dire à leur méconnaissance des rapports de domination : la culture dominée (ou « populaire ») ne peut dès lors se comprendre qu'en relation avec la culture dominante. Les agents du pôle dominant, dotés du plus grand capital culturel, maintiennent leur position par des « stratégies de distinction » qui leur permettent de conserver leurs distances par rapport aux autres classes. Cette distinction, marque du bon goût, se traduit dans des pratiques culturelles diverses, mais particulièrement celles du champ littéraire.

L'histoire culturelle, pour sa part, s'intéresse notamment aux moyens de constitution et de transmission des savoirs et des représentations. Donc, en particulier, au livre, à la lecture, aux spectacles. Les travaux de M. de Certeau, ceux d'histoire du livre et de la lecture de R. Darnton et de R. Chartier confirment le lien entre culture dominante et culture dominée. Si la culture est envisagée comme ensemble de connaissances « légitimes », la culture au sens large est perçue comme le contexte qui contribue à la production des œuvres littéraires, et celles-ci comme une voie essentielle d'accès au statut de personne cultivée ; l'École joue à cet égard un rôle essentiel. Si la culture est envisagée comme un ensemble de pratiques de tous ordres (sens 2 ci-dessus), alors la littérature y est considérée au même titre que d'autres pratiques. Les deux conceptions de la culture sont donc liées à deux conceptions du littéraire et de sa place.

Les études littéraires sont partagées entre ces perspectives, suivant les tensions entre les deux conceptions de la culture. Or la littérature joue, via l'École notamment, un rôle essentiel d'intégration culturelle : en effet, elle contribue à l'assimilation de la langue, et elle donne des modèles de représentation et interprétation du monde. Étant ainsi une forme légitime de la culture légitime, son étude tend à intégrer les autres éléments culturels.

▶ BOURDIEU P., *La distinction*, Paris, Minuit, 1979. — CERTEAU M. de, *L'invention du quotidien*, Paris, Gallimard, [1980], 1990. — CUCHE D., *La notion de culture dans les sciences sociales*, Paris, La Découverte, 1996. — LOTMAN I., OUSPENSKI B. (éds.). *Travaux sur les systèmes de signes. École de Tartu*, trad. du russe A. Zouboff, Bruxelles, Complexe, 1976 ; *Sémiotique de la culture russe*, trad. du russe F. Loest, Lausanne, L'Âge d'Homme, 1990.

Ruth AMOSSY

→ *Anthropologie ; Centre et périphérie ; Champ littéraire ; Enseignement de la littérature ; Histoire culturelle ; Idéologie ; Polysystème, Psychanalyse ; Sémiotique.*

CYCLE

On entend par « cycle » tout ensemble de textes se déroulant autour des mêmes sujets ou reprenant les mêmes personnages. L'expression s'applique principalement au genre épique et, en ce sens, elle peut caractériser une série d'épopées qui se rapportent à une même époque.

Un cycle littéraire peut être constitué par des créations successives, sans qu'il faille postuler que son auteur ait développé dès le départ une vue de l'ensemble. Il peut aussi être construit par un ou plusieurs auteurs dans une perspective concertée.

L'expression « cycle épique grec » ou « cycle homérique » est couramment utilisée pour l'ensemble des poèmes épiques de la tradition hellénique qui relatent les faits et gestes des dieux et des héros depuis la création du monde, et dont l'*Iliade* et l'*Odyssée* faisaient partie. Ces récits alimentent une large part de la production poétique et théâtrale de l'Antiquité ainsi que les réflexions des théoriciens et les philosophes. Ils ont servi ensuite de modèles pour les lettres françaises. La Bible peut, elle aussi, être considérée comme un cycle en certaines de ses composantes (le cycle de Moïse ou de Joseph et ses frères, par exemple).

Les épopées du Moyen Âge ont également évolué en cycles, et elles ont été classées dans trois grands groupes, ou « matières » : le cycle antique, centré sur Alexandre le Grand et les légendes inspirées de l'Antiquité, qui se retrouvent au XIIe s. dans le *Roman de Thèbes*, le *Roman d'Énée* ou le *Roman de Troie* ; le cycle breton, rassemblé autour de la figure du Roi Arthur et de ses chevaliers ; le cycle qui a pour sujet Charlemagne (la *Chanson de Roland* par exemple). D'autres cycles, comme celui des Croisades, au XIIe et XIIIe s., puis, sur le même thème, celui qui se développe autour du *Chevalier au cygne* et de *Godefroid de Bouillon* au XIVe s., indiquent que ce processus, qui réunit des éléments hétérogènes, certains mûrement composés et d'autres beaucoup plus disparates, rassemblés dans des formes et pour des raisons souvent variables, est bien un des fondement de la création fictionnelle ancienne.

Par leur forme composée, on pourrait considérer que le *Décaméron* (1350-1355) ou même l'*Astrée* (1607-1627) forment encore des cycles, mais, en fait, le terme disparaît du vocabulaire littéraire jusqu'au XIXe s. Cette disparition et cette réapparition ont la même cause : le cycle est perçu comme une forme essentiellement épique, et sa fortune est liée à celle des épopées.

Le Romantisme allemand rédige sciemment de nouveaux cycles, comme les *Hymnen an die Nacht* de Novalis (1800) ou le *Westöstlicher Divan* de Goethe (1819). *La légende des siècles* de Victor Hugo (1859-1883) participe sans doute de ce mouvement, mais c'est principalement dans le roman, chez Balzac, chez Sue et chez Zola notamment, que la construction cyclique apparaît avec la plus grande netteté, *La comédie humaine* ouvrant en ce domaine la voie romanesque. Dans le domaine poétique, l'organisation des recueils tend également parfois au développement cyclique (Baudelaire, *Les fleurs du mal*, 1857 ; Verhaeren, les *Villes tentaculaires*, 1895 ; Miron, *L'homme rapaillé*, 1970). Les feuilletons et les sagas modernes sont souvent des cycles. L'exemple de *Rocambole*, de Ponson du Terrail (1857-1860), est ainsi caractéristique de la production d'un auteur, centrée autour d'un personnage principal, mais qui prolifère sans aucune unité d'ensemble. C'est également le cas d'Arsène Lupin ou de Fantômas. Dans le domaine de la littérature populaire, il n'est pas rare qu'un auteur succède à un autre pour assurer la survie d'un héros. La littérature sérielle apparaît ainsi comme une forme moderne du cycle. Le caractère cyclique de ces œuvres ainsi que d'une part non négligeable de la science-fiction n'est pas pour surprendre, à considérer l'esprit épique qui les anime souvent.

Lié à l'épopée, le cycle est une production littéraire qui peut se développer sans projet préconçu et, sans doute, sans auteur au sens moderne du mot. Mais des écrivains peuvent également s'insérer dans un cycle existant, en pleine conscience de leurs moyens et de ce qu'ils lui apportent (c'est le cas de Chrétien de Troyes). La structure cyclique n'appartient pas en propre au poème épique, puisqu'elle se retrouve, comme élément de composition, dans de très nombreuses œuvres ; pourtant, lorsqu'elle devient explicite, il est rare qu'elle ne renvoie pas aux mythes anciens, à la Bible ou aux sagas, et donc aux cycles constitués. Chez les auteurs contemporains, elle exprime souvent – quand il ne s'agit pas seulement d'exploiter le succès d'un personnage – la volonté d'embrasser une totalité, familiale, sociale ou intellectuelle.

▶ INGRAM F. L., *Representative Short Story Cycles of the Twentieth Century : Studies in a Litterary Genre*, La Haye, Mouton, 1971.

Paul ARON

→ *Antiquité ; Bible ; Épopée ; Feuilleton ; Médiévale (Littérature) ; Roman familial.*

D

DADAÏSME → Avant-garde

DANDYSME

Le dandy est un mot anglais qui désigne d'abord une mode vestimentaire, l'élégance sophistiquée et excentrique incarnée par Brummel (1778-1844). L'idée et le mot passent en France dans les années 1820, et le dandysme en vient à désigner une mode littéraire. Elle révèle un éthos d'écrivain, qui affecte de ne s'étonner de rien : originalité de l'apprêt vestimentaire, raffinement des manières de vivre, distinction de la pensée et des goûts esthétiques, autant de valeurs qui opposent le dandy au vulgaire et à la platitude du monde moderne.

De Brummel à Wilde, le dandysme traverse le XIXe s. en s'adaptant à la succession des courants littéraires. De la fin du romantisme à la décadence, de Chatterton à des Esseintes, le dandy est incarné en de multiples personnages de romans qui exaltent un refus des valeurs sociales en s'enfermant dans ce qui s'appelle tantôt le mal du siècle, tantôt la névrose décadente. Critiquée par Balzac (dans son *Traité de la vie élégante*, 1833) et moquée par Stendhal, la figure du dandy trouve en revanche un écho positif et profond auprès de deux écrivains qui y voient autre chose qu'une affaire de cravates : Barbey d'Aurevilly et Baudelaire. Dans *Du dandysme et de George Brummel* (1845), Barbey explique la naissance du dandysme par l'ennui anglais et montre que le phénomène, loin d'être superficiel, exprime une conception de l'existence. Selon lui, le dandy est un « Androgyne de l'histoire » et, de l'Antiquité aux Temps modernes, d'Alcibiade à Brummel, il donne l'expression du plus haut degré de raffinement de la civilisation. Baudelaire, pour sa part, dans l'étude qu'il consacre à C. Guys, *Le peintre de la vie moderne* (1863) voit le dandy comme incarnant avant tout la résistance esthétique (par son penchant pour l'artificiel) et « aristocratique » dans un monde qui court à la démocratie et à sa perte. Le dandy recherche une simplicité distinctive et paradoxale qui exprime le « besoin ardent de se faire une originalité ». Flaubert aussi se reconnaît dans « le vrai dandy », celui qui invente sa propre règle. Ainsi se rejoignent préoccupations esthétiques et stratégies littéraires de distinction. Mais le dandysme cesse d'être conçu comme pur et sobre, tel que l'imaginait Barbey ; il menace de virer au snobisme. Snobisme qui caractérise la mondanité littéraire de la fin du siècle, ainsi que l'a montré E. Carrassus, et qui, à la valeur de distinction absolue qui guide le dandy, substitue des stratégies d'appartenance et d'affiliation à des coteries plus mondaines que littéraires. Le comte Robert de Montesquiou illustre cette déviance du dandysme à la fin du siècle, dont Proust est le chroniqueur. Elle affecte nombre d'écrivains (fût-ce dans le rejet), de Bourget à Barrès, en passant par Maupassant et France. À la fin du XXe s., le souci de diffuser une image de soi frappante peut dans certains cas apparaître comme la continuation du dandysme.

Le dandysme soulève la question de l'éthos de l'écrivain, au cours du XIXe s., bien davantage qu'il n'exprime une réelle esthétique. En effet, il manifeste la conscience que l'œuvre à elle seule ne suffit plus pour donner à son auteur reconnaissance et légitimité. La mondanité, fût-ce dans la dénégation, participe de l'inscription sociale de l'homme de lettres qui se dote de signes extérieurs de reconnaissance et d'appartenance. Phénomène parisien s'il en est, le dandysme, de ce point de vue, serait la norme de l'écrivain qui se veut à la pointe de la mode, voire en avance. L'étude du dandysme et des autres modes littéraires relèverait donc d'une sémiologie de l'écrivain (dans ses poses, ses tics, ses modes vestimentaires). Elle se conjugue avec une orientation esthétique : recherche de la forme soignée et originale à la fois, et expression du détachement, voire du désenchantement.

▶ CARRASSUS E., *Le snobisme et les lettres françaises*, Paris, A. Colin, 1966 ; *Le mythe du Dandy*, Paris, A. Colin, 1971. — KEMPF R., *Sur le dandysme*, Paris, UGE « 10/18 », 1971 ; *Dandies. Baudelaire et Cie*, Paris, Le Seuil, 1977.

Jean-Pierre BERTRAND

→ *Art pour l'art ; Avant-garde ; Décadence ; Distinction ; Esthétique ; Éthos ; Originalité ; Romantisme ; Salons littéraires ; Stratégie littéraire.*

DÉBAT → Dialogue ; Querelles

DÉCADENCE

Au sens strict, la « décadence » désigne, en histoire littéraire, une forme de sensibilité propre aux années 1880-1900. Dans un sens plus large, elle caractérise la nostalgie d'un Âge d'or. En France elle est devenue, à partir de la Renaissance, un modèle d'interprétation du développement des civilisations, puis, à partir du XVIIIe s., du sens de l'Histoire. Dans la seconde moitié du XIXe s., elle caractérise, en France et en Europe, des options esthétiques.

L'idée de la décadence des civilisations, déjà présente dans la pensée grecque, a hanté les historiens romains du Bas-Empire. La Renaissance médite sur la chute de la Rome impériale, tant par une poétique des ruines (Du Bellay) que par une réflexion historique. Au XVIIIe s., la décadence procède d'un discours sur l'Histoire (Montesquieu, *Considérations sur la cause de la grandeur des Romains et sur leur décadence*, 1731 ; Gibbon, *The History of the Decline and Fall of the Roman Empire*, 1776). Au XIXe s., elle déplore le déclin de la grandeur nationale (Claude-Marie Raudot, *De la décadence de la France*, 1850). Par la suite, la défaite de 1870 sera imputée tour à tour à la démocratie issue des Lumières et de la Révolution, à la ploutocratie juive et à la technologie déréglée : dans *La fin d'un monde* (1889, date emblématique), Drumont désigne la Tour Eiffel comme la manifestation la plus évidente d'une dégénérescence.

Sur le plan littéraire, Baudelaire (« Notes nouvelles sur E. Poe », 1857) avait déjà affirmé que la langue classique est « insuffisante » pour traduire les émotions propres aux époques de déclin, qu'il compare aux splendeurs d'un coucher de soleil. Gautier prend la métaphore de la *décomposition* au pied de la lettre en caractérisant « le style de décadence » comme la « langue marbrée de verdeurs [...] du bas-empire romain » (« Charles Baudelaire », 1868). Après 1870, le débat se fait plus virulent. Des essais critiques (Bourget) et des portraits-charges de fiction (Lemercier de Neuville, *Tout-Paris, revue de l'année 1886*) diffusent un type à la mode, le *décadent*. Il est représenté comme un aristocrate esthète et névrosé qui s'isole du monde contemporain, tel des Esseintes, héros d'*À rebours* (1884) de Huysmans. À la Librairie Vanier, paraissent *Les déliquescences. Poèmes décadents* d'Adoré Floupette (1885). L'*Enquête sur l'évolution littéraire* (1891) de J. Huret oppose cette nouvelle génération des « Symbolistes et Décadents » aux « Naturalistes » et aux « Néo-Réalistes ». De fait, une esthétique se met en place, dont Mallarmé apparaît, à son corps défendant, comme le promoteur. Elle privilégie, contre la tradition de la « clarté française », un langage alambiqué et énigmatique : il s'agit, selon Floupette, de traduire « le détraquement exquis de l'âme moderne » par la « névrose de la langue » (ce qui amène J. Plowert - Paul Adam - à publier un *Petit glossaire pour servir à l'intelligence des auteurs décadents et symbolistes*, 1888). De nombreux récits « décadents » se proposent d'explorer les zones obscures du psychisme, tirant parti des avancées de la recherche médicale sur la névrose : *Les hors nature* (1897) de Rachilde ; *Le jardin des supplices* (1899) d'Octave Mirbeau ; *Monsieur de Phocas* (1901) de Jean Lorrain. Ils manifestent un goût de la provocation, de la transgression et des artifices, mais surtout une mise en question de la « normalité ». Ces préoccupations se diffusent en Suisse, avec Duchosal, ou au Québec, avec Nelligan. Elles se propagent en un « décadentisme européen » qu'illustrent, en Grande-Bretagne, Wilde (*The Picture of Dorian Gray*, 1890 ; *Salomé*, 1892, en français), ou, en Italie, D'Annunzio (*Triomfo della morte*, 1898).

Le décadentisme peut donc être compris comme expression d'une « décomposition » du Sujet. Mais surtout, l'imaginaire de la « décadence » a suscité un bouleversement des modes de l'expression et, de *L'après-midi d'un Faune* (1876) à *Un coup de dés* (1897), de *Paludes* (1895) à *Gestes et opinions du docteur Faustroll, Pataphysicien* (1911), une littérature expérimentale. Bourget, dans sa « Théorie de la décadence » (essai sur Baudelaire, 1881, repris dans *Essais de psychologie contemporaine*, 1883) y discerne la transposition de l'anarchie sociale moderne : « Un style de décadence est celui où l'unité du livre se décompose pour laisser la place à l'indépendance de la page, où la page se décompose pour laisser la place à l'indépendance de la phrase, et la phrase pour laisser la place à l'indépendance du mot. » Mais la décadence outrepasse les écoles littéraires, elle projette sur l'Histoire, la Société et l'Art un imaginaire organique et anthropomorphique.

▶ MARQUÈZE-POUEY L., *Le mouvement décadent en France*, Paris, PUF, 1986. — PRAZ M., *La chair, la mort, le diable dans la littérature du XIXe siècle*, Paris, Denoël, [1930], 1977. — Coll. : « Aspects du décadentisme européen »,

Revue des sciences humaines, 1974, 1. — *L'esprit de décadence*, Paris, Minard, 1980 et 1984. — « La littérature “fin de siècle” : une littérature de décadence ? », *Revue de littérature générale et comparée*, Luxembourg, 1990.

Daniel GROJNOWSKI

→ *Dandysme ; Langue française (Histoire de la) ; Style ; Symbolisme.*

DÉCONSTRUCTION

Développée en France à la fin des années 1960 à partir des écrits de Jacques Derrida, la déconstruction est une démarche philosophique qui réinterroge la tradition métaphysique occidentale, et un « protocole de lecture » examinant les textes dans le détail. Mettant sur un même pied, mais sans les assimiler, la littérature et la philosophie, les écrits de Derrida regroupent une série de propositions visant à questionner tout discours fondé sur des concepts univoques, comme la vérité, la présence ou l'origine.

La déconstruction rejette la tendance du structuralisme à trop miser sur la structure et à immobiliser ainsi le jeu des sens dans un texte. Son influence devient sensible en France au début des années 1970, mais c'est aux États-Unis qu'elle fait fortune dans les années 1980, à la suite des séjours de Derrida à l'Université de Yale et à l'Université de Californie à Irvine. Objet de débats animés chez les critiques littéraires, la déconstruction devient là une véritable école, dont Paul de Man est le théoricien le plus connu. Il importe de distinguer entre la déconstruction derridienne et sa version américaine, plus axée sur l'analyse des stratégies rhétoriques de certains textes littéraires canoniques. Ainsi Derrida interroge toutes sortes de textes philosophiques et littéraires, en questionnant volontiers les uns par les autres, comme dans *Glas* (1972) qui met face à face une lecture de Hegel et une lecture de Genet. Les critiques américains partisans de la déconstruction font de sa démarche une pratique de lecture sceptique, cherchant à exposer la nature contradictoire du sens. Ainsi Paul de Man (*Allégories de la lecture*, 1979) explore, dans des séries d'articles, les textes romantiques en relevant leurs « cécités » (*Blindness and insights*).

Le terme de « déconstruction » a été choisi dans le dictionnaire par Derrida pour essayer de traduire celui de « destrucktion » chez Heidegger, en ce qu'il implique non une « destruction » mais plutôt un « démontage » des concepts fondamentaux de la métaphysique et de l'ontologie. La source est donc, pour partie, la phénoménologie. La déconstruction repose sur un soupçon envers la manière traditionnelle de concevoir le savoir, la subjectivité et l'histoire, et donc sur un refus des tentatives de conceptualisation définitive. Les écrits de Derrida forment un dialogue avec des penseurs tels que Platon, Kant, Rousseau, Mallarmé, Saussure, Freud et Marx. Il montre comment la philosophie est indissociable du discours qui la constitue et des oppositions hiérarchiques qui le sous-tendent. Analysant les opérations rhétoriques qui sont à la base des arguments, il se saisit de détails souvent négligés pour discerner les contradictions qui y sont à l'œuvre et la métaphoricité des notions qui s'y donnent comme concepts. Déconstruire un texte, c'est donc réaliser un renversement stratégique en vue de réinterroger son sens. Constatant que, dans la tradition philosophique occidentale, l'écriture ne serait qu'une reproduction auxiliaire de la parole, il critique ce *phonocentrisme* qui prétend mettre la parole en un rapport direct avec le sens. En métaphysique, cette manière de privilégier la voix est associée au *logocentrisme*, à la recherche du Verbe des origines. Renversant cette hiérarchie entre écriture et parole, Derrida affirme que l'écriture fait partie *avec* la parole d'un discours général (l'archi-écriture) où les deux sont marquées par l'absence et par le jeu perpétuel de signification. Mais l'arbitraire du signe et son itérabilité même sont « impensable[s] avant la possibilité de l'écriture et hors de son horizon » (1967, 1965). Aussi, se consacrant à l'étude de l'écriture (la *grammatologie*), Derrida reprend la conception saussurienne de la langue comme système de différences et avance le concept de *différance* : il désigne « l'espacement par lequel les éléments se rapportent les uns aux autres » (1972, 38) et où subsiste un « jeu » du sens. La différ*a*nce rend compte de ce processus constant de différenciation. Aussi, face aux textes littéraires, il ne cherche pas un contenu ou un thème unifiant, mais étudie la façon dont les relations et figures textuelles débouchent sur des renversements inattendus ou une double logique aporétique.

Certains reprochent à la déconstruction son caractère a-historique et apolitique. Mais pour ce qui concerne Derrida, il a fait de sa démarche un moyen de retour aux interrogations éthiques (*Du Droit à la philosophie*, 1990 ; *Spectres de Marx*, 1993 ; *Force de loi*, 1994), ce qui la réinvestit dans la critique idéologique.

▶ BENNINGTON G., DERRIDA J., *Jacques Derrida*, Paris, Le Seuil, 1991. — DE MAN P., *Allégories de la lecture*, trad. T. Trezise, Paris, Galilée, [1979], 1989. — DERRIDA J., *De la grammatologie*, Paris, Minuit, 1967 ; *L'écriture et la différence*, Paris, Le Seuil, 1967 ; *Positions*, Paris, Minuit, 1972 ; *La dissémination*, Paris, Le Seuil, 1972.

Barbara HAVERCROFT

→ *Critique idéologique ; Logique, logos ; Phénoménologie ; Philosophie ; Rapports sociaux de sexe ; Structuralisme ; Texte.*

DÉDICACE

À l'origine (latin *dedicatio*), la dédicace est la consécration aux dieux, en termes solennels, d'un édifice (temple, théâtre, etc.). Au Moyen Âge, le terme désigne la consécration d'une église à un saint. Même si cette pratique existait déjà dans l'Antiquité, ce n'est qu'à partir du XVIIe s. qu'on appelle « dédicace » le texte qui permet à un auteur de faire l'hommage de son œuvre à une personne. Simple formule ajoutée à un livre ou une épître, la dédicace se place le plus souvent en tête de l'ouvrage et précise l'identité du destinataire. Encore faut-il différencier la dédicace d'un exemplaire à un acquéreur (dédicacer) de la dédicace d'une œuvre, présentant le nom du dédicataire sur tous les exemplaires (dédier).

La dédicace d'une œuvre est une preuve de l'amitié ou de l'admiration ressentie par un auteur à l'égard d'un proche ou d'un modèle. Catulle a, par exemple, dédié ses poèmes à son ami Cornélius Népos. Quand Balzac dédie *La fille aux yeux d'or* (1833-1835) à Delacroix, il laisse entendre que, dans son roman, l'écrivain essaiera de rivaliser avec le peintre. Comme preuve de son admiration, Baudelaire dédie ses *Fleurs du mal* (1857-1861) à Théophile Gautier. Cette forme de politesse devient presque un passage obligé quand un auteur ne peut passer sous silence le nom de son bienfaiteur : ainsi Horace dédie-t-il à Mécène ses *Odes* (23-17 avant J.-C.) et Virgile ses *Géorgiques* (28 avant J.-C.). Mais la flatterie ou l'ironie peuvent transparaître sous l'hyperbole : lorsque Corneille dédie *Cinna* (1643) au financier Montauron, il compare la générosité de son bienfaiteur à celle de l'empereur Auguste ! Comme les auteurs, sous l'Ancien Régime, ne pouvaient vivre de leurs œuvres, la dédicace est un moyen de rechercher une relation de mécénat avec un riche protecteur.

La dédicace, témoignage de reconnaissance et hommage souvent intéressé, manifeste la volonté de faire participer le dédicataire à la gloire de l'écrivain. Mais l'auteur et le dédicataire forment ainsi un couple : la notoriété du dédicataire rejaillit sur l'œuvre qui lui est adressée. La dédicace d'un ouvrage à un grand personnage peut aussi permettre à son auteur de retrouver un crédit perdu : Machiavel espérait qu'en dédiant *Le Prince* (1532) au jeune Lorenzo de Médicis il cesserait d'être suspect aux yeux des Médicis. Plaçant l'œuvre sous la recommandation du dédicataire, la dédicace, de marque de courtoisie qu'elle était à l'origine, devient ainsi moyen de défense ou d'attaque. Elle peut s'adresser à un ami mais aussi à un personnage dont le statut intellectuel ou social servira de garantie ou de protection. Racine utilise la dédicace à cette fin au début de sa carrière ; mais il cesse de dédier ses tragédies une fois qu'il a atteint la gloire. À l'inverse, le roi ou la noblesse peuvent refuser leur protection si une œuvre est susceptible de discréditer leur nom. Ainsi s'expliquent le déclin de la pratique de la dédicace chez les romanciers de la fin du XVIIe s. et la vogue des dédicaces fictives ou parodiques.

Parfois, le texte d'une dédicace présente les grandes lignes d'une auto-justification ou les bases d'un manifeste littéraire. La dédicace du *Prince* permet à Machiavel de justifier son dessein et d'expliciter le contenu de son traité. Dans la *Dédicace* d'*Andromaque* (1668) à Henriette d'Angleterre, Racine répond à ses détracteurs : la dédicataire devient ainsi l'arbitre du débat en assumant le rôle de spectateur idéal. De même, La Fontaine expose dans ses épîtres dédicatoires au Dauphin (*Fables*, I-VI, en 1668), à Mme de Montespan (*Fables*, VII-XI, en 1678-1679) et à Monseigneur le duc de Bourgogne (*Fables*, XII, en 1693), plusieurs idées maîtresses sur l'art de la fable.

Cette pratique, qui consiste à transformer la dédicace en apologie ou en manifeste, se généralise à partir du XVIIIe s. Voltaire et Vigny exposent respectivement les principes de leur dramaturgie dans la dédicace du *Brutus* (1730) et dans celle du *More de Venise* (1829). La dédicace joue alors le même rôle que la Préface, l'Avertissement ou l'Avant-Propos. Elle prend place au nombre des signes grâce auxquels un auteur indique sa position et ses ambitions littéraires, s'inscrit dans un réseau relationnel, bref, organise sa stratégie de reconnaissance. Aux XIXe et au XXe s., son usage est très fréquent dans le champ littéraire restreint, et dans le monde académique (les thèses sont fréquemment dédiées à un promoteur ou à la famille du récipiendaire). Un autre type de dédicace, généralement manuscrite, tend à personnaliser la relation entre un auteur et celui qui achète son œuvre ou y souscrit.

▶ BERGER G., « Du mécène au marché ? Roman et épître dédicatoire au XVIIe siècle », *Ouverture et Dialogue, Mélanges offerts à Wolfgang Leiner*, Tübingen, Narr, 1988, p. 3-15. — GENETTE G., *Seuils*, Paris, Le Seuil, 1987. — LEINER W., *Der Widmungsbrief in der französischen Literatur* (1580-1715), Heidelberg, Winter Verlag, 1965 ; « Corneille, auteur de lettres dédicatoires », *Studi francesi*, 1965, 9, p. 435-444. — VIALA A., *Naissance de l'écrivain. Sociologie de la littérature à l'âge classique*, Paris, Minuit, 1985.

Jean-Frédéric CHEVALIER

→ *Apologie ; Champ littéraire ; Épidictique ; Mécénat ; Péritexte ; Stratégie littéraire.*

DESCRIPTION

Hermogène (IIe s.) définit l'*ekphrasis* (description minutieuse) en ces termes : « L'*ekphrasis* est un discours détaillé, vivant et mettant sous les yeux ce qu'il montre. On fait des descriptions tant de personnes que d'événements, de saisons, d'états, de lieux et de nombreux autres sujets » (à partir du Ve s. le terme s'appliquera surtout à la description d'objets d'art). Aujourd'hui, après de nombreux débats théoriques, on peut envisager la description comme une unité textuelle qui développe un thème clé, mot unique, exprimé ou non, dans un déploiement lexical régi et structuré par des lois de hiérarchisation, de classement, de progression (Hamon). La description rend compte des propriétés qui identifient un personnage, un lieu, un objet, une situation.

L'art de décrire naît, dans notre culture, avec Homère, auteur de référence pour les anciens et leurs successeurs. Les rhéteurs antiques sont les premiers à analyser la description, qu'ils rattachent à l'*evidentia*, la puissance illusionniste de tout texte réussi. La notion de description est rattachée, depuis Platon et Aristote, à la mimésis. La conception classique fait de la description un ornement et un lieu du « faire voir », en poésie comme en prose. Elle prend sa source dans les traités antiques d'éloquence judiciaire : des arguments relatifs aux circonstances de la cause (*a re*) émerge la codification de la description littéraire des paysages et des objets, et des arguments relatifs aux individus impliqués dans la cause (*a persona*), celle du portrait. La rhétorique d'apparat (épidictique) perfectionne, dans l'Antiquité tardive, les normes descriptives. Il s'ensuit que la description n'est jamais neutre, se fait éloge ou blâme et porte toujours la marque de la subjectivité du descripteur. Cette codification initiale influence le Moyen Âge notamment à travers le lieu commun du paysage idéal ou *locus amoenus*, lieu naturel déjà célébré par Homère, élaboré dans la poésie pastorale de Théocrite (IIIe s. av. J.-C.) ou Virgile (Ier s. av. J.-C.), qui s'affirme rapidement comme un *topos* commun à toute la littérature européenne.

Dans les arts poétiques médiévaux, la description relève essentiellement des procédés. Les théoriciens du XVIe s. restent sensibles à cette possibilité de maîtriser le réel en déployant une force illusionniste. Érasme, par exemple, y voit un moyen fondamental d'enrichir le texte en l'amplifiant et en l'ornant (*De duplici copia*). Tout peut être décrit, de l'objet banal à la vision, et, sous l'effet de l'inspiration, le poète, comme le peintre avec lequel il entre en rivalité, peut imiter parfaitement la nature, la surpasser ou la corriger, rivalisant ainsi avec la création, voire avec le créateur. Pour Ronsard l'épopée est un lieu favorable à l'amplification descriptive et à l'exploration des possibilités du langage. Tel est encore, au moins pour les grands genres, l'avis de Boileau, au XVIIe s., alors que le *portrait* commence à gagner son autonomie. La description sort des limites du morceau de bravoure ponctuel, dans la seconde moitié du siècle suivant, tandis que s'opère un passage de la perspective rhétorique à une approche théorique, avec les débats sur l'éventualité d'un genre descriptif, autour des *Salons* de Diderot et des poèmes descriptifs de l'abbé Delille. Autre rupture importante, le *Laocoon* (1766) de Lessing arrache la description à la doctrine classique de l'imitation du réel et distend fortement les liens jusque-là canoniques entre la littérature et les arts plastiques, en distinguant les moyens dont ils disposent (art du temps *vs* arts de l'espace).

L'engouement pour la description caractérise une grande partie du XIXe s. Très tôt Delacroix fait référence à la photographie et, tandis que se développe le goût pour le *paysage*, Sainte-Beuve et Gautier s'intéressent aux techniques picturales et à « l'impression pénétrante ». Peinture et photographie ne sont pas sans influencer le réalisme qui accorde à la description une place de choix. Lorsque Balzac et d'autres romanciers plantent le décor, lorsqu'ils définissent le cadre de l'action et présentent l'apparence physique des héros, c'est pour faire mieux comprendre la psychologie des personnages et les motivations de l'action. Flaubert, les Goncourt, Zola préparent toujours la description par l'observation préalable et une ample collation de notes. Aux « descriptions documentaires » et aux catalogues des naturalistes, les Décadents préfèrent les villes mortes, leurs brumes, ainsi que les charmes de l'analogie. La photographie, en tant qu'elle garantit la représentation des choses, permet à Valéry d'envisager une écriture libérée de ses fonctions représentatives, et à A. Breton d'offrir une alternative à la description, d'autant plus opportune que, selon lui, la description tend à s'imposer par sa facilité, source de médiocrité. Robbe-Grillet, et avec lui les tenants du Nouveau Roman, se refusent aussi à lui assigner une fonction décorative et n'y cherchent pas un moyen de tendre à l'objectivité ; en revanche, ils s'intéressent à sa capacité à éveiller l'imaginaire et à offrir, par son mouvement (en référence avec celui de l'image cinématographique), le moteur de l'œuvre. Plus récemment, G. Perec s'attachait, non sans délectation ironique, à proposer une écriture descriptive fondée sur l'approche, sur des modèles non littéraires, de l'inventaire et du classement pour mettre en ordre le monde.

De fait, la description confine au discours argumenté ou à l'évocation suggestive. Elle peut prendre la forme d'un tableau, d'un portrait, d'un inventaire de structures ou de fonctions ; dépassant le champ de la littérature, elle concerne aussi les catalogues ou les opérations d'énumération et de recensement.

Depuis ses débuts, l'écriture descriptive a suscité des réactions divergentes. La profusion de détails est souvent critiquée comme risquant de nuire à la lisibilité du texte, en raison de son inutilité : dans son *Art poétique* (1674), Boileau fait rimer *détail inutile* et *abondance stérile*. Bien qu'elle soit utilisée dans des genres variés, la description, en raison même de son pouvoir de suggestion et de sa force émotionnelle, a toujours soulevé inquiétude et reproches, si bien que, dès l'Antiquité, elle fut soumise à de nombreuses contraintes formelles. Les théoriciens cherchaient à lui imposer brièveté, pertinence, cohérence interne et externe, bannissant l'hypertrophie ou l'abondance de tout excursus susceptible de troubler cette cohérence. La poésie semble tout particulièrement liée à la pratique descriptive d'Homère jusqu'aux *descriptions-définitions-objets-d'art-littéraire* de Ponge, qui se développent dans le plaisir de l'autonomie, en passant par les blasons du Moyen Âge, les *Tableaux parisiens* de Baudelaire (*Les fleurs du mal*, 1857), les *Illuminations* de Rimbaud (1886) et même les pages de prose poétique de Rousseau ou de Chateaubriand. Mallarmé cependant trouve la description trop prosaïque et, pour Valéry, il existe même une antinomie entre la description « inventaire dressé dans un ordre quelconque », et la poésie qui appelle le choix de la contrainte.

Autres pierres d'achoppement, plus importantes, la question de la frontière entre description et narration. Jeu d'équivalence et expansion de type métonymique, la description (notamment la description d'actions) n'est pas toujours facile à distinguer de la narration ; elle s'en différencie pourtant, car ses contenus sont topiques, prévisibles (elle repose sur des conventions culturelles) et ses actions stéréotypées se succèdent dans un ordre attendu, souvent chronologique, au contraire des actions insérées dans une véritable narration. Comme le constate G. Genette (1966), en bien des occasions, les limites entre texte descriptif et texte narratif demeurent floues, malgré le recours à divers critères d'identification (prise en compte du statut de l'objet décrit, de son mode d'existence temporel ou spatial, repérage d'éléments pré- ou a-diégétiques, analyses sémiotiques ou linguistiques). Ph. Hamon cherche, quant à lui, à sortir de l'impasse, en s'attachant à la différence de « compétence » et « d'horizon d'attente » que présupposent respectivement, chez le lecteur, description et narration. Cette dernière réclame en effet, selon lui, une compétence de type « logique », la description une compétence « lexicale », la reconnaissance d'un savoir encyclopédique (elle s'accompagne en outre d'un plaisir spécifique). En outre, l'attention que porte Hamon aux opérations réalisées dans l'énoncé descriptif permet de dépasser l'opposition traditionnelle entre narration et description : certaines actions stéréotypées, donc répétitives et prévisibles (par exemple l'exercice d'un métier) peuvent en effet être considérées comme descriptives. Elles sont donc, à ses yeux, comme toute description, reconnaissables comme l'expansion lexicale métonymique d'un paradigme, d'un thème central explicite ou non (la description d'une maison « appelle » le recensement de ses parties ; celle d'un sculpteur, l'énumération d'une série d'actes attendus : tailler, marteler, polir, etc.).

▶ ADAM J. M., PETITJEAN A., *Le texte descriptif*, Paris, Nathan, 1989. — GALAND-HALLYN P., *Le reflet des fleurs. Description et métalangage poétique d'Homère à la Renaissance*, Genève, Droz, 1989. — GENETTE G., *Figures II*, Paris, Le Seuil, 1969 ; « Frontières du récit », *Communications*, 1996, n° 8. — HAMON P., *La description littéraire*, Paris, Macula, 1991. — *Arts poétiques des XIIe et XIIIe siècles*, E. Faral (éd.), Paris, Champion, 1971 (rééd.).

Jean LEBEL

→ *Blason ; Emblème ; Épidictique ; Espace ; Image ; Mimésis ; Peinture ; Portrait ; Référent, référence.*

DEVISE → Formes brèves et sententiales

DIALECTE → Langue française (Histoire de la)

DIALOGISME

La notion de dialogisme désigne l'existence et la concurrence de plusieurs « voix » dans un texte où s'expriment des points de vue idéologiques ou sociaux divergents, voire incompatibles. Le dialogisme, dont le genre paradigmatique serait le roman, s'oppose au monologisme qui, lui, coïnciderait avec une vision du monde fermée qui s'exprime plutôt dans l'épopée ou dans la poésie lyrique.

Le philosophe et linguiste russe Mikhail Bakhtine (1895-1975) a, dès la fin des années 1920, jeté les bases d'une théorie matérialiste et historique de la communication s'opposant à l'analyse du langage synchronique et immanente de F. de Saussure. Bakhtine reproche à celle-ci de ne saisir que la « signification » (*znacenie*) invariable de l'énoncé, sans en dégager le « sens » particulier (*smysl*). Pour Bakhtine, le langage est un médium social et tous les mots portent les traces, intentions et accentuations des énonciateurs qui les ont employés auparavant. La littérature, et en particulier le roman, réalise ainsi une forme singulière de restitution des discours sociaux, où le point de vue de l'auteur n'écrase pas les propos qu'il entend autour de lui ou qu'il attribue à ses personnages sans pour autant les faire siens. En 1929, dans une étude sur Dostoïevski, Bakhtine fait de l'auteur des *Frères Karamazov* le fondateur du roman polyphonique. Chez le romancier russe, « les mots et tournures sont introduits de telle façon que leur spécificité, leur subjectivité et leur caractère typique sont clairement perçus ». Les guillemets, les italiques, les citations sont autant de techniques qui permettent au romancier de souligner le décalage qui s'installe entre la prise de parole du narrateur et l'expression de ses personnages. Dans les textes ultérieurs, Bakhtine étend cette conception à tout l'art romanesque. Il voit dans le rire carnavalesque de Rabelais, dans la satire ménippée ou dans le roman picaresque une lignée de la culture occidentale à tendance subversive (*L'œuvre de François Rabelais*, 1970). Le monde du carnaval (et celui du Moyen Âge), « mouvement vers le bas », correspondrait à une force centrifuge qui décentralise et différencie, alors que la culture et littérature doxiques et légitimes constituent des forces centripètes, suscitant l'unification idéologique.

L'idée que tout acte d'interprétation est fondé sur un processus dialogique et que l'analyse du langage permet de tirer des conclusions sur la pensée se trouve déjà chez Platon. Mais c'est surtout au principe architectonique de la connaissance humaine selon Kant que Bakhtine semble renvoyer dans l'un des premiers textes où il ébauche sa théorie de la narration (« Art et responsabilité », 1919). Ses thèses doivent également être reliées à une réflexion d'époque sur la satire et sur les « types ». Dans le domaine théâtral, Elias Canetti élabore en 1937, à partir des lectures publiques de Karl Kraus, une théorie des « masques acoustiques » qui permet à l'écrivain qui lit sa pièce de faire entendre des accents et des caractères sociaux singuliers, entendus ou imaginés, mais qui existent dans la pièce par eux-mêmes, indépendamment de la voix propre de l'auteur. Les idées de Bakhtine sur Rabelais et Dostoïevski ont eu un certain retentissement dans les milieux intellectuels de l'ancienne Union soviétique. Mais il a fallu attendre les travaux de Julia Kristeva pour que Bakhtine obtienne une audience internationale. La théorie kristévienne de l'intertextualité s'inspire du principe dialogique pour traiter de la relation d'un texte avec d'autres textes. Pour elle, l'intertextualité comme facteur de sens constitue un caractère général de tout texte littéraire qui, excédant sa fonction de simple énoncé fixé dans l'écrit, prend une forme pluridimensionnelle de « mosaïque de citations » (*Sèméiotikè*, p. 146). L'esthétique de la réception d'Hans-Robert Jauss et de l'école de Constance reprend aussi le principe dialogique en mettant en avant la figure d'un lecteur seul en mesure, par son activité effective, de concrétiser et d'achever le texte littéraire. La pragmatique et les théories de l'énonciation doivent également beaucoup à Bakhtine, surtout lorsqu'elles sont traitées dans une perspective socio-linguistique. Ce succès ne doit pas cependant dissimuler quelques faiblesses, dues aussi bien aux généralisations que Bakhtine a tentées qu'au flou qui entoure les notions associées d'intertextualité, de citation ou de réécriture. La valorisation par Bakhtine de la « culture populaire » médiévale a aussi été discutée. Il importe donc de rendre le dialogisme à son contexte historique, et de ne pas le fondre dans une théorie passe-partout de l'emprunt ou de l'empreinte.

▶ BAKHTINE M., *Esthétique et théorie du roman*, Paris, Gallimard, 1978. — KRISTEVA J., *Sèméiotikè. Recherches pour une sémanalyse*, Paris, Le Seuil, 1969 ; *La révolution du langage poétique*, Paris, Le Seuil, 1974. — LACHMANN R. (éd.), *Dialogizität*, München, Fink, 1983. — TODOROV T., *Mikhail Bakhtine, le principe dialogique*, Paris, Le Seuil, 1981.

Constanze BAETHGE

→ *Citation ; Discours ; Formalistes ; Intertextualité ; Narration ; Réception ; Roman ; Sémiotique.*

DIALOGUE

Synonyme de conversation dans la vie réelle, le dialogue est aussi la transcription littéraire au style direct d'une conversation réelle ou fictive. À ce titre, il constitue un genre littéraire autonome aussi bien qu'un élément des genres romanesque et théâtral. Il ne saurait toutefois être confondu avec ce dernier parce que le dialogue met en scène un débat d'idées plutôt qu'une action dramatique, et qu'il a vocation à être lu plutôt que représenté.

Plusieurs traditions coexistent à l'origine du genre : Platon offre le modèle d'un dialogue philosophique à finalité heuristique, marqué par la familiarité du ton, l'ironie et l'art de la maïeutique ; Cicéron met en œuvre un dialogue rhétorique, plus nettement didactique ; Lucien de Samosate (IIIᵉ s.) inaugure le dialogue satirique (*Dialogues des dieux, Dialogues des morts*) ; enfin l'Antiquité a connu des poèmes dialogués (idylle, bucolique), et cette tradition rapidement christianisée a donné naissance à l'églogue chrétienne et au dialogue allégorique médiéval. La pratique scolastique de la *disputatio* et les traditions poétiques médiévales du *débat* et du *jeu-parti* marquent aussi la fortune du genre.

Forme traditionnelle des traités académico-péripatéticiens, le dialogue platonicien est le modèle privilégié des humanistes de la Renaissance, en Italie (B. Castiglione, *Le courtisan*, 1528, près de cent éditions en Europe au XVIᵉ s.) puis en France, où le genre connaît une grande vogue entre 1550 et 1560 (Pontus de Tyard, *Discours philosophiques*, 1587). Toutefois le grand succès du genre reste les *Colloques* latins d'Erasme (1518-1533), plus proches de Lucien en dépit de leur finalité pédagogique initiale. C'est encore à la tradition lucianique que se rattachent les mystérieuses allégories du *Cymbalum Mundi* (attribué sans certitude à Bonaventure des Périers, 1537).

Le dialogue est employé dans des œuvres de spiritualité, liées au progrès de la Contre-Réforme (*Entretiens spirituels* d'Antoine Favre, 1602, et de François de Sales, 1628 ; *Entretiens de piété* de J.-P. Camus, 1641), et on peut supposer que c'est la forme à laquelle Pascal songeait pour ses *Pensées*. Il touche ensuite la littérature mondaine avec les *Conversations galantes* de René Bary (1662), puis gagne « l'histoire, la politique, les arts plastiques et musicaux, les sciences même » (Beugnot), où il s'impose au détriment de genres plus didactiques ou rhétoriques (discours, dissertation, harangue, traité). Le dialogue connaît alors, sous le nom d'*entretien* le plus souvent, une vogue qui culmine autour des années 1680-1690, alors que la société polie fait de la conversation son loisir favori. Cette vogue est marquée par le succès des *Entretiens d'Ariste et d'Eugène* du Père Bouhours (1671), des *Entretiens sur la pluralité des mondes* de Fontenelle (1686), sans oublier ses *Dialogues des morts* (1683), imités par Fénelon (1712). Avec Fontenelle et Perrault (*Parallèles des Anciens et des Modernes*, 1688-1697), l'« entretien » devient l'une des formes favorites des « Modernes » et prépare le dialogue philosophique des Lumières, à la fois polémique, pédagogique et heuristique.

Voyant dans le dialogue socratique « la vraie méthode instructive » (*Apologie de l'abbé Galiani*, 1770), Diderot fait du « dialogue dramatique » (M. Dieckmann) sa forme de prédilection, révélatrice des élans contraires qui l'animent. Voltaire ne vient que tardivement à ce genre qu'il juge mineur, mais à partir de 1760, le dialogue devient sous sa plume une variété du pamphlet. S'il en publie séparément une trentaine, d'autres s'insèrent dans un traité, un conte, un article de dictionnaire, tardivement (1785-1789) regroupés par l'édition de Kehl (*Dialogues et entretiens*, t. XXXVI).

À l'époque où la génération romantique récuse l'artifice des genres classiques, c'est la valeur de témoignage sans apprêt d'entretiens authentiques que revendiquent les éditeurs des conversations de Gœthe avec Eckermann ou avec le Chancelier von Müller. Au XXe s., les nouveaux moyens techniques et la demande du public encouragent la presse écrite et audiovisuelle à multiplier les interviews d'écrivains ou de personnalités : radiodiffusées ou réécrites dans les colonnes des journaux, elles peuvent être l'objet de publications autonomes, comme les entretiens radiophoniques de Cocteau (1951), de Léautaud (1951), de Breton (1952), de Queneau (1962), de Sollers avec Ponge (1970). Conscient de l'émergence d'un genre bien spécifique, Céline l'a brillamment parodié dans ses *Entretiens avec le professeur Y* de 1955.

La fonction du dialogue est plurielle. Par ses origines grecques (dialogue platonicien, diatribe stoïcienne), c'est d'abord un instrument pédagogique, apprécié à ce titre par tous ceux qui l'ont pratiqué. Même destiné au public mondain, il a souvent pour vocation explicite de mettre à la portée des honnêtes gens des réflexions ou un savoir supposés austères sans l'agrément d'une conversation enjouée. Fontenelle prête au dialogue cette fonction de vulgarisation : « J'ai voulu traiter la Philosophie d'une manière qui ne fût point philosophique : j'ai tâché de l'amener à un point où elle ne fût ni trop sèche pour les gens du monde, ni trop badine pour les savants » (*Entretiens sur la pluralité des mondes*).

Sa vertu didactique, qui peut en faire la forme privilégiée d'un enseignement dogmatique et monologique (songeons au *Catéchisme* de Calvin) ne saurait faire oublier sa nature polyphonique, apte à l'expression de l'incertitude, voire du scepticisme. Présentant avec souplesse « le pour et le contre sur toute sorte de sujets » (Bouhours), en laissant ouvertes les questions controversées, il peut traduire les hésitations du jugement sans contraindre à conclure.

C'est pourquoi l'une des fonctions essentielles du dialogue est souvent le questionnement. Sa fonction heuristique se réclame de la richesse inventive de la conversation, plus féconde que la méditation ; elle mise sur la valeur de la confrontation, voire du conflit, qui « éveille l'attention » (*Essais*, III, 8), aiguise l'esprit, stimule l'intelligence.

Dans le contexte rhétorique classique, qui voit le succès du genre, la pratique du dialogue permet enfin une sorte de libération de la prose ; peu codifié, il affranchit l'écrivain des contraintes rhétoriques traditionnelles, le libère du style oratoire des lettres et des traités : Guez de Balzac notait qu'« il y a dans l'entretien familier des grâces audessus des règles ». De fait, Alain voit ainsi dans le dialogue socratique « un moyen contre l'éloquence » ; une autre éloquence – un autre sens du terme : l'art de persuader – prend ainsi forme.

Le succès du dialogue à l'âge classique paraît ainsi lié à ce goût de « l'entretien familier » dans la société du temps. Le public des salons se plaît à y retrouver par écrit les qualités d'aisance et de spontanéité calculée qu'il apprécie dans la conversation. Le succès d'un dialogue donné suppose que le public y a reconnu, sur le plan du style et du mode de relation qu'il instaure entre les intervenants, son propre idéal d'échange social. Idéal de civilité plutôt que mimésis de cette conversation courante (dont Swift ou Ionesco ont fait la satire et dont chaque époque peut mesurer la médiocrité) : « Il faut posséder l'art du dialogue pour faire que cette conversation qu'on représente, quoique plus savante et plus soutenue que les conversations ordinaires, soit pourtant une conversation, c'est-à-dire un entretien libre, familier et naturel » (Pellisson).

▶ BÉNOUIS M. K., *Le dialogue dans la littérature française du XVIe siècle*, La Haye, Mouton, 1976. — BEUGNOT B., « L'entretien [au XVIIe s.] », *La Mémoire du texte. Essais de poétique classique*, Paris, Champion, 1994. — CHOMICZ M., « Dialogue. Contextes et significations du terme », *Romanica Wrastislaviensa*, XXXI, 1988, p. 29-37. — MORTIER R., « Pour une poétique du dialogue : essai de théorie d'un genre », *Literary Theory and Criticism. Festschrift presented to R. Wellek*, Bern, Peter Lang, 1984, I, p. 457-474. — Coll. : *Le dialogue au temps de la Renaissance*, M.-T. Jones-Davies (dir.), Paris, J. Touzot, 1984.

Jean VIGNES

→ *Bucolique ; Didactique (Littérature) ; Éloquence ; Épistolaire ; Essai ; Galanterie ; Philosophie ; Polémique ; Salons littéraires ; Théâtre.*

DICTIONNAIRE

Le dictionnaire constitue un genre spécifique, qui inventorie les mots d'une langue, d'une discipline ou d'un domaine déterminés, en suivant l'ordre alphabétique. Il fournit soit des définitions, soit – pour les dictionnaires de langues étrangères – des traductions, souvent accompagnées d'exemples et d'indications étymologiques.

Les dictionnaires répondent à des demandes sociolinguistiques. On distingue les dictionnaires « de mots », qui se cantonnent au rôle de définition, et les dictionnaires « de choses », dont le rôle principal est de donner des informations sur les référents des mots. Certains ont une visée descriptive, d'autres sont dans une large mesure prescriptifs, mais tous ont une fonction normative, puisque le dictionnaire fait autorité en cas de doute sur une information ou l'acception légitime d'un terme. Le dictionnaire se distingue, d'une part, par son caractère plus global, des glossaires et des lexiques, spécialisés et limités et, d'autre part, par son discours plus linguistique, des encyclopédies – mais il existe des dictionnaires encyclopédiques.

L'évolution historique du genre est marquée par une spécialisation de plus en plus poussée. Le dictionnaire de langue française naît de la tradition lexicographique du XVIe s., qui est un corollaire de l'attention que prêtent les humanistes aux littératures grecques et latines et aux problèmes de traduction qu'elles posent. Le premier ouvrage dont les « entrées » sont en langue française est le dictionnaire français / latin de Robert Estienne (1539). Il connaît plusieurs rééditions et remaniements jusqu'au *Thrésor* de Nicot (1606), premier dictionnaire « français », mais encore très latinisant. L'effort de recensement de la langue a donc ses origines dans une réflexion lexicographique polyglotte, qui s'est tôt attachée aussi aux langues modernes (Randell Cotgrave, *Dictionary of the French and English Tongues*, 1611 ; César Oudin, *Trésor des deux langues espagnole et française*, 1607). Le besoin d'une langue administrative et juridique uniformisée, exprimé à partir de 1539, aboutit avec l'avènement de l'absolutisme monarchique dans la première moitié du XVIIe s. à la commande d'un dictionnaire monolingue. L'Académie française, en 1635, est chargée de le rédiger. Mais l'élaboration, longue et difficile, fait apparaître des fractures, notamment dans les années 1670, et son premier accomplissement n'advient qu'en 1694. Dans les conflits qui président à sa réalisation s'opposent l'attitude puriste et l'attitude globalisante. Le courant puriste et moderniste l'emporte dans le *Dictionnaire de l'Académie* lui-même, mais auparavant même, il se manifeste dans le *Richelet* (1680). Ces deux ouvrages sont des dictionnaires « de mots », qui ne donnent qu'un répertoire limité. Fondé sur une conception élitiste du « bel usage » de « la Cour et de la Ville », le *Dictionnaire de la langue française* est de nature normative et il s'emploie à prouver un certain nombre de valeurs idéologiques dont l'Académie entendait doter le français : la logique, la clarté, la pureté. Il vise aussi à conjurer les pratiques linguistiques du registre populaire, déviantes par rapport à la norme qu'il instaure ; il est classé par ordre alphabétique non des mots mais des racines, ce qui complique son usage. Le deuxième genre de dictionnaire, plus près du réel et plus abondant en mots, est au contraire fondé sur une vision instrumentale et fonctionnelle de la langue. Il est représenté par le *Dictionnaire* de Furetière (1690) – dont l'auteur fut exclu de l'Académie pour ne s'être pas plié aux options de celle-ci et avoir entrepris son propre ouvrage. Sans remettre en cause le principe du bel usage, il vise à dresser un état plus complet de la langue, en faisant place aux mots savants ou techniques, mais aussi à des mots parfois populaires ou vieillis. Ainsi le dictionnaire s'ouvre à l'inventaire « des arts et des métiers » jugés utiles à l'homme moderne. Il mêle au relevé de mots une visée pratique, historique ou technique, des « choses ». L'Académie se sentit d'ailleurs obligée de produire, à côté de son dictionnaire de la belle langue, un dictionnaire des arts et des sciences, dont la réalisation fut confiée à Thomas Corneille. Dans la même génération, le *Grand Dictionnaire historique* de Moreri (1674, dictionnaire de noms propres) s'éloigne de la lexicographie pour donner des informations sur les personnes et personnages historiques. Avec les Lumières, cette orientation débouche, au XVIIIe s., sur diverses entreprises de dictionnaires encyclopédiques, dont l'une des premières est le *Dictionnaire universel* dit de Trévoux (1704-1765), et que l'*Encyclopédie* transforme en un répertoire des choses, souvent technique, mais souvent aussi polémique.

L'effort de représentation de la langue et du savoir a fait naître des questionnements épistémologiques, poussés à leur limite extrême dans un ouvrage comme le *Dictionnaire critique et historique* de Pierre Bayle (1693). En critiquant sans cesse les informations établies, à travers un quadruple système de notes, il constitue un anti-dictionnaire. Cette fonction critique est reprise ensuite chez Voltaire (*Dictionnaire philosophique portatif, ou la raison par alphabet*, 1764-1770) et, plus tard, sur un mode parodique, chez Flaubert (*Dictionnaire des idées reçues*, retrouvé parmi les manuscrits inachevés de *Bouvard et Pécuchet*, 1880-1881). Dans un autre registre, citons ici le *Dictionnaire raisonné des onomatopées françaises* de Charles Nodier (1808), qui témoigne des extensions inventives du principe du dictionnaire chez les littérateurs. De telles productions attestent que le dictionnaire devient un genre de plus en plus popularisé.

Le XIXe s. voit le triomphe du genre, avec deux monuments : le *Dictionnaire* de Littré (à partir de 1863), fondé sur le corpus des auteurs classiques, est un dictionnaire de mots ; le *Grand Dictionnaire universel* de Pierre Larousse (à partir de 1866) vise au contraire à présenter la somme du savoir. Au XIXe s. aussi apparaissent de plus en plus de dictionnaires spécialisés, indice indéniable de l'autonomisation des disciplines. Ils sont légion au XXe s. La distinction entre dictionnaire de mots et dictionnaire de choses s'y maintient par la concurrence entre le *Larousse* et le *Robert.* Cependant, une évolution se fait sentir dans l'usage des citations : jadis essentiellement normatives, elles tendent vers un statut plutôt illustratif aujourd'hui, bien que la sélection des exemples ne soit pas idéologiquement neutre. La dernière transformation des dictionnaires est leur publication informatisée, permettant de nouvelles modalités de consultation.

Le corpus des dictionnaires est lié à des pratiques contiguës à l'inventaire lexical, telles que l'histoire, l'épistémologie, la politique, et bien sûr, la littérature. Aussi l'importance du genre pour la littérature revêt-elle quatre aspects différents.

1. *Le dictionnaire comme genre littéraire* : on l'a vu avec les exemples cités plus haut de Bayle, Voltaire ou Flaubert, certains écrivains adoptent la forme du dictionnaire pour leur écriture critique ; mais ce peut être aussi dans une logique fictionnelle, comme chez Nodier, ou encore Milorad Pavic, auteur serbe du *Dictionnaire khazar. Roman lexique en 100 000 mots* (1984, 1988). La forme du dictionnaire est par ailleurs pratiquée dans l'écriture de Leiris (*Glossaire, j'y serre mes gloses*, 1939) ou par Renaud Camus dans *Etc.*, 1998, défini comme « Abécédaire ». Ces livres empruntent au dictionnaire leur présentation alphabétique pour offrir au lecteur des notions centrales à la pensée et aux « désirs d'œuvre » de leurs auteurs.

2. *La littérature* dans *le dictionnaire* : le corpus littéraire est la source principale des exemples et des citations dans les dictionnaires. La littérature est ici au cœur de la problématique du dictionnaire, qui doit enregistrer la dialectique entre la fluctuation et la fixation des acceptions. Cette dialectique étant profondément inscrite dans l'histoire, c'est le sort de tout dictionnaire de se démoder, d'où les remises à jour périodiques des citations. Dans certains cas, comme dans le Littré ou dans le *Trésor de la Langue Française*, fondé sur un corpus informatisé de textes primaires (Frantext), cette pratique devient une mine d'informations sur l'emploi de termes chez les écrivains.

3. *La littérature* à l'aide *du dictionnaire* : on touche ici à la question du rôle du dictionnaire pour le métier d'écrivain. Il est un de ses instruments de travail essentiel. Ce qui peut retentir sur la conception même de l'œuvre (par l'usage d'informations pour nourrir la fiction – comme, entre autres, font Hugo ou Zola), voire dans le façonnement de l'écriture et du style, si l'auteur construit ses ouvrages à partir de jeux formels et arbitraires comme en préconise l'OuLiPo.

4. *Le dictionnaire* de *la littérature* : les dictionnaires de la littérature apparaissent au XIXe s. (G. Vaperau, *Dictionnaire universel des littératures*, 1876), en relation avec son autonomisation accrue. Les formes s'en sont ensuite diversifiées à l'extrême (dictionnaire d'auteurs, d'œuvres, de thèmes, de personnages, de citations, ou encore, comme ici, de notions). Le corpus de ces dictionnaires constitue une riche source d'informations sur les conceptions de la littérature en vigueur à une époque donnée.

▶ CORBIN P., GUILLERM J.-P. (éds.), *Dictionnaire et littérature 1830-1990.* Villeneuve d'Ascq, P. U. Septentrion, 1995. — DIDIER B., *Alphabet et Raison. Le paradoxe des dictionnaires au XVIIIe siècle.* Paris, PUF, 1996. — FUMAROLI M., « Le génie de la langue française », in *Trois institutions littéraires*, Paris, Gallimard « Folio », 1991. — MESCHONNIC H., *Des mots et des mondes. Dictionnaires, encyclopédies, grammaires, nomenclatures.* Paris, Hatier, 1991. — Coll. : « Les écrivains et les dictionnaires », *Le français aujourd'hui*, juin 1991, 94.

Lieven TACK

→ *Alphabet ; Citation ; Encyclopédie ; Norme ; Vocabulaire.*

DIDACTIQUE (Littérature)

« Didactique » – du grec *didáskalos* (le maître d'école) et *didaktós* (ce qui est enseigné) – qualifie une œuvre dont la finalité est de délivrer un enseignement. L'appellation *didascalica* (littérature didactique) apparaît à Rome pour caractériser les *Géorgiques* de Virgile, poème sur les travaux agricoles. Dès lors le « didactique » désigne le registre du savoir, des ouvrages exposant des doctrines scientifiques, philosophiques, religieuses, morales. En son acception moderne, le terme employé au féminin (la didactique) désigne aussi la façon d'enseigner.

En Grèce antique, Hésiode (VIIIe s. avant J.-C.), dans sa *Théogonie*, définit le poème comme texte où l'auteur, inspiré par les Muses, déesses des savoirs, s'applique à transmettre des vérités religieuses (*Théogonie*) ou techniques et morales (*Les travaux et les jours*). Aux VIe et Ve s. avant J.-C., les philosophes Xénophane, Parménide et Empédocle confient eux aussi cette mission à la poésie. C'est que le vers, outre sa beauté, offre l'avantage d'être facilement mémorisé. Les Latins ont pratiqué ce genre de poésie très tôt (Ennius, Caton, Varron..) et en des œuvres majeures (*De rerum natura* de Lucrèce, *Géorgiques* de Virgile, *Art poétique* d'Horace...). Lucrèce a établi la comparaison, devenue lieu commun, du poème didactique et de la coupe d'absinthe que le médecin administre aux enfants après en avoir enduit les bords de miel : la douceur du miel compense le goût amer du breuvage, comme le vers captive les esprits que lasserait la présentation abrupte d'une doctrine. Les chrétiens à leur tour transmirent leurs dogmes grâce à la poésie (Commodien, Prudence...). En France aussi le discours poétique a semblé pouvoir devenir le véhicule des sciences. Au XVIe s., *L'Amour des amours* de Peletier, les *Hymnes* de Ronsard, *Microcosme* de Maurice Scève et *La sepmaine* de du Bartas en manifestent l'engouement. Ensuite, La Fontaine s'y emploie aussi (*Le Quinquina*), et Voltaire expose en vers la philosophie de Newton (*Discours sur l'homme*, 1738). La poésie descriptive de la nature, en vogue après 1750, en relève : *Les saisons* de Saint-Lambert (1769), *Les mois* de Roucher (1779), *Les jardins* (1782) ou *Les trois règnes de la nature* (1808) de Delille. Cette esthétique faiblit à partir de 1820, malgré Leconte de Lisle qui rêve de poésie scientifique, et Sully-Prudhomme (*La justice*, 1878), traducteur de Lucrèce aspirant à une poésie philosophique.

Mais le didactique concerne plus largement une foule d'ouvrages éducatifs en prose, et notamment les « miroirs du prince ». Ainsi, outre les manuels et traités, il est à la base des *Fables* de La Fontaine, des *Entretiens sur la pluralité des Mondes* (1686) de Fontenelle, des *Aventures de Télémaque* (1699) de Fénelon, de l'*Émile* de Rousseau (1762). Les *Arts poétiques* en sont aussi une forme. Au XIXe s., le roman est didactique dans la mesure où il transmet un savoir sur le monde (Balzac, Zola), et, en particulier, les progrès des sciences (Jules Verne). Une littérature enfantine et populaire à but didactique connaît un grand essor (G. Bruno, *Le tour de France par deux enfants*, 1886), qui se continue au XXe s. Le succès actuel des essais philosophiques, surtout en matière d'éthique, manifeste le souci de littérariser les savoirs (du *Monde de Sophie* à Finkelkraut et Comte-Sponville). Le théâtre également en porte la trace, que ce soit dans le genre du réalisme social (Brieux), du théâtre humaniste (R. Rolland) ou, plus explicitement, du théâtre révolutionnaire (les pièces didactiques de Brecht).

Comme tout registre, le didactique soulève d'abord la question de son extension. Les ouvrages qui en relèvent proprement, manuels et essais, mais aussi productions poétiques et fictions en prose, sont légion. Il est fondé sur la volonté de plaire et d'instruire de la tradition classique. Mais on doit aussi constater sa présence, comme registre avéré ou comme élément associé à d'autres, dans une part plus large encore de la production : ainsi, au moins, les romans et pièces à thèse. Il constitue donc une catégorie d'analyse nécessaire pour saisir les effets proposés par nombre d'œuvres.

Une seconde question est celle de l'alliance entre forme, savoir et fiction. Aristote (*Poétique*, 1447 b), estimant que la *poïèsis* se fonde sur la *mimésis*, a jugé que les œuvres philosophiques versifiées ne devaient pas être appelées « poèmes ». Cicéron (*De oratore*, I, 69), traducteur des *Phénomènes* d'Aratos (IIIe s. avant J.-C.), constatait pour sa part que si Aratos a peint les constellations en vers très brillants, il était en fait ignorant de l'astronomie, et que l'union du savoir et du plaisir est loin d'être toujours harmonieuse. Le débat est permanent depuis.

▶ DALZELL A., *The Criticism of didactic poetry*, Univ. of Toronto Press, 1997. — GUITTON E., *Jacques Delille et le poème de la nature en France de 1750 à 1820*, Klincksieck, Presses Universitaires de Rennes, 1974. — HALLYN F., *La structure poétique du monde : Copernic, Kepler*, Paris, Le Seuil, 1987. — PANTIN I., *La poésie du ciel en France dans la seconde moitié du seizième siècle*, Genève-Paris, Droz, 1995. — RIFFATERRE M., « Système d'un genre descriptif », *Poétique*, 1972, 9, p. 15-30.

Jean-Frédéric CHEVALIER

→ *Enfance et jeunesse ; Poésie ; Registres ; Science et lettres.*

DIDACTIQUE DE LA LITTÉRATURE → Enseignement

DIDASCALIE → Didactique ; Représentation ; Péritexte

DIÉGÈSE → Mimésis ; Narration

DISCOURS

Les définitions du mot « discours » dans la réflexion moderne doivent se comprendre à partir de l'opposition, posée par F. de Saussure au début du XXe s., entre *la langue* (comme système de signes, indépendant des réalisations particulières) et *la parole* (l'ensemble de ces réalisations, dans leur diversité), et de l'exclusion de la « parole » de son champ de recherches. Le terme de « discours » a été introduit pour déplacer, dépasser ou contester cette opposition. Dans leur diversité, les définitions du « discours » ont pour point commun de désigner les *réalisations* de la langue dans des *situations déterminées.* On peut donc, en définition la plus générale, désigner le discours comme la langue en actes. En des sens plus spécifiques, au long de l'histoire, discours signifie telle forme particulière, donc un genre (le discours d'un orateur par exemple), qui a pu être en vers même si l'usage courant est celui de la prose. Il pointe encore, chez certains linguistes comme Benveniste, la part du texte qui porte une action sur le destinataire, par opposition à ce que le texte « représente » (qui est alors appelé « récit » par opposition au discours).

La rhétorique est, depuis l'Antiquité, l'art des discours. Depuis son premier enseignement par les Siciliens Corax et Tisias (Ve s. avant J.-C.), développé par la suite par les sophistes (Protagoras et surtout Gorgias, concepteur de ce que nous nommons aujourd'hui « prose littéraire ») puis par Aristote, on constate que le discours est intimement lié à l'oralité. Il se définit alors comme un art oratoire structuré selon des règles. Depuis Aristote, le discours se divise entre les domaines du délibératif (conseiller les membres d'une assemblée politique), de l'épidictique (proposer un éloge devant un grand public) et du judiciaire (accuser ou défendre devant un tribunal). Transmise de l'Antiquité au Moyen Âge puis transformée à l'époque classique, cette conception du discours constitue également une stylistique et finit par embrasser toute l'expression linguistique et, grâce aux arts poétiques, toute la littérature. En ce sens, une réflexion sur le discours côtoie une réflexion sur les genres comme mise en forme de différents modes d'expression. Selon les époques, certaines « mises en forme discursives » ont correspondu à des classifications génériques accordant une valeur institutionnelle particulière à des genres bénéficiant d'un statut plus important. Les « genres du discours » constituent ainsi une part très vaste de la production littéraire : lorsque celle-ci était désignée sous le nom de Belles-Lettres, elle incluait de plein droit toute l'éloquence. Les discours judiciaires, depuis l'Antiquité (par exemple les *Catilinaires* de Cicéron), mais aussi les délibératifs et les discours d'édification éthique, le didactique, dont les arts poétiques notamment, en relèvent. Le *Discours à Mme de La Sablière* de La Fontaine est œuvre de réflexion éthique, et les oraisons funèbres et sermons de Bossuet, de même. Mais les contes philosophiques de Voltaire, comme tous les ouvrages à thèse, et à plus forte raison toute la littérature engagée, participent du discours. Et longtemps, l'école a prescrit dans ses exercices fondamentaux l'écriture de « discours », en latin, puis en français (jusqu'au milieu du XXe s.). Comme genre propre – discours de réception, distribution des prix, d'inauguration..., mais aussi discours politique –, le discours apparaît ainsi comme la manifestation explicite de la vocation discursive des textes : elle y est attestée par leur oralité, mais ils peuvent aussi bien prendre la forme écrite, comme dans les œuvres demandées dans les pratiques académiques : ainsi Rousseau accéda au succès avec son *Discours sur l'origine de l'inégalité parmi les hommes* (1754).

À partir des années 1960, la notion de discours est par ailleurs au centre de la problématique linguistique et, en tant que telle, elle rejaillit sur les études littéraires. Une première impulsion est venue de certains linguistes qui reprennent l'observation ancienne selon laquelle le sens des phrases varie avec le contexte de leur production. En France, E. Benveniste (1966) constate l'insuffisance d'une sémantique réduite au système de la langue. Étudiant des éléments de la phrase dont le « sens » dépend entièrement des conditions de l'énonciation, comme les déictiques ou le système des temps verbaux, il pose la nécessité d'étudier ce qu'il appelle le « discours » : « une énonciation supposant un locuteur et un auditeur, et chez le premier l'intention d'influencer l'autre » ; pour lui, le discours se reconnaît à des marqueurs spécifiques et s'oppose ainsi à l' « histoire », où les traces de l'énonciation tendent à s'effacer.

Ces recherches croisent les préoccupations de la « philosophie analytique » anglo-saxonne, diffusées dans les mêmes années. En se penchant sur ce qu'il appelle « le langage ordinaire », J. L. Austin (1962) rencontre des formules comme « je promets », « je déclare la séance ouverte », qui ne décrivent rien et échappent à la distinction du vrai et du faux ; elles ne peuvent se comprendre que comme des « actes », liés à des *situations de discours* déterminées, souvent institutionnelles. Austin nomme ces énoncés « performatifs » et les oppose aux « constatifs ». Cependant, Austin et ses disciples relèvent rapidement que tout énoncé, même s'il semble descriptif, peut être compris comme un acte qui transforme une « situation » initiale. Une réflexion sur les rapports entre le langage et l'action doit alors engager à des différenciations plus subtiles entre les modes d'« action » distincts (« illocutoire », « perlocutoire », etc.), d'un *discours* généralisé.

Chez Benveniste comme pour Austin, la notion de « situation » reste abstraite. Il en va tout autrement dans une troisième approche, « sociolinguistique » ou « ethnolinguistique », qui part de l'étude des situations sociales. W. Labov (1972) prend pour objet l'institution sociale des variations linguistiques. Récusant l'illusion d'un locuteur-type, qui masquerait la différenciation sociale de la langue, Labov constitue un corpus de données recueillies par entretiens et conforté par l'étude sociologique. Il ne s'agit plus alors d'élargir la portée de la linguistique, mais d'en contester frontalement les présupposés : au lieu d'inclure les « situations de discours » dans l'analyse linguistique, Labov replace le langage dans l'étude sociologique.

Dans les mêmes années, on découvre en Occident les travaux de Bakhtine, menés en URSS dès les années 1930, au croisement de la poétique, de la sociologie et de la linguistique. Bakhtine refuse l'isolement d'un système de la langue en insistant à la fois sur la nature sociale des signes linguistiques et sur l'intentionnalité qui les régit. Plus encore, il refuse de considérer l'énoncé comme une unité individuelle : les énoncés sont pour lui fondamentalement « dialogiques », c'est-à-dire traversés par la plurivocité et la conflictualité du monde social. Les recherches de Bakhtine ouvrent à une étude du discours qui met en relief l'« hétérogénéité » de l'énoncé ; l'analyse de la présupposition (O. Ducrot), ou du préconstruit (M. Pécheux) a creusé ces perspectives.

Ces quelques repères dans l'élaboration d'un vaste champ d'études toujours vivant, parfois identifié à la « pragmatique », plus largement à la rhétorique, indiquent les nouvelles questions posées à l'étude du langage et de la littérature.

Dès lors, il est possible de dire que la littérature tout entière est, au moins potentiellement, discours, qui dans certains cas s'avoue comme tel, et dans d'autres s'efforce de se dégager de sa nature discursive.

La réflexion sur le discours part du principe que la langue n'est pas un système clos : elle n'est pas dissociable des usages qui en sont faits, ni soustraite aux contingences du réel. Reste à placer la frontière entre le linguistique et le réel : l'activité du discours peut être placée à l'intérieur du matériau linguistique, ou bien dans les situations sociales extérieures qui déterminent le « sens » de l'énoncé. Les théories du discours se distribuent entre ces deux pôles.

Reste encore à fixer l'unité première des études du discours, qui n'est ni le phonème, ni le mot, ni même la phrase, mais des unités plus étendues encore. Elle peut alors porter sur le texte, ou sur le texte et sa situation d'énonciation effective. Elle s'expose ainsi à un double risque : la dissolution de son objet dans le flou d'une unité sans contours, ou bien une prétention à la formalisation qui peut paraître forcée (voir l'« analyse du discours » de Z. Harris, qui s'est efforcé de transposer au *texte* la syntaxe de la phrase).

Toute réflexion sur le discours suppose une théorie des fonctions fondamentales du langage : communication, représentation, expression... Plus encore, elle met en cause la relation du sujet individuel aux déterminations sociales : la notion de discours peut servir aussi bien à insister sur la dépossession du sujet par les contraintes extérieures qui régissent son énonciation, ou bien sur la maîtrise d'un individu qui domine son argumentaire. Les études du « discours » rencontrent le renouveau de la rhétorique. Les genres proprement appelés « discours » offrent alors un lieu exemplaire pour analyser les ressources langagières mise en avant : cadences, périodes, composition, qui inscrivent dans le texte une oralité apte à capter l'attention et à susciter des émotions comme à convaincre par raison. Il a été de tradition d'opposer rhétorique et poétique : ainsi dans une de ses *Lettres de mon moulin* (1869), Daudet présente-t-il un *Sous-préfet aux champs* qui, devant préparer un discours, mais troublé par le printemps, s'abandonne à faire des vers. Mais cette opposition, liée à l'essor des thèses de l'art pour l'art, n'envisage que les genres spécifiquement appelés « discours », et tenus pour utilitaires, et non le caractère discursif fondamental en tout texte. Traitée selon ce caractère, à l'inverse, l'étude du discours n'est pas exclusive de l'esthétique, ni même partielle en regard du littéraire, mais apte à rendre compte des substrats de toute production textuelle.

▶ Bakhtine M., *Le marxisme et la philosophie du langage*, Paris, Minuit, 1977. — Benveniste E., *Problèmes de linguistique générale*, Paris, Le Seuil, 1966-1974. — Ducrot O., *Le dire et le dit*, Paris, Minuit, 1984. — Labov W., *Sociolinguistique* [1972], trad., Paris, Minuit, 1976. — Maingueneau D., *Genèses du discours*, Liège, Pierre Mardaga, 1984. — Todorov T., *Les genres du discours*, Paris, Le Seuil, 1978.

Jean-François Chassay, Bérengère Parmentier

→ *Analyse de contenu et de discours ; Communication ; Dialogisme ; Éloquence ; Énonciation et énoncé ; Genres littéraires ; Linguistique ; Logique, logos ; Oralité ; Pragmatique littéraire ; Rhétorique.*

DISCOURS FUNÈBRES

Le terme désigne des genres relevant d'une littérature commémorative liée à la mort d'un individu : l'oraison funèbre, le sermon sur la mort, le tombeau, la consolation et l'épitaphe, mais aussi le planh ou le congié, le testament et le chant funèbre.

Ces genres relèvent d'une même thématique funèbre et d'une même fonction de réflexion sur la mort. Mais ils sont très diversement personnalisés, certains étant voués à des personnages illustres et ayant un caractère officiel, d'autres relevant du privé et parfois se vouant à célébrer des personnes anonymes. Ils connaissent des fortunes diverses selon les époques, dont témoigne leur diffusion imprimée ; certains ne déclinent jamais (*l'oraison*), d'autres connaissent des éclipses plus ou moins longues (*le tombeau*), d'autres enfin disparaissent avec les conditions socio-historiques qui les ont fait naître (ainsi le *planh* – plainte – ou le *congié*, deux formes de déploration funèbre médiévale). Mais tous ont un rôle de méditation ou de conjuration de l'angoisse de la mort.

Les discours funèbres instaurent un dialogue entre l'auteur du discours, ses destinataires, et le défunt, dont ils marquent la place dans une communauté. Celle-ci peut être large – l'État par exemple – ou restreinte – la famille, les amis. Mais ils visent toujours à publier la mort et ses significations, soit dans le registre élégiaque, soit dans le registre tragique – non sans prendre parfois des formes parodiques.

On ne peut que souligner l'ancienneté et la permanence de tels types de textes. Il ne saurait en être fait un historique général, mais on peut les situer, en allant du plus officiel au plus individuel, donc en les distinguant selon les termes leur mode de publication (le cadre de l'énonciation, les conditions de circulation) et leurs fins.

L'oraison funèbre et le sermon sur la mort sont des discours funèbres à caractère institutionnel et oratoire ; ils visent toujours un public collectif et célèbrent un homme public.

Dans l'*oraison funèbre*, prononcée lors des funérailles, l'auteur parle au nom d'une institution, le plus souvent l'Église ou la Nation, qui célèbre ainsi la mort d'hommes illustres. Il s'adresse à un public nombreux souvent désigné socialement dans le corps du discours. Les oraisons célébrant un personnage important – un roi, un prince... – circulent presque immédiatement en quelques feuillets imprimés. D'autres oraisons sont parfois réunies en recueils, en fonction de la notoriété de leur auteur. Ce genre qui vise à la fois l'éloge du disparu et l'édification morale du public est lié à la pratique des grands orateurs aux XVIIe et XVIIIe s. ; largement représenté au XIXe s., il demeure encore relativement vivant. Son représentant le plus célèbre est Bossuet.

Le *sermon sur la mort* engage à une réflexion sur la mort inéluctable de celui qui écoute ; il est exclusivement religieux, et s'il est souvent inspiré par la mort d'un grand personnage, il arrive qu'il soit prononcé en dehors d'un contexte funèbre particulier. Il est parfois imprimé, avec d'autres sermons, ou d'autres discours funèbres, notamment des oraisons. Abondant au XVIe et au XVIIe s., il est moins répandu que l'oraison funèbre et n'est plus qu'anecdotique, dans sa forme publiée, après 1700. Là encore, l'auteur le plus célèbre est Bossuet, qui a donné un *Sermon sur la mort* qui fit date (22 mars 1662).

Le *tombeau*, genre souvent collectif, glorifie le défunt et ceux qui le célèbrent. Au XVIe s., de nombreux tombeaux réunissent les vers de plusieurs poètes, dans des formes très variées. Toutefois, cette fonction commémorative le cède à une fonction plus politique, car le genre est contemporain des premiers cercles lettrés, et les tombeaux articulent des écritures individuelles et un rituel social : leur circulation signale qu'on reconnaît aux auteurs une légitimité à célébrer les grands hommes. Le tombeau affirme donc la place sociale des poètes, et confère aux auteurs comme au défunt (qui est souvent poète : ainsi le *Tombeau de Ronsard*, 1586) une place dans la mémoire collective. Néanmoins, à partir de 1590, ce genre décline avec la disparition de la génération des poètes qui l'ont fait naître ; jusqu'en 1650-1660, sont publiés des tombeaux qui visent moins l'éloge du défunt qu'une édification morale du public, mais aussi d'autres qui sont parodiques (ainsi *La pompe funèbre de Voiture* par Sarasin). On en retrouve au XIXe s. mais le tombeau désigne surtout un poème isolé, dialogue éploré entre vivant et un mort, lieu d'un épanchement lyrique et non plus d'un échange public et harmonieux entre auteurs (cf. les *Tombeaux* de Mallarmé). Ils subsistent aujourd'hui sous cette forme, ou sous celle d'essais en prose célébrant une valeur, une idée, plus souvent qu'une personne.

La *consolation* et l'*épitaphe* se présentent comme échange entre deux personnes autour d'un mort, toujours identifié mais pas nécessairement renommé.

Texte adressé à un proche ou à un personnage illustre pour le consoler de la perte d'un être cher, la consolation est de forme très libre, souvent de thème philosophique, mais toujours empreinte d'un certain lyrisme, de réflexion et d'édification générales sur la brièveté de la vie. C'est toujours la renommée des auteurs, et non celle des défunts, qui assure la notoriété du discours. D'origine antique, ce genre renaît au XVIe s., et connaît un succès vif au XVIIe ; mais dès l'Antiquité la consolation connaissait des formes non funèbres qui subsistent de manières diverses jusqu'au XIXe s.

Dans l'*épitaphe*, inscription en vers ou en prose gravée sur un tombeau, qui délivre un éloge concis du défunt, une sentence morale ou un trait d'esprit, la voix qui s'élève figure celle du défunt enseveli (fiction redoublée puisqu'il a presque toujours lui-même choisi son épitaphe de son vivant) ; elle est parfois remplacée par une voix qui serait celle de la Mort. Elle s'adresse au passant, à qui elle rappelle à la fois le souvenir du défunt et l'inéluctabilité de sa propre mort (*memento mori*). Ce discours en principe gravé touche un plus large public par l'édition : à la mort d'un auteur, il était courant d'ajouter son épitaphe et son testament à l'édition de ses œuvres. Des recueils d'épitaphes, aussi appelés *jardins d'épitaphes* ou *cimetières* ont favorisé la circulation du genre ; souvent, ces recueils présentent des pièces badines – comme ceux de Marot– ou satiriques – ainsi les épitaphes célébrant Richelieu avec une ironie mordante, qui circulent comme autant de traits d'esprit. Cette pratique antique, très répandue au XVIe et au XVIIe s., est négligée des Lumières, mais revient en force au XIXe s. La Fontaine et Musset ont laissé des épitaphes célèbres. Cette pratique se prolonge de nos jours.

D'autres genres qui relèvent de la même pratique mais ont eu une histoire plus circonscrite, comme le planh, le congié, ou qui sont encore actifs, comme la déploration ou le *testament*, attestent l'importance de cette littérature liée à la conjuration de l'angoisse de la mort. Elle peut prendre des formes macabres et ironiques, comme dans les deux *Testaments* de Villon (vers 1460).

▶ TRUCHET J., « Note sur la mort-spectacle dans la littérature française du XVIIIe siècle », *Topique*, 1973. — Coll. : *La mort dans le texte*, Gilles Ernst (dir.), Lyon, PUL, 1988. — « Le Tombeau poétique en France », textes réunis par D. Moncond'huy, *La Licorne*, 1994, n° 29.

Karine LANINI

→ *Complainte ; Congé ; Élégie ; Oraison funèbre ; Sermon ; Tragique.*

DISCOURS POLITIQUE ET LITTÉRAIRE

On peut définir au sens restreint le discours politique comme un mode d'intervention dans l'espace public qui a pour objectif d'influencer les opinions et les choix relatifs à la vie de la cité ; il est une action par la parole, dans le domaine déterminé de *la* politique. Il entretient alors avec le discours littéraire des relations variables, selon la conception que chaque époque se fait de la littérature et de son degré d'autonomie. En son sens plein, *le* politique concerne l'ensemble des pratiques sociales ; en ce cas, le littéraire est une dimension *du* politique.

La distinction entre *la* politique et *le* politique permet, en principe, de distinguer des textes relevant de l'action, qui appartiennent alors au domaine de la rhétorique politique, et des textes sans enjeu politique statutaire, et qui appartiendraient alors à la poétique. Ainsi en Grèce pouvait-on distinguer les tragédies de Sophocle, qui relèvent de celle-ci, et les discours de Démosthène, qui entrent dans celle-là. Mais en pratique, les frontières entre les deux sont incertaines : ainsi les tragédies jouées lors de Panathénées participaient à la célébration de la Cité, de ses dieux, de son unité, et la rhétorique peut faire appel aux figures et aux fictions (cette ambivalence a été mise en lumière par La Fontaine dans *Le pouvoir des Fables* (1678) où il montre que - pour pasticher une formule politique célèbre - la poétique est la continuation de la rhétorique par d'autres moyens). De fait, nombre de discours politiques, dans l'Antiquité, sont considérés comme partie intégrante des Belles-Lettres (Cicéron, César...), et nombre d'œuvres poétiques ont une portée politique (ainsi l'*Énéide* met en images la revendication romaine d'un passé capable de contrebalancer la civilisation grecque). On peut résumer l'historique de cette tension en indiquant que jusqu'au XVIIIe s., les œuvres sont le plus souvent soit des formes du discours politique (ainsi la littérature officielle), soit pétries d'enjeux relevant du politique (ainsi toute la littérature édifiante). Le régime monarchique absolutiste ne donnant pas d'espace à la parole politique (sauf contre son gré, dans ses temps de crise : les Mazarinades durant la Fronde par exemple), le discours politique en littérature est alors littérature à son service (Bossuet, *Politique tirée des propres paroles de l'Écriture*, 1709) ou visant sa critique (de Fénelon, *Télémaque*, 1669, à Rousseau, *Le contrat social*, 1762). La Révolution et la République font resurgir, à l'inverse, des productions oratoires qui, dans leur statut même d'actions politiques, sont aussi des morceaux d'éloquence aptes à recevoir l'estime littéraire (Saint-Just). Un changement advient au milieu du XIXe s. : l'autonomisation accrue de la sphère restreinte du champ littéraire et les théories de l'art pour l'art redistribuent les données. Le discours politique n'est plus guère perçu comme relevant de l'art des Lettres, en dépit de quelques exceptions (Jaurès, de Gaulle). Pour autant, les diverses formes d'œuvres à thèse et de littérature engagée attestent de la forte présence d'un discours littéraire intervenant dans le politique.

Le discours politique proprement dit se diversifie en une série de genres. Certains ne relèvent que du politique, comme le discours électoral, la conférence de presse, le débat parlementaire. D'autres sont transversaux et participent du discours politique sans lui appartenir exclusivement, comme l'interview, la lettre ouverte, le manifeste. Parfois, des hommes politiques sont ainsi reconnus aussi comme écrivains.

Face à cela, le littéraire peut être dans trois situations. Il peut participer du discours politique lorsqu'il s'agit d'interventions engagées d'écrivains (lettre ouverte, article, pétition, interview...), ou s'y rattacher quand il vise explicitement à agir sur le réel à travers ses formes propres, qu'elles relèvent de la poésie (les *Tragiques* d'A. d'Aubigné, 1616, *Les châtiments* de V. Hugo, 1853, les poèmes de la Résistance...) ou de la prose « d'idées » (essai, pamphlet, manifeste...). Il peut aussi lui faire concurrence en posant une parole efficace par le biais de la fiction : certaines œuvres narratives ou dramatiques dénoncent, démontrent, militent (littérature engagée, roman à thèse...). Enfin, d'autres textes littéraires peuvent mimer le discours politique pour procéder à sa mise en fiction. En le représentant, ils produisent certains effets qui contribuent à l'exposer, dans tous les sens du terme, voire à le démonter et le déconstruire (*Lucien Leuwen* de Stendhal, 1832-1836 ; *L'éducation sentimentale* de Flaubert, 1843-1845). Ainsi, lorsqu'on substitue *le* politique à *la* politique, tout discours littéraire est par définition politique, même s'il ne traite pas explicitement des affaires de la cité et ne prétend pas intervenir dans l'espace public. On peut considérer en effet que le corps sexué, les comportements individuels, les relations privées participent, souvent à l'insu du sujet, des rapports de pouvoir. Le discours littéraire qui relate une expérience intime de la féminité ou la vie privée d'un immigré, relève du politique sans pour autant parler de politique. La division ne passe plus dès lors entre les discours qui entendent intervenir sur la scène publique et ceux qui se vouent à l'esthétique pure, mais entre les textes qui ont une visée politique consciente, voire militante, et ceux qui relèvent du politique sans le vouloir. Cette prise de position qui caractérisait une certaine critique idéologique en France dans les années 1970 est centrale dans la théorie politique de T. Eagleton ou dans les *Cultural Studies* aux États-Unis. L'introduction du politique dans le roman fait-elle l'effet d'un « coup de pistolet dans un concert » (Stendhal) ? L'œuvre fictionnelle doit-elle privilégier l'efficacité de la parole ou la recherche esthétique ? Les réponses apportées à ces questions dépendent du degré de légitimation qui peut être accordée aux œuvres à visée politique dans un certain état du champ littéraire.

▶ TROGNON A., LARUE J., *Pragmatique du discours politique*, Paris, Colin, 1994. — Coll. : « Littérature et politique », *Actes de la Recherche en Sciences sociales*, mars 1996, 111/112.

Ruth AMOSSY, Alain VIALA

→ *Engagement ; Études culturelles ; Féministe (Critique) ; Histoire culturelle ; Poétique ; Politique ; Rhétorique.*

DISCOURS SOCIAL

Par discours social, il faut entendre l'ensemble de ce qui se dit et s'écrit dans un état de société, tout ce qui s'imprime mais aussi, aujourd'hui, s'énonce dans les médias électroniques. L'étude du discours social participe de la sociologie, en ce qu'elle prend en compte la circulation des discours à l'intérieur d'une société à un moment de son histoire. L'analyse vise à faire ressortir des mécanismes unificateurs et régulateurs ainsi que leur logique interne.

La réflexion sur le discours social critique l'objectivisme abstrait d'une langue dite neutre. Elle s'inscrit dans un vaste ensemble de travaux sur les liens entre littérature et société. Ils sont notamment ceux de Bakhtine présentant le locuteur comme un individu historiquement concret et défini, dont le discours est un langage social marqué très tôt par la « parole autoritaire » et le « langage commun », et de Pierre Bourdieu analysant les rapports de pouvoir à travers les concepts de champ et de légitimité ; mais on peut y rattacher aussi les travaux de Michel Foucault et les recherches associées aux études culturelles (*Cultural Studies*, Histoire culturelle).

De manière particulière, l'étude du discours social est tributaire de travaux réalisés sur des ensembles discursifs faisant fi des frontières génériques et des champs disciplinaires. Ainsi, le travail de Jean-Pierre Faye (*Langages totalitaires*, 1972), qui porte sur le nazisme dans les années trente, consiste à chercher les processus sous-jacents aux discours idéologiques en étudiant l'importance des clivages linguistiques. La manière dont certains mots ont pu être utilisés, détournés de leur sens premier dans la complexité et la multitude des discours de l'époque a joué un grand rôle dans la montée du nazisme en rendant celui-ci « acceptable » au sein de la République de Weimar. Une dizaine d'années plus tard, étudiant l'évolutionnisme et le darwinisme social, Patrick Tort s'est intéressé aux « complexes de discours » qui refusent à la fois les clivages de disciplines et de périodisation (*La pensée hiérarchique et l'évolution*, 1983).

1889, Un état du discours social de Marc Angenot (1989) aborde la question dans une perspective synchronique : il s'agit de recenser la totalité de ce qui s'est imprimé en français au cours de l'année 1889, année du centenaire de la Révolution et de l'exposition qui vit l'inauguration de la Tour Eiffel. Au-delà de la diversité des langages et des pratiques, il cherche des dominances interdiscursives, c'est-à-dire « des manières de connaître et de signifier le connu qui sont le *propre* de cette société et qui régulent et transcendent la division des discours sociaux » (p. 19), ce qu'il nomme une hégémonie, « système régulateur qui prédétermine la production de formes discursives concrètes » (p. 21).

La théorie du discours social considère la société comme un texte. Ce faisant, elle critique le concept de littérature, refusant toute forme d'immanence au texte dit littéraire et interrogeant sa relativité historique. Par là, elle bouleverse certaines habitudes (y compris en sociologie de la littérature) de se borner aux textes canoniques. Cet apport important fait lui-même surgir trois problèmes.

Le premier est la difficulté à prendre en compte, dans l'espace du discours social, la double historicité du littéraire, lié à la fois à ce qui lui est contemporain, et à un héritage. Le deuxième est la tendance à réduire les discours aux lieux communs (la topique). Le troisième est celui d'un risque : à envisager un discours qui « transcende la division des discours », c'est la dimension singulière et conflictuelle de tout discours, et des œuvres littéraires notamment, qui risque d'être sous-estimée.

▶ ANGENOT M., *1889. Un état du discours social*, Montréal, Le Préambule, 1989. — ANGENOT M. et ROBIN R., « L'inscription du discours social dans le texte littéraire », *Sociocriticism*, juillet 1985, 1,, p. 53-82. — BOURQUE G., DUCHASTEL J., ROBIN R. (dir.), « Le Discours social et ses usages », *Cahiers de recherche sociologique*, 1984,, II, 1. — POPOVIC P., *La contradiction du poème. Poésie et discours social au Québec de 1948 à 1953*, Montréal, Balzac, 1992. — TORT P., *La Pensée hiérarchique et l'évolution (les complexes discursifs)*, Paris, Aubier-Montaigne, 1983.

Jean-François CHASSAY

→ *Analyse de contenu et de discours ; Champ littéraire ; Dialogisme ; Discours ; Études culturelles ; Intertextualité ; Sociologie de la littérature ; Topique.*

DISSERTATION

Le terme de « dissertation » a aujourd'hui deux sens distincts pour deux domaines d'emploi différents. D'une part, l'emploi le plus courant du terme, dans le domaine de l'enseignement (histoire, philosophie et lettres), désigne depuis un siècle un exercice scolaire écrit consistant à proposer une discussion argumentée et organisée sur un sujet donné. D'autre part, comme genre littéraire plus ancien, la dissertation désigne un écrit relativement bref débattant d'une question sujette à controverse.

Si le terme apparaît en français en 1645 pour désigner un genre critique et polémique, la *dissertatio* est attestée bien auparavant dans le cadre de querelles portant sur des matières aussi bien religieuses et morales qu'esthétiques. Le mot latin désigne alors un mémoire visant à exprimer une prise de position sur une question érudite sujette à contestation : c'est le cas de la *Dissertatio de libertate christiana* de Luther (1521). Dans les siècles suivants, la *dissertatio* latine se spécialise dans la controverse religieuse et le débat scientifique, tandis que la dissertation en français quitte la sphère des questions savantes pour devenir un genre mondain. Sa brièveté, son esthétique proche de celle de l'entretien ou de la conversation, en font, à partir de la seconde moitié du XVIIe s., un genre particulièrement adapté aux débats littéraires qui, loin de toute spécialisation, cherchent à impliquer un public d'honnêtes gens. C'est le cas des *Dissertations politiques, critiques et morales*, de J.-L. Guez de Balzac (1665), de la *Dissertation sur la Joconde* de Boileau (1669), ou encore de la *Dissertation sur la tragédie d'Alexandre* de Saint-Evremond (1670). Au siècle suivant, la dissertation devient un vecteur majeur du discours de vulgarisation scientifique et de diffusion des nouveaux savoirs. Constituant souvent la réponse à une question posée par une académie ou une société savante, la dissertation a pour but de présenter à un public en voie d'élargissement un problème historique, philosophique ou savant, sous une forme simplifiée et volontiers critique (telle la *Dissertation sur la politique des Romains dans la religion*, lue par Montesquieu devant l'Académie de Bordeaux en 1716).

Mais au XVIIIe s. surgit un nouveau sens du mot, qui l'emporte petit à petit sur celui d'ouvrage critique. Ch. Rollin, recteur de l'Université de Paris et professeur de rhétorique, emploie le premier le terme, dans son *Traité des études* (1726), pour désigner un exercice scolaire défini comme un discours orné, rédigé en latin, et constituant l'amplification d'un canevas fourni par l'enseignant. Comme la dispute de la scolastique médiévale, puis de la pédagogie jésuite, dont elle est l'héritière, la dissertation fait une grande place à l'imitation des auteurs antiques. À partir de la seconde moitié du XVIIIe s., la dissertation (en latin pour la philosophie, en français pour les lettres), devient un exercice universitaire, présent à l'agrégation, à la licence et au doctorat. Suivant le mouvement fréquent des exercices scolaires, elle « descend » ensuite dans le *cursus* jusqu'à la classe de rhétorique, dans les années 1850. Visant à former les élèves à « s'exprimer conformément aux canons de la rhétorique traditionnelle » (A. Chervel), puis, après la guerre de 1870, instrument de moralisation par le biais de l'étude de sujets édifiants ou exaltant la tradition littéraire nationale, la dissertation française devient, avec la réforme de J. Ferry en 1880 qui l'impose au baccalauréat littéraire, un exercice canonique de l'enseignement des lettres en France. La situation ne varie guère au XXe s. malgré la contestation dont elle est régulièrement l'objet de la part d'intellectuels comme C. Lévi-Strauss qui y voit un dangereux « prêt à penser » (*Tristes tropiques*, 1955) ; les programmes scolaires, par ailleurs, ont rappelé en 1969 qu'elle était une des formes de l'« essai littéraire », et, en 1983, une des applications de la « composition française ». Mais, par sa place à l'Université comme dans les concours de lettres, la dissertation reste au cœur du dispositif éducatif français.

Réfléchir sur la dissertation amène à s'interroger sur les formes dominantes de raisonnement dans une société donnée. Or l'histoire de l'exercice scolaire de la dissertation fait apparaître la force de la tradition rhétorique dans l'enseignement français, mais aussi ses inflexions. La technique classique de l'*inventio* par lieux communs s'est vue peu à peu remise en question, ainsi que l'*elocutio*, art du discours orné de figures : à partir du XIXe s. la dissertation se met à obéir à une rhétorique de la *dispositio*, « du plan » (G. Genette), tenant à la fois du discours persuasif à l'antique et de la dialectique. Au nom de la démocratisation de l'enseignement, la dissertation a ainsi connu une évolution valorisant la conception et l'énonciation impersonnelle du savoir, dans le but de rompre avec les raffinements de la critique de goût et de l'écriture artiste (G. Lanson). Mais la question de sa définition demeure : si elle est idéalement la confrontation de plusieurs données pour parvenir à un jugement personnel, selon que ces données mêmes sont imposées ou libres, et plus encore selon qu'elles relèvent de divers jugement critiques sur une seule œuvre - état actuel de l'exercice - ou de la mise en regard de plusieurs œuvres - état plus ancien, et plus proprement littéraire - le même nom ne désigne pas la même démarche.

La consécration de la « clarté » du raisonnement et de l'écriture est-elle neutre ? Les deux pratiques que désigne le terme de dissertation en littérature ne convergent-elles pas dans la définition d'un bon usage de la culture, genre mondain et exercice scolaire se rejoignant dans la même valorisation d'un rapport naturalisé au savoir et à l'expression ? Selon certains sociologues (Bourdieu et Passeron), le risque serait alors qu'elle favorise la transmission par l'innutrition culturelle autant ou plus que par l'apprentissage scolaire.

▶ BOURDIEU P., PASSERON J. C, *La reproduction*, Paris, Minuit, 1970. — GENETTE G., « Rhétorique et enseignement », *Figures II* (1969), Paris, Le Seuil « Points », 1979, p. 23-42. — JEY M., *La littérature au lycée*, Metz-Paris, U. de Metz-Klincksieck, 1998. — LANSON G., *L'université et la société moderne*, Paris, A. Colin, 1902. — *Pratiques*, décembre 1990, n° 68.

Mathilde BOMBART

→ *Argumentation ; Critique littéraire ; École ; Enseignement de la littérature ; Explication de texte, Rhétorique.*

DISTANCIATION

Terme du lexique théâtral, la distanciation traduit, en français, ce que Brecht appelait *Verfemdungeffekt*, qui est le point nodal de son « théâtre épique » moderne. La distanciation impose un écart entre le réel et la représentation. Elle vise en quelque sorte à « étrangéifier » ce qui paraît familier au spectateur. Celui-ci observe dès lors la scène sans s'identifier pleinement aux personnages et aux situations qui lui sont présentés, il ne réagit plus seulement par les affects (rire, larmes...), mais acquiert un certain recul qui est la condition d'une réception critique.

En Allemagne, vers 1920-1930, dans ses diverses résidences d'exil, puis en Allemagne de l'Est, lorsqu'il dirige le Berliner Ensemble, Brecht rédige des pièces comme *Homme pour homme* (1927) ou *Mère Courage et ses enfants* (1939) qui mettent ses opinions politiques en spectacles et ses thèses en pratique : théâtre épique sollicitant un regard critique, ou distancié. En France, dans les années trente, Léon Moussinac s'efforce de créer un Théâtre ouvrier et populaire qui recourt lui aussi aux procédés du montage et du théâtre épique. Mais c'est après 1945 que les thèses de Brecht connaissent leur audience la plus grande. La critique dramatique française leur doit l'apprentissage de la dramaturgie critique, et Bernard Dort ou Roland Barthes (puis Louis Althusser) un vocabulaire et une méthode de lecture des œuvres. De nombreux metteurs en scène (Strehler en Italie, Planchon, Vilar, Sobel et Vincent en France, Besson en Suisse, Liebens en Belgique notamment) s'inspirent de ses conceptions et forment des acteurs capables de jouer de manière moins « naturaliste ». Des auteurs contemporains comme M. Vinaver, B.-M. Koltès (*Dans la solitude des champs de coton*, 1986) ou J.-M. Piemme (*Commerce gourmand*, 1991) ont intériorisé également les consignes du théâtre épique et ils en intègrent les données dans leur écriture. Le fait que des œuvres majeures sont écrites en réaction contre le théâtre critique de Brecht (R. Kalisky, *Jim le téméraire*, 1972) ne fait que confirmer que la distanciation est devenue un axe central de la réflexion dramaturgique moderne.

Une large part de la tradition théâtrale occidentale procède de la définition de la catharsis par Aristote. Elle met en scène des types d'individus reflétant la nature humaine et suscite des émotions vives chez le spectateur qui adhère aux passions qu'il reconnaît. En opposition à ce théâtre mimétique, Brecht propose de recourir à une « forme épique », où l'illusion et l'identification seront combattues. Une série de procédés techniques, comme le montage, les effets de succession et de simultanéité, le choix de situations de conflit, les paraboles et autres genres didactiques, et un jeu éloigné des codes du « naturel » et du « spontané » sont mobilisés à cet effet.

La théorie de la distanciation est à mettre en relation avec l'analyse des procédés littéraires des formalistes russes. L'art comme procédé, que définit V. Chklovski, insiste sur la notion d'étrangéification (*ostranienie*) comme principe essentiel du renouvellement des formes artistiques. Cette capacité de penser l'usure des formes mais également de faire du nouveau avec de l'ancien est un principe essentiel de la poétique littéraire au XXe s. Elle tend également à se répandre dans d'autres domaines qui, tels les beaux-arts, le cinéma et les médias, présentent une dialectique similaire entre l'identification et l'étrangéification.

La distanciation brechtienne fait sans doute aussi écho à « l'inquiétante étrangeté » dont Freud donne la théorie dans les années trente, et à la vision décalée de la vie quotidienne que le surréalisme recherche à cette époque. Mais Brecht se réfère surtout à la notion marxiste de l'aliénation (*Entfremdung*), qui désigne la perte des valeurs humaines et la dépossession de soi dans une économie politique où l'homme devient une chose qui s'utilise et qui s'échange. En présentant des situations où le spectateur deviendra « étranger » à ce qui lui est montré, le théâtre brechtien souhaite le rendre moins « étranger » à lui-même.

▶ BRECHT B., *Écrits sur le théâtre, I*, Paris, L'Arche, 1972. — CONSOLINI M., *Théâtre populaire, 1953-1964, histoire d'une revue engagée*, Paris, Ed. de l'IMEC, 1998. — DORT B., *Lectures de Brecht* augmenté de *Pédagogie et formes épique*, Paris, Le Seuil, 1972. — MICHEL J.-L., *La distanciation. Essai sur la société médiatique*, Paris, L'Harmattan, 1992. — Coll. : *Théorie de la littérature*, textes des formalistes russes réunis, présentés et traduits par T. Todorov, Paris, Le Seuil, 1966.

Paul ARON

→ *Catharsis ; Collage ; Formalistes ; Marxisme ; Mimésis ; Théâtre ; Théâtre populaire.*

DISTINCTION

La distinction est un thème qui a retenu l'attention de nombreux écrivains et sociologues. La distinction est une propriété du comportement. Elle est un savoir-faire inculqué par l'éducation. Elle constitue un mécanisme social par le moyen duquel certains groupes imposent leur suprématie aux autres.

À la fin du XIXe s., le sociologue américain T. Veblen, dans sa *Théorie de la classe de loisir* (1899 ; trad. 1970), dressait le constat qu'il subsiste des traits de mentalité archaïques dans les sociétés industrielles, en particulier le goût de la surenchère en matière de prestige. Ainsi, la dépense ostentatoire de temps et d'argent reste un moyen de s'attirer l'estime. Veblen donne une grande importance au phénomène de l'imitation. Il est attentif aux mécanismes de mise en scène de l'autorité et il examine la place du décorum dans le fonctionnement des institutions. Il relève par exemple que certains collèges américains imposent le port de la toge et de la toque à leurs enseignants après 1860, afin de ne plus être confondus avec des écoles techniques. Dans plusieurs passages, il souligne le rôle du temps comme condition d'une incorporation des signes du prestige social. « Une vie de loisir étalée sur plusieurs générations laisse des traces persistantes et visibles dans la conformation de la personne, [...] dans son maintien et son port de tous les jours. »

Dans son livre, *La barrière et le niveau* (1925), le philosophe Edmond Goblot rattache explicitement de telles questions à la notion de *distinction*. Il relève que le mot distinction devient usuel lorsque se développe un genre de vie typiquement bourgeois, après 1830. Les règles qui sont alors définies, en matière d'habillement, de courtoisie ou d'ameublement, ont pour fonction d'établir une séparation nette, aisément repérable, entre les diverses classes sociales. Goblot analyse le costume masculin comme moyen d'inspirer la considération et l'usage du salon bourgeois comme expression de l'aspiration à occuper un rang social privilégié. Il note l'importance des petites nuances de conduite qui permettent à ceux qui savent les déchiffrer de se reconnaître entre eux, et de tenir à distance les autres. La distinction est donc un art de manier les signes. Elle permet, selon une formule de Goblot, de « se mêler sans être confondu ».

Le livre de P. Bourdieu, *La distinction* (1975) est une autre contribution classique sur ce thème. Dans les deux groupes sur lesquels porte principalement l'analyse, la « classe dirigeante » et la « petite bourgeoisie », sont découpés par P. Bourdieu des sous-ensembles, ou « fractions de classe » et il dégage des relations entre les propriétés historiques et démographiques des fractions de classe et leur style de vie. De la sorte, la distinction est un éthos de classe. Par exemple, les goûts de la « petite bourgeoisie nouvelle » vont être mis en regard de changements survenus après 1960, tels l'allongement de la durée des études et le développement des professions de service. Les passages consacrés à l'art illustrent l'emploi analytique que fait P. Bourdieu du mot distinction. *Distinction* signifie différence, au sens de la logique. Un style artistique se distingue d'un autre style artistique par des traits que révèle une comparaison. D'autre part *distinction* est inséparable de « légitimité ». L'idée est énoncée qu'il existe une « sphère du goût légitime », peu accessible aux couches sociales moyennes et située hors d'atteinte des milieux populaires. Une œuvre d'art procure « des profits élevés de distinction », dans la mesure où elle peut être déchiffrée seulement par une élite. *Distinction* est rattachée aussi à l'idée de compétition dans un contexte de concurrence. En ce sens P. Bourdieu écrit que les œuvres d'art résultent des « luttes de distinction » qui ont pour cadre le champ artistique.

Appliquée à la littérature, la distinction corrèle un certain nombre de signes du code littéraire, qui ont trait à la forme des œuvres autant qu'à leur usage en société, avec la position des auteurs dans le champ littéraire. Elle est une logique de cet espace, par quoi les écoles et les styles sont en lutte. Elle est aussi une attitude. Par exemple le goût pour des genres ou des textes peu légitimes (comme le western ou le roman policier) peut être affiché par des auteurs particulièrement dotés en capital symbolique (Sartre, par exemple). Enfin elle est une thématique. Le roman, qui anticipe depuis le XVIIe s. sur les analyses sociologiques modernes de la distinction, abonde en exemples de pratiques distinctives. La dénonciation des érudits ou des pédants par Sorel (*L'anti-roman*, 1634), les remarques d'H. de Balzac sur la lecture mondaine des œuvres (*La muse du département*, 1843), ou l'analyse des comportements par Proust témoignent de l'attention critique portée par des auteurs, eux-mêmes inscrits dans des pratiques distinctives, à dénoncer les mécanismes sociaux de la domination symbolique.

▶ BOURDIEU P., *La Distinction*, Paris, Minuit, 1975. — DUBOIS J., *Pour Albertine. Proust et le sens du social*, Paris, Le Seuil, 1997. — GOBLOT E., *La barrière et le niveau*, Paris, PUF, 1980. — LE WITTA B., *Ni vue, ni connue, approche ethnographique de la culture bourgeoise*, Paris, MSH, 1988. — VEBLEN T., *La théorie de la classe de loisir*, Paris, Gallimard, 1970.

Rémy PONTON

→ *Champ littéraire ; Écoles littéraires ; Éthos ; Sociologie ; Style.*

DITHYRAMBE → Éloge

DIVERTISSEMENT

« Divertissement » se rattache étymologiquement à l'idée de détourner : il désigne ainsi un dérivatif aux préoccupations sérieuses ou le plaisir pris en s'amusant. Ces deux sens, dont le premier n'est plus guère usité, se retrouvent dans le discours critique sur la littérature, tantôt condamnée pour sa futilité et tantôt valorisée pour l'agrément qu'elle procure. Le divertissement est aussi, en un sens spécifique, un terme de théâtre désignant un spectacle dansé et chanté (*Georges Dandin ou le Grand Divertissement de Versailles*, de Molière et Lully, 1668).

La culture poétique de l'Antiquité ne séparant pas l'écrit et l'oral, les textes, souvent liée à un ensemble d'activités connexes (comme le banquet ou le culte), impliquaient une disponibilité de réception, que les Romains appelaient l'*otium*, et que l'on peut désigner comme un loisir, plus ou moins raffiné selon les milieux et les individus (F. Dupont). Ce que l'on désigne comme la « littérature » épique ou poétique des Anciens était donc avant tout perçue comme l'instrument d'un plaisir pris en commun. Aussi l'histoire du divertissement est-elle liée à celle des us et coutumes et de la sociabilité, et on n'en peut délimiter *a priori* les formes et les contenus. Ainsi, dans le cadre français, à la fin du XIIe s., Jean Bodel destine la *Chanson des Saisnes* à « Qui d'oïr et d'antandre a loisir et talant ». L'oralité médiévale, à travers les contes ou les farces notamment, lie le littéraire aux moments de repos ou de fête. Mais ces activités ont une portée distinctive, qui fait qu'on ne se divertit littérairement pas de la même manière à la Cour, dans les salons aristocratiques, en ville et au village. Les cours inventent des tournois de poésie et des « jeux floraux ». Diffusés par le colportage, les « contes bleus » relèvent du même usage, pour d'autres milieux. Au XVIIe s., le théâtre devient un lieu de divertissement en vogue, tandis que les mondains pratiquent aussi la conversation et les jeux littéraires comme autant de « ressources contre le mauvais temps ». « L'imitation, le pastiche des procédés rhétoriques et finalement la parodie, d'une part, la fantaisie, la variété, et la bigarrure d'autre part, le tout réuni dans un jeu littéraire qui cultive le plaisant, l'enjoué, voire le comique franc sont autant de traits communs d'une esthétique diffuse, mais partout présente en filigrane des genres lyriques mondains. [..] ils sont pratiqués à l'intention d'un même public, cultivé, certes, mais désireux de se divertir en évitant le pédantisme » (Génétiot). Les genres épistolaires, le théâtre de société voire le dialogue philosophique prolongent, tout au long du XVIIIe s., la littérature divertissante. Au XIXe s., avec l'augmentation du taux d'alphabétisation et la prolifération de l'imprimé, le loisir littéraire se répand dans toutes les couches de la société et le marché du livre s'ajuste en proposant des formats et des formules adaptés à un large public ainsi qu'aux différentes circonstances de lecture. L'engouement populaire pour cette littérature n'est pas sans soulever une certaine méfiance en raison du potentiel subversif de l'écrit, et l'Église, en particulier, élève des barrières censées protéger les lecteurs (et surtout les lectrices) des influences pernicieuses. En réaction contre cette démocratisation, une partie des auteurs développe l'idée de l'« art pur » et souhaite que la littérature soit l'objet d'un culte et non d'un divertissement. Au XXe s., si la lecture de loisir est orientée vers un lectorat qui cherche à se divertir, et si le livre perd en même temps son statut de média privilégié au profit de la radio, de la télévision, voire d'Internet, une partie du public cultive de manière sérieuse le « plaisir du texte » : la distinction entre « bonnes » et « mauvaises » fréquentations culturelles s'est reportée sur d'autres médias. Et quelques auteurs bénéficient simultanément de la « double lecture », de culture et de divertissement.

Le plaisir du littéraire n'a pas toujours été le plaisir de lire, mais aussi celui d'écouter et de voir. D'autre part, le divertissement est en lui-même une notion ambivalente. D'un côté, il a de la valeur comme « délassement », répit nécessaire apporté à l'esprit par ailleurs occupé par les affaires sérieuses. Et dans ce délassement même, il est valorisé en ce qu'il apporte, sans en donner l'apparence, des savoirs ou des émotions édifiantes (ainsi la catharsis). C'est ainsi que se fonde le « plaire et instruire » des classiques. Mais il est aussi, d'un autre côté, un possible détournement de l'essentiel vers l'accessoire, comme Pascal le dénonce dans les *Pensées*. Dès lors, la littérature de divertissement est taxée de futilité. Ce reproche peut d'ailleurs intervenir à différents niveaux : ainsi aux XIXe et XXe s., des auteurs « sérieux » d'œuvres « à thèses » blâment les amuseurs de la littérature populaire, mais sont eux-mêmes blâmés par les tenants d'un absolu littéraire, de l'art pour l'art. C'est qu'à partir du XIXe s., au moment où s'installe le « grand partage » (Thiesse) entre lecture lettrée et lectures populaires, l'extrême valorisation de la lecture lettrée entraîne une distinction nette entre les différents usages de l'écrit littéraire. Il est désormais des plaisirs « nobles », ceux du texte de l'art pur, et des plaisirs plus suspects, qualifiés d'immédiats, voire de grossiers – et le public qui les pratique est également qualifié de la sorte. Le plaisir littéraire est ainsi passible d'une approche fondée sur la notion de distinction. Mais, dans sa profondeur historique, la réalité des modes de plaisir offerts par le littéraire est assurément plus complexe.

▶ ANDRÉ J.-M., DANGEL J., DEMONT P. (éd.), « Les loisirs et l'héritage de la culture classique. » *Actes du XIIIe Congrès de l'Association Guillaume Budé (Dijon, 27-31 août 1993)*, Bruxelles, *Latomus, Revue d'études latines*, 1996, vol. 20. — CHARTIER R. (dir.), *Pratiques de la lecture*, Marseille / Paris, Rivages, 1985. — DUPONT F., *L'invention de la littérature*, Paris, La Découverte, 1998. — GÉNETIOT A., *Poétique du loisir mondain, de Voiture à La Fontaine*, Paris, Champion, 1997. — SAINT-JACQUES D. (dir.) *L'acte de lecture*, Québec, Nuit blanche éditeur, 1994.

Nathalie ROXBOURGH, Paul ARON

→ *Antiquité ; Best-seller ; Distinction ; Lecture, lecteurs ; Littérature générale ; Plaisir littéraire ; Religion.*

DOCUMENT

Le document désigne la trace matérielle d'un fait ou d'un événement, et plus particulièrement les écrits pouvant servir de source ou de preuve pour la connaissance historique. Dans le domaine littéraire, le document définit un objet de recherches pouvant être interrogé quant à sa fiabilité (c'est le but de la philologie) ou quant à ses significations (c'est le souhait des pratiques interprétatives). Plusieurs sens peuvent toutefois être attribués au mot, selon que l'on regarde les textes littéraires comme des documents historiques – le sens équivaut alors à celui de sources historiques –, que la littérature se donne elle-même le rôle de faire connaître les faits ou les événements (on parle alors de littérature documentaire), ou que l'on démonte l'organisation formelle du document littéraire (selon les procédures de la poétique, par exemple).

Le terme document, qui vient du latin *docere*, enseigner, a longtemps désigné un avis, une leçon, un précepte, un moyen de s'instruire. Au XVIIe s., le sens juridique, qui insiste sur le rôle qu'un fait ou qu'une source peut jouer comme preuve, est devenu dominant. La conception positiviste de l'histoire, au XIXe s., en a fixé les acceptions usuelles, qui renvoient au renseignement plutôt qu'à l'enseignement. La « nouvelle histoire » et le structuralisme, en particulier dans les écrits de Michel Foucault, ont développé l'opposition entre document et monument qui avait été posée par Taine. Dans cette perspective, le document n'est plus le moyen d'accéder à des faits cachés ou oubliés, mais l'objet même qu'il convient de travailler pour donner corps aux grandes représentations que les hommes se sont données de leur existence. C'est cette monumentalité, où le document et les événements qu'il rapporte sont inséparables, qui se donne pour ambition de restituer « l'archéologie du savoir ».

L'histoire littéraire se sert de documents. Ceux-ci sont les textes, les livres, les institutions, les règlements techniques, les coutumes, bref, tous les éléments qui permettent de penser la vie littéraire en son historicité. Mais, par ailleurs, la nature matérielle de ces documents est également étudiée par la codicologie, la philologie ou la critique génétique, qui ont élaboré des procédures spécifiques visant à leur connaissance et à leur description.

En retour, les historiens se sont souvent interrogés sur la valeur qu'il convient d'accorder aux œuvres littéraires conçues comme documents historiques. On peut ainsi parler de « document littéraire » au sens où, par sa qualité de survivant à son contexte d'origine, un texte peut servir de témoignage concernant un aspect du réel évoqué ou représenté par l'œuvre, de base informative à une étude « objective », et s'insérer dans une tradition documentaire de même qu'un autre écrit. Ainsi les œuvres qui ont fonction polémique éclairent un état du débat scientifique, idéologique ou politique : la *Lettre sur les aveugles* de Diderot (1749) « philosophe » sur un exemple concret et informe sur les enjeux du débat entre « sensualisme » et « idéalisme ». Des écrits à caractère plus personnel – les *Mémoires*, les *Discours* (*de la méthode* y compris), les autobiographies – ont valeur documentaire en eux-mêmes. D'autre part, de nombreux auteurs se sont appuyés sur des documents réunis en vue de mieux connaître les réalités du milieu ou des situations qu'ils décrivent. Ces informations renforcent la vraisemblance de leurs fictions, parfois même en donnant à celles-ci le statut d'un véritable moyen de connaître le réel. *Germinal* se fonde ainsi sur une enquête de première main de Zola dans les cités minières du Nord de la France ou l'*Histoire d'une Marie* (1921) d'André Baillon sur les souvenirs de domestique et de prostituée de son épouse. Des écoles littéraires, comme le réalisme, ou des pratiques comme le témoignage – donc souvent l'autobiographie – s'inscrivent dans cette visée documentaire. Mais elles ne doivent pas faire oublier que si le texte littéraire, comme le document, est une trace laissée par le passé (P. Ricœur, p. 175), il en possède les caractères : il constitue le produit de la société qui l'a fabriqué, résulte d'une fonction sociologique, mais aussi, d'un effort intellectuel transcendant le but primaire de communication, d'une pensée et d'une intention personnelles. À ce titre, il participe d'implications beaucoup plus complexes que toute autre forme d'écrit dénué d'une visée esthétique consciente. L'idée que la littérature aurait un statut documentaire renvoie à la théorie du reflet, alors que l'œuvre littéraire se révèle nécessairement prismatique.

▶ FOUCAULT M., *L'archéologie du savoir*, Paris, Gallimard, 1969. — LE GOFF J., « Documento / monumento », *Enciclopedia Einaudi*, Torino, Einaudi, 1980, vol. V, p. 38-48. — RICŒUR P., *Temps et récit*, t. III, Le Temps raconté, Paris, Le Seuil, 1985. — ZUMTHOR P., « Document et monument. À propos des plus anciens textes de langue française », *Revue des sciences humaines*, 1960, n° 57, p. 5-19.

Olivier COLLET, Paul ARON

→ *Autobiographie ; Contextualisation ; Histoire ; Historiographie ; Mémoires ; Reflet (Théorie du) ; Sources.*

DOXA

La doxa désigne l'ensemble des opinions et des modèles généralement admis comme normaux, et donc dominants, au sein d'une société à un moment donné. Le lieu commun, le stéréotype, les idées reçues font partie du discours doxique. Au grec *doxa* répond *paradoxa* qui signifie « en marge de l'opinion normale ».

Les origines étymologiques du mot doxa invitent à y voir deux sens fondamentaux. Le premier concerne l'apparence et désigne la façon dont une personne ou une chose apparaît objectivement aux yeux des autres. Le second relève de l'opinion et concerne les croyances et les principes établis. Cependant les nombreux dérivés littéraires du mot sont tributaires de la complexité de la traduction, qui rend difficilement toutes les nuances qu'il prend dans des contextes différents.

La doxa est un type de savoir pratique et utilitaire, s'inspirant de l'esprit de tradition. Elle s'opposait ainsi, dans la Grèce du VIIe s. avant J.-C., à l'épistémé ou savoir scientifique. Le mot est longtemps resté sans usage en français ; mais non la chose : il suffit de se souvenir des quatrains du mariage qu'Arnolphe lit à Agnès dans *L'École des femmes* (1663).

À partir des Lumières, avec l'essor de l'esprit critique, puis de l'époque romantique, avec la valorisation de l'originalité, le rejet de ce qui s'inspire de l'opinion commune et de la banalité conduit au *Dictionnaire des idées reçues* (1880, posth.) où Flaubert prend à bras-le-corps le discours commun, déconstruisant les phrases toutes faites, les évidences du discours bourgeois, qui traduisent l'idéologie ambiante. L'époque contemporaine a vu l'essor de la critique de la doxa dans le théâtre de Brecht, puis dans celui de l'absurde et dans la critique des années 1960-1970 (Barthes, *Leçon*, 1978, par exemple). La littérature a poussé plus loin sa dimension ironique qui, jumelée au refus de hiérarchiser les discours, met en évidence les présupposés idéologiques inscrits dans le langage : l'écrivain, s'il ne peut échapper à la doxa, tient à indiquer dans son écriture même qu'il en est conscient.

Une réflexion sur la doxa invite à revenir sur le pouvoir du langage. On peut concevoir la doxa comme un savoir conventionnel, standardisé, un ensemble relativement systématique de mots, d'expressions, de débats, sur lequel la plupart des gens semblent s'entendre. La doxa se définit ainsi comme ce qui est figé dans la langue, ce que l'on ne prend même pas la peine d'énoncer avec précision parce que cela va de soi. Elle est donc une forme efficace de l'idéologie dominante. Sens commun sans critique, fausses évidences, préjugés, tout ce que Barthes nomme les « masques de l'idéologie » correspond également à une mémoire collective, à un fond discursif commun. Ce « discours universel » peut « récupérer » jusqu'à ses contradicteurs : ainsi s'opposer au cliché est devenu un cliché de la modernité. Ses effets se font sentir sur la littérature au niveau des codes institués (les genres) et au niveau de la langue.

Le discours doxique renvoie à des modèles et à des déterminations génériques qui s'inscrivent dans ce que Escarpit nomme « la communauté des évidences ». Ainsi, l'évaluation doxique d'un texte prend en compte la singularité d'une œuvre en termes de conformité ou non à la définition traditionnelle d'un genre et à sa façon de traiter un sujet. L'écrivain est souvent lui-même prisonnier d'un rôle, ramené à une image (ou une série d'images) mentale, en fonction des croyances et jugements de valeur propres à son époque.

Dans le détail du langage, le texte littéraire utilise nécessairement des figures conventionnelles d'un style ou d'une rhétorique, des lieux communs qui relèvent du déjà-dit et du déjà-pensé, et où le stéréotype « se trouve alors au centre d'une constellation qui relie l'idée reçue, la Doxa ou l'énoncé doxique, le lieu commun au sens moderne du terme, et l'idéologie » (Amossy, 1989, p. 36). Là encore, la nouveauté pure n'existe pas. La doxa renvoie donc aux interrogations sur les *topoi* et, à l'inverse, sur l'originalité, comme espaces où se manifeste l'idéologie.

▶ AMOSSY R., « La notion de stéréotype dans la réflexion contemporaine », *Littérature*, février 1989, 73, p. 29-46. — GRIVEL C., « Vingt-deux thèses préparatoires sur la doxa, le réel et le vrai », *Revue des sciences humaines*, janvier-mars 1986, 201, p. 49-55. — LAFRANCE Y., *La théorie platonicienne de la doxa*, Montréal, Bellarmin et Paris, Les Belles Lettres, 1981. — MÉCHOULAN É., « Theoria, Aisthesis, Mimesis et Doxa », *Diogène*, automne 1990, 151, p. 131-148. — PINTO L., « La doxa intellectuelle », *Actes de la recherche en sciences sociales*, décembre 1991, 90, p. 95-100.

Jean-François CHASSAY

→ *Dialogisme ; Discours ; Idéologie ; Institution ; Lieu commun ; Paradoxe ; Stéréotype ; Topique.*

DRAMATURGIE

L'adjectif « dramatique » qualifie ce qui concerne le théâtre ou ce qui présente un caractère théâtral. Au XVIIe s. se développe un sens restreint, « ce qui concerne le drame », dont l'emploi est alors péjoratif. Apparu à la même époque, le vocable « dramaturgie » s'applique d'abord à l'art de composer une pièce de théâtre et, par extension, au catalogue des pièces d'un auteur ou d'une époque. À partir du XVIIIe s., la « dramaturgie » s'étend à l'art du théâtre dans son entier et devient synonyme de « théorie du théâtre ». Le « dramaturge », après Brecht, prend pour sa part le sens spécialisé de « commentateur » averti, associé au metteur en scène.

La conception occidentale de l'art dramatique tire sa source de la *Poétique* d'Aristote. Après avoir distingué la poésie dramatique de la poésie lyrique et de la poésie épique, l'auteur développe un ensemble de règles de composition fondées à la fois sur des principes philosophiques et sur l'étude de l'œuvre de Sophocle et d'Aristophane, excluant de son champ le spectacle lui-même, donné comme étranger à l'art poétique. Il a été imité par Horace, dans son *Art poétique*.

En dépit d'une pratique scénique très élaborée (dans les Mystères notamment), le théâtre médiéval, qui repose plus sur la tradition orale que sur l'écriture, n'a guère laissé de traité d'art dramatique. Redécouvrant la *Poétique*, les écrivains italiens de la Renaissance, de Dante à Guarini, entreprennent de codifier les textes dramatiques en genres différenciés, reprennent la notion de vraisemblance (la poésie dramatique doit ressembler à la vie, les personnages doivent agir conformément à leur rang, leur sexe et leur situation) et adoptent le principe des trois unités d'action, de temps et de lieu. Ces idées se répandent rapidement en Espagne, en Angleterre et en France où elles sont l'enjeu de nombreuses querelles. Le *Cid* (1636) provoque une Querelle, où Jean Chapelain publie *Les sentimens de l'Académie française sur la tragi-comédie du Cid* (1637) qui érigent en dogme la primauté du vraisemblable sur le vrai et confirment l'importance des trois unités. Dans sa *Pratique du théâtre* (1657), l'abbé d'Aubignac fait de même. Obligés de chercher un équilibre entre les impératifs de la théorie (respect des règles) et ceux de la pratique (plaire au public), les auteurs dramatiques répondent dans les préfaces et examens qui accompagnent la publication de leurs œuvres, tel Corneille qui fait paraître en 1660 ses trois discours (*Discours sur l'utilité et les parties du poème dramatique ; Discours de la tragédie ; Discours des trois unités*). Au cours de ces querelles s'énonce une esthétique que les années ultérieures nommeront l'esthétique « classique » où l'*inventio* est soumise aux règles de la *dispositio*. La question de la mise en œuvre scénique est reléguée à un rôle accessoire, comme chez Aristote. Aussi, empruntant à Allacius le mot italien *dramaturgia*, qu'il traduit par *dramaturgie*, Chapelain cherche d'abord à désigner le catalogue des ouvrages dramatiques d'un auteur ou d'une époque, selon l'idée que ces œuvres répondraient à une esthétique commune. À cette époque, on parle de « poésie », de « poème » et de « poète » dramatiques ; mais « genre » dramatique, « drame » proprement dit voire « dramaturgie » sont connotés défavorablement, ces termes renvoyant à la nouvelle forme intermédiaire qui se développe depuis peu entre la tragédie et la comédie.

Au XVIIIe s., Diderot (*Discours sur la poésie dramatique*, 1758) accorde une place prépondérante au rôle de l'acteur et de la représentation scénique dans la définition du théâtre et valorise les genres intermédiaires, comme le drame, mieux adaptés aux aspirations des nouveaux publics de théâtre que les genres réguliers (tragédie et comédie) de l'esthétique classique. Le nouveau théâtre tend à l'éclatement des unités, à l'exaltation de l'individu et il accorde la primauté à l'unité organique de l'œuvre sur le respect des règles. La nouvelle acception du mot « dramaturgie » naît dans *La dramaturgie de Hambourg* (1769) de Lessing, ouvrage écrit contre les tragédies de Corneille et de Voltaire alors en vogue en Allemagne. S'inspirant des idées de Diderot, Lessing définit la dramaturgie comme la science des règles qui doivent présider à la composition d'une pièce de théâtre et à sa mise en scène. En France, Louis Tiech reprend le vocable dans ses *Feuilles dramaturgiques* (1826), où il réunit ses critiques théâtrales populaires dans toute l'Europe cultivée. À cette date, c'est par le mot « dramatiste » qu'est désigné l'auteur de drame, celui de « dramaturge » étant étendu à tout auteur de théâtre.

Influencé par Wagner dont les théories renouvellent le théâtre lyrique à la fin du XIXe s., puis par les symbolistes dont les pièces alimentent le nouveau métier de metteur en scène, Gordon Craig oppose les impressions sensuelles, créées par le jeu de l'acteur, à la *drama* (l'art dramatique), conçue comme un art littéraire. Il sera suivi dans cette voie par la plupart des théoriciens du théâtre au XXe s., d'Antonin Artaud jusqu'à Grotowski, qui refusent la primauté traditionnellement accordée au texte dramatique. Piscator et surtout Brecht poussent encore plus loin la critique du modèle aristotélicien, en rejetant le « théâtre dramatique », où domine l'action, produit d'un conflit entre les personnages, au profit d'un théâtre « épique », fondé sur l'idée de contradiction, produit d'un conflit entre des forces sociales qui débordent le personnage. Le théâtre dramatique est néanmoins défendu par la plupart des auteurs contemporains, de Sartre à Ionesco, pour qui dominent l'individualité du personnage et sa problématique relation au monde.

S'impose toutefois l'idée d'une dramaturgie inscrite au cœur de la représentation, à la jonction de la fable, de la scène et du monde. Dès lors, la mise en scène déborde la mise en place et la direction d'acteurs pour devenir une instance qui effectue des *choix dramaturgiques*, à partir de l'interprétation du texte. Entre l'auteur et le metteur en scène, le théâtre contemporain connaît ainsi une nouvelle fonction intermédiaire, celle du « dramaturge », mot emprunté de l'allemand *dramaturg*, sorte de spécialiste du théâtre et de conseiller littéraire, chargé de l'analyse du texte préparatoire à la mise en scène. De cette fonction, dérive l'acception récente de « dramaturgie » au sens d'étude et d'analyse, voire de discipline (Pavis), dont l'objet serait une poétique de l'écriture dramatique et de sa représentation.

L'évolution sémantique des mots « dramatique » et « dramaturgie » reflète l'histoire des conceptions occidentales du théâtre et toutes leurs acceptions continuent de coexister dans la langue commune. Depuis Aristote jusqu'à la fin du XVIIIe s., domine un art dramatique formé par un ensemble de règles et de préceptes, conçus comme universels, présidant à la composition d'une pièce de théâtre. Contre cette conception métaphysique, Schiller, comme tous les romantiques, adopte une position critique qui déplace l'objet de la dramaturgie depuis le texte seul vers le passage du texte à la scène. Pour sa part, Brecht adopte une posture qu'il décrit lui-même comme « dialectique » où la mise en scène représente une série de choix esthétiques opérés à partir de l'analyse d'un texte dramatique singulier et qui transforment ce dernier en texte scénique. Ces diverses postures témoignent de la transformation du travail théâtral.

Outre le primat du texte, la dramaturgie classique présentait des exigences rigoureuses quant à la construction de l'action dramatique où une scène d'exposition, énonçant l'enjeu du conflit, était suivie de péripéties conduisant toutes au dénouement. Cette exigence survit dans les formes classiques pratiquées par Marivaux et Voltaire, puis dans l'esthétique de la pièce bien faite (Scribe), le mélodrame et dans le Boulevard, parfois dans le théâtre réaliste voire naturaliste. Devenue la forme canonique du théâtre dit « bourgeois », ce type d'action représente la doxa contre laquelle s'est définie la modernité dans l'écriture dramatique. Les auteurs contemporains ont repensé aussi bien les trois unités, la division en actes et le vraisemblable que le dénouement (par des fins comiques, catastrophiques et ouvertes), voire le principe même du conflit dramatique, comme l'a fait le théâtre de l'absurde ou le théâtre du quotidien. La critique la plus radicale du théâtre dramatique reste cependant celle de Brecht, dont le « théâtre épique » ignore jusqu'à la *mimésis* (principe d'identification du spectateur au personnage) et la *catharsis* (effet produit par la résolution du conflit) qu'il remplace par la distanciation.

Enfin, dans la théorie contemporaine du théâtre, la notion de « dramaturgie » est redéfinie par celle de « théâtralité », qui fait du rapport particulier que le théâtre entretient à l'espace, au jeu et au spectateur, son caractère essentiel. La notion de « dramaturgie » se trouve ainsi libérée de la nécessité de rendre compte de l'ensemble de l'activité théâtrale et elle peut être recentrée sur le travail dramaturgique qui détermine les conditions d'énonciation du spectacle, la situation dramatique et le jeu des acteurs. Car force est de constater que tout spectacle théâtral suppose une dramaturgie, qu'il y ait un auteur à l'œuvre ou non. Réalisée par le dramaturge ou par le critique, l'analyse dramaturgique d'une pièce ou d'un spectacle cherche à comprendre comment les idées sont mises en forme théâtralement et sur quel mode est établi le rapport au public (plaire et instruire, reproduire ou dénoncer, conforter ou déranger...), à travers l'étude des didascalies, de la fable et du traitement de l'action.

▶ AUTANT-MATHIEU M.-C., *Écrire pour le théâtre. Les enjeux de l'écriture dramatique*, Paris, CNRS éditions, 1995. — LARTHOMAS P., *Le langage dramatique. Sa nature, ses procédés*, 2e éd. Paris, Armand Colin, (1972), 1990. — PAVIS P., « Études théâtrales », dans *Théorie littéraire. Problèmes et perspectives*, M. Angenot et al. (dir.), Paris, PUF, 1989, p. 95-107. — ROBERT L. (dir.), « Dramaturgies », *L'Annuaire théâtral*, printemps 1997, 21, p. 13-157. — VINAVER M. (dir.), *Écritures dramatiques. Essais d'analyse de textes de théâtre*, Paris, Actes Sud, 1993.

Pascal RIENDEAU et Lucie ROBERT

→ *Arts poétiques ; Catharsis ; Classicisme ; Distanciation ; Drame ; Mimésis ; Plaisir littéraire ; Théâtre.*

DRAME

En grec, le mot *drama* signifiait action. Aussi le drame est-il d'abord synonyme du théâtre lui-même et il désigne toute pièce écrite pour le théâtre. À partir du XVIIIe s., l'usage du mot se restreint aux seuls textes sérieux qui se distinguent de la tragédie et de la comédie. Le drame désigne aujourd'hui une pièce sérieuse mais non tragique.

Parce qu'il échappe à l'inventaire des genres dénombrés par Aristote, le drame désigne une réalité résiduelle : il n'est ni comique, ni tragique. Cette imprécision lui permet d'être repris comme une catégorie indécise, composée de traditions ou d'innovations diverses. En Grèce, le drame « satyrique », consacrant des traditions religieuses ou théâtralisant un thème ancien, était présenté en accompagnement à la tragédie. Au Moyen Âge, le drame liturgique ou le drame biblique est un rituel mis en jeu scénique, une action dramatique inspirée de la Bible ou des vies de saints et insérée dans certains offices religieux. La naissance d'une forme dramatique originale, distincte à la fois de la comédie et de la tragédie et située dans un mélange de ces deux genres, est cependant plus tardive. Pressentie dans certaines pièces de Shakespeare, dans les comédies héroïques et les tragi-comédies de Corneille, l'idée d'un genre sérieux mais non tragique, écrit en prose, mettant en scène des personnages et des problèmes contemporains, se fait sentir au XVIIIe s. de manière plus pressante dans les comédies morales de Destouches et les comédies larmoyantes de Nivelle de la Chaussée.

Le drame trouve sa formalisation dans *Le fils naturel* et les *Entretiens avec Dorval* sur *Le fils naturel* (1757) de Diderot. Celui-ci nomme cette nouvelle forme « genre dramatique sérieux » ; on l'appellera bientôt « drame bourgeois ». Après Diderot, Beaumarchais (*Essai sur le genre dramatique sérieux*, 1767) et Mercier (*Du théâtre*, 1773) réaffirment les grands principes constitutifs du drame : vérité, sensibilité et moralité, ce qui en fait une sorte d'hymne à la vertu. Le genre, qui répond ainsi au goût d'un public où la bourgeoisie occupe une place accrue, trouve alors ses premières réalisations en France, sous la plume de Diderot, Beaumarchais (*La mère coupable*, 1792), Sedaine et Mercier ; mais elles restent limitées en nombre et en succès. Le genre se développe aussi en Angleterre (Lillo et Steele), en Allemagne (Gellert, Gemmingen et Lessing) et en Italie (Goldoni) où il contribue au déclin de la commedia dell'arte. Cette pratique du drame reste vivante jusqu'à la Révolution, après laquelle triomphe le mélodrame (qui influence le drame romantique).

Redéfini par Lessing (*La dramaturgie de Hambourg*, 1767-1768), et composé par Schiller, Goethe, Kleist et Büchner, le drame trouve un second souffle dans le romantisme, tant en Allemagne qu'en France où Dumas connaît le premier succès romantique avec *Henri III et sa cour* (1829). Empruntant ses sujets à l'histoire, renouvelant la notion de héros, utilisant abondamment la veine épique, le drame romantique choque d'abord par la remise en question des trois unités classiques, y compris l'unité d'action. Dumas est bientôt suivi par Hugo, dont les représentations donnent lieu à des polémiques (bataille d'*Hernani*, 1830), puis par Vigny et Musset. Épuisé dès 1840, le drame romantique n'en a pas moins imposé l'esthétique du genre, que reprend le courant naturaliste (Hauptmann, Strindberg) et, autrement, le drame symboliste ou poétique (de Maeterlinck à Claudel).

À la fin du XIXe s. et au XXe s., le drame reste une forme majeure, en particulier dans le théâtre de Boulevard (Becque, Mirbeau). Dans le cadre du théâtre engagé, il glisse vers le drame socialiste où les valeurs du héros positif sont transférées vers le personnage opprimé ou le militant (Sartre). Sous l'effet du Nouveau Théâtre, il deviendra même « anti-drame », en particulier chez Ionesco et Beckett.

Dès les premières manifestations du drame, théorie et pratique théâtrales sont intimement liées. Né dans la contestation de la tradition, le drame est modelé du même coup par une nouvelle conception de la mise en scène et du jeu de l'acteur, visant à produire une plus grande illusion dramatique et à provoquer la sympathie pour les personnages ou les actions représentées. Il est remodelé plusieurs fois selon la conception de la scène romantique ou naturaliste, avant d'être fondamentalement remis en question, au XXe s., par Artaud et Brecht. De même, l'histoire du drame répond comme en miroir à celle du public de théâtre dont le goût et les attentes redéfinissent constamment l'organisation de l'action dramatique et la définition du héros, voire du personnage. Ainsi les révolutions anti-bourgeoises rendent-elles caduque une certaine représentation des valeurs de la bourgeoisie, de même que les publics d'avant-garde goûtent davantage l'anti-drame que le drame proprement dit.

Définir une poétique du drame devient ainsi une entreprise fort périlleuse : il ne s'agit pas d'un genre fixe, régi par des règles stables, mais de plus en plus d'une forme qui, selon Lioure, aurait « progressivement absorbé tous les genres et tous les registres du théâtre ». On peut certes retenir des critères formels simples : plus d'unité d'action, de temps, de lieu, et l'utilisation de « tableaux » (qui, au besoin, se substituent aux actes et scènes) mais le plus important est la logique structurelle. Les textes de Sartre, de Camus et *a fortiori* de Beckett et d'Ionesco sont des drames au sens original du terme : une action organisée par une série de conflits successifs, trouvant leur résolution (unique) dans une fin qui montre une réalité nouvelle.

Pour Sarrazac, « si le drame ressuscite aujourd'hui [...], c'est en s'émancipant définitivement de la notion de genre ». Cette position est toutefois marginale, tant chez les dramaturges que chez les théoriciens, et l'usage du mot pour désigner un genre tend à disparaître du discours critique.

▶ FRANTZ P., *L'esthétique du tableau dans le théâtre du XVIIIe siècle*, Paris, PUF, 1998. — LIOURE M., *Le drame de Diderot à Ionesco*, Paris, Amand Colin, 1973. — SARRAZAC J.-P., *L'avenir du drame*, Lausanne, L'aire, 1981. — SZONDI P., *Théorie du drame moderne*, trad. de l'allemand, Lausanne, L'âge d'homme, 1983. — UBERSFELD A., *Le drame romantique*, Paris, Belin, 1993.

Pascal RIENDEAU

→ *Littérature engagée ; Mélodrame ; Naturalisme ; Nouveau Théâtre ; Romantisme ; Symbolisme ; Théâtre.*

DROITS D'AUTEUR **→ Privilège d'imprimerie ; Propriété littéraire ; Société d'auteurs**

E

ÉCOLE

Si tous les systèmes d'enseignement font une place à la « chose littéraire », les contenus de celle-ci varient, notamment en fonction du niveau et des finalités de la formation. L'École est le lieu principal de la formation des lecteurs, mais aussi des écrivains eux-mêmes. Elle influence donc à la fois la production et la réception des textes, dont elle assure en partie la promotion.

Les origines de l'enseignement en Europe occidentale remontent au réseau d'écoles gallo-romaines où la formation inclut l'étude des auteurs classiques comme Térence, Virgile ou Cicéron et l'apprentissage de l'art oratoire. Après la chute de l'Empire et la disparition de ces écoles au VIe s., l'Église romaine organise l'enseignement pour les clercs et les religieux d'abord. La littérature est négligée bien que les auteurs classiques survivent à travers l'étude de la grammaire latine. Dans les écoles privées du XIIe s., que l'Église ne tarde pas à réglementer, on poursuit l'enseignement des arts libéraux, ainsi désignés depuis le Ve s., et qui comprenaient le *trivium* des arts du discours ou arts logiques (grammaire, rhétorique et logique) et le *quadrivium* des arts des nombres (arithmétique, astronomie, géométrie et musique). La poésie latine y est à l'honneur et la dialectique devient la méthode privilégiée de l'explication de texte. La fondation des universités au Moyen Âge entraîne la réorganisation du dispositif scolaire. L'enseignement se caractérise alors par la méthode scolastique (*expositio*, *quaestiones* et *disputatio*), qui permet de s'exercer à la critique et à la réfutation. Les œuvres littéraires autorisées y sont des prétextes à la discussion.

Au XVIe s., l'affrontement entre catholiques et protestants suscite, de part et d'autre, l'ouverture d'écoles populaires où les textes sacrés constituent encore, pour l'essentiel, la matière de la lecture. C'est surtout dans les collèges – les premiers sont apparus à la fin du XIIe s. – que l'enseignement se renouvelle. Avec la création du Collège royal (aujourd'hui Collège de France) en 1530, François Ier encourage l'enseignement des lettres et des arts. L'enseignement des Jésuites, dont le premier collège est ouvert en 1556, prévoit un cursus d'études commun constitué de classes de grammaire, d'humanités et de rhétorique. Ce cursus a été définitivement fixé en 1586 dans la *Ratio studiorum*. Les lettres classiques y sont à l'honneur mais l'enseignement, exclusivement en latin, favorise surtout une gymnastique intellectuelle. Les collèges des Oratoriens encouragent plutôt, ensuite, la langue maternelle. Les Jésuites, qui dirigent plus d'une centaine de collèges en France, exercent la plus grande autorité sur l'enseignement secondaire jusqu'à leur expulsion en 1762 ; la création des agrégations de lettres (1766) comble le vide qu'ils ont laissé. Les collèges ne concernent que les garçons ; mais la question de l'éducation des filles se pose aussi. Sous le règne de Louis XIV, il faut noter le bref épisode d'une maison d'éducation pour jeunes filles à Saint-Cyr, près de Versailles. Destinées au cloître ou à la vie familiale, les élèves y étudient l'histoire de France et les auteurs français contemporains (Fénelon, La Fontaine, Bossuet, etc.). C'est par elles que furent jouées, pour la première fois, *Esther* et *Athalie*. À cette époque, les progrès scientifiques et intellectuels se réalisent surtout à l'extérieur des universités : ainsi la fondation de l'Académie française (1635), de l'Académie des Inscriptions et Belles-Lettres (1663) et même de celle des Sciences (1666) contribuent notablement à l'essor des Lettres.

Jusqu'au XIXe s., l'enseignement littéraire se caractérise par les leçons de grammaire latine, l'explication des textes classiques et les exercices de rhétorique. Dès le XVIIIe s. toutefois, on commence à faire état d'auteurs français (Batteux, *Cours de belles-lettres*, 1747). Et le français est la langue des enseignements élémentaires de courte durée, à destination des enfants des classes modestes. Aux lendemains de la Révolution, une série de décrets favorisent la nationalisation de l'enseignement et donc la diffusion dans tous le pays de la langue française. Mais ce n'est que sous l'Empire que l'enseignement est étatisé en France et que sont établis les trois degrés, primaire, secondaire et supérieur. Les lycées sont créés en 1802 et l'université impériale (ou napoléonienne), en 1806. Sous le monopole de l'État, l'École a dès lors une mission civique et patriotique. Réglementé par les facultés universitaires, un enseignement de la littérature est assuré dans le réseau secondaire. Durant la première moitié du XIXe s. au moins, les œuvres littéraires sont traitées comme des « classiques », c'est-à-dire des modèles à imiter. Les Lettres incluent ainsi tout aussi bien des sermons, des oraisons funèbres et des récits historiques. Les compositions scolaires dans les classes supérieures prennent la forme d'amplifications et de discours rhétoriques. Ces pratiques perdurent quelquefois, comme au Québec où l'enseignement secondaire a été surtout dispensé dans des séminaires et des collèges classiques privés jusqu'à la création des collèges d'enseignement général et professionnel (CEGEP) en 1967 qui sont des institutions publiques d'État. Dans d'autres pays francophones, le rôle de l'État, quoique réel, est équilibré par l'existence d'un enseignement libre, laïque ou confessionnel, qui a ses programmes propres.

Mais les pratiques scolaires diffèrent moins selon les réseaux que selon les milieux sociaux auxquelles elles s'adressent. Tout au long de son histoire, l'enseignement de la littérature a satisfait à de larges desseins éducatifs à caractère civique, moral, religieux ou patriotique. La littérature sert l'identité nationale. On enseigne rarement les œuvres pour elles-mêmes ou pour développer des aptitudes de création. Par la fréquentation des modèles, il s'agissait autrefois d'apprendre à penser, à s'exprimer et à agir correctement, en bon citoyen. Le beau, le bon et le vrai étaient indissociables. Les considérations éthiques ne sont pas absentes des programmes scolaires au XXe s. Les choix d'œuvres enseignées pour leur valeur exemplaire ou édifiante en sont un indice fort. Mais la part des Lettres tenant à l'histoire et à l'éloquence s'est restreinte (et a en pratique disparu pour l'histoire).

Les niveaux de la formation littéraire diffèrent selon les pays, mais ils sont partout clairement hiérarchisés. Au degré primaire, la littérature est présente sous la forme de textes (surtout poétiques) récités, chantés ou lus. Une partie notable de la création contemporaine, quoique peu consacrée dans le champ littéraire, est spécifiquement destinée à la classe d'âge des 6-12 ans (littérature d'enfance et de jeunesse), elle est présente dans les classes, mais de façon limitée. Au niveau de l'enseignement secondaire, la situation est plus complexe. Les programmes désignent de nouveaux objectifs. Le corpus est élargi à des œuvres et des auteurs contemporains. Au Québec, il inclut des représentants de la littérature québécoise. Dans la francophonie en général, à la fin du XXe s., les classiques de la littérature française, réputés constituer le fonds patrimonial, occupent encore une place importante dans l'enseignement secondaire. En France, le collège a vu revenir dans ses programmes l'étude d'œuvres « porteuses de références culturelles majeures ». Cependant l'accent est mis, un peu partout, sur la maîtrise des discours et sur des compétences pratiques d'expression. Au total, l'École est le lieu de constitution d'habitus de lecture et d'écriture. Aussi les discussions sur la part et la place de la littérature à l'École sont, en fait, des discussions sur les façons d'envisager ces habitus et la littérature – vue comme une fin ou comme un réservoir de connaissances et de modèles culturels. La France a connu, au tournant du siècle, un débat sur l'enseignement du français et des Lettres, au moment où se dessine la scolarité de tous les jeunes jusqu'à la fin du lycée, et d'une majorité dans l'enseignement supérieur : restriction de la littérature sur quelques textes canoniques de la modernité, ou utilitarisme communicationnel, ou plutôt, comme le proposent les programmes, enseignement conjoint de la langue, d'une littérature vue plus largement et inscription de l'une et l'autre dans leurs relations avec les autres arts langagiers et pratiques culturelles ?

Dans l'enseignement supérieur, où se forment les maîtres et les spécialistes, les lettres deviennent l'objet d'un enseignement spécifique : études de lettres modernes ou classiques, de langue et littératures romanes (Belgique). Elles font le lien avec la recherche contemporaine, et s'ouvrent généralement aux littératures francophones. Le système français de l'agrégation implique également une forte spécialisation, qui conduit les étudiants à développer une compétence intensive sur les auteurs mis au programme l'année où ils passent ce concours. Les cadres disciplinaires de cet enseignement sont, dans la plupart des pays, l'histoire littéraire, l'analyse de texte et la littérature comparée. Les traditions du monde académique accordent une place restreinte aux expressions littéraires peu canonisées, comme les paralittératures, la littérature de grande consommation (best-sellers), la littérature de jeunesse, ou les nouveaux langages, comme celui des images fixes ou animées. La présence de la littérature vivante y est faible, encore que les programmes français 1995-2000 préconisent désormais d'introduire de la littérature de jeunesse au collège, de la littérature contemporaine au lycée. L'apprentissage n'est que très exceptionnellement celui de l'écriture littéraire elle-même. Mais l'École étant un espace d'inculcation de modèles, ce sont souvent ceux-ci que l'on retrouve dans des pratiques littéraires, soit comme sources, soit comme objets de parodie ou de contestation : ainsi Rabelais se moque-t-il des maîtres pédants et de leur éloquence creuse, ou bien encore les alexandrins baudelairiens reprennent-ils parfois ceux de Boileau en les détournant. Plus largement, l'École est un des motifs les plus souvent investis par les œuvres littéraires : souvenirs (par exemple Vallès, *L'enfant*, 1879), figures de professeurs (par exemple *Cripure* dans *Le sang noir* de L. Guilloux, 1935) ou essais sur les méthodes d'enseignement (de Montaigne et son chapitre de l'*Institution* à Rousseau et *Émile*, 1762, entre autres), la littérature ne cesse de représenter l'École autant que l'École la représente et transmet.

▶ COMPAGNON A., *La Troisième République des Lettres*, Paris, Le Seuil, 1983. — DAINVILLE F. de, *Les Jésuites et la formation de l'honnête homme moderne*, Paris, Minuit, 1966. — HOUDART-MÉROT V., *La culture littéraire au lycée depuis 1880*, PUR, 1998. — MELANÇON J., MOISAN C., ROY M., *Le Discours d'une didactique. La formation littéraire dans l'enseignement classique au Québec (1852-1967)*, Québec, Nuit blanche, 1988. — PROST A., *Histoire de l'enseignement en France (1800-1967)*, Paris, A. Colin, 1977.

Max ROY

→ *Canon ; Enseignement (de la littérature) ; Institution ; Lecture, lecteur ; Norme ; Réception.*

ÉCOLE DE CONSTANCE → Réception

ÉCOLE DE FRANCFORT

L'École de Francfort a fédéré, principalement des années 1920 aux années 1950, une série de chercheurs et de philosophes attachés à penser la société industrielle d'un point de vue critique. Placés ainsi à l'enseigne d'une « Théorie critique » du monde social, leurs ouvrages articulent des recherches philosophiques et sociologiques à une réflexion éthique et politique dans le domaine de la *Kulturgeschichte* (histoire culturelle). Aux côtés de la musique et des arts visuels, la littérature y occupe une place importante, à la fois comme objet d'études (sur Baudelaire ou Mallarmé notamment) et comme emblème des apories de la création artistique.

En 1923 est fondé à Francfort un *Institut für Sozialforschung* (Institut de recherches sociales). Devant la montée du nazisme, il est transféré à Genève puis, en 1941, aux États-Unis (à Columbia University). Après la guerre, une branche se reforme en Allemagne (c'est elle qui, au sens strict, constitue « l'École de Francfort ») tandis que l'activité se poursuit également outre-Atlantique. Les principaux animateurs en sont Theodor W. Adorno (1903-1969) et Max Horkheimer (1895-1973). Une seconde génération assure encore le renom de l'Institut à la fin du XXe s. ; elle est notamment marquée par les travaux de Jürgen Habermas ou de Leo Löwental.

Dans le domaine littéraire, ce courant rejette à la fois la théorie marxiste du reflet et l'Art pour l'Art. Il met l'accent sur les réalités sociales que l'art contribue à révéler et sur son rôle en tant que force et forme de résistance à la société capitaliste. Traduits tardivement, les travaux de la première École de Francfort n'ont marqué la critique littéraire francophone qu'à la fin des années 1970. Ils coïncident avec la redécouverte des écrits pionniers de W. Benjamin, dont la réflexion s'est menée en marge de l'École proprement dite et au fil d'un débat parfois tendu avec Adorno.

En s'appuyant sur une série de concepts peu systématisés et relevant de traditions philosophiques parfois contradictoires, comme la théologie juive et le marxisme, mais d'une grande fécondité critique, Benjamin développe entre 1930 et 1940 une « sociologie sensible ». Les œuvres d'art, selon lui, demandent à être déchiffrées à la lumière de ce qu'il appelle leur « aura ». Celle-ci suppose, d'un côté, une mise à distance, qui renvoie l'œuvre étudiée à son usage *in illo tempore*, à son origine cultuelle ou culturelle, aux pratiques sociales qui lui sont liées et qui lui ont donné sens et, de l'autre, une « illumination » ou un « effet de choc », dans l'instant de la réception par un sujet qui se trouve à la fois saisi par la présence de cette œuvre et par ce qui, en elle, excède toute saisie rationnelle : « Sentir l'aura d'une chose, c'est lui conférer le pouvoir de lever les yeux » (*Sur quelques thèmes baudelairiens*, 1939). Benjamin, qui s'identifiait volontiers à la figure du flâneur et du chiffonnier baudelairiens, travaille comme un collectionneur d'anecdotes, de détails, de citations ou d'images dans lesquelles il voit la cristallisation d'un moment où le social devient visible et lisible. L'architecture de verre, la photographie ou le cinéma font ainsi écho aux œuvres de Baudelaire, de Mallarmé ou des surréalistes. Cette démarche culmine dans un vaste ouvrage, resté à l'état de fragments, que Benjamin entendait consacrer à *Paris capitale du XIXe siècle* (sous-titré « Le livre des Passages » trad. J. Lacoste, Paris, Le Cerf, 1989). Pour Benjamin, la réflexion sur l'« aura » des œuvres d'art va de pair avec un principe d'utilité pratique – en particulier politique. Proche des positions de Brecht, il réclame, à l'exemple du cinéma soviétique, une politisation de l'esthétique, rompant avec le mythe bourgeois de l'art pur et répondant à « l'esthétisation de la politique » promue par les fascismes.

Nourri par les essais de Benjamin qu'il contribua à faire connaître tout en les soumettant à d'âpres débats, Adorno est davantage guidé par le souci de renverser la démarche suivie par les critiques littéraires marxistes. Attentif à mettre en lumière l'aporie constitutive des œuvres d'avant-garde (que leur formalisme tend à couper de toute efficacité pratique), il se consacre à l'étude d'œuvres qui ne prétendent pas révéler le social, mais qui entretiennent avec celui-ci des rapports de distanciation ou de dénégation critique. Pour les approcher, il mobilise des connaissances historiques et sociologiques, mais, précise-t-il, « ce savoir n'est déterminant que s'il se découvre dans un abandon total à l'objet considéré » (p. 47). Il voit dans les grandes œuvres un dépassement de l'idéologie par la médiation du langage, qui donne lieu à une expérience exceptionnelle transcendant, pour mieux les révéler, la facticité des rapports sociaux habituels : telle est l'expérience qu'il repère dans l'énigme des textes mallarméens comme dans la critique de Paul Valéry. Produite pour l'essentiel après 1945, la réflexion d'Adorno cherche par ailleurs à interroger le statut de l'art dans un monde qui, d'un côté, a permis la déshumanisation absolue des génocides et des systèmes concentrationnaires et qui, de l'autre, tend à soumettre les productions esthétiques à la rationalité commerciale d'une « industrie de la culture » appuyée sur de puissants dispositifs médiatiques.

Les penseurs qui ont été formés par Adorno se sont progressivement écartés de la première théorie critique pour ajuster leur propos au monde contemporain. Habermas développe dans *Le discours de la modernité* (éd. or. 1985, éd. franç. 1987) et dans sa *Théorie de l'agir communicationnel* (1981, 1987) une réflexion philosophique intégrant l'héritage des Lumières, qu'il oppose, avec virulence, aux discours « irrationalistes » de la postmodernité tenus en France et aux États-Unis. Leo Löwental pour sa part étudie le domaine des mass médias et de la sociologie de la littérature (*Literature and mass culture*, 1984).

▶ ADORNO Th. W., *Notes sur la littérature* [1958], trad. S. Muller, Paris, Flammarion, 1984. — ADORNO Th. W., HORKHEIMER M., *La dialectique de la raison* [1944], trad. E. Kaufholz, Paris, Gallimard, 1974. — JAY M., *L'imagination dialectique. L'école de Francfort*, Paris, Payot, 1977. — JIMENEZ M., *Vers une esthétique négative. Adorno et la modernité*, Paris, Le Sycomore, 1983. — ROCHLITZ R., *Le désenchantement de l'art. La philosophie de Walter Benjamin*, Paris, Gallimard, 1992.

Pascal DURAND, Paul ARON

→ *Critique idéologique ; Idéologie ; Marxisme ; Médias ; Reflet (Théorie du) ; Sociologie de la littérature ; Théories de la littérature.*

ÉCOLE DE GENÈVE → Thématique (Critique)

ÉCOLE LYONNAISE → Renaissance

ÉCOLE ROMANE → Symbolisme

ÉCOLES LITTÉRAIRES

« École » littéraire désigne au sens strict un regroupement d'écrivains autour d'un programme esthétique et, souvent, de moyens éditoriaux. Mais le terme – qui n'implique en lui-même aucun jugement de valeur (contrairement à « coterie » par exemple) – a été souvent étendu par la critique pour désigner aussi bien des « groupes » ou des « chapelles » que des « mouvements ». Le mot a le même sens lorsqu'il s'applique à la critique elle-même.

Le groupe de la Pléiade, autour de Ronsard, procède de la volonté directe de ses animateurs, et semble bien constituer la première « école » littéraire digne de ce nom en France. Mais longtemps, les groupes et tendances de la littérature se définissent peu par l'unité d'une pensée, d'une forme littéraire et d'un groupe homogène d'écrivains. Le terme d'école est donc impropre à caractériser les courants esthétiques avant le XIXe s.

Au début du XIXe s., une série de termes apparaissent pour désigner des groupes d'écrivains : « cénacles », « coteries », « orphéons » et autres « chapelles ». Le romantisme (ou « romanticisme ») semble constituer le premier courant suffisamment structuré pour justifier le nom d'« école ». Mais des courants plus traditionnels (comme l'École du Bon sens dont se gausse Leconte de Lisle) peuvent le recevoir. Les écrivains eux-mêmes multiplient les signes de solidarité et d'appartenance : la revue *La muse française* est l'organe des cénacles romantiques et Victor Hugo leur chef de file. Ensuite, les écoles se succèdent et se concurrencent. Le réalisme avec Champfleury, les parnassiens autour de Leconte de Lisle et de l'éditeur Lemerre ; Émile Zola s'impose en chef des naturalistes, dont l'éditeur attitré est Georges Charpentier ; Stéphane Mallarmé passe pour le prince des poètes symbolistes que publient les petites revues éphémères de la fin du siècle (*La revue indépendante, La revue wagnérienne, La vogue*). Par ses enquêtes et par la publicité qu'elle leur donne, la presse accentue les divisions (l'*Enquête sur l'évolution littéraire* de Jules Huret en 1891 permet ainsi aux auteurs de se définir les uns par rapport aux autres). Le phénomène se poursuit au XXe s., le surréalisme étant son expression la plus manifeste, l'engagement sartrien, puis le lettrisme, le Nouveau Roman autour de Robbe-Grillet et des éditions de Minuit, voire l'OuLiPo, ses prolongements ; la critique a également qualifié d'École de Brive ou de Poètes de l'École de Rochefort des réunions très informelles d'auteurs contemporains. Reste que toutes les écoles n'ont pas accédé à la large reconnaissance : on oublie en général l'unanimisme de Jules Romains par exemple. En parallèle, l'émergence de la critique littéraire et l'idéologie positiviste ont donné son vrai départ à la taxinomie littéraire au XIXe s. (Sainte-Beuve a symptomatiquement intitulé son essai d'histoire littéraire : *Chateaubriand et son groupe littéraire sous l'Empire*, 1861). Mais le système scolaire tendant à figer les classements en réalités ontologiques, l'histoire littéraire a inventé des « écoles » là où il n'y en avait pas. C'est ainsi que le « classicisme » a été considéré comme un mouvement structuré, y compris jusqu'à avoir une « doctrine » (R. Bray) et à former une « école de 1660 »...

Si, au Québec, c'est après-coup qu'on a nommé « École patriotique de Québec » le mouvement romantique qui donne ses monuments fondateurs à la littérature nationale au milieu du XIXe s., il existe une « École littéraire de Montréal » instituée, active dans le premier tiers du XXe s., dont l'écrivain le plus connu est Émile Nelligan.

Les écoles littéraires fonctionnent souvent suivant un principe hiérarchique qui implique un enseignement théorique et esthétique de maître à disciples. Elles impliquent aussi une idéologie collective, des programmes et des manifestes ; elles supposent souvent la volonté de bousculer l'ordre esthétique établi afin d'assurer la conquête d'une position, d'un pouvoir, d'une notoriété.

Le regroupement en écoles – désignées bien souvent, et surtout au tournant du XXe s., par des étiquettes en *-isme* – d'un certain nombre de littérateurs ou d'artistes est une composante essentielle de la morphologie de l'espace littéraire. Constitués en groupes, en petites communautés souvent unies par de mêmes positions polémiques, les écrivains visent à accumuler tout le capital symbolique possible dans leur lutte pour accéder à la légitimité. Ils s'affirment à travers un « chef de file » et un appareil de diffusion de leurs idées.

Paul Valéry déclarait que « l'évolution de nos arts procède par écoles successives ». L'histoire littéraire a fait de ce principe une des bases de son étude rationnelle de l'objet littéraire. Mais ce fondement a été discuté. Certains ont préféré parler de « générations ». Les travaux de Pierre Bourdieu postulent que, par un procédé dialectique d'interaction et d'interdépendance, les écoles se disputent la légitimité dans le champ littéraire. Mais la notion apparaît alors comme éminemment problématique. Elle l'est lorsque les appellations ont été données *a posteriori* par les historiens de la littérature. Mais même dans les autres cas, les questions de domination et d'autorité à l'intérieur du groupe et la disparate entre la solidarité et le désir de chaque écrivain de faire valoir l'originalité de son propre projet créateur ont souvent abouti à des tensions entraînant des dispersions ou dissolutions. Les écoles sont également sensibles à des tensions extérieures, comme en témoignent les scissions du groupe naturaliste au moment de l'Affaire Dreyfus, ou les querelles des surréalistes à l'égard de l'adhésion au parti communiste. Elles sont donc un phénomène de regroupement souvent moins stable que ne le décrivent les commentateurs. Il en va de même pour ce qui regarde la critique : « l'École de Genève » (Raimond, Starobinski) ou « l'École de Francfort » rassemblent, un peu arbitrairement, des personnalités diverses.

▶ BOURDIEU P., *Les règles de l'art*, Paris, Le Seuil, 1992. — BRAY R., *La formation de la doctrine classique en France*, Paris, Hachette, 1927. — CHARLE C., *La crise littéraire à l'époque du naturalisme*, Paris, PENS, 1979. — DUBOIS J., *L'institution de la littérature*, Bruxelles, Labor, [1978], 1986. — SAPIRO G., *La guerre des écrivains*, 1940-1953, Paris, Fayard, 1999.

Constanze BAETHGE

→ *Avant-garde ; Cénacle ; Champ littéraire ; Histoire littéraire ; Institution ; Périodisation.*

ÉCRITURE

C'est dans son premier livre, *Le degré zéro de l'écriture*, paru en 1953, que R. Barthes propose une définition de l'*écriture*. Il l'entend comme une « fonction » chargée d'exprimer « le rapport entre la création et la société », car elle est pour lui « le langage littéraire transformé par sa destination sociale, [...] la forme saisie dans son intention humaine et liée ainsi aux grandes crises de l'Histoire » (p. 18). C'est par différence avec la « langue » (fait collectif) et le « style » (de nature individuelle) que l'écriture trouve sa place ; si la langue et le style sont pour Barthes des « forces aveugles » auxquelles nul ne peut se soustraire, l'écriture est différemment l'occasion d'un choix où l'écrivain fait « acte de solidarité historique » (*ibid.*).

En tant qu'elle est affaire d'écrivains, l'écriture est une notion récente qui appartient à la fin du XIXe s. C'est dans la préface à son roman *Les frères Zemganno*, publié en 1879, qu'Edmond de Goncourt pose avec l'*écriture artiste* l'un des premiers syntagmes de ce type. Cette *écriture artiste*, comme ensuite l'*écriture automatique*, fonctionneront comme marques de fabrique de courants littéraires ainsi estampillés (réalisme ou surréalisme). C'est l'abandon de tout qualificatif, chez Blanchot d'abord, qui radicalise la perspective. La question de l'écriture devient fondamentalement celle d'une expérience intérieure et si le critique-écrivain conçoit que « la littérature commence avec l'écriture » – ainsi qu'il le précise en revenant sur les propositions de Barthes dans *Le livre à venir* en 1959 –, c'est pour mieux dire, quant à lui, qu'il ne saurait y avoir de littérature sans refus de l'écriture, c'est-à-dire sans récuser le champ social où elle s'exerce. Si le propos de Barthes dans *Le degré zéro de l'écriture* présente un caractère de généralité théorique, l'essai initial « Qu'est-ce que l'écriture ? », dont la forme est calquée sur le « Qu'est-ce que la littérature ? » de Sartre (1948), affiche par la référence sartrienne une ambition historique. Toutefois, sur le chemin qui mène Barthes jusqu'à Camus (au « degré zéro » d'une « écriture blanche ») et Queneau (avec le « degré parlé » de l'écriture), c'est aussi dans leur diversité, et leur spécificité qu'il rencontre les écritures modernes, nées, dit-il, en ce milieu du XIXe, où « la littérature s'est trouvée disjointe de la société qui la consomme » (*ibid.*, p. 32). L'opposition entre une pratique individuelle (le *style*) et une pratique institutionnelle (l'*écriture*), la seule restée vraiment active chez Barthes, subit dans les années 70 un déplacement dans l'usage des termes où l'on peut lire aussi bien la survivance des premiers emplois littéraires d'*écriture* que l'influence d'un groupe comme Tel Quel (avec la notion de texte). En fait, et pour reprendre les catégories du critique, l'*écrivain* est en définitive celui pour qui, individuellement, *écrire c'est s'écrire*, tandis que l'*écrivant* se reconnaît à l'engagement de sa forme dans une pratique sociale. On peut penser que si le propos du *Degré zéro de l'écriture* a rapidement été contourné, c'est que la réflexion de Derrida, avec *L'écriture et la différence* (Le Seuil, 1967), fondée sur l'opposition entre *écriture* et *parole*, était devenue le véritable lieu d'exploration de la notion.

Parce qu'elle implique la liberté de l'écrivain, la notion participe de la question majeure à l'époque qui est celle de l'engagement, au sens où Sartre l'entend. En effet, pour Barthes, « l'éclatement du langage littéraire a été un fait de conscience » (*ibid.*, p. 57) ; de la conscience douloureuse de l'écrivain qui mène au « tragique de l'écriture » (*ibid.*, p. 32). L'écriture apparaît alors comme une « morale de la forme » (*ibid.*, p. 19) : c'est par le choix de son langage – et non par la proclamation de ses contenus – que l'écrivain affiche une responsabilité sociale ; à ce titre, « écriture petite bourgeoise » et « écriture communiste », Daudet et Garaudy, même combat... et même public, de formation primaire. L'« identité formelle de l'écrivain » dépasse les schémas idéologiques et apparaît comme transhistorique – Fénelon et Mérimée ont la même écriture, dit Barthes –, bien que, ajoute-t-il, les » écritures possibles » soient déterminées par la « pression de l'Histoire et de la Tradition » (*ibid.*, p. 19). Ce qui justifie le projet de 1953 : proposer une introduction à une « Histoire de l'Écriture » (*ibid.*, p. 12). Cette ambition aurait pu être reprise. Mais si le terme s'est largement répandu, la déviation de la notion sur la dimension individuelle en a affaibli la possibilité. Sans doute la question des codes et des genres n'était pas chez Barthes assez affirmée pour que la dimension sociale, nécessaire au développement historique, devienne objet d'analyse.

▶ BARTHES R., *Le degré zéro de l'écriture* [1953] suivi de *Nouveaux essais critiques*, Paris, Le Seuil, 1972 ; « Écrire, verbe intransitif ? » [1966], p. 973-980, *Œuvres complètes*, É. Marty (éd.), t. 2, 1966-1973, Le Seuil, 1994 ; *Leçon*, Le Seuil, 1978. — BLANCHOT M., *Le livre à venir* [1959], Paris, Gallimard, 1986.

Florence DE CHALONGE

→ *Création littéraire ; Doxa ; Écrivain ; Engagement ; Forme ; Langue française (Histoire de la) ; Style ; Texte.*

ÉCRIVAIN

Le nom d'écrivain s'est appliqué à des rôles sociaux qui varient, dans de différentes cultures et à différents moments de l'histoire. Le terme (du latin *scribanus :* celui qui écrit) a au départ une application large et désigne quiconque écrit, y compris le scribe (doublet lexical d'« écrivain ») et l'écrivain public (il a longtemps existé une corporation des « écrivains jurés »). À l'époque moderne (à partir du XVIIe s.), en une acception spécifique, il désigne l'auteur d'une œuvre littéraire reconnue. Ainsi, l'écrivain assume toujours la part matérielle du travail de l'auteur mais, dans le domaine littéraire, a une part symbolique spécifique, et prestigieuse, de celui-ci.

La décision personnelle d'un auteur ne suffit pas à le consacrer comme écrivain. Cette qualité est soumise à évaluation permanente, de la part du public comme de celle des pairs, voire à polémiques : on distingue les « petits » écrivains des « grands » ou des « vrais » écrivains, même si, à la différence de « poète », voire de « littérateur », le terme « écrivain » n'est jamais assorti de connotations péjorative, dans l'usage courant. Mais l'attribution de la qualité d'écrivain recoupe la diversité des façons de concevoir la littérature. Extensive, elle peut s'appliquer à tout auteur de fiction ou d'essais, fût-ce dans les domaines du roman policier ou sentimental ou de la science-fiction ; distinctive, elle est restreinte aux auteurs reconnus comme des artistes du verbe. Elle n'est jamais fixée *a priori*, et dépend de consensus qui évoluent constamment.

L'histoire des écrivains est liée à celle de l'écrit et, au-delà, des conditions de production et de circulation des idées. Dans les sociétés où l'écrit est une compétence réservée à une minorité, l'écrivain fait partie de la classe des lettrés. Il peut être l'écrivain public, qui rédige l'information qui lui est transmise oralement, ou l'écrivain rattaché à une tradition savante, scribe au service de l'administration (comme dans l'Égypte ancienne), secrétaire d'un grand homme, professeur, copiste de textes sacrés, et éventuellement auteur de littérature. Dans la société médiévale, l'écrivain est d'abord un clerc et un copiste ; il peut être aussi un ménestrel, mais il n'est pas considéré comme un auteur, encore moins un créateur (ce mot est alors réservé à Dieu) ; pour parler de création littéraire, on emploie alors souvent le terme de « poète ». Dans la période moderne, de la Renaissance aux Lumières, avec l'essor de la publication par l'imprimé, de l'édition et de la diffusion massive des œuvres, la littérature est progressivement reconnue comme une activité spécifique, et donc reconnue aussi la qualité sociale de l'écrivain comme homme de l'art verbal. Le nom d'écrivain se spécifie pour qualifier celui qui écrit avec art, et se distingue ainsi d'auteur (plus général) et de poète (plus limité) : « Sans la langue, en un mot, l'auteur le plus divin/ Est toujours quoi qu'il fasse un méchant écrivain » (Boileau, *Art poétique*, 1674). C'est qu'au XVIIe s., avec l'élargissement du public citadin, le prestige de l'artiste des mots et un marché littéraire public se sont trouvés associés, ce qui a permis à quelques auteurs de commencer à tirer de leurs écrits des revenus autonomes : c'est ainsi que le terme « écrivain » est devenu courant pour désigner celui qui écrit avec art et s'occupe de littérature. Dans cet usage, « écrivain » remplace « poète », qui se spécialise dans la distinction entre poète et prosateur. Comme le terme « littérature », de son côté, se détache de son sens ancien de « savoir », des valeurs de création, d'originalité et de propriété intellectuelle s'agrègent à l'emploi des mots « littérature » et « écrivain ». Le statut des écrivains se modifie alors, en liaison avec l'apparition de nombreux lieux de rencontre pour ceux qui sont publiés ou veulent l'être : les académies, la presse, les salles de théâtre permanentes. Le nombre des écrivains s'accroît. Des carrières d'écrivains, avec des étapes obligées, se déroulent dans un réseau d'institutions dont la plus prestigieuse est l'Académie française. Les écrivains perçoivent plus fréquemment des « droits d'auteurs », leur propriété littéraire s'affirme progressivement – aux XVIIe et XVIIIe s. Certains touchent des pensions dans le cadre du mécénat. Beaucoup se procurent les avantages du clientélisme. Cet ensemble de facteurs constitue le contexte propice à la « naissance de l'écrivain » (A. Viala), dont les humanités donnent le contexte intellectuel est esthétique. Ainsi, le personnage social de l'écrivain devient important, comme source ou au moins vecteur des idées et des goûts. Le prestige des écrivains est alors lié à une fonction « civilisatrice » (Durkheim, *L'évolution pédagogique*, 1938) : ils sont fournisseurs de spectacles pour les Grands, mais aussi diffuseurs d'idées et de modèles de représentation pour le public élargi. Ils sont aussi, en France, ceux qui établissent la norme de la langue : l'Académie, qui fixe le Dictionnaire, est reconnue en ce rôle parce qu'elle est une assemblée de gens qui « écrivent bien » (Chapelain) ; Vaugelas dit que les « bons auteurs » sont les « maîtres » de la langue. Cependant, la situation des écrivains est encore difficile. De nombreux débats se font jour à propos du rôle respectif de l'inspiration et du travail « artisanal » de l'écriture (« Vingt fois sur le métier remettez votre ouvrage », Boileau). Débats aussi à propos de l'imitation des Anciens et de l'innovation et de l'originalité, dans la Querelle des Anciens et des Modernes. La difficulté de vivre de sa plume fait que longtemps – et aujourd'hui encore – beaucoup d'écrivains sont des « polygraphes » qui adaptent leur façon d'écrire aux fluctuations politiques et professionnelles : il ne peut donc que rarement y avoir affirmation d'une esthétique individuelle fortement marquée. Ce profil est encore fréquent au XVIIIe s., comme le montrent les travaux de R. Darnton : les données structurelles du premier champ littéraire se maintiennent, pour l'essentiel, jusqu'à la Révolution française.

Après celle-ci, une configuration différente apparaît. D'un côté, le déclin de l'autorité religieuse suscité par la Révolution induit un transfert sur l'art littéraire du rôle de référence idéologique collective. C'est le moment du *Sacre de l'écrivain* (P. Bénichou), que les images du « phare » (Baudelaire) ou du « mage » (Hugo) illustrent. Mais d'un autre côté, la presse organisée selon les règles du capitalisme entre en force dans l'horizon professionnel des écrivains au XIXe s. Beaucoup se procurent un revenu en écrivant pour les journaux ; aussi apparaît l'expression « littérature industrielle », après 1830, pour désigner les romans feuilletons. Dès lors, l'écrivain, sauf s'il dispose d'une rente ou d'un métier qui lui laisse le temps d'écrire, est lui aussi exposé sur un « marché du travail », au sens moderne de l'expression : il vend un livre déjà rédigé ou bien il loue sa force de travail en s'engageant à remettre des textes à des dates fixes. Il est parfois le collaborateur anonyme, payé à la ligne, d'un auteur célèbre. Alors que la Société des Gens de lettres (1838) défend les droits moraux et financiers des écrivains, se développe, en réaction contre une situation où les œuvres sont traitées comme une marchandise, le mouvement de « l'art pour l'art » qui défend une haute idée de l'écrivain. Écrire « est une tâche spirituelle » qui répond à un besoin « d'authenticité » (Mallarmé). Dans cette perspective, l'écrivain se consacre à son œuvre, dans un but qu'il se fixe lui-même. Il est attentif à la forme en même temps qu'à la pensée. Bien qu'il recherche avant tout la beauté, il se voit lui-même comme étant placé aux avant-postes de la connaissance. Il veut découvrir « un aspect qui n'ait été vu et dit par personne » (Flaubert), « le sens mystérieux des aspects de l'existence » (Mallarmé). Dans cette orientation, l'idée dominante de la création est celle du travail, de l'écrivain « artisan des mots », plus que celle de l'inspiration qui dominait chez les romantiques. Par le travail de documentation auquel il s'astreint, l'écrivain donne des clefs pour la compréhension de l'humanité commune. La récompense des sacrifices exigés par la création sont l'estime de soi et la formation d'un cercle constitué par ceux qui savent reconnaître l'émotion et l'idée exprimées dans l'œuvre. Dès lors, le nom d'« écrivain » reçoit la connotation laudative de « créateur » ; comme tel, il est refusé à ceux qui écrivent des œuvres à caractère commercial. Restriction de sens qui assimile l'écrivain à un artiste. La netteté et l'ampleur des vues exprimées, dans la seconde moitié du XIXe s., dans la théorie de « l'art pour l'art », expliquent que de nombreux écrivains, par la suite, ont pu s'y référer à des titres divers, notamment Proust et Valéry. En même temps, l'enseignement consacre la littérature, ainsi entendue, en référence commune : le lancement de la collection des « Grands écrivains de la France » (Hachette) dans les années 1860 signale le début d'un processus que confirment au XXe s. l'abandon des orateurs et historiens dans les programmes d'enseignement, et la priorité donnée par ceux-ci à la fiction et au travail formel du langage.

Ainsi au XIXe s., en France tout particulièrement, le prestige social de l'écrivain s'est accru quand le champ littéraire est devenu central dans la vie culturelle. Et lorsque le terme « intellectuel » devient courant, à la fin du XIXe s., l'écrivain est le représentant le plus prestigieux de cette catégorie, plus encore que le savant et l'universitaire. Mais, depuis cette époque également, le nom est employé de façon large pour tout auteur de texte à prétention esthétique ou fictionnelle.

Dans la période contemporaine, les conditions sociales sont sensiblement modifiées. Les prix littéraires, et à partir de 1960, la télévision, jouent un rôle nouveau. L'écrivain est parfois soudainement promu au statut de vedette, avec des conséquences contrastées sur la poursuite de son activité (N. Heinich, *L'épreuve de la grandeur*, 1999). D'autre part, la fonction elle aussi a évolué : au long du XXe s., nombre d'écrivains sont actifs dans des comités engagés politiquement, et parfois sont engagés aussi dans leurs œuvres ; d'autres s'impliquent par des opinions déclarées, sans faire pour autant de la littérature engagée. Dans les deux cas, la figure civilisatrice de l'écrivain se réaffirme avec force. De plus, des auteurs issus des peuples colonisés prennent place parmi les écrivains reconnus. Les persécutions subies par les écrivains dans divers pays rappellent que les conditions politiques de leur activité, notamment la tolérance et la démocratie, sont loin d'être généralisées. Dans certains cas, comme le montrent des travaux récents sur la littérature québécoise, le statut social difficile d'une langue donne une signification particulière à l'entreprise littéraire comme affirmation d'une identité. Les inégalités entre les sexes suscitent aussi la revendication, par certaines femmes, de la reconnaissance de « l'écrivaine » à côté de l'écrivain. Dans tous ces cas, le prestige de la fonction d'écrivain reste fort et, en parallèle, la notoriété peut apporter de substantiels revenus aux auteurs les plus reconnus. Aussi le statut d'écrivain reste-t-il un statut envié, et il permet parfois la promotion sociale d'auteurs dépourvus d'autres dotations.

▶ BEAUDET M.-A., *Langue et littérature au Québec*, Montréal, éd. L'hexagone, 1991. — BÉNICHOU P., *Le Sacre de l'écrivain*, Paris, Corti, 1973. — DURKHEIM É., *L'évolution pédagogique en France*, Paris, PUF, 1938. — TORRES A., *La science-fiction française*, Paris, L'Harmattan, 1997. — VIALA A, *Naissance de l'écrivain*, Paris, Minuit, 1985.

Rémy PONTON

→ *Auteur ; Champ littéraire ; Édition ; Esthétique ; Littérature ; Manuscrit ; Propriété littéraire.*

ÉDIFICATION → Hagiographie ; Utilité

ÉDITION

Le mot édition a au moins deux sens : il désigne le travail de l'éditeur intellectuel (en angl. *editor*), c'est-à-dire de l'homme de lettres qui établit un texte, mais aussi celui de l'éditeur commercial (angl. *publisher*) qui assume la fabrication et la mise en circulation du livre ou de la revue qui portent le texte.

Le premier sens a d'abord été attaché au terme d'éditeur qui apparaît au XVIIIe s. pour désigner un auteur ou un homme d'étude qui avait soin de l'édition de l'ouvrage d'un autre, un auteur ancien habituellement ; il ne s'appliquait ni aux imprimeurs, ni aux auteurs qui imprimaient leurs propres ouvrages (*Dictionnaire de Trévoux*, 1752). Au XIXe s., ce travail de l'édition critique se développe jusqu'à former une discipline autonome à visée scientifique. L'édition critique, partie prenante de l'ensemble de la philologie, consiste essentiellement à confronter les divers états d'un même texte pour en discerner la meilleure version : comme un texte est un produit matériel et temporel et qu'il n'y a pas d'édition définitive, l'édition critique cherche à restituer l'état du texte le plus proche de ce qu'a pu vouloir l'auteur, selon ce que l'on en suppute. Traditionnellement, on considère qu'il s'agit de la dernière édition publiée de son vivant, celle qu'il a pu revoir et corriger ; mais cet usage est contesté.

Dans l'autre sens du terme, quand le mot est employé sans autre précision, l'édition consiste à prendre la responsabilité du choix, de la fabrication et de la mise en vente d'un ouvrage. Ce métier a d'abord été exercé par les imprimeurs-libraires avant de devenir une profession indépendante. Les premiers éditeurs appartenaient souvent à la communauté des humanistes (Plantin, Alde Manuce) et pouvaient parfois remplir les deux tâches de l'*editor* et du *publisher* (ainsi la famille Estienne en France). Ce n'est qu'au XIXe s. que s'est vraiment imposé l'éditeur qui n'est qu'éditeur. De grandes entreprises commerciales vouées à la production et à la diffusion du livre voient alors le jour, fondées par Louis Hachette, Pierre Larousse, Ernest Flammarion, Arthème Fayard... Certaines sont généralistes, quelques-unes se spécialisent dans la littérature – en ce domaine où les ventes sont aléatoires, nombre de maisons d'édition sont petites et de durée de vie assez courte – et constituent des fleurons de la vie littéraire au XXe s ; en France : Gallimard, Le Seuil, Minuit... L'édition francophone contemporaine se caractérise par le regroupement des maisons d'édition traditionnelles en grands groupes, et par la présence persistante, et sans cesse renouvelée, de petites maisons indépendantes – souvent aidées par des fonds publics, notamment au Québec où elles sont très nombreuses –, entreprises artisanales et fragiles mais ouvertes à l'inventivité.

L'acte d'édition peut être décomposé en trois opérations successives, la sélection, la fabrication et la distribution, qui correspondent respectivement à trois services d'une maison d'édition : la direction littéraire, le bureau fabrication et le département commercial. L'éditeur fait des choix en fonction d'un projet d'entreprise, d'un public et d'une certaine conception des genres et de leur dignité. Ces choix sont orientés par la position que l'éditeur occupe dans le champ littéraire, elle-même déterminée par un habitus et un parcours intellectuel particuliers, mais d'abord selon le capital qu'il engage : l'éditeur est en effet celui qui avance les fonds nécessaires pour passer du texte au livre. Selon le pouvoir que lui confèrent cet argent et ce risque, mais aussi au nom de sa mission intellectuelle et de ses lecteurs, l'éditeur exerce en amont un contrôle sur la création : sélection des manuscrits et définition de collections. Sa décision est une première étape dans la publication, donc une première réception et une première reconnaissance pour l'auteur. La fabrication – qui comprend la préparation du manuscrit, le choix du format, des illustrations, des caractères et de la couverture, la correction d'épreuves – prolonge sur le plan matériel le jugement initial de la direction littéraire. La distribution comprend enfin toutes les démarches nécessaires au lancement de l'ouvrage sur la place publique : la publicité, les relations avec la critique et les médias, le choix d'un diffuseur et la vente.

L'édition représente donc un moment essentiel dans la constitution de l'identité littéraire d'un texte : elle décide de son existence publique, et fixe la forme sous laquelle il sera propagé, le format et le péritexte et le prix. L'édition fait donc partie des appareils de régulation et de contrôle des textes et des discours. Aussi, si elle participe activement aux débats d'une société et contribue à l'établissement d'un espace public de la lecture, son rôle n'exclut pas une certaine forme de manipulation au nom de la demande. Les comités de lecture ou la direction littéraire d'une entreprise d'édition jouent ainsi en amont un rôle de contrôleur de la production. On comprend donc qu'au fil de l'histoire, les pouvoirs désireux de contrôler les idées et la littérature aient fait porter leurs efforts sur le contrôle des éditeurs : privilèges et permission d'imprimer sous l'Ancien Régime, censure... Et lorsqu'il fait appel à l'expertise des pairs, auteurs, critiques et lecteurs professionnels, l'éditeur sollicite plutôt la logique de la sphère restreinte de la production littéraire, tandis que les maisons qui visent avant tout la large diffusion donnent le premier rang aux commerciaux. La division du champ littéraire moderne s'affirme là d'abord. On comprend aussi, dès lors, le rôle considérable joué dans la vie littéraire par des éditeurs qui ont accepté de prendre des risques (tel A. Poulet-Malassis éditant Baudelaire) et qui ont promu des tendances nouvelles (ainsi J. Lindon aux Éditions de Minuit, fondées lors de la Résistance) ou constitué les fonds majeurs de la littérature contemporaine (Gallimard). De tels éditeurs constituent des figures à part entière de la vie littéraire (même si, comme Gallimard refusant Proust, leur jugement peut être erroné – signe qu'il doit s'engager dans le risque).

L'avènement de l'édition électronique semble concourir à la rupture de la chaîne traditionnelle (l'auteur peut maintenant s'adresser directement à son lecteur) ; mais elle se trouve elle aussi confrontée à des problèmes qui ressemblent à ceux de l'industrie du livre (authentification du texte, gestion des droits d'auteur, financement de la diffusion et identification d'un public) mais aussi à une instabilité de la transmission électronique dont les protocoles évoluent constamment, une fragilité relative du support (la vie d'un cédérom ne dépasse pas dix ans). C'est pourquoi la mort du livre sur papier, souvent annoncée depuis une vingtaine d'années, n'aura sans doute pas lieu. Quantitativement la production éditoriale n'a jamais été aussi abondante qu'au tournant de l'an 2000. C'est dans la mesure où l'édition traditionnelle réussit à intégrer la révolution numérique dans ses propres pratiques, ce qu'elle a commencé à faire dès l'apparition des premiers ordinateurs commerciaux à la fin des années 1960, qu'elle réussit à se développer et qu'elle peut servir de modèle et d'exemple aux cyberéditeurs.

▶ BOUVAIST J.-M., *Pratiques et métiers de l'édition*, Paris, Cercle de la Librairie, 1991. — MOLLIER J.-Y., *L'argent et les lettres. Histoire du capitalisme d'édition, 1880-1920*, Paris, Fayard, 1988. — Coll. : *Histoire de l'édition française*, 4 vol., Roger Chartier, Henri-Jean Martin (dir.), Paris, Promodis, 1982-1986. — *Édition et pouvoir*, J. Michon (dir.), Québec, PUL, 1995. — « Édition, Éditeurs (1) », *Actes de la recherche en sciences sociales*, mars 1999, n°s 126-127.

Jacques MICHON

→ *Édition électronique ; Foires du livre ; Imprimerie ; Librairie ; Livre ; Marché littéraire ; Péritexte ; Public ; Publication ; Typographie.*

ÉDITION CRITIQUE → Philologie

ÉDITION ÉLECTRONIQUE

On appelle édition électronique un ensemble de procédés éditoriaux qui font entièrement ou partiellement l'économie du support papier en privilégiant des supports numériques (cédéroms, sites web, etc.) et le recours aux liaisons hypertextuelles. Cette modalité de l'édition est rendue possible grâce à l'utilisation étendue des ordinateurs personnels et à l'implantation de réseaux informatiques à grande échelle. Elle concerne autant la diffusion de textes anciens (éditions populaires aussi bien que scientifiques) que la création de textes spécialement écrits pour ou en fonction de ces nouvelles technologies.

La rapidité des innovations technologiques en cours rend illusoire toute présentation détaillée des supports électroniques. Tout au plus peut-on noter que l'évolution récente s'est déroulée en phases peu concertées. Dans un premier temps, se sont développés des moyens techniques puis des réseaux (internet, intranets et compatibilité interplateformes) qui ont été très rapidement suivis par des expérimentations en création littéraire, en particulier dans le monde anglo-saxon. Le domaine francophone s'est développé plus lentement (en France, J.-P. Balpe est un des pionniers d'une écriture électronique expérimentale). De nombreux supports coexistent (magnétique / optique, diffusion en ligne, diffusion à la carte ou papier sur demande), et d'autres sont sans doute appelés à se développer (livres électroniques pour télécharger des œuvres, petits ordinateurs pour lecture ; à plus long terme : papier électronique). Sur le plan éditorial, les démarches sont également diverses puisque l'on assiste autant à l'émergence de nouvelles maisons (pages web, ouvrages artisanaux) qu'à la publication d'ouvrages mixtes par des maisons implantées dans l'édition traditionnelle (papier et numérique en parallèle, papier comme une des deux sorties possibles, numérique seulement).

Distinguons deux plans dans l'édition électronique. Si elle se borne à privilégier un nouveau support, elle relève seulement de l'évolution des technologies, de l'internet et des nouveaux choix de l'édition traditionnelle. Si, au contraire, elle incite au développement de nouvelles manières de lire et de fabriquer une édition, voire d'écrire, elle ouvre de vastes chantiers. L'écriture interactive – écrire à plusieurs, à tour de rôle, reprendre et transformer un texte commencé par un autre... – fait de longue date partie des pratiques et jeux littéraires (ainsi les surréalistes faisaient-il usage du « cadavre exquis »), mais l'apport des nouvelles technologies électroniques peut engendrer des textes qui diffèrent infiniment selon leurs coproducteurs. En outre, du côté de la réception, un apport des plus prometteurs semble bien être la technique du lien hypertextuel, qui permet à l'utilisateur d'accéder, d'un simple clic, à une page ou à un document différents ou à un point quelconque du web. Cette technique permet de résoudre bien des contraintes économiques liées à la forme livre. Elle modifie les usages de publication et de discussion autour des œuvres (existent déjà de multiples forums). On peut ainsi imaginer que toutes les variantes d'un texte, voire le manuscrit même de l'auteur, des illustrations et tous les documents jugés utiles par un éditeur scientifiques soient joints, sur support électronique, à l'édition de base d'un texte. On pourrait ainsi présenter toute la genèse d'une œuvre. La présence de moteurs de recherche puissants ouvre au lecteur le choix d'une démarche linéaire ou tabulaire : c'est, potentiellement, la relation des œuvres de langage au temps et à l'espace qui s'en trouve modifiée. Des modifications des modes de lecture peuvent en résulter (la lecture au fil du texte est moins commode sur écran, mais en revanche, la consultation plus aisée). Des problèmes nouveaux de législation de la propriété littéraire et artistique surgissent, dus à la facilité de diffusion et de copie incontrôlées et à la possibilité de manipulation des textes sur les supports électroniques. Entre les avantages d'une circulation plus large et plus rapide et les risques induits, la balance oscille à ce jour et les débats sont nombreux. Les évolutions étant extrêmement rapides, les produits sont sans doute appelés à prendre des aspects nouveaux au fil des années.

▶ BALPE J.-P., « Écrit d'écran », chronique dans *Action poétique*. — OLIVER A., « Vers un nouveau paradigme de l'édition critique », in *Les à-côtés du siècle*, Premier colloque des Invalides, Tusson, Du Lérot, 1998, p. 99-106.

Paul ARON, René AUDET

→ *Auteur ; Bibliothèque ; Édition ; Internet ; Lecture, lecteur ; Variante.*

ÉGLOGUE → Bucolique

ÉGYPTE

La littérature égyptienne de langue française, née au XIXe s., a prospéré avec la présence française dans ce pays. Elle a connu son heure de gloire entre les deux guerres mondiales. Actuellement moins connue et moins prolifique, elle se maintient tout de même, le français continuant d'être utilisé principalement par les coptes (chrétiens catholiques), alors que les musulmans sont majoritairement passés à l'arabe.

Malgré l'établissement des Jésuites sur les terres d'Égypte au XVIIe s., la présence française ne s'affirme véritablement qu'à partir de l'expédition d'Égypte, menée par Napoléon Bonaparte de 1798 à 1801, qui apporte au pays un nouveau système administratif et un centre de recherches, l'Institut d'Égypte, et qui a le mérite d'introduire l'imprimerie, instrument capital de diffusion de la culture. La présence française est ensuite confortée par l'accession au pouvoir de Mohamed Ali Pacha (1805), qui demande à la France de guider l'Égypte dans sa progression vers la modernité, puis par l'exploit du déchiffrage des hiéroglyphes par Champollion (*Précis du système hiéroglyphique*, 1824). La France en retire un nouveau prestige auprès des Égyptiens. Des institutions chrétiennes francophones enseignantes sont créées ; le français devient la langue de l'armée et de l'industrie.

Une littérature égyptienne de langue française commence bientôt à éclore. Le premier écrivain égyptien, Joseph Agoub, signe des contes et des recueils de poésie romantique. Par la suite, la poésie égyptienne est tour à tour romantique, parnassienne, surréaliste... Ce n'est qu'après la Première Guerre mondiale que se développe une poésie nationale véritablement fidèle au terroir et aux réalités orientales. Vers la fin des années 1930, Georges Hénein (*Déraisons d'être*, 1938 ; *Le seuil interdit*, 1956) fonde au Caire un groupe surréaliste qui, bien vite, exerce sur l'ensemble de la littérature égyptienne une influence notoire. D'abord incompris par le public, les membres de cette école sont contraints de s'expatrier en Europe.

Du côté du roman s'illustre principalement Albert Cossery (*La maison de la mort certaine*, 1944) qui ancre ses écrits dans l'exploration de la misère : ses romans font visiter les quartiers pauvres des villes égyptiennes où survivent tant bien que mal les « intouchables ». Out el-Khouloub (*Harem*, 1938) et la Libanaise native d'Égypte Andrée Chedid (*Le sixième jour*, 1960) se démarquent également de brillante façon. Robert Solé (*Le tarbouche*, 1992 ; *Le sémaphore d'Alexandrie*, 1994) est sans doute l'auteur égyptien francophone le plus marquant de ces dernières années : comme les auteurs précédemment cités, il est publié à Paris.

Les romans de combat pour l'émancipation de la femme sont nombreux. Niya Salima, la première, a donné le ton avec son roman *Les répudiées* (1908) où elle dénonce la répudiation arbitraire de l'épouse par le mari. Andrée Chedid, avec *Les marches de sable* (1981) et Fawzia Assad, avec *L'Égyptienne* (1975), plaident également la cause de la femme égyptienne captive de coutumes ancestrales.

Le français est de moins en moins parlé en Égypte. Cela peut s'expliquer par la montée de l'anglais, qui a débuté lors de l'occupation de l'Égypte par l'Angleterre en 1882, et surtout par le rôle croissant de l'arabe depuis 1950 avec la nationalisation des écoles religieuses et les conflits politiques. Ensuite, il ne faut pas négliger la teinte péjorative attachée au français en raison de son caractère trop longtemps élitiste et lié à la religion chrétienne. La littérature égyptienne d'expression française poursuit son lent déclin depuis la Seconde Guerre mondiale : son avenir semble plutôt incertain, les quelques auteurs contemporains trouvant surtout leurs lecteurs – et leurs éditeurs – à Paris.

La presse seule conserve au français une place intéressante : trois quotidiens francophones et plusieurs émissions de radio en français. Les écrivains égyptiens sont dispersés à travers le monde. Il est à noter qu'ils ne sont pas tous natifs d'Égypte ; ce « métissage littéraire » est dû à la présence de plusieurs colonies orientales et européennes sur le territoire. On rattache ainsi à la littérature égyptienne des auteurs d'origines levantine, grecque ou arménienne : cette littérature se définit par le rapport au territoire et non à la nationalité.

▶ COMBE D., « Machrek (Syrie, Liban, Égypte) », *in* Bonn Ch. et Garnier X. (dir.), *Littérature francophone II. Récits courts, poésie, théâtre*, Paris, Hatier-AUPELF, 1999. — CORM G., *Le Moyen-Orient : un exposé pour comprendre, un essai pour réfléchir*, Paris, Flammarion, 1993. — LUTHI J.-J., *Introduction à la littérature d'expression française en Égypte*, Paris, Éd. de l'École, 1974.

Michel TÉTU, Anne-Marie BUSQUE

→ *Bilinguisme ; Centre et périphérie ; Francophonie ; Géographie littéraire ; Postcolonialisme.*

EKPHRASIS → Description ; Image ; Peinture

ÉLÉGIE

L'élégie est un poème court ou un chant de célébration suscité par la mort d'une personne. Dans la poésie grecque, le terme d'*elegia* désignait une pièce en vers aux sujets variés dont le caractère essentiel était d'être composée d'un hexamètre et d'un pentamètre (distique élégiaque). Le mot *elegos* faisait référence à une chanson triste souvent accompagnée de musique qui présentait les lamentations des héros confrontés à la mort. En latin, les poésies de Catulle, Properce, Tibulle fondent le genre de l'élégie romaine qui se caractérise par son ton de lamentation et l'unité de son inspiration autour des figures de l'amour idéal et de la nostalgie de l'âge d'or. Le sens moderne d'élégie reste celui d'un poème court ou d'un chant de célébration suscité par la mort d'une personne.

Vers le milieu du XIVe s., en Italie, Pétrarque redécouvre la tradition des élégiaques latins et lance un nouveau genre d'élégies néo-latines tournées vers la plainte et la méditation des tourments amoureux. En France, à la Renaissance, la poésie élégiaque développe quant à elle la thématique amoureuse et plaintive dans un cadre pastoral (Ronsard, *Élégies, mascarades et bergeries*, 1565). Par la suite, les thèmes de l'amour et de la mort remplacent progressivement les motifs pastoraux (Boileau, *Art poétique*, 1674). Un glissement identique se produit en Angleterre (J. Milton, *Lycidas*, 1637). Au XVIIIe s., l'élégie devient une poésie en rimes plates et alexandrins à l'inspiration mélancolique et tendre. Les *Élégies antiques* (1794) d'André Chénier sont assez représentatives de cette tendance qui amène l'élégie à se confondre avec d'autres expressions du sentiment amoureux pour rejoindre finalement la tradition lyrique et sentimentale. Le genre des méditations continue la tradition élégiaque (A. de Lamartine, 1820) ainsi que celui des *complaintes* très souvent perçues comme une version populaire et naïve de l'élégie (J. Laforgue, *Les complaintes*, 1885). La déploration élégiaque reste constante dans la poésie moderne (par exemple M. Deguy), notamment dans la chanson (L. Ferré).

Fidèle à la tradition antique, Schiller conçoit l'élégie comme un genre de poésie sentimentale qui chante l'idéal d'une nature humaine dans sa plus parfaite représentation. C'est en effet dans l'union de la poésie sentimentale et du chant de célébration, que réside la spécificité du genre élégiaque. L'élégie « transcende la réalité limitée du monde pour s'élever dans la sphère des idées, vers la grandeur infinie du cosmos » (F. Schiller, *Poésie naïve et poésie sentimentale*, 1888). Mais si elle quitte la réalité, c'est pour mieux cerner l'idéal et clamer sa nostalgie de la vie primitive, de la belle nature, qui contrastent avec une humanité pervertie par la civilisation et l'artifice. Et si l'élégie oppose la nature à l'art, la beauté à la réalité, c'est pour inciter les hommes à l'harmonie et ennoblir l'humanité – non pour réformer le réel, ce qui est la fonction première de la satire. Tournée vers la méditation du passé, l'élégie a évolué vers la plainte et la déploration (C. Marot, *Élégie pour Louise de Savoie*, 1531), aux regrets (J. du Bellay, *Les regrets*, 1558), ou l'oraison funèbre (J. Milton, *Lycidas*, 1637). Mais, dans le genre des regrets, « le poète ne chante pas, il ne fait que pleurer ses ennuis », il lui manque cette incantation, cette célébration, ce chant qui prédomine dans l'élégie.

L'élégie peut célébrer les vertus et beautés au risque de les idéaliser. Elle peut ainsi intégrer une thématique religieuse ou sociale comme le feraient les genres de l'ode ou du panégyrique. Les *Élégies aux nymphes de Vaux* (J. de La Fontaine, 1662) évoquent les splendeurs du château de Vaux en déplorant la chute du propriétaire et protecteur de l'auteur, le surintendant Fouquet.

Le registre élégiaque, registre de la déploration, a donc intégré différents modes de célébration de l'idéal, de l'idéalité et de la pensée cosmique. Il n'est cependant pas une pure abstraction limitant son espace imaginatif à la seule sphère des idées abstraites comme le ferait l'idylle. L'élégie célèbre le manque, chante la beauté avec mélancolie et regrets, tournée vers un passé qu'elle idéalise avec l'espoir de pouvoir le ressusciter.

▶ BLOOMFIELD M.-W., « The Elegiac mode and elegy », in *Renaissance genres : essays on theory, history and interpretation*, Lewalski B. K.(éd.), Cambridge Mass., Harvard U. P., 1986. — CLARK J.-E., *The Fortune of a classical genre in the XVIth c. France*, 1975. — POTEZ H., *L'élégie en France avant le Romantisme, 1778-1820*, Paris, Calmann-Lévy, 1898.

Aline LOICQ

→ *Complainte ; Lyrisme ; Méditation ; Ode ; Pastorale ; Poésie ; Registres ; Satire.*

ÉLOGE → Épidictique ; Paradoxe

ÉLOQUENCE

L'éloquence désigne une part de la production textuelle, celle qui relève de l'art oratoire. C'est en ce sens qu'on dit que les Belles-Lettres comprennent l'éloquence, l'histoire et la poésie. Alors elle rejoint la rhétorique. Mais le mot désigne aussi une qualité, ce qui fait un discours ou un orateur persuasif. Parfois considérée comme un don naturel, l'éloquence est aussi désignée par les théoriciens antiques (Cicéron, Quintilien) comme le résultat de la mise en œuvre des règles de la rhétorique. L'éloquence vise, selon les théoriciens classiques de la rhétorique, à la fois à convaincre en emportant l'adhésion de l'esprit par l'argumentation du discours et à persuader en emportant l'adhésion du cœur par la manifestation du caractère moral de l'orateur (l'*éthos*) et le maniement des passions de l'auditoire (le *pathos*). Au sein du discours, la persuasion est soutenue par l'*elocutio* (le style) et par l'*actio* (la performance oratoire). La persuasion n'a pas pour objet le vrai ou l'impossible, car les choses nécessaires ou impossibles s'imposent d'elles-mêmes dans leur être ou dans leur non-être, mais seulement le vraisemblable : l'éloquence est donc l'effort pour proposer un système de croyance apte à susciter l'accord d'un destinataire. Elle participe de l'espace de la littérature, en elle-même mais aussi par la forte influence qu'elle a exercée et exerce sur diverses sortes de textes.

L'éloquence apparaît au Vᵉ s. avant J.-C. à Syracuse à la suite des confiscations de biens pratiquées par les tyrans Gelon et Hiéron. Leur pouvoir renversé, des procès sont organisés pour la restitution des propriétés devant de grands jurys populaires qui nécessitent pour chacun de se montrer persuasif. L'éloquence a donc une origine judiciaire. Rapidement, elle se constitue en objet d'enseignement soumise à un ensemble de règles, et gagne Athènes où elle prospère dans les assemblées sous forme politique et sous forme d'apparat dans les écoles des sophistes. Aristote, qui le premier théorise l'éloquence dans sa *Rhétorique*, distingue ainsi trois types d'éloquence : politique, judiciaire et épidictique (pour l'éloge). À Rome, sous la République, Cicéron assigne à l'éloquence une fonction civique et en fait un principe de vertu et de savoir. Cependant, l'avènement de la Seconde Sophistique aux IIᵉ-IIIᵉ s., en amenant le triomphe de la parole d'éloge, provoque une rupture entre éloquence, morale et philosophie.

Sous l'influence du Christianisme, l'éloquence trouve une nouvelle voie dans la prédication, initiée par l'activité des apôtres, mais surtout vivace au IVᵉ s. Se développe alors une éloquence sacrée qui se définit comme l'écho de la parole divine et répond à un idéal de simplicité. Saint Augustin (*De Doctrina christiana*) pose les bases d'une éloquence du cœur, moins portée par la rhétorique que par la générosité et la grandeur d'âme, qui correspond au sublime. Les ordres prêcheurs créés par saint François et saint Dominique au XIIIᵉ s. poursuivent cette tradition de la prédication chrétienne et promeuvent une éloquence du cœur, dépouillée et familière. Mais celle-ci se dégrade à la fin du Moyen Âge par le recours au trivial utilisé pour réveiller la foi de l'auditoire. Pour le Moyen Âge, en dehors du domaine religieux, on sait peu de choses sur la gestuelle oratoire des plaidoyers, et l'éloquence politique est quasiment inexistante, mis à part les États généraux de Tours au XVᵉ s., occasion de délibérations et de joutes oratoires. Les troubles des guerres de religion modifient cette configuration. La Ligue suscite l'ambition d'une éloquence délibérative digne de celle du forum. Parallèlement, le débat politique se poursuit dans la chaire, transformant le sermon en harangue : les conciles réitèrent des tentatives pour discipliner l'éloquence sacrée. Que ce soit en chaire, à la tribune, dans les universités ou au barreau, l'éloquence de la Renaissance, en effet, est marquée par un goût de l'érudition. Elle se réduit souvent à une exhibition de citations et de subtilités scolastiques (dont Rabelais se moque en les parodiant). Les mesures du concile de Trente (1542-1563) préconisaient une prédication simple et humble, étrangère aux débats politiques : elles trouvent leur écho au XVIIᵉ s. dans la « petite méthode » préconisée par saint Vincent de Paul ou dans l'action de saint François de Sales. L'orateur sacré est désormais incité à adopter un ton moyen et à se soumettre à une rhétorique de la prédication où l'art oratoire ne détourne plus le discours religieux de sa vocation édificatrice au profit du plaisir esthétique. Bossuet mélange ce dépouillement et la véhémence oratoire. La seconde moitié du XVIIᵉ s. est la grande époque de l'éloquence sacrée, où le corps et la voix s'allient à l'art rhétorique et au style. L'éloquence politique, perçue comme une force de sédition, y est tenue pour dangereuse par l'absolutisme qui travaille à réduire le droit de remontrance du Parlement. Les harangues royales tiennent lieu d'éloquence politique et la dénonciation des misères et inégalités est abandonnée à la chaire. Le barreau est lieu d'éloquence dans les plaidoiries d'Olivier Patru ou d'Antoine Lemaistre (appréciées et éditées), mais l'art oratoire judiciaire est souvent dénoncé pour son pédantisme (dans *Les Plaideurs* de Racine, par exemple). S'établit alors l'idée que la véritable éloquence – qui suscite l'adhésion parce que l'orateur est sincère – « se moque de l'éloquence » – des procédés rhétoriques, idée chère à Pascal notamment, dont les *Pensées* sont aussi œuvre de conviction et persuasion. Reste que l'éloquence est alors une part constitutive des Belles-Lettres, avec l'histoire et la poésie. Celles-ci sont souvent elles-mêmes sollicitées d'être aussi « éloquentes » : par l'insertion de discours dans le récit historique, par le didactique et par l'engagement en poésie – ainsi des *Tragiques* de d'Aubigné par exemple, par les tirades au théâtre...

Au XVIIIᵉ s., la plaidoirie se débarrasse de l'érudition et l'art de l'improvisation, permettant de tirer profit des accidents du procès en faveur du client, se développe. L'éloquence sacrée après avoir rencontré un vif succès à travers les prêches de Fénelon ou de Massillon, se dégrade en prédication mondaine avant de tomber en décadence avec la Révolution. La fin du siècle est une grande période de l'éloquence politique : la Révolution donne lieu à de grands débats oratoires dans les assemblées, tandis que dans les clubs se développe l'éloquence des tribuns parlant au peuple.

Au XIXᵉ s., pour restaurer la foi, l'éloquence religieuse se dépouille de l'emphase et adopte avec succès la forme de la conférence, pour les actions relevant de la pédagogie et de l'apologétique, succès qui se maintient jusqu'au début du XXᵉ s. En même temps, la poésie romantique est volontiers éloquente dans les débats d'idées, tant politiques (par exemple Hugo, *Les châtiments*) qu'éthiques (par exemple Vigny, *La mort du loup*) ; la poésie engagée du XXe s. prolonge ensuite cette veine, par exemple dans la poésie de la résistance. Mais les XIXe et XXe s. sont avant tout les héritiers de l'éloquence politique révolutionnaire. Moins passionnés qu'à la Convention, à la Constituante ou à la Législative, les débats se perpétuent néanmoins à la Chambre des députés, avant de s'épanouir pleinement sous la IIIe République. Nombre de parlementaires sont avocats de formation. D'autre part, la rhétorique fait partie intégrante de l'enseignement des humanités, et le discours français devient alors un exercice usuel. En revanche, l'influence nouvelle de la presse et de l'opinion publique, en faisant peser sur elle de nouvelles exigences d'efficacité et de rapidité, réduit la part de l'art oratoire dans la plaidoirie, laquelle n'est plus aujourd'hui l'élément essentiel de la profession d'avocat. De la même façon, le Parlement joue un rôle amoindri dans la politique qui ne repose plus tant sur la persuasion à la tribune que sur l'information à la télévision. L'éloquence ne subsiste plus aujourd'hui que sous une forme ritualisée dans les discours de réception à l'Académie française et les colloques universitaires, en héritière de l'éloquence académique apparue à l'âge classique et de l'éloquence universitaire suscitée au XIXe s. par l'essor de l'enseignement supérieur.

L'éloquence entretient avec la littérature une double relation. Elle est le domaine de toute une part de la production littéraire (par exemple Cicéron pour l'Antiquité, Bossuet pour la France, mais aussi la poésie d'idées, les essais...). Même si celle-ci est moins à la mode aujourd'hui dans les études universitaires, le fait que l'éloquence est partie prenante de la *res literaria* ne peut être évacué. Mais elle est aussi, pendant longtemps, un modèle essentiel. Jusqu'au XIXe s., l'École enseigne les orateurs autant ou plus que les poètes ; les exercices de discours y ont une place majeure. Les Jésuites avaient même instauré dans leurs collèges des « académies » où les meilleurs élèves débattaient. Aussi les modèles d'éloquence irriguaient nombre de pratiques textuelles (le phrasé théâtral par exemple) et sociales (la conversation, et ses genres connexes comme le dialogue). L'art de parler faisait partie de la culture de l'honnête homme, jusqu'à sa forme paradoxale de l'art de se taire de façon parlante (le « silence éloquent »).

Mais l'éloquence a perdu du terrain en littérature, avec l'Art pour l'Art ; Verlaine donne ainsi en mot d'ordre dans son *Art poétique :* « Prends l'éloquence et tords-lui son cou ». Elle en a perdu aussi à l'école, au profit de l'écrit, en même temps qu'elle en a perdu dans la vie publique. Diminution d'autant plus paradoxale que les nouvelles technologies permettent de toucher un public d'une ampleur inégalée jusqu'alors et que l'extension du rôle des médias et de la publicité témoigne de la pertinence encore actuelle des notions de persuasion et de public. Il faut donc peut-être moins s'interroger sur la disparition de l'éloquence que sur sa transformation et son transfert éventuel à de nouvelles formes et de nouveaux supports. Ainsi la persuasion serait-elle portée aujourd'hui davantage par la vue que par la voix et l'on assisterait à un décentrement de ses lieux traditionnels de la parole vers les médias. La question qui se pose est alors de savoir si une nouvelle éloquence peut s'inventer, dans laquelle l'orateur ne serait pas en présence directe de son auditoire.

▶ BERTRAND D., *Parler pour convaincre*, Paris, Gallimard, 1999. — BREDIN J.-D., LEVY T., *Convaincre. Dialogue sur l'éloquence*, Paris, Odile Jacob, 1997. — FUMAROLI M., *L'Age de l'éloquence*, Paris, Albin Michel, [1980], 1994 ; (dir.), *Histoire de la rhétorique dans l'Europe moderne*, Paris, PUF, 1999. — STAROBINSKI J., « La chaire, la tribune, le barreau », in *Lieux de mémoire, La Nation III*, sous la direction de P. Nora, Paris, Gallimard, 1986. — ZOBERMAN P., *Les cérémonies de la parole. L'éloquence d'apparat en France dans le dernier quart du XVIIe siècle*, Paris, Champion, 1998.

Claire CAZANAVE

→ *Adhésion ; Argumentation ; Belles-Lettres ; Corps ; Discours ; Engagement ; Épidictique ; Éthos ; Orateurs ; Rhétorique ; Sublime.*

EMBLÈME

Le mot « emblème » désignait, chez les Grecs, un genre d'épigrammes accompagnant une gravure et qui servaient à la délectation de l'œil en même temps qu'à l'instruction. Il désigne en français une image, une illustration ou une représentation symbolique associée à la sentence en vers ou en prose qui en exprime le sens.

Dans l'éloquence antique, l'emblème était un genre principalement destiné à un public restreint de lettrés. En 1531, Andrea Alciati propose de recréer un nouveau genre d'épigramme latine en illustrant des vers déjà descriptifs par des représentations symboliques (*Emblematum liber, 1531*). L'emblème triple, alliant le titre (*inscriptio*), l'image (*pictura*) et la légende finale (*subscriptio*), devait représenter les trois pouvoirs traditionnellement accordés à l'éloquence, celui de plaire par les formes évocatrices du *decorum*, celui d'enseigner une moralité par le biais des adages, proverbes ou sentences en vers, et enfin celui de convaincre par l'union des images et du texte. La structure même de l'emblème suivait les divisions traditionnelles du discours : le titre captait l'attention du lecteur, l'image illustrait le titre, le proverbe fournissait la conclusion morale. Les humanistes reconnaissaient ainsi au genre de l'emblème des qualités analogues à celles de l'adage, en particulier par la force de persuasion, l'élégance et la concision du style (Erasmus, *Adagia*, 1540). Le premier succès de l'emblème était donc corollaire de celui de la rhétorique persuasive. L'image a bénéficié ensuite d'une attention croissante dans l'emblème. D'abord à cause de l'élargissement du cercle des lecteurs à un public d'amateurs, qui exigeait que l'on accentue le rôle de l'image afin de faciliter le décodage de la devise. Ensuite par le développement de la philosophie néo-platonicienne et des techniques de la *pictura poesis* (Barthélémy Aneau, *Picta poesis ut pictura poesis erit*, 1552). L'emblème était la réalisation visible de l'idéal néo-platonicien : la poésie se faisait image et l'image était une évocation de l'esprit poétique, dans une parfaite analogie des arts du langage et des arts plastiques. L'usage de formules énigmatiques nécessita toujours davantage le recours à l'image tandis que la devise se limitait de plus en plus à remplir la fonction de commentaire explicatif. Au XVIIe s., l'emblème devient « la peinture d'une histoire, d'une fable ou d'autre chose ingénieusement inventée et ce afin d'en tirer quelques avis moraux, politiques ou philosophiques » (Adrian d'Ambroise, *Discours ou traicté des devises*, 1620). Les *Fables* de la Fontaine en sont très influencées, et ses *Amours de Psyché* (1669) seraient même (Donné, 1995) une transposition des illustrations qui abondent au sein des recueils d'emblèmes de la Renaissance (Jean Martin, *L'hypnerotomachie*, 1546). L'emblème est ensuite tombé en désuétude, mais a été repris et transformé au XXe s.

L'étude de l'emblème pose le problème plus général du statut de l'image par rapport au texte. On peut considérer l'emblème comme une illustration dont le rôle serait de renforcer l'adhésion à une règle connue ou admise, en fournissant des cas particuliers qui éclairent l'énoncé général verbal. Cela expliquerait pourquoi les genres de la fable et de la satire ont spécialement eu recours à l'emblème pour illustrer leurs devises morales. Le premier rôle de l'emblème-illustration est de frapper l'imagination pour mieux convaincre. Il ne cherche pas nécessairement à clarifier l'énoncé mais à le rendre présent à la conscience. L'illustration amplifie l'émotion mais ne l'explique pas. Elle peut être, en conséquence, surprenante, inattendue, insolite, sans lien réel avec l'énoncé qu'elle rapporte. Mais l'emblème est souvent plus qu'une simple illustration en ce qu'il possède une valeur interprétative intrinsèque. Il peut devenir une représentation symbolique. Sa spécificité réside alors dans la description qui est un attribut mixte de la poésie, de la rhétorique démonstrative et de la peinture. L'emblème manifeste pleinement leur mixité, érigée en qualité esthétique propre, sorte d'art total en un objet miniature. Il constitue une figure essentielle de l'art de résumer et frapper l'esprit à la fois.

▶ CRESCENZO R., *Peintures d'instruction. La postérité littéraire des Images de Philostrate en France, de Blaise de Vigenère à l'époque classique*, Genève, Droz, 1999. — DALY P.-M., *Literature in the light of the emblem*, Toronto, Toronto Univ. Press, 1979. — DONNÉ B., *La fontaine et la poétique du songe : récit, rêverie et allégorie, dans les Amours de Psyché*, Paris, Champion, 1995. — *L'Emblème à la Renaissance*, Paris, CDU-Sedes, 1982. — JONES M.-T. (éd.), *Emblèmes et devises au temps de la Renaissance*, Paris, J. Touzot, 1981.

Aline LOICQ

→ *Correspondance des arts ; Espace ; Formes brèves et sententiales ; Illustration ; Image ; Peinture ; Proverbe ; Symbole.*

ÉMOTION → Affects ; Esthétique ; Passions ; Registres

ENCOMIASTIQUE → Épidictique

ENCYCLOPÉDIE

« Encyclopédie » désigne un ouvrage qui s'offre comme voie d'accès, à travers une présentation raisonnée et une fragmentation en articles, à la connaissance fondamentale, totale ou partielle, de domaines de l'activité humaine et de la nature. L'encyclopédie se caractérise par sa dimension figurative et explicative (portraits, images illustrant certains termes spécifiques ou techniques). Instrument semi-scientifique, elle constitue une « entrée en matières » qui dispense le demandeur d'informations de lectures préalables.

En sémiotique, le terme d'« encyclopédie » désigne, en un sens dérivé, le bagage culturel d'un individu ou d'une société, c'est-à-dire les catégories de pensée, les codes cognitifs, génériques, affectifs, etc., selon lesquels nous percevons le réel et qui jouent un rôle déterminant dans notre interprétation de l'univers, textuel et extra-textuel.

À l'origine, chez les Anciens, l'expression hellénistique *enkuklios paideia* (littéralement « éducation en circulation », c'est-à-dire « courante ») désigne simplement la « culture générale » communément reçue par l'honnête homme antique. Le terme *encyclopédie*, repensé en fonction d'une étymologie remontant à *kuklos*, « cercle », apparaît au XVIe s. pour désigner un savoir universel (en anglais : Elyot : 1531 ; en français : Rabelais, *Pantagruel*, XX, 1532).

On peut retrouver les origines lointaines du projet encyclopédique dans l'Antiquité, où s'élaborent, dans le cadre des « arts » (matières scientifiques), d'abord fixés à neuf, puis réduits à sept, des exposés systématiques sur la connaissance de l'univers. Mentionnons les œuvres de Varron (*Antiquités, Disciplines*, ca. 50 avant J.-C.), de Pline l'Ancien (*Histoire Naturelle*, Ier s. après J.-C.) et de Martianus Capella (*Noces de Philologie et Mercure*, Ve s. : présentation allégorique des sept arts libéraux). À l'époque chrétienne, la certitude qu'un apprentissage exhaustif des connaissances et leur inclusion dans un ouvrage totalisant sont réalisables est rattachée à la démarche d'interprétation des Écritures. Celles-ci passent pour contenir toutes les clés nécessaires à l'entendement humain du monde ; il ne reste qu'à mettre au jour ces clés. Tel sera le projet d'Augustin (*De la doctrine chrétienne*, 396-426) et de Cassiodore (VIe s.). De là naît une tradition encyclopédique médiévale qui se déploie notamment dans les divers bestiaires et qui connaîtra son apogée au XIIIe s. (*Bestiaire*, de Philippe de Thaon, XIIe s. ; *Bestiaire d'Amours* de Richard de Fournival, XIIIe s.). La révolution copernicienne du rapport de l'homme au monde, à la Renaissance, ainsi que l'émergence de la réflexion sur les dictionnaires « de choses » et historiques, donneront à l'encyclopédie la configuration moderne qu'on lui connaît encore aujourd'hui, et qui est celle de l'ouvrage de Diderot et d'Alembert, *L'encyclopédie ou Dictionnaire raisonné des sciences, des arts et des métiers* (1751-1772).

Initialement conçu, en février 1745, comme la traduction de la *Cyclopaedia or Universal Dictionary of the Arts and Sciences* d'Ephraïm Chambers (1728), le projet de l'*Encyclopédie* ne sera confié officiellement que le 16 octobre 1747 à Jean d'Alembert (membre de l'Académie des Sciences) et à Diderot (auparavant engagé comme traducteur de l'ouvrage anglais), après bien des querelles entre traducteurs, directeurs et le libraire juré Le Breton. Les lacunes de Chambers ainsi que leur ambition propre conduisirent Diderot et d'Alembert à élargir la conception de l'ouvrage, dont la dette envers l'encyclopédie anglaise reste cependant indéniable. Toute l'histoire de la publication de l'*Encyclopédie* (1751-1765) est marquée par des interruptions et des interdictions : c'est que le projet, dès ses débuts, entre en conflit idéologique avec les autorités politiques (la Royauté) et religieuses (la Compagnie de Jésus). Les Jésuites avaient notamment publié le *Dictionnaire universel français et latin*, dit *de Trévoux* (1704-1765), auquel *L'Encyclopédie* paraissait faire concurrence. La publication des deux premiers volumes (1751-1752) fut aussitôt critiquée en raison des tendances matérialistes de certains articles. Des restrictions furent imposées, et les rédacteurs des volumes suivants durent surveiller rigoureusement leur formulation. Lorsqu'en 1759 sept volumes eurent été publiés, le privilège royal fut révoqué, et il fallut l'intervention privée d'une fraction de la Cour pour que le projet puisse s'achever en 1765, avec la publication des volumes VIII à XVII, et avec les 11 volumes de planches de 1762 à 1772. *L'Encyclopédie* constitue ainsi un parfait exemple des ruses mises en œuvre pour déjouer les autorités et traiter en biaisant des sujets interdits. On aurait cependant tort de voir dans l'*Encyclopédie* un projet intrinsèquement révolutionnaire : la controverse qu'elle provoque résulte des effets politiques indirectement impliqués dans son projet. Son but était avant tout d'émanciper les esprits par la connaissance. Ce dernier aspect est souligné dans le prospectus de 1750, stipulant que tous les articles devaient être accessibles « de manière qu'on n'en suppose aucune connaissance préliminaire [...] que les articles s'expliquent les uns par les autres ; et que par conséquent la difficulté de la nomenclature n'embarrasse nulle part. » En effet, *l'Encyclopédie* est non seulement un instrument de divulgation des découvertes de la science, mais aussi une entreprise d'affranchissement des esprits subjugués jusqu'alors par les dogmes politico-religieux. Par la catégorisation du savoir et par l'indication des rapports à établir à travers un ingénieux système de renvois, le maniement de *l'Encyclopédie* suppose une maîtrise heuristique qu'idéalement l'homme peut mettre en œuvre dans sa propre conceptualisation de l'univers, suivant le principe d'ordonnancement de la connaissance selon les trois facultés de la mémoire, de l'imagination et de la raison. S'inspirant du sensualisme de Locke, l'*Encyclopédie* va renverser la thèse cartésienne des idées innées et défendre une pensée fonctionnelle et instrumentale : on ne connaît que ce qu'on sait utiliser. Aussi l'enjeu réel du débat avec les autorités ecclésiastiques et politiques concerne-t-il autant le ton hardi de certains articles que la conception du fonctionnement de l'esprit qui y est véhiculée. En effet, la réflexion qui sous-tend l'*Encyclopédie* suppose des implications idéologiques importantes : la croyance en la possibilité même du *progrès* de la raison (ce qui mènera, au XIXe s., au positivisme comme marche en avant vers la vérité démocratique ultime), et la croyance en un bénéfice intellectuel et éthique qui résulterait de cette expansion du savoir. En effet, en inversant les termes du rapport savoir – pouvoir, l'Encyclopédie en modifie aussi le contenu : plus de savoir dicté par une autorité à laquelle on se soumet, mais un savoir conquis par l'individu qui recouvre le pouvoir d'agir et de penser librement.

Le désir de réaliser la somme du savoir par la mise en relation des disciplines survivra à l'*Encyclopédie*, dont les imperfections vont inspirer à l'éditeur Panckoucke l'entreprise de *L'Encyclopédie méthodique, ou par ordre de matières*, qui doit corriger les erreurs de l'ouvrage de Diderot et d'Alembert et dont la présentation est thématique, en 26 domaines (qui, en réalité, reprennent chacun le rangement alphabétique). Entre 1782 et 1832, il en paraît 157 volumes et 53 volumes de planches. La tradition encyclopédique se prolonge au XIXe en rapport avec l'idéologie positiviste dans *La Grande Encyclopédie* (1885-1902) ou dans la *Revue encyclopé-*

dique Larousse (1891-1900) ; une dimension identitaire préside par ailleurs à l'édition d'Encyclopédies nationales (not. en Espagne, en Italie ou au Portugal). De grandes entreprises commerciales comme l'*Encyclopaedia universalis* ou l'*Encyclopedia Britannica* (première édition à Edimbourg, 1768-1771), qui ont des prolongements informatisés et multimédias au XXe s. montrent que le concept reste vivant.

À l'inverse du dictionnaire de langue, le discours de l'encyclopédie n'est en général pas métalinguistique ou définitionnel, mais descriptif : il se sert des mots pour classer et présenter les catégories de l'expérience. Et là où le dictionnaire doit couvrir tout le vocabulaire, l'encyclopédie choisit et hiérarchise. Cependant, dans ce choix, toute encyclopédie trahit les préoccupations idéologiques, commerciales, politiques et éditoriales dont elle relève. C'est ainsi que l'encyclopédie est aussi une fenêtre sur la configuration intellectuelle et socioculturelle d'une époque. Étudiée sous cet angle, elle peut permettre d'affiner l'analyse du rapport des mondes imaginaires, construits par l'écrivain, aux modes de pensée de son temps.

Le projet encyclopédique se heurte au paradoxe, relevé par B. Didier, qu'est l'organisation rationnelle de la connaissance à travers un système de classement alphabétique. On saisit alors toute l'importance du système des renvois comme remède à l'inconvénient que présente cette organisation non motivée du savoir. B. Didier s'interroge sur le succès de la formule alphabétique (on assiste à une prolifération des dictionnaires au XVIIIe s.), qui s'explique certes par son avantage pratique indéniable, mais aussi parce que la fragmentation du discours permet de déjouer la censure.

Le genre encyclopédique s'est immiscé d'autre part dans nombre d'ouvrages littéraires : on le trouve parfois intégré dans la trame narrative – du *Gargantua* de Rabelais (1534) à *Le nom de la rose* d'U. Eco (1980), en passant par *Bouvard et Pécuchet* (1880-1881) de Flaubert ou *La nausée* (1938) de Sartre, par exemple –, ou bien il agit sur la forme : chez Borgès (*Fictions*, 1935-1944) et Perec (*La vie mode d'emploi : romans*, 1978) l'inventaire encyclopédique et bibliographique devient une figure de style littéraire. Le projet du « sanctuaire des connaissances » fait ainsi naître la question de la typologie de ses exploitations littéraires et des effets qu'elles entraînent sur les procédés de la fictionalisation.

▶ BECQ A., *L'encyclopédisme*, Paris, Aux Amateurs de livres, 1991. — DARNTON R., *L'aventure de l'Encyclopédie 1775-1800. Un best-seller au siècle des Lumières*, Paris, Perrin, 1982. — DIDIER B., *Alphabet et Raison. Le paradoxe des dictionnaires au XVIIIe siècle*, Paris, PUF, 1996. — KAFKER F. A. (éd.), « Notable Encyclopedias of the Seventeenth and Eighteenth Centuries : Nine Predecessors of the Encyclopédie », in *Studies on Voltaire* 194, Oxford, 1981 ; « Notable Encyclopedias of the late Eighteenth Century : Eleven Successors of the Encyclopédie », in *Studies on Voltaire*, 315, Oxford, 1994.

Lieven TACK

→ *Bestiaires ; Bibliothèque ; Cognitif, connaissance ; Dictionnaire ; Didactique ; Érudition ; Humanisme ; Inventaire ; Lumières ; Utilité ; Vocabulaire.*

ENFANCE ET JEUNESSE

C'est en raison du public auquel elle est destinée que se définit la littérature d'enfance et jeunesse. Écrite à l'intention des jeunes, elle s'adresse à un lectorat dont l'âge maximal est d'environ quinze ans, ce qui exclut du corpus les œuvres qui, bien que pouvant plaire au jeune public, sont plutôt produites pour les adultes.

Il s'agit d'une catégorie relativement moderne dont le développement est en large partie lié à l'évolution de la notion d'enfance, à la reconnaissance sociale de cette classe ainsi qu'aux mesures politiques prises en sa faveur, notamment celles issues des projets éducationnels initiés par les classes bourgeoises et réalisées à travers l'extension et la démocratisation de l'enseignement au XIXe s.

En tant que phénomène culturel de pratique étendue, la littérature pour enfants a des origines communes à celles de la littérature populaire ; les premières pages lues par les enfants des classes moins lettrées furent souvent les premières lues dans la famille, l'enfant représentant la première génération à savoir lire. Tenant aux livrets de colportage, à la « Bibliothèque bleue » et aux feuilletons, tenant aussi à l'oralité, au folklore des contes, des chansons et des fables (qui représentent les premières structures narratives à être apprises par l'enfant), cette littérature, amplement illustrée, n'est pas distincte du corpus général.

Au XVIIe s., l'enfant n'était encore qu'un « adulte en miniature » et c'est dans le corpus littéraire général que l'on puisait d'ordinaire les œuvres vouées à son éducation. Littérature d'édification, à consonance généralement religieuse et vertueuse, contes moraux et philosophiques, hagiographies et célébrations de la famille et des nations modèles, textes choisis ou commandés par les précepteurs pour les esprits en formation (tels le *Télémaque* de Fénelon, 1699, et les *Fables* de La Fontaine, 1668-1693, destinés au jeune duc de Bourgogne), auront ainsi constitué la trame initiale des lectures enfantines et les premières formes associées à la littérature pour la jeunesse, longtemps restée le privilège d'une élite et considérée comme support moins austères à l'éducation morale.

C'est au XIXe s. que se constitue la littérature d'enfance et de jeunesse telle qu'on la connaît aujourd'hui. Son apparition correspond aux progrès de l'instruction et de l'imprimé mais également au processus de spécialisation que connaît alors le champ littéraire. À la même époque se multiplient les magazines et les collections consacrés à cette littérature et se développent les séries romanesques d'aventures et de mœurs (dont la « Bibliothèque Rose » et les cycles de la Comtesse de Ségur et de J. Verne). La littérature pour la jeunesse, devenue ainsi plus ludique, leur devra non seulement ses premiers véritables succès, mais aussi la fidélité de ses lecteurs et l'accroissement de leur nombre.

Au XXe s., la littérature pour la jeunesse devient un domaine particulièrement lucratif avec ses écrivains et illustrateurs vedettes, ses produits dérivés, ses clubs de lecture et d'animation qui récompensent les jeunes lecteurs et établissent des listes du type best-sellers, assurant ainsi à plusieurs maisons d'édition une bonne part de leurs profits au point que certaines d'entre elles vont se consacrer exclusivement à ce type de littérature. En plein essor éditorial, la littérature pour la jeunesse gagne en notoriété grâce à l'apparition, au début des années 1970, de centres de recherche, de sociétés et de conseils du livre pour enfants qui en font la promotion dans les bibliothèques et librairies. En outre, des cours sur la littérature jeunesse font maintenant partie du cursus universitaire des futurs maîtres qui seront chargés d'éveiller l'enfant à la lecture. Ces diverses formes d'inscription institutionnelle, alléguant une contribution au développement de toute la littérature, témoignent de la vitalité et de l'importance culturelle de cette production sectorisée.

▶ CARADEC F., *Histoire de la littérature enfantine*, Paris, Albin Michel, 1977. — ESCARPIT D., *La littérature d'enfance et de jeunesse en Europe : panorama historique*, Paris, PUF, 1981. — JAN I., *La littérature enfantine*, Paris, les Éditions ouvrières, 1984 — MADORE É., *La Littérature pour la jeunesse au Québec*, Montréal, Boréal (Boréal Express), 1994.

Annie CANTIN

→ *Conte ; Didactique (Littérature) ; Populaire (Littérature) ; Public ; Utilité.*

ENGAGÉE (Littérature)

Au sens strict, la littérature engagée désigne la doctrine défendue à partir de 1945 par l'équipe des *Temps Modernes*, notamment Simone de Beauvoir et Jean-Paul Sartre, qui l'a théorisée dans « Qu'est-ce que la littérature ? » (*Situations, II*, 1948). Elle postule que l'écrivain participe pleinement au monde social et doit par conséquent intervenir, par ses œuvres, dans les débats de son temps. Cette définition, historiquement située, doit être distinguée d'une acception plus large et transhistorique de l'engagement.

La littérature engagée a constitué une des questions majeures du débat littéraire au XXe s. Contenue en germe dès l'apparition, à la faveur de l'affaire Dreyfus, du rôle social de l'intellectuel, elle s'est posée avec force à la suite de la Première Guerre et de la Révolution d'Octobre. Le terme « engagement » apparaît alors dans le discours critique, notamment chez les existentialistes chrétiens (G. Marcel et E. Mounier). Son émergence manifeste la tension entre autonomie de la création littéraire et participation de l'écrivain aux luttes sociales. Les débats portent alors sur la compatibilité entre modernité esthétique et révolution (chez les surréalistes ou Malraux), mais aussi sur le choix entre engagement partisan (Barbusse, Nizan) et engagement humaniste (Rolland, Benda). Avec la montée des fascismes un large rassemblement des écrivains de gauche s'opère, avec le Comité de vigilance des intellectuels antifascistes (créé en mars 1934) et le Congrès pour la défense de la culture (Paris, 21-25 juin 1935). Durant l'Occupation, un nouveau clivage oppose deux engagements : écrivains collaborateurs contre résistants. À la Libération, la politisation de la vie littéraire consécutive à l'épuration amène Sartre à reformuler les termes du débat. Son premier postulat est que dans l'écriture la visée esthétique est indissociable d'un projet éthique, ce qui fonde à la fois la liberté et la responsabilité de l'écrivain. Le second est la conviction que toute œuvre littéraire est une prise de position (politique, morale, philosophique) et que l'écrivain doit « prendre la conscience la plus lucide et la plus entière d'être embarqué [...] [et de faire dès lors] passer pour lui et pour les autres l'*engagement* de la spontanéité immédiate au réfléchi » (*Situations II*, p. 124). Ainsi Sartre ne nie pas l'autonomie de la littérature, mais, affirmant que l'écrivain est toujours « embarqué », il le somme de prendre position dans le débat politique et social. Il estime que la littérature a pour cela ses moyens spécifiques : le « dévoilement » est un « mode d'action secondaire » qui permet de mettre au jour l'impensé de la réalité sociale. Ces propositions ont marqué plusieurs générations, de manière directe (notamment au Québec, H. Aquin, M. Lalonde ou G. Miron ou, en France, le théâtre politique des années 1950 et 1960 : Vilar, Gatti...), ou indirecte (jusqu'à F. Bon, par exemple).

Par la suite, des théoriciens ont développé l'idée d'un *engagement de la forme* : ainsi Barthes (1960) distingue « écrivains et écrivants », et définit l'écrivain comme celui qui « s'absorbe fonctionnellement » dans le travail sur le langage et dans l'écriture ; le paradoxe de cette entreprise tautologique est pourtant d'interroger le monde, sur le mode d'une « *déception infinie* » (p. 149). Dans les années 1980, le reflux de l'utopie révolutionnaire a fait perdre à la question de l'engagement l'évidence qu'elle avait acquise au sortir de la Première Guerre.

La question de la littérature engagée s'est posée spécifiquement à partir du moment où la relation du littéraire avec le politique a perdu le caractère d'évidence qui était le sien, *i. e.* lorsqu'elle s'est formulée dans le cadre d'un champ littéraire autonomisé : en effet, quand s'est instauré l'idéal d'un « art pur », c'est-à-dire que s'est esquissé pour la littérature la possibilité d'exister, fonctionnellement et symboliquement, en dehors des conflits de la société, s'est posée la question de l'engagement, qui représente une position exactement inverse : à une littérature qui a elle-même sa propre fin et conçue comme infinie gratuité, s'oppose une littérature désireuse de briser la clôture du champ et de se mettre au service d'une cause ; à une littérature du repli et de l'abstention (« qui écrit, intégralement, se retranche » dit Mallarmé) s'oppose une littérature de la participation.

Par sa volonté d'intervenir dans le débat social – et pas seulement « politique » au sens restreint de ce terme, à quoi le réduisent les adversaires de la littérature engagée –, elle relève souvent des registres de la polémique (satire, pamphlet, manifeste), de l'essai ou encore du témoignage. Tous les genres peuvent cependant supporter l'engagement : le théâtre, qui a toujours été un important lieu d'expression politique ; le roman « à thèse » de Barrès et Bourget, qui a constitué un modèle à la fois contesté et omniprésent (voir Suleiman) ; la poésie enfin, que Sartre se défendait de vouloir engager, mais qui fut aussi un haut lieu d'engagement politique, durant la Résistance ou chez les écrivains de la « négritude ».

Quel que soit le genre pratiqué, la littérature engagée a souvent été contestée au nom de sa « transitivité », qui conduirait à manquer la spécificité du littéraire. Il est vrai que la doctrine sartrienne met en question des valeurs telles que l'autosuffisance de l'œuvre ou sa gratuité, entendue comme « refus absolu de servir ». L'engagement sartrien repose à l'inverse sur la conviction que la littérature – du moins la prose – est en son fond communication et échange, ce qui induit une conception quasi instrumentale du langage que réfuteront ensuite Barthes, Blanchot, les Nouveaux Romanciers ou Tel Quel (voir : *Que peut la littérature ?*).

▶ BARTHES R., « Écrivains et écrivants » (1960), *Essais critiques*, Paris, Le Seuil, 1981, p. 147-154. — DENIS B., *Littérature et engagement de Pascal à Sartre*, Paris, Le Seuil, 2000. — SARTRE J.-P., « Qu'est-ce que la littérature ? », *Situations, II*, Paris, Gallimard, 1948. — SULEIMAN S., *Le Roman à thèse ou l'autorité fictive*, Paris, PUF, 1983. — Coll. : *Que peut la littérature ?*, Paris, UGE, 1965.

Benoît DENIS

→ *Autonomie ; Engagement ; Existentialisme ; Idéologie ; Intellectuel ; Politique.*

ENGAGEMENT

L'« engagement » est le phénomène littéraire, présent à toutes les époques, par lequel les écrivains donnent des « gages » à un courant d'opinion, à un parti, ou, de manière plus solitaire, s'impliquent par leurs écrits dans les enjeux sociaux et, notamment, politiques.

Envisagé dans son sens le plus large, l'engagement des auteurs a toujours existé. Les productions vouées à la célébration ou à la propagande politiques en relèvent de fait : ainsi Pierre Gringore satirisant le Pape pour soutenir le roi de France, ou les mazarinades durant la Fronde, ou encore la célébration de Louis XIV à l'âge classique par Boileau, Racine ou Molière et par les Modernes, comme aussi, en retour, la critique de sa politique (Fénelon, *Lettre à Louis XIV*), etc. Sous une forme plus explicitement affirmée comme telle, on trouve une importante littérature d'intervention dans les interrogations ou les conflits d'une époque. Il peut s'agir de controverses religieuses : réforme (*Les tragiques* d'Agrippa d'Aubigné, 1616), contre-réforme ou réforme catholique (les *Discours*, de Ronsard 1562-1663), jansénisme (*Les provinciales*, de Pascal 1656-1658), etc. Avec les Lumières, les Philosophes considèrent que leur rôle est d'être des pédagogues devant « éclairer » les grands et l'opinion, en dépit des préjugés, de la censure, des risques d'emprisonnement. D'où, par exemple, les pamphlets de Voltaire dans l'affaire Calas (1762), ses attaques contre le clergé ou ses interventions critiques dans les contes (*Candide*, 1759), les essais polémiques de Rousseau (*Lettre à d'Alembert*, 1758) ou de Diderot, ou encore leurs fictions idéologiques (*Émile* de Rousseau, 1762 ; *La religieuse* de Diderot, 1796, posth.). La révolution de 1789 manifeste l'engagement des orateurs (Saint-Just) et des journalistes (Marat) et suscite les théories des Idéologues. Le romantisme, à travers Lamartine, Sand ou Hugo, maintient une conception de la littérature comme élément du débat social et politique (Hugo, *Les derniers jours d'un condamné*, *Les misérables* ou *Les châtiments*), parfois sous l'appellation d'art social. Ensuite, à l'inverse, l'Art pour l'Art dénie cet enjeu. Mais les naturalistes (Vallès soutenant la Commune, Zola et *J'accuse* lors de l'Affaire Dreyfus), certains symbolistes (Verhaeren fréquentant la Maison du Peuple de Bruxelles, Maeterlinck soutenant la grève générale en Belgique) ou encore Péguy (*Les cahiers de la quinzaine*) et Maurras, du côté conservateur, poursuivent une implication forte de l'écrivain dans les débats sociaux et politiques. La littérature populaire n'en est pas absente : ainsi des chansons anti-capitalistes de Montéhus. Les grands conflits idéologiques du XIXe et du XXe s. renouvellent régulièrement l'actualité d'un engagement de l'écrivain. L'œuvre de Gide révèle à la fois la fascination, mais aussi les méfiances que suscite le renoncement à l'art pur. Avec la Libération, en 1945, l'expression « littérature engagée » lancée par Sartre se trouve mise au centre des enjeux littéraires. Mais la question du rapport au social et au politique aimante la plupart des grands débats littéraires des années vingt aux années cinquante, que ce soit par des prises de positions en faveur de l'engagement (Action française, surréalisme, situationnisme) ou contre lui (le Nouveau Roman).

Si, sous l'Ancien Régime, aucune étiquette ne subsume l'ensemble des manifestations littéraires de l'engagement (littérature de propagande, littérature religieuse, pamphlets, libelles, genres épidictiques, conte philosophique, poésie scientifique ou didactique, etc.), c'est que la question du « non-engagement » ne se pose à vrai dire pas. Les liens de l'écrivain avec son mécène, pour ne retenir que ce seul exemple, sont ceux d'un individu redevable des « gages » dont il bénéficie. L'engagement peut alors être considéré comme un des avatars de l'utilité. Les conditions nouvelles dans lesquelles s'exerce la pratique littéraire à partir de 1830 modifient les données du débat. Désormais, c'est contre une idéologie dominante du monde de l'art (l'Art pour l'Art) – ou au moins en marge d'elle – que s'expriment les artistes partisans de l'art social ou adeptes d'une cause. Cette position les conduit à chercher de grands modèles dans le passé et à valoriser le rôle de figures tutélaires de l'engagement. Tel est le rôle qu'Aragon donne à Hugo ou Sartre à Pascal dans de nombreux textes. Pour anachronique qu'elle soit, leur lecture a contribué à faire le lien entre des modalités très différentes de l'engagement des artistes, et, par conséquent, à donner une cohérence à des attitudes produites en des contextes hétérogènes.

▶ ARON P., *Les écrivains belges et le socialisme (1880—1913) L'expérience de l'art social, d'Edmond Picard à Émile Verhaeren*, [1985], Bruxelles, Labor, 1997. — DENIS B., *Littérature et engagement de Pascal à Sartre*, Paris, Le Seuil, 2000. — OELER R., *Le spleen contre l'oubli. Juin 1848*, trad. G. Petitdemange et S. Cornille, Paris, Payot, 1996. — WINOCK M., *Les voix de la liberté. Les écrivains engagés au XIXe siècle*, Paris, Le Seuil, 2001.

Paul ARON

→ *Apologie ; Engagée (Littérature) ; Épidictique ; Idéologie ; Politique ; Rhétorique ; Utilité.*

ÉNIGME

L'énigme est une question, posée en termes complexes et ambigus, qui met à l'épreuve l'intelligence de l'interlocuteur. Au sens premier, elle définit un genre mineur autonome. C'est également par elle que s'expriment, souvent allégoriquement, les oracles ou les prédictions. Plus généralement, la problématique du secret et du déchiffrement, très présente dans le folklore et la mythologie, forme une constante des thématiques littéraires à travers les genres de la charade, de la devinette, du logogriphe ou du proverbe mais également à travers l'équivoque, le récit à « mystère » ou le roman policier. Enfin, parce que tout texte pose la question d'un sens à déchiffrer, l'énigme s'impose, dans une perspective herméneutique, comme une des définitions possibles de la littérature elle-même.

Dans la Bible, la reine de Saba propose des énigmes à Salomon pour éprouver sa sagesse (*Premier Livre des Rois*, 10). Dans la mythologie grecque, Œdipe devient le maître de Thèbes après avoir résolu l'énigme du Sphinx (Sophocle, *Œdipe-Roi*). Ce même héros avait déjà interrogé, à Delphes, la Pythie dont les divinations étaient célèbres pour leur nature énigmatique.

Genre poétique en latin au Moyen Âge, mais également pratique relayée par la tradition populaire, l'énigme connaît une grande popularité à la Renaissance. La forme littéraire de l'énigme classique a été codifiée à ce moment. Thomas Sébillet, au second livre de son *Art poétique français* (1548), recommande l'emploi des décasyllabes à rimes plates pour former des poèmes courts afin que la description ne devienne pas une allégorie trop obscure. Le P. Menestrier (*La philosophie des images énigmatiques*, 1694) et Marmontel (*Éléments de littérature*, III, 1787) ont poursuivi cette réflexion prescriptive visant à concilier l'économie du trait d'esprit avec l'exposé des termes de l'intrigue.

À la Renaissance, les énigmes sont souvent des poèmes, généralement courts, lus devant une assemblée. Leurs auteurs font assaut d'ingéniosité pour décrire un objet sans le nommer. Mellin de Saint-Gelais, dans la veine pétrarquiste, puis Bonaventure des Périers (*Nouvelles récréations*, 1558) se sont illustrés dans cet art dont quelques exemples sont cités par Rabelais (les « Franfreluches antidotés trouvées en un monument antique » notamment).

Du XVIe au XVIIIe s., ce type de divertissement est une activité en vogue dans les salons littéraires et mondains. L'abbé Cotin, par exemple, composa un recueil célèbre d'énigmes (1655). Cet engouement ne se limite pas aux cercles privés puisque les journaux, almanachs et gazettes proposent souvent des énigmes dans leurs colonnes. Boileau, Rousseau et Voltaire, notamment dans *Zadig* (1748), n'ont pas dédaigné cet exercice.

Le proverbe dramatique, autre amusement de salon à la mode sous le règne de Louis XIII, présente une énigme qu'illustre une anecdote permettant aux spectateurs de la deviner avant qu'elle soit révélée à la fin de la pièce. Il connaît une certaine fortune théâtrale au XVIIIe s. et au début du XIXe s. (*Théâtre en société de* Charles Collé ; *Proverbes* de Théodore Leclercq et Alfred de Musset).

À partir du XIXe s., plusieurs traditions littéraires développent explicitement des contenus énigmatiques. Dans leur forme classique, les romans policiers multiplient à plaisir les impasses logiques ou narratives, le héros (ou, beaucoup plus rarement, l'héroïne) étant chargé de défaire d'un coup les interrogations du lecteur. Les œuvres fantastiques, pour leur part, jouent sur le statut incertain des faits décrits. Par ailleurs, l'énigme et toutes ses formes dérivées (apories, charades, devinettes, etc.) servent de ressort narratif à de nombreuses œuvres de fiction ressortissant à d'autres genres : romans d'initiation et de formation, allégories ou mystères de tout poil.

La résolution de l'énigme implique généralement de s'écarter de la lettre du texte, ce qui impose une lecture métaphorique. C'est pourquoi, par extension, la catégorie de l'énigme se retrouve au centre des interrogations sur la nature de l'activité littéraire. Lorsque le texte abandonne sa transparence référentielle au profit d'un discours centré sur lui-même, sur l'information qu'il donne en soi, indépendamment du contexte de son énonciation, il renforce son caractère énigmatique et oblige le lecteur à un travail de décryptage actif. Certains textes proposent un récit (une fiction, un poème) qui ne raconte plus rien d'autre que le discours de ce récit même et ils produisent donc une énigmaticité maximale. Cette « autoréflexivité » du littéraire, nettement définie par le symbolisme à la fin du XIXe s., a parfois été théorisée comme l'essence même de la littérature par la tradition critique qui suit les travaux de Maurice Blanchot. Les herméneutes qui renvoient vers l'acte de lecture toute production de sens insistent également sur le caractère énigmatique, et donc fascinant, de l'acte de création littéraire. L'énigme condense donc une part de l'activité interprétative de la critique contemporaine.

▶ BESSIÈRES J., *L'énigmaticité de la littérature*, Paris, PUF, 1993. — CAILLOIS R., *Approches de la poésie*, Paris, Gallimard, 1978. — DUBOIS J., *Le roman policier ou la modernité*, Paris, Nathan, 1992. — JOLLES A., *Formes simples*, [*Einfache Formen*], trad. de l'allemand par A. M. Buguet, Paris, Le Seuil, 1972, p. 103-119. — ZUMTHOR P., *Langue, texte, énigme*, Paris, Le Seuil, 1975.

Jean-Frédéric CHEVALIER, Paul ARON

→ *Autotélisme ; Cognitif, connaissance ; Fantastique ; Galanterie ; Herméneutique ; Poésie ; Proverbe ; Renaissance ; Roman policier.*

ÉNONCIATION ET ÉNONCÉ

L'énonciation, qu'Émile Benveniste définit comme la « mise en fonctionnement de la langue par un acte individuel d'utilisation » (1974, p. 80), est un fait de langage qui laisse dans l'énoncé les traces ou marques du sujet parlant ou écrivant. L'énoncé est l'objet linguistique – les paroles orales ou le texte écrit – produit par tout acte d'énonciation (aussi ce qui est souligné dans les descriptions de l'énoncé, c'est sa nature statique et finie, quelle que soit sa longueur). Les définitions de ces deux termes témoignent de leur interdépendance, non seulement par la circularité des définitions – un concept étant expliqué en fonction de l'autre –, mais aussi par leur présupposition mutuelle : tout acte d'énonciation produit toujours un énoncé, qui n'existe qu'à partir d'une énonciation antérieure. La prise en compte de l'énonciation dans les études littéraires renvoie à des questions de contexte et de pragmatique.

Ces deux notions sont nées dans le sillage du structuralisme linguistique de F. de Saussure, qui a analysé les lois et les traits de la langue comme système. L'analyse de l'énonciation élargit le champ d'étude de la linguistique structurale, dépasse les limites de la seule phrase (l'objet de la linguistique saussurienne) pour aborder le fonctionnement du discours et des textes, et examine le domaine de la parole, considérée comme trop chaotique et individuelle par Saussure. Elle permet la prise en considération de la subjectivité discursive (l'étude des marques du sujet dans son discours), du contexte spatio-temporel de l'activité langagière, des catégories temporelles du discours, de l'interaction des protagonistes de l'énonciation (le locuteur et l'allocutaire), des différents registres de l'énonciation et du statut de la référence et du référent.

Charles Bally et Zellig Harris ont amorcé l'étude de certains éléments énonciatifs dans leur pratique de l'analyse du discours. Benveniste, par ses articles sur les pronoms, les temps du verbe et la subjectivité langagière, rassemblés dans ses *Problèmes de linguistique générale*, a donné les premières analyses approfondies des éléments constitutifs de l'énonciation (en particulier, les déictiques et la modalisation). Par la suite, des théoriciens tels que C. Fuchs, C. Kerbrat-Orecchioni, D. Maingueneau, J.-M. Adam poursuivent et développent ces analyses, tandis que d'autres ouvrent la perspective énonciative vers de nouveaux horizons, comme la pragmatique (O. Ducrot, H. Parret) et la sémiotique littéraire (A. J. Greimas, J.-C. Coquet, P. Van den Heuvel). Depuis la parution du numéro de la revue *Langages* (1970) sur l'énonciation, cette problématique a fait l'objet de plusieurs études, y compris d'autres numéros de revues : *Langages* (1983), *Études littéraires* (1983), *Protée*

(1984) et *Recherches sémiotiques / Semiotic Inquiry* (1995).

L'étude de l'acte de l'énonciation se heurte immédiatement à un obstacle méthodologique, à savoir l'impossibilité de l'analyser en tant que tel, vu qu'il s'agit d'un procès. On n'a accès qu'aux énonciations énoncées, aux « traces de l'acte dans le produit » (Kerbrat-Orecchioni, 1980, 30). Par conséquent, les premières analyses de l'énonciation, ce que Kerbrat-Orecchioni appelle la conception « restreinte » du phénomène, consistent en un repérage des marques du sujet dans l'énoncé. Les deux sites principaux de cette subjectivité discursive sont la deixis et la modalisation, dont chacun s'exprime par des formes linguistiques précises. Les signes déictiques (*shifters* ou indicateurs) comprennent les pronoms personnels, les démonstratifs (« ce », « cela », etc.), certains adverbes spatiaux et temporels (« ici », « maintenant », « aujourd'hui », etc.) et certains temps du verbe (en particulier, le présent). Les déictiques sont doublement référentiels, car ils indiquent simultanément l'acte d'énonciation qui les a produits et l'objet désigné. Les écrits de Benveniste sur les pronoms personnels, « le premier point d'appui pour cette mise au jour de la subjectivité dans le langage » (1966, 262), ont été très importants pour la compréhension du fonctionnement linguistique et sémiotique du *je* et du *tu* ainsi que pour cerner leur rôle primordial dans la construction du sujet. La modalisation est conçue par Kerbrat-Orecchioni comme des subjectivèmes affectifs et évaluatifs qui indiquent l'attitude du sujet parlant ou écrivant (la certitude, le doute, la surprise, etc.) envers son énoncé et son allocutaire. Ces attitudes prennent la forme de marques spécifiques : des verbes modaux (« vouloir », etc.), des adverbes d'opinion (« peut-être », « sans doute »), des expressions évaluatives, des indicateurs de doute (« soi-disant », « sembler »), des verbes d'opinion (« penser », « croire ») et le mode du verbe (le conditionnel exprimant l'incertitude, par exemple).

La présence ou l'absence de ces traces subjectives dans le discours a amené Benveniste à proposer deux plans distincts de l'énonciation, *histoire* et *discours*. Le plan historique se caractérise par une distance mise entre le sujet et son discours (manifestée par l'emploi du passé simple et une absence de déictiques et de modalisateurs) ; le discours, plus subjectif, contient plusieurs marques du sujet et son temps verbal principal est le présent. Le courant plus « étendu » (Kerbrat-Orecchioni, 1980, 30) des études énonciatives, d'ordre pragmatique, envisage l'énonciation comme un acte de communication mobilisant des stratégies argumentatives, discursives et persuasives, où l'accent porte tant sur le destinataire que sur le destinateur. Les écrits de plusieurs pragmaticiens (Ducrot, Parret, F. Récanati, A. Berrendonner) se distinguent des études consacrées uniquement aux traces du sujet dans l'énoncé par leur prise en considération d'autres données relatives à la situation d'énonciation : le contexte socio-historique, la valeur argumentative des énoncés, la nature des actes du langage, l'aspect performatif et les questions d'intentionnalité et de présupposition.

Dans l'analyse de textes littéraires, les concepts énonciatifs permettent des analyses des formes langagières et des stratégies littéraires (textuelles) qu'elles réalisent. Ainsi dans l'étude du roman, en particulier contemporain, ils contribuent à rendre compte de phénomènes narratifs tels que les glissements des pronoms personnels et l'imbrication de différents niveaux de récit et différents registres. De la sorte, ils se combinent avec des données de la narratologie. Ils permettent également de réfléchir aux divers plans du texte théâtral : celui du personnage, celui de l'auteur et celui de la mise en scène et de la représentation (où s'accomplit la double énonciation typique de ce genre, comme de l'épistolaire).

Les concepts énonciatifs servent aussi à l'analyse de divers textes non-fictifs (l'essai, le dialogue, l'épistolaire), du texte historique (L. Marin), du discours politique (L. Guespin, L. Courdesses), où l'absence ou la présence de marques énonciatives indiquent le parti pris idéologique du locuteur, du discours scientifique (P. Ouellet), du discours cinématographique (F. Jost, A. Gaudreault), du texte religieux (M. Bal) et même des œuvres d'art. La distinction entre le sujet de l'énonciation et le sujet de l'énoncé fonde en grande partie la définition psychanalytique du sujet chez J. Lacan et J. Kristeva. De même, la critique féministe a fait de l'analyse des marqueurs énonciatifs d'un sujet qui serait proprement féminin un des points nodaux de la recherche.

Aujourd'hui, les analyses d'énonciation en matière littéraire ont à se situer dans leur relation avec les études de contextualisation. Les approches sont diverses, qui se cherchent encore. Genette (*Fiction et diction*, 1991) admet désormais que « le style, c'est le discours lui-même » ; mais il n'a pas mis sa recherche en liaison avec celle de la sociologie de la parole (Bourdieu, *Ce que parler veut dire*, 1982 ; Goffmann, *Façons de parler*, 1981). Il semble que la catégorie de l'éthos du locuteur puisse faire le lien entre ces disciplines (Amossy, 1993).

▶ AMOSSY R. et al., *Images de soi dans le discours*, Lausanne, Delachaux et Niestlé, 1999. — BENVENISTE E., *Problèmes de linguistique générale*, Paris, Gallimard, tome I, 1966 ; tome II, 1974. — KERBRAT-ORECCHIONI C., *L'énonciation. De la subjectivité dans le langage*, Paris, Armand Colin, 1980. — MULDER W., SCHUEREWEGEN F., TASMOSKI L. (dir.), *Énonciation et parti pris*, Amsterdam, Rodopi, 1992. — VAN DEN HEUVEL P., *Parole, mot, si-*

lence : Pour une poétique de l'énonciation, Paris, José Corti, 1985.

Barbara HAVERCROFT

→ *Analyse de contenu et de discours ; Auteur ; Contextualisation ; Génétique (Critique) ; Linguistique ; Narration ; Psychanalyse ; Stratégie littéraire ; Sujet.*

ENSEIGNEMENT DE LA LITTÉRATURE

L'enseignement de la littérature se fait dans l'institution scolaire (alors que celui de certains arts échappe pour l'essentiel à celle-ci). Il ne constitue ni une science de référence (comme les mathématiques ou même l'histoire), ni même une discipline scolaire à proprement parler : dans le secondaire, des professeurs de lettres (classiques ou modernes) enseignent une discipline appelée « français », alors que l'enseignement supérieur connaît des professeurs de littérature (française, comparée...) et que l'enseignement des langues et cultures étrangères inclut une part de littérature. Aussi on envisagera ici l'enseignement de la littérature française essentiellement. La finalité propre de celui-ci, là encore à la différence d'autres arts, n'est pas la formation de futurs écrivains, mais un savoir sur la littérature et des compétences socialement utiles.

Jusqu'au XIXe s., en France l'enseignement littéraire est constitué avant tout par la grammaire latine, les auteurs latins (secondairement, les Grecs, lus surtout en traduction latine) et la rhétorique. Le modèle dominant est celui de la *ratio studiorum* des collèges jésuites établie depuis le XVIe s. La littérature, dans ce cadre, est enseignée dans une visée éducative morale avant tout. Les exercices pratiqués sont liés à la lecture analytique des textes (*praelectio*), ou au réinvestissement des modèles lus dans des écrits de production : discours latin, vers latins. Quelques tentatives sont faites pour introduire l'usage du français dans les collèges, par les jansénistes de Port-Royal et les Oratoriens. Au XVIIIe s., Rollin et Batteux amorcent la constitution de programmes donnant une première place à la littérature française. L'expulsion des Jésuites (1762) est suivie par les créations des agrégations de Lettres (1766). Elles confirment l'hégémonie du latin : l'agrégation de grammaire – pour les petites classes – vise à recruter des professeurs de langue latine ; celle de Belles-Lettres – pour les classes de préparation au baccalauréat – porte sur les orateurs, historiens et poètes latins. Après la Révolution, l'adoption de plusieurs lois scolaires, la création des lycées et de l'université napoléonienne constituent un réseau d'enseignement public, qui devient prépondérant à partir des réformes Ferry à la fin du XIXe s. La langue et la littérature françaises sont peu à peu prises en compte – dans l'enseignement féminin d'abord – et l'histoire littéraire française concurrence la rhétorique à partir de 1882 dans les écoles secondaires. En parallèle, les agrégations d'histoire (1830) et de langues vivantes (1848) se détachent du cursus littéraire en même temps que se détachent des agrégations scientifiques. D'un système d'enseignement fondé sur les lettres, il ne subsiste dans le secondaire, dans les pays francophones, qu'un tronc commun bien rétréci et une série littéraire en déclin de plus en plus sensible depuis un siècle.

Le panthéon littéraire français se dessine dans la critique dès la fin du XVIIe s. mais se constitue à l'école à la fin du XIXe s. Il inclut, peu à peu, des auteurs du Moyen Âge, et on y retrouve les humanistes de la Renaissance (Montaigne) ; des moralistes et philosophes du XVIIIe s. (Voltaire, Rousseau, Diderot, etc.), voire des poètes du XIXe (Hugo) y entrent, mais les auteurs du XVIIe s. (Bossuet, Fénelon, Sévigné, La Fontaine, Boileau, puis de plus en plus Molière, Corneille, Racine) occupent la place majeure. Ce modèle reste longtemps dominant. Cependant, les œuvres des philosophes du XVIIIe s. ont été longtemps ignorées dans les cours ou critiquées sévèrement dans les manuels, les romanciers réalistes du XIXe s. sont entrés tardivement à l'école. La censure s'est exercée à toutes les époques, tant dans le réseau secondaire public que dans les écoles libres. S'observent toutefois, sur un temps long, des phénomènes de réévaluation idéologique. Les écrivaines, longtemps représentées par la seule Mme de Sévigné, sont peu à peu admises, mais avec une sélection de textes qui en fait d'abord des chantres de la nature et de la famille : Colette est tôt utilisée en ce sens comme source de lectures et de dictées à l'école primaire. Baudelaire, longtemps oublié, est devenu un auteur scolaire majeur après la Seconde Guerre mondiale.

Les modèles et finalités d'enseignement ont dérivé, à partir du XXe s., d'une dominante rhétorique à une référence à l'histoire littéraire – en dépit de Lanson, qui la considérait comme une discipline universitaire et non pas scolaire – privilégiant le système de « l'homme et l'œuvre » et de même, dans les exercices canoniques, du discours (latin, puis français) à la dissertation (toujours en dépit de Lanson, qui considérait que la dissertation littéraire ne convenait qu'aux spécialistes). Après la Seconde Guerre mondiale, ce schéma se stabilise avec en emblème le manuel célèbre de Lagarde et Michard, construit sur l'histoire littéraire découpée en « siècles », écoles littéraires et galerie de grands hommes.

Après 1970, la durée de la scolarisation tend à s'allonger (en France, la scolarité devient obligatoire jusqu'à 16 ans au lieu de 14 et on crée le « collège unique »). Aussi le système éducatif est marqué par le poids décisif de l'enseignement secondaire (Prost). En même temps fleurissent les théories structuralistes et le souci de la communication. Les programmes désignent de nouveaux objectifs, dont le développement des « méthodes ». Le corpus est élargi à des œuvres et des auteurs contemporains. Au Québec, il inclut des représentants de la littérature québécoise. Mais dans la francophonie en général, à la fin du XXe s., les classiques de la littérature française, réputés constituer le fonds patrimonial, occupent encore une place importante dans l'enseignement secondaire. Cependant, l'accent est mis, un peu partout, sur la maîtrise des discours et sur des compétences pratiques d'expression. À partir de l'enseignement secondaire se dessine aujourd'hui, en réponse à une situation culturelle nouvelle – essor massif de médias de tous ordres – et sociale – exigence massive de scolarité accrue – l'esquisse d'une refondation. Elle tend à unir l'enseignement de la langue et de la littérature, dès l'école élémentaire. Elle constate que l'enseignement de la langue exige de l'envisager dans le cadre du discours (influencée en cela par les travaux sur l'énonciation, la pragmatique), et que l'enseignement littéraire doit tenir compte de l'avancée des connaissances sur la lecture, l'histoire littéraire, la poétique et la rhétorique. Il s'agit en effet de penser un enseignement capable de développer la maîtrise des différentes formes de discours, de renouer avec des apprentissages de production de textes (l'expression orale, l'écriture d'invention), de diversifier les pratiques de lecture ; en même temps, il s'agit de nouer un nouveau mode de relation avec des références culturelles qui cherchent à combiner la dimension patrimoniale avec l'ouverture à la littérature contemporaine, à la francophonie, à la littérature de jeunesse, aux littératures d'autres langues. Surtout, en un temps d'amplification des espaces culturels, l'attention portée aux dimensions les plus anthropologiques de la littérature s'accroît, même si, en certains pays – au Québec et en France par exemple – la dimension nationale de l'histoire littéraire reste forte. À l'Université, dans les départements de littérature, la diversité des propositions critiques est grande aujourd'hui (même si, en France, la préparation aux concours de recrutement de professeurs amène à une certaine homogénéisation), à l'image de la diversité des recherches et travaux critiques. Le phénomène le plus marquant de la fin du XXe s. réside dans la séparation de secteurs nouveaux (départements de théâtre, de communication) des anciennes « facs de Lettres » : en affirmant leur autonomie, ils enrichissent la recherche, mais le processus peut aussi induire des effets de resserrement des domaines et corpus étudiés dans les département littéraires.

Instrument d'éducation, l'école remplit à la fois une fonction de transmission et de transformation des connaissances, des coutumes et des valeurs. La tension entre la continuité et l'évolution se répercute dans les débats sur son rôle en général et sur l'enseignement des Lettres en particulier. La scolarisation est un moyen d'ascension sociale et de croissance économique, mais l'école est aussi un lieu de luttes et de pouvoirs où se reproduisent des inégalités sociales, en dépit des efforts de démocratisation de l'enseignement. À cet égard, l'acquisition d'une culture d'élite est traditionnellement une marque de distinction sociale, et l'enseignement de la littérature est lui aussi exposé à ces débats. Car il participe des données fondamentales – avec les mathématiques et l'histoire – et il est lié à la maîtrise même de la langue. Débats particulièrement vifs dans l'enseignement secondaire, en son second cycle, qui était jusqu'à il y a peu – les effectifs en ont crû de 400 % en vingt ans – un enseignement sélectif et réservé à une minorité. La question fondamentale y est celle des finalités de l'enseignement littéraire. Plusieurs positions sont en présence. Certains, au nom de l'utilité pratique, voudraient le minorer pour développer l'enseignement d'expression et de communication. D'autres, à l'opposé, s'attachent à un enseignement privilégiant l'esthétique littéraire. Historiquement, l'enseignement littéraire a eu des finalités édifiantes : longtemps resté vecteur de morale avant tout, il a été aussi, au temps de Ferry et Lanson, un lieu d'inculcation du patriotisme, et, au XXe s., a hésité entre la continuation de l'histoire littéraire nationale, le formalisme, la littérature générale et comparée, et cela non seulement à l'université, mais aussi dans le secondaire. Or l'effet de cet enseignement est double. D'une part l'école, par l'image qu'elle donne de la littérature, engage des valeurs ; mais en même temps, par la sélection et la diffusion des auteurs et des œuvres, elle contribue d'autre part à façonner une représentation de la littérature, à en délimiter les contours et, par là, à en influencer l'avenir. Car toute pratique scolaire suppose des choix : on n'enseigne pas toute la littérature, mais certains aspects, jugés essentiels. Ces objets nécessairement sélectifs de l'enseignement littéraire – qu'il s'agisse de notions théoriques, d'éléments biographiques ou historiques, d'œuvres intégrales ou d'extraits d'œuvres – s'imposent comme représentatifs. Et comme on ne peut concevoir la littérature qu'en fonction de ce qu'on en connaît, la culture scolaire devient une référence pour l'appréciation des textes littéraires. Ce qui a justifié Roland Barthes de dire que « la littérature, c'est ce qui s'enseigne ; un point c'est tout. C'est un objet d'enseignement » (*Réflexions*... p. 170). C'était, de sa part, une façon provocante de poser la question fondamentale des rapports entre le scolaire et le littéraire. De fait, à l'heure actuelle, les évolutions en jeu imposent une réflexion sur un humanisme nouveau – l'attention à ce que la littérature dit de l'humain –, un patriotisme continué – par diffusion des schémas d'une histoire littéraire nationale – ou l'affirmation que la littérature est une fin en soi. On retrouve ainsi à l'école les mêmes débats qu'au sein du champ littéraire. Avec un paradoxe en plus : le nombre d'élèves s'est accru – donc le nombre de lecteurs – mais le prestige des Lettres dans l'enseignement est en péril – les départements universitaires voient leur nombre d'étudiants stagner, voire régresser, au profit de la communication, de la médiation culturelle, du théâtre et du cinéma. Signe que la littérature y est sommée de manifester quelle place elle entend avoir dans les sociétés d'aujourd'hui.

▶ CHANFRAULT-DUCHET M.-F., (dir.), « Les Représentations de la littérature dans l'enseignement (1887-1990) », *Cahiers d'histoire culturelle*, Université de Tours, 1997, 1. — CHERVEL A., *Les auteurs français, latins et grecs au programme de l'enseignement secondaire de 1800 à nos jours*, Paris, INRP, 1986. — DURKHEIM É., *L'évolution pédagogique en France* (1938), Paris, PUF, 1969. — LEJEUNE Ph., « L'Enseignement de la littérature au lycée au siècle dernier », *Le français aujourd'hui*, 1975, 28. — MELANÇON J., MOISAN C. & ROY M., *Le discours d'une didactique. La formation littéraire dans l'enseignement classique au Québec (1852-1967)*, Québec, Nuit blanche, 1988.

Max ROY

→ *École ; Explication de texte ; Idéologie ; Institution ; Lecture, lecteur ; Manuels ; Réception ; Tradition.*

ENTHYMÈME

Le terme grec « enthymème » désigne originellement « ce que l'on a dans l'esprit », une pensée. Rapidement, avec Aristote, il désigne, dans le domaine de l'argumentation rhétorique, un syllogisme (raisonnement composé de deux prémisses, dont la succession constitue une argumentation, et d'une conclusion) fondé sur une probabilité, donc relevant de l'opinion vraisemblable et non de la vérité démontrée. À partir de Quintilien (Ier s.), l'enthymème ou syllogisme rhétorique désigne un syllogisme abrégé, amputé de la première prémisse. Il est omniprésent dans la littérature, dans les « textes d'idées » notamment – mais pas seulement.

À la différence de la philosophie et de la dialectique qui visent à rechercher la vérité, la rhétorique, selon Aristote, traite du probable, des opinions, du vraisemblable. Elle use néanmoins, comme la dialectique, de l'art du raisonnement. Mais si la dialectique utilise le syllogisme (du type : « (1) Tous les hommes sont mortels ; (2) Socrate est un homme ; (3) Socrate est donc mortel »), la rhétorique, elle, s'appuie sur l'opinion courante. Elle connaît donc – parmi les preuves artificielles (c'est-à-dire créées par le rhéteur et non fournies par les faits mêmes) – sous le nom d'enthymème un syllogisme dont les prémisses sont formées de signes probables ou possibles (par exemple Quintilien, V, 14, 25 : (1) un bien est ce que l'on ne peut mal utiliser ; (2) la vertu ne peut être mal utilisée ; (3) donc la vertu est un bien). À partir de Quintilien (*Institution oratoire*), l'enthymème ou syllogisme rhétorique se présente comme un raisonnement tronqué. On y omet en effet la première prémisse, souvent moins parce qu'elle est évidente que dans le but, au contraire, de la faire passer pour telle, en effaçant discrètement la problématique qu'elle pourrait susciter justement par son caractère douteux. Ainsi, selon Meyer, on a (Quintilien V, 14, 24) : « la vertu (1) ne peut être mal utilisée, (2) elle est donc un bien. » L'enthymème n'en garde pas moins une allure de démonstration logique, qui peut convaincre. D'autre part, l'enthymème, grâce à sa brièveté et à sa densité, apparaît plus propre que le syllogisme à agir sur les affects.
Selon Aristote, on peut distinguer deux formes d'enthymèmes selon que les prémisses reposent sur le vraisemblable ou sur des signes. Dans le premier cas, la preuve repose sur des données psychologiques (*eikos*, c'est-à-dire ce à quoi on s'attend, ce qui se produit généralement). En revanche, si la démonstration repose sur un signe (*sèmeion*), celui-ci est parfois irréfutable (*tekmèrion*) mais, le plus souvent, contestable (ainsi l'enthymème reposant sur un *tekmèrion* est vrai tandis que l'autre aboutit souvent à un sophisme). L'enthymème s'appuie ainsi sur les lieux communs ou évidences, et tire une conclusion de ce qui est plausible, car admis comme une vérité générale. La prémisse contenant le lieu commun peut même être omise tant l'évidence est forte (alors que le syllogisme logique ne peut faire l'économie d'une prémisse). Comme beaucoup d'enthymèmes étaient ainsi énoncés de façon elliptique, on n'a gardé comme définition de ce raisonnement que son aspect formel tronqué. On comprend que l'enthymème, dont la concision frappe les esprits, soit, tout au long de l'histoire, fréquemment employé par les orateurs : supprimer une proposition trop évidente fait gagner en rapidité, mais aussi donne un effet persuasif indéniable puisqu'on occulte la proposition qui pose problème. Ce syllogisme abrégé convient donc aux raisonnements incisifs, polémiques, et est fortement idéologique puisqu'il repose sur de l'implicite, donc souvent de la connivence idéologique plus que de l'implication logique. La déduction gagne aussi, par la brièveté, en grâce. De ce fait, omniprésent en rhétorique – il en est en quelque sorte le signe même – l'enthymème est fréquent dans les écrits de fiction polémiques. Ainsi Voltaire (*Candide*) : « Monsieur le baron était un des plus puissants seigneurs de la Westphalie, car son château avait une porte et des fenêtres. » Dans un autre registre, en poésie – et en tous les genres de celle-ci – il crée la connivence avec le public. Par

exemple Malherbe, dans sa *Consolation à M. du Périer sur la mort de sa fille* (1598), écrit : « Mais elle était du monde, où les plus belles choses / Ont le pire destin ».

Un enthymème peut contenir ainsi une forte charge émotionnelle quand l'ellipse est saisissante. En témoigne aussi, par exemple, ce vers d'*Andromaque* de Racine « Je t'aimais inconstant ; qu'aurais-je fait fidèle ? » (IV, 5, v. 1365) : le syllogisme complet aurait amoindri la force du raisonnement et anéanti l'effet pathétique. Ces trois auteurs qui ont statut de modèles littéraires suffisent à indiquer combien ce tour est constant dans la littérature : il est un des lieux par excellence du brio, mais aussi, et autant, de l'idéologie.

► ADAM J. M., « Syllogisme et enthymème : de la logique au texte publicitaire », *Revue européenne des sciences sociales*, 1987, XXV, n° 77, p. 231-241. — BARTHES R., *L'Aventure sémiologique*, Paris, Le Seuil, 1985. — CONLEY T. M., « The enthymeme in perspective », *Quarterly Journal of Speech*, 1984, 70, p. 168-187. — KIBÉDI VARGA A., *Rhétorique et littérature*, Paris, Didier, 1970. — PATILLON M., *Éléments de rhétorique classique*, Paris, Nathan, 1990. — SPRUTE J., *Die Enthymemtheorie der aristotelischen Rhetorik*, Gottingen, Vandenhoeck und Ruprecht, 1982.

Jean-Frédéric CHEVALIER

→ *Adhésion ; Argumentation ; Figure ; Idéologie ; Polémique ; Rhétorique.*

ENTRETIEN → Dialogue

ÉPICURISME

Doctrine du philosophe grec Épicure (341-270), qui préconise la recherche de la plénitude qu'offre un état apaisé du corps, l'ataraxie. Sa pensée se fonde sur l'atomisme, donc une forme de matérialisme. Dès l'Antiquité, Épicure et ses adeptes ont été décrits par leurs adversaires comme des débauchés, obsédés par les plaisirs que procuraient beuveries, banquets et sexualité. Aujourd'hui encore le terme *épicurien* désigne, dans l'usage courant, un bon vivant.

Selon Épicure, le plaisir suprême consiste à se satisfaire de pain et d'eau, et il conseillait, pour parvenir au bonheur, c'est-à-dire à un état de tranquillité, d'éviter toute souffrance par une ascèse des désirs. Il tient l'amitié pour une composante essentielle du bonheur, et recommandait à ses disciples de « vivre cachés » ; il vécut avec eux dans une petite propriété avec un « jardin », qui devait donner son nom à son école philosophique. Cette philosophie s'explique peut-être par le caractère incertain de son époque : famines, changements politiques fréquents. Pour guérir l'homme de ses peurs – de la mort, de l'intervention des dieux –, Épicure esquisse une physique inspirée de l'atomisme de Démocrite, mais dénuée de déterminisme. La réalité est composée de petites parcelles indivisibles qui tombent, comme la pluie, dans un espace infini, mais qui dévient parfois (*clinamen*) : elles entrent alors en collision et réalisent toute sorte de combinaisons. L'existence est ainsi le fruit d'un hasard, et la mort « n'est pas à redouter » : ou bien elle n'est pas encore, et l'homme l'ignore ; ou bien elle est passée et l'homme n'est plus.

Lucrèce, dans son *De rerum natura*, résume sous forme poétique la physique et la morale d'Épicure. Épicure n'avait pas été tout à fait oublié avant la Renaissance : Dante par exemple, le plaçait en Enfer. Mais cette condamnation sera reconsidérée, à la Renaissance, par Valla qui publie le *De Voluptate* (1431), un colloque entre un chrétien, un stoïcien et un épicurien, que l'auteur approuve. La redécouverte de Lucrèce par Le Pogge en 1414, s'ajoutant au *De finibus* de Cicéron, réhabilite Épicure. Érasme le considère comme un allié, un précurseur du christianisme, puisque pour lui les plaisirs authentiques sont ceux de l'âme.

Mais la Renaissance a puisé aussi dans *De rerum natura* une histoire de l'origine de l'humanité fort différente de la fable de l'âge d'or ou de la Genèse : le premier état de l'humanité est une sauvagerie bestiale que l'intelligence humaine adoucit lentement. Cet univers sans Dieu nourrit, sinon l'athéisme, du moins les débats sur les dogmes chrétiens de la Providence ou de l'immortalité de l'âme. Aussi ce texte a-t-il provoqué de violents rejets de la part des défenseurs de la foi : pour Calvin, Épicure est un porc et Lucrèce un chien. Lucrèce est publié pour la première fois en France par N. Bérauld (1514), puis traduit par Lambin (1563), lié aux humanistes et aux poètes, en particulier à Ronsard à qui il dédie le livre II. Dorat compare Lucrèce à Dante et Du Bellay estime sa poésie didactique. La poésie philosophique des *Hymnes* de Ronsard témoigne de l'influence de Lucrèce sur la Pléiade. Montaigne, qui cite maintes fois le *De rerum natura*, privilégie le moraliste désabusé et trouve en Lucrèce un allié pour railler les prétentions de l'homme à connaître et à juger.

Au XVIIe s., l'épicurisme est adopté par les libertins : il alimente la philosophie de Gassendi, et de Cyrano de Bergerac dans *L'autre monde* (1657). Athéisme et épicurisme y voisinent avec la promotion d'un Éros universel, reliant ainsi les versants scientifique et éthique de cette pensée. La Fontaine est influencé par l'épicurisme moral, dans ses *Fables*, ses *Contes*, et les *Amours de Psyché*, qui débutent en un « jardin ».

D'aucuns ont pu qualifier Stendhal d'épicurien en raison de ses sympathies libertines : athéisme et éloge de la volupté. Marx a défendu Épicure dans sa thèse de doctorat. Au XXe s., outre Nizan qui s'intéresse aux *Matérialistes de l'Antiquité* (1938), Henry de Montherlant et son disciple Gabriel Matzneff se posent en admirateurs de la sagesse romaine et de la volupté antique. Pour l'époque récente, *L'ère du vide* (1983), décrite par Gilles Lipovetsky, cet état de la culture caractérisé par l'absence de métaphysique et le retrait des individus dans le confort de leurs jardins privés, peut être rapprochée d'une certaine conception de l'épicurisme.

▶ DARMON J.-C., *Philosophie épicurienne et littérature au XVIIe siècle*, Paris, PUF, 1998. — FRAISSE S., *L'influence de Lucrèce en France au seizième siècle*, Paris, Nizet, 1962. — GAMBINO S., *Savoir de la nature et poésie des choses. Lucrèce et Épicure à la Renaissance*, thèse dact. de l'EHESS, 1999. — RODIS-LEWIS G., *Épicure et son école*, Paris, Gallimard, 1975, 1993. — SALEM J. *L'Atomisme antique. Démocrite, Épicure, Lucrèce*, Paris, LGF « Le Livre de poche », 452, réf. Antiquité, 1997.

Alexander ROOSE

→ *Antiquité ; Cognitif, connaissance ; Didactique (Littérature) ; Libertinage ; Philosophie.*

ÉPIDICTIQUE

L'épidictique, ou démonstratif, est le registre qui comprend tous les discours d'éloge et de blâme ; au sens large, le terme « épidictique » renvoie parfois aussi à l'éloquence et la poésie d'apparat. Il est d'abord un des trois pans de la rhétorique, avec le judiciaire et le délibératif. À l'origine, l'*epideixis* désigne les grandes prestations oratoires données à l'occasion d'une cérémonie publique (ou panégyrie, d'où « panégyrique ») pour célébrer la Cité, ses héros et les dieux, mais ensuite, il s'applique à toutes sortes de sujets. Dans l'Antiquité, l'éloge est tenu pour supérieur au blâme, c'est pourquoi on ramenait parfois l'épidictique à l'encomiastique (*encomion* signifiant « éloge »). Moins immédiatement utilitaire que le délibératif et le judiciaire, et moins agonistique – il traite de sujets où l'opinion est fondée en connivence – l'épidictique privilégie l'art de bien dire sur le souci de vérité, d'où son enjeu esthétique supérieur. De ce fait, des pans entiers de la littérature de fiction à sujets plus ou moins historiques ont pu être considérés comme des dérivés de l'épidictique.

La célébration remonte à la lyrique archaïque et à l'ode triomphale (poème consacré à la louange du vainqueur des jeux panhelléniques) illustrée par Simonide et Pindare. L'éloge rhétorique en prose naît vers 470-460 à Athènes. Ainsi le discours de Périclès en l'honneur des morts de l'expédition de Samos, à la fois éloge funèbre, exhortation et consolation, assume une double fonction mémorielle et civique en associant les morts et vivants en un être collectif et éternel, incarnation de la cité. Avec les sophistes, l'éloge perd sa finalité pratique et devient prétexte à de brillants exercices oratoires sur des sujets mythologiques ou paradoxaux (éloge des marmites, des souris, du sel) ; Platon a parodié cette pratique dans le *Ménexène*. Sous la République romaine, Cicéron et Quintilien tiennent le discours d'éloge pour inférieur dans la hiérarchie des genres oratoires et le subordonnent aux plaidoyers et aux harangues ; il n'existe de façon autonome que dans la *laudatio funebris*. Mais l'avènement de l'Empire renverse cette hiérarchie : les débats font place à l'éloge du souverain (le *basilikos logos*) et l'éloquence agonistique se dévalue au profit de l'éloquence épidictique qui triomphe dans la Seconde Sophistique des IIe-IIIe s. Tandis qu'elle conquiert la scène publique politique et sociale, la louange gagne aussi du terrain dans l'enseignement des *progymnasnata* (exercices préparatoires) et les concours d'éloquence, où elle jouera un rôle essentiel jusqu'à la Renaissance.

Le christianisme introduit un nouveau type d'éloge avec le panégyrique des saints et l'hagiographie. L'influence de l'épidictique est forte dans la poésie profane médiévale, que ce soit la poésie panégyrique qui se développe dans les cours mérovingienne et carolingienne, ou la poésie lyrique qui emprunte ses thèmes aux *topoi* épidictiques antiques (le topos de l'insuffisance du poète, notamment). De sorte qu'au XVIe s. la poésie pratique l'art de l'éloge et du blâme sous une multiplicité de formes : ode, blason, épithalame, épitaphe. Cet essor suscite critiques et parodies (Rabelais, *Éloge de Messer Gaster* ; Cardan, *Éloge de la Goutte* ; Érasme, *Éloge de la folie*), qui se cristallisent dans le contre-blason et l'éloge paradoxal. L'ode pindarique, avec Malherbe, constitue au XVIIe s. la grande forme poétique. Quant à l'éloge en prose, peu pratiqué à la Renaissance, il connaît un nouvel élan à l'âge classique avec les éloges du prince. Parallèlement, l'éloge funèbre prend une nouvelle ampleur dans l'oraison, portée à son apogée par Bossuet qui ajoute une dimension d'édification religieuse à la traditionnelle louange du défunt. Les éloges académiques célèbrent les grands hommes, sources des connaissances : Fontenelle transforme le genre en y introduisant une dimension biographique. Ensuite, l'éloge en vers se perd (malgré, au XXe s., Aragon célébrant Staline), mais subsiste dans les formes dérivées du blason. L'éloge en prose abonde, de l'ode *À Fourier* de Breton au rituel des discours de réception à l'Académie, des cérémonies funèbres commémoratives aux écrits journalistiques, politiques et publicitaires. Le blâme abonde, de même, dans les pamphlets et les autres formes polémiques. Mais ils ne donnent guère aujourd'hui d'œuvres autonomes.

Dès l'origine, des trois fonctions qu'assure la rhétorique, on reconnaît l'épidictique la plus éminente, puisqu'elle traite du beau et du laid moral. Or son procédé fondamental est l'amplification et, même si elle s'appuie sur une réalité de départ, elle présente le risque d'un excès vers la flatterie ou la calomnie. Ce qui explique que dès l'Antiquité, elle ait été dénoncée par les philosophes comme pompeuse et mensongère. Platon lui reproche notamment de chercher à plaire plutôt qu'à éduquer, c'est-à-dire de privilégier l'esthétique aux dépens de la vérité. L'épidictique pose donc le problème de l'esthétique comme moyen de persuader. Si l'on ne range plus aujourd'hui toute la littérature sous son égide, il reste que de nombreux genres, du portrait à l'oraison funèbre, de la critique laudative aux roman et pièce à thèse, de la lyrique amoureuse au biographique sous toutes ses formes, en relèvent *de facto* et que leur analyse suscite un retour sur cette catégorie fondamentale.

▶ ARISTOTE, *Rhétorique*, trad. M. Meyer, Paris, Poche, 1991. — DANDREY P., *L'éloge paradoxal, de Gorgias à Molière*, Paris, PUF, 1997. — DEBAILLY P., « Le miel et le fiel : *laus* et *vituperatio* dans la satire classique en vers », *Recherches et travaux*, Univ. Grenoble III, 1996, n° 50, p. 101-117. — PERNOT L., *La rhétorique de l'éloge dans le monde gréco-romain*, Paris, Institut d'Études augustiniennes, 1993.

Claire CAZANAVE

→ *Adhésion ; Apologie ; Argumentation ; Biographie ; Blason ; Éloquence ; Esthétique ; Hagiographie ; Lyrisme ; Ode ; Paradoxe ; Rhétorique ; Satire ; Sophistique.*

ÉPIGRAMME → Formes brèves et sententiales ; Genres littéraires

ÉPISTOLAIRE

Au sens large, l'adjectif *épistolaire* sert à qualifier l'ensemble des pratiques liées à l'échange de lettres (autrefois : épîtres). Au sens strict, il s'applique à une littérature fondée sur la lettre. Que les lettres aient été véritablement expédiées ou non, que le destinateur et le destinataire soient réels ou fictifs, la littérature épistolaire se caractérise par un espace d'échange et de dialogue supposant une double énonciation : l'épistolier et son destinataire en constituent le premier plan, la totalité de leur échange reçue par un public, le second.

L'histoire de la littérature épistolaire ne saurait être dissociée de celle de la pratique effective de la lettre. Les grandes correspondances de l'Antiquité, qu'il s'agisse des *Héroïdes* d'Ovide ou des *Lettres à Lucilius* de Sénèque, ont constitué des modèles forts. Au Moyen Âge, la lettre est une forme d'écriture importante, au vu des difficultés de communication. Aussi est-elle déjà codifiée et réflexive, par des modèles de « diplomatique ». *Les lettres d'Abélard et Héloïse* (XIIe s.), échange entre un professeur et son élève liés par un amour interdit, apparaissent par contraste comme une confession plus immédiate. Au XVIe s., l'imprimerie publie les premiers recueils de lettres privées et authentiques ou, du moins, données comme telles, mais aussi les premiers manuels de correspondance. La lettre devient un genre à part entière, avec des usages divers, notamment de lien dans la République des Lettres, mais aussi de polémique, comme avec les *Lettres des hommes obscurs* de Von Hutten, combattant le conservatisme religieux. Au XVIIe s., recueils et secrétaires se multiplient. Les *Lettres* de Guez de Balzac (1624) affirment le genre comme forme moderne de l'éloquence, et suscitent une première querelle sur la comparaison des Anciens et des Modernes. Forme polémique efficace, la lettre est employée avec retentissement par Pascal dans *Les provinciales* (1656-58). La forme versifiée de la lettre, l'*Épître*, est illustrée par Boileau (1668). Par ailleurs, l'usage mondain est très dynamique, comme le montrent les lettres galantes qui mêlent prose et vers, genre illustré par Voiture ou encore Fontenelle. Dans la seconde moitié du siècle paraissent les premiers romans épistolaires français, depuis *Le roman des lettres* de d'Aubignac (1667) et *Les lettres de Babet* de Boursault (1669) jusqu'aux *Lettres portugaises* de Guilleragues (1669). Le succès de ce dernier ouvrage a une influence décisive sur le développement du genre. Désormais liée au trouble d'une passion qui s'écrit au moment même où elle se vit, la lettre devient l'instrument d'une représentation romanesque de l'intimité et des possibles de l'échange. En refusant le point de vue panoramique du narrateur omniscient pour privilégier l'emploi de la première personne, la lettre impose la vision propre de chaque personnage. Pendant un peu plus d'un siècle, le roman épistolaire connaît une vogue européenne ; les titres les plus célèbres restent *Pamela ou la vertu récompensée* de Richardson (1740), *Julie ou la nouvelle Héloïse* de Rousseau (1761), *Les souffrances du jeune Werther* de Goethe (1774) et *Les liaisons dangereuses* de Laclos (1782) ; en France, les créations abondent : Restif de la Bretonne, Mme de Graffigny, etc. L'engouement pour la littérature épistolaire suscite, à partir de 1716, la publication des *Lettres* d'abord privées de Mme de Sévigné. Mais la littérature épistolaire à visée critique ou polémique est elle aussi florissante, avec les *Lettres philosophiques* (1734) de Voltaire, la *Lettre sur les aveugles* (1749) de Diderot, etc. Le roman par lettres se fait aussi moyen de satire comme avec les *Lettres persanes* de Montesquieu (1721). Ces multiples voies de l'épistolaire en font une forme essentielle de la création littéraire. Au XIXe s., le roman épistolaire reste productif, avec *Delphine* de Mme de Staël (1802) ou *L'Abbé Aubain* de Mérimée (1846), ou encore les *Mémoires de deux jeunes mariées* de Balzac (1841-1842). Le genre connaît malgré cela un déclin relatif, tout comme la publication des lettres autonomes. Mais alors se développe l'usage des correspondances entre auteurs célèbres (tels G. Sand et Flaubert) et, à la fin du siècle, l'essor de l'intellectuel engagé ravive l'usage de la lettre ouverte, avec le *J'accuse* de Zola dans l'affaire Dreyfus, publié dans le journal *L'aurore* (1898). De même le roman du XXe s. ne recourt qu'exceptionnellement à la forme épistolaire. Gide en renouvelle toutefois les ressources en confiant à la lettre des aveux provocants et difficiles. Comme le remarque L. Versini à propos des *Faux monnayeurs* (1925), « la polyphonie et l'authenticité à laquelle tenait tant le XVIIIe s., rebaptisée sincérité par Gide » s'oppose alors à la fausse monnaie des « sentiments admis ». Par ailleurs, la lettre ouverte continue à être un genre prisé (J. Paulhan par exemple) et les publications de correspondances authentiques se multiplient.

L'épistolaire pose de façon exemplaire la question des frontières du littéraire : des lettres authentiques publiées après coup deviennent littérature sans l'avoir visé (Mme de Sévigné, Flaubert, etc.) tandis qu'en retour des fictions se déguisent en correspondances privées que le hasard aurait fait retrouver dans un grenier (*Les liaisons dangereuses*, 1782). Certes, on peut distinguer (R. Duchêne) « l'épistolier », qui n'écrit pas pour un public, de « l'auteur épistolaire » plus soucieux d'un public éventuel que du destinataire particulier de la lettre. Par ailleurs, se pose la question de l'unité de cette forme. Si le domaine de la littérature épistolaire le plus célèbre est le roman, grâce à l'immense succès de la *Nouvelle Héloïse* ou des *Liaisons dangereuses* (aujourd'hui encore et toujours), il reste que cette forme est sollicitée par des genres aussi divers que le pamphlet ou l'autobiographie. De ce point de vue, le roman par lettres offre des traits qui révèlent bien les propriétés fondamentales du genre épistolaire. Souvent, il s'annonce tel un document que l'on doit non pas à un romancier, mais à des personnages ayant réellement vécu et écrit. « Je ne sais point le nom de celui auquel on les a écrites, ni de celui qui en a fait la traduction », précise l'avis « Au lecteur » des *Lettres portugaises* : ainsi s'amorce ce jeu de trompe-l'œil auquel vont se prêter pseudo-éditeurs, prétendus traducteurs et compilateurs, puis, enfin, les lecteurs. C'est, en quelque sorte, la « fiction du non-fictif ; on a trouvé une liasse de lettres, et on publie ce que l'on a trouvé » (Rousset, *Forme et signification*, 1963). Ainsi Laclos ne prétend-il être que le rédacteur chargé de « mettre en ordre » une correspondance réelle et Montesquieu, le « traducteur » des lettres de ses amis persans. La littérature épistolaire joue donc toujours sur une illusion textuelle. Elle cherche à donner l'impression d'être plus « vraie », plus « sincère » que toute autre forme d'écriture, si bien que le lecteur éprouve le sentiment d'une audacieuse indiscrétion, pénétrant comme par effraction dans l'intimité d'un dialogue privé. Ainsi la littérature épistolaire permet d'explorer et d'interroger les possibles du dialogue. J. G. Altman considère que l'épistolarité (*epistolarity*) consiste dans l'utilisation des propriétés formelles de la lettre pour créer de la signification. La structure de double énonciation permet ainsi de donner au lecteur l'illusion qu'il reçoit des propos vrais ; et la souplesse de la forme permet de varier les effets de cet effet. Ainsi, que le roman épistolaire emprunte une forme narrative à une seule voix (monodie), à deux voix ou à plusieurs voix (polyphonie), il abolit plus ou moins totalement le narrateur omniscient, commentateur ou du moins orienteur du propos, pour laisser comme face à face le lecteur et la voix propre des personnages. Lorsqu'une seule personne écrit, le plus souvent à un seul destinataire, il faut distinguer deux situations suivant qu'il y a ou non des réponses. Dans le premier cas, les réponses ne sont pas reproduites, mais elles existent : on assiste alors à un échange où un seul partenaire se manifeste, « à un duo dont on n'entend qu'une seule voix » (Rousset) ; dans le second, il s'agit d'un pur monologue, d'un soliloque qui reste sans réponse. La forme à deux voix, plus rare, et la forme à voix multiples supposent une structure complexe où la prolifération des personnages épistoliers entraîne une pluralité des styles et des points de vue. Le roman par lettres met de la sorte en avant une forte illusion référentielle, qui est caractéristique de toute la littérature épistolaire. De plus, celle-ci implique une absence, qui est à l'origine de la pratique épistolaire, dans la mesure où la lettre n'existe qu'en fonction de la distance temporelle et spatiale qui sépare les interlocuteurs. Selon le contexte, les correspondants insisteront sur ce qui les unit ou ce qui les sépare. La lettre peut ainsi être un « pont », signe de l'intimité, ou une « barrière », signe de la rupture ou de l'indifférence. La littérature épistolaire oscillerait donc entre plusieurs « paires de pôles » : la confiance et la non-confiance, l'auteur et le lecteur, le je et le tu, l'ici et l'ailleurs, etc. (Altman). Mais dans tous les cas, elle mime les situations de conversation, mais manifeste les situations de la communication différée : or celle-ci est une donnée fondamentale de la littérature. L'épistolaire peut être regardé comme une mise en scène – mise en texte des fondements mêmes du littéraire.

► ALTMAN J. G., *Epistolarity. Approches to a Form*, Colombus, Ohio State University Press, 1982. — HAROCHE-BOUZINAC G., *L'épistolaire*, Paris, Hachette, 1995. — VERSINI L., *Le roman épistolaire*, Paris, PUF, 1979. — Coll. : *Art de la lettre, art de la conversation à l'époque classique en France*, B. Bray & Ch. Strosetzki (éd.), Paris, Klincksieck, 1995. — *L'épistolaire, un genre féminin ?*, C. Planté (éd.), Paris, Champion, 1998.

Marc André BERNIER, Lucie DESJARDINS

→ *Correspondance ; Dialogue ; Énonciation et énoncé ; Personnelle (Littérature) ; Polémique ; Roman.*

ÉPOPÉE

L'épopée est un des plus prestigieux genres littéraires dans la tradition classique : selon les règles formulées par la *Poétique* d'Aristote, elle est faite du récit dans le « style soutenu » des exploits de héros (princes et dieux), notamment d'exploits guerriers, et elle inclut l'intervention de puissances surnaturelles, donc le merveilleux. Le sens s'est modifié et l'identité du genre s'est transformée lorsque, au cours du XVIIIe s., les théories préromantiques en ont fait le poème caractéristique d'une civilisation ou d'une nation primitives.

La première attestation du mot en français se trouve dans le *Traité du poème épique* de R. Le Bossu (1675). On disait auparavant *poème héroïque* (du latin *carmen heroicus*) ou *poème épique* (l'adjectif est attesté fin XVIe s.). En grec ancien, *epos* signifie de manière générale ce qui est dit au moyen de la parole et plus particulièrement la parole elle-même, le discours. C'est en ce sens que l'emploie Homère. Son œuvre est qualifiée d'*epopoiia* par Hérodote (*Hist.* II, 116), qui l'inclut parmi les *epopoiios*, les poètes qui ont parlé des événements de Troie mais auxquels on ne peut véritablement se fier (*Hist.* II, 120) : leurs œuvres s'opposent à l'histoire (de *histor*, le témoin). Chez Platon, l'épopée est un des trois types de fictions poétiques, à côté du poème lyrique et de la tragédie (*Rép.* III, 379a). Elle procède à la fois de l'un – où le poète s'exprime en son nom propre – et de l'autre – où ne sont conservées que les conversations entre les personnages (*Rép.* III, 394bc). La *Poétique* d'Aristote propose une définition du genre plus précise, mais toujours fondée sur l'œuvre homérique. L'épopée est une « imitation narrative » présentant (chap. 23-24) un caractère dramatique similaire à celui de la tragédie (avec péripéties, reconnaissances et coups du sort) et une unité d'action (l'étendue d'une composition donnée devant toujours former une totalité compréhensible), en vers *héroïques*, avec une élocution travaillée sans être trop ornée et des interventions du narrateur (qui doit cependant s'effacer au profit de ses personnages) ; elle inclut des éléments irrationnels (provoquant un émerveillement qui est source de plaisir), de « faux raisonnements » (ne répondant qu'à la logique interne de l'œuvre), et doit préférer la vraisemblance à la vérité si celle-ci paraît incroyable. Aristote ne précise pas de sujet propre à l'épopée mais, opposée d'une part aux autres genres poétiques et, d'autre part, au mythe (relatif aux dieux) et au logos (propre aux raisonnements philosophiques), elle apparaît principalement consacrée aux actes héroïques des hommes : récit à la gloire d'un héros qui, à l'exemple d'Achille, accepte de sacrifier sa vie. Le rôle prépondérant du héros est souligné ensuite dans la littérature latine, dont la terminologie qualifie cette poésie, et notamment le mètre qui la caractérise, d'*heroicus* (Quintilien, *Institution oratoire*, I, 5. 28, 8. 5, 10. 10 et X, 1, 46-55). Marquée elle aussi par l'œuvre homérique, elle trouve son apogée avec l'*Énéide* de Virgile, qui devient désormais la référence majeure des poèmes héroïques composés dans le monde romain (fût-ce pour s'en distinguer comme la *Pharsale* de Lucain), ainsi que de l'ensemble de l'épopée latine médiévale.

Dans la littérature française apparaît au Moyen Âge une forme épique propre, la chanson de geste. La première œuvre connue est la *Chanson de Roland* (vers 1190), figure exemplaire de héros à laquelle, dans les textes ultérieurs, se comparent de nouveaux personnages. La chanson de geste est un genre de caractère oral qui porte sur les *res gestae*, c'est-à-dire les événements historiques (de nature plus ou moins légendaire) constitués principalement par la *matière de France* (par opposition aux romans antiques ou arthuriens), centrée autour de l'empereur Charlemagne et racontant la lutte contre les Sarrazins ainsi que les dissensions entre barons du royaume. La tradition médiévale se prolonge à la Renaissance avec des œuvres comme le *Roland furieux* (1504-32) de l'Arioste. Elle tend cependant à s'effacer devant la redécouverte d'Homère (*editio princeps* en 1488), celle de la *Poétique* d'Aristote (1536) et la domination du modèle virgilien. Ces références marquent les *poèmes héroïques* comme la *Franciade* de Ronsard (1572), *Les Lusiades* de Camoëns (1572) ou la *Jérusalem délivrée* du Tasse (1575). Les arts poétiques de l'âge classique reprennent les règles d'Aristote en les fondant sur Homère mais également sur l'*Enéide*. Ainsi Boileau (1674) décrit la « poésie épique » comme un « vaste récit d'une longue action héroïque » qui, par opposition à l'histoire, s'appuie sur la fiction et les ornements de la fable antique. Il s'oppose en cela au *Discours pour prouver que les sujets chrétiens sont seuls propres à la poésie héroïque* de Desmarets. Pourtant les épopées à sujets chrétiens abondent au XVIIe s. (*Saint-Louis* du P. Le Moyne, 1653 ; *Clovis* de Desmarets, 1654 ; *La pucelle* de Chapelain, 1656) : elles attestent de la quête d'une épopée fondatrice de l'identité collective. La puissance du genre est aussi manifestée par les parodies burlesques dont il fait l'objet, de Scarron à Marivaux. Une nouvelle voie s'ouvre avec la « Querelle des Anciens et des Modernes » (qui est largement une querelle à propos d'Homère). Dans son *Essai sur la poésie épique* (*Essay upon the Epic Poetry of the European Nations from Homer down to Milton*, éd. angl. 1727), Voltaire, afin de défendre sa *Henriade* (1728), plaide pour une indépendance des modernes vis-à-vis des modèles anciens, du fait des différences de civilisation, et justifie ainsi l'écart entre les traditions nationales. Cette mise en question de la valeur atemporelle des règles aristotéliciennes provoque l'extension du concept d'épopée, notamment à la suite de la publication (1762) par l'Écossais J. Macpherson de *Fingal. An Ancient Epic Poem*, attribué à Ossian. Macpherson avait subi l'influence de Th. Blackwell, qui, dans son *Enquiry into the Life and Writings of Homer* (1735), est le premier à faire du poète grec un barde sauvage dont l'œuvre, libre de toute règle, serait le produit d'une époque encore primitive. En 1763, Hugh Blair consacre une *Critical Dissertation on the Poems of Ossian* à démontrer que ceux-ci s'accordent aux préceptes de la *Poétique* afin de faire d'Ossian l'égal d'Homère. L'immense influence de Macpherson et de Blair à travers l'Europe permet que l'épopée se détache de la référence aristotélicienne pour incarner, avec Herder notamment, la poésie primitive d'une nation. De fait, Hegel ne s'appuie à aucun moment sur Aristote – alors même qu'il semble l'utiliser – lorsqu'il traite de la poésie épique dans son *Esthétique* (1819-1829). L'épopée, qu'il oppose à la poésie lyrique et au drame, est chez lui un récit qui a pour sujet un événement réel du passé qui, par l'intermédiaire de l'action individuelle d'un héros unique, exprime l'histoire primordiale (marquée principalement par la guerre) et le destin d'une civilisation ou d'une nation primitives : le poète s'efface au profit du peuple, dont l'épopée incarne l'esprit et lui permet de prendre conscience de son identité. Chaque civilisation, selon Hegel, possède son épopée : il applique le terme à toute œuvre occupant une place qui paraît au fondement d'une culture donnée, même si elle n'a aucun rapport avec la tradition aristotélicienne. C'est dans une telle perspective que s'inscrit désormais le plus souvent le concept d'épopée. Il a été revendiqué pour le roman : soit en considérant le roman comme une épopée en prose, soit en estimant que les grands romans rejoignent le registre épique. Dans la poésie, l'épique s'est fait plus rare, mais un vaste recueil comme *La Légende des siècles* de Hugo (1859-1883) ambitionne bien d'être une œuvre de référence majeure comme l'était celle d'Homère, sans pourtant être une épopée classique au sens d'Aristote. Le mot d'épopée prend alors souvent un sens métaphorique, comme lorsqu'il qualifie les œuvres qui traitent des conquêtes napoléoniennes ou qui sont interprétées comme populaires et nationales (*La légende et les aventures* [...] *de Thyl Ulenspiegel* [...] de Charles De Coster, 1867, en Belgique). Les valeurs héroïques ou épiques, quant à elles, traversent les frontières du genre, et se répandent dans le roman (Hugo, *Les misérables*,1862), le théâtre (Claudel, et plus encore le « théâtre épique » de Brecht) ou la poésie (Aragon).

En tant que genre proprement dit, l'épopée a été dotée du plus haut prestige aussi longtemps que dominait la référence à la poétique classique, et a engendré de très nombreuses œuvres. Mais elle ne suscite plus désormais de créations nouvelles. Les raisons de cette mise à l'écart peuvent être envisagées de divers points de vue : affaiblissement des croyances dans les puissances surnaturelles, perte d'estime pour les valeurs guerrières, changement des conditions de diffusion (l'épopée et la chanson de geste semblent davantage attachées à la tradition orale et au souffle de la diction plus qu'à la lecture silencieuse). Mais c'est la modification même du concept d'épopée qui en rend l'écriture impossible, sauf de façon parodique. Seules les recherches érudites, philologiques puis anthropologiques, sont désormais concernées par les épopées « véritables », de caractère « primitif ». C'est en ce sens que ce terme désigne une œuvre qui fonctionne comme référent culturel majeur dans des aires culturelles larges, en Europe, en Orient (*Ramayana*, *Gilgamesh*) ou dans le reste du monde, et que ce genre peut être envisagé d'un point de vue anthropologique, comme c'est le cas, par exemple, dans *Mythe et épopée* de Georges Dumézil (1968-1973). Dans le domaine de la création littéraire, l'épopée se voit remplacée par le roman, qui devient le principal genre narratif. Toutefois, malgré le déclin du genre, le registre épique n'a pas disparu : il est caractérisé par la présence d'un style soutenu (longtemps appelé « héroïque »), une vision du monde où les héros exceptionnels décident du sort des groupes qu'ils représentent, ou l'intervention de forces irrationnelles et surhumaines (le destin, le sort...). Ce registre a souvent été repris dans des domaines autres que littéraires, le cinéma et la bande dessinée, voire la presse sportive.

▶ CSÜRŠS K., *Variétés et vicissitudes du genre épique de Ronsard à Voltaire*, Paris, Champion, 1999. — MADELÉNAT D., *L'épopée*, Paris, PUF, 1986. — Coll. : *L'épopée*, Actes du Xe Congrès Budé, Paris, Les Belles-Lettres, 1980. — *Plaisir de l'épopée*, G. Mathieu-Castellani (dir.), Saint-Denis, Presses universitaires de Vincennes, 2000.

Christopher LUCKEN

→ *Antiquité ; Burlesque ; Cycle ; Genres littéraires ; Héros et anti-héros ; Image, imagologie ; Merveilleux ; Oralité ; Parodie ; Registres ; Religion ; Roman ; Style.*

ÉROTISME

Le terme érotisme désigne la part de la littérature amoureuse qui insiste sur les plaisirs de la chair. Rencontré pour la première fois en 1794 chez Rétif de la Bretonne dans le sens vieilli de « désir amoureux », érotisme dérive de *erôs* – l'amour, le désir – qui est aussi le nom du dieu de l'Amour dans la mythologie grecque. En 1769, le même Rétif publie *Le pornographe*, « traité sur la prostitution », d'où provient la « pornographie ». Elle caractérise de nos jours toute représentation concrète et explicite (dessin, photographie, livre, film) de choses obscènes dans le but de les rendre publiques et d'exciter le lecteur (ou spectateur).

La frontière entre érotisme et pornographie constitue aujourd'hui, particulièrement dans le domaine du droit, un débat sans fin. L'obscénité (ce qui blesse la morale) est une notion poreuse dont les définitions évoluent au cours des siècles et selon les pays et les milieux sociaux ou confessionnels. Si on a pu dire que l'érotisme et la pornographie avaient le même but, c'est-à-dire représenter la jouissance sexuelle, sans partager la manière (l'érotisme le ferait de façon esthétique), il paraît tout de même difficile de séparer entièrement ces deux notions. Selon Alain Robbe-Grillet, « la pornographie, c'est l'érotisme des autres ». La tradition littéraire érotique affirme que la littérature peut et doit oser dire ce qui ne se dit pas autrement. La pornographie a pu aussi jouer un rôle de contestation et de libération, mais paraît aujourd'hui, à la différence de l'érotisme, dériver du côté de l'aliénation et constitue un problème culturel et social lourd. La littérature licencieuse ne s'enseigne (généralement) pas, mais elle s'écrit, se publie et se collectionne. Si les philologues tergiversent devant elle (ainsi Bédier ou G. Paris hésitant à faire connaître des fabliaux, ou Carnoy des Contes picards, qu'ils recueillent), si les auteurs ne revendiquent pas toujours leurs œuvres érotiques et usent abondamment du pseudonyme pour les signer (l'exemple d'Aragon est révélateur des tensions entre la pudibonderie du PC et l'audace des temps surréalistes : le *Fou d'Elsa*, 1945, a occulté le *Con d'Irène*, 1928), elle attire la curiosité comme tout objet plus ou moins interdit. Elle peut apparaître dans tous les genres, elle se distingue par un raffinement formel et thématique, souvent renforcé par la réalisation soignée des textes. Elle manifeste le rôle de la littérature comme transgression des codes en même temps qu'affirmation de ce que ces codes valorisent en secret.

Un « art d'aimer » comme le *Cantique des cantiques* (IIIe s. avant J.-C.) demeure le texte érotique le plus ancien en Occident (un autre canon universel de l'érotisme, le *Kamasutra* [Inde], remonte pour sa part au VIIIe s. après J.-C.). Mais pour certains commentateurs (F. Dupont), la littérature peut avoir été, dans l'Antiquité, une des formes de l'érotisme. La pratique du banquet, moment de sociabilité intense, où le vin est associé à la conversation, à la récitation poétique et à la musique, rend indissociables tous les plaisirs dans une société raffinée. Le *Banquet* de Platon met également en présence un groupe d'invités auxquels il est proposé de faire un éloge de l'Amour. Même si, dans ce dialogue, l'intervention de Socrate tente de hiérarchiser les formes et les intentions de l'amour, rien, dans ce que nous savons de l'Antiquité, ne permet de séparer les textes qui traitent de l'Amour de ceux qui développent le registre érotique. Selon leurs publics, les auteurs s'adonnaient autant au lyrisme ou à la description des stratégies amoureuses : ainsi Ovide, dont *L'Art d'aimer* (Ier s.) apparaît comme un des grands modèles de la littérature érotique, en même temps que la poétesse gecque Sapho est restée comme la première voix féminine disant le désir.

Au Moyen Âge, le monopole de l'Église laisse peu de place à l'expression écrite du désir amoureux. Cependant, sous l'influence d'Ovide et de l'érotisme arabe (via Ibn Hazm, XIe s.), la poésie courtoise témoigne de la vitalité de l'érotisme, mais aussi de sa marginalité (il est le plus souvent adultère). Au XIIe s., *Le roman de la rose* de Guillaume de Lorris est un exemple de l'émancipation des femmes et de leur désir d'être courtisées en dehors des liens du mariage. Par ailleurs, même si les traces écrites restent rares, toute une littérature populaire (contes ou farces) dit la crudité des rapports érotiques tandis que les fabliaux et les poésies libres des clercs (goliards) comme ceux de certains troubadours en Occitanie ont clairement conscience de contourner les interdits sociaux lorsqu'ils chantent l'amour physique (J. Bodel, *Le songe des vits*, XIIe s.). À la Renaissance, une part de la production littéraire dérive de la tradition courtoise. L'influence de Pétrarque exalte la beauté idéalisée, mais des poètes qui tentent de se défaire du canon pétrarquiste proposent une poésie plus grivoise qui frôle l'obscénité. On parle alors de poésie gaillarde ou paillarde. Abondent aussi des blasons amoureux, et la poétesse Louise Labé donne voix au désir féminin. Certains sonnets d'Étienne Jodelle illustrent de manière érotique et parfois même pornographique les déceptions du poète face à l'amour.

Au XVIIe s., les conceptions changent. Si les poésies libres et satiriques du début du siècle sont de verve « gauloise », les « romans » *L'école des filles ou la Philosophie des dames* (1655, auteur présumé Michel Millot) et *L'académies des dames* (Nicolas Chorier, 1659) sont des textes pornographiques, écrits sous la forme d'un dialogue entre femmes et destinés à un lectorat masculin, cultivé et aisé. De même, *Lupanie* de P. C. Blessebois met en scène un érotisme allègre et sans masque, qui ne sera guère dépassé au siècle suivant. Mais les valeurs sociales changent également, et la vertu, la dignité morale et le rang dictent de plus en plus au fil du siècle, tant aux hommes qu'aux femmes, les manières de se comporter en amour. En 1603, *L'astrée* d'Honoré d'Urfé dépeint l'amour pur, mais inclut une ambiguïté dans son monde idyllique, par un érotisme plus réaliste (personnage de Hylas) ou par des situations troublantes (Céladon déguisé en femme admis auprès d'Astrée). *L'histoire comique de Francion* (1623), de Charles Sorel, nous renseigne également sur « les jeux de l'amour » dont on ne sait comment parler et qui requièrent un nouveau vocabulaire. Mais le libertinage est de plus en plus mis à l'écart sous le règne de Louis XIV, et même les *Contes* de La Fontaine n'échappent pas à la censure. Bussy-Rabutin est condamné à l'exil pour avoir décrit les pratiques érotiques à la cour du roi, dans *L'histoire amoureuse des Gaules* (1665). La galanterie libertine est combattue au nom de la belle galanterie, qui vise à plaire mais sans érotisme. Au siècle des Lumières, les publications érotiques augmentent. Le langage de l'amour s'y fait pragmatique, et gai, dans le courant libertin : ainsi Crébillon fils (*Le sopha*, 1737), Diderot (*Les Bijoux indiscrets*, 1748), Mirabeau (*Le libertin de qualité*, 1784) et Vivant-Denon (*Point de lendemain*, 1777) font partie des auteurs qui ont ponctué la production érotique de l'époque. Le Marquis de Sade, avec les différentes versions des *Justine* ou *Les 120 journées de Sodome et Gomorrhe*, porte, lui, la pornographie à sa pointe extrême, liée à la violence et au crime, mais associée aussi à la dénonciation de la religion, du clergé et des idées dominantes.

Vers 1830, l'invention du daguerréotype démocratise l'accès aux images licencieuses. La censure continue de sévir : en 1836, la Bibliothèque Nationale crée « l'Enfer », où est déposé tout texte qui contrevient à la morale, la religion ou la politique. Ce siècle voit surtout émerger des éditeurs spécialisés, comme Auguste Poulet-Malassis ou Jules Gay, dont les trois volumes de la *Bibliographie des ouvrages relatifs à l'amour...* (1894-1896) rencontrent un grand succès chez les collectionneurs. En outre les auteurs nourrissent souvent les catalogues spécialisés. Attribué à Alfred de Musset, un des premiers romans érotiques du siècle imprimé en 1833 sur une presse clandestine s'intitule *Gamiani ou une nuit d'excès*. Des théâtres érotiques s'ouvrent également (comme celui de Lemercier de Neuville, rue de la Santé), dont le Grand-Guignol sera l'héritier au XXe s. Verlaine fait connaître ses œuvres libres (publiées sous le pseudonyme de Pablo de Herlagnez, 1868). Avec *Le surmâle* (1902) de Jarry et *Les onze mille verges* (1905) de Guillaume Apollinaire, la pornographie devient humoristique dans des textes autoréflexifs. Au début du XXe s., l'essor de la science et de la psychanalyse changent la conception de la sexualité, par un discours de plus en plus médical et objectivant. Sur la scène littéraire, elle reste cependant un type de discours perçu comme non conformiste. Les surréalistes manifestent leur intérêt pour la littérature érotique, et, comme Louis Aragon – *Le con d'Irène* – ou Paul Nougé – *La chambre aux miroirs*, ils explorent parfois les ressources du langage cru. Proche du mouvement, Georges Bataille publie sous divers pseudonymes et de manière clandestine quelques récits érotiques qui ont fait date (*Madame Edwarda*, 1945). L'érotisme devient un des grands axes de sa philosophie (*L'érotisme*, 1957). Le succès d'*histoire d'O* (1954) de Pauline Réage (pseudonyme de Dominique Aury) témoigne de l'évolution des mœurs autant que de la force des résistances.

Dans les années 1980-1990, sous l'influence de l'œuvre de Roland Barthes, commencent à paraître des récits d'une littérature érotique homosexuelle que la critique a regroupés sous le terme « homoérotisme » (Renaud Camus et Tony Duvert par exemple), en même temps que se libère une érotique féminine.

En parallèle existe aussi, de longue date, un large marché de la pornographie : les collections spécialisées, visant un public mâle, souvent populaire, atteignent désormais à la diffusion massive (bibliothèques de gare pour des bandes dessinées et des romans policiers pornographiques ; cinémas X, et supports tels que le minitel et Internet).

▶ ALEXANDRIAN S., *Histoire de la littérature érotique*, Paris, Seghers, 1989. — GOULEMOT J. M., *Ces livres qu'on ne lit que d'une main. Lecture et lecteurs de livres pornographiques au XVIIIe siècle*, Aix-en-Provence, Alinéa, 1991. — NELLI R., *Érotique et civilisations*, Paris, Weber, 1972. — PAUVERT J.-J., *Anthologie historique des lectures érotiques : de Guillaume Apollinaire à Philippe Pétain*, Paris, J. C. Simoën, 1979. — STORA-LAMARRE A., *L'Enfer de la IIIe République : censeurs et pornographes*, Paris, Imago, 1990.

Isabelle DÉCARIE

→ *Censure ; Corps ; Courtoise (Littérature) ; Fabliau ; Libertinage ; Plaisir littéraire.*

ÉRUDITION

L'érudition désigne à la fois une démarche épistémologique fondée sur l'étude des textes en tant que sources de la connaissance et le savoir encyclopédique qui en résulte. Sera donc *érudite* ou *savante* toute production littéraire qui fait l'exhibition (par des signes tels que notes, remarques marginales, références, citations) d'un savoir supposant une compétence particulière de la part de l'auteur et du lecteur ou qui vise à la constitution de ce savoir (commentaires, éditions, traductions).

Préparée par la glose et par la tradition scolaire de l'*emendatio* et de la compilation d'*exempla*, l'érudition se développe en France aux XVe et XVIe s. Le souci de fonder le savoir en vérité produit un vaste mouvement de retour aux sources antiques des textes. Dans la perspective de la « critique » textuelle proposée par Casaubon, Lipse et Scaliger notamment, se multiplient les éditions, traductions et commentaires destinés à faire la lumière sur les textes. Sous l'égide de François Ier, la Renaissance française tente également de s'imposer et de rivaliser avec le modèle italien (Budé, Dolet, Estienne). Le goût de l'érudition envahit l'ensemble de la production littéraire par le biais de la citation, constitutive de recueils (*Adages* d'Érasme,

1500) ou semée dans le tissu du texte (*Essais* de Montaigne, 1580). Elle participe d'une tendance générale à la compilation (laquelle suscite divers genres : florilège, mélanges, *polyanthea*, etc.). Au début du XVIIe s., cette tradition critique est recueillie dans les réunions d'érudits (Peiresc, le P. Mersenne). Le cercle le plus célèbre à Paris est l'« académie » des frères Dupuy. Souvent en liaison avec le libertinage, l'érudition y est cultivée comme un gage d'ouverture d'esprit et d'indépendance intellectuelle. Le XVIIe s. voit aussi l'essor de l'exégèse ecclésiastique. Dans un souci polémique, on poursuit l'élaboration d'une histoire de l'Église commencée au XVIe s. dans le cadre de la Réforme puis de la Contre-Réforme, tandis que les moines bénédictins de Saint-Maur réalisent un immense travail philologique d'authentification et d'épuration des documents de la tradition religieuse.

À partir du milieu du siècle, cependant, le développement conjoint du cartésianisme et du goût mondain jette le discrédit sur l'érudition, condamnée comme inutile, au nom de la primauté du jugement et de l'expérience, et comme pédante, au nom d'une éthique et d'une esthétique galantes du naturel et de la clarté.

La multiplication des dictionnaires à la fin de XVIIe et au XVIIIe s. ne signale cependant pas un retour à l'érudition. Si l'*Encyclopédie* ou le *Dictionnaire de Trévoux* se présentent comme des sommes, la capitalisation du savoir sert désormais à des fins politiques et critiques. Condamnée par les philosophes dans sa pure fonction encyclopédique, l'érudition se sépare des Belles-Lettres et de la science au titre de « connaissance des faits » (d'Alembert, « Discours préliminaire de *l'Encyclopédie* ») pour se réfugier au XIXe s. dans les disciplines et spécialitées de l'histoire littéraire et de la philologie. Hérités du XVIIe s., les stéréotypes du pédant de collège et de l'inutilité du savoir érudit se perpétuent et se renforcent au XIXe s. chez Hugo ou Flaubert (*Bouvard et Pécuchet*, 1880). Ils rejoignent une tradition de dérision du pédant (Rabelais ; Sorel ; Sterne en Grande-Bretagne, etc.) ou de l'autodidacte (Sartre). Si elle nourrit la production d'écrivains comme P. Quignard et Marguerite Yourcenar (*Les mémoires d'Hadrien*, 1951, *L'œuvre au noir*, 1968), l'érudition se présente rarement comme telle dans la littérature moderne.

Le principe de l'érudition repose sur la production d'un savoir par la reprise d'un savoir antérieur auquel ce nouveau savoir vient s'accumuler. En matière de littérature, l'érudition correspond à une conception de la création comme imitation des modèles légués par l'Antiquité. Or, ce qui se joue dans ce principe de reproduction, c'est l'autorité du savoir ou du texte produit. Celui-ci tire sa légitimité de la tradition sur laquelle il se fonde et dans laquelle, par la même occasion, il s'inscrit, tradition dont l'ancienneté suffit à attester de la valeur de vérité. L'érudition pose donc le problème de la notion d'auteur. Si on pense en effet cette notion en termes d'autorité, il apparaît que l'érudition ne fait pas de place à l'auteur, l'érudit étant précisément celui qui s'efface derrière la voix de l'autre. Mais les pratiques de l'intertextualité, dans la création, et de la philologie et de l'histoire littéraire, dans l'enseignement et la recherche, attestent qu'elle est toujours présente dans les faits.

▶ BARRET-KRIEGEL B., *La défaite de l'érudition*, Paris, PUF, 1988. — BEUGNOT B., *La mémoire du texte*, Paris, Champion, 1994. — GRAFTON A., *Les origines tragiques de l'érudition. Une histoire de la note en bas de page*, Paris, Le Seuil, 1998. — JEHASSE J., *La Renaissance de la critique. L'essor de l'Humanisme érudit de 1560 à 1614*, Publications de l'Université de Saint-Étienne, 1976. — PINTARD R., *Le libertinage érudit dans la première moitié du XVIIe siècle*, Paris-Genève, Slatkine, [1943], 1995. — Coll. : *Representations*, numéro spécial « The new erudition », University of California Press, automne 1996, n° 56.

Claire CAZANAVE

→ *Autorité ; Critique littéraire ; Encyclopédie ; Glose ; Histoire littéraire ; Humanisme ; Imitation ; Libertinage ; Mémoires ; Modèle ; Philologie.*

ESPACE

Lessing a établi dans *Laocoon* (1766) une distinction entre les arts liés au temps (littérature, musique) et ceux liés à l'espace (peinture, sculpture) : l'opposition tient au fait que le langage est voué à se dérouler dans le temps, tandis que les arts visuels se donnent dans la simultanéité. Cependant, l'espace concerne la littérature à plusieurs titres. L'espace est saisi par l'imagination de l'écrivain, et donc perçu non pas dans la positivité de la science, mais avec toutes les partialités de l'imagination. Il est donc représentation, investie par la subjectivité. Ainsi le théâtre suppose par sa nature même une telle « mise en scène » de l'espace. Dans la poésie, c'est la disposition du texte dans la page qui tente parfois de la rendre visible. Dans le roman, l'espace devient souvent une sorte de protagoniste de l'action.

Par ailleurs, l'espace concerne la littérature dans sa dimension d'ouverture sur autrui, autant dans sa réception que dans ce qu'elle en reçoit en échange : la littérature comprend et engendre ainsi un espace social, public, lié à ses conditions d'existence et de production ; cet aspect ne sera pas traité ici (voir : Public, Sociabilité, Publication).

La question de l'espace est posée de façon évidente au théâtre en ce qu'il tient à la fois de la poésie et de l'action et qu'il soumet celle-ci à une unité de lieu réelle (la scène) pouvant figurer une multitude de lieux fictifs. L'expérience visuelle n'y est pas seulement un « résultat » ou un « effet », mais une composante fondamentale de la forme elle-même qui, en tant que forme, produit la spatialité dans sa présentation.

Le décor contribue à la résolution de l'antinomie entre la matérialité de l'espace sensible et la spiritualité de l'espace esthétique en matérialisant ce dernier. Ainsi l'espace créé par les œuvres du théâtre classique français obéit au principe de l'unité de lieu, liée à la vraisemblance. L'unité de lieu, cependant, a eu du mal à s'imposer puis a été abandonnée – au profit de tableaux multiples, successifs, et parfois simultanés –, ce qui reflète, en partie, son caractère contingent.

En poésie, où le dialogue avec la peinture est constant, au-delà de l'*ut pictura poesis*, l'espace de la figurabilité, c'est la profondeur au sens où la poésie « met le langage en état d'émergence » (Bachelard, p. 10) et le poète s'exprime depuis un « seuil » (*id.*, 2) qui se situe à l'origine même de la conscience conçue comme « être sauvage » (Merleau-Ponty, *L'œil et l'esprit*, 1960). Le langage est inéluctablement inscrit dans l'ordre de la succession ; aussi ne peut-il rendre pleinement compte de l'espace : une description ne peut produire qu'une addition de détails successifs, donnant ainsi une image brouillée là où la peinture rend ces détails dans leur coprésence même. Pouvant être considéré non seulement comme une réalité en soi, mais aussi comme une représentation qui résulte d'une série d'opérations abstractives de l'esprit, l'espace littéraire peut être regardé comme un espace qui convertit l'énoncé en plan de « figurabilité » (Jenny, 69). Alors se crée un espace propre aux images, dont les tentatives d'Apollinaire avec ses *Calligrammes* (1918) ou de Victor Ségalen avec *Stèles* (1912) sont l'expression stylistique la plus extrême, à la jonction de l'écriture et de son inscription visuelle dans l'espace de la page. Blanchot élargit à l'œuvre tout entière cette perspective lorsqu'il montre que l'écrivain entre, dans « l'espace littéraire », dans l'absolu de la fascination, où la figure majeure est celle de l'image. Et, sous l'influence de Mallarmé (notamment *Un coup de dés jamais n'abolira le hasard*, 1897, mais déjà, et peut-être surtout *Igitur*, 1870) qui tente de donner à l'absence une puissance de lieu, Blanchot montre que c'est l'œuvre elle-même, l'espace qu'elle crée, qui est visée, puisqu'elle « est » tout simplement.

Dans le roman, la liberté de représentation de l'espace est entière. Aussi peut-il devenir une donnée fondamentale de l'action. Il peut être proposé en explication de traits psychologiques des personnages (ainsi la théorie des climats dans les *Lettres persanes* de Montesquieu, 1721, par exemple). Il peut aussi traduire des causalités en fantasmes : la mine est vue comme un monstre dans *Germinal* de Zola, et la ville comme lieu de dangers dans le roman balzacien ; ou au contraire, la nature est le lieu qui suscite les confidences romantiques. À l'inverse, l'espace fictif devient moyen de critique de l'existant, dans l'utopie. Mais plus encore, sous l'influence des visions poétiques de l'espace, les lieux ont aussi été envisagés, par Proust en particulier (*À l'ombre des jeunes filles en fleurs*, p. 676) non comme des localisations, mais comme des « îles » dans l'espace, des monades, de « petits univers à part » (Poulet, p. 50). Ce qui les relie entre eux pour le narrateur d'*À la recherche du temps perdu*, mais aussi bien pour Emma par exemple dans *Madame Bovary*, ce n'est pas la généralité anonyme qui se retrouve dans tous les points de l'étendue, comme dans la géométrie euclidienne, mais l'identité, la « consistance d'un type particulier de plaisir, et presque d'un cadre d'existence » (*À l'ombre...*, p. 721). Chez Flaubert, le refus du réel par l'héroïne fait que l'espace est constamment investi par la psychologie (par les rêves notamment). Chez Proust l'espace est présenté sous la forme d'un lieu *intérieur*, qui possède une dimension supplémentaire, « une certaine profondeur de *durée* » (Poulet, p. 34). Ainsi non seulement l'écrivain s'accommode-t-il de la métamorphose du temps en espace, mais il s'y installe, la pousse à l'extrême et en fait le fondement même de son œuvre. Le roman a retenu ensuite cette fascination de l'espace en approfondissant souvent cette quête du regard, dans le Nouveau Roman, comme dans le roman contemporain (par exemple F. Bon, *Paysage fer*, 2000).

▶ BACHELARD G., *La poétique de l'espace*, Paris, PUF, [1957], 1998. — BLANCHOT M., *L'espace littéraire*, Paris, Gallimard, 1955. — JENNY L., *La parole singulière*, Paris, Belin, 1990. — OUELLET P., *Voir et savoir*, Candiac (Québec), Ed Balzac, 1992. — POULET G., *L'espace proustien*, Paris, Gallimard, [1963], 1982.

Nathalie AUBERT

→ *Calligramme ; Correspondance des arts ; Géographie littéraire ; Image ; Peinture ; Poésie ; Roman ; Temps ; Théâtre ; Unités.*

ESSAI

Le nom d'essai contient l'idée d' « exercice » : un essai est un exercice de réflexion littéraire. Les objets et les manières peuvent être indéfiniment variés. Mais tous se réfèrent à un modèle, les *Essais* de Michel de Montaigne (1ère éd. 1580) théorisés comme genre littéraire par Bacon en 1597, et à une tradition argumentative ancienne qui, sous des formes diverses (Mélanges, Épîtres, Aphorismes, Adages, Variétés, Discours...), permet le développement de la réflexion personnelle. Ainsi les *Essais de morale* de P. Nicole (1671), les *Essais sur la peinture* de D. Diderot (1765, publiés en 1795) ou les *Essais de psychologie contemporaine* de P. Bourget (1883) peuvent être rangés sous la même rubrique en dépit de leurs différences. L'essai constitue la forme majeure de la « littérature d'idées ».

Dans l'Antiquité, *Les caractères* de Théophraste, les *Lettres à Lucilius* de Sénèque et les *Pensées* de Marc-Aurèle peuvent être considérés comme les premières manifestations de l'essai. Mais c'est à Montaigne, le premier à utiliser le terme (*Les Essais*, 1580), qu'est attribuée la paternité du genre. Repris et développés pendant 22 années de composition, les *Essais* ont d'abord été conçus comme une série d'*exempla* ou de pensées morales, comme ceux que les humanistes avaient mis en vogue dans leurs Lettres et leurs recueils d'Épitres. Ils deviendront progressivement une sorte de traité sans système sur « l'humaine condition », fondé sur l'expérience personnelle. Véritable « carrefour des genres en prose » (M. Fumaroli), les *Essais* présentent une pensée mise à l'essai, s'exerçant à la connaissance, et qui préfère élire le processus en mouvement plutôt que la réflexion achevée et close. Ainsi, l'essai implique le goût du risque, l'épreuve de soi-même, mais également la modestie d'un propos, qui se veut « coup d'essai ».

À la fin du XVIe s. et au début du XVIIe s., l'impact des *Essais* est sensible en France, mais aussi en Italie, en Espagne, et surtout en Angleterre où Francis Bacon, dès 1597, reprend le titre de l'ouvrage de Montaigne. D'autres écrivains anglais s'inspirent de l'esprit et de la facture des *Essais* : notamment les *Essayes* (1600, 1601) de Cornwallis et les *Several Discourses by way of Essays, in Verse ans Prose* (1668) de Cowley. L'influence de Montaigne est telle en Angleterre qu'en anglais la notion d'*Essay* s'impose pour désigner un genre propre aux « honnêtes gens », nourri d'éléments biographiques et de réflexion personnelle. En France, la pratique de l'essai s'écarte quelque peu du modèle fondateur. Descartes (*Discours de la méthode*, 1637) lui préfère une démarche intellectuelle plus systématique, mais reprend le terme pour ses *Essais de Physique* (dont le *Discours* est la préface), qui mettent à l'épreuve ses théories neuves. Pascal (*Pensées*, 1670) entretient avec les *Essais* de Montaigne une relation ambivalente, critiquant l'emprise du moi, mais manifestant aussi une connaissance profonde du texte. La réflexion critique, morale ou philosophique produit de nombreux textes relevant de l'essai, mais qui utilisent des appellations multiples : Discours, Dialogues, Conversations, Lettres, Dissertations, Traités, mais également *Variétés* (de J.-P. Camus, 1617) voire œuvres diverses (les *Œuvres diverses du sieur de Balzac*, 1644). La littérature d'idées, au XVIIIe s., utilise abondamment ce genre, parmi d'autres, pour véhiculer les « Lumières » et critiquer les dogmes religieux et politiques. La forme avérée est celle qu'emploie Voltaire dans l'*Essai sur les mœurs et l'esprit des nations* (1756). Mais sous d'autres noms, les essais pullulent : Diderot fait paraître ainsi ses *Pensées philosophiques* (1746), Restif en publie en nombre, etc. L'essai conserve, y compris en ses applications scientifiques (*Essai sur l'origine des connaissances humaines* de Condillac, 1746), une part de la connotation personnelle que Montaigne lui a apportée. À côté de ce type d'essai analytique, on trouve aussi des textes qui se situent davantage dans le sillage de Montaigne, chez Marivaux (*L'indigent philosophe*, 1727) et Rousseau (*Les rêveries du promeneur solitaire*, 1782). Au XIXe s., la croissance rapide de la presse et du journalisme, l'apparition de nombreux périodiques, tels que la *Revue des deux mondes*, la *Revue de Paris* et le *Journal des débats*, offrent aux écrivains un nouveau lieu de publication. Journaux et revues accueillent de courts essais sur la philosophie, l'histoire, la politique ou la critique littéraire et artistique. Ainsi, aux côtés d'essais qui se rapprochent du traité, comme l'*Essai sur les révolutions* de Chateaubriand (1797) et *De la littérature* de Mme de Staël (1800), ces essais en forme d'articles deviennent un lieu où les « intellectuels » peuvent rapidement intervenir dans les divers débats qui agitent la société. Sont édités aussi des *recueils* de textes plus courts, souvent polémiques ou liés à la critique artistique, qui ont déjà été publiés dans des journaux (Sainte-Beuve, *Causeries du lundi*, 1851-1862 ; Renan, *Essais de morale et de critique*, 1859 ; R. de Gourmont, *La culture des idées*, 1900). L'essor de l'essai se poursuit au XXe s. grâce à l'éclosion de nouvelles revues qui jouent un rôle de premier plan dans la vie intellectuelle (*La nouvelle revue française*, *Les cahiers du sud*, *Les temps modernes*, *Critique*, *Tel Quel*, etc.), grâce aussi aux interventions des intellectuels dans les débats sociaux. On assiste alors à une diversification des types d'essai. Les essais polémiques (Benda, *La trahison des clercs*, 1927 ; Bernanos, *Les grands cimetières sous la lune*, 1938 ; Senghor, *Langage et poésie négro-africaine*, 1954 ; Ziegler, *La Suisse lave plus blanc*, 1990) côtoient les essais philosophiques (Camus, *L'homme révolté*, 1951 ; Cioran, *De l'inconvénient d'être né*, 1973) et les essais plus analytiques qui se situent dans la mouvance des sciences humaines (Bataille, *La littérature et le mal*, 1943 ; Barthes, *Mythologies*, 1957, *Essais critiques*, 1964 ; F. Dumont, *Le lieu de l'homme*, 1968...) ou enfin des essais en forme de méditation libre (Quignard).

Malgré le foisonnement de la production contemporaine, le genre de l'essai a été assez peu étudié en tant que forme. Dès les premières définitions, il semble marqué au coin d'une certaine indétermination. Les principaux lexicographes le définissent comme un ouvrage dans lequel « l'auteur ne se propose pas d'approfondir la matière dont il traite » (*Dictionnaire de l'Académie française*, 4e éd., 1814). Fort générale, ne précisant ni le contenu traité, ni la forme ni le ton utilisés, cette définition permet difficilement de saisir à quel type de texte précis renvoie l'appellation. Reste qu'il convient bien d'en faire un genre littéraire, identifié par un certain nombre de caractéristiques. L'essai se caractérise par la présence affichée et affirmée du « je » énonciateur présidant à l'organisation du texte. Il ne s'agit cependant pas d'une écriture avant tout intime et liée à l'ordre du privé, mais bien de l'intervention d'un discours argumenté, où l'auteur s'adresse à ses contemporains. En outre, dans l'essai, les idées présentées ne se détachent pas de l'expérience de celui qui les élabore : ne visant ni l'exhaustivité, ni la systématisation, l'essayiste propose une réflexion fondée explicitement sur son point de vue particulier sur le monde, ancrée dans un certain contexte, dans un temps et un lieu particulier. Enfin et surtout, dans l'essai, le langage ne sert pas qu'à transmettre la pensée, il contribue à la faire advenir, la montre comme une quête de sens.

À partir de cette base, certains critiques, comme J.-M. Paquette (1972), M. Angenot (1982) et R. M. Chadbourne (« A Puzzling Literary Genre », 1983) font de l'essai un genre spécifique par rapport aux différentes formes de la prose d'idées et de la littérature personnelle et lui prêtent des caractéristiques qui le distinguent à la fois du pamphlet, par exemple, et de l'autobiographie. D'autres, en revanche, dans une vue plus radicale, comme J. Terrasse (1977), J. Starobinski (« Peut-on définir l'essai? », 1985) et Y. Tremblay (*L'essai : unicité du genre, pluralité des textes*, 1994), le considèrent comme un hyper-genre, englobant plusieurs sous-genres de la prose d'idées et de la littérature personnelle, tels le pamphlet, la chronique, le récit de voyage, l'autobiographie, etc. L'essai, de ce point de vue, s'apparenterait à la catégorie anglo-saxonne de la *nonfiction* et regrouperait « les textes qui ne peuvent ressortir ni à la fiction, ni à la poésie, ni au théâtre » (D. Combe, *Les genres littéraires*, 1992). En tout état de cause, l'essai récuse la recherche purement formelle ou esthétique, et « engage » la littérature.

On pourrait également lier la catégorie de l'essai, comme genre de la diversité, au refus de se plier aux distinctions des genres. Choix risqué, car l'essayiste n'est pas toujours reconnu comme écrivain, souvent classé du côté des penseurs ou des polémistes. Mais choix, qui peut, en revanche, donner un haut prestige, par filiation avec Montaigne et Pascal. Dès lors, il est éclairant de faire intervenir les matières abordées : le sous-genre de l'essai critique est usuel, quasi professionnel chez les universitaires et les critiques, comme celui de l'essai politique dans la classe politique, et celui de l'essai moraliste ou philosophique, plus prestigieux. L'essai peut ainsi constituer une forme de littérature dérivée d'un statut professionnel. Mais il convient également de situer l'usage de l'essai par un auteur dans une logique de spécialisation (essais critiques, ou, à l'opposé, Montaigne, homme d'un seul livre, mais d'un livre qui en quelque sorte les contient tous) ou de polygraphie (Chateaubriand recourant à l'essai pour expliciter ses positions dans le débat d'idées).

▶ ANGENOT M., *La parole pamphlétaire*, Paris, Payot, 1982. — CHEVALIER T., *Encyclopedia of the Essay*, Londres et Chicago, Fitzroy Dearborn Publishers, 1997. — FRIEDRICH H., *Montaigne*, trad. R. Rovini, Paris, Gallimard, 1968. — LITS M., « Pour une définition de l'essai », *Les lettres romanes*, 1990, n° 4, p. 283-296. — VIGNEAULT R., *L'écriture de l'essai*, Montréal, l'Hexagone, 1994.

Annie PERRON

→ *Argumentation ; Autobiographie ; Critique littéraire ; Discours ; Éloquence ; Genres littéraires ; Personnelle (Littérature) ; Polémique ; Prose.*

ESTHÉTIQUE

L'esthétique (du grec *aiesthesis*, sensation) est une discipline philosophique traitant de la question du beau : « Science ayant pour objet le jugement d'appréciation en tant qu'il s'applique à la distinction du Beau et du Laid » (Lalande, *Dictionnaire de philosophie*). En une acception plus courante, non scientifique, elle est une discipline traitant de l'art en général et des arts en particulier.

On s'accorde généralement sur le fait que l'histoire de l'esthétique commence dans la philosophie, avec Platon. Mais sa constitution en tant que discipline philosophique à part entière n'advient qu'au XVIIIe s. : on doit l'invention du mot et du concept à Baumgarten (1714-1762). Schématiquement, l'histoire de ce qu'on a donc appelé *a posteriori* l'esthétique oscille entre deux pôles : une conception transcendantale du beau - celle de Platon - où un objet plaît parce qu'il est la manifestation d'un beau idéal ; et la conception qui s'impose au XVIIIe s., avec Kant notamment (*Critique de la faculté de juger*, 1790), qui fait du beau non plus une propriété de l'objet, mais l'effet d'un jugement subjectif, celui du goût.

L'idée d'art varie en fonction de ces positions. Pour Platon, qui a été suivi longtemps par les théoriciens de l'art et de la littérature, l'art, imitation du beau naturel, ne peut être qu'inférieur à la catégorie idéelle de la beauté ; alors que chez Kant, la beauté naturelle et la beauté artistique diffèrent par leur nature, et non par leur valeur : pour lui, du point de vue du jugement de goût, un édifice, un paysage, un poème sont indifférenciés. L'*Esthétique* (1818-1829) de Hegel en revanche se construit sur la critique de la position de Kant, et pose que le beau artistique, d'essence spirituelle, est plus élevé que le beau naturel. L'esthétique, science du beau, se confond dès lors avec la philosophie de l'art. Theodor W. Adorno, dont la *Théorie esthétique* (1970) est une réflexion sur l'expérience artistique, constate que le concept de beau s'est modifié au cours de l'histoire « sans que pourtant l'esthétique puisse se passer de lui. » (*Paralipomena*, 1970). Pour ce qui est des liens entre esthétique et réflexion sur la littérature, il est significatif que l'invention de l'esthétique par Gottlieb Baumgarten soit née d'une poétique avortée. Prônant une association entre la philosophie et la poétique – scindée, sur le modèle de la logique, en une poétique philosophique (théorique) et une poétique pratique (art poétique) – il part d'une réflexion sur la poésie (*Méditations philosophiques*, 1735) pour aboutir à une esthétique conçue comme « science de la connaissance sensible » (*Esthétique*, 1750-1759). Il est significatif qu'il se fonde sur l'*Art poétique* d'Horace, lu à la manière des classiques, c'est-à-dire à travers la *mimésis* platonicienne (et non aristotélicienne), et la lecture hors contexte de l'aphorisme *ut pictura poesis* – « une poésie est comme une peinture ». Pensée sur des bases philosophiques, une esthétique de la littérature apparaît donc comme ambivalente, puisque la littérature est incluse dans une théorie générale du beau, mais qu'elle est aussi privilégiée par les théoriciens, dans sa situation sur une échelle de valeurs à l'intérieur d'une philosophie générale de l'art. Ainsi, Kant comme Hegel affirment le primat de la poésie ; le premier, parce que, tout en étant de nature sensible, elle est le plus proche du conceptuel, le second, parce qu'elle est l'expression la plus haute de l'esprit. De ce fait, l'esthétique, en tant que science, reposant sur une théorisation du sensible, traite l'étude de la spécificité littéraire – la poétique – comme un cas de cette problématique générale. C'est la position de Genette (*Fiction et diction*, 1991), qui « voit la question rituelle *Qu'est-ce que la littérature ?* se dissoudre, et peut-être se résoudre en celle-ci : *Qu'est-ce qui fait d'un texte un objet esthétique ?* ». C'est également la position de la philosophie pragmatiste américaine qui propose, comme critique de la métaphysique du beau et de son corollaire politique élitiste, l'ouverture du champ de l'expérience artistique au monde de l'*émotion esthétique*, sans faire de différence *a priori* entre peinture, littérature, bricolage, haute couture, conduite sportive (Richard Shusterman, *L'art à l'état vif*, 1991).

Si l'on envisage le premier des deux sens cidessus, alors « l'art n'est pas la seule (ni toujours la meilleure) occasion de relation esthétique » (G. Genette, 1997) et la « fonction artistique » n'est qu'un cas particulier de la relation esthétique. Dans cette perspective, l'art – en l'occurrence la littérature – est rapporté à une théorie du beau et de l'expérience sensible. Mais la question qui se pose alors est, comme on vient de voir, celle des liens entre une esthétique générale et une poétique, entendue non comme la recherche des règles d'un art d'écrire, mais comme celle de la *spécificité* littéraire. Les approches contemporaines de l'esthétique, en s'appuyant sur l'étymologie du terme, ont favorisé la surdétermination de l'art par la sensation (*aisthesis*). D'où l'accent mis sur le récepteur de l'œuvre.

Développant une « esthétique de la réception », Hans Robert Jauss fait reposer l'expérience du beau littéraire sur « l'identification esthétique spontanée », qui « fait pleurer ou rire par sympathie » (Jauss, 1978). Une telle proposition, élaborée à partir de la *catharsis* d'Aristote, semble bien, même si Jauss s'en défend, renvoyer l'articulation de la littérature et du social à une psychologie de l'identification : « Certes l'identification n'est pas par nature un phénomène esthétique. Mais des modèles héroïques, religieux ou éthiques peuvent beaucoup gagner en puissance suggestive si l'identification s'opère à travers l'attitude esthétique. » « L'attitude esthétique » n'est-elle pas alors un simple adjuvant, un formalisme ?

En ce sens, l'approche de la littérature par une démarche esthétique risque d'enfermer la pensée de l'œuvre dans le dualisme du fond et de la forme. Ainsi, dans *Les règles de l'art* (1992), Pierre Bourdieu étudie « la genèse sociale du champ littéraire » en examinant les relations de l'esthétique et de la société à partir de l'idée qu'il y a manifestées dans les formes de l'écriture, des « structures profondes », qui sont en fait les modes sociaux de perception du monde que tout être socialisé porte en lui. Un tel point de vue tend à induire que c'est la société qui fait la littérature, déniant ainsi le pouvoir de transformation sociale de toute œuvre d'art, dont l'activité, alors, se borne à agencer des représentations sociales. Ce qui la réduit à être un *médium* (Bourdieu, 1992). Si le regard sociologique peut, tout à la fois, affirmer la primauté du « travail d'écriture » de Flaubert (la littérature ne dissociant pas « sens » et « style »), et proposer un « résumé » de *L'éducation sentimentale*, réduite alors à un simple scénario, que reste-t-il d'une « révolution esthétique » de Flaubert, présentée comme une « révolution du regard » ?

Comme on le voit, le problème du rapport de l'esthétique et de la littérature est, en fin de compte, la question de la valeur, et de ses critères. La surdétermination de la poétique par l'esthétique était sans doute préparée par des siècles de platonisme, qui ont conçu la valeur de l'art et de la littérature à travers une métaphysique du beau. Le débat entre une conception autonome du beau et sa subordination à des valeurs logiques et morales – « le vrai seul est aimable » (Boileau, *Art poétique*) – est interne à cet essentialisme. Il y a un versant social du beau : c'est le goût. Le « bon goût » montre l'enjeu politique du jugement artistique. Chapelain, par exemple, affirme, en conclusion de sa *Lettre sur la règle des 24 heures dans la tragédie* (1630), que les « unités » sont bonnes parce qu'elles répondent au goût des gens de bien, ce qui les distingue de la « canaille ». Baudelaire, en proposant, contre une métaphysique de la valeur, une « théorie historique du beau », voulait restituer aux œuvres leur force de transformation sociale. Cette force s'est manifestée avec éclat lors de procès célèbres (*Les fleurs du mal*, *Madame Bovary*) qui ont porté en place publique les conflits opposant une morale de l'art et des poétiques singulières. C'est la prise en compte de cette dimension éthique et politique des œuvres, *dans leur écriture même*, qui distingue une poétique d'une esthétique littéraire. Le moment où Baumgarten fonde l'esthétique sur l'abandon de la poétique apparaît emblématique d'une impossibilité historique et théorique, pour l'esthétique, d'absorber la poétique, c'est-à-dire d'être à la fois une science de l'universel sensible et une discipline du particulier littéraire.

▶ BAUMGARTEN A. G., *Esthétique* (1750, 1758) [extraits], précédée des *Méditations philosophiques sur quelques sujets se rapportant à l'essence du poème* (1735) [texte intégral] et de la *Métaphysique* (1739) [extraits] ; trad. fr. J. Y. Pranchère, Paris, L'Herne, 1988. — FERRY L., *Homo æstheticus*, Paris, Grasset, 1990. — GENETTE G., *L'œuvre de l'art*, t. 1, *Immanence et transcendance*, Paris, Le Seuil, 1994, t. 2, *La relation esthétique*, Paris, Le Seuil, 1997. — JAUSS H. R., *Pour une esthétique de la réception*, (recueil d'études publiées en 1972, 1974, 1975) ; trad. fr. C. Maillard, Paris, Gallimard, 1978 ; *Pour une herméneutique littéraire*, Paris, Gallimard, 1988. — KANT E., *Critique de la faculté de juger*, trad. A. Philonenko, Paris, Vrin, 1993.

Gérard DESSONS

→ *Art pour l'art ; Arts poétiques ; Correspondance des arts ; Création littéraire ; Critique d'art ; Goût ; Imitation ; Littérarité ; Poétique ; Valeurs.*

ÉTAT

On entend ici l'État comme pouvoir politique établi sur une population et sur un territoire (et non le détail des rouages administratifs, variable d'un État à l'autre et d'une époque à l'autre). En France, l'État a constitué de longue date une force considérable dans la vie intellectuelle, artistique et littéraire. Dans d'autres pays, de formation plus récente, son influence est moindre ; cependant, l'État intervient toujours dans la culture.

En Grèce antique, l'État se concevait à l'échelon de la Cité. La littérature y a été d'emblée considérée comme un enjeu. Les Panathénées à Athènes comportaient, dans les fêtes célébrant la Cité, des concours poétiques et dramatiques. Aussi les premières réflexions sur le statut de la littérature ont-elles accordé une place majeure à ses rapports avec la Cité. Platon, imaginant une Cité idéale, voulait que les poètes y soient contrôlés et mis au service de l'éducation, de la religion et de l'unité civique (*La république*). À Rome, Auguste en fondant l'Empire imposa une politique culturelle, assurée par son conseiller Mecenas : la célébration de l'empereur contribuait ainsi à l'unité nationale après les déchirements des guerres civiles. Par ailleurs, l'art oratoire constituait un élément déterminant de l'unité collective, et l'histoire, dans tous les cas, un récit des origines et fondements de la communauté et du régime. Durant le Moyen Âge, les structures politiques sont marquées par un affaiblissement du pouvoir d'État, au profit des grands seigneurs. Mais on peut considérer que chacun de ceux-ci disposait d'un État propre, et les plus puissants avaient leur cour et leurs poètes et écrivains – ainsi le duché de Bourgogne fut un foyer littéraire important.

Une relation plus spécifique de la littérature et du pouvoir politique se dessine avec l'émergence de l'idée d'État-nation, à partir de la Renaissance. La poésie contribue à célébrer le régime, et le théâtre ou l'histoire peuvent être des outils de propagande : ainsi les pièces de Gringore satirisant le pape pour soutenir les prétentions du roi de France en Italie. S'enclenche alors un double processus. D'une part, le contrôle de la littérature par la censure et par les moyens de pression sur le commerce du livre (comme le privilège d'édition). D'autre part, le soutien à la littérature – officielle, mais pas seulement–, par le mécénat, par la fondation d'académies, par l'aide à la création de salles et de troupes de théâtre, mais aussi le développement de bibliothèques et par l'institution officieuse de poètes du roi, sorte de poètes nationaux (tels furent Ronsard, puis Malherbe) et celle, officielle, d'historiographes du roi. De plus, au lendemain des guerres de Religion, l'État, en France, est amené, par souci d'équilibre entre catholiques et protestants, à infléchir sa politique culturelle vers une relative laïcisation : ainsi la censure fut-elle retirée au clergé catholique au XVIIe s. ; au XVIIIe, ce fut en matière d'enseignement des Lettres, qu'après avoir expulsé les Jésuites l'État a instauré l'Agrégation, concours national de recrutement des professeurs (1766).

Dans une telle configuration, les rapports de l'étatique et du littéraire sont ceux d'un équilibre instable entre la reconnaissance des Lettres et leur inféodation. Une image révélatrice parcourt l'imaginaire littéraire de cette période : celle de l'écrivain conseiller du Prince. Les « miroirs » et « institutions du Prince » abondent et, de Fénelon (avec le *Télémaque*, 1699) à Voltaire, auprès de Frédéric de Prusse, et Diderot, auprès de Catherine de Russie, les gens de Lettres peuvent rêver de jouer dans l'État un rôle non seulement d'amuseurs ou de thuriféraires, mais de « secrétaires » au sens premier : ceux qui savent les secrets d'État et qui peuvent guider la réflexion du souverain.

La Révolution modifie profondément le rapport des Lettres à l'État. Deux voies s'ouvrent alors : celle de l'écrivain porte-parole, voix de la communauté, représentant du peuple non par élection mais par vocation et mission ; ou, à l'inverse, celle de l'écrivain détaché des enjeux politiques, voué au culte de la forme, laissant aux gens de Lettres et aux journalistes les trivialités du débat politique. L'industrialisation de la presse et de l'édition suscite une scission entre ces deux attitudes, le champ littéraire se trouvant dès lors marqué par une distinction entre la sphère restreinte, qui fait de la littérature une valeur en soi, fût-ce au prix d'un non-conformisme idéologique, et la sphère de large diffusion, mêlée à ces enjeux. Or l'État français est alors amené à promouvoir l'enseignement des Lettres françaises dans le cadre de la scolarisation généralisée : de ce fait, il offre, dans l'institution scolaire, un espace de consécration littéraire décisive. En même temps, son contrôle sur les publications se fait de moins en moins lourd. De sorte qu'au XXe s., en France, on peut considérer que le schéma ancien s'est inversé : d'une littérature au service de l'État, il semble qu'on soit passé à un État au service de la littérature. Dans l'enseignement, mais aussi par les subventions (à l'édition de livres – attribuées par le Centre National du Livre, aux salles et troupes de théâtre...), par du mécénat d'État (bourses de création littéraire), y compris par une fiscalité spécifique sur les revenus littéraires, l'État soutient la littérature. La situation est à cet égard très différente dans les autres pays francophones dont l'histoire nationale n'a pas connu les mêmes étapes. Le soutien à la langue et la littérature françaises est fort au Québec, en considérant celui-ci comme État dans la fédération canadienne, mais les statuts de cette fédération font aussi que le gouvernement central contribue aux aides à la littérature. En Belgique, après un temps où le français était langue officielle de l'État, la division du pays en « communautés » a transféré vers celles-ci les compétences ailleurs assumées à l'échelon central. Dans les anciennes colonies, les États ne disposent en général pas de moyens d'aide aux arts et à la littérature et, d'autre part, sont souvent méfiants à leur égard, et ce d'autant plus que nombre de pays – en Afrique du Nord notamment – ont opté pour une langue officielle qui n'est plus le français, langue du colonisateur. Reste que les États concernés participent aux instances de la francophonie qui, elles, contribuent à aider la langue et les lettres en français.

L'histoire montre les enjeux et limites d'une analyse souvent reprise sur la dépendance de la littérature envers l'État. Analyse d'ailleurs ambivalente : l'histoire littéraire à ses débuts la voyait comme bénéfique (l'État centralisateur, de François Ier à Louis XIV, aurait suscité la floraison des Lettres et nourrit leur progrès ; et plus généralement, un État de France en essor induirait comme naturellement un essor littéraire) ; à l'inverse, L. Althusser, dans une description devenue classique des « Appareils idéologiques d'État », voyait la littérature comme un produit de l'appareil et un vecteur d'inculcation idéologique, donc une dépendance néfaste à la liberté de pensée. Les configurations historiques, diverses et contradictoires, fournissent des arguments à l'une et l'autre de ces façons de voir, mais aussi bien à une troisième qui regarderait l'influence de l'État sur la littérature comme un épiphénomène. Aussi, à envisager les données dans leur globalité, deux questions majeures semblent s'imposer. La première est celle de la concentration des moyens. Toute une série de possibilités de la vie littéraire dépendent de cadres juridiques et économiques que la loi du marché rendrait vite intenables pour la création. Les bibliothèques en sont la manifestation la plus flagrante ; la législation sur la propriété littéraire en est une autre attestation ; les aides à la création et à l'édition un troisième signe : la littérature a besoin de l'État pour qu'existent un certain nombre d'institutions de la vie littéraire sans lesquelles son audience et ses pratiques se restreindraient en face des médias de diffusion commerciale plus rentable. La seconde question, en retour, est celle de l'autonomie. Mais à cet égard, il n'y a pas unité historique et géographique des États, pas plus qu'il n'y a unité intrinsèque de formes et de contenus de la littérature. La monarchie louis-quatorzienne a soutenu des écrivains, y compris contre la censure religieuse (Molière), mais non sans ambiguïté et non sans en pourchasser d'autres, au même titre. L'État républicain a dans l'ensemble soutenu la littérature, mais la façon dont il répartit ses subsides, voire les listes d'auteurs des programmes d'enseignement, peut être vue comme positive par les uns, et comme néfaste par d'autres, selon les conceptions de la littérature et de la vie collective que chacun défend. Le fait majeur paraît bien être, à ce jour, l'existence et la possibilité même de tels débats. À cet égard, la France apparaît comme une nation dont la conscience identitaire repose, pour une grande part, sur l'image de sa littérature, une « nation littéraire » (Ferguson, 1997), et qui attend de l'État qu'il assume cette identité culturelle. Le Québec est, dans une situation historique et géographique toute différente, un lieu où le soutien étatique à la littérature implique un même enjeu identitaire. Mais les autres États n'ont pas les mêmes logiques. Aussi, plutôt que de voir dans la littérature un « fruit » de l'État (qu'on le juge bénéfique ou maléfique), il convient sans doute de considérer la question du point de vue des rapports d'hégémonie idéologique, dont l'espace culturel est le terrain : si l'État a ses « raisons », il n'est pas un en-soi, et ne suppose pas en retour que la littérature le soit.

▶ ALTHUSSER L., *Sur la reproduction*, Paris, PUF, 1995. — CHARTIER R., MARTIN H. J. & VIVET J. P., *Histoire de l'édition*, 3 tomes, Paris, Promodis, 1984. — FUMAROLI M., *L'État culturel*, Paris, Fallois, 1991. — LOUGH J., *L'écrivain et son public*, Paris, Le chemin vert,

1978. — PARKHUST FERGUSON P., *La France, nation littéraire*, Bruxelles, Labor, 1997.

Alain VIALA

→ *Académies ; Autonomie ; Censure ; Enseignement de la littérature ; Identitaire ; Idéologie ; Machiavélisme ; Mécénat ; Nationale (Littérature) ; Officielle (Littérature) ; Propagande ; Propriété littéraire.*

ETHNOLOGIE

L'ethnologie s'est constituée en discipline au cours du XIXe s. ; elle étudie les comportements sociaux de l'homme dans les différentes sociétés et cultures (l'expression « anthropologie sociale et culturelle », plus récente, a un sens proche).

Les relations entre ethnologie et littérature s'organisent autour de deux axes : constitution d'un discours sur l'Autre – qui a précédé la constitution de la discipline – et recherche de structures fondamentales permettant de rendre intelligible l'extrême diversité apparente des formes culturelles.

À partir du XVIe s., le développement des explorations et de la conquête coloniale engendre une profusion d'écrits sur les populations non-occidentales. Parallèlement s'opère en Europe une transformation socio-économique qui suscite une réflexion sur les institutions et les principes d'organisation sociale. Le « sauvage » est alors utilisé comme révélateur du relativisme culturel et de l'arbitraire des règles occidentales (Lahontan, *Supplément au voyage du Baron de Lahontan*, 1703 ; Diderot, *Supplément au voyage de Bougainville*, 1796). Le décentrement du point de vue (*Lettres persanes*, 1721) permet apparemment à l'Autre d'être sujet de littérature : mais il n'est en fait que l'expression sous forme provocatrice de la critique occidentale. La recherche ethnologique se constitue au XIXe s. par abandon de cette mise en scène de l'Autre comme simple envers critique de Soi. Les sociétés dites « primitives » ont constitué longtemps son objet privilégié, puis elle a été progressivement étendue aux cultures populaires traditionnelles, essentiellement rurales, des sociétés occidentales, enfin l'évolution actuelle marque un affaiblissement de la distinction entre sociologie et ethnologie. Les thèses évolutionnistes, qui tendent à considérer les cultures « primitives » comme préhistoire de la civilisation, ont exercé une influence durable. Mais l'ethnologie s'est développée en cherchant à rendre compte des principes de fonctionnement des groupes humains, étudiés à partir de recherches de terrain. Elle devient science de l'homme en prenant pour objet l'ensemble des cultures, envisagées dans une perspective comparative. Les notions de structure et de fonction sont alors introduites pour dépasser le simple relevé descriptif et tenter de rendre compte du rapport entre diversité des cultures et unité de l'humanité. *La morphologie du conte* de Vladimir Propp (1928) constitue leur première grande application au domaine littéraire : l'auteur souligne l'existence, au sein d'un vaste corpus de contes, d'un nombre limité d'invariants (motifs, personnages) qui constitue la structure du conte. À la fin des années 1950, Lévi-Strauss le reprend et le dépasse (*L'Anthropologie structurale*, 1958). S'appuyant sur la linguistique structurale saussurienne, il utilise le modèle du langage pour analyser les relations de parenté, les mythes et l'ensemble des fonctions symboliques. Son œuvre exerce une influence certaine sur le développement du structuralisme en poétique et sémiologie dans les années 1960.

Parallèlement aux travaux ethnologiques, de nombreux textes littéraires ont décrit les peuples « primitifs » : le roman exotique à l'époque coloniale, mais aussi des œuvres qui cherchent à approcher avec empathie les cultures autres (*Les immémoriaux ou Stèles* [1912] de Victor Segalen, par exemple). Activité littéraire et recherche ethnographique sont très intimement associées chez Michel Leiris (*L'Afrique fantôme*, 1934), tandis que la culture occidentale s'est par moments passionnée pour les « arts nègres », puis « primitifs » (ou « premiers ») ou les théâtres traditionnels (tel le Ramayana).

Comment dire l'Autre sans le trahir, comprendre une culture avec des modes de pensée qui ne lui appartiennent pas ? La question se pose sans cesse, surtout depuis la fin de l'ère coloniale qui met en cause la légitimité d'un discours occidental de surplomb. Les conventions de l'écriture en sciences sociales (linéarité, neutralité supposée de l'énonciation à la troisième personne) ne permettent guère d'exprimer la subjectivité (de l'ethnologue et de l'Autre). Aussi des ethnologues ont emprunté à l'écriture littéraire certaines de ses ressources : variations de focalisation, dialogisme, insertion explicite de l'auteur dans le texte (Jeanne Favret-Saada, *Les mots, la mort, les sorts*, 1985, ou Philippe Descola, *Les lances du crépuscule*, 1993,...). La pratique du journal de terrain par les ethnologues est au demeurant le lieu d'une expression autorisant subjectivité et variations de registres. Plus radicalement, des chercheurs comme James Clifford et Clifford Geertz estiment que toute culture est à considérer comme un texte, dont le chercheur élabore en fait une lecture. En retour, la critique littéraire recourt parfois au savoir ethnologique, notamment à propos de la coexistence longue et des interpénétrations entre culture savante et culture populaire. Il s'agit alors de dégager l'emprise de la culture populaire sur l'œuvre littéraire (ainsi les analyses de Bakhtine à propos du dialogisme dans l'œuvre de Rabelais, ou Privat, 1994).

▶ GEERTZ C., *Works and Lives. The Anthropologist as Author*, Stanford University Press, 1988 trad. D. Lemoine, *Ici et ailleurs, l'anthropologue comme auteur*, Paris, Métaillé, 1996. — LÉVI-STRAUSS C., *Anthropologie structurale*, Plon, 1958 ; *Mythologiques*, Paris, Plon, 4 tomes, 1964-1971. — PRIVAT J.-M., *Bovary- Charivari, essai d'ethno-critique*, Paris, CNRS-Éditions, 1994. — Coll. : *L'Homme*, « Littérature et anthropologie », 1989, n° 111-112.

Anne-Marie THIESSE

→ *Coloniale (Littérature) ; Conte ; Culture ; Dialogisme ; Exotisme, Folklore ; Identitaire ; Mythe ; Populaire (Littérature) ; Structuralisme.*

ÉTHOS

En rhétorique, le terme d'éthos désigne la composante de l'argumentation qui se rapporte à la personne de l'orateur. Pour agir sur l'auditoire, celui-ci ne doit pas seulement user d'arguments valides (*logos*) et toucher les cœurs (*pathos*) : il lui faut aussi affirmer son autorité et projeter une image de soi susceptible d'inspirer confiance.

Dans un sens différent et plus général, l'éthos désigne un ensemble de principes et de valeurs qui modèlent des comportements. L'éthos est alors l'ensemble des manières d'être et de faire, des dispositions à dimension éthique.

Pour Aristote l'éthos est composé de trois aspects : la *phronesis*, ou sagesse, compétence, l'*areté* ou honnêteté, sincérité (la vertu) et l'*eunoia*, ou bienveillance. L'orateur doit trouver des arguments raisonnables et les avancer honnêtement, tout en se montrant disposé à agir pour le bien de ses auditeurs. L'éthos est donc l'image que le locuteur construit de lui-même dans son discours, et non la représentation préalable que le public se fait de sa personne. Dans la rhétorique romaine, l'accent est mis davantage sur le statut social de l'orateur, si bien que son autorité dépend en grande partie de données extérieures à sa parole, comme son appartenance familiale, ses fonctions, sa réputation... À l'âge classique, l'éthos reste une partie intégrante de la rhétorique, qui accorde une grande importance aussi bien à l'image produite dans le discours qu'à la conduite de l'orateur, l'une devant refléter l'autre. L'idée établie dès Rome – Cicéron, Quintilien – que l'orateur doit être un *vir bonus dicendi peritus* (un homme de bien parlant bien) y est prépondérante. Dans les débats sur l'éloquence, cependant, est apparue dès l'Antiquité une tendance à amoindrir le rôle de l'éthos au bénéfice du pathos, de la prédominance d'un art de bien dire qui privilégie les figures et les tropes. Ce débat reste entier dans les rhétoriques française qui apparaissent au XVIIe s.

D'autre part, la question de l'éthos se déplace vers des genres autres que ceux de l'éloquence. Lorsque les Mémoires – à partir du XVIe et surtout du XVIIe s. – puis l'autobiographie – à partir du XVIIIe – se développent, la question de la figure de celui qui y prend la parole devient essentielle. De même, avec le genre de l'essai. De même encore avec l'expansion de l'imprimerie et l'apparition des genres que l'on peut dire « de l'éloquence écrite » – ainsi les lettres ouvertes, ou les lettres polémiques comme les *Provinciales* (1658) de Pascal. De plus, la littérature de fiction qui fait des personnages des porte-parole de l'auteur, ou qui est lue comme telle, impose une image de l'écrivain dans son texte. Rousseau plaçant en tête de ses *Confessions* un défi célèbre (« [...]qu'il dise, s'il l'ose, je fus meilleur que celui-là ») est un cas exemplaire de tels enjeux (1782, posth.). Mais paradoxalement, au même moment, le déclin des études sur la rhétorique vers une rhétorique restreinte fait que la notion d'éthos est peu employée, encore moins analysée, alors que l'enjeu dans les sociétés modernes en est sans cesse croissant. Le retour de la réflexion rhétorique après la Seconde Guerre mondiale a remis la question en lumière. De même, les études linguistiques qui s'attachent à la question de l'énonciation (la façon dont le locuteur se manifeste par les modalités de son dire), de la force illocutoire (ce qui donne à la parole sa capacité d'agir) et de l'interaction, ont remis en honneur la question de la présentation de soi dans le discours. L'expansion, dans les sciences du langage, de l'analyse de la conversation et en particulier des phénomènes de politesse a également amené la prise en compte de l'éthos dans un autre sens : il y désigne l'ensemble des normes implicites qui, en modelant des manières d'être, manifestent le système de valeurs en vigueur dans une communauté.

Sur la question du pouvoir que détient le discours, et du rôle qu'y joue la présentation de soi du locuteur, deux points de vue s'opposent. Le premier insiste sur la force intrinsèque de la parole ; il considère que le « dire » est un « faire ». Dans cette perspective issue de la rhétorique aristotélicienne et remise à l'honneur par la philosophie du langage, l'éthos joue un rôle primordial. Il consiste en l'image de soi que le locuteur projette dans son discours afin de lui conférer son impact. La pragmatique de Ducrot, qui relie l'éthos au locuteur comme être de discours, s'alimente à ces vues. L'analyse du discours de D. Maingueneau y reste fidèle en postulant que le texte offre une représentation de l'énonciateur qui lui confère un caractère (correspondant à un type d'époque) et un corps (correspondant à une manière d'habiter l'espace social).

En matière littéraire, la perspective sociologique inspirée de Bourdieu considère que le pouvoir des discours est un effet de la position qu'occupe le locuteur dans le champ. Aussi le sociologue étudie plutôt l'habitus, ou l'ensemble de dispositions morales acquises au cours du processus de socialisation et qui se traduisent par des manières d'être et de dire (complémentaires de l'*hexis*, qui désigne les dispositions corporelles).

Viala (1993) établit un lien entre l'éthos aristotélicien et les données sociales, en insistant sur l'étude des postures d'énonciation dans les textes : l'ensemble des postures adoptées par un auteur valent comme des prises de position et permettraient de construire un éthos, à savoir une image globale de l'écrivain, qui est liée à sa position et à sa trajectoire dans le champ littéraire. Ainsi des figures comme le galant, le dandy, le poète maudit, l'inspiré, le mage..., peuvent-elles être regardées comme des éthos affichés, désirés, et possiblement incorporées. Alors apparaît clairement le lien entre attitudes éthiques revendiquées et choix esthétiques.

À travers des options diverses, la notion d'éthos semble reprendre aujourd'hui une place majeure dans l'analyse de discours, mais aussi dans l'étude des textes littéraires. L'image de soi que construit le locuteur dans son discours s'avère déterminante non seulement dans les genres centrés sur la présentation de soi (comme les nombreuses variétés d'écriture autobiographique), mais également dans la littérature d'idées (pamphlet, essai, manifeste...), dans la poésie lyrique et dans la fiction sous toutes ses formes. Des ballades de Villon aux *Confessions* de Rousseau, des fables de La Fontaine au roman naturaliste, de *Tristam Shandy* de Sterne à *L'étranger* de Camus, la posture qu'adopte le narrateur à travers les modalités de sa parole écrite modèle sa relation avec le lecteur et sa capacité à l'influencer ou à l'émouvoir.

▶ AMOSSY R. (éd.), *Images de soi dans le discours. La construction de* l'éthos, Genève, Delachaux et Niestlé, 1999. — MAINGUENEAU D., *Le contexte de l'œuvre littéraire*, Paris, Dunod, 1993. — MOLINIÉ G. & VIALA A., *Approches de la réception*, Paris, PUF, 1993. — WISSE J., *Ethos and Pathos from Aristotle to Cicero*, Amsterdam, Hakkert, 1989.

Ruth AMOSSY

→ *Analyse de contenu et de discours ; Argumentation ; Autobiographie ; Champ littéraire ; Corps ; Esthétique ; Lyrisme ; Rhétorique.*

ÉTUDES CULTURELLES (CULTURAL STUDIES)

Les études culturelles (*Cultural Studies*) ont pour problématique d'étudier toute forme de production culturelle dans ses rapports aux pratiques qui déterminent le « quotidien » (idéologie, institutions, langages, structures du pouvoir, etc.). Résultant d'un « bricolage » critique, elles ne prennent pas appui sur une méthode définie ni sur des champs d'investigation clairement marqués. Elles se veulent à la fois interdisciplinaires (voire transdisciplinaires) et contre-disciplinaires dans la mesure où elles contestent les méthodes établies.

Cette pratique critique est née d'abord en Grande-Bretagne, en particulier au *Centre for Contemporary Cultural Studies* de Birmingham (sous la direction de Richard Hoggart puis de Stuart Hall) fondé dans les années 1960. Sous l'influence de Hoggart et de son ouvrage *The Uses of Literacy* (1957), les pratiques culturelles, la lecture par exemple, sont réinscrites dans un réseau constitué par d'autres pratiques (le travail, la vie sexuelle et familiale, etc.) qui participent de leur définition. Les études culturelles rompent ainsi avec un souci de clôture du texte pour se tourner vers une pratique engagée. Ainsi Raymond Williams dans *Culture and Society : 1780-1950* (1958) rejette d'une part les analyses de manifestations culturelles qui ne prendraient pas en compte la société dont elles sont issues, et, d'autre part, la hiérarchie entre ce qu'on nomme la culture savante et la culture populaire. À l'origine, l'école britannique avait pour objectif de réviser le canon littéraire et de mettre en valeur la culture prolétarienne. Ce faisant, la notion de « culture » a été redéfinie à la lumière des notions d'hégémonie (Gramsci) et de gouvernementalité (Foucault). La production culturelle n'est plus comprise comme une expression purement locale ou subjective, mais comme un produit qui s'inscrit dans un ensemble de forces économiques, politiques et sociales, à l'intérieur duquel prennent place des rapports de domination.

Bien qu'utilisant largement des travaux français – entre autres Michel Foucault, Louis Althusser, Jacques Lacan, Jean-François Lyotard et Pierre Bourdieu–, les études culturelles se sont développées surtout dans les pays anglo-saxons. Des critiques américains, australiens et canadiens ont manifesté un intérêt particulier pour les questions d'identité de classe, mais aussi d'identité culturelle et d'identité sexuée. Ces travaux rejoignent ainsi la critique postcoloniale, les études sur les femmes (*women studies*) et les études homosexuelles (*gay studies*). En France, Jean Baudrillard, Michel de Certeau et Colette Guillaumin e. a. s'inscrivent dans une pratique des études culturelles qui privilégie l'analyse de la culture médiatique, de « l'invention du quotidien » et des représentations identitaires.

La problématique commune aux tenants des études culturelles se tisse en lien avec la notion d'*hé-*

gémonie, qui elle-même désigne les rapports de domination sur lesquels est construit l'ordre social, rapports qui fonctionnent en tant que mécanismes d'assujettissement. L'hégémonie comme la gouvernementalité font des membres d'une société des êtres dociles en ce qu'ils partagent un seul « connu », un ensemble de pratiques et de référents. Les études culturelles tâchent de mettre en lumière d'abord les lieux de l'hégémonie, puis les « pratiques oppositionnelles » (Certeau) qui visent à les subvertir en réinscrivant les marques d'un pouvoir subjectif. Elles étudient ce que Michel de Certeau identifie comme des « tactiques » : la ruse, le braconnage, l'art du faible qui s'élaborent par opposition aux « stratégies » qui sont celles du sujet en position de pouvoir et capable de « circonscrire un propre » (1990, p. 59). Les formes littéraires déviantes, mais aussi les effets d'ironie, double jeu, emprunt, citation... autant de pratiques oppositionnelles, d'usages littéraires que les critiques des études culturelles cherchent à identifier en tant que techniques de résistance. Les études culturelles, en opérant ce choix (d'objet et de problématique), s'opposent au canon et à la structure disciplinaire. Leur travail manifeste ainsi, tout comme les productions culturelles étudiées, un désir de subversion.

▶ CASTILLO DURANTE D., « Les Cultural Studies et les études des pratiques culturelles en langues romanes », *Revue canadienne de littérature comparée*, 1995, vol. XXII, n° 1, p. 31-61. — CERTEAU M. de, *L'Invention du quotidien. 1. Arts de faire*, Paris, Gallimard, 1990. — DURING S., *The Cultural Studies Reader*, Londres / New York, Routledge, [1993], 1999. — GUILLAUMIN C., *Sexe, race et pratique du pouvoir*, Paris, Côté-femmes, 1992. — Coll. : *Cultural Studies, Theory and Practice*, Chris Barker ed., London, Sage, 2000.

Martine DELVAUX et Michel FOURNIER

→ *Canon, canonisation ; Culture ; Déconstruction ; Féministe (Critique) ; Idéologie ; Institution ; Postcolonialisme ; Rapports sociaux de sexe.*

ÉTYMOLOGIE

Terme du langage philosophique au départ, l'*étymologie*, du grec *etumos*, vrai, et *logia*, étude, était un art, une approche de l'être des choses par le langage. Il recouvre aujourd'hui une acception distincte du sens que l'usage antique et médiéval lui prêtait et s'applique à une recherche de l'origine des mots et de leur évolution à partir de l'état le plus anciennement attesté.

Dans le *Cratyle*, texte fondateur, Platon discute de la nature et de l'origine des mots. Selon le personnage qui donne son nom à ce dialogue, le choix d'un vocable n'est pas arbitraire, il entretient un lien ontologique avec la chose. Si l'on peut relier *Alèthéia* (la vérité) à *alè théia* (la course divine), il faut alors envisager que le nom et, plus encore, le nom propre ne naissent pas au hasard, mais que les sons qui les composent sont en rapport étroit avec leur sens : tel est l'objet de l'étymologie, mot absent du *Cratyle*, mais qui fait son entrée dans le lexique français vers 1175. Pendant longtemps, le terme reste lié à ces valeurs initiales. L'exégèse médiévale, qui cherche à interpréter les sens cachés du texte biblique, y est très attentive : ne doit-on pas rapprocher le mal et la pomme du savoir, les deux termes étant traduits par le même mot latin (*malum*) se demande ainsi Isidore de Séville dont les *Etymologiarum libri* ou *Origines* sont un des ouvrages fondamentaux du Moyen Âge.

Une pensée plus historique se fait jour entre 1550 et 1650, et l'étymologie cesse d'être perçue comme une manière de connaître le monde pour devenir une catégorie de la linguistique historique. C'est elle dont l'article de Turgot dans l'*Encyclopédie* (1756) définit l'objet scientifique, les méthodes et la terminologie. Elle connaît son point d'aboutissement dans le *Romanisches Etymologisches Wörterbuch* de Walter Von Warburg (1922), monument de la connaissance historique du lexique gallo-roman.

Malgré cette modification de son statut dans le domaine philologique, l'étymologie spontanée, dite cratylienne, n'a jamais cessé de fasciner les utilisateurs de la langue. Les jeux de mots et les rapprochements d'éléments motivés inspirent les auteurs de la Renaissance (Rabelais), de l'humanisme et de la période baroque autant que ceux de l'Antiquité. Le début du XIXe s. redécouvre tout ce domaine, d'un point de vue lexicographique, comme Nodier dans son *Dictionnaire des onomatopées*, ou poétique comme Hugo qui lie sons et matières. Mallarmé (*Les mots anglais*, 1877), Paul Claudel (*Art poétique*, 1904) et Proust, dans ses rêveries sur les noms de lieux, sont les grands artisans de ce transfert de l'étymologie spontanée vers le matériau poétique. Après eux, Michel Leiris (*Glossaire... j'y serre mes gloses*, 1939), Francis Ponge ou Henri Michaux, parmi beaucoup d'auteurs contemporains, ont beaucoup fréquenté les mimologismes.

En parallèle, la vigueur de l'étymologie créatrice suscite l'intérêt constant d'une critique attentive aux effets du texte littéraire. Les recherches de Ferdinand de Saussure sur la motivation relative du langage – à travers les anagrammes ou les hypogrammes – soulignent la dissémination du sens d'un mot-thème. Les rêveries de Bachelard sur les mots-matières s'alimentent aussi aux sources du mimologisme, et les pratiques contemporaines de la lecture, en particulier dans le sillage de l'herméneutique ou de la psychanalyse, sont particulièrement réceptives à ce type particulier de travail sur la langue qu'est l'étymologie.

La philologie a fait de l'étymologie une opération scientifique, de filiation et de reconstitution de l'ascendance d'après les lois phonétiques et celles du sens des mots. La littérature, pour sa part, cherche à favoriser des correspondances *sémantiques* par une référence à l'origine d'un mot ou, le plus souvent, par l'établissement de simples collusions formelles. En ce sens, la recherche d'un sens étymologique se rapproche de divers tours rhétoriques à caractère paronymique ou homonymique comme l'*annominatio*, l'antithèse ou l'ellipse, soit tout procédé où une rencontre entre vocables voisins provoque un échange possible de l'un des mots à la signification de l'autre. L'harmonie imitative est aussi une forme de mimologisme très répandue.

La capacité d'une *remotivation* du sens courant, l'aptitude à libérer un surplus de signification des mots, prédominent chez l'écrivain et surtout, chez le poète. La poésie recourt volontiers aux étymologies récurrentes pour re-sémantiser des mots banalisés. L'emploi littéraire de l'étymologie peut également marquer le désir de renouveler la langue en remontant aux sources des vocables. Il apparaît ainsi comme une « méthode » d'exploration du langage et, par le langage, des concepts ou des impressions qui lui sont associés de façon immanente. Rares sont les auteurs qui échappent tout à fait à cette problématique : le simple choix d'un nom propre relève souvent de critères qui tiennent aux associations spontanées que l'on forme autour de lui. Vraie ou fausse, spontanée ou confirmée scientifiquement, l'étymologie est donc une des figures essentielles de la créativité verbale.

▶ BALDINGER K., « À propos de l'influence de la langue sur la pensée. Étymologie populaire et changement sémantique parallèle », *Revue de linguistique romane*, 1973, n° 37, p. 241-273. — GENETTE G., *Mimologiques ; voyages en Cratylie*, Paris, Le Seuil, 1976. — ORR J., « L'étymologie populaire », *Revue de linguistique romane*, 1954, n° 18, p. 129-142. — ZUMTHOR P., *Langue, texte, énigme*, Paris, Le Seuil, 1975. — Coll. : « Étymologie. Les écrivains et l'étymologie », *Cahiers de l'Association internationale des études françaises*, 1959, n° 11, p. 231-370.

Olivier COLLET, Paul ARON

→ *Langue française (Histoire de la) ; Philologie ; Poésie.*

EXÉGÈSE

Exégèse est le terme spécifique qui recouvre les travaux philologiques et interprétatifs appliqués à la Bible, tout à la fois herméneutique (quel est le vrai sens caché ?), didactique (enseigner au croyant), pratique (canevas de prédication), mais aussi éducation à la pensée symbolique. L'exégèse a construit un gigantesque système de métatextes, qui a modelé notre rapport aux textes en général, bien au-delà des seuls textes bibliques.

L'exégèse se réalise d'abord sous deux formes dans la patristique, le commentaire continu, et l'homélie, commentaire (d'abord oral) d'un passage au cours de l'assemblée liturgique, qui engendrent toutes les formes d'annotations. Le texte biblique, disparate, obscur, suscite deux types de problèmes : les questions philologiques et l'interprétation.

La critique d'établissement des textes et d'analyse philologique a commencé bien avant le christianisme, qui suit une tradition juive et grecque. Elle a été constamment sensible à la difficulté d'une langue ancienne non parlée, de sa traduction, des réalités historiques auxquels renvoient les termes, etc. Mais l'étape décisive se joue quand l'histoire des langues fait au XVIIe s. des progrès décisifs en révélant que les textes sacrés sont plus récents qu'on ne le croyait, qu'ils appartiennent à des dates différentes, avec des collages, des réécritures internes, des interpolations. Il revient à Jacques Cappel, un réformé (*Critica sacra*, 1634), et à Richard Simon, un catholique (*Histoire critique du Vieux Testament*, 1678), d'avoir établi la primauté des constats philologiques sur la croyance. Non sans combat, puisqu'il faut attendre l'École biblique de Jérusalem (fondée par le R.P. Lagrange en 1890) pour établir et faire accepter une démarche scientifique dans l'Église catholique (qui n'admet l'exégèse historico-critique que depuis 1943).

L'interprétation a cherché à dégager du texte biblique, qui est narratif et juridique surtout, des appuis pour les dogmes, en particulier par une série de lectures allégorisantes qui viennent de l'exégèse fondatrice d'Origène (IIIe s.). On les résume par commodité dans la formule médiévale des « quatre sens de l'Écriture » : un sens littéral, historique et référentiel, selon lequel la Bible se lit comme témoignage sur l'histoire réelle ; un sens typologique : l'Ancien Testament annonce la venue du Christ, dont certains personnages sont les types (Moïse, David) ; un sens allégorique ou spirituel : la Bible désigne les vérités de la foi pour le salut de chaque âme ; un sens anagogique : elle désigne toutes les tribulations de la vie de l'Église entre ce monde et l'au-delà de la Rédemption. Cet ensemble de lectures référentielles et symboliques se développe dans les genres du commentaire, et sert de base aux sermonnaires, qui, sur un verset-thème, développent les implications du texte à tous ces niveaux.

L'exégèse est aussi un travail pour vérifier les dogmes essentiels, d'abord dans l'élaboration d'une spécificité chrétienne contre le judaïsme, d'une force convertisseuse contre le paganisme, d'une orthodoxie catholique contre les mouvements hérétiques des premiers siècles, puis contre la Réforme, et bien sûr à l'intérieur de ces différents mouvements de croyance, eux-mêmes non homogènes.

L'exégèse et la Bible ont été des moyens d'identité des groupes (peuples, croyants, Églises, sectes). Chacun y a récupéré des savoirs antérieurs, apporté sa culture : l'exégèse biblique est un confluent. Elle est ainsi liée à la philosophie néoplatonicienne : ce mélange constitue une base constante de la pensée occidentale. Elle fut souvent le lieu des grands débats avant que les sciences ne prennent une autonomie définitive au XIXe s. (et encore) : premiers versets de la Genèse, Prophètes, Apocalypse, sont le support de la réflexion sur les mythologies comparées, la cosmologie, la nature du monde, la structure du temps. Enfin, étant discussion et explication, l'exégèse alimente la littérature de piété.

Surtout, l'exégèse a marqué fortement l'apprentissage occidental des textes. Au départ parce qu'elle postule la sacralité du texte, et le fait que le sens y est complètement inscrit, bien qu'il faille une abondance illimitée de métatextes pour l'élucider : la lecture est une découverte et une initiation, que le lecteur est sommé d'accomplir.

Ainsi, la lecture du texte biblique est le laboratoire même de l'expérience européenne de l'écrit et de sa théorisation. Elle la pousse même à l'extrême quand la Kabbale (dès le IIe s. avant J.-C.) affirme la sacralité de la matérialité même du texte (et s'oppose ainsi à la Gnose, pour laquelle la révélation est extérieure au support littéral). Tous les débats des relations du signe et du sens et de la compétence herméneutique sont déjà posés.

▶ COCAGNAC M., *Les symboles bibliques, lexique théologique*, Paris, Le Cerf, 1993. — LUBAC H. de, *Exégèse médiévale : les quatre sens de l'Écriture*, Paris, Le Cerf, 1993. — *Literature and the Bible*, David Bevan (éd.), Amsterdam et Atlanta, Rodopi, 1993. — PELLETIER A.-M., *Lectures bibliques aux sources de la culture occidentale*, Paris, Nathan-Cerf, 1995.

Marie-Madeleine FRAGONARD

→ *Bible ; Commentaire ; Explication de texte ; Herméneutique ; Patristique ; Philologie ; Symbole ; Texte.*

EXEMPLUM

L'*exemplum*, terme latin d'où dérive le français « exemple », caractérise une opération rhétorique. Il vise à persuader un auditoire en se servant d'une anecdote historique – ou prétendue telle – à laquelle il confère une visée argumentative. De la présentation d'une action passée, l'orateur infère une loi générale ou un précepte moral susceptible d'être appliqué à la cause qu'il défend.

L'usage de l'*exemplum* ne se limite pas à l'éloquence judiciaire. L'avènement du christianisme a contribué à déplacer les techniques de persuasion dans le champ de l'apologétique. Qu'il s'agisse d'emporter la conviction de catéchumènes ou d'exhorter le peuple au respect des normes morales, le discours chrétien ne saurait se passer du secours de la rhétorique. En recourant au discours exemplaire, l'éloquence sacrée en a diversifié les champs d'application. Les Écritures fournissent un répertoire presque infini de figures dignes d'être citées en exemple. Sur un mode analogue, la vie d'un saint se propose le plus souvent d'offrir au croyant un modèle de perfection à imiter.

De tout temps, le besoin s'est fait sentir de rassembler les *exempla* dans des collections qui les dissocient de leur contexte argumentatif. L'Antiquité en offre un exemple avec les *Dicta et facta memorabilia* de Valère Maxime. Mais c'est surtout au Moyen Âge que se constituent les grands recueils d'*exempla*. La vocation de ces historiettes à illustrer tel ou tel point de doctrine est indiquée au gré d'une présentation d'abord systématique (*Traité des diverses matières à prêcher*, *ca.* 1250-1261), puis alphabétique (*Scala Coeli* de Jean Gobi Junior, dominicain lui aussi, *ca.* 1323-1330). Ce mouvement s'amorce dès le XIIe s. dans les monastères cisterciens pour se généraliser à la faveur de l'intense activité de prédication des ordres mendiants.

Les collections d'*exempla* en latin glanent des anecdotes tirées d'horizons très divers : miracles, phénomènes surnaturels, exemples de vertu, scénarios de contes, apologues antiques. Parallèlement au développement des grands recueils d'*exempla* destinés aux prédicateurs, on constate aussi un essor de l'intérêt littéraire pour le récit exemplaire. Les recueils de fables en témoignent, en même temps que l'apparition d'œuvres inspirées par les grandes collections d'apologues orientaux. La *Disciplina Clericalis* de Pierre Alphonse (XIIe s.) et le *Roman des sept sages* (d'origine orientale et largement diffusé à partir du XIIe s.) proposent une utilisation littéraire des procédés de l'*exemplum* qui se perpétue au XIVe s. avec le *Livre de bon Amour* de Juan Ruiz et jusqu'au XVIe s. dans l'œuvre de Johannes Pauli, *Schimpf und Ernst.* Quant au *Décaméron* de Boccace (1350-1355), il formule à nouveaux frais les présupposés du discours exemplaire, pour les intégrer dans un projet littéraire complexe.

Le recours à la preuve par l'exemple continue par ailleurs à informer les pratiques contemporaines du discours argumentatif, qu'il s'agisse d'essais littéraires ou d'écrits journalistiques.

Les *exempla* médiévaux fournissent aux historiens une mine de renseignements sur les réalités sociales et économiques ainsi que sur les mentalités de leur temps. Ils sont aussi de précieux témoins de la circulation des récits et de leur diffusion.

Aux théoriciens de la littérature, ils offrent un vaste champ d'investigation du fait de la diversité de leurs sources d'inspirations, mais aussi parce que la brièveté de leur présentation permet de mettre en évidence le fonctionnement structural des récits qu'ils véhiculent.

Les rencontres avec la littérature profane permettent de mesurer la richesse d'une tradition narrative en donnant accès à plusieurs variantes d'un même récit.

De l'aveu même de certains auteurs qui soulignent le plaisir que l'on trouve à écouter ces récits censés édifier, le charme de ces anecdotes semble souvent l'emporter sur leur valeur doctrinale. La mise en recueil confère aux exemples narratifs une sorte d'indépendance qui confine à la définition d'un genre narratif, ou peut-être d'une « forme simple », selon la terminologie adoptée par André Jolles.

▶ BREMOND C., Le GOFF J. & SCHMITT J.-C., *L'« Exemplum »*, Turnhout, Brépols, Typologie des sources du Moyen Âge occidental, 1982, 40. — JAUSS H. R., « Une approche médiévale : les petits genres de l'exemplaire comme système littéraire de communication », *La notion de genre à la Renaissance*, Genève, Slatkine, 1984, p. 35-57. — TODOROV T., *Grammaire du Décaméron*, La Haye-Paris, Mouton, 1969. — TUBACH F. C., *Index exemplorum*, Helsinki, 1969. — WELTER J.-T., *L'Exemplum dans la littérature religieuse et didactique du Moyen Âge*, Genève, Slatkine, [1927], 1973.

Yasmina FOEHR-JANSSENS

→ *Anecdote ; Apologie ; Argumentation ; Éloquence ; Fable ; Fait divers ; Rhétorique ; Sermon.*

EXIL

Étymologiquement, l'exil, ou « expulsion hors de la patrie », est synonyme de « malheur » ou « tourment ». Il constitue un phénomène massif tout au long de l'histoire, qui frappe entre autres les intellectuels et les écrivains, et comme tel s'est constitué en un sujet majeur de la littérature et en image tout aussi majeure dans les représentations de la création littéraire.

L'exil est inscrit aux racines de la littérature occidentale, par l'*Odyssée* d'Homère : en plus des dix années que dure le siège de Troie, Ulysse subit neuf ans d'errance parce que les dieux veulent lui interdire le retour à Ithaque. À Rome, Ovide, exilé au bord de la Mer Noire pour son *Art d'Aimer*, dit son expérience douloureuse par ses élégiaques *Tristes* et *Pontiques*. De ces deux textes souches, l'exil garde un lien indélébile avec la nostalgie, douleur du pays perdu et désir du retour, présente aussi dans les récits bibliques des déportations en Égypte et à Babylone pour les Hébreux.

Mais outre ces sources mythiques et antiques, l'exil est une réalité historique, exacerbée aux périodes de fortes persécutions politiques et religieuses (exil des protestants après la révocation de l'édit de Nantes ; exil des opposants à la Terreur...). Souvent des écrivains ont été condamnés à l'exil par la censure, ou ont dû s'enfuir pour lui échapper : ainsi Saint-Evremond au XVIIe s., Voltaire au siècle suivant. Au XXe s., les migrations forcées se multiplient et des écrivains qui les ont vécues en donnent le récit : émigration des Espagnols fuyant la répression franquiste en 1939 (Rafael Alberti, Jorge Guillen, ou encore Juan Goytisolo), des Allemands fuyant le nazisme (Thomas Mann, Bertold Brecht, Joseph Roth), des Russes, en vagues successives de dissidents (Nabokov, Bounine, pour l'après 1917, puis Victor Serge, Soljenitsyne..). Et parfois, le suicide se substitue à l'exil, comme pour Walter Benjamin ou Stefan Zweig.

Cependant, sous le même nom d'exil, on trouve des expériences qui vont de la déportation à l'émigration volontaire. Ainsi aucun amalgame n'est possible « entre le voyage et la fuite » (Maximov), entre les cas évoqués ci-dessus et les migrations d'Anglo-saxons qui, au début de ce siècle gagnent en masse le continent européen (T. S. Eliot, Erza Pound, Henry James, J. Joyce) ou les États-Unis (W. H. Auden, Aldous Huxley..). Pour les premiers, la fuite hors du totalitarisme apparaît comme une véritable déportation. Pour les seconds, l'exil est un choix, et même une stratégie littéraire (« l'exil, la ruse et le silence » sont selon Joyce les armes de l'écrivain) consistant à quitter des pays vus comme des déserts culturels pour d'autres qui offrent davantage de possibilités. Ainsi pour les Latino-Américains l'exil en Europe semble avoir été longtemps presque un mode d'être (Borgès déclarait que lui et les Argentins ne descendaient que du bateau), et nombre d'œuvres contemporaines marquantes de cette littérature ont été composées hors du pays d'origine (*Cent ans de solitude*, de G. G. Marquez ; *Marelle*, de Cortazar...) ; mais l'avènement de dictatures en Amérique latine a fait de l'exil forcé le dernier maillon d'une longue chaîne. Même coupure amenée par l'installation des Républiques Socialistes en Europe centrale : il y a loin de l'expérience d'un Ionesco, bilingue de toujours, quittant la Roumanie en 1938 (fier d'un « si j'étais Français je serais génial ») comme s'il « montait à la capitale », sur les traces d'autres Roumains francophiles célèbres (T. Tzara) à celle d'un Paul Goma, demandant l'asile politique en 1981 et se demandant : « Écrire ici en roumain ? Mais *pour qui* ? Et surtout *pour quand ?* »

Cette imbrication du culturel et du politique est sensible dans l'expérience des écrivains du Maghreb. La colonisation marque leur pratique de la langue française et leurs migrations de signes contradictoires vis-à-vis d'une langue qui après avoir été un instrument de libération suscite (sur les traces de Tahar Ben Jelloun, Driss Chraïbi, Leila Sebbar...) de nouvelles questions : retour à la langue première ou non ? Toutes les diaspora (juive, arménienne, libanaise...) se heurtent à la même interrogation.

Enfin, il arrive que l'exil soit suivi du retour, par exemple avec la chute des totalitarismes. Lorsqu'il a lieu, il est rare que ce retour éradique tout à fait la nostalgie : souvent, le retour réel met à mort le retour rêvé : « Madrid, à mon retour, était une ville franquiste sans Franco », dit Rafael Alberti. Et le retour refusé alors qu'il est devenu possible (par exemple René Depestre en Haïti) transforme alors l'exil forcé en exil intérieur.

Phénomène très général dans l'histoire et dans la littérature, l'exil, et en particulier l'exil intérieur, occupe une place considérable dans la littérature française du XIXe s. Il a certes des antécédents nationaux, dont les *Regrets* (1558) de Du Bellay sont un fleuron : parti à Rome pour des raisons professionnelles, le poète évoque, dans le registre élégiaque, sa nostalgie de la France. Mais la Révolution française, en suscitant une émigration massive, donne à l'exil un autre relief. Et au long du siècle qui suit, des figures majeures de la création littéraire subissent l'exil en raison de leurs prises de position politiques : Hugo sous le Second Empire, Vallès au lendemain de la Commune. Or cette époque est aussi celle où se manifeste avec force le sentiment d'une disharmonie entre le moi et le monde. Elle s'ouvre par une œuvre où cette rupture prend la forme d'une quête : *René*, de Chateaubriand (1802), présente un héros réfugié au Nouveau Monde qui retraduit l'expérience de l'auteur parti en Amérique au temps de la Révolution, mais aussi une perception d'un désarroi du moi. Par la suite – en particulier après 1848 – ce désarroi devient une représentation de la situation de l'artiste dans une société dominée par les intérêts bourgeois. Cet exil intérieur résonne avec force dans l'œuvre de Baudelaire. Ainsi *Le cygne* (*Les fleurs du mal*, 1857), avec une dédicace à Hugo, alors exilé, et un premier vers en forme d'adresse à Andromaque (grande figure mythique de l'exil forcé), « Andromaque, je pense à vous! », montre que Baudelaire superpose les exils réels et métaphoriques. Prend ainsi forme un sentiment d'absurde peut-être, certainement un sentiment d'exil au cœur des choses dont par la suite un bestiaire symbolique fait une image de la condition de poète, albatros chez Baudelaire encore, crapaud chez Corbière. Si ces images abondent moins au siècle suivant, cette vision du sort de l'artiste est néanmoins constitutive du courant de l'Art pour l'Art. Ainsi l'exil, de la littérature de l'émigration aux littératures migrantes qui marquent aujourd'hui la création tant en Europe qu'au Québec, et de l'expérience à l'imaginaire littéraire, est un trait obsédant de la création.

L'exil, sous ses différentes formes, est une condition que les écrivains partagent avec bien d'autres, souvent moins armés qu'eux pour l'affronter, et qu'eux peuvent exprimer et dénoncer. À partir de cette réalité concrète, l'exil littéraire soulève trois sortes de questions. La première, et la plus massive, est celle de la liberté de pensée, de création, de publication : l'exil est un symétrique de la censure, de la répression. En second lieu, ces œuvres d'exilés imposent une réflexion sur la littérature, sa place et sa réception : à qui écrire, et dans quelle langue, pour quels enjeux et quels profits? demande, après Carlos Fuentes, Tahar ben Jelloun ? S'exiler, n'est-ce pas parfois s'éloigner d'une périphérie et gagner le centre du champ culturel (imaginaire ou réel) où se font la légitimité et la reconnaissance ? Mais cette reconnaissance ne perd-elle pas ses fruits dès qu'elle ne se fait pas dans le lieu, la langue et la culture premières et identitaires ? Les littératures « migrantes » manifestent cette tension. Aussi, et c'est la troisième perspective d'analyse, nombre d'écrivains exilés ont donné des œuvres où l'expérience effective de l'exil devient symbole de la création elle-même. La question de la langue est ici cruciale. Parmi les écrivains francophones, elle est sensible chez ceux pour qui la langue première est inscrite dans l'oralité, tels le créole, l'arabe dialectal. Pour les autres, pour ceux pour qui l'exil sera l'affirmation de la prééminence de la langue mère désormais terre d'asile (« la langue allemande a été la patrie que j'ai pu emporter dans mes bagages » dit Nelly Sachs) ou occasion d'un « passage en langue », vécu comme une naissance (Elias Canetti relatant son apprentissage de l'allemand dans *La langue sauvée*), la langue nouvelle est un nouvel exil. Elle est vécue soit comme une trahison, soit comme une ascèse portant en germe la forme même de l'œuvre : » C'est mon défaut d'élocution, mes balbutiements, ma façon saccadée de parler, mon *art* de bredouiller, c'est ma voix, mes *r* de l'autre bout de l'Europe qui m'ont poussé par réaction à soigner quelque peu ce que j'écris et à me rendre plus ou moins digne d'un idiome que je malmène chaque fois que j'ouvre la bouche » écrit Cioran dans *Écartèlement*. Au-delà, la structure même des œuvres peut révéler des réinvestissements de formes liées à une culture souche : le conte oriental pour le roman du Maghreb par exemple.

L'exil équivaut alors à la métaphore, le déplacement des sèmes, donc l'image de l'écriture. L'image du génie incompris, résumé par le « exilé sur le sol au milieu des huées » de *L'Albatros* baudelairien, et avec elle le mythe de l'exil intérieur, retraduit un sentiment par ailleurs inscrit tant dans les mythes que dans l'histoire. À son acmé, cette image montre l'écriture à la fois comme le centre et l'exil, le voyage et la patrie, en un mot l'unique parcours possible *from language to landuage* (Joyce).

▶ DELÈGUE Y., *Le royaume d'exil*, Paris, Obsidiane, 1991. — ROBIN R., *Le deuil de l'origine*, Saint-Denis, Presses Universitaires de Vincennes, 1993. — SEMPRUN J., *L'écriture ou la vie*, Paris, Gallimard, 1994. — Coll. : *La littérature et l'exil, Magazine littéraire*, juillet-août 1985, n° 221.

Alain RANVIER

→ *Censure ; Centre et périphérie ; Coloniale (Littérature) ; Création littéraire ; Espace ; Image ; Imaginaire et imagination ; Migrante (Littérature) ; Mythe ; Réception.*

EXISTENTIALISME

L'existentialisme est un courant de pensée diffus, plutôt qu'une doctrine philosophique unifiée et systématique ; il rassemble des philosophes qui, de Kierkegaard à Sartre, ont en commun de privilégier la description de l'existence humaine, de son sens et de ses possibilités, en refusant le secours des métaphysiques constituées. Vers 1945, l'existentialisme, identifié à Sartre et au groupe des *Temps Modernes*, est devenu aussi mouvement littéraire, en même temps qu'il affirmait avec force la nécessité de l'engagement.

Le Danois S. Kierkegaard (1813-1855) est généralement considéré comme le premier existentialiste. Mais c'est en Allemagne que le courant s'est d'abord développé avec K. Jaspers, pour partie dans la lignée de la phénoménologie. En France, J. Wahl et E. Levinas font connaître ces philosophes dès l'entre-deux-guerres. L'existentialisme français subit aussi d'autres influences : la pensée tragique et volontiers irrationaliste de B. Fondane ou des émigrés russes L. Chestov et N. Berdiaev ; et surtout un riche courant chrétien, illustré par G. Marcel ou E. Mounier, courant qui prendra dans l'après-guerre le nom de « personnalisme ».

À partir de 1944-1945, le nom d'existentialistes a été réservé surtout à Sartre (qui l'accepta avec réticence) et à l'équipe des *Temps Modernes* (Beauvoir, Merleau-Ponty, etc.). Affirmant que la liberté humaine est inaliénable, mais qu'elle implique responsabilité et angoisse face à la nécessité du choix (d'où la volonté d'engagement), l'existentialisme sartrien correspondait à l'ambiance de la Libération : il a de ce fait atteint un vaste public, en se diffusant à travers la littérature et le théâtre. Associé à la vie festive de Saint-Germain-des-Prés, il a pris aussi l'aspect d'une mode et d'un style de vie non conformistes.

L'existentialisme sartrien a induit l'élaboration d'un projet romanesque, exposé dans *Situations, I* (1947) et reposant sur l'idée qu'« une technique romanesque renvoie toujours à la métaphysique du romancier » (*Situations, I*, p. 66). Influencée par des auteurs américains (Faulkner et Dos Passos), cette conception du roman repose sur une « métaphysique » de la liberté et engage une écriture qui refuse l'omniscience du narrateur, vise un « réalisme brut de la subjectivité » en donnant à voir le monde à travers une ou plusieurs consciences. Esquissée dans *La nausée* (1938), elle s'affirme après-guerre avec le cycle des *Chemins de la liberté* (1945). Parmi les auteurs marquants de cette mouvance, S. de Beauvoir a décrit le groupe existentialiste dans *Les mandarins* (1954), et montré dans ses écrits autobiographiques (*Mémoires d'une jeune fille rangée*, 1958) les enjeux des choix au fil de l'existence. Un rapprochement s'est fait aussi avec Camus, sa pensée de l'« absurde » et les romans correspondants (*L'étranger*, 1942), mais il n'eut qu'un temps et aboutit à une rupture.

Les « philosophies de l'existence » sont soucieuses de limiter les prérogatives de la raison, et préoccupées des questions de la liberté, de la subjectivité et de l'historicité. Elles apparaissent comme une réaction à l'émergence du marxisme, de la psychanalyse ou des sciences sociales. En France, l'existentialisme est aussi caractérisé par une rencontre de la philosophie et de la littérature : désireux de penser le concret et la singularité, il s'est attaché à des questions (le quotidien, le vécu concret, le contenu affectif de la connaissance, etc.) habituellement traitées en littérature. Cette conjonction des deux disciplines s'est traduite par un élargissement sensible de l'éventail des genres pratiqués par l'écrivain-philosophe (essai, critique, théâtre ou roman). Sartre a aussi développé une critique littéraire qui emprunte ses méthodes à la phénoménologie mais se singularise par la pratique de la « biographie existentielle » (sur Baudelaire, Genet, Mallarmé ou Flaubert) : elle se veut une saisie, à travers la multiplicité des profils, de la personne humaine et d'un « projet originaire », c'est-à-dire de la permanence d'un même rapport au monde.

Enfin, il importe de distinguer l'existentialisme de ce que l'on regroupe parfois sous l'appellation floue de *roman existentiel :* appliquée à F. Dostoïevski, R. Musil, F. Kafka, M. Frisch ou, aujourd'hui, P. Auster, elle désigne surtout à une vision tragique ou absurde de la destinée humaine, le souci du rapport de l'homme au monde et du sujet individuel à l'Histoire, sans signaler une affiliation philosophique précise.

▶ MOUNIER E., *Introduction aux existentialismes*, Paris, Denoël, 1946. — SARTRE J.-P., *L'Existentialisme est un humanisme* (1946), Paris, Nagel « Pensées », 1970 ; *Critiques littéraires* (*Situations, I*) (1946), Paris, Gallimard « Folio-essais », 1993.

Benoît DENIS

→ *Absurde ; Engagée (Littérature) ; Phénoménologie ; Philosophie ; Sociabilité.*

EXOTISME

Du latin *exoticus* (en grec *exotikos*) « étranger »), l'exotisme caractérise ce qui provient de régions éloignées, et qui est perçu comme étrange, fascinant, excitant ou redoutable. Dans le domaine littéraire, cette assimilation d'éléments étrangers se traduit par la création d'une série de mythes, de thèmes, d'idées qui alimentent l'imaginaire, mais également, par contraste, le regard critique sur ce qui est plus familier. L'exotisme est une donnée construite par l'histoire : il s'applique à des réalités qui se modifient continuellement.

L'histoire de l'art est inséparable de l'histoire des influences étrangères qui apportent des motifs et des matériaux assurant le renouvellement des formes et des techniques. Les premières grandes découvertes de populations non-européennes engendrent des récits de voyage (les souvenirs de Marco Polo), et les actes des Croisés, puis des explorateurs et des missionnaires suscitent des réactions de la part des écrivains (Érasme, *Colloques*, 1518, Montaigne, chapitres des *Essais* sur les cannibales et les coches, 1580-1595). Le XVIIIe s. fait un usage philosophique de la différence (*Lettres persanes* de Montesquieu, 1754 ; *Supplément au Voyage de Bougainville* de Diderot, 1796) et crée le mythe du « bon sauvage », particulièrement en vogue à la fin du siècle (Bernardin de Saint-Pierre, *Paul et Virginie*, 1787). Mais en parallèle, il explore des formes littéraires nouvelles, celles des contes orientaux (*Mille et une nuits*) ou des mystères gothiques par exemple.

Le romantisme fait un usage systématique des ressources géographiques dans la fiction. Il s'ouvre à l'Angleterre et à l'Allemagne (Madame de Staël), à l'Italie (Stendhal), à l'Espagne (Mérimée), à la Grèce (Byron), au Moyen (Chateaubriand, *Mémoires d'outre-tombe*, 1848-1850 ; Flaubert, *Salammbô*, 1862) et à l'Extrême-Orient. Les conquêtes coloniales et l'expansion européennes multiplient ensuite les territoires de l'imaginaire (Rimbaud, « Le bateau ivre »). Le japonisme à la fin du siècle, l'art nègre au début du XXe s., la Chine et l'Indochine bientôt (Malraux, *La voie royale*, 1930 ; Segalen) poursuivent le mouvement, brassant formes (les Hain-Ténys malgaches chez Paulhan), rythmes (le jazz) et couleurs nouvelles. Par la suite, la littérature de voyage s'est accaparée ces ressources.

Parce qu'il définit un ailleurs, l'exotisme est comparable à l'utopie ou à l'uchronie. Mais il est plus concret et s'alimente aux voyages et aux découvertes de pays ou de cultures variés. Il assure une fonction d'évasion, à la recherche du bonheur ou de l'âge d'or. Il peut être un lieu de projection fantasmatique, comme dans les rêveries érotiques d'un Pierre Louys (*Chansons de Bilitis*, 1894-1898), une expérience de connaissance de soi (Michaux, *Un barbare en Asie*, 1933), un simple divertissement ou un prétexte à aventures (Jules Verne, *Le tour du monde en 80 jours*, 1872-1873). Les personnages qu'il contribue à créer sont essentiels à la fiction littéraire (L'Oncle Tom ou les cow-boys), dans ses dimensions critiques (le Huron, Robinson Crusoë) ou de consommation populaire (*Les cinq sous de Lavarède*, 1894).

L'exotisme ramène l'autre à soi, et il n'est donc pas nécessairement porteur de vérité. Il a souvent tendance à se nourrir de simplifications qui peuvent autant servir une meilleure connaissance de l'étranger (Camara Laye, *L'enfant noir*, 1953), que la diffusion d'images réductrices (les westerns). Son usage polémique est donc important et, en particulier dans le contexte du postcolonialisme, on assiste à la création d'images exotiques inversées qui tournent l'Occident en dérision (F. Cheng, *Le dit de Tianyi*, 1999).

En tant qu'objet d'étude littéraire, l'exotisme se situe à la croisée de l'histoire culturelle, des études interculturelles et de la littérature comparée, mais également de l'analyse des lieux communs et des stéréotypes.

▶ BUISINE A. (dir.), *L'exotisme : actes du colloque de Saint-Denis de la Réunion (7-11 mars 1988)*, Paris, Diffusion Didier-Érudition, 1988. — MATHÉ R., *L'exotisme*, Paris, Bordas, 2e éd., 1985. — SEGALEN V., *Essai sur l'exotisme : une esthétique du divers*, Paris, Livre de poche, 1986.

Michel TÉTU, Anne-Marie BUSQUE

→ *Coloniale (Littérature) ; Histoire culturelle ; Interculturel ; Lieu commun ; Littérature comparée ; Orientalisme ; Postcolonialisme ; Stéréotype ; Utopie ; Voyage.*

EXPÉRIMENTALE (Littérature)

La formule « littérature expérimentale » peut désigner des pratiques littéraires transgressives ou non traditionnelles, dans la mesure où elle est d'une part réglée et d'autre part consciente, c'est-à-dire le plus souvent revendiquée comme telle. Calquée sur « méthode expérimentale » ou « science expérimentale », elle implique l'idée de recherche et d'exercice, donc le rejet de toute doctrine de l'inspiration et une volonté systématique d'élaborer des manières de produire de l'écriture qui puissent ouvrir de nouveaux territoires à l'activité littéraire.

On peut considérer comme faisant partie de la littérature expérimentale les exercices poétiques de l'Antiquité ou du Moyen Âge, par exemple les « fatrasies », poèmes à forme fixe dont les vers s'enchaînent l'un à l'autre par des lois phonétiques ou lexicales, mais qui sont dépourvus de sens. C'est ce qu'ont fait certaines écoles littéraires, qui se sont efforcées de se trouver des ancêtres et de montrer que l'histoire de la littérature avait toujours comporté des courants excentriques, transgressifs ou ludiques (Sterne par rapport à Rabelais ou Nodier par rapport aux rhétoriqueurs, par exemple). C'est ainsi que les surréalistes ou encore les membres de l'OuLiPo (Ouvroir de Littérature Potentielle, dénomination qui renvoie à l'idée d'expérimentation), en particulier Jacques Roubaud, se sont intéressés aux troubadours ou aux Grands Rhétoriqueurs.

À la fin du XIXe s., avec Zola, se fonde, en référence aux théories médicales de Claude Bernard, un « roman expérimental » (voir le recueil *La littérature expérimentale*, 1880). Cette conception, systématiquement appliquée au cycle des Rougon-Macquart, confère au roman social une méthode d'investigation et d'analyse héritée à la fois de la médecine et de la sociologie positivistes. Par ailleurs, la littérature d'avant-garde a successivement rassemblé des groupes ou des écoles qui pratiquaient et théorisaient les formes expérimentales d'écriture comme moyen de rompre avec la littérature traditionnelle. Le vers libre des symbolistes fait partie de ces moyens, tout comme les poèmes cubistes des dadaïstes, l'écriture automatique des surréalistes, les contraintes narratives du Nouveau Roman, ou encore celle que Georges Perec (membre de l'OuLiPo) a choisi de respecter dans *La disparition* (1969), en s'interdisant d'employer tout mot contenant la lettre E.

Pour les auteurs contemporains, écrire de la littérature expérimentale, c'est-à-dire non seulement des textes originaux, mais encore des textes qui prouvent leur rupture avec la tradition en exhibant (à l'instar de Raymond Roussel publiant un texte intitulé *Comment j'ai écrit certains de mes livres*, posth., 1935, qui explicite ce qui les rend différents) leur *modus operandi*, est un critère ou une fonction de l'avant-garde. Cela implique une recherche permanente de la modernité, de la nouveauté, qui finit par repousser les avant-gardes précédentes (et leurs propres pratiques expérimentales) dans le camp de la tradition. De ce fait même, ce qui apparaît à un moment comme de l'expérimentation littéraire finit par perdre ce caractère et par être considéré comme un corps de procédés ou de règles formelles dont l'apparition historique est le fait de telle ou telle école reconnue. Il y a cependant une distinction à faire entre ceux de ces procédés ou méthodes d'écriture qui sont par la suite adoptés par des auteurs qui ne se veulent pas d'avant-garde (par exemple le vers libre) et ceux qui, demeurant attachés au moment particulier et au groupe spécifique qui les ont produits, pratiqués et théorisés, conservent le caractère d'une expérimentation passée, éventuellement dépassée, mais non répétable. Ceux-là deviennent des objets d'histoire ou de théorie littéraire. C'est le cas de l'écriture automatique, dont l'invention est consécutive au choc provoqué par la théorie psychanalytique de l'inconscient, et qui se voulait expérience psychique autant que littéraire : elle demeure l'apanage historique des surréalistes, qui l'ont d'ailleurs peu pratiquée effectivement. L'exemple de l'OuLiPo est plus complexe : l'Ouvroir n'a pas disparu (on peut toujours s'y inscrire) et continue à proposer des exercices d'écriture caractérisés par leur aspect ludique et ouverts à n'importe quel amateur de jeux littéraires, ce qui n'a pas empêché l'OuLiPo de produire des écrivains hautement reconnus par l'institution littéraire, comme Queneau, Perec ou Calvino.

▶ BRETON A., *Manifestes du Surréalisme* [1924, 1930], Paris, Gallimard, 1963. — HUGNET G., *L'aventure Dada (1916-1922)*, Paris, Seghers, 1971. — LE LIONNAIS F., « À propos de la littérature expérimentale », Postface à R. Queneau, *Cent mille milliards de poèmes*, Paris, Gallimard, 1961. — OULIPO, *La Littérature potentielle*, Paris, Gallimard, 1973 ; *Atlas de la littérature potentielle*, Paris, Gallimard, 1981.

Dinah RIBARD

→ *Avant-garde ; Écoles littéraires ; Fatrasie ; Médecine ; Naturalisme ; Rhétorique ; Théories de la littérature.*

EXPLICATION DE TEXTE

L'explication de texte est un exercice scolaire omniprésent dans l'enseignement de la littérature. Il consiste dans une glose orale, suivant l'ordre du texte, d'un court passage d'une œuvre littéraire.

L'ancêtre de l'explication de texte est la *prœlectio*, pratiquée dès l'Antiquité dans les écoles de rhétorique. Elle visait à fournir aux futurs orateurs, à travers la lecture et la glose de textes poétiques et fictionnels, des matériaux pour l'ornement de leurs discours. Au XVIe s., Érasme fixe des principes d'étude et d'analyse des textes dans son *De Ratione Studii*, (1512), puis les collèges jésuites s'emparent de ces principes et du modèle antique pour fonder un des exercices centraux de leur pédagogie (Dainville), pratiqué dans les classes de grammaire, de poésie et de rhétorique, sur des textes latins. La *praelectio* comporte alors cinq étapes : 1) lecture à haute voix et présentation du texte, de son sujet, de son auteur ; 2) explication mot à mot visant à dégager le sens littéral par une paraphrase dans un latin plus courant que celui du texte, ou par une traduction en langue vernaculaire ; 3) commentaire par le maître des règles de grammaire et de rhétorique illustrées par le texte ; 4) exposé magistral des points d'érudition nécessaires pour comprendre le sens du texte, et mise en relation avec d'autres textes ; 5) remarques sur la beauté (*latinitas*) de certaines tournures, que l'on fait noter aux élèves. Le but de cet exercice est double : d'une part, il s'agit de permettre aux élèves d'acquérir la parfaite maîtrise de la stylistique et de la grammaire nécessaires à leur future pratique d'orateur ; d'autre part, l'explication des textes antiques ainsi menée sert de point de départ à une leçon morale dispensée par le maître. Deux conséquences fondamentales pour l'explication de texte découlent de cette pratique : la place centrale du maître tout d'abord, à qui revient toujours le dernier mot interprétatif ; et ensuite l'usage de découper les œuvres en extraits propices à la moralisation de l'élève et à la célébration du texte ancien, qui, ainsi expurgé de tous ses passages douteux, peut être élevé au rang de modèle par la pratique des morceaux choisis. La nature des textes à expliquer devint sujet de débats au XVIIIe s. : latin ou langue maternelle des élèves ? Rollin, dans son *Traité des Études* (1726), puis Batteux (*Cours de Belles-Lettres*, 1747) établissent les premiers les principes de ce que pourrait être l'explication de textes français. En 1840, celle-ci est inscrite au programme de l'épreuve orale du Baccalauréat et de l'Agrégation, et à partir de 1880, de la classe de troisième ainsi que des premières années d'université. Ses enjeux et son protocole ne s'éloignent guère de ceux de la *prælectio :* à partir d'une explication des faits de langue et des enjeux moraux de l'extrait, l'élève doit montrer en quoi l'auteur étudié est un modèle à imiter, formation du bon goût et édification morale étant les deux buts assignés à l'enseignement des belles-lettres.

À la fin du XIXe s. toutefois, le militantisme républicain d'un côté, et de l'autre le développement d'une histoire littéraire d'inspiration positiviste, débouchent sur une méthode d'explication des textes qui se voudrait plus scientifique, pour lutter contre la prééminence d'une critique « artiste » reposant sur le flou d'un goût littéraire bien loin des exigences des nouveaux publics que la démocratisation de l'enseignement fait accéder à l'École (Charles). Sous l'impulsion de Lanson, la philologie et l'histoire sont mises au service de l'explication du texte, apportant des éclaircissements sur son sens littéral et des éléments pour son interprétation littéraire (G. Lanson, « Méthodes de l'histoire littéraire », 1925). Comme dans l'exégèse religieuse, l'explication se veut en effet étagement des sens, littéral, historico-biographique, littéraire et enfin moral. La multiplication des recommandations et des manuels, à commencer par ceux de Lanson lui-même, figent l'explication de texte. Les extraits ne sont considérés que comme le reflet d'éléments biographiques et historiques (pour Lanson il s'agissait, dans un sonnet de Voiture, de retrouver « toute la civilisation de la première moitié du XVIIe s. »). Aussi l'exercice semble n'aboutir qu'à une énumération de détails savants, qui noient le texte sous une vaine érudition et interdisent toute initiative interprétative de la part des élèves, auxquels un inspecteur comme P. Clarac prescrivait de n'approcher les textes « qu'avec respect et comme en tremblant ». De ce fait, il se trouve au cœur des contestations touchant l'enseignement de la littérature dans les années 1960. Les changements du public scolaire et celui du corps enseignant (par exemple création de l'Agrégation de Lettres modernes, 1960) accélèrent la crise. À la faveur des apports théoriques de la « nouvelle critique », les enseignants remettent en question le principe d'isolement de « morceaux choisis ». Une attention nouvelle est portée au contexte littéraire propre de chaque texte, et, en réaction contre le risque de figement, les instructions officielles de 1987 préconisent la « lecture méthodique » : il s'agit alors d'une explication de texte qui ne vise pas à une prétention d'exhaustivité mais voudrait mettre en jeu des hypothèses de construction du sens. Cet exercice ayant lui-même été frappé de dérive par sclérose et stéréotypie, les instructions de 2000 ont rendu l'initiative au professeur : elles préconisent une lecture analytique, qu'il peut moduler de façon à l'adapter aux textes, aux situations pédagogiques et aux élèves.

Les critiques contre cet exercice propre à la pédagogie française en ont stigmatisé les effets sur le canon littéraire scolaire (tout texte n'est pas susceptible de s'y plier), et sur le clivage qu'il entretient entre l'activité créative, d'un côté, et le discours commentateur de l'élève, de l'autre (Charles). De fait, la pratique et les évolutions de l'explication de texte touchent bien à deux questions complexes : qu'est-ce qu'« expliquer » ? et qu'est-ce qu'un « texte » ? Sans viser à l'exhaustivité, il est possible de dégager quelques-uns des implicites contenus dans l'idée d'explication, à commencer par ceux portés par son étymologie : *explicare* signifie « déplier », ce qui laisse supposer qu'un sens serait caché dans les profondeurs du texte, et qu'expliquer serait retrouver ce sens, univoque et précédant toute lecture. L'explication de texte est en partie tributaire du modèle de l'exégèse biblique, qui visait à hiérarchiser les niveaux de lecture, du plus littéral au plus secret. De l'exégèse religieuse, l'activité explicative a glissé à l'exégèse laïque, héritière de la critique philologique et historique des Lumières, pour laquelle le sens ultime du texte se trouve dans son sens historique. Enfin, l'idée d'une autonomie de la littérature, qui s'impose avec la modernité, conduit la pratique contemporaine de l'explication de texte à chercher le sens caché au cœur du texte dans le « travail de la langue » (Charles). La démarche explicative repose donc sur une certaine idée de ce qu'est le sens, qui minimise la part de liberté interprétative du lecteur. Mais elle induit aussi une certaine idée de ce qu'est un « texte ». Pour être bien « explicable », un texte doit s'adapter à la durée de l'exercice : il faut qu'il puisse être expliqué en une séance d'une heure, donc qu'il s'agisse d'un poème court ou d'un extrait bref. D'autre part, il doit présenter, dans ces limites, une unité et une cohérence manifestes. Ces contraintes tendent à exclure nombre d'œuvres du corpus explicable. Le découpage en unités d'une longueur comprise entre 14 et 20 lignes exige de plus que le texte puisse aisément être séparé de son contexte (ce qui exclut les œuvres longues sans épisode saillant, comme certains romans). Enfin, le but didactique qui marque durablement l'enseignement de la littérature demande que le texte à expliquer offre à la fois l'expression d'un « génie » singulier et une portée touchant à l'universel, le texte se devant d'être représentatif en un seul fragment de l'œuvre d'un individu, et de son époque. De sorte que le texte, pour être explicable, est « stabilisé », c'est-à-dire fixé dans une lettre qui n'autorise guère la prise en compte de ses variantes, ni des aléas de sa publication. Les propositions théoriques de la critique des années 1960 ont souligné les limites de cet *artefact* scolaire, et soulevé les questions des faits de polysémie et du rôle du lecteur dans l'élaboration des significations. De plus, l'idée d'intertextualité, qui conduit à envisager le texte comme un tissu ouvert de paroles, et, plus récemment, la prise en considération des conditions matérielles de mise au jour des œuvres et de leur appropriation par le public, interdisent l'approche du texte comme un objet définitivement clos sur et en lui-même – *a fortiori* quand il s'agit d'un extrait, tributaire de la décision qui le « choisit ». Le débat entre la nécessité d'échantillonner – les élèves n'ont pas le temps de tout lire *in extenso* – et l'apport de l'analyse approfondie, d'une part, et le respect de la dynamique de l'œuvre et de la signification, d'autre part, n'est donc pas achevé.

▶ BARTHES R., « Réflexions sur un manuel », *L'enseignement de la littérature*, actes des entretiens de Cerisy-la-Salle [1969], Paris, Plon, 1971 ; repris dans *Le bruissement de la langue*, Paris, Le Seuil, 1984. — CHARLES M., *L'arbre et la source*, Paris, Le Seuil, 1985. — DAINVILLE F. de, *L'éducation des Jésuites*, Paris, Minuit, 1978. — JEY M., *La littérature au lycée*, Metz, Recherches textuelles, 1998. — Coll. : *Langue française*, fév. 1999, n° 121 (art. de M. Rosselini et d'A. Viala). — *Textuel*, 1987, n° 20 (art. de P. Albertini et de D. Grojnowski).

Mathilde BOMBART

→ *Canon ; École ; Enseignement de la littérature ; Exégèse ; Grammaire ; Herméneutique ; Lecture ; Style ; Texte ; Vocabulaire.*

F

FABLE

Par son étymologie (du lat. *fari* : parler), fable renvoie à tout propos oral ou écrit, à tout récit fictif. La fabulation est l'art d'inventer des histoires, et ces histoires elles-mêmes. C'est pourquoi la fable désigne pour une part le vaste corpus des récits produit par l'art oral ancien et, dans cette acception, le terme s'est spécialisé comme la mise en scène d'animaux, d'êtres inanimés ou d'hommes dans un récit généralement bref qui renferme un enseignement moral, et appelé aussi apologue. Par ailleurs, la fable (récit) désigne le schéma général de la narration, le récit pris indépendamment de sa réalisation particulière dans une œuvre (sujet ou discours). Cette distinction clairement posée par Aristote a été revitalisée par le formalisme et la narratologie.

Telles que nous les connaissons, les fables résultent de la mise par écrit de traditions orales extrêmement anciennes. Le fond commun auquel puisent les littératures européennes est la tradition gréco-latine, à laquelle s'ajoute l'apport oriental avec le *Pantchatantra* (IIe s. avant J.-C.) en sanscrit, qui nous est parvenu d'après une version arabe plus tardive de Bidpaï (ou Pilpay, VIIIe s.) et une adaptation en latin, œuvre de Jean de Capoue (XIIe s.). L'auteur grec le plus connu est, sans aucun conteste, Ésope (~ VIe s. avant J.-C.), auteur présumé d'un recueil d'apologues puisés aux sources orientales (Asie Mineure). Ses fables, pour la plupart inconnues en Attique, arrivèrent probablement à Athènes entre le début du Ve s. et le début du IVe s. avant J.-C. ; le nom de cet auteur sera désormais associé à l'origine d'un genre littéraire que l'on appellera « ésopique ». Parmi les auteurs de langue latine on compte aussi un fabuliste : Phèdre, esclave affranchi qui vécut à l'époque de l'empereur Auguste (Ier s. après J.-C.). Il est l'auteur d'un recueil de fables animalières qui servit de base à de nombreuses collections médiévales en vers latins, bien que son nom n'ait été redécouvert qu'à la fin du XVIe s., grâce à l'édition de Pierre Pithou (1596). Phèdre et Esope ne manquèrent pourtant pas d'imitateurs : Babrius au IIe s. composa un recueil de fables en vers grecs qu'Avianus traduisit en vers élégiaques latins à la fin du IVe s. Au Moyen Âge, la fable servait surtout comme exercice scolaire et les manuscrits nous ont transmis de nombreux remaniements en prose latine de ces recueils, connus sous le titre de *Romuli* (Romulus étant le pseudonyme de l'auteur présumé des apologues). Ces différents recueils, ainsi que ceux dérivés directement d'Avianus, seront à la base des premiers recueils de fables en langue vernaculaire. Marie de France (XIIe s.) est probablement le premier auteur médiéval connu à avoir composé des fables en langue vulgaire et en vers. Son recueil contient une centaine de fables en anglo-normand qu'elle aurait composées en puisant partiellement à la tradition latine. Mais la pratique la plus courante était de s'inspirer des collections latines existantes pour composer des recueils anonymes de fables en langue vernaculaire (en prose ou en vers) connus sous le nom d'*Isopets*.

Apprécié par les auteurs et les lecteurs médiévaux pour qui la fable, avec son fonctionnement métaphorique, correspondait à un mode de pensée et d'interprétation du monde, ce genre littéraire ne rencontra pas les faveurs des humanistes. Bien que la tradition ésopique survive à la Renaissance et connaisse même quelques belles réussites (on retiendra, parmi les traducteurs, Julien Macho, *Les subtilles fables de Esope*, 1480, réimprimée jusqu'en 1572 ; Guillaume Tardif, *Les apologues et fables de Laurens Valle*, 1492 ; et, comme auteur, Gilles Corrozet, *Fables*, 1542), la fable en langue française a dû attendre le dix-septième siècle et La Fontaine pour obtenir ses lettres de noblesse. Après le succès remporté par ses recueils de *Fables* (1668-1678), ce genre littéraire connut un véritable essor à la fin du XVIIe s. et surtout au siècle suivant, où les fabulistes s'efforcèrent de renouveler les thèmes traditionnels, d'inventer de nouveaux motifs pour exprimer des idées qui se veulent nouvelles. Sous leur plume la fable devient philosophique, politique, pédagogique, voire galante, elle est mise en musique et portée sur la scène théâtrale. Les critiques reconnaissent une place de choix à Florian, dont la renommée a été assurée par ses apologues en vers. Les romantiques lui ont préféré le conte merveilleux qui ne fonctionne pas sur le même mode et ne fait passer aucun enseignement moral explicite. Au XXᵉ s. la fable semble avoir perdu son souffle ; à part Franc-Nohain qui composa des fables publiées de 1921 à 1933, on relève surtout les *Fables* de Jean Anouilh (1962) et les quelques apologues contenus dans les recueils de poèmes de Georges Duhamel, Guillaume Apollinaire, Henri Michaux et Francis Ponge. Même si on ne compte plus aujourd'hui que des fabulistes occasionnels notamment dans la littérature régionaliste (R. Kervyn, *Les fables de Pitje Schramouille*, 1927), la fable animalière, surtout dans le domaine de la littérature pour l'enfance, reste toujours très en vogue : les bandes dessinées et surtout les dessins animés proposent souvent aux lecteurs les aventures d'animaux plus ou moins familiers, mais on est loin de la tradition purement ésopique.

Les fables, comme d'autres formes littéraires anciennes, assurent une fonction épistémologique et éducative. L'affabulation inculque des normes de comportements et des valeurs qui aident l'individu à subsister dans le groupe, et le groupe à renforcer son unité. Il n'est pas facile de distinguer les fables des autres récits qui ont la même fonction : que l'on songe aux bestiaires, aux anecdotes, au *Roman de Renart*, aux paraboles bibliques, aux contes, aux allégories mythologiques, aux *exempla* ; autant de types de textes qui ont été parfois mélangés au fonds des fables proprement dites. On ajoutera à cela une confusion terminologique certaine qui caractérise ce genre littéraire depuis son apparition : en effet, on a souvent affublé l'apologue ésopique de dénominations très différentes ; en grec : *mythos, logos, aïnos ;* en latin : *fabula, fabella, apologos* ; en ancien français : *fable, fablel*, parfois *exemple*, et par la suite : *fable, apologue, conte moralisé*, etc. De nos jours encore, certains critiques émettent des réserves d'ordre conceptuel vis-à-vis de ce genre littéraire et préfèrent considérer la fable comme une structure qui varierait selon les auteurs et les époques. Il est vrai pourtant que l'on ne peut pas ignorer un certain nombre de caractéristiques communes aux récits que l'on qualifie communément de fables : la présence d'animaux, le caractère fictif et allégorique du récit, sa portée exemplaire et didactique d'apologue, la présence d'un personnage roué qui sait se tirer d'affaire par la ruse et l'astuce. Les réalisations concrètes du genre littéraire ainsi défini nous montrent un mode de fonctionnement complexe et variable qui, toujours grâce à la transposition, peut traduire des conflits très différents. D'une part, la fable évoque les rapports de force entre les individus, les différentes classes sociales, d'où les liens entre l'apologue et la réalité sociale et politique, d'autre part, elle aborde les principales questions de morale, bref les rapports entre les individus à l'intérieur d'une société donnée. De là l'extraordinaire ductilité du genre qui s'adapte, et pas seulement d'un point de vue formel, aux circonstances particulières de la production, aux époques et aux destinataires.

En tant que modèle narratif précis, la fable ne subsiste guère dans une société de l'écrit et de l'image, qui a inventé d'autres formes de transmission du savoir et de la sociabilité. Mais la fiction, à laquelle la fable renvoie originellement, n'a, elle, ni perdu son actualité ni abandonné ces fonctions.

▶ DANDREY P., *La fabrique des fables*, Paris, Klincksieck, 1992. — EWALD D., *Die moderne Französische Fabel. Struktur und Geschichte*, [Lampertheim], Schäuble, 1977 (Romanistik 13). — GRUBMULLER K., *Meister Aesopus*, München, Artemis, 1977. — MOMBELLO G., *Les recueils français de fables ésopiques*, Genève, Slatkine, 1981. — NØJGAARD M., *La fable antique*, København, Nyt Nordisk Forlag, A. Busk, 2 vol., 1964-67.

Gabriella PARUSSA

→ *Apoloque ; Argumentation ; Conte ; Didactique (Littérature) ; Exemplum ; Fiction ; Moralités ; Mythe.*

FABLIAU

Genre narratif médiéval ; récit bref en vers où, sur un ton délibérément trivial et dans un but comique, sont narrées une ou plusieurs aventures de personnages appartenant aux milieux bas des sociétés urbaine et paysanne médiévales. Composés en couplet d'octosyllabes, les fabliaux comptent moyennement quelques centaines de vers, mais peuvent parfois dépasser le millier.

Il nous reste approximativement 150 textes, du début du XIIIᵉ s. jusqu'à la moitié du XIVᵉ s. Ils proviennent surtout du Nord de la France, comme aussi du Centre et de la Normandie. La plupart des fabliaux sont anonymes, mais quelques noms d'auteurs, parfois de grand talent, nous sont connus : Jean Bodel, Gautier Leu, Courtebarbe, Rutebeuf, Jean de Condé, Watriquet de Couvin. Dans un décor très souvent urbain, mais aussi campagnard, prêtres luxurieux, chevaliers et clercs démunis, maris cocus, ménestrels, voleurs, prostituées, épouses acariâtres ou infidèles, se trouvent impliqués au quotidien dans des péripéties ridicules et cocasses, mus par le désir sans cesse renouvelé d'affirmer leurs aspirations et besoins contre ceux de leurs semblables. Le genre ne survit pas au-delà de 1340, sauf, plus tard, dans la nouvelle italienne ou française, ainsi que dans quelques farces.

Le fabliau est un genre typique du registre comique dit « bas ». Ce n'est en effet pas dans leur matière, empruntée principalement au patrimoine du folklore mondial, qu'il convient de chercher la contribution originale des fabliaux à la littérature, mais dans leur constant souci d'allier brièveté narrative et drôlerie. Les auteurs et/ou colporteurs de fabliaux, qui affirment volontiers tenir leur conte d'un proche des protagonistes, affectent une distance minimale entre la vie et sa transposition artistique. Mais l'image éminemment triviale du monde qu'ils esquissent ainsi, parfois jusqu'à la scatologie, trahit une volonté esthétique par son caractère exclusif et superlatif. L'emprunt parodique de fragments et de motifs propres à des genres littéraires élevés, comme la littérature courtoise, participe de la même stratégie et vise à mettre en valeur, par contraste, la laideur ridicule des situations et des personnages (Boutet, p. 110). Le projet implicite de pousser toujours plus loin, à tout prix, les frontières du rire sous-tend chaque performance, d'où la rapidité, la densité de ces textes soucieux avant tout de leur effet. Les histoires invraisemblables que les femmes infidèles font avaler à leurs maris pour couvrir un adultère occupent une large place dans le corpus, écho de la misogynie dans un genre dont les auteurs sont souvent membres du clergé. Mais la fabulation est très largement partagée par les protagonistes des fabliaux : jamais la coïncidence entre fiction et mensonge, lieu commun du Moyen Âge, n'aura été si réjouissante. La dextérité verbale est à l'honneur : les personnages rusés savent jouer des différents niveaux de sens de la langue pour duper de moins habiles qu'eux, non sans tomber, parfois, dans leur propre piège. Par leur incompréhension du langage et du monde, les naïfs, de leur côté, introduisent constamment, dans cette société schématisée et immobile, des équivoques, des quiproquos et des échanges fallacieux, sources de comique. Ce rire fait donc bon marché de toute compassion, aucune pitié n'est accordée aux perdants, soumis à des châtiments aussi humiliants que douloureux, pouvant aller jusqu'à la mutilation. Dans les fabliaux à sujet érotique ou paillard (un tiers du corpus environ) la fiction épouse parfois les fantasmes des protagonistes (*Le Sohait des Vez [vits]*) pour retomber aussitôt dans la trivialité de l'acte sexuel. Mais c'est précisément la nomination détournée de cet acte qui, en rendant possible ce dernier (*De l'Escuireil*), fait progresser également le récit : désir charnel et plaisir narratif s'attisent réciproquement. L'insertion fréquente d'une moralité, sans grande portée et parfois arbitraire, n'entame pas le caractère essentiellement ludique du genre, et fait ressortir la victoire joyeuse de la logique du rire sur les contraintes de la vraisemblance et de son pendant dans la vie, la norme.

▶ BÉDIER J., *Les fabliaux, études de littérature populaire et d'histoire populaire du Moyen ge* , Paris, Champion, [1893], 1925. — BLOCH R. H., *The scandal of the fabliaux*, Chicago, P. U. Chicago, 1986. — BOUTET D., *Les fabliaux*, Paris, PUF, 1985. — MÉNARD Ph., *Les fabliaux, contes à rire du Moyen Âge*, Paris, PUF, 1983. — NYKROG P., *Les fabliaux, étude d'histoire littéraire et de stylistique médiévale*, Genève, Droz, [1957], 1973.

Patrizia ROMAGNOLI

→ *Comique ; Conte ; Érotisme ; Exemplum ; Fable ; Lai ; Médiévale (Littérature).*

FAIT DIVERS

Le fait divers est un événement quotidien distingué parmi d'autres événements anonymes, que la presse décide de rapporter en raison de son caractère frappant. De marginal, le fait divers devient public, mais il n'entretient aucun rapport avec les autres informations du jour : il reste en marge des rubriques générales, et nourrit une catégorie spécialisée.

Fait divers désigne donc à la fois un événement, le récit de l'événement, et la rubrique de journal qui réunit ces récits.

Contrairement à l'anecdote, qui suppose un art de conter, le fait divers est un récit « immanent » (R. Barthes) qui se suffit à lui-même.

L'essor des faits divers est lié à celui de la presse au XIXe s. Les journaux comportaient des rubriques de « faits-Paris », récits et anecdotes de la vie quotidienne qui en relevaient l'intérêt. C'est bien ce que désigne le fait divers, lorsqu'il apparaît en 1863 dans le *Petit Journal* de Polydore Millaud, pour désigner ce que l'on connaissait parfois sous le nom de « canards », c'est-à-dire des imprimés d'information non périodiques, vendus à la criée lors des grands événements d'actualité (et qu'il ne faut pas confondre avec le « canard » dont parle Nerval, qui est un bobard vraisemblable alimentant la rumeur publique). Toutefois, ce type de publication n'est pas nouveau : dès le XVIe s. circulent une information orale, notamment grâce au colportage (avec parfois un support visuel illustrant des anecdotes supposées authentiques) et des « occasionnels », imprimés qui recouvrent tous les domaines d'information (vie des souverains, fêtes populaires, crimes, incendies...), ou des « nouvelles à la main » dès le XVIIe s. Avec l'apparition des gazettes périodiques, ces imprimés évoluent en éditions spéciales à grand tirage, consacrées aux faits divers sensationnels : les « canards » sont nés. Fin XIXe s., ces tirages occasionnels sont supplantés par des publications périodiques, consacrées exclusivement aux faits divers :

les nouveaux suppléments des journaux traditionnels, ou les périodiques qui font du fait divers leur fond de commerce, et que nous connaissons encore : *Détective* est ainsi créé en 1928.

« Fait Divers : mixture verbale dans laquelle le composant "divers" devient le symbole de crime ou d'accident sanglant. Fait divers, c'est-à-dire l'un [...] des multiples faits journaliers [...] qu'une flamme tragique ségrège comme plus intense [...] parmi toutes les autres tranches de vie ou de réalité » (Michel Leiris, *Biffures*, 1948) : le fait divers est bien un événement qui a été distingué, élu parmi d'autres, sur des critères finalement très romanesques. D'une part, c'est d'abord le goût du public qui fonde les fait divers : leurs thèmes évoluent de siècle en siècle ; ainsi, du goût pour les histoires de sorcellerie au XVIIe s. on passe au culte des grands criminels au XIXe, et aux crimes sanglants anonymes de nos jours. D'autre part, c'est en vertu de son potentiel dramatique et narratif qu'est distingué un événement, comme si le fait divers se constituait en roman de la vie réelle, compréhensible par tous puisque issu d'une expérience du réel partagée par chacun des lecteurs.

Ainsi entendu, il était logique que le fait divers inspirât les écrivains : de fait, les canards puis les journaux de faits divers ont nourri l'imagination de nombreux auteurs, déjà au XVIIIe s. (dans *Le fils naturel*, 1757, Diderot s'inspire d'une soi-disant rumeur, qui est encore une fiction), mais surtout au XIXe s. (Balzac, Stendhal, Zola...), où la vision épique et idéaliste que les faits divers donnaient des grands criminels n'avait qu'à être transposée à l'identique dans les romans. Parce qu'ils cristallisent également les peurs ou les désirs de la société, les chansonniers, les humoristes (Alphonse Allais écrit un « Fait divers et d'été ») ou les surréalistes s'en sont emparés (*Violette Nozière*, 1933) et, après eux, maints auteurs du XXe s. La poésie de Marcel Thiry, les romans de Simenon, les nouvelles de D. Daeninckx s'inspirent souvent de menus faits rapportés dans la presse. Les faits divers sont donc comme des « réservoirs » à histoires, et en tant que tels, ils entretiennent également l'imaginaire des cinéastes (ainsi de nombreux films de Claude Chabrol s'inspirent de fait divers, ou à l'inverse, sont construits comme des faits divers).

▶ BARTHES R. « Structure du fait divers », *Essais Critiques*, Paris, Le Seuil, 1964. — ROMI [MIQUE R. I], *Histoire des faits divers*, Paris, Del Duca/Laffont, 1962. — WALKER D. H., *Outrage and insight : modern french writers and the « fait divers »*, Oxford, Berg French Studies, 1995. — Coll. : *Romantisme*, septembre 1997.

Karine LANINI

→ *Anecdote ; Cinéma ; Création littéraires ; Journalisme ; Populaire (Littérature) ; Presse ; Récit (Théories du) ; Roman ; Société.*

FAIT LITTÉRAIRE

La littérature est un fait social et historique ; elle a une existence matérielle qui peut être un objet de savoir et de mémoire. Par ailleurs, elle est également créatrice de faits présentés comme vrais ou comme imaginaires, et ceux-ci ont leur propre histoire. La première définition renvoie à un *faire* institutionnel, la seconde à un artefact, donc au factice et à la facture.

À la fin du XIXe s., la sociologie avance une nouvelle conception de la littérature en la théorisant comme un phénomène collectif. Durkheim définit le « fait social » dans des études où il observe l'inefficacité d'une saisie purement statistique des réactions d'un groupe humain. Il suppose : « 1) que le groupe formé par les individus associés est une réalité d'une autre sorte que chaque individu pris à part ; 2) que les états collectifs existent dans le groupe de la nature duquel ils dérivent, avant d'affecter l'individu en tant que tel et de s'organiser en lui, sous une forme nouvelle, une existence purement intérieure » (*Le suicide : étude de sociologie* [1912], Paris, PUF, 1993, p. 362).

Sur cette base, au début du XXe s., Gustave Lanson pose que le « phénomène littéraire est par essence un fait social », et qu'il s'intègre dès lors pleinement dans le paradigme scientifique des sciences sociales en formation. Le fondateur de l'histoire littéraire cherche à établir la nature de « l'objet spécial » dont cette science doit s'occuper. Celui-ci repose sur des faits avant tout singuliers dont l'observation et la connaissance requièrent des méthodes non quantitatives. Le fait littéraire est donc un fait spécifique, non réductible au fait historique ou au fait de l'histoire de l'art. Il doit être analysé selon un dosage subtil de *sentir* et de *savoir*.

La littérature comparée, fondée dans les années 1920, se réclame également d'un fait littéraire flexible, difficilement formalisable (*Précis*, p. 34). Dans la pratique toutefois, l'équilibre que requiert la double nature du fait littéraire bascule souvent. Les recherches positivistes privilégient les faits de détail (historiques) au détriment de la conception d'ensemble, et les éléments de réalité brute (*factualism*) à la restitution d'une sensibilité. Lanson avait autorisé la *réduction scientifique* de l'histoire littéraire : « ne pas sentir où l'on peut savoir, et ne pas croire qu'on sait quand on sent » (*Méthodes*, p. 30) ; les études menées à sa suite tentent souvent de faire coïncider les faits avec la connaissance que l'on en peut avoir, ou, si l'on préfère, de lier l'ordre des choses avec l'ordre de la connaissance.

Ces formules ont suscité des réactions, qui ont d'abord été formulées, en France, en dehors de l'Université. Relayant les critiques formalistes et structuralistes, la critique insiste depuis les années

1960 sur la relativité des interprétations. Une part du discours des postmodernistes va même jusqu'à dissoudre complètement le factuel dans l'interprétatif, puisque le statut (social, sexuel ou historique) de l'observateur pourrait déterminer à lui seul la réalité des éléments analysés.

La sociologie historique de la littérature, pour sa part, ne participe guère de ce relativisme généralisé. Elle tend plutôt à faire évoluer le domaine des réalités envisageables. Au fait littéraire isolé de tout contexte – un auteur, un texte, un mouvement, une influence – cher aux successeurs de Lanson, elle substitue la somme complexe des éléments d'une activité sociale mouvante. Le fait littéraire comprend ainsi un certain usage du langage à l'intérieur d'une tradition culturelle, l'ensemble des intervenants de la production, de la diffusion et de la consommation littéraire, les choix de toute espèce posés par l'écrivain ainsi que la réception des textes et leur fortune critique dans les pratiques de lecture. La sociologie donne ainsi un contenu à l'affirmation de Wellek et Warren selon laquelle il n'y a pas de faits neutres en littérature puisque « dans le choix des matériaux se trouvent déjà impliqués des jugements de valeur » (p. 56).

Pour leur part, les historiens contemporains cherchent de plus en plus fréquemment dans les œuvres littéraires des sources révélant les faits de culture et les comportements sociaux. Leurs enquêtes posent la question du statut de la fiction, de la valeur de témoignages qui portent sur le réel autant que sur l'imaginaire et sur les codes construits par la littérature. Le fait social de la littérature s'impose donc comme un lieu central de la recherche en sciences humaines.

▶ LANSON G., *Méthodes de l'histoire littéraire*, Paris-Genève, Slatkine, [1925], 1979. — WELLEK R. & WARREN A., *La théorie littéraire*, Paris, Le Seuil, [1949], 1989. — Coll. : « La littérature comme objet social », *Discours social/Social Discourse*, 1995, vol 7, 3-4. — *Précis de littérature comparée*, P. Brunel (dir.), Y. Chevrel, Paris, PUF, 1989.

Paul ARON

→ *Champ littéraire ; Fiction ; Histoire culturelle ; Histoire littéraire ; Institution ; Littérature comparée ; Réalisme ; Référent, référence ; Sociologie de la littérature.*

FANTAISIE

Dans le domaine de la musique, le mot *fantaisie* correspond à un genre bref et léger, de forme libre. En peinture, un portrait ou un paysage sont dits *de fantaisie* quand ils sont exécutés sans modèle. Il est plus difficile de définir la fantaisie en littérature. Au sens actuel, elle évoque une invention libre et souriante. Au XIXe s., la fantaisie joua un rôle important et durable dans le champ littéraire où elle représenta à la fois un mot d'ordre, un genre et un style. Plus largement, elle correspond à une tendance profonde de la littérature, tantôt discrète, tantôt affirmée, qui rompt avec l'esprit de sérieux.

Fantaisie vient du grec *phantasia*, lui-même dérivé de *phaïnein :* apparaître, se montrer. C'est un terme du langage philosophique désignant, chez Platon, un effet de trompe-l'œil puis, chez Aristote, l'imagination reproductrice. Très lié, au Moyen Âge, à l'idée d'illusion diabolique, le mot perd à la Renaissance ce caractère inquiétant et désigne l'esprit avec les idées, les désirs et les rêves particuliers qu'il contient. Au XVIIe s., le *Dictionnaire de l'Académie* signale l'entrée du mot dans le domaine artistique pour qualifier « une chose inventée à plaisir dans laquelle on a plutôt suivi le caprice que les règles de l'art : une fantaisie de peintre, de poète, de musicien, de joueur de luth ». Voltaire, dans l'*Encyclopédie*, donne « désir singulier, goût passager » comme sens actuel du mot et il valorise la fantaisie pour « l'idée d'agrément » à laquelle elle s'associe. Au contraire, dans la rubrique « morale » du même article, la fantaisie est assimilée à un comportement d'enfant gâté.

Cette ambivalence n'a jamais quitté tout à fait le mot au XIXe s. Cependant, entre 1820 et 1840, la fantaisie fait une entrée triomphante dans le lexique littéraire. Hugo dénie « à la critique le droit de questionner le poète sur sa fantaisie » (préface des *Orientales*, 1829). Nodier dessine la première allégorie féminine de la Fantaisie (préface de l'*Histoire du roi de Bohème*, 1832). Quand Sainte-Beuve cherche à caractériser la génération à laquelle il appartient, il écrit qu'elle n'a « guère eu pour mot d'ordre que *la fantaisie* » (*Revue des deux mondes*, 1er mai 1840). Si, dans ces emplois, le mot renvoie à la valorisation de l'imagination créatrice, *fantaisie* commence aussi à désigner un genre particulier, à partir de l'arrivée en France des *Phantasiestücke* d'E. T. A. Hoffmann qui séduisent par leur mélange de vérité, de rêve et d'humour. Aloysius Bertrand se réfère au conteur allemand quand il écrit ses *Fantaisies à la manière de Callot et de Rembrandt*. Dans le premier tiers du siècle, l'adjectif correspondant à *fantaisie* est *fantastique*. Ce dernier terme se fixa sur une thématique particulière et l'adjectif *fantaisiste* apparut vers 1830 pour qualifier le style de la fantaisie.

À partir de 1840, une nouvelle génération de jeunes gens fascinés par les batailles romantiques, très nombreux à vivre la vie de bohème à Paris, écrivent dans les petits journaux satiriques, comme le *Corsaire-Satan* qui compte Baudelaire, Banville, Champfleury et Murger parmi ses collaborateurs. « Fantaisie » est un titre fréquent pour des articles qui brodent sur les bizarreries du temps, en sautant allègrement du coq à l'âne, avec un goût certain pour l'étrange et le grotesque. En même temps, cette génération fait de la Fantaisie sa muse particulière. C'est l'époque où les journaux repèrent ce qu'ils nomment « l'école de la fantaisie » et inventent le nom *fantaisiste* pour désigner un écrivain ou un artiste dont la production et la manière de vivre sont opposées à celles de « l'école du bon sens ».

Parmi les jeunes écrivains qui débutent vers 1860, Catulle Mendès fonde la *Revue Fantaisiste* (février-novembre 1861), qui se montre très accueillante pour les aînés (Banville, Champfleury et Baudelaire), et s'efforce de définir une esthétique de la fantaisie. Beaucoup de rédacteurs de la *Revue Fantaisiste* se retrouvent dans le *Parnasse contemporain*. En 1872, l'article « Fantaisie » du *Grand dictionnaire du dix-neuvième siècle*, publié par Pierre Larousse, est particulièrement virulent contre les jeunes poètes qui « encensent la déesse Fantaisie ».

Sous la Troisième République, la fantaisie a cessé de correspondre à un courant littéraire vivant. Zola la rejette comme liée à Hugo et au romantisme. Mallarmé l'abandonne comme trop frivole. Rimbaud ne s'en occupe guère, cependant, il choisit « Fantaisie », comme sous-titre de *Ma Bohème*. Peu à peu, la Fantaisie se réfugie dans les journaux mondains, les spectacles divertissants ou l'humour du journal *Le Chat Noir*. On la voit revenir, peu avant la guerre de 1914, avec le groupe des poètes « fantaisistes » (Carco, Pellerin, Derême, Vérane et Toulet), qui se démarquent des avant-gardes et s'appuient sur la richesse des formes traditionnelles de la poésie française.

La guerre de 1914-1918 disperse ce groupe et rend peut-être indécent le terme de *fantaisie*. En tout cas, Breton magnifie l'imagination et affecte de mépriser la fantaisie. Même si, dans beaucoup d'œuvres cinématographiques et littéraires du XXe s., on peut retrouver des aspects de l'esthétique fantaisiste, la fantaisie n'est plus revendiquée par les créateurs. Sa capricieuse frivolité l'a reléguée du côté des amuseurs, de la mode féminine et des originaux pas très sérieux.

▶ BADESCO L., *La génération poétique de 1860*, Paris, Nizet, 1971. — BENOIST M., *La fantaisie au XIXe s.*, Thèse, U. Paris III, 2001. — BOURDIEU P., *Les règles de l'art*, Paris, Le Seuil, 1992. — GRAHAM R., *La poésie de Baudelaire et la poésie française (1838-1852)*, Paris, Aubier, 1993.

Michèle BENOIST

→ *Bohème ; Fantastique ; Genres littéraires ; Réalisme ; Romantisme.*

FANTASTIQUE

Le fantastique est le registre qui correspond aux émotions de peur et d'angoisse. Il est caractérisé par le renversement des perceptions rationnelles du réel, l'immixtion du doute dans les représentations établies et la proximité d'un supra- ou antinaturel. Le fantastique déborde la littérature et s'exprime dans toutes les formes d'art.

Au Moyen Âge et jusqu'à la fin du XVIIIe s. et au début du romantisme, les diableries, les sorcelleries et les enchantements peuplent une part de la littérature (le plus souvent populaire et orale), mais ils appartiennent à la catégorie du merveilleux (y compris *Le diable amoureux*, 1772, de Cazotte). La veine fantastique s'est développée en France en faisant fonds de cette tradition merveilleuse qui donne place à la dimension du surnaturel. Elle a aussi été nourrie par l'évolution de deux grands mythes modernes : Don Juan, avec l'image de la statue qui s'anime pour que la mort saisisse le pécheur, et Faust, fondé sur l'idée d'un pacte satanique. Un courant germanique, porté entre autre par E. T. A. Hoffmann (*Le chat Murr*, 1822) et des romantiques tels que Kleist, Brentano, Jean Paul, et le roman gothique anglais (*Le moine* de Lewis, 1796, *Le château d'Otrante* de Walpole, 1764) ont apporté les thèmes et images majeurs (châteaux hantés, revenants, etc.). En France, Charles Nodier promeut cette littérature, qu'il propose de nommer (sans succès du reste) « frénétique ». Une forme semble tout particulièrement lui convenir, la nouvelle ou le conte (*Smarra*, 1821, *Trilby*, 1822, *La fée aux miettes*, 1832). G. de Nerval, Th. Gautier, H. de Balzac (*La peau de chagrin*), P. Mérimée s'adonnent à cette veine qui bénéficie du développement de la grande presse et du feuilleton.

Edgar Poe – dont Baudelaire traduit les *Histoires extraordinaires* (1840-1846) en 1856 – initiateur du roman policier et du poème en prose, lui donne sa spécificité esthétique moderne : c'est l'étrange, davantage que l'épouvante et la frénésie, qui est désormais au cœur du fantastique. Cet étrange anxiogène se plaît, avec Maupassant (*Le Horla*, 1887), à interroger les certitudes les plus scientifiques, à introduire le doute et l'hésitation, à faire chavirer la raison, manières de symboliser les limites de l'identité et la fragilité de l'autonomie du sujet pensant. Il s'est redéployé sous la Troisième République, parallèlement à l'émergence de la décadence et du symbolisme. Il apparaît ainsi, au XIXe s., comme une résistance à l'hégémonie du rationalisme positiviste.

Dans la littérature du XXe s., le fantastique est très vivace, il devient une sorte de genre, mais plutôt mineur. Dans le domaine francophone, il se pratique surtout hors de France, en Belgique, tout particulièrement, avec M. de Ghelderode (*Sortilèges*, 1941), Jean Ray (*Malpertuis*, 1962), M. Thiry (*Nouvelles du grand possible*, 1960), Jacques Sternberg (*Contes glacés*, 1974). Il peut donner lieu chez des auteurs contemporains (comme Le Clézio ou Echenoz), qui en font le prétexte plus que le déroulement de leurs intrigues, à un traitement souvent allusif. En revanche, des formes simplifiées abondent dans la bande dessinée et la littérature dite « de gare » (ainsi des collections comme « Les Maîtres du mystère »). Par ailleurs, le cinéma en a fait une de ses ressources fortes (Fritz Lang, Hitchcock), jouant de l'image faussement véridique pour susciter la peur que donne le doute ; le fantastique s'associe alors au suspense.

Selon Todorov, le fantastique repose sur la possibilité d'hésiter entre une explication naturelle et une explication surnaturelle – et non sur une acceptation conventionnelle de l'étrange, qui relève du merveilleux. Ainsi, si toute fiction peut déstabiliser les représentations et les visions du monde, le fantastique s'est spécialisé dans la remise en question des croyances les plus cardinales. Mais cette spécialisation l'a souvent enfermé dans un rôle de divertissement littéraire, qui l'a comme empêché d'atteindre à une pleine reconnaissance institutionnelle. Aussi, comme le roman policier, le fantastique n'a pas atteint à la pleine légitimité. Reste qu'il pose la question des pouvoirs imaginaires de la littérature. Il suppose qu'elle peut engendrer des mondes parallèles, possibles ou improbables, qui sont autant de manières de faire valoir le primat du réel sur la pensée (voir Grivel et Chareyre-Méjan), ce qui explique en partie le déni de pertinence dont la tradition fantastique a été l'objet dans la doxa rationaliste occidentale. Mais il exige que ces mondes soient marqués du sceau de l'inquiétude – en ce sens, il se distingue de la littérature et du cinéma d'épouvante – et l'émotion qu'il offre est bien celle de la peur née de la sensation que l'ordre du monde vacille inexplicablement.

▶ CAILLOIS R., *Au cœur du fantastique*, Paris, Gallimard, 1975. — CASTEX P.-G., *Le conte fantastique en France de Nodier à Maupassant*, Paris, Corti, 1951. — CHAREYRE-MÉJAN A., *Le réel et le fantastique*, Paris, L'Harmattan, 1998. — GRIVEL Ch., *Fantastique-fiction*, Paris, PUF, 1992. — TODOROV T., *Introduction à la littérature fantastique*, Paris, Le Seuil, 1970.

Jean-Pierre BERTRAND

→ *Décadence ; Merveilleux ; Paralittérature ; Rationalisme ; Registres ; Roman gothique ; Romantisme ; Symbolisme.*

FARCE

Pièce comique brève, la farce vise à faire rire par l'étalage cocasse des travers, des grossièretés et des conflits ridicules d'un petit nombre de personnages de milieu modeste et de bas instincts. On a longtemps fait dériver le mot « farce » du latin *farcire* (bourrer) : le genre servirait d'intermède « épicé » dans un spectacle sérieux, mais c'est l'ancien français *farcer*, c'est-à-dire « tromper » (B. Rey-Flaud), qu'il faut avant tout retenir : nombreuses sont en fait les pièces qui se complaisent dans la mise en spectacle d'une tromperie ingénieuse.

Les théâtres grec (Aristophane) et romain (Plaute) ont cultivé différents types de farce, mais c'est au cours du Moyen Âge, surtout de 1450 à 1550, que le genre a connu sa période de succès. En subsistent un peu plus de cent cinquante pièces, pour la plupart anonymes, d'une longueur moyenne de 300 à 400 vers (*La farce de Maître Pathelin*, avec 1500 vers, constitue une exception). On en trouve des manifestations partout en Europe en même temps : en Allemagne (*Fastnachtsspiel*), en Italie (Ruzante, Caracciolo), en Espagne (*pasos* de Lope de Rueda), au Portugal (Gil Vincente, Chiado, A. Prestes), en Angleterre (jusqu'à Shakespeare et au théâtre élisabéthain).

Contrairement aux autres genres du théâtre médiéval, son influence est durable. Des personnages tels que Tabarin, Turlupin, Gros-Guillaume, Gaultier-Garguille en maintiendront vive la tradition aux XVIe et XVIIe s. Molière débute dans ce genre, et ne l'abandonne jamais tout à fait (*La jalousie du Barbouillé*, 1660 ; *Le médecin malgré lui*, 1666). Nombre de comédies attestent d'une influence farcesque. La commedia dell'arte lui est apparentée. La parade, le genre poissard au XVIIIe s., le vaudeville ensuite (Labiche, Feydeau, Courteline) sauront tirer parti des procédés de la farce traditionnelle, Jarry (*Ubu Roi*, 1888), Brecht et Ghelderode, puis Dario Fo et de nombreux acteurs contemporain usent de ses techniques. Le cinéma comique lui fait une place dès ses débuts (Chaplin, Laurel et Hardy), et la télévision, dans sa vocation d'amusement populaire, y a recours quasi quotidiennement.

Pas d'individus dans la farce, mais des personnages stéréotypés, définis par la place qu'ils occupent dans la société (pâtissier, savetier, mais aussi écolier pédant, voire matamore..), ou dans la sphère privée, à l'intérieur et autour d'un ménage à trois (mari, femme, amant). Ces rôles « réalistes », au lieu de restituer un tableau de la société, offrent l'image désabusée d'un monde constitué d'êtres soumis à leurs désirs élémentaires : manger, boire, posséder l'argent ou la femme (ou l'homme) d'autrui, par la force ou la ruse. À peine sont-ils mis en présence qu'ils essaient de se duper : le tout est de tromper plus vite et mieux que l'autre. Ainsi la farce peut-elle affirmer « à trompeur, trompeur et demi », proverbe qui offre par équivalence inexacte, une clé de lecture pour le genre : le seul rapport dont cette humanité médiocre est capable, la tromperie, échange insatisfaisant, laisse toujours un reste, un débit. Aussi le renversement de situation qui vient souvent clore les pièces n'est-il qu'une fin provisoire et arbitraire dans la chaîne des

« farces » qu'on peut infliger à son prochain. Les déguisements, les substitutions de personnes et le rythme endiablé de l'action augmentent les chances de méprise nécessaires à la tromperie, comme au comique sous tous ses aspects.

À travers les grimaces, les mouvements grotesques des acteurs, l'improvisation, le corps est caricaturé. Mais le langage l'est aussi, par l'emploi de jargons et de dialectes, et devient lui-même l'occasion d'impostures et de malentendus, ou de brutalités par accumulation d'injures. Source de rire sans retenue, mais aussi exhibition d'appétits insatiables, de distribution de coups et de violences diverses, la farce exalte la vie dans son exubérance amorale, mais elle oblige aussi le spectateur à voir les coulisses de son existence : le corps est montré dans ses servitudes avilissantes. En cela la farce est obscène, et la réception critique du genre a été partagée entre le mépris et l'admiration gênée devant cette part du registre comique faite de connivence et de dénonciation à la fois.

▶ BOWEN B. C., *Les caractéristiques essentielles de la farce française et leur survivance dans les années 1550-1620*, Urbana, Univ. of Illinois Press, 1964. — LEWICKA H., *Études sur l'ancienne farce française*, Paris, Klincksieck, 1974. — REY-FLAUD B., *La farce ou la machine à rire*, Genève, Droz, 1984. — Coll. : « La farce, un genre médiéval pour aujourd'hui ? », B. Faivre (éd.), *Études théâtrales*, 14/1998.

Patrizia ROMAGNOLI

→ *Comique ; Corps ; Fabliau ; Moralités ; Mystères ; Passion (Genre de la) ; Sotie ; Théâtre populaire ; Vaudeville.*

FATRASIE

La fatrasie est un genre poétique fondé sur le jeu de langage et le non-sens, une suite de propositions incohérentes et absurdes insérées dans une forme d'allure parfaitement normée. Elle fleurit au Moyen Âge. L'étymologie exacte échappe : les termes de fatrasie et fatras renverraient aux latins *farsura*, « remplissage », *farcire*, « bourrer ». Les genres du « fatras », de la « resverie » ou des « oiseuses » en sont voisins.

Les fatrasies ont été cultivées pendant moins d'un siècle, essentiellement en Picardie. Leur inventeur est Philippe de Beaumanoir, vers 1255, sous forme de poèmes en onze onzains ; un second groupe de textes, anonyme, composé à Arras à la fin du siècle, comprend aussi des strophes de onze vers, six pentasyllabes et cinq heptasyllabes, bâties sur deux rimes ; ils se déroulent sur 55 strophes, soit peut-être cinq pièces de cinq auteurs. Le jeu numérique est signifiant, le chiffre 11 connotant la démesure. La rupture du sens tient aux incompatibilités sémiques des termes mis en présence qui aboutissent à l'évocation d'actions impossibles. On parle de « non sens absolu », mais la structure grammaticale et strophique reste correcte et le principe de la fatrasie est de produire une contradiction entre celle-ci et le contenu sémantique.

La *resverie* ou les *Oiseuses* de Beaumanoir (1237) se construisent sur la base d'un distique – un heptasyllabe et un tétrasyllabe : 75 chez Beaumanoir, 100 dans les *Resveries* anonymes, 97 dans le *Dit des traverses*. L'incompatibilité de sens, ici, consiste en une sorte de « coq à l'âne » entre les couplets.

L'articulation des rimes des fatrasies joue sur l'accord et le désaccord : le premier vers du second distique rime avec le second vers du premier alors qu'il n'en poursuit pas le sens. D'une manière plus subtile, Beaumanoir bâtit ses premiers vers sur une rime intérieure, retrouvant ainsi des effets de symétrie au sein d'un enchaînement boîteux des propositions.

Le *Fatras*, plus tardif, reprend le schéma des onze vers, mais il glisse à la parodie car il s'articule sur un couplet emprunté à une chanson courtoise qu'il glose de façon burlesque. Les deux vers du couplet, dissociés, encadrent l'énoncé absurde : même effet de clôture enserrant l'éclatement du sens. Au XVe s. on distingue le *fatras possible* du *fatras impossible*, le premier prenant le pas sur le second dans les « Puys » – concours de poésie.

La fatrasie disparaît ensuite en tant que genre, mais les pratiques correspondantes se maintiennent à l'intérieur d'autres formes : on en trouve ainsi des manifestations chez Rabelais, voire chez Molière. Et Prévert, se souvenant de cette veine que les surréalistes appréciaient, donne à un recueil de poèmes et collages le titre de *Fatras* (1966).

La fatrasie est une des formes de la tradition européenne du non-sens. Elle renvoie à la pratique des *adynaton* ou *impossibilia*, issus de l'Antiquité via la poésie médio-latine des Goliards. Le topos du « monde renversé » traverse ainsi toute la tradition occidentale. En France, Beaumanoir aurait inventé les fatrasies par un travail formel au service d'un jeu sur le langage et le sens qui rappelle la tradition occitane du *devinalh* (*devinette*) et le goût pour l'énigme. Celui-ci se manifeste dès les premières productions en langue vernaculaire dans les Cours, comme un jeu de société plus que comme une interrogation métaphysique. Ces genres auraient donc une dimension parodique. Leur mode de composition et de réception reste mal éclairci. Les *resveries* associaient peut-être plusieurs poètes qui dialoguaient. Jeux d'improvisation, disputes burlesques, la poésie du non-sens, cultivée dans les cercles poétiques urbains où se faisait jour une perception carnavalesque du monde prépare les délires verbaux du *Sot* de la sotie. Mais le non-sens absolu est difficile à tenir, et la parodie ou la satire réinstaurent un sens, faisant basculer la fatrasie du côté de la *Sotte chanson*, contrepoint grotesque de la chanson d'amour.

Les fatrasies, oubliées, puis retrouvées au XIXe s., ont longtemps été méprisées. En croyant les réhabiliter, les surréalistes ont produit un nouveau contresens. Traduisant des fatrasies pour *La révolution surréaliste*, Bataille supprime la versification et désarticule la prosodie et donc en transforme l'esprit : il lit ces poèmes comme des exemples avant la lettre d'écriture automatique, alors qu'ils ne dissocient pas la folie du sens de la rigueur de la forme et sont des constructions ordonnées et maîtrisées.

▶ PORTER L. C., *La fatrasie et le fatras. Essai sur la poésie irrationnelle en France au Moyen Âge*, Genève, Droz, 1960. — RANDALL M., « Des fatrasies surréalistes ? », *Littérature*, 1997. — UHL P., « La poésie du non-sens en France aux XIIIe et XIVe s. Diversité et solidarité des formes », *Perspectives médiévales*, 1988, t. 14 ; « La réputation imméritée de la troisième resverie ou la tenace malchance du *Dit des traverses* », *Neuphilologische Mitteilungen*, 1989, t. 90. — ZUMTHOR P., *Langue, texte, énigme*, Paris, Le Seuil, 1975.

Michèle GALLY

→ *Absurde ; Comique ; Parodie ; Sotie.*

FÉMINISTE (Critique)

La critique féministe est une pratique engagée dans un mouvement de transformation sociale dont l'action s'exerce *entre autres* dans le champ littéraire, où elle postule que toute écriture est marquée par une identité sexuée dont il convient d'analyse les traces.

La critique féministe apparaît dans les années 1960, aux USA surtout, comme une des conséquences de la démocratisation de l'enseignement supérieur et de l'entrée massive des femmes dans les universités. Elle est héritière de revendications féministes, marquées notamment par Simone de Beauvoir qui a, la première, conçu le féminin comme une altérité socialement construite (*Le deuxième sexe*, 1949). D'abord liée au *féminisme libéral*, qui revendique l'égalité politique des femmes, la critique féministe a adopté une posture polémique en dénonçant l'absence d'œuvres de femmes dans le canon littéraire et les stéréotypes féminins qui se perpétuent dans les œuvres signées par les hommes (K. Millet, *La politique du sexe*, 1970). Dans les années 1970, appuyées par la Modern Language Association, les féministes créent des cours puis des programmes universitaires (*Women's Studies*). Ce mouvement d'institutionnalisation engage une seconde phase de la critique féministe, apparentée au *féminisme radical* et centrée sur la promotion de la différence entre les sexes, par la création d'une tradition littéraire proprement féminine, voire d'un canon parallèle (E. Showalter, *A literature of their own*, 1977). La critique féministe française, née après 1968, est marquée par la rupture entre l'argumentation politique, soutenue par la revue *Questions féministes* (C. Delphy et M. Wittig), et l'argumentation psychanalytique, mise en place par un groupe de femmes qui ont en commun d'être linguistes de formation (Irigaray, Cixous et Kristeva). Héritière du *féminisme matérialiste*, qui repose sur la thèse d'une *classe* des femmes, Wittig développe une esthétique lesbienne dénuée de toute référence masculine. Proches de Lacan (plus que de Freud), les notions de *parler-femme* (Irigaray) ou d'*écriture féminine* (Cixous) décrivent le féminin comme une résistance à l'ordre symbolique patriarcal, résistance inscrite dans l'économie libidinale féminine et qui se manifesterait par le dérèglement ou la transgression de la norme linguistique et de l'ordre du discours. Bien qu'ayant produit peu d'études de textes, la théorie française exerce une influence sur la critique anglo-saxonne. L'alliance avec les minorités ethniques et sexuelles (*feminist, ethnic, gay et lesbian studies*) redonne à celle-ci une vocation militante focalisée sur les exclusions et les transgressions sociales.

Bien établie aux États-Unis et au Québec, où les femmes sont mieux représentées dans la hiérarchie universitaire, la critique féministe a du mal à s'imposer en Europe. Pourtant, la critique féministe s'est posée dès l'origine en rupture avec le New Criticism, puisqu'elle réintègre la question du Sujet dans les études littéraires. Si la théorie française, centrée sur le féminin comme signifiant, et l'approche pragmatique anglo-saxonne, centrée sur le féminin comme expérience concrète, sont toutes deux redevables à Simone de Beauvoir, la critique féministe, s'est surtout développée par l'emprunt d'instruments conceptuels et méthodologiques provenant de la tradition même qu'ils servent à critiquer, de Freud et Marx jusqu'à Lacan et Derrida. La réflexion de théoriciennes-écrivaines (Cixous, Wittig, Dupré) a énoncé une théorie féministe de l'écriture, mais il manque encore une véritable théorie féministe de la littérature. La première à renoncer à ces emprunts, E. Showalter, a forgé le terme de *gynocritique* pour désigner l'étude par des femmes en tant que critiques, des femmes en tant qu'écrivaines, accentuant par là l'identité entre la critique et son objet d'études (d'où des expressions comme *critiques au féminin* et *critique-femme*). Les unes et les autres, cependant, cherchent à se dégager de l'engagement politique, à promouvoir une approche métisse qui fusionne les apports de la sociologie, de la psychanalyse et des théories de l'énonciation et à recentrer la critique sur son objet littéraire.

▶ DUPRÉ L., « Quelques notes sur la critique-femme », *Tangence*, mai 1996, 51, p. 144-156. — KRISTEVA J.,

Polylogue, Paris, Le Seuil, 1977. — MOI T., *Simone de Beauvoir. Conflits d'une intellectuelle*, Paris, Diderot, 1995. — SAINT-MARTIN L., *Contre-voix. Essais de critique au féminin*, Québec, Nuit blanche éditeur, 1997. — SHOWALTER E., *The New Feminist Criticism. Essays on Women, Literature, Theory*, New York, Pantheon Books, 1985.

Lucie ROBERT

→ *Critique psychologique et psychanalytique ; Déconstruction ; Études culturelles ; Femmes (Littérature des) ; New Criticism ; Postcolonialisme ; Rapports sociaux de sexe ; Sujet.*

FEMMES (Littérature des)

L'expression « littérature féminine » désigne l'ensemble des œuvres écrites par des femmes. Mais, de longue date, elle s'emploie avec une connotation péjorative : aussi les études féministes préconisent-elles l'usage de l'expression neutre « littérature des femmes ».

Longtemps, les femmes n'ont pas eu accès — sauf exception — à l'apprentissage du latin ni à celui de la philosophie. La première femme à rédiger un texte laïque écrit (en latin) un traité d'éducation pour son fils (Dhuoda, *Liber manualis*, 843). Au siècle suivant, l'abbesse Hroswita compose le premier texte de théâtre féminin (en latin aussi). Trois siècles plus tard, les *Lettres* (privées) *d'Héloïse à Abélard* sont le premier écrit féminin connu en langue française. Marie de France est sans doute la première à pratiquer l'art littéraire ; en Occitanie, des *trobairitz*, notamment Béatrice de Die et Castelloza, s'illustrent dans la poésie, aux XIIe et XIIIe s. Christine de Pisan est la première à retirer des revenus de sa plume, donnant un grand nombre d'écrits poétiques, politiques et philosophiques, dont *Le livre de la Cité des Dames* (1405) qui participe du débat de la « Querelle des femmes ».

Au XVIe s., des femmes aristocrates de cour jouent un rôle actif comme écrivaines et comme patronnes d'auteurs : ainsi Marguerite de Navarre, qui, outre des rondeaux, épîtres, chansons, traductions, méditations spirituelles, dialogues, théâtre, compose le recueil de nouvelles de *l'Heptaméron* (1559). Dans l'école dite « lyonnaise » figurent les poésies de Pernette Du Guillet, de Jeanne de Flore, et surtout de Louise Labé : d'origine bourgeoise, celle-ci est admise dans des cercles humanistes grâce à une formation classique acquise au couvent. Dans une seconde « Querelle des femmes », la romancière Hélisenne de Crenne préconise l'acte d'écrire comme une source de libération féminine, tout comme Marie de Gournay, auteur de textes critiques, autobiographiques et philosophiques, et connue surtout comme éditrice des *Essais* de Montaigne (1595).

Au XVIIe s. l'essor des salons augmente l'influence littéraire des femmes. Courant essentiellement féminin, la préciosité est une attitude de revendication égalitaire, objet de polémiques. Le courant galant manifeste à la fois le rôle accru de l'auditoire féminin mais aussi la participation accrue des femmes à la création littéraire. Les romans de Madeleine de Scudéry — première femme primée par l'Académie, pour le prix d'éloquence — et de Madame de Villedieu connaissent un large succès, comme aussi les « nouvelles galantes », dont Mme de Lafayette avec *La Princesse de Clèves* (1678). Forme d'écriture en usage dans la vie mondaine, la correspondance est en essor, ce qui amène à la publication des lettres, d'abord privées, de la Marquise de Sévigné (1648-1696 ; publiées en 1725). La correspondance est pratiquée aussi par Anne de Lenclos et plusieurs femmes rédigent des Mémoires. À la fin du siècle, Marie-Catherine Bernard est auteure de profession (de théâtre notamment). Puis la vogue des contes de fées rend célèbres Marie-Catherine d'Aulnoy (qui donne par ailleurs des romans et des mémoires fictifs), Henriette-Julie de Murat, Marie Leprince de Beaumont et Marie-Jeanne Lhéritier. Mémoires, correspondance et roman sont alors des genres de faible prestige, mais en grande vogue : ainsi Marie du Deffand et Julie de Lespinasse dans la correspondance et, dans le roman, Claudine de Tencin, Marie-Jeanne Riccoboni, Adèle Filleul, Isabelle de Charrière et Françoise de Graffigny dont les *Lettres d'une Péruvienne* (1747), traduites dans toute l'Europe, dénoncent l'inégalité sociale et sexuelle. Ces écrivaines critiquent volontiers le mariage, la vie domestique et le comportement masculin en amour. Montaigne et Rousseau deviennent des modèles ou contre-modèles des *Mémoires* de Mme Roland (Marie-Jeanne Philipon, 1795) et des *Contre-Confessions* de Louise d'Épinay (éd. posth. 1818). Les femmes abordent aussi les genres « sérieux », qu'on dit pourtant alors réservés aux hommes : essais sur l'éducation des femmes de Louise d'Épinay et Anne-Thérèse Lambert, traités scientifiques et philosophiques d'Émilie du Châtelet, et enfin essais d'Olympe de Gouges, initiatrice d'une pensée proprement féministe.

Au XIXe s., l'extension du lectorat féminin encourage un nombre croissant de femmes à écrire ; ainsi Stéphanie-Félicité de Genlis, Marie d'Agoult (pseudonyme : Daniel Stern), et Germaine Necker, baronne de Staël : outre des mémoires, un journal, des lettres et des romans, elle rédige des essais politiques et littéraires (*De la littérature*, 1800 ; *De l'Allemagne*, 1813, 1814). Exilée à Coppet (Suisse), elle y réunit un groupe cosmopolite, qui joue un rôle de carrefour du romantisme européen. Le roman écrit par des femmes prend des voies variées : populaire chez Sophie Cottin, épistolaire chez Juliane von Krüdener, sociologique chez Claire de Duras ou mondain chez Sophie Gay et sa fille, Delphine Gay de Girardin. Sophie Rostopchine de Ségur devient la vedette de la Bibliothèque Rose avec ses romans et contes pour enfants. Marceline Desbordes-Valmore et Louise Colet (par ailleurs auteur de romans « scandaleux » et de drames en vers) pratiquent la poésie lyrique, et Louise Ackermann la mystique. À la fin du siècle, Marie Krysinska se distingue par son usage du vers libre. Plusieurs femmes s'insurgent contre les notions, toujours dominantes, de « nature féminine » et d'infériorité biologique, telles les romancières Constance de Salm et Hortense Allart, les essayistes Juliette Adam et Jenny d'Héricourt, ainsi que Flora Tristan et Louise Michel qui allient le féminisme et le socialisme. L'œuvre de femme la plus marquante de ce siècle est celle de George Sand qui, engagée dans la lutte pour les droits des femmes et des opprimés, examine les rôles sexuels (*Gabriel,* 1840), la sexualité féminine (*Lélia*, 1833)et rédige son *Histoire de ma vie* (1854-55). Les Mémoires sont également pratiqués par Céleste de Chabrillon dite Céleste Mogador, Suzanne Voilquin et Marie Lafarge et Marie Bashkirtseff.

À l'orée du XXe s., Judith Gautier est la première femme élue à l'Académie Goncourt (1911). Rachilde (Marguerite Émery) écrit une œuvre prolifique, fonde le *Mercure de France* avec son mari Alfred Valette (1890) et devient une critique réputée. Plusieurs romans de l'époque mettent en scène des héroïnes révoltées et des femmes émancipées (Marcelle Tinayre), l'émergence des femmes au travail (Gabrielle Reval et Colette Yver) ou la figure de la lesbienne, qui s'oppose à celles de l'épouse bourgeoise et de la femme fatale (Nathalie Clifford Barney, Liane de Pougy, Lucie Delarue-Mardrus et Renée Vivien). Moins féministes, les romans d'amour et les poèmes de Gérard d'Houville et de Camille Pert, les romans sentimentaux de Gyp et les romans d'aventure de Daniel Lesueur, comme la poésie d'Anna de Noailles et de Marie Noël, ou les œuvres de Marie Léneru, Catherine Pozzi et Louise de Vilmorin. Colette aborde, dans des écrits marqués par la sensualité et le ton autobiographique (*La Naissance du jour*, 1928), toutes les facettes de l'amour et de l'identité féminine. Membre de l'Académie Goncourt (1945), officier de la Légion d'Honneur (1953), elle est la première écrivaine à recevoir des funérailles nationales. Dans le mouvement surréaliste, en revanche, les femmes sont plutôt reléguées à l'arrière-plan : Elsa Triolet obtient pourtant le prix Goncourt (en 1945), Marie Gevers rédige des récits régionalistes très populaires en Belgique, Gisèle Prassinos pratique l'écriture automatique et l'autobiographie mythique, et Joyce Mansour publie plusieurs recueils de poésie érotique.

Après la Seconde Guerre mondiale, au sein du mouvement existentialiste, Simone de Beauvoir rédige de nombreux écrits autobiographiques et fictifs. Son *Deuxième sexe* (1949) influence de manière capitale la littérature et la critique féministes. Paraissent aussi les écrits de Charlotte Delbo sur la déportation, et (posthumes) ceux de Simone Weil (*La pesanteur et la grâce*, 1947 ; *Poèmes*, 1968) qui préconise une société sans aliénation (*La condition ouvrière*, 1951). La condition féminine devient alors une question centrale dans les œuvres de Violette Leduc, Françoise d'Eaubonne, Béatrix Beck, Marie-Jeanne Durry, Albertine Sarrazin, Françoise Sagan, Françoise Mallet-Joris (*Le rempart des béguines*, 1951) et Christiane Rochefort (*Le repos du guerrier*, 1958). L'après-guerre voit aussi naître une littérature féministe post-coloniale, avec Assis Djébar ou encore Andrée Chédid (*Le sommeil délivré*, 1952). Trois femmes de lettres conquièrent une haute notoriété dans la fin du siècle : Marguerite Yourcenar, première femme élue à l'Académie française, Nathalie Sarraute, figure marquante du nouveau roman et Marguerite Duras, qui explore dans ses romans, pièces et films, le désir féminin, la folie et la mort.

En 1974, la création des Éditions des femmes contribue au développement d'un mouvement féministe radical. Apparaissent une série de textes aux frontières génériques floues, souvent influencés par la psychanalyse, et que l'on associe à l'*écriture féminine*. Celle-ci est théorisée en particulier par Hélène Cixous, Annie Leclerc et Madeleine Gagnon (*La venue à l'écriture*, 1978), et explorée par Chantal Chawaf, Marie Cardinal et Jeanne Hyvrard. Pratiquant un autre type d'écriture du corps, Monique Wittig dépasse les différences sexuelles dans ses écrits lesbiens. Claire Etcherelli et Benoîte Groult recourent à des formes plus réalistes pour témoigner des conditions sociales et politiques de l'expérience féminine. Dans les années 1980 et 1990, le féminisme devient moins militant, et l'idée d'*écriture féminine*, objet de vives controverses, moins affichée. Mais les femmes sont nombreuses à écrire, abordant des thèmes comme l'identité sexuée (Anne Garréta), le fantastique et le baroque (Sylvie Germain), la violence et l'érotisme (Alina Reyes), la transmission matrilinéaire de la culture (Marie Redonnet), l'autonomie (Annie Ernaux). De même, des filles d'immigrants du Maghreb, comme Farida Belghoul (*Georgette !*, 1986) et Soraya Nini (*Ils disent que je suis une beurette,* 1993), sondent le conflit entre la culture française et celle de leurs parents.

L'histoire de la littérature des femmes est celle d'une lente conquête. Refus d'éducation et hostilité envers la « femme savante » : l'inégalité des sexes a longtemps rendu aléatoire l'accès aux lettres, plus encore à la publication — le recours fréquent à un pseudonyme masculin en témoigne — pour les femmes. Aussi les genres pratiqués par les femmes ont été, longtemps, les moins valorisés (roman, conte et genres intimistes). Leur prédilection pour les formes autobiographiques (lettres, mémoires, journal intime et autobiographie) manifeste le désir de s'exprimer en dépit de leur situation, ne serait-ce qu'en racontant le quotidien. Ainsi, de George Sand à Annie Ernaux aujourd'hui, le récit d'apprentissage est-il un moyen privilégié pour montrer, comme le disait Beauvoir, comment on devient femme. Des spécificités thématiques et esthétiques s'expliquent ainsi par les données historiques et sociales. De même, le fait que la lecture soit, majoritairement, une activité féminine : s'est effectué là un « rattrapage » culturel, dont l'effet sur l'évolution de la littérature est sensible. La question d'une spécificité d'écriture « femme » est, en revanche, un débat ouvert dans la critique et les études féministes.

▶ AUBAUD C., *Lire les femmes de lettres*, Paris, Dunod, 1993. — DIDIER B., *L'écriture-femme*, Paris, PUF, 1981. — GARCIA I., *Promenade femmilière*, Paris, Des femmes, 2 tomes, 1981. — MAKWARD C. & COTTENET-HAGE M., *Dictionnaire littéraire des femmes de langue française*, Paris, Éditions Karthala, 1996. — PLANTÉ C., *La petite sœur de Balzac. Essai sur la femme auteur*, Paris, Le Seuil, 1989.

Barbara HAVERCROFT

→ *Féministe (Critique) ; Galanterie ; Personnelle (Littérature) ; Préciosité ; Publication ; Rapports sociaux de sexe ; Salons littéraires.*

FEUILLETON

Le terme « feuilleton » s'applique encore parfois à la critique d'humeur insérée régulièrement dans un quotidien, mais il est entendu plus souvent comme abrégé de roman-feuilleton. Le « feuilletoniste » désignait originellement le rédacteur d'une rubrique à caractère culturel ou scientifique publiée dans le bas de page d'un journal. Cette acception est encore fréquente dans les pays germaniques. En français, « feuilletoniste » est communément utilisé comme synonyme d'écrivain populaire.

La première publication romanesque dans la rubrique « feuilleton » d'un quotidien français a lieu en 1836 (*La vieille fille* de Balzac, dans le *Journal des débats*). La formule connaît un succès qui ira croissant tout au long du XIXe s. La publication de romans en feuilletons accompagne la transformation radicale de la presse : croissance énorme des tirages, diversification des titres, conquête de nouveaux publics. Rubrique attractive, le feuilleton augmente le lectorat et permet aux journaux d'affermer une partie de leur support à des annonceurs. En retour, la publication de romans dans les journaux permet de sortir l'édition du cercle vicieux des petits tirages et des prix de ventes élevés. La pré-publication d'une œuvre dans un journal est pour un roman un excellent banc de lancement et un moyen pour l'auteur d'accroître sensiblement ses revenus. La fondation en 1838 de la Société des Gens de Lettres, qui défend les droits moraux et financiers des auteurs, est liée à ce nouveau régime de la production littéraire. La majeure partie des romanciers du XIXe s. ont publié en feuilleton (Gautier, Huysmans, Zola, comme, à l'étranger, Dickens, Dostoïevski). Mais le terme feuilletoniste a été appliqué, *a posteriori*, aux romanciers qui n'ont pas été retenus par le canon de la légitimité littéraire : ceux-là sont supposés avoir écrit dans une perspective essentiellement mercantile, produisant à la chaîne des œuvres dénuées de valeur et séduisant un public inculte par des procédés grossiers. De fait, les feuilletonistes à grand succès (Eugène Sue, Alexandre Dumas, Paul Féval, Emile Gaboriau ou encore Xavier de Montépin) ont élaboré un style, un mode narratif et des thématiques qui ont gagné à la lecture de nouveaux publics. Dans la seconde moitié du XIXe s., le feuilleton et ses formes dérivées (romans en livraisons, journaux-romans, fascicules périodiques) amènent à la lecture romanesque le public populaire. Les auteurs français du XIXe s. parviennent non seulement à tenir une position de quasi-exclusivité sur le marché national du feuilleton (les traductions n'y ont qu'une place très marginale), mais leur production s'exporte bien en Europe et en Amérique latine. Le modèle français sert de base à la création de littératures nationales de grande diffusion.

À la fin du XIXe s., l'importance quantitative des « lecteurs sans lettres » entraîne l'assimilation du roman-feuilleton au roman populaire. Le caractère stéréotypé de l'écriture feuilletonesque va cependant de pair avec une diversification qui correspond à la constitution progressive de sous-catégories du public populaire : roman historique, policier, roman d'amour, d'aventures ou d'anticipation.. La familiarisation générale avec l'imprimé et la lecture romanesque et l'amélioration du niveau de vie permettent le succès des collections de livres populaires, lancées au début du XXe s., qui s'appuient sur des rééditions de feuilletons ou des œuvres nouvelles de la même veine. Les volumes populaires, puis d'autres formes narratives comme le cinéma entrent en concurrence avec le feuilleton, qui connaît au XXe s. un progressif déclin (en revanche, il a une présence massive dans les médias audiovisuels, radio, puis, surtout, télévision).

Par son ambivalence (se réfère-t-il à un mode de publication, à un style, à une catégorie sociale de lecteurs ?), le terme feuilletoniste montre bien la nécessité d'une démarche historique et sociologique pour l'étude des œuvres littéraires. Alors que l'énorme production feuilletonesque a été longtemps exclue des études littéraires, selon des critères esthétiques qui étaient liés implicitement à une référence sociale, elle a fait l'objet de nombreuses recherches depuis les années 1970. Ce nouveau domaine s'est développé en relation étroite avec l'histoire de l'édition et de la librairie, ainsi qu'avec les études sur les pratiques de lecture.

▶ ANGENOT M., *Le roman populaire. Recherches en paralittérature*, Québec, Presses Universitaires du Québec, 1975. — GUISE R., *Le Phénomène du roman-feuilleton, (1828-1848)*, Thèse d'État, Nancy, 1975. — QUÉFFELEC L., *Le Roman-feuilleton français au XIXe siècle*, Paris, PUF, 1989. — THIESSE A.-M., *Le roman du quotidien, lecteurs et lectures populaires à la Belle Époque*, Paris, Le Chemin Vert, 1984. — Coll. : *Littérature « bas de page », Literatur unter dem Strich*, (Hans Ulrich Jost, Peter Utz et François Valloton (dir.)), Lausanne, Antipode, 1996.

Anne-Marie THIESSE

→ *Médias ; Paralittérature ; Populaire (Littérature) ; Presse ; Roman historique ; Roman policier.*

FICTION

La fiction est une histoire possible, un « comme si... ». Elle est une feinte et une fabrication. Elle définit, dans sa plus grande généralité, la capacité de l'esprit humain à inventer un univers qui n'est pas celui de la perception immédiate. Les usages sociaux de cette capacité sont nombreux : du mensonge au mythe, via les récits exemplaires, les contes – fantastiques ou divertissants – et les nouvelles, le roman, etc. Tous les arts de la mimésis en mobilisent les ressources, au point qu'on a pu traduire « mimésis » par « fiction ». Une partie de la littérature relève donc de la fiction – mais, inversement, toute fiction ne relève pas d'un statut littéraire.

Une histoire de la fiction est difficile à baliser, parce qu'elle ne repose pas sur des supports stables. Aristote n'emploie pas le concept de fiction. Il parle seulement de mimésis, et sa *Poétique* n'étudie que les genres qui en relèvent. Il est donc, pour lui, des genres qui échappent par nature à la fiction, comme la satire, la poésie lyrique et les genres rhétoriques, et d'autres qui en font usage, comme la poésie épique ou la tragédie. La notion s'introduit dans l'usage français vers le XIIIe s., mais durant longtemps elle ne fait pas partie du vocabulaire de la rhétorique ni de celui de la critique littéraire. L'Église est hostile aux fictions, assimilées au mensonge. L'allégorie y est cependant perçue comme un moyen de dire des vérités morales à travers le récit de faits inventés. À partir de la Renaissance, la fiction trouve place dans les attributs de la poésie : on oppose l'historien, qui dit le vrai, l'orateur, qui dit le juste, et le poète, qui dit le possible au moyen de fictions. Dès lors est réactivée une idée de l'Antiquité : les œuvres de fiction peuvent donner à voir des « types », donc des vérités certes feintes, mais plus générales que celles dont traitent l'éloquence et l'histoire, vouées à rendre compte de faits ou de situations particuliers. De plus, l'idée que les hommes ont une nature constante dans des circonstances et des époques diverses permet d'imaginer, sous une trame historique, des attitudes et comportements vrai-semblables (fictifs mais semblables au vrai). D'autre part, une tendance se dessine au XVIIe s. (Desmarets de Saint-Sorlin) qui souligne que la fiction est légitime puisque Jésus lui-même s'en est servi dans ses paraboles. Ainsi réhabilitée, la fiction devient un moteur principal de la littérature moderne. Un parallèle peut sans doute être fait entre la réduction du territoire des Belles-Lettres à une littérature qui a exclu de plus en plus l'histoire et l'éloquence, et son repli sur la fiction. Rares sont, depuis le XIXe s., les formes littéraires qui ne laissent pas de place à la fiction. Seule une partie de la poésie lyrique et, peut-être, quelques tentatives d'avant-garde, comme le théâtre-vérité (A. Gatti), prétendent encore échapper à son empire. La fiction est sans doute même devenue à la fin du XXe s. un argument de l'unité du monde des lettres, le seul qui permette de ranger sous la même étiquette des productions aussi différentes dans leurs intentions que le best-seller et le nouveau roman, et l'autobiographie pour une part muée en auto-fiction. Le *Mentir vrai* (1980) d'Aragon indique combien le jeu sur l'ambiguïté est devenu une composante de la création littéraire contemporaine. Le fait qu'elle s'impose au même moment dans la théorie n'est sans doute pas dû au hasard : depuis les années 1970, elle est devenue un concept important de la théorie littéraire.

La littérature et la fiction ne semblent pas relever des mêmes catégories : la dimension institutionnelle, qui caractérise la première, fait défaut à la seconde, qui est une notion plus « neutre », reposant sur un rapport particulier entre les signes, leurs utilisateurs et ce à quoi ils se réfèrent. Mais la fiction peut se décliner en modalités particulières, définies par rapport au degré de probabilité qu'on lui accorde (c'est le problème de la vraisemblance), au crédit qu'il convient de lui reconnaître (c'est le cas de l'eschatologie), au statut qu'on lui donne (religieux, poétique ou moral, par exemple) ou aux formes littéraires qui en assurent l'efficacité (le roman tout particulièrement). De nombreuses approches en ont été tentées. La logique formelle s'est surtout employée à déterminer la valeur de vérité des énoncés fictionnels : par exemple un énoncé comme « Sherlock Holmes habite au 221b Baker Street » constitue-t-il une fausseté ou une proposition formellement indécidable ? La pragmatique, pour sa part, a mis l'accent sur l'engagement du locuteur face à ses assertions. Dans cette perspective, la fiction peut être considérée comme un usage parasitaire du langage (Austin) ou comme une suspension de la règle de véridicité (Searle). On remarquera que ces diverses approches ont en commun de considérer la fiction sous un angle externe (pour reprendre le terme de Pavel), qui amène à mettre à l'avant-plan le cadre de la fiction et donc ce qui la distingue de la réalité et des énoncés factuels. Tout autre est l'approche interne, qui s'interroge sur le fonctionnement de la fiction à l'intérieur de son cadre propre. Sous cet angle, les questions précédentes se déplacent : face à l'univers fictif considéré, les énoncés du texte ne sont ni faux ni indécidables, mais vrais ; ce qu'un narrateur affirme sur les personnages, les événements et les lieux est, dans sa perspective, véridique – sauf bien entendu s'il ment.

On peut voir dans la fictionalité une option de lecture (position défendue par Searle ou par Genette), ou à l'inverse une propriété intrinsèque du texte. L'une et l'autre position soulèvent des questions. Si la fictionalité est une décision libre du lecteur, cette décision opère-t-elle sur n'importe quel texte ? Si elle est une propriété du texte, comment se fait-il qu'on puisse lire un texte référentiel comme fictionnel ou l'inverse ? La fiction se réduit-elle à une simple « suspension » volontaire de l'incrédulité, ou se construit-elle à partir de propriétés textuelles spécifiques, narratives ou génériques ? Bref, il est patent qu'il existe en littérature – comme au théâtre, au cinéma aussi – un « effet de fiction » : ainsi le « il était une fois » des contes de fée, mais aussi le « longtemps je me suis couché de bonne heure » qui est fictionnel parce que préludé comme tel par le nom de roman inscrit sur la couverture de l'ouvrage. La question devient alors : à qui attribuer l'autorité de l'effet de fiction ? Au genre ? À l'auteur ? Au texte ? Au lecteur ?

La sémantique des mondes possibles essaie de traduire en termes logiques ces changements de cadre de référence et les règles (dites « d'accessibilité ») qui permettent de passer d'un cadre à l'autre. Mais les pratiques littéraires et leur réception enregistrent de nombreuses formes mêlant fiction et non fiction, ce qui semble ruiner l'espoir d'une définition formelle exhaustive. Tout texte marqué par une part de fiction est-il de ce fait transféré dans la catégorie du fictionnel ? Mais alors les fictions juridiques feraient que le droit même ne serait plus de l'ordre du dire vrai. Inversement, tout texte contenant une part d'énoncé factuel vérifiable comme vrai échappe-t-il à la fiction ? Mais alors le roman historique cesserait d'être roman. Ainsi la fiction ne constitue pas un domaine homogène. Son instabilité est liée à sa dépendance vis-à-vis des consensus essentiellement culturels : est fiction ce qui est reconnu comme tel par une communauté interprétative. Le caractère fictif d'un texte et son acceptation comme tel relèvent du pacte de lecture qu'il instaure et des « seuils » (Genette) qui le signalent comme tel – preuve en est que le roman épistolaire au XVIIIe s. a eu largement recours au procédé de la correspondance découverte par hasard et prétendue authentique, et que la confusion entre cette fiction et des cas de vérité a pu se produire : ainsi *Les lettres portugaises*, puis *La religieuse* de Diderot... Aussi une des interrogations majeures est, plutôt que celle des formes de la fiction (un énoncé fictif et un énoncé vrai peuvent avoir exactement la même apparence), celle des fonctions de la fiction ; les plaisirs littéraires – divertissement, rêverie, polémique, etc. – en sont une des dimensions. La réflexion sur la fiction dès lors renvoie vers une anthropologie culturelle.

▶ BOOTH W., *The rhetoric of fiction*, Londres-Chicago, Chicago U. P., 1961. — GENETTE G., *Fiction et diction*, Paris, Le Seuil, 1991. — PAVEL T., *Univers de la fiction*, Paris, Le Seuil, 1988. — RONEN R., *Possible Worlds in Literary Theory*, Cambridge, Cambridge Univers. Press, 1994. — SAINT-GELAIS R., *Châteaux de pages. La fiction au risque de sa lecture*, LaSalle (Québec), Hurtubise HMH, 1994. — SCHAEFFER J.-M., *Pourquoi la fiction ?*, Paris, Le Seuil, 1999.

Richard SAINT-GELAIS

→ *Éloquence ; Histoire ; Imaginaire et imagination ; Mimésis ; Plaisir littéraire ; Théories de la littérature ; Vraisemblance.*

FIGURE

Le terme de figure désigne tous les procédés de style qui modifient la forme la plus simple de l'énoncé. Traditionnellement, la rhétorique distingue les figures de mots, ou tropes, et les figures de pensée qui interviennent, elles, à l'échelon de l'organisation d'ensemble du discours. La littérature impliquant une forte présence des effets et des médiations, les figures y occupent une place importante.

La théorie des figures prend d'abord place dans le cadre de la rhétorique, et plus précisément dans l'*elocutio* qui étudie la mise en forme des discours. Dans l'histoire de la rhétorique, deux conceptions du discours ont été en concurrence, l'une argumentative et polémique, l'autre ornementale et ludique. Aussi les figures ont-elles été conçues tantôt comme instruments de la dialectique, tantôt comme de purs ornements. À l'âge classique, la recherche d'une « rhétorique française » (commandée à l'Académie, qui ne réalisa jamais le projet, entreprise par des auteurs individuels, comme le P. Lamy, 1674) diminue la part de l'argumentatif au profit de l'ornemental : en effet, le régime politique monarchique nécessitait moins des arts d'argumenter dans la délibération que des arts de l'éloge, donc de l'expression ornée. Les manuels de rhétorique des XVIIIe et XIXe s. privilégient encore davantage les figures ornementales. Au XXe s., les conceptions de la figure se renouvellent : avec la rhétorique de l'argumentation, qui leur donne le nom de schèmes ; avec la poétique (Jakobson) qui formule une thèse selon laquelle « la fonction poétique projette le principe d'équivalence de l'axe de la sélection [ou : paradigmatique] sur l'axe de la combinaison [ou : syntagmatique] » (dès lors, de même que la versification donne un statut particulier à la syllabe, en la mettant en rapport d'équivalence avec toutes les autres syllabes de la même séquence, la métaphore rend présentes dans le texte deux entités disjointes, faisant partie de la même classe) ; et enfin avec la sémiotique et la sémantique, qui insistent sur le rôle herméneutique et cognitif de la figure.

La figure rhétorique est traditionnellement envisagée comme un dispositif de substitution : on parle d'un « sens figuré » venant se substituer au « sens propre ». Mais en fait, cela ne convient que pour éclairer certaines figures de mots. Plus globalement, la figure est un dispositif d'adjonction, qui vise à obliger le récepteur à ne pas se satisfaire d'un ou de plusieurs des éléments présents à la surface de l'énoncé (ce que le Groupe µ appelle le « degré perçu »), et à produire un ensemble d'interprétations qui vient se superposer à ce degré perçu (et forme le « degré conçu »). La figure suscite donc une superposition dialogique, et non pas une simple substitution. L'effet rhétorique provient en effet de l'interaction dialectique entre le degré perçu et le degré conçu. Cet effet concerne à la fois le sujet de l'énoncé, puisqu'il y imprime son style (c'est l'*éthos* des Anciens) et son destinataire, dont les connaissances ou les dispositions (le *pathos*) sont modifiées par la figure.

Les figures peuvent être classées en quatre familles, selon qu'elles affectent l'aspect sonore ou graphique des mots ou des unités d'ordre inférieur, l'aspect sémantique de ces unités, la disposition formelle de la phrase ou la valeur logique et référentielle de la proposition. Ces quatre familles sont respectivement : les métaplasmes (allitération, assonance, paronomase, calembour, suffixation parasitaire, rime), les métasémèmes, auxquels la rhétorique ancienne donnait le nom de tropes (métaphore, métonymie, synecdoque), les métataxes (ellipse, zeugma, parataxe, syllepse, hyperbate, anacoluthe, anaphore, oxymore, tmèse, etc.), figures agissant sur le plan syntaxique et formel, et enfin les métalogismes, que la rhétorique ancienne nommait « figures de pensée » (litote, hyperbole, euphémisme, allégorie, parabole, etc.). Dans chacun des domaines ainsi définis, les figures réalisent des opérations de suppression, d'adjonction, de substitution ou de permutation. Les réflexions sur la littérature ont porté leur attention surtout sur les métasémèmes. Ainsi la synecdoque peut être divisée en quatre types : synecdoque du genre pour l'espèce, de l'espèce pour le genre, du tout pour la partie, de la partie pour le tout. Les genres qui emploient l'*exemplum* recourent à un dispositif relevant de la synecdoque (l'exemplum vaut comme anecdote exemplaire). L'effet réaliste du roman est souvent obtenu par une vision morcelante des objets, donc par recours à la synecdoque. La métonymie, traditionnellement définie comme la figure qui désigne le contenant pour le contenu ou vice-versa, l'antécédent par le conséquent ou vice-versa, etc., se prête aussi au style dit réaliste dans la mesure où elle attire l'attention sur les représentations culturelles. La métaphore, qualifiée de « reine des tropes », instaure des équivalences entre des régions éloignées de l'« encyclopédie culturelle » : de ce fait, elle a donc un rôle interprétatif et cognitif inégalé, et on comprend dès lors l'usage capital qu'en font non seulement la poésie – voir : Image –, mais aussi les discours scientifique et philosophique.

▶ GROUPE µ, *Rhétorique générale*, Paris, Le Seuil, 1982. — LAUSBERG H., *Handbuch der literarischen Rhetorik. Eine Grundlegung der Literaturwissenschaft*, München, Max Hueber Verlag, 1960. — MOLINIÉ G., *Dictionnaire de rhétorique*, Paris, Livre de Poche, 1996.

Jean-Marie KLINKENBERG

→ *Argumentation ; Cognitif, connaissance ; Image ; poétique ; Rhétorique ; Style ; Texte.*

FIGURES DE PENSÉE

La rhétorique antique oppose deux grandes catégories de figures : les *figurae verborum* et les *figurae sententiarum*. Les *figurae verborum* regroupent les figures de diction (ou figures de mots proprement dites, consistant en jeux sur le signifiant sonore ou graphique), les figures de sens (jeux sur le transfert de signifié, comme la métaphore), et les figures de construction (opérant sur la place des mots). Pour leur part, les *figurae sententiarum* (littéralement « figures de phrases ») opèrent au niveau de la représentation du référent. Elles peuvent concerner une phrase, mais aussi tout un passage, voire un texte entier ; aussi contribuent-elles à définir des structures de texte. L'usage courant oppose les « figures de mots » et les « figures de pensée » : une définition plus précise fait donc voir que les « figures de pensée » concernent pour partie des figures de mots et pour partie des figures de phrase.

La notion de « figure » a servi chez Cicéron à identifier les genres de l'éloquence. Mais Quintilien ensuite l'emploie pour répertorier les artefacts du langage, et cette façon de faire est devenue la tradition en ce domaine. Du point de vue fonctionnel, les figures de pensée sont largement utilisées dans les discours à caractère pathétique et argumentatifs. Chez les spécialistes modernes

(Dumarsais, Fontanier) ou contemporains (Morier, Dupriez) de la rhétorique des figures, leur recension, leur classification et leur description varient d'un auteur à l'autre. En effet, ce type de figures opère sur des éléments de l'énonciation et ne se caractérisent pas par des procédés formels particuliers. Dans les typologies les plus récentes, certaines approches sont formelles (syntaxique, sémantique), d'autres fonctionnelles (argumentation, ornementation, cognition), d'autres centrées sur l'identification d'une singularité stylistique. J.-J. Robrieux (1993) propose de les répertorier en figures d'ironie et procédés déconcertants (procédés antiphrastiques et paradoxes), figures d'intensité (d'augmentation : hyperbole et litote ; de diminution : euphémisme), figures d'énonciation et de dialectique (apostrophe, hypotypose ; prolepse et concession ; prétérition ; digression et question rhétorique). Selon une perspective qui inclut la visée pragmatique, C. Fromilhague (1995) distingue entre figures de manipulation des relations logiques et figures du double langage. La première catégorie regroupe les figures d'amplification phrastique (paraphrase) et les figures d'opposition (paradoxes) ; la seconde, les figures de manipulation de l'énonciation (prétérition, axée sur le dire ; question rhétorique, axée sur le dit), les figures de manipulation de l'énonciateur (apostrophe, prosopopée), figures du passage de l'énoncé à l'énonciation (hypotypose) ; figures de manipulation de la valeur de vérité de l'énoncé (inversion de la valeur : ironie, antiphrase ; sur / sous détermination de la valeur : litote, hyperbole ; approximation de la valeur : allusion, métalepse ; vérité construite par analogie : exemple, allégorie).

Les figures de pensée agissent comme déterminants de l'organisation intellectuelle des textes ; elles touchent ainsi à la fois à la structure et au style, aussi sont-elles une question importante pour la littérature. G. Molinié distingue entre figures microstructurales et figures macrostructurales : cette opposition tend à reformuler dans une perspective textuelle l'antique distinction entre *figurae verborum* et *figurae sententiarum*. Aussi un premier enjeu pour la théorie et l'analyse du texte tient au type de relations que les figures de pensée entretiennent avec les autres figures. Ainsi certaines figures microstructurales peuvent servir de support élémentaire aux figures de pensée. Mais l'inverse n'est pas toujours nécessaire. Un second enjeu est celui de l'organisation textuelle, sous l'effet des figures macrostructurales. Un texte constituant un ensemble sémantique cohérent, le propre des figures de pensée est d'engager l'interprétation, laquelle implique leur reconnaissance. En effet, leur non-repérage n'affecte pas l'acceptabilité de l'énoncé qui peut s'entendre « littéralement » (par exemple dans le cas de l'ironie : « Il est très intelligent », énoncé pour signifier le contraire). Mais comme leur identification ne dépend pas de déterminations linguistiques, les figures de pensée jouent sur le principe de la double entente, donc de la relation aux destinataires, et sur les codes partagés ou non (elles impliquent une « allosyntaxe »). L'ironie, l'hypotypose ou l'allégorie mises en œuvre dans une tirade de Racine, un roman de Voltaire, un poème de Mallarmé ou de Valéry sont des lieux de double langage. Ainsi dans le poème de Valéry, *Les pas* (« Tes pas enfants de mon silence / Doucement, lentement posés / Près du lit de ma vigilance / Procèdent muets et glacés. », *Charmes*, 1922-1926), le lecteur est fondé à procéder à une double lecture : l'une « immédiate » consistant à reconnaître dans ces vers une adresse poétique à la féminité, l'autre « dérivée », allégorique, identifiant l'évocation, par le poète, de la venue de l'inspiration.

La compréhension des figures de pensée dépend donc souvent de contenus de sens tels que les lieux communs (ou *topoi*), données informulées de toute formulation. Aussi leur conformité aux normes de la *doxa*, ou au contraire leur dérogation (discours paradoxaux ou hétérodoxes) en font des garants ultimes de la cohésion et de la cohérence des textes. Et elles sont un des lieux où l'acte poétique, en instaurant une figuration inédite, peut suggérer des échappées neuves de sens.

▶ Forget D., *Figures de pensée, figures de discours*, Québec, Nuit Blanche, 2000. — Molinié G., *Dictionnaire de rhétorique*, Paris, Le livre de poche, 1996. — Ricœur P., *La métaphore vive*, Paris, Le Seuil, 1975. — Robrieux J.-J., *Éléments de rhétorique et d'argumentation*, Paris, Dunod, 1993. — Coll. : Groupe μ, *Rhétorique générale*, Paris, Le Seuil, 1982.

Georges-Elia Sarfati

→ *Argumentation ; Cognitif, connaissance ; Discours ; Figure ; Rhétorique ; Sémantique ; Texte ; Topique.*

FIGURES DE RHÉTORIQUE → Figure ; Rhétorique

FOIRES DU LIVRE

Grand espace de vente, de distribution et de publicité du livre, une foire du livre réunit les principaux intervenants du marché du livre, à savoir les distributeurs, les éditeurs, les imprimeurs, les auteurs, et des métiers connexes comme la gravure, la reliure ou l'illustration.

Dès la fin du XVe s., les livres commencent à se vendre au sein des foires marchandes, celles de Francfort ou de Mayence, celles de Lyon et de Genève, celle de Venise et de Florence, qui constituent des centres internationaux de commerce ou des ports importants. Mais en 1488 à Francfort, le livre ne représente qu'un douzième de la somme totale des ventes de marchandises. Les premières foires spécialisées dans le livre apparaissent plus tardivement, au cours du XVIe s., quand le livre devient un enjeu économique majeur au niveau européen. Dans un premier temps, ces foires réunissent tous les intervenants du marché du livre, les imprimeurs qui vendent sans intermédiaire leurs productions, les vendeurs de papier, les clercs d'imprimerie et les relieurs. Les auteurs y viennent aussi afin de faire la publicité de leurs ouvrages – à cette époque, l'écrivain reçoit parfois en paiement de ses œuvres un certain nombre d'exemplaires qu'il peut vendre ou dédicacer à sa guise – et de soutenir la politique de vente des imprimeurs. Les livres de polémique (attaques contre Luther et Érasme) et les œuvres classiques représentent les plus grandes parts du marché. Les ouvrages sont en majorité de langue latine, ce qui favorise considérablement la diffusion et le tirage. Ainsi Érasme parle d'un tirage de 24 000 exemplaires de ses *Colloques* (1527) présentés aux grandes foires internationales (mais cette information n'a pas été prouvée). En retour, les livres en latin, plus chers à composer pour l'imprimeur, nécessitent l'internationalisation du marché pour pouvoir être rentables.

Lorsque les imprimeurs ont progressivement été remplacés par les éditeurs ou les grands distributeurs de livres, les foires sont devenues rapidement des lieux de rendez-vous pour les éditeurs internationaux qui débattent de la distribution des parts de marché et de différents points de litige. Mais dans la seconde moitié du XVIIIe s., en Allemagne et dans toute l'Europe, on assiste à la disparition progressive des foires internationales du livre : la concentration du marché dans les mains des grandes firmes de distribution, l'apparition des catalogues d'éditeurs, l'essor des marchés littéraires en langues nationales, expliquent en partie ce déclin. Les grandes firmes de distribution ont pu réaliser, en pratique à l'échelon national, l'unité du marché du livre autrefois assuré par les grandes foires à l'échelon européen.

Les foires réapparaissent dans le courant du XXe s. dès qu'elles sont susceptibles de faire réaliser encore plus de chiffre d'affaire aux firmes de distribution, grâce à la publicité ou à la participation directe des auteurs à succès notamment. À Paris (Salon du livre), à Montréal (Salon du livre) ou à Bruxelles (Foire du livre), ces manifestations, dont l'organisation dépend souvent de la volonté des décideurs politiques, comptent parmi les événements importants de la vie du livre contemporain. Elles sont relayées par des manifestations locales, parfois spécialisées (la nouvelle à Saint-Quentin, la BD à Angoulême), en pleine expansion.

Les foires témoignent de l'importance du livre comme valeur marchande. La vente de livres a très rapidement constitué une source de revenus indépendante assez importante pour s'autonomiser dès le deuxième tiers du XVIe s. Aujourd'hui, avec l'apparition de catalogues électroniques qui assurent encore davantage l'internationalisation du livre, la seule logique de la vente fournit difficilement l'infrastructure qu'exigent les foires et salons. Leur vitalité relève en fait d'un processus complexe de décisions où interviennent des acteurs sociaux et politiques, des représentations identitaires et des choix de prestige. Ils font aussi apercevoir que des secteurs sont peu propices au commerce international ou même à l'exposition (par exemple les manuels scolaires), que d'autres (livres pour enfants, livres d'art, livres illustrés) constituent les produits les plus rentables, tandis que la littérature est souvent un objet de prestige, qui attire le public par la notoriété des auteurs. Les manifestations les plus importantes (Paris, Francfort) réservent une part de leurs journées aux seuls « professionnels ». On y vend autant de « droits » et de contrats (traductions, co-éditions) entre éditeurs que de livres aux lecteurs.

▶ ESTIENNE H., *Francofordiense Emporium*, Francfurt, F. Buchmesse, [1574], 1968. — KOCH Th-W., *The Florentine Book Fair*, Evanston I, II, 1926. — THOMPSON J.-W., *The Frankfort book fair*, Chicago, Caxton Club, 1910.

Aline LOICQ, Paul ARON

→ *Best-seller ; Édition ; Imprimerie ; Livre ; Marché littéraire ; Propriété littéraire ; Traduction.*

FOLIE

La folie en littérature se présente comme image de l'inspiration, signe d'un déchirement absolu ou ironie pour exprimer les illusions ou les faiblesses de l'Homme ; elle s'impose dans les registres comique aussi bien que tragique. Par ailleurs, le non-conformisme de certains écrivains, leur désir de marginalité, a souvent épousé les contours d'un personnage considéré comme fou –non sans alimenter par la même occasion un redoutable stéréotype.

Selon Platon (*Ion*), la poésie est un délire inspiré par les dieux. Cette idée de la poésie comme « enthousiasme » a joué un rôle durable dans la représentation du poète en Occident – où elle a par ailleurs rejoint la figure du prophète. Le poète est ainsi conçu comme à la fois détenteur de la vérité et hors des normes de la raison. Mais outre cette image de la folie comme figure de l'inspiration, elle est aussi représentée comme punition (ainsi des héros tragiques qui, tel Oreste, sombrent dans le délire par suite de leurs fautes ; mais aussi des personnages comiques, que leur folie exclut de la sociabilité gratifiante) et comme paradoxe. En effet, au Moyen Âge, les farces et les soties rendent familières les figures du badin et du niais, détenteurs d'une vérité sur le monde que la raison ne sait exprimer. La littérature savante reprend cette question à la Renaissance : Érasme propose un *Éloge de la folie* (1515) où la folie semble plus sensée que la société qu'elle dénonce (notamment le clergé), Rabelais s'en sert pour faire surgir l'envers des choses (Pantagruel conseille à Panurge de prendre conseil d'un fou pour savoir s'il doit se marier). La figure du « fou » du roi est typiquement celle du diseur de vérités. L'équivoque entre folie et littérature se manifeste ensuite avec éclat : d'un côté, l'idée du poète « enthousiaste » reste dominante, mais les arts poétiques recommandent de lui adjoindre les justes mesures de la raison, de l'autre, le *Don Quichotte* de Cervantès, devient fou à cause de ses lectures et Shakespeare propose une vision tragique du châtiment de la folie à travers des personnages comme Lady Macbeth, Ophélie, Lear. Plus largement, on considère aussi comme « fou » l'individu bizarre, hors norme, prompt à ridiculiser les travers de ses contemporains, dont *Le neveu de Rameau* (1762) propose l'exemple idoine.

Nombre d'écrivains romantiques, refusant de cantonner l'esprit à la raison positive, proposent l'ouverture à un monde de correspondances dans lequel le rêve et le délire viennent brouiller les frontières du réel. D'où l'apparition de la figure du poète « fou », poussant sa conscience jusqu'aux limites, comme *Lenz* de Buchner ou comme Hölderlin ou Nerval. De Poe à Lovecraft, un immense pan de la littérature fantastique fait de la folie la seule échappatoire devant un univers au bord du désastre. Elle est aussi parfois un imaginaire où les signes de l'apocalypse accompagnent le surgissement de prophètes hallucinés, de Matthew Gregory Lewis à Flannery O'Connor.

Au XXe s., l'assimilation entre folie et maladie mentale a été de plus en plus critiquée, et le surréalisme a prôné l'expression de l'inconscient sans le contrôle de la raison. L'invention de la catégorie des « fous littéraires » (André Blavier, *Les fous littéraires*, Paris, Aux amateurs de livre, [1982], 2001) a permis de redécouvrir des auteurs qui ont laissé s'exprimer une imagination dégagée des contraintes de la raison et de la logique.

Dans son *Histoire de la folie à l'âge classique*, Michel Foucault distingue « la folie par identification romanesque » (celle de Don Quichotte), « la folie de vaine présomption » (celle d'Alceste par exemple), « la folie de juste châtiment » (celle d'Oreste) et « la passion désespérée » : cette typologie permet d'intégrer de nombreux textes de littéraires. Subsiste, en revanche, la difficulté due au fait que parler de la folie, c'est paradoxalement utiliser un langage qui l'exclut : « en cherchant à “dire la folie elle-même”, on ne peut que tenir un discours *sur* elle ; en voulant “parler la folie”, on est nécessairement réduit à parler *sur* la folie » (Felman, 1978, p. 13). Et de fait, Foucault, et bien d'autres à sa suite, ont écrit que la folie caractérise un langage étouffé, donc l'absence d'œuvre. Dire la folie dans les formes du réalisme, c'est encore la considérer de l'extérieur (comme Zola peignant le delirium tremens dans *L'assommoir*) ; exprimer la folie dans le langage, c'est devoir suggérer le chaos par le verbe même. Racine, avec Oreste, le fait par les images et les allitérations (« Pour qui sont ces serpents qui sifflent sur vos têtes ? »). Maupassant en donne une version entée sur le fantastique (*Le Horla*, 1887). Plus radical encore, William Faulkner ouvre *Le bruit et la fureur* par un long monologue du personnage de Benjy, présenté comme un être de langage mais dont le langage fonctionne selon des règles singulières que le lecteur doit décoder. De nombreux textes au XXe s. ont ainsi cherché à rendre compte, par un complexe travail énonciatif, du (des) langage(s) de la folie.

▶ FELMAN S., *La folie et la chose littéraire*, Paris, Le Seuil, 1978. — FOUCAULT M., *Histoire de la folie à l'âge classique*, Paris, Gallimard, 1961. — GILLIBERT J., *Folie et création*, Paris, Champ Vallon, 1990. — PONNAU G., *La Folie dans la littérature fantastique*, Paris, CNRS, 1987. — RIGOLI J., *Lire le délire*, Paris, Fayard, 2001.

Jean-François CHASSAY

→ *Création littéraire ; Passions ; Psychanalyse ; Satire.*

FOLKLORE

Le terme folklore a été proposé par l'érudit britannique Williams Thoms, en 1846, pour désigner une nouvelle science, celle de la culture populaire (*folk-lore*). Cette transposition « saxonne » du terme allemand *Volkskunde* a été rapidement reprise dans la plupart des langues européennes, telle quelle ou, plus rarement, en traduction (*laographia* en grec, par exemple). Par folklore on a généralement désigné aussi bien la discipline que son objet d'études (chansons, rituels, croyances, danses, etc.). Une connotation dépréciative s'est attachée à ce terme, probablement en raison du caractère excessivement kitsch de certains aspects de la culture populaire reconstruite par le folklore (fêtes en costumes, par exemple). Cet aspect dépréciatif a fini par l'emporter dans l'usage français du terme. Folklore est devenu synonyme d'inauthentique pittoresque, les termes ethnographie, ethnologie ou anthropologie culturelle étant désormais utilisés pour désigner l'étude scientifique de la culture populaire.

La genèse du folklore comme discipline intellectuelle est liée au grand mouvement de formation des identités et des cultures nationales, qui commence au milieu du XVIIIe s. et se développe intensément au XIXe s. En réaction contre l'hégémonie exercée par la France sur la culture des élites européennes, des lettrés proclament que des cultures nationales indépendantes et de haute valeur peuvent être élaborées à partir des cultures populaires. Le Peuple est supposé avoir gardé fidèlement au cours des siècles la tradition culturelle et morale des grands ancêtres de la nation. La première phase de ce mouvement de construction des cultures nationales est marquée par de nombreuses collectes et publications de chants populaires. L'impulsion est donnée par la publication, à partir de 1760, de chants attribués à un barde écossais du IIIe s. du nom d'Ossian : bien que le « collecteur », James Mac Pherson, soit rapidement accusé d'avoir forgé lui-même l'essentiel de sa collecte, ces chants écossais montés en épopée font figure de modèle. Du *Kalevala* finnois au *Barzaz-Breiz* armoricain, les publications de chants populaires se multiplient. Le théologien allemand Johann-Gottfried Herder (1744-1803) fournit une vaste réflexion théorique sur l'importance de la culture populaire pour des cultures nationales encore à former. Bien évidemment, ce que mettent alors en valeur les lettrés européens ne sont pas véritablement les cultures populaires effectivement en usage. Il s'agit plutôt de créations qui empruntent des éléments des cultures populaires en les adaptant pour une appropriation par les élites sociales et culturelles. Des formes et des thèmes nouveaux apparaissent dans la création littéraire, notamment poétique, que leurs auteurs déclarent avoir puisés dans la tradition populaire : ainsi des ballades de Bürger, qui inspirent de nombreux poètes allemands ou scandinaves.

En France, la nécessité après la Révolution de former une nation culturellement unifiée conduit à de vastes relevés des pratiques linguistiques et des traditions populaires. L'Académie celtique, fondée en 1804, prépare une enquête à partir d'un ample questionnaire sur les croyances et coutumes populaires. Une hypothèse génétique les sous-tend : bizarres et apparemment contraires à la raison, ces usages sont désignés comme les vestiges d'une culture originelle celte (en l'occurrence gauloise). En Allemagne, les frères Jacob et Wilhelm Grimm élaborent la théorie et les méthodes de collectes systématiques des contes et légendes populaires : ils les présentent comme les restes d'une ancienne mythologie dont la cohérence s'est perdue. L'œuvre des Grimm fait office de modèle pour toutes les études sur l'oralité populaire en Europe. Dans de nombreux cas (Norvège, Finlande, Estonie, Roumanie, Bulgarie, par exemple), les collectes de contes et chants populaires servent de base à l'élaboration des nouvelles langues et littératures nationales. Romantisme, intérêt pour les cultures populaires et mouvement des nationalités vont de pair, même si cette association a un tour particulier dans chacun des différents contextes. En France, où la littérature nationale peut s'appuyer sur un corpus écrit hautement valorisé, le recours à la culture populaire a une fonction moins cruciale qu'ailleurs. Il s'avère néanmoins utile pour marquer l'intégration dans l'ensemble national de toutes ses composantes sociales et territoriales. Un grand projet de *Recueil général de poésies populaires de la France* est lancé par le gouvernement en 1852, sous le contrôle de membres de l'Académie française ou d'autres sections de l'Institut (*Instructions pour un Recueil général de poésies populaires de la France [1852-1857]*), édité et introduit par Jacques Cheyronnaud, Paris, Editions du Comité des travaux historiques et scientifiques, 1997). Les *Instructions* pour la collecte, rédigées par Jean-Jacques Ampère, professeur au Collège de France, insistent sur la nécessité de relever les poésies populaires exprimées dans les divers dialectes pratiqués sur le territoire : non seulement français, mais aussi basque, breton, occitan ou corse. Le patrimoine national est même étendu à l'oralité populaire francophone des anciennes colonies, Canada ou Louisiane.

Les représentations de la culture populaire se multiplient au XIXe s. : descriptions de fêtes et coutumes paysannes dans la narration romanesque ou les récits de voyages, illustrations picturales ou mises en scène théâtrale. Les études folkloriques s'institutionnalisent par la création d'associations spécifiques, auxquelles participent de nombreux peintres et écrivains. Leur objet s'étend des récits et poèmes aux usages carnavalesques et à la « culture matérielle », c'est-à-dire aux ustensiles, aux textiles et même à l'architecture populaire. Des musées sont créés : les premières conceptions sont fortement inspirées par la scénographie dramatique (on y place des mannequins de cire costumés). À partir de la fin du XIXe s., le folklore est délibérément utilisé comme la matrice d'une culture de masse à finalité identitaire et patriotique, destinée à lutter contre l'industrie des loisirs. Un intense mouvement de *revival* multiplie les créations de fêtes en costumes, les arrangements choraux de chants populaires, l'artisanat typique et les spectacles « reconstitués ». Les études folkloriques traitent rarement du monde ouvrier et urbain, privilégiant une paysannerie passablement mythique, référent idéalisé des sociétés de l'ère industrielle. L'anthropologie et l'ethnologie prennent alors le relais dans la recherche. Pour les recherches sur les structures de la littérature, la narratologie plonge ses racines dans l'étude des contes populaires (Propp, *Morphologie du conte* [1928], trad. fr. 1968).

Dans de nombreux pays d'Europe, les études folkloriques sont présentes à l'Université, dans les départements d'études de la littérature nationale. Cela tient à la liaison historique forte entre folklore et construction culturelle – puis politique – de la nation. En France, en revanche, le folklore est resté en marge de l'Université. Arnold van Gennep, l'auteur du volumineux *Manuel de folklore français contemporain* (1937-1958), n'a eu de poste universitaire, brièvement d'ailleurs, qu'à Neuchâtel. Il a en revanche disposé d'une tribune par sa longue collaboration (1904-1949) au *Mercure de France*. L'utilisation du folklore par les régimes totalitaires du XXe s., et notamment par l'État français pétainiste, a interdit après la Seconde Guerre mondiale toute possibilité de reconnaissance du folklore comme discipline scientifique. Pour l'étude des cultures populaires, d'autres termes sont entrés en usage, une méthodologie nouvelle s'est développée, cependant qu'était soulignée une exigence de rigueur scientifique. Si l'ethnologie de la France a pris place dans les disciplines universitaires reconnues, sa relation aux études littéraires est restée ténue. Les analyses de l'école anthropologique française sur les mythes des peuples sans écriture, à la suite des travaux de Lévi-Strauss, ont acquis une notoriété internationale et, par le biais du structuralisme, ont influé sur les études littéraires. En revanche, les recherches sur la littérature populaire, écrite ou orale, ont tenu dans les études d'ethnologie nationale une place nettement plus restreinte et moins valorisée que dans la plupart des autres pays européens. Parce que le champ culturel français est marqué par une association, implicite mais forte, entre littérature et élites sociales, une position marginale est assignée à la littérature populaire orale ou écrite, aussi bien dans les études ethnologiques que littéraires.

▶ BELMONT N., *Paroles païennes, mythe et folklore*, Paris, Imago, 1986. — FABRE D., « *Le manuel de Folklore français* d'Arnold van Gennep », in *Les lieux de Mémoire*, (de Pierre Nora (dir.), volume III, « Les France », tome 2, Gallimard « Traditions », 1992, p. 641-675. — FAURE Ch., *Le projet culturel de Vichy, Folklore et Révolution nationale*, Lyon, Presses universitaires de Lyon, 1989. — GAIGNEBET C., *À plus hault sens. L'ésotérisme spirituel et charnel de Rabelais*, Paris, Maisonneuve et Larose, 1986. — THIESSE A.-M., *La construction des identités nationales — Europe XIXe-XXe siècles*, Paris, Le Seuil, 1999.

Anne-Marie THIESSE

→ *Conte ; Culture ; Ethnologie ; Nationale (Littérature) ; Oralité ; Populaire (Littérature) ; Tradition.*

FORMALISTES

Dans les années 1920, l'épithète « formalistes » a été appliquée, avec une valeur péjorative, aux jeunes intellectuels russes et tchèques qui visaient à instaurer une nouvelle science de la littérature. Réagissant à la fois contre l'histoire littéraire académique et contre la critique impressionniste, ils cherchaient à définir cette science de la littérature comme l'étude de la littérarité. Depuis les années 1960, le terme s'étend aux critiques qui pratiquent une analyse limitée aux structures immanentes de l'œuvre.

En mars 1915, Roman Jakobson, alors étudiant, fonde le Cercle linguistique de Moscou (MLK) (1915-1920), qui réunit de jeunes linguistes amateurs de poésie, dont Bogatyriov, Vinokour et Brik. Vers 1916, Chklovsky fonde à Saint-Pétersbourg la Société pour l'étude de la langue poétique (OPOIAZ, acronyme de *O*bchtchestvo izoutchenia *PO*etitcheskovo *IAZ*yka). D'abord cercle informel, elle se constitue en 1919 en association, avec un président (Chklovski), un secrétaire (Tynianov) et une liste de membres. Ces deux groupes, qui fusionnent en 1921, posent la question de la spécificité littéraire sous l'influence du mouvement artistique futuriste. L'Institut national d'histoire des arts devient alors le haut-lieu du formalisme : les membres de l'OPOIAZ y détiennent des chaires qui attirent de nombreux élèves. Chklovski, Eikhenbaum, Tynianov, Tomachevski, Bernstein et Vinogradov publient régulièrement dans le recueil périodique *Poètika* (*Poétique*) et la série *Problemy poètiki* (*Problèmes de poétique*) qui paraît de 1923 à 1929 sous la marque de l'Institut. Une douzaine de brochures signées notamment de Chklovski, de Jakobson, de Bogatyriov, d'Eikhenbaum, de Tynianov paraissent à Petrograd, à Prague ou à Berlin sous le sigle de l'OPOIAZ. Au début des années trente, plusieurs s'inquiètent de l'expansion des thèses formalistes qui, de l'aveu de Trotski (*Littérature et révolution*), représentent la seule théorie qui se soit opposée au marxisme en URSS. Aussi l'inquisition stalinienne impose-t-elle l'obéissance aux thèses du réalisme socialiste et oblige les formalistes à s'y plier. Plusieurs se tournent alors vers la création littéraire et l'édition de textes classiques.

Au moment où elles s'interrompent en Russie, les réflexions de l'OPOIAZ trouvent leur prolongement en Tchécoslovaquie. Fondé par le linguiste Mathesius, le Cercle linguistique de Prague (1926-1939), auquel se joignent notamment les Russes Bogatyriov, Jakobson et Troubetskoï ainsi que le jeune René Wellek, élabore une nouvelle linguistique structurale. Le linguiste français Émile Benveniste sera parmi les conférenciers invités du Cercle dont les thèses sont présentées en 1929 au premier congrès des philologues slaves (reproduites dans *Change*, 1969, n° 3). Le véritable continuateur de l'OPOIAZ dans le domaine de la théorie littéraire est toutefois Mukarovsky, qui replace la question de la norme esthétique au centre de la réflexion sur le signe. Interrompues pendant la guerre, les activités du Cercle reprennent brièvement entre 1945 et 1948, quand, sous la pression du jdanovisme, les formalistes perdent leurs chaires et sont interdits de publication.

Après la déstalinisation, l'héritage formaliste resurgit. C'est à l'Université estonienne de Tartu, sous l'impulsion du sémioticien Iouri Lotman (*Leçons de poétique structurale*, 1964) que le formalisme trouve de nouvelles applications dans l'étude de la littérature, de la religion et des mythes. Les séminaires d'été de l'École de Tartu, orientés vers l'élaboration d'une sémiotique de la culture, ont été fréquentés jusqu'aux années 1980 par des universitaires de toutes provenances.

L'influence de ces groupes se fait sentir aussi bien en Pologne (notamment au Cercle de Varsovie) qu'aux États-Unis (où se sont installés Jakobson et Wellek depuis la guerre) et en France. Alors que Wellek s'associe au New Criticism, la rencontre entre Jakobson et Lévi-Strauss (cf. Jakobson et Lévi-Strauss, « "Les chats" de Baudelaire », *L'homme*, 2, 1962, p. 521) allait avoir une incidence fondamentale sur le développement du structuralisme en France. Il faut cependant attendre la publication à Paris, par Todorov, d'une anthologie intitulée *Théorie de la littérature* (1965) pour que la réflexion formaliste, constamment partagée entre la théorie et la critique, imprègne les études littéraires. Ce décalage temporel dans la réception française des formalistes russes n'a pas empêché la fascination des structuralistes (en particulier Barthes, Genette et Todorov) pour la problématique de la littérarité. Celle-ci est toutefois infléchie au contact d'une tradition formée à l'explication de textes particuliers. La conception autotélique du langage, issue des romantiques allemands, est replacée dans une perspective historique et ces auteurs visent une réconciliation de la théorie littéraire et de la critique. L'influence du formalisme, forte dans les années 1960 et 1970, a décliné ensuite.

La question centrale du formalisme est celle de la littérarité et, corrélativement, celle du sujet de l'écriture. Le premier manifeste du formalisme est constitué par une provocation délibérée d'Eikhenbaum, en 1919 : il propose une analyse du *Manteau* de Gogol, texte emblématique de la littérature russe, envisagé non plus comme l'illustration de l'âme nationale mais comme une somme de *procédés* artistiques. « Les études littéraires veulent devenir science, écrit Jakobson en 1921, elles doivent reconnaître le *procédé* comme leur "personnage" unique. » Dans cette perspective, le procédé n'est plus un moyen d'expression mais devient le sujet même du discours littéraire, le fondement de la littérarité : « Ce qui nous caractérise [...], c'est le désir de créer une science littéraire autonome à partir des qualités intrinsèques des matériaux littéraires » (Eickembaum, 1927). La notion de *fonction poétique* désigne ainsi l'organisation singulière des matériaux linguistiques dans le langage littéraire. Cette notion repose sur deux postulats corrélés, la *construction* (Tynianov) et la *défamiliarisation* (Chklovski). Par exemple, pour Tynianov, le vers est une construction spécifique, caractérisée par la subordination de l'ensemble de ses éléments au principe du rythme. La défamiliarisation (*ostranenie*), dans la mesure où elle déjoue l'automatisme de la perception, accuse le caractère artistique de l'œuvre et se révèle ainsi au principe de l'évolution littéraire : « La forme prend possession du matériau, le matériau est intégralement recouvert par la forme, la forme devient poncif, meurt. Il faut un afflux de matériau nouveau constitué d'éléments frais de la langue pratique pour que les constructions poétiques irrationnelles puissent de nouveau réjouir, jouer, accrocher » (Jakobson, *op. cit.*). Le formalisme distingue deux types de fonctions : la fonction *autonome*, qui établit des relations avec des éléments semblables dans d'autres systèmes, et la fonction *synnome*, qui établit des relations avec d'autres éléments au sein du même système. En outre, la fonction autonome ne peut être établie sans tenir compte de la fonction synnome dans le système étudié. D'où l'intérêt des formalistes envers à la fois les organisations métriques et phoniques du vers (Brik, Jakobson, Tomachevski, Eikhenbaum, Jirmunski, Tynianov), les procédés de la prose (Eikhenbaum, Tynianov, Vinogradov), les formes de composition du discours narratif (Chklovski, Tomachevski, Reformatski, Propp). S'y ajoute la contestation de l'histoire littéraire traditionnelle (Jakobson, Tynianov, Propp). En effet, dans cette perspective, l'œuvre littéraire est envisagée comme un système, lui-même situé à l'intérieur d'un système plus vaste constitué par la littérature. La notion fondamentale de l'histoire littéraire devient alors l'idée de la substitution de systèmes, substitution fondée sur une redistribution des formes et des fonctions.

Dans le premier ouvrage d'ensemble consacré au formalisme russe, *La méthode formelle dans la science de la littérature* (1928), Mikhaïl Bakhtine, qui se dissimule sous la signature de son ami et disciple Pavel Medvedev, reconnaît le caractère novateur de la démarche, mais procède aussi à une critique systématique des concepts clés de l'OPOIAZ : fonction poétique, procédés, défamiliarisation. D'une part, il leur reproche de réduire l'objet artistique à des combinaisons de matériaux bruts, ne faisant par-là qu'inverser la critique axée sur le contenu ; d'autre part, leur recherche des propriétés formelles du langage littéraire, en coupant l'énoncé de son contexte d'énonciation, réduit la portée de l'acte littéraire. Selon Medvedev-Bakhtine, l'œuvre littéraire se définit désormais comme un domaine particulier de l'univers des signes, comme une structure signifiante, investie d'une intention esthétique : pour Bakhtine, le matériau de l'art n'est pas le langage en tant que système abstrait de significations attachées à des signes matériels, mais le processus vivant de l'énonciation concrète, qui réalise l'unité d'une matière et d'un sens, d'un signe et d'une signification dans l'événement – c'est-à-dire toujours unique – d'un acte qu'il appelle « l'évaluation sociale ». C'est ainsi que, dans la poétique qu'il esquisse en réponse aux formalistes, Bakhtine inverse leur démarche : au lieu de partir du langage conçu comme un matériau et du procédé considéré comme l'élément de base de la construction artistique, il part de ces modes typiques d'énonciation que sont les genres. Dans un portrait contrasté, Todorov oppose les parcours parallèles de Jakobson et de Bakhtine : le premier décrit le monde de la création et de la pensée comme un objet impersonnel alors que le second choisit une perspective dans laquelle la dimension personnelle est irréductible (« Pourquoi Jakobson et Bakhtine ne se sont jamais rencontrés », *Esprit*, 1997, n° 228).

▶ AUCOUTURIER M., *Le formalisme russe*, Paris, PUF, 1994. — CHKLOVSKI V., *Sur la théorie de la prose*, Lausanne, L'âge d'Homme, 1973. — DELAS D., *Roman Jakobson*, Paris, Bertrand Lacoste, 1993. — TYNIANOV I., *Formalisme et histoire littéraire*, traduit du russe, annoté et présenté par C. Depretto-Genty, Lausanne, L'Âge d'Homme, 1991. — Coll. : *Théorie de la littérature*. Textes des formalistes russes, réunis, présentés et traduits par Tzvetan Todorov, Paris, Le Seuil, 1965.

Frances FORTIER

→ *Conte ; Création littéraire ; Forme ; Linguistique ; Littérarité ; Poétique ; Réalisme ; Structuralisme ; Théories de la littérature.*

FORME

La tradition philosophique grecque distinguait la matière, ou substance, qui est commune, et la forme qui est individuelle. La forme correspond donc à l'apparence propre de chaque être (objet ou être vivant), et à la personnalité, à l'esprit dans le cas de l'homme. Le terme reste ainsi ouvert à des usages et des définitions multiples. Du côté de la littérature et de la critique, son emploi est souvent équivoque : l'idée de forme peut correspondre, selon les emplois, aux notions de genre, de structure, de procédés, de figure et de style. Mais plus fondamentalement, on peut dire que la littérature est une « mise en forme », un travail sur les formes usuelles du langage pour en distinguer des traits significatifs.

Il n'est aucun domaine des sciences humaines contemporaines qui ne soit préoccupé de questions relatives à la forme (quelque sens que l'on accorde au terme), aussi bien la psychologie et l'ethnologie que la linguistique ; celle-ci a eu et continue d'avoir sur la compréhension du phénomène littéraire un impact considérable, de Saussure à Hjelmslev (et sa réinterprétation de la distinction saussurienne en forme et substance de l'expression, forme et substance du contenu), en passant par les formalistes. Il est difficile de répertorier toutes les « formes littéraires », d'une part, parce qu'elle sont en évolution historique constante, d'autre part, parce qu'elles sont souvent mixtes, mêlant des éléments de substance et des éléments strictement formels. Ainsi des procédés comme le discours indirect libre et la mise en abyme sont formels, mais ils sont des procédés, et comme tels susceptibles d'apparaître dans des textes très divers. Par ailleurs, si l'on établit souvent une équivalence entre « forme » et « genre », un genre comme le roman offre des formes qui, justement, varient, du roman épistolaire au roman-journal. La question de la forme doit donc être envisagée en ce qu'elle dépasse les réalisations particulières. Sans nier qu'ils soient indissociables, la rhétorique classique envisageait le fond (contenu, message ou idées) et la forme (style, *manière* de dire) comme les deux dimensions de tout acte verbal, chacune susceptible d'un traitement spécifique. Ainsi la formule de Boileau (« Ce que l'on conçoit bien s'énonce clairement, / Et les mots pour le dire arrivent aisément ») illustre à sa façon la croyance dans le caractère premier de la pensée sur sa concrétisation verbale. La « mise en forme » pouvait alors avoir une fonction de decorum (convenance de l'idée et de la forme : c'est la théorie des trois styles, élevé, moyen et bas, chacun adapté à un type de sujet) et/ou une fonction d'embellissement, une valeur ornementale. Cette distinction de la forme et du fond, aujourd'hui récusée, ne s'en trouve pas moins reconduite sous des appellations et des conceptualisations diverses : telles les oppositions signifiant / signifié, récit / histoire, ou l'affirmation devenue lieu commun de la *forme comme contenu* : « Il peut exister un livre dont la forme soit le principal et le plus explicite des messages » (Eco, 1965). Une conception moderne de l'écrivain fait de celui-ci un manipulateur de formes avant tout. Deux illustrations frappantes, distantes de cinq siècles, sont données par les Grands Rhétoriqueurs et par l'OuLiPo, dont la production respective constitue un cas extrême de contraintes et de jeux d'ordre formel.

Dès lors, la réflexion sur la forme instaure deux questions, l'une scientifique, l'autre idéologique. D'un point de vue scientifique, l'ensemble des langages, dont la littérature, peut être envisagé en termes d'opposition canonique entre formes dites simples (cas, devinette, etc.) et formes complexes (roman, biographie), formes populaires (chanson, graffiti, slogan) et savantes (sermon, dissertation), ou formes libres (essai, lettre) et formes fixes ou fortement codées (sonnet, rondeau). Cela suppose des formes universelles ou simples, qui seraient invariantes, auxquelles se ramènerait l'ensemble des formes complexes. Mieux vaut alors postuler plutôt un caractère transhistorique et dynamique des formes : des formes comme le sonnet ou la nouvelle n'étaient en effet pas tant fixes ou stables que fixées ou stabilisées par l'institution et la tradition. Ainsi comprises, les formes constituent l'objet d'une poétique historique, attentive à leurs variations dans le temps, les transformations littéraires pouvant s'envisager dans leurs rapports dialectiques avec les transformations sociales et culturelles. Nombreux sont les poéticiens et historiens qui en appellent encore à une histoire de la littérature qui serait essentiellement histoire des formes littéraires et de la variabilité de leurs fonctions. La seconde question, idéologique et esthétique, tient à la conception même de l'art : est-il manière de dire « quelque chose » ou seulement « manière de dire » ? Dans le premier cas, la forme est fonctionnelle, vecteur d'un discours. Dans le second, elle est la finalité même de la création, dans la quête de l'Art pour l'Art. C'est en ce second cas que l'on peut parler de « formalisme » au sens général du terme, dont les thèses des formalistes sont une implication historique : la littérature alors n'est pas seulement « mise en forme », mais « forme » tout court. Toute tentative pour trancher entre ces deux attitudes serait un choix partial et partiel, l'histoire de la littérature étant nourrie de leur tension.

▶ ECO U., *L'œuvre ouverte*, trad. fr. par C. Roux de Bézieux et A. Boucourechliev, Paris, Le Seuil, [1965], 1979. — FONTAINE D., *La poétique. Introduction à la théorie générale des formes littéraires*, Paris, Nathan, 1993. — JOLLES A., *Formes simples*, Paris, Le Seuil, [1930], 1972. — *Le récit littéraire des années 80*, A. Mercier et F. Fortier (dir.), *Voix et Images* 69, vol. XXIII, n° 3, printemps 1998. — ROUSSET J., *Forme et signification. Essai sur les structures littéraires de Corneille à Claudel*, Paris, Corti, 1962.

Frances FORTIER, Patrick GUAY

→ *Formalistes ; Formes brèves et sententiales ; Formes fixes ; Genres littéraires ; Poétique ; Structuralisme ; Style.*

FORMES BRÈVES ET SENTENTIALES

Textes qui se caractérisent par leur brièveté et par le fait d'énoncer, sous une forme souvent elliptique, voire énigmatique, une vérité (qui trouve le plus souvent son fondement dans la doxa ou dans la philosophie des Anciens). Ces réalisations littéraires très hétérogènes n'ont en commun que la brièveté de la forme et la valeur de vérité admise de tout temps et en tout lieu. Recevant des noms très différents selon les époques et les traditions culturelles : ana, aphorismes, apophtegmes, dits, épigrammes, proverbes, maximes, sentences, ils participent de la littérature orale et de la culture populaire, mais ils peuvent tout aussi bien se présenter comme issus de la réflexion philosophique et morale d'un seul auteur.

Ces formes brèves correspondent à autant de genres différents et très anciens qui remontent à l'époque de la littérature orale et aux littératures écrites les plus anciennes. Le Moyen Âge, très friand de littérature morale et de formules lapidaires, a fait une place de choix aux formes brèves. De nombreux manuscrits ont conservé des proverbes et des dictons attribués à la sagesse populaire (par exemple *Proverbes au vilain*, XIIe s.), mais aussi des sentences des philosophes anciens (*Distiques de Caton*, IIIe s., en latin, XIIe-XIVe s. en anglo-normand et en ancien français), *Proverbes Seneke* (dont il existe plusieurs versions en langue vernaculaire), *Dits et proverbes des sages* (XIVe-XVe s.), *Dits de Salomon et de Marcoul* (recueil de proverbes rimés qui circula en Europe, d'abord en latin, ensuite en français, du Xe au XVe s.) où les deux personnages dialoguent en échangeant des proverbes. Ces textes sont d'ailleurs aussi présents dans les œuvres narratives, didactiques, dramatiques et lyriques tout au long du Moyen Âge. Villon composa une ballade en juxtaposant des proverbes populaires (« Ballade des proverbes »), et un siècle plus tard Rabelais, en relatant les exploits du jeune Gargantua, utilise une série de proverbes pour montrer le caractère énigmatique et relatif de ces dictons populaires. Érasme, avec ses *Adages* (1500), est le premier à essayer non seulement de collectionner des proverbes, mais aussi à les étudier comme des témoins d'une culture donnée. Ces genres lapidaires proposant des vérités morales sont particulièrement appréciés à la Renaissance, mais au XVIIe s. ils suscitent la méfiance des hommes de lettres envers la culture populaire. On préfère alors, comme formes brèves et elliptiques, les devises et les énigmes, et, dans le domaine de la littérature morale, les maximes (La Rochefoucauld, 1665). Moins connus, mais très à la mode dans les salons de l'époque, les proverbes (dits *dramatiques*) serviront de jeu de société et se transformeront en de véritables saynètes énigmatiques ou en courtes pièces de théâtre qui pouvaient se résumer en un proverbe. Avec le Romantisme et la récupération de la culture populaire, les recherches parémiologiques connaîtront un véritable essor ; les savants s'intéressent de plus en plus à ces genres brefs et surtout aux proverbes dont ils assurent des recensements au niveau national (pour la France, le recueil de Le Roux de Lincy). Les auteurs du XXe s. – peut-être l'usage de telles formes par Nietzsche en philosophie n'y est pas étranger – n'ont pas délaissé ces formes brèves : à la suite des surréalistes, les poètes réhabilitent les aphorismes (ainsi les paroles « en archipel » de Char), et les essayistes (Cioran) y recourent.

Ces textes brefs à valeur de préceptes peuvent varier en étendue : un mot tout seul (devise, bon mot), une petite phrase (maxime, aphorisme, sentence), voire un court récit plaisant ou satirique (historiette, épigramme). Mais si l'on en a distingué divers genres, ils répondent à une même fonction (fixer un savoir dans un énoncé bref et facile à mémoriser : forme gnomique) et à une même esthétique (énoncé ramassé et frappant, souvent perçu comme ayant de l'« esprit »). D'autre part, la frontière entre littéraire et « non-littéraire » est, dans ce cas, tout à fait indécise (même si l'usage littéraire peut se faire par « jeu »). Ainsi, si le Moyen Âge a privilégié les sentences des philosophes et les proverbes c'est certainement parce que les premiers énoncent des vérités morales, des règles de comportement et que les seconds appartiennent à la culture populaire, qui pénètre de nombreux genres littéraires à l'époque. Ces textes brefs continuent d'exister aux siècles suivants sous la forme d'épigrammes, de maximes et d'aphorismes : autant de genres qui privilégient soit la réflexion profonde sur la nature humaine, soit l'assertion d'une vérité morale, d'une règle de conduite, soit la remarque satirique, le trait d'esprit.

La concision et l'expression d'une vérité semblent être les deux éléments essentiels qui caractérisent tous ces textes, dont le nom, la structure et le contenu varient d'après la source, populaire ou savante, et la fonction, satirique ou comique, mais toujours didactique dans son principe.

▶ BRENNER C. D., « Le développement du proverbe dramatique en France et sa vogue au XVIIIe siècle », *Publications in Modern Philology*, 1937-1941, XX, 1. — MONTANDON A., *Les formes brèves*, Paris, Hachette, 1993. — SAULNIER V. L., « Proverbe et paradoxe au XVe et XVIe s. », *Pensée humaniste et tradition chrétienne aux XVe et XVIe s.*, Paris, CNRS, 1950, p. 88-92. — SCHAPIRA C., *La maxime et le discours d'autorité*, Paris, Sedes, 1997. — SCHULZE-BUSACKER E., *Proverbes et expressions proverbiales dans la littérature narrative du Moyen Âge français*, Paris, Champion, 1985.

Gabriella PARUSSA

→ *Ana ; Bonnes Lettres ; Didactique (Littérature) ; Doxa ; Fragment ; Maxime ; Oralité ; Proverbe ; Satire.*

FORMES FIXES

Les formes fixes sont des formes préétablies de poèmes portant des noms particuliers et composés selon des règles précises qui concernent le nombre, la disposition et, souvent aussi, la répétition des vers et des rimes.

À l'époque des troubadours, l'association du texte poétique avec une musique favorisa le développement de certaines formes fixes. Quand la poésie se détacha de la musique, les formes fixes, loin de disparaître, devinrent plus variées et plus contraignantes : la concurrence entre les poètes s'exerçait mieux à partir d'une structure identique. La Pléiade rejeta ces formes, héritées du Moyen Âge, mais en adopta d'autres venues d'Italie, comme le sonnet. Au XVIIe s., c'est surtout dans les salons que les formes fixes furent pratiquées. Au XIXe s., si elles ont décliné – sauf le sonnet –, des auteurs en retrouvent la voie : ainsi Théodore de Banville, s'il apprécie les audaces de Hugo dans le maniement de l'alexandrin, est aussi très attiré par les formes fixes bien adaptées au traitement, rythmique et satirique, des sujets contemporains abordés dans ses *Odes Funambulesques* (1856-1857). Au XXe s., la tendance générale est à l'abandon des structures préétablies et à l'exploration par le poète de ses propres rythmes. La pratique largement développée du vers libre tend à transformer en forme fixe tout poème composé de vers pourvus de rimes et de mètres réguliers, indépendamment de toute autre contrainte.

Toujours associée à une mélodie, la *canso* des troubadours tend à avoir un nombre régulier de strophes. Le *lai lyrique* est une variété de chanson, avec des couplets écrits sur deux rimes dont l'une est dominante. Ce sont les chansons à refrain, associées à des musiques de danse, qui donnèrent naissance aux formes fixes les plus utilisées du XIIIe au XVIe s. Le *virelai* procède du lai où il introduit des effets d'inversion et de répétition. Dans le *virelai ancien*, ces effets ne touchent que la rime qui, dominée dans une strophe, devient dominante dans la strophe suivante. Dans le *virelai nouveau*, les deux premiers vers reviennent séparément et alternativement à la fin de chacune des strophes et ils se retrouvent dans l'ordre inverse à la fin de la dernière strophe. Bien que Banville se soit amusé à écrire un *Virelai à mes éditeurs*, cette forme, qui connut sa grande époque au XVe s., disparut presque complètement à la Renaissance.

Toujours écrit sur deux rimes, le *rondeau*, qui se prête bien au trait d'esprit et de galanterie, a plusieurs variétés. Le *rondeau ancien*, ou *rondel*, comprend trois couplets et ses deux premiers vers sont repris en refrain, le deuxième à la fin de la deuxième strophe et le premier à la fin de la troisième. Dans le *rondeau nouveau*, le refrain est constitué par le retour des premiers mots du premier vers après la deuxième et la troisième strophe :

a a b b a	a a b	a a b b a
1	+ 1er(s) mot de « 1 »	+ 1er(s) mot de « 1 »

Dans le *rondeau redoublé*, forme rare dont on trouve des exemples chez Marot puis chez La Fontaine, les quatre premiers vers, qui forment une strophe, reviennent chacun à leur tour à la fin des quatre strophes suivantes et la cinquième et dernière strophe se termine par le premier vers.

La *ballade*, écrite en octosyllabes ou en décasyllabes, comprend trois strophes de structure identique suivies d'un *envoi*, demi-strophe qui commence par une apostrophe au destinataire. Le dernier vers de chaque strophe constitue le refrain :

(a b a b b c c d c d) × 3	+ envoi : c c d c d
10	10

Très utilisée par Charles d'Orléans, Villon puis Marot, la ballade fut rejetée par la Pléiade, mais son ton souvent mélancolique et l'interpellation au lecteur que constitue l'*envoi* plurent à des poètes du XIXe et du XXe s.

Variété de ballade plus solennelle, le *chant royal* a cinq strophes de onze vers et se développe souvent sous la forme d'une allégorie. Née au XVe s., cette forme, très datée, n'a guère survécu à la Pléiade.

De contenu le plus souvent comique ou satirique, le *triolet* est un petit poème de huit vers sur deux rimes, comprenant une seule strophe à l'intérieur de laquelle se produit le retour des deux premiers vers :

a b a a a b a b
1 2 1 1 2

Pendant la Fronde, des triolets furent écrits contre Mazarin. Dans les triolets des *Odes Funambulesques*, Banville se moque de personnalités contemporaines.

Dans la seconde moitié du XVIe siècle fut importée d'Italie une chanson associée à une danse rustique, la *villanelle*, qui devint en France un poème, composé de six strophes sur deux rimes :

a b a	a b a	a b a	a b a	a b a	a b a a
1 3	1	3	1	3	1 3

À la fin du XIXe s., Maurice Rollinat dédie à Banville une *Villanelle du Diable*, au rythme trépidant.

Bien plus compliquée, la *sextine*, sans doute inventée par le troubadour Arnaut Daniel, fut reprise, par l'intermédiaire des modèles italiens, au XVIe s. Les six vers des six strophes y sont terminés par les mêmes six mots disposés chaque fois dans un ordre différent. Dans la septième strophe qui n'a que trois vers, ces six mots reviennent dans l'ordre de la première strophe, chaque vers en contenant deux, l'un à l'intérieur du vers, l'autre à la fin :

abaabb	babbaa	abaabb	babbaa	abaabb	babbaa	b a b
123456	615243	615243	615243	615243	615243	12 34 56
derniers mots :	de la str. 1	de la str. 2	de la str. 3	de la str. 4	de la str. 5	de la str. 1

Raymond Queneau, très intéressé par cette combinatoire, a fait la théorie de la *quenine*, une généralisation à partir de la sextine.

En 1829, dans les notes de ses *Orientales*, Victor Hugo cite la traduction en prose d'un « pantoum », chant originaire de Malaisie. Banville attribue à son contemporain, Charles Asselineau, la mise au point en français des règles du *pantoum* ou *pantoun*. C'est un poème composé de strophes de quatre vers, dans lequel le deuxième et le quatrième vers de chaque strophe deviennent respectivement le premier et le troisième vers de la strophe suivante. D'autre part, deux sens doivent être poursuivis parallèlement, l'un dans la première moitié de chaque strophe, l'autre dans la seconde. Le poème de Baudelaire, *Harmonie du soir*, est un pantoum.

Le *sonnet*, emprunté aux poètes italiens, est la seule forme fixe qui ne contienne pas de refrain. Ronsard fixa la structure du sonnet régulier français (abba abba ccd ede) et imposa l'alternance des rimes féminines et masculines. Au XIXe s., Baudelaire redécouvre le sonnet et l'impose comme la forme privilégiée de l'expression poétique, qui sera reprise par tout le courant symboliste.

Dans les poèmes à forme fixe, les vers de même longueur riment habituellement ensemble. Dans ses quatrains, Paul-Jean Toulet, au début du XXe s., s'applique à faire le contraire et forge le terme de *contrerimes*.

▶ BANVILLE Th. de, *Petit traité de poésie française*, Paris, Charpentier, 1883 ; *Odes funambulesques*, Paris, Poulet-Malassis, 1857. — GRAMMONT M., *Petit traité de versification française*, Paris, A. Colin, 1965. — LARTIGUE P., *L'hélice d'écrire : la Sextine*, Paris, Les Belles Lettres, 1994. — VOISSET G., *Histoire du genre pantoun*, Paris, L'Harmattan, 1998.

Michèle BENOIST

→ *Ballade ; Chanson ; Complainte ; Forme ; Lai ; Poésie ; Sonnet ; Vers, versification.*

FORTUNE → Succès

FRAGMENT

Au sens premier, le fragment est ce qui reste d'un ouvrage ancien, résidu d'une totalité que les hasards de l'histoire nous ont fait parvenir. En ce sens, il constitue un témoignage du passé qu'il aide à comprendre et à reconstituer. On peut également le définir comme un extrait, tiré de manière volontaire, d'un livre, d'un discours. Cependant, en un troisième sens du terme, il désigne une sorte de genre, car s'est développé très tôt une esthétique du fragment où celui-ci est considéré pour lui-même, sans référence à une organisation englobante. En ce sens, il est parfois devenu un emblème d'une certaine modernité.

Dans la pratique, le fragment risque toujours de se confondre avec ce qui *reste* d'un texte. Le problème se pose notamment avec les textes de l'Antiquité. Ainsi, la philosophie d'Héraclite nous est très partiellement connue sous forme de fragments écrits dans un style lapidaire et paradoxal. Cependant, les « pensées détachées », sur le modèle des écrits de Marc-Aurèle, le « style coupé » intéressent nombre d'auteurs et de lecteurs dès le début du XVIe s. Ainsi, les *Adages* d'Érasme, qui paraissent en 1500, constituent un des grands succès de librairie de l'époque. De même, la liberté des *Essais* de Montaigne (1580) est liée au refus de produire un texte lisse, aux liaisons bien claires. Dès lors, à la croisée de la sentence et de la tradition instaurée par le recueil de fragments antiques, se développe une pratique du fragment dont la première apparition explicite est sans doute le « fragment d'une histoire comique » que donne la *Première journée* de Théophile de Viau (1623). Les *Maximes* de La Rochefoucauld (1665), les *Pensées* de Pascal (1670), les *Caractères* de La Bruyère (1688), parmi d'autres, participent de cette logique du discontinu qui « privilégie toujours la relance du questionnement et excite l'insatisfaction » (Heyndels, 1985, p. 14). Ce qui est perçu comme un manque de cohérence par les tenants d'un discours harmonieux correspond pourtant à la recherche d'un nouveau langage dans un monde où l'unité et les certitudes ne semblent plus évidentes.

La réflexion des romantiques allemands, à cet égard, a été déterminante. Pour ceux-ci, l'exigence fragmentaire correspond à une crise qui déborde le littéraire et touche aussi des domaines comme la morale, la politique, le religieux, l'art. La volonté de totalisation semble devenue impossible à satisfaire et le fragment en est la trace, le signe. L'écriture fragmentaire d'un écrivain comme Cioran, au XXe s., se situe manifestement dans cette lignée, celle des *Fragments d'un discours amoureux* de Barthes (1977), de même.

Paradoxalement, l'impossibilité d'achever, de clore le livre, devient alors le moteur même de l'écriture. L'écriture fragmentaire n'est pas « sans queue ni tête » mais « à la fois tête et queue, alternativement et réciproquement », comme l'écrivait déjà Baudelaire dans la dédicace à Arsène Houssaye des *Petits Poëmes en prose* (26 août 1862), associant ainsi la fragmentation, sans utiliser le mot, à une circularité propre à la ville moderne. Une telle conception a joué aussi un rôle dans le développement, au XXe s., d'un roman refusant la linéarité du récit et favorisant la multiplication des pistes de lectures au détriment de l'homogénéité du propos et de l'approfondissement psychologique des personnages. Il se voit alimenté en cela par l'influence grandissante des médias, qui imposent un fractionnement de l'information et renforcent l'impossibilité de porter un regard englobant sur le monde, reprenant dans un contexte radicalement différent la réflexion à l'œuvre chez les Romantiques allemands. *Manhattan Transfer* (1925) de Dos Passos apparaît en ce sens comme le modèle d'une littérature qui a fait florès depuis cette époque jusqu'à aujourd'hui. Elle insiste sur la fluidité de notre monde et sur la difficulté de circonscrire précisément une pensée, laissant place aux apories et aux contradictions inscrites dans la forme même du texte.

De Valéry à Barthes en passant par Blanchot, une grande partie de la littérature et de la théorie littéraire contemporaines a fait évoluer la réflexion sur le fragment, symptôme d'une crise des genres aussi bien que du sujet, de l'auteur et du lecteur.

Entre un projet intellectuel fondé sur l'inachèvement, le refus de la prétention à l'exhaustivité, et les parties éparses retrouvées d'un manuscrit, les différences sont notoires. À cela s'ajoute le cas de figure assez fréquent dans l'histoire où des fragments écrits par un auteur sont rassemblés après coup en un tout ordonné, ce qui ne manque pas de paraître contradictoire. Comment interpréter par exemple l'organisation des *Pensées* de Pascal après sa mort ? « Avec la pensée pascalienne, sommes-nous confrontés à un processus de fragmentation ? Produit ou procès ? Et quel produit, si produit il y a ? Restes d'un livre perdu ou morceaux d'un livre qui n'a pu être terminé ? Si procès, quel procès ? Psychologique, mental, spirituel, mystique, philosophique ? » (Marin, 1990, p. 12). Questions complexes, tributaires de la définition que l'on choisit pour le terme, et de l'origine souvent problématique des textes rassemblés.

Ruines, résidus, inachèvement, incohérence, refus de la totalité, textes en éclats : autant de termes, d'expressions qui tendent à définir le fragment de manière négative. Ce peut être une manière de le distinguer d'autres formes brèves, selon Philippe Lacoue-Labarthe et Jean-Luc Nancy : « Si d'une part il n'est pas pur morceau, de l'autre il n'est pas non plus aucun de ces termes-genres dont se sont servis les moralistes : pensée, maxime, sentence, opinion, anecdote, remarque. Ceux-ci ont plus ou moins en commun de prétendre à un achèvement dans la frappe même du "morceau". Le fragment au contraire comprend un essentiel inachèvement » (*L'absolu littéraire*, 1979, p. 62). Alors que chaque maxime est marquée par sa clôture, le fragment se signale au contraire par sa discontinuité ainsi que par le mélange et la variété des objets qu'il est alors possible de traiter. Mais l'affirmation concernant la maxime peut également être avancée pour le recueil, dont l'objectif est de convaincre son lecteur, de poser les questions et de tenter d'y répondre d'un même souffle. La « frappe » tiendrait alors à l'unité et à la cohérence de l'ensemble, maîtrise à laquelle, pourrait-on dire, le fragment tente d'échapper.

La radicale ouverture du fragment, les brèches qu'il autorise dans la pensée, comportent en ce sens un risque cognitif. Sa volonté de laisser les questions ouvertes peut provoquer des contresens graves. Le cas le plus spectaculaire au XXe s. a été la déformation par les nazis de la pensée elliptique et aphoristique de Nietzsche, réduite à un chant en l'honneur de l'esprit de grandeur du peuple allemand.

Le fragment peut-il, comme la maxime, être défini en fonction d'un modèle générique ? L'équivoque du genre fragmentaire et les ambiguïtés qu'il soulève brouillent la typologie des genres. Des textes peuvent se construire sur le mode du fragment, cela ne les « réduit » pas pour autant au « genre fragmentaire » ; mais il est clair en même temps que le roman, l'essai, l'ouvrage philosophique ainsi constitués trouvent souvent mal leur place dans la taxinomie propre aux classifications conventionnelles.

La force du fragment tient à la part d'indécidable qui l'anime. Il rejoint en ce sens ce qu'une partie de la critique définit comme une « essence » de la littérature, son énigmaticité ou son incomplétude. Le paradoxe des objets-livres composés de fragments tient au fait que cette constellation d'éléments se prête aisément à des lectures constamment variables et créatives. Les *Fragments d'un discours amoureux* de Barthes, par exemple, se lisent comme un livre. On peut y saisir « l'unité de l'ensemble [...], comme constituée en quelque sorte hors de l'œuvre, dans le sujet qui s'y donne à voir » (Lacoue-Labarthe et Nancy, 1979, p. 58). Dès lors se pose la question de la lecture face à un objet où l'intention d'ouverture explicite est portée à son extrême limite, où la rupture et la relance sont constitutives du texte. Dans *S/Z*, Barthes rêvait d'établir « un inventaire historique des formes de la parole amoureuse » (1976, [1970], p. 182), entreprise à laquelle on peut lier, au moins en partie, les *Fragments d'un discours amoureux* (1977). Mais c'est surtout le terme d'« inventaire » qui retient ici l'attention, puisqu'il offre du fragment un autre motif, celui de la liste, de l'énumération. De Flaubert (*Bouvard et Pécuchet, Dictionnaire des idées reçues*, 1881, posth.) à Georges Perec en passant par de nombreux textes poétiques (par exemple Gertrude Stein), de tels écrits recoupent la logique du fragment ; que l'on pense par exemple à cette longue litanie, sans ordre précis, que constitue *Je me souviens* de Perec (1978), mélange de souvenirs tantôt intimes, tantôt communs à toute une génération de Français. Certes, le fragment, dans sa discontinuité, ne peut être considéré comme équivalent de l'inventaire. Mais ce rapprochement montre la complexité et la richesse de l'esthétique du fragmentaire et l'importance des questions épistémologiques qu'elle soulève.

▶ ESCOLA M., *Introduction* de *La Bruyère, Les caractères*, Paris, Champion, 1999. — HEYNDELS R., *La pensée fragmentée : discontinuité formelle et question du sens (Pascal, Diderot, Hölderlin et la modernité)*, Liège, P. Mardaga, 1985. — LACOUE-LABARTHE P. & NANCY J.-L., *L'absolu littéraire. Théorie de la littérature du romantisme allemand*, Paris, Le Seuil, 1979. — MARIN L., « L'écriture fragmentaire et l'ordre des *Pensées* de Pascal », dans B. Didier et J. Neefs (dir.), *Penser, classer, écrire*, Paris, PUV, 1990, p. 11-26. — MICHAUD G., *Lire le fragment*, Montréal, Hurtubise HMH, 1989.

Jean-François CHASSAY

→ *Arts poétiques ; Énigme ; Formes brèves et sententiales ; Maxime ; Recueil ; Romantisme.*

FRANCE

La France littéraire désigne, non pas tant une communauté linguistique que la réalité politique et nationale dont l'évolution est liée, plus que pour tout autre pays, à celle de sa littérature. En effet, en France, un lien proprement politique, avant que d'être sociologique, s'est établi entre l'histoire d'une nation, sa tradition littéraire et son identité.

La littérature française a pris conscience de son identité nationale en même temps que de son existence. Alors que, au Moyen Âge, les œuvres composées en langue vulgaire – et non en latin – se présentent comme écrites en « roman », les poètes de la Renaissance ont conscience de travailler à l'invention d'une littérature « française ». Sébillet publie un *Art poétique françoys* (1548), Du Bellay une *Deffence et illustration de la langue françoyse* (1549), Ronsard un *Abrégé de l'Art poétique françois* (1560). L'emploi de l'adjectif n'est pas encore banalisé : ces humanistes entendent bien à la fois affirmer la singularité de la France par rapport à ses voisins, notamment l'Italie, et se présenter comme les héritiers de la culture antique, référence alors incontestée. D'emblée, l'affirmation d'un modèle national va ainsi de pair avec la prétention à l'universalité. Cette paradoxale association du nationalisme et de l'universalisme reste une marque de l'idéologie littéraire française.

Les rois centralisateurs du XVIIe s. font de la culture l'une des manifestations de leur prééminence

nence sur le royaume, au détriment des cultures et des dialectes provinciaux : la littérature devient une affaire d'État, par le jeu du mécénat et par le rôle de codification de la langue dévolu à l'Académie – qui, après avoir envisagé de se nommer « royale », fait le choix significatif de l'adjectif « française ». L'histoire littéraire française, qui naît alors, porte l'empreinte d'une quête du caractère national et dominant, de la littérature. Au XVIIIe s., tout en s'ouvrant à la pensée anglaise, la littérature française tend à dominer l'Europe tout entière au travers du prestige et de l'esprit policé dont elle revendique l'apanage. Lorsque les romantismes anglais et allemand tendent à s'imposer à leur tour, avec toujours plus d'évidence, l'impérialisme de Napoléon Ier privilégie le néoclassicisme antiquisant. Avec la IIIe République, lorsqu'elle tourne résolument le dos à l'ancien État monarchique et clérical dont la tradition catholique avait longtemps été le principal ciment et qu'elle exalte la nation dans le désir de préparer la revanche de la guerre de 1870, les grands auteurs de la littérature française sont révérés dès l'enseignement primaire et leurs noms ornent les plaques de rues et les bâtiments publics. Symboliquement, le Panthéon est consacré au culte des grands hommes à l'occasion des funérailles nationales faites à Victor Hugo, en 1885. Le peuple de France est convié à s'identifier à sa littérature et à communier dans ce respect avec les élites sociales : cette unanimité, exceptionnelle dans le temps comme dans l'espace, coïncide avec un âge d'or de la littérature française, qui assure à ses représentants, du moins jusqu'aux années 1950, un extraordinaire prestige international, au-delà de l'espace francophone.

Mais à la fin du XXe s., l'enseignement des Lettres a cessé de dominer le système éducatif national et, d'autre part, la mondialisation économique de la culture semble menacer le modèle français. En effet, dans le pays même, le livre voit sa prééminence de plus en plus disputée par d'autres objets culturels, et dans le monde, la littérature écrite et publiée en France n'apparaît plus comme première ni ne peut prétendre à détenir un privilège d'universalité au sein d'une production pluriculturelle et plurilingue.

Le cas de la France soulève le problème théorique général des rapports entre le politique, l'identité nationale et le littéraire. Historiquement, en France, la littérature est aussi un enjeu de politique nationale, et l'une des formes d'expression au moyen desquelles l'État et la société cherchent à se pérenniser. Par l'École, mais aussi par les instances d'un champ littéraire très fortement structuré, la littérature y est consciente de son rôle de mémoire collective. De là, sans doute, l'importance des commémorations, les « célébrations nationales », dans la culture française, symptôme probable de son désarroi devant un statut moins assuré de la littérature nationale, et donc du rôle de la France et de sa culture dans le monde. Le retour incessant d'un débat sur la crise de la littérature a aussi les mêmes significations.

► BÉNICHOU P., *Le sacre de l'écrivain (1750-1830). Essai sur l'avènement d'un pouvoir spirituel laïque dans la France moderne*, Paris, Corti, 1973. — BURGUIÈRE A. & REVEL J. (dir.), *Histoire de la France. L'espace français*, Paris, Le Seuil, 1989. — ESPAGNE M. & WERNER M. (dir.), *Philologiques III. Qu'est-ce qu'une littérature nationale ? Approches pour une théorie interculturelle du champ littéraire*, Paris, MSH, 1994. —PARKHURST FERGUSON P., *La France, nation littéraire*, Bruxelles, Labor, 1991.

Alain VAILLANT

→ *Centre et périphérie ; Enseignement de la littérature ; Francophonie ; Identitaire ; Langue française (Histoire de la) ; Mécénat ; Mondiale (Littérature) ; Nationale (Littérature) ; Politique.*

FRANCOPHONIE

Le substantif « francophonie », correspondant à l'adjectif « francophone », désigne d'abord une notion de sociologie linguistique : c'est le fait de parler le français mais surtout le regroupement des individus et des peuples qui parlent le français, soit comme langue maternelle, soit comme langue courante, et par extension, ceux qui le parlent comme langue officielle ou comme langue de communication internationale, éventuellement comme langue de culture ou de communication occasionnelle.

La Francophonie (avec un *F* majuscule) est, elle, une notion politique : le regroupement des États et gouvernements des pays utilisant le français. Institution structurée, elle est encore jeune ; en plus de sa vocation initiale de coopération culturelle et technique (1970), sa vocation politique a été affirmée depuis 1995.

Les mots francophone et francophonie ont été créés par le géographe français Onésime Reclus (*France, Algérie et colonies*, Hachette, 1880). Ces néologismes, ressentis comme colonialistes, furent oubliés pendant près d'un siècle. On leur préféra des périphrases : « de langue française », « d'expression française », « partiellement ou entièrement de langue française », jusqu'à ce que les journalistes et les politiciens remettent les termes « francophone » et « francophonie » à l'honneur après le premier Sommet de l'organisation correspondante à Paris en 1986.

L'appellation officielle « Conférence des chefs d'État et de gouvernements *ayant en commun l'usage du français* » est devenue en 1993, à la suite d'une proposition de M. Druon, secrétaire perpétuel de l'Académie française, *ayant le français en partage*. Toutefois, les médias rebutés par la longueur de ce titre et peu impressionnés par l'altruisme latent l'ont vite ramené à « Sommet de la Francophonie ». Ce qu'on retiendra de la périphrase, c'est que si les pays de la francophonie ont reçu le français en partage, ils peuvent en disposer comme d'un héritage et donc le modifier au gré de leurs besoins.

Au regard des ressortissants du tiers monde, la Francophonie n'a pas complètement perdu ses présupposés idéologiques. Plusieurs y voient encore le « bras armé de la France » (G. O. Midiohouan, *Du bon usage de la francophonie, essai sur l'idéologie francophone*, Porto-Novo, CNPMS, 1994). Pour ces raisons, on a d'abord, pendant toute la première moitié du XXe s., utilisé le mot « francité ». Il existe une Maison de la Francité à Bruxelles, des mouvements de la francité au Québec. Mais le terme a perdu de son attrait avec la banalisation du mot francophonie.

Sur le plan littéraire, on a opposé d'abord la littérature française à la littérature francophone. On publie encore en 1992 une *Anthologie de* la *littérature francophone* (Nathan). Depuis la fin des années 1980 toutefois, les spécialistes refusent le singulier pour parler *des* littératures francophones. En effet, même si la plupart de ces littératures sont nées d'un processus post-colonial assez voisin, avec le temps les différences s'avèrent criantes, tant leurs processus et conditions de développement sont variés. Toutes posent néanmoins des questions liées à l'identité et à la littérature nationale, et leur interaction est à penser dans le cadre de l'opposition entre centre et périphérie. De fait, aujourd'hui même, la littérature française, ancienne et prestigieuse, n'est que rarement incluse dans l'appellation globale.

L'histoire de la langue et de la culture françaises présente un certain nombre de caractéristiques spécifiques qui permettent de comprendre que les pays où la langue française est une langue nationale (comme la Suisse, la Belgique, le Luxembourg ou le Québec) et les pays où elle est issue d'une situation coloniale entretiennent avec la France une relation très différente de celle qui unit l'Espagne à l'hispanité ou l'Angleterre aux pays de l'ancien Commonwealth. Dans le domaine littéraire, cette situation se traduit par une dialectique complexe, où interviennent, de manière parfois contradictoire, des logiques politiques, culturelles, historiques et postcoloniales. Les tensions qui en résultent se traduisent dans les anthologies ou les pratiques d'enseignement. Rousseau, citoyen de Genève, est-il seulement un grand nom de la littérature française ou, déjà, un auteur suisse ? Le Prince de Ligne, qui vit dans son château de Belœil à la fin du XVIIIe s., doit-il être exclu de la littérature belge, tandis que Georges Rodenbach, qui naît à Tournai en 1855, à quelques kilomètres de Belœil, serait, lui, typiquement belge ? Et Edouard Maunick, qui fait sa carrière littéraire à Paris au XXe siècle, est-il un écrivain français ou un auteur malgache de langue française ? Ces questions ne peuvent recevoir de réponses définitives, car elles signalent des enjeux toujours mouvants, qui sont ceux d'un champ dont les frontières sont redéfinies en permanence. Il convient donc de prendre simultanément en compte l'organisation du champ littéraire partiellement indépendant où les littératures francophones se réalisent, et la structure du champ central. Un va-et-vient entre ces niveaux permet d'éprouver la validité d'une conception de la francophonie qui ne soit ni le carcan des « littératures francophones hors de France », ni l'unanimité fallacieuse – et politiquement ambiguë – d'une « communauté de locuteurs ». En ce sens, la francophonie est toujours une notion problématique, dont l'intérêt se mesure autant aux questions qu'elle contribue à poser à la littérature de France qu'aux réalités autres qu'elle permet de dessiner.

▶ COMBE D., *Poétiques francophones*, Paris, Hachette, 1995. — MOURA J.-M., *Littératures francophones et théorie postcoloniale*, Paris, PUF, 1999. — TÉTU M., *Qu'est-ce que la francophonie ?*, préface de J. M. Léger, Paris, Hachette-Edicef poche, 1997. — Coll. : « Langue, écriture, francophonie », *Revue de l'Institut de sociologie*, Bruxelles, 1990-1991. — *Littérature francophone*, C. Bonn, X. Garnier & J. Lecarme (dir.), Paris, Hatier, 3 vol., 1997.

Michel TÉTU, Paul ARON

→ *Centre et périphérie ; Coloniale (Littérature) ; Identitaire ; Langue française (Histoire de la) ; Nationale (Littérature) ; Postcolonialisme ; Régionalisme.*

G

GALANTERIE

Au sens général, la galanterie est l'art des bonnes manières, et en particulier l'art d'être agréable aux dames. En un sens particulier courant, le mot peut désigner aussi la séduction, et des amours illégitimes. En son sens historique, il désigne un modèle social de comportement distingué et un courant esthétique correspondant, apparus au XVIIe s.

Le mot « galanterie » aurait pour étymologie *galer*, qui signifie : s'amuser, manifester de la gaieté, de l'enjouement. Il existe en ce sens tout au long du Moyen Âge. En un sens dérivé, il signifie aussi la ruse, y compris celle qu'utilisent les voleurs et les escrocs, mais aussi celle des séducteurs. Au XVIIe s., il se spécifie pour qualifier un modèle de comportement social attaché à la civilité, l'art de plaire, la distinction, un raffinement de l'honnêteté : le Chevalier de Méré caractérise le galant homme comme un honnête homme mondain, qui a en plus du brio et de l'esprit vif et cultivé. Il en vient ainsi à être revendiqué comme un modèle de distinction « à la française ». Comme « libertin », il recouvre alors des acceptions contrastées, de la coquetterie ou de l'inconstance amoureuse à une qualité sociale éminente. Mais c'est également une valeur esthétique née au XVIIe s. La critique y a récemment vu un concept fédérateur de la littérature mondaine à l'âge classique et le fondement d'une tradition durable, qui touche également au théâtre, à l'opéra et à la peinture. Appliqué à la littérature, le mot a une connotation positive, revendiquée dès cette époque par les écrivains eux-mêmes. Comme telle, la galanterie se développe au lendemain de la Fronde, notamment dans l'entourage de Fouquet. Paul Pellisson, dans son *Discours* (1655 ; cf. Viala, 1989) en est le premier théoricien. Voiture et Sarasin en sont considérés comme des modèles. Des *Recueils de pièces galantes* connaissent un grand succès dans les années 1660. Melle de Scudéry, Mme de Villedieu, Quinault, Fontenelle sont des auteurs d'œuvres *galantes*, mais aussi La Fontaine, Molière, voire Racine pour certains aspects de leur œuvre. Et *La Princesse de Clèves* de Mme de La Fayette (1678) est en son temps présentée comme une « nouvelle galante ». Ce sont au total plus d'une centaine d'ouvrages de la seconde moitié du XVIIe s. qui se qualifient, dans leur titre ou leur sous-titre, comme « galants ». Le même courant s'étend aussi à l'opéra, qui se développe alors en France. Il se prolonge au XVIIIe s., dans l'opéra toujours (Rameau, *Les Indes galantes*, 1735), en peinture (Watteau, *Fêtes galantes*, 1717-1721) et en littérature, quoique avec moins de visibilité ; un écho s'en fait entendre au XIXe s. (par exemple Verlaine, *Fêtes galantes*, 1869) et au XXe s. (Morand, *L'Europe galante*, 1925).

Le style galant est avant tout « moderne ». Il tend au mélange des genres par souci d'adaptation aux attentes d'un public mondain : ainsi le genre de la « lettre galante » mêle les vers et la prose. Il revendique moins un contenu ou une forme qu'une manière, correspondant stylistique des qualités mondaines comme la facilité, l'élégance, l'ingéniosité, la clarté et la délicatesse d'un style moyen, nées de la pureté lexicale et de la netteté syntaxique, mais simultanément indéterminées par le « je ne sais quoi » qui soustrait *l'air* galant à toute pédagogie autre que l'appartenance de droit aux cercles attitrés. Sa thématique met au premier plan les formes idéalisées de l'amour. Fortement lié à la vie des salons, il fait une large place à la poésie mondaine et à l'épistolaire ; mais il s'accorde aussi aux genres modernes du roman et de la nouvelle ainsi que de l'opéra, et il s'étend jusqu'à reprendre des formes canoniques : Quinault, voire Corneille pour *Tite et Bérénice* (1670) donnent des tragédies galantes. En parallèle, conformément à l'ambivalence du terme, existe aussi une littérature vouée à la plaisanterie sur des amours illicites et qui tourne volontiers en dérision les modèles idéalisés de la pastorale, dès *Les galanteries du duc d'Ossonne* de Mairet (1636).

La galanterie impose d'abord une réflexion sur le lien entre une esthétique et un mouvement social. On peut identifier plusieurs traits définitoires propres au galant homme, à l'air, au style galant, à la femme ou à la conversation galante, aux questions galantes, etc. : la bienséance et le naturel (opposés à la fois à la grossièreté du pédant et du vulgaire et à tout particularisme professionnel ou provincial), la discrétion et l'aisance, la naïveté et la délicatesse d'une conversation qui porte tout entière la pratique sociale ludique de la séduction entre les sexes. Cette dernière condition distingue selon ses tenants la vraie galanterie de la fausse (celle du « vert galant » par exemple), aussi bien que de la passion amoureuse. Comme cette attitude se développe surtout chez des nobles et bourgeois de rang moyen promus après la Fronde, on peut voir dans l'éthos galant un instrument de promotion sociale par légitimation culturelle dans les milieux proches du pouvoir royal (A. Viala, 1989, 1999). Aussi la galanterie littéraire favorise-t-elle les genres liés, par le biais sublimé des bienséances, aux autres pratiques et formes de l'échange mondain comme la lettre, le jeu ou la conversation (dont D. Denis a souligné le rôle central dans l'œuvre de Madeleine de Scudéry), prône la diversité et la gaieté (placées par La Fontaine au cœur de la poétique des *Fables*), s'exerce à la subtilité de l'analyse morale dans les romans et se donne comme maître mot l'agrément du lecteur. Par cette insertion des relations mondaines dans la littérature, par l'intégration inverse de la fiction littéraire dans le commerce des honnêtes gens, la littérature galante ouvre la voie au principe du divertissement gratuit et prépare l'émancipation du plaisir, du goût et de l'« esprit » propres au siècle du marivaudage et des *Fêtes galantes* (en peinture). Elle est évidemment toujours menacée de céder à l'affèterie et d'être taxée de préciosité, ce dont les « galants » ont eu à pâtir.

Une autre dimension problématique de la notion tient à sa dualité : à côté de la galanterie de bon ton, il a existé de façon continue une galanterie de séduction, de tromperie, proche de certains aspects du libertinage. L'ambivalence fait que la « belle galanterie » ne cesse de se définir et se justifier face à cette péjoration possible.

Une troisième problématique, enfin, est d'histoire littéraire. Pour des raisons idéologiques et polémiques, l'histoire littéraire n'a eu de cesse de réitérer les notions exogènes de classique et de baroque, voire de maniérisme, et a de ce fait occulté la galanterie, phénomène pourtant attesté sous ce nom en son temps (comme « Lumières » ou Romantisme, dont la même tradition d'histoire littéraire a fait grand usage). Le recours à la catégorie « galanterie » contribue à la contextualisation effective des pratiques littéraires du Grand Siècle. Il permet également de comprendre la persistance ensuite et jusqu'aujourd'hui du terme et des attitudes correspondantes dans les modèles sociaux et les mentalités.

▶ DANDREY P., *Molière ou l'esthétique du ridicule*, Paris, Klincksieck, 1992. — DENIS D., *La muse galante*, Paris, Champion, 1997 ; *Le Parnasse galant*, Paris, Champion, 2001. — GÉNÉTIOT A., *Poétique du loisir mondain de Voiture à La Fontaine*, Paris, Champion, 1997. — HEPP N., « La Galanterie », *Les lieux de mémoire*, t. III, Paris, Gallimard 1992. — VIALA A., *L'esthétique galante*, Toulouse, SLC, 1989 ; « L'éloquence galante. Une problématique de l'adhésion », *Images de soi dans le discours*, R. Amossy (éd.), Lausanne, Delachaux et Niestlé, 1999.

Alain VIALA

→ *Baroque ; Classicisme ; Éthos ; Goût ; Honnête homme ; Je ne sais quoi ; Libertinage ; Modernités ; Préciosité ; Salons littéraires.*

GENDER → Rapports sociaux de sexe

GÉNÉRATION LITTÉRAIRE

La notion de génération permet de désigner des ensembles d'auteurs qui ont sensiblement le même âge et dont on suppose dès lors qu'ils ont été façonnés et déterminés par les mêmes circonstances et le même contexte. Elle est utilisée pour discerner dans l'histoire littéraire, au sein des grandes périodes, des sous-ensembles, des durées plus brèves. Elle propose en même temps un principe explicatif du changement, fondé sur la dynamique du « conflit des générations » et du « remplacement des pères par les fils » (K. Mannheim).

Selon P. Nora, le modèle générationnel remonte à la Révolution française et au brusque rajeunissement du personnel politique qu'elle a entraîné. Notion d'abord politique et juridique (« le droit des générations » est inscrit par Condorcet dans l'article 30 de la *Déclaration des droits de l'homme* de 1793), elle est devenue au XIXe s. un mode de périodisation fondé sur un repérage empirique et sensible dont l'archétype est la grande génération romantique de 1820. Dès 1839, A. Comte, dans son *Cours de Philosophie positive*, a cherché à théoriser l'usage de la notion, inaugurant une réflexion méthodologique qui se prolonge aujourd'hui encore. L'*Histoire de la littérature française de 1789 à nos jours* d'A. Thibaudet (1936) en fait large usage. Il explique les évolutions littéraires par ce moyen. La réflexion théorique la plus poussée est celle du disciple de Lanson, H. Peyre (*Les générations littéraires*, 1948), ou du sociologue allemand K. Mannheim.

En se fondant sur l'âge des écrivains, la périodisation par générations propose un découpage relativement neutre. La notion de génération permet ainsi d'examiner, pour un groupe donné d'auteurs, non pas un même rapport à l'histoire, mais plutôt leurs rapports à la *même histoire*, telle qu'elle implique une série de déterminations communes, auxquelles chaque écrivain, ou chaque groupe d'écrivains, est susceptible de réagir différemment, selon des modalités et des sensibilités qui permettent de reconstituer leurs divergences esthétiques. Elle peut subsumer les habituelles distinctions entre courants, écoles ou mouvements. Elle se révèle dès lors utile pour rendre compte de périodes où se superposent et coexistent divers courants esthétiques : sans être effacé, l'ensemble des différences entre les auteurs se trouve ramené à une matrice commune, qui est le contexte historique général. Cependant, le découpage par générations démographiques, sitôt qu'il veut substituer au repérage intuitif une approche précise et méthodique, pose plusieurs problèmes. D'une part, il est souvent aléatoire de segmenter le continuum ininterrompu des naissances, lequel ne présente pas en lui-même de ruptures claires : comment déterminer le rythme de renouvellement générationnel (Thibaudet le fixait à trente ans, Peyre à dix...), comment fixer précisément le moment où apparaît une nouvelle génération, etc. ? À défaut de réponses, ce sont les dates majeures de l'histoire politique qui jouent souvent le rôle de pivot dans le découpage (la génération de 1848, celle de mai 68, etc.), ce qui revient à rétablir le poids de l'histoire événementielle, au détriment des évolutions profondes et moins apparentes qui jouent néanmoins un rôle déterminant dans les mentalités. D'autre part, la périodisation par générations démographiques ne tient pas compte de la temporalité interne du champ littéraire. Or on y observe souvent que s'associent, dans une même mouvance esthétique, des producteurs d'âges sensiblement différents. Par exemple, la Pléiade regroupe des poètes d'âges biologiques différents ; à la même époque, Montaigne commence à écrire à près de 40 ans, et alors que l'apogée de la Pléiade est passé, mais sa formation s'est faite bien avant ; au XIXe s., Verlaine est pris pour figure de proue par des poètes plus jeunes que lui au moment où prend forme le symbolisme. La notion de génération peut cependant être utile, si elle intègre une idée comme celle de l'« âge artistique » (Bourdieu), c'est-à-dire si elle prend en compte le moment où un auteur entre en activité, puis s'affirme, et les esthétiques qui le marquent alors, et pas seulement son âge d'état civil.

▶ BOURDIEU P., *Les règles de l'art. Genèse et structure du champ littéraire*, Paris, Le Seuil, 1992. — MANNHEIM K., *Le problème des générations* (1928), Paris, Nathan, 1990. — NORA P., « La génération » dans *Les lieux de mémoire*, t. 2, Paris, Gallimard, 1997, p. 2975-3015. — PEYRE H., *Les générations littéraires*, Paris, Boivin et Cie, 1948. — THIBAUDET A., *Histoire de la littérature française de 1789 à nos jours* (1936), Paris, Stock, 1969.

Benoît DENIS

→ *Cénacle ; Champ littéraire ; Histoire littéraire ; Périodisation ; Sociologie de la littérature.*

GÉNÉTIQUE (Critique)

La critique génétique porte sur l'acte d'écrire : elle étudie une œuvre à travers sa rédaction. Elle s'intéresse donc aux manuscrits mais aussi aux variantes et, en amont, aux brouillons, aux notes préparatoires, aux dessins et schémas de départ, aux outils d'écriture, voire à la qualité du papier employé et à la calligraphie d'un auteur.

La critique génétique s'est développée en France sous l'impulsion d'un groupe constitué autour de L. Hay, à l'ENS Ulm, puis institué en centre de recherche du CNRS, l'ITEMM (Institut des textes et manuscrits modernes). À ses débuts (1970), elle manifestait une volonté de sortir de l'idéologie du texte clos imposée par le structuralisme. Ainsi a-t-elle remis l'auteur en jeu, dans une perspective psychanalytique, chez J. Bellemin-Noël dans un ouvrage précurseur qui porte attention aux brouillons de l'écrivain : *Le texte et l'avant-texte* (1972). Elle est active surtout depuis les années 1980, avec des publications à caractère théorique (par exemple Hay, 1993 ; Grésillon, 1994), historiques (*L'auteur et le manuscrit*, sous la dir. de M. Contat, 1991 par exemple) et analytique (De Biasi, *Flaubert*, 1999). Elle propose une approche des cheminements de la création littéraire, du « travail » de l'artisanat des mots. Ainsi, dans son ouvrage de synthèse paru en 1994, A. Grésillon analyse les ratures et reprises des auteurs comme indices de ce travail, et les différences entre ratures d'écriture et de lecture (réécriture dans la marge) ; elle distingue des écritures « à programme » (E. Zola, selon Hay), impliquant une longue préparation initiale, et des écritures « à processus » (par exemple M. Proust). La critique génétique se nourrit d'archives et suppose la conservation par l'écrivain de ses documents de travail et/ou le legs de ceux-ci à des institutions (par exemple Hugo a fait don par testament de ses manuscrits à la Bibliothèque Nationale ; Aragon les remet au CNRS, Robbe-Grillet à l'IMEC). Aussi l'entreprise généticienne dépend de l'existence de telles instances de conservation des manuscrits d'écrivains, laquelle n'a pris de substance qu'avec l'affirmation juridique du droit d'auteur. Ensuite, elle suppose le développement des techniques de reproduction des manuscrits originaux. Une charte de l'UNESCO (1987) considère désormais que les manuscrits modernes relèvent du patrimoine culturel.

La pratique scripturale inachevée, dans ses errements et ses corrections, manifeste ce qui sépare l'intention première d'un écrivain et l'œuvre produite, l'espace des opérations qui génèrent le texte. La critique génétique analyse les manières d'écrire en prenant comme objets les brouillons et les notes, mais aussi l'élaboration rédactionnelle, les ajouts manuscrits sur épreuves, les ratures, etc., traces de gestes en eux-mêmes signifiants par rapport à l'œuvre achevée. Ainsi la rature peut-elle être regardée comme un signe de « méta-énonciation » (H. Mitterand), par laquelle un écrivain juge son travail. À partir de cela, la génétique ne vise pas à donner un texte qui serait le plus « définitif » possible, mais à présenter, décrire et analyser un « chantier » pour en tirer des moyens de mieux comprendre les actes de l'« ouvrier » à l'œuvre.

Sur ce substrat, plusieurs aspects de la génétique sont encore à délimiter, ou sont objets de débats. Cela tient pour partie à la diversité d'intérêts des chercheurs qui s'inscrivent dans ce courant. Pour certains en effet, l'étude des manuscrits et des variantes s'apparente au travail philologique ; pour d'autres, elle rejoint l'analyse des sources et des influences, les notes et biffures permettant d'identifier un certain nombre d'éléments d'intertextualité. Mais pour tous, et cela constitue une seconde difficulté, intrinsèque, de l'étude génétique, elle sollicite, en même temps qu'un travail descriptif, un travail d'interprétation. Or en la matière, les cadres interprétatifs peuvent être très divers : ainsi la sociocritique peut voir dans les manuscrits la part du discursif social, le déjà-là conceptuel, idéologique ou fantasmagorique qui entre dans la fabrication du texte et que les opérations d'écriture vont transformer et masquer dans la version terminée ; la psychanalyse, elle, peut y envisager un propos qui se fraie un chemin en dépit des barrières du refoulement... Jusqu'à présent, un dialogue entre l'histoire et la critique génétique n'a pas permis d'établir une typologie des procédés de rédaction qui caractériseraient les époques et les écoles, et il ne le permettra peut-être pas. D'autant que, troisième difficulté, historique celle-là, les matériaux manquent pour les époques anciennes (les copies médiévales ne sont pas des autographes d'auteurs, et s'il existe des cas remarquables, comme les *Essais* et les *Pensées*, la documentation se réduit pour l'essentiel aux variantes éditoriales). Face à cela, G. Forestier (*Corneille à l'œuvre*) a tenté de retrouver une logique de l'élaboration des œuvres par l'analyse interne, en les confrontant avec leurs sources et en examinant comment elles suivent ou transforment celles-ci. La part – et la difficulté – d'interprétation se trouve inévitablement accrue quand le matériau-source est plus rare. La question de l'extension de l'étude génétique en amont de la seconde modernité devait pourtant être posée. Elle le sera sans doute en aval. En effet, beaucoup d'auteurs aujourd'hui travaillent directement sur ordinateur, et les traces des états du texte risquent de disparaître ; certes, des logiciels peuvent les enregistrer, et l'apport technologique sera peut-être considérable, ou bien il sera nul si les supports ne permettent pas la conservation...

▶ BELLEMIN-NOËL J., *Le texte et l'avant-texte*, Paris, Larousse, 1972. — GRAFTON A., *Les origines tragiques de l'érudition. Une histoire de la note en bas de page*, Paris, Le Seuil, 1998. — GRÉSILLON A., *Éléments de critique génétique*, Paris, PUF, 1994 (avec une bibliographie très complète). — HAY L. (éd.), *Les manuscrits des écrivains*, Paris, Hachette/CNRS, 1993. — Coll. : « Enjeux critiques », *Génésis*, 1994, 6.

Jean-Maurice ROSIER

→ *Création littéraire ; Écriture ; Énonciation et énoncé ; Illustration ; Manuscrit ; Péritexte ; Philologie ; Texte.*

GÉNIE

En son sens usuel, le « génie » designe la force créatrice de l'écrivain ou de l'artiste, surtout quand elle est extraordinaire. Par métonymie, on appelle aussi « génie » l'artiste doué de cette puissance. Le sens originel est plutôt celui de « tempérament, disposition individuelle ».

Apparue sporadiquement au XVIe s., la notion a, sous la plume de Du Bellay, par exemple, son sens latin de *genius* (ange gardien, *daimon*, dieu personnel). Son succès – en essor à partir de la seconde moitié du XVIIIe s. – est dû en partie à une double étymologie, qui permet d'insister tantôt sur les forces « démoniques » (*genius*), tantôt sur l'intelligence organisatrice (*ingenium*).

Au siècle de Boileau, la notion est loin d'avoir le sens qu'elle prend ensuite à l'époque romantique. Un écrivain était alors censé devoir connaître son « génie », au sens étymologique du mot – la complexion originelle de son esprit – pour ne pas se tromper de voie. Loin de rendre hommage aux pouvoirs illimités de l'esprit, on raisonnait en termes de limites « génétiques « à ne pas excéder. Honnis ceux qui auraient cru que « le seul caprice d'un génie aveugle et fougueux est préférable [...] à la conduite d'un écrivain judicieux qui observe tous les préceptes » (La Mesnardière).

Partant de ces prémisses, le passage au romantisme n'a pu être que progressif. Dans le cours du XVIIIe s., trois conceptions du génie coexistent. Selon les philosophes « beaux esprits » du début du siècle (La Mothe, l'abbé du Bos), le génie a d'abord été conçu, non comme une création divine *ex nihilo*, mais comme une grande agilité intellectuelle. À l'âge encyclopédique (1750-1775), le « génie » est apparu comme une énergie d'invention donnée par la nature à « l'homme sensible », mais sans qu'on insistât encore sur les disparates et les maladies qu'il entraîne. Ce n'est qu'à partir de l'âge préromantique (1775 et au-delà) que la notion se charge de sacralité, désignant un être exceptionnel tant par ses dons de création que par les malheurs que ce don, incompris par ses contemporains ordinaires, lui vaut.

Ainsi, le XVIIe s. et les premières Lumières considèrent le « génie » comme une affaire de « tempérament ». Toutes les facultés intellectuelles étaient censées y participer – l'attention, la raison, et pas seulement l'imagination. Le génie n'était pas alors *genius* démonique, mais *ingenium* en état de grâce. Cette interprétation rationaliste faisait du « génie » une combinatoire apte à saisir des rapports inaperçus du commun des mortels. De sorte que la conception du génie qui triomphe à partir de 1760 marque une profonde rupture. Désormais, le « génie » s'oppose à l'« esprit », au « goût » et au « talent ». On puise de nouveau dans les métaphores antiques convenues. « Ivresse », « délire », « enthousiasme » : rien de trop solennel pour ce « Dieu créateur ». L'homme de génie est un individu exceptionnel sur qui les événements du monde sensible laissent une empreinte organique plus profonde : un être remarquable par « la force de l'imagination et l'activité de l'âme » (article « Génie » de l'*Encyclopédie*, de Diderot / Saint-Lambert, 1757). De combinatoire intellectuelle exercée par un sujet disponible, le génie devient une expérience existentielle despotique qui engage « l'homme sensible » tout entier. Mais, à cette époque, le génie n'en est pas moins considéré comme un être énergique, faisant au total un usage bénéfique de son énergie. L'âge préromantique insiste, au contraire, sur la pathologie désordonnée qu'entraîne le génie. On voit désormais le « créateur » comme une fragile « créature ». Le génie n'est plus affaire de bonheur combinatoire, mais de trouble et de crise. Crise politique : le génie est tout naturellement lié aux époques de désordre et de révolution (Diderot). Crise physiologique aussi : avant Balzac, Sébastien Mercier médite sur les ravages que produit la pensée chez ces hommes « en qui l'âme ardente dessèche et ruine le corps ». C'est déjà le mythe de la « pensée qui tue ». L'égalité romantique du génie et de la folie n'est pas loin.

Repris d'abord par la « langue de bois » révolutionnaire, le mot servit à désigner, dans le registre noble, l'ensemble des hommes de lettres et des artistes : ainsi lorsqu'en 1793 Lakanal parle de sa loi en faveur de la propriété littéraire comme d'une « Déclaration des droits du génie ». À l'époque du romantisme ultra-royaliste, la notion est investie par des connotations idéologiques nouvelles : Hugo et Lamartine évoquent, tout comme Lamennais, la « royauté du génie ». Après 1830, les « mages » romantiques devenus humanitaires distinguent le génie, nanti d'un sens de la responsabilité sociale, du « poète », être inspiré mais irresponsable. Musset a une conception toute sentimentale du génie (« Ah ! frappe-toi le cœur, c'est là qu'est le génie ! »), Balzac en donne une version plus réaliste : chez lui, les génies se mettent à vivre, à avoir des dettes, des maladies et des histoires d'amour. Mais l'idée que le génie est souvent dominé par la mélancolie devient un topos. Enfin, à l'époque de *William Shakespeare* (1864) de Hugo (galerie de portraits de quatorze artistes de génie), le génie a encore une tout autre allure : responsable et paternellement secourable, il est aussi un être d'outrance et d'intempérance, un « franchisseur de limites », météore ou comète. Mais la note dominante n'en est pas moins alors dans un amalgame de romantisme social et de socialisme utopique, qui fait du génie un grand homme responsable. C'est pourquoi la religiosité stéréotypée qui se trame autour de cette conception humanitaire du génie a eu le don d'irriter la génération suivante, celle de Renan, de Proudhon et de Flaubert. L'amas des poncifs rendait un grand nettoyage nécessaire. Renan peste contre l'individualisme élitiste que suppose la notion ; Flaubert préfère manier le sarcasme contre cette « idée reçue » par excellence ; d'où la moqueuse définition que donne le *Dictionnaire des idées reçues* : « Inutile de l'admirer, c'est une névrose ». Cette conception névrotique du génie est ensuite dominante au XXe s., et les biographies de grands hommes, en particulier d'artistes et d'écrivains, en font large usage.

L'idée de génie est entrée ainsi dans le grand réservoir des stéréotypes. Ce n'est que de manière discontinue qu'elle revient faire partie de l'arsenal de la pensée esthétique : notion luxueuse, un peu archaïsante, plutôt que vecteur de réflexion. À force d'être prodigué, ce mot magique s'est usé, comme se sont usées les prestigieuses métaphores qui l'ont soutenu tout au long de son épopée sémantique.

Le génie est une de ces nombreuses notions qui ont eu pour fonction d'essayer de rendre compte du « mystère » de la création artistique. À l'époque romantique – considérée au sens large –, elle a pris la place dévolue par les Anciens, depuis Platon, à la « fureur » et l'« enthousiasme » qui dotaient le poète d'une inspiration venue des dieux. C'est à eux que l'idée primitive de *genius* était corrélée. Toutes ces notions cherchaient à expliquer le miracle que constitue l'œuvre d'art en y voyant l'expression d'une sorte de subjectivité divine, soit diffuse, soit au contraire étroitement localisée dans une personne donnée. Le « génie », c'est ainsi le nom qu'on a donné à la personnalité créatrice, sorte de Dieu caché au fond de l'homme qu'est aussi l'artiste.

L'idée de génie s'est trouvée fortement déniée, au contraire, aux époques de rationalisme, où l'accent a été mis sur le travail de l'écrivain plus que sur l'inspiration divine : l'époque classique, celle de Malherbe et de Boileau, théoriciens de l'« art » plutôt que soucieux de comprendre les mystères du don divin, mais aussi l'époque post-romantique. Pour contrer les excès de la mystique romantique de l'inspiration, Flaubert aime comparer l'écrivain au laborieux artisan et citer le mot de Buffon : « Le génie, c'est la patience. » Mais c'est à Verlaine, puis à Valéry que revient le mérite d'avoir mis en cause les impostures liées à cette notion fumeuse, et les ravages intellectuels exercés par elle : « La manie du "Génie". Erreur, ravages et destructions, stupidités et gâchage dus à l'idée du génie tel que le XVIIIe siècle et les romantiques l'ont forgée. Le delirium. Le prophétisme. L'incohérence divinisée. [...] Le trucage du hasard. [...] le désir d'avoir du génie pousse à la recherche mécanique de paraître en avoir » (*Cahiers*, 1915-1916).

On comprend alors que la notion ait disparu de la poétique contemporaine, réflexive et théorique, alors qu'elle subsiste dans le discours ordinaire. Tentée de réduire à la portion congrue la part de l'auteur, la théorie de l'art a critiqué la mystique du surhomme qui fut liée à l'idée de génie. Préférant mettre l'accent sur le texte, objet doué d'une matérialité observable, elle s'est peu souciée du génie, qualité du sujet, purement virtuelle, difficilement computable de ce fait, et concernant de surcroît l'*avant* de la production (le moment mystique de l'inspiration) ; nombre de travaux de recherche visent au contraire l'analyse de la genèse du texte par élaboration lente, choix et essais successifs.

Mais une analyse socio-historique se doit, en revanche, de tenir compte de la traversée d'une notion qui s'avère avoir été si productive et si importante, en particulier dans l'arsenal conceptuel du romantisme. Elle se doit aussi d'essayer de penser par quels autres instruments, plus ou moins avoués, on a remplacé une notion qui eût semblé irremplaçable à Diderot comme à Balzac.

▶ GRAPPIN P., *La théorie du génie dans le préclassicisme allemand*, Paris, PUF, 1952. — MATORÉ G. & GREIMAS A.-J., « La naissance du "génie" au XVIIIe siècle. Étude lexicologique », *Le Français moderne*, octobre 1957, p. 256-272. — ZILSEL E., *Le génie, histoire d'une notion de l'Antiquité à la Renaissance*, trad. de Michel Thevenaz, préf. de N. Heinich, Paris, Minuit, [1926], 1993. — ZUMTHOR P. & SOMMER H., « À propos du mot "génie" », *Zeitschrift Fur Romanische Philologie*, 1950, p. 169-201.

José-Luis DIAZ

→ *Création littéraire ; Génétique (Critique) ; Inspiration ; Mélancolie ; Poète ; Sublime.*

GENRES LITTÉRAIRES

Le mot « genre » désigne une classe d'objets qui partagent une série de caractères communs. Dans le domaine culturel, le terme recouvre deux sortes d'emplois souvent mêlés : 1) un usage théorique qui, pour les textes comme pour les autres langages, définit des règles des forme, contenu et buts visés (ainsi la tragédie implique la forme théâtrale, des événements funestes advenant à des personnages de haut rang et un but cathartique) ; 2) un emploi empirique qui, au fil de l'histoire, a opéré et opère des regroupements d'œuvres en ensembles plus ou moins stables, en mettant en avant l'un ou l'autre critère (ainsi le roman se définit comme récit, mais peut avoir divers contenus et buts, et a été subdivisé en plusieurs sous-genres). L'étude des genres constitue la poétique.

Des penseurs et des écrivains ont proposé très tôt des théories des genres. Le livre III de la *République* de Platon et la *Poétique* d'Aristote envisagent la poésie représentative (dans le narratif et le dramatique). Platon inaugure la distinction entre représentation directe (*mimésis*) et narration (*diegesis*). Aristote ne traite que de la tragédie et de l'épopée, mais il mentionne en ouverture de son ouvrage d'autres genres, en particulier le dialogue et la poésie lyrique, qu'il n'examine pas. D'autre part, la question des genres incluait aussi les genres (ou domaines, pour mieux dire) rhétoriques que Platon examine notamment dans le *Phèdre*, et Aristote dans la *Rhétorique*. Ce dernier distingue le judiciaire, le délibératif et l'épidictique dans lequel, pour une large part, la poétique antique a inclus les genres de la fiction. Les poétiques ultérieures se donnent en général comme théories des genres, surtout ceux de la fiction, plus rarement ceux de la lyrique, mais elles ignorent ou laissent souvent dans l'implicite le lien avec la rhétorique. Ainsi les « arts poétiques » latins, puis leurs prolongements médiévaux, envisagent en général une répartition des formes littéraires en trois catégories principales : épique, dramatique, lyrique ; on voit qu'il s'agit là plus de domaines, ou modes, ou registres, que de ce que l'on entend aujourd'hui par « genre ». Le lyrique est surtout abordé, à l'usage des compositeurs, dans des traités techniques qui recensent les différentes formes lyriques et précisent leur schéma métrique : les nécessités de la pratique se résolvent ainsi hors de la poétique théorique générale. D'ailleurs, on trouve au Moyen Âge des listes de formes littéraires qui font figurer côte à côte des genres lyriques et des narratifs. Une lente évolution conduit de ces catalogues mêlés aux réflexions de l'âge classique et aux tentatives ultérieures d'intégrer en une vision synthétique ce qui relève du lyrique, du narratif et du dramatique. Une telle partition domine la réflexion d'écrivains aussi différents que Ronsard ou Boileau. L'*Art poétique* de celui-ci (1674), par exemple, consacre son chant II aux genres lyriques et réserve au chant suivant l'examen de la poésie d'imitation (épopée et théâtre). L'énumération des genres lyriques n'évite pas souvent ce que G. Genette appelle une « poussière de genres ». De fait, *poétique* est entendu alors non comme théorie générale des genres, mais comme théorie des genres en vers, laissant ceux en prose à la rhétorique. Or la prose envahit progressivement le domaine de la *mimésis*, avec l'essor de la nouvelle, du conte et surtout du roman – que Boileau justement rejette. De sorte que l'âge classique – XVIIe-XVIIIe s. – conserve pour l'essentiel les cadres de la *Poétique*, mais que les pratiques en manifestent les limites. Et à son tour, le théâtre voit naître au XVIIIe s. le genre du drame, qui perturbe les distinctions établies entre tragédie et comédie. Une tentative significative est faite par Batteux dans ses *Beaux-arts réduits à un même principe* et son *Cours de Belles Lettres*. Il affirme que le *principe* des arts – littéraires et plastiques – est la mimésis, et entreprend une histoire méthodique et globale des genres ; mais elle reste incomplète. Au XIXe s., la tripartition triadique (lyrique, épique, dramatique) se développe en Allemagne dans une voie philosophique idéaliste, à partir de Gœthe et Hegel : elle est alors envisagée dans ses dimensions historiques. En France, Hugo la reprend dans la Préface de *Cromwell* (1827). Il affirme que les genres correspondent à des âges de l'humanité, le lyrique, l'épique et le dramatique étant trois grands cadres successifs, au sein desquels les différents genres particuliers se réalisent et se rangent. Il considère que le dramatique est le cadre moderne, correspondant au temps où l'homme est confronté à une histoire problématique. De là, il revendique ce que l'on a nommé par commodité le « mélange des genres », et qui est en fait mélange de tons (du grotesque et du sublime), fondamental dans le drame, mais aussi dans le roman. Car les romantiques promeuvent deux genres peu ou pas théorisés, la poésie lyrique et le roman, genres, l'un du « moi », l'autre du « monde ». Plus avant dans le siècle, l'idéal de l'« œuvre total », du « livre » ou plus simplement du « roman poétique » envisage une fusion des genres. Au XXe s., les écrivains réclament avant tout la liberté à l'égard des genres ; les surréalistes en donnent une manifestation éclatante. De son côté, la théorisation scientifique se trouve relancée par les travaux des linguistes et des formalistes : pour s'en tenir à la France, T. Todorov, G. Genette et J.-M. Schaeffer, en particulier, proposent une poétique générale descriptive soucieuse de concilier histoire et système.

Le classement en genres s'applique à l'ensemble des arts, mais il ne s'y borne pas. Il est pertinent aussi dans l'ensemble des pratiques discursives (ainsi dans le domaine journalistique, la chronique ou le fait-divers sont des genres – argumentatif pour l'un, narratif pour l'autre) et la catégorie est même utilisée familièrement pour désigner des classes de comportements sociaux (par exemple quand on dit de quelqu'un qu'il a « mauvais genre »). La définition la plus globale considère donc que les genres sont des codes sociaux, historiquement évolutifs. Un intérêt important de l'étude des genres littéraires réside, d'ailleurs, en ce qu'elle donne accès à la réflexion sur ces codes d'ensemble.

La notion de genre présente de nombreuses difficultés. Elles naissent d'abord du niveau d'analyse où on la fait intervenir : traiter du genre dramatique en général et du drame comme genre, ou de même du lyrique et du sonnet, n'engage pas les mêmes questions. Elles tiennent aussi aux multiples niveaux de leur application. Le genre fonde le pacte initial de réception, qui détermine la recevabilité et les effets du texte. Il est parfois inscrit dans la situation même (ainsi une oraison funèbre, lorsqu'elle est prononcée, l'est dans un lieu et des circonstances qui en donnent d'emblée le code) et plus généralement, la publication s'emploie à l'indiquer, sur l'affiche, ou en sous-titre, ou dans le péritexte voire dans l'incipit (ainsi le « Il était une fois » indique l'appartenance au conte). Mais les données se complexifient par l'effet de communication différée qu'implique le littéraire : par exemple, une oraison funèbre ou une pièce de théâtre peuvent être lues et non pas entendues et vues. Elles se compliquent aussi par l'évolution historique : le monde antique connaissait une « publication » par l'oral, et un genre moderne comme le roman est lié notamment à l'essor de la lecture et de l'imprimé. Enfin, alors que les arts poétiques sont en général faits à l'usage des auteurs, pour les guider dans leur travail de création, et que les analyses de « poétique » le sont, elles, dans un souci de recherche, la réalité des genres opère dans le rapport des textes et de leurs publics. Les systèmes de genres – quoiqu'ils en prétendent parfois – n'ont donc pas le statut d'une évidence atemporelle ou universelle. Ils offrent une cohérence, mais elle reste approximative (Genette, 1979). Ils hésitent entre des catégories larges et des spécifications plus strictes – comme la distinction entre épopée, chanson de geste et roman, au sein du domaine du récit par exemple – voire des distinctions formelles très fines – par exemple le lai, le sonnet, le rondeau, etc., dans les genres poétiques. D'autre part, les genres évoluent, il en apparaît de nouveaux, et des anciens tombent en désuétude – et parfois aussi resurgissent – mais il y a aussi, à toute époque, une hiérarchie des genres, parfois explicite, comme dans la poétique ancienne qui exaltait la tragédie et l'épopée, parfois implicite, comme dans le champ littéraire contemporain. Ces hiérarchies sont elles-mêmes plurielles : ainsi la poésie a, dans la modernité, un haut prestige symbolique, mais ce sont les romans et le théâtre qui donnent les grands succès. Enfin, plus largement, les conceptions de la littérature changent, et donc changent aussi les façons de concevoir les poétiques. Jusqu'au XIXe s., les Belles-Lettres incluaient l'histoire et l'éloquence avec la poésie.

Ce qui impliquait que, dans une poétique générale – comme celle que tentait Batteux – les genres rattachés à la rhétorique aient leur place alors qu'une autre tradition, devenue ensuite dominante, les évacue – ce qui, en toute logique, donne des « poétiques restreintes ». Par ailleurs, des genres existants sont peu théorisés : ainsi la littérature personnelle (mémoires, journal, autobiographie, etc.) est absente dans les arts poétiques, et mal située dans les poétiques scientifiques.

À ces difficultés s'ajoute un fait crucial dans la création littéraire : nombre d'œuvres importantes manifestent une pratique subversive des genres. Dante, Rabelais, Cervantes ou Joyce, par exemple, s'illustrent en bousculant les définitions. Pourtant force est de constater aussi que les écrivains, quoi qu'il en soit de leur modernité, écrivent des romans, des nouvelles, des essais, des autobiographies des poèmes, des pièces..., et de se garder de confondre subversion et liquidation. Il y a une dynamique des genres qui s'ajuste à l'évolution de la création : les œuvres majeures transgressent des catégories établies, mais ne rompent pas avec toute loi générique. Ainsi lorsque dans son *Décaméron*, Boccace impose le genre nouveau de la nouvelle, son coup de force réside dans une refonte audacieuse de plusieurs types de récits brefs : fabliau, lai, exemplum, dit et conte. La question des genres manifeste donc un paradoxe fondateur de l'art littéraire : soumis à des usages établis, il est en même temps sans cesse appelé à en remettre certains en cause pour susciter des formes originales, associées aux changements dans les sensibilités et les esthétiques.

▶ FOWLER A., *Kinds of literature. An Introduction to the Theory of Genres and Modes*, Cambridge, Harvard UP, 1982. — GENETTE G., *Fiction et diction*, Paris, Le Seuil, 1991. — HEGEL G. W. F., *Esthétique*, trad. S. Jankélévitch, Paris, Flammarion, 1984. — SAINT-GELAIS R., *Nouvelles tendances en théorie des genres*, Québec, NB, 2000. — SCHAEFFER J.-M., *Qu'est-ce qu'un genre littéraire ?* Paris, Le Seuil, 1989. — Coll. : *Théorie des genres*, G. Genette et T. Todorov (dir.), Paris, Le Seuil, 1986.

Yasmina FOEHR-JANSSENS, Denis SAINT-JACQUES

→ *Arts poétiques ; Esthétique ; Forme ; Histoire littéraire ; Lecture, lecteur ; Poétique ; Réception ; Rhétorique.*

GÉOGRAPHIE LITTÉRAIRE

La géographie littéraire a pour objet d'étudier les faits littéraires à partir de leur répartition spatiale et de leur localisation, et d'établir des liens d'influence selon leur apparition dans tel ou tel contexte géographique. Ainsi, au sein de l'aire francophone, on distingue des entités littéraires distinctes selon l'identité géo-culturelle et politique de la région d'appartenance : ce qui entraîne à analyser le statut littéraire propre aux littératures en langue française du Québec, de Belgique, de Suisse, du Maghreb, d'Afrique, etc., avec le postulat que chacune de ces littératures possède non seulement une vie autonome mais encore un caractère national ou régional propre.

Les fondements d'une vision géographique du fait littéraire se trouvent ancrés dans l'opposition du Nord et du Midi et ses variations linguistiques (langue d'oïl *vs* langue d'oc), théorie des climats que Montesquieu envisageait dans *De l'esprit des lois* (1748), en se demandant si « la différence des climats où les hommes naissent contribue à celle de leurs esprits ». Dans le même ordre d'idées, Madame de Staël rend compte, dans *De la littérature considérée dans ses rapports avec les institutions sociales* (1800), de l'hétérogénéité des littératures et des goûts en fonction de l'influence qu'exercent les différentes conditions climatiques sur la production. Le climat brumeux et douloureux qui détermine l'imagination des auteurs nordiques susciterait une poésie mélancolique, dépourvue de passions violentes que provoquerait le soleil ardent dans la production des poètes du Midi : c'est Ossian le septentrional face à Homère le méridional. Au-delà, par son analyse des phénomènes physiques et psychophysiologiques de la pensée, Montesquieu a ouvert des perspectives à la sociologie aussi bien qu'à la critique littéraire.

À son tour, le positivisme, revenant sur la question, suggère qu'histoire et critique littéraires recherchent les déterminants des œuvres dans une description objective des conditions physiopsychologiques et sociales de production. Les travaux de Taine sont dans cet esprit et leur explication ethno-culturelle de la naissance de l'œuvre tend à faire ressortir la « faculté maîtresse » de l'écrivain à des facteurs tels que « la race, le moment et le milieu ». Ce troisième élément renvoie à la nature et au climat entourant les hommes de lettres, à savoir les « circonstances physiques ou sociales [qui] dérangent ou complètent le naturel qui leur est livré » (Introduction à l'*Histoire de la littérature anglaise*, 1863 ; « race » est chez lui aussi en partie géographique puisqu'il s'agit des tempéraments nationaux – français, anglais, allemand...).

Au XXe s., Albert Thibaudet, agrégé d'histoire et de géographie et célèbre critique de la NRF, rapporte à l'histoire littéraire le sens de la création et de la spontanéité inspiré de Bergson pour établir une « géographie des lettres » qui classe et définit les courants selon des régions et des provinces, car « la géographie elle-même comporte une physiologie de l'homme en société, considéré dans ses rapports avec la terre » (*Physiologie de la critique*, 1930). La sociologie littéraire a reconsidéré ces questions sous un tout autre angle. Les études prosopographiques de Christophe Charle mettent en parallèle les circuits littéraires des écrivains « fin de siècle » et leurs origines géographiques et sociales. Ainsi, l'historien établit une morphologie géo-sociale du champ littéraire parisien, en faisant apparaître les oppositions entre les différents pôles de la production littéraire (avant-gardes symboliste et décadente, naturalisme, romanciers psychologues) selon l'implantation de leurs représentants dans la géographie urbaine (*Paris fin de siècle*, Le Seuil, 1998). L'habitus des écrivains psychologues (P. Bourget, M. Barrès, A. France) par exemple, correspondrait à une localisation privilégiée (7e, 17e arr., Neuilly), alors que les naturalistes, plus démunis en capital social et économique, résideraient plutôt dans les secteurs moyens de la capitale (9e, 4e, 6e arr.), selon une opposition géographique qui redouble l'opposition littéraire et sociale des deux groupes.

Les recherches de F. Moretti insistent pour leur part tant sur l'espace dans la littérature que sur la littérature dans l'espace. Un usage systématique de cartes lui permet de poser l'hypothèse que « des genres littéraires différents habitent des espaces différents » et d'insister notamment sur les liens de la forme romanesque avec les tracés géographiques qui émergent au XIXe s.

En France, la réussite littéraire semble très liée à une trajectoire et une consécration accomplies à Paris depuis que les mesures centralisatrices issues de l'absolutisme et consolidées par la Révolution ont durci l'opposition entre capitale et province. La concentration des institutions culturelles majeures (Académies, maisons d'édition, revues littéraires, universités, etc.) donne à la dichotomie centre/périphérie un pouvoir fort discriminant. L'hégémonie culturelle de la capitale s'est posée en monopole, malgré les tentatives d'émancipation des mouvements littéraires régionalistes (comme le prouve l'exemple du Félibrige pour la littérature en langue provençale dans la seconde moitié du XIXe s., autour de Mistral). En même temps, ce clivage croissant donne une impulsion nouvelle à la représentation du rural et de l'urbain et d'identités régionales, plus ou moins mythiques. Ainsi, les régions acquièrent une physionomie littéraire spécifique et se voient de plus en plus, aux yeux du public, représentées par leurs auteurs : le Berry est généralement associé à George Sand, la Normandie au réalisme illustré par Flaubert et Maupassant, et l'on peut parler de la Provence de Daudet ou de Giono. Paris même a ses auteurs qui constituent la capitale en îlots locaux. Au-delà, l'espace francophone a diversement réagi à l'hégémonie de Paris, avec des volontés de la rejeter (le Québec et la Suisse romande, par exemple).

Cette fascination pour la centralisation littéraire française (Casanova) ne doit pas conduire à négliger la question de l'érosion actuelle des littératures francophones dans d'autres aires géographiques (Asie, Afrique en particulier) et surtout de leur réception hors de l'aire francophone (États-Unis en particulier).

▶ CASANOVA P., *La République mondiale des lettres*, Paris, Le Seuil, 1999. — CRÉPON M., *Les géographies de l'esprit*, Paris, Payot, 1995. — MORETTI F., *Atlas du roman européen, 1800-1900*, trad. de l'italien par J. Nicolas, Paris, Le Seuil, [1997], 2000. — THIESSE A.-M., *Ils apprenaient la France : l'exaltation des régions dans le discours*, Paris, Maison des sciences de l'homme, 1997. — Coll. : *La géocritique : mode d'emploi* (collectif), Limoges, PUL, 2000.

Constanze BAETHGE

→ *Centre et périphérie ; Espace ; Francophonie ; Régionalisme ; Sociologie de la littérature.*

GLOSE

La glose désigne une annotation brève, portée sur la même page que le texte, qui sert à expliquer le sens d'un mot inintelligible ou tout un passage obscur. Elle est, à ce titre, une pratique philologique et éditoriale. Par extension, la glose peut désigner la réécriture interprétative d'un modèle et faire office de texte de substitution. Elle concerne alors la didactique et l'interprétation. Ces deux niveaux distinguent la glose de la paraphrase et du commentaire critique, dont elle reste cependant très proche.

Au Moyen Âge, la glose était surtout un commentaire de la Bible ou des textes patristiques. On glosait aussi des textes profanes faisant autorité pour l'enseignement de la culture grecque et latine. On distinguait la glose interlinéaire, ensemble de notes explicatives d'ordre grammatical ou historique, de la glose marginale ou ordinaire, qui était destinée à éclairer les différents sens cachés d'un énoncé.

La pratique de la glose explique un certain nombre de différences entre le Moyen Âge et la Renaissance, notamment dans la manière de traiter les textes transmis par la tradition. En effet, après une phase de codification de la glose biblique due à Anselme de Laon (1050-1117), les glossateurs ont manifesté une volonté d'innover plutôt que de transmettre la doctrine du passé. Ils ont affirmé la supériorité des Modernes sur les Anciens en intégrant la glose dans le texte modèle pour en modifier la densité et la nature. À la Renaissance, les humanistes se sont opposés à cette pratique de la glose considérée comme une réforme infidèle de la matière puisée dans le trésor culturel commun. Ils ont accusé les glossateurs d'avoir corrompu la nature des textes sacrés et profanes pour mieux asseoir l'autorité de l'enseignement scolastique au sein des universités. Contrairement à la glose médiévale qui s'attachait à réécrire les Lettres anciennes, le commentaire humaniste cherchait à les restaurer dans leur pureté d'origine. Là où la forme médiévale de la glose avait été appropriation ou substitution de sens, le commentaire renaissant se voulait restauration et purification du sens. C'est là une distinction fondamentale dans la manière de traiter le rapport au texte d'autorité : à la relation de connexité ou d'appartenance qui induit la réécriture substitutive médiévale, succède la mise à distance du commentaire critique renaissant.

La glose n'a pas pour autant disparu du commentaire critique moderne mais son statut a été modifié, corrélativement aux nouveaux besoins du texte imprimé. Elle est devenue un index, une note en bas de page, une annexe, chargés de fonctions complémentaires de la partie proprement interprétative du commentaire : elle structure et ajoute des informations utiles à la compréhension du commentaire.

La glose médiévale et le commentaire littéraire moderne annoncent ou constatent l'autorité d'un texte pour légitimer son étude au sein d'un programme d'enseignement spécifique. Mais la différence entre ces deux types de commentaires réside dans la valeur substitutive de la glose médiévale qui doit être comprise comme un vaste procédé métaphorique de transfert de sens et d'intertextualité (Irvine, 1994). Elle permet le passage entre les différents niveaux de sens, du mode littéral au mode symbolique, évoluant de l'animé à l'inanimé, du particulier au général. Insérée dans le texte, la glose médiévale s'investit d'une nouvelle fonction : d'un acte d'interprétation, elle devient acte de création. Elle met l'interprète à égalité avec l'auteur, comme si l'interprète avait acquis une autorité suffisante pour prendre rang auprès de l'auteur. Le code de l'allégorie incluant la théorie de l'énigme impliquait la nécessité de ce mode de réécriture substitutive de la textualité médiévale. Dans cette perspective, écriture et lecture se trouvaient liées par une glose qui renouvelle et modifie le texte plus qu'elle ne le restaure. La glose est à ce titre l'une des composantes essentielles de l'acte créateur de la littérature médiévale et elle subsiste dans des genres comme l'essai ou la critique intuitive. À l'heure actuelle, on attend plutôt du commentaire de texte qu'il réalise une contextualisation pertinente et qu'il se fonde sur une herméneutique probante. L'histoire et la sociologie de la littérature ont réagi contre une glose réduite à un commentaire purement interne.

▶ IRVINE M., *The Making of textual culture*, Cambridge, Cam. Univ. Press, 1994. — SOUTHERN R.-W., *Scholastic humanism and the unification of Europe*, vol. 1, Oxford, Blackwell, 1995. — Coll. : *Les commentaires et la naissance de la critique littéraire en France et en Italie (XIVe-XVIe siècle)*, Castellani G.-M., Plaisance M. (éd.), Paris, Aux Amateurs de Livres, 1990.

Aline LOICQ

→ *Allégorie ; Authenticité ; Autorité ; Commentaire ; Critique littéraire ; Édition ; Herméneutique ; Humanisme ; Philologie.*

GOÛT

Le sens littéral de *goût* est l'aptitude à apprécier les saveurs, et par métonymie la saveur elle-même. Le sens figuré de jugement esthétique, aptitude à apprécier et discerner le beau, apparaît à la Renaissance par le biais de la théorie médicale des tempéraments, qui explique la diversité des talents et des préférences artistiques. Il vient de l'italien *gusto*, dont l'adoption par la théorie de l'art tient à cette subjectivité des goûts affirmée dans l'adage latin *De coloribus et gustibus non est disputandum.*

Dans la réflexion platonicienne, puis médiévale, le beau est la présentation sensible du vrai. Avec la progressive autonomie de la jouissance artistique et l'intériorisation de l'idée de beauté, il devient la qualité de ce qui plaît, donc relative à l'individualité psycho-physiologique, corrélat de la *maniera* personnelle. Dans la réflexion sur l'art, *goût* se substitue alors à *giudizio* mais conserve l'idée de jugement, ce qui établit une opposition entre norme rationnelle universelle et subjectivité particulière (Le Tasse). En Espagne, il a valeur de subjectivité absolue, s'opposant aux règles (Lope de Vega), et s'allie chez Gracián aux valeurs d'excès de l'*agudeza* de l'homme de cour. Adopté en France, en Angleterre puis en Allemagne, l'idée de *bon goût* est promue en valeur essentielle de l'honnête homme et de l'honnêteté. Le XVIIe s. français, nouant étroitement ces dimensions esthétique, éthique et sociologique, érige le goût en distinction sociale et nationale, tout en le fondant sur l'universalité de la raison. Deux tendances se font jour. L'une s'attache à l'idée de norme : « Il y a dans l'art un point de perfection comme de bonté et de perfection dans la nature ; celui qui le sent et qui l'aime a le goût parfait ; celui qui ne le sent pas et qui aime en deçà ou au-delà a le goût défectueux ; il y a donc un bon et un mauvais goût, et l'on dispute des goûts avec fondement » (La Bruyère). Boileau soumet le goût à l'arbitrage de la raison et du bon sens. L'autre tendance envisage une esthétique du sentiment, qui privilégie l'intuition (Bouhours). Les deux camps admettent cependant que règles et goût opèrent en corrélation : dès 1630, Chapelain fondait la règle de l'unité de temps (*Lettre sur la règle des vingt quatre heures*) sur la conformité avec le goût des gens de bien.

Au XVIIIe s., la question est centrale dans les débats sur l'esthétique naissante. Du Bos reprend les théories de Bouhours, Batteux celles de Boileau. L'écart entre subjectivité immédiate et prétention normative devient constitutif de ce que Kant appelle les antinomies du goût. On s'accorde sur l'existence d'un bon goût absolu, intuitif (« application prompte et exquise des règles mêmes que l'on ne connaît pas », selon Montesquieu, qui note malgré tout les critères de l'ordre, des proportions, de la surprise), ou empirique (selon Diderot, il se forme par l'exercice et l'habitude). Voltaire réduit le « goût dépravé » à une maladie de l'esprit, souligne l'influence des « bons artistes » au sein d'une nation et conclut que « le goût n'a été le partage que de quelques peuples de l'Europe ». Renonçant à la recherche d'une « norme du goût », que Hume assignait au jugement d'expérience des connaisseurs, Kant prend acte de la subjectivation radicale de la « faculté de juger et d'apprécier un objet ou un mode de représentation par une satisfaction ou un déplaisir, indépendamment de tout intérêt. On appelle beau l'objet d'une telle satisfaction » (*Critique du jugement*, 1790) ; mais il entend éviter le relativisme en fondant la légitime « prétention à l'universalité » de ce jugement sans concept qu'est le goût sur l'universalité d'un *sensus communis*.

Ce postulat kantien d'une sensibilité commune n'empêche pas un relativisme grandissant lié à la révolte romantique contre le canon classique. Victor Hugo (*Le goût*) fait du goût la conscience critique du génie, intuition impérieuse qui transcende les règles comme le droit transcende les lois. Les mutations du goût sont donc soumises à une double loi, interne (fonction expressive du génie individuel) et externe (fonction civilisatrice). Mais le goût est irréversiblement victime de ce clivage intérieur. La nostalgie de Valéry face à la décadence de l'idée de goût laisse entendre que cette illusion était féconde.

Apparu pour nommer la double postulation d'une subjectivité pure et d'une norme universelle, puis défini historiquement comme distinction sociale, le goût s'est aussi trouvé finalement récusé comme conformisme ou confusion de la valeur et du fait. L'art des avant-gardes ayant pris parti contre le goût, la notion disparaît du débat esthétique pour rejoindre la société de consommation et la cotation d'art. La sociologie dénonce les conditions historiques et sociales de production du jugement esthétique, lié au capital scolaire et à l'habitus culturel (Bourdieu). Mais le débat continue de partager les tenants d'une objectivité malgré tout de la relation esthétique et les partisans de sa subjectivité indépassable.

▶ Barrère J.-B., *L'idée de goût de Pascal à Valéry*, Paris, Klincksieck, 1972. — Bourdieu P., *La distinction*, Paris, 1979. — Genette G., *La relation esthétique*, Paris, Le Seuil, 1997. — Klein R., *La forme et l'intelligible*, Paris, Gallimard, 1970. — Michaud Y., *Critères esthétiques et jugement de goût*, Nîmes, J. Chambon, 1999.

Florence Dumora-Mabille

→ *Bienséance ; Classicisme ; Cour (Littérature de) ; Distinction ; Esthétique ; Honnête Homme ; Style.*

GRAMMAIRE

Le mot « grammaire » vient du grec *grammatikè* et signifie d'abord : « écrire droit » (c'est-à-dire de façon conforme aux règles). À partir de là, il a désigné l'analyse des modes d'assemblages en vigueur dans une langue. Il a donc deux familles de sens. L'une regroupe des sens prescriptifs, où le mot désigne une liste de normes ou une série d'indications pratiques. L'autre regroupe les sens descriptifs du terme. En ce second cas, il peut désigner deux choses. En premier lieu (sens *a*) la compétence, ou ensemble des règles intériorisées par les membres d'une collectivité réunis autour d'un code expressif et qui rendent ces derniers capables de former et de comprendre des énoncés particuliers en nombre infini. En second lieu (sens *b*), le modèle qu'un théoricien construit pour rendre compte de cette compétence. Le terme s'applique à la langue, mais son emploi a été étendu à toute sorte de langages (on parle ainsi de grammaire de film, de grammaire du récit...).

La première œuvre grammaticale importante est la grammaire sanscrite de Panini (IVe s. avant J.-C.). Mais c'est en Grèce que s'est développée la tradition grammaticale occidentale. Celle-ci est tôt affectée par la philosophie d'une part, et de l'autre par la tradition du commentaire de texte : elle connaît un premier aboutissement avec le traité de Denys de Thrace, qui élabore une typologie des catégories grammaticales (genre, nombre, parties du discours). La grammaire latine (Donat, Priscien, Varron) procède de la tradition grecque et, régnant sur l'enseignement, déterminera jusqu'au XIXe s. la forme des grammaires des langues européennes modernes. En France, le souci de dresser une grammaire a été affirmé lors de la création de l'Académie, qui avait dans ses missions d'en rédiger une mais n'y est jamais parvenue ; Vaugelas a donné des *Remarques* (1647), première base de la grammaire française, issues des travaux préparatoires qu'il avait faits pour le projet académique. Parallèlement à la réflexion sur les langues particulières est apparue l'exigence d'une théorie générale du langage, que développèrent les grammairiens médiévaux puis, au XVIIe s., les penseurs de Port-Royal, dans leur *Grammaire générale et raisonnée* (1660).

Toutes ces grammaires sont prescriptives. Car la grammaire a eu longtemps pour réalité première son rôle dans l'enseignement. Celui-ci se faisant en latin, l'apprentissage de la langue y précédait l'approche des textes ; aussi la grammaire régnait-elle sur les petites classes (ainsi en France, l'agrégation de grammaire a été fondée en 1766 pour recruter des professeurs qui enseignaient jusqu'en « quatrième »). Au XIXe s. surtout, se développe aussi une grammaire historique, qui étudie les conditions du changement des langues, et compare celles-ci entre elles. La linguistique générale contemporaine est la lointaine descendante des travaux de Port-Royal, mais elle a dû, en sa phase d'émergence, rompre avec la tradition normative appliquée à la langue écrite.

Prise en son sens prescriptif, la grammaire a une longue connivence avec la littérature : d'une part, les grammaires scolaires ont, comme les dictionnaires, traditionnellement puisé dans la littérature les exemples qui les appuient ; d'autre part, les grammaires ont souvent été présentées comme des instruments propres à éduquer à la correction littéraire et à édicter l'ensemble des règles qu'il faut suivre lorsqu'on écrit. Ainsi Boileau dans son *Art poétique* (1674) préconisait la maîtrise de la langue comme préalable à la création littéraire : « Sans la langue en un mot, l'auteur le plus divin / Est toujours quoi qu'il fasse un méchant écrivain » – même si l'usage littéraire prévoyait la possibilité de « licences » poétiques. La poésie moderne au contraire a tendu à s'émanciper des contraintes de la norme grammaticale, à user souvent d'écarts à l'égard de celle-ci.

La notion de grammaire a surtout été mobilisée pour traiter de la langue et avant tout, puisqu'il s'agissait de langues anciennes, de l'écrit. Et de fait, en France, la littérature a servi de modèle au « bon usage » dès l'origine des grammaires françaises : Vaugelas déclare que la norme doit être fondée sur « la façon de parler de la Ville [Paris] et de la cour, *conformément à la façon d'écrire de nos meilleurs écrivains* », dont il précise : « ce sont nos maîtres ». Le premier lien intrinsèque entre grammaire et littérature réside en cela. De sorte que la grammaire présente une situation doublement paradoxale : elle décrit la norme de la langue, dont souvent la littérature s'écarte, mais elle a un substrat d'autorité littéraire. Si bien que des usages littéraires qui bousculent la grammaire – par exemple l'emploi du joual québécois chez Tremblay ou du créole chez Glissant – marquent par là même un choix de style qui signifie une opposition à la norme culturelle dominante. De même, à ce jour, les grammaires se fondent essentiellement sur l'usage de l'écrit et peinent à rendre compte de l'oral qui est pourtant la forme première de la langue, et que souvent la littérature essaye d'évoquer au cœur même de l'écriture. Or que la langue soit orale ou écrite postule déjà deux grammaires, différentes en certains points.

Cependant, quels que soient le langage ou la variante langagière utilisés, l'action de produire des énoncés mobilise obligatoirement des composants qui relèvent de trois types de règles portant sur la nature des unités qui composent un langage, la manière dont celles-ci s'associent et la manière dont elles sont affectées par les circonstances. Ces trois ensembles de règles s'appliquent au langage verbal, mais aussi à toute espèce de langage : c'est pourquoi on peut parler de « grammaire de l'image » ou de « grammaire du film »...

Le premier ensemble de règles, celles qui président à la délimitation et à la constitution des unités, envisage dans la langue les unités d'expression et de sens, les phonèmes et les lexèmes (la prononciation et le vocabulaire – y compris l'orthographe lexicale ; elles concernent donc des paradigmes). Mais il peut s'appliquer à des unités plus complexes : ainsi la narratologie, par exemple, envisage dans le récit des unités qui peuvent être les noyaux narratifs et les catalyses.

Le deuxième ensemble de règles sont celles qui président à la combinaison et à l'arrangement des unités, c'est-à-dire à la syntaxe. Selon que l'on se borne à la phrase (comme en grammaire et en linguistique traditionnelles) ou que l'on envisage des ensembles plus vastes, on parle alors de « grammaire phrastique » mais aussi de « grammaire textuelle » et de « grammaire du discours ». Cette partie de la grammaire a des retombées sur les études littéraires, en narratologie notamment. On peut distinguer des syntaxes à marques explicites (les prépositions et les conjonctions dans la langue, mais aussi les signes renvoyant aux opérations en arithmétique...) et des syntaxes à marques implicites (ainsi la parataxe), des codes à syntaxe lâche et des codes à syntaxe contraignante (l'orthographe syntaxique en est une manifestation clé). Le plus généralement, la syntaxe consiste en syntagmes fondés sur l'ordre successif dans les énoncés (on parle alors de chronosyntaxe), mais il existe des cas où l'ordre est plutôt spatial et tabulaire (comme dans un tableau) ; ce type de syntaxe (ou toposyntaxe) se fait sentir en poésie, où la place des mots dans l'espace peut contrebalancer leur ordre de succession.

Le dernier ensemble de règles est constitué par celles qui président à l'usage social des unités et des énoncés, ou pragmatique (variations de vocabulaire et de constructions selon les niveaux de langue, production de sens implicites, comme le sous-entendu ou la figue, sens fondés sur de grands ensembles mythiques par exemple). Ce dernier point ramène au constat que la grammaire finit toujours par déboucher sur une dimension sociologique : la langue et ses réalisations, en particulier ses réalisations littéraires, sont en effet des réalités éminemment sociales ; les notions mêmes d'usage et de norme l'attestent, et le débat depuis Vaugelas est sans cesse ramené à de tels enjeux. Que la littérature – en France, et non dans tous les pays – soit la source principale de la norme grammaticale opère, *de facto*, une intervention sociale qui discrimine ceux qui reconnaissent la langue en ce qu'elle a d'usages littéraires et ceux qui n'y parviennent pas, ou mal.

▶ ARRIVÉ M. & CHEVALIER J.-C., *La grammaire*, Paris, Klincksieck, 1970. — KLINKENBERG J.-M., *Précis de sémiotique générale*, Bruxelles, De Boeck, 1996.

Jean-Marie KLINKENBERG

→ *Catégories linguistiques ; Discours ; Figure ; Linguistique ; Niveaux de langue ; Norme ; Oralité ; Poésie ; Pragmatique littéraire ; Style ; Vocabulaire.*

GROTESQUE

L'appellation (parfois libellée « crotesque ») est un emprunt, à la Renaissance, de l'italien « grottesca », du nom donné aux décors muraux antiques des thermes de Titus et de la *domus aurea* de Néron, alors remis au jour par les fouilles. En littérature, le grotesque est un mode comique modelant les traits de caractère jusqu'à les rendre étranges et grimaçants, et réalisant un mélange entre l'étrange (ou monstrueux), le satirique et le bouffon.

En 1637, Saint-Amant s'est porté volontaire pour la rédaction de la partie « grotesque » du dictionnaire de l'Académie. Ce langage grotesque rassemblait les mots comiques et « bas » (en référence aux trois degrés de style, le haut, le moyen et le bas), ce dernier étant synonyme de « populaire » mais pas d'« ordurier ». Il est héritier notamment de Rabelais. Vaugelas en tolère l'usage dans les trois « genres inférieurs » de la satire, du burlesque proprement dit (« parler bas et petit sur des sujets les plus sérieux du monde ») et de la comédie (*Remarques sur la langue françoise*, 1647). *Le passage de Gibraltar* de Saint-Amant (1640) développe des hallucinations macabres mêlées à la gaîté, des descriptions ouvragées par des métaphores. En 1690, Furetière établit un lien entre le genre du grotesque et la tradition des carnavals et ballets satiriques et cite l'Arioste comme exemple d'écriture grotesque (*Dictionnaire universel*). Au XVIIIe s., Marmontel oppose le genre comique populaire du grotesque et du « bouffon » au « haut comique » à tendance moralisatrice. Le style rabelaisien devient alors synonyme de grotesque pour son goût du bizarre et de l'obscène contrastant avec les valeurs de la civilité (*Essai sur le roman*, 1799). Mais le mode littéraire du grotesque s'appauvrit et se détache de la culture carnavalesque. Il évolue vers la caractérisation de personnages et s'intègre dans d'autres modes comme le burlesque ou l'héroï-comique. Puis, avec les romantiques pour qui le mot acquiert à nouveau une valeur positive, liée à la culture populaire. Victor Hugo situe la spécificité de l'image grotesque dans le traitement du corps difforme (*Cromwell*, *Préface*, 1827). Gautier (*Les grotesques*, 1853) est le premier à faire du grotesque un genre littéraire à part entière « auquel conviendrait assez le nom d'arabesque, où sans grand souci de la pureté des lignes, le crayon s'égaye en mille fantaisies baroques ». Pour lui, le grotesque est revalorisé par le culte des déviations poétiques et regroupe tout ce que « les aristocrates de l'art (les classicisants, les pédants, les précieux) ont dédaigné de mettre en œuvre, le grotesque, le fantasque, le trivial, l'ignoble, la saillie hasardeuse, le mot forgé, le proverbe populaire, la métaphore hydropique – enfin tout le mauvais goût avec ses bonnes fortunes, avec son clinquant ». Ainsi revendiqué par le mouvement romantique, le grotesque disparaît ensuite progressivement du vocabulaire générique. Il demeure néanmoins dans le langage, surtout théâtral, pour désigner des œuvres paradoxales ou bouffonnes (Jarry, *Ubu Roi*, 1888 ; Ghelderode, *L'école des bouffons*, 1953).

Les recherches de Gautier ont permis de mettre en évidence une constante dans la manière de traiter le grotesque : plus qu'une poétique à part entière, il est le lieu des variations, des accumulations, des bigarrures. Il est un pot-pourri, un cabinet de curiosités étranges, hétéroclites et comiques. Il exprime l'excès, l'excentricité des fêtes bachiques et des carnavals, un monde en stade de métamorphose ou de décomposition ; le tout donne aux motifs de l'accouchement, de l'agonie, de l'accouplement, des orgies, une dimension extraordinaire. Les enflures gastronomiques abondent dans les poèmes de Villon (*Ballade de la grosse Margot*, 1461-1458) ; les tartes, les flans et poissons gras sont engorgés par les géants pantagruéliques chez Rabelais (*Pantagruel*, 1532). Quant à la poétique grotesque, elle est celle du décor des « caprices » (ces taches de couleur ou ces nuages dans lesquels l'artiste peut découvrir tout ce que lui suggère sa *fantasia*), du délire, du non-sens où le maître en art donne libre cours à son imagination créatrice.

Rabelais renverse les valeurs monastiques et aristocratiques (ascétisme, pénitence, chasteté, stérilité, guerre) pour les remplacer par les valeurs de la fécondité et de l'abondance défendues par le peuple. Le grotesque, en sa fonction positive, est une libération (Bakhtine, 1970).

Contrairement au burlesque ou à l'héroï-comique, le grotesque n'a pas de volonté pastichante. Il n'est ni un travestissement, ni une réécriture. Le grotesque ne cherche pas non plus à rabaisser les genres élevés, comme le burlesque. Il semble que le grotesque dépasse l'histoire des genres littéraires pour fêter des valeurs populaires.

▶ BAKHTINE M., *L'œuvre de François Rabelais et la culture populaire au Moyen geet sosl aRe nais s an cę* trad. A. Robel, Paris, Gallimard, 1970. — DACOS N., *La découverte de la domus aurea et la formation des grotesques à la Renaisance*, Londres, Warburg Inst., 1969. — KAYSER W., *The Grotesque in art and literature*, New York, Colombia Univ. Press, 1981. — ROSE M. A., *Parody : ancient, modern and post-modern*, Cambridge, Cambridge Univ. Press, 1993. — ROSEN E., *Sur le grotesque : l'ancien et le nouveau dans la réflexion artistique*, Paris, P. U. de Vincennes, 1991.

Aline LOICQ

→ *Burlesque ; Classicisme ; Comique ; Parodie ; Romantisme.*

GUERRE

La guerre constitue un thème littéraire majeur. Mais au-delà, elle donne lieu à des œuvres qui engagent des prises de position fondamentales sur les valeurs éthiques. Le rapport de la littérature à la guerre semble s'être profondément modifié, voire inversé, au fil des siècles.

La guerre est un des motifs essentiels des textes littéraires fondateurs. Les épopées antiques et les chansons de geste, élaborations fictives et mythiques, ont été conçues comme des récits qui expliquaient l'existence d'un pays, d'une cité, d'une lignée : bien qu'elle exprime le point de vue des puissants, la forme épique correspond à une imagerie collective, un mythe partagé. Les tentatives modernes d'épopée en France, de Ronsard (*La franciade*, 1572) à Voltaire (*La henriade*, 1728) en passant par Chapelain (*La pucelle*, 1658) ont la même intention fondatrice. De leur côté, dès le Moyen Âge, chroniques et mémoires répondent aussi à des commandes des grands, soucieux de léguer à la postérité les récits de leurs exploits politiques et guerriers. À côté de cette littérature officielle, des textes plus personnels donnent un point de vue engagé et partisan, notamment sur les guerres civiles : mais *Les tragiques* d'Agrippa d'Aubigné (1616-1623), œuvre de combattant des guerres de religion, ou les *Mémoires* de Retz (réd. autour de 1675, éd. 1717), leader de la Fronde, traitent la guerre comme moment essentiel de la vie politique.

Le point de vue change à partir de la Révolution. La formation d'armées massives et la conscription font que le récit des campagnes militaires n'est plus l'apanage du chef de guerre : il peut devenir celui du soldat, et les écrivains peuvent témoigner des peines de celui-ci. Ainsi des guerres napoléoniennes (Balzac, *Le médecin de campagne*, 1833) et de l'apparition des figures mythiques complémentaires du « Petit Caporal » et du « grognard ». Stendhal, dans *La chartreuse de Parme* (1839) a tourné l'attention vers l'individu au milieu du combat : l'impression de confusion de la bataille l'emporte d'autant plus que Fabrice del Dongo, le héros, n'est pas un soldat. Victor Hugo ravive l'imagerie napoléonienne, en particulier en montrant sa chute à Waterloo, soit sur le mode épique dans *La légende des siècles* (1859-83), soit, dans *Les misérables* (1862), par une description qui alterne l'appréciation du stratège et l'horreur du détail. L'horreur de la guerre civile s'exprime aussi dans *Quatre-vingt-treize* (1874), écrit juste après la Commune et qui porte sur la période de la Révolution et sur la chouannerie, et dans le recueil des *Soirées de Médan* (1880) ou, plus tard, dans *La débâcle* (1892) où Zola montre, de la guerre de 1870 à la fin de la Commune, la France plongée dans le chaos. Cependant la plupart des écrivains français se sont abstenus de parler de la Commune, qu'ils désapprouvaient, à quelques exceptions près comme Jules Vallès (*L'insurgé*, 1882).

En 1914-1918 – après un temps où une littérature nationaliste a appelé à la guerre (Barrès, Déroulède, Péguy) – la mobilisation et la mort de millions d'hommes dans une guerre industrielle ont bouleversé les perceptions du combat. Poésie (Cendrars, *La guerre au Luxembourg*, 1916 ; Apollinaire, *Calligrammes*, 1918), chansons populaires (patriotiques, comme chez l'anarchiste Montéhus qui se rallie à l'union sacrée, ou de colère, comme *Craonne*, recueillies dans les tranchées par P. Vaillant-Couturier), et beaucoup de romans et de témoignages, depuis *Sous Verdun* de Genevoix (1916), *Le feu* de Barbusse (1916) jusqu'à la fin des années trente, donnent le point de vue du soldat ou du commandement subalterne, de la guerre au quotidien, mais souvent avec un fond patriote. Puis le témoignage laisse la place à la fiction, chez des écrivains qui ont combattu – Giono (*Le grand troupeau*, 1931), Céline (*Voyage au bout de la nuit*, 1932), Martin du Gard (*L'été 14*, 1936) – et pour ceux qui n'en avaient pas l'âge ou la santé comme Louis Guilloux (*Le sang noir*, 1935), ou Jules Romains (*Les hommes de bonne volonté*, à partir de 1932), le sentiment de l'horreur et de l'absurde se renforce, et nombre d'écrivains s'engagent en faveur de la paix. S'il y a un regain d'héroïsme dans les romans de Malraux, l'absurde et l'horreur prévalent plus encore dans les romans qui, au sortir de la Seconde Guerre mondiale, représentent la débâcle de 1940 (Aragon, *Aurélien*, 1944 ; Robert Merle, *Week-end à Zuydcoote*, 1949 ; Claude Simon, *La route des Flandres*, 1960) ou même la libération (Nimier, *Le hussard bleu*, 1950). Mais c'est surtout de la résistance (voir ce mot), de la déportation et de l'extermination que la littérature retentit alors : surgissent les récits de la négation de l'humain (Robert Antelme, *L'espèce humaine*, 1947 ; Jean Cayrol, *Je vivrai l'amour des autres*, 1947 ; Elie Wiesel, *La nuit*, *L'aube*, 1960, *Le jour*, 1961 ; Jorge Semprun, *Quel beau dimanche*, 1980, *L'écriture ou la vie*, 1994). À la Libération, l'épuration divise violemment les écrivains. Drieu, qui se suicide, échappe au jugement ; Brasillach est exécuté ; d'autres sont condamnés, interdits de publication un temps et frappés d'infamie (Céline). La littérature contre la guerre : ce thème devient alors dominant, dans la littérature engagée, y compris à propos des guerres de la décolonisation ou de ses suites (par exemple Assia Djebar, *Rouge l'aube* [1970] sur la guerre d'Algérie ou Michele Rakotoson, *La maison morte* [1984] sur la guerre civile à Madagascar).

La guerre de 1914-1918 a mis fin à l'illusion que l'on pouvait représenter la guerre comme une totalité compréhensible et cohérente. Le point de vue de l'expérience individuelle, à la limite du non-sens, l'emporte sur le sens de l'histoire que les épopées d'autrefois exaltaient. Les récits de guerres modernes se placent généralement au plus près des expériences et du langage des combattants. Aussi la littérature est mise au défi sur le plan linguistique : mélange des lexiques et de la syntaxe populaire, certitude de l'impuissance de la langue à traduire l'horreur et la déshumanisation. Souvent pacifiste en France (sauf chez des écrivains comme Montherlant, Marinetti ou Drieu la Rochelle), cette littérature reprend volontiers les mêmes scènes et les mêmes mots. Avec la Seconde Guerre mondiale, la défaite et ses absurdités, mais plus encore les camps et l'extermination suscitent un approfondissement du sens de l'horreur. C'est ce que Jean Cayrol a appelé le roman lazaréen, parole de celui qui est revenu du royaume des morts et qui marque une limite de la littérature, entre le devoir de dire et l'indécence du travail littéraire face à une telle réalité ; mais c'est là aussi qu'éclate la force de la parole comme dénégation de la violence : ainsi en est-il des *Trente-trois sonnets écrits au secret* de Jean Cassou (1944), composés mentalement dans sa cellule. Loin de la transfiguration épique de la guerre qui en faisait le moment originel d'une société, s'impose alors la question de son fondement anthropologique comme négation de toute civilisation.

▶ CAYROL J., *Lazare parmi nous*, Paris, Minuit, 1950. — NORTON CRU J., *Témoins*, [1929], rééd. Presses universitaires de Nancy, 1993. — RIEUNEAU N., *Guerre et révolution dans le roman français de 1919 à 1930*, Paris, Klincksieck, 1974. — Coll. : *Écrire la guerre*, C. Milkovitch-Rioux et R. Pickering (éd.), Grenoble, Presses universitaires, 2000. — *La guerre et la paix dans les lettres françaises*, textes réunis par Jean Relinger, CNRS-Université de Reims, 1983.

Michèle TOURET

→ *Chronique ; Engagement ; Épopée ; Mémoires ; Polémique ; Résistance ; Roman historique.*

H

HAGIOGRAPHIE

Le récit hagiographique retrace la vie d'un saint. L'hagiographie, dont le développement est lié dans la culture européenne à l'histoire des Églises chrétiennes, ne doit cependant pas être considérée comme un genre littéraire spécifique à cette seule religion. Il existe une hagiographie musulmane, par exemple.

Pour les auteurs du Nouveau Testament, et pour Paul en particulier, l'« assemblée des saints » n'est autre que la communautés des croyants. Très vite, ce titre est réservé aux seuls évêques, et accompagne le souvenir posthume de personnalités ayant marqué l'histoire des communautés. Dans les *Actes des Apôtres*, le récit du procès et de la lapidation d'Étienne, qui fait écho à celui de la Passion du Christ, propose une première esquisse du genre. Lors des persécutions contre les chrétiens, le martyre devient la principale manifestation de la sainteté. Les récits de martyre mettent en évidence un conflit entre le pouvoir temporel, sûr de sa force, et la faiblesse apparente du saint. Pourtant, comme la Passion du Christ qui lui donne son sens, la mort édifiante du martyr peut contester la loi de la mort corporelle. Le discours hagiographique donne ainsi naissance à une figure paradoxale, alliant fragilité et endurance dans la défense pacifique, mais obstinée, d'une conviction inébranlable.

Lorsqu'au IVe s. le christianisme accède au rang de religion officielle, les conditions de son développement changent radicalement. La définition de la sainteté évolue de même. Au modèle du saint martyr vient se substituer celui du saint confesseur, ou ermite contemplatif, qui privilégie le récit d'une vie édifiante. La vie de saint se rapproche à présent du genre antique de la biographie. Saint Jérôme a laissé la vie de Paul de Thèbes, père de la vie érémitique, celle du moine Malchus, et la vie de Hilarion (fin du IVe s.). La *Vie de Saint Martin* par Sulpice Sevère (397) a eu une influence considérable sur l'histoire du genre. La multiplication des Vies autorise peu à peu les auteurs ecclésiastiques à concevoir la rédaction d'une telle biographie comme un véritable projet littéraire.

Au VIe s., Venance Fortunat propose une collection de Vies (parmi lesquelles on trouve celle de sainte Radegonde, dont il était le familier). Au XIIIe s., des entreprises de très grande envergure voient le jour comme le *Speculum historiale* de Vincent de Beauvais et la très célèbre *Légende dorée* de Jacques de Voragine. À partir de la fin du Moyen Âge, la vie de saint est soumise à une exigence toujours plus forte de vérité historique. Dès 1643 et jusqu'au milieu du XXe s., les jésuites bollandistes, qui publient les très savants *Acta sanctorum*, appliquent aux monuments de la littérature hagiographique les méthodes de l'investigation historique érudite. S'il disparaît du champ de la littérature légitime, le récit hagiographique survit néanmoins comme un exercice de foi et de style (*Le livre des merveilles*, dir. J. Doré, Mame / Plon, 2000). Par ailleurs, les récits qu'il a contribué à rendre populaires fournissent une matière dont peuvent s'emparer des écrivains comme Flaubert (*La légende de saint Julien l'Hospitalier*, 1877) ou, de manière parodique, Maeterlinck (*Le miracle de saint Antoine*, 1904).

La vie de saint est un exemple édifiant ou didactique proposé aux fidèles, créé de toutes pièces, rédigé sur commande ou à partir d'une tradition orale. Il doit ses lieux communs à la Bible, mais également aux vies des hommes illustres issues de la tradition biographique de l'Antiquité. Si elle se donne pour véridique, la vie de saint est également une fiction (comme telle, elle est un exercice scolaire proposé aux clercs dans les abbayes), voire un texte polémique (« qui détient les vraies reliques de saint Bavon ? ») qui répond aux besoins spirituels et circonstantiels d'une communauté religieuse.

La vie de saint est un objet traversé par des impératifs contradictoires. L'attestation des vertus d'un être exceptionnel impose la prolifération de *topoi* récurrents : naissance prodigieuse, inattendue ou accompagnée d'oracles, enfance remarquable ou débauche juvénile, endurance inouïe, connaissance de la langue des animaux ou communication secrète avec les êtres inanimés, protection offerte par les bêtes féroces, conservation surnaturelle du corps saint, production de miracles sur la tombe. Mais la vie de saint a toujours été soumise au contrôle du discours clérical, attentif à freiner le développement des superstitions. Les auteurs de récits hagiographiques prennent toujours soin de souligner l'authenticité des événements qu'ils rapportent. Un tel contrôle atteste aussi la vitalité de cette forme de production narrative qui représente une part importante de la tradition littéraire médiévale et une source irremplaçable de la connaissance du Moyen Âge.

D'autre part, la fascination exercée par le souvenir d'un destin hors du commun, dans laquelle l'hagiographique trouve son origine, continue à s'exercer dans des sociétés fortement laïcisées. La mort prématurée d'une princesse, d'une actrice ou l'assassinat d'un révolutionnaire charismatique produisent parfois, sous la pression de l'émotion populaire qu'ils suscitent, une légende fort semblable, dans sa structure, au récit d'une vie de saint. De la même manière, il n'est pas toujours aisé de faire la part entre la biographie et l'hagiographie dans les récits consacrés à la louange de personnages célèbres.

▶ AIGLE D. (éd), *Les saints et leurs miracles à travers l'hagiographie chrétienne et islamique (IVe-XVe siècles)*, Paris, 1999. — AIGRAIN R., *L'hagiographie, ses sources, ses méthodes, son histoire*, Paris, Bloud et Gay, 1953. — VAUCHEZ A., *Saints, prophètes et visionnaires. Le pouvoir surnaturel au Moyen Âge*, Paris, Albin Michel, 1999. — Coll. : *Hagiographie, cultures et sociétés (IVe-XIIe siècles)*, Paris, 1981. — Revue *Hagiographica*, *Revue des sciences humaines*, n° 251.

Yasmina FOEHR-JANSSENS

→ *Bible ; Biographie ; Catholicisme ; Christianisme ; Didactique (Littérature) ; Fiction ; Miracles.*

HAÏTI → Caraïbe

HERMÉNEUTIQUE

On peut définir l'herméneutique – du nom du dieu Hermès – comme « l'ensemble des connaissances et des techniques qui permettent de faire parler les signes et de découvrir leur sens » (Michel Foucault, 1966). L'herméneutique engage un travail d'interprétation ; elle suppose que les signes et les discours ne sont pas transparents, et que derrière un sens patent reste à découvrir un sens latent, plus profond ou plus élevé, c'est-à-dire, dans notre culture, de plus grande valeur. On interprète quand, pour une raison ou pour une autre, le sens littéral ne semble pas (ou plus) aller de soi et qu'il faut faire appel à un autre niveau de sens.

D'Aristote, auteur d'un traité *De l'interprétation*, jusqu'aux contemporains, en passant par saint Augustin et les Pères de l'Église, l'herméneutique concerne d'abord la tradition philosophique et religieuse. Mais elle est aussi une façon de penser la lecture et l'étude des textes littéraires : alors que la rhétorique prend en charge la production des discours, l'herméneutique les aborde du côté de leur compréhension.

La constitution de l'herméneutique comme art et pratique de l'interprétation remonte à la Grèce antique : il s'agissait de dévoiler le sens caché de certains textes (l'*Iliade* et l'*Odyssée* par exemple). Tout au long du Moyen Âge, elle s'est ensuite développée dans l'étude des corpus religieux. Les théologiens distinguaient quatre régimes de sens : le sens littéral (ou historique), le sens spirituel ou allégorique (compatible avec la Révélation), le sens moral (susceptible de guider le fidèle dans ses actions) et le sens anagogique (susceptible de révéler l'avenir de la communauté croyante). L'ensemble servait une volonté normative ; il devait être conforme aux désirs de la hiérarchie catholique et le sens spirituel, tout particulièrement, devait être conforme au dogme en sorte qu'il devenait très vite le sens orthodoxe. On ne s'étonnera donc pas du fait que la Réforme protestante, surtout chez ses penseurs les plus libéraux, ait cherché à remettre en question ce sens spirituel devenu dogmatique au profit de la revalorisation du sens littéral ou historique. L'activité herméneutique devient ainsi au XVIe s. objet et lieu de débats, débats autour du lien entre la lettre et l'esprit d'un texte, entre l'explication historique et l'interprétation présente, autour de la légitimité du sens allégorique, sur les limites de l'interprétation. Ces débats, actifs sur la scène religieuse, la tradition philosophique, de Hegel à Heidegger et de Nietzsche à Foucault ou Habermas, n'a ensuite cessé de les repenser et de les déplacer, de les jeter dans l'arène des choses et des lettres humaines.

Avec le romantisme allemand, par l'entremise de Schleiermacher, naît l'herméneutique moderne. Elle affirme l'indissolubilité de la forme et du contenu d'un texte (ce qui est sa façon de dépasser l'opposition statique entre le littéral et l'allégorique) et privilégie la sensibilité individuelle du lecteur tout en intégrant cette dernière dans une opération qui relève de la connaissance. Cette proposition de base est développée au XIXe s., soit pour la prolonger (jusqu'à « l'interprétation des symboles » chère aux littérateurs de la fin du siècle) soit pour en pourfendre le subjectivisme (herméneutique positiviste). Il revient à Wilhem Dilthey d'avoir, au tournant du XXe s., donné une nouvelle forme à cette conception romantique en travaillant l'opposition entre explication et interprétation : la première permet d'établir des relations de causalité objective entre le texte et l'histoire, mais ces relations restent selon Dilthey extérieures au « monument écrit » proprement dit, en sorte qu'elle sert tout au plus de soutènement à la seconde qui, elle, repose sur l'appropriation intime par le lecteur de l'univers de signes qu'est le texte. C'est en prenant appui sur de semblables travaux que des stylisticiens comme Léo Spitzer ou des critiques comme Jean Starobinski (celui-ci intégrant à sa pratique de lecteur des éléments de l'herméneutique freudienne) s'efforcent de concilier subjectivité de la lecture et rigueur méthodologique.

Les débats herméneutiques du XXe s. sont ceux de la critique littéraire, et les fractures qui séparent les chercheurs attachés à l'explication de ceux qui s'attachent à l'interprétation sont nombreuses. Mais, par ailleurs, ils évoluent suite au renouveau de l'herméneutique issu du champ philosophique (Gadamer, Ricœur) d'une part, et de l'autre, en fonction de la recomposition des disciplines littéraires.

Les travaux de Hans Georg Gadamer ont attiré l'attention sur le fait que tout texte se déployait sur un fond de déjà là, de lecture préconstruite, de tradition, avec lequel toute nouvelle lecture négocie jusqu'à ce que s'établisse une « fusion des horizons » entre les deux consciences séparées que sont l'auteur et le lecteur. Ce faisant, Gadamer déplaçait la question herméneutique du texte vers le lecteur. Il ouvrait une voie dans laquelle se sont engagés les travaux de Hans Robert Jauss et de l'école de Constance sur la théorie de la réception.

Aux confluents de la philosophie, de la poétique et de la rhétorique, Paul Ricœur insiste sur la production de sens du texte. Celle-ci demande l'intervention d'une lecture, mais elle ne fige pas un sens, elle capte un procès, c'est-à-dire une dynamique, une structure de change et d'échange. Ce procès repose sur un potentiel poétique ou rhétorique, que le lecteur active et auquel il donne sens. Sans que l'on puisse parler d'influence directe, la sociologie des textes avalise cette conception dynamique du texte. Elle repose sur le postulat que le texte littéraire travaille les représentations, les intertextes, les sociolectes, les discours qui sont sa matière première, qu'il absorbe et qu'il transforme.

Ainsi, alors qu'une tradition fondée sur l'histoire de la littérature a longtemps mis en avant l'auteur comme garant du sens (*intentio auctoris*), avant que la période structuraliste ne tente un retour à l'œuvre elle-même (*intentio operis*), le déplacement des centres d'intérêt vers la lecture et la réception conduit à reconnaître la part de l'*intentio lectoris*.

L'accent mis depuis quelques années sur le rôle du lecteur dans la production du sens oblige à revenir sur la question des stratégies interprétatives. Par là, la perspective moderne de l'interprétation s'éloigne des formes traditionnelles de l'« explication de texte ». Celle-ci en effet, qu'elle s'attachât à saisir le texte pour lui-même comme structure significative ou à le mettre en relation avec des cadres de référence plus larges qui lui donnent sens, c'est-à-dire à le *comprendre* ou à l'*expliquer* (L. Goldmann, 1964), visait une stabilisation des significations. *Interpréter* un texte, dit au contraire Roland Barthes, « ce n'est pas lui donner un sens (plus ou moins fondé, plus ou moins libre), c'est au contraire apprécier de quel pluriel il est fait » (1970). Par là s'enclenche une dynamique de production du sens, qui ouvre un champ divers de conjectures. C'est que l'interprétation, ainsi conçue, vise bien un (le ?) sens profond du texte, mais en même temps hypertrophie l'apport de l'interprète ; ambiguïté du verbe *interpréter* : il signifie aussi jouer d'une manière personnelle une œuvre, un rôle, pour en exprimer le contenu.

La question des stratégies d'interprétation mises en œuvre est donc essentielle. On peut distinguer avec Tzvetan Todorov (1978) quatre attitudes possibles :

- ne se donner aucune contrainte particulière, comme le fait la critique dite impressionniste ;
- ne se donner de contrainte que sur le texte de départ (la source, telle « grande œuvre » sélectionnée *a priori* : l'œuvre d'Homère, par exemple) ;
- ne se donner de contrainte que sur le texte d'arrivée, dans une logique finaliste ; de même que la Bible renvoie toujours en dernier ressort à Dieu, l'Ancien Testament au nouveau, le texte renverra toujours au complexe d'Œdipe ou à la lutte des classes ;
- ne se donner de contrainte que sur les opérations, les procédures, permettant de passer du texte de départ au texte d'arrivée (critique philologique, analyse structurale).

Le choix de l'une ou l'autre approche n'est pas indifférent, mais engage une vision du monde et une position historique.

L'approche contemporaine de l'interprétation, reconnaissant les pouvoirs du lecteur, s'inscrit plutôt dans cette logique : l'herméneutique n'est pas ici dévoilement d'un sens préexistant, révélation d'une Vérité, mais tentative de construction d'un ou de plusieurs sens, retournement dont témoignent les évolutions récentes des pratiques scolaires, qui ont cherché à remplacer la classique lecture expliquée par une « lecture analytique » qui serait au fond une « lecture explicative ».

Rétablir ainsi les droits du lecteur, c'est toutefois ouvrir la boîte de Pandore : comment maîtriser le foisonnement des interprétations ? Si l'ancienne soumission à l'*intentio auctoris* risquait de condamner à la paraphrase admirative, le déplacement vers le lecteur – quels que soient les efforts que l'on peut faire en matière de rigueur méthodologique – ne mène-t-il pas à la « signifiôse », selon un mot de Barthes, à la prolifération des significations incontrôlées ? Il peut y avoir, on le sait, un délire d'interprétation.

Il reste alors à tenter de penser l'herméneutique comme un espace de négociation où, autour de l'œuvre, se maintient le dialogue entre *intentio auctoris* et *intentio lectoris*, mais aussi entre les approches des différents lecteurs. On débouche bien ici sur une *compréhension*, au sens plein et suggestif du préfixe, « prendre ensemble » au terme d'un processus dialogique : « la tâche de l'herméneutique est d'élucider ce miracle de la compréhension, qui n'est pas communion mystérieuse des âmes mais participation à une signification commune » (Gadamer, 1976).

Cette définition de l'herméneutique comme construction d'un lieu de rencontre explique le regain d'intérêt pour les *topoi* et lieux communs : au lieu d'être le signe d'une banalité, le lieu commun apparaît en effet aujourd'hui comme l'outil privilégié par lequel s'éprouvent ou se construisent des visions partagées ; il est l'instrument indispensable de solidarités culturelles, non seulement héritées mais construites dans le travail de l'interprétation.

▶ COMPAGNON A., *Le démon de la théorie*, Paris, Le Seuil, 1998. — ECO U., *Les limites de l'interprétation*, trad., Paris, Grasset, 1992. — GADAMER H.-G., *Vérité et méthode*, trad., Paris, Le Seuil, [1976], 1996. — RICŒUR P., *Du texte à l'action, Essais d'herméneutique II*, Paris, Le Seuil, 1986. — TODOROV T., *Symbolisme et interprétation*, Paris, Le Seuil, 1978.

Pierre POPOVIC, Alain BOISSINOT

→ *Bible ; Critique littéraire ; Exégèse ; Lieu commun ; Philologie ; Religion ; Signification ; Topique.*

HERMÉTISME

Les ouvrages apocryphes que l'on attribuait au Dieu Hermès passaient pour renfermer secrets et merveilles. Leurs allégories ou leurs formules énigmatiques, à la fois religieuses et scientifiques, étaient destinées aux initiés. Aussi un texte hermétique est-il un texte difficilement lisible par un lecteur non préparé. Dans son acception courante, l'hermétisme qualifie également, de manière péjorative, des ouvrages dont le sens se dérobe à la première lecture, soit parce qu'ils utilisent un langage ésotérique, soit parce que leur écriture s'écarte de l'usage commun.

Le Moyen Âge et la Renaissance héritent de l'Antiquité un vaste corpus disparate dans lequel se mêlent des influences pythagoriciennes (le mystère des nombres notamment), cabalistiques ou néo-platoniciennes et qui nourrit les spéculations alchimistes, philosophiques et scientifiques, comme en témoigne la fortune des définitions d'un ouvrage hermétiste compilé au Moyen Âge, le *Liber XXIV philosophorum* (dont la deuxième est : « Dieu est une sphère intelligible dont le centre est partout, la circonférence nulle part ») ou encore le *Grand Albert*. La poésie scientifique, au XVIe s., pour sa part, doit beaucoup à l'absence de séparation entre science et religion et à l'idée de l'unité du tout cosmique qui caractérisaient les ouvrages attribués à Hermès. Imprégnant en profondeur la culture du temps – l'humanisme redécouvrant de nombreux textes de cette tradition – l'hermétisme marque de nombreux textes littéraires, de façon plus ou moins explicite – les œuvres de Rabelais ou de Béroalde de Verville (*De l'âme et de ses facultés*, 1583). Mais l'influence hermétiste se renforce ensuite autrement, par l'occultisme au XVIIIe et plus encore au XIXe s., où sa vogue s'accentue dans le contexte de la réaction antipositiviste. Elle n'implique pas de recourir à une langue hermétique. Lorsque Balzac ou Maeterlinck s'inspirent des thèses de Swedenborg à la fois comme thème littéraire et comme vecteur de leur représentation du rôle de l'écrivain, ils conservent une expression accessible à tous leurs lecteurs. En revanche, à la fin du XIXe s., l'hermétisme littéraire, défini comme l'énigme propre à la poésie moderne et donc le caractère initiatique de ses textes, se développe avec le symbolisme, surtout chez Mallarmé ou chez Péladan, créateur du nom « hermétiste ». Il se propage ensuite dans les courants de la littérature contemporaine que fascinent les formules elliptiques (Saint-John Perse ou le jeune Char, par exemple). Mais c'est surtout sur le plan théorique que se renoue au XXe s. le lien du fait littéraire avec la tradition hermétique. Certains surréalistes y insistent pour s'écarter des rationalités marxistes et psychanalytiques et pour relancer les pouvoirs de l'imaginaire. La revue *Hermès* (1933) et, surtout, le recours aux Grands Transparents dont parle Breton dans ses *Prolégomènes à un troisième manifeste* (1942), puis *Arcane 17* (1947) se nourrissent des textes classiques de l'alchimie. Dans le domaine critique, de nombreux chercheurs tentent de fonder en méthode une lecture hermétique des textes littéraires inspirée par les réflexions philosophiques de Jung, René Guénon ou Mircea Eliade. Par ailleurs, l'appartenance maçonnique de certains écrivains, ou tout autre type de convictions symboliques ou de référence à la Kabbale judaïque, peut justifier des « lectures » de savoirs ou de messages dissimulés dans un texte. En ce sens, l'interrogation sur les mystères d'Hermès se fond dans la pratique à laquelle ils ont donné leur nom : l'herméneutique.

L'hermétisme de Mallarmé ou de Stefan George, conçu comme une révolte contre l'usage commun du langage, a été interprété tantôt comme acte philosophique, tantôt comme sacrifice à la quête littéraire (Blanchot), ou, par Adorno comme la trace concrète de la résistance du poète à la généralisation de l'échange de marchandises. Dans une société où toutes les valeurs tendent à se réduire au commun dénominateur de l'argent, où donc les valeurs humaines se dégradent inéluctablement, la théorie marxiste de l'aliénation permet à Adorno d'expliquer qu'une poésie difficile est à sa manière une réaction aux valeurs du capitalisme marchand. Le discours ascétique du poète « faisant l'économie de tout ce qui pourrait réduire la distance d'avec la langue avilie par le commerce » peut devenir « la voix des hommes qu'une barrière a séparés ». Selon le philosophe de l'École de Francfort, ce potentiel révolutionnaire de l'hermétisme ne peut être pensé par la théorie traditionnelle du reflet. Sa tentative d'explication sociologique de l'hermétisme littéraire est restée isolée, et le courant, dans son ensemble, n'a guère été étudié en ce sens.

▶ ADORNO T. W., *Notes sur la littérature*, trad. S. Muller, Paris, Flammarion, 1984. — GREINER F., *Les métamorphoses d'Hermès. Traditions alchimique et esthétique littéraire dans la France de l'âge baroque (1583-1586)*, Paris, Champion, 2000. — MOURIER-CASILE P., *André Breton, explorateur de la Mère Moire, trois lectures d'Arcane 17, texte palimpseste*, Paris, PUF, 1986.

Paul ARON

→ *Ascèse ; École de Francfort ; Énigme ; Herméneutique ; Occultisme ; Signification ; Symbolisme.*

HÉROS et ANTIHÉROS

Le héros littéraire est le personnage dont la reconnaissance procède à la fois d'une définition fonctionnelle – il est personnage principal, souvent éponyme de l'œuvre – et d'une caractérisation axiologique – il est celui qui porte (comme l'homonyme *héraut*), défend ou remet en cause les valeurs dominantes de la société. Il est héros épique ou héros tragique, mais aussi héros des contes et légendes, héros romantique. La figure du héros devient de plus en plus problématique à mesure que le roman domine la littérature, au point qu'on parle d'antihéros pour celui qui, au centre de l'histoire, abandonne ou conteste les valeurs collectives. Aussi l'héroïsme du XXᵉ s. doit-il inventer le vocable de *héros positif* pour contredire l'implicite négativité du héros contemporain.

À condition de voir dans le mythe une forme littéraire, le héros a, en littérature, une très longue histoire qui débute en Occident avec le héros de la mythologie grecque, demi-dieu par sa naissance prodigieuse – comme Achille célébré par l'*Iliade* – ou reconnu tel pour ses exploits. Le héros du mythe est au cœur de la dimension anthropologique pour le partage qu'il opère entre *nature* et *culture*, mais le mythe du héros (O. Rank), en sa naissance exceptionnelle, est lui aussi source des récits fabuleux. Dans l'épopée, l'héroïsme est avant tout celui des exploits guerriers. Le récit se construit à partir des faits d'armes que le héros accomplit à la gloire de son peuple. À travers le chant des héros, qui mêle histoire et légende, une société élabore et transmet une mémoire collective, construite sur les épreuves dont elle a su triompher : Achille, Ajax et la Guerre de Troie, dans l'*Iliade* (VIIIᵉ s. av. J.-C.) ; Charlemagne, Roland et la guerre contre les Sarrasins, dans la *Chanson de Roland* (Xᵉ s.). Bien qu'un peuple se reconnaisse dans ses héros, ceux-ci gardent un caractère hors du commun ; jusque dans la mort qui fait naître leur culte, ils conservent un lien avec le divin. Le héros de la tragédie est lui aussi glorieux par la naissance : héros mythologique, roi ou prince, sa haute condition, inséparable du genre, implique jusque dans ses passions les affaires de la Cité. Il faut attendre l'âge classique pour qu'avec Corneille la dignité tragique affecte des personnages (*Le Cid*, 1637), dont le mérite est davantage personnel. Soumis à la fatalité des Dieux, le héros tragique fait cependant preuve d'une liberté d'intervention – transmuée au XVIIᵉ s. en volonté – qui met en cause le cours de son destin et fait apparaître à sa conscience la faute à châtier. Phèdre, incapable de dominer sa nature, s'inflige la mort pour avoir cédé aux tentations de Vénus. Hippolyte paie de sa vie le crime d'aimer celle qui modifie l'ordre dynastique d'Athènes. Différemment, en ses naissances, le roman donne d'emblée au héros une dimension problématique. Don Quichotte, abreuvé de lectures de romans de chevalerie où il croit reconnaître des valeurs épiques pourtant dégradées, veut restaurer celles-ci dans un monde qui n'obéit déjà plus à de telles lois ; le roman de Cervantès (1605-1615) met en scène un héros dont la confusion des valeurs, son inadaptation à une société devenue bourgeoise, font d'emblée un anti-héros dans la mesure où « son aberration consiste [...] dans le fait d'être et de rester si sûr de lui-même » (Hegel, p. 346). Ce contrepied de l'héroïsme sera l'une des ressources du style héroï-comique et de la vague burlesque dans la seconde partie du XVIIᵉ s. Dans le drame romantique, ce qui subsiste de la tragédie est la confrontation entre le héros et la Cité. Mais la naissance de l'individu au XVIIIᵉ s. fait de cet « être [devenu] complexe, hétérogène, multiple, composé de tous les contraires, mêlé de beaucoup de mal et de bien, plein de génie et de petitesse » (Hugo, préf. à *Cromwell*, 1827) un moi solitaire. « Suis-je le bras de Dieu ? », se demande Lorenzo (*Lorenzaccio*, 1834) qui s'apprête à tuer le Duc et libérer Florence de la tyrannie. C'est l'absolue fidélité à ses convictions qui donne au héros romantique ses caractères, et l'échec semble désormais le corollaire de son héroïsme. Plus encore, de Julien Sorel (*Le rouge et le noir*, 1830) à Étienne Lantier (*Germinal*, 1885) en passant par Lucien de Rubempré dans *Illusions perdues* (1837-1843) et Frédéric Moreau dans *L'éducation sentimentale* (1869), le héros du roman au XIXe s. souffre d'une impuissance souvent fatale. Redonner un héroïsme au personnage au début du XXe s. consiste à le replacer parmi les siens, dans une communauté d'idées, morales ou politiques, pour qu'il en défende les convictions. C'est ce que veut faire Maurice Barrès avec le roman à thèse, dont l'influence est visible dans les héros positifs des romans de Malraux, ou dans la morale de l'action de Saint-Exupéry. D'une autre manière, le XXe s. plonge à l'intérieur de la solitude d'un héros négatif devenu une voix : celle, grondante et hostile, de Bardamu (*Voyage au bout de la nuit*, 1932), mais celle aussi, moins vigoureuse, de l'*Étranger* (Camus, 1942), dont l'indifférence à soi anticipe l'*Innommable* de Beckett (1953).

Identifier le héros, dans le cadre d'une appréciation fonctionnelle, met en jeu la hiérarchie entre personnages. Le personnage le plus important est fréquemment le moteur ou le support de l'action ; en effet, les ambitions du héros sont porteuses d'une histoire qui trouve un aboutissement dans l'achèvement de la quête. Cette définition, qui fait du héros également le personnage le plus présent, met en évidence, dans les « formes simples » (Jolles) et les genres très codifiés, la nature agonistique de toute intervention humaine. Pour reprendre le vocabulaire de l'analyse du conte populaire, le héros doit triompher d'un « faux-héros » (Propp) qui le concurrence. En termes narratologiques, il est un sujet, affrontant un sujet rival ou des opposants, dont l'existence même fait de la dynamique de l'histoire un combat entre bons et méchants où coïncident les hiérarchies fonctionnelle et morale : les méchants sont punis et les bons récompensés. Cette simplicité normative n'est pas celle du genre romanesque. Les lieux d'évaluation axiologique sont multiples et parfois hétérogènes ; c'est à l'appui des « savoir-dire, savoir-faire, savoir-jouir, savoir-vivre » (Hamon) des personnages, confrontés aux interventions qualifiantes du narrateur, que des normes, souvent partielles, se constituent. Non seulement le roman complexifie son personnage principal, lequel intériorise les forces antagonistes de l'histoire, mais encore il le dépossède de son itinéraire de formation. Le héros est sauvé ou perdu non pas tant en raison de ses caractères propres, mais plutôt en fonction de ses facultés d'adaptation au monde (Balzac, Stendhal). Enfin, plus radicalement, l'idée même de hiérarchie se trouve dans le roman contestée, quand, de par ses aspirations réalistes, le roman semble dire que « le premier homme qui passe est un héros suffisant » (Zola, 1866, p. 281). Mais si ce héros de passage reste substantiel au XIXe s., au XXe s. il est le plus souvent un *homme sans qualités* marchant sans but dans le silence du sens...

▶ HAMON P., *Texte et idéologie : valeurs, hiérarchies et évaluations dans l'œuvre littéraire*, Paris, PUF, 1984. — HEGEL G. W. F., *Esthétique* [1835], Paris, Flammarion « Champs », 1979. — JOUVE V., *L'effet-personnage dans le roman*, Paris, PUF, 1992. — LOTMAN I., *La structure du texte artistique*, trad. du russe par M. Aucouturier, Paris, Gallimard, 1973. — RANK O., *Le mythe de la naissance du héros* (1909) suivi de *La légende de Lohengrin*, E. Klein (éd.), Paris, Payot, 1983. — ROBERT M., *Roman des origines et origines du roman*, Paris, Gallimard, [1972], 1981.

Florence DE CHALONGE

→ *Bande dessinée ; Conte ; Épopée ; Légende ; Mythe ; Personnage ; Roman ; Valeurs.*

HISTOIRE

L'Histoire désigne au sens plein la connaissance des faits du passé ; en ce sens, la littérature du passé appartient à l'Histoire. Mais par ailleurs l'histoire désigne la discipline qui étudie ce passé, et aussi le récit correspondant, donc une forme d'écriture. En ce sens, l'histoire est un genre, qui a longtemps été considéré comme une part des Belles-Lettres. Enfin, l'Histoire constitue un donné sémantique essentiel, tant comme matériau du littéraire que comme contexte.

Lorsque l'histoire apparaît en Grèce avec Thucydide, elle n'est encore qu'un genre mineur face à l'épopée, la poésie (dont le théâtre) et l'éloquence. Elle se définit comme la parole du témoin (*histor*), par différence avec celle du poète (qui invente) et celle de l'orateur. Mais dès cette époque, l'histoire – sans vraie différence avec les mythes, à l'origine – fournit de la matière aux poètes : ainsi, *Les perses* d'Eschyle. D'autre part, la littérature est un lieu de mémoire et de constitution de l'histoire : ainsi le souvenir de la Guerre de Troie subsiste par Homère. Enfin, la littérature d'éloquence politique constitue, en elle-même, un acte historique. Ces trois sortes de relations du littéraire et de l'histoire persistent ensuite, à Rome, où l'histoire s'affirme comme un genre majeur avec des spécifications en genres (annales, chroniques, biographie). En France, au Moyen Âge se développent l'histoire religieuse, et les chroniques royales, en un couple qui reste longtemps le modèle dominant. Avec l'humanisme, la redécouverte des auteurs antiques amène une nouvelle réflexion sur les historiens (que l'on traduit) et l'histoire (ainsi Machiavel, *Discorsi*, 1513-1520, 1ère trad. fr. 1544, et en France, Bodin, *La méthode de l'histoire*, réd. en latin, 1566). La recherche du passé lointain selon une démarche plus scientifique se fait jour. Les trois formes de rapports entre histoire et littérature se trouvent alors modifiées. D'une part, certains des historiographes royaux sont chargés de trouver des justificatifs érudits aux prétentions monarchiques sur tel ou tel territoire. L'histoire érudite est en progrès. D'autres ont mission de chanter la gloire du roi (Racine et Boileau par exemple) : l'histoire épidictique persiste. Comme d'autre part, les crises religieuses amènent à reconsidérer l'histoire religieuse, chaque camp en proposant sa lecture, naissent, au XVIIe s., des formes nouvelles d'écriture historique : essais d'histoire « générale » laïque avec Mézeray, et d'« Histoire universelle » d'inspiration catholique avec Bossuet, tandis que s'amorce la critique des sources de la Bible et donc de l'histoire religieuse, avec Richard Simon. En même temps, l'Histoire constitue une matière d'enseignement importante, dont le but est surtout de donner des leçons de morale. Aussi la curiosité pour l'Histoire est-elle en essor et nourrit-elle les premiers dictionnaires historiques (Moréri, 1674 ; Bayle, 1698) et les premières histoires littéraires, mais plus encore une forme de théâtre historique (histoire ancienne, mais aussi histoire plus récente, en Angleterre avec Shakespeare, en France avec par exemple *Bajazet*) et de roman historique (comme *La Princesse de Clèves* prétend l'être). Au temps des Lumières, l'histoire devient un genre littéraire de premier plan avec Voltaire notamment (*Le siècle de Louis XIV*, *Histoire de Charles XII*), et l'histoire érudite s'affirme, avec par exemple l'*Histoire littéraire de la France* des Bénédictins de Saint-Maur, qui recense toutes les productions écrites du pays. Une spécification des genres et domaines se renforce ainsi. À la suite de l'ébranlement de la Révolution, la conscience historique est en alerte chez les écrivains, par exemple dans l'œuvre de Chateaubriand (par exemple son *Génie du christianisme*, 1802) et dans l'essor du roman historique, mais aussi chez les romanciers qui prétendent rendre compte de l'Histoire du présent sous couvert de la fiction (Balzac) et chercher des formes adaptées à la prise de conscience de l'historicité des actions humaines (Hugo). L'Histoire, qui imprègne la peinture (Delacroix) aussi bien que les sciences de la vie (Cuvier), est ainsi devenue un matériau essentiel de la littérature qui s'appuie sur elle pour affirmer le souci de l'humain, en voyant dans le récit du passé comme un « roman dont le peuple est l'auteur » (*Réflexions sur la vérité dans l'art*, 1829). Mais au même moment, sous l'influence du positivisme qui produit des sommes érudites (Guizot, A. Thierry), l'Histoire est constituée tout à fait en discipline autonome, et dès lors n'est plus considérée comme l'un des genres littéraires. On note cependant qu'aujourd'hui des ouvrages historiques et des émissions de radio ou de télévision et des publications de vulgarisation ont un large public. Surtout la littérature se nourrit plus que jamais de l'Histoire : témoignages (par exemple sur les guerres, sur les camps de concentration), Mémoires, chroniques, essais, mais aussi une dimension souvent essentielle dans des œuvres de fiction ; dans la poésie et le théâtre – notamment dans la littérature engagée, mais plus encore dans le roman – Malraux, mais aussi Proust, Céline, C. Simon... – la littérature est alors bien, pour une part, une « lecture » de l'Histoire.

Le statut de l'histoire comme genre est tributaire des conceptions, elles-mêmes historiquement variables, de la littérature. Longtemps, les Belles-Lettres l'ont incluse avec l'éloquence et la poésie, et elle demande donc à être regardée comme production littéraire en cela au moins. D'autant que dans le passé, l'histoire des grands hommes se donnait volontiers de l'éloquence et voisinait ainsi avec la fiction et la mimésis : les auteurs animaient leur récit par des propos censés « avoir pu être » prononcés par les personnages historiques. Mais même si ensuite les deux domaines se sont scindés, aujourd'hui encore des formes de l'écriture historique (chroniques, Mémoires, témoignages, voire biographie) sont des genres littéraires des plus dynamiques, sinon des plus prestigieux. Et si l'histoire, en tant que récit véridique, est censée relever du registre didactique, souvent elle peut dériver en éloge ou en argumentation orientée, jouer de l'épique, de l'épidictique et du polémique ; elle rejoint les problématiques littéraires : les historiens sont conscients que leur discipline exige des formes aptes à démontrer, par l'établissement de faits, mais aussi à convaincre, dans la façon de les interpréter, voire à persuader, dès lors qu'il ne s'agit plus d'une lecture savante ; l'art d'écrire reste ainsi un des enjeux des essais historiques, pour problématiser le rapport au passé, comme l'ont illustré par exemple L. Febvre ou M. de Certeau. Cependant, la recherche et la critique littéraires s'intéressent désormais peu aux œuvres et auteurs d'histoire (un des derniers à le faire ayant été R. Barthes, par ses lectures de Michelet).

En retour, la littérature appartient à l'Histoire. Elle contribue à faire l'histoire, notamment dans son engagement, et elle en « dit quelque chose ». Certes les théories du reflet sont désormais critiquées, et le littéraire peut se revendiquer comme un espace propre, avec sa propre histoire. Mais des historiens et des critiques ont pu voir dans la littérature un domaine privilégié pour l'histoire des mentalités, non seulement en ce qu'elle peut être témoignage ou document, mais aussi en ce qu'elle révèle des sensibilités, façons de penser et idéologies (par exemple dans *Les lieux de mémoire*, 1984-1993). Dans de telles démarches, histoire des auteurs, du livre, de la lecture et histoire culturelle occupent des places éminentes. L'histoire littéraire est ainsi une part de l'Histoire.

Mais il peut advenir alors une tension, voire un différend, entre « Histoire ou littérature ? » (Barthes) : la recherche littéraire aurait en propre les formes et significations, et le reste – biographie des auteurs, étude des institutions, etc. – relèverait des historiens. Ce différend en recouvre en fait un autre, originel, entre histoire et fiction. Dès Aristote, la poésie est envisagée comme donnant accès à une vérité supérieure à celle de l'histoire : celle-ci traite de faits advenus, donc singuliers, limités, alors que la poésie peut, par la fiction, proposer des faits universels et atteindre à des vérités vraies en tout temps. Cette perspective semble animer en particulier, aujourd'hui, les œuvres de romanciers qui se nourrissent de l'Histoire pour, sans faire des romans historiques, donner place, à travers des références historiques vécues, à une quête de l'expérience humaine en général. La littérature dépasse alors la contingence historique vers des vues plus anthropologiques.

Mais une telle dichotomie suppose une indépendance – au moins relativement grande – de la signification des œuvres en regard de leur situation historique, indépendance elle-même problématique. Et d'autre part, histoire et littérature restent liées, via la recherche en histoire littéraire, dans les opérations de contextualisation, les études des formes de publication, des statuts des intellectuels, et la problématique des doxas, des adhésions et des révolutions des valeurs leur est manifestement commune.

▶ BARTHES R., « Histoire ou littérature », [*Annales*, 1960], rep. dans *Sur Racine*, Paris, Le Seuil, 1963. — CERTEAU M. de, *L'écriture de l'histoire*, Paris, Gallimard, 1975. — DELFAU G. & ROCHE A., *Histoire / Littérature*, Paris, Le Seuil, 1977. — FEBVRE L., *Combats pour l'histoire*, Paris, A. Colin, 1953. — GENETTE G., « Poétique et Histoire », *Figures, III*, Paris, Le Seuil, 1972. — VEYNE P., *Comment on écrit l'histoire*, Paris, Le Seuil, 1979.

Alain VIALA

→ *Adhésion ; Belles-Lettres ; Contextualisation ; Document ; Histoire culturelle ; Histoire littéraire ; Historiographie ; Reflet (Théorie du) ; Roman historique ; Utilité.*

HISTOIRE CULTURELLE

L'histoire culturelle se présente d'emblée comme une étude des univers mentaux et des pratiques culturelles. Il s'agit donc, plutôt que d'une nouvelle discipline, d'une histoire carrefour. Fécondée par l'anthropologie, la sociologie religieuse, la psychologie collective et même la psychanalyse, elle envisage une histoire sociale des représentations et entend expliquer la manière dont « les groupes humains représentent et se représentent le monde qui les entoure » (Jean-François Sirinelli).

L'histoire culturelle épouse à l'origine la volonté de Marc Bloch et Lucien Febvre, fondateurs (en 1929) de la revue des *Annales d'histoire économique et sociale*, de sortir leur discipline d'une histoire qui privilégiait la politique, la diplomatie et les batailles. M. Bloch et L. Febvre ont ouvert leur approche à la psychologie et à la géographie, le second demandant, dès 1931, à ses confrères, d'essayer de « reconstituer la vie affective d'autrefois ». Leurs travaux (Marc Bloch, *Les rois thaumaturges*, 1924, et Lucien Febvre, *Le problème de l'incroyance au XVIe siècle : la religion de Rabelais*, 1942), ont préfiguré l'histoire culturelle. Alphonse Dupront, père de la psychologie collective ou historique en France, et Gabriel Le Bras, de la sociologie religieuse, ont, chacun à leur manière, contribué à féconder une démarche dont nul ne savait alors si elle se transformerait en discipline à part entière. Elle ne prend véritablement le nom d'histoire culturelle qu'à la fin des années 1960 lorsque des médiévistes de renom (Alphonse Dupront et Georges Duby) et des modernistes réputés (Robert Mandrou et Philippe Ariès) commencent à s'écarter des sentiers de l'histoire économique et sociale. Ouverte aux quatre vents de l'esprit, à l'anthropologie structurale des années 1960, aux « prisons de la longue durée » chères à Fernand Braudel et à toutes les tentatives pour échapper au marxisme considéré comme par trop mécaniste, l'histoire culturelle a suivi, dans cette période, deux voies assez distinctes. En Grande-Bretagne, le mouvement des *cultural studies*, apparu à l'université de Birmingham dans les années 1950, a renouvelé l'approche des groupes humains les moins privilégiés. Richard Hoggart, Edward P. Thompson et leurs disciples ont ouvert la voie. Le passage aux Amériques, aux États-Unis et au Canada d'abord, de leur méthode qui s'écarte des sentiers battus, étudie avec autant de précision l'almanach populaire que le poème des avant-gardes en révolte ou la culture des groupes humains minoritaires, devait entraîner, à terme, l'émergence de *Gender studies* très actives et très dynamiques dans les universités du Nouveau Monde.

En France où ces courants se sont développés avec un retard certain, l'histoire culturelle avait débouché d'abord sur un renouveau des études antiques et médiévales. L'histoire des mentalités appliquée à la Grèce puis aux sociétés chrétiennes d'Occident vit des professionnels aussi divers que Georges Duby, Philippe Ariès, Robert Mandrou puis Daniel Roche et Maurice Agulhon s'intéresser aux trois ordres de la société médiévale, aux sorcières ou aux racines de la culture populaire, aux sociétés de pensée, loges, académies, confréries, cercles et sociétés secrètes ou politiques. Parallèlement à ces travaux, l'histoire des pratiques religieuses (Le Bras), sportives (Crubellier), corporelles (Vigarello), et celle du livre et de la lecture (Pastoureau, de Certeau, Roche, Chartier) produisait de multiples recherches. En publiant, dès 1974, une *Histoire culturelle de la France. XIXe-XXe siècles*, le sociologue Maurice Crubellier traçait la voie d'un examen minutieux des pratiques et des consommations culturelles. L'histoire du christianisme, celle de l'édition ou des bibliothèques, mais aussi de la culture des apparences, des odeurs et des sons, des larmes et de la pudeur, du rire et de la mort, des couleurs et des étoffes ont montré la vivacité de recherches qui occupent, depuis vingt ans, des positions dominantes dans le champ éditorial et, de plus en plus, institutionnel. *L'Histoire culturelle de la France* (Paris, Le Seuil, 1997-1998) marque ainsi une sorte de point d'orgue même si cette somme en quatre volumes n'épuise évidemment pas la variété des études qui se rangent sous la bannière du culturel, des représentations et de tout ce qui privilégie la médiation de l'individu sur les déterminismes dont il est le sujet. L'histoire culturelle dialogue évidemment avec les études littéraires. Mais, loin des histoires littéraires panthéonisantes ou des histoires de l'art élitaires, elle entend mettre l'accent sur l'existence, dans toute société, de groupes humains qui produisent de la (des) culture(s), médiatisent leur rapport au monde par la représentation de celui-ci et expriment leur vécu par des manifestations culturelles (la poésie, mais aussi bien le sport ou le tag, selon les époques et les lieux). Ainsi au Québec, le questionnement identitaire a encouragé un mouvement de recherches menées conjointement par des littéraires et des historiens et portant sur les déterminations nationales et étrangères des pratiques culturelles (Bouchard, Lamonde, Michon, Saint-Jacques).

Refusant les catégories de sous-culture ou de para-littérature, l'histoire culturelle préfère étendre à l'infini ses perspectives théoriques de recherche et admettre dans son sein toutes les formes de représentation du social concernant un groupe suffisamment nombreux et homogène pour justifier une étude autre que psychologique ou psychanalytique. Considérée de ce fait comme impérialiste par sa volonté d'embrasser tout le réel, l'histoire culturelle apparaît à la fin du second millénaire chrétien comme une approche historique dynamique dans ce champ de la recherche, et comme un lieu d'échanges entre littéraires inspirés de la sociologie du champ, spécialistes des études de civilisations, partisans de l'histoire comparée des sociétés, anthropologues, ethnologues et sociologues attentifs aux sensibilités et aux formes évolutives de la culture. Par ce trait, elle marque une filiation avec les tenants de la *Kulturgeschichte* à l'allemande et son refus de se laisser enfermer dans des limites trop précises et des définitions trop rigides. Ce qui en fait la difficulté heuristique explique probablement l'engouement dont elle est l'objet en Europe et en Amérique du Nord. Une partie de l'Afrique et la majeure partie de l'Asie éprouvent aujourd'hui les plus grandes difficultés à traduire un concept qui n'a rien à voir avec l'existence de folklores censés conserver intactes les origines de cultures nationales anhistoriques.

En histoire culturelle, la construction de l'objet de la recherche est centrale puisque tel était, dès les origines, le point de vue des fondateurs de la revue les *Annales*. Quand Richard Hoggart (*La culture du pauvre*, 1957, trad. fr. 1970) s'intéresse aux manières de lire des ouvriers anglais des années 1950, il invente le concept de « lecture oblique » et « désaliène » ainsi les catégories sociales jugées les plus pauvres en matière d'acculturation de masse. Cela revient à accorder une autonomie très large aux récepteurs en matière de culture et à éviter tout réductionnisme simplificateur. Lorsque Roger Chartier s'oppose à Robert Mandrou, après 1980, en niant l'existence d'une coupure opposant culture savante et culture populaire, il renoue avec cette tradition. Analysant le contenu de la littérature bleue de Troyes en termes d'hybridité, de métissage culturel, il montre que les mêmes textes circulent dans tous les groupes de la société mais que c'est leur réception qui est, éventuellement, source d'approches multiples. De la tentative d'étudier les outillages mentaux du passé (Febvre) à celle de faire l'histoire des sensibilités (Corbin), il s'agit bien dans tous les cas de s'intéresser à des groupes humains et non aux seuls individus et de rendre compte de leurs représentations en affirmant qu'elles ne sont pas réductibles à la seule singularité de l'individu.

▶ CERTEAU M. de, *L'invention du quotidien*, Paris, Gallimard, [1980], 1990. — CHARTIER R., « Le monde comme représentation », *Annales ESC*, nov-déc. 1989, n° 6, p. 1505-1520. — CORBIN A., « Le vertige des foisonnements », *Revue d'histoire moderne et contemporaine*, janvier-mars 1992, n° 39, p. 103-126. — LAMONDE Y., BOUCHARD G. *Québécois et Américains : la culture québécoise aux XIXe et XXe siècles*, Montréal, Fides, 1995. — ORY P., « Qu'est-ce que l'histoire culturelle ? » *L'Université de tous les savoirs*, Paris, CNAM, 2000, t. 3, *Qu'est-ce que la société*, p. 255-265. — RIOUX J. P. & SIRINELLI J. F. (dir.), *Pour une histoire culturelle*, Paris, Le Seuil, 1997.

Jean-Yves MOLLIER

→ *Culture ; Études culturelles (Cultural Studies) ; Féministe (Critique) ; Histoire ; Histoire littéraire ; Historiographie ; Marxisme ; Structuralisme.*

HISTOIRE DU LIVRE

Sous le nom d'« histoire du livre », on désigne une spécialité historique consacrée en fait à l'étude de la structure et de l'évolution du monde du livre (surtout depuis l'apparition de l'imprimerie, mais certains historiens font porter leur enquête sur la période antérieure à la révolution typographique). L'histoire du livre mobilise des savoirs de plusieurs disciplines (bibliographie, littérature, sociologie, économie, science politique, histoire sociale et culturelle) afin de relier tous les éléments de la chaîne du livre et d'analyser le rôle des différents agents (auteur, éditeur, imprimeur, libraire, lecteur) qui participent au circuit de la transmission des textes.

Les premiers essais de théorisation d'une science du livre datent du siècle des Lumières ; ces travaux, qui sont l'œuvre des acteurs du monde de l'édition (Malesherbes, Diderot), ne constituent pas encore à proprement parler des études scientifiques. Il faut attendre le XIXe s. pour voir se constituer les premiers éléments d'un savoir fondé sur le classement et la description matérielle de l'objet. Le livre est dès lors étudié en tant que produit fabriqué, marchandise et objet d'art. Une science du livre s'élabore à travers plusieurs disciplines complémentaires, la bibliophilie, la bibliologie (*Dictionnaire raisonné de bibliologie* de Gabriel Peignot, 1802), la bibliographie matérielle, la bibliothéconomie (Dewey, 1876) et la statistique bibliographique (Rothlisberger, 1892). Au XXe siècle, sous l'influence des sciences humaines, le livre est étudié en rapport avec la société. On fait intervenir la sociologie (R. Escarpit, *La révolution du livre*, 1965), l'économie politique (R. Estivals, *Le livre dans le monde*, 1983) ou la psychologie (N. Roubakine, *Introduction à la psychologie bibliologique*, 1922) pour appréhender l'objet, devenu un produit de consommation courante. Le livre apparaît comme un moyen de communication répondant à des besoins sociaux spécifiques. Il s'agit de proposer des solutions aux problèmes soulevés, entre autres, par l'essor de la culture de masse qui remet en cause les modes de distribution du livre (Rapport Cheney, 1932) et qui bouleverse les classifications traditionnelles des sciences de l'écrit (P. Otlet, *Traité de documentation. Le livre sur le livre, théorie et pratique*, 1934). Le développement des mass média et l'internationalisation des recherches sur la culture, surtout depuis la création de l'Unesco (1946), ont donné aux études sur le livre contemporain une actualité nouvelle.

Parallèlement à cette orientation pragmatique de la recherche, une histoire du livre se développe comme discipline autonome au début des années 1960. *L'apparition du livre* de Lucien Febvre et Henri-Jean Martin (1957) marque une date importante dans l'élaboration de cette nouvelle approche. Au-delà des données empiriques (statistiques de la production, économie du livre, profil socio-culturel des lecteurs), on cherche à établir le rôle de l'imprimé et de l'écrit dans l'évolution du monde moderne et à « comprendre le livre en tant que force dans l'histoire » (Darnton). Les historiens remontent aux premiers temps de l'imprimerie pour analyser les effets de cette invention sur la société, sur les mentalités et les comportements. Ils s'intéressent au développement de la production et de la lecture sur la longue durée. Contrairement au bibliophile et au collectionneur, ils ne s'arrêtent pas aux livres rares et aux belles éditions, ils observent les collections populaires et les ouvrages les plus courants parce qu'il s'agit avant tout de comprendre l'expérience des lecteurs ordinaires.

Cette perspective a inspiré les travaux de nombreux chercheurs, comme Marshall McLuhan qui, dans *La galaxie Gutenberg* (1962), propose une série d'hypothèses concernant l'influence de la révolution typographique sur les perceptions et les comportements des individus et le développement des sociétés ; en 1965 un groupe de chercheurs de l'École pratique des hautes études publie *Livre et société en France au XVIIIe siècle* ; Henri-Jean Martin, *Livre, pouvoirs et société à Paris au XVIIe siècle (1598-1701)* ; Robert Darnton retrace l'aventure éditoriale de *L'encyclopédie* ; Elizabeth L. Eisenstein tente de montrer l'impact de l'invention de l'imprimerie sur la constitution de nouveaux savoirs (*La révolution de l'imprimé dans l'Europe des premiers temps modernes*, 1991) ; R. Chartier tente une synthèse de la problématique (*Culture écrite et société*, 1996).

En France au début des années 1980, *L'histoire de l'édition française* (en quatre volumes sous la direction de Henri-Jean Martin et de Roger Chartier) permet de dépasser la période de l'Ancien Régime et sert bientôt de modèle à plusieurs grands projets nationaux de même nature. L'histoire du livre (the History of the Book) devient ainsi une discipline internationale. On voit se multiplier les projets d'histoire nationale du livre en Europe, dans les pays francophones (Québec, Suisse) et dans les pays anglo-saxons (Australie, Canada, Écosse, États-Unis, Grande-Bretagne, Irlande et Nouvelle-Zélande). Tous ces travaux, lorsqu'ils seront terminés, offriront une première vue d'ensemble sur les mutations du livre et de l'édition dans le monde. Lorsque l'histoire comparée des différents modèles nationaux inclura des espaces encore peu travaillés comme l'Inde, l'Asie, l'Afrique et le Monde arabo-musulman, nous pourrons parler d'une histoire mondiale du livre car la structure générale de l'imprimerie, de l'édition, de la librairie, la culture commerciale des éditeurs et les stratégies d'exportation des sociétés doivent être examinées dans leurs dimensions internationales. « Les livres eux-mêmes ne respectent pas les limites linguistiques ou nationales. Ils sont souvent l'œuvre d'auteurs qui appartiennent à une république des lettres internationales, composée par des imprimeurs qui ne travaillent pas dans leur langue natale, vendus par des libraires qui opèrent au-delà des frontières nationales et lus dans une langue par des lecteurs qui en parlent une autre » (R. Darnton, « Qu'est que l'histoire du livre ? », in *Gens de lettres, gens du livre*, 1992).

▶ CARTER R. A., « What's changed since Cheney ? », *Publishers Weekly*, 5 octobre 1992, p. 41-44. — DARNTON R., *L'aventure de l'Encyclopédie, 1775-1800*, Paris, Librairie Académique Perrin, 1982. — MARTIN H.-J., *Livre, pouvoirs et société à Paris au XVIIe siècle (1598-1701)*, Genève, 1969 ; *Histoire et pouvoirs de l'écrit*, Paris, Albin Michel, 1996. — MOLLIER J.-Y. & SOREL P., « L'histoire de l'édition, du livre et de la lecture en France aux XIXe et XXe siècles. Approche bibliographique », *Actes de la recherche en sciences sociales*, mars 1999, 126-127, p. 39-59.

Jacques MICHON

→ *Bibliographie ; Bibliophilie ; Édition ; Imprimerie ; Livre ; Manuscrit ; Médias.*

HISTOIRE LITTÉRAIRE

L'histoire littéraire est une discipline à vocation scientifique qui cherche à décrire et à comprendre les faits littéraires en envisageant la variation dans le temps des pratiques d'écriture individuelles ou collectives, saisies sous le triple angle de la production, de la codification et de la réception des textes.

La Renaissance suscite l'émergence d'une « histoire littéraire des sçavans » (Cristin, 1973), qui prolonge à la fois les traditions antiques des Éloges et des Vies d'hommes illustres, et celles des répertoires d'œuvres. La fusion de ces genres donne naissance aux *Bibliothèques*, dont les plus anciennes en langue française sont le fait de La Croix du Maine (*Bibliothèque française*, 1584) et de du Verdier (*Bibliothèque française*, 1585). Ces ouvrages présentent alphabétiquement les auteurs d'œuvres écrites en langue française, tous secteurs de la pensée confondus ; ils proposent quelques indications relatives au contenu des écrits évoqués, et certaines fois un jugement de valeur à leur propos. Parmi leurs références, La Croix du Maine et du Verdier citent les grands rhétoriqueurs (e. a. Lemaire de Belges et Tory), dont les palmarès d'écrivains ayant écrit en langue vulgaire inspirent également le *Recueil de l'origine de la langue et poésie française* de Claude Fauchet (1581) et le septième livre des *Recherches de la France* (1560-1621) d'Étienne Pasquier (cf. E. Mortgat, 1995).

Ces premières *Bibliothèques* sont essentiellement destinées à un public érudit. Mais l'accroissement constant du nombre de livres publiés ainsi qu'un progressif élargissement du lectorat font que l'histoire littéraire est en essor au XVIIe s. Dès ce moment se pose la question du jugement (moral, politique, artistique...) porté sur les œuvres, ainsi que celle de leur sélection. Ainsi Charles Sorel rejette l'ambition totalisante des érudits dans sa *Bibliothèque française* (1664) et dans *De la connaissance des bons livres* (1671) presque exclusivement consacrée aux Belles-Lettres. Délaissant le classement alphabétique au profit d'une structuration par types d'ouvrages, il privilégie l'évocation des hommes, des œuvres, parfois de leur réception. Pour instruire son lecteur, il sélectionne des écrivains dont la mémoire mérite d'être entretenue, indique ce qui, chez chacun, est communément loué et blâmé, et, le cas échéant, complète ces jugements par des avis personnels, afin d'établir chez quels auteurs « on peut apprendre les Sciences et les Arts, et la manière de vivre sagement ». Plus globalement, les travaux d'histoire de la littérature s'orientent, à ce moment, vers une histoire nationale du littéraire.

Cet usage critique devient commun dès la fin du XVIIe s. non seulement dans nombre d'ouvrages destinés à orienter le public (e. a. l'*Histoire critique de la république des lettres* de Samuel Masson, 1712-1718), mais aussi dans des périodiques consacrés à l'actualité éditoriale (*Mémoires de Trévoux*, 1701-1767 ; *Journal littéraire*, 1705 ; *L'Europe savante*, 1718-1720...). C'est à des publications de ce type que l'expression « Histoire littéraire » sert pour la première fois de titre (*Bibliothèque française ou Histoire littéraire de la France*, Amsterdam, 1723-1742). Les bénédictins de Saint-Maur l'adoptent pour désigner une monumentale entreprise d'érudition (*Histoire littéraire de la France*, 1733-...).

Entamée sous la direction de Dom Rivet de la Grange, cette *Histoire littéraire* s'articule autour des notions de biographie (« Sa vie ») et bibliographie (« Ses écrits »), dans le droit fil des travaux de La Croix du Maine et de du Verdier. Elle se distingue par l'ampleur du champ étudié : tous les écrivains que la France a produits depuis l'Antiquité, en quelque langue qu'ils aient écrit. Les bénédictins de Saint-Maur sont les pionniers d'une discipline nouvelle par le volume et la précision des informations traitées, la critique philologique, le point de vue chronologique (division par siècles : en 1763, les bénédictins en sont au XIIe s.), et le discours intégrant, au seuil de chaque siècle, quantité d'informations relatives à la vie littéraire qui relient entre elles les notices consacrées aux auteurs. Au même moment apparaît une histoire littéraire à vocation scolaire, et d'organisation particulière : le *Cours de Belles-Lettres* (1747-1773) de l'oratorien Batteux examine successivement les différents genres, suit leur évolution depuis l'Antiquité jusqu'à la France, où le temps de Louis XIV est considéré comme un apogée. À la fin du XVIIIe s., Jean-François La Harpe introduit son *Cours de littérature ancienne et moderne* (1799-1805) en précisant que celui-ci ne concerne pas les sciences exactes et physiques (donc confirmant que le mot de littérature a définitivement acquis son sens moderne). Exclusivement consacré aux siècles « de génie et de goût », cet ouvrage est le produit d'un enseignement dispensé au lycée. Il ouvre une longue série d'*Histoires littéraires* écrites par des professeurs, tels qu'Abel-François Villemain (*Cours de littérature française*, 1828-1829) ou Désiré Nisard, qui donne son cours à l'École normale supérieure avant de le publier en 1844. Caractérisant son entreprise par rapport à celle des bénédictins de Saint-Maur, Nisard prévient qu'il ne fréquente que les chefs-d'œuvre et leurs alentours, « ce qu'il y a de constant, d'essentiel, d'immuable dans l'esprit français », selon un dogmatisme moral qui oriente toute sa narration historique.

Mais progressivement s'introduit un souci plus scientifique, psychologique chez Sainte-Beuve, puis, sous l'influence de la philologie allemande, sociologique chez Taine, Renan et Brunetière... Et à la fin du siècle, Gustave Lanson définit une méthode (celle de l'histoire, qui s'appuie sur des faits) et un objet (commun avec l'histoire de l'art, car il concerne des réalités sensibles) qui visent la fondation d'une histoire littéraire scientifique. Cette démarche va de pair avec une série de réformes, auxquelles Lanson participe directement, qui instaurent dans l'enseignement secondaire la discipline des « lettres françaises ». Les grands textes littéraires sont désormais présentés par des manuels et des recueils de morceaux choisis, à destination des professeurs et des élèves (Des Granges, Braunschvig, Castex et Surer, Lagarde et Michard...). Mais Lanson estimait que l'histoire littéraire était surtout affaire de l'université, où il suscite une série de recherches nouvelles. Considérant la littérature comme un phénomène social – idée qui a fait son chemin depuis Mme de Staël –, il développe la recherche des sources et des influences comme autant de causes permettant d'expliquer l'œuvre littéraire dans sa socialité et, par contrecoup, dans son irréductible singularité (Compagnon, 1983). Mais il encourage également un dépassement de ce type d'analyse, articulée autour de la vie et de l'œuvre des grands écrivains, par l'extension de la curiosité historique à l'ensemble de la vie littéraire française. Cette seconde voie, incluant l'étude de tous les facteurs définissant la littérature comme pratique sociale (lecture, édition, diffusion...), reste cependant à l'état de programme, ainsi que le déplore Lucien Febvre en 1941. Les épigones de Lanson (Gustave Rudler, Daniel Mornet) explorent en effet systématiquement le corpus canonique, en privilégiant le détail philologique et biographique (sur le modèle : la vie et l'œuvre), sans souci d'analyse sociale. Cette tendance est contestée par une histoire littéraire de type essayiste dont la tradition, peu homogène sur le plan épistémologique et méthodologique, produit au cours du XXe s. quelques ouvrages marquants (Albert Thibaudet, Pierre de Boisdeffre...).

Dans les années 1950 et 1960, des travaux d'inspiration sociologique (L. Goldmann, R. Escarpit...) puis formaliste, dans les années 1960 (G. Genette, T. Todorov), tentent d'ébranler la tradition universitaire. Ils conduisent à un éclectisme productif (cf. les *Histoires littéraires* collectives publiées chez Arthaud, 1968-1979, et aux Éditions sociales, 1974-1980). Mais il faut attendre les années 1970 pour voir émerger des propositions théoriques et méthodologiques susceptibles de rendre réalisable le projet global de Lanson. Ces nouvelles perspectives sont nourries de l'histoire culturelle, issue de l'école des *Annales*, et de la sociologie de la littérature. Ces courants de recherche éclairent les domaines sous-tendant les activités littéraires (l'édition, l'éducation, les pratiques de lecture) ; ils ont suscité un nombre considérable de travaux consacrés à des institutions, des trajectoires d'écrivains, et même des histoire globalisantes (comme *La vie littéraire au Québec*, Lemire et Saint-Jacques, 1991). Complémentaires, ces courants favorisent l'émergence d'une histoire soucieuse de problématiser la production de la valeur littéraire. Ce nouveau chantier convoque une approche interdisciplinaire, inséparablement philologique, historique et sociologique (cf. Chartier, 1993). L'histoire littéraire vouée à un inventaire anthologique des auteurs consacrés persiste, tout en incluant désormais une part d'indications sur les contextes et situations.

La littérature est un objet dont la définition même varie au fil du temps, et au sein même d'une époque. Aussi, sa matière est-elle régie par des consensus sociaux où ne préexiste aucune évidence quant à la nature de l'objet. Son histoire implique donc une série de choix axiologiques relatifs à l'extension du domaine en cause (le corpus et ses subdivisions) et au découpage des unités temporelles opératoires (la périodisation). Elle mobilise d'autre part des principes visant à décrire et à expliquer les évolutions constatées.

La question du corpus se pose dès que les premiers scribes décident d'isoler l'écrit du reste du discours verbal. Une série de domaines bénéficient alors d'une autonomisation progressive (les discours religieux, juridiques, scientifiques, historiques par exemple), et, parmi eux, le littéraire. Un Fléchier, un Buffon, un Michelet ne relèvent plus guère, à la fin du XXe s., du domaine de la littérature telle que les manuels en font l'histoire, alors même qu'ils y ont eu auparavant une place considérable. En un certain sens, l'histoire littéraire reconnaît implicitement qu'elle se définit comme le territoire qu'abandonnent les différentes spécialités qui s'en distinguent : ainsi nombre de recherches actuelles traitent des romans et de la prose personnelle, à l'exclusion de ce qui est destiné au marché de grande consommation, de la poésie, et le théâtre tend à constituer son propre espace.

L'extension du corpus dépend d'un autre déterminant majeur, sur lequel les littéraires n'ont pas plus de contrôle, le facteur identitaire. Dans les idéologies modernes, les histoires littéraires reçoivent le rôle de *lieux de mémoire* nationaux ; les premières bibliothèques sont « françaises », et aujourd'hui encore les manuels des étudiants sont « français », ou « québécois », « suisses », « belges », et tout pays de la francophonie qui n'a pas encore son histoire littéraire est occupé à la réaliser. Les nouvelles constructions politiques, comme l'Europe par exemple, suscitent à leur tour un *Patrimoine littéraire européen* (J.-C. Polet dir., De Boeck, 1990).

L'ampleur des corpus nationaux ou internationaux frustre l'ambition d'exhaustivité, comme en témoignait déjà l'*Histoire* des bénédictins de Saint-Maur. Un principe de sélection s'impose. Le plus ambitieux est l'échantillonnage, qui permet de se faire l'idée la plus étendue des différents auteurs et genres. Mais ce principe se trouve modifié par d'autres critères, d'ordre qualitatif. L'exhaustivité délaissée, les historiens littéraires retiennent parmi les auteurs et les œuvres les « meilleurs » ou encore les plus « importants » dont ils constituent par consensus, au fil de la tradition, un ensemble de « classiques » (ou « canon »). Les critères de ces choix sont parfois explicites, parfois implicites. Mais ils se fondent toujours sur une série d'unités discrètes qui permettent la saisie du territoire circonscrit. Les *œuvres* et *auteurs* en sont les objets manifestes, mais le risque alors est de passer à une galerie de grands hommes seulement. À un niveau plus extensif, l'histoire des mouvements et écoles littéraires, celle des idées et celle des genres semblent donner des classes plus homogènes. Encore faut-il ordonner le continuum historique en y opérant des coupures chronologiques. Cette opération de périodisation s'est progressivement constituée autour de concepts tels que « périodes », « siècles » et « idées », organisant une histoire des lettres selon les schémas inspirés par l'histoire générale, ou par des tentatives de prendre en compte l'histoire de la littérature elle-même, autour des écoles et courants. Mais intervient constamment une tension entre points de vue exogène et endogène. Elle détermine le développement de deux traditions théoriques à partir de la seconde moitié du XIXe s.

Un principe déterministe s'affirme avec Taine. Celui-ci tente de définir, pour chaque grand écrivain, la « faculté maîtresse » d'où peuvent être déduites les qualités de l'œuvre et, pour chaque littérature, l'état moral qui l'a produite, mais aussi d'expliquer cette faculté et cet état par le triple déterminisme de la race, du milieu et du moment. Ce mode de pensée a été repris, dans un sens et dans un contexte différents, par la critique littéraire marxiste. Dans une autre perspective, Brunetière oppose au déterminisme l'influence que la tradition littéraire exerce sur les œuvres. Appliquant aux genres les principes darwiniens de l'évolution des espèces, il fait de l'imitation et de l'innovation les deux lois de l'histoire littéraire. Cette théorie préfigure celle de l'écart esthétique à travers laquelle le formalisme russe et l'esthétique de la réception appréhendent l'évolution littéraire. La conception systémique de l'Opoiaz et, plus récemment, la théorie du polysystème d'Itamar Even-Zohar prolongent cette voie.

À la croisée de ces traditions de pensée, au début du XXe s. Lanson, dans une réflexion méthodologique éclairée par l'histoire positiviste et la sociologie naissante, insiste sur la recherche exhaustive des sources et des influences : il vise à en dégager le génie littéraire que n'expliquent ni les déterminismes biographiques ou sociaux, ni la tradition littéraire.

À la fin du XXe s. la sociologie des champs propose la suspension de toute axiologie préalable afin de considérer les valeurs en jeu dans le champ étudié comme autant de faits objectifs. L'histoire du champ littéraire offre alors une possibilité de concevoir une périodisation fondée sur l'évolution des pratiques (Viala, *in* Moisan, 1989). En même temps, elle interroge l'autre versant des usages de notions endogènes et exogènes : faut-il employer des concepts fabriqués après coup (comme baroque, classique, etc.) ou s'en tenir aux phénomènes tels qu'ils ont été identifiés en leur époque même (comme le Parnasse par exemple), ou encore s'en tenir à des notions purement littéraires (Parnasse encore, par exemple) ou bien plus globales (le positivisme par exemple) ? Chacun de ces choix implique un mode de construction et d'interprétation différent. De même, le choix d'une histoire nationale, voire nationalisante – comme elle le fut au temps de Lanson, et le reste largement en de nombreux ouvrages. Enfin, l'une des difficultés majeures réside dans le fait que l'histoire littéraire est largement tributaire de sa fonction didactique qui incite aux découpages nets. Les efforts de recherches actuels s'orientent en partie vers l'analyse des contextualisations que l'histoire permet de construire (ainsi les travaux du GRIHL) sans tenter de poser d'emblée les cadres d'une histoire globalisante.

▶ CHARTIER R., « Histoires et significations », *Lettres actuelles*, oct.-nov. 1993, n° 3, p. 66-72. — COMPAGNON A., *La Troisième République des lettres*, Paris, Le Seuil, 1983. — CRISTIN C., *Aux origines de l'histoire littéraire*, Grenoble, P. U. Grenoble, 1973. — MORTGAT E., *Les origines de l'histoire littéraire nationale*, Thèse Paris III, 1995. — VIALA A., « État historique d'une discipline paradoxale », *Le Français aujourd'hui*, déc. 1985, n° 72, p. 41-49. — Coll. : *L'Histoire littéraire : théories, méthodes, pratiques*, C. Moisan (éd.), Les Presses de l'Université Laval, 1989.

Damien GRAWEZ

→ *Canon, canonisation ; Champ littéraire ; Contextualisation ; Enseignement de la littérature ; Études culturelles ; Fait littéraire ; Histoire ; Sociologie de la littérature.*

HISTORIETTE → Anecdote ; Biographie ; Exemplum ; Fait divers

HISTORIOGRAPHIE

L'historiographe est un écrivain chargé d'écrire l'histoire. L'historiographie, par extension, recouvre tout le domaine des relations que la littérature entretient avec l'histoire, tant les genres et les pratiques (chroniques, mémoires, fiction...) que la répartition disciplinaire de ceux qui l'étudient. Au sens contemporain, l'historiographie rend compte de l'histoire de l'Histoire.

Dans l'héritage historique grec et romain, de Thucydide à Tacite, de grands auteurs se sont interrogés sur le passé récent et ancien, sur les faits et gestes de ceux qui ont marqué l'histoire de leur empreinte. L'usage des chroniques et *Annales*, comme celui des *Vies*, fait que l'histoire y est écrite avec peu de recul. Dans l'Occident chrétien, éphémérides et annales se succèdent en latin, et les abbayes, gardiennes du temps et de la mémoire collective, rendent compte des événements notables, notamment à travers les vies de saints et les « journaliers » qu'elles tiennent.

Au Moyen Âge, des écrivains ont pour mission de rendre compte des faits et gestes du prince ou des puissants qui les emploient. Ils sont à la fois les mémorialistes d'une politique et ses avocats devant l'histoire. Leurs chroniques relèvent de la propagande (par exemple en faveur du pèlerinage de Compostelle dans la *Chronique du pseudoTurpin*, XIIe s.), de la fondation d'une histoire monarchique (*Les grandes chroniques de France*, du XIIIe au XVe s.) ou d'un récit historique à vocation documentaire. Les *Chroniques* (1369-1410) de Froissart font l'éloge de l'aristocratie ; celles de Philippe de Commynes (*Mémoires*, 1524-1528) semblent marquer une évolution vers une certaine distance entre le narrateur et son sujet. En parallèle, à travers le genre des mémoires notamment, se développe une histoire qui est celle des individus privés, qui en arrivent à se présenter comme acteurs ou témoins des événements. L'histoire officielle reste toutefois assujettie aux autorités politiques, et devenir historiographe est un gage de réussite pour les gens de lettres. La nomination de Racine au poste d'historiographe du règne de Louis XIV achève de sanctionner l'exceptionnelle promotion sociale de ce fils de petit officier (*Relation de ce qui s'est passé au Siège de Namur*, 1692, par exemple).

L'histoire constitue jusqu'au XVIIIe s. une branche majeure des Belles-Lettres. Fontenelle, Bossuet, Montesquieu et les philosophes des Lumières revendiquent le droit de penser l'histoire des hommes et, dans le même temps, ils installent les penseurs aux côtés des puissants qui scandent cette histoire. Dans son discours préliminaire à l'*Encyclopédie* (1751-1772), d'Alembert précise ainsi : « L'histoire de l'homme a pour objet ou ses actions ou ses *connaissances*, et elle est par conséquent *civile ou littéraire*, c'est-à-dire le partage entre les grandes nations et les grands génies, entre les rois et les gens de lettres, entre les conquérants et les philosophes. »

Avec Voltaire et la philosophie de l'histoire, c'est l'histoire globale qui se pense : « Il faut lire l'histoire en philosophe, ne pas se contenter de suivre la succession chronologique des événements, mais leur trouver un sens : l'histoire doit avoir un sens comme l'univers » (1765). Cette façon de penser le passé perdure au-delà des réserves et ajouts des différentes écoles, de l'historicisme allemand au « méthodisme » français. Désormais les actions et les buts se confondent par le sens qui leur est conféré ; ce sont davantage les objectifs de la nation ou le dessein des classes sociales qui commandent la lecture du passé. C'est donc par la préoccupation de donner un sens à l'histoire que la recherche historique acquiert sa signification moderne d'historiographie et passe de la réflexion à la critique. C'est ainsi que, dès la fin du XVIIIe s., la philosophie de l'histoire se substitue peu à peu à la théologie et à la métaphysique comme explication fondatrice des rapports des hommes entre eux. Identifiée à la philosophie du progrès, elle sera bientôt consolidée par la quête des lois de l'histoire, censées êtres déterminantes de l'avenir des hommes. « L'esprit » d'un peuple, sa conquête de la liberté, par la compréhension dont ils font l'objet, vont devenir, à la suite des travaux de Hegel, le moyen central de réfléchir le passé dans l'écriture de l'histoire occidentale. Parallèlement, en France, dans les années 1820, avec Augustin Thierry et François Guizot entre autres, la traque du sens des actions passées se transforme en pensées légitimatrices de la gestion politique et des gouvernements libéraux. Michelet, quant à lui, impose, et pour longtemps, la vision républicaine de l'histoire de France. L'histoire devient alors « la science sacrée » du XIXe s. Plus pragmatiques, les historiens français de l'école méthodique, tout comme les praticiens allemands de l'historicisme (fin XIXe), cherchent la preuve dans la visibilité des événements : la connaissance positive consiste à observer les « faits » et à constater leurs rapports. Dans cette vision du passé, la « réalité » se confond avec la « vérité ». Se situant à la pointe du positivisme, les historiens installent durablement leurs exigences et leurs méthodes dans les sciences humaines enseignées à l'Université. L'histoire littéraire s'en inspire, tant en ce qui regarde la question des faits que des sources ou des influences. Dès ce moment, au début du

XXe s., coexistent alors une vision de l'histoire à vocation scientifique, qui vaut pour l'histoire comme pour l'histoire littéraire, et, d'autre part, des historiens amateurs et des écrivains qui continuent à réfléchir sur l'histoire. Le roman historique, l'engagement des écrivains, la science-fiction, voire le travail proprement historique d'auteurs renommés (*Histoire parallèle des USA et de l'URSS* par Maurois et Aragon, 1963, par exemple) indiquent que la clarification disciplinaire de l'Université ne s'impose pas dans les pratiques littéraires.

La fin de l'ère positiviste et l'émergence du structuralisme conduisent à remettre en question l'histoire « événementielle ». « L'histoire-problèmes » qui apparaît avec Marc Bloch et Lucien Febvre, fondateurs des *Annales Economie Société Civilisation*, se renouvelle dans les années 1970 ; elle ne peut se satisfaire de la définition de son propos comme une simple connaissance du passé. La narration des faits, quelle que soit la méthode, n'échappe pas au récit subjectif et à une certaine forme d'invention par la continuité reconstituée. En racontant des événements, l'historien, le plus souvent, énonce un sens (M. de Certeau, *L'écriture de l'histoire*, Gallimard, 1975). Les critiques contre une linéarité fictionnelle furent surtout adressées par des théoriciens extérieurs à la communauté des historiens : Walter Benjamin et Michel Foucault ont, à leur manière, contribué à « révolutionner » la connaissance de l'histoire. Par exemple, la philosophie du progrès fut la cible privilégiée de Walter Benjamin qui chercha à libérer les forces prisonnières du « Il était une fois » de l'historiographie classique. De son point de vue comme de celui d'Ernst Bloch, « l'histoire qui montrait comment les choses se sont passées fut le plus grand narcotique du siècle » (*Paris capitale du XIXe siècle*, éd. du Cerf, 1989). À partir des années 1990, des États-Unis à l'Allemagne, partout la crise de l'histoire est constatée, en dépit de son renouvellement par différentes méthodes. Cependant la mise en doute des discours de vérité sur le passé a suscité un renouvellement considérable de l'écriture de l'histoire. Le mouvement le plus novateur, venu d'Italie, fut la *microstoria* dont le maître ouvrage (*Le fromage et les vers*, Flammarion, 1980) de Carlo Ginzburg reste une référence. L'étude minutieuse d'un moment, le regard porté sur la singularité d'un personnage, célèbre ou non, ont permis de rompre avec les interprétations univoques du passé. L'examen des discontinuités pourrait l'emporter désormais sur la vision cumulative des faits d'une histoire linéairement construite. « On ne peut absolument pas faire abstraction de tout ce que l'histoire va encore devenir. Peut-être que le passé est encore, pour l'essentiel, inconnu, on a encore besoin de tant de forces rétroactives » (Nietzsche, 1886). En faisant des réalités du récit et de la fiction des composantes de l'histoire, les historiens contemporains ont ainsi contribué à rétrécir le fossé qui séparait leur « science » de la littérature. La relation entre ces deux modes de pensée a donc été profondément renouvelée à la fin du XXe s.

▶ BENJAMIN W., « Thèses sur le concept d'histoire », *Écrits français*, Paris, Gallimard, 1991. — COMPAGNON A., *Le démon de la théorie*, Paris, Le Seuil, 1998. — LEFEBVRE G., *La naissance de l'historiographie moderne*, Paris Flammarion, 1971. — ROJAS C. A. A., *L'histoire conquérante. Un regard sur l'historiographie française*, Paris, L'Harmattan, 2000. — WALCH J., *Historiographie structurale*, Paris, Masson, 1990.

Michèle RIOT-SARCEY, Paul ARON

→ *Chronique ; Histoire, Histoire littéraire ; Récit (Théories du) ; Temps.*

HONNÊTE HOMME

« Honnête homme » (pluriel, les honnêtes gens) apparaît comme syntagme figé au début du XVIe s., fondé sur l'adjectif « honnête » signifiant conforme à la bienséance, dérivé au XIe s. du latin *honestus*, qui a pour premier sens honorable, puis beau au propre et au figuré. Ce modèle de comportement connaît sa réalisation comme valeur sociale et morale de premier plan en France au XVIIe s., l'acception sociale gardant par la suite une connotation désuète de savoir-vivre ancien, qui s'ajoute à l'acception morale courante de probité.

La notion d'honnêteté est théorisée par la cour et les lettres, qui s'associent à l'Église dans l'éducation des mœurs déjà inscrite à la Renaissance dans des codes de civilité (Érasme, G. della Casa). Dans les années 1630, une première vague de théoriciens renouvelle l'adaptation française du *Courtisan* de Castiglione (1528), portrait du parfait courtisan précepteur de son prince, et de la *Conversation civile* de Guazzo (1574), traduits en France dès le XVIe s., en recourant au *decorum* cicéronien pour rapprocher l'honnête homme de l'homme de bien. Nicolas Faret publie en 1630 l'*Honnête homme, ou l'Art de plaire à la cour*, où, comme chez les évêques François de Sales ou Jean-Pierre Camus, mais contrairement aux modèles italiens, dévotion et honnêteté sont jugées complémentaires. Toutes deux accompagnent sans contradiction la quête d'emplois et de faveurs chez l'apprenti courtisan, moins indépendant que le gentilhomme idéalement désintéressé de Castiglione. L'honnête homme, poli et cultivé, doit se substituer à une vieille noblesse française réputée pour sa brutalité ignorante, et supplanter les doctes héritiers des humanistes. L'honnêteté qualifie le mondain dans son opposition au pédant, et tire ses modèles autant des romans et de la vie mondaine (l'hôtel de Rambouillet) que des traités de civilité. Mais le lien conservé à l'humanisme et l'infléchissement moral dans les sphères nouvellement ralliées par la monarchie absolue font de l'honnêteté en France un idéal qui déborde l'aristocratie.

Les rapports de l'honnêteté avec l'individualisme sont contrastés : une vision morale optimiste, chez Descartes ou Corneille, rapproche l'honnête homme du « généreux », dont la valeur vient de l'empire d'une volonté raisonnable et vertueuse. À l'opposé, selon la vision augustinienne, la vraie honnêteté, comme la religion, s'opposent au moi : si la seconde l'anéantit par humilité, la première, selon le mot prêté à Pascal, le « cache et le supprime » par bienséance.

Près d'un demi-siècle après Faret, le Chevalier Méré procède entre 1668 et 1677 à une amplification de la notion d'honnêteté, conçue comme accomplissement de soi. L'orientation mondaine et épicurienne accentuée de cet idéal vise la félicité davantage que la vertu, excède l'art de la cour et prétend à une universalité inspirée de Montaigne et du modèle socratique. À l'art de plaire s'associe un art de vivre défini par le détachement, selon une définition que La Rochefoucauld fixe en maxime : « Le vrai honnête homme est celui qui ne se pique de rien. »

La supériorité éclatante du courtisan de Castiglione s'est donc pratiquement inversée dans une conception française qui, pour des raisons à la fois morales *et* mondaines, émousse la singularité individuelle au profit d'une sociabilité polie, harmonieuse et galante, qui s'arroge face au vulgaire le statut d'élite du goût. C'est ce refus de l'excès individuel qui donne lieu à la critique ultérieure. Si l'honnêteté s'est finalement arrêtée au XIXe s., comme le note Littré, au sens moral de probité (antonyme de « malhonnêteté »), l'alternance durable aux XVIIe et XVIIIe s. entre les acceptions mondaine et morale de la notion semble avoir préparé la transition proposée par Montesquieu entre l'honneur, principe de la société monarchique, et la vertu, principe du gouvernement démocratique.

Cette notion européenne soulève des questions d'antériorité, de dominante et de spécificité nationale. Par ailleurs, il est difficile de déterminer une évolution nette, du sens social (agrément en société) au sens moral (bonnes mœurs), ou inversement. C'est que contrairement à celle du gentilhomme, la catégorie de l'honnête homme admet une répartition variable entre ces deux sens, dans le temps et selon les groupes sociaux, voire selon le sexe (l'*honnête fille* se définissant par sa chasteté). Enfin, l'histoire de la notion d'« honnête homme » relève plus largement de celle de la « distinction », constante dans le long terme de la société française mais variable dans son contenu. Son mouvement alterné entre acceptions mondaine et morale vérifie la transition proposée par Montesquieu entre l'honneur, principe de la société monarchique par lequel « chacun va au bien commun en croyant aller à ses intérêts particuliers », et la vertu, principe du gouvernement démocratique. L'idée de la distinction, passée de l'honneur à l'honnêteté, se déplace sans disparaître.

▶ BURY E., *Littérature et politesse...*, Paris, PUF, 1996. — DAUDEMAY A., *La distinction à l'âge classique*, Paris, Champion, 1992. — DENS J. P., *L'honnête homme et la critique du goût*, Lexington, French Forum, 1981. — ÉLIAS N., *La Civilisation des mœurs*, Paris, Calmann-Lévy, [1939], 1973. — MAGENDIE M., *La politesse mondaine et les théories de l'honnêteté en France*, Paris, Alcan, 1925.

Florence DUMORA-MABILLE

→ *Bienséance ; Classicisme ; Cour (Littérature de) ; Distinction ; Galanterie ; Goût ; Mémoralistes.*

HUMANISME

L'Humanisme est un mouvement intellectuel porté par les lettrés, les « humanistes » de la Renaissance (Pétrarque, Reuchlin, Érasme, Budé, More...) : avec la redécouverte des lettres antiques profanes, « humaines », il aspire à rétablir l'esprit critique et la réflexion personnelle. Dans une acception plus large et encore actuelle, le mot en est venu à désigner un courant philosophique qui considère l'homme comme la mesure de toute chose et revendique pour chacun la possibilité de développer librement ses facultés.

Le mot « humaniste » (1539) vient du latin *humanista*, et désigne alors l'enseignant et l'étudiant des lettres grecques et latines, des *studia humanitatis* (on appelle « humanités » les classes consacrées à l'étude des lettres antiques, qui font suite à celles de grammaire).

« Humanisme » apparaît en 1765, dans le sens d'amour général de l'humanité. Le pédagogue F. J. Niethammer, en 1808, appelle « Humanismus » un enseignement fondé sur les lettres classiques et opposé à une conception instrumentaliste des études. En 1859, Georg Voigt associe la Renaissance à l'humanisme compris comme la redécouverte des lettres classiques. Littré donne le sens de : culture des Belles-Lettres, des humanités (*humaniores litterae*).

Après Dante et l'École de Padoue (XIIIe s.), c'est Pétrarque (XIVe s.) qui domine les premières manifestations du retour aux lettres classiques. Non que l'intérêt pour l'Antiquité fût absolument nouveau – ainsi l'humanisme d'Alcuin à l'époque carolingienne, l'école des Chartrains au XIIe s., l'aristotélisme scolastique – mais il inaugure une lecture des textes classiques qui vise à étudier l'Antiquité pour elle-même, en la rétablissant dans son originalité historique. Pétrarque et ses disciples (Boccace, le Pogge) ont redécouvert à peu près tout ce que nous connaissons de la littérature latine. Ce souci philologique va de pair avec l'avènement de nouvelles sciences, qui traduisent toutes la volonté de reconstruire la vérité historique, telles l'épigraphie, l'archéologie, la topographie, dans lesquelles s'illustrent Le Pogge, auteur d'une description de Rome (1430), ainsi que l'archéologue Flavio Biondo. Ils influencent Rabelais, qui a édité en 1534 à Lyon un guide archéologique de Rome écrit par Marliani, et, à travers la poésie emblématique d'Alciat (1530), la *Délie* (1544) de Maurice Scève. On voit se développer aussi un humanisme mathématique, nourri de la lecture du *Timée* de Platon, et illustré par Marsile Ficin et Luca Pacioli. Cet intérêt pour les mathématiques a des conséquences artistiques : les travaux de Pacioli sur les mathématiques et la proportion ont suscité la curiosité de Léonard de Vinci ; son ami, le peintre Pierro della Francesca, a laissé un traité sur la perspective (1480).

Ces humanistes s'expriment en latin. Ils admirent Cicéron pour son style élégant et pour ses écrits engagés. Ils rendent au latin sa pureté antique, sa correction orthographique, grammaticale et métrique. Mais, si Lorenzo Valla publie en 1440 les *Elegantiae*, réservoir de tournures châtiées, vers la fin du XVe s., le Florentin Ange Politien s'oppose aux puristes en prônant un latin vivant et concret, empruntant à une pluralité de modèles. Il est relayé par Érasme, qui se moque des maniaques de Cicéron dans son *Ciceronianus* (1528). Il compose aussi des *Colloques*, dialogues scolaires où se mêlent synonymes, alternatives grammaticales et un vocabulaire concret emprunté à la vie quotidienne. Son idéal pédagogique est d'inculquer le latin en tant que langue vivante et adaptée aux réalités du temps (notamment chrétiennes), système que le père de Michel de Montaigne mettra en œuvre au profit de son fils. Leur connaissance approfondie du latin permet aussi aux humanistes de corriger les passages apocryphes de l'Écriture et d'en rectifier les commentaires. Mais ils vont au-delà. Le programme humaniste de Rabelais, dans la lettre de Gargantua à Pantagruel futur étudiant à Paris, rappelle quel bien précieux sont les Bonnes Lettres et incite son fils à lire le Nouveau Testament en grec et l'Ancien en hébreu. En effet, Érasme, en froid avec la faculté de théologie de Louvain, avait fondé en 1517 dans cette ville le *Collegium trilingue* enseignant le latin, le grec et l'hébreu, qu'imite le collège trilingue d'Alcalá (1528). Le grec, langue des origines et de la philosophie, fascine les humanistes italiens – Pic de la Mirandole, Marsile Ficin, Politien – et français – Budé, Dorat, Robert Estienne et Pasquier. L'hébreu, langue qu'on croit porteuse de la Parole divine, intéresse les spécialistes de la critique scripturaire (Érasme, Reuchlin) et les chercheurs passionnés d'un savoir caché (Pic, Postel).

L'université vit mal ces aspirations : les facultés de théologie de Cologne et de Paris – « la Sorbonne », du nom du collège où son conseil se réunissait – condamnent l'hébraïsant Reuchlin, suscitant ainsi la solidarité de l'helléniste Lefèvre d'Étaples et du polémiste Ulrich von Hutten. En dépit de ces résistances, les novateurs humanistes s'infiltrent dans les plus hautes sphères du pouvoir. Ainsi Budé persuade en 1530 François Ier de fonder, en marge de l'université, le Collège des Lecteurs Royaux – actuel Collège de France. Le goût des humanistes pour les cercles, les cénacles, et le genre du dialogue qui leur est lié, prend réellement forme dans ce « temple des Muses » (Budé), incarnant l'encyclopédie (« cercle des connaissances »), où l'enseignement des langues échappe à la Sorbonne. François Ier appointa, entre autres, Barthélemy Le Masson (Latomus) pour le latin, François Vatable pour l'hébreu, Pierre Danès pour le grec, Oronce Finé pour les mathématiques. En outre, il encouragea la constitution de bibliothèques et la traduction des principales œuvres de l'Antiquité. Le travail d'établissement de textes corrects est consolidé par l'imprimerie, et leur traduction permet une diffusion augmentée. Les multiples rééditions du traité de Dolet, *La manière de traduire une langue en une autre* (1540), attestent l'intérêt que cette activité suscitait. Le public français découvre dès lors César, Cicéron, Homère, Épictète, Plutarque et Platon. À tous égards, l'humanisme influence directement les productions littéraires majeures du XVIe s. : Marot, Rabelais et Montaigne, mais aussi la poésie savante de la Pléiade.

Le XVIIe s. prolonge cette activité érudite et traductrice mais on considère que l'humanisme proprement dit s'achève avec la fin des guerres de Religion. Le mot dès lors subsiste, parfois pour désigner les lettrés, plus souvent en son sens philosophique étendu.

L'érudition humaniste est ancrée dans la réalité politique et sociale de l'époque. Ainsi, la description, après Pétrarque, par Le Pogge des ruines romaines donne lieu à une réflexion sur les jeux de la fortune, leçon qu'il livre à ses contemporains dans l'espoir d'aiguiser le regard qu'ils portent sur leur propre époque. La philologie telle que Budé la conçoit ne se limite pas à l'édition de textes mais est pour lui un instrument de culture générale, propre à rendre l'humanité plus noble, plus accomplie. La philologie a des conséquences politiques : ainsi le démontage du document attestant la donation de Constantin au Saint-Siège, par L. Valla – il démontre qu'il s'agit d'un faux du VIIIe s. – anéantit les aspirations séculières du Vatican. Conséquences religieuses aussi : les humanistes critiquent la version traditionnelle des Écritures, la Vulgate latine de saint Jérôme (Érasme donne une nouvelle traduction du Nouveau testament - 1516 - d'après le grec). Ce retour aux sources et le désir d'épurer la doctrine font de l'humanisme l'allié objectif de la Réforme : l'helléniste Jacques Lefèvre d'Étaples (1450-1536) démontre que la plupart des sacrements, la liturgie latine et le célibat des prêtres ne peuvent être dégagés d'une lecture méthodique des textes sacrés.

Les humanistes semblent balancer entre vie contemplative et vie active. Ils combinent souvent, comme l'avait fait Cicéron, études, charges d'enseignement et emplois administratifs. La formule de l'architecte Alberti (1404-1472) : « L'homme est créé pour agir, l'utilité est sa destinée », trouve un écho dans les *Essais* de Montaigne : « Nous sommes nés pour agir » (I, 20) ; malgré son goût pour la vie retirée, Montaigne assume des charges officielles (deux fois maire de Bordeaux, il effectue aussi des missions diplomatiques). Budé explique dans *De Philologia* que c'est le propre de la nouvelle culture de faciliter la synthèse entre la prudence, l'art de se diriger dans la vie, et la sagesse qui la nourrit et lui permet de tirer les leçons de l'expérience personnelle et de l'expérience collective qu'est l'histoire.

Aussi, d'Érasme à Montaigne en passant par Budé, Rabelais et Vives, l'éducation des enfants est-elle une des préoccupations principales de l'humanisme. L'étude des *bonae litterae* rend l'homme meilleur. La *paideia*, c'est-à-dire l'enseignement des Belles-Lettres, rend ceux qui s'y occupent sérieusement plus humains (*maxime humanissimi*) : l'homme peut se modeler lui-même ; il dispose de la liberté de dégénérer en animal ou régénérer en créature divine (Pic).

Cette liberté restera la pierre angulaire de l'humanisme moderne. Pour Sartre, « l'homme est libre, l'homme est liberté [...], il est, sans aucun appui et sans aucun secours condamné à chaque instant à inventer l'homme » (*L'existentialisme est un humanisme*, 1946). Et Michel Foucault dénonce la séparation selon lui illusoire qu'établit l'humanisme moderne entre savoir et pouvoir.

▶ AQUILON P. & MARTIN H.-J., *Le livre dans l'Europe de la Renaissance*, Paris, Promodis, 1988. — CHASTEL A., KLEIN R., *L'humanisme*, Genève, Skira, 2e éd., 1995. — GADOFFRE G., *La révolution culturelle dans la France des humanistes*, Genève, Droz, 1997. — MARGOLIN J. C., *L'humanisme en Europe au temps de la Renaissance*, Paris, PUF, 1981. — NATIVEL C., *Centuriae latinae. Cent une figures humanistes de la Renaissance aux Lumières*, Genève, Droz, 1997.

Alexander ROOSE

→ *Antiquité ; Archéologie ; Belles-Lettres ; Bonnes Lettres ; Dialogue ; Emblème ; Érudition ; Latine et néolatine (Littératures) ; Philologie ; Renaissance ; Traduction.*

HUMEURS

La théorie des humeurs est d'abord une théorie médicale. Elle explique la santé du corps, mais aussi de l'âme, par l'équilibre de quatre « humeurs », c'est-à-dire de quatre liquides présents dans le corps : le sang, le flegme, la bile et la bile noire ou « mélancolie ». La maladie est considérée comme la prédominance abusive de l'une de ces quatre « humeurs » ; cependant, l'équilibre parfait étant presque impossible, la théorie a très vite tendu à définir non pas des maladies, mais des « tempéraments » différents, c'est-à-dire des *équilibres relatifs* : on parle donc aussi de « théorie des tempéraments ».

Le système des humeurs a fourni la base d'une explication du monde et d'une anthropologie : les quatre humeurs ont été associées à autant de qualités physiques, le chaud, le froid, le sec, l'humide, puis aux quatre éléments fondamentaux, le feu, la terre, l'air, et l'eau, ou encore aux quatre saisons, aux quatre âges de la vie, à quatre astres déterminants et aux divinités leur correspondant, à des types de comportement humain, à des capacités de pensée et de création.

La doctrine des humeurs semble avoir été constituée peu avant 400 avant J.-C. Elle s'élabore avec Hippocrate (Ve-IVe s. avant J.-C.) et se précise avec Galien (IIe s.). Transmise par les médecins arabes, elle fournit en Occident la base de la médecine médiévale. Le fond de la théorie médicale reste stable jusqu'à l'âge moderne. En revanche, les implications de la théorie évoluent au cours des siècles.

Dans l'Antiquité, la théorie des humeurs se développe au confluent d'un savoir médical et des philosophies de Pythagore et d'Empédocle ; elle marque une volonté d'expliquer la complexité du monde par des éléments simples et s'inscrit dans le cadre d'une théorie de l'harmonie. Mais ses enjeux débordent très vite ce cadre : la théorie des humeurs permet une interrogation sur les états de trouble et de dysharmonie, et même leur valorisation. La réflexion sur les paradoxes de la mélancolie, engagée par Aristote dans le *Problème XXX*, joue de ce point de vue un rôle essentiel. Progressivement, un système d'équivalence se constitue : il commence par inclure les astres et les divinités (ainsi Jupiter est-il lié au sang, Saturne à la mélancolie), puis, au cours du Moyen Âge, à associer les humeurs aux vertus et aux vices et « passions » : le sang est source de force, mais aussi de témérité, la bile, de justice, mais aussi de colère, le flegme, de clémence mais aussi de faiblesse, la mélancolie, de prudence mais aussi de visions. D'autre part, dès la fin du Moyen Âge, on voit se dessiner dans la poésie une interprétation de certaines humeurs comme état d'âme, humeur subjective et passagère ; mais la théorie des humeurs connaît un regain de vigueur à la Renaissance, où s'impose une conception de l'homme comme « microcosme », uni par un ensemble de correspondances, de similitudes ou d'influences avec le « cosmos ». Ce type d'interprétation est encore puissant au XVIIe s. (Alceste, dans le *Misanthrope* de Molière, est défini comme un « atrabilaire amoureux »), mais perd progressivement de sa validité au cours du XVIIIe, avec les progrès de la médecine. La définition des humeurs comme états psychologiques passagers et en nombre infini subsiste seule : dans l'usage courant actuel, l' « humeur » n'est plus qu'un état d'âme.

La théorie des humeurs a constitué pendant des siècles un point de rencontre essentiel entre pensée médicale, pensée philosophique et schémas poétiques. Elle permettait d'expliquer les états et « passions » de l'âme par les états du corps, et les états du corps par des données physiologiques, qui elles-mêmes relèvent d'une théorie de l'harmonie cosmique. Sa présence dans la poésie de la Renaissance ou le théâtre du XVIIe s., de ce fait, est caractéristique d'une période longue où le domaine littéraire n'est pas encore autonome, mais se nourrit de confrontations et de convergences avec la science médicale et les spéculations métaphysiques. En littérature, la théorie des humeurs a ainsi joué un rôle considérable dans l'expression des affects : elle sert à dire le lien entre états de l'âme et états du corps. Ainsi dans la tragédie, la « bile noire » (mélancolie) a été associée au *furor* du héros tragique (Oreste ou Néron par exemple). Elle a fourni aussi depuis Aristote un modèle essentiel pour comprendre les paradoxes du « génie » créateur, où la mélancolie joue un rôle essentiel.

D'autre part, la théorie des tempéraments a fourni le support d'une réflexion sur les caractères des hommes. Dans cette perspective, la théorie des tempéraments a pu s'orienter vers une classification rigide (ainsi dans l'*Examen des esprits* du médecin Juan Huarte, 1575). Mais elle a pu aussi soutenir des examens subtils des différences entre les hommes et des contingences de la condition humaine, en particulier dans le roman et dans la comédie qui mettent volontiers en situation des « atrabilaires », des « sanguins » ou des « flegmatiques ». Cette capacité à poser la question de la relation entre l'âme et le corps explique peut-être la survie du lexique des humeurs dans la poésie (Nerval, Verlaine...) et la psychothérapie jusqu'à nos jours.

▶ ARISTOTE, *L'homme de génie et la mélancolie*, trad. et présentation de Jackie Pigeaud, Paris, Rivages, 1988. — KLIBANSKY R., PANOVSKY E. & SAXL F., *Saturne et la mélancolie* [1964], trad. fr., Paris, Gallimard, 1990. — PIGEAUD J., *La maladie de l'âme. Étude sur la relation de l'âme et du corps dans la tradition médico-philosophique antique*, Paris, Les Belles Lettres, 1981.

Bérengère PARMENTIER

→ *Anthropologie ; Caractères ; Catharsis ; Médecine ; Mélancolie ; Passions ; Personnage.*

HUMOUR

Formé à partir de l'anglais *humor*, lui-même dérivé du mot français *humeur*, le terme « humour » se diffuse en France dans la seconde moitié du XVIIIe s. : Voltaire écrit des Anglais qu'ils ont un mot pour « signifier cette plaisanterie, ce vrai comique, cette gaieté, cette urbanité, ces saillies, qui échappent à un homme sans qu'il s'en doute » (*Lettre à l'abbé d'Olivet*, 21 avril 1762). L'humour participe du comique, de l'esprit, de la distance à l'égard du monde, et contribue à la promotion de l'absurde, une vision qui saccage un ordre des choses où ne règne plus l'harmonie. Il manifeste une crise du sens – la perte des valeurs fondées sur la transparence et sur la cohérence du discours – à laquelle adhère aujourd'hui un public toujours plus large.

Ben Jonson propose, dans sa comédie *Every Man out of his Humour* (1599), la première définition de ce mot. Il l'associe à la doctrine antique des humeurs et en fait le corrélat de « manie », d'« idée fixe » et d'« humeur bizarre ». On retrouve, dans *La Suite du Menteur* (1645) de Corneille, un emploi analogue du mot humeur. Au XVIIIe s., l'humour se propage en France, à l'imitation de l'Angleterre. Madame de Staël (*De la littérature*,1800) attribue à la « plaisanterie anglaise » un caractère propre que Philarète Chasles qualifie, de son côté, d'« excentrique ». Popularisé par les romans de Sterne ou les opuscules de Swift (traduits en 1861), ce mode d'expression combine des tonalités jugées incompatibles. Il réalise de la sorte l'aspiration des romantiques à subvertir les frontières génériques : en ce sens l'humour satisfait le programme d'une expression « grotesque », qu'ont revendiquée tour à tour Hugo (Préface de *Cromwell*, 1827), Gautier (*Les grotesques*, 1844) ou Baudelaire (*De l'essence du rire*, 1855).

Les spéculations du romantisme allemand donnent à l'« humour » des lettres de noblesse en mettant au jour ses postulats philosophiques. Dans son *Cours d'esthétique* (traduit en français à partir de 1840), Hegel relègue à l'arrière-plan le propos destructeur du comique classique, au profit de l'ironie et de l'humour « romantiques » qui sont, à ses yeux, instaurateurs du « moi ». Jean Paul Richter, dans son *Cours préparatoire d'esthétique* (traduit en 1862) avait, pour sa part, consacré deux chapitres à la « poésie humoristique » et à « l'humour épique, dramatique et lyrique ». Il en percevait les composantes existentielles : l'humoriste est un « Socrate en démence » qui précipite le monde dans le chaos afin de le soumettre au jugement divin. Par l'humour, le sujet fait simultanément l'expérience du néant et de son pouvoir. Hanté par l'indicible et le Sublime, l'humour se confond alors avec l'expression poétique, spéculative ou philosophique, chère aux écrivains en quête d'« absolu littéraire ».

On ne peut, par conséquent, restreindre les productions humoristiques à une vogue qu'illustreraient les « romans goguenards » de T. Gautier, les *Nouvelles et fantaisies humoristiques* (1876) de Mérinos (Eugène Mouton) ou les « histoire chatnoiresques » que fait paraître Alphonse Allais, à partir de 1891 (*À se tordre*). Ni à une tradition particulière, fût-elle anglo-saxonne (les Américains Mark Twain ou O' Henry, puis Woody Allen, prenant le relais de la littérature anglaise) : il existe, sans aucun doute, un humour propre à chaque culture et à chaque groupe social. De fait, l'humour recouvre des appellations diverses : fantaisie, incohérence, non-sens, mystification, loufoquerie ou fumisterie, il essaime de toutes parts, il colore les œuvres les plus diverses. Pour nous en tenir au domaine français : des *Amours jaunes* de Tristan Corbière (1873) à *La chandelle verte* (1907) d'Alfred Jarry, en passant par les tonalités roses ou rosses de Jules Renard, par les sombres résonances de Villiers de l'Isle-Adam (*Contes cruels*, 1883) ou par l'« humour noir » de J. K. Huysmans, c'est l'expression littéraire des XIXe et XXe s. dans son ensemble qui est concernée. L'illustrent, hier comme aujourd'hui, les écrits de Lautréamont ou de Michaux, de Laforgue, des surréalistes, de Vian, de Queneau, de Beckett, de Ionesco, de Tardieu, et, dans le monde francophone, de Scutenaire (*Mes Inscriptions*, 1945), Jacques Godbout (*Les têtes à Papineau*, 1981) ou Jean Muno (*L'histoire exécrable d'un héros brabançon*, 1981). D'innombrables anthologies ne cessent de dénombrer les auteurs humoristes : *Les gaietés du Chat Noir* (1894) que préface Jules Lemaître ; l'*Anthologie de l'humour noir* (1940) d'André Breton ; *Les dingues du nonsense* de Robert Benayoun (1984) ; *L'esprit fumiste* de Daniel Grojnowski et Bernard Sarrazin (1990).

L'humour soulève une difficulté de définition qui entraîne une difficulté d'application historique. Peut-on considérer qu'il existe dans la littérature française avant que le mot ne le désigne ? Marmontel l'ignore dans le long article qu'il consacre à la « comédie » et au « comique » (*Éléments de littérature*, 1787), où il reconduit les catégories de la poétique classique. Mais, quelques décennies plus tard, Littré puis Larousse reconnaissent dans l'« humour » une « gaieté sérieuse ». Sa divulgation au XIXe s., perturbe une classification qui s'était inscrite dans la longue durée. En premier lieu, il entremêle des humeurs diverses qui associent le grave et le bouffon. En second lieu, il ignore les classifications traditionnelles, en infiltrant tous les genres et toutes les productions artistiques. À ce titre, il est légitime de voir de l'humour dans le comique rabelaisien, les fantaisies de Cyrano, l'ironie voltairienne, les jeux littéraires de Diderot, qui traitent tous de sujets sérieux sur le mode plaisant. Dès lors, c'est la vieille notion française de « raillerie » qui est remise en perspective, celle du « rire dans l'âme » de Pascal. Mais en retour, cette extension du sens affaiblit la notion ; preuve en est que si l'humour au sens strict concerne d'abord un public restreint, celui de la bohème et des milieux artistes ou estudiantins, il intéresse aujourd'hui le grand public, comme en témoigne le succès du théâtre de Ionesco ou des monologues de Raymond Devos. L'humour est ainsi devenu synonyme de comique, au sens commun du terme, révélant un état d'esprit, un « sens (de l'humour) » qui existe en dehors de ses manifestations littéraires.

▶ CAZAMIAN L., *The Development of English Humour*, New York, Ams Press, [1930], 1965. — FREUD S., *L'humour* [1927], dans *L'inquiétante étrangeté, et autres essais*, Gallimard, 1995. — *L'humour européen* (Actes du colloque de Lublin, 1990), 2 vol. Lublin-Sèvres, 1993. — NOGUEZ D., *L'arc-en-ciel des humours*, Paris, Hatier, 1996. — PIRANDELLO L., « Essence, caractères et matière de l'humorisme », *Écrits sur le théâtre et la littérature*, Gallimard, [1908 et 1920], 1990.

Daniel GROJNOWSKI

→ *Comique ; Dandysme ; Fantaisie ; Grotesque ; Humeurs ; Satire.*

HYMNE

Emprunté au grec *humnos*, l'hymne (au masculin) est, dans l'Antiquité, un poème épidictique, chanté et parfois dansé, en l'honneur des dieux ou des héros. Dans la tradition chrétienne, l'hymne (parfois au féminin), est un élément de l'office divin ou de la messe qui célèbre la gloire de Dieu.

À partir de la Renaissance, le genre est transposé dans la poésie profane et désigne par extension un poème de style élevé, célébrant une personne, un sentiment, un événement ou une chose. Depuis la Révolution française, l'hymne désigne aussi en particulier un chant solennel célébrant la patrie et ses défenseurs. Il a également conservé son sens de célébration lyrique dans le vocabulaire de la musique.

Dans les plus anciennes civilisations, on trouve des poèmes chantés en l'honneur des dieux : les hymnes mésopotamiens, égyptiens et bibliques, védiques, homériques et orphiques. Cette forme d'expression collective fait partie de la liturgie et des célébrations rituelles. L'hymne sert d'invocation ou de célébration de la divinité. Il renforce le sentiment de communauté. En Grèce, l'hymne peut être une déclamation accompagnée d'un instrument musical (*Hymnes homériques*, VIIe-VIe s.

avant J.-C.) ou une composition à la fois chantée et dansée par un chœur. Comme genre littéraire, l'hymne correspond spécialement à la forme de l'éloge solennel appliquée à un héros, à un athlète vainqueur (*Odes triomphales* de Pindare, Vᵉ s. avant J.-C.) ou à la mythologie savante ou philosophique (*Hymnes* de Callimaque, IIIᵉ s. avant J.-C.). Le christianisme introduit l'hymne chanté dans la liturgie romaine.

Le genre est redécouvert à la Renaissance par l'Italien Marulle, puis par Ronsard (*Les hymnes*, 1555-1556) et la Pléiade. Il se développe indépendamment de toute composition musicale et désigne alors une célébration poétique solennelle consacrée à des sujets religieux ou profanes : mythologie, histoire, science, philosophie, morale ou cosmologie. La Réforme protestante suscite au même moment l'apparition d'un grand nombre d'hymnes, psaumes et cantiques, entonnés par la communauté des croyants, ce qui explique sans doute le succès de la poésie chantée en Allemagne et en Grande-Bretagne.

L'hymne reparaît sous sa forme de poésie chantée dans quelques-uns des chants de la période révolutionnaire comme *La Marseillaise* de Rouget de Lisle (1792). Son utilisation dans le cadre d'une lyrique personnelle est rare, mais l'hymne peut réapparaître lorsque des poètes cherchent à traduire des émotions collectives ou religieuses (Paul Claudel, *Cinq grandes odes*, 1900-1908).

À l'origine, l'hymne est inséparable à la fois de la musique et du chant, et des rites religieux collectifs.

À l'exception de Clément Marot, dont les psaumes et les cantiques sont devenus des classiques des églises protestantes, la littérature française se démarque à partir de Ronsard en utilisant le terme « hymne » pour désigner une poésie sans musique, qui sert à la célébration profane. Le chant dans les églises est resté en latin chez les catholiques jusqu'au XXᵉ s. Le double rapport hymne-liturgie et hymne-musique est beaucoup plus fort chez les protestants, où la poésie chantée est une pratique populaire et où l'hymne, comme support d'émotivité religieuse, a trouvé un écho immense dans le romantisme allemand et anglais.

En France, cette forme d'émotivité est incarnée dans la poésie profane sous la forme de chants patriotiques et de célébrations collectives révolutionnaires. Les réminiscences antiques aboutissent au type du poète citoyen, chargé de célébrer les valeurs de la révolution. L'hymne retrouve alors sa forme de poésie chantée et sa fonction rituelle. Il devient un signe d'adhésion au groupe et à des valeurs patriotiques ou politiques, comme dans le chant révolutionnaire (*L'internationale* d'Eugène Pottier, 1871). L'hymne renoue de ce fait avec sa fonction « religieuse ». Il « relie » les membres d'une communauté par la célébration et les émotions ressenties en commun.

▶ BARUCQ A., « L'expression de la louange divine et de la prière dans la Bible et en Égypte », *Bibliothèque d'études*, 1962, t. 33. — BÉGUIN A., *L'âme romantique et le rêve*, Paris, José Corti, 1939. — BÉNICHOU P., *Le sacre de l'écrivain 1750-1830. Essai sur l'avènement d'un pouvoir spirituel laïque dans la France moderne*, Paris, José Corti, 1973. — MAUROCORDATO A., *L'ode de Paul Claudel*, Genève, Droz, 1955. — Coll. : *Autour des hymnes de Ronsard*, M. Lazard (éd.), Paris : Champion, 1984.

Maud DEVROEY

→ *Adhésion ; Cantique ; Épidictique ; Lyrisme ; Musique ; Ode ; Psaumes ; Religion.*

I

IDENTITAIRE

« Identitaire » désigne l'identité collective en tant que construction. Toute production littéraire référée à une catégorie générale (de type *nous* vs *les autres*) peut susciter une réflexion identitaire. Depuis le XIXe s., cette dimension de la production et de la réception des textes s'actualise surtout à la faveur de certains conflits à propos de catégories comme la nation, les groupes sociaux ou sexuels, les espaces culturels dominés ou colonisés.

Le terme identitaire ne figure pas dans les dictionnaires d'usage courant. Il apparaît à la fin du XXe s. dans des travaux sociologiques, puis plus largement en sciences humaines, pour désigner un ensemble de réflexions à propos de la construction comme de la désagrégation des identités collectives produites par l'évolution sociale. Pour la littérature française, le lien initial au monde érudit des monastères et des universités, puis à celui, aristocratique, des cours médiévales, a été objet de tensions à partir du XVIe s. avec l'identité nationale incarnée par la langue même. La France se trouve ensuite en position dominante en Europe, mais, au XIXe s., les romantismes entraînent pour la littérature française la perte de sa position comme référence « universelle » et elle doit assumer la tension entre sa dimension nationale et une aspiration toujours soutenue à la primauté. Dans le domaine francophone, les littératures suisse, canadienne et belge revendiquent bientôt une identification nationale pour leurs productions locales. Au demeurant, le nationalisme littéraire français se manifeste lui-même clairement au moment de conflits au cours desquels des écrivains prétendent incarner la légitimité de l'identité nationale. C'est le cas à la fin du XIXe s., dans le contexte de l'Affaire Dreyfus et de la guerre franco-allemande (Barrès), ou pendant la Seconde Guerre mondiale (Aragon). Les mouvements de libération coloniaux du XXe s. font apparaître des littératures « de la francophonie », de « la négritude » avant qu'elles ne deviennent elles aussi nationales.

Dans le domaine littéraire, le débat sur l'identité nationale peut sembler paradoxal. Il semblerait futile à Paris, mais se pose en termes aigus à la périphérie. Ceux qui défendent la différence culturelle jouent l'identité contre la norme littéraire française, au risque de voir leurs propos disqualifiés puisque cette dernière nie précisément la validité des jugements qui lui sont extérieurs. Les tenants de la différence encourent par là le risque d'enfermer leurs productions dans un programme qui reste marginalisé (négritude, africanité, helvétisme...). Or, refuser à la périphérie le droit de privilégier ses traits caractéristiques revient à la désarmer face à la puissance institutionnelle de l'appareil central.

Ce raisonnement vaut dans tous les domaines où l'adhésion à un groupe est vécue comme une identité. Le combat féministe partage ainsi avec celui que mènent les homosexuels, les groupes ethniques ou linguistiques minoritaires, les militants ouvriers ou les acteurs de la décolonisation un fort sentiment de rejet des manifestations culturelles issues de la sphère de l'oppresseur – donc, de la littérature dite mâle, hexagonale ou bourgeoise. Tous passent également par des phases de valorisation radicale de la différence, de réévaluation critique de ce qu'occulte le discours dominant, et de tentatives de réécrire une histoire qui tiendrait compte des pans méconnus ou biffés de la culture.

Le concept reste un enjeu des débats littéraires contemporains. On le voit ainsi travailler le discours des études identitaires (francophones, nationales, féministes, etc.) sur la base d'une opposition binaire entre l'émancipation du sujet et la relation à l'autre. La théorie de l'émancipation insiste sur l'existence d'un discours social spécifique des ensembles culturels dominés dont il convient de considérer et de rétablir la valeur occultée. La théorie de la relation, à l'inverse, prétend ne pas masquer les rapports de forces sous les dehors d'un dialogue entre des entités que l'on voudrait égales en droit alors qu'elles sont inégales en fait. Elle inspire les écritures « migrantes » ou celles du « métissage » et les travaux qui s'y intéressent. En retour, la littérature française se perçoit largement aujourd'hui comme lieu de résistance identitaire à l'impérialisme culturel des États-Unis.

▶ AMSELLE J.-L., *Logiques métisses. Anthropologie de l'identité en Afrique et ailleurs*, Paris, Payot, 1989. — CASANOVA P., *La république mondiale des lettres*, Paris, Le Seuil, 1999. — MOURALIS B., *Littérature et développement*, Paris, Silex, 1984. — SIMON S., L'HÉRAULT P., SCHWARTZWALD R. & NOUSS A., *Fictions de l'identitaire au Québec*, Montréal, XYZ, 1991. — TOURAINE A., *Production de la société*, Paris, Le Seuil, 1973.

Paul ARON, Denis SAINT-JACQUES

→ *Canon, Canonisation ; Centre et périphérie ; Coloniale (Littérature) ; Féministe (Critique) ; France ; Francophonie ; Nationale (Littérature).*

IDÉOLOGIE

Le mot « idéologie » fut créé par Destutt de Tracy à la fin du XVIIIe s. Dans les *Éléments d'idéologie* (1801), il vise à élaborer un « traité de toutes les connaissances » humaines, en observant les facultés intellectuelles des hommes comme des phénomènes naturels, et en étudiant comment se forment les idées.

Au sens moderne, l'idéologie désigne le système des idées, considérées comme des modes de représentation, perception et projections, où l'impensé joue un rôle capital.

Destutt de Tracy, héritier de Condillac, recherche « la genèse de la philosophie première ». Son projet scientifique repose sur une nouvelle méthode analytique : l'étude des désirs et des sensations de l'espèce humaine permettrait, selon son promoteur, de contrer les erreurs de la théologie et de la métaphysique. Autour de Destutt se forma le groupe des idéologues. Les idées apparaissaient alors comme les guides de l'humanité. Plus qu'un point de vue, ce mode de pensée des rapports des hommes entre eux était partagé par la presque totalité des autorités du temps ; le groupe des doctrinaires, pères fondateurs du libéralisme moderne, en est l'expression la plus achevée.

Napoléon Ier fut un temps favorable à ces penseurs, considérés comme les héritiers de la Révolution française, puis il se retourna contre les idéologues dont il ridiculisa les personnes comme les travaux. À sa suite, le mot devint péjoratif. Karl Marx reprend à son compte la signification polémique du terme et donne au concept le sens d'un « renversement du rapport de la connaissance à la chose » (Georges Canghuilhem). Dans l'*Idéologie Allemande* (1845-46) notamment, Marx constate le décalage entre l'évolution de la pensée et le retard allemand en matière économique, politique et sociale. Il estime que l'idéologie se sépare des bases matérielles dont elle est issue pour en devenir le reflet ou l'écho inversé. Elle est un processus que le penseur « accomplit sans doute consciemment, mais avec une conscience fausse » (Friedrich Engels, *Lettre à Franz Mehring*, 1893). De là, la volonté de Marx et Engels de rendre intelligible la relation entre les pensées et la réalité dont elles sont issues : « La production des idées, des représentations et de la conscience est d'abord directement et intimement liée à l'activité matérielle et au commerce matériel des hommes, elle est le langage de la vie des hommes. » En d'autres termes, l'idéologie, est une forme d'illusion. « Dans toute idéologie, les hommes et leurs rapports nous apparaissent placés la tête en bas comme dans une *camera obscura* (chambre obscure). » Un des effets de ce renversement est la connaissance spéculative qui croit que les idées « mènent le monde » ou que l'opinion « fait l'histoire ». L'idéologie que dénonce le marxisme est cette sphère idéelle qui prétend n'entretenir aucune relation avec la réalité matérielle ou avec l'histoire des hommes en société. Lorsque cette sphère est particulièrement liée aux intérêts (conscients ou non) d'une classe sociale, le marxisme parlera alors d'idéologie bourgeoise, aristocratique, etc.

À partir du même socle critique, Karl Mannheim a distingué « l'idéologie, c'est-à-dire ces complexes d'idées qui dirigent l'activité vers le maintien de l'ordre existant, et les utopies – ces complexes d'idées qui tendent à créer des activités en vue d'un changement de l'ordre existant » (*Idéologie et utopie* [1929], Paris, Marcel Rivière, 1956).

Paul Ricœur reprend un cadre conceptuel similaire. L'idéologie, pour lui, « désigne au départ un processus de distorsion ou de dissimulation par lequel un individu ou un groupe exprime sa situation, mais sans la connaître ou la reconnaître. Une idéologie peut, par exemple, refléter la situation de classe d'un individu sans que cet individu en ait conscience. Aussi le processus de dissimulation ne fait-il pas qu'exprimer cette perspective de classe, il la conforte » (*L'idéologie et l'Utopie*, Paris, Le Seuil, 1997). Le terme semble trouver une certaine stabilité dans les années 1970 par son emploi fréquent dans l'écriture de l'histoire, où G. Duby en stabilise la définition – inspirée de celle de L. Althusser – comme « un système (possédant sa logique et sa rigueur propre) de représentations (images, mythes, idées ou concepts selon les cas) doué d'une existence et d'un rôle historique au sein d'une société donnée », et il rappelle que dans une même société, plusieurs idéologies peuvent être en lutte et que l'une domine, qui devient la *doxa*. Cet effort de clarification amène à ne pas opposer de façon simple l'idéologie d'un côté, comme jeu d'illusion, et la science d'un autre, comme garantie de vérité. Ainsi G. Canguilhem cherche à identifier une « idéologie scientifique » : elle est une « méconnaissance des exigences méthodologiques et des possibilités opératoires de la science dans le secteur de l'expérience qu'elle cherche à investir, mais elle n'est pas l'ignorance ou le refus de la fonction de la science » (*Idéologie et rationalité dans l'histoire des sciences de la vie*, Paris, J. Vrin, 1988). Michel Foucault, cherchant à tracer l'histoire des modèles de vérité (ou « épistémés »), souligne que, dès lors, il ne s'agirait pas, comme le suggère l'emploi marxiste du terme, de lever « le voile » ou « l'obstacle » de l'idéologie devant le sujet du savoir (accédant alors à un savoir pur), mais de montrer comment le sujet de savoir se forme à partir de conditions déterminées. Pour lui, l'idéologie « est une mise en commun d'un seul et même ensemble de discours » à partir duquel des individus, « définissent leur appartenance réciproque » (*Dits et écrits*, volume II, Paris, Gallimard, 1994). Par sa diffusion, ses formes d'énonciation, l'idéologie contribuerait à assujettir les sujets parlants (le même discours idéologique) au discours du groupe.

Malgré les hésitations et les ambiguïtés que révèlent les enjeux sémantiques du concept, son emploi est toujours à l'œuvre, ne serait-ce que pour rendre compte d'un impensé ou du « refoulé du politique » comme le souligne Nicole Loraux, après Marc Augé, parce que « le masque de l'idéologie est fait de ses silences, non de ce qu'elle dit », il faut dès lors s'intéresser aux mots absents du discours.

Les liens entre idéologie et littérature sont à envisager sous au moins trois aspects. Le premier est celui de la production des idéologues eux-mêmes, et de leur influence immédiate sur des auteurs de leur temps, comme Mme de Staël et B. Constant. Le deuxième, plus profond, plus diffus et plus important, est l'influence de l'idéologie sur la production littéraire. Par exemple, V. Hugo, dans la Préface de *Cromwell* (1827), lorsqu'il estime que les formes littéraires changent avec les systèmes de croyance et que l'idée de la perfection des modèles antiques a empêché la littérature moderne – jusqu'au romantisme – de donner une image de la condition problématique de l'homme dans la société occidentale, engage une analyse du littéraire en liaison avec l'idéologique. La présence de stéréotypes dans la littérature, de grande diffusion en particulier, manifeste l'influence des dominantes idéologiques de chaque temps. Une troisième dimension, plus radicale et profonde, envisage la littérature, système de représentations, comme appartenant à la sphère de l'idéologie. Ainsi une critique idéologique (comme celle de L. Marin par exemple) analyse non seulement les cas où le littéraire se met explicitement au service d'une idéologie dominante (par exemple des poètes et des historiographes chantant les louanges du monarque), et les cas – comme dans les utopies – où il la critique, mais aussi les implicites, les non-dits, voire les dénégations qui tissent la teneur idéologique du littéraire (confirmation de tabous, de croyances, affichage d'une esthétique indépendante de toute relativité ou de toute implication sociale comme forme de renforcement des hiérarchies existantes entre les hommes).

▶ DUBOIS J., *L'Assommoir de Zola. Société, discours, idéologie*, Paris, Larousse, 1973. — EAGLETON T., *Critique et théorie littéraires*, trad fr. Paris, PUF, [1983], 1993 ; *Ideology*, Harlow, Longman, 1994. — HAMON Ph., *Texte et idéologie*, Paris, PUF, [1984], 1997. — MARX K. & ENGELS F., *L'idéologie allemande* [1845-1846], Paris, Messidor, Éditions sociales, 1982.

Michèle RIOT-SARCEY

→ *Critique idéologique ; Doxa ; Idéologues ; Marxisme ; Norme ; Utopie.*

IDÉOLOGUES

Le terme désigne à la fin du XVIIIe et au début du XIXe s., un groupe de penseurs héritiers du rationalisme des Lumières qui s'inspirent en particulier du sensualisme de Condillac et des travaux de Condorcet. Ces jeunes savants, qui préfèrent d'ailleurs se nommer eux-mêmes idéologistes, fréquentent pour la plupart le salon de Mme Helvétius. Plus généralement, le mot s'emploie aussi pour caractériser des courants de pensées fort divers, qui se situent entre l'esprit des Lumières et celui du romantisme, et dont l'activité se développe aux frontières de la philosophie et de la critique artistique. Par extension, il s'emploie parfois de nos jours pour qualifier quelqu'un qui fait figure de penseur politique.

Le *Traité des sensations* de Condillac (1754) systématise une part des thèses empiriques de Locke. Son interrogation sur le fonctionnement de l'esprit humain le conduit à établir un lien, qui est neuf, entre le langage et la pensée réfléchie. L'homme peut devenir maître de ce qu'il pense lorsqu'il atteint la chose signifiée par les signes dont il use. Cette théorie s'inscrit dans le cadre plus large d'un appel à la primauté de l'expérience et à l'importance de la démarche critique propre à l'esprit scientifique. À la fin du siècle, Condorcet publie son *Esquisse d'un tableau historique des progrès de l'esprit humain*, 1795, qui place l'évolution de l'homme rationnel dans la perspective ouverte d'un progrès infini de l'esprit et du langage, fondé sur la connaissance de l'histoire.

Même s'ils n'ont pas produit directement des ouvrages littéraires, les successeurs de Condillac et de Condorcet développent trois dimensions qui intéressent l'histoire des idées littéraires : une interrogation sur les rapports entre l'histoire de l'homme et l'histoire des sociétés, une analyse des idées et des impressions sensibles (Destutt de Tracy, *Éléments d'Idéologie*, 1815), et une réflexion sur la nature et les missions de l'art (Quatremère de Quincy, *Considérations morales sur la destination des ouvrages de l'art*, 1815). Cette dernière lance notamment l'idée de la mission sacrée du Poète, qui sera essentielle dans la première moitié du XIXe s.

Parallèlement à l'activité de ce groupe libéral et sous l'influence d'autres penseurs évolutionnistes (Montesquieu notamment), Charles Vanderbourg, Germaine de Staël et ses amis du groupe de Coppet et quelques autres savants introduisent en France les idées de la philosophie allemande. La place de l'art est au centre de nombreux débats, d'où ressort en particulier sa « destination sociale » (Quatremère). Ces discussions assurent le passage des théories de l'imitation à celles de l'idéal.

L'influence des idéologues s'est exercée sur Stendhal ; sous la Restauration, ils inspirent la gauche libérale : le pamphlétaire Paul-Louis Courier comme le chansonnier Beranger portent leur marque, mais également les partisans d'un ordre moral (Victor Cousin). Outre l'importance intrinsèque de leurs travaux scientifiques, les idéologues comptent comme diffuseurs du rationalisme des Lumières dont ils transmettent les leçons au siècle suivant. À la fin du XIXe s., l'héritage de Condillac – l'alliance de la psychologie et de la logique empirique, qui veut rendre compte de la diversité des choses tout en postulant un principe d'intelligibilité central – se retrouve ainsi chez l'Anglais J. S. Mill ou chez H. Taine (*De l'intelligence*, 1870), auteurs de grandes synthèses déterministes.

Par ailleurs, la linguistique moderne reste redevable aux fondateurs d'une nouvelle science de l'homme de la place prééminente que le langage a prise dans le système qu'ils proposaient. Les réflexions des idéologues ont également porté sur la pédagogie.

La « science des idées » selon Quatremère juge des effets produits par les œuvres artistiques. Cette perspective place un nouveau concept, le public, au centre de la réflexion. Elle fonde également une esthétique qui rompt avec la critique dogmatique, chargée de vérifier l'application de lois immuables, au profit d'une critique historique et philosophique, qui mesure les conséquences morales du geste créateur. Mal connues par l'histoire de la critique, à l'exception de celles de Madame de Staël, les réflexions des idéologues forment un moment de l'histoire des idées politiques, philosophiques et littéraires. Les travaux de Paul Bénichou ont rappelé leur importance, en les inscrivant en arrière-plan de l'histoire du romantisme français.

Dans le domaine du roman, les œuvres de Sophie Cottin (*Claire d'Albe*, 1799), Juliane Von Krüdener (*Valérie*, 1803) ou de Madame de Staël (*Delphine*, 1809), produites par des proches des idéologues, sont caractéristiques de la transition entre la psychologie amoureuse analytique du XVIIIe s. et la sentimentalité des débuts du XIXe s.

▶ GIRARD L., *Les libéraux français*, Paris, Aubier, 1985. — GUSDORF G., « La conscience révolutionnaire. Les idéologues », in *Les sciences humaines et la pensée occidentale*, Paris, Payot, t. VIII, 1978. — PICAVET F., *Les idéologues*, Paris, [1891], Reprint OLMS, 1972. — Coll. : *Les Idéologues, Sémiotique, théories et politiques françaises pendant la Révolution française*, W. Busse & J. Trabant (éd.), Amsterdam / Philadelphia, John Benjamins publishing Company, 1986. — « Les idéologues (1795-1802) et leur postérité », colloque de Cerisy, septembre 1998.

Pierre SCHOENTJES, Paul ARON

→ *Idéologie ; Illuminisme ; Romantisme ; Sensualisme ; Sociologie.*

IDYLLE → Bucolique ; Elégie ; Pastorale

ILLUMINISME

Le terme « illuminisme » apparaît à la fin du XVIIIe s. pour désigner une doctrine à la fois philosophique et religieuse, qui professait la primauté de la connaissance intérieure de Dieu sur toute connaissance rationnelle ou pratique d'un culte officiel. L'illuminisme est une théosophie, puisqu'il considère le monde comme un univers de symboles et forces invisibles que seul l'homme communiant directement avec Dieu peut déceler et déchiffrer.

L'illuminisme puise ses racines dans la tradition gnostique et exégétique de l'Antiquité, dans l'occultisme (magie, alchimie...) et dans les théories des opposants aux inspirations rationnelles des théologiens (comme Joachim de Flore au XIIe s.). Il profite du succès des grands mystiques chrétiens, mais aussi musulmans : la Sicile et l'Espagne ont été influencées par le soufisme, mystique musulmane fondée sur la pure contemplation. Au XVIe s., le terme « illuminés » est ainsi employé en Espagne (*los alumbrados*) pour nommer les adeptes d'un syncrétisme qui proposait une interprétation quiétiste du catholicisme et exigeait le silence de l'intelligence pour se mettre à l'écoute de Dieu. Condamnés pour hérésie, ils réapparurent en 1623. Les mystiques allemands, s'inspirant de maître Eckhart (mort en 1328), multiplient cénacles et coteries hérésiarques, comme la confrérie des Rose-croix au début du XVIIe s. En

France, des visions, extases ou apparitions encouragent les quiétistes, comme Mme Guyon (auteur du *Moyen Court de faire oraison* en 1684), à prêcher la doctrine du pur amour.

Souvent liés à l'histoire de la franc-maçonnerie, les grands noms de l'illuminisme au XVIIIe s. ont élaboré une théosophie s'inspirant des traditions de l'hermétisme. Lecteurs de Paracelse, qui étudia au début du XVIe s. les liens unissant le macrocosme au microcosme, ils s'inspirent également de la pensée de Jakob Böhme (1575-1624). Swedenborg partit ainsi en quête des correspondances entre ciel et terre. Les principaux représentants de l'illuminisme en France sont Martinès de Pasqually, créateur du rite des « élus coëns » (prêtres élus), Jean-Baptiste Willermoz, soyeux lyonnais, et Louis Claude de Saint-Martin, auteur de *L'homme de désir* (1790). Saint-Martin, dit « le Philosophe inconnu », reprenait notamment le mythe de l'âge d'or et de la décadence de la société. L'homme, déchu, doit expier ses fautes pour acquérir une nouvelle spiritualité plus pure. Il y parvient grâce à une initiation souvent théurgique. Cette doctrine influença certains penseurs comme Joseph de Maistre ou Ballanche. À cette même époque, les sciences sont aussi touchées par la vogue de l'illuminisme : un pasteur suisse, Lavater, pratique la physiognomonie et un médecin allemand, Franz Anton Mesmer, expérimente l'hypnose et le magnétisme. L'influence de l'illuminisme est ensuite déterminante chez les romantiques, qui manifestent le plus grand intérêt pour l'exploration des voies de l'irrationnel. Balzac emprunte au surnaturel et aux phénomènes paranormaux le cadre de plusieurs de ses romans (*La peau de chagrin*, 1831, *Louis Lambert*, 1832, *Séraphita*, 1835...) où il évoque, tel un voyant, la place de l'homme à l'intérieur du cosmos (théories de Swedenborg). On retrouve pareille fascination pour l'invisible chez Nodier, Aloysius Bertrand, Nerval ou, plus tard, chez Maupassant. Baudelaire considérait le poète comme un « déchiffreur » de « correspondances » entre le monde sensible et le monde spirituel. Cet engouement pour l'exploration de l'invisible est manifeste chez les écrivains symbolistes (Maeterlinck...), qui tentent de saisir les forces mystérieuses dissimulées derrière la réalité. On assiste d'ailleurs, à la fin du XIXe s., au renouveau de l'occultisme (Péladan...). De telles influences ont perduré tout au long des conflits qui opposèrent par la suite les rationalistes aux partisans d'une religion fondée sur un lien immédiat entre l'homme et Dieu.

▶ BÉNICHOU P., *Le temps des prophètes, Doctrines de l'âge romantique*, Paris, Gallimard, 1977. — FAIVRE A., *L'ésotérisme au XVIIIe s.*, Paris, Seghers, 1973. — MARX J., « Problèmes de l'illuminisme [1770-1820] », *Revue de l'Université de Bruxelles*, 1975, p. 423-448. — ROOS J., *Aspects littéraires du mysticisme philosophique et l'influence de Boehme et de Swedenborg au début du romantisme : William Blake, Novalis, Ballanche*, Strasbourg, Heitz, 1951. — VIATTE A., *Les sources occultes du romantisme*, Paris, Champion, [1929] 1969.

Jean-Frédéric CHEVALIER

→ *Caractères ; Christianisme ; Correspondance ; Fantastique ; Hermétisme ; Mysticisme ; Occultisme ; Quiétisme ; Religion ; Symbole.*

ILLUSION → Mimésis ; Réception

ILLUSTRATION

L'illustration désigne toute image qui, dans un livre, accompagne le texte dans le but de l'orner, d'en renforcer les effets ou d'en expliciter le sens. Elle recouvre des pratiques multiples, depuis l'enluminure jusqu'à la photographie en passant par la gravure, l'estampe, la lithographie, toutes les formes du dessin, et peut servir des fonctions diverses d'ordre rhétorique, argumentatif ou institutionnel, variables selon les époques et les genres. L'illustration, qui entretient, par définition, un rapport de secondarité avec le texte, établit parfois avec lui un rapport de parité (par exemple dans le livre d'art). Sauf pour les cas où l'auteur du texte est aussi celui de l'illustration, cette dernière appartient le plus souvent au péritexte éditorial.

Les premières illustrations apparaissent au moment où la graphie de l'écriture se stabilise et s'affirme pour constituer un réseau de signes autonomes dont se distingue toute autre image. L'illustration naît donc comme ornement, c'est-à-dire comme un surplus du texte. Au Moyen Âge, les enluminures jouent un double rôle d'enrichissement du livre en tant qu'objet et de sacralisation de l'Écriture. À partir du XIe s., l'enluminure accueille des petites scènes et des personnages ; à mesure que ces illustrations se détachent, par leur forme et leur contenu, de la calligraphie, elles se placent à l'extérieur du texte, dans une configuration de la page qui sépare de plus en plus nettement l'espace de l'écriture et l'espace de l'image. L'invention de l'imprimerie et la gravure sur bois, qui permet de disposer sur la même page le texte et l'image, consacrent cette division : les livres xylographiques (bois gravé dans le haut de la page et texte calligraphié ou imprimé en dessous) connaissent leur apogée aux XVe et XVIe s. La Renaissance est aussi l'époque où l'illustration se laïcise pour accompagner les devises (livres d'emblèmes et almanachs) et l'édition des textes grecs et latins (*Le songe de Poliphile*, imprimé à Venise en 1499 par Aldo Manuzzio, constitue l'un des grands modèles de cette pratique).

Mais ce sont surtout les livres techniques qui insufflent à l'illustration, à partir du XIVe s., son essor fulgurant. L'ambition de décrire le monde, qui caractérise la Renaissance, exige des références précises : on supplée donc aux approximations du langage verbal en recourant aux images. Les progrès techniques facilitent l'entreprise et, au début du XVIIe s., la gravure sur cuivre remplace la gravure sur bois pour l'illustration des livres, procurant des images beaucoup plus finement détaillées. La gravure sur cuivre, cependant, ne permet plus qu'une même page accueille le texte et son illustration. Cette séparation conduit l'illustration à devenir un objet (d'art) en soi, même si sa fonction d'accompagnement reste très clairement affirmée. Les planches des ouvrages techniques deviennent ainsi des arguments en faveur d'une valeur, sinon d'un prestige de l'ouvrage (l'*Encyclopédie*, en 1762-72, est accompagnée de planches en onze volumes).

Le XVIIIe s. voit aussi de nombreuses entreprises éditoriales d'illustration des œuvres de fiction. Des éditions illustrées des *Fables* de La Fontaine, des œuvres de Molière et de Racine ornées de frontispices, sont ainsi publiées ; elles témoignent de la virtuosité des imprimeurs. Au début du XIXe s., la technique du bois debout permet à Nodier de lier texte et image (*Histoire du roi de Bohème*, 1832) et le développement technologique offre aux peintres et aux écrivains l'occasion de travailler de concert. L'illustration participe dès lors pleinement de l'histoire de l'édition, tant pour les livres destinés au grand public que pour ceux que les artistes réservent aux marchés restreints de la bibliophilie et du livre d'art. Plusieurs éditeurs rassemblent ainsi de nombreux talents pour illustrer une œuvre importante (tel Curmer, qui édite *Paul et Virginie* en 1838), ou pour réaliser un objet original (comme Hetzel avec le *Diable à Paris*, 1868). Les illustrations de Gavarni, de Daumier ou de Rops augmentent la valeur de l'objet-livre. Au XXe s., des « livres d'artistes » associent un écrivain à un dessinateur ou à un peintre.

Du côté de l'édition populaire, l'illustration se développe par le biais des journaux, des livres pour la jeunesse, des ouvrages scolaires et des pages de couverture (éditions de poche) qui participent de la mise en marché du livre.

L'illustration pose d'abord la question des limites de l'écriture : ajouter une image à un texte permet de l'exhausser ou de le compléter, de le commenter ou de le rendre attrayant. Le livre illustré peut signaler l'insuffisance d'un seul *art* à rendre grâces à Dieu (enluminures), à faire rêver (romans illustrés des XVIIIe et XIXe s.), à signifier (livres où le texte et l'image se nourrissent l'un l'autre). Mais en tous les cas, même lorsqu'elle a été à l'origine conçue comme seconde par rapport au texte, l'illustration impose des codes et un matériau propres. Il s'agit donc de deux systèmes, celui de l'illustration et celui du texte, entre lesquels naissent des relations diverses, qui demandent à être précisées.

L'illustration intéresse également une histoire moderne de la lecture dès lors qu'elle informe la manipulation même du livre et de la page ou qu'elle fournit à l'imagination du lecteur des éléments pouvant orienter sa compréhension du texte ; de même l'apprentissage de la lecture, chez les enfants, se fait presque toujours à partir de livres illustrés, dont la fonction cognitive recoupe une science de l'orientation, de l'assimilation, de la mémoire. Phénomène éditorial, l'illustration a trait encore à la valeur du livre comme objet (nombreuses éditions de luxe pour bibliophiles), à son argument de vente (les images comme plus-value, comme modes de séduction), à la distinction des publics auxquels il se destine.

▶ ADHÉMAR J., *La gravure des origines à nos jours*, Paris, Somogy, 1979. — CHARTIER R., MARTIN H. J. & VIVET J. P., *Histoire de l'édition française*, Paris, Promodis, 1984. — CHATELAIN J.-M., *Livres d'emblèmes et de devises*, Paris, Klincksieck, 1993. — MÉLOT M., *L'illustration : histoire d'un art*, Genève, Skira, 1984. — STAFFORD B. M., *Voyage into Substance : Art, Science, Nature and the Illustrated Travel Account, 1760-1840*, Cambridge, MIT Press, 1984.

Isabelle DAUNAIS

→ *Bibliophilie ; Édition ; Emblème ; Histoire du livre ; Image ; Peinture ; Péritexte.*

IMAGE

Les liens entre la littérature et l'image peuvent être envisagés selon trois points de vue. 1) La littérature elle-même « fait image », au moyen de figures de style (en particulier la métaphore et l'hypotypose). 2) L'image peut accompagner le texte, comme dans l'illustration. 3) Texte et image peuvent être fondus en un tout, comme dans l'emblème.

Dès les premières réflexions sur la poésie, celle-ci est envisagée comme mimésis, donc comme représentation. Elle est de fait, au sens le plus général du terme, une « image » des choses, des actions et des personnes ; le théâtre en constitue la forme la plus aboutie. Certaines créations littéraires peuvent consister en description d'images : ainsi l'*ekphrasis*, ou représentation verbale d'une peinture ou gravure (le bouclier d'Achille dans l'*Iliade* par exemple). Enfin, l'image fait surgir la question de l'esthétisation : Aristote souligne dans sa *Poétique* que l'on peut trouver du plaisir dans l'image de choses qui d'ordinaire suscitent au contraire la répulsion, comme des cadavres (l'idée est ensuite passée en topos, que rappellent les vers de Boileau, *Art poétique* : « Il n'est pas de Serpent, ni de Monstre odieux / Qui par l'art imité ne puisse plaire aux yeux... » et qu'on retrouve chez Rousseau et Diderot qui en soulignent le caractère paradoxal en rappelant d'autres auteurs anciens, comme Lucrèce). À Rome, ces liens entre littérature et image se traduisent par une analogie que résume la formule d'Horace : « ut pictura poesis », il en est de la peinture comme de la poésie. Conception en quelque sorte réversible qui faisait de la poésie une peinture douée de parole et de la peinture une poésie muette.

À la faveur de l'évolution des moyens graphiques, cette relation théorique se double d'un lien pratique. Les manuscrits médiévaux sont parfois enluminés et, avec l'apparition de l'imprimerie, l'usage d'illustrer des textes se répand : du frontispice, qui concentre divers éléments figuratifs en une image censée caractériser l'œuvre ou l'auteur, aux illustrations réparties au fil de l'ouvrage, les images viennent redoubler le texte, parfois de façon seulement illustrative, parfois en offrant un mode de lecture décalé et explicatif. En retour, le texte est mis à contribution par l'art graphique, comme titre et légende, dans des « images », qui sont dès cette époque un produit de diffusion massive – les images pieuses notamment, mais aussi les images des « entrées » royales reproduites dans des livrets, qui nécessitent souvent des explications écrites à l'usage du public. La Renaissance est aussi le moment où se répand largement l'art de l'emblème, qui unit de façon indissociable une gravure symbolique et un texte qui en dévoile le sens. L'emblème applique ainsi à des instances abstraites (idées, vertus) la formule qui, depuis le début de la Renaissance, a fait le succès des devises pour caractériser des individus.

Ce triple dispositif des liens entre littérature et image s'enrichit ensuite selon l'évolution des arts plastiques et des genres littéraires. La littérature s'empare du thème de l'union des deux arts, et l'assortit de celui de leur concurrence. Ainsi La Fontaine dans le *Songe de Vaux* (1661) met en scène un concours entre l'architecture, l'art des jardins, la peinture et la poésie, qui « pein[t], quand il lui plaît, la Peinture elle-même ». Au siècle suivant, le système d'équivalence entre peinture et littérature mis en place par l'esthétique humaniste perd de son autorité. Dans *Laocoon* (1766), Lessing distingue nettement les arts qui relèvent du temps (littérature, musique) et ceux qui relèvent de l'espace (notamment la peinture). À la même époque naissent les « salons » de peinture. Diderot a été le premier écrivain à exprimer (*Salon de 1763*) face à certaines natures mortes de Chardin les limites du langage pour dire ce qu'on regarde. La critique picturale devient ensuite un genre à part entière, avec plus tard les *Salons* de Baudelaire, et à son tour Proust qui tire toutes les conséquences stylistiques de la découverte de Diderot et de Lessing : l'apprentissage du regard implique, selon lui, une interrogation sur le langage, qui se résout dans la métaphore. Dans l'intervalle, la révolution industrielle a apporté des ressources optiques nouvelles de la photographie et le cinéma. Des genres les associent à la littérature : roman-photo, bande dessinée, adaptations cinématographiques d'œuvres... La réflexion sur l'image visuelle obsède les poètes dès le début du XXe s. (les surréalistes ; Cendrars, *Kodak*, 1924). En retour, des peintres se passionnent pour la littérature et parfois écrivent eux-mêmes. On assiste alors à un réveil de l'art de l'emblème, dont joue par exemple Magritte. Il est lié à la recherche chez les poètes de formes qui soient à la fois verbales et iconiques : calligrammes, depuis Apollinaire (1918) ou (recours aux) idéogrammes (par exemple Ségalen, *Stèles*). Les ressources de l'image influent largement sur l'écriture, ainsi, plus tard, les rythmes et effets cinématographiques dans le Nouveau Roman et la tentative de réaliser des films-poèmes (Robbe-Grillet, Duras). Elles retentissent aussi sur les arts, comme dans les logogrammes de Dotremont.

Les rapports de la littérature et de l'image peuvent être envisagés en termes de confluence, notamment du point de vue des genres et des registres qui peuvent être communs aux deux arts (par exemple le portrait). Ils peuvent l'être aussi, bien sûr, en ce qui concerne les discours de l'un et l'autre : en particulier, l'image éclaire dans sa technique même les questions de « point de vue », que le verbal laisse souvent dans l'implicite, et l'analyse idéologique s'en trouve stimulée d'autant ; elle peut, en particulier, interroger à partir de là les « images » présentes dans les mentalités, les imaginaires collectifs. Ils peuvent l'être en termes de narratologie, dans la mesure où des images s'offrent en succession (immobile, comme la tapisserie de Bayeux, ou rapide, comme dans le film). Enfin, le rêve de correspondances entre les arts est une constante de la culture.

Mais chacun de ces langages impose aussi sa logique : le texte se donne nécessairement dans un déroulement, l'image en une vision globale (les arts de l'image animée étant aussi arts d'une succession de données globales) ; le texte obéit avant tout à une chronosyntaxe, l'image à une toposyntaxe. La poésie « fait image », au sens où elle tend à s'émanciper des contraintes du déroulement textuel. Les dispositifs sonores et graphiques (versifications, rimes, retours de sons) qui lui sont propres tendent à substituer à la linéarité de la phrase un dispositif où les mots sont liés par leur place dans la page (à la rime par exemple). Surtout, les figures de style sollicitent l'effet imageant. En particulier la métaphore, qui a pu être qualifiée de « figure-reine », abolit les termes de comparaison et produit une substitution instantanée : par exemple « Colombe aux regards de faucon » (Gautier, *Rondalla*) « dit » en une image une jeune fille belle et douce d'apparence, mais cruelle. Le passage de la syntaxe linéaire à une syntaxe spatiale atteint son point extrême avec le calligramme : ainsi *La colombe poignardée et le jet d'eau* d'Apollinaire dessine en mots une colombe et un jet d'eau. Le rapport est inverse dans l'*ekphrasis* (description littéraire de tableau) et l'hypotypose (description qui « met sous les yeux » du lecteur les choses évoquées), l'image est première, et le texte déploie en phrases successives et nombreuses ce qu'elle offre dans l'instantané (la chronosyntaxe se substitue à la toposyntaxe). Ces deux cas de « figures » montrent que le passage de l'ordre verbal à l'ordre de l'image ne peut être qu'asymptotique. Pour parvenir au calligramme, la syntaxe verbale renonce à sa logique propre, mais pour dire la signification du calligramme, elle reprend ses droits ; l'*ekphrasis* célèbre la gloire de l'image, mais en abolit l'instantanéité. Ainsi, la « lecture de l'image » - préconisée dans les programmes scolaires aujourd'hui - ré-instaure, même dans l'analyse de l'ordre spatial (premier plan, second plan, arrière-plan, bas et haut, droite et gauche...) une chronosyntaxe, et tend à abolir l'effet de la perception globale, qui repose sur la proximité immédiate des signes visuels. La tension entre ces deux logiques se retrouve à propos du théâtre. Par exemple, dans la querelle du *Cid* (1637) les adversaires de Corneille insistaient sur le fait que sur scène, donc offerte à la vision, la pièce fit un triomphe, mais que la lecture, c'est-à-dire une perception selon l'ordre temporel linéaire, y décelait des défauts. Enfin, l'image visuelle ou verbale offre souvent une ambivalence, ambiguïté ou polysémie, qui ne peut trouver de résolution ni dans la chronosyntaxe, réduite à peu sinon à quia, ni dans la toposyntaxe, susceptible de parcours multiples. Tel est le cas des anamorphoses, dont le motif change selon la position où se place le regard, comme des métaphores inattendues. Il apparaît alors que la signification se joue dans les codes d'observation, qui sont multiples, et pas toujours communs à tous ceux qui sont en situation de réception. Tributaires des habitudes et modèles d'un groupe social (un milieu, une nation) ou plus largement collectif (une culture au sens large), ils relèvent de ce qu'on peut appeler une « allosyntaxe » (agencement des signes selon le rapport à autrui) ; elle exige une analyse historique et sociale, comme les autres codes, mais aussi, en partie, une anthropologie culturelle.

Il peut alors être fructueux de reprendre en compte ce que soulignait Junius (*De Pictura veterum*, 1635). La réception de l'image peut se faire selon deux modalités complémentaires : l'une, qu'il appelle - le traité est en latin - l'« evidentia » - et qui est l'impression première globale ; l'autre, qu'il appelle « perspicuitas » et qui fait intervenir une observation analytique. Dans un premier temps, la perception est saisie par un effet esthétique, dans le second, la perception saisit la signification. Étendu à l'analyse des rapports entre littérature et image, cette façon de voir permet de rendre compte de l'image poétique en ce qu'elle vise idéalement : imposer, dans un surgissement, une vision inattendue, une perception in-usuelle du monde ; alors, l'image est en quelque sorte l'idéal de la poésie. Mais, second apport, et second idéal : la perception d'un sens neuf ainsi advenu dans l'instant où l'image s'impose peut ensuite être déployée, par un texte qui, avec « perspicacité », en déplie tous les implicites ; alors, le poème serait l'idéal de l'image, puisqu'il lui restitue la durée, le temps qui fait le vivant. Cette dialectique de l'immédiat et du « perspicace » est sans doute bénéfique à tous égards, et en particulier à l'époque actuelle où les médias audiovisuels sont en position dominante. En effet, on a souvent relevé que l'image littéraire suggère, donc sollicite l'esprit et l'invite à être actif, alors que l'image visuelle s'impose, et peut céder à la paresse - c'est devenu un cliché des critiques contre la télévision. Une réception en deux temps permet en effet autant un regard critique sur les « clichés », icônes des stéréotypes et donc de la banalisation idéologique, qu'une ouverture aux remises en cause de clichés et aux images neuves. Sans aller jusqu'à la « perspicuitas » analytique, la perception esthétique peut être envisagée comme un « regard double » (Ouellet) où l'œil - et l'esprit - sont engagés dans une attitude d'exploration guidée par les offres de l'image ; là encore, image visuelle et image verbale peuvent se joindre de façon symptotique.

▶ HAMON P., *Imageries. Litterature et images au XIXe siècle*, Paris, Corti, 2001. — PASTOUREAU M., « L'illustration du livre : comprendre ou rêver ? » ; t. III, 3e partie : « Le culte de l'image » in *Histoire de l'édition française*, Chartier R. et Martin H.-J. (dir.), Paris, Promodis, 1982, t. I, p. 501-530. — RENSSELAER W. Lee, *Ut pictura Poesis, Humanisme et Théorie de la Peinture XVe-XVIIIe siècles*, Paris, Macula, [1967], 1998. — RICOEUR P., *La métaphore vive*, Paris, Le Seuil, 1981. — SIGURET F., *L'œil surpris. Perception et représentation au XVIIe s.*, Paris, Klincksieck, 1993.

Alain VIALA

→ *Cinéma ; Correspondances des arts ; Description ; Espace ; Esthétique ; Genres littéraires ; Grammaire ; Image, imagologie ; Peinture ; Réception ; Registre ; Temps.*

IMAGE, IMAGOLOGIE

S'agissant du langage verbal - pour l'iconique, voir : Image -, « Image » peut désigner des effets de figures de style, des déplacements sémantiques (voir : Figures) comme ceux que produisent la métaphore, la métonymie... « Image » désigne aussi la représentation de soi que donne un auteur ou un personnage, son éthos. Enfin, en un troisième sens, envisagé ici, les « images » sont des schèmes collectifs de pensée qui structurent l'imaginaire.

L'objet de l'activité imageante est étudié par la critique littéraire, mais aussi la psychanalyse, la sociologie, l'ethnologie. Cette étude est parfois nommée – nom qui ne fait pas l'unanimité – l'« imagologie » (terme emprunté à la terminologie de Jung). Dans ce cadre, « l'image » – ou « l'imago » – est le prototype inconscient qui oriente électivement la façon dont le sujet appréhende autrui. Il provient des premières relations, réelles et fantasmatiques, avec l'entourage familial. Il porte sur la représentation des personnes en personnages : là où le complexe désigne l'effet de l'ensemble de la situation de relations, l'imago désigne une survivance imaginaire de tel ou tel des participants de cette situation. L'image, en ce sens, est un schème imaginaire acquis, un cliché qui détermine les façons de percevoir autrui. Une telle étude porte alors sur la *fantasm-agorie*, exploration méthodique des rapports entretenus entre la « faculté imageante » (*phantasia*) et les divers moyens d'expression et de communication à la disposition de l'homme, et mis en œuvre par lui, pour « publier » (*agoreuein*) ces fantasmes. Elle peut se faire à l'échelon individuel ou collectif. Diversement théorisées, de telles études imagologiques ont une longue tradition en critique littéraire, particulièrement dans le domaine de la littérature comparée. Par exemple, l'image du diable à l'époque romantique, ou l'image de la France dans la littérature romanesque de l'Angleterre victorienne sont des études de projections mentales sur certains supports (textes, mais aussi tableaux, opéras, etc.) d'une *psyché* collective. Les analyses du jaillissement de l'image, d'une part, et d'autre part des phénomènes énonciatifs, linguistiques entre autres, font alors la liaison entre le produit et le mode de production, entre le texte et la lecture, entre la matérialisation de l'image et l'imagination de l'objet concerné. C'est à ce point de liaison que l'imagologie en particulier, et les études de l'imaginaire en général, situent leurs recherches, à la jonction de la lettre et du désir manifesté sous forme oblique. À la suite de Gaston Bachelard, ces études placent le plus souvent au premier plan de l'exploration de l'imaginaire la thématique, où l'image éclaire le sens en une concordance homologique inépuisable. L'« image » révèle des dénominateurs communs entre des genres et des modes d'expression très différents. Elle se distingue de « l'archétype », qui transcende la représentation figurale dans une perspective générale de valeur quasi universelle et atemporelle. Un degré supplémentaire est franchi avec le passage de l'archétype au « symbole », puis au « schème ». Le symbole n'est plus qu'intention de représentation, icône saturée de réseaux signifiants, qui déplace la valorisation du côté de la seule réception et du décodage, quand l'image devenue « schème » perceptible se sépare de tel ou tel support particulier pour devenir une présence active, diluée mais organisatrice, un principe sensible par-delà tels ou tels ensembles de signes. L'explication des œuvres particulières s'inscrit alors dans l'analyse de ces schèmes collectifs. Ces méthodes d'étude ne font pas l'unanimité et ont été contestées. Elles posent la question de l'inconscient collectif, et les thèses de Jung, qui sont souvent leur référence, ont été critiquées par nombre de psychanalystes. Cependant, les schèmes collectifs de représentation – jusqu'aux mythes et à leurs métamorphoses –, leurs variations, leurs altérations, leurs mensonges ou leurs vérités parfois intempestives, sont souvent des pages des plus nettement éclairantes de l'Histoire des mentalités.

▶ BACHELARD G., *La poétique de la rêverie*, Paris, PUF, 1960. — JUNG C.-G., *Métamorphoses de l'âme et ses symboles* [1912], trad. fr. Y. Le Lay, Paris-Genève, Buchet-Chastel & librairie de l'Université, 1953. — MILNER M., *La fantasmagorie*, Paris, PUF, 1982. — Coll. : *Eidôlon*, Cahiers du Laboratoire Pluridisciplinaire de Recherches sur l'Imagination Littéraire de l'Université de Bordeaux 3 (LAPRIL : Dubois, Cl.-G. dir.), 1977 et suivant (plus de cinquante volumes thématiques à ce jour).

Éric BORDAS

→ *Archétype ; Image ; Imaginaire et imagination ; Mythe ; Psychanalyse ; Symbole ; Thématique (Critique).*

IMAGINAIRE et IMAGINATION

« Imaginaire » correspond, dans le domaine des études littéraires, à deux définitions parallèles mais complémentaires. Employé substantivement, le mot désigne un des trois plans essentiels du terrain psychanalytique (le réel, le symbolique, l'imaginaire). En un autre sens, le domaine de l'imaginaire se définit comme le moment où les modes d'expression dévient de leur fonction représentative des objets pour mettre en scène les fantasmes d'un sujet – ce sujet pouvant être individuel – ou les croyances d'un groupe, avec interactions possibles des unes aux autres. Dans les deux cas, il y va d'une dimension de l'imagination.

Tout au long de l'histoire culturelle, des querelles ont opposé les tenants d'une conception traditionnelle de l'imagination « maîtresse d'erreur et de fausseté » (Malebranche), et ceux d'une imagination « créatrice ». Dans la lignée de Descartes, de Pascal et de La Bruyère, l'imagination est souvent vue comme une force « erronée et bizarre » (*Dictionnaire de l'Académie*, 1694) et nombre de philosophes des Lumières la condamnent comme telle.

Une inflexion se dessine avec Diderot, puis avec Kant, qui en font une faculté majeure dans le domaine de la création, en particulier la création d'art (Kant, *Critique de la faculté de juger*, 1790, l'associe au plaisir esthétique). Mme de Staël, ensuite, en fait le lien fondamental par lequel le poète unit « le monde physique avec le monde moral » (*De l'Allemagne*, 1810), et avec le romantisme, l'imagination est reconnue comme faculté positive, moteur essentiel de la création artistique (même si les parnassiens opposeront encore imagination et « travail »). L'intérêt de la notion d'imaginaire est de déplacer la question du domaine psychologique (l'imagination opposée à la raison) aux strates et aux opérations de la psyché. Les études de l'imaginaire ainsi entendu ont été inaugurées par l'œuvre de Gaston Bachelard. Avec une notion macro-structurale comme celle d'imaginaire, les clivages littérature *vs* philosophie *vs* psychanalyse sont remis en cause, et les travaux de Bachelard en dénoncent les dangers. Bachelard, en analysant les images qu'il cherche à saisir dans la conscience même qui les constitue, développe une psychologie de l'imagination en même temps qu'il définit les rapports de l'écrivain au monde puisque c'est par une matière mise en images qu'un auteur rêve ce monde et s'invente lui-même. L'image naît ainsi du désir et exprime tout ensemble un sentiment et une réalité. L'imaginaire est la synthèse sensible de ces images, à la fois capacité et représentation des phénomènes d'identification en termes d'altérité ou d'identité. En deçà de la composition formelle des œuvres et par un repérage d'images diverses, l'effort de Bachelard s'attache à une structure qui s'offre dans la « rêverie », à la limite du conscient et de l'inconscient, en une articulation avec l'héritage culturel. La porte était ouverte pour des études de l'imaginaire littéraire qui analysent les images d'un auteur, d'une culture, collective ou individuelle, et les significations qu'elles peuvent offrir dans le surgissement d'un monde irréel. Les images sont alors lues comme des « phénomènes ». C'est pourquoi penser que les études de l'imaginaire travaillent sur des délires incohérents et peu sérieux, irréels, est une erreur : tout au contraire, l'attention portée à l'activité d'une conscience imaginante et imageante a conduit à considérer le sujet, non point comme une vague origine abstraite, mais comme un lieu d'expansions sensibles par lesquelles l'œuvre s'ancre authentiquement dans le réel.

Peu après Bachelard, Jean-Paul Sartre propose, en philosophe phénoménologue, une description de la grande fonction « irréalisante » de la conscience – ou « imagination » – et son corrélatif, « l'imaginaire ». Sartre définit l'image comme « un acte qui vise un objet absent ou inexistant, à travers un continu physique ou psychique qui ne se donne pas en propre, mais à titre de représentant analogique de l'objet visé ». Cette conception l'amène à conclure qu'il n'y a pas d'images mais un monde imaginaire, qu'il n'y a pas d'imagination mais une conscience qui vise l'irréel. La thèse de Sartre fait de l'imaginaire une catégorie de référence (de perception du monde), et une capacité d'autodéfinition de l'individu ou du groupe.

Ce domaine est marqué par la prépondérance des questions et enjeux liés à l'image du semblable. Les travaux de Jacques Lacan ont attiré l'attention sur le « stade du miroir » dans la constitution de la personnalité de l'enfant. L'imaginaire est alors, dans la constitution de chaque sujet, un rapport fondamentalement narcissique du sujet à son moi. Dans les rapports entre les sujets, il suscite une relation dite « duelle », fondée sur (et captée par) l'image d'un semblable : pour Lacan, il n'y a de semblable (un autre qui soit moi) que parce que le moi est originellement un autre. Enfin, du point de vue des significations des discours, il constitue un type d'appréhension où des facteurs comme la ressemblance, l'homéomorphisme, jouent un rôle déterminant.

Dans cet ensemble de réflexions et propositions, l'enjeu pour le littéraire – et au-delà – est de mettre « au premier plan du sémantisme et de la compréhension littéraire, l'imaginaire et les mécanismes ou les organismes de cohésion des images, visant asymptotiquement au souhait de Bachelard de voir les images, libérées de leurs *impedimenta* biographiques et historiques, être seules à même *d'expliquer les images* » (Durand, 1960). Gilbert Durand – et, avec lui, l'École dite « de Grenoble » – se consacrent à l'étude du mécanisme générateur des productions de l'imaginaire. Il s'appuie sur des catégories généralement issues des analyses des mythes (images, archétypes, symboles, schèmes), l'essentiel étant de décrire l'affabulation imaginaire. Pour les hypothèses explicatives, les études de l'imaginaire sollicitent les sciences humaines : l'Histoire, science du réel, permet de déterminer comment se produit dans les œuvres la rupture avec le monde empirique ; l'histoire des mentalités circonscrit la structuration de l'imaginaire propre à une époque ou une classe ; l'ethnologie et la sociologie analysent l'organisation symbolique des rites et leur transmutations en *topoi*, voire clichés ou stéréotypes. De fait, les études de l'imaginaire n'ont pas leur méthode propre et ne peuvent pas en avoir, tant le champ recouvert est large et transdisciplinaire. Les mécanismes d'expression et de diffusion des productions de l'imaginaire sollicitent, dans leur description, les apports de la sémiologie, plus particulièrement dans les domaines d'expression verbale et graphique. L'analyse d'un document littéraire, pour repérer la part de l'imaginaire et son fonctionnement à travers les mots, porte d'abord sur le vocabulaire : analyse quantitative, détermination des récurrences, des relations prédominantes – en particulier pour les tropes. L'analyse syntaxique permet de préciser les modes fondamentaux d'association et de catégoriser tel type de « raisonnement » (analogie, systématisation, délire). Enfin, l'étude des structures narratives permet de rapporter la production à un genre. Semblable éclatement des savoirs a toujours été assumé par ceux qui, loin de le redouter, y voit au contraire l'originalité et la force de leur objet. « L'imaginaire n'est pas une discipline », précise G. Durand : « Il se motive dans l'au-delà, dans la réalité du *mundus imaginabilis* qui est épiphanie d'un mystère, fait voir l'invisible à travers les signifiants, les paraboles, les mythes, les poèmes... »

▶ BACHELARD G., *La psychanalyse du feu*, Paris, Gallimard, 1938. — DURAND G., *Les structures anthropologiques de l'imaginaire : introduction à l'archétypologie générale*, Paris, PUF, 1960 ; *Champs de l'imaginaire*, Grenoble, Ellug, 1996. — LACAN J., « Le stade du miroir comme formateur de la fonction du *je* », *Revue française de Psychanalyse*, Paris, 1949, vol. XIII, pp. 449-453. — SARTRE J.-P., *L'imaginaire*, Paris, Gallimard, 1940. — STAROBINSKI J. « Jalons pour une histoire de l'imagination », *L'œil vivant, II*, Paris, Gallimard, 1970.

Éric BORDAS

→ *Archétype ; Histoire ; Image, imagologie ; Mythe ; Psychanalyse ; Rêverie ; Stéréotype.*

IMITATION

L'imitation est une question centrale de la création artistique et littéraire, de deux points de vue. En un premier sens, elle concerne la définition même de cette création dans ses rapports avec la réalité : comment l'œuvre de fiction imite-t-elle le réel ? C'est le problème de la *mimésis*. En un autre sens, parce que toute œuvre s'inscrit dans un rapport de filiation ou de rupture avec les œuvres antérieures, il s'est instauré de longue date une tradition qui incite à imiter les maîtres antérieurs, et elle a été enseignée comme telle et transmise à travers des pratiques imitatives. C'est le sens le plus courant d'« imitation ».

Platon traite à plusieurs reprises (*République*, *Le sophiste*) de la *mimésis*. Le terme vient étymologiquement de *mimoi*, les mimes, et appartient au champ lexical de la représentation théâtrale et chorégraphique. Selon Platon, dans le monde sensible, les choses matérielles sont des copies des Idées ; dans l'art, l'artiste produit des copies des choses : il « imite » les choses, mais comme elles ne sont elles-mêmes que des « imitations » des Idées, les œuvres sont des « imitations d'imitations ». L'art se meut donc dans le faux et le simulacre, il est dénué d'un savoir authentique sur ce dont il parle ou qu'il représente. C'est pourquoi Platon estime que la tragédie, forme complètement imitative, est plus condamnable que le récit ou *diegésis*, qui peut essayer de mentionner et corriger les défauts des images qu'il propose. Pour Aristote, en revanche, toute poésie est imitation et l'imitation possède alors un caractère de généralisation et d'idéalisation conforme à la vraisemblance et à la nécessité. Aussi pour lui la tragédie est le genre le plus noble car la *mimésis*, en outre, n'est pas pure copie mais transposition en figures de la réalité ou d'une donnée narrative. Ce débat dure longtemps ensuite. Il se complexifie par le fait que la culture romaine antique était nourrie de grec. Les auteurs latins classiques s'inspiraient des modèles grecs (ainsi Virgile d'Homère, Cicéron adaptant les philosophes...) et installèrent de la sorte l'usage de l'imitation au second sens du terme. Au Moyen Âge, la *Poétique* d'Aristote fut peu connue et il n'y a pas à proprement parler de théorie de l'imitation, mais une position théologique, proche du platonisme, qui jette un soupçon sur la prétention à créer ou à reproduire parfaitement ce que Dieu seul a créé. L'artiste est un singe de nature (*Roman de la Rose* de Jean de Meun, 1277). Il reproduit en déformant. Il y a quelque chose de diaboliquement orgueilleux à se donner comme inventeur de formes. En revanche, les arts poétiques médio-latins valorisent l'imitation des Anciens : on apprend à écrire en imitant. La littérature vernaculaire se constitue plutôt sur l'axe de la *translatio*, le transfert du savoir d'Orient en Occident, et les romans du Graal prétendent à une imitation de l'Écriture Sainte sans parvenir à réduire l'écart entre le modèle sacré et sa *semblance* – son apparence. Au XVIe s., la notion d'imitation se combine avec celle de l'innutrition qui permet la transformation des textes selon un double processus : l'imitation des textes anciens préside à la résurrection d'un idéal stylistique où s'épanouit l'expression individuelle d'un *je*. Si la création passe par la soumission aux modèles et le retour au passé – imitation au sens 2 –, l'intérêt se déplace alors de l'objet au créateur. Sur cet apparent paradoxe s'organise jusqu'au XIXe s. la relation de l'ancien et du nouveau. Au sein de la querelle des Anciens et des Modernes, La Fontaine dit : « Mon imitation n'est point un esclavage / Je ne prends que l'idée, et les tours et les lois / Que nos maîtres suivaient eux-mêmes autrefois. » L'écrivain se conçoit comme le maillon d'une chaîne où s'inscrit sa voix propre. Les deux sortes d'imitations se trouvent ainsi associées : l'idée est que les auteurs modernes doivent imiter les Anciens, qui ont très bien imité (représenté) la nature. L'imitation des Anciens devient de la sorte un moyen de mieux imiter le réel. De plus, dans les textes non de fictions mais de débat d'idées ou de polémique, la question de l'imitation-mimésis ne se pose guère, tandis que les emprunts aux Anciens sont aussi des dialogues avec leurs idées (ainsi Montaigne puisant à pleines mains dans sa bibliothèque). L'École a longtemps enseigné la littérature antique en l'investissant ainsi dans l'apprentissage de l'art d'écrire, soit en poésie (exercices de vers latins) soit en prose (exercices de discours latin).

En revanche, la modernité proclame une rupture en répudiant les modèles au nom du progrès et de l'individu. L'écrivain moderne ne se reconnaît plus dans une relation verticale de filiation. En cela le processus de l'imitation est transformé. L'intertextualité imitative ne cesse pas d'exister, mais elle n'est plus envisagée comme la soumission à des modèles. L'esthétique de l'individu et du « génie » romantique s'est construite sur ce fondement. En même temps, le principe aristotélicien selon lequel toute création est imitation est remis en question : l'exploration du langage attire de plus en plus les poètes de la seconde modernité ; ils ne le voient plus comme chargé de représenter le monde, mais comme lieu d'une recherche de ce qui dans le monde est insaisissable. Ainsi Baudelaire, puis plus encore Rimbaud, recherchent « le radicalement nouveau », tandis que tout peut devenir objet d'art et de beauté. Le refus de l'imitation produit aussi l'illusion d'une autonomie, que les effets de mode et de masse relativisent, voire retournent en une auto-référentialité. La question reste posée d'une œuvre totalement innovante. Mais si l'époque des modèles stylistiques et héroïques est révolue, l'imitation comme tension dynamique qui suppose un *écart* continue de sous-tendre les formes de réécriture et d'intertextualité.

La question de l'imitation est lié à des enjeux idéologiques et philosophiques. Ainsi pour Aristote l'instinct d'imitation est essentiel et naturel chez l'homme : aussi est-il au fondement de l'activité artistique comme de l'apprentissage. Le sens 1 (mimésis) et le sens 2 (imitation des grands prédécesseurs) se trouvent liés : les grands premiers artistes ont donné des modèles d'« imitation du monde » et leurs successeurs doivent les imiter pour faire leur apprentissage. Ce schéma aristotélicien a été dominant jusqu'à l'âge classique. Ensuite, par un regain de l'influence platonicienne peut-être, en tout cas l'idée que le génie crée du nouveau, s'est développée : il « crée » plus qu'il n'imite la nature, il innove plus qu'il ne reprend et « imite » les Anciens. Ce débat est sensible dès la fin du XVIIe et au cours du XVIIIe s., et la position novatrice s'impose au XIXe s. Ainsi, jusque dans ce débat, les termes mimésis, imitation et modèle ont-ils commandé pendant des siècles l'explication des rapports de l'artiste avec son œuvre. Et Dali dit encore : « De ceux qui ne veulent rien imiter, il ne sort rien » (*Dali par Dali*, Dräger, 1970). Par ailleurs, sur le plan théorique, Genette remet en question la distinction entre *diegésis* et *mimésis :* selon lui, celle-ci n'est en fait qu'une « citation » des choses, et la seule imitation effective est « l'imparfaite » selon Platon, c'est-à-dire le récit (*Figures II*). Les questions de l'invention créative et de l'imitation sont évidemment toujours ouvertes, et les faits d'intertextualité toujours présents, mais pas toujours érigés en imitation. De sorte que chaque œuvre singulière est un compromis entre nouveauté et répétition, invention et reformulation, et que la critique a à rendre compte des formes diverses que prend ce compromis.

▶ GENETTE G., *Figures II*, Paris, Le Seuil, 1969 ; *Palimpseste*, Paris, Le Seuil, 1982. — Coll. : *Les modèles de la création littéraire, Littérales*, Nanterre, 1989, n° 5. — *L'imitation, aliénation ou source de liberté ?*, Rencontres de l'École du Louvre, La Documentation Française, 1984.

Michèle GALLY

→ *Classicisme ; Création littéraire ; Génie ; Innovation ; Inspiration ; Intertextualité ; Mimésis ; Modèle ; Parodie ; Querelles ; Récriture, réécriture ; Sources.*

IMPRIMERIE

L'imprimerie désigne l'art de reporter des éléments graphiques – et d'abord des signes d'écriture, donc des textes – sur une surface plane (de papier, le plus souvent) : ce report s'est effectué pendant cinq siècles par pression (d'où le nom d'imprimerie) de formes en creux ou en relief, avant que l'introduction des techniques photographiques puis photo-électriques et informatiques ne bouleverse le métier d'imprimeur.

Conçue vers 1440 par Gutenberg ou dans son entourage, l'imprimerie adapte à la reproduction de textes une méthode largement utilisée dans le textile (pour les tissus « imprimés »). L'innovation réside donc non dans le procédé lui-même, mais dans l'invention – et la mise au point technique – de caractères mobiles en plomb, assemblés pour constituer une « forme » et réutilisables jusqu'à usure du métal. D'autre part, elle était inconcevable sans l'utilisation d'un support moins coûteux que la peau animale (le parchemin) ; or le papier, d'antique utilisation en Orient, n'a été introduit en Europe qu'au XIIe s. Depuis la fabrication des premiers livres dans la seconde moitié du XVe s. (les « incunables », dont le plus célèbre reste, en 1455, la Bible de Gutenberg), l'histoire de l'imprimerie peut être résumée en quatre étapes.

Socialement et économiquement, l'imprimerie a d'emblée suscité des entreprises complexes, où capital financier et capital intellectuel sont indissociables : elle exige des machines coûteuses, et exige aussi du maître-imprimeur et de ses compagnons de savoir lire, y compris le latin, voire le grec. En outre, les imprimeurs ont été très souvent, dès l'origine et pendant longtemps, en même temps que des fabricants, des marchands (libraires) et des promoteurs ou commanditaires de livres (éditeurs). C'est ainsi que l'on a vu, dans les débuts, des entrepreneurs érudits, comme Estienne (en France) ou Plantin (à Anvers, XVIe s.). De même, devant la puissance de diffusion de ce média, l'Église (jusqu'au XVIIe s.) et l'État se sont efforcés de le contrôler : obligation pour les imprimeurs parisiens de s'établir dans le Quartier Latin, sous juridiction religieuse, usage du privilège d'imprimerie et de la censure.

Techniquement, l'imprimerie reste manuelle jusqu'au XVIIIe s. La presse est constituée, pour l'essentiel, d'un plateau horizontal et fixe (le marbre) sur lequel est disposée la forme, et d'un plateau mobile, venant faire pression sur le marbre au moyen d'une vis commandée par un levier. L'encre est étendue sur la forme par un tampon, puis par un rouleau à main. À partir du XVIIIe s., la mécanisation progressive de l'imprimerie tend à améliorer la précision du travail et le rendement. L'impression, n'étant plus manuelle, est plus forte et plus régulière ; puis, l'introduction de la presse à retiration permet d'imprimer sans discontinuer *recto* et *verso ;* enfin, l'apparition de la rotative accélère spectaculairement la vitesse d'exécution, sans nuire à sa qualité puisque la force de la presse s'exerce désormais sur la seule ligne de contact d'un cylindre avec le marbre (ou avec un deuxième cylindre) et n'a plus à porter sur la totalité du marbre. Cette dernière innovation a été préparée et permise par la production de papier en rouleau, en lieu et place des feuilles traditionnelles. Dans un troisième temps, la modernisation du travail de composition, des machines à composer du XIXe s. jusqu'à la photocomposition, ouvre la voie à une complète automatisation du travail, qui favorise l'investissement industriel et la réussite de très grosses entreprises, capables d'amortir des machines de plus en plus puissantes et performantes. Dans ces dernières décennies, la généralisation de l'informatique et de la micro-informatique a bouleversé le métier d'imprimerie, permettant à la fois la naissance d'usines automatiques à imprimer, du prêt à clicher jusqu'à l'emballage du livre relié, et la multiplication d'unités beaucoup plus légères et capables de répondre à une demande très diversifiée.

On aurait d'ailleurs tort d'imaginer cette évolution comme un processus homogène. L'évolution technique de l'imprimerie dépend de l'augmentation de la demande, et celle-ci varie considérablement d'un type d'imprimé à un autre. Au XIXe s., c'est d'abord dans le secteur de la presse périodique, plus précisément quotidienne ou illustrée, que se font la plupart des innovations. Puis, la multiplication de l'information publicitaire sous toutes ses formes entraîne d'autres progrès technologiques. Le livre, lui, qui n'a ni les mêmes contraintes de rythme ni les mêmes perspectives de rentabilité, suit cette transformation avec quelque retard. Ce décalage est encore plus net pour l'édition littéraire, où le retour sur investissement est très aléatoire, compte tenu de la nature du produit.

L'imprimerie, parce qu'elle introduit un intermédiaire mécanique entre l'homme qui écrit à la main et le livre donné à la lecture et qu'elle permet de multiplier, à coûts modérés et très rapidement, le même texte puis de le diffuser auprès d'un large public, a bouleversé la littérature – ses caractéristiques formelles aussi bien que son fonctionnement économique et social. La spécificité économique du livre de littérature générale manifeste l'appréciation ambiguë des acteurs de la vie littéraire à l'égard de l'imprimerie. D'un côté, celle-ci marque l'intrusion des réalités économiques et quantifiables dans le domaine de la création esthétique ; elle réifie le texte en le sortant de la sphère des échanges interpersonnels. De l'autre, elle donne une forme matérielle aux produits de l'esprit et leur confère une existence tangible. De ce point de vue, l'imprimeur n'est pas si éloigné de l'écrivain : l'un comme l'autre considèrent l'élément graphique (manuscrit ou typographique) comme un matériau plutôt que comme un signe.

C'est pourquoi l'imprimerie littéraire est attachée plus qu'une autre à ce qui atteste, même à titre de vestiges, de sa nature artisanale (formats, tirages sur papiers spéciaux, colophons, etc.), si bien que, par un étrange renversement des rôles, le mode technique de fabrication du livre de littérature finit par lui apporter la valeur de distinction culturelle qu'on attribue au texte.

▶ AUDIN M., *Histoire de l'imprimerie*, Paris, Picard, 1972. — CHARTIER R. & MARTIN H.-J. (dir.), *Histoire de l'édition française*, 4 t., Paris, Promodis, 1982-1986. — COMBIER M. & PESEZ Y. (dir.), *Encyclopédie de la chose imprimée. Du papier à l'écran*, Paris, Retz, 1999. — MARTIN H.-J., *Histoire et pouvoirs de l'écrit*, Paris, Librairie Académique Perrin, 1988.

Alain VAILLANT

→ *Censure ; Édition ; Lecture, lecteur ; Livre ; Marché littéraire ; Ponctuation ; Privilège d'imprimerie ; Typographie.*

INCIPIT

Incipit liber (« ici commence le livre ») est la formule latine qui, à défaut de titre, servait à indiquer le début d'un nouveau texte dans les manuscrits médiévaux. La critique littéraire use de cette expression d'origine savante sous une forme réduite au seul terme d'*incipit.* Au sens restreint, celui-ci désigne la première phrase, voire les premiers mots d'un texte ; et, suivant une acception concurrente, les premières lignes, parfois même tout le début, d'une œuvre. Parallèlement, la fin du texte est appelée *desinit* ou *explicit.* « Incipit » s'emploie surtout pour désigner le début d'un roman même si le terme sert, moyennant quelques précautions, à d'autres genres littéraires.

L'idée que les débuts contiennent en germe les caractéristiques de l'œuvre est ancienne. On la trouve dans la tradition théâtrale, avec l'exposition des enjeux, personnages, lieux et temporalités mis en scène. On la retrouve également dans la tradition rhétorique, avec l'exorde chargé de capter l'attention et de donner un bref aperçu du sujet traité ou encore dans celle de l'éloquence religieuse où les premières phrases citées (re)présentent le motif ou le texte dont le sermon devient la glose. Longtemps considérés comme lieu de convention rhétorique, et à ce titre comme des marqueurs significatifs de choix d'écriture, les débuts sont, à partir de la période surréaliste puis de façon plus marquée avec le Nouveau Roman, l'occasion d'interroger la genèse même de l'écriture et ses (en)jeux. Valéry se moquait du début conventionnel du roman réaliste : « La marquise sortit à cinq heures... » et Camus en a fait un jeu dérisoire avec l'écrivain raté de *La peste* (1947). Mais c'est à Louis Aragon que le terme incipit doit d'avoir officiellement gagné le domaine littéraire. Dans *Je n'ai jamais appris à écrire ou les incipits* (1969), Aragon met en évidence le pouvoir générateur qu'ont les premiers mots d'un récit et pose l'incipit comme une « phrase de réveil » à la fois « initiale » et « initiatrice ». Aragon ouvre ainsi l'incipit à une conception moderne qui le définit, selon A. Del Lungo, comme « moment de passage, problématique, du silence à la parole et moment de contact entre le destinateur (l'auteur) et le destinataire (le lecteur) du texte » (Del Lungo, 1993).

Ainsi relancée, la notion d'incipit est étudiée par plusieurs approches critiques. En 1971, C. Duchet fait de l'incipit romanesque l'un des micro-objets privilégiés de la sociocritique. Dans la mesure où l'incipit inscrit l'œuvre dans un contexte – l'attaque a « une mission d'enseigne » (J. Ricardou, « La bataille de la phrase », *Critique*, 1970, n° 274) – il suppose aussi une rhétorique de l'ouverture que caractérise la reprise d'un certain nombre de lieux communs (M. Weil, 1990). Dans la mesure également où il est à l'origine d'une première rencontre entre le lecteur et l'univers du texte, donc lieu du pacte de lecture, l'incipit implique une opération stratégique de codification, de séduction, d'information ou de dramatisation (A. Del Lungo, 1993) que se charge d'étudier la poétique, alors que l'intérêt des théories de la lecture se porte plutôt sur la question clé du « pacte de lecture », « le roman réalis[ant] dès son commencement la mise en condition romanesque du lecteur » (C. Grivel, 1973). Dans cette perspective, l'incipit devient le « lieu privilégié du protocole de lecture » (B. Gervais, 1990) à partir duquel peuvent s'estimer définies les principales conditions de lisibilité du texte (convention stylistique, allusions intertextuelles, régime rhétorique, point de vue narratif). On notera cependant que l'analyse d'incipit appelle une certaine prudence : il arrive que l'incipit soit un leurre que la narration ultérieure se chargera de soumettre à la critique (*Jacques le fataliste*), qu'un roman comporte plusieurs « débuts » (*L'étranger*) ou que la délimitation de l'incipit soit problématique comme dans certains textes contemporains dénués de ponctuation.

▶ BORE B. & FERRER D. (éd.), *Genèses du roman contemporain. Incipit et entrée en littérature*, Paris, CNRS, 1993. — DEL LUNGO A., « Pour une poétique de l'incipit » *Poétique*, 1993, n° 24, p. 131-152. — DUCHET C., « Pour une sociocritique ou variations sur un *incipit* », *Littérature*, février 1971, 1, p. 5-12. — Coll. : *L'incipit*, textes réunis et présentés par Liliane Louvel, Paris, la Licorne, 1997.

Annie CANTIN, Marie-Andrée BEAUDET

→ *Contexte ; Lecture, lecteur ; Narration ; Pacte de lecture ; Péritexte ; Réception ; Roman.*

INDEX → Censure ; Religion ; Réforme catholique

INFLUENCE

De manière générale, l'influence peut être définie comme l'action à distance d'une composante de la vie littéraire sur une autre. Elle fait donc partie de la communication littéraire, dont elle constitue une des formes d'interaction. De manière interne, elle renvoie aux catégories de l'intertextualité ; de manière externe, à celles de contacts et d'échanges ; elle forme un socle théorique sur lequel s'appuie la théorie de la littérature comparée.

L'influence ne doit être confondue ni avec le pouvoir, ni avec la domination. Elle opère de manière discrète, par la persuasion, le consensus, la sympathie, mais également parfois aussi par une contrainte plus directe. Elle peut susciter des réactions en sens divers, de l'intériorisation des influences à une résistance ouverte.

L'influence fait son entrée dans la problématique littéraire moderne avec les réflexions de Germaine de Staël à la fin du XVIIIe s. Reprenant « la méthode de Montesquieu », celle-ci fut la première à interroger les relations entre la littérature et les « institutions sociales ». À l'instar du célèbre essai *Considérations sur les causes de la grandeur et de la décadence des romains* (1734) et de *L'esprit des lois* (1748), Madame de Staël veut étudier « quelle est l'influence de la religion, des mœurs et des lois sur la littérature, et quelle est l'influence de la littérature sur la religion, les mœurs et les lois » (*De la littérature*, p. 17). Son essai à vocation dialectique supposait « deux ouvrages en un seul : l'un étudie l'homme dans ses rapports avec lui-même, l'autre dans les relations sociales de tous les individus entre eux ; quelque analogie se trouve dans les idées principales de ces deux traités [...] » (*De l'influence des passions sur le bonheur des individus et des nations*, 1796, in *O. C.*, III, 1820, p. 13). Cette idée connaît une fortune certaine au siècle du positivisme. Les contacts entre auteurs et textes de différents pays ou les traits caractéristiques « de la race, du milieu et du moment » (Taine) permettaient d'imaginer des principes de production et de reproduction réglés par la théorie des influences. Les travaux de Taine débouchèrent sur les concepts d'identité ou de nation que des auteurs comme Barrès ou Péguy allaient relayer. Sous les auspices de la littérature comparée parurent également de nombreux travaux érudits sur les relations et influences entre cultures.

Les premiers essais de critique littéraire du XIXe s. abordent les relations entre biographie et création, donc, dans le vocabulaire de l'époque, l'influence de l'homme sur l'œuvre. La philologie affronte le même type de problèmes lorsqu'elle s'interroge sur le statut des textes médiévaux : produits du folklore et de sources spontanées ou issus d'un travail savant, clérical ou prélittéraire ? Les fondateurs de la littérature comparée, Paul Van Thieghem et ses successeurs, insistent pour leur part sur l'influence de la personne morale d'un écrivain, l'influence technique des genres ou des formes d'art, de la matière ou des sujets, des idées, ou enfin des cadres et des milieux où il a vécu. Ils se rallient encore aujourd'hui à une définition souple : « Les influences proprement dites peuvent être définies comme le mécanisme subtil et mystérieux par lequel une œuvre contribue à en faire naître une autre » (*Qu'est-ce que la littérature comparée ?*, p. 53).

Ces problématiques relèvent du même paradigme, celui d'une pensée individualiste, ne mettant en définitive en jeu que quelques acteurs : l'auteur, le texte, les lecteurs qui sont eux-mêmes des auteurs. Liée à la notion implicite de génie, l'influence agit comme un des axiomes de l'impensé de la théorie littéraire traditionnelle. Elle permet cependant une modification de l'angle de vue initial si l'on veut partir de l'instance réceptrice et non de la source. En ce sens, clairement annoncé par Van Tieghem dès 1931, les études d'influence rejoignent les études de réception qui ont fait florès à la fin de la vague structuraliste.

Contestée en son principe par les diverses écoles formalistes, la théorie de l'influence a subi le feu des critiques structuralistes. Pour leur part, les sociologues de la littérature et les critiques marxistes ont tenté de réfléchir à la relation causale entre des séries de faits, mais davantage en termes de médiations. Des thèses de Marx sur le reflet à celles de Sartre et de Goldmann sur la théorie des médiations, puis aux propositions de Bourdieu quant aux relations entre position et prise de position ou à l'interaction entre champs et entre systèmes, se dégage une longue continuité d'efforts visant à fonder en méthode le passage des faits de la réalité sociale à ceux du littéraire.

▶ BRUNEL P., PICHOIS C., ROUSSEAU A. M., *Qu'est-ce que la littérature comparée ?*, Paris, A. Colin, 1983. — VAN TIEGHEM P., *La littérature comparée*, Paris, A. Colin, 1939.

Paul ARON

→ *Champ littéraire ; Contexte ; Genres littéraires ; Interculturel ; Intertextualité ; Littérature comparée ; Médiation ; Réception ; Reflet (Théorie du) ; Sources.*

INFORMATION (Théorie de l')

Issue de travaux en mathématiques, la théorie de l'information étudie la circulation des informations dans une société donnée. Elle évalue la quantité d'information contenue dans un message et mesure le degré d'incertitude du procès de communication lui-même. Cette théorie a pu être appliquée à la littérature, qui est alors envisagée de manière systémique, comme un message à l'intérieur d'un cadre comportant un émetteur, un récepteur et un canal (de l'œuvre au circuit commercial en passant par l'édition) par où s'effectue un travail rétroactif (du lecteur vers le texte et l'auteur).

La théorie de l'information est l'aboutissement de travaux qu'on peut situer dans les premiers développements de la cybernétique au cours de la Seconde Guerre mondiale. Le premier exposé synthétique sur la question a été proposé par l'ingénieur C. Shannon à la fin des années quarante. Cette théorie constitue une théorie du signal dans un sens très large : pour employer les moyens de transmission de l'information de la manière la plus efficace, il faut analyser celle-ci, les propriétés des canaux permettant de l'utiliser ainsi que la relation entre l'un et l'autre. Les concepts de base sont d'une grande simplicité et s'adaptent de manière souple, ce qui explique qu'ils aient été introduits dans de nombreuses disciplines.

L'importation de cette théorie dans le domaine des arts et de la littérature remonte à la fin des années 1950. Dans *Théorie de l'information et perception esthétique* (1958), A. Moles s'appuie sur l'interaction entre l'individu et son environnement pour utiliser la théorie de l'information dans divers domaines artistiques, en particulier la musique et la poésie. En 1962, le concept d'« œuvre ouverte » (U. Eco) repose sur les propositions avancées par le mathématicien N. Wiener concernant l'information dans la théorie cybernétique. Ces recherches ont joué un rôle important dans les rapprochements entre discours scientifique et discours littéraire, particulièrement aux États-Unis et elles forment également une part de la réflexion des sémiologues de l'École de Tartu (I. Lotman).

La théorie de l'information appliquée à la littérature ne peut faire l'économie de certains termes, comme ceux de *bruit*, d'*entropie* et de *redondance*. On appelle *bruit* tout signal indésirable dans la transmission d'un message venant perturber la compréhension de celui-ci. Le terme d'*entropie* désigne le degré de désordre à l'intérieur d'un système, condition de l'inattendu, qui fait que l'ensemble « dit » quelque chose à qui le découvre. La *redondance* mesure l'excès du nombre de symboles employés par rapport à celui qui serait strictement nécessaire à la représentation des informations données.

Dans le contexte d'une œuvre de fiction, le bruit ne peut se définir uniquement par la négative, puisque « l'œuvre d'art est un message fondamentalement *ambigu*, une pluralité de signifiés qui coexistent en un seul signifiant » (Eco, 1962, p. 9). Ainsi un excès de bruits dans un poème surréaliste peut rendre compte de la richesse des interprétations possibles et de la valeur du message. Ce n'est donc pas la parfaite transparence de celui-ci, ni son degré de redondance par rapport aux lois de probabilité de la langue qui importent. L'entropie du discours a des chances de lui donner plus d'information. Pour Eco, le désordre apparaît comme un signe distinctif de la culture au XXe s. : « Pour réaliser l'ambiguïté comme valeur, les artistes contemporains ont souvent recours à l'informel, au hasard, à l'indétermination des résultats. » (*op. cit.* p. 10). D'autres insistent davantage sur le rôle du lecteur. Ainsi, selon I. Calvino, à une époque où on peut imaginer des ordinateurs capables d'écrire des textes, « la vraie machine littéraire sera celle qui sentira elle-même le besoin de produire du désordre, mais comme réaction à une précédente provocation d'ordre » (1980, p. 18). Dans un tel univers, ce n'est pas la littérature qui disparaîtra, mais, selon Calvino, la figure de l'auteur. Le moment décisif de la littérature deviendra la lecture, exercice de potentialités ouvert à toutes les interprétations. Enfin, d'autres, comme W. Paulson, au lieu d'utiliser la théorie de l'information comme mode de lecture d'un texte, conçoivent la littérature dans son ensemble comme un *bruit* au sein du discours social : le texte littéraire serait un message dont l'ampleur, par l'importance de l'implicite et du polysémique qu'il renferme, excède notre capacité à le recevoir.

▶ CALVINO I., *Una pietra sopra* [1980], trad. fr. M. Orcel et F. Wahl, *La machine littérature*, Paris, Le Seuil, 1984. — ECO U., *Opera Aperta* [1962], trad. fr. C. Roux de Bézieux et A. Boucourechliev, *L'œuvre ouverte*, Paris, Le Seuil, [1965], 1979. — ESCARPIT R., *L'information et la communication. Théorie générale*, Paris, Hachette, 1991. — MOLES A., *Théorie de l'information et perception esthétique*, Paris, Denoël / Gonthier, 1972. — PAULSON W., *The Noise of Culture*, Ithaca et Londres, Cornell University Press, 1988.

Jean-François CHASSAY

→ *Communication ; Lecture, lecteur ; Littérature ; Réception ; Science et lettres ; Sémiotique.*

INNOVATION

Appliquée à la littérature et aux arts, la notion d'innovation désigne l'introduction de traits, tant thématiques que formels, réputés ou perçus comme « nouveaux », c'est-à-dire inusités jusqu'alors. En ce sens, l'innovation s'oppose à l'imitation ou à la routine ; elle s'inscrit dans une dialectique de la continuité et de la rupture et se présente parfois comme le moteur de l'évolution littéraire.

La littérature a été longtemps dominée par la doctrine de l'imitation des modèles institués par les Anciens. Mais la question de l'innovation se posait pourtant, à l'intérieur de ce cadre. Ainsi ériger une littérature en français capable de rivaliser avec la grecque et la latine était une innovation préconisée par Du Bellay (*Défense et illustration de la langue française*, 1549). Au XVIIe s., l'esthétique galante attache de la valeur au nouveau, et dans la querelle des Anciens et des Modernes, l'idée que le nouveau peut dépasser l'ancien est fortement affirmée. Le cartésianisme est perçu comme une « philosophie nouvelle » et encensé pour cela par ses partisans, condamné pour cela par les chrétiens traditionalistes. Dans la seconde moitié du XVIIIe s. (par exemple chez Buffon, *Discours sur le style*, 1753, Rousseau, *Confessions*, 1765-1770 : « Je forme une entreprise qui n'eut jamais d'exemple »...) l'innovation devient une valeur revendiquée. Avec le romantisme, l'histoire de la littérature devient celle d'un conflit répété de l'ancien et du nouveau. Ainsi, le romantisme se définit par opposition au classicisme, le Parnasse contre le romantisme, etc. La modernité institue un mode de fonctionnement du littéraire reposant sur l'idée que toute innovation est destinée à vieillir et à se figer en une routine, en un lieu commun ou en un « procédé » qui devra être contesté par une nouvelle innovation, cette série de ruptures déterminant la succession des écoles et la temporalité spécifique du champ littéraire. Dans cette perspective, la reprise d'esthétiques constituées ou vieillissantes devient synonyme de « suivisme » ou de « retard » et contribue à déclasser les œuvres ou courants considérés (par exemple, le populisme au XXe s. comme survivance attardée du naturalisme), tandis que les avant-gardes se proposent de faire table rase du passé, ou de trouver l'innovation en revenant à une tradition plus ancienne que celle qui domine alors.

À la différence de l'originalité, souvent envisagée comme un phénomène individuel relevant de la « personnalité » ou du « tempérament » de l'auteur, l'innovation se comprend davantage dans une dimension collective : les écrivains ou les groupes d'écrivains qui entendent innover s'inscrivent toujours dans une relation réflexive à ce qui a précédé, se situent par rapport à une histoire de la littérature dont ils se sentent à la fois tributaires et suffisamment indépendants pour rompre avec elle, dans une dialectique de la continuité et de la rupture, de la tradition et du changement. Ceci suppose une vision de l'histoire dominée par l'idée de progrès, qui tend à assimiler le « neuf » au « mieux ».

Au XXe s., pour les formalistes russes (Tynianov), la nouveauté s'expliquerait par la nécessité de la « défamiliarisation » (*ostranenie*) : face au figement et à l'usure induits par l'utilisation répétée de formes consacrées, l'innovation, conçue comme « qualité différentielle », s'impose pour rendre à l'expression littéraire une vitalité qu'elle risquerait autrement de perdre. Contestant le caractère mécaniste de cette explication, l'esthétique de la réception lie le processus d'innovation à la notion d'« horizon d'attente » : « toute œuvre d'art pose et laisse derrière elle, comme un horizon circonscrivant les "solutions" qui seront possibles après elles » (Jauss, p. 66). L'échange dialectique entre créateurs et lecteurs fixe les conditions de recevabilité de l'innovation en l'inscrivant dans les possibles dessinés par la littérature antérieure. Dans le champ littéraire, système de différences et espace de concurrences entre auteurs, la question de l'innovation est aussi liée à celle de la distinction : l'innovation est « distinctive » et donc pourvoyeuse de légitimité ou de prestige (Bourdieu, 1992). Malgré leurs différences, ces trois approches ont en commun de concevoir l'innovation essentiellement comme une qualité, donc comme porteuse de valeur littéraire.

▶ BOURDIEU P., *Les règles de l'art. Genèse et structure du champ littéraire*, Paris, Le Seuil, 1992. — JAUSS H. R., *Pour une esthétique de la réception*, Paris, Gallimard, [1972], 1978. — TYNIANOV I., « L'évolution littéraire », dans Todorov T., *Théorie de la littérature : textes des formalistes russes*, Paris, Le Seuil, 1966, p. 120-137.

Benoît DENIS, Rainier GRUTMAN

→ *Avant-garde ; Distinction ; Imitation ; Intertextualité ; Originalité ; Réception ; Tradition ; Valeurs.*

INSPIRATION

L'inspiration est la source première et de l'acte de composer une œuvre, et des contenus que celle-ci offre. Le mot lui-même renvoie à l'idée de « souffle » ou d'« âme » : l'idée originelle était en effet que l'artiste est « saisi » en son âme par une force surnaturelle qui lui dicte sa composition, ou au moins lui en insuffle le mouvement et l'énergie.

L'Antiquité grecque conçoit l'inspiration comme une forme de possession par une puissance divine. Ainsi Platon dans *Ion* présente le poète comme porté par l'« enthousiasme » : le poète n'est pas maître de lui et de ce qu'il dit, mais pris par un « transport » ; la poésie est de la sorte un art divin – et le poète lui-même un être exceptionnel parce que choisi par les dieux pour recevoir le message divin – mais aussi un art qui échappe au contrôle de la raison. Les Muses sont les figures mythologiques correspondantes. L'idée de l'inspiration ainsi conçue est associée avec celle d'un enthousiasme communicatif : le poète inspiré transmet son transport à son interprète, lequel, par son interprétation, le transmet à son tour aux auditeurs ou spectateurs.

Aristote propose une autre conception. Dans sa *Poétique*, il conçoit la création littéraire comme un art, et donc propose des « règles » de celui-ci : l'accent passe alors sur le travail réfléchi et assumé, non sur le transport. Il n'exclut pas pour autant la question de l'inspiration, mais en donne une théorie plus « humaine ». Dans son *Problème XXX*, il présente le désir ou besoin d'écrire comme l'effet d'une disposition de l'âme, la domination de la mélancolie. Sous l'emprise de cette humeur, le poète éprouve le besoin de mettre en mots les visions qu'elle lui procure et par là d'opérer une catharsis du déséquilibre possible en son esprit ; le spectateur, en retour, est invité à la catharsis. Ces deux façons de voir sont ensuite reprises à Rome : le « furor » latin est l'équivalent de l'« enthousiasme » grec, et l'*ars*, celui de la poétique. Ainsi Horace dans son *Epître aux Pisons* (ou *Art poétique*) préconise le travail guidé par les règles et le bon sens, et se défie des poètes « furieux ». La tradition chrétienne, de son côté, réserve l'idée d'« enthousiasme » ou de « fureur » à la représentation de l'inspiration divine pour les prophètes : le poète « en transes », s'il n'est pas prophète, ne peut en être qu'un imitateur, voire un simulateur. L'inspiration littéraire profane se trouve ainsi disqualifiée. De fait, durant tout le Moyen Âge, on trouve des « arts de dictiers » (arts poétiques, ou « arts de seconde rhétorique »), et l'idée d'inspiration est bornée à des dimensions humaines : éloge de hauts personnages et de leurs hauts faits, chagrin, prière à Dieu sont les sources du mouvement vers la création littéraire, quand elle ne vient pas tout bonnement du souci de distraire et de tirer profit de ce divertissement fourni au public. La Renaissance, en explorant les textes antiques, retrouve les tensions entre les conceptions platonicienne et aristotélicienne de l'inspiration. La conception religieuse s'y manifeste aussi, dans la poésie religieuse et de combat pour la foi, comme les

Tragiques de d'Aubigné. Mais ce sont surtout d'un côté le « furor » – ainsi Ronsard par exemple – ou de l'autre les mouvements de l'âme – Rabelais et l'indignation, Montaigne et la mélancolie, due notamment à la perte de son ami La Boétie – qui sont mis en avant. Les deux ne sont pas exclusifs l'un de l'autre. Ainsi chez Boileau se dessine une conception « classique » (*Art poétique*, 1674) : l'inspiration est celle d'un « feu » intérieur, un mouvement donné par les dieux, mais la création elle-même n'est pas dictée par cette inspiration, elle est fruit du travail et de la réception. Le débat entre les deux sources de la création et leur tension ou leur équilibre ne cesse plus ensuite. Si l'âge classique privilégie l'idée de leur équilibre nécessaire, du contrôle de l'inspiration par la raison, les romantiques donnent l'avantage aux pulsions affectives, venues parfois d'une puissance surnaturelle, plus souvent des sentiments ; Musset fait du « cœur » la source du génie, Hugo se représente en « écho sonore » d'une « bouche d'ombre », tantôt symbole d'une transcendance, et tantôt d'une empathie avec les souffrances et sentiments du peuple : le poète « mage » se doit de capter ces sentiments et de leur donner forme et sens. L'inspiration est alors associée à l'idée, qui domine à cette époque, du génie comme être exceptionnel, et condamné à la mélancolie par ses qualités exceptionnelles mêmes. En revanche, avec l'Art pour l'Art, si la vision mélancolique du génie subsiste, la méfiance envers l'inspiration se fait jour. Ainsi Verlaine, dans l'*Épilogue* de ses *Poèmes saturniens* (1866), alors même qu'il se donne pour essentiellement mélancolique (« saturnien ») dénonce l'« inspiration », croyance naïve (« On l'invoque à vingt ans... ») et oppose à cette « Erato soudaine » le « travail », propre aux « suprêmes poètes » : par amour de l'art, il faut œuvrer à force de volonté (« C'est la volonté sainte, absolue... »). D'où le refus de l'« éloquence » : ce qui suscite l'œuvre, ce n'est pas d'avoir quelque chose à dire, une possible utilité de celle-ci, mais la quête de la forme belle. Cependant, « dérèglement calculé de tous les sens » (Rimbaud), quête anxieuse du langage en ses secrets (Mallarmé), effort suprême pour accepter de se « désœuvrer » afin de se rendre disponible à la transcendance (Blanchot), l'idée de l'inspiration comme rapport à un au-delà est restée très présente au XXe s. Valéry en propose une conception plus « classique » : le sort, ou dieu, donne le point de départ, le travail doit faire tout le reste. L'idée que l'écriture est fruit d'une névrose, idée qui constitue une sorte de reprise de la conception aristotélicienne, est aussi, de son côté, devenue un lieu commun. Enfin, une recherche différente se fait jour dans des démarches comme celle de l'OuLiPo : la contrainte formelle suscite le sens, la structure ne préexiste pas à l'écriture mais naît dans l'acte même d'écrire, et avec celui-ci le sens. Reste alors que le désir d'écrire, l'amour de l'art doit être premier, et qu'il est, à cet égard, une forme autrement formulée de l'inspiration première.

La question du point de départ de l'acte créateur est une question obsédante de la réflexion sur la littérature, et de l'interprétation des œuvres comme de l'effet esthétique. Si l'inspiration est d'origine transcendante, alors le sens des textes lui aussi touche au transcendant. D'où la place faite aux conceptions de l'écrivain comme génie. Les analyses aristotéliciennes n'excluent pas celles-ci, mais lui assignent une cause interne à l'homme. Et la critique qui a longtemps privilégié « l'homme et l'œuvre » peut s'accommoder, en fait, de l'une et l'autre conception de l'inspiration : transcendance ou névrose, l'artiste apparaît comme être d'exception, et en étudiant l'homme il est possible de comprendre en quoi il est exceptionnel, donc quel sens portent, en dernière analyse, ses écrits. On peut constater que même chez des critiques marxistes comme L. Goldmann, l'idée du génie est présente : dès lors, l'écrivain est inspiré par le malaise qu'il ressent comme les autres membres du groupe social auquel il appartient, mais qu'il ressent de façon suraiguë, si aiguë qu'elle le pousse à créer, et à créer une œuvre belle qui synthétise la sensibilité (la « vision du monde ») commune à ce groupe. En face de cela, les thèses de la création comme travail ne portent pas une contradiction radicale. Mieux même, elles associent goût – ou génie – et raison – ou règles – en distinguant leurs rôles respectifs : le « beau feu » (Boileau) donne l'impulsion initiale, mais le travail seul fait la réalisation de l'œuvre. Dès lors, l'imitation est un élément décisif : elle donne l'idée initiale (l'émotion éprouvée devant une œuvre antérieure suscite l'impulsion première, le désir d'écrire) et donne aussi des modèles (elle nourrit le travail). Ce cas montre aussi l'ambivalence du terme d'inspiration dans la culture moderne : il désigne tantôt l'origine de l'action de créer, tantôt celle des contenus de l'œuvre. Des analyses sociologiques suggèrent que l'inspiration comme désir de créer répond aussi à une libido de distinction : des personnes en position difficile (instruites, mais pauvres, ou en déclin, ou subissant une forme de handicap) compensent par l'entreprise créative ce manque qui les marque. Ensuite, la façon de mener leur entreprise est fonction de leur sensibilité à l'espace de l'art qu'elles pratiquent (Bourdieu). Ainsi, mises à part les conceptions platoniciennes et prophétiques, les diverses analyses de l'inspiration en présence offrent à la fois des différences radicales (source divine ou causes humaines – physiologiques, psychologiques, sociales) et une structuration fondamentale identique : la distinction entre l'impulsion première et le travail. Cette structure est sans doute l'élément essentiel à retenir :

Proust a donné à voir comment une émotion (une sensation retrouvée) constituait un stimulus premier, et comment ensuite s'engageait une quête de longue haleine, nourrie de diverses lectures, observations, écoutes d'autres langages ou d'autres auteurs. Les deux idées associées à « inspiration » sont ainsi représentées : la seconde est objectivable – on peut dresser des listes de faits, œuvres, situations... qui nourrissent les propos d'un auteur – ; la première en revanche reste affaire d'interprétation et de théorie de la littérature et de l'art, indéfiniment idéologique. Ainsi, l'une peut valoriser l'imitation – conçue alors comme dialogue avec des génies ayant valeur de modèles – et l'autre l'originalité – conçue comme l'acte individuel, l'assurance de singularité irremplaçable.

▶ BÉNICHOU P., *Le sacre de l'écrivain*, Paris, Corti, 1973. — BRUNN A., *L'auteur*, Paris, Garnier-Flammarion, 2001. — DANDREY P., *Molière et la maladie imaginaire, ou : de la mélancolie hypocondriaque*, Paris, Klincksieck, 1998. — KLIBANSKI R., PANOFSKY E. & SAXL F., *Saturn and melancholy*, trad. franç., Paris, Gallimard, [1964], 1989. — ZILSEL E., *Le génie, histoire d'une notion de l'Antiquité à la Renaissance*, [1926], trad. Michel Thevenaz, préf. Nathalie Heinich, Paris, Minuit, 1993.

Alain VIALA

→ *Auteur ; Création littéraire ; Écrivain ; Génie ; Imitation ; Mélancolie ; Modèle ; Originalité ; Poète ; Sources.*

INSTITUTION

« Institution » nomme à la fois une pratique sociale érigée en valeur, le processus qui permet à cette forme de s'établir de façon durable, et des instances concrètes qui la prennent en charge. Ainsi, *institution littéraire* peut désigner l'ensemble des normes, codes et coutumes qui régissent la création et la lecture (par exemple : les genres) ; l'*institution de la littérature* désigne le processus historique par lequel la littérature est devenue une forme sociale reconnue et légitime.

Dès l'Antiquité, le mot « institution » est à la fois politique (les lois de la Cité), et pédagogique (la transmission de ces lois par le pédagogue). Ce double point de vue survit dans *L'institution oratoire* de Quintilien (Iᵉʳ s.), qui offre à la fois une synthèse des règles et conventions de la rhétorique héritée de la tradition hellénistique et un modèle éducatif propre à former le parfait citoyen-orateur. L'ouvrage de Quintilien a fait école, servant de modèle aux premiers grands ouvrages de la pédagogie chrétienne, les *Institutions divines* de Lactance (IIIᵉ s.) et l'*Institution des lettres divines et humaines* de Cassiodore (VIᵉ s.). Redécouvert au XVᵉ s., il exerce une forte influence sur l'éloquence parlementaire de la Renaissance et demeure une référence obligée autant pour Érasme (*L'institution du prince chrétien*, 1516) et Calvin (*L'institution de la religion chrétienne*, 1536) que pour Montaigne (« De l'institution des enfants », *Essais*, livre I, chap. XVI). Tous ces ouvrages sont construits de manière semblable, offrant à la fois une argumentation stricte quant à la définition de leur objet, une méthode pédagogique détaillée et un système référentiel qui emprunte largement à la tradition latine.

Au XVIIIᵉ s., le vocable « institution » est étendu à l'ensemble des organisations de la vie sociale qui exercent une contrainte sur l'individu, soit par la force de la tradition, soit par la force de la loi. Montesquieu sépare ainsi les lois, « qui sont des institutions du législateur », des mœurs et des manières, « qui sont des institutions de la nation en général » (*De l'esprit des lois*, 1748, livre XIX, chap. XVI). De même, les *Fragments d'institutions républicaines* de Saint-Just (1795) distinguent les institutions morales que sont la famille, l'éducation, l'hérédité, la richesse, la religion et la loi, et les institutions sociales que sont le gouvernement, l'armée, la marine et le commerce. Madame de Staël fait appel à la même notion quand, la première, elle entreprend de relier la littérature et la société, dans *De la littérature considérée dans ses rapports avec les institutions sociales* (1800). Elle amorce un processus de réflexion qui a ensuite animé une part de la recherche sociologique au XIXᵉ s. (G. Renard) et littéraire au XXᵉ s. Inspiré par la théorie de l'action sociale du sociologue Talcott Parsons, Harry Levin publie en 1946 *Literature as an institution* qui, s'élevant contre la théorie marxiste du reflet et les conceptions du *New Criticism*, postule que la littérature est elle-même un objet social comparable au droit et à la religion, proposition qui trouve encore des échos dans la critique américaine (G. Graff). C'est seulement quelque trente ans plus tard qu'apparaît en français l'expression *institution littéraire*, introduite par un groupe de rhétoriciens et de sémioticiens (Dubois, Van Schendel, Belleau) critiques des travaux de Lucien Goldmann. Dans cette optique, l'idée d'institution tente de définir un lieu de médiation entre la littérature et le social (entre le texte et la classe sociale) formé par un système de règles, codes et conventions, qui, sans être clairement énoncé, agit par la force de la tradition et de l'enseignement littéraire sur les usages et les pratiques. Jacques Dubois propose de concevoir cette institution en se référant à la fois à la notion de champ (Bourdieu) et à celle d'appareil idéologique (Althusser) (*L'institution de la littérature*, 1978) avant de l'intégrer à une nouvelle rhétorique du texte (*L'institution du texte*, 1985). En France, les travaux d'A. Viala analysent l'articulation sociologique de la valeur littéraire et des « institutions de la vie littéraire » (Viala, 1985) alors que M. Fumaroli associe l'idée d'institution à la notion historique de lieux de mémoire (*Trois institutions litté-*

raires, 1994). La notion d'institution littéraire se conjugue à la théorie des normes pour l'École de Francfort (Peter Uwe Hohenthal, Peter Bürger) et à la théorie des polysystèmes (pour I. Evan-Zohar). Les nombreux travaux réalisés à ce jour permettent de distinguer les phases essentielles d'une histoire institutionnelle du littéraire. Le besoin de codifier les genres et les styles est aussi ancien que la production littéraire elle-même. Mais on ne peut parler d'institution littéraire « qu'au moment où, leurs vocations déclarées, leurs affinités reconnues, les "maniaques" de l'art d'écrire se réunissent entre eux, et font de la singularité même qui devrait les isoler le principe d'une société dans la société » (M. Fumaroli, *Trois institutions littéraires*, p. XXII). Aussi est-ce autour de Pétrarque, en Italie, et au XVIIe s. en France que s'instaurent des instances (salons, académies, mécénat, droits d'auteur, législation...) qui permettent que s'engage le processus de consécration de la littérature en valeur socialement reconnue. Au milieu du XIXe s., la seconde modernité, avec les théories de l'art pour l'art, a marqué le « sacre de l'écrivain » (P. Bénichou, Paris, Corti, 1985) et couronné cette « institution de la littérature » qui se manifeste en particulier par l'élaboration d'une histoire littéraire nationale et par l'inscription de la littérature au premier rang des objets d'enseignement. Dans les zones périphériques de la Francophonie, le processus d'institution d'une littérature nationale se réalise dans un rapport conflictuel avec la littérature hexagonale et prend fréquemment un caractère programmatique voire utopique.

La notion d'institution (théorisée notamment par Durkheim) postule que certaines pratiques humaines sont l'objet d'une codification et d'une forme de reconnaissance sociale qui en assurent la durée. L'institution se reconnaît à son caractère contraignant qui repose non pas sur la force physique, mais sur une autorité morale. Son efficacité dépend de sa légitimité, c'est-à-dire de la croyance qu'ont les individus dans la capacité de l'institution à normaliser les rapports sociaux, et de sa valeur pédagogique, c'est-à-dire de sa capacité à être formulée en un système cohérent de règles et de normes puis inscrite dans un processus de socialisation qui transmet ce système aux individus. Une institution à laquelle plus personne ne croit (perte de légitimité) ou une institution qui doit recourir à une autre pour assurer son efficacité (perte d'autonomie) tend à disparaître. Ainsi définie, la notion d'institution dialogue avec celle de champ, notamment pour la littérature. Les institutions littéraires contribuent à distinguer, parmi les écritures, les genres ou les styles, dont la dynamique structure le champ littéraire, celles qui font l'objet d'une reconnaissance particulière. On parlera ainsi du *statut institutionnel* d'un auteur, d'une œuvre ou d'un genre pour indiquer le degré de leur prestige et l'influence qu'ils exercent. De même, l'institution n'existe que si elle est portée par des instances concrètes. Aussi cette notion peut-elle être mise en en relation avec celle d'« appareil idéologique », mise au point par Louis Althusser (*Positions*, 1976). Reprenant une division établie par Montesquieu, Althusser distingue les appareils répressifs (la police, l'armée, le tribunal), qui assurent la reproduction de l'ordre social par la violence physique, et les appareils idéologiques (la famille, l'Église, l'École), qui intègrent les individus à l'ordre social par la transmission de valeurs et de savoirs. Cette proposition suggère que la littérature relève de tels « appareils » ; mais elle a appelé la critique par son caractère mécaniste, au point que certains ont préféré remplacer le concept d'appareil par une définition tripartite de l'institution. A. Viala propose ainsi de nommer « institutions supra-littéraires » les formes d'organisation complexes (l'École, la presse, l'Église) qui incluent la littérature dans un ensemble plus vaste de pratiques, « institutions de la vie littéraire », les instances qui « structurent et régulent les pratiques et les façons d'agir dans le champ de la littérature », et de réserver l'expression « institution littéraire » à la codification des textes et des façons de les écrire et de les lire (les genres, codes et esthétiques légitimées). L'institution de la littérature se conçoit alors bien comme la reconnaissance collective de ces pratiques et de leur valeur propre.

Ce qui caractérise l'institution littéraire est en effet sa capacité à transformer ses normes et ses règles en habitus et ainsi à déterminer des façons d'écrire et de lire. L'analyse institutionnelle dialogue avec l'analyse textuelle : la manière dont l'écrivain inscrit dans son œuvre son rapport à l'institution, rapport marqué par l'ambivalence et oscillant entre l'obéissance, le rejet, l'hybridation ou la perversion des normes et du code, influe sur la « normalité » ou l'« originalité » de ses créations. Ce rapport est particulièrement important en ce qui concerne les codes génériques (choix ou déconstruction d'un genre, hybridation entre plusieurs genres), les conventions rhétoriques (travail sur la langue, choix des figures et des motifs, question des styles) et dans la figuration de l'institution elle-même (intertextualité manifeste, mises en abyme, figures d'écrivains et bibliothèques imaginaires dans les textes). L'enjeu est alors d'étudier la tension entre la force conservatrice de l'institution et la force novatrice de la pratique, tension fondatrice de toute créativité.

▶ DUBOIS J., *L'institution de la littérature*, Paris, Nathan et Bruxelles, Labor, 1978. — GAUVIN L. & KLINKENBERG J.-M., *Trajectoires. Littérature et institutions au Québec et en Belgique francophone*, Bruxelles, Éditions Labor, et Montréal, PUM, « Dossiers Media », 1985. — HEINSTEIN J. (dir.), *Littérature et institutions*, Wroclaw, Acta universitatis Wratislaviensis, « Romanica wratislaviensia »,

1991. — ROBERT L., *L'institution du littéraire au Québec*, Sainte-Foy, PUL, 1989. — VIALA A., *Les institutions de la vie littéraire en France à l'âge classique*, Lille, ART, 1985 ; *Approches de la réception* (section II, 1), Paris, PUF, 1993.

Lucie ROBERT

→ *Académies ; Canon, canonisation ; Champ littéraire, Enseignement de la littérature ; Genres littéraires ; Sociologie de la littérature ; Valeurs.*

INTELLECTUEL

Dans le langage de la sociologie et des sciences politiques, la notion d'intellectuel permet de désigner l'ensemble assez flou des « professions intellectuelles » (opposées aux professions « manuelles ») : écrivains, philosophes, savants, professeurs, etc. Dans son sens originel, né à la fin du XIXe s., elle suppose plus précisément, de la part des membres de ces catégories sociales, une conscience collective et un style commun d'action politique.

Si l'adjectif « intellectuel » est attesté depuis fort longtemps, le substantif ne s'est imposé qu'à partir de l'affaire Dreyfus. L'idée était dans l'air depuis les années 1880. Mais c'est bien le « Manifeste des intellectuels » que publie le journal *L'aurore*, le 14 janvier 1898, qui a été son véritable lieu de naissance : il s'agit d'une pétition en faveur de la révision du procès Dreyfus, dont les signataires sont des écrivains, des journalistes, des universitaires et des savants. Parmi eux, Émile Zola, Anatole France, Marcel Proust, Léon Blum, Gustave Lanson, Gabriel Monod, etc. : ce qui donne à penser que la notion d'intellectuel ne pouvait s'appliquer originellement qu'à des gens de notoriété. Les intellectuels, ce furent donc d'abord ces écrivains et ces professeurs qui, jouissant de quelque célébrité, la mettent au service d'une cause politique qui leur semble juste, en ayant recours à la logistique journalistique du « manifeste ». Ce sens subsiste : comme dit Sartre, les intellectuels sont ces « techniciens du savoir pratique » qui, au nom de cet « universel » dont leurs diverses disciplines leur donnent l'exigence, entendent intervenir dans le débat politique, en mettant leur compétence et leur notoriété au service de causes qu'ils croient justes.

Si l'on s'en tient à cette définition, il est évident que l'intellectuel trouve sa forme contemporaine sur les fondements d'une longue histoire. À divers moments du passé, sans se désigner toujours eux-mêmes par un terme spécifique, des écrivains, des philosophes et des savants ont acquis une certaine conscience collective et tenté d'agir de concert sur les destinées de la Cité.

Ainsi le nom tutélaire de Socrate rappelle que les philosophes athéniens ont pu – avec une conscience de groupe non négligeable – rêver d'avoir une action dans la « République » : contester, au nom des valeurs de Vérité et de Justice, la *loi du plus fort*. De même, au siècle des Lumières, l'affaire Calas manifeste le style d'action politique du « roi Voltaire », qui met sa notoriété dans la balance pour venir au secours d'un opprimé. À la même époque, c'est dans un style plus collectif que se déploie l'entreprise de l'*Encyclopédie* : ses auteurs forment une « société de gens de lettres » unis par des liens de connivence idéologique. Non contents de manifester leur conscience collective, ils veulent combattre les préjugés et agir en faveur du progrès. Si le siècle suivant commence par mettre en quarantaine le philosophe, fauteur de la Révolution, le modèle intellectuel qui finit par triompher fait qu'on retrouve à terme, dans un autre style, cette tentation de l'action sur la société. Car s'il ne souhaite pas intervenir dans l'espace politique restreint, par mépris du parlementarisme, le « poète penseur » que veulent incarner, après 1830, les grands « mages » romantiques (Hugo, Lamartine, Vigny) ambitionne une responsabilité « sociale » et se déclare candidat à l'exercice d'une royauté spirituelle. Cette attitude a eu ses contestataires. Au nombre d'entre eux, les tenants de l'Art pour l'Art : se démarquant des « humanitaires », ils préfèrent se voir en simples serviteurs du Beau. Mais aussi les savants tels que le positivisme les redéfinit : occupés de chercher le Vrai, de manière objective, ils ne veulent avoir de comptes à rendre ni à la morale ni à la politique.

De là, une scission, à l'époque de Zola et des symbolistes, entre les poètes et les artistes, d'une part, les hommes de pensée et de savoir, de l'autre. Scission que va tenter de réduire la notion fédérative d'« intellectuel », sans y parvenir complètement. En effet, l'aire socio-politique du terme, ainsi que ses connotations trop étroitement « intellectualistes », continuent de susciter la méfiance des écrivains hostiles à un engagement politique trop strict – tandis que ses tropismes de gauche provoquent les sarcasmes des penseurs de l'autre camp (Barrès).

C'est en fonction de telles aimantations politiques que la notion se comporte tout au long du XXe s., trouvant en Sartre à la fois un théoricien et un héraut. Si elle lui permet de penser la « situation » et le mode d'action socio-politique des intellectuels à travers l'Histoire, elle est aussi un étendard. Elle désigne un modèle, que lui-même incarne au premier chef : celui d'un écrivain-philosophe qui ne se satisfait pas de sa quête intellectuelle de la vérité, mais rêve de lui donner des applications concrètes. De là une tentative de définir un mode d'action politique propre aux intellectuels : à l'écart des partis, en principe, de fait en assez étroite connivence avec les partis d'extrême gauche, sauf à des moments de crise comme l'invasion de la Hongrie (1956). De là aussi des cassures dans le « parti intellectuel » (Péguy) entre ceux qui, comme Camus, voudraient que l'intellectuel reste un témoin de l'universel, un humaniste à l'abri des particularismes et des compromissions, et ceux qui, comme Sartre, proposent à l'intellectuel de dépasser sa « mauvaise conscience » – de petit bourgeois, complice objectif de l'oppression des masses – en participant à l'émancipation du prolétariat et en se faisant le « compagnon de route » des partis révolutionnaires.

Ce débat des années 1950-1970 s'est trouvé dépassé lorsque, après la mort de Sartre, la mode structuraliste a imposé d'autres modèles intellectuels : celui du psychanalyste et du « sémiologue » – Michel Foucault, cependant, restant dans ce camp-là un partisan de l'engagement politique, même après sa nomination au Collège de France. S'il est abusif de parler de « mort de l'intellectuel », on doit admettre que son règne fut lié à une structure « médiologique » (R. Debray) particulière : celle du *manifeste*, qui a coïncidé avec la suprématie de la presse écrite et de la revue. *Les cahiers de la quinzaine* (Péguy), *Tropiques* (Césaire), les *Temps modernes* (Sartre) ou *Parti-Pris* (P. Chamberland, G. Godin), entre autres, offrirent des supports adaptés à la parole intellectuelle. Mais à l'âge des médias et de la « caméra-trottoir », le « communicateur » menace l'« intellectuel ». Tandis que le second plaide sa cause par des pétitions fondées sur son « autorité » et celle de ses pairs, le premier, familier du grand public, peut toucher plus directement l'opinion générale.

Son histoire récente fait de cette notion un outil à la fois indispensable et incommode. Indispensable : pas d'autre mot pour désigner le groupe des professionnels de l'esprit. Incommode : le mot reste toujours tiraillé entre son sens sociologique accueillant, et son sens particulier, plus restrictif, qui insiste sur certain style d'action politique, caractéristique de la « haute intelligentsia », surtout française, du XXe s. Quand on emploie le terme pour d'autres périodes, il faut faire l'inventaire précis des sèmes qui en sont convoqués, et se demander quels sont les instruments lexicaux que les contemporains auraient utilisés à sa place. Comme le fait Jacques Le Goff, parler d'intellectuels au Moyen Âge suppose qu'on s'interroge sur le rapport entre cette notion moderne et celle de « clerc ». Au XVIIe s., quand domine la figure de l'« honnête homme », comment ne pas voir que le modèle ainsi défini est une machine de guerre tournée aussi bien contre le « pédant » que contre le « bel esprit », ces intellectuels parfois tentés de se croire « dans l'État d'importantes personnes » (*Les Femmes savantes*) ? Au siècle suivant, comment oublier que les philosophes des Lumières parlaient en termes de « gens de lettres », au sens archaïque du mot, pour désigner la communauté qu'ils formaient, et dont ils vantaient à la fois l'« unité » et l'« influence sur l'esprit public ». Au siècle romantique en revanche, pas d'autre terme que celui d'« artistes », au sens large du mot, pour désigner l'ensemble de ces « intelligences » qu'en 1825 Stendhal rêvait d'appeler la « classe pensante », et, dans les rangs de laquelle, dix ans plus tard, Balzac se proposait de recruter un « parti des intelligentiels ». Puisque les études récentes ont mis surtout l'accent sur l'après-affaire Dreyfus, il y a là, dans cette préhistoire des intellectuels, un champ de recherche prometteur. De même, la question des intellectuels dans un contexte national non français peut se poser en des termes différents. L'organisation de la société belge en « piliers » idéologiques, l'imprégnation du religieux en Suisse, la question nationale au Québec ou les réalités de la colonisation en Afrique déterminent de façons distinctes tant la question de « l'engagement » de l'intellectuel, que celle de « l'opinion publique » à laquelle il est tenté de faire appel dans son désir de justice.

▶ BOSCHETTI A., *Sartre et* Les temps modernes, Paris, Minuit, 1985. — CHARLE Ch., *Naissance des « intellectuels » (1880-1900)*, Paris, Minuit, 1990. — MASSEAU D., *L'invention de l'intellectuel dans l'Europe du XVIIIe siècle*, Paris, PUF, 1994. — ORY P., SIRINELLI J.-F., *Histoire des intellectuels de l'affaire Dreyfus à nos jours*, Paris, A. Colin, [1986], 1992. — WINOCK M., *Le siècle des intellectuels*, Paris, Le Seuil, 1997. — Coll. : *Pour une histoire comparée des intellectuels*, M. Trébitsch & M.-C. Granjon (dir.), Bruxelles, Complexe, 1998.

José-Luis DIAZ

→ *Art pour l'art ; Autonomie ; Engagement ; État ; Laïcité ; République des Lettres.*

INTERCULTUREL

L'adjectif interculturel renvoie au très vaste domaine des études culturelles, qui fédèrent des approches disciplinaires diverses (entre autres anthropologiques, psychologiques, linguistiques, littéraires). Les études trans- ou interculturelles ont pour objet spécifique, au sein de ce domaine, la rencontre, dans un cadre national ou supranational, de cultures différentes. Cette rencontre est analysée en termes dynamiques, comme une série de processus de transferts réciproques. En matière littéraire, il s'agit d'observer l'interaction des facteurs propres aux différentes cultures qui se trouvent en contact dans la production, la mise en circulation et la lecture des textes.

Deux démarches différentes, dans les années 1980 et suivantes, constituent le domaine des études interculturelles. L'étude plutôt historique des transferts culturels, en particulier entre deux ou plusieurs pays, s'est développée en France en réaction contre le comparatisme traditionnel ou l'histoire des influences. Il s'agit, selon M. Espagne et M. Werner, qui étudient les transferts culturels entre l'Allemagne et la France, d'examiner les raisons qui déterminent dans un pays donné le recours à tel ou tel aspect d'une culture étrangère, la manière dont les paradigmes culturels d'accueil informent ces emprunts, qui ne sont pas de pures et simples influences. Le but de cette approche est de remettre en cause les réflexions en termes de communicabilité ou d'incommunicabilité entre deux cultures, de fidélité ou d'infidélité à un modèle national, pour faire place à une « histoire sociale des pratiques et des échanges interculturels ». L'étude plutôt anthropologique des phénomènes interculturels, quant à elle, a pris naissance dans l'espace nord-américain ; « interculturel » est ici l'équivalent français de l'anglais « cross-cultural ». Le développement de ces recherches, dont un des aspects est le renforcement des études francophones (par exemple la réflexion sur la littérature africaine en français), correspond à la prise de conscience progressive du caractère multiculturel des sociétés contemporaines. En matière littéraire, la perception des effets de la rencontre de traditions et de modèles différents d'écriture et de lecture (entre autres) dans un même pays a incité les chercheurs à en faire un objet d'étude à part entière. Les deux types de démarches se rencontrent dans l'intérêt pour les questions d'appropriation des modèles et d'acculturation réciproque, ce qui ne signifie pas nécessairement égalitaire.

Une des questions suscitées par les recherches interculturelles est celle de la détermination et de la définition des frontières. Pour parler de transferts culturels, il faut qu'existent des frontières nationales (ou régionales), que deux ou plusieurs cultures se soient définies comme différentes les unes des autres. De ce fait, ce type de démarche s'applique mal à certaines situations historiques (par exemple celle de l'Europe médiévale unifiée par l'usage du latin chez les lettrés). D'autre part, les études culturelles peuvent être elles-mêmes comprises comme un produit du durcissement de la séparation entre les cultures, et comme un produit actif : elles impliquent nécessairement des procédures (qui peuvent être implicites, la différence des cultures étant alors acceptée sans discussion comme une donnée de base) de définition de ce qui fait la spécificité de telle ou telle culture, ce qui soulève assez vite les problèmes délicats des identités ethniques ou nationales. Enfin, et malgré de fermes déclarations de principe, les approches interculturelles ont tendance à envisager les facteurs culturels (les traditions de lecture ou d'écoute, le statut de la littérature ou de l'auteur dans telle ou telle culture) préférablement aux facteurs sociaux qui président, de manière transnationale, à la distribution inégalitaire des valeurs et des capitaux culturels, ou à la domination, dans un même pays, d'une culture sur une autre.

▶ CRÉPON M., *Les géographies de l'esprit*, Paris, Payot, 1995. — ESPAGNE M. & WERNER M., « La construction d'une référence culturelle allemande en France : genèse et histoire (1750-1914) », *Annales E. S. C.*, 1987, 4, p. 969-992. — LABAT C. & VERMÈS G., *Cultures ouvertes, sociétés interculturelles. Du contact à l'interaction. Colloque de l'ARIC « Qu'est-ce que la recherche interculturelle ? »*, vol. 2, Paris, ENS / L'Harmattan, 1994. — TANON & VERMÈS G., *L'individu et ses cultures. Colloque de l'ARIC « Qu'est-ce que la recherche interculturelle ? »*, vol. 1, Paris, ENS / L'Harmattan, 1993.

Dinah RIBARD

→ *Anthropologie ; Culture ; Études culturelles ; Exil ; Francophonie ; Géographie littéraire ; Identitaire ; Littérature comparée ; Nationale (Littérature).*

INTERNATIONALE SITUATIONNISTE

Avant-garde culturelle et politique, qui s'est exprimée à travers la revue du même nom (12 numéros parus entre 1957 et 1969), l'Internationale situationniste (I. S.) a mis en œuvre une critique radicale de la société libérale-marchande et de ses formes contemporaines d'aliénation (le « Spectacle »). Par leur activisme extrême, et malgré leur faible nombre, les situationnistes furent à la pointe de la révolte étudiante de Mai 68.

Fondée en 1957 sous l'impulsion de Guy Debord, l'Internationale situationniste est issue principalement d'une fraction dissidente (l'Internationale lettriste, créée en 1952) du lettrisme d'Isidore Isou, fraction à laquelle se sont agrégés un certain nombre de groupuscules avant-gardistes européens (dont Asger Jorn, venu de la revue *Cobra*). Dans sa première phase, l'IS a développé une critique de nature essentiellement culturelle et esthétique : constatant la faillite et la décomposition de l'art et de la littérature contemporains, incapables d'innover réellement depuis le XIXe s. et depuis la tentative surréaliste, les situationnistes ont surtout porté leur attention sur les formes les plus divulguées de la culture (cinéma, publicité, bande dessinée, etc.). Ils ont également attaché une très grande importance à l'organisation urbaine, développant une théorie de la « dérive » (méthode de découverte « erratique » de la ville) et des projets d'« urbanisme unitaire » (organisation globale de l'environnement quotidien en vue de provoquer certains comportements de la part de ceux qui habitent ou traversent ces lieux).

À partir de 1962, G. Debord donne aux activités de l'IS une tournure nettement politique, fondée sur la dénonciation du capitalisme occidental aussi bien que des bureaucraties communistes, les deux blocs étant considérés comme les facettes indissociables d'une même entreprise totalitaire d'asservissement de l'humain. Vers 1966-1967 l'activisme des situationnistes donne ses premiers résultats visibles, avec le scandale de la publication, aux frais du syndicat étudiant de Strasbourg, d'un pamphlet rédigé par Mustapha Khayati et intitulé *De la Misère en milieu étudiant*. La même année paraissent *La Société du Spectacle* de Debord et le *Traité de savoir-vivre à l'usage des jeunes générations* de Raoul Vaneigem. L'influence des situationnistes a culminé durant les événements de Mai 68 : avec les « enragés » de Nanterre, ils ont constitué la fraction la plus extrémiste du mouvement. Après une importante série d'exclusions, l'IS se dissout en 1972, Guy Debord continuant son parcours en solitaire jusqu'à son suicide en 1994.

Désirant poursuivre l'expérience surréaliste à partir du point où elle s'était arrêtée et repenser le marxisme des origines en l'adaptant aux conditions contemporaines du développement capitaliste, les situationnistes, partiellement inspirés par Henri Lefebvre et Cornélius Castoriadis, ont centré leur action subversive sur la vie quotidienne, au moyen de la « construction de situations », c'est-à-dire la création d'ambiances collectives et unitaires, fondées sur le jeu, le « détournement » (réemploi subversif d'œuvres d'art consacrées) ou la « dérive ». Le concept central autour duquel s'est élaborée la pensée critique des situationnistes est le « Spectacle ». Principe tautologique – il est à la fois moyen et fin – d'une société libérale fondée sur la production et la consommation des marchandises, le Spectacle est la substitution des images et des représentations à la vie réelle et au vécu et il constitue de ce fait le mode d'aliénation unique et indépassable de la société contemporaine.

Visant un dépassement radical de l'art dans ses formes instituées, les situationnistes ont constamment refusé de s'intégrer dans les circuits culturels classiques. En France, ils se sont exprimés dans deux revues, *Internationale situationniste* et *Potlatch*, et par l'intermédiaire d'une multitude de tracts. Leur production littéraire relève de l'essai, du pamphlet et du manifeste et sa nature dogmatique s'accorde avec un sens très sûr du slogan. L'écriture de Debord, qui a également réalisé quatre films, se caractérise par une concision glacée qui rappelle celle des moralistes du XVIIe s. (*Panégyrique*, 1989). Les thèses situationnistes ont pu être rapprochées de celles de Brecht, d'Adorno ou de Günther Anders, mais, dans leur ensemble, elles ont surtout stimulé la pratique ludique du détournement, les jeux verbaux sur le slogan ou l'utilisation subversive des arts dits « moyens », telles que bande dessinée ou affiche publicitaire.

▶ BOURSEILLER C., *Vie et mort de Guy Debord*, Paris, Plon, 1999. — CHOLLET L., *L'insurrection situationniste*, Paris, Dagorno, 2001. — DEBORD G., *La Société du Spectacle*, Paris, Gallimard, [1967], 1996. — VANEIGEM R., *Traité de savoir-vivre à l'usage des jeunes générations*, Paris, Gallimard, [1967], 1992. — Coll. : *Internationale situationniste* (1957-1969), Paris, Fayard, 1997.

Benoît DENIS

→ *Avant-garde, ; Idéologie ; Lettrisme ; Manifeste ; Moralistes ; Pamphlet ; Surréalisme.*

INTERNET

Le net ou « toile » électronique relie diverses banques de données et les rend accessibles pour consultation à quiconque possède un équipement informatique adéquat. Composée de sites (personnels, commerciaux ou associatifs) nés d'initiatives publiques ou privées, la toile couvre le monde entier et, en matière littéraire, elle offre à l'usager (l'internaute) un moyen d'accès à des textes de création, des catalogues de bibliothèque, des instruments de recherche, des forums de discussion et des commerces de librairie « en ligne ».

L'idée d'un réseau d'informations a été conçue par le Département de la Défense des États-Unis pour faciliter l'échange de données entre les bases militaires dans le contexte de la guerre froide. En 1969, le réseau ARPANET, premier du genre, réunit les centres de recherches militaires universitaires et privés, d'abord au moyen du courrier électronique, puis à partir des années 1970, à l'aide de protocoles plus sophistiqués de transfert d'informations entre réseaux d'ordinateurs. Dans les années 1980, le réseau est scindé en deux parties, le MILnet, militaire, et le NSFnet, universitaire, financé par la National Scientific Foundation, qui donnera naissance à l'INTERNET proprement dit (ou *Inter-networking*). En 1990 est fondé le *World Wide Web* (WWW) qui met au point les modalités d'utilisation accessibles au grand public, contribuant ainsi au succès fulgurant des autoroutes de l'information. Depuis, le réseau tend à se privatiser et à se doter de structures proprement commerciales.

La plupart des activités de recherche en littérature ne peuvent plus guère être envisagées sans recourir aux apports du net. On y trouve l'écho d'innombrables initiatives individuelles ou collectives (groupes de discussion ou sites consacrés à des auteurs, des mouvements, des genres), on y peut consulter des catalogues de bibliothèques en ligne, accéder aux outils variés des *humanities computing* (indexations diverses, lexicométrie, etc.). Avec le passage progressif des revues savantes sur le support électronique, le web devient également une vitrine et un mode de diffusion important pour les travaux scientifiques.

Toutefois, comme c'était le cas dans la consultation des bibliographies sur support papier et plus encore en raison de la variété des propositions, les exigences de la critique historique sont indispensables dans l'utilisation des données. Les renseignements que l'on trouve sur le net ont souvent été rassemblés sur la base de compilations plus ou moins automatiques, sans recours systématique aux sources et sans vérification méthodique des données. S'il existe d'excellents sites, à même de donner une information de première main, nombre d'autres sont simplement le résultat de la passion ou de la fantaisie d'un particulier.

La consultation du net ne dispense pas d'utiliser les sources sur support papier. Rares sont en effet les sites qui ont établi une bibliographie rétrospective fiable. Par ailleurs, nombre de catalogues informatisés de bibliothèques donnent un état qui ne correspond pas à leurs ressources réelles : fonds anciens et spécialisés, manuscrits et inédits, éditions rares et varias sont encore rarement inventoriés dans ces catalogues. De surcroît, la gestion des erreurs de catalogage est actuellement ralentie par les urgences d'informatisation auxquelles les bibliothèques doivent faire face.

Reste que les textes en ligne (quoique souvent dans des éditions anciennes ou non scientifiques, pour des raisons de droits) assurent la diffusion de très nombreux ouvrages que seuls quelques spécialistes avaient le privilège de consulter, que les catalogues de bibliothèques permettent de repérer de multiples éditions d'un livre et les principaux ouvrages consacrés à un auteur, et aussi de se livrer à des recherches affinées sur la base de mots-clés, d'années ou de lieux de parution, de maisons d'édition. Les meilleurs sites proposent par ailleurs des liens (renvois) de qualité, qui permettent de circuler entre les différentes facettes d'un thème ou de l'œuvre d'un écrivain (par exemple *clicnet*). Des informations variées concernant l'actualité littéraire (prix, créations) ou scientifique (colloques, rencontres, projets éditoriaux) sont aussi disponibles.

Du point de vue de la création, le net est un lieu de diffusion d'une certaine production littéraire et il fait connaître de nouveaux modes d'écriture, permettant notamment des participations de plusieurs « auteurs » à l'élaboration d'un même texte – chacun le recevant, le transformant, le poursuivant : hypertexte (hyperfictions, hyperpoésie), génération informatisée de textes, écriture hypermédiatique (combinant des ressources sonores et visuelles). En parallèle, on assiste à la fondation d'éditeurs numériques et à la mise en place de revues virtuelles, ces deux phénomènes tendant à offrir de nouvelles instances d'évaluation de la production. Certains aspects de la production littéraire semblent en profiter (la fiction et la poésie notamment, ainsi que les aspects les plus ludiques de la création). La définition d'une nouvelle législation sur le droit d'auteur, dans ce cadre, reste à venir. De même, l'histoire littéraire aura certainement à se pencher sur les conséquence d'une nouvelle littérature mondiale fondée sur quelques grandes zones linguistiques hégémoniques.

▶ BERNARD M., *Introduction aux études littéraires assistées par ordinateur*, Paris, PUF, 1999. — HUXNER K. & MATTHEW L., *Les sorciers du Net. Les origines de l'internet*, trad. de l'anglais par H. Laudière, Paris, Calmann-Lévy, 1999. — ROBIN R. (dir.), dossier « Internet et littérature », *Études françaises*, 36/2 (2000). — Coll. : « Chronique de l'@ », in *Histoires littéraires*. — ClicNet : littérature francophone, répertoire de sites classés par genre et/ou par époque, base de données d'une université américaine.

Paul ARON, Lucie ROBERT

→ *Bibliographie ; Bibliothèque ; Création littéraire ; Edition électronique ; Mondiale (Littérature).*

INTERPRÉTATION → Herméneutique ; Traduction

INTERTEXTUALITÉ

Au sens strict, on appelle intertextualité le processus constant et peut-être infini de transfert de matériaux textuels à l'intérieur de l'ensemble des discours. Dans cette perspective, tout texte peut se lire comme étant à la jonction d'autres énoncés, dans des liens que la lecture et l'analyse peuvent construire ou déconstruire à l'envi. En un sens plus usuel, intertextualité désigne les cas manifestes de liaison d'un texte avec d'autres.

Dans son acception première, et d'un point de vue historique, la notion d'intertextualité est associée aux travaux du formalisme russe, et en particulier à l'œuvre du sémioticien russe Mikhaïl Bakhtine. Elle a été importée dans le discours critique ouest-européen puis anglo-saxon dans les années 1960, lors de la traduction de ces travaux, et, surtout, de leur application par J. Kristeva et les théoriciens du groupe *Tel Quel*. Kristeva définit le concept, en affirmant qu'un « "mot littéraire" n'est pas un *point* (un sens fixe), mais un *croisement de surfaces* textuelles, un dialogue de plusieurs écritures : de l'écrivain, du destinataire (ou du personnage), du contexte culturel actuel ou antérieur » (1969, p. 144). Elle considère l'intertextualité comme une forme de dialogisme intertextuel. Pour la critique, il s'agit alors d'analyser le fonctionnement du texte en déconstruisant l'hétérogénéité discursive qui le constitue. À cette époque, le concept permettait de rompre avec les notions mal définissables de « poésie » ou de « roman » par lesquelles on identifiait le livre au créateur produisant par son génie et son style quelque chose d'unique.

Le terme est également lié chez Kristeva au concept d'idéologème également emprunté à Bakhtine : « L'acception d'un texte comme un idéologème détermine la démarche même d'une sémiotique qui, en étudiant le texte comme une intertextualité, le pense ainsi dans [le texte de] la société et l'histoire » (*op. cit.*, p. 114). Champ très large de formules anonymes, de clichés et de stéréotypes aussi bien que de références claires, l'intertextualité ne se limiterait donc pas à une série de citations ou d'allusions repérables, mais constituerait plutôt une véritable dissémination qui oblige à penser le texte à l'intérieur d'un ensemble discursif global. Cette vertu globalisante de l'intertexte, qui forme une part importante de son succès critique, a été exprimée par Roland Barthes : « Et c'est bien cela l'inter-texte : l'impossibilité de vivre hors du texte infini – que ce texte soit Proust, ou le journal quotidien, ou l'écran télévisuel : le livre fait le sens, le sens fait la vie » (*Le plaisir du texte*, 1973, p. 59).

Tous les livres du monde sont l'œuvre d'un seul et même écrivain, disait Borges. Cette phrase indique à la fois l'intérêt du terme d'intertextualité, mais également la banalité qu'il peut receler. On pourrait avancer que la fortune du mot tient à un effet de mode ou à l'interprétation banale qu'on peut en faire. Pour une part, l'intertextualité peut être conçue comme une étude des sources, des allusions, références, y compris implicites. Ce qui apparaît, en toute rigueur, comme un détournement de son sens premier, car l'idée d'intertextualité valorise la transposition au détriment d'une origine facilement repérable et elle met l'accent sur l'hétérogène et le fragmentaire. Mais en contrepartie, cela évite le risque inverse induit par la notion : celui de pouvoir, selon le lecteur ou le critique, estimer que tout lien qu'il établit avec un autre discours est recevable comme pertinent pour le texte qu'il a sous les yeux. De fait, l'acception donnée au terme varie, chez les critiques, selon l'extension donnée à celui de texte. Ainsi, L. Jenny définit l'intertextualité comme « le travail de transformation et d'assimilation de plusieurs textes opéré par un texte centreur qui garde le *leadership* du sens » (1976, p. 262). Cette perspective, assez éloignée des propositions de Kristeva, met en avant un texte central, celui qui manifeste le travail créateur de l'écrivain et qui détermine la réflexion intertextuelle. On peut parler par exemple du travail de Joyce dans *Ulysse* (1922), utilisant Homère mais aussi la Bible, Shakespeare, les coupures de journaux, etc. La signification reste donc immanente à ce texte central. Genette, cherchant à définir une série de pratiques textuelles dans *Palimpsestes*, donne également une définition restrictive (de son propre aveu) du mot : « Relation de coprésence entre deux ou plusieurs textes, c'est-à-dire eidétiquement et le plus souvent, par la présence effective d'un texte dans un autre » (1982, 14). De manière plus restrictive encore, il proposera le néologisme « hypertextualité » pour parler d'hypertexte, mot qui ne doit pas être entendu au sens où on l'utilise aujourd'hui en informatique, mais plutôt comme un « dérivé littéraire » du terme défini par Kristeva : « Toute relation unissant un texte B (que j'appellerai *hypertexte*) à un texte antérieur A (que j'appellerai, bien sûr, *hypotexte*) sur lequel il se greffe d'une manière qui n'est pas celle du commentaire » (*op. cit.*, p. 11-12). S'établiraient ainsi des relations de coprésence (regroupant la citation, la référence, l'allusion et le plagiat, soit diverses formes d'insertion d'un texte dans un autre) et des relations de dérivation (regroupant la parodie et le pastiche, qui supposent un travail de réécriture sur le texte inséré). L'intertextualité s'exprime ainsi comme la manifestation d'une littérature au second degré, utilisant ses propres règles et sa propre histoire. Car ce sont bien les grands textes littéraires qui jouent ici le premier rôle.

À l'inverse, M. Riffaterre donne à intertextualité un sens beaucoup plus vaste que celui de Genette. « L'intertexte, écrit-il par exemple, est la perception, par le lecteur, de rapports entre une œuvre et d'autres qui l'ont précédée ou suivie » (cité par Genette, *op. cit.*, p. 8). L'utilisation du mot « œuvre » rend déjà compte d'un glissement important par rapport aux travaux de Kristeva. Comme chez Jenny, la proposition de Riffaterre semble s'arrimer à un « texte centreur », axé sur un rapport assez exclusif au littéraire.

Ainsi, si à partir du début des années 1970, « intertexte » et « intertextualité » deviennent des mots passe-partout, c'est bien parce qu'ils semblent échapper à tout consensus. Selon l'extension qu'on accorde au concept, il permet d'interroger la définition que l'on donne de la littérature. On peut ainsi considérer le texte dit littéraire (ou peut-être plus précisément la fiction) comme le lieu par excellence de l'hétérogène, refusant la spécialisation propre aux disciplines scientifiques clairement définies et devenant ainsi l'espace textuel par excellence où tous les discours peuvent s'enchevêtrer. En revenant aux propositions de Kristeva, on peut envisager la littérature dans l'optique d'une interaction indéfinie des textes et des genres, sans hiérarchie d'aucune sorte. Mais alors, comme le souligne M. Angenot, « l'approche "intertextuelle" peut avoir pour effet de briser la clôture de la production littéraire canonique pour inscrire celle-ci dans un vaste réseau de transaction entre modes et statuts discursifs, le discours social. Il y a là une attitude nouvelle quant à la place même qu'occupe le littéraire dans l'activité symbolique » (1983, p. 128).

L'intertextualité conduit ainsi à une interdiscursivité. Loin de ramener le débat à une réflexion sur le seul texte littéraire, elle implique de considérer l'ensemble des textes dans un réseau global. D'autant que les textes manifestement non-littéraires, les textes juridiques et politiques notamment, abondent en de telles transactions. Dès lors, le littéraire peut être considéré comme un laboratoire des pratiques discursives en général.

▶ ANGENOT M., « L'intertextualité » : enquête sur l'émergence et la diffusion d'un champ notionnel », *Revue des sciences humaines*, 1983, LX, 189, p. 121-135. — GENETTE G., *Palimpsestes. La littérature au second degré*, Paris, Le Seuil, 1982. — JENNY L. (éd.), « Intertextualités », *Poétique*, 1976, 27. — KRISTEVA J., *Séméiotikè : recherches pour une sémanalyse*, Paris, Le Seuil, 1969. — PIÉGAY-GROS N., *Introduction à l'intertextualité*, Paris, Dunod, 1996.

Jean-François CHASSAY

→ *Citation ; Déconstruction ; Dialogisme ; Discours social ; Formalistes ; Imitation ; Parodie ; Plagiat ; Récriture, réécriture ; Sources ; Texte.*

INTRIGUE → Boulevard ; Comédie ; Narration ; Vraisemblance

INVENTAIRE

L'inventaire énonce successivement les qualités, les parties ou les circonstances d'un ensemble. Il peut se présenter comme une liste raisonnée – il s'apparente alors au catalogue ou au répertoire – ou développer un principe de classement hasardeux, ludique ou poétique. Dans ses emplois littéraires, l'inventaire fonde certains topiques ou genres littéraires, comme le blason ou le panégyrique, mais il est également présent dans les genres constitués comme le roman ou la poésie. En tant que procédé rhétorique, ses emplois sont très variés puisqu'ils sont ceux de l'énumération.

Les grands textes fondateurs de la culture littéraire occidentale utilisent abondamment les ressources de l'inventaire. La Bible en offre maints exemples, depuis l'énumération généalogique de la descendance d'Adam et Ève jusqu'au décompte des menaces de l'Apocalypse. Elle diffuse également deux grands procédés, qui vont marquer durablement les écrivains : le panégyrique, qui décrit toutes les formes de la puissance divine, et l'énumération prophétique, caractérisée par la répétition intensive de certains termes (Et... Et...). Chez Homère comme plus tard dans les chansons de geste, les épopées popularisent également une rhétorique de l'amplification, où la quantité (des morts, des victimes, des richesses...) symbolise la qualité (des héros, des nations...). Au Moyen Âge, et en particulier à partir du XIVe s., le blason du corps féminin, les descriptions de la ville (Eustache Deschamps, *Paris ethimologié*), le testament illustré par Villon, les ballades et poèmes à forme fixe des Grands Rhétoriqueurs sont souvent des genres littéraires fondés sur l'inventaire.

Le répertoire est un signe privilégié de l'érudition humaniste de la Renaissance. Il constitue à la fois une manière d'organiser le savoir (dans les bibliothèques, les Cabinets de curiosité ou dans la poésie scientifique), et la manifestation littéraire des compétences savantes de l'auteur. C'est à ce titre qu'il figure au nombre des cibles favorites de Rabelais, qui dresse le catalogue parodique de la Bibliothèque de Saint-Victor ou celui des exploits gastronomiques de Gargantua. Ces énumérations deviennent à leur tour un topos littéraire, repris tant par la tradition parodique (Sterne), où elles figurent l'image inversée de l'érudition, que dans le burlesque et le baroque. De faux catalogues de bibliothèques comptent parmi les supercheries littéraires reconnues (R. Châlon, *Catalogue d'une très riche mais peu nombreuse collection de livres provenant de la bibliothèque de feu Mr le comte J. N. A. de Fortsas*, 1840) et la recherche éperdue de *Bouvard et Pécuchet* (1881) donne la mesure d'une poétique de la liste à laquelle souscrivent, sans ironie aucune, les nombreux écrits de vulgarisation scientifique du temps, ceux de C. Flammarion ou de J. Verne par exemple.

À la fin du XIXe s., la traduction des catalogues hétérogènes du monde moderne que dresse le poète américain W. Whitman donne un nouvel élan à l'inventaire lyrique. Le panégyrique s'adresse chez lui à la nature panthéiste, et c'est ainsi qu'il marque la poésie de Verhaeren ou de Jules Romains. Du monde moderne à la machine, les futuristes franchiront le pas pour énumérer les bienfaits de la modernité. Les catalogues « à la Prévert » sont fréquents dans la poésie moderne. La prose en fait également un grand usage, en particulier chez les auteurs soucieux d'expériences et d'innovations littéraires (G. Perec, *Je me souviens*, 1978).

De grands philologues allemands, comme Curtius ou Spitzer, ont jeté les bases d'une poétique historique de l'inventaire. Perçue comme un topos, la liste caractérise certaines périodes et traditions littéraires. Toutefois, à l'exception de la rhétorique, qui étudie des figures comme la répétition ou l'énumération chaotique et répétée, la recherche littéraire s'est peu penchée sur des structures aussi « transversales » que le catalogue, la liste ou l'énumération. Pour leur part, les historiens s'intéressent par ailleurs de plus en plus près aux notions de collections, de bibliothèques, ou de répertoires savants et culturels. Les inventaires littéraires cristallisent des faits qui tiennent autant à la représentation que les individus se font du monde qu'à l'histoire des formes de l'expression.

▶ BROCHU A., *Roman et énumération, de Flaubert à Perec*, Université de Montréal, Dépt. d'ét. françaises, 1996. — FRÉDÉRIC M., *La répétition : étude linguistique et rhétorique*, Tübingen, Niemayer, 1985. — HALLYN F., *Formes métaphoriques dans la poésie lyrique de l'âge baroque en France*, Genève, Droz, 1975. — OLIVERO I., *L'invention de la Collection*, Paris, IMEC, 1999. — SPITZER L., *La enumeracion caotica*, Buenos Aires, Coni, 1945.

Paul ARON

→ *Bibliothèque ; Création littéraire ; Epidictique ; Parodie ; Recueil ; Rhétorique.*

IRONIE

« Ironie » vient du grec *eirôneia*. Le sens originel du mot *eirôn*, qui apparaît pour la première fois chez Aristophane, serait « celui qui interroge, qui demande ou se demande » ; Platon applique le terme à Socrate, mais en ce sens, il comporte une nuance de dissimulation, voire de fourberie : celui qui pose des questions peut feindre l'ignorance et les formuler d'une façon qui déroute son interlocuteur, ou qui le prend au piège. Malgré les connotations ambiguës du mot, l'ironie socratique occupe une place centrale dans la maïeutique ; elle est considérée comme une méthode heuristique, une dialectique qui conduit à la sagesse. Lorsque l'ironie entre dans la terminologie de la rhétorique, elle est définie comme « une figure par laquelle on veut faire entendre le contraire de ce qu'on dit » (Dumarsais, *Traité des tropes*, 1729). Le blâme par la louange, implicite dans cette définition, est omniprésent dans tous les discours : il rappelle que l'ironie est toujours un jugement de valeur. Elle peut s'appliquer à une phrase en particulier, mais aussi à l'ensemble d'un texte qu'elle caractérise ; elle est alors liée à un ton, voire un registre.

L'ironie a pris naissance dans l'univers de la philosophie et de l'éthique puis est passée en rhétorique : la *Rhétorique à Alexandre* (IVe s. avant J.-C.) la définit comme une façon d'« appeler les choses par les noms de leurs contraires ». Au-delà de cette ironie « verbale », on distingue traditionnellement une ironie « de situation ». C'est l'« ironie du sort », parfois « ironie tragique » que les Anciens nommaient, sans aucune référence à l'ironie, *peripeteia :* le coup de théâtre. Aristote en donne l'exemple paradigmatique dans sa *Poétique* (344 av. J.-C.) : alors même qu'Œdipe s'efforce d'échapper à son sort, il se précipite dans le malheur. Il y a donc ironie de situation lorsqu'un événement se réalise contre toute attente mais de telle manière que le jeu de symétrie mis en place suggère très fortement l'idée de justice ou d'injustice (l'ironie de situation peut faire rire – ainsi de l'arroseur arrosé – ou compatir – ainsi d'Œdipe). Reste évidemment que l'effet de l'ironie réside toujours dans les mots de celui qui rend compte de la situation. L'« ironie dramatique » se situe à la croisée de l'ironie verbale et de l'ironie de situation : elle se présente lorsqu'un personnage est inconscient de la portée de sa situation, de ses actes ou de ses paroles alors que le public, disposant de plus d'information, en connaît les implications. Dans la littérature française, l'ironie a eu une très large place. Comme figure, elle abonde chez les auteurs qui recourent au comique pour la critique, depuis Villon, Rabelais et Montaigne. Au XVIIIe s., elle connaît un essor plus marqué chez Voltaire, notamment dans *Candide* (1759), et chez Diderot qui, à la suite du *Tristram Shandy* (1767) de Sterne, s'en sert pour souligner l'arbitraire de la narration dans *Jacques le Fataliste* (1792). Autour de 1800 l'ironie a été l'objet d'une attention particulière chez les romantiques allemands, qui ont réactualisé le concept en renouant avec ses origines dans la philosophie. C'est à travers l'ironie que Fr. Schlegel circonscrit la modernité du romantisme. Comme procédé, l'ironie romantique réside dans le dédoublement du moi de l'artiste en deux instances dont l'une regarde l'autre agir ; de là, elle réside aussi dans la façon dont l'art se met lui-même en scène en dévoilant ses procédés. L'ironie romantique a eu un rôle important dans les littératures de l'époque, surtout en Allemagne et en Angleterre – ainsi le *Don Juan* de Byron (1824). Elle se transforme en ironie amère à la suite du romantisme, chez Baudelaire notamment, avant de devenir la marque du scepticisme d'Anatole France et de ses contemporains. De Gide à Simon, son actualité est sans cesse renouvelée.

En français, l'ironie est considérée d'abord comme un procédé rhétorique, généralement au service de la satire. La notion de raillerie lui est très largement associée : la raillerie serait l'acte social, et l'ironie sa figure de style majeure. Dans les pays germaniques et anglo-saxons, l'ironie a pu devenir, dans la terminologie du *New criticism* en particulier, un quasi-synonyme de littérarité, à partir d'une réflexion sur les œuvres de Joyce, Musil, Kafka et Thomas Mann. Certains critiques de la littérature française insistent, de même, sur la duplicité de regard dans les textes de Flaubert, de Mallarmé, de Proust ou du Nouveau Roman. Elle devient, dans cette acception, un des signes de la réflexivité littéraire moderne. L'ironie appelle une analyse autant sociale que stylistique. Sans complicité des interlocuteurs, ses effets s'effondrent. Elle tend donc à opérer une séparation entre ceux qui savent entendre « à demi-mot » les équivoques ou les antiphrases, et ceux qui ne les perçoivent pas. La capacité à comprendre l'ironie repose cependant moins sur l'intelligence ou sur la grande culture que sur la connaissance des valeurs auxquelles une communauté donnée se réfère. C'est pourquoi l'ironie peut s'exprimer dans n'importe quel domaine et servir toutes les idéologies, du totalitarisme le plus doctrinaire à la démocratie la plus ouverte.

▶ BOOTH W. C., *A Rhetoric of Irony*, Chicago Univ. of Chicago Press, 1974. — HAMON Ph., *L'ironie littéraire. Essai sur les formes de l'écriture oblique*, Paris, Hachette, 1996. — HUTCHEON L., *Irony's Edge*, Londres, Methuen, 1994. — JANKÉLÉVITCH V., *L'ironie ou la bonne conscience*, Paris, Alcan, 1950. — JAPP U., *Theorie der Ironie*, Franckfort, Klosterman, 1983. — MUECKE D. C., *The Compass of Irony*, Londres, Methuen, 1969.

Pierre SCHOENTJES

→ *Figure ; Herméneutique ; Humour ; Parodie ; Registres ; Rhétorique ; Satire.*

ISRAËL

Israël est en grande partie un pays d'immigration et donc relativement multilingue et le français est plus ou moins activement pratiqué par 700 000 de ses habitants. La littérature israélienne est d'abord écrite en hébreu, mais les écrivains arabes écrivent dans leur langue ou dans les deux langues et les nombreux écrivains arrivés avec les diverses vagues d'immigration continuent d'écrire, pour la plupart, dans leur langue d'origine. Certes, l'Association des Écrivains hébraïques porte un nom qui manifeste son souci de promouvoir cette langue ; mais il s'agit, en fait, d'une confédération qui inclut une douzaine d'associations d'écrivains s'exprimant et publiant dans les diverses langues écrites dans le pays : l'arabe, l'anglais, le russe, l'espagnol, l'italien, etc., et, parmi elles, le français.

Le français a été l'une des premières langues utilisées par la population juive du pays, à la fin du XIXe s., à la suite de l'action de la famille des Rothschild et de l'Alliance Israélite Universelle. Ce noyau francophone s'est développé autour d'Eliézer Ben-Yehuda, le rénovateur de l'hébreu moderne ; son fils, Ittamar Ben-Avi, l'un des fondateurs du mouvement de la paix Brit-Shalom et l'initiateur du Mouvement cananéen (qui a préconisé l'intégration de l'État hébreu dans son environnement arabe), a écrit un essai et un roman en français, *La sauveuse* (1935) ; et leur collaborateur, Abraham Elmaleh (1885-1967), a rédigé un dictionnaire encyclopédique hébreu-français et des récits de voyage. Les écrivains du Mouvement cananéen se sont plus tard inspirés de la vision française du Levant multiculturel et l'un des responsables de l'Union des écrivains, Ménashé Lewine, a rédigé ses œuvres, alternativement, en hébreu et en français. Dans le même temps, certains écrivains nés dans le pays se sont rendus dans d'autres pays francophones et en France : Myriam Harry s'est installée en France, où elle a longtemps présidé le jury du Prix Fémina ; Elian-J. Finbert a accompli une intéressante carrière en Égypte, puis en France ; et Pierre Neyrac (Naphtali Cohen, dit) y est devenu l'ami de Pierre Guillevic et le correspondant d'Albert Camus. Aux alentours de la Seconde Guerre mondiale, ce mouvement s'est inversé et divers écrivains francophones et, notamment, le surréaliste Paul Paon (Paul Zaharia, dit, né en Roumanie) sont venus s'installer dans le pays. Après la création de l'État, de nombreux écrivains issus de pays ou de communautés entièrement ou partiellement francophones les ont rejoints : Isaac Knafo (Maroc) ; André Chouraqui (Algérie, France) ; Max Bilen (Turquie, 1917-1995) ; Maurice Politi (Grèce, 1926-1992) ; Claude Vigée (France, États-Unis) ; Esther Merzer-Omer (Allemagne) ; Monique Jutrin (Belgique) ; Bluma Finkelstein (Roumanie) ; Michel Elial (France) ; Ami Bouganim (Maroc) ; Marlène Braester (Roumanie) ; Emmanuel Mosès (France), etc.

Il est difficile de spécifier le statut de la littérature israélienne de langue française dans les termes de l'histoire littéraire traditionnelle. En effet, elle n'est pas « régionale », puisque ces écrivains sont dispersés dans le pays. Elle est « périphérique » par rapport au « centre » français, mais se relie à une grande partie de la « périphérie » francophone et contribue ainsi à relativiser ces deux notions de centre et de périphérie. Certains de ces écrivains, en outre, vivent aussi bien en France qu'en Israël. Compte tenu de ses antécédents régionaux, elle se rattache, enfin, aux littératures « des frontières », qui s'étendent sur plusieurs pays. Et c'est ainsi qu'elle s'inscrit dans le courant des « littératures émergentes », issues de la révolution des médias, et de la « rencontre des cultures », qui traversent les frontières et instaurent un nouveau « cybersoi », à la fois global et individuel. Claude Vigée, le plus important de ces écrivains, a entériné cette évolution en se constituant un site sur Internet. Au plan thématique, ces écrivains ont tendance à développer des sujets que la littérature hébraïque a longtemps refoulés : les valeurs juives, l'errance, la Shoah et l'ouverture aux cultures européennes et méditerranéennes. Au plan stylistique, elle se présente enfin sous la forme d'une mosaïque où se juxtaposent des traits de la littérature juive traditionnelle, de la littérature hébraïque et de l'écriture « post-moderne ».

▶ MENDELSON D., « La poésie israélienne d'expression française, 1945-1990 », *in* G. Dotoli (éd.), *Poésie méditerranéenne d'expression française, 1945-1990*, Paris, Schena-Nizet, 1991. — Coll. : *Écrits français d'Israël de 1880 à nos jours*, Textes présentés p. D. Mendelson et M. Elial, Paris, Minard, 1989.

David MENDELSON

→ *Centre et périphérie ; Francophonie ; Judaïsme.*

J

JANSÉNISME

Mouvement religieux qui se réfère à la doctrine de la grâce chez saint Augustin, dans la tradition des écrits de Jansénius, évêque d'Ypres (1585-1638). Objet d'hostilité au sein de l'Église, il est aussi, en France, pris dans un conflit politique qui double le conflit théologique et crée un groupe janséniste contre lequel le pouvoir agit en force. Celui-ci a pour centre un noyau de théologiens et d'auteurs.

Jansénius, dont l'*Augustinus* est publié en 1640 (posth.), est un des représentants du courant augustinien, pour lequel la nature humaine est si déchue qu'elle ne peut accéder au salut que par la grâce. Il s'oppose ainsi à des théologies plus optimistes (dont celle des « molinistes », représentés par les Jésuites) qui croient à la valeur du libre-arbitre et à une collaboration effective entre l'homme et la grâce. Le jansénisme est un mouvement de la Contre-Réforme, hostile aux libertins et aux protestants (Nicole, *Perpétuité de la foi*, 1669). Cette tendance n'est pas d'emblée minoritaire : dans les querelles, une moitié de l'assemblée des évêques a été favorable à ces thèses, y compris Noailles, archevêque de Paris, et même Bossuet (après sa mort, ses œuvres sont publiées dans une perspective jansénisante). Le conflit est d'abord interne entre ordres religieux (l'abbé de Saint-Cyran est l'inspirateur des religieuses de l'abbaye de Port-Royal), puis il gagne de l'influence sur des laïcs de haut rang, nobles et parlementaires. Il se double d'un conflit politique qui explique qu'on parle d'un « parti » janséniste : hostile à la politique extérieure de Richelieu – qui s'allie à des princes protestants dans la guerre de Trente Ans –, puis de Mazarin, et plutôt frondeur comme le Cardinal de Retz. Un très petit groupe de savants et de lettrés, les « Solitaires », se retirent auprès de l'abbaye de Port-Royal des Champs. Ils y ouvrent une école et travaillent à des écrits religieux (traduction de la Bible en français par Sacy, qui fut un immense succès), polémiques, mais aussi philologiques (*Grammaire* de Lancelot et Arnauld, 1660) ou moralistes (Nicole). Après la condamnation du jansénisme à Rome, 50 ans de crises divisent l'Église de France et le monde social. Les scandent la condamnation d'Arnauld en Sorbonne en 1658 (pour la défense duquel Pascal écrit les *Provinciales*), l'exigence de signer un formulaire condamnant cinq propositions attribuées à Jansénius, la dispersion des Solitaires de Port-Royal en 1679, la dispersion des religieuses de l'abbaye (en 1664, puis en 1711, avec destruction du monastère), la *Bulle Unigenitus* en 1715. Le jansénisme connaît alors une phase plus populaire et mystique au XVIIIe s. (convulsionnaires au cimetière Saint-Médard) et les jansénistes sont des ennemis des Lumières (par leur journal clandestin des *Nouvelles ecclésiastiques*), sauf quand il s'agit de s'allier contre l'ennemi commun, les Jésuites. Le courant est encore puissant au XIXe s. où nombre de curés sont « jansénistes » en théologie (Stendhal dans *Le Rouge et le Noir*, 1830, évoque sa puissance) et sa rigueur imprègne toujours une part de l'imaginaire chrétien au XXe s.

Les jansénistes apparaissent comme des catholiques intégristes. Leur philosophie morale a pu séduire par sa radicalité et son austérité. Elle correspond à la montée du pessimisme perceptible au fil du XVIIe s (par exemple dans les *Maximes* de La Rochefoucauld, 1665). L. Goldmann l'a estimée représentative du milieu des parlementaires. Liés à des familles de magistrats de spiritualité exigeante et inquiets de leur perte de pouvoir, mais aussi à des salons (Mme de Sablé) et à de grands seigneurs en perte de puissance, les jansénistes auraient développé une mentalité d'opposants. Cette thèse est matière à discussion : les jansénistes se sont toujours voulus fidèles au roi. L'influence du jansénisme sur la vie culturelle et littéraire est forte. Elle repose d'abord sur la modernité du savoir rationnel élaboré par les Solitaires (*Logique* d'Arnauld et Nicole, 1662), qui s'appuient sur le cartésianisme, alliée à une action pédagogique (les Petites Écoles) et un effort de formation effective des croyants (traduction de la Bible). Les querelles du jansénisme ont suscité de nombreux ouvrages, de controverse (Arnauld), de polémique (Pascal) et d'apologétique (Pascal, *Pensées*, 1670).

Une sorte de mythologie mi-religieuse mi-littéraire s'est construite ensuite, paradoxalement avec la complicité de républicains, d'anti-jésuites, d'anticléricaux et d'épicuriens impressionnés par l'austérité. Ainsi s'explique que le *Port-Royal* de Sainte-Beuve (1840-1867), énorme collection de documents en forme d'apologie, soit contemporain des dernières persécutions larvées au sein de l'Église française, et que cet incroyant fasse crédit au jansénisme de ce qu'il refuse à la tradition catholique. Il n'est pas moins paradoxal que le jansénisme fasse l'objet de l'apologie latente de marxistes comme Lukacs, puis Goldmann.

▶ DUCHESNE R., *L'imposture littéraire dans les* Provinciales *de Pascal*, Université de Provence, 1984. — MARIN L., *Pascal et Port-Royal*, Paris, PUF 1997. — ORCIBAL R., *Duvergier de Hauranne, abbé de Saint-Cyran*, Louvain, Duculot, 1947. — TAVENEAUX L., *Jansénisme et politique*, Paris, Armand Colin, 1971. — VIDAL D., *Miracles et convulsions jansénistes au XVIIIe s.*, Paris, PUF, 1987.

Marie-Madeleine FRAGONARD

→ *Bible ; Érudition ; Grammaire ; Pamphlet ; Polémique ; Réforme catholique ; Religion.*

JE NE SAIS QUOI

Le terme de « je ne sais quoi » s'est imposé au XVIIe s. pour désigner le charme, la grâce – profane mais aussi religieuse –, la source indéfinissable de l'amour, de la sympathie, de l'attirance ou encore de la foi. Il venait ainsi en quelque sorte combler un vide sémantique : il nomme paradoxalement la cause ineffable de toute émotion, de tout mouvement de la sensibilité, qu'il s'agisse du sentiment ou du goût. Il a pour ancêtre le *furtim* latin, et des correspondants en espagnol et en italien.

La théorisation esthétique du je-ne-sais-quoi a été formulée en France au XVIIe s. C'est en effet à cette époque que le terme est apparu en tant que substantif et qu'il a pu se distinguer de la locution (« je ne sais quoi de ») et de la forme adjectivale (« je ne sais quel ») dont il était issu. Objet du cinquième chapitre des *Entretiens d'Ariste et d'Eugène* (1671) du P. Bouhours, jésuite et homme de lettres, « le je ne sais quoi » est présenté comme ce qui, dans la nature comme dans l'art ou dans la grâce divine fait ressentir ce qui s'y trouve d'admirable sans qu'on en connaisse bien la cause. Montesquieu y consacre également une partie de son *Essai sur le goût* (publié dans l'*Encyclopédie*, rééd. in *Pensées*, Laffont « Bouquins », 1991).

Sorti d'un usage purement lexical pour devenir notion à part entière, le je ne sais quoi inaugure une réflexion sur la nature du beau (ou de l'agrément), perçu non plus comme la résultante de caractéristiques purement objectives, mais comme un ressenti subjectif : il participe ainsi à la « genèse de l'esthétique » (A. Becq), dont la théorisation philosophique trouve sa forme la plus aboutie au siècle suivant, notamment dans les travaux de Kant. Bien que situé au carrefour des domaines éthique, esthétique et religieux, le terme de « je ne sais quoi », marqué par le contexte de son apparition, n'a cependant pas été conservé dans l'usage philosophique : appliqué en effet notamment aux registres du sentiment amoureux et de la mondanité (on trouve ainsi, par exemple un chapitre consacré au je ne sais quoi dans *L'homme de cour* de B. Gracián, 1647), il a été perçu comme une notion mondaine et sociale autant que proprement esthétique. Son usage a donc décliné dans la langue au XIXe s. Au XXe, il n'est pas redevenu d'usage courant, mais la philosophie (*Le Je ne sais quoi et le Presque Rien*, de V. Jankélévitch, 1980) et la recherche littéraire le reconsidèrent.

« Je ne sais quoi de » et « je ne sais quel » sont deux tournures destinées à créer autour du mot qu'elles accompagnent un flou sémantique, révélant une difficulté à exprimer la nature d'un objet : par exemple : « je ne trouve qu'en vous je ne sais quelle grâce / qui me charme toujours et jamais ne me lasse » (Racine, *Esther*). En tant que substantif, « le je ne sais quoi » désigne alors une réalité non plus seulement indicible (qu'on ne peut pas dire) mais ineffable (qui ne peut être dit), indéfinissable quoique perceptible par l'effet qu'elle provoque (exemple : « il est des nœuds secrets, il est des sympathies / Dont par un doux rapport les âmes assorties / S'attachent l'une à l'autre et se laissent piquer / Par ce je ne sais quoi qu'on ne peut expliquer », Corneille, *Rodogune*). Insaisissable par la raison (« si on pouvait le définir, il cesserait d'être ce qu'il est »), le je ne sais quoi n'est perceptible que par intuition. Il est un agrément qui charme – au sens où ce mot implique une connotation de magie. Dans le contexte du XVIIe s., la théorisation du je ne sais quoi participe à la réhabilitation de la sensibilité dans le processus de la connaissance (« On peut dire de l'admiration qu'elle est utile en ce qu'elle fait que nous apprenons et retenons en notre mémoire les choses que nous avons auparavant ignorées », Descartes, *Traité des passions*, 1649). Appliqué au domaine littéraire, le je ne sais quoi relève du goût. Il définit la qualité d'un style apte à provoquer l'admiration, et trouve dès lors son application dans la métaphore ou encore l'énigme, qui demandent en effet à être devinées plus qu'analysées ; il correspond ainsi à la revalorisation esthétique de l'image et du poétique au sein rhétorique comme de la conversation et des liens sociaux. C'est pour cette raison qu'il a été perçu comme une forme de sublime tempéré, cette dernière notion étant réactivée à la même époque grâce à la traduction par Boileau du *Traité du sublime* de Longin (1674).

▶ BECQ A., *Genèse de l'esthétique française moderne, 1680-1814*, Paris, Albin Michel, 1994. — BORGERHOFF EBO, *The Freedom of French Classicism*, Princeton, Princeton University Press, 1950. — DUMONCEAU P., *Langue et sensibilité au XVIIe siècle. L'évolution du vocabulaire affectif*, Genève, Droz, 1975. — JANKÉLÉVITCH V., *Le Je ne sais quoi et le Presque rien*, Paris, Le Seuil, 1980.

Cerise LETENNEUR

→ *Énigme ; Réception ; Sublime ; Valeurs.*

JEU

Le terme de jeu (ou son équivalent latin *ludus*) désigne les plus anciennes pièces du théâtre occidental. Il englobe des jeux liturgiques, venus de pratiques et de textes religieux, et des pièces profanes. Ces œuvres relèvent d'une même définition en ce qu'elles sont « dialogues par des personnages », où les voix sont prises en charge par des acteurs pour une représentation où, donc, les textes ne sont plus seulement dits mais *joués*.

L'oralité et le goût de la performance qui caractérisent, au Moyen Âge, la production culturelle verbale suscitent la mise en scène des manifestations religieuses, première version du Jeu. Dans toute l'Europe chrétienne, l'année est rythmée par des fêtes liturgiques, comme Noël et Pâques, occasions où l'office est théâtralisé. Ainsi la *Regularis Concordia* de saint Ethelwold, évêque de Winchester préconise, vers 970, la dramatisation des gestes des officiants pour la *Visitatio Sepulchri* (la visite au Sépulcre, à Pâques) « selon l'usage de certains religieux ». Le drame ou jeu liturgique est né. D'abord en latin, il utilise bientôt le français, surtout à partir du XIIIe s. Un disciple d'Abélard, Hilarius, écrit le *Ludus super iconia Sancti Nicolai* pour la fête de saint Nicolas. À la Nativité, on donne *le Jeu des trois rois ou le Jeu de L'Etoile*. Le plus célèbre des Jeux liturgiques fut le *Jeu d'Adam*. Ce texte du XIIe s. évoque le cycle de la Chute et de la Rédemption, avec le péché originel, le crime de Caïn et un défilé des prophètes. Les parties réservées au chœur montrent qu'il a été composé pour l'office de matines de la Septuagésime. On le jouait dans l'église ou devant son porche. Le dispositif scénique opposait les *mansions* (ou lieux) de Dieu et du diable.

Au XIIIe s., avec l'essor des villes, apparaît un théâtre urbain dont les grandes manifestations sont organisées par les confréries, communautés d'entraide mêlant laïcs et clercs. Celle d'Arras fait représenter le 5 décembre 1200 le *Jus de saint Nicolas* de Jean Bodel, qui mêle au thème religieux des éléments profanes. En 1276, elle produit le *Jeu de la Feuillée* d'Adam de la Halle, considéré comme le premier drame profane français. La « fuellie » désigne-elle la loge protégée de verdure dans laquelle on exposait la statue de Notre Dame, ou la « folie » qui s'empare des personnages tout au long de la pièce ? Adam déclare son désir de quitter la ville et le foyer familial pour aller terminer ses études à Paris, puis il se lance dans une virulente satire des Arrageois, de leur gloutonnerie et leur avarice ; enfin, l'univers des fées se mêle à celui de la taverne. Parodiant la chanson de geste et le roman de chevalerie, l'œuvre se signale par une grande inventivité et offre une critique politique de la société arrageoise ; mais elle peut aussi être lue comme une autobiographie. Le *Jeu de Robin et Marion* du même auteur participe de la bergerie et de la pastourelle, qui évoque les amours contrariées d'un chevalier pour une bergère lui préférant son berger, au rythme de danses et de chants.

Le genre survit à la Renaissance, notamment lors de fêtes liées au Carnaval ou aux Rois (*Jeux des Rois*), ou dans le théâtre officiel. Marivaux y fait encore allusion (*Le jeu de l'amour et du hasard*, 1730), mais sans guère reprendre les spécificités du théâtre médiéval. Comme d'autres formes, le jeu est réactivé au XXe s. par des auteurs qui cherchent à renouer avec l'esprit populaire supposé du théâtre médiéval (Henri Ghéon, *Jeux et miracles pour le peuple fidèle*, 1924).

Les œuvres désignées du nom de Jeu, toutes d'un art dramatique consommé, sont diverses de thèmes mais impliquent toutes des rapports entre forme théâtrale et enjeux idéologiques et esthétiques. Ainsi, on peut voir dans le *Jeu d'Adam* « un drame semi-liturgique » (G. Cohen, *Le théâtre en France au Moyen Âge*, 1928). Couronnement des Jeux de même nom, il peut être regardé, par l'approfondissement des caractères, de la mise en scène, et de la problématique de la Rédemption comme l'ancêtre du drame religieux français, surtout du Mystère. Chez Jean Bodel, le contexte idéologique des croisades et le milieu réaliste de la taverne sont mis en valeur par l'intervention miraculeuse de la statue de saint Nicolas ; elle introduit une dramaturgie de la conversion qui annonce le Miracle.

▶ BORDIER J., « Le Fils et le fruit. Le *Jeu d'Adam* entre la théologie et le mythe », *in* H. Braet, J. Nowé, C. Tournoy (éd.), *The Theater in the Middle Ages*, Louvain, Leuven University Press, 1985, p. 84-102. — DUFOURNET J., *Adam de la Halle à la recherche de lui-même, ou le jeu dramatique de la Feuillée*, Paris, SEDES, 1974 ; « Complexité et ambiguïté du *Jeu de Robin et Marion* », *in Mélanges J. Horrent*, Liège, 1980, p. 141-159. — NOO-

MEN W., « Le *Jeu d'Adam*, étude descriptive et analytique », *Romania*, 1968, t. 89, p. 145-193.

Véronique DOMINGUEZ

→ *Congé ; Médiévale (Littérature) ; Miracles ; Mystère ; Passions ; Théâtre.*

JEUX FLORAUX → Académie ; Prix littéraires

JOURNAL → Presse

JOURNAL INTIME → Personnelle (Littérature)

JOURNALISME

Pratique historiquement très variable et protéiforme, le journalisme littéraire paraît échapper à toute tentative de définition. Ainsi, le terme peut aussi bien désigner la chronique littéraire que le grand reportage ; dans le premier cas, l'épithète « littéraire » renvoie à l'objet de la prose journalistique et, dans le second, à ses qualités de style et plus largement d'écriture. D'autre part, il peut se jouer dans des quotidiens, mais aussi dans des hebdomadaires et revues. Mieux vaut donc sans doute ne pas restreindre *a priori* la définition. On remarque en effet que les plus grands représentants de ce « genre », notamment Émile Zola et François Mauriac, ont autant pratiqué la critique littéraire que la chronique politique.

Les publications périodiques se multiplient en France à partir du XVIIe s. – la *Gazette* est fondée en 1631, *Le mercure galant*, premier périodique « littéraire », devenu plus tard *Le mercure de France*, en 1672 – et surtout du XVIIIe s. (le *Journal de Paris*, premier quotidien français, date de 1777). Si elles offrent de nouveaux débouchés à la carrière littéraire, elles ne laissent guère espérer en revanche de profit symbolique aux écrivains qui s'y engagent. À l'origine, les journaux appartiennent certes à l'ordre de la littérature, mais à une forme mineure. Quoique considérés par les Encyclopédistes comme des répertoires de sottises où chaque jour les Lumières sont avilies, les journaux se distinguent néanmoins des simples gazettes et autres feuilles volantes, au-dessus desquelles ils se situent : ils sont censés rendre compte des découvertes récentes des arts et des sciences, alors que les gazettes tiennent la chronique des potins salonniers ; dans les faits, la différence n'est cependant pas si nette. Les journaux s'adressent déjà d'une façon efficace à l'opinion naissante et, de ce fait, intéressent, autant que la police et les ratés de la littérature, les philosophes qui, s'ils n'investissent pas massivement la presse, en observent le puissant effet sur un nombre toujours plus grand de lecteurs.

Diderot a beau vilipender journaux et journalistes dans l'*Encyclopédie* (1751-1766), il a tout de même confié les deux tiers de son œuvre à des périodiques, tant par crainte de la censure et par répugnance à livrer l'œuvre achevée que par désir d'atteindre une élite éclairée (J. Sgard, p. 261). Le journalisme littéraire a suscité, de 1723 à 1789, une bonne centaine de *Spectateurs*, d'*Observateurs*, de *Glaneurs*, etc., périodiques qui incarnent un nouveau mode de discours journalistique caractérisé « par la forme personnelle et généralement épistolaire, par une grande liberté de ton et par la complicité avec un lecteur non spécialiste, qui juge de tout sans règles et sans prévention » (*ibid.*, p. 263) : Marivaux, Marmontel, Desfontaines ont rédigé de tels périodiques, ce qui les assimile à des « romanciers-journalistes ». La *Correspondance littéraire* de Grimm entre 1753 et 1790 diffuse les idées et les nouveautés littéraires dans toute l'Europe. Nombre de ces périodiques ont été très lus ; on les a reliés en volumes, on les a réédités en cas de succès.

Le développement accéléré de la grande presse au XIXe s. et les nouveaux périodiques bon marché assurent la fortune des feuilletonistes. La presse fait aussi une grande consommation d'autres textes littéraires (chroniques, poésies...) et elle favorise le débat politique dont les écrivains sont souvent les acteurs (Chateaubriand, *Le Conservateur*, 1818-1819). De grands écrivains, Balzac, Hugo, Sainte-Beuve, Gautier, sont bénéficiaires de cette demande de littérature, à côté des spécialistes du genre feuilletonesque, Sue, Féval, Ponson du Terrail, et de ceux qui sont autant journalistes que romanciers « engagés » (Zola, Vallès). La réaction des écrivains de la sphère de production restreinte à cette trivialisation de la littérature est alors de prétendre rejeter tout compromis avec les moyens de communication de masse et de se réclamer d'un art pur. Balzac déjà (dans *Illusions perdues* notamment, 1837-1843) présentait le journalisme comme un avilissement des poètes. Mais puisque le livre rapporte peu, le journalisme reste un moyen de subsistance pour les écrivains, y compris pour quelques-uns de la sphère restreinte. Par ailleurs, si le milieu de l'Art pour l'Art est défiant envers le journalisme au sens strict, il pratique abondamment le journalisme en revues ou en livres (Barrès, *Huit jours chez Monsieur Renan*, 1888, par exemple).

Le journalisme de la fin du XIXe s. devient si puissant qu'il menace d'écraser toutes les autres productions et qu'il va jusqu'à faire regretter le journalisme littéraire d'autrefois, pourtant tout aussi mal vu en son temps. On craint que le journalisme ne contamine la littérature elle-même, et les élites littéraires proposent de sévères mesures de prophylaxie. Leur discours sur la presse réitère inlassablement un fantasme de contamination et de déchéance rapide. Mais Zola, qui sacrifie parfois au topos de la presse immonde, ne renie pas sa contribution à la presse, contribution au reste multiforme (critique littéraire et critique d'art, « causeries » légères, chronique politique) ; il en parle comme d'un apprentissage utile par lequel il a trempé son style et rassemblé des informations sur la société contemporaine qu'il retraduit ensuite dans ses romans ; avec son *J'accuse* (1898), il donne des lettres de noblesse au journalisme engagé, lors de l'Affaire Dreyfus.

La fin du XIXe et le début du XXe s. voient naître un nouveau type de journalisme littéraire pratiqué par les reporters, ces « poètes de l'histoire immédiate », (P. Assouline, p. 17). Albert Londres, Jules Huret, Olivier Pain sont les vedettes du grand reportage, né avec le conflit russo-turc de 1877 ; ils inventent un genre qui, au sérieux, à la rigueur et à la sécheresse hérités du reportage anglo-saxon, joint le style, la « patte » littéraire d'un certain journalisme français, et le grand reportage passe pour un « véritable prolongement dans la presse de ce que le naturalisme a tenté dans le roman » (*ibid.* p. 71). Le grand reporter, c'est l'aristocrate du journalisme ; le reportage, par définition, implique une certaine liberté dans le choix des sujets, ainsi qu'un relatif affranchissement à l'endroit des contraintes de rentabilité et de productivité, d'une part, et des intérêts idéologiques des patrons de presse, d'autre part. Les reporters contribuent en somme, au tournant du siècle, à redorer le blason du journalisme, à ménager une certaine indépendance à l'égard du pouvoir politique ; ils annoncent la course effrénée à l'information et la puissance du « quatrième pouvoir » qui caractérisent l'époque actuelle. D'ailleurs, pour Jean-Paul Sartre, le journaliste par excellence n'est pas l'éditorialiste, mais le reporter.

La publication de *J'accuse* et les répercussions extraordinaires de ce texte sur l'opinion ont pesé sur le destin du journalisme littéraire qui, au siècle suivant, prend souvent la forme d'un journalisme de combat. L'activité journalistique cesse dès lors de passer pour un gagne-pain dégradant : on retient surtout son efficacité, son pouvoir, de même que sa remarquable faculté de « coller » à une actualité toujours changeante. Beaucoup d'écrivains du XXe s. ont pratiqué le journalisme, qu'il s'agisse d'auteurs comme François Mauriac et André Malraux, qui ont usé de cette tribune pour diffuser leurs réflexions sur la littérature et la politique, ou de journalistes comme Albert Camus qui sont ensuite venus à l'écriture littéraire. Il demeure toutefois que le journalisme littéraire réside avant tout aujourd'hui dans l'activité de critique (de livres, de théâtre, de civisme).

Dans le domaine de la fiction littéraire, on observe de nos jours un nombre croissant d'échanges entre écriture journalistique et écriture romanesque : tout autant que le cinéma, le journalisme a contribué à renouveler l'esthétique contemporaine ; son influence est visible notamment chez Albert Camus, André Malraux, Jacques Godbout, J.-M. G. Le Clézio et Marguerite Duras, dont certains livres exploitent le fait divers. Duras a d'ailleurs causé un certain émoi, il y a quelques années, en publiant dans un grand quotidien un article sur une affaire criminelle en cours qui faisait pencher cette dernière du côté de la fiction (D. Amar et P. Yana) : preuve, s'il en est, que les échanges entre journalisme et littérature ne vont pas toujours dans un seul sens. En revanche, le journalisme audio-visuel, aujourd'hui en pleine expansion, fait peu de place à la littérature – sauf quelques rares émissions télévisées de promotion – et induit des modes d'expression difficilement transférables dans l'écriture.

▶ AMAR D. & YANA P., « Sublime, forcément sublime : À propos d'un article paru dans *Libération* », *Revue des sciences humaines*, 1986, t. 73, n° 202, p. 153-176. — ANGENOT M., « Ceci tuera cela, ou : la chose imprimée contre le livre », *Romantisme*, 1984, n° 44, p. 83-103. — LEPAPE P., « Journalistes et hommes de lettres. Les Positions de l'*Encyclopédie* », *Recherches sur Diderot et sur l'Encyclopédie*, 1995, vol. 18-19, p. 105-113. — MITTERAND H., *Zola journaliste*, Paris, Armand Colin, 1962. — SGARD J., « Les Lumières du journaliste ou le Spectateur indiscret », *Beiträge zur Romanischen Philologie*, 1985, vol. 24, n° 2.

Robert DION

→ *Chronique ; Critique d'art ; Critique littéraire ; Engagement ; Fait-divers ; Fantaisie ; Feuilleton ; Médias ; Naturalisme ; Presse ; Roman.*

JUDAÏSME

En général, les écrivains juifs de langue française n'ont jamais vraiment constitué, à l'exemple de leurs homologues américains, un courant relativement autonome, et ceci en raison de l'orientation intégrante de la culture française. Resterait alors à se contenter d'une formule plate, comme celle d'Hanan Lehrman : « l'élément juif dans la littérature française » ; formule qui a le mérite d'obliger à définir, un à un, les critères de l'élaboration d'un tel concept.

Définir le judaïsme en tant que composante de la littérature française d'après la religion imposerait de se demander dans quelle mesure celle-ci a pu s'accommoder des critères de la littérature profane, ce qui déborde le cas français. D'après l'origine des écrivains ? Cela supposerait de tenir compte de ceux qui, tels que Francis de Croisset, Henri Duvernois, Tristan Bernard, André Maurois, Elsa Triolet et tant d'autres, sont de souche juive, mais se sont assimilés et n'ont porté qu'un intérêt tout à fait relatif à leur religion et à leur culture d'origine. Restent donc les auteurs chez qui les deux aspects sont présents à la fois. Dans les années 1930, sous l'impulsion d'Edmond Fleg et d'André Spire, un courant littéraire s'est dessiné autour de cette double appartenance. André Gide a essayé de le traiter comme une entité séparée, mais il a ainsi suscité la discrimination. Albert Thibaudet, au contraire, a cherché à articuler ces deux pans sous la forme d'un « doublet franco-sémitique » ; mais son philosémitisme a achoppé sur la même contradiction que le particularisme gidien : les deux pans ne peuvent être ni dissociés ni confondus et c'est leur articulation même qui est l'enjeu et la dynamique, notamment au plan littéraire.

Si pendant des siècles ont alterné tolérance et persécutions, longtemps il ne s'est pas manifesté en France d'intellectuels juifs en tant que tels. Les stéréotypes du juif avide de richesse et des manœuvres secrètes de cette communauté (le « juif errant ») ont constitué, en revanche, un fonds banal, lié à la condamnation par l'Église catholique du peuple qui condamna Jésus. Les premiers journalistes et écrivains d'origine juive apparaissent après la Révolution et l'Empire, au moment où les Juifs de l'Est et du Sud-Ouest de la France commencent à s'intégrer à la société française : Chateaubriand et Lamartine, qui se sont rendus à Jérusalem pour y méditer, notamment, sur les sources juives du christianisme, ont réhabilité le « Juif errant » et les autres « maudits » auxquels ils se comparaient. Certains de leurs successeurs s'intéressent ainsi aux courants refoulés de la tradition juive et chrétienne, l'ésotérisme et la Kabbale, et des lettrés juifs, notamment, Alexandre Weill, alimentent la réflexion de Nerval et de Flaubert. Le second Empire précipite l'intégration des communautés juives, en s'appuyant sur les milieux de banquiers et d'entrepreneurs, et érige Jacques Offenbach en chantre du régime. Le Parnasse, animé par des écrivains très souvent originaires de pays méditerranéens, reçoit deux écrivains issus des communautés du Sud de la France, Ephraïm Mikhaël et Lazare Bernard, qui remettent en valeur certains thèmes mythologiques hébraïques. Au début de la IIIe République, des hommes de lettres juifs tels qu'Eugène Manuel et Gustave Kahn accèdent à des charges officielles dans la culture et l'enseignement ; Kahn semble s'être fondé sur sa familiarité avec le verset biblique pour contribuer à l'éclosion du vers libre. Se discerne ici un trait de l'apport de ces écrivains : ils continuent de préserver une voie d'accès à la culture hébraïque à un moment où les courants d'avant-garde s'attachent à renouveler les modèles chrétiens et gréco-latin. Le symbolisme, quant à lui, se tourne vers l'inspiration anglaise et germanique. Des écrivains juifs issus des régions de l'Est de la France ou de culture germanique servent souvent d'intermédiaires entre les deux cultures : ainsi les frères Nathanson en créant la *Revue Blanche* (que l'antisémite Drumont appelle la *Revue juive*). Cette insertion des hommes de lettres juifs dans la vie mondaine est particulièrement visible au théâtre : Offenbach a imposé le modèle de « la Vie parisienne », Georges de Porto-Riche et Henri Bernstein triomphent dans le théâtre de boulevard. Quand l'antisémitisme se déchaîne avec l'affaire Dreyfus, Lazare Bernard – devenu Bernard Lazare – rejoint le courant anarchisant et socialisant et adopte le ton des Prophètes pour vitupérer les nouvelles injustices sociales et morales et décrire la misère des communautés juives de l'Europe de l'Est. Ce genre de personnage et de thèmes suscite l'intérêt de Péguy, Duhamel et Martin du Gard et se retrouve dans la *Recherche* de Proust. Au début du XXe s. la pensée relativiste contribue à élaborer une sorte de nouvelle anthropologie de l'imaginaire qui inclut la science (Einstein), la psychanalyse (Freud), la phénoménologie (Husserl), la philosophie (Bergson), la sociologie (Lévy-Bruhl, Durckheim, Mauss), la philologie (Sylvain Lévy) et l'Histoire (Marc Bloch), mais aussi la littérature (ainsi Proust) : nombre de ces auteurs proviennent des communautés juives de l'Est de la France. Dans le même temps, Marcel Schwob se penche sur l'ésotérisme et la langue de Villon, Jean-Richard Bloch sur le judaïsme alsacien, Armand Lunel se fait le chantre du judaïsme du Comtat-Venaissin et du Languedoc, Henri Hertz perpétue ses sources alsaciennes. Max Jacob contribue à développer l'ouverture internationale de la France en se liant à Apollinaire (correspondant, entre autres, de la revue de la communauté juive de Salonique) et à Picasso, et il s'impose comme le modèle idéal pour un « portrait de l'artiste en saltimbanque », à la fois christique et clownesque, que sa mort dans le camp de Drancy transformera en celui d'un « martyr » juif. Ces écrivains contribuent ainsi à jeter un pont entre les cultures et les littératures de régions françaises et des pays de l'Europe et de la Méditerranée dont ils sont issus.

La Première Guerre mondiale interrompt provisoirement ce mouvement. Il se redéploie entre les deux guerres. Des écrivains juifs participent au mouvement Dada et au Surréalisme. Beaucoup d'entre eux, issus de communautés minoritaires ou frontalières, se réfugient en Suisse, tel Tristan Tzara, issu d'une petite communauté roumaine. Yvan Goll, issu de la communauté alsacienne, se réfère à des modèles bibliques et kabbalistiques dans son théâtre et dans sa poésie et développe une poétique de l'errance. Ce thème prend un tour plus journalistique et plus familier dans les écrits de Joseph Kessel, qui sillonne le monde. D'autres écrivains juifs originaires des régions de l'Est se ressourcent dans leurs communautés d'origine et se rapprochent du mouvement sioniste qui cherche à s'organiser en France. André Spire et Edmond Fleg entreprennent alors de réassumer leur héritage par des poèmes d'inspiration juive et une anthologie du judaïsme français. Ce double mouvement d'assimilation et de revendication juive s'étend à d'autres communautés. Albert Cohen, Elian-J. Finbert, Pierre Neyrac, tentent de préserver une partie de leur héritage judéo-méditerranéen, tout en se confrontant au modèle français. Ils reprennent des schèmes de récits qui peuvent être rattachés, au Nord à la tradition rabelaisienne « carnavalesque » et, au Sud, au cycle de « Goha le simple » (Djoha, Geha, etc., selon les pays), qu'illustrent aussi Edmond Jabès (dans certaines séquences du *Livre des questions*) et Albert Memmi (*Le scorpion*). Ils sont rejoints par des représentants des communautés judéo-roumaines, Gherassim Luca, Paul Paon. Benjamin Fondane développe le thème de l'errance juive en l'assimilant à celle d'Ulysse.

Après la guerre, André Schwartz-Bart et Elie Wiesel sont parmi les premiers à témoigner du martyre juif. Le sujet met un certain temps à s'imposer à la conscience française, mais prend, avec les années, une importance grandissante. Sartre, concerné comme demi-juif, y contribue par ses *Réflexions sur la question juive*. La Shoah participe à la remise en question de certaines valeurs de la « modernité », notamment, la foi dans le progrès irréversible de l'Histoire. Manès Sperber, Arnold Mandel, Anna Langfus, David Scheinert, Claude Vigée, Edmond Jabès et Patrick Modiano s'y réfèrent, Vladimir Jankélévitch approfondit la réflexion sur le Mal et Emmanuel Levinas reconsidère, à partir des textes de la tradition juive, la problématique de l'altérité. Ce courant d'idées contribue à redonner une nouvelle dimension psychologique et morale à la littérature et à la théorie littéraire et à les articuler avec la philosophie (Lévinas, Sartre, Aron, Merleau-Ponty). Romain Gary et Jacques Lanzmann rouvrent l'horizon européen et global en y évoquant des pérégrinations qu'il relient, parfois, sur le mode humoristique et « grotesque », au vécu juif. Peu après, une nouvelle vague d'intellectuels et d'écrivains arrivés en France à la suite de la décolonisation accentue ce processus d'ouverture du modèle culturel français. Albert Memmi, devenu un porte-parole du mouvement anti-colonialiste, évoque les déchirements de sa communauté juive tunisienne d'origine. Edmond Jabès, qui a commencé sa carrière en Égypte, élabore un mode d'écriture où le livre allie des formes génériques hébraïques et juives (le « dit » des rabbins, le commentaire talmudique, les spéculations kabbalistiques sur les lettres et les chiffres, le « récit de vie » brisé, l'aphorisme...) et françaises (le roman, le journal, le poème en prose). Jacques Derrida reprend ces éléments dans la réflexion sur la « déconstruction », la « différ(a)nce » et la « dissémination ». Henri Meschonnic fonde sa poétique sur une théorie de la traduction et du rythme qu'il tire, notamment, de ses traductions de l'hébreu. Georges Pérec et Marcel Benabou se réfèrent, à la fois, à l'OuLiPo et aux spéculations talmudiques et kabbalistiques. Serge Doubrovsky et Hélène Cixous, enfin, contribuent à l'élaboration de l'« autofiction ».

▶ Feigelson R., *Écrivains juifs de langue française*, Paris, Jean Grassin, 1960. — Horn P. L., *Modern Jewish writers of France*, New York, E. Mellen, 1997. — Lehrmann C., *L'élément juif dans la littérature française*, Paris, Albin Michel, 1961. — Lévy C., *Écritures de l'identité — Les écrivains juifs après la Shoah*, Paris, PUF, 1998. — Mendelson D., « Proust et le judaïsme », *in* Barnavi E. et Friedlander S., *Les Juifs et le XXe siècle*, Paris, Calmann-Lévy, 1999.

David Mendelson

→ *Bible ; Exil ; Guerre ; Israël ; Religion.*

JUDICIAIRE (Littérature)

L'expression « littérature juridique » désigne les traités et les textes du droit. La « littérature judiciaire », expression moins courante, peut être utilisée pour rendre compte de l'influence des métiers juridiques sur la vie littéraire, tant en ce qui regarde la profession des écrivains que les effets d'écriture et les thèmes soumis à cette influence. Celle-ci procède des origines de la rhétorique qui est marquée par le modèle judiciaire des argumentations symétriques de la défense et de l'accusation, mais, plus encore, du besoin des hommes en société de symboliser leurs passions sur les scènes de la politique, du tribunal et de l'art.

Le théâtre grec est lié au développement du droit, parce qu'il est le lieu d'un débat qui s'achève en catharsis. La rhétorique l'est également, tant comme activité (dès la Grèce antique) que comme école de l'argumentation (Cicéron, *Les catilinaires*). Dès leurs origines donc, littérature et justice s'intéressent aux mêmes domaines en recourant parfois à des moyens comparables.

Les textes littéraires médiévaux font souvent écho aux règles qui régissent le droit d'une société qui ne connaît pas encore de code diffusé par l'imprimerie. Outre les coutumes et les textes à vocation proprement juridique qui forment une part importante du corpus, les écrits de fiction mettent souvent les limites de la loi à l'épreuve : le *Roman de Renart*, par exemple, fait entendre aux XIIe-XIIIe s. la voix rusée et intelligente de celui qui détient l'art du discours et qui échappe sans cesse à la justice de la cour de Noble, le lion.

Le vocabulaire spécialisé du droit, bien connu par le public des clercs, est mis à profit par de nombreuses parodies, depuis les farces médiévales (*La farce de Maître Pathelin*, XVe s.) jusqu'aux comédies classiques (*Les plaideurs*, 1668) et aux revues théâtrales des membres du barreau. Mais les interventions de l'écrivain ne se bornent pas au registre satirique. La littérature peut, comme la justice, conduire une quête de vérité. De *L'affaire Callas* avec Voltaire au *J'accuse* de Zola, elle tente d'infléchir les jugements. Elle peut également chercher à en revoir le prononcé, soit pour contester ses fondements idéologiques (intervention des surréalistes en faveur de la parricide *Violette Nozière*, 1933), soit pour en appeler à une réflexion nouvelle (M. Foucault et al., *Moi, Pierre Rivière...*, 1984).

En sens inverse, par le fait même que la littérature s'inscrit toujours dans une éthique et un langage socialisés, elle s'expose tout au long de son histoire aux jugements du pouvoir et aux censures de l'appareil judiciaire.

Le développement du roman policier, à partir du XIXe s., donne naissance à une représentation de la vie judiciaire, où les figures de l'enquêteur, du défenseur, du juge, de l'accusateur acquièrent une notoriété considérable. Pour leur part, certains avocats ont également tenté, à la fin du XIXe s., de créer un genre littéraire nourri par la vie des cours et des tribunaux (E. Picard et *Le journal des tribunaux*). Ce « roman judiciaire » connaît un succès éphémère vers 1900 (G. Macé, *Crimes impunis*, 1897).

Plus généralement, l'univers ritualisé de la justice donne lieu à une mythologie largement exploitée par la littérature (thèmes du crime et de la vengeance, du mensonge et de la vérité, du masque et du dévoilement...). La rhétorique argumentative des procès fascine nombre d'écrivains et leurs lecteurs, que ce soit dans le genre romanesque (M. Yourcenar, *L'œuvre au noir*, 1968), dans l'essai théâtralisé (J.-C. Carrière, *La controverse de Valladolid*, 1992) ou dans les adaptations radiophoniques et télévisées des grands procès (F. Pottecher). Le cinéma a naturellement accompagné ce mouvement.

Si l'enseignement spécialisé de la pratique littéraire n'apparaît qu'au XXe s. de manière marginale avec les ateliers d'écriture, deux professions bénéficient depuis le Moyen Âge d'un apprentissage systématique des arts du discours. Le prêtre et l'avocat doivent maîtriser l'argumentation et connaître à cet effet les figures et les affects qui influencent leurs auditeurs. Ils mobilisent également les récits qui peuvent servir de support à leur propos (*exempla*) et font, notamment sous l'égide des Jésuites, l'expérience de leur mise en scène par l'usage pédagogique du théâtre. Dans les siècles suivants, ces techniques servent encore de base aux méthodes de l'enseignement laïc. Elles sont donc à l'origine de la formation intellectuelle de la plupart des écrivains, dont un certain nombre ont d'ailleurs fait des études de droit et / ou rédigé des textes juridiques (Montesquieu, *L'esprit des Lois*).

Par sa précision démonstrative, le langage juridique, auquel le code Napoléon apporte un supplément de légitimité grâce à ses emprunts au droit romain, constitue également une rhétorique de référence à laquelle s'identifient nombre d'écrivains soucieux d'échapper à l'emphase et aux métaphores de la littérature (Stendhal, Valéry).

▶ POSNER R. A., *Droit et littérature*, trad. de l'anglais C. Hivet et P. Jouary, Paris, PUF, 1996. — Coll. : *Théâtre et justice*, L. Bove (dir.), Paris, Quintette, 1991.

Paul ARON

→ *Argumentation ; Censure ; Exemplum ; Orateurs ; Rhétorique ; Roman policier.*

L

LAI

Selon l'hypothèse généralement admise, l'origine du « lai » est à chercher dans le vieil irlandais « laid » qui désigne une composition musicale. En ancien français, un « lai » désigne une pièce de poésie lyrique. Cependant le mot « lai » s'applique également, – et c'est dans cette acception qu'il accède à une certaine notoriété – à une forme narrative brève en vogue aux XIIe et XIIIe s. Composés, à l'instar des romans en vers et des fabliaux, en octosyllabes à rimes plates, les lais se présentent comme des « nouvelles en vers ».

Dès la fin du XIIe, mais surtout au XIIIe s., des trouvères de Champagne et de Picardie composent des « lais lyriques », qui se caractérisent par l'emploi de strophes hétérométriques. Ces pièces sont fort proches du *descort*, en usage chez les poètes de langue d'oc (les « troubadours). Le XIVe s. voit le lai accéder à une certaine fixité formelle, sous l'impulsion du poète et musicien Guillaume de Machaut. Le *Roman de Fauvel* de Chaillou du Pestain, Christine de Pisan et Froissart se servent de cette forme. Des « lais » apparaissent également dans les romans arthuriens en prose, à titre d'insertions lyriques.

Mais, d'autre part, existe un genre du lai narratif, dominé par l'œuvre poétique de Marie de France. Un recueil célèbre rassemble en effet sous son nom une collection de douze lais précédés d'un important prologue. Ces récits proposent la transposition d'anciens « lais bretons », d'essence musicale, dont la narration tenterait de restituer l'« aventure ». Ainsi le lai se présente comme un récit qui, faisant curieusement fi de sa composante narrative, affirme relever avant tout d'un principe mélodique, dont il aurait pour mission de faire perdurer, par-delà les mutations génériques, la trace. Ainsi en irait-il, par exemple, d'une composition musicale élaborée dans un lointain passé breton par Tristan à l'occasion d'une brève entrevue avec Iseut (*Lai du chèvrefeuille*).

La définition du lai narratif se heurte au problème de la plurivocité de sa référence générique. Mais la consistance de cette forme narrative peut être mise en doute aussi par la difficulté qu'il y a à lui assigner un corpus de textes clairement délimité. L'interférence de deux termes, lai et fabliau, qui servent tous deux à désigner des récits brefs en octosyllabes à rimes plates, maintient une certaine confusion entre ces deux genres, malgré une opposition idéologique aussi certaine. Le lai se donne généralement à lire comme un récit investi par les valeurs raffinée de la courtoisie, alors que le fabliau se situe d'emblée dans un univers ouvert sur les représentations du bas corporel. Là où le lai déplore les déplaisirs de la « malmariée », soumise à un vieillard jaloux, et justifie les amours secrètes de la malheureuse avec le chevalier de ses rêves, le fabliau se tourne vers la jubilation blasphématoire que procurent les fourberies d'amants et d'épouses rusées, de prêtres hypocrites ou de marchands cauteleux. Néanmoins, nombre de récits brefs jouent de ces distinctions pour faire advenir, comme dans le *Lai du Lecheor* (« lai du débauché »), un propos obscène dans une scène courtoise. Lai et fabliau jouent souvent de leurs formes jumelles pour maintenir ouvert le dialogue entre style bas et style élevé.

Pour tenter de sortir de ce désarroi classificatoire, Jean Frappier a proposé une définition du lai qui repose sur un fait de structure. Selon lui, le lai donne accès à un espace narratif marqué par une profonde dichotomie entre un univers quotidien, prosaïque, et un « autre monde » dont l'accès serait réservé à un être d'élite. L'aventure du lai tient dans le mode de révélation de ce lieu d'altérité. La présence d'une telle dichotomie structurelle permet de postuler que tel récit bref correspond à la poétique propre au lai narratif, même si nombre de ces textes introduisent dans leur intrigue les accents d'une subtile ironie qui prend en défaut la représentation idéalisée d'une société courtoise et policée.

À la fin du Moyen Âge, les distinctions entre lai et fabliaux s'effacent par suite de l'avènement de la prose : la nouvelle vient alors prendre le relais de l'un et de l'autre.

▶ BAADER H., *Die Lais : zur Geschichte einer gattung der altfranzösischen Kurzerzählungen*, Francfort-sur-le-Main, V. Klostermann, 1966. — BEC P., *La lyrique française du Moyen Âge*, Paris, Picard, 1977, vol. 1, p. 189-213, vol. 2, p. 126-145. — DRAGONETTI R., *La musique et les lettres, études de littérature médiévale*, Genève, Droz, 1986, p. 99-121. — FRAPPIER J., *Études d'histoire et de critique littéraire*, Paris, Champion, 1976, pp. 15-35. — MAILLARD J., *Évolution et esthétique du lai lyrique des origines à la fin du XIVe s.*, Paris, Thèse, s. e., 1963.

Yasmina FOEHR-JANSSENS

→ *Comique ; Cour (Littérature de) ; Fabliau ; Folklore ; Lyrisme ; Médiévale (Littérature) ; Musique ; Nouvelle ; Récit (Théories du).*

LAÏCITÉ

En matière de religion, « laïc » désigne un profane, par distinction d'avec le prêtre. La « laïcité » définit l'option idéologique où un État moderne se délie de toute obédience religieuse. Le mot apparaît en 1873, lors de l'établissement de la IIIe République, au cours de luttes entre un courant catholique favorable à une restauration monarchique et un courant républicain. La laïcité se traduit alors dans le domaine de l'enseignement (en particulier élémentaire) par des décisions qui instaurent l'École publique détachée de l'Église. Plus généralement, la « laïcisation » pose, dans de très nombreux pays, la question toujours complexe des relations entre autorités civiles et religieuses. En un sens différent, le rôle et la fonction des intellectuels ou des hommes de lettres ont souvent été définis, dès le début du XIXe s., comme un « sacerdoce » se substituant à celui qu'exerçait l'Église : un « pouvoir spirituel laïque » (Bénichou).

Le terme même de laïc est né au creuset du religieux. Il désigne d'une part celui qui n'est pas un « clerc », l'homme du peuple ou l'illettré, mais également les « frères – et sœurs – *lais* » : il s'agit de conventuels ou de moniales qui n'ont pas reçu les ordres mais qui vivent avec les religieux, au monastère. Avec la Réforme, le laïcisme apparaît, en Angleterre au milieu du XVIe s., dans la revendication du droit pour des chrétiens laïques de gouverner l'Église et de nommer les évêques.

En France, les guerres de religion imposent une laïcisation partielle de l'État, tenu de garder un équilibre entre catholiques et protestants, et donc de distinguer les pouvoirs temporels et spirituels ; mais cette distinction n'est pas synonyme d'une distinction entre le politique et le religieux. La Révolution française instaure celle-ci. Siéyès distingue l'individu – *homo civilis* – et le citoyen – *homo politicus* – et, après 1789, le pouvoir politique est progressivement détaché de son association millénaire avec le religieux : légalisation du divorce et du mariage civil, constitution civile du clergé et saisie de ses biens, enfin exécution du roi, qui symbolise la désacralisation du pouvoir. Le concordat de 1801 met la laïcité en retrait. La IIIe République la remet en avant : instauration d'une École déliée du contrôle religieux, loi de 1905 sur la séparation de l'Église et de l'État. La laïcité est restée un combat au XXe s., en particulier dans le domaine de l'enseignement. Tel est également le cas dans de nombreux pays francophones, où le poids des institutions religieuses dans l'enseignement et dans la culture a été ou est significatif. Au Québec, l'Église catholique domine la vie culturelle jusqu'à la Révolution tranquille des années 1960 et, en Belgique, elle régit une majorité d'écoles ; au Maghreb, les choix de langue (d'enseignement et d'écriture) ne sont jamais étrangers aux options politico-religieuses. Dans les pays touchés par la Réforme, enfin, la problématique est tout autre (en Suisse, par exemple).

Cruciale dans les questions d'enseignement et de religion, la laïcité retentit inéluctablement sur la littérature. Ainsi de la création des agrégations de Lettres en 1766 : après l'expulsion des Jésuites (1762), il s'agissait pour l'État de trouver un mode de recrutement des professeurs qui permette de remplacer les enseignants jésuites sans pour autant faire passer les collèges sous la coupe des jansénistes qui dominaient dans l'université de Paris. Les luttes des philosophes pour la liberté d'opinion religieuse rejoignaient ainsi l'enjeu de la transmission des modèles littéraires. Plus profondément, dès l'âge classique, nombre d'écrivains avaient estimé que la littérature gagnait à se tenir sur la réserve à l'égard des questions religieuses. Ces deux problématiques persistent ensuite. D'une part, avec l'avènement d'un pouvoir symbolique de la littérature en tant que magistère laïque – c'est la démonstration de Paul Bénichou – porteur des valeurs d'identité collective. D'autre part, dans des polémiques à propos de l'école. Ainsi, les Goncourt en appellent, dans leur *Journal*, à une école et à une charité laïques, à quoi s'oppose *La grande peur des Bien-Pensants* de Georges Bernanos (1931), notamment, en France, sous la IIIe République. Par ailleurs, la franc-maçonnerie francophone a pour tradition la défense des valeurs laïques, ce qui nourrit de nombreux textes engagés (*La légende d'Ulenspiegel*... de Charles De Coster en Belgique, 1867, par exemple) qui ne sont cependant pas toujours des écrits de propagande ou des textes à clés. Aux XIXe et XXe s., les romans et les feuilletons abondent qui mettent en scène la lutte entre un laïc républicain ou sympathisant des partis de gauche, instituteur de son état, et le curé conservateur (par exemple *Sidonie, ou la destinée désillusionnée*, feuilleton de *La République française*, 1871). Certains écrivains prennent alors occasion des polémiques sur la laïcité pour accroître leur notoriété : ainsi Maurice Barrès, de ses prises de position contre Dreyfus jusqu'à la seconde campagne contre l'École laïque, qu'il emmène, à partir de 1907, dans *Le Gaulois* et *L'Écho de Paris*. En revanche, l'expression de la laïcité en littérature semble moins vive dans la période ultérieure.

Dans sa formalisation moderne, la laïcité est typiquement française. Elle n'a pas d'équivalent dans les autres pays francophones, parce que la France est le seul État qui se définisse comme laïque. Cette exception historique justifie l'importance des luttes qui s'y déroulent ainsi que leurs traductions littéraires. Ses conséquences se mesurent sans doute à la quasi-disparition, dans le discours critique et pédagogique, des textes littéraires qui militent explicitement contre les valeurs du discours de l'État (dans la littérature catholique par exemple). Mais elles se marquent peut-être aussi, à rebours et à la manière d'une espèce de refoulé de l'inconscient collectif, dans la définition de la littérature comme substitut du sacré, qu'attestent les métaphores souvent employées à son sujet comme « vocation », « culte », « sacerdoce », « entrer en littérature », « bible »...

▶ BÉDOUELLE G. & COSAT J.-P., *Les laïcités à la française*, Paris, PUF, 1998. — BÉNICHOU P., *Le sacre de l'écrivain (1750-1830) : essai sur l'avènement d'un pouvoir spirituel laïque dans la France moderne*, Paris, Gallimard, [1973], 1996. — CHARLE C., *Naissance des « intellectuels »*, Paris, Minuit, 1990. — OZOUF M., *L'École, l'Église, la République (1871-1914)*, Paris, Le Seuil, 1982. — SAUPIN G. (éd.), *Tolérance et intolérance, de l'Édit de Nantes à nos jours*, Rennes, Presses universitaires de Rennes, 1998.

Eric VAN DER SCHUEREN

→ *Engagée (Littérature) ; Engagement ; France ; Intellectuels ; Lumières ; Religion.*

LAMENTATION → Complainte

LANGUE FRANÇAISE (Histoire de la)

Au sens large, l'histoire de la langue inclut l'ensemble des histoires spécialisées que sont : l'histoire phonétique, l'histoire de la grammaire, l'histoire des mots (étymologie, évolution, histoire sémantique). Au sens restreint, elle est l'étude de la langue, envisagée comme un système évoluant au fil du temps. En ce sens, elle ne se confond pas avec la linguistique historique, parce qu'elle inclut des distinctions selon les milieux qui ont fixé les normes.

Pensée des origines et des parentés, la linguistique historique se réfère plus spécifiquement à l'étude interne de l'évolution des langues. Ainsi l'idée d'une genèse et d'une filiation du français, d'un lien généalogique – à l'hébreu, au latin, au grec, au celte –, est-elle perceptible dès le Moyen Âge, mais en vertu d'un sentiment d'appartenance ou de concurrence réciproques et d'un point de vue atemporel (non diachronique), qui tend à englober l'étude de la langue dans le domaine de la rhétorique, de la poétique ou de la grammaire. Comme telle, la linguistique historique s'est d'ailleurs encore longtemps confondue avec celle-ci ou avec la grammaire historique. Si l'idée de faire du français, envisagé dans son histoire, un objet de recherche remonte donc aussi haut que les premières réflexions sur la langue vernaculaire elle-même, elle ne trouve son application qu'à partir du XVIe s. et rentre dans le champ d'une investigation plus systématique à la Renaissance, avec des humanistes comme les Estienne et surtout la *Défense et illustration de la langue française* de Joachim Du Bellay (1549). Elle reste cependant dominée par la perspective idéologique d'une célébration de l'idiome national, déjà présente au Moyen Âge dans l'affirmation progressive du parler « vulgaire » par rapport au latin. Époque de la création de l'Académie (1635), le XVIIe s. consacre des efforts à réglementer et à rationaliser la langue en la soumettant à l'usage littéraire et à celui de la société aristocratique, sous l'influence des grammairiens (Bouhours, Vaugelas). Le XVIIIe s. établit la provenance du français du latin familier. Sous l'égide des comparatistes allemands (en particulier de Friederich Diez), le XIXe s. démontre cette filiation, le XXe s'attelle au problème de la transition de l'un à l'autre.

Face à ce domaine, l'histoire de la langue se réclame davantage d'une approche externe, ce que la constitution de cette discipline met d'ailleurs clairement en évidence. Par ses premières entreprises – grammairiens et humanistes du XVIe s. – et tout au long de son parcours, jusqu'au moment de son épanouissement au XIXe s., l'histoire de la langue française paraît ainsi difficile à extraire d'une recherche d'identité, de l'idéologie de son objet, et des fluctuations de son parcours au sein des sciences humaines. Pour les périodes qui marquent une évolution sensible (par exemple la « première Renaissance » des XIIe - XIIIe s., l'ère classique ou la Révolution française), elle réserve d'ailleurs une part notable de son attention aux situations d'interférence, aux faits de politique linguistique, résultant soit de choix délibérés, soit des tendances patriotiques de certains mouvements ou de moments de son développement, etc.

Son étude a ainsi partie liée autant avec la linguistique et la grammaire qu'avec l'histoire proprement dite, dont elle tend d'ailleurs à adopter les découpages.

Les relations de l'histoire de la langue avec la littérature découlent de la nature même de l'opération historique – autrement dit de l'objectivation que le regard à distance impose à son champ d'application – et de la qualité que ce décalage temporel confère à ses matériaux. Pour des raisons soit idéologiques (valorisation exclusive de la « belle langue »), soit contingentes (disparition des autres types de production scripturaire), l'écrit paraissant seul susceptible de permettre une analyse rétrospective, les textes littéraires lui ont longtemps fourni la référence de toute forme d'expression. Ainsi l'*Histoire de la langue et de la littérature françaises* de L. Petit de Julleville, parue entre 1896 et 1899, assimile encore les deux objets. Publiée à partir de 1905, l'*Histoire de la langue française* de F. Brunot est au contraire rédigée dans une perspective qui fait du matériau linguistique une donnée spécifique. Cette nouvelle optique prévaut ensuite : l'histoire de la langue n'est plus considérée comme une histoire de la littérature (ou comme l'un de ses chapitres), mais comme celle de la langue *de tous les textes*. Dès le XIXe s., sa perspective devient donc essentiellement formaliste : elle s'intéresse à tous les faits matériels dont les écrits fournissent le témoignage et les signes d'une évolution d'une période à une autre, voire entre auteurs ou pratiques d'écriture de la même époque. À ce titre, elle peut être considérée comme une part de la philologie. Aussi, il n'est pas étonnant que sa fonction ait souvent été réduite à l'analyse interne, de type normatif, des principaux systèmes qui caractérisent la langue. S'attachant tout particulièrement au vocabulaire, à la recherche étymologique, et, du moins pour les périodes qui marquent un écart avec la situation actuelle du français, à la morphologie, à la phonétique et aux faits de prononciation, ou encore à l'orthographe, elle n'a absorbé que de façon plus sporadique la syntaxe et, en dernier recours, tout ce qui relève de la sémantique ou de la stylistique.

F. Brunot, dont l'œuvre monumentale reste sans équivalent dans le domaine général de l'histoire de la langue, apparaît ainsi comme un pionnier de l'étude interne et scientifique, c'est-à-dire entièrement fondée sur des documents, de la langue française. Cependant, même si l'ouvrage semble dominé par une grammaire comparative implicite, de nature pragmatique (il scinde la matière linguistique en coupes horizontales et suit ensuite la méthode synchronique, tout en maintenant l'idée d'une continuité historique), il se réclame d'une approche sociologique et psychologique par les nombreux rapports qu'il établit entre la société et la langue ou, pour reprendre le titre d'un autre ouvrage de F. Brunot, entre la pensée et la langue. L'idéologie que les travaux de F. Brunot instaurent pour le français exprime ainsi une symbiose entre la conscience d'une évolution linguistique, de changements organiques (dont le schème est fourni par les sciences naturelles), et de l'influence extérieure qui s'exerce sur la langue (envisagée sur le plan institutionnel, ce qui la soumet au point de vue des sciences sociales). Les faits de langage sont simultanément référés à la situation sociale et psychologique des locuteurs, et c'est le modèle sociolinguistique qui confère à cette pensée sa caractéristique en mettant au cœur de ses principes la langue comme système global, et la relation du temps, de l'espace et des institutions.

▶ BRUNOT F. (et al.), *Histoire de la langue française des origines à nos jours*, Paris, A. Colin, 13 tomes, 1905-1953. — CERQUIGLINI B., *La naissance du français*, Paris, PUF, 1991. — CHAURAND J., *Nouvelle histoire de la langue française*, Paris, Le Seuil, 1999. — LODGE R. A., *French : From dialect to standard*, Londres, New York, Routledge, 1993 ; trad. C. Veken, *Le français : histoire d'un dialecte devenu langue*, Paris, Fayard, 1997. — PICOCHE J. & MARCHELLO-NIZIA C., *Histoire de la langue française*, Paris, Nathan, 3e éd. revue et corr., [1989], 1994.

Bernard CERQUIGLINI, Olivier COLLET

→ *Académies ; Dictionnaire ; Grammaire ; Histoire ; Linguistique ; Littérature ; Norme ; Philologie ; Vocabulaire.*

LATINE et NÉO-LATINE (Littératures)

La littérature latine, née à Rome, s'est développée en Italie, puis dans tous les pays soumis à la domination romaine (Europe, Afrique du nord, Moyen Orient). On peut considérer qu'elle s'étend du IIIe s. avant J.-C. (époque républicaine) au Ve s. après J.-C. (476 : chute de l'Empire d'Occident). Quoique constituée sous l'influence de la culture grecque, elle témoigne d'un « génie » romain qui compose le substrat de la culture européenne moderne. Bien que le Moyen Âge ait connu plusieurs « renaissances » de la littérature latine, on convient d'appeler littérature « néolatine » l'ensemble des écrits inspirés des lettres romaines, rédigés dans un « nouveau latin » (en fait, à l'antique, différent du latin médiéval), depuis l'époque de Dante et Pétrarque jusqu'à nos jours (Ijsewijn, 1977).

Après une période pré-littéraire proprement italique, mal connue de nous, la littérature latine émerge en 240 avant J.-C. avec Livius Andronicus. En deux siècles les Romains conquièrent la maîtrise de très nombreux genres littéraires : théâtre comique et tragique (Naevius, Plaute, Cécilius, Térence, Pacuvius, Accius), épopée (Ennius), satire (Lucilius), histoire (Caton, annalistes), rhétorique (les Gracques). C'est au Iᵉʳ s. avant J.-C., à la fin de la République (Cicéron, César, Salluste, Lucrèce, Catulle) et au début de l'empire d'Auguste (Tite-Live, Horace, Virgile, ainsi que les élégiaques Gallus, Tibulle, Properce et Ovide) que cette littérature s'épanouit. Les milieux cultivés, malgré leur admiration pour la culture grecque, s'attachent surtout à enrichir et promouvoir leur langue « nationale ». Celle-ci est rapidement considérée comme « classique » et fournira au Moyen Âge et aux siècles modernes les modèles les plus imités. Cependant, tandis que Cicéron codifie l'éloquence, Horace la poétique (Boileau le prendra pour modèle), tandis que Virgile, après Homère, immortalise le genre épique, tout en célébrant, comme l'historien Tite-Live, la paix et l'ordre, Catulle, puis Ovide, sous l'influence du maniérisme alexandrin (un courant esthétique lancé deux siècles plus tôt par les Grecs d'Alexandrie), s'adonnent à une écriture plutôt dissidente, artistement désordonnée, à la fois violente et précieuse. Dès lors, la littérature latine, jusqu'à la fin de l'Empire, oscille entre le rêve d'un retour au classicisme augustéen et la tentation d'une esthétique plus alexandrine. À la créativité anxieuse, railleuse ou sublime de la période néronienne (milieu du Iᵉʳ s. : Sénèque, Lucain, Perse, Pétrone) succède celle de l'époque flavienne (seconde moitié du siècle : Pline l'Ancien, Quintilien, Valérius Flaccus, Silius Italicus, Stace, Martial, Juvénal, Pline le Jeune), qui s'efforce sans y parvenir, de retrouver la « paix dorée » d'Auguste. Au IIᵉ s., la littérature de l'Empire redevient grecque surtout (en particulier avec la floraison des romans grecs dont le XVIIᵉ s. retrouvera les schémas), même si l'on compte encore quelques écrivains latins de valeur (Suétone, Apulée, Aulu-Gelle). Vers la fin du IIᵉ s. (Tertullien, Minucius Felix), puis au IIIᵉ (Cyprien, Arnobe, Lactance) et surtout au IVᵉ et Vᵉ s. (Hilaire, Ambroise, Jérôme, Augustin, Prudence, Paulin de Nole) s'épanouit de nouveau une littérature latine fortement inspirée des maniérismes alexandrin et ovidien, mais tournée, pour l'essentiel, vers des sujets chrétiens. Quelques poètes païens émergent encore : au IVᵉ s., Ausone et Claudien, poètes du symbole et de l'objet ; au Vᵉ s., Rutilius Namatianus, Sidoine Apollinaire et surtout Martianus Capella, qui célèbre l'alliance des techniques littéraires et de la philosophie, et dont la faveur, au Moyen Âge et à la Renaissance, sera considérable.

À trois reprises (VIᵉ, VIIIᵉ-IXᵉ et XIIᵉ s.), le Moyen Âge a marqué un regain d'intérêt pour la culture antique, regroupant, étudiant et imitant les textes anciens, avec autant d'intérêt pour les « classiques » (Virgile et Ovide restent les auteurs les plus en vogue) que pour les Latins plus tardifs. Au XIIIᵉ s., les « pré-humanistes » padouans Lovato Lovati et Albertino Mussato, puis, au XIVᵉ Pétrarque et Boccace, préparent la grande Renaissance du XVᵉ s. italien. C'est au Quattrocento, époque des redécouvertes massives de la latinité antique (Le Pogge), que se développe la littérature néo-latine. L'humanisme « civique » de la première moitié du siècle (Léonardo Bruni, Coluccio Salutati) a pris Cicéron comme canon linguistique et stylistique, et la prose cicéronienne est bientôt devenue l'emblème de la puissante Église de Rome, tandis que les poètes, encore rares (les Strozzi père et fils, Pie II), suivent Virgile et les élégiaques latins. Dans la seconde moitié du siècle, à l'instigation du Florentin Ange Politien, s'élabore contre le « cicéronianisme » une réaction qui s'appuie sur la tradition littéraire alexandrine et sur Quintilien. Avec Politien, qui revendique l'usage d'un latin plus souple, empruntant à des modèles divers, souvent tardifs, lexique et tournures imagées, ressurgit l'exigence d'un génie et d'un style littéraires individualisés. La fin du XVᵉ s. compte ainsi de grands poètes (Politien lui-même, Pontano, Marulle) dont l'œuvre se caractérise par une variété savante et une veine très personnelle. Les aspirations culturelles des néo-latins italiens, relayées par Érasme, se diffusent dans toute l'Europe, tandis que la querelle du cicéronianisme se prolonge tard dans le XVIᵉ s. En France, dès l'époque du premier humanisme de Robert Gaguin et Guillaume Fichet (fin XVᵉ s.), les auteurs néolatins composent de longs poèmes religieux ou patriotiques de tonalité virgilienne. À partir des années 1530, la mode de l'épigramme se répand (Nicolas Bourbon, Gilbert Ducher, Jean Visagier imitent Martial et l'*Anthologie grecque*), principalement dans le cercle lyonnais où évolue aussi Maurice Scève, puis celle des emblèmes (Alciat). Plus généralement, les poètes néo-latins français (Germain de Brie et Jean Salmon Macrin), comme leurs collègues européens, ont le goût de la poésie de circonstance et multiplient, sous l'influence de Catulle, Horace et Stace, les recueils composites, d'inspiration autobiographique. Étienne Dolet, Jules César Scaliger, auteur d'une *Poétique* fameuse (1561), militent encore, quant à eux, en faveur du cicéronianisme. Pendant cette première partie du siècle, les humanistes réfléchissent sur le langage, l'imitation, la culture, côtoyant amicalement les poètes de langue française comme Rabelais et Marot, écrivant parfois eux-mêmes en français. L'exemple de Cicéron défendant le latin contre le grec, de même que la tradition alexandrine d'une recherche stylistique personnalisée, poussent certains de ces Néo-Latins à élaborer une défense de la langue française, dont le célèbre manifeste de la Pléiade, écrit par Du Bellay (1549), n'est que l'ultime et éclatant maillon. Même alors, la production en latin reste florissante. Michel de l'Hospital, Théodore de Bèze, Marc-Antoine Muret ainsi que les membres de la Pléiade (surtout Dorat, Jodelle, Belleau, Baïf et Du Bellay) composent des œuvres néo-latines de qualité, comme aussi l'historien et auteur dramatique Jacques de Thou, Jean Bonnefons, auteur de poèmes érotiques, Étienne de la Boétie, auteur de *Poemata* publiés par son ami Montaigne et qui eurent peut-être quelque influence sur les *Essais*.

Durant tout le Moyen Âge et la première modernité, le latin apparaît surtout, cependant, comme l'instrument du savoir (arts libéraux, théologie) et de l'enseignement, orchestré sous la férule de l'Église, et la langue de communication de l'Europe. Mais, même avec l'essor des langues nationales aux XVIIe et XVIIIe s., très vivant dans les écoles, le latin est loin d'être tombé en désuétude dans les milieux littéraires. Il s'impose toujours dans le domaine de la théologie et demeure la langue des savants : Descartes écrit aussi en latin. Par ailleurs la poésie didactique et religieuse néo-latine (Claude Quillet, les frères Santeul, Rapin, le cardinal de Polignac, le fabuliste Desbillons) connaît une faveur certaine, notamment dans les milieux jésuites. Le poème « écologique » du jésuite Jacques Vanière (*Praedium rusticum*, 1706), par exemple, est maintes fois réédité et traduit dans sept langues vernaculaires. Le théâtre néo-latin reste également vivant dans les milieux jésuites. L'épopée historique, en vogue au début du XVIe s., se maintient (Antonius Garissolius, 1649 ; Pierre Mambrun, 1658). Mais les Modernes s'opposent à l'hégémonie du modèle augustéen.

Au XIXe s., le latin demeure un élément important du cursus scolaire, et tient encore une place non-négligeable dans la créativité littéraire. Les poèmes néo-latins de Baudelaire ou Rimbaud restent assurément des cas isolés, mais on a pu montrer, par exemple, que dans une production importante, quantitativement et sociologiquement parlant, comme le roman à l'antique, ou dans des œuvres expérimentales comme les *Latineries* de Jean Richepin (1898) ou les traductions de Laurent Tailhade, la culture latine et néo-latine jouait un rôle important, en fournissant la base d'une langue poétique neuve (« enlatinisée »), support de la modernité décadente. Le monde académique lui reste également fidèle : Jaurès rédige en latin sa thèse sur Hegel à la fin du siècle.

À la fin du XXe s., la connaissance du latin est devenue l'apanage d'un petit nombre de spécialistes, et son enseignement décline. En littérature quelques rares poètes le pratiquent encore. Selon J. Ijsewijn, le dernier poète néo-latin français serait Edmond Lacoste, *Silves latines et françaises*, 1962, mais de jeunes poètes belges viennent de publier un volume de haïku en latin.

Le latin est la langue d'accès à l'Antiquité, et les littératures latine et néo-latine informent encore, parfois sans même que les auteurs en aient conscience, une grande partie de la culture contemporaine. L'épanouissement des langues vernaculaires s'est effectué, en Europe, à partir d'elles plus que contre elles. Elles ont produit les normes littéraires qui sont nôtres (division de la littérature en genres codifiés), mais aussi, dès leur naissance même, la contestation de ces normes (avec l'écriture romanesque antique, ou le lyrisme hybride des humanistes). Elles ont véhiculé une topique, issue de la technique rhétorique antique mais bien vite littérarisée, commune à toute la culture européenne (Curtius, Riffaterre), qui subsiste même quand l'imitation volontaire ne s'effectue plus. Elles ont procuré les bases d'une partie de l'herméneutique et de la stylistique de ces dernières décennies (Perelman, le groupe μ, Genette, Riffaterre, Hamon, etc.).

▶ BAYET J., *Littérature latine*, Paris, Armand Colin, régulièrement réédité depuis 1934. — CURTIUS E. R., *La littérature européenne et le Moyen Âge latin*, trad. franç., Paris, PUF, 1956. — IJSEWIJN J., *Companion to Neo-Latin Studies*, Louvain, Peeters, 1977-1997 (2 vol.), en coll. avec D. Sacré. — LA GARANDERIE M. M. de, *Christianisme et lettres profanes. Essai sur l'Humanisme français (1515-1535) et sur la pensée de Guillaume Budé*, Paris, Champion, rééd. 1995. — VOLPILHAC-AUGER C., *L'Antiquité au miroir du Grand Siècle : la collection* Ad usum Delphini, Grenoble, ELLUG, 2000.

Perrine GALAND-HALLYN

→ *Antiquité ; Création littéraire ; Érudition ; Herméneutique ; Humanisme ; Intertextualité ; Norme ; Renaissance ; Rhétorique.*

LECTURE, LECTEUR

Lire, c'est déchiffrer des signes écrits, à voix haute ou de manière silencieuse. Cette activité postule toujours une compréhension immédiate du texte, mais elle peut également impliquer une compétence interprétative particulière, élaborée, voire créatrice. C'est ce que désigne notamment l'expression de « lecture littéraire » qui s'est répandue depuis les années 1970.

Ainsi, le lecteur désigne autant celui qui lit (ce sens apparaît dès le XIVe s.) pour son propre compte, pour s'informer, s'instruire ou pour le plaisir que le professionnel de la lecture – clerc qui lit à haute voix ou correcteur d'épreuves typographiques.

L'histoire de la lecture est évidemment liée à celle de l'écriture, dont les plus anciens spécimens connus datent de quatre mille ans avant notre ère. Sa maîtrise a longtemps représenté un phénomène d'exception – moins toutefois que celle de l'écriture – et son développement est étroitement lié à celui de l'École. Son évolution est également fonction de l'histoire matérielle du livre. La lecture se fait d'abord à voix haute, ce qui est normal dans des sociétés où dominent les transactions orales, mais qui s'explique aussi par la difficulté de déchiffrer les manuscrits puis les premiers textes imprimés qui présentent une écriture continue, sans blancs ni ruptures. La lecture silencieuse est plus tardive. Attestée par saint Augustin à propos de saint Ambroise (*Confessions*, IVe s.), elle est facilitée par l'instauration, à l'époque carolingienne de la séparation entre les syllabes ou les mots et par l'introduction de la ponctuation puis, au XIIIe s., par la diffusion de manuscrits en langue « vulgaire » et en format réduit, et enfin, au milieu du XVIIe s., par la division du texte en paragraphes (le *Discours de la méthode* de Descartes, 1637, inaugure l'usage de l'alinéa en français). Toutefois, parce qu'elle est solitaire, la lecture silencieuse fait longtemps l'objet de sévères critiques de la part de l'Église et des tenants de l'ordre moral, notamment pour les jeunes filles, réputées trop impressionnables. L'invention de l'imprimerie et l'alphabétisation croissante de la population contribuent à répandre l'une et l'autre formes de lecture, bien que la seconde s'impose peu à peu comme la principale, pour ce qui a trait à la pratique individuelle. La lecture à haute voix demeure ainsi une activité sociale prisée dans les salons, les cafés et les familles jusqu'au XVIIIe s. et même au-delà. Émergent aussi des formes de lectures publiques : les écrivains lisent leurs œuvres, jadis dans les salons, aujourd'hui en récital ou à la radio alors que les comédiens donnent parfois en lecture, devant un public, le résultat de leur travail « à la table », préalablement à toute mise en scène.

Jusqu'à la fin du XVIIIe s. la plupart des lecteurs s'en tiennent à une lecture intensive où domine la relecture constante d'un corpus limité de textes, surtout religieux. Le passage de la lecture répétée d'un petit nombre de livres à la lecture chaque fois nouvelle d'un grand nombre de textes représente une mutation capitale. Cette mutation est renforcée par le développement de l'édition et du journal puis, à partir du XIXe s., par l'industrialisation de l'imprimerie, l'extension de l'enseignement et l'accroissement du réseau des bibliothèques. Longtemps réservée aux lettrés et aux classes dominantes, la lecture s'intègre désormais à une culture démocratique qui s'étend peu à peu aux classes populaires. La publication de journaux et de livres bon marché, l'émergence du magazine et le développement d'une écriture sérielle – le roman-feuilleton ou le « polar » par exemple – sont ainsi destinés à un public large.

Les différents secteurs du marché du livre, de large production ou de diffusion restreinte, la différenciation des publics (féminin ou masculin, professionnel ou amateur, régulier ou occasionnel) engendrent des modalités spécifiques de lecture où la mémoire et l'attention jouent sans nul doute des rôles différents. Des enquêtes ont permis d'établir des liens entre des types d'imprimés et la provenance des lecteurs, d'associer, en l'occurrence, des formes d'écriture relevant du discours social commun avec un large lectorat, et des formes spécialisées avec un lectorat restreint, formé par des élites culturelles. Ainsi, à la littérature de l'Art pour l'Art correspond la lecture « pure » (Bourdieu) et à la littérature en série correspond une pratique de lecture sérielle, qui est une autre forme de lecture intensive. Toutefois, l'association étroite des pratiques de lectures différenciées à des classes ou à des groupes sociaux particuliers exige des nuances. Au XXe s., en tout cas, la lecture dite populaire, de journaux, de magazines ou de romans sériels, ne concerne pas spécifiquement les milieux ouvriers ou paysans, mais touche la totalité des classes sociales. On sait également que la majorité des forts consommateurs de fictions sont des lectrices de toutes origines. De même, des éléments du fonds patrimonial lettré – diffusés par la culture scolaire – sont intégrés à la culture commune à la suite d'éditions bon marché et d'adaptations cinématographiques, théâtrales ou télévisuelles (*Les misérables* par exemple). D'autres formes d'expression, telles que la bande dessinée, ont acquis peu à peu une légitimité culturelle. Le récit d'aventures, le roman d'amour et le genre policier sont entrés sur la scène littéraire. Il reste que la lecture n'est pas socialement un partage complet, que nombre de textes posent des difficultés pour certaines catégories de lecteurs (outre les cas où ils ne correspondent tout simplement pas à leurs attentes). C'est que, qu'elle soit acquise à l'école ou ailleurs, la compétence n'est, en fait, qu'un aspect du phénomène auquel s'ajoutent les motivations et les objectifs de lecture. La perception du livre et de la littérature, les valeurs symboliques et sociales qui leur sont associées, les sentiments de familiarité ou d'étrangeté qu'ils inspirent, la conception même du statut du lecteur seraient au nombre des facteurs qui influencent le choix de lire ou ne pas lire certains types d'écrits.

Par ailleurs, selon une opinion courante, l'usage des médias audiovisuels et électroniques menace la lecture dans les activités de loisir, en particulier chez les jeunes. Des enquêtes réalisées au cours des années 1990 révèlent en effet qu'un individu sur quatre en France et au Québec n'a lu aucun livre durant toute une année et que le nombre de forts lecteurs de livres décroît progressivement. Par comparaison, les pays scandinaves obtiennent la meilleure moyenne sous ce rapport. Des recherches plus récentes (Baudelot, Cartier, Detrez) indiquent, néanmoins, un intérêt réel pour la lecture chez les jeunes et qui se traduit par des pratiques hétérogènes : lecture de périodiques, de best-sellers, d'œuvres du patrimoine, de textes interactifs, etc. Il en ressort que la lecture est toujours partagée avec d'autres loisirs – ainsi, selon une enquête d'Establet et Fellouzis, livre et télévision sont souvent en interaction en fait –, mais qu'elle est pourtant au centre de nombreuses activités, dont celles qui recourent à l'ordinateur. La lecture à l'écran signifie, en l'occurrence, une transformation des modes de lecture, par la possibilité qu'elle offre de fureter dans un texte, de l'indexer, de le fractionner voire de le recomposer à sa guise et l'usage du texte électronique représente une autre mutation de la lecture, qui crée l'illusion d'une démocratisation et d'une maîtrise élargie des savoirs.

La recherche contemporaine analyse la lecture selon trois grandes directions. Une réflexion sémiotique (Eco, *Lector in fabula*, 1985) vise à la production de modèles abstraits déterminés par les contraintes textuelles ; une analyse quantitative portant sur diverses périodes de l'histoire dégage les données empiriques et conjoncturelles des pratiques réelles de la lecture (Robine, Baudelot, Chartier) ; une analyse poétique et philosophique insiste pour sa part sur la coopération du lecteur à l'acte d'écrire, voire sur les représentations du lecteur et de la lecture que livrent les textes littéraires (Barthes, Derrida). Ces trois courants entretiennent peu de contacts les uns avec les autres.

La lecture est toujours un acte social, à quelque niveau qu'on l'appréhende : elle met en jeu une compétence apprise, des savoir-faire et des savoir-être qui varient dans l'histoire et selon les milieux sociaux. Aussi on peut aller très avant dans l'histoire de la lecture. Mais il est beaucoup plus difficile de cerner ce qui se passe dans les schèmes mentaux et postures de lecture, d'examiner le comportement réel de lecteurs réels. L'étude du « lecteur implicite », selon l'expression de W. Iser (1988) s'est heurtée à ce problème quand elle a voulu dépasser la description du lecteur attendu par le texte. La « rhétorique de la lecture » (M. Charles, 1977) reste également une problématique ouverte. La « rhétorique du lecteur » pour sa part (Schmitt et Viala, 1982) distingue cinq phases de l'acte de lecture : élection (choix de ce que l'on va lire), orientation (qui fixe les objectifs de la lecture), transposition (qui retranscrit les codes écrits dans les codes de la compréhension du lecteur), action (matérialité de l'acte de lecture) et mémorisation (stockage des informations captées). Cette description renvoie à une pédagogie de la lecture, puisque dans les sociétés contemporaines, c'est surtout l'École qui assure la socialisation de cette compétence, soit de manière directe, soit par effet induit (lorsque les parents se substituent à elle, par exemple). La question, dès lors, est celle du rôle de la littérature dans la formation des compétences de lecture. Si elle facilite incontestablement l'apprentissage de protocoles variés et de niveaux très différents, elle entraîne par ailleurs des effets d'imposition culturelle (privilégier l'extrait qu'on analyse en détail ou la « lecture pure », par exemple) qui peuvent interférer sur l'apprentissage souhaité puisque la lecture littéraire suppose que le lecteur soit impliqué et le soit avec plaisir, pour que les effets esthétiques puissent jouer à plein.

▶ BAUDELOT C., CARTIER M. & DETREZ C., *Et pourtant ils lisent*, Paris, Le Seuil, 1999. — CHARTIER A.-M., HÉBRARD J., *Discours sur la lecture, 1880-2000*, Paris, Fayard, 2000. — MANGUEL A., *Une histoire de la lecture*, Arles, Actes sud/Leméac, [1996], 1998. — ROBINE N., *Lire des livres en France des années 1930 à 2000*. Paris. Cercle de la librairie, 2000. — SAINT-JACQUES D. (dir.), *L'acte de lecture*, Québec, Nuit blanche, 1994.

Max ROY

→ *Clés (textes à) ; Critique littéraire ; Divertissement ; École ; Institution ; Plaisir littéraire ; Réception ; Valeurs.*

LÉGENDE

Légende vient du latin *legenda*, « ce qui est à lire », « ce qui doit être lu » ; la formule désigne à l'origine des récits sur les saints qui étaient lus en contexte monastique à des fins édifiantes.

Comme ces récits contenaient des miracles et des actions merveilleuses, on a appelé « légendes », par extension, des récits divers mais le plus souvent à sujet ancien, qui présentent des faits extraordinaires comme historiquement vrais.

Les premiers récits hagiographiques médiévaux (en latin) se présentent comme des « *legenda* », histoires qu'on doit lire pour y trouver des modèles de vie. Ces vies ont plus tard été réunies en recueils, dont le plus célèbre, la *Legenda aurea* (composée avant 1264 par Jacques de Voragine), a été très largement diffusée en latin, puis en français, et lu par tous jusqu'à la Renaissance. Le schéma exemplaire de ces histoires, qu'on retrouve sur les vitraux des églises, comprend le plus souvent une jeunesse peu religieuse, suivie d'une conversion, puis du martyre, éventuellement précédé ou suivi de miracles. Des histoires dérivées de ces vies de saints ont imprégné le folklore, notamment sous forme de chansons (par exemple la *Légende de saint Nicolas*) et d'histoires diffusées oralement avant d'être recueillies et publiées au XIXe s. Après l'histoire religieuse des XVIIe et XVIIIe s., qui se proposait de distinguer les faits véritablement attribuables aux saints des embellissements populaires, la création littéraire élaborée et profane s'empare de la légende au XIXe s. Hugo en fait un genre de poésie narrative : dans *La légende des siècles*, il raconte les épisodes de l'histoire universelle qu'il juge les plus frappants. Publié en plusieurs livraisons de 1859 à 1883, le recueil mêle des récits empruntés à la Bible (section *Ève et Jésus*), à l'histoire du Moyen Âge, puis de la Révolution et de l'époque napoléonienne, et inclut même une vision du futur (*XXe Siècle*, et *Hors des temps*). Le récit s'inscrit dans le registre épique et transforme en évocations mythiques des épisodes attestés, mais aussi des fictions traditionnelles ou inventées par Hugo. À son tour, Flaubert propose dans ses *Trois Contes* (1877) une version littéraire de la légende, cette fois en prose et dans un registre plus tragique : *La légende de saint Julien l'Hospitalier* revendique explicitement le modèle du vitrail et de la *Legenda aurea*, mais l'ensemble des *Trois Contes* peut être regardé comme une écriture de la « légende » (biblique avec *Herodias*, moderne avec *Un cœur simple*), et une autre des œuvres de Flaubert, *La tentation de saint Antoine* (1874), participe de la même inspiration, bien que, fidèle à l'idéal de l'Art pour l'Art, Flaubert ne donne aucune fin édifiante explicite à ses textes. La réflexion historique sur l'hagiographie, la réappropriation littéraire et le travail des folkloristes sur les contes et légendes traditionnels participent en fait du même lent mouvement de désacralisation et de décrédibilisation de la légende, dont la dernière étape est la diffusion massive de volumes de « contes et légendes » publiés par de grands éditeurs (Hachette, Nathan) à destination d'un public surtout enfantin.

Au sein de l'ensemble des récits hérités de la tradition, le genre de la légende conserve aujourd'hui de ses origines médiévales un rapport particulier au vrai : la légende n'est pas le conte, caractérisé par la fantaisie de son merveilleux (les contes de fées) tandis qu'elle est censée rapporter des événements authentiques mais embellis et devenus invérifiables. Cette idée d'embellissement, cependant, signifie précisément qu'on n'y croit plus : la croyance dans les légendes apparaît aujourd'hui comme caractéristique d'un public naïf, populaire ou enfantin, alors qu'en réalité, ce qu'on considère maintenant comme des légendes, lues ou récitées à haute voix, recueillait autrefois l'assentiment de tous, des lettrés au peuple. La réappropriation de la légende par les écrivains du XIXe s. se nourrit diversement de cet imaginaire du public populaire des temps naïfs : Hugo se donne pour un écrivain qui renvoie le genre à ses sources premières, tandis que Flaubert, en s'emparant du même genre, en fait la matière d'un exercice d'écriture littéraire très élaborée. De fait, la vocation édifiante de la légende persiste encore chez Hugo, et disparaît chez Flaubert. Elle n'est guère plus présente dans les recueils modernes de « contes et légendes » : l'idée de fiction s'est imposée, et la légende est désormais perçue comme une histoire curieuse et divertissante. Pourtant, les récits légendaires méritent d'être étudiés du point de vue de la formation et de la diffusion des mythes et croyances. Leur force et leur intérêt résident sans doute moins dans les leçons qu'ils proposent que dans la sollicitation qu'ils adressent à l'imaginaire. La légende contribue à la construction d'imageries collectives, d'un fonds culturel qui semble n'être plus pris au sérieux après le Moyen Âge, mais qui est d'autant plus profondément inscrit dans l'inconscient collectif.

▶ BOUREAU A., *La légende dorée. Le système narratif de Jacques de Voragine*, Paris, Le Cerf, 1984. — CERTEAU M. de, *L'écriture de l'histoire*, Paris, Gallimard, 1975. — DELEHAYE H., *Les légendes hagiographiques*, Bruxelles, Société des Bollandistes, 1927. — JOLLES A., *Formes simples*, Paris, Le Seuil, 1972. — VAUCHEZ A., *Saints, prophètes et visionnaires. Le pouvoir surnaturel au Moyen Âge*, Paris, Albin Michel, 1999.

Isabelle LAUDOUAR

→ *Conte ; Épopée ; Fiction ; Hagiographie ; Illustration ; Médiévale (Littérature) ; Merveilleux ; Mythe ; Religion ; Vraisemblance.*

LETTRÉ → Belles Lettres ; Intellectuel

LETTRE, LETTRINE → Alphabet ; Typographie

LETTRISME

Le lettrisme est un mouvement littéraire d'avant-garde fondé par Isidore Isou après la Seconde Guerre mondiale. Comme son nom l'indique, il prend comme matériau non pas la phrase ni même le mot, mais la lettre, considérée du point de vue de sa forme graphique ou phonique, indépendamment de sa fonction linguistique normale. Concrètement, le texte lettriste se présente comme une succession de lettres ordonnées dans l'espace de la page et n'ayant d'autre signification que la valeur intrinsèque d'une création artistique originale. Le lettrisme touche d'autres modes d'expression que la littérature, et s'est appliqué à la musique, aux arts plastiques et aux arts visuels.

L'entreprise lettriste vise, au lendemain d'une guerre mondiale cataclysmique, à miner la fonction communicative du langage. Comme la littérature engagée au même moment, les lettristes avaient une conception essentiellement politique de leur rôle artistique. Mais surtout, le lettrisme a emprunté au surréalisme plusieurs de ses traits. Il affirme le même désir de subversion, et il a utilisé les mêmes méthodes de provocation publique dans des séances où le sens du *happening* l'emportait de loin sur les préoccupations esthétiques (1947). Il s'y mêlait une mystique d'un nouveau genre ; les titres des premiers ouvrages d'Isou le manifestent : *L'agrégation d'un nom et d'un messie* (1947), *Les journaux des dieux* (1950), *Traité d'économie nucléaire, soulèvement de la jeunesse* (1958).

Cependant, alors que les poètes surréalistes, à partir d'un programme révolutionnaire, ont fait de la poésie très lisible pour un lecteur de Rimbaud ou de Lautréamont, les lettristes s'en prennent de façon bien plus radicale au langage lui-même. Isidore Isou avait eu soin, dans son manifeste *Introduction à une nouvelle poésie et à une nouvelle musique* (1947), d'inscrire, non sans ironie, le lettrisme dans la longue tradition de l'histoire littéraire française. Mais la manipulation des signes matériels de l'écriture s'apparente bien plus aux tentatives de la musique contemporaine ou aux innovations graphiques de la peinture qu'à ce que la littérature était prête à reconnaître comme sien. De fait, certains lettristes ont dérivé vers la poésie sonore. D'ailleurs, le discours théorique, comme il arrive parfois en art contemporain, l'emporte, quantitativement, sur les créations lettristes proprement dites. Le lettrisme, malgré un déclin assez rapide, subsiste, et s'est par ailleurs prolongé à partir de 1959 dans l'Internationale situationniste de Debord – reniée par Isou, cependant – qui a joué un rôle réel dans le mouvement de mai 1968.

Avant toute chose, le lettrisme pose la question de la littérature et de ses limites. Depuis Flaubert, celle-ci avait paru avancer en rejetant la rhétorique et les usages sociaux du langage. Pour Isou, la littérature semble pouvoir se passer du langage, par exemple en assemblant dans des séries insignifiantes les signes graphiques, dont le langage a besoin mais qui ne le constituent pas. Ainsi, Isou n'envisageait rien moins que de délier le rapport métonymique qui réunit, de toute antiquité, les deux sens du mot *litterae*, à la fois lettres de l'alphabet et Belles-Lettres, littérature. Apparemment, ce ne fut pas un succès.

Cet échec relatif du lettrisme a sans doute des causes théoriques, mais aussi sociologiques. Isou avait conçu son entreprise sur le modèle des avant-gardes du début du siècle : une forte doctrine théorique, des manifestations publiques, des publications expérimentales à petits tirages mais à forte notoriété. Or, après 1945, le centre de la vie littéraire s'était déplacé des groupes de jeunes créateurs et d'étudiants, qui avaient fait le succès des avant-gardes auparavant, vers les milieux de l'édition et du journalisme, autrement dit vers la sphère de la production et de la médiation culturelles (cette sphère qui assura alors le succès durable du nouveau roman, juste assez difficile pour perpétuer le goût de la littérature lisible). Le surréalisme avait lui-même vécu et accompagné cette mutation du champ littéraire (d'où le prestige que lui confère son statut de dernière avant-garde littéraire française). L'histoire du lettrisme confirme, elle, que ce modèle avant-gardiste est passé, et que la contestation culturelle et sociale, sous ses formes les plus radicales, se joue désormais sur d'autres terrains.

▶ CURTAY J.-P., *La poésie lettriste*, Paris, Seghers, 1974. — DEVAUX F., *Entretiens avec Isidore Isou*, Charlieu, La Bartavelle, 1992. — ISOU I., *Introduction à une nouvelle poésie et à une nouvelle musique*, Paris, Gallimard, 1947 ; *Traité d'économie nucléaire. Le Soulèvement de la jeunesse*, Lausanne, Aux escaliers de Lausanne, 1958 ; *Les Véritables créateurs et les falsificateurs de Dada, du surréalisme et du lettrisme*, 1965-1973, Paris, Centre de créativité, 1973.

Alain VAILLANT

→ *Alphabet ; Avant-garde ; Correspondances des arts ; Image ; Internationale situationniste ; Langue française (Histoire de la) ; Poésie ; Signe ; Surréalisme.*

LEXICOLOGIE → Dictionnaire ; Vocabulaire

LIBAN

La littérature francophone du Liban, quoique jeune, est une littérature empreinte du riche passé du pays qui a vu défiler bien des civilisations différentes en plus de 2000 ans d'histoire. Ancrée dans une grande tradition d'ouverture sur la Méditerranée, en particulier sur la France, elle se développe au gré des relations entre l'Orient et l'Occident et au carrefour des religions. La renommée récente d'Amin Maalouf (prix Goncourt 1993) lui a donné un nouveau souffle.

La présence française au Liban remonte à l'établissement du Royaume latin de Jérusalem en 1099 : les Croisés devaient traverser le pays pour l'atteindre. La langue française est donc déjà connue en 1535, lors de la signature par François Ier des premiers accords avec les Ottomans, qui permettent la venue des commerçants et des missionnaires français au Liban. Au XVIe s., des écoles et des collèges de langue française sont fondés, mais c'est au XIXe s. que le français prend son essor dans le pays, notamment quand, en 1860, un corps expéditionnaire est dépêché pour mettre fin au massacre des chrétiens. Une première génération d'auteurs libanais francophones voit le jour, marquée par une inspiration romantique et orientaliste. En 1874, Michel Misk publie le premier recueil poétique de langue française, donnant naissance à une littérature qui n'a cessé, depuis, de prendre de l'ampleur. Elle compte, à ce jour, quatre générations.

Les auteurs de la première génération (1874-1920) écrivent souvent depuis Paris. Soucieux de faire connaître l'Orient, ils font de leurs œuvres des instruments de lutte pour la libération nationale et dénoncent les persécutions religieuses perpétrées par les Ottomans. Chekri Ganem, considéré comme le père de la littérature francophone au pays, publie en 1910 sa célèbre pièce *Antar*, qui fait date car elle annonce la révolte arabe qui gronde et met fin à quatre siècles de domination turque.

La présence française culmine en 1920 avec le mandat confié à la France sur le Liban par la Société des Nations (1920-1943). C'est le point de départ d'une deuxième génération d'écrivains : l'occupation turque prend fin et le Grand-Liban est proclamé (1er septembre 1920). Les auteurs s'attachent à inscrire leur pays dans l'Histoire. Éclate la « querelle du libanisme phénicien « : d'un côté, ceux qui, pour affirmer la liberté du Liban, tentent d'assimiler son passé à la civilisation phénicienne ; de l'autre, ceux qui refusent le rattachement à une période aussi reculée et contestent le nouveau statut du Liban. De cette période, il faut retenir Charles Corm, chef de file du libanisme phénicien. Autour de lui se rassemblent ceux qui seront consacrés comme les meilleurs poètes libanais de la première moitié du XXe s. Nationalistes, ils clament que l'identité libanaise existe, qu'elle s'est constituée au fil des siècles avec ses particularités propres. Ce mouvement a beaucoup d'influence sur l'ensemble de la littérature arabe.

La troisième génération d'écrivains, qui apparaît après la fin du mandat français, opère un changement de thématique. Dite « contemporaine », l'écriture s'ancre dans le présent. Maints auteurs de cette génération accèdent à la renommée, dont le poète et dramaturge Georges Schéhadé, titulaire du premier Grand Prix de la Francophonie en 1986. On retrouve aussi les noms de Fouad Gabriel Naffah et Salah Stétié, récipiendaire du prix de l'amitié franco-arabe en 1973.

La guerre au Liban (1975-1990) donne jour à une quatrième génération, dont l'écriture engagée dénonce la destruction brutale d'un pays et d'un peuple (Andrée Chedid, Claire Gebeyli). Après la guerre, les auteurs sont partagés entre deux tendances : les uns, marqués par le drame, s'attachent toujours à le décrire, la plupart préfèrent explorer l'imaginaire à la croisée de l'Orient et de l'Occident (Amin Maalouf, Alexandre Najjar). L'existence d'une diaspora chrétienne renforce par ailleurs les liens historiques du Liban avec les pays francophones.

Le français est toujours bien vivant au Liban, avec un grand quotidien qui rayonne sur tout le Proche-Orient (*L'Orient-Le Jour*), des maisons d'édition et trois universités de langue française. Habités par un imaginaire méditerranéen spécifique, les écrivains libanais ont enrichi l'écriture francophone d'un raffinement et d'une saveur orientale, tant au niveau du style que du contenu. Malgré la montée de l'anglais au Proche-Orient et la dispersion de l'élite dans la diaspora au moment de la guerre civile, les écrivains francophones tendent de plus en plus vers une littérature à thèmes universels. Ils ne veulent plus limiter leur enracinement à une si petite terre et préfèrent se réclamer d'une ouverture sur le monde (Amin Maalouf, *Les identités meurtrières*, 1999).

▶ ABOU S., *Le bilinguisme arabe-français au Liban*, Paris, PUF, 1962. — KHALAF S., *Littérature libanaise de langue française*, Sherbrooke, Naaman, 1973. — PINTA P., *Le Liban*, Paris, Karthala, 1995. — STÉTIÉ S., *Les porteurs de feu et autres essais*, Paris, Gallimard, 1972.

Michel TÉTU, Anne-Marie BUSQUE

→ *Centre et Périphérie ; Francophonie ; Guerre ; Postcolonialisme.*

LIBELLE → Pamphlet ; Polémique

LIBERTINAGE

Le mot libertinage désigne la liberté ou « licence » de l'esprit en matière de pensée religieuse ou de mœurs. Il a été employé aux XVIIe et XVIIIe s. pour nommer un mouvement philosophique, un courant littéraire et, plus largement, un comportement humain.

Apparu pour la première fois en 1477 comme traduction du latin *libertinus* (esclave affranchi), le terme de « libertin » réapparaît au milieu du XVIe s., dans un écrit de Calvin où celui-ci condamne les « libertins spirituels », athées adeptes du précepte libertaire qui veut que chacun suive sa nature. Ainsi, dès le début, le terme relie un aspect spirituel et un aspect moral, intimement unis du fait que l'athéisme, aux yeux de Calvin, mène droit à la dissolution des mœurs.

Vers 1620, le libertinage désigne un mouvement de pensée qui gagne de jeunes aristocrates, et dont Théophile de Viau donne un écho littéraire. La révolte contre la religion et la dissolution des mœurs caractérisent ces libres penseurs, qui veulent vivre une libération spirituelle, morale et sensuelle. Cette attitude s'exprime dans des chansons manuscrites blasphématoires.

Dans la bourgeoisie cultivée se développe en même temps un libertinage *érudit*. Ce mouvement est divers, mais marqué par une résistance aux dogmes religieux, un scepticisme et parfois même un matérialisme tâtonnant, et la recherche d'une morale au nom de la Nature. Les libertins érudits (Naudé, La Mothe le Vayer...) se tournent volontiers vers l'idée épicurienne d'un Dieu-Nature indifférent aux choses terrestres (Gassendi). L'enseignement des libertins érudits, dépouillé de sa dimension philosophique, gagne l'aristocratie oisive. Le libertinage devient alors *épicurisme mondain*, goût des plaisirs et non plus philosophie. Ce public est attiré par des œuvres littéraires souvent provocantes, soit dans la poésie, notamment burlesque (D'Assoucy, Saint-Amant), soit dans le roman, satirique (Sorel, *Francion*, 1626) ou de fiction philosophique critique (Cyrano de Bergerac, *L'autre monde*, 1657, posth.). Molière semble en avoir été influencé (*Dom Juan*, 1665).

Sous Louis XIV, le libertinage est combattu, et se fait décent. Quelques figures aristocratiques

(Bussy-Rabutin, Saint-Evremond) qui en entretiennent la tradition littéraire se voient condamner à l'exil. La Fontaine, lui aussi, est inquiété pour ses contes libertins. Fontenelle et Bayle attestent une persistance de la libre-pensée en philosophie.

Sous la Régence, temps de libération des mœurs, le libertinage devient un jeu galant aristocratique, attribut indispensable du courtisan à la mode. Il est alors transposé dans la littérature, principalement mais pas exclusivement dans le roman (il suffit de penser au théâtre et aux chansons érotiques). Le libertin prend désormais l'aspect du *petit-maître*, qui recherche *l'amour-goût* (Crébillon, Duclos), culte des plaisirs accumulés réglé par le code de la *décence* : tout en donnant à la femme désirée la possibilité de feindre une défense, le petit-maître ne choisit que les aventures sûres. À côté du modèle crébillonien se développe un libertinage plus cru et érotique des classes inférieures, où la thématique du corps voluptueux est mise au premier plan (Argens, *Thérèse philosophe*, 1748 ; Fougeret de Monbron, *Margot la ravaudeuse*, 1750).

À partir de 1750, ces phénomènes jusque-là épars se constituent en courant littéraire. Celui-ci se présente, par réaction à la vogue du sentimentalisme, comme un jeu de société aristocratique où rien n'est aussi compromettant que l'amour-passion, élément irrationnel dans un jeu intellectuel où s'exprime le souci de l'amour-propre et de la domination de l'autre autant que celui du plaisir physique et dont l'œuvre de Sade constitue l'apogée en même temps qu'elle en fait une vision philosophique négatrice. Vers la fin du siècle, le libertinage est devenu un jeu éminemment cérébral dont *Les liaisons dangereuses* (1782) sont l'image la plus parfaite, et les romans de Sade, la plus provocante.

Mouvement de longue durée et mouvement complexe, sans unité, le libertinage est d'emblée pris dans une logique polémique. Le terme est mis en vogue en 1622 par les attaques du P. Garasse contre Théophile de Viau : pour lui, sont « libertins » ou « esprits forts » - parfois « beaux esprits » - tous ceux qui s'écartent du dogme religieux ou moral. Ainsi a-t-on pu appeler libertins pêle-mêle de simples débauchés, et des penseurs de premier ordre à la morale par ailleurs très sage (Gassendi). L'image de l'alliance de l'immoralisme et de l'incroyance a fini par se sédimenter dans la figure mythique de Don Juan (qui est celle d'un « athée foudroyé », puni, force de la censure oblige - dont Molière eut à pâtir).

La pensée libertine du XVIIe s., si elle est opposante en religion, ne l'est pas pour autant en politique. La libre-pensée est souvent favorable aux thèses de Machiavel, donc monarchiste, même si l'alacrité provocatrice d'un Cyrano de Bergerac le conduit à formuler des critiques politiques acérées. Au siècle suivant, l'anticléricalisme et le scepticisme de la libre-pensée influencent la philosophie des Lumières, mais le libertinage, en tant que tel, perd de sa signification philosophique. Il désigne surtout la littérature romanesque qui privilégie des représentations de stratégies de séduction, où la femme est le plus souvent la victime. Il s'agit de séductions visant non le mariage, mais la perversion de la proie : à cet égard, les romans sadiens, où la séduction est réduite à rien et la perversion portée au paroxysme, marquent la fin de ce mouvement en tant que courant de pensée et courant littéraire.

▶ CAZENOBE C., *Le système du libertinage de Crébillon à Laclos*, Oxford, Voltaire foundation, *Studies on Voltaire and the eighteenth Centuryx*, 1991, 282. — GOLDZINK J., *La vie en bas de soie*, Paris, Corti, 2001. — GOULEMOT J.-M., *Ces livres qu'on ne lit que d'une main. Lecture et lecteurs de livres pornographiques au XVIIIe siècle*, Aix-en-Provence, Alinéa, 1991. — PINTARD R., *Le libertinage érudit au XVIIe s.*, Paris, Boivin, 1943. — VAN CRUGTEN-ANDRÉ V., *Le roman du libertinage, 1782-1815, redécouverte et réhabilitation*, Paris, Champion, 1997.

Kris PEETERS, Alain VIALA

→ *Épicurisme ; Érotisme ; Érudition ; Galanterie ; Lumières ; Machiavélisme.*

LIBRAIRIE

La librairie est, dans tous les cas, un lieu réservé aux livres. Mais, à partir de ce noyau sémantique commun, le mot a reçu des acceptions diverses, qui sont elles-mêmes très significatives des évolutions de la culture du livre. Au Moyen Âge, la librairie est l'équivalent de notre actuelle « bibliothèque », et de l'anglais « library » : on la trouve encore en ce sens chez Montaigne. Pourtant, dès la Renaissance, s'y ajoute l'idée de commerce : le libraire est celui qui vend des livres et qui, ayant très souvent pris l'initiative de leur fabrication, est aussi éditeur (et en général il est également imprimeur). Ce n'est donc qu'à la fin du XIXe s. que le mot de librairie adopte le sens strictement commercial qu'on lui connaît aujourd'hui, se distinguant de l'édition, de plus en plus conçue comme une industrie.

Apparue avec l'imprimerie, la librairie au sens moderne sert à diffuser la tradition de l'écrit ; trait d'union entre les professionnels de la typographie, les savants et le public aristocratique ou bourgeois, elle relaie aussi les efforts des humanistes pour l'édition correcte des textes anciens, après des siècles de copie manuscrite. D'autre part, elle bénéficie du puissant courant d'échanges commerciaux qui permet l'émergence, au XVIe s., de la bourgeoisie moderne et dont profite tout particulièrement, en Europe occidentale, une vaste zone comprenant l'Italie du Nord, la région lyonnaise, l'Île de France et la Touraine, la région rhénane, les Pays-Bas. À ce double titre, intellectuel aussi bien qu'économique, la librairie témoigne et participe de la culture nouvelle, lettrée et laïcisée.

Jusqu'au XIXe s., le secteur de la librairie renforce globalement sa position, consolide ses structures de production et ses réseaux de diffusion. Mais le développement parallèle, dans l'aristocratie et la bourgeoisie, d'une civilisation mondaine, où dominent encore les relations personnelles et la circulation de manuscrits, en limite l'influence. En outre, l'importance de ce premier média amène les administrations à renforcer le contrôle de la censure et l'encadrement administratif de la profession. Louis XIV décide ainsi de réserver aux seuls libraires de Paris les privilèges de librairie – donc le droit d'éditer hors du domaine public –, brisant l'élan de la librairie provinciale, alors aussi florissante que la parisienne. De telles mesures répressives freinent, en France comme ailleurs, l'essor de la librairie et éloignent celle-ci du milieu intellectuel, invité à la prudence ; en revanche, elles bénéficient aux librairies nationales jouissant d'une législation moins centralisatrice, comme c'est le cas en Angleterre et aux Pays-Bas. Ailleurs, comme dans les pays germaniques, la librairie peut s'appuyer sur le rayonnement de grandes institutions universitaires.

La révolution industrielle bouleverse le paysage de la librairie : l'accroissement du lectorat, la transformation des techniques et des moyens de communication, le développement général du commerce augmentent d'autant le flux de livres et d'imprimés, et les libraires les plus considérables font alors figure de grands entrepreneurs capitalistes, tels Michel Lévy ou Louis Hachette dans la France du second Empire. Mais la bataille économique se gagne sur le terrain de la distribution et de la production, non plus au niveau du commerce de détail. Celui-ci adopte des visages très divers, de l'échoppe de village voire du vendeur ambulant jusqu'aux établissements les plus prestigieux, concentrés presque exclusivement dans les villes universitaires. De plus, même si la librairie reste un lieu chargé d'une très forte valeur symbolique, notamment dans les villes et auprès du public scolaire ou universitaire, c'est à l'éditeur, puissance financière, commerciale et industrielle, qu'il revient désormais, au XXe s., de réguler les relations, complexes et ambiguës, entre la sphère de la création littéraire et la logique du marché. Cette évolution est accentuée, aujourd'hui, par le rôle grandissant des chaînes de magasins et des grandes surfaces dans le commerce du livre tandis que les petits libraires traditionnels déclinent ou se spécialisent pour survivre. Demain, la diffusion de l'écrit par l'internet et le développement du livre électronique amèneront sans doute de nouveaux bouleversements.

La librairie fait prendre conscience à l'écrivain comme au lecteur que l'œuvre littéraire est aussi un produit, fabriqué, doté d'une valeur marchande et soumis à la loi de l'offre et de la demande. Cette prise de conscience, qui est récente est, par exemple, une des clés de la pensée de Balzac et de son réalisme désenchanté. Même si la librairie était sans doute aussi puissante au XVIIIe s. que dans le Paris de 1830, la domination du mécénat dans les processus de légitimation l'y limitait, sur le plan culturel, à un rôle encore périphérique. Avec l'essor de la seule logique marchande, Balzac a cru, et après lui beaucoup de ses confrères, que ce recentrement de la littérature autour de la librairie signifiait l'intrusion de la logique commerciale, et que tout le mal qu'il diagnostiquait venait de là. En fait, hors de toute considération économique, la librairie n'est qu'une des structures de médiation qui se mettent en place dans les sociétés industrielles et qui insèrent les créations individuelles dans le circuit de la consommation culturelle. Or le texte littéraire, à la différence de toutes les autres formes de production artistique, n'existe que par le double effet de l'initiative singulière de l'écrivain et de la multiplication du livre à destination d'un public anonyme : c'est dire que la librairie pose le problème de la nature et du fonctionnement modernes de la littérature, saisie dans cette dialectique du singulier et du collectif.

▶ BARBIER F., JURRATIC S. & VARRY D. (dir.), *L'Europe et le livre. Réseaux et pratiques du négoce de librairie. XVIe-XIXe siècle*, Paris, Klincksieck, 1996. — CHARTIER R. & MARTIN H.-J. (dir.), *Histoire de l'édition française*, 4 t., Paris, Promodis, 1982-1986. — FEBVRE L. & MARTIN H.-J., *L'apparition du livre*, Paris, Albin Michel, [1958], 1971. — FOUCHÉ P. (dir.), *L'édition française depuis 1945*, Paris, éd. du Cercle de la librairie, 1998. — MOLLIER J.-Y. (dir.), *Le commerce de la librairie en France au XIXe siècle*, Paris, IMEC/MSH, 1997.

Alain VAILLANT

→ *Bibliothèque ; Édition ; Histoire du livre ; Lecture, lecteur ; Marché littéraire ; Privilège d'imprimerie ; Propriété littéraire ; Publication.*

LIEU COMMUN

Les avatars de la notion de lieu commun constituent l'un des meilleurs exemples de l'ambiguïté, et des évolutions, de la relation entre rhétorique et littérature. Dans le cadre de la topique aristotélicienne, les lieux – comme leur nom l'indique – ne désignent pas un contenu du discours, mais un réservoir disponible, un ensemble de compartiments où ranger les arguments ; par des questions appropriées qui permettent d'envisager les divers aspects d'un sujet, l'orateur s'entraîne à y puiser en fonction des besoins : « La topique, écrit R. Barthes, est accoucheuse de talent. » Plus que des éléments thématiques, ces lieux fournissent des procédures, des catégories formelles de l'argumentation : ainsi la définition, la distribution du tout en ses parties, l'analyse des circonstances. Le lieu du possible fournit des arguments pour montrer qu'une chose peut arriver, par exemple par le semblable (si la cité a vaincu dans telles circonstances, elle peut vaincre à nouveau) ou par le contraire (si la défaite est possible, la victoire l'est aussi). Les lieux sont dits *communs* lorsqu'ils s'appliquent aux trois catégories de discours, délibératif, judiciaire, épidictique, contrairement aux lieux propres, caractéristiques d'une catégorie (ainsi les procédés de l'éloge pour l'éloquence épidictique).

La rhétorique latine puis médiévale a infléchi peu à peu la conception grecque des *topoi koinoi* : les lieux, sollicités de plus en plus souvent à l'identique, se chargent de contenu et tendent à devenir des points de passage obligés du discours, une liste de morceaux à replacer. Les lieux communs glissent en effet progressivement, au Moyen Âge et à l'époque classique, du domaine de l'*inventio* rhétorique à celui de la littérature : passage qu'ont mis en évidence, notamment, les travaux de E. R. Curtius. En même temps, la rhétorique, dans un cadre historique et social nouveau, perd ses spécificités originelles pour apparaître comme un « dénominateur commun de la littérature » et, du coup, « les *topoi* acquièrent une nouvelle fonction : ils deviennent des clichés d'un emploi général, ils s'étendent à tous les domaines de la vie, conçue et façonnée en fonction de la littérature » (Curtius).

Le plus célèbre de ces *topoi*, que Curtius analyse volontiers en termes d'inconscient collectif, est sans doute celui du paysage idéal (*locus amoenus*), la topique du lieu, issue de l'éloquence judiciaire ou épidictique, y devenant la matrice d'innombrables descriptions littéraires.

Le lieu commun s'inscrit donc tout naturellement dans une conception de l'écriture littéraire qui privilégie les variations autour de modèles acceptés de pensée et d'expression. Mais il suffit que s'affirme une exigence de renouvellement et d'originalité pour que la banalité du *commun* soit prise en mauvaise part. Condamnation qu'on commence à entendre dans les propos de Célimène (« En vain, pour attaquer son stupide silence, / De tous les lieux communs vous prenez l'assistance ; / Le beau temps et la pluie, et le froid et le chaud, / Sont des fonds qu'avec elle on épuise bientôt », *Le Misanthrope*, II, 4) et qui s'affirme dans les siècles suivants. Ce glissement introduit dans le champ du littéraire les germes d'un discrédit, dès lors qu'à partir du XVIIIe s. on commence à ne plus voir dans le lieu commun que la banalité des paroles ressassées. Le mouvement s'accentue au XIXe s. – ainsi les charges de Flaubert contre les idées reçues – en même temps que la défaveur de la rhétorique. Le recours au lieu commun devient alors aveu d'impuissance créatrice, comme le rappelle l'ironie d'André Breton : « Et les descriptions ! Rien n'est comparable au néant de celles-ci ; ce n'est que superpositions d'images de catalogue, l'auteur en prend de plus en plus à son aise, il saisit l'occasion de me glisser ses cartes postales, il cherche à me faire tomber d'accord avec lui sur des lieux communs... » (*Manifeste du surréalisme*, 1924).

Il faut attendre la période contemporaine pour que le regain de faveur de la rhétorique et la mise en évidence par les théories de la lecture du rôle essentiel des phénomènes de stéréotypie ouvrent la voie, au moins pour les chercheurs, d'une réhabilitation.

On peut en effet penser que la dépréciation surréaliste du lieu commun participe de la misologie qui, selon J. Paulhan, caractérise « la terreur dans les lettres » (*Les fleurs de Tarbes ou la terreur dans les lettres*, 1941), et tenter une réévaluation qui, de nos jours, s'appuie sur deux types d'arguments. Il s'agit d'abord, dans le cadre d'une réflexion sur la lecture informée par l'esthétique de la réception, de rappeler le rôle, dans la construction des horizons d'attente, de tous les phénomènes de stéréotypie ; comme les catégories génériques ou typologiques, une topologie, renouvelant l'étude des lieux communs, a ici un rôle essentiel à jouer.

Mais il s'agit aussi, plus largement, de souligner le caractère indispensable, dans une société et une culture données, des représentations partagées. A. Gide le notait déjà : « On ne s'entend que sur les lieux communs. Sans terrain banal, la société n'est plus possible » (*Attendu que...*, 1943).

Notons ici l'infléchissement significatif du sens de l'expression, puisque « commun » cesse de signifier « commun aux trois genres de la rhétorique », par opposition aux lieux propres à chacun d'entre eux, pour être entendu comme « renvoyant à une représentation commune à l'émetteur et au récepteur » : jeu fécond sur les mots, qui marque bien, autour du lieu commun, l'affirmation de nouveaux enjeux.

▶ BARTHES R., « L'ancienne rhétorique. Aide-mémoire », *Communications*, n° 16, 1970. — CURTIUS E.-R., *La littérature européenne et le Moyen Âge latin* [1947], trad. fr., Paris, PUF, 1956. — DUFAYS J.-L., *Stéréotype et lecture. Essai sur la réception littéraire*, Liège, Mardaga, 1994. — KIBEDI VARGA A., *Rhétorique et littérature. Études de structures classiques*, Paris, Didier, 1970. — PATILLON M., *Éléments de rhétorique classique*, Paris, Nathan, 1990.

Alain BOISSINOT

→ *Argumentation ; Doxa ; Épidictique ; Idéologie ; Littérature ; Rhétorique ; Stéréotype ; Topique.*

LINGUISTIQUE

La parution, en 1916, du *Cours de linguistique générale* de Ferdinand de Saussure fonde la linguistique moderne comme science du langage. Des années 1960 au début des années 1970, la linguistique a été considérée un temps comme une « science pilote » et son influence sur les études littéraires a été alors considérable.

De l'Antiquité à l'époque classique, la répartition des disciplines séparait la poétique de la rhétorique et cette dernière de la grammaire et de la logique. Pour l'étude des textes, la philologie et l'herméneutique se partageaient respectivement l'espace de l'établissement de la lettre du texte et de l'interprétation de son sens. Coupée de la rhétorique et de la poétique, la linguistique moderne a envisagé la langue comme un système, mais négligé la dimension textuelle des faits de langue. Il est vrai qu'il lui fallait d'abord, pour décrire les langues comme systèmes, se libérer du poids normatif du modèle de la langue littéraire académique et cette rupture a eu pour conséquence, dès la linguistique énonciative de la parole du disciple genevois de Saussure, Charles Bally (*Traité de stylistique française*, 1909 ; *Linguistique générale et linguistique française*, 1932-1944), un privilège accordé aux manifestations « ordinaires » et orales de la langue au détriment des formes littéraires.

Pourtant, dès les travaux des Cercles de Moscou et de Prague dans la première moitié du XXe s., et déjà dans la démarche de Saussure lui-même, à côté de ce qui allait constituer la linguistique moderne, les structuralistes européens ont mené une profonde réflexion sur la poésie et sur le récit. À côté de ses enseignements de linguistique générale, Saussure a toujours donné un cours de métrique et il a consacré un grand nombre de *Cahiers* (J. Starobinski, *Les mots sous les mots*, 1971) au vers saturnien bas latin. Il a également développé, en observant des légendes germaniques, une véritable « sémiologie de la narrativité » (d'Arco Silvio Avalle, in *Essais de la théorie du texte*, Ch. Bouazis *et al.*, 1973). Roman Jakobson, quant à lui, n'a jamais séparé les lois de la phonologie naissante de ce qu'il observait aussi bien dans les formes les plus diverses du folklore que chez des écrivains comme Khlebnikov, Hölderlin, Poe ou Baudelaire. L'opposition entre métaphore et métonymie, qui parcourt toute son œuvre, est autant soutenue par ses travaux sur l'aphasie que par sa connaissance des poètes et des romanciers. Ce même Jakobson a fait connaître à C. Lévi-Strauss la *Morphologie du conte* de V. Propp (1924) qui influença considérablement les développements de la sémiotique narrative d'A. J. Greimas et de toute la narratologie moderne.

En marge du structuralisme, à côté de travaux sur Rabelais et sur Dostoïevski, le Cercle de Mikhaïl M. Bakhtine (avec V. N. Volochinov et P. N. Medvedev) a sociolinguistiquement refusé de séparer langue et pratiques discursives. Théorisés dans le cadre du dialogisme et de l'intertextualité, les textes littéraires sont pensés comme des genres seconds qui, en permanence, transforment et réfléchissent les formes les plus simples (genres premiers du discours ordinaire) comme les plus élaborées (genres seconds) de la culture. À la lumière des théories linguistiques de l'énonciation et de la pragmatique textuelle, l'importance de Bakhtine est aujourd'hui assez largement reconnue.

D'un point de vue épistémologique, l'approche linguistique du discours littéraire dépend de la possibilité de développer ce que Benveniste et Bakhtine ont, chacun de leur côté, défini comme une « méta » ou « translinguistique ». En 1969, Émile Benveniste ne se contentait pas d'ouvrir l'analyse intra-linguistique à « une nouvelle dimension de signifiance, celle du discours, que nous appelons sémantique, désormais distincte de celle qui est liée au signe, et qui sera sémiotique » (*Problèmes de linguistique générale* II, Gallimard 1974, p. 66), il parlait également d'« une sémiologie de 'deuxième génération' » (*id.*), ou « analyse translinguistique des textes, des œuvres » (*id.*), construite sur la sémantique de l'énonciation. Soulignant, en 1968, à quel point l'étude du langage poétique est intéressante pour la linguistique, Benveniste ajoutait : « Mais ce travail est à peine commencé. On ne peut pas dire que l'objet de l'étude, la méthode à employer soient encore clairement définis. Il y a des tentatives intéressantes mais qui montrent la difficulté de sortir des catégories utilisées pour l'analyse du langage ordinaire » (1974, p. 37). Cette même année 1968 est celle, sous le même titre « Linguistique et Littérature », de la parution du n° 12 de la revue *Langages* et d'un colloque, organisé à Cluny, par *La Nouvelle Critique*. À cette époque, l'analyse littéraire emprunte largement les modèles linguistiques du signe, des figures ou de la communication. Au même moment, des groupes comme *Tel Quel* privilégiaient une écriture qui – dans la lignée de Mallarmé et Valéry – se donnait comme exploration du langage. Le statut de « science pilote » de la linguistique est très tôt mis en cause et ce qui deviendra la « déconstruction » et sonnera le glas des relations entre linguistique et discours littéraire pointe déjà sous la « sémiologie négative » de Barthes et la « sémanalyse » de Julia Kristeva.

En dépit des orientations très ouvertes à la littérature des fondateurs de la linguistique moderne, les rapports entre linguistique et littérature restent actuellement difficiles. Les travaux linguistiques sont devenus spécialisés et ils prennent peu en compte (à titre de simples exemples pour certains) les manifestations artistiques de la langue écrite. La linguistique n'est plus guère tolérée par les littéraires que comme un instrument pour l'explication de texte et la stylistique. Le fait de séparer la grammaire de la stylistique a pour résultat un double oubli : d'une part, on occulte le fait que tous les textes ont du style, en ce sens qu'ils sont des mises en fonctionnement toujours singulières de la langue ; d'autre part, on refuse de considérer le travail des écrivains comme un espace spécifique d'exploration et d'observation des possibles de la langue.

Dans le prolongement d'un projet défini par Harald Weinrich, on a vu cependant se dessiner une approche linguistique des textes littéraires qui n'est pas une démarche applicationniste et utilitaire : « Je souhaiterais une *linguistique de la littérature.* Cela ne signifie pas que la science linguistique ait à se placer tout entière au service de l'interprétation littéraire, pas plus que les études littéraires n'ont à recourir exclusivement, ni même préférentiellement, aux méthodes linguistiques. Mais l'application de certaines méthodes linguistiques à des textes littéraires est féconde : elle permet d'en faire surgir certains aspects, intéressant aussi bien les linguistes que les spécialistes de littérature » (Weinrich, 1973, p. 60). Cette linguistique du discours littéraire est au centre des travaux de J.-M. Adam (*Linguistique et discours littéraire*, Larousse, 1976 ; *Pour lire le poème*, De Boeck, 1984 ; *Langue et littérature*, Hachette-FLE, 1991 ; *Le style dans la langue*, Delachaux & Niestlé, 1997) et de D. Maingueneau (*Le contexte de l'œuvre littéraire*, Dunod, 1993). Des numéros de revues linguistiques (*Langages* n° 118-1995, *Études de linguistique appliquée* n° 102-1996, *Langue française* n° 110-1996, n° 120-1998 et n° 128-2000) sont de plus en plus régulièrement consacrés à des faits de langue observés dans le discours littéraire. La *Grammaire temporelle des récits* de M. Vuillaume (Minuit, 1990) et la traduction de *Phrases sans paroles* (Le Seuil, 1995) d'A. Banfield sont de bons exemples d'études de faits énonciatifs propres à la fiction littéraire. Par ailleurs, la sémiotique de l'École de Paris a développé, ces dernières années, des approches qui ne visent plus à appliquer la sémiotique narrative d'A. J. Greimas au texte littéraire, mais à penser les spécificités de ce dernier (J. Géninasca, *La parole littéraire*, PUF, 1997 ; J. Fontanille, *Sémiotique et littérature*, PUF, 1999 ; D. Bertrand, *Précis de sémiotique littéraire*, Nathan, 2000). Enfin, la « poétique » d'Henri Meschonnic (*Pour la poétique*, Gallimard, 1970 ; *Critique du rythme*, Verdier, 1982) est une théorie générale de la parole littéraire très proche de la « translinguistique » de Benveniste (G. Dessons, *Introduction à la poétique*, Dunod, 1995 ; Dessons & Meschonnic, *Traité du rythme*, Dunod, 1998).

▶ BAKHTINE M. M., *Esthétique et théorie du roman*, Paris, Gallimard, [1975], 1978 ; *Esthétique de la création verbale*, Paris, Gallimard, [1979], 1984. — JAKOBSON R., *Essais de linguistique générale*, Paris, Minuit, 1963 ; *Questions de Poétique*, Paris, Le Seuil, 1973. — WEINRICH H., *Le temps*, Paris, Le Seuil, [1964], 1973.

Jean-Michel ADAM

→ *Formalistes ; Grammaire ; Langue française (Histoire de la) ; Poétique ; Rhétorique ; Sémiotique ; Signification ; Style ; Stylistique.*

LITTÉRARITÉ

Littérarité est la traduction du russe *literaturnost'* formé avec le suffixe *-nost'* qui abstrait le vocable auquel il est joint : *literaturnost'* ou le caractère de ce qui est littéraire. Jakobson propose en 1919 cette notion dans un article, « La nouvelle poésie russe », consacré au poète futuriste Khlebnikov. Dans la traduction que le lecteur français découvre pour partie en 1965, puis en 1973, il est dit que « l'objet de la science de la littérature n'est pas la littérature mais la *littérarité*, c'est-à-dire ce qui fait d'une œuvre donnée une œuvre littéraire », car, ajoute l'auteur, « si les études littéraires veulent devenir science, elle doivent reconnaître le *procédé* [*prïëm*] pour leur "personnage" unique » (p. 15).

Le terme appartient aux recherches formalistes du début du siècle. Dans ce contexte, c'est une approche interne et abstraite du fait littéraire qui est visée : se donner pour objet la littérarité supposait de renoncer à isoler l'œuvre dans sa particularité (historique ou biographique) pour identifier en quoi toutes les autres seraient en quelque sorte présentes en elle. C'est en effet par la reconnaissance de procédés formels communs, langagiers ou compositionnels, que le caractère littéraire des œuvres, rendu étroitement dépendant de leur nature verbale, est alors posé. Dès 1917, Chklovski fait de l'« Art comme procédé » le titre d'un article manifeste où, en fait de procédé, il analyse en réalité la défamiliarisation (*ostranenie*) opérée par le langage littéraire sur le lecteur qui voit (re)naître en lui une perception de la réalité débarrassée des usures du quotidien (de la langue).

Les retombées du courant formaliste ont été importantes, mais décalées dans le temps. Il faut attendre les années 1960 et l'avènement du structuralisme pour qu'en France les propositions de Jakobson – qui à la même époque fait de l'autotélisme de la « fonction poétique » la marque du littéraire – soient prises en compte. L'héritage est patent dans les recherches narratologiques et sémiotiques où une poétique du récit voit le jour (chez Barthes, Todorov et Genette ; chez Greimas aussi, dans un cadre épistémique différent toutefois, où la narrativité est la condition du sens), mais on pouvait penser qu'avec le recul des conceptions immanentistes du texte à la fin des années 1970, la notion disparaîtrait. Todorov, dont le parcours est à cet égard exemplaire, propose d'ailleurs en 1978 de renoncer à toute définition structurale de la littérature au profit d'une typologie des discours indifférente au partage littéraire / non littéraire. Pourtant, la notion est restée sinon productive, du moins active, bien que son cadre ait quelque peu changé. Soit elle intervient dans la relation désormais privilégiée entre poétique et esthétique (chez Genette), soit elle désigne (chez Molinié) l'objet d'une stylistique qui remplace ainsi avantageusement la notion individualisante de style.

Les recherches entreprises par les formalistes avaient moins pour objectif de définir en extension le domaine littéraire, par la délimitation de ses frontières et sa division générique, en procédant à des rattachements et des exclusions, que de fournir, en compréhension, les éléments descriptifs d'un tel espace. Ainsi se lit la prétention de constituer une « science de la littérature » et se comprend la volonté de faire de la poétique une « partie intégrante de la linguistique » (Jakobson, 1963, p. 210). Il ne faut pas croire cependant que les abords esthétiques et socio-historiques de la littérature sont de ce fait ignorés. D'un côté, la notion d'œuvre conserve une pertinence : « qu'est-ce qui fait d'un message verbal une œuvre d'art ? »(*ibid.*) est pour Jakobson la question clé de la poétique. De l'autre, la réaction d'hostilité des formalistes vis-à-vis d'une histoire littéraire caractérisée, selon eux, par des considérations biographiques ou sociales hasardeuses, n'indique pas, bien au contraire, que leur réflexion se constitue contre la dimension historique. À ceci près que leur appréhension de l'histoire littéraire, soumise à des visées structurales, repose moins sur la prise en compte du contexte socio-historique comme principe causal que sur la reconnaissance de l'histoire en tant que dynamique réglant l'évolution interne des formes littéraires.

Indépendamment des apories liées à toute entreprise définitoire, les ambitions unifiantes du concept de littérarité se sont heurtées au partage de la littérature entre fiction et poésie (déjà présent dans *La poétique* d'Aristote qui, au nom de la *mimésis*, ignore la poésie lyrique). Genette légitime par le couple fiction / diction cette distinction, mais à partir d'une conception pragmatique du fait littéraire, il sépare plus fondamentalement le régime d'une littérarité « constitutive », dont relèvent les genres institutionnalisés, d'une « littérarité conditionnelle » (1991, p. 31), tributaire du seul jugement esthétique.

▶ GENETTE G., *Fiction et diction*, Paris, Le Seuil, 1991. — JAKOBSON R., « Linguistique et poétique » (1960), *Essais de linguistique générale*, Paris, Minuit, 1963 ; *Questions de poétique*, Paris, Le Seuil, 1973. — MILOT L. & ROY F. (éd.), *La littérarité*, Québec, PUL, 1991. — TODOROV T., « La Notion de littérature », *Les genres du discours*, Paris, Le Seuil, 1978.

Florence DE CHALONGE

→ *Formalistes ; Genres littéraires ; Linguistique ; Littérature ; Narration ; Poétique.*

LITTÉRATURE

« Littérature » désigne en son sens premier l'ensemble des textes et, en un sens associé, les savoirs dont ils sont porteurs. Cette acception fut longtemps dominante en français. Le sens moderne renvoie à l'ensemble des textes ayant une visée esthétique ou, en d'autres termes, à l'art verbal. Mais le mot est aussi employé dans des expressions où il conserve son sens ancien et dans d'autres qui en relativisent ou problématisent le sens moderne (par exemple « paralittérature », « littérature de gare »...).

Litera, literae a servi, en latin, à désigner les textes écrits et conservés grâce à l'écrit. Le grec ne connaissait pas de terme synthétique équivalent : si *gramma* renvoie à l'écriture (et a donné grammaire), il ne désignait pas la collection générale des textes mis par écrit ; d'où un emploi de *poien*, poésie, qui couvre en partie le domaine concerné, mais en partie seulement, en renvoyant à l'expression en rythme : Aristote l'indique au début de sa *Poétique*, et il décide de traiter non de toute la « poésie » mais d'une part de celle-ci, la poésie mimétique. Le sens général de « série des textes écrits » et, par dérivation, de « savoirs », a été dominant jusqu'au XVIIe s. Il subsiste d'ailleurs de nos jours dans des expressions telles que « littérature juridique » – ou scientifique, « littérature grise », ou encore : « il existe une abondante littérature sur cette question ». Le dispositif lexical de désignation de ce que nous appelons littérature a donc été durant des siècles organisé autour de la notion de Lettres. Elle-même est subdivisée à la Renaissance en Lettres saintes, Lettres savantes et Belles-Lettres. Ces dernières incluent alors : l'éloquence, l'histoire et la poésie. Elles comprennent donc le domaine que désigne aujourd'hui, pour l'essentiel, le terme « littérature », mais l'histoire, en tant que telle, s'en est détachée. Reste qu'une part des ouvrages que nous appelons littéraires n'étaient pas alors aisés à classer pour les bibliographes, faute d'un tel terme. Ainsi au milieu du XVIIe s. le P. Louis Jacob réalise les premières bibliographies annuelles de la France et peine pour ranger les romans, qu'il place tantôt sous « poésie » et tantôt sous « histoire ». Le sens plus limité d'« ouvrage à visée esthétique » commence à se manifester, en France, à ce moment-là, avec la formation du champ littéraire. Les dictionnaires de l'époque (Richelet, Furetière, Académie) définissent les sens anciens, mais laissent entrevoir une évolution sémantique. Elle devient manifeste au siècle suivant, et on peut considérer qu'elle aboutit vers 1750 à la scission entre le sens ancien et ses survivances d'une part, et le sens moderne d'autre part. Ainsi en 1747 l'abbé Batteux propose un *Cours de Belles Lettres*, et à la fin du siècle, La Harpe, un *Cours de Littérature*. En 1800, Mme de Staël enregistre ce changement dans l'emploi qu'elle fait du mot dans le titre de son ouvrage *De la Littérature considérée dans ses rapports avec les institutions*. Le terme reste pourtant encore largement en concurrence avec « poésie », mais l'usage dominant impose « littérature », seul apte à prendre en compte aussi bien le roman, les poèmes et le théâtre que les essais et les formes génériques nouvelles comme l'autobiographie. L'un des indices significatifs de cette évolution réside dans les titres et les noms de revues : ainsi l'Art pour l'Art recourt encore à l'appellation de *Parnasse*, empruntée à la mythologie antique et qui évoque avant tout la poésie, mais les naturalistes emploient l'expression de *Littérature expérimentale* (Zola). Les théories littéraires basculent alors d'une réflexion sur la mimésis et la fiction à une réflexion centrée surtout sur l'art. On peut donc dire qu'en une certaine mesure, la littérature au sens moderne est une invention du XIXe s., et qu'elle est largement liée au roman. Mais au fil du siècle suivant apparaît un débat sur les emplois et les valeurs du terme (les péjoratifs paralittérature et littérature de gare témoignent qu'il y va d'une hiérarchie de valeurs). Au lendemain de la Seconde Guerre mondiale, Sartre éprouve le besoin de revenir sur le terme et sa définition : dans « Qu'est-ce que la littérature ? » (*Situations II*, 1948), il prend en compte aussi bien la prose que la poésie. Aussitôt après, Blanchot, dans *L'espace littéraire* (1955), juge la « littérature » au sens courant trop « utilitaire » et estime que la seule « vraie » littérature est « la littérature – le poème » (dont la forme, vers ou prose, recueil ou récit, importe peu). Un tel débat est constant, et multiforme, aujourd'hui. Le processus historique se caractérise, au total, par une restriction progressive des « Lettres » à la littérature au sens restreint. En témoigne l'appellation des secteurs universitaires correspondants : là où existaient des facultés des Lettres ont pris place aujourd'hui, souvent – en France du moins – des Départements de Littérature ou d'Études littéraires.

Le « Qu'est-ce que la littérature ? » reste donc une question majeure et quasi insoluble. D'aucuns la rattachent à la fiction. D'autres, à la forme, quel que soit le contenu – et tentent alors de la définir par la « littérarité ». D'autres voient dans la littérature l'ensemble des pratiques et des institutions concernées par les œuvres reconnues, et séparent la « littérature » entendue de la sorte (ainsi Barthes a-t-il pu affirmer que « la littérature c'est ce qui s'enseigne sous ce nom ») et le « texte », lieu de la création (ce fut une position défendue par Barthes, Kristeva et le groupe *Tel Quel*). Et le débat peut devenir virulent autour de cette notion. Or il est affaire d'abord de spécification des rapports du mot et de la chose. Si l'on s'en tient au mot en son sens strict et moderne, il est possible de ne considérer que les textes « d'art » modernes. Mais alors on ne devrait pas parler de « littérature grecque », ou de « littérature latine » – ou même « classique » en France – en ce sens. Si au contraire on envisage tout l'ensemble des textes ayant un caractère d'œuvres d'art, donnant une part importante, voire déterminante, à la qualité esthétique, alors « littérature » est le nom adopté depuis deux siècles et demi en français pour désigner ce que furent les « lettres », puis les « belles-lettres », enfin la « littérature » au sens restreint moderne. De telles hésitations et tensions révèlent la difficulté propre de l'objet concerné. On ne peut rien dire de la littérature sans se fonder – explicitement ou implicitement – sur un corpus. Et comme il est impossible de tout lire, les propos sur la littérature reposent toujours sur des corpus relativement restreints. De plus, la tension prend forme aussi entre les définitions qui se situent du côté de la création – où chaque écrivain est en droit de dire « la littérature » en sous-entendant « pour moi, telle que je la conçois et la propose » – et de la réception – en particulier dans l'enseignement dont le rôle est de rendre compte de l'ensemble du corpus. Enfin, l'usage de ce terme est toujours lié à une tradition culturelle, puisque d'autres civilisations ne connaissent pas les mêmes découpages des pratiques langagières (les griots africains par exemple sont bien des artistes du verbe mais ne peuvent être rangés dans des catégories telles que celles de littérature et d'écrivain).

Dès lors, le retour nécessaire sur les données fondamentales peut porter sur quatre aspects. Le premier est la socialité des textes et des pratiques concernés : on n'a jamais parlé de littérature (ou de Belles-Lettres, ou de poésie...) sans qu'il s'agisse de textes mis en circulation dans l'espace public. Les textes privés n'en relèvent pas (sauf à être, comme les Lettres de Mme de Sévigné, détournés de leur statut privé par un acte de publication). Le second est l'indispensable perspective historique de la question. Les acceptions du terme littérature ont varié, et ont varié tout autant les conceptions des pratiques correspondantes. En particulier, la part respective de l'oral et de l'écrit a changé. Avec l'imprimerie, le rôle de l'écrit s'est accru, et la conception du littéraire s'en est trouvée modifiée à proportion de ses modes de communication : la réception envisagée étant de plus en plus la lecture et non l'écoute, des textes plus longs, plus complexes, plus fragmentés aussi se sont multipliés, dans des genres tels que le roman, l'essai, l'autobiographie. Une réflexion sur la littérature se doit de prendre en compte l'ensemble de ces manifestations, et l'histoire littéraire est, d'une certaine façon, l'histoire des acceptions et conceptions variables de la littérature. Ce qui implique, troisième aspect, la prise en compte du caractère constamment conflictuel des conceptions du littéraire : les querelles qui jalonnent l'histoire littéraire en témoignent. On peut donc dire qu'en une certaine mesure l'histoire littéraire est l'histoire des conflits sur la façon de concevoir, pratiquer et définir la littérature. Un quatrième aspect est celui, au sein de ces variations et de ces conflits, des éléments invariants. À cet égard, et sans prétendre par là constituer une « définition » de la littérature, trois constantes semblent s'imposer. La première est, les genres et sujets étant de tous ordres, que l'art verbal suppose un « travail de la forme ». Ce travail lui-même est lié à une autre propriété distinctive qui est la communication différée : les textes littéraires présentent la particularité de pouvoir être réitérés dans des situations différentes de leur première énonciation. Mais en cela, pas plus que dans le fait que la forme en soit travaillée, éventuellement régie par des règles spécifiques, ils ne diffèrent pas de textes scientifiques, juridiques ou politiques. La troisième constante, qui jointe aux deux précédentes devient distinctive, est qu'ils ont un caractère de destination aléatoire : les auditeurs ou lecteurs qu'ils peuvent toucher ne sont pas définissables de façon close (alors qu'une loi s'adresse à une collectivité définie – ainsi l'adage « nul n'est censé ignorer la loi » sous-entend « nul de ceux qui vivent dans le pays que cette loi régit » – et que les énoncés proprement scientifiques, censés présenter des vérités générales, sont indifférents, en principe, à leur réception). Dès lors, ces destinataires n'étant pas contrôlables par les situations institutionnelles et pratiques de l'énonciation, l'enjeu du travail de la forme devient de capter et conserver leur attention. La littérature apparaît ainsi comme ensemble de textes – et de pratiques de création, transmission et conservation de ces textes – marqués par une esthétique qui doit assurer par elle-même leur justification (l'intérêt que l'on peut y trouver) et l'adhésion – d'abord en captant son attention, puis en obtenant qu'il partage les vues et sentiments là proposés – du lecteur ou spectateur. Qu'il s'agisse de divertissement, de diffusion d'idées, de finalité édifiante, de combinaison diverses entre ces fonctions, devient alors affaire d'histoire, d'usages, et potentiellement, de conflits entre les mises en œuvre diverses des diversités d'usages.

▶ DUPONT F., *L'invention de la littérature*, Paris, La Découverte, 1998. — FRAISSE E. & MOURALIS B., *Questions générales de littérature*, Paris, Le Seuil, 2000. — GENETTE G., *Fiction et diction*, Paris, Le Seuil, 1991. — TODOROV T., *La notion de littérature*, Paris, Le Seuil, 1989. — SARTRE J.-P., « Qu'est-ce que la littérature ? », *Situations, II*, Paris, Gallimard, 1948. — VIALA A., *Naissance de l'écrivain*, Paris, Minuit, 1985.

Alain VIALA

LITTÉRATURE COMPARÉE

« La littérature comparée est l'art méthodique, par la recherche de liens d'analogie, de parenté et d'influence, de rapprocher la littérature d'autres domaines de l'expression ou de la connaissance, ou bien les faits et textes littéraires entre eux, distants ou non dans le temps ou dans l'espace, pourvu qu'ils appartiennent à plusieurs langues ou plusieurs cultures, fissent-elles partie d'une même tradition, afin de mieux les décrire, les comprendre et les goûter. » Cette définition donnée par Claude Pichois et André-Michel Rousseau (*La littérature comparée*, 1967) est généralement admise par les comparatistes aujourd'hui. Mais sa complexité même révèle à la fois les ambitions de cette discipline et les nombreux problèmes qui lui sont indissolublement liés. De fait, au fil de son histoire, la littérature comparée a donné des travaux nombreux mais très divers.

L'expression, et la discipline elle-même, apparaissent autour de 1830. Les fondateurs en sont Edouard Quinet, Jean-Jacques Ampère, ainsi que Claude Fauriel, voire Xavier Marmier et Abel Villemain. Les doctrines romantiques encouragent alors les mises en perspective historiques et le dépassement des frontières nationales. Elles se conjuguent vers 1830, dans l'évolution du romantisme, avec la pensée libérale, qui postule l'existence d'une philosophie universelle ; celle-ci s'applique à la littérature et aux arts, et le travail des comparatistes vise dès lors à mettre au jour les traits universels des lettres et des arts. La poursuite de cette visée se fonde sur une méthode, la comparaison, dont le modèle est fourni par les sciences naturelles : l'ambition scientifique caractérise les débuts de la discipline. Au long du XIXᵉ s., elle s'institutionnalise grâce aux cours donnés en Sorbonne ou au Collège de France par des professeurs qui présentent les littératures étrangères en les rapportant à la production française. Ferdinand Brunetière inaugure les études comparées à l'École Normale Supérieure. Il s'inscrit dans cette voie en suivant l'évolution des genres, mais développe tout particulièrement la notion d'influence, soucieux qu'il est de retracer les apports étrangers dont la littérature de France a bénéficié. En ce sens, et comme pour bien d'autres aspects de l'étude de la littérature française, l'angle d'approche est donc tributaire de visées nationales implicites. La littérature comparée s'ouvre cependant vers une interrogation généraliste avec les théories de Taine, chaque littérature nationale se distinguant par les facteurs que constituent le « moment » (historique), le « milieu » (social) et la « race », qui est à entendre comme l'appartenance nationale (une « race » française, allemande, anglaise, etc.). Au début du XXᵉ s., d'autres critiques, comme Fernand Baldensperger, achèvent de conférer ses lettres de noblesse à la littérature comparée. En 1931 paraît le premier manuel de référence, *La littérature comparée* de Paul Van Thieghem. La discipline est alors enseignée dans plusieurs universités, en France mais aussi en Amérique ; elle est déjà dotée d'un relais périodique, la trimestrielle *Revue de littérature comparée* placée sous la houlette de Paul Hazard. En collaboration avec la revue, les Éditions Didier ont ouvert une collection réservée aux études comparées, déjà riche de nombreux titres.

Cet appareil institutionnel structuré et efficace est à cette époque essentiellement au service de la recherche de sources des auteurs français : à partir d'un constat de similitude, l'étude porte sur des parentés littéraires, avec identification des agents intermédiaires ayant joué un rôle dans la diffusion et le transport de la « matière » (œuvres ou théories). Comme leurs choix lexicaux le mettent en évidence, ces pratiques renvoient à une vision de la littérature qui combine le modèle de l'échange économique (ainsi est-il souvent question de « dettes » ou d'« emprunts ») et celui de la généalogie (d'où l'emploi de termes comme « ancêtres », « pères », « filiations »). Jusqu'au-delà de la Seconde Guerre mondiale, la littérature comparée est restée en France enfermée dans cette conception, liée à la tradition nationale de l'histoire littéraire lansonienne, dont elle ne se différencie que parce qu'elle convoque aussi des écrivains étrangers. Malgré les vives critiques adressées aux comparatistes français, dès le début des années 1950, par leurs homologues américains, notamment René Wellek et Augustin Warren, ce n'est qu'à la veille de 1968 que, grâce à Pichois et à Rousseau, le territoire de la discipline est redessiné, notamment par la proposition de la définition que nous avons rappelée en ouverture. Dès lors, la littérature comparée vise, dans le domaine proprement littéraire, plus que l'étude des sources, celle des genres à l'échelon de leurs réalisations en plusieurs pays, celle des thèmes ou des mythes, mais aussi la comparaison de la littérature avec d'autres arts, comme également elle se combine avec la littérature générale. De fait, on peut considérer que la discipline « littérature comparée » couvre aujourd'hui les domaines répertoriés dans la table des matières du livre de Pichois et Rousseau, dont les deux premiers chapitres sont réservés à l'histoire et aux démarches « classiques » de la discipline, tandis que les trois suivants, « Histoire littéraire générale », « Histoire des idées » et « Structuralisme littéraire », apparaissaient comme des incitations à une réflexion élargie.

La mise au point de Pichois et Rousseau, si elle tâche de ménager les voies traditionnelles, ne constitue pas moins une légitimation de pratiques que les comparatistes ont progressivement intégrées à leur champ d'étude. Tel est notamment le cas des approches interdisciplinaires ; postulant l'existence de relations significatives entre le domaine littéraire et des productions artistiques ou scientifiques, celles-ci supposent non seulement des évolutions dans la perspective analytique, mais aussi dans la définition du fait littéraire. D'autre part, Pichois et Rousseau contrebalancent les enquêtes généalogiques par les études thématiques ou les travaux sur l'intertextualité ; en renvoyant enfin non seulement à la pluralité des langues, mais aussi des cultures, ils tablent sur la polysémie de ce dernier vocable pour ouvrir davantage encore leur discipline, susceptible dès lors de s'intéresser non seulement aux productions de groupes linguistiques différents, dans des pays multilingues notamment, mais aussi aux rapports entre celles de groupes sociaux distincts, ou entre celles de régions partageant la même langue, mais n'appartenant pas à la même unité géographique ou politique. Cette dernière étape de l'histoire de la littérature comparée confirme ce que son évolution n'a cessé de montrer, à savoir qu'elle est indissociable, tant du point de vue des méthodes adoptées que de celui des définitions du fait littéraire qui la sous-tendent, du domaine de la « littérature générale ». D'évidence, l'analyse d'un genre comme la tragédie se trouve modifiée selon qu'on y envisage un corpus seulement français – auquel cas le modèle classique, avec les règles et les unités, est déterminant – ou qu'on l'élargit – auquel cas les tragédies de Shakespeare par exemple proposent une autre forme de réalisation. De même, le genre du drame n'a pas les mêmes formes dans la littérature dramatique et dans la création cinématographique, par exemple. Ainsi amenée à dépasser les cadres particuliers des modèles nationaux ou littéraires des genres, la littérature comparée rejoint la littérature générale en abordant autant les registres que la poétique formelle ; de même, sortant du cadre du littéraire, elle est amenée à s'interroger sur l'histoire des idées et des esthétiques. Aussi les frontières entre littérature générale et littérature comparée peuvent de nos jours paraître particulièrement ténues, lorsqu'on confronte le domaine d'activité et les méthodes employées par les généralistes et par les comparatistes. Mais cet inconfort – tout relatif – est aussi un avantage, dans la mesure où, plus encore que les spécialistes des littératures nationales, les comparatistes sont constamment conduits à la nécessité de remettre en question le bien-fondé de leurs pratiques et obligés de les adapter à l'évolution historique, en étant conscients que celle-ci affecte également les domaines artistiques et leur découpage. Problématique dans sa doctrine et sa méthodologie, la littérature comparée a devant elle de nombreux chantiers ouverts, tels que, notamment, l'étude comparative des littératures francophones, des œuvres d'une même littérature, des genres dits paralittéraires face aux littéraires, des liens entre littérature et autres productions artistiques, des rapports entre littérature et politique.

▶ BRUNEL P., PICHOIS C. & ROUSSEAU A.-M., *Qu'est-ce que la littérature comparée?*, Paris, Colin, 1983. — BRUNEL P. & CHEVREL Y., *Précis de littérature comparée*, Paris, PUF, 1989. — JUCQUOIS G. & SWIGGERS P., *Le comparatisme devant le miroir*, Louvain la Neuve, Duculot, 1991. — PAGEAUX D.-H., *La littérature générale et comparée*, Paris, A. Colin, 1994. — SOUILLER D. & TROUBETZKOY W. (dir.), *Littérature comparée*, Paris, PUF, 1997.

Daniel MAGGETTI

→ *Histoire littéraire ; Influence ; Interculturel ; Littérature générale ; Musique ; Peinture ; Polysystème ; Registres.*

LITTÉRATURE GÉNÉRALE

La notion de littérature générale désigne les facteurs communs (invariants, ou constantes) qui réunissent, à travers le temps et l'espace, les diverses pratiques de la littérature.

Le premier ouvrage à préciser le vocable est le *Cours analytique de littérature générale* (1817) de Népomucène Lemercier. Il se fonde sur une taxinomie des genres et définit la littérature comme la synthèse des qualités et des conditions de chacune des parties ou classes composant les Belles-Lettres. Avec l'institution des chaires de littératures étrangères, la littérature générale cède la place à la notion d'« histoire générale » qui, selon la proposition de Ferdinand Brunetière, subordonne l'histoire d'une littérature particulière à l'histoire générale de la littérature européenne. En 1921, Paul Van Tieghem oppose la littérature générale – « étude des mouvements et des modes littéraires qui transcendent les limites nationales » – à la littérature comparée – étude des « relations qui unissent deux ou plusieurs littératures ».

Après la guerre, la définition de la littérature générale prend une orientation théorique. Fortement marqués par le *New Criticism* et les approches formalistes, les Américains Wellek et Warren critiquent à la fois le comparatisme et l'histoire littéraire limitée à chaque nation, pour appeler au développement d'une théorie générale de la littérature. À leur suite, Marcel Bataillon puis Étiemble engagent plutôt la littérature comparée à devenir une science générale des littératures ou une poétique générale. L'idée est à l'origine de la fondation de la revue *Poétique*, qui préféra ce terme à celui de littérature générale, qualifié par les rédacteurs de « faux remède du défunt comparatisme » (Liminaire, 1970).

Les relations entre littérature comparée, littérature générale et littérature universelle trouvent leur source dans le mot *Weltliteratur* forgé par Goethe (*Entretiens avec Eckermann*, 1827) – la traduction précise du terme est : littérature mondiale. Le programme de Goethe visait à unifier la littérature dans une vaste synthèse selon Wellek et Warren (1946, 67) ou à rassembler les invariants de la beauté littéraire selon Étiemble, qui ajoute : « Si donc la littérature comparée peut être rapprochée de la *Weltliteratur*, ce n'est point parce qu'elle s'identifie à la *Weltliteratur*, mais dans la seule mesure où elle permet d'y accéder » (1974, p.14). Pour Étiemble, les études de littérature générale débouchent ainsi sur une anthropologie de la culture et sur la promotion d'une Littérature « sans adjectif », dont les littératures nationales ne seraient que des illustrations. Pour d'autres, l'idée d'*une* littérature générale qui traverserait les frontières reste toutefois une utopie (Jeune, p. 86).

Au plan méthodologique, les études de littérature générale procèdent par « paliers de généralisation successifs » (Étiemble), une fois réalisée la comparaison d'œuvres singulières. Elles visent à dégager les constantes de la littérature, c'est-à-dire les mouvements, genres et thèmes récurrents d'une littérature à l'autre. La formalisation qui en découle représente la plus large ouverture théorique des études comparatistes ; mais, parce que la visée généraliste marque une nette volonté de synthèse et d'interdisciplinarité, elle sert également à l'extension du domaine de recherche d'une littérature nationale. Ainsi, l'introduction de la littérature générale dans les programmes universitaires, en France et ailleurs, sert-elle à renouveler les études de lettres par l'introduction de textes étrangers étudiés en traduction, l'orientation des programmes vers les études synthétiques (genres, courants, mouvements, thèmes), l'élargissement des corpus aux textes populaires et non littéraires ainsi que par l'établissement d'une perspective interdisciplinaire mettant en relation la littérature et les autres pratiques artistiques, en particulier les beaux-arts. De ce fait, la littérature générale, parfois pratiquée sous le nom de « théorie de la littérature », est en relation étroite avec le comparatisme mais affirme la prééminence d'une dimension de celui-ci, l'anthropologie littéraire.

▶ ÉTIEMBLE, *Essais de littérature (vraiment) générale*, Paris, Gallimard, 1974. — JEUNE S., *Littérature générale et littérature comparée. Essai d'orientation*, Paris, Lettres modernes Minard, 1968. — MARINO A., *Comparatisme et théorie de la littérature*, Paris, PUF, 1988. — VAN TIEGHEM P., « La synthèse en histoire littéraire : littérature comparée et littérature générale », *Revue de synthèse historique*, 1921, XXXI, p. 1-27. — WELLEK R. & WARREN A., *La théorie littéraire*, trad. J.-P. Audigier et J. Gatténo, Paris, Le Seuil, [1946], 1971.

Lucie ROBERT

→ *Anthropologie ; Genres littéraires ; Histoire littéraire ; Littérature comparée ; Mondiale (Littérature) ; New Criticism ; Poétique ; Théories de la littérature.*

LIVRE

À l'origine, le mot livre (du latin *liber*), désignait la pellicule végétale située entre le bois et l'écorce qui servait de support à l'écriture. Le mot sert aussi à désigner les subdivisions d'une œuvre. L'Unesco a uniformisé la définition du mot, en la rattachant à des critères techniques : « publication non périodique imprimée comptant au moins 49 pages (pages de couverture non comprises) [...] et offerte au public » – en dessous de 49 pages, on parle de « brochure ».

Dans l'Antiquité, les premiers livres se présentent sous forme de rouleaux (*volumen*) composés de feuilles de papyrus enroulés sur des bâtons. Au début de l'ère chrétienne, le *volumen* est remplacé par le *codex*, assemblage de cahiers cousus, qui constitue la forme des livres que nous connaissons aujourd'hui. Après l'effondrement de l'empire romain, la culture latine se réfugie dans les monastères qui deviennent des centres de production et de conservation (par le travail des copistes et par leurs bibliothèques). Le papyrus est remplacé par le parchemin, peau de chèvre ou de mouton traitée afin de servir de support à l'écriture. Aux XIVe et XVe s., les grands seigneurs répandent le goût des « livres d'heures » qui sont des recueils de prières richement enluminés. L'invention des caractères mobiles et de la première presse à imprimer, attribuée à Gutenberg, au milieu du XVe s., bouleverse les modes de production du livre, fabriqué désormais avec du papier, plus maniable et moins coûteux que le parchemin. Pour la première fois de l'histoire, les capacités de production de l'édition dépassent la demande du public. L'imprimerie fait entrer la culture écrite dans une logique industrielle où c'est l'offre qui crée la demande. Cette nouvelle technique de fabrication se répand à travers l'Europe, devient rapidement un outil au service des idées nouvelles et favorise la diffusion rapide des thèses des Réformateurs. Elle diffuse aussi, largement, les auteurs anciens, en version d'origine ou en traduction, et en cela bouleverse la vie intellectuelle et littéraire.

La prolifération des publications ne manque pas de susciter la méfiance et l'hostilité des pouvoirs établis qui créent des appareils de surveillance et de contrôle des imprimés. Le dépôt légal est instauré en France par François Ier en 1537. Le concile de Trente promulgue, au milieu du XVIe s. (1545-1563), l'*Index librorum prohibitorum*, mode de censure religieuse toujours actif. Un système de privilèges d'imprimerie et de permissions de publier est mis en place. Les contrefaçons et les éditions clandestines finissent par en avoir raison au XVIIIe s., où l'essor de la production, le développement de la presse et l'augmentation du nombre de lecteurs contribuent à la constitution d'une opinion publique. Dans cette période de l'Ancien Régime, la littérature française constitue un secteur relativement peu considérable de la production livresque, mais elle a la particularité de se donner en livres souvent meilleur marché que la moyenne : elle apparaît ainsi comme une des formes de livre « à la mode ». Mais en même temps, le livre offre le vecteur d'une forme de réception en croissance rapide, la lecture – qui concurrence l'audition et le spectacle.

Au cours du XIXe s., le livre qui est de plus en plus accessible devient un objet de consommation courante. La mécanisation des techniques de production, qui permet d'augmenter les tirages, fait baisser les coûts et banalise un objet jusque-là réservé à une élite. La création de collections à bon marché et le lancement du livre à un franc contribuent à répandre la lecture dans toutes les couches de la société. Le roman populaire illustré, les guides pratiques, les ouvrages de vulgarisation scientifique, la littérature pour la jeunesse correspondent à l'élargissement des publics et à une diversification dans les demandes des lecteurs. La littérature devient dès lors essentiellement objet de lecture, et les formes du livre qu'elle utilise se diversifient de plus en plus : livre bon marché d'un côté pour la diffusion populaire, éditions de luxe pour les auteurs consacrés, ou petits tirages pour la poésie d'avant-garde. La démocratisation du livre et de la lecture se poursuit au XXe s. avec l'arrivée de nouvelles techniques de production. Le livre de poche – inventé dès le XVIIe s., mais mis au point alors – bouleverse la diffusion en présentant dans un format très compact, relativement solide et attrayant, et surtout très bon marché, la matière d'un ouvrage déjà connu en version plus chère. Les livres au format de poche représentent aujourd'hui près du quart des titres publiés et du tiers de la production totale. Les collections dans ce format en sont même venues à publier directement des nouveautés littéraires, sans passer nécessairement par une édition en format traditionnel. L'arrivée du livre électronique et du texte sur support numérique ou digital introduit, quant à elle, de nouvelles formes de diffusion et de lisibilité. L'informatique offre en effet de nouvelles facilités de mises en relation de divers textes, de consultations de recherche, mais son usage est encore loin de remplacer les formats papiers traditionnels.

▶ BLASSELLE B. L., *Histoire du livre* (2 vol), Paris, Gallimard, 1997-1998. — CHARTIER R., *Le livre en révolutions*, Paris, Textuel, 1997. — ESCARPIT R. *La révolution du livre*, Paris, PUF, 1965. — MARTIN H.-J., *Histoire et pouvoir de l'écrit*, Paris, Perrin, 1988. — Coll. : *Histoire de l'édition*, H.-J. Martin & R. Chartier (dir.), Paris, Promodis, 1990-1995.

Jacques MICHON

→ *Édition ; Histoire du livre ; Imprimerie ; Internet ; Lecture, lecteur ; Médias ; Publication.*

LIVRET → Théâtre lyrique

LOGIQUE, LOGOS

En grec, *logos* désigne à la fois le *discours* et la *raison :* la raison constitue ses opérations en discours, et le discours devrait, idéalement, être le lieu d'un ordre rationnel. Mais les deux connaissent souvent des dissociations ; elles ont amené à distinguer une « logique formelle », espace du rationnel pur, et une « logique naturelle », espace du vraisemblable et des affects, qui contient la majorité des discours, notamment les œuvres littéraires.

Pour les Grecs, la logique est, en principe, le langage du vrai (donc de la science), la dialectique, la réflexion sur les conditions de vérité (donc le lieu par excellence de la philosophie), et la rhétorique l'espace du « vraisemblable » (du plausible, du possible, du communément admis) aussi bien dans l'argumentation que dans les représentations fictives. De sorte que la logique formelle domine dans les deux premiers domaines, mais que la majorité des discours (au second sens de *logos*) relève, autant et plus que de la logique formelle, de l'usage de la parole en interaction. Aristote distinguait à cet égard (*Rhétorique I*, 1356a) trois sources de l'adhésion, produites par le discours : l'ethos, l'image – positive – de celui qui parle, le pathos, les sentiments qui s'éveillent chez celui qui écoute, et le logos, espace des contenus, des sujets traités, des arguments en rhétorique. Lesquels arguments peuvent être d'ordre logique comme le syllogisme (auquel cas réapparaît le sens 1 de logos), mais peuvent aussi être des enthymèmes, viser à plaire et émouvoir (auquel cas le discours est dominé par les relations entre les interlocuteurs, et non plus par la logique formelle). Cette conception s'oppose à celle que soutient Socrate chez Platon, qui considère que la recherche de la vérité (logique) ne peut se plier aux besoins de l'éloquence (du logos discursif). À Rome, Cicéron (*De Oratore*) reprend l'héritage aristotélicien, et condamne la « séparation vraiment choquante, inutile, condamnable » entre le « bien penser » et le « bien dire ». L'union idéale de la logique et du logos se constitue ainsi en modèle, qui est repris tout au long du Moyen Âge. Dans le *cursus studiorum*, l'art de penser (dialectique et rhétorique) et la correction de la langue (grammaire, qui se veut logique) constituent le *trivium*. Au milieu du XVIe s., une refonte de celui-ci conduit à mêler rhétorique et dialectique sous le terme de « Logique » (P. de la Ramée, 1555). Ce schéma se maintient à l'âge classique, où la linéarité du discours est censée refléter l'ordre de la raison, comme dans *La grammaire et la logique de Port-Royal* (1662). Mais par la suite, les distinctions s'accusent, par la dissociation – scolaire notamment – entre étude de la grammaire, puis de la rhétorique et, plus tard encore, de la dialectique et de la logique (en classe de philosophie). La logique devient une discipline, qui se tourne de plus en plus vers le langage mathématique. La philosophie analytique, notamment anglo-saxonne, a repris de nos jours les enjeux de la logique comme rationalité des enchaînements discursifs. La « déconstruction » engagée par Derrida vise à dévoiler la logique illusoire de nombre de discours. En revanche, les travaux portant sur les usages ordinaires et littéraires des langues envisagent plutôt les réalisations du discours chargées d'affectivité et relevant plus de l'enthymème que de la logique formelle. Ils sont ainsi le lieu d'interrogations sur l'idéologie, le « tenu pour vrai » par distinction d'avec le vrai. Ainsi, au milieu du XXe s., les travaux linguistiques de Jakobson, d'Austin, de Searle, réactivent les trois catégories de l'ethos, du pathos et du logos (chez R. Jakobson, émetteur, récepteur, message ; chez Austin, locutoire, illocutoire, perlocutoire). La « nouvelle rhétorique » de Ch. Perelman, puis la théorie de l'argumentation d'O. Ducrot, la logique de la conversation de P. Grice soulignent le rôle pragmatique d'une « logique naturelle » apte à persuader. Dès lors, les trois aspects de la prise de parole sont envisagés en ce qu'ils connaissent des différences d'accentuation, qui fondent les types de discours et sont au soubassement des genres et des registres. L'art du logos par enthymème domine dans des genres comme l'essai, notamment, mais intervient aussi dans le récit à thèse et dans la poésie quand elle engage une interlocution. Pour sa part, J. Cohen (*Le haut langage-théorie de la poéticité*, 1979) a montré que c'est la fonction pathétique (équivalente du « pathos » ou du « perlocutoire » austinien) qui caractérise le poétique. De la sorte, le lien, un temps perdu de vue au XIXe s. avec le déclin de la rhétorique, entre l'ordre des enchaînements logique et les logiques du discours se trouve aujourd'hui reproblématisé.

Cette problématique intervient sur trois plans. D'une part, l'analyse en termes de logique est pertinente et nécessaire pour toutes sortes de textes et de discours, puisqu'elle distingue les domaines (Philosophie – elle-même divisible en Logique et Dialectique – et « Lettres ») dans lesquels ils prennent place. Et chacun de ceux-ci ne peut s'analyser sans tenir compte des façons dont ils se situent les uns par rapport aux autres dans l'espace social des textes et de la culture. Mais à cet égard, on relèvera que les cas « purs » sont rares, qu'il s'agit en général de dominantes, et que les textes philosophiques eux aussi font appel à une part de rhétorique et de littérature. Ainsi au temps des Lumières, la séparation des ordres de discours était-elle peu marquée, et l'essai constituait un des moyens de la philosophie, en même temps qu'il était un des lieux d'excellence de la rhétorique littéraire (chez Rousseau par exemple, les *Discours*, le *Contrat social*, etc.). En deuxième lieu, force textes de tous ordres, y compris littéraires, recourent à des effets de logique qui, même en se parant souvent des dehors de la logique « formelle », jouent surtout de l'émotion, des affects, de la logique des passions et de l'idéologie. C'est le cas notamment des discours publicitaires et politiques, mais aussi de nombre de textes littéraires. Et, en troisième lieu, les textes littéraires, même quand ils tentent d'échapper à l'idéologique, comme dans l'Art pour l'Art, recourent à des logiques discursives qui portent surtout sur l'image de l'auteur (comme dans la poésie lyrique notamment, ou dans les « autofictions » contemporaines) ou sur les émotions du lecteur : l'esthétique elle-même suppose justement une logique des émotions qui l'emporte sur la logique formelle.

▶ DUCROT O., *Logique, structure, énonciation*, Paris, Minuit, 1989. — MEYER M., *Logique, langage et argumentation*, Paris, Hachette, 1982. — PERELMAN Ch. & OLBRECHTS-TYTECA L., *Traité de l'argumentation*, Bruxelles, Éd. Université Libre de Bruxelles, 1992.

Georges-Elia SARFATI

→ *Adhésion ; Argumentation ; Arts du discours ; Discours ; Enthymème ; Éthos ; Fiction ; Passions ; Poésie ; Rhétorique ; Sujet.*

LUMIÈRES

Le terme de « Lumières » désigne un courant de pensée du XVIIIe s. caractérisé par un effort pour comprendre le monde à la « seule lumière naturelle » de la raison (Descartes). Bien que les Lumières ne recouvrent pas une école unique, l'expression s'est imposée *a posteriori* pour tenter d'unifier un certain nombre d'idées fondamentales du XVIIIe s. Ainsi elle est devenue, par extension, synonyme du siècle.

Provenant du mysticisme médiéval où elle désigne la révélation de la Vérité divine, l'image archétypale de la lumière a été reprise au XVIIe s. par le rationalisme cartésien : la lumière divine se transforme chez Descartes en « lumière naturelle » de la raison. Au XVIIIe s., les « Lumières » deviennent le mot d'ordre d'un courant philosophique, selon la métaphore d'une lutte contre les ténèbres et l'obscurantisme.

Les ténèbres, ce sont d'abord les abus de la religion. Refusant les idées reçues de la tradition catholique, la critique historique procède, dès la fin du XVIIe s., à la recherche des erreurs humaines dans l'histoire ecclésiastique (R. Simon). Par ailleurs, le doute méthodique de Descartes, vulgarisé par Fontenelle, et le rejet des préjugés historiques (Bayle) font que, d'auxiliaire de la théologie, la philosophie laïcisée se transforme en moyen de connaître le réel tangible. Brisant avec la métaphysique et la croyance en la Révélation, la philosophie des Lumières passe d'une conception verticale du monde à une perspective horizontale : l'homme, en analysant et en expliquant le monde, s'en rend maître. Métaphore d'origine religieuse, les Lumières en viennent ainsi à désigner un messianisme inversé, visant au bonheur terrestre plutôt qu'au salut. Le principe de la laïcisation se fait anticléricalisme lorsque le mouvement devient suffisamment fort pour s'opposer de front à l'Église. Les Lumières dénoncent le fanatisme et la superstition, mais elles ne sont pas forcément irréligieuses pour autant. S'appuyant sur la tradition spinoziste de l'unité de substance, les philosophes incorporent Dieu dans le grand Tout : le principe divin fait agir la matière et l'énergie (le matérialisme de Diderot), ou il est le grand horloger du monde (le déisme de Voltaire). Chez Rousseau, d'autre part, Dieu se découvre par une fusion mystique de l'homme avec la nature : le rêve d'un christianisme épuré demeure important tout au long du XVIIIe siècle et n'est pas entièrement étranger à l'idée de progrès, composante essentielle des Lumières.

Les Lumières se caractérisent en effet par leur confiance dans « les progrès de l'esprit humain » (Condorcet) née lors de la Querelle des Anciens et des Modernes. La conscience d'un changement, d'un monde en expansion grâce aux découvertes et aux voyages, est à la base de l'optimisme du siècle qui se sent porté par un mouvement puissant dont il tient à connaître l'origine et la destination. Cette curiosité intellectuelle concerne d'abord l'homme même au sein du processus historique. Le progrès est, pour l'homme du XVIIIe s., une donnée concrète, visible avant tout dans l'évolution de la physique. Avec *La métaphysique de Newton* (1740) de Voltaire, le paradigme méthodologique de la physique newtonienne devient celui de la philosophie, qui se veut scientifique et rationnelle.

La Raison est, pour le philosophe, le moteur du progrès, la force créatrice à l'origine du développement de la variété des phénomènes. Newton avait prescrit dans ses *Regulae philosophandi* la voie méthodologique de l'analyse, remplaçant ainsi le système métaphysique classique où l'on partait de principes pour étudier ensuite, sur le mode de la déduction, les phénomènes. Pour les Lumières, les phénomènes doivent au contraire être analysés afin de découvrir les principes raisonnés qui les commandent. La raison n'est donc pas un *a priori*, un principe antérieur aux phénomènes, mais la forme de leur liaison interne qu'il faut démontrer par leur analyse. Elle n'est pas le lieu de la vérité éternelle, mais un pouvoir original qui conduit à la vérité, une force plutôt qu'un contenu. Aussi la raison telle que l'entendent les Lumières n'est-elle plus la raison de Descartes, fermée sur elle-même et indépendante des phénomènes. La pensée de Locke, qui connut une grande influence en France au XVIIIe s. grâce aux *Lettres philosophiques* (1734) et au *Dictionnaire philosophique* (1764) de Voltaire, avait mis en pièces l'innéisme cartésien, pour lui substituer un empirisme qui stipulait que toute connaissance vient de l'expérience sensible. La conscience est une *tabula rasa* qui ne prend forme que par le contact avec les phénomènes (*Lettre sur les aveugles* de Diderot, 1749). L'homme des Lumières n'est plus mû par un principe transcendant (dont se gausse Diderot dans *Jacques le Fataliste*, 1796, posth.), mais tire de lui-même, à travers l'introspection, sa connaissance du monde. Les Lumières deviennent ainsi l'âge de maturité de l'homme, elles sont « ce qui fait sortir l'homme de la minorité qu'il doit s'imputer à lui-même » (Kant). Cette introspection lui révèle aussi les mouvements qui l'agitent : au XVIIIe s., l'homme se découvre sensible. C'est grâce à cette sensibilité et à son propre courage intellectuel que l'homme découvre le monde, qui devient un grand univers de vérité.

Le projet monumental de l'*Encyclopédie* (1751-1772) tente de maîtriser l'univers du savoir, en Angleterre puis en France. Grande histoire de l'esprit humain et acte de foi en son progrès, l'*Encyclopédie* permet à la philosophie des Lumières de prendre conscience d'elle-même à travers la classification et l'explication des « connaissances éparses sur la surface de la terre » (d'Alembert, *Discours préliminaire*, 1751). Entreprise humaniste en ce qu'elle affirme la présence de l'homme dans l'univers, l'*Encyclopédie* exprime aussi une vocation de réforme, visant à abolir l'intolérance et les abus. Les Lumières ne sont donc pas qu'une démarche intellectuelle, mais représentent aussi un militantisme qui fonde une morale et une politique sociale moins inégalitaire. Cette époque a cherché l'insertion de l'intellectuel dans le social.

Le projet encyclopédique ne fut cependant pas l'expression d'une opinion communément acceptée. Il donna également naissance à un puissant mouvement de rejet. Les Jésuites, qui y voyaient une menace intellectuelle et commerciale contre leur *Dictionnaire de Trévoux* (depuis 1704) ont orchestré les premières attaques contre la philosophie des Lumières, secondés par une presse anti-philosophique d'inspiration religieuse et politique. Même à l'intérieur du parti philosophique, Rousseau refusait d'adhérer à une philosophie du progrès, qui pour lui était synonyme de corruption (*Emile*, 1762 ; *Du contrat social*, 1762). Il convient donc de considérer le XVIIIe s. comme l'époque d'une interaction incessante entre Lumières et anti-lumières.

Les Lumières ne constituent pas une idéologie homogène, mais apparaissent comme une construction de la postérité qui ne correspond guère à une conscience claire des contemporains. L'éloignement historique donne aux idées des Lumières une unité fictive et les transforme en mythe uniforme qui ne correspond pas à la diversité des situations. Ce mythe de l'unicité est dû avant tout à des tentatives incessantes de ramener le pluriel des Lumières au singulier d'une cause défendue ou accusée. Le parti républicain, en France, fonda une filiation des Lumières à la Révolution française, puis aux révolutions de 1830 et de 1848. Les efforts du romantisme pour dépeindre le XVIIIe s. comme l'époque uniforme d'une raison stérile et desséchée ont contribué aussi à l'image d'un XVIIIe s. homogène.

En fait, le pluriel de « Lumières » connote à la fois la multiplicité et le relativisme d'un courant de pensée qui prit dans les différents pays d'Europe des aspects très variés, en dépit de l'influence massive du français. Ainsi, l'anticléricalisme est étranger à l'*Aufklärung* allemande ou à l'*Enlightenment* anglais où la métaphore de la lumière conforte le lien entre philosophie et protestantisme. La chronologie est elle aussi un facteur de diversification. S'étendant sur plus d'un siècle, les Lumières ne sont pas restées les mêmes de Bayle à la Révolution. Dans plusieurs pays européens, dont la Pologne et le Portugal, les Lumières sont d'ailleurs un phénomène limité à la seconde moitié du siècle.

Reste que dans l'ordre littéraire la période est marquée par un double mouvement. D'un côté, elle conserve l'essentiel de la poétique des « Anciens » du XVIIe s. De l'autre, elle produit volontiers une littérature « engagée ». Dans tous les genres, traditionnels (les *Lettres* de Voltaire, 1ère éd. 1784), rénovés (les dialogues), en mutation (par exemple les romans de Diderot, dont *La religieuse*, 1796) ou nouveaux (l'autobiographie, avec les *Confessions*), la littérature est le lieu d'un intense débat d'idées comme le sont les espaces sociaux des académies, salons et cafés, alors en plein essor, et qui sont un terrain d'élection de la pensée éclairée. Les cours elles-mêmes, dans le rêve d'un despotisme éclairé, ont plus souvent soutenu, ou du moins toléré, les Lumières qu'elles ne les ont réprimées.

▶ CASSIRER E., *La philosophie des Lumières*, Paris, Fayard, 1970. — DELON M. (dir.), *Dictionnaire européen des Lumières*, Paris, PUF, 1997. — DIDIER B., *Le siècle des Lumières*, MA Éditions, 1987. — FOUCAULT M., « Qu'est-ce que les Lumières ? », *Dits et écrits*, IV, Paris, Gallimard, 1994. — HAZARD P., *La pensée européenne au XVIIIe siècle, de Montesquieu à Lessing*, Paris, Fayard, 1963.

Kris PEETERS

→ *Académies ; Encyclopédie ; Idéologues ; Laïcité ; Philosophie ; Polémique ; Rationalisme ; Salons littéraires ; Sensualisme.*

LYRISME

Étymologiquement, lyrisme vient de « lyre » qui est, dans la mythologie grecque, l'instrument d'Apollon inventé par Hermès et dont s'accompagne Orphée, figure majeure du poète ; il relève d'abord du langage musical. Poésie et musique furent longtemps indissociables. Le théâtre lyrique conserve le sens premier de mise en musique. Mais dans la tradition occidentale, dès l'époque grecque, lyrisme renvoie aussi à une expression personnelle. Aristote distingue la poésie lyrique de la poésie épique en ce que dans la première le poète parle en son nom. Le lyrisme serait voué dès son origine à l'expression des sentiments à l'aune d'un *je*. De ce point de vue, il définit un registre. On retrouve ces deux qualités – *musicalité* et expression du *moi* – tout au long de son histoire.

La lyrique médiévale répond à la première définition du lyrisme. Troubadours et trouvères sont des poètes musiciens, ils composent des *canso* ou chansons qui combinent une prosodie et une métrique complexes et des mélodies originales au service de l'expression d'un *je* généralement amoureux. La chanson jaillit du désir du poète de chanter son amour. Pour P. Zumthor, la chanson est son propre sujet – Narcisse en est la figure emblématique –, et le poème est miroir de soi sans que l'on puisse rapporter au *je* la vérité d'un vécu.

Au XIVe s., le poète Eustache Deschamps entérine une évolution déjà engagée qui rompt le lien entre la mélodie et la poésie : il distingue dans son *Art de Dictier* deux musiques, celle « naturelle » de la langue poétique, celle « artificielle » des instruments. Le terme « lyrique » apparaît en français au XVe s. après la séparation de la poésie et de la musique et il désigne au XVIe s. les formes poétiques issues des genres antiques – ode, élégie, ïambe – ou des formes plus récentes comme le sonnet. Le sonnet renaissant, sous l'influence de Pétrarque, noue les éléments de la redéfinition du lyrisme : harmonie des cadences, musicalité des mots, régularité d'une forme mélodieuse où se disent les passions.

Si l'expression du sentiment personnel semble prendre le pas sur le chant, surtout à partir du XVIIIe puis du XIXe s., l'exigence formelle et prosodique du rythme qualifie aussi le style lyrique comme un rappel, même dans le silence d'une lecture, de la nature vocale du lyrisme et de son rapport fondamental à la voix comme relais des émotions d'un sujet.

L'attention au rythme dont est porteur le langage transforme le verbe poétique alors que perdure l'expression d'un *moi* à travers les thèmes lyriques. L'élargissement du sens de « lyrisme » se produit au XVIIIe s. et tend à dissocier plus encore l'attitude lyrique et les formes littéraires dans lesquelles elle se réalise. Le lyrisme devient la proclamation des sentiments intimes plus ou moins associée à l'autobiographie, la manifestation de la sensibilité et de l'épanchement subjectif. Il s'accompagne du choix de l'original et du refus de l'imitation, et proclame un impératif de liberté individuelle. Ne s'arrêtant pas cependant aux seuls émois, les écrivains engagent l'expression lyrique dans la voie d'une expérience humaine plus générale, une communication des émotions qui peut s'exprimer désormais en prose comme en vers. Le romantisme achève l'évolution qui fait du lyrisme une manière passionnée de vivre et de ressentir le monde et une façon, souvent élégiaque, de le dire.

Le lyrisme conserve ce caractère existentiel au XXe s. Il est moins une forme d'écriture qu'une façon d'être au monde et d'habiter le langage. Pointe extrême d'une subjectivité « pourvue d'une identité aléatoire » (J. M. Maulpoix) qui se dit et s'analyse en persistant à croire aux pouvoirs du langage, il mobilise un large éventail de discours plus ou moins littéraires où se côtoient poésie et chanson, théâtre et cinéma et même feuilletons télévisuels, voire des formes de « confidences » autobiographiques médiatisées.

Les virtualités du lyrisme s'accomplissent à travers ses transformations au sein des sociétés où il est cultivé. Ses modes d'apparition sont donc divers et, en pensant à sa définition musicale, on pourrait lui rallier l'ensemble des chansons qui, partout et en tout temps, accompagnent les cérémonies publiques et privées. Poésie populaire que des poètes ont voulu imiter, en particulier au XIXe s et au XXe s., le lyrisme ponctue les grands moments de la vie à travers des thèmes privilégiés : l'amour, la fuite du temps et la nostalgie ou la mélancolie qui lui sont liées, la nature en accord ou en désaccord avec les sentiments, la mort et la perte de l'aimé(e) que le mythe d'Orphée rend emblématiques. Parce qu'il fait de la littérature le vecteur privilégié des passions et des émotions, le lyrisme est, selon le mot de Valéry, « le développement d'une exclamation ».

▶ MAULPOIX J.-M., *La voix d'Orphée*, Paris, Corti, 1989. — ZUMTHOR P., *Essai de poétique médiévale*, Paris, Le Seuil, 1972.

Michèle GALLY

→ *Autobiographie ; Chanson ; Courtoise (Littérature) ; Élégie ; Musique ; Ode ; Poésie ; Registres ; Théâtre lyrique.*

M

MACHIAVÉLISME

Dérivé du nom du penseur florentin Machiavel (1469-1527), le machiavélisme a été défini dès le XVIIe s. comme une vision cynique du pouvoir d'État, où la dimension morale est subordonnée à l'efficacité de l'action politique, un « art de régner tyranniquement » selon le *Dictionnaire* de Bayle (1695-1697).

Après une carrière au service de l'État florentin et la rencontre d'hommes politiques sans scrupules (César Borgia et Louis XII), Machiavel fut contraint à l'exil lorsque les Médicis prirent le pouvoir (1513). Il se consacra alors à composer des ouvrages de réflexion politique fondés sur les exemples passés (*Discours sur la première décade de Tite-Live*) et sur sa propre expérience auprès des grands. Il est également l'auteur d'un *Discours sur notre langue*, écrit entre 1518 et 1525 en toscan, et d'une comédie, *La mandragore* (1518). Il est universellement connu pour son œuvre de théorie politique : *Le prince* (1513) dédié à Lorenzo, duc d'Urbino, et destiné à sa formation de gouvernant. Machiavel mourut pauvre, au milieu de l'indifférence générale, et ses œuvres principales (ses commentaires de Tite-Live et *Le prince*) n'ont été éditées qu'à titre posthume. Et pourtant *Le prince*, quoique condamné dès sa parution, ne cessa d'être lu et médité autant que critiqué. Contrairement à la tradition du genre, l'ouvrage ne donne pas au prince le modèle du saint, ni celui du héros qui se sacrifie à l'idéal patriotique. Au contraire, il met en valeur la raison d'État. Selon lui, le prince doit fonder sa conduite sur le renforcement de son pouvoir, qui seul assure le salut de l'État. Les lois, la morale et même la religion deviennent, de fait, des garanties du maintien de l'ordre social. En effet, la pensée de Machiavel repose sur l'idée que la nature humaine, foncièrement corrompue, ne peut mériter nulle confiance et doit donc être soumise, par ruse ou par force, sans quoi les affrontements sont inéluctables.

Dans le domaine français, cette conception de l'État est un enjeu important du débat politique dès le XVIIe s. Si l'ouvrage est proscrit, son écho est sensible. Ainsi, entre autres, lorsque Guez de Balzac rédige à son tour un essai intitulé *Le prince* (1631). Commence alors une longue querelle pour ou contre le prince « parfait » et le prince « absolu ». Beaucoup, comme Campanella, Bodin, ou plus tard Bayle, Montesquieu ou Frédéric II, auteur d'un *Anti-Machiavel*, ont condamné ces vues cyniques. D'autres ont cru pouvoir réhabiliter Machiavel, fût-ce par paradoxe comme Rousseau, qui voit dans cette œuvre une leçon de lucidité et de clairvoyance puisqu'elle révèle aux peuples le véritable caractère des princes : « Le Prince de Machiavel est le livre des républicains » (*Contrat social*, 1762, III, 6).

Un ouvrage comme celui de Guez de Balzac témoigne d'une des visées les plus importantes de la littérature à l'âge classique : l'éducation (le « miroir ») du prince. Un tel rôle correspondait à une vision idéale du lettré, promu, comme Platon, guide du monarque. Cette ambition nourrit les traités d'éducation, mais elle est aussi en jeu dans des ouvrages de fiction. Ainsi est-elle centrale dans un roman d'éducation tel que le *Télémaque* de Fénelon (1699). Dans ce contexte, le machiavélisme apparaît alors comme l'idéologie à combattre pour tout auteur chrétien ; et l'ouvrage étant proscrit, on la combat sans la citer explicitement. Cependant, elle anime la dimension politique de l'action dans des tragédies de Corneille (par exemple *La mort de Pompée*, 1644) ou de Racine (*Britannicus*, 1669), où elle provoque les décisions des puissants malfaisants et donc l'issue tragique elle-même. À l'inverse, les libertins érudits, considérant que le peuple est enclin au mal par intérêt et doit être soumis à un pouvoir fort, étaient, sans l'avouer explicitement, favorables à la pensée de Machiavel. De telles questions étaient des plus sensibles en un temps où s'édifiait la monarchie absolutiste et centralisatrice. À ce titre, à côté de son influence sur les thématiques littéraires, la mise en œuvre d'un programme culturel d'État peut être considérée comme une autre influence, indirecte, du machiavélisme, dans la mesure où il incarne une vision du politique qui postule l'adhésion des artistes aux valeurs définies par le pouvoir. Dans ce contexte, en effet, la littérature officielle et l'historiographie royale mobilisent alors les écrivains au service du régime, et les pratique du mécénat et des Académies autant que la censure manifestent le désir d'un contrôle étatique des esprits.

▶ ALTHUSSER L., *Solitude de Machiavel*, Y. Sintomer (éd), Paris, PUF, 1998. — FUMAROLI M., *Trois institutions littéraires*, Paris, Gallimard, 1994. — JOUHAUD C., *Les pouvoirs de la littérature*, Paris, Gallimard, 1999. — LEFORT C., *Le travail de l'œuvre Machiavel*, Paris, Gallimard, 1986. — SENELLART M., *Machiavélisme et raison d'État, XIIe-XVIIIe siècles*, Paris, PUF, 1989.

Jean-Frédéric CHEVALIER,
Paul ARON, Alain VIALA

→ *Discours politique et littéraire ; Engagement ; État ; Idéologie ; Politique.*

MADAGASCAR

La littérature malgache d'expression française est une jeune littérature issue d'un pays de l'océan Indien. Elle s'est manifestée essentiellement à la fin de la Seconde Guerre mondiale en même temps que le mouvement de la Négritude, ce qui a entraîné des confusions : on l'a rattachée à tort aux littératures africaines. D'abord littérature de revendication contre la France, elle s'est étiolée après l'indépendance, mais connaît un retour en force depuis quelques années. Malgré la malgachisation du pays, la littérature en français est bien vivante comme le prouvent les œuvres de la nouvelle génération.

Madagascar, surnommé la « Grande île » (environ la moitié de la France), est abordée par les Européens au XVIe s. Pendant 200 ans, ses terres servent d'escale vers l'Inde. Au XIXe s. sont signés des accords anglo-malgaches, mais la décadence de la monarchie Mérina permet à la France de remplacer progressivement l'Angleterre. De 1890 à 1895, un corps expéditionnaire français s'empare des villes une à une. Les autorités françaises resteront en place, quoique constamment en butte à l'insoumission populaire, jusqu'en 1960, année de l'indépendance.

Au milieu du XIXe s., des missionnaires français s'appliquent à rassembler et à traduire en français les « haintenys », petits poèmes à base de jeux de mots et de proverbes aux origines traditionnelles et sacrées. C'est la première manifestation en langue française d'une littérature authentique malgache. En 1913, Jean Paulhan en propose une traduction plus exacte (*Les Hain-Tenys Mérinas, poésies populaires malgaches*).

Une littérature malgache moderne se développe par la suite. Dès la fin du XIXe s., les journaux ont pris l'habitude de publier des poèmes et de courts textes en prose (le plus souvent des contes et des fables). Jean-Joseph Rabearivelo publie en 1924 le premier recueil de poésie en français, *La coupe de cendres*, bientôt suivi de *Sylves* (1927) et de *Presque songes* (1934) où le poète aborde entre autres thèmes ceux du Nègre et de l'esclavage. Rabearivelo appartient à la « trilogie malgache » avec Jacques Rabemananjara (*Antsa*, 1956) et Flavien Ranaivo (*L'ombre et le vent*, 1947). En 1930, Charles Renel, instituteur, fait paraître en français *Contes de Madagascar* (2 vol., 1910 et, posth., 1930). Pendant longtemps, la grande référence pour la littérature malgache demeure l'*Anthologie de la nouvelle poésie nègre et malgache de langue française* publiée par Léopold Sédar Senghor en 1948.

De 1950 à 1960, l'activité littéraire malgache se poursuit avec une flambée de protestation anticoloniale. De cette période émergent des auteurs tels Régis Rajemisa-Raolison (*Les fleurs de l'île rouge*, 1948) et Paul Razafimahazo (*Une gerbe oubliée*, 1948), dont l'influence est ensuite sensible sur plusieurs poètes.

Le premier roman malgache paraît en 1965 : *Les voleurs de Bœufs*, de Rabearison. Depuis 1970, une nouvelle génération d'écrivains est à l'œuvre qui se penche notamment sur le conflit social entre tradition et modernité ; ainsi les romancières Charlotte-Arrisoa Rafenomanjato (*Le pétale écarlate*, 1985) et Michèle Rakotoson (*Le bain des reliques*, 1988). Récemment, la découverte de Jean-Luc Raharimana (*Lépreux*, 1992) a confirmé l'originalité et la maturité de la littérature malgache.

La littérature de Madagascar en langue française ne peut qu'être une littérature de langue seconde, le malgache étant la langue maternelle de toute la population. On aurait pu croire que le phénomène de malgachisation du pays survenu après l'indépendance nuirait à la littérature francophone, mais le malgache n'étant parlé nulle part ailleurs, le français demeure une langue essentielle aux communications extérieures. L'avenir de la littérature francophone paraît relativement prometteur, malgré l'absence de véritable édition malgache ; la plupart des ouvrages importants sont publiés à Paris. Il existe toutefois des milliers de contes, fables et nouvelles disséminés dans des journaux et périodiques, qui mériteraient d'être recensés. Chaque année, le nombre de romans publiés grandit malgré tout, mais surtout à l'extérieur du pays (effet de la situation périphérique à l'égard du centre français). Localement, la vie culturelle francophone constitue un phénomène relativement marginal et élitaire.

▶ HAUSSER M. & MATHIEU M., *Littératures francophones III. Afrique noire, Océan indien*, Paris, Belin, 1998. — JOUBERT J.-L., *Littératures de l'océan indien*, Vanves, EDICEF/AUPELF, 1991. — NOIRET F., *Chants de lutte, chants de vie à Madagascar. Les Zafindraony des pays Betsileo* (2 vol.), Paris, L'Harmattan, 1995. — ROUCH A. & CLAVREUIL G., *Littératures nationales d'écriture française. Afrique noire, Caraïbes, Océan indien*, Paris, Bordas, 1986. — Coll. : « Nouveaux paysages littéraires. Afrique, Caraïbes, Océan indien, 1996-1998/1 », in *Notre Librairie*, n°135, sept.-déc. 1998.

Michel TÉTU, Anne-Marie BUSQUE

→ *Centre et périphérie ; Coloniale (Littérature) ; Francophonie ; Postcolonialisme ; Roman.*

MAGHREB

Née avec la présence française en Afrique du Nord (colonie en Algérie, protectorat en Tunisie et au Maroc), la littérature francophone s'est développée au Maghreb après l'indépendance des trois pays. D'abord écrite par des Français installés en Algérie (Camus, Roblès), elle devint l'œuvre des Algériens, des Marocains et des Tunisiens. Orientée essentiellement contre la France avant l'indépendance, elle a acquis un retentissement international par l'affirmation de son autonomie et de sa modernité face à l'intégrisme religieux s'exprimant en arabe. On doit aujourd'hui parler de littératures nationales dans les trois pays du Maghreb, chacune ayant ses propres caractéristiques.

Le français n'était pas parlé en Afrique du Nord avant la colonisation de l'Algérie par la France en 1830. D'abord écrite pour un public européen par des Français de passage ou installés depuis peu en Algérie, la littérature maghrébine de langue française fut d'abord plus littérature coloniale, exotique et régionale que maghrébine. Une littérature « pied-noir » émerge ensuite, ancrée dans la réalité culturelle du pays, chantant l'attachement des Français d'Algérie de la deuxième et de la troisième génération à la terre natale (Camus, Roblès, Jean Pélegri, Jules Roy). Pendant la guerre d'indépendance (1954-1962), une littérature anticoloniale voit le jour, produite par des écrivains maghrébins revendiquant une identité proprement maghrébine. Toujours écrite pour un public français, elle a pour mission de convaincre de la légitimité du combat pour l'indépendance. Très forte en Algérie, où elle s'articule notamment sur l'identité berbère (Kateb Yacine, *Nedjma*, 1956), cette littérature anticoloniale se manifeste aussi au Maroc (Mohammed Dib, *L'incendie*, 1954) et, plus rarement et plus calmement, en Tunisie. Après la guerre émerge une littérature postcoloniale enracinée dans les cultures nationales. Elle est mise au programme dans les écoles, et, contre toute attente, résiste à l'arabisation massive des trois États du Maghreb. Solide et vivante aujourd'hui, elle compte des auteurs de réputation internationale tels Driss Chraïbi et Tahar Ben Jelloun pour le Maroc, Tahar Bekri et Albert Memmi pour la Tunisie, Assia Djebar, Rachid Boudjedra et bien d'autres pour l'Algérie.

Si on a longtemps parlé de littérature maghrébine au singulier, le pluriel s'impose aujourd'hui en raison des spécificités socio-politiques et des particularités culturelles de chaque pays. La culture et la langue françaises n'ont pas eu le même ascendant au Maroc et en Tunisie qu'en Algérie : l'Histoire et l'évolution des rapports avec la France les ayant façonnées différemment, les particularités s'accusent malgré les parentés. Il est à noter que plusieurs écrivains vivent hors du pays, principalement en France, où ils se sentent plus libres d'écrire sur leur pays d'origine et où ils sont d'ailleurs publiés. Leur voix ne doit pas être confondue avec celle des enfants de Maghrébins installés en France : ces jeunes écrivains banlieusards d'origine maghrébine sont plutôt déphasés par rapport à la réalité de leur pays d'origine sans se sentir pour autant bien intégrés à la vie française.

Les littératures francophones du Maghreb sont de plus en plus reconnues. Les maisons d'édition se portent bien au Maroc, assez bien en Tunisie et espèrent reprendre le dessus en Algérie, où elles furent un temps prospères. L'intégrisme associé souvent à l'archaïsme de l'arabe littéraire et la faible production en arabe dialectal lié à la vie rurale et traditionnelle donnent par contrecoup un nouveau rôle et un nouveau prestige au français, notamment en Algérie. Ce pays a refusé d'adhérer comme ses voisins à la Francophonie, mais le français y reste très présent. On doit signaler la montée en force des femmes dans la littérature au cours de la dernière décennie du XXe s., soit pour braver les tabous et dénoncer la condition féminine (Soumaya Naamane-Guessous, *Au-delà de toute pudeur*), soit pour s'élever contre la guerre civile (Assia Djebar, *Oran langue morte*). Malgré les problèmes liés à une diffusion encore restreinte, les littératures maghrébines sont enseignées dans chaque pays et font l'objet d'études partout à travers le monde.

▶ ACHOUR C. (dir.), *Dictionnaire des œuvres algériennes de langue française*, Paris, L'Harmattan, 1990. — BEKRI T., *Littératures de Tunisie et du Maghreb*, Paris, L'Harmattan, 1994. — BONN C., *Littérature maghrébine d'expression française*, Vanves, EDICEF, 1996. — DEJEUX J., *La littérature maghrébine de langue française*, Sherbrooke, Naaman, 1985. — MEMMI A., *Écrivains francophones du Maghreb. Anthologie*, Paris, Seghers, 1985.

Michel TÉTU, Anne-Marie BUSQUE

→ *Coloniale (Littérature) ; Engagement ; Exil ; Francophonie ; Identitaire ; Migrante (Littérature) ; Postcolonialisme.*

MANIÉRISME

« Maniérisme » dérive de « manière » et donc de « main », ce qui lie d'emblée la *maniera* au fait de reconnaître, au propre ou au figuré, la trace d'un artiste dans son œuvre (trait du dessinateur, cadence d'une phrase, mouvement de caméra, selon R. Klein), et donc sa singularité. Une acception péjorative, jamais lointaine, oppose au « naturel » un caractère *maniéré* et imitable. L'histoire de l'art désigne par maniérisme une école de peintres italiens (Le Parmesan, Pontormo, Rosso, Bronzino...) succédant au classicisme de la Renaissance et précédant les maîtres baroques du XVIIe s. *Maniérisme* a été employé dans le domaine littéraire par E. R. Curtius (1947) pour désigner « le dénominateur commun de toutes les tendances opposées au classicisme ».

Maniérisme est une notion exogène ; sa dimension historique est donc tributaire des définitions critiques concernées. En peinture, dans l'usage qu'en fait Curtius, les peintres maniéristes du XVIe s. italien sont hostiles au canon rationnel, universel et objectif d'un Dürer ou d'un Vinci, et défendent la pluralité des génies liée à celle des tempéraments, donc des manières individuelles. Ils revendiquent l'intensité de l'expression et l'élégance de la « figure serpentine » qui, dans la représentation du corps humain, va jusqu'à des torsions et proportions impossibles. Schlosser et Panofsky ajoutent à ce style pictural l'invention d'une théorie de l'art consciente d'elle-même par Zuccari et Lomazzo. Celui-ci, dans son *Idea del Tempio della Pittura*, divisée en sept parties correspondant chacune à un grand peintre, affronte les paradoxes de l'imitation de la nature ou du dessin intérieur (*idea, concetto*), du rapport entre sujet et objet, en recourant à une métaphysique éclectique, principalement néoplatonicienne. Il maintient l'idée d'un beau objectif, malgré la relativité des conditions de possibilité de la représentation, la contestation des règles mathématiques, la prise en compte de la multiplicité des styles et du caractère irrationnel de la grâce. En littérature, Curtius l'applique aux périodes de raffinement et de virtuosité formelle et idéelle (vite jugée artificielle ou « dégénérée ») succédant aux phases « classiques ». Elle prend ainsi en charge un ensemble vaste, des calligrammes, lipogrammes ou autres jeux poétiques antiques jusqu'aux expériences d'un Joyce et d'un Mallarmé en passant par le conceptisme du siècle d'or espagnol. La notion entrait en concurrence dans sa globalité avec la notion inversement valorisée du baroque transhistorique d'Eugénio d'Ors (1929). L'étude de J. Shearman (*Mannerism*, 1965) puis M. Raymond (1971) envisagent les analogies entre la peinture maniériste, mise à l'honneur en France au XVIe s. à Fontainebleau par le séjour de Rosso et du Primatice, et le foisonnement poétique contemporain, de la *Délie* de Scève à la génération de Desportes (1610). M. Raymond relève les techniques d'expression visant à produire un effet de surprise et à établir une « relation d'incertitude » entre le connaisseur et le poème, une structure décentrée et compartimentée, le goût de la variété, voire du morcellement et de « l'entassement », celui de la métamorphose et des allégories hermétiques. Il y voit une conception anticicéronienne du style, la valeur accordée à la virtuosité de l'harmonie imitative, de l'antithèse ou de la métaphore filée, et en règle générale la subordination de la matière à la manière.

La concurrence des concepts de maniérisme et de baroque, l'imbroglio des périodes et des classifications constituent la difficulté de cette notion séduisante. G. Mathieu-Castellani s'est efforcée de les prendre en compte, en opposant partiellement maniérisme et baroque, pour distinguer la poésie d'un Agrippa d'Aubigné de celle d'un Desportes, ou de la prose des *Essais*. Plutôt que d'invoquer une structure, une rhétorique ou des thèmes souvent communs aux deux concepts, elle propose de fonder ce contraste sur deux postures énonciatives. Chacune correspondrait à une réaction opposée face à une vision du monde marquée par le bouleversement de valeurs séculaires : du côté de la poésie baroque, mise en avant de la fonction d'édification et d'articulation d'une Vérité transcendante, du côté maniériste l'opacité affichée du simulacre et l'expression de l'indécision troublée ou ludique du locuteur. L'idée de maniérisme, même diverse dans ses définitions, favorise l'approche différenciée de la production poétique foisonnante qui suit la Pléiade, en évitant l'alternance massive baroque/ classique ou l'évolution à œillères des pré- et para- classicisme.

▶ CURTIUS E. R., *La littérature européenne et le Moyen Âge latin*, Paris, PUF, 1951. — KLEIN R., *La Forme et l'intelligible*, Paris, Gallimard, 1970. — MATHIEU-CASTELLANI G. (éd.), « Maniérismes », *Revue de littérature comparée*, 1982, n° 3. — PANOFSKY E., *Idea* [1924], Paris, Gallimard, 1983. — RAYMOND M., *La poésie française et le maniérisme, (1546-1610)*, Genève, Droz, 1971.

Florence DUMORA-MABILLE

→ *Baroque ; Classicisme ; Goût ; Préciosité ; Style ; Vision du monde.*

MANIFESTE

Traduit de l'italien *manifesto* au XVIe s., le manifeste est d'abord une déclaration écrite dans laquelle une personnalité ou un groupe politique justifie ses actions ou expose un programme. Le sens du mot s'est étendu progressivement jusqu'à englober toutes les pratiques manifestaires, dont celles des écrivains. Son sens actuel, enregistré dans la première moitié du XIXe s. (*Manifeste de la Muse française*, 1824 ; *Manifeste contre la littérature facile*, 1833...), désigne les déclarations publiques des groupes qui annoncent de nouvelles manières de voir, en politique, en littérature ou dans les arts. Qu'il se présente ou non comme tel, et quelle que soit sa forme – préface, tract, article ou livre–, le manifeste est un discours programmatique obéissant aux règles d'une argumentation organisée.

Cette définition extensive permet d'associer au genre du manifeste certains textes qui ne s'affichent pas explicitement comme tels, mais qui obéissent à des stratégies littéraires concertées. C'est ainsi que, suite à l'*Art poëtique françois* de Thomas Sebillet (1548), la *Défense et illustration de la langue française* de Du Bellay (1549), comme d'ailleurs la « Préface » aux *Quatre premiers livres des « Odes »* de Ronsard (1550) sont clairement de brillants essais exprimant les convictions d'hommes jeunes, qui représentent des groupes (la Brigade) engagés dans le débat littéraire. Les participants à la Querelle des Anciens et des Modernes, au XVIIe s., développent quant à eux leurs thèses dans des manifestes qui s'intitulent poèmes héroïques, défense, art poétique, traité, avantages, digression, épîtres, réflexions, lettres, dissertation critique ou conjectures. Les préfaces, avertissements ou examens de Corneille ou de Molière participent des mêmes méthodes. La préface de *Cromwell* de Victor Hugo (1827) critique certains éléments du théâtre classique et fonde l'esthétique théâtrale romantique. C'est le cas également de la préface de Th. Gautier pour *Mademoiselle de Maupin* (1835) qui conteste la vision dominante de l'art utile.

À la fin du XIXe s. et au début du XXe s., le manifeste s'impose dans la vie littéraire. Moréas fait paraître un *Manifeste du symbolisme* (1886), Saint-Georges de Bouhélier, en 1897, lance le *Manifeste du naturisme*, Marinetti surprend avec le *Manifeste du futurisme* (1909), Tzara publie le *Manifeste Dada* (1918), Breton, le *Manifeste du surréalisme* (1924) et Borduas *Refus global* (1948), manifeste des automatistes qui fonde la modernité radicale au Québec. Cette ébullition est certainement à mettre en rapport avec la forte concurrence qui prévaut alors dans le champ littéraire. La multiplication des groupes et des chapelles renforce le rôle des programmes, et le manifeste représente la forme privilégiée dans laquelle s'affirment les positions et les prises de position.

Les manifestes de la seconde moitié du XXe s. présentent d'autres caractéristiques. Ils prennent plutôt l'allure d'« antimanifestes » (J. Demers et L. Mc Murray, 1986), tels les manifestes de l'OuLiPo (1973). Ils réunissent un groupe autour d'un projet original, mais ne cherchent pas à se distinguer ou à s'imposer de façon explicite et tranchante. Ce fait peut signifier la fin du manifeste dans la mesure où sa nature contestataire est remise en cause, mais il peut également révéler une nouvelle tendance du genre, plus conforme aux caractéristiques actuelles du champ littéraire : il se fait moins virulent, moins dogmatique et plus consensuel.

Le discours manifestaire s'adresse aux écrivains autant qu'aux lecteurs. Le manifeste entretient une relation paradoxale avec l'institution littéraire : si, d'un côté, il s'oppose souvent aux pratiques légitimées, de l'autre, il cherche la reconnaissance des écrivains débutants et révèle une volonté de se substituer aux groupes consacrés. Les manifestes liés aux mouvements d'avant-garde, en particulier, développent, et parfois très consciemment, cette ambiguïté constitutive (*Manifestes dada*, 1920).

La forme manifestaire relève également d'une rhétorique précise. Tantôt didactique, tantôt polémique, le manifeste s'inscrit toujours dans une stratégie de rupture et de persuasion, qui impose une certaine théâtralité de la démarche et l'usage de nombreuses citations et références d'autorité, d'effets d'injonction, de surprise et de provocation.

▶ CHOUINARD D., « Sur la préhistoire du manifeste littéraire (1500-1828) », *Études françaises*, 1980, n° 3-4, p. 21-29. — DEMERS J. & MC MURRAY L., *L'enjeu du manifeste / Le manifeste en jeu*, Montréal, Le Préambule, 1986. — DESONAY F., « Les manifestes littéraires de la Renaissance », *Bibliothèque de l'Humanisme et de la Renaissance*, 1952, 14, p. 250-265. — MITCHELL B., *Les manifestes littéraires de la Belle Époque (1886-1914)*, Paris, Seghers, 1966. — Coll. : *Littérature*, 1980, n° 39.

Annie PERRON

→ *Avant-garde ; École ; Pamphlet, Polémique ; Stratégie littéraire.*

MANUELS

Selon l'étymologie (du latin *manus*), le manuel est un livre fait pour être tenu à la main, mais sa spécificité relève d'abord de sa fonction. C'est un ouvrage didactique qui rassemble, dans une forme condensée, les éléments essentiels d'une discipline. Il peut s'appliquer à toutes sortes de domaines : manuels de savoir-vivre, manuels d'art épistolaire, catéchismes, etc. Mais pour la littérature, il a un rôle essentiel à l'École. Dans le contexte scolaire, où il doit répondre à des exigences pratiques, le manuel de littérature a une valeur exemplaire : il transmet des valeurs et un corpus canonique.

Il existait déjà des manuels au IVe s. pour l'étude de la grammaire latine, mais l'éclosion des manuels de littérature est liée aux grands mouvements de scolarisation. À la fin du XVIIe s. apparaissent des manuels de rhétorique nantis d'exemples français (tirés de Corneille, Racine...). Au milieu du XVIIIe s., le *Cours de Belles-Lettres* de l'abbé Batteux (1747) est le premier véritable manuel littéraire : il étudie les genres, des Grecs aux Français. Puis, avec l'essor de l'école publique, de 1880 à 1902, en France, de nouveaux programmes scolaires favorisent la production de manuels, surtout d'histoire littéraire. Ceux-ci remplacent les traités de rhétorique et modifient la mise en perspective de l'histoire littéraire qui, de générique chez Batteux, devient chronologique. Leurs auteurs sont d'abord de grands critiques (Brunetière), puis des universitaires (Petit de Julleville, Lanson). Ils proposent une sélection des œuvres et des auteurs fondée sur les jugements de la postérité et illustrée par des « morceaux choisis » ; ils privilégient une lecture qui établit des relations entre « l'homme et l'œuvre », la littérature et l'histoire politique ou encore entre des courants esthétiques et entre des générations d'écrivains. Compte tenu de la concurrence et de l'évolution des savoirs et du retard avec lequel ils pénètrent dans les classes, la longévité de ces manuels est un fait marquant : en 1923, le Doumic (*Histoire de la littérature française*, 1893) a été tiré à 470 000 exemplaires et le Lanson (*Histoire de la littérature française*, 1895) à 180 000. Le *Manuel illustré de la littérature française* de Jean Calvet (1920) a été utilisé plus de quarante ans. Ceux de Castex et Surer (1948-1953) et de Lagarde et Michard (1954-1962) ont connu également un succès durable. Ces manuels se sont imposés, du reste, dans toute la francophonie où, jusqu'au-delà de 1960, les concurrents des manuels français ont été l'exception (la plus notable étant le *Manuel d'histoire de la littérature canadienne-française*, 1918, de Mgr Camille Roy avec une vingtaine d'éditions jusqu'à 1962). De telles réussites consacrent une permanence des contenus, qu'il s'agisse du corpus des œuvres, des notions critiques, des interprétations ou des jugements esthétiques. Cet effet de canonisation s'observe dans la culture scolaire, même après les critiques de l'enseignement dans les années 1970, l'adoption de nouveaux programmes et la parution de nouveaux ouvrages, car les nouveaux contenus s'inscrivent dans une même formation discursive. À ce jour, des manuels à caractère chronologique et des manuels plus génériques ou plus méthodologiques sont en concurrence.

Les manuels diffèrent selon leur origine, leurs partis pris et l'usage auquel ils sont destinés (par exemple dans l'enseignement laïque ou confessionnel, l'enseignement général ou l'enseignement professionnel...). Sur une longue durée, ils se répondent ou s'opposent. Ils correspondent à un état des connaissances, mais surtout à des choix stratégiques en fonction des programmes et des finalités scolaires. Ainsi, au tournant du XIXe et du XXe s., l'enseignement de la littérature va de pair avec celui de l'histoire nationale et les manuels doivent servir un dessein patriotique. Donnant des modèles pour la formation du goût et du sens civique, ils contribuent à diriger la pensée et le comportement. D'ailleurs, des visées humanistes, morales ou religieuses ont presque toujours déterminé la matière de l'enseignement et les jugements critiques.

Parce qu'ils définissent des valeurs et des corpus canoniques, les manuels reflètent la doxa autant que les convictions particulières de leurs auteurs. Ils font donc partie des institutions de la littérature qui, au même titre que toutes les autres instances de classement et de sélection, sont périodiquement amenées à réviser leurs corpus et modes de représentation. Mais ils disent également les attentes et les prescriptions que les autorités sociales (politiques ou religieuses) édictent en matière de goût, de morale ou d'usage. Leurs références peuvent donc, à ce titre, entrer en conflit avec les valeurs affichées par le monde littéraire. Ils sont donc l'objet de débats sociaux autant que littéraires.

Dans la période récente, les manuels scolaires ont surtout fait l'objet d'une analyse critique à partir des années 1970, dans la foulée de grands questionnements sociaux. Barthes a observé leur influence considérable et leurs effets de censure. Plusieurs travaux – de Fayolle et de Kuentz (« Le discours de l'école sur les textes », *Littérature*, n° 7, oct. 1972), entre autres – ont porté sur les dispositifs, les présupposés et les enjeux politiques des manuels antérieurs à 1970, dont les conceptions esthétiques et les critères d'appréciation ressortissent, après analyse, à une idéologie bourgeoise. Selon eux, au-delà des effets de valorisation ou de canonisation, les manuels induisent une programmation de la lecture et même de l'écriture.

▶ BARTHES R., « Réflexions sur un manuel », *L'enseignement de la littérature*, S. Doubrovsky & T. Todorov (éd.), Paris, Plon, 1971. — CHERVEL A., *Histoire de l'agrégation*, Paris, INRP-Kimè, 1993. — CHOPPIN A., « L'histoire des manuels scolaires, une approche globale », *Histoire de l'éducation*, 1980, 9, p. 1-25. — HALTÉ J.-F. & PETITJEAN A, « Pour une théorie de l'idéologie dans les manuels scolaires : le Lagarde et Michard », *Pratiques du récit*, Paris, CEDIC, 1977, p. 15-43. — MELANÇON J., MOISAN C. & ROY M., *Le discours d'une didactique. La formation littéraire dans l'enseignement classique au Québec (1852-1967)*, Québec, Nuit blanche, 1988.

Max ROY

→ *Canon, canonisation ; École ; Enseignement de la littérature ; Institution ; Lecture, lecteur ; Valeurs.*

MANUSCRIT

En français moderne le terme « manuscrit » renvoie à tout texte écrit à la main, par opposition à *imprimé*. La pratique de l'écriture sur papyrus, parchemin ou papier remonte aux origines de notre culture, mais la conception ainsi que la finalité des manuscrits ont changé totalement avec l'invention de l'imprimerie. Avant Gutenberg, les manuscrits sont des instruments de conservation et de diffusion de la production intellectuelle ; après Gutenberg, ils deviennent le plus souvent des témoignages du rapport entre l'écrivain et son texte, de la genèse d'une œuvre donnée, parfois un moyen de diffusion clandestine des idées.

Dès que les hommes ont cherché à fixer leurs idées, leur culture, sur un support durable, l'écriture est née. Avec l'écriture alphabétique et l'introduction du papyrus comme support matériel, l'écrit devient omniprésent en Égypte et en Grèce d'abord, à Rome ensuite. Le livre en forme de rouleau, écrit sur un seul côté, le *volumen*, est le premier type de manuscrit à avoir été conservé. Les Égyptiens, et surtout les Grecs, en avaient fait un moyen privilégié de la transmission de la littérature et du savoir en général. L'introduction du parchemin en Occident (Ier-IVe s.) change la présentation du manuscrit qui, de la forme de *volumen* passe à celle de *codex*, à savoir un ensemble de cahiers de format variable selon le pliage, cousus entre deux ais de bois, et reliés. La présentation du livre manuscrit change très peu avec l'introduction en Europe du papier par les Arabes (Xe s.), mais la véritable production de papier et de manuscrits sur papier en France commence au XIVe s. En parchemin ou en papier, le manuscrit, pendant toute la période médiévale et jusqu'aux premières éditions d'Antoine Vérard (1480), demeure le seul moyen de diffusion de la littérature en langue vernaculaire. La caractéristique principale du livre manuscrit médiéval est de réunir dans un même *codex* des œuvres parfois très différentes par leur forme et leur contenu. Rares sont les ouvrages qui ont bénéficié d'un traitement différent et occupent à eux seuls un manuscrit entier. Le prix du livre est très élevé au Moyen Âge, surtout à cause du salaire du copiste qui constituait la part la plus importante du coût de fabrication. Le manuscrit est utilisé très longtemps et soigneusement conservé, l'exécution d'une nouvelle copie d'un texte dépendant uniquement de la demande du marché. L'invention de l'imprimerie représente un véritable tournant dans l'histoire de la culture écrite, le coût de fabrication étant alors réparti sur de nombreux exemplaires. L'augmentation de la production de livres s'accompagne d'une mutation importante affectant la destination et de la physionomie du livre manuscrit. Si ce dernier continue à exister comme exemplaire de luxe, destiné à des mécènes importants, les copies transcrites à la main représentent de plus en plus la dernière rédaction que l'auteur remet à l'imprimeur. Rares sont les auteurs des XVIe-XVIIe s. dont nous ayons conservé les manuscrits : des *Essais* de Montaigne il ne nous reste aucun manuscrit, mais un exemplaire de l'édition imprimée de 1588, sur lequel l'auteur avait noté à la main des corrections et des ajouts. Au siècle classique, à part les quelques manuscrits de mémoires et de correspondances et les cas de textes inédits du vivant de l'auteur, comme les *Pensées* de Pascal, la pratique était de ne pas conserver les manuscrits d'auteur. Pourtant à partir du XVIIIe s., les écrivains ont tendance à conserver leurs propres manuscrits : que l'on pense à Diderot, ou bien à Jean-Jacques Rousseau, qui a voulu garder tous les témoignages des étapes intermédiaires de plusieurs de ses ouvrages. Les manuscrits autographes de Balzac, de Victor Hugo, de Flaubert, ou les dossiers de Zola, montrent de diverses façons le prestige nouveau que les auteurs et les critiques sont prêts à leur attribuer : pour eux les carnets de notes, les brouillons constituent des traces de leur vie intellectuelle, de leur démarche créatrice. En même temps, le manuscrit constitue l'original de l'œuvre, et attestée de la paternité de l'auteur. Devenu en plus un objet d'art, de collection, étant donné sa rareté ou son caractère unique, le manuscrit a finalement acquis une sorte d'indépendance par rapport au texte imprimé. Les grandes bibliothèques et les collections privées se mettent de plus en plus à acheter l'ensemble de la production manuscrite des plus grands auteurs contemporains – c'est ainsi que se sont formés, par exemple, les fonds des manuscrits de Guillaume Apollinaire et de Marcel Proust – ou à en accueillir le dépôt.

Le manuscrit naît dans le but de sauvegarder, par l'écrit, la culture de chaque peuple, et cet effort de conservation, uni à une nécessité de restitution du message dans son aspect original, a suscité ce que l'on a pris l'habitude d'appeler la philologie. Elle renaît à chaque fois que de nouvelles conditions socio-économiques poussent les hommes à récupérer la culture du passé. La découverte par les humanistes des manuscrits latins et grecs pose le problème de la restitution du texte original et, par conséquent, celui du choix entre les plus ou moins nombreuses versions du texte transmises par différents témoins. C'est ainsi que naît et se développe la réflexion sur l'édition critique qui intéresse non seulement les manuscrits de l'Antiquité, mais aussi tous les textes médiévaux qui se caractérisent par une pluralité de versions, par une instabilité que l'on a appelée mouvance ou variante. Les techniques d'édition évoluent en fonction du statut que les critiques et les auteurs accordent au manuscrit, mais aussi en fonction des conditions socio-historiques. C'est en effet la mutation des conditions de production et d'utilisation des textes manuscrits qui a modifié la fonction de l'écrit. Seul et unique moyen de transmission de la culture au Moyen Âge, simple support des diverses versions d'un texte avant l'impression à partir du XVIe s., le manuscrit n'est plus un objet rare et cher qu'il faut sauvegarder, mais à partir du XIXe s. il occupera à nouveau une place privilégiée, témoin de la genèse de l'œuvre et du rapport de l'auteur avec l'écriture. Aujourd'hui la critique génétique revalorise les versions antérieures ou postérieures d'un texte imprimé et accorde donc une importance toute particulière aux manuscrits d'auteur. Les technologies modernes (machine à écrire, ordinateur) modifient le rapport (le texte remis à l'éditeur devient la « copie » et non plus le manuscrit) ; mais l'idée subsiste que l'« original », et la marque autographe qui en est l'emblème, valent par la présence de l'auteur qu'ils matérialisent.

▶ BOZZOLO C. & ORNATO E., *Pour une histoire du livre manuscrit au Moyen Âge*, Paris, Ed. du CNRS, 1980 et suppl. 1983. — CERQUIGLINI B., *Éloge de la variante*, Paris, Le Seuil, 1988. — Coll. : *Les manuscrits des écrivains*, Louis Hay (éd.), Paris, CNRS éditions / Hachette, 1993. — *Mise en page et mise en texte du livre manuscrit*, H. Martin et J. Vezin (éd.), Paris, Promodis, 1990. — Contat M. (dir.), *L'auteur et le manuscrit*, Paris, PUF, 1991.

Gabriella PARUSSA

→ *Auteur ; Édition ; Génétique (Critique) ; Histoire du livre ; Philologie ; Propriété littéraire ; Variante.*

MARCHÉ LITTÉRAIRE

Le marché littéraire est l'espace social des échanges induits par les Lettres : vente de textes, de livres ou de spectacles, mais aussi rapports de pouvoirs et liens ou conflits d'idées ; il apparaît donc comme un secteur du « marché des biens symboliques » présent dans toute société.

D'un côté, la production littéraire est soumise aux lois du marché économique, puisque la littérature se définit entre autres par la publication, sous forme d'édition ou de représentations, ce qui l'insère dans le système des échanges sociaux rémunérés. Mais d'un autre côté, les lettres relèvent aussi d'une tradition de l'art et du savoir, de l'échange d'idées et d'émotions, qui transcendent les contraintes économiques. Enfin, comme discours d'idées, de formes, de modes de pensée et de sensibilité, elles sont aussi marquées par des rapports ambivalents à l'endroit des pouvoirs politiques et religieux (elles en dépendent mais tendent souvent à leur échapper) et des valeurs (elles reproduisent des valeurs établies mais peuvent en proposer de nouvelles). Cette complexité des liens entre ces trois aspects du marché des Lettres (pratique économique, valeur esthétique, enjeux idéologiques) apparaît de façon particulièrement claire dans le cas du mécénat. En théorie, le mécène dote un artiste « libre » d'une gratification sans autre obligation que de créer des œuvres d'un prix inestimable ; en fait, il en escompte un effet de propagande ; et son choix n'est réussi que si l'avis du public vient confirmer que l'auteur est reconnu pour son art. Ainsi la diffusion des lettres échappe pour partie aux échanges économiques courants et relève d'un système symbolique.

L'existence du public anonyme de l'édition et du théâtre induit cependant une polarisation entre les œuvres relevant d'un jugement qui porte sur leur qualité esthétique avant tout, œuvres qui touchent de ce fait un public d'abord restreint, et les ouvrages destinés au grand public. D'où une bipartition du marché, opposant l'espace du large public et un espace restreint des auteurs qui écrivent pour leurs pairs, structure qui suggère que, « véritable défi à toutes les formes d'économisme, l'ordre littéraire [...] se présente comme un monde économique renversé » (Bourdieu, 1971). Rechercher la reconnaissance des pairs implique en effet de négliger la rentabilité financière. Mais ce système relève aussi de l'économie sociale générale, celle, en ce cas, du capital symbolique dont l'accumulation représente « avec le capital religieux, la *seule forme possible d'accumulation* lorsque le capital économique n'est pas reconnu » (Bourdieu, *Le sens pratique*, p. 201). Dans la pratique, le marché littéraire n'est uniquement symbolique que dans des cas exceptionnels, l'œuvre de Mallarmé par exemple. Ainsi la promotion du théâtre au XVIIe s., du roman depuis le XIXe s., ouvre aux auteurs la voie de succès qui relèvent de l'économie générale autant que de l'économie symbolique ; et une zone médiane du champ tend à associer les deux ordres de valeur, l'estime et le succès. Les écrivains et les associations qui les représentent défendent leurs droits d'auteurs dès qu'il en est, ce qui atteste la force de l'économie marchande, et la transcendance littéraire construit ses valeurs dans cette tension. D'ailleurs, plusieurs gouvernements ont des programmes de subventions destinés aux auteurs, aux éditeurs ou aux diffuseurs dans le but de protéger la littérature nationale au sein de ce cadre marchand où la concurrence lui est défavorable ; reprenant par là un rôle théorique traditionnel du mécénat, ils donnent des appuis aux valeurs symboliques.

Les premières pratiques des textes ont été orales – aèdes, chants, récitations – et participaient de la célébration (des dieux, de la cité, des puissants) ou du divertissement. Historiquement l'écriture est apparue dans des sociétés, sédentaires et esclavagistes, dont l'économie dépassait la stricte subsistance et engendrait des excédents. La gestion et la conservation de ces surplus entraînaient un développement d'un pouvoir politique central, dont les scribes assuraient des fonctions de gestion, mais dont ils ont aussi assuré la propagande. Les

Lettres naissent donc comme pratiques politique et religieuse, et sont d'abord le fait de ceux-mêmes qui exercent le pouvoir, aristocrates et prêtres, ou de lettrés qui sont leurs « clients ». Dans les cités grecques antiques à régime démocratique, cette tradition s'est liée à l'apparition d'une littérature civique et à l'évergétisme (où un grand finance les pièces écrites par un auteur) ainsi qu'à la fonction du *poietès* comme célébrant des héros du sport (aux jeux olympiques) ou de la guerre, et payé (parfois à la commande, parfois en récompense) par ceux qu'il célèbre. Les modes d'échange se diversifient donc, et les prix décernés lors des concours littéraires ont autant et plus valeur comme symboles prestigieux que comme richesses financières. Par ailleurs, l'activité des philosophes se veut indépendante – quoique parfois rétribuée à travers leur fonction de professeurs – et celle des spécialistes de la rhétorique se divise entre les interventions d'hommes libres et celles de rhéteurs – ou « sophistes » payés pour leur art. À ce système complexe s'ajoute ensuite, sous l'empire romain, avec la célébration de l'empereur Auguste, le mécénat.

Au Moyen Âge, les lettres françaises continuent ces procédures, mais avec deux modifications importantes. L'une tient au rôle des monastères où des clercs veillent à la conservation et à la transmission de la culture (essentiellement latine). L'autre tient à celui des cours féodales où les nobles écrivent parfois eux-mêmes, mais surtout recourent au clientélisme et au mécénat et soutiennent une nouvelle littérature en langue moderne. L'arrivée de l'imprimerie bouleverse les formes d'échanges culturels. Avec la librairie, le livre devient un objet marchand, et avec lui le texte dont il est le vecteur ; de même le théâtre constitue, à partir du XVIIe s., un « fief dont les rentes sont bonnes » (Corneille, *Illusion comique*, 1635-1636). Ainsi se constitue un nouveau marché des Lettres. Et l'idée se fait jour d'un système où les droits d'auteurs, donc l'achat des livres ou des spectacles par un public anonyme, pourraient libérer l'écrivain du patronage des grands. Dès lors, deux versants complémentaires de la valeur littéraire sont en regard : la renommée, qui donne le prestige, et la diffusion élargie, qui peut procurer des revenus. Une réorganisation du marché se produit au XIXe s. sous les effets conjugués de l'urbanisation, de l'alphabétisation généralisée et de l'industrialisation de l'imprimerie. Le cabinet de lecture, le livre à coût modique et le journal à grand tirage permettent aux auteurs qui y trouvent place de vivre de la rémunération directe de leurs écrits. Mais en même temps, le champ littéraire se subdivise plus fortement en deux sous-ensembles qu'on peut désigner comme deux « sphères de production », restreinte et élargie. La première concerne des auteurs qui écrivent pour leurs pairs et méprisent les succès commerciaux, tels Baudelaire, Flaubert ou Mallarmé, et une création littéraire de recherche, voire de difficulté, à visée esthétique avant tout. La seconde se plie à la demande du public le plus large et promeut les écrivains qui obtiennent les succès commerciaux les plus grands, tels Béranger, Alexandre Dumas ou Eugène Sue. À la même époque, un important marché scolaire commence à prendre de l'expansion. Les programmes y font de plus en plus place à la littérature nationale qui tend à remplacer les lettres classiques gréco-latines. Les écrivains étudiés sont des auteurs du passé et donc leurs œuvres sont tombées dans le domaine public, de sorte que le produit des ventes en rémunère surtout l'édition : l'éditeur commercial, mais aussi les spécialistes qui préparent sélections et commentaires et qui touchent des droits pour ces interventions. Le corpus régenté par les programmes d'étude est commun et relativement réduit, ce qui permet dans l'édition des économies d'échelle. Aussi ce secteur de l'édition littéraire devient rentable, mais tend à s'intégrer à celui du livre scolaire général. Sur le plan des contenus, l'école diffuse la littérature canonique, donc popularise des auteurs qui avaient d'abord eu place dans la sphère de production restreinte. À la même époque encore, la littérature pour la jeunesse tend à s'autonomiser. De sorte que le marché littéraire se trouve divisé non seulement en deux sphères mais aussi en domaines de plus en plus spécialisés. L'apparition de nouveaux médias contribue à développer certains de ces domaines (ainsi le roman policier et le film ou la TV). À quelques détails près, cette situation prévaut jusqu'à l'époque actuelle en France. Mais il en va autrement dans les autres pays francophones. Si pour les régions développées, Belgique francophone, Canada français et Suisse romande, se met en place dès le XIXe s., à des degrés divers d'autonomie, un marché national propre et inégalement subordonné au marché français, dans les colonies (puis ex-colonies) françaises, l'inexistence de marchés nationaux impose l'emprise de l'édition métropolitaine. Cela fait de leurs auteurs des « voleurs de feu » (Mohammed Dib) dont la qualification étrangère (haïtien, marocain, libanais, vietnamien, etc.) n'empêche pas une aliénation économique au marché français.

▶ BOURDIEU P., « Le marché des biens symboliques » *L'année sociologique*, n° 22, p. 49-126. ; *Les règles de l'art. Genèse et structure du champ littéraire*, Paris, Le Seuil, 1992. — CASANOVA P., *La république mondiale des lettres*. Paris, Le Seuil, 1999. — MARTIN H. J., *Histoire et pouvoirs de l'écrit*, Paris, Perrin, 1988. — MARTIN H. J. & CHARTIER R., *Histoire de l'édition française*, Paris, Promodis, 1983. — VIALA A., *Naissance de l'écrivain*, Paris, Minuit, 1985.

Denis SAINT-JACQUES, Alain VIALA

→ *Canon, canonisation ; Champ littéraire ; Édition ; Esthétique ; Mécénat ; Propriété littéraire ; Public ; Publication ; Succès ; Valeurs.*

MARGINALITÉ

Au sens le plus large, tous les aspects rares ou inhabituels de la vie littéraire peuvent être qualifiés de marginaux : les poètes lyriques au XVIIIe s., les femmes écrivains au XIXe s., les tragédiens classiques au XXe. Toutefois l'expression « marginalité littéraire » a pris un sens plus précis dans la critique depuis les années 1960. Elle désigne généralement les instances, les producteurs, les organisations, les pratiques et / ou les corpus non reconnus pour légitimes par et au sein de l'institution littéraire. C'est ainsi que l'on pourra parler de la littérature des groupes sociaux marginalisés, des minorités ethniques ou politiques, des auteurs délaissés par l'histoire littéraire, des groupes sociaux dont le mode de vie est jugé lui-même marginal par l'opinion reçue (homosexualité par exemple) ou encore par des écrivains issus de la périphérie. Dans chaque cas, c'est bien un état donné de la doxa qui crée la pertinence du terme : sont marginaux les auteurs ou les genres qui s'écartent de l'usage dominant. En parallèle, la marginalité désigne les personnages ou les situations sociales que des auteurs décrivent en ce sens : exclus de la société, vagabonds, pauvres, barbares...

Le terme « marginal » s'emploie, depuis le XVIe s., dans le sens d'une « annotation en marge du texte principal ». Les réalités sociales qu'il désigne aujourd'hui portaient d'autres noms : on parlait de clerc « vaguant », de poète « crotté », de « bohème » pour désigner un « artiste marginal ». De même, le « pauvre hère », le « peuple » ou « l'exploité » disaient, avec des connotations très différentes, des états de marginalité sociale. Mais à chaque époque de la vie littéraire des marginalités ont été reconnues comme telles et, pour certaines, revendiquées par des acteurs sociaux minoritaires. Elles sont religieuses avant tout au Moyen Âge, puisque c'est le vocabulaire de l'Église et les enjeux de la théologie qui expriment la plupart des conflits : d'où les hérésies diverses, qui sont également des positions et des thèmes littéraires. Elles sont linguistiques au XVIIe s., lorsque les langues régionales commencent à être combattues par Paris, mais également génériques, lorsque le canon classique tente de supplanter la diversité des formes dramatiques. Elles sont linguistiques également, mais dans un autre sens, au siècle suivant, avec l'érosion de la culture néo-latine et, après la Révolution, l'imposition d'une norme française par l'alphabétisation systématique. Elles sont philosophiques au XIXe s., où le positivisme tente d'éliminer ou d'encadrer les formes de conscience qui lui échappent comme le rêve, les pulsions, la folie, la mort... lesquelles ont fait retour un siècle plus tard, au point de rendre un temps quasi marginal, en création littéraire française, l'esprit de savoir ou de connaissance sur le monde.

L'intérêt que présente cette évolution complexe et permanente peut être de mesurer l'écart entre les représentations sociales et les représentations littéraires. Par son rôle d'exutoire imaginaire, la fiction autorise en effet une part importante des domaines que la raison sociale décrit comme inacceptables. L'œuvre de Sade en est un exemple parlant.

C'est pourquoi l'image d'eux-mêmes que livrent les écrivains est particulièrement sensible à la marginalité. On observe que la figure de l'écrivain déclassé, rejeté, méconnu ou méprisé devient positive quand elle passe du *Neveu de Rameau* (1762) à Rousseau puis au bohème et au poète maudit dépeint par Verlaine ou encore au créateur en rupture de ban de la « Beat Generation ». L'une des caractéristiques de l'idéologie moderne de la littérature est de sublimer le déclassement (social et / ou culturel) de quelques créateurs (Villon, Rimbaud) et de projeter l'aura issue de cette sublimation sur l'ensemble du groupe professionnel des écrivains.

Le caractère relatif de la marginalité s'applique enfin à l'histoire littéraire elle-même. On notera que certains corpus considérés comme « marginaux » par les instances de consécration institutionnelles sont en fait, du point de vue strictement historique et sociologique, des corpus plus importants que ceux retenus et reconnus pour légitimes par ces mêmes instances (par exemple la correspondance ou les journaux intimes). Par ailleurs, des auteurs dits « mineurs » peuvent soit émerger soudainement (cela a été le cas de Villon ou de Lautréamont), soit, sous un regard nouveau, prétendre à un rôle historique qui avait été négligé (c'est le cas des salons où l'on se livre à la conversation mondaine au XVIIe s. ou des littérateurs de second rang dont on a pu montrer qu'ils jouaient un rôle fondamental dans la diffusion des idées des Lumières [Robert Darnton]).

▶ BLAVIER A., *Les fous littéraires*, Paris, Éditions des Cendres, [1982], 2000. — CHABANNES R., *Les marginaux*, Paris, Delagrave, 1976. — DARNTON R., *Gens de lettres, gens du livre*, trad. de l'américain par Marie-Alyx Revellat, Paris, Odile Jacob, 1992. — GOMEZ-MORIANA A. & POUPENEY-HART C. (dir.), *Parole exclusive, parole exclue, parole transgressive : marginalisation et marginalité dans les pratiques discursives*, Longueuil, Le Préambule, 1990. — Coll. : « Marginalités », *Romantisme*, 1988, vol. 18, n° 59.

Pierre POPOVIC, Paul ARON

→ *Bohème ; Canon, canonisation ; Centre et périphérie ; Paralittérature ; Poète maudit.*

MARIVAUDAGE

Le « marivaudage » est un ton, attribué à Marivaux, et caractérisé par un mélange délicat de grâce et de sentimentalité. Dans le langage quotidien, le terme a pris le sens d'un badinage gracieux et anodin, d'un propos de galanterie délicate et recherchée.

Inventé au XVIIIe s., sans doute du vivant même de Marivaux, dans un des cafés fréquentés par les beaux esprits du temps, le terme « marivaudage » reçoit un sens péjoratif : il est repris et divulgué par les adversaires de Marivaux – Voltaire, Diderot, d'Alembert, Fréron – pour railler, dans son théâtre, la préciosité du style, la forme trop raffinée de l'analyse morale et les néologismes. Décrit par La Harpe comme « le mélange le plus bizarre de métaphysique subtile et de locutions triviales, de sentiments alambiqués et de dictons populaires » (*Lycée*, 1799, livre I, chap. V, sec. 5), le marivaudage est considéré aussi comme « une sorte de pédantisme sémillant et joli » (Sainte-Beuve, *Causeries du lundi*, 20 janvier 1854). La charge péjorative du terme s'affaiblit vers 1860, grâce au renouveau de faveur dont bénéficie le XVIIIe s. : pour Gautier, « toute la poésie du XVIIIe s. est dans Marivaux », et des écrivains de premier plan, tels Musset puis les Goncourts s'inspirent de lui. De nos jours, le terme n'est plus péjoratif dans sa première acception, mais il recouvre aussi l'idée, en fait très éloignée du style même de Marivaux, d'une certaine affectation et d'une recherche, voire même d'une sentimentalité peu sincère.

Le succès du *Jeu de l'amour et du hasard* (1730) sur les scènes françaises a créé l'image d'un Marivaux léger et sentimental. C'est faire bon marché de la diversité des thèmes qu'il traite (pensons à l'anti-utopie de l'*Ile des esclaves*, par exemple, 1725), et même de ce qui caractérise une écriture avant tout préoccupée par le « rendu » d'un dialogue sincère et naturel. Les mises en scène contemporaines (par exemple Chéreau) ont donc heureusement modifié l'équation Marivaux = Marivaudage. Celle-ci s'explique cependant.

Le style de Marivaux s'inscrit dans l'esprit à la mode dans la « bonne compagnie » vers 1720-1730. Le ton qui régnait dans les salons de Mme de Lambert et de Mme de Tencin et dans les cafés Gradot et Procope renouait avec la tradition galante du XVIIe s., et le nom de « seconde préciosité » que lui donne F. Deloffre insiste trop peu sur le renouveau stylistique et le sérieux du mouvement. Dans les salons, le goût de la conversation et le sens des nuances du langage s'associent en effet, sous l'influence de Fontenelle, à une prise de position progressiste dans la querelle des Anciens et des Modernes.

Cet esprit influença de façon décisive le dramaturge et romancier. Cependant, Marivaux doit plus encore à l'influence de Luigi Riccoboni (dit Lélio), le directeur du nouveau Théâtre Italien où il remporta la plupart de ses succès (*La surprise de l'amour*, *La double inconstance*, *Le jeu de l'amour et du hasard*...). La conception italienne du dialogue, influencée par les improvisations de la Commedia dell'Arte, l'enchaînement des répliques, leur vivacité et leur naturel, combinés à un jeu expressif et simple, donnaient lieu à un théâtre de mouvement et de liberté dont l'ingéniosité sentimentale était le centre de gravité. Ainsi, à travers la double influence de Fontenelle et des salons d'une part, du Théâtre Italien d'autre part, le marivaudage, style théâtral mais aussi romanesque, apparaît comme « la pointe extrême d'une forme d'esprit propre à une période et à un milieu donnés » (Deloffre). Bien plus qu'un jeu avec les mots, il devient un mode d'expression apte à traduire toutes les nuances de l'émotion et permettant les subtilités de l'analyse psychologique de l'amour comme de l'amour-propre. Genre libérateur plutôt que reflet d'une « société à loisir », le marivaudage représente, grâce aux possibilités nouvelles du langage littéraire, une forme d'analyse psychologique et morale plus raffinée, menée au nom d'un effort de sincérité, analyse extrêmement fine où le hasard initial de la rencontre amoureuse donne lieu à une découverte du conscient et de l'inconscient de l'amour.

▶ DELOFFRE F., *Une préciosité nouvelle. Marivaux et le marivaudage*, Paris, A. Colin, [1955] (rééd. 1967). — GOLDZINK J., *De chair et d'ombre : essais sur Marivaux, Challe, Rousseau, Beaumarchais, Rétif et Goldoni*, Orléans, Paradigme, 1995. — SANAKER J.-K., *Le discours mal apprivoisé. Essai sur le dialogue de Marivaux*, Oslo, 1987. — STURZER F., « Marivaudage as self-representation », *French Review*, 1975, 49, 2, p. 212-221. — Coll. : *Marivaux d'hier, Marivaux d'aujourd'hui*, H. Coulet J., Ehrard F., Rubellin (éd.), Paris, CNRS, 1991. — Revue *Marivaux* (Champion, 1990).

Kris PEETERS

→ *Badinage ; Cafés littéraires ; Dialogue ; Galanterie ; Préciosité ; Querelles ; Salons littéraires ; Style ; Théâtre.*

MAROC → Maghreb

MARXISME

Les fondateurs du marxisme, Marx et Engels, au milieu du XIXe s., n'ont pas défini de théorie de la littérature. Le domaine culturel, dans son ensemble, ne formait pas le centre de leurs préoccupations, qui étaient surtout philosophiques et politiques. Ils ont néanmoins laissé suffisamment de notes et d'analyses pour que leurs successeurs en tirent, pour une part, des doctrines esthétiques (littérature prolétarienne, réalisme socialiste, etc.) défendues par les partis communistes au cours de l'histoire, et, d'autre part, une série de suggestions théoriques ayant trait à l'inscription de la littérature dans son contexte social. Ces dernières, diverses dans leurs méthodes et leurs applications, ont en commun de viser à établir une relation causale ou explicative entre la littérature et l'infrastructure socio-économique dont elle dépend. Ce sont elles que l'on désigne comme les « théories marxistes de la littérature ».

Marx reprend à Hegel une théorie de l'évolution historique de l'humanité qui lui permet de mettre en relation des genres et des formes littéraires avec un état donné de l'organisation sociale (l'épopée correspond ainsi à la société féodale, comme le roman à l'émergence de la bourgeoisie). Par ailleurs, l'analyse de la littérature lui sert à affiner la notion d'idéologie. Dans *La sainte famille* (1845), il étudie notamment les *Mystères de Paris* (1842-43) d'E. Sue : en dépit des opinions socialisantes du romancier populaire, les personnages de son roman se révèlent incapables de comprendre les réalités sociales dont ils sont victimes, et ils se bornent à communiquer au lecteur l'image d'une culpabilité personnelle irrémissible. Au contraire, souligne Marx, les romans de Balzac traduisent une vision rigoureuse des rapports sociaux (comme, dans *La fille aux yeux d'or*, 1834, la circulation de l'argent), et ils servent le mouvement de l'histoire même si le romancier, lui, affiche des opinions politiques conservatrices. Cette distinction conduit Marx, et, surtout Engels, à recommander à leurs émules un genre, le roman réaliste, et une méthode d'analyse, la théorie du reflet.

Les deux aspects de la critique marxiste se retrouvent chez G. Plekhanov, chez Trotski ou chez Lénine. Lorsque ce dernier analyse Tolstoï, il constate entre les positions du penseur utopiste et celles de l'écrivain une tension comparable à celle que Marx avait théorisée dans *La sainte famille*. Apparaît alors la notion de *contradiction*, qui permettra aux marxistes de réduire les paradoxes surgissant entre idéologie et représentation.

Diffusé en France en particulier grâce aux anthologies de J. Fréville (Marx et Engels, *Sur la littérature et l'art*, 1954), le corpus des écrits marxistes a commencé à être connu après 1945. C'est également après la guerre que les écrits de trois penseurs ont contribué à en spécifier l'usage. Les travaux de G. Lukacs (1885-1971) sur le « réalisme critique » orientent une lecture marxiste des œuvres littéraires vers l'analyse d'homologies structurales. Sa *Théorie du roman* (1920, trad. fr. 1963) suggère que les grands romans occidentaux auraient en commun de mettre en scène un héros « problématique », à la recherche de valeurs « authentiques » dans un monde « dégradé », cette rupture insurmontable entre le héros et le monde s'exprimant selon trois grandes modalités romanesques (romans de l'idéalisme abstrait, romans psychologiques, romans d'éducation). *Le roman historique* (1937, trad. fr. 1955), analyse concrètement le rôle d'une série d'œuvres dans le contexte social qui les voit naître. À sa suite, L. Goldmann (1913-1970) reformule et nuance dans *Le Dieu caché* (1956) la théorie du reflet en termes d'« homologie structurale » entre le système de valeurs (la vision du monde) proposé par l'auteur dans son œuvre et celui de la classe sociale dont il condense l'idéologie. Moins connus à l'époque dans le monde francophone, les travaux d'A. Gramsci (1891-1937) portent sur la littérature comme espace où jouent les rapports d'hégémonie de pensée. Ils élargissent le corpus de la critique marxiste au roman policier ou au western. Ceux d'A. Hauser (1951, trad. en 1984) ouvrent pour leur part à une histoire sociale de l'art et de la littérature.

Dans les années 1960 et 1970, la remise en cause du marxisme orthodoxe, l'essor du structuralisme et la découverte en France des formalistes russes déterminent, sous l'égide de *La nouvelle critique*, des tentatives pour élaborer un « formalisme marxiste » (colloque *Littérature et idéologie* de Cluny, 1971, en collaboration avec *Tel Quel*). Parallèlement, la relecture de Marx opérée par Louis Althusser, en redéfinissant le concept d'idéologie et en avançant l'hypothèse des « Appareils Idéologiques d'État » (AIE), dont la littérature ferait partie au même titre que l'École ou que toute autre forme de culture, aboutit aux travaux d'Étienne Balibar et de Pierre Macherey (*Pour une théorie de la production littéraire*, 1966), lesquels ont étudié comment la littérature s'écrit à la fois à l'intérieur de l'idéologie dominante et contre elle.

Plus largement, le marxisme a profondément influencé la critique et la théorie littéraires dans la France de l'après-guerre : le « premier » Roland Barthes (*Le degré zéro de l'écriture*, 1953, *Essais critiques*, 1964), le Sartre de la *Critique de la raison dialectique* (*Questions de méthode*, 1960), les positions du groupe *Tel Quel* et même la sociologie des champs de Pierre Bourdieu sont redevables, à des titres divers, de schèmes d'analyse et d'interprétation établis par le marxisme. Il a aussi influencé la critique anglo-saxonne, notamment Williams et les études culturelles, Eagleton et la critique idéologique (*Against the grain : essays*, Londres, Verso, 1988).

Parce qu'elles visent à établir un lien causal entre la littérature et l'état historique de la société dans laquelle elle est produite, les théories littéraires marxistes se sont généralement développées dans une perspective historique et sociologique. De ce point de vue, leur objet est d'abord la littérature en tant que fait social singulier, élément parmi d'autres de la superstructure d'une société donnée et dépendant donc de sa base (ou infrastructure) socio-économique ; le débat, en ce cas, porte sur le degré de dépendance de la littérature par rapport aux déterminations économiques et matérielles. À cet égard, Marx, Engels, et à leur suite Lukacs ou Gramsci refusent l'idée d'un parallélisme strict entre les évolutions économique et culturelle et confèrent au développement littéraire – relevant de la superstructure – une autonomie relative par rapport à la structure sociale et à l'infrastructure économique, cependant déterminante en dernière instance (l'exemple le plus souvent cité, quoique problématique, étant l'apogée des Lumières dans une France économiquement en retard par rapport à l'Angleterre). L'objet est aussi l'œuvre littéraire comme production idéologique, c'est-à-dire comme prise en charge « intéressée » du réel, construction d'une représentation du monde dépendant d'un système de valeurs situé et déterminé par la classe sociale et les conditions économiques (outre Marx dans l'exemple cité plus haut, cette perspective est illustrée par les travaux de Lukacs, Goldmann ou Macherey).

Dans leur ensemble, les théories marxistes de la littérature ont rencontré la difficulté inéluctable d'établir à travers quelles médiations les déterminismes socio-économiques s'exercent sur la littérature. La théorie du reflet constitue la formulation la plus simple et la plus contestée de cette double problématique. Lukacs postule au contraire qu'il existe un rapport dialectique entre production littéraire et infrastructure économique : la création représente une prise de conscience du monde, laquelle sera qualifiée de « critique » lorsqu'elle met au jour les contradictions d'une société donnée. En ce cas, la notion d'idéologie devient le terme médiateur entre l'infrastructure et la littérature : produit intellectuel des conditions matérielles de la vie sociale qu'elle tend cependant à occulter, l'idéologie est à la fois ce qui informe la « vision du monde » proposée dans l'œuvre et ce que cette œuvre en démasque ou non (cette distance critique à l'idéologie déterminant la distinction entre œuvres progressistes et réactionnaires). Reprenant la notion de vision du monde, Goldmann en fait l'expression d'un groupe social donné auquel appartient l'auteur : sa présence se manifeste dans la structure profonde de l'œuvre et l'auteur « de génie » est celui qui formule le mieux et le plus complètement la vision du monde de la classe dont il est issu. Pour Macherey au contraire, l'auteur dépend de l'idéologie dominante et c'est malgré lui que l'œuvre la dépasse en laissant apparaître les contradictions qui la constituent en tant qu'idéologie.

Ainsi, de Marx à Lukacs et à Macherey s'est établie une méthode d'analyse attentive aux contradictions idéologiques du texte, celles-ci représentant les failles par lesquelles s'exprime la signification profonde de l'œuvre, souvent opposée à sa signification de surface (dans son analyse de *L'île mystérieuse*, Macherey démontre que Verne reproduit l'idéologie colonisatrice du capitalisme industriel tout en marquant ses limites et en anticipant sa faillite finale). D'autre part, Marx a attiré l'attention sur la littérature populaire et sur l'intérêt que revêt son étude ; cette veine critique a par ailleurs souligné le caractère souvent idéologiquement réactionnaire des productions à destination des masses (cf. J.-M. Piemme, *La propagande inavouée*, Paris, UGE, 1975). En revanche, la carence la plus visible de ces approches a sans doute été de ne prendre que peu en compte la dimension formelle et esthétique de l'œuvre littéraire. Lukacs et Goldmann ont certes envisagé la question des genres, mais ont généralement résorbé l'analyse des structures formelles de l'œuvre dans l'étude du contenu des textes. Macherey, quant à lui, s'est intéressé à la façon dont la littérature institue sa propre réalité comme système de signes et de représentation.

► EAGLETON T., *Marxism and literary criticism*, Berkeley and Los Angeles, Univ. of California Press, 1976. — LUKACS G., *La signification présente du réalisme critique* [1949], Paris, Gallimard, 1960. — MACHEREY P., *Pour une théorie de la production littéraire*, Paris, Maspéro, 1966. — MARX K. & ENGELS F., *La sainte famille ou la critique de la critique critique*, dans *Œuvres philosophiques*, trad. M. Rubel, Paris, Gallimard, 1982, p. 419-661. — Coll. : *Littérature et idéologie*, Colloque de Cluny II, Paris, Éd. de « La Nouvelle Critique », 1971.

Benoît DENIS

→ *Critique idéologique ; École de Francfort ; Engagement ; Idéologie ; Politique ; Réalisme socialiste ; Reflet (Théorie du) ; Sociologie de la littérature.*

MASCAREIGNES

On désigne du nom de Mascareignes les îles de la Réunion et Maurice, situées dans l'océan Indien, aux abords de Madagascar. Il s'agit d'un rapprochement étrange opéré entre des terres qui ont un parcours historique différent : Maurice a acquis son indépendance en 1968, alors que La Réunion conserve le statut de département d'outre-mer français. Les littératures francophones mauricienne et réunionnaise sont toutes deux nées de la colonisation française et continuent de se développer.

Désertes au moment de leur découverte au XVIe s., les îles furent rapidement investies par les planteurs et on y instaura un régime fondé sur l'esclavage. C'est ainsi que s'y rencontrèrent des populations d'origines diverses (européennes, africaines, indiennes, etc.) et que s'opéra un mélange de langues, de cultures et de races qui aboutit à la formation d'une société créole. Longtemps les Mascareignes ont servi de source d'inspiration pour une littérature exotique et coloniale. Que l'on songe au célèbre roman de Bernardin de Saint-Pierre, *Paul et Virginie*, aux souvenirs des îles que Baudelaire insère ici et là dans *Les fleurs du mal* ou aux paysages dépeints par Leconte de Lisle, qui en était natif. Le succès et la séduction des images exotiques ont freiné l'éclosion d'une littérature « créole » véritablement autonome, les écrivains des îles se conformant eux-mêmes aux modèles européens dans leurs écrits.

Sur une période d'à peine deux siècles, on recense pourtant plusieurs centaines d'auteurs et plusieurs milliers de titres. La littérature mauricienne se révèle florissante dès les années 1940, s'affranchissant de son « francotropisme » avec des auteurs tels que Malcom de Chazal (*Sens plastique*, 1947) et Loys Masson (*L'étoile et la clef*, 1945). À partir de 1970, le nombre des écrivains de la Réunion est étonnant, surtout dans le domaine de la poésie. Jean Albany invente le monde de « la Créolie » (*Vavangue*, 1972), Alain Lorraine fait d'intéressantes tentatives de créolisation du français, Jean-François Sam-Long (*Valval*, 1980) écrit sa fierté d'appartenir à La Réunion et sa révolte face à l'injustice de son Histoire. Les écrits se nourrissent d'anticolonialisme.

Ces dernières années, les systèmes scolaires des îles ont entrepris de mettre à l'étude les œuvres des auteurs insulaires, notamment celles du Mauricien Marcel Cabon. Parmi les auteurs connus, mentionnons aussi à la Réunion Jacques-Henri Azéma (*Olographe*, 1978) et, à Maurice, Marie-Thérèse Humbert (*À l'autre bout de moi*, 1979) ainsi qu'Edouard Maunick (*Fusillez-moi*, 1970).

Depuis deux siècles, l'anglais est la langue officielle de Maurice et l'administration est donc anglaise. L'élite a néanmoins toujours préféré le français, tandis que le créole est la langue populaire, parlée par tous. Les journaux sont écrits presque totalement en français, même lorsque leur titre est anglais, et la littérature, bien que créolisée, se fait majoritairement en français : celui-ci est d'ailleurs en pleine expansion à Maurice qui se veut une sorte de centre économique francophone de l'océan Indien. Le français est aussi très présent à la Réunion, en raison du rattachement à la France. À Maurice et à la Réunion, il existe donc une véritable vie littéraire en français (presse, maisons d'édition, enseignement).

On parle aujourd'hui des littératures nationales des Mascareignes, et non plus d'un seul ensemble littéraire. C'est que l'isolement insulaire a favorisé la prise de conscience d'une identité propre à La Réunion et à Maurice et ces particularités s'expriment dans la littérature. Ainsi, il est possible de relever une plus forte présence de la mentalité indienne dans la littérature mauricienne que du côté des écrits réunionnais, plus créolisés, peut-être à cause de l'influence actuelle des écrivains antillais du mouvement de la créolité.

▶ JOUBERT J.-L., *Littératures de l'océan Indien*, Vanves, EDICEF/AUPELF, 1991. — MEITINGER S. & CARPANIN MARIMOUTOU J.-C., *Océan Indien. Madagascar, Réunion, Maurice*, Paris, Omnibus, 1998. — PROSPER J.-G., *Histoire de la littérature mauricienne de langue française*, édition de l'Océan indien, 1978. — ROUCH A. & CLAVREUIL G., *Littératures nationales d'écriture française. Afrique noire, Caraïbes, Océan indien*, Paris, Bordas, 1986. — Coll. : « Nouveaux paysages littéraires. Afrique, Caraïbes, Océan indien 1996-1998, 1 », dans *Notre librairie*, septembre-décembre 1998, n° 135.

Michel TÉTU, Anne-Marie BUSQUE

→ *Créole ; Exotisme ; Francophonie ; Identitaire ; Post-colonialisme.*

MAXIME

L'origine du mot est à chercher dans la logique scolastique, où le syntagme *maxima propositio* désigne la majeure du syllogisme, cette « proposition universelle et très connue dont découle la conclusion » (Boèce, *In Topica Ciceronis commentaria, VI*e s.). Également attesté en latin juridique (*maxima sententia*), le mot désigne à partir du XVIe s. une règle de conduite, un principe, un jugement d'ordre général ; c'est en ce sens que Bossuet publie des *Maximes et réflexions sur la comédie* (1694). Mais la langue moderne tend à restreindre l'acception du terme : synonyme courant de sentence, il désigne une formule concise exprimant une généralité à valeur universelle, et plus spécialement un genre moderne inauguré par La Rochefoucauld et défini par Vauvenargues comme « une manière hardie d'exprimer, brièvement et sans liaison, de grandes pensées ».

Dès la Renaissance, la pédagogie et la rhétorique issues de l'humanisme encouragent à lire crayon en main à l'affût des « mots dorés », formules brillantes ou lieux communs susceptibles de nourrir une anthologie personnelle. Ces sentences font l'objet de nombreux florilèges, et sont paraphrasées en quatrains moraux comme ceux de Guy du Faur de Pibrac (1574), où Colletet voit encore en 1658 le « manuel et bréviaire de la jeunesse française » (*Traité de la poésie morale et sententieuse*). Un recueil similaire, les *Sentiments chrétiens, politiques et moraux* de Garaby de La Luzerne (1641) porte déjà le sous-titre de *Maximes d'Estat et de Religion*. Mais le mot s'attache plus spécifiquement après 1660 à l'écriture concise et discontinue en prose. La maxime paraît alors un jeu de société mondain en même temps qu'un exercice spirituel, pratiqué et goûté par la haute noblesse proche de l'élite janséniste. C'est dans la correspondance qu'échange le duc de La Rochefoucauld avec la marquise de Sablé, voisine de Port-Royal, et avec l'oratorien Jacques Esprit, janséniste notoire, que naît, en 1658, la forme moderne du genre : les *Réflexions ou Sentences et maximes morales* de La Rochefoucauld sont diffusées sous forme manuscrite (1663), avant qu'une édition subreptice fautive (La Haye, 1664) ne décide La Rochefoucauld à les faire publier, sans nom d'auteur (Paris, 1665). Les *Faussetés des vertus humaines* de Jacques Esprit et les *Maximes* de Madame de Sablé ne paraissent qu'après leur mort (1678), de même que les

Maximes, sentences et réflexions du chevalier de Méré (1687). Quant au titre *Pensées* (1670) donné par Port-Royal aux fragments apologétiques laissés par Pascal, il situe l'œuvre dans la même tradition moraliste.

Le succès de La Rochefoucauld met la maxime à la mode et suscite de nombreuses imitations jusqu'à la Révolution. Si La Bruyère se défend d'avoir composé des maximes, la première édition de ses *Caractères* (1688) en présente un grand nombre, et témoigne de la séduction qu'exerce le genre : Vernace, *Maximes morales et politiques* (1690) ; Corbinelli, *Anciens historiens réduits en maximes* (1694) ; Rancé, *Maximes chrétiennes et morales* (1698) ; Saint-Evremond, *Sentiments et Maximes* (*Œuvres meslées*, Amsterdam, 1706). Vauvenargues, qui, le premier, salue en La Rochefoucauld « l'inventeur du genre » l'illustre à son tour avec ses *Réflexions et maximes* publiées sans nom d'auteur à la suite de son *Introduction à la connaissance de l'esprit humain* (1746). D'autres s'appliquent à tirer « maximes » ou « pensées » des œuvres de Montaigne (1759) ou de Rousseau (1764). Les philosophes, proches des milieux mondains, célèbrent ces emprunts. Toutefois, la référence obligée à La Rochefoucauld laisse à penser que le genre ne se renouvelle guère. De brillants roturiers choyés par la haute noblesse lui donnent en France encore des fleurons : Rivarol (*Carnets*) et Chamfort, *Pensées, Maximes et anecdotes* (1795, posthumes).

« Genre épuisé et futile » selon Jules Lemaître (vers 1880), la maxime pouvait-elle survivre au mode de sociabilité aristocratique qui l'avait vu naître ? Lecteur de Chamfort, Schlegel avait fait découvrir le genre aux premiers romantiques allemands, et Goethe en laissa à son tour un recueil posthume (*Maximen und Reflexionen*, 1842). Nietzsche, grand admirateur de La Rochefoucauld, réhabilita aux yeux des modernes l'esthétique du fragment, ouvrant la voie à cette suite moderne de la maxime qu'est l'aphorisme.

Il n'est pas toujours aisé de distinguer la maxime et les formes voisines, comme en témoigne par exemple le titre du dictionnaire de M. Maloux, constamment réédité, *Proverbes, sentences et maximes* (Larousse, 1980). Mais l'un des problèmes majeurs posés par la maxime est l'effacement apparent de l'énonciateur. F. Goyet en souligne l'impersonnalité (qui l'opposerait, selon lui, à la sentence) ; Jean Lafond relève au contraire qu'une subjectivité y est à l'œuvre et que « l'absence de sujet apparent de l'énonciation fait partie d'une stratégie rhétorique » et distingue la maxime du proverbe.

Une autre question importante est celle de l'esthétique du discontinu, dont la maxime participe avec les autres formes fragmentaires et surtout lapidaires. Elle suppose un lecteur actif, complice, et de plus, la mise en recueil suggère un système de pensée que le lecteur doit alors reconstituer.

▶ GOYET F., « L'origine logique du mot *maxime* », in : *Logique et littérature à la Renaissance*, Paris, Champion, 1994, p. 27-49. — LAFOND J. (éd.), *Les formes brèves de la prose et le discours discontinu (XVIe-XVIIe s.)*, Paris, Vrin, 1984. — LAFOND J. et alii, *Moralistes du XVIIe siècle de Pibrac à Dufresny*, Paris, Laffont, 1992. — SCHAPRIA Ch., *La maxime et le discours d'autorité*, Paris, SEDES, 1997. — Coll. : *Littératures classiques*, n° 35 (« La Rochefoucauld »), 1998.

Jean VIGNES

→ *Formes brèves et sententiales ; Fragment ; Moralistes ; Prose ; Proverbe ; Rhétorique.*

MÉCÉNAT

Le terme *mécénat* vient du nom de Maecenas, conseiller d'Auguste et protecteur des Lettres. Il désigne toute forme d'aide à un artiste pour le soutenir dans l'exercice de son art, que cette aide provienne de particuliers ou d'une puissance étatique.

L'Athènes antique connaissait le financement par des aristocrates des pièces données aux Panathénées. La période hellénistique a connu l'évergétisme avec Alexandre et ses successeurs (notamment les Ptolémée), donc une politique de commandes culturelles (édifices publics, sculptures). Mais c'est Mécène, ami et conseiller d'Auguste, qui, à Rome, instaure un mécénat proprement « littéraire ». Commanditaire d'œuvres et protecteur d'auteurs (Virgile, Properce, Horace), il joue un rôle majeur dans l'épanouissement de la poésie. Sur son modèle, les empereurs Claude et Néron s'assurent le loyalisme des poètes par un mécénat d'État qui leur donne aussi une image de prestige. Mais le despotisme fait aussi disparaître les bienfaiteurs privés (Pison, l'un des plus généreux, est mis à mort par Néron) et la servilité des poètes est de ce fait accrue. Dans ce contexte naît la légende de Mécène, élaborée dans les *Épigrammes* de Martial et le *Panégyrique de Pison* et promise à une grande fortune.

En France, si les princes du Moyen Âge aiment à s'entourer de troubadours et de trouvères, c'est à la Renaissance que se développe vraiment le mécénat. Influencé par le faste de la cour papale à Rome et des Médicis à Florence, François Ier aide les travaux d'érudition des humanistes (G. Budé), protège des écrivains (Marot, Rabelais) et crée le Collège de France en 1530. Parallèlement, la cour de Marguerite de Navarre réunit les poètes protestants. Les grands seigneurs suivent le modèle du roi, en particulier Gaston d'Orléans au début du XVIIe s. Mais contraints à l'exil ou à la retraite après la Fronde, ils s'effacent devant un mécénat d'État qui se réorganise en véritable institution officielle sous l'action de Richelieu, créateur de l'Académie française, puis de Mazarin et de Colbert qui font établir des listes officielles d'écrivains gratifiables. La condamnation du ministre des Finances Fouquet, qui jouait d'un mécénat ostentatoire, décourage les initiatives privées et consacre le monopole royal. La situation s'inverse à partir de 1690 : les restrictions financières mettent fin au prestige de l'institution royale et restituent aux grands leur rôle traditionnel de mécènes. On cherche désormais protection auprès de la marquise de Pompadour ou dans les salons, et la bourgeoisie aisée accède de plus en plus à ce rôle (Mme Geoffrin).

Malgré la suppression des académies, le gouvernement révolutionnaire continue à octroyer des pensions aux gens de lettres. À partir du XIXe s, le mécénat littéraire se réduit considérablement en Europe occidentale. À quelques exceptions près (J. Doucet et les surréalistes, par exemple), il tend à devenir le fait exclusif du gouvernement et des organismes publics. Le mécénat d'État se généralise après la Seconde Guerre mondiale par la création de ministères ou d'organismes spécialisés dans la répartition des fonds publics (bourses, prix littéraires, subventions, etc., par ex. au Québec). Depuis les années 1980, cependant, le désengagement de l'État favorise une nouvelle forme de mécénat privé par l'intermédiaire des fondations d'entreprises, même si les initiatives restent encore limitées et si la préférence se porte essentiellement sur la musique et les arts plastiques, laissant une moindre part aux Lettres.

Dans son principe, le mécénat est un geste gratuit ; mais rarement prodigué par amour pur de l'art, il répond en fait le plus souvent à une visée ostentatoire. Il pose donc le problème des rapports entre pouvoir, économie et culture. Il se distingue du clientélisme (sous l'Antiquité et jusqu'à l'âge classique) et du parrainage d'entreprise (aujourd'hui), autres formes possibles de ce rapport, dans la mesure où l'aide apportée à l'artiste n'est pas explicitement soumise à l'apport d'un service en retour. Le mécénat ne relève donc pas d'une logique de dépendance avouée. Cela ne signifie pas pour autant qu'il soit une relation à sens unique : se gère, en effet, dans le mécénat un bénéfice symbolique dont profitent les deux acteurs de la relation. Au-delà de la valorisation de son image, l'aide qu'il déploie donne au mécène une légitimité sociale, soit en justifiant sa richesse ou sa fonction dans le cas du grand seigneur ou du roi, soit en faisant une place dans la société à l'entreprise – tenue jusqu'alors à l'écart de l'art et vue comme simple lieu de production – en tant qu'organisation sociale et politique. L'écrivain, quant à lui, reçoit en retour une reconnaissance déclarée de son talent et la légitimation de sa publication. La relation de l'écrivain au mécène se traduit dans les œuvres directement (éloges, préfaces, remerciements, déclaration que le mécène est la source d'inspiration...) ou indirectement (jeux de symboles, allusions..). Elle est une des modalités du rapport complexe que les lettres entretiennent avec l'argent et avec le politique.

▶ CARDOT F. (éd.), *Le mécénat dans l'histoire*. Actes du colloque du 21 mars 1989, Paris, SODEL, 1989. — GODLEMSKI-SEGRESTAN S., *Mécénat d'entreprise et stratégie. Le mécénat à l'heure des fondations d'entreprise*, Paris, Dunod, 1991. — JOUHAUD C. & MERLIN H., « Mécènes, patrons et clients », *Terrain*, 1993, n° 21. — VIALA A., *Naissance de l'écrivain*, Paris, Minuit, 1985. — Coll. : *L'Âge d'or du mécénat (1598-1661). Actes du colloque international CNRS 1983*, Éditions du Centre national de la Recherche scientifique, 1985.

Claire CAZANAVE

→ *Auteur ; Écrivain ; État ; Inspiration ; Marché littéraire ; Officielle (Littérature) ; Politique.*

MÉDECINE

Par médecine, il faut entendre l'ensemble des pratiques qui, de la pharmacopée botaniste à la chirurgie expérimentale, ont pris en charge l'anatomie et la santé du corps humain. Les rapports entre la littérature et la médecine peuvent concerner la diffusion du savoir médical sous la forme littéraire, et parfois fictionnelle, l'utilisation littéraire d'un motif ou d'un thème tiré de la médecine (la mélancolie ou bien la figure du médecin), ou enfin la théorisation des arts et de la littérature à partir d'un fondement médical.

La médecine grecque définit un ensemble cohérent de diagnostics et de soins pour des maladies identifiées et répertoriées, chez Hippocrate, puis chez Galien qui poursuit la nomenclature élaborée par son prédécesseur et qui met au point la théorie des humeurs. Celle-ci domine longtemps le savoir médical et, par la porosité de ses notions, a constitué un point de rencontre entre une culture professionnelle et un savoir profane. Par ailleurs, Platon (*Phèdre*, 264, c-d) avait affirmé l'existence d'un lien entre l'état du corps humain et la forme du discours. Ce qui a donné lieu ensuite, depuis la Renaissance, à une association renforcée par le savoir médical entre la santé physique et la beauté, donc à un implicite médical au cœur de toute esthétique.

Sur ces substrats, cinq sortes de liens entre littérature et médecine se sont largement développés.

Premièrement, le savoir médical s'est notamment transmis par des mises en poésie des préceptes médicaux. Ainsi les *Aphorismes* d'Hippocrate ou les livres de Galien ont-ils été adaptés ou traduits en vers, la poésie œuvrant à la pérennité de la valeur des enseignements antiques. D'ailleurs les médecins, au moins depuis Serenus Samonicus

(IIIe s.), se placent sous la tutelle dédoublée d'Apollon, qui est aussi le dieu protecteur des muses. Le Moyen Âge occidental produit une césure dans l'art médical, divisé entre la spéculation et la pratique curative. Cette césure fait appartenir les médecins aux arts libéraux, tandis que les praticiens, chirurgiens, barbiers et apothicaires, sont assignés aux arts « mécaniques ». Mais du coup, la médecine tend à la sclérose. Aussi la littérature de diffusion du savoir médical se modifie-t-elle. La poésie didactique médicale évolue : ainsi, au XVIe s., Fracastor compose en vers ses observations sur la syphilis (1530) et, au XVIIe s., le médecin Quillet fait paraître, en 1655, une *Callipaedia* (art d'avoir de beaux enfants) en latin ou La Fontaine vante en un poème les bienfaits du *Quinquina* (1682). Ces exemples révèlent que ce sont des propositions modernes qui semblent mériter la mise en vers, tandis que les aphorismes traditionnels sont laissés aux almanachs de la littérature populaire et que la critique des médecins est passée en lieu commun. C'est que l'apparition de nouveaux savoirs médicaux touche à des enjeux culturels profonds. Ainsi la découverte de la circulation du sang par l'Anglais Harvey (1628) suscite des réflexions de Descartes, et le *Discours de la méthode* (1637) affiche comme finalité à l'entreprise nouvelle du philosophe son application à la médecine.

Ce qui révèle la deuxième facette des liens entre médecine et littérature : la médecine prise comme thème ou sujet par la littérature. La figure caricaturale du médecin enfermé dans un savoir obsolète et dans des pratiques surannées, dangereuses pour la vie de son patient, a été ridiculisée par Rabelais (*Gargantua*, 1534-1535) puis par Molière. Chez ce dernier, la maladie (en particulier la mélancolie) et la médecine deviennent des sujets littéraires à part entière. S'instaure alors une topique qui parcourt l'ensemble de la littérature. Les portraits (y compris les portraits-charge) de médecins abondent chez Flaubert (Charles Bovary), Martin du Gard, Jules Romains (*Knock*, 1923), Céline (*Voyage au bout de la nuit*, 1932) et jusqu'à nos jours. Souvent critique, cette représentation peut aussi nourrir une image héroïque, en particulier dans la littérature de grande diffusion (*Les hommes en blanc*, d'André Soubiran, 1949). En symétrique, la figure du malade ou de la maladie est un thème aussi prolifique (*Le malade imaginaire* de Molière en est l'emblème). Elle est topique dans le cas de la folie. Elle atteint à la dimension d'une représentation d'un tragique moderne avec les méfaits de la syphilis (Ibsen, *Les revenants*, 1881) et avec ceux de l'alcoolisme et du *delirium tremens* dans *L'assommoir* (1877) de Zola. Cette représentation occulte toutefois son double, le personnage malade, qui se fait alors l'écho des grandes craintes devant la folie (par exemple Maupassant, *Le Horla*, 1887) et la mort. La peste, la petite vérole, le cancer, les maladies vénériennes, qui ont trouvé une actualité renouvelée avec l'épidémie du sida depuis le début des années 1980, ont ainsi constamment alimenté l'imaginaire littéraire, y compris par leur symbolique (Camus, *La peste*, 1947).

Mais d'autres liens entre littérature et médecine sont plus profonds que ceux du matériau sémantique ou thématique, assez souvent tissé de lieux communs. Ils concernent le rôle de la littérature comme « remède » ou « médication », voire comme thérapie, et les conceptions mêmes de la création et de la réception littéraires.

Dès le XIVe s., Guillaume de Machaut, Nicole Oresme, Philippe de Mézières, Jean de Gerson ou Christine de Pisan tissent des réseaux de métaphores entre les pandémies et la poésie. Plus largement, le texte littéraire – journal intime, mémoires ou autobiographie – est le réceptacle douloureux de l'expression du sujet souffrant. Il est souvent, aussi, l'agent compensatoire de la souffrance par sa fonction imaginaire et poétique ou l'instrument réconciliateur du sujet et de sa maladie, dès lors que celle-ci est placée délibérément au principe même de l'écriture, à l'instar de la gravelle dont Montaigne fait par analogie la figure de discontinuité de ses *Essais* et de son discours sur la mélancolie. Deux siècles plus tard, la complainte doloriste de Rousseau sera, sous le sceau du sado-masochisme, autant le germe de l'apologie autobiographique (*Confessions*, 1764-1782) que le fond intellectualisé d'une ségrégation pré-darwinienne (*Émile*, 1762). Ainsi les textes de la maladie envahissent l'interface du grand parangon esthétique qui lie santé et beauté.

Avec l'émergence du discours philosophique dans sa prétention à dire le tout de l'homme, la médecine devient un nouvel enjeu qui complète les liens entre elle et la littérature. Les grandes universités françaises, Montpellier et Paris, se divisent dès le XVIIe s. entre théorie vitaliste et théorie mécaniste (cartésienne). Au XVIIIe s., le débat touche en fait l'ensemble de la république des lettres et son enjeu est central pour les Lumières : il engage la conception même de la sensibilité et, au-delà, de l'homme. Des médecins comme Antoine Le Camus ou Samuel Tissot cherchent à médicaliser la philosophie à travers la notion de sensibilité ; les sensualistes, avec Diderot et l'école vitaliste, y trouveront les arguments pour affermir leurs positions esthétiques et anthropologiques où domine le projet philosophique.

À la suite des débats des Lumières, la médecine se constitue en un champ autonome au cours du XIXe s. et elle détrône le magistère du prêtre dans l'autorité sur la santé spirituelle de l'homme ; la littérature joue de ce renversement des compétences, à l'exemple du « roman nouveau » d'Henri de Régnier, l'*Amphisbène* (1912), où la quête de la santé s'est substituée à celle du salut. Auparavant, la maladie – notamment la syphilis et la tuberculose – est souvent regardée comme le signe d'une élection au génie, éminemment romantique, voire balzacien (*Louis Lambert*, 1832), dans la jonction pseudo-scientifique qui est faite entre différence physique et exception intellectuelle, mais aussi fortement marquée chez Th. Mann dans le lien qui est tissé entre pathologie et prise de conscience (*La mort à Venise*, 1913, et *La Montagne magique*, 1924) comme le figure également, dans le Québec de la première moitié du XXe s., le poète Saint-Denys Garneau.

Cette vision de la littérature comme maladie et cure s'appuie sur un cinquième lien, plus profond encore, qui tient à l'apport anthropologique de la recherche et du savoir médicaux. La théorie des humeurs a longtemps fourni le cadre d'analyse et d'interprétation de l'homme, de ses passions, de son « tempérament » (selon la façon dont les diverses humeurs sont dosées en lui, bien ou mal « tempérées ») et, par là même, un mode d'explication de l'acte artistique et littéraire, de son besoin, de ses sources, de ses effets. On sait que la théorie grecque première considère que l'homme est naturellement enclin à l'imitation, et que ce substrat explique l'idée même de mimésis et d'art chez Platon et Aristote. De même le but des œuvres a pu être défini par une finalité d'ordre thérapeutique, hygiénique, dans la catharsis. Et du côté de la création, une association étroite a longtemps été faite entre la mélancolie, due à un excès de « bile noire » (humeur noire) et le génie créateur : l'une donnait un surcroît d'imagination, dont l'autre, la création, faisait usage en lui donnant un exutoire, mais aussi, pour cela, en la portant à des moments paroxystiques qui la menaçaient de folie. Lorsque les découvertes médicales remirent en cause la théorie des humeurs, la littérature s'intéressa aux recherches pré-psychologiques, comme la physiognomonie qui passionnait Balzac. Les recherches sur les structures héréditaires et les modelages acquis du psychisme nourrissent le naturalisme qui emprunte à la médecine le modèle de la démarche expérimentale (Zola, *Le roman expérimental*, 1880). Par la suite, avec l'apport freudien, la psychanalyse a pris, avec le surréalisme, un rôle de référent anthropologique dominant, qu'elle a encore aujourd'hui. Elle offre, d'ailleurs, non seulement une conception de l'homme, mais aussi une conception du langage, de l'imaginaire comme lieu de langage, qui rend le lien possible avec le littéraire encore plus étroit. Ainsi, par la théorie des humeurs ou par la psychanalyse, la médecine a fourni des explications sur deux points fondamentaux : l'origine de l'inspiration et du désir d'écrire, et la nature et les effets du plaisir littéraire.

Ces deux derniers aspects – conception de la littérature comme acte de médication et réflexion sur les substrats anthropologique de l'esthétique littéraire – font que la médecine n'est pas seulement un « sujet » littéraire parmi tant d'autres mais entretient un lien consubstantiel avec l'écriture, instaurant de la sorte une présence du corps au sein même de l'activité qui paraît la plus intellectuelle.

▶ CABANÈS J.-L. (dir.), *Littérature et médecine*, Bordeaux, 1997. — DANDREY P., *La médecine et la maladie dans le théâtre de Molière*, Paris, Klincksieck, 1998, 2 t. — DANOU R., *Le corps souffrant : littérature et médecine*, Paris, Champ Vallon, 1994. — LÉVY J. & NOUSS A., *Sida-fiction. Essai d'anthropologie romanesque*, Lyon, Presses Universitaires de Lyon, 1994. — PIGEAUD J., *L'art et le vivant*, Paris, Gallimard, 1995.

Éric VAN DER SCHUEREN

→ *Anthropologie ; Corps ; Folie ; Génie ; Humeurs ; Mélancolie ; Passions ; Psychanalyse ; Satire ; Sciences et lettres ; Sujet.*

MÉDIAS

Au singulier, ce terme venu du latin *medium* désigne l'ensemble des techniques de diffusion de l'information. Elles peuvent aller de la science au divertissement et de l'éducation à la propagande, en utilisant l'écrit, le son et l'image. Au pluriel, venu de l'anglo-américain, *mass media* (1923), les médias désignent la presse écrite, la radio, le cinéma, le disque, la télévision. On utilise le terme de nouveaux médias pour désigner les technologies récentes de l'informatique. La numérisation de l'écrit, du son et de l'image permet aujourd'hui une nouvelle forme d'intégration de tous les médias traditionnels sur une seule plateforme, connue sous le nom de multimédia, entre autres par le truchement d'internet et du CD Rom ou du DVD.

Dans l'histoire, le premier grand média, à diffusion large et à longue distance, est le livre. Mais au sens moderne du terme, l'idée s'applique surtout à la presse qui s'industrialise dès le milieu du XIXe s. et assure son expansion par la publicité et les romans-feuilletons. L'édition du livre suit, portée principalement par les manuels scolaires et la reprise des romans feuilletons journalistiques. À la fin du siècle, la majorité des populations d'origine européenne lisent des journaux. La culture médiatique existe déjà.

Au tournant du XXe s., le cinéma se développe et, en moins d'une décennie, surtout dans le domaine de la fiction, devient un élément majeur des industries culturelles. Dès les années trente, la radiophonie, en plein essor, donne le moyen d'une diffusion atteignant les destinataires en tous lieux ; se forme alors l'idée d'une convergence de ces industries qui conduit aux États-Unis à la création du terme de « mass media ». Les élites culturelles s'alarment de ce phénomène, mais les mouvements politiques populaires – fascistes, nazis, communistes ou catholiques – voient au contraire dans ces nouveaux médias des appareils de propagande puissants. Leur succès provisoire renforce la méfiance des intellectuels à l'endroit de la « culture de masse » perçue comme totalitaire par nature (École de Francfort).

Après la Seconde Guerre mondiale, l'émergence de la télévision établit l'hégémonie américaine dans ce domaine, avec la prééminence internationale de la langue anglaise, la puissance du marché américain et la fascination pour le rêve hollywoodien. La toile internet, à la fin du siècle, confirme cette suprématie.

À chacune de ces étapes, les médias se sont développés en relation constante avec la littérature, y compris les œuvres les plus classiques, en permettant leur diffusion, mais aussi des adaptations et, en un mot, leur vulgarisation. Mais ils produisent aussi leurs genres propres, dont le feuilleton, d'abord en roman-feuilleton puis sous forme radiophonique et télévisuelle, est le plus répandu. Dans la mesure où les médias modernes constituent les pièces maîtresses du marché de la culture élargie, la littérature restreinte cherche à s'en démarquer. Ainsi, les romans-feuilletons ont provoqué le scandale des écrivains dès leurs premiers succès et Sainte-Beuve les condamnait. Cette opposition est au principe de la division du champ culturel et elle perdure. Cependant les médias audio-visuels ont aussi leur sphère restreinte, donnant des œuvres exigeantes et diffusant la culture de recherche : chaîne culturelles de radio et de télévision, cinéma d'art et d'essai.

Les médias relèvent de la société de consommation et de l'économie de marché qui transforme l'information et la production culturelle en marchandises. La recherche du « public maximum » fait partie de leur finalité et induit l'imposition d'un dénominateur commun dans les critères de production. Cette poursuite de la plus large clientèle suscite une inquiétude à l'égard de la médiocrité ou de l'aliénation de la culture « moyenne » qu'elle engendre. Selon Habermas et nombre de ses successeurs, la culture de masse des médias désagrègerait la nature participative des cultures traditionnelles. Elle transformerait toute culture en culture consommée. L'univers produit par les mass média n'aurait plus alors que l'apparence d'une sphère publique. Mais, pour vaincre la distance et l'anonymat constitutifs de leur système, ces médias créeraient l'illusion d'une participation et d'un rapprochement des spectateurs en suscitant des simulacres d'interactivité (ainsi des émissions où l'on donne la parole au public)... Ce débat se poursuit sans discontinuer, ni d'ailleurs beaucoup évoluer, de Sainte-Beuve à aujourd'hui où, cependant, la quantité de médias disponible accroît leur pression sur l'univers des discours.

▶ BOURQUE P.-A., « La marginalisation de la littérature » in H.-J. Greif (éd.), *Arts et littératures*. Québec, Nuit Blanche, 1987, p. 115-135. — HABERMAS J., *L'espace public, archéologie de la publicité comme dimension constitutive de la société bourgeoise*, trad. Marc B. de Launay, Paris, Payot, 1993. — JEANNENEY J.-N., *Une histoire des médias des origines à nos jours*, Paris, Le Seuil, 1996. — MORIN E., *L'esprit du temps, essai sur la culture de masse*, Paris, Grasset, 1962. — WOLTON D., *Penser la communication*, Paris, Flammarion, 1997.

Jacques MICHON, Denis SAINT-JACQUES

→ *Cinéma ; Communication ; Édition ; Feuilleton ; Information (Théorie de l') ; Internet ; Livre ; Presse.*

MÉDIATION

La médiation est l'action de servir d'intermédiaire, au sens courant, entre deux partis en conflit ou, en un sens philosophique, entre deux termes d'un processus dialectique. Par suite, le mot désigne l'objet qui exerce cette action médiatrice ou qui en résulte. Le sens philosophique a une place importante dans la théorie et la critique littéraires. En un sens plus large, on désigne par médiation culturelle l'action de ceux qui ont des rôles d'intermédiaire dans la diffusion des œuvres.

Longtemps, la notion de médiation a été cantonnée à la théologie et à la philosophie religieuse pour décrire les relations entre l'homme et l'instance divine. L'usage philosophique du concept (*vermittelung*) s'impose avec la dialectique hégélienne. Marx l'utilise, en s'interrogeant notamment sur les médiations entre la réalité socio-économique et les productions culturelles. Au XXe s., la critique marxiste approfondit cette question, par exemple par la notion de vision du monde chez Goldmann. Elle est aussi au cœur des philosophies existentielles : dans *Questions de méthode* (1960) et *Critique de la raison dialectique* (1961), Sartre conteste les formes déterministes et mécanistes de la dialectique et la médiation devient chez lui le moyen de penser l'articulation de certains couples antithétiques, tels que singulier / universel, individuel / collectif, pratique / théorique, concret / abstrait. Il l'applique à la littérature à propos de Flaubert, dans *L'idiot de la famille* (1971). Plus largement, la question de la médiation se pose dans la plupart des disciplines des sciences humaines et sociales et elle reste importante en sociologie de la littérature.

La notion de médiation intervient en linguistique et en sémiologie pour décrire la production du sens : médiation *rhétorique* entre degré perçu (sens littéral) et degré conçu (sens figuré) ; médiation *discursive* pour rendre compte de la dynamique d'un récit (voir Klinkenberg, p. 174-175).

Elle est une question cruciale pour la littérature, pour rendre compte des relations entre le texte et le réel, et entre le littéraire et le social. Longtemps, à la suite de Platon, le poète a été conçu comme un inspiré, et comme tel opérant une médiation entre les dieux et les humains (tel est son mythe de la pierre d'Héraklée et des anneaux auxquels elle communique son aimantation). L'idée de mimésis implique celle d'une médiation de l'œuvre, puisqu'elle est re-présentation, intervenant donc entre un objet absent et des spectateurs ou des lecteurs pour qui elle le signifie. Dans la critique moderne, dès lors qu'elle tente de rendre compte des rapports du texte au monde, l'interprétation fait constamment intervenir des conceptions de la médiation. Il est frappant de constater que nombre de termes utilisés pour représenter cela sont des métaphores optiques : reflet (Plekhanov), réfraction (Bourdieu), prisme (Viala, 1988) ; il s'agit à chaque fois de décrire simultanément un processus de transformation et un objet médiateur, et leur complexité. La critique fondée sur l'idée du reflet a généralement envisagé une relation simple entre l'œuvre et le réel social, la médiation entre les deux termes s'effectuant à travers la notion mal définie de « conscience collective ». Goldmann, dans le sillage de Lukacs, a proposé l'idée d'une « homologie structurale » entre le social (lui-même médiatisé dans la notion de « vision du monde ») et le littéraire. Tout en reprenant cette idée, le concept de « champ littéraire » élaboré par Bourdieu complexifie les données du problème puisque la médiation essentielle devient le champ lui-même, en tant qu'espace structuré imposant aux données sociales une retraduction spécifique en termes littéraires. La difficulté touche à la multiplicité des médiations qui s'exercent entre le social et le littéraire : la langue, dont l'interaction avec le littéraire est fondamentale, les instances ou institutions littéraires (dont les médiateurs culturels, bibliothécaires, enseignants, etc.), les écrivains (la médiation s'effectuant à travers leur imaginaire selon leurs habitus ou leur[s] vision[s] du monde), les œuvres, où interviennent à la fois, outre les effets des médiations ci-dessus, les enjeux des codes (les genres), de l'intertextualité (médiation interne) et du rapport aux autres discours sociaux (médiation externe), enfin la réception, tant par les conditions de lisibilité des œuvres (que la notion d'« horizon d'attente » par exemple tente de prendre en compte) que les variations des codes interprétatifs (les « rhétoriques de lecteurs »). La littérature est donc une médiation, mais, entre quoi et quoi ? Si l'on admet que la langue et les pratiques culturelles – dont la littérature – sont en elles-mêmes des médiations (entre les hommes et le monde, et pour les hommes entre eux), alors la littérature ne peut guère être décrite en termes d'homologie avec le social, puisqu'elle fait partie de celui-ci, mais plutôt comme « médiation de médiations ».

▶ GOLDMANN L., *Pour une sociologie du roman*, Paris, Gallimard, 1964. — GREGES, « La médiation des formes », dans *Actes de la recherche en sciences sociales*, juin 1989, n° 78, p. 105-107. — KLINKENBERG J.-M., *Précis de sémiotique générale*, Paris, Le Seuil,, 2000. — Coll. : *Littérature. La médiation du social*, n° 70, Paris, Larousse, mai 1988 [spécialement : Dubois J. & Durand P., p. 5-23 et Viala A., p. 64-71].

Benoît DENIS

→ *Champ littéraire ; Genres littéraires ; Institution ; Littérature ; Marxisme ; Vision du monde.*

MÉDIÉVALE (Littérature)

Le « Moyen Âge » (expression inventée au début du XVIIe s. par les humanistes pour qualifier de manière péjorative la période qui s'étend de la fin du Ve à la fin du XVe s.) voit la naissance de la littérature française. Celle-ci émerge à la fin du IXe s., avec les tout premiers textes littéraires en langue romane, même si le latin demeure la langue de la littérature savante et de la communication internationale. Peu à peu, la nouvelle langue suscite des formes neuves. L'expression « littérature médiévale » désigne cette production textuelle vernaculaire, à l'exclusion des textes latins, de la fin du XIe à la fin du XVe s.

Les premières œuvres sont religieuses (*Séquence de sainte Eulalie*, IXe s., *Vie de saint Alexis*, XIe s.), et épiques. La chanson de geste est le genre médiéval par excellence : plus de 150 textes entre le XIe et le XVe s. Au fil de laisses assonancées ou rimées, ils rappellent les exploits des héros francs. L'image du pouvoir royal et de la puissance des féodaux s'y organise autour de la figure de Charlemagne. Dans les cours seigneuriales du Nord et de l'Angleterre, des récits entremêlent aux exploits des armes les tourments de l'amour : le roman naît dans le lien qui s'établit entre « écrire en roman » et un type de narration. La tradition antique transposée en termes féodaux en fournit la première matière : *Thèbes, Eneas, Troie*, et les fables venues d'Orient produisent le *Roman d'Alexandre*.

Marie de France choisit de mettre en écrit les lais (brefs récits en vers) féeriques chantés par les jongleurs bretons, racontant des aventures amoureuses dans une atmosphère de légendes celtes, Béroul transcrit en vers la passion fatale de Tristan et Iseut (il ne reste que la partie centrale de son roman, et des fragments de la version de Thomas).

Chrétien de Troyes, père du « roman courtois », interroge le dilemme de l'amour et de la chevalerie. Il crée la figure de Lancelot, chevalier de la Table Ronde du roi Arthur, et amant de la reine Guenièvre. Son dernier roman met en place un des schèmes fondamentaux de l'imaginaire médiéval, « la quête du Graal ». À sa suite, le roman médiéval reprend le mythe du Graal et réécrit l'histoire de la Table Ronde en continuité avec l'Histoire Sainte, tandis qu'aux chevaliers élus se mêle le personnage ambigu de Merlin, devin et prophète, qui plonge ses racines dans l'histoire légendaire des origines de la Grande-Bretagne. La substitution de la prose à la forme versifiée donne un nouveau souffle à la matière arthurienne : l'immense ensemble du *Lancelot-Graal* recompose toute la geste de ses héros et fait du fils de Lancelot, Galaad, le seul être digne de contempler les mystères du Graal, tandis que disparaît dans des luttes fratricides le royaume terrestre trop humain d'Arthur (*Mort du roi Arthur*).

Des romans, en vers ou en prose, gravitent autour de cet ensemble. Le *Tristan en prose*, rivalisant d'ambition avec le *Lancelot*, réunit les deux héros de l'amour au milieu d'un entrelacement d'aventures chevaleresques. Il fixe la figure du « chevalier errant ».

Dans les dernières années du XIIe et au XIIIe s., une veine romanesque nouvelle nourrit son inspiration aux sources du folklore et, se détournant du merveilleux, décrit la société aristocratique. Le représentant de ce courant raffiné et ironique est Jean Renart, auteur du *Guillaume de Dole* et de *L'Escoufle*. Il allie la lyrique au récit, en insérant dans la trame narrative des poèmes d'amour et des chansons de toile.

Une autre forme, l'allégorie, devient au XIIIe s. un procédé littéraire et poétique majeur. La majorité des œuvres (*Voies de Paradis*, *Songe d'enfer* de Raoul de Houdenc, *Pèlerinage de vie humaine* de Guillaume de Digulleville) conservent un caractère religieux ; mais le *Roman de la Rose* (de Guillaume de Lorris, 1230 et Jean de Meun, 1270) inaugure la littérature allégorique profane. Des œuvres ultérieures reprennent ce premier modèle, description d'une société adonnée au loisir et à l'amour, en l'infléchissant vers le didactisme, en dénonçant l'impasse du discours amoureux, et en offrant une somme du savoir de l'époque.

L'histoire reçoit de plus en plus de place. Les premières chroniques en français de Robert de Clari et Geoffroy de Villehardouin témoignent de la quatrième croisade (1202-1204). Joinville réunit ses souvenirs en vue de la canonisation du roi Louis IX, dans une œuvre à mi-chemin entre le document historique et la confidence. L'histoire devient un genre à part entière dans la période troublée de la guerre de Cent Ans. Après Jean Froissart, Georges Chastelain et Olivier de La Marche, Philippe de Commynes marque le genre par ses *Mémoires* où, tombé en semi-disgrâce, il entreprend la recherche des causes profondes sous les apparences. Sa peinture de Louis XI et de son règne a pu être rapprochée du *Prince* de Machiavel écrit une quinzaine d'années plus tard.

Parallèlement se développe un courant comique et satirique fécond. Du *Roman de Renart* aux fabliaux et aux premiers jeux dramatiques, circule un même souffle joyeux tourné vers les réalités du corps. Quelquefois qualifiées de « bourgeoises » parce qu'elles parlent plus volontiers de personnages non nobles – paysans, artisans, commerçants, aubergistes, prostituées –, ces œuvres ne renvoient pas nécessairement à un type de public. Baron révolté de la cour de Noble le lion, Renart – nom propre du goupil –, incarne la ruse du faible face aux puissants, la liberté d'esprit face aux lois et aux institutions. Mais il est aussi retors, cruel et sanguinaire. Il est en cela le reflet d'une société dure, sans pitié pour les vaincus, tendue vers sa survie. La littérature didactique et allégorique des XIIIe et XIVe s. s'empare du personnage pour en faire l'incarnation du mal (*Renart le Bestourné* de Rutebeuf, *Renart le Nouvel* de Jacquemart Gielée), avant de prêter son masque aux censeurs de la société (*Renart le Contrefait*).

Les fabliaux (environ 150 récits courts, en vers) du XIIIe s. (Gautier Leu, Jean Bodel, Rutebeuf, Jean de Condé) privilégient l'aventure scabreuse, les quiproquos, duperies, ridiculisation d'un mari cocu, d'un prêtre lubrique ou d'un vilain stupide. Ces traits se retrouveront dans les *nouvelles* des XIVe et XVe s., de Boccace aux *Cent nouvelles nouvelles*.

Le jeu dramatique ne se détache que peu à peu des drames liturgiques latins. Les premières pièces comme *Le jeu d'Adam* font alterner didascalies en latin et répons en français. L'arrageois Jean Bodel mêle dans son *Jeu de saint Nicolas* (représenté en décembre 1200) un argument religieux à des scènes de taverne. De même, l'anonyme *Courtois d'Arras*, mise en scène de la parabole de l'enfant prodigue, se déroule dans une taverne au milieu des prostituées. Adam de la Halle, autre poète arrageois de la deuxième partie du XIIIe s, compose les premières pièces entièrement profanes : son *Jeu de la feuillée* le représente avec ses concitoyens, dans une parade où des réminiscences de contes féeriques s'allient au délire carnavalesque. Cette pièce apparaît comme l'ancêtre de la *sotie*, genre dramatique satirique développé dans les milieux de la basoche au XVe s. Le *Jeu de Robin et de Marion*, représenté vers 1284, s'inspire des *pastourelles* qui chantent la rencontre d'un chevalier et d'une bergère. Les répliques entrecoupées de chansons et de danses en font la première pastorale et annoncent l'opéra comique.

Au XVe s., le théâtre est en plein essor, sous toutes ses formes. La ville en est le lieu d'expression privilégié, avec les fêtes populaires du carnaval ou les visites royales. La farce – plus de 150 entre 1440 et 1560 – retrouve l'esprit des fabliaux. Du côté religieux, les Mystères racontent, dans des mises en scène grandioses, l'Histoire Sainte et particulièrement la Passion du Christ.

En langue d'oc, parlée dans la moitié sud de la France, naît, au XIe s., une lyrique originale : la *fin'amor*, qui aurait été « inventée » par Guillaume IX, comte de Poitiers et duc d'Aquitaine. À la fin du XIIe s., la *canso* est transposée en langue d'oïl, et essaime dans toute l'Europe, diffusant son modèle érotique et poétique qui dure ensuite jusqu'à la Renaissance en se combinant aux apports latins. Entre le XIIIe s. et le XVe s., la poésie subit de profondes mutations. Les poètes se recrutent parmi les clercs. Leurs écrits se détachent peu à peu de la musique et, avec Eustache Deschamps et Jean Froissart, au XIVe s., la poésie devient « musique naturelle », et se plie à des formes normées (ballade, rondeau, virelai : voir : Grands Rhétoriqueurs). Les *Congés* arrageois sont un des premiers exemples d'une poésie du « je ». Dans le genre du *dit*, le Parisien Rutebeuf joue de l'autobiographique. Ironique et caustique, il poursuit, en français, l'esprit de la poésie latine des « clercs vagants », les Goliards. Guillaume de Machaut est le dernier poète musicien et maître en théologie. Alain Chartier, compose une œuvre à la fois politique (*Le quadrilogue invectif*, 1422) et poétique (La *Belle dame sans mercy*, 1426). Christine de Pisan, la première femme à vivre de sa plume, à la fin du XIVe s., s'essaie à toute sorte de formes : traités philosophiques, politiques, historiques, poèmes lyriques, querelle du *Roman de la Rose*, défense des femmes (*Livre de la cité des dames*), autobiographie (*Avision Christine*, *Livre de la mutation de Fortune*). François Villon, clerc dévoyé et poète virtuose, réunit dans ses deux *testaments* (le *Lais*, 1456, le *Testament*, 1461) la tradition des *congés* d'amour, la figure du poète mourant de faim et les plaisanteries obscènes de la poésie estudiantine. Pour sa part, le prince poète Charles d'Orléans, retrace un itinéraire sentimental et intellectuel traversé par l'angoisse du temps.

Les littératures européennes du Moyen Âge suscitent avant tout la question de la langue. Elles émergent à la faveur de la constitution des langues nationales. Elles manifestent aussi, face à l'omniprésence de l'Église, la recherche d'une expression profane, difficilement légitimée. De plus, elles posent la question du statut de l'écrivain : d'une production d'abord collective, surgissent des noms, mais, si Chrétien de Troyes ou Marie de France au XIIe s. ont déjà le souci de la signature, les conditions de transmission ne permettent pas de fixer un texte lié à un individu. Les œuvres de cette période ne relèvent pas à proprement parler de l'écrit, dans la mesure où la plupart sont destinées à faire l'objet d'une performance orale. Par ailleurs, elles nous sont parvenues à travers des transcriptions manuscrites et d'une copie à l'autre, les variantes abondent : la « mouvance » du texte est une des caractéristiques de la littérature médiévale. En outre, bien des textes n'ont été conservés que par des copies uniques et / ou très mutilées : nous ne possédons par conséquent qu'une partie, peut-être infime, de la production réelle. Il faut attendre les premiers manuscrits autographes et le pré-humanisme autour de Pétrarque pour que se redéfinisse le rapport de l'auteur à son œuvre et à son public. Enfin, cette littérature, après un temps de célébration de l'héroïsme chevaleresque, montre qu'est venu un moment où la société aristocratique ne peut plus que rêver ou se moquer de l'héroïsme ancien, vidé de sa signification.

▶ BADEL P. Y., *Introduction à la vie littéraire du Moyen Âge*, [1969], Paris, Bordas, 1984. — CERQUIGLINI-TOULET J., *La couleur de la mélancolie*, Paris, Hatier, 1993. — ZINK M., *La subjectivité littéraire*, Paris, PUF, 1985 ; *Littérature française du Moyen Âge*, Paris, PUF, 1992. — ZUMTHOR P., *Essai de poétique médiévale*, Paris, Le Seuil, 1972 ; *La lettre et la voix. De la littérature médiévale*, Paris, Le Seuil, 1987.

Michèle GALLY

→ *Auteur ; Courtoise (Littérature) ; Langue française (Histoire de la) ; Latine et néolatine (Littérature) ; Lyrisme ; Manuscrit ; Oralité ; Variante.*

MÉDITATION

La méditation, dans son acception religieuse, est traditionnellement un préliminaire à l'oraison, fondé sur l'approfondissement du sens d'une formule, le plus souvent biblique, ou d'un signe (tête de mort des Vanités par exemple) : ressassement sonore (*ruminatio*), imprégnation, travail de paraphrase, rapprochement d'autres textes, mais aussi exégèse (*elucidatio*), qui apparente la méditation à l'explication de texte. Elle se transforme au XVIe s. en un genre de la littérature religieuse chrétienne, généralement à partir des psaumes. De façon moins stricte, « méditation » désigne ensuite un état de concentration intérieure, et des textes qui cherchent l'intimité de l'être en se fixant sur un objet ou un thème.

Les premières méditations nommées ainsi naissent au XIIe s. (Anselme, Hugues de Saint Victor, Bonaventure). Procédé monastique qui se laïcise et se poétise, la méditation est une phase de prise de conscience raisonnée avant l'élan de l'oraison : l'homme, dit saint Thomas, « écoute Dieu dans l'Écriture sainte, ce qui se fait par la *lectio*, et parle à Dieu, ce qui se fait par l'*oratio* » ; la méditation « convertit » les vues humaines aux vues divines. C'est toujours une recherche de la vérité, vécue dans la sincérité du cœur, utilisant la mémoire du texte sacré, de son interprétation à travers les siècles, cherchant à faire coïncider l'intemporel avec les circonstances vécues.

Lorsque les Réformes développent la piété individuelle à côté des dévotions collectives jugées indispensables, elles encouragent des méthodes développant par jours, semaines ou besoins, la prise de conscience nécessaire (Louis de Grenade, 1554 ; début de l'*Introduction à la Vie dévote* de François de Sales, 1608 ; Bossuet, *Introduction aux états d'oraison*, 1695). Ignace de Loyola, au XVIe s., en insistant dans ses *Exercices spirituels* sur le rôle de l'imagination préalable au discours, lui donne un support affectif et visuel. La méditation peut aussi utiliser comme support des images de dévotion (parenté avec l'emblématique) et des objets : portraits, tête de mort, tombes, d'où l'association fréquente entre méditation et mélancolie, méditation et vanité.

La méditation devient un genre écrit de la littérature de piété (Savonarole, XVe s.), le plus souvent en prose, apparenté aux paraphrases bibliques qui, elles, peuvent être versifiées, y compris en vers mesurés afin d'être mises en musique. Même si ce genre est d'abord développé par les protestants dans un cadre pénitentiel explicitement focalisé sur la Bible (Bèze, Du Plessis-Mornay, Sponde, Aubigné), il est aussi catholique et alors plus centré sur la rédemption par la Passion du Christ (Pierre Doré, Du Vair, Desportes, La Ceppède). Il est la base de poésies spirituelles (Hopil, Malaval) ou inspire certains monologues dramatiques (*Polyeucte*, scènes de conversion, scène d'ouverture du *Soulier de Satin*).

Le procédé de méditation peut, hors de ce domaine religieux, nourrir tous les textes de réflexion fondamentale (*Méditations* de Descartes, 1641 ; de Malebranche, 1683), d'introspection (*Méditations* de Lamartine, 1820 ; E. Berl, *Méditation sur un amour défunt*, 1925) ou qui se donnent pour tels (L. Bloy, *Méditations d'un solitaire en 1916*, 1928).

Jeu intertextuel avec la Bible, la méditation est d'abord un art de la redite et de l'écho : un fragment biblique est toujours explicable par un autre texte biblique. La méditation tisse un lien qui renforce l'unité des deux Testaments, des psaumes entre eux, la ressemblance explicative du passé et du présent dans la cohérence de la Révélation. La ductilité générique, entre commentaire et exégèse, méditation et oraison, prédication et examen de conscience, introspection et engagement collectif, fait de la méditation un texte prêt à accueillir le lecteur sans lui imposer d'autre contrainte référentielle que d'être prêt à entrer dans le dialogue fictif entre un Je orant et Dieu.

La méditation est un genre ambigu qui transfère à l'expression personnelle des formes collectives, et inversement publie ce qui serait de l'ordre du privé, l'exploration intime. Elle pénètre dans les genres plus vastes de l'autobiographie et du roman du Moi. Elle tisse des parentés avec la rêverie (de Rousseau à Senancour), les *Contemplations* (Hugo), les mémoires vrais ou transposés (Chateaubriand), qui en gardent la concentration sur un objet ressassé pendant un arrêt du temps. Dans les œuvres littéraires, l'activité méditative prend souvent appui sur des symboles de mort, notamment pendant la période romantique.

▶ JEANNERET M., *Poésie et tradition biblique au XVIe siècle*, Paris, Corti, 1969. — MARTZ J., *The Poetry of meditation*, Yale, [1954] 1962. — Coll. : *La méditation en prose à la Renaissance*, Paris, PENS, 1990. — *Méditations de Jean de Sponde*, S. Lardon (éd.), Paris, Champion, 1996.

Marie-Madeleine FRAGONARD

→ *Autobiographie ; Bible ; Citation ; Élégie ; Emblème ; Mélancolie ; Mysticisme ; Oraison funèbre ; Religion.*

MÉLANCOLIE

L'une des quatre « humeurs » fondamentales du corps selon la médecine antique est la bile noire ou mélancolie (en grec *melas*, noire et *kholè*, bile). Le mot désigne aussi la disposition de l'âme à la tristesse, résultant d'un excès de cette bile noire et, plus largement, un état de tristesse sans cause immédiate, qui constitue un motif littéraire majeur. La mélancolie a aussi été associée à l'inspiration.

L'application de la notion de mélancolie à la littérature remonte à l'Antiquité, au *Problème XXX, 1* attribué à Aristote, qui établit que « tous les hommes qui furent exceptionnels en philosophie, en politique, en poésie ou dans les arts étaient manifestement mélancoliques ». Reprise et développée à la Renaissance, l'idée que les créateurs sont d'humeur mélancolique s'impose bientôt comme une sorte de lieu commun. La mélancolie comme thème littéraire privilégié ne se rencontre guère en France avant le XVe s., où Charles d'Orléans lui donne une forme lyrique dans plusieurs de ses ballades. Au siècle suivant, Du Bellay dit « Les regrets, les ennuis, le travail et la peine, / Le tardif repentir d'une espérance vaine, / Et l'importun souci qui (l)e suit pas à pas » dans son « exil » romain (*Les regrets*, 24, v. 12-14 1558). Ronsard va d'une mélancolie due à la privation de l'objet aimé (*Les Amours de Cassandre*, 1552) à l'imaginaire d'une humeur, l'*imaginatio melancholica* (*Les Amours de Marie*, 1555-56). À la fin du siècle, Agrippa d'Aubigné, dans *Le printemps*, 1570, éd. posth. 1892), renoue le lien entre mélancolie et « fureur » inspirée. Montaigne lui-même médite sur les risques de ce tempérament. Le thème est majeur chez les poètes du début du XVIIe s, notamment Tristan l'Hermite. Par ailleurs, de nombreux personnages théâtraux en sont emblématiques, tel Oreste dans la tragédie (*Andromaque*, 1667 : « Je redoutais surtout cette mélancolie/ Où j'ai vu si souvent votre âme ensevelie » lui dit Pylade, *Acte I sc. 1*) ou encore Alceste (*Le misanthrope ou l'atrabilaire amoureux*, 1666). Les médecins, et notamment ceux qui étudient, aux XVIIe et XVIIIe s., les « maladies des gens de Lettres », y voient une problématique majeure, même si les Lumières en semblent peu marquées. Elle devient dominante avec le Romantisme. Chez Chateaubriand la tristesse personnelle se lie à la conscience d'appartenir à une aristocratie vouée à la mort : aussi bien, la mélancolie des *Mémoires d'Outre-Tombe* (1848-1850) s'élève-t-elle comme le chant funèbre d'une monarchie qui est le symbole de ce que l'auteur tient pour la noblesse même de l'esprit. Chez les Romantiques de la génération suivante, tend plutôt à prévaloir la conscience d'être « né trop tard dans un monde trop vieux » (Musset). Grandis dans l'épopée napoléonienne, ils subissent la Restauration comme le temps d'un divorce entre l'énergie qui les habite et le vide politique et moral que la réalité sociale leur offre. À ces données historiques, s'ajoutent, chez Nerval, l'inquiétude de celui qui « cherchant l'œil de Dieu » n'a « vu qu'un orbite vaste, noir et sans fond » et le désarroi du *Desdichado* (*Les chimères*, 1854), le déshérité qui se sent à la fois « le ténébreux, le veuf, l'inconsolé ». Chez Baudelaire, l'expérience de celui qui, voyant disparaître le vieux Paris, doit reconnaître que « la forme d'une ville / Change plus vite, hélas ! que le cœur d'un mortel » suscite le *spleen*, la mélancolie qui naît dans *Les fleurs du Mal* (1857) de la contradiction entre la grandeur du passé et la réification que la métropole fait subir à un poète qui ne trouve plus que dans les figures des victimes le reflet de lui-même. La mélancolie est encore puissante chez Laforgue, voire chez Proust ou Desnos. Mais, peut-être parce que le « Je » est, selon Rimbaud, devenu « un autre », le lyrisme ne peut plus s'exprimer aussi directement, ce qui entraîne l'atténuation de la note mélancolique.

Le « tempérament » (dosage des humeurs) où domine la mélancolie est marqué par la rêverie et la tristesse. D'où une sensibilité suraiguë et une prédisposition visionnaire. En cela, elle a été regardée comme une explication de l'inspiration (littéraire, mais aussi artistique, voire scientifique ou même politique). Elle est propice à la « fureur » créatrice, mais suscite aussi le risque de la folie. La peinture (Dürer) la représente allégoriquement comme une méditation peuplée de rêves inaccessibles et de visions sinistres. Elle est liée à la conscience que l'idéal s'est perdu dans le monde réel et trivial, et s'exprime donc de préférence dans les registres lyrique et élégiaque et dans des œuvres qui allient création et réflexion sur la démarche créatrice. Elle apparaît ainsi, dans l'imaginaire collectif, comme la condition et la rançon du génie.

▶ KLIBANSKI R., PANOFSKY E. & SAXL F., *Saturn and melancholy*, New York, Thomas Nelson & Sons Ltd, 1964 trad. Paris, Gallimard, 1989. — DANDREY P., *Molière et la maladie imaginaire, ou : De la mélancolie hypocondriaque*, Paris, Klincksieck, 1998. — ZILSEL E., *Le génie, histoire d'une notion de l'Antiquité à la Renaissance*, [1926] trad. Michel Thevenaz, préface de Nathalie Heinich, Paris, Minuit, 1993.

John E. JACKSON

→ *Affects ; Élégie ; Exil ; Folie ; Génie ; Humeurs ; Inspiration ; Lyrique ; Passions.*

MÉLANGES

Des mélanges sont des recueils réunissant soit les écrits d'un même auteur sur des sujets divers, soit les articles de plusieurs auteurs autour d'une même thématique. Le point commun de ces recueils est leur esthétique de la variété.

Les premières formes de mélanges liés à la littérature apparaissent dès l'Antiquité. On peut considérer que lors de la naissance du théâtre à Rome, avant l'imitation des pièces grecques, le spectacle appelé *satura* par Tite-Live (par analogie avec un ragoût composé de plusieurs viandes et légumes) parce qu'il comportait à la fois des danses et des chants, en relevait (le mot servit ensuite à désigner la satire, conçue alors comme un pot-pourri incluant une extrême variété dans les sujets abordés, les tons et les techniques d'expression).

Mais la forme littéraire issue de la littérature latine qui se présente sous la forme de mélanges est la *silve* ou « forêt variée ». Stace, au premier siècle de notre ère, s'est illustré dans ce genre qui connut une brillante postérité puisque, par exemple, Politien au XVe s., Théodore de Bèze au XVIe s. et Milton au XVIIe s. ont laissé des œuvres de ce type. Les *silves* sont des improvisations mêlées : elles peuvent porter sur des sujets aussi divers qu'une description, un remerciement, une déploration... Politien offre sous ce titre des improvisations savantes en prélude à ses cours sur les poètes antiques au *Studio* de Florence. La variété y a pour but de réveiller l'attention et de chasser l'ennui, comme il l'explique dans ses *Miscellanea* (1489).

Les *Miscellanea* ou *Miscellanées* sont aussi des mélanges, regroupant des études disparates d'ordre philologique. À la suite d'Élien, d'Aulu-Gelle et de Clément d'Alexandrie, Politien s'inspire de la diversité propre à la nature pour refuser de suivre un ordre de composition rigoureux. Chaque article de ses *Miscellanées* reflète cette esthétique de la bigarrure, par réaction à l'uniformité des commentaires linéaires de l'époque. Le style des *Miscellanées* privilégie l'élégance propre à la brièveté, source de virtuosité, alors que les détracteurs de ce genre de composition lui reprocheront son aspect hétéroclite. À l'époque de l'humanisme, ce type d'écriture est particulièrement en vogue. Juste Lipse, refusant la lassitude qui naît de l'esthétique cicéronienne, témoigne de son sens de la brièveté, de l'*ordo fortuitus*. Turnèbe, dans ses *Aduersaria* (carnets de notes, réd. av. 1581, posth.), compare son œuvre à la peau tachetée d'une panthère. Dans ses *Essais* (qui sont apparentés à la *silve*), à la fin du XVIe s., Montaigne dit également son goût d'avancer « par sauts et gambades ». Après lui, J.-P. Camus, au début du XVIIe s., donne des *Diversitez* (1610-1614). C'est bien le signe que loin de n'être qu'un exercice de langue latine, l'esthétique des mélanges a été adoptée par la littérature française. Outre Montaigne, Voltaire (*mélanges littéraires et philosophiques*, 1785-1789), Chateaubriand (*mélanges politiques et littéraires*, 1802-1830), Nodier (*mélanges de littérature et de critique*, 1820), Mérimée (*mélanges historiques et littéraires*, 1855) ont composé de telles œuvres. Les *Lettres et pensées* (1809) du Prince de Ligne leur sont apparentées puisque, comme de nombreuses œuvres du XVIIIe s., elles s'efforcent de rendre le désordre de la conversation d'un esprit curieux. Un siècle plus tard, les mélanges semblent davantage confinés au genre académique, voire mondain, même si de grands écrivains comme Proust (*Pastiches et mélanges*, 1905-1908) ou Valéry (*Variété*, 1924-1945 ; *Mélanges*, 1941) en usent encore.

De nos jours, l'usage essentiel des mélanges consiste en des recueils d'articles critiques offerts en hommage aux célébrités du monde des lettres, de la recherche ou de l'enseignement. Ces mélanges portent alors le nom de celui à qui ils sont dédiés.

▶ GALAND-HALLYN P., « Quelques coïncidences (paradoxales ?) entre l'Épître aux Pisons d'Horace et la poétique de la silve (au début du XVIe siècle en France) », *Bibliothèque d'Humanisme et Renaissance*, LX-3, 1998. — LAURENS P., « La poétique du philologue. Ange Politien dans la lumière du premier centenaire », *Euphrosyne*, nova série, 1995, vol. XXIII, p. 349-367.

Jean-Frédéric CHEVALIER

→ *Latine et néo-latine (Littératures) ; Recueil ; Satire ; Style ; Variété.*

MÉLODRAME

Le mélodrame (de *mélo*, chant ou musique, et *drame*, action mise en scène), né à la fin du XVIIIe s., a d'abord consisté en un spectacle mêlant le texte, la pantomime et l'art lyrique. À son apogée au XIXe s., il abandonne le plus souvent la partition musicale, et constitue un genre théâtral populaire, caractérisé par un registre pathétique, une fin morale et des personnages fortement typés.

Au XVIIIe s., le mélodrame apparaît parmi les genres intermédiaires entre la tragédie, la comédie et le théâtre lyrique. Il puise ses origines dans la pantomime, le roman noir, le drame sombre, tel *Robert chef des brigands* de La Martelière (1792), écrit d'après Schiller. Genre populaire, jouant sur le pathétique, le romanesque et la fin heureuse, il prend son essor sous le Directoire et le Consulat. Pixerécourt, dans *Cœlina ou l'Enfant du mystère* (1800) lui donne sa forme canonique, en trois actes, avec une fin marquée par le retour à l'ordre. En 1823, Frédéric Lemaître triomphe dans le rôle du bandit Robert Macaire de *L'auberge des Adrets* (Antier et Saint-Amand). Ce succès modifie les procédés du genre. À l'opposition manichéenne entre le bien et le mal, Lemaître substitue une confusion des valeurs : le bandit est aussi un homme de cœur. Interdite en 1824, au nom de la morale, la pièce est réécrite en 1832 par Lemaître sous le titre de *Robert Macaire*, et triomphe à nouveau. En 1827, Ducange, dans *Trente ans ou la vie d'un joueur*, abandonne l'unité de temps en divisant son texte en trois journées, et esquisse aussi une psychologie plus complexe. Sous le second Empire, le mélodrame met à profit l'esthétique du roman-feuilleton, augmente le nombre de ses personnages, utilise les machines et réintroduit parfois le ballet ou le chant qui avaient caractérisé sa naissance. Il reste populaire auprès d'un public petit-bourgeois (Paul Féval, *Le bossu*, 1862). Il se diversifie en sous-genres (militaire, naturaliste, d'aventures, judiciaire). Dans le dernier quart du XIXe s., il connaît de nouveaux succès en adoptant un discours et des idées socialistes. Au cours de la Première Guerre mondiale, il réapparaît sous une forme patriotique.

Genre français à l'origine, le mélodrame a rapidement traversé les frontières en étant traduit, adapté puis imité en Europe, mais aussi sur les scènes nord-américaines qu'il domine jusqu'à la fin du XIXe s. Après la Première Guerre Mondiale, il disparaît des scènes de théâtre avant de connaître de nouveaux succès au cinéma et dans les feuilletons télévisés.

« J'écris pour ceux qui ne savent pas lire », affirmait Pixerécourt (préface de *Cœlina*), et le mélodrame a pu alors être qualifié de « tragédie du peuple ». Au début du XIXe s., son succès s'étend bien au-delà des théâtres du Boulevard du Temple, qui l'ont vu naître, et des nouveaux publics nés de la Révolution. Et si, à la Restauration, la bourgeoisie se tourne vers la Comédie-Française et les théâtres de Boulevard, le public populaire lui reste fidèle. Le clivage des publics et des genres a eu pour conséquence de le marginaliser dans la hiérarchie des formes dramatiques et de lui conférer une image péjorative (manichéisme, sujets rocambolesques, platitude, mièvrerie) qui ne rend compte ni de son histoire, ni de sa variété. Les études récentes tentent de relativiser les préjugés à son égard et de renouveler son étude en repensant la signification politique des personnages, et en rétablissant la filiation historique des genres, notamment en mesurant l'influence de cette forme populaire sur l'ensemble des genres dramatiques bourgeois. En effet, genre longtemps dominant au XIXe s., il a influencé le drame romantique, influence favorisée par la circulation des acteurs (notamment Frédérick Lemaître et Marie Dorval) entre les deux domaines. Le drame romantique lui emprunte ses lieux secrets, ses situations d'aventures (complots, enlèvements, déguisements et reconnaissances), la couleur locale, ses personnages marginaux marqués par les passions ou le destin. Ultérieurement, son influence est aussi sensible sur le drame bourgeois (Dumas fils) et les genres sérieux reprennent ses ressorts dramatiques tout en cherchant à se distinguer d'un genre populaire qui répond au goût pour le pathétique et les pleurs. Artaud et quelques critiques modernes seront sensibles à l'ambiguïté du mélodrame, puisque, comme l'écrit A. Ubersfeld, « il ne supporte ni d'être parodié (il contient sa propre parodie), ni d'être joué au premier degré » (« Mélodrame », in *Encyclopædia Universalis*).

▶ BROOKS P., « Une esthétique de l'étonnement », *Poétique*, 1974, n° 19. — HAYS M. & NIKOLOPOULOU A. (dir.), *Melodrama. The Cultural Emergence of a Genre*, New York, St. Martin's Press, 1996. — PRZYBOS J., *L'entreprise mélodramatique*, Paris, José Corti, 1987. — Sabatier G., *Le mélodrame de la république sociale et le théâtre de Félix Pyat*, Paris, L'Harmattan, 1998. — THOMASSEAU J.-M., *Le mélodrame*, Paris, PUF, 1984. — Coll. : *Mélodrame et roman noir, 1750-1890*, S. Bernard-Griffiths & J. Sgard (dir.), Toulouse, Presses universitaires du Mirail, 2000.

Pascal RIENDEAU

→ *Boulevard (Théâtre de) ; Drame ; Passions ; Pathétique ; Théâtre populaire ; Vaudeville.*

MÉMOIRES

Un mémoire est d'abord, comme son nom l'indique, un ensemble de notes destinées à conserver trace d'un fait, ou encore un relevé de frais. Les premières production attestées de ce genre gardent l'empreinte de cette fonction première : mémoires historiques, scientifiques, juridiques, etc. ont pu être définis comme « relations de faits, ou d'événements particuliers pour servir à l'histoire » (*Dictionnaire de l'Académie française*, 1694). Ces comptes rendus de l'étude d'un fait ou d'un dossier abondent aujourd'hui plus que jamais. Mais dans ce genre particulièrement prolifique, l'emploi du mot au pluriel désigne, dès le XVIe s., un genre qui participe à la fois de l'histoire (comme héritier des chroniques et annales) et de l'autobiographie, un récit où une personne consigne des faits qu'elles considère comme dignes d'être notés ou comme nécessaires à un témoignage ou à une justification.

Les premiers mémoires font leur apparition à la fin du XVe s. Ce genre a connu la faveur du public de cour pendant les trois siècles suivants, puis a atteint la notoriété auprès d'une large audience. Il est d'abord le fait de témoins de faits historiques (Commynes), voire d'acteurs (aristocrates, généraux, ministres) qui essaient d'exposer et justifier leurs actions, souvent après être tombés en disgrâce. Dans la catégorie des « témoins », on peut ranger par exemple les *Mémoires de la Cour de France* écrits par Mme de Lafayette, comme plus tard les *Mémoires pour servir à l'histoire de mon temps* que Guizot rédigea à partir de 1857. Dans la seconde, de loin la plus abondante (mais dont les textes n'ont souvent été édités que *postmortem*, au XIXe s.), on trouve une foule d'ouvrages composés par des seigneurs en disgrâce et parmi eux émergent au XVIIe s. des ouvrages de premier plan dans l'ordre littéraire : *Mémoires* de La Rochefoucauld (1662) et de Retz (réd. 1765, éd. posth. 1717), puis ceux de Saint-Simon (1694-1723, éd. 1830) notamment, mais à côté desquels on trouve aussi les premiers témoignages littéraires ou mêlant témoignages littéraires et justification pour la participation à la vie publique (*Mémoires* de l'abbé de Marolles, *Mémoires* de Perrault...). Les mémoires rencontrent ensuite la voie de l'autobiographie personnelle, en vogue à partir des *Confessions* de Rousseau (1782-1789). Les deux genres tendent à se confondre en partie, comme en témoignent les *Mémoires d'outre-tombe* de Chateaubriand (1848-1850), autre monument du genre. La différence se fait, en pratique, parce que les mémoires sont censés contenir une part de témoignage historique et ne couvrir qu'une partie de la vie de leur auteur. Le genre prospère avec constance depuis lors. Il attire les grands hommes d'État (par exemple *Mémoires de guerre* de De Gaulle, 1954-59) mais aussi des journalistes, des artistes et des petites gens désireux de laisser trace de leur expérience (les guides, manuels et cours du type « Écrivez vos mémoires » se multiplient, comme se sont multipliés les écrits correspondants, tels les mémoires d'ouvriers et de petits métiers, laissés aux générations à venir en témoignage, en enseignement ou en exemple). Pour nombre d'écrivains, ils sont un moyen de se montrer comme sujet écrivant : à travers la construction de sa propre mythologie, enracinée dans et parfois restreinte à l'enfance (*Enfance*, Sarraute, 1983 ; *Les mots*, Sartre, 1963 ; le cycle des *Mémoires d'une jeune fille rangée*, de Beauvoir, 1958), le mémorialiste lie, en un acte de (re)création ultime, passé et présent du moi et l'écriture, fixant à la fois les conditions d'un destin particulier et la lecture de l'œuvre qui en découle. Le genre, décidément omniprésent, a aussi pris une forme dérivée dans les « faux-mémoires », œuvres de fiction qui en empruntent la forme, ou au moins l'appellation : les *Mémoires de deux jeunes mariés* (1841-1842) de Balzac adoptent la présentation d'un échange de lettres, les *Mémoires d'Hadrien* de Marguerite Yourcenar (1951) sont en fait un roman historique. Cas typique de ces jeux de trompe-l'œil, la Comtesse de Ségur a composé des *Mémoires d'un âne* (1860) à usage de la littérature enfantine : signe que dès le XIXe s. ce genre, à l'origine fondé sur l'idée d'une diffusion restreinte, avait reçu l'audience la plus large.

À l'origine, les mémoires sont surtout le genre utilisé par des grandes figures qui tentent de légitimer leurs actions, soit en écrivant elles-mêmes, soit en faisant appel à des auteurs à leur solde, soit encore par des auteurs qui les avaient côtoyées (ainsi advint même une entreprise des Mémoires de Richelieu où, après sa mort, divers auteurs, tentèrent de construire un récit qui glorifiait son action). C'est assez dire que ces mémoires ont un enjeu profondément politique, comme ceux de Retz, La Rochefoucauld, Saint-Simon, De Gaulle, etc. Tous ces auteurs veulent immortaliser leur action ou redorer un blason dont, croient-ils, l'Histoire n'a pas su rendre tout l'éclat qu'il méritait. De ce fait, le genre participe du document historique (et des historiens ont donné, au XIXe s., une publication en série des mémoires d'Ancien Régime). Mais comme ce genre se fonde sur un regard individuel et une visée d'apologie, il doit aussi assumer la subjectivité qui suscite l'écriture de tels textes. Il le fait le plus souvent, à l'origine, en se donnant comme destiné à un cercle restreint de proches (amis, enfants) à qui il s'agit de transmettre la vérité d'une vie, de donner la fierté du lignage, d'expliquer les avatars d'une carrière. Aussi les mémoires ont-ils eu d'abord des stratégies de publication assez singulières (circulation en copies manuscrites, éditions pirates vraies ou prétendues telles). Reste qu'il faut aussi, pour entraîner l'adhésion de tels destinataires, recourir à l'art de persuader par le langage, et mettre en jeu l'intimité du moi, qui s'affirme notamment dans le ton de la confidence, le recours à l'autocritique, l'usage des portraits et autoportraits qui est une des caractéristiques marquantes de ce genre. Dès lors une tension s'instaure entre l'historique et l'esthétique : les mémoires sont un des genres où le lien entre éthique et esthétique est le plus manifeste. Car de plein droit les mémoires participent au domaine du biographique et le plus souvent à sa variante autobiographique (au sens où celle-ci inclut, avant de se spécialiser dans le récit en confidence de toute une vie, l'ensemble des récits de vie à la première personne). Malgré des tentations de les séparer (les *Confessions* de Rousseau sont autre chose que des Mémoires puisqu'il ne prétend pas y témoigner de l'histoire), les liens sont nombreux et indissolubles. Aussi les mémoires incluent-ils toute la problématique des efforts pour « se dire », la propension à construire un monument de soi plus qu'un témoignage d'authentique véridicité, un art de plaire par le langage et les images autant qu'une rigueur dans l'attestation des faits. Le soubassement du genre est toujours celui de la partialité, voire de la polémique, en tout cas de la subjectivité. Comme il ouvre aussi la possibilité de démasquer des aspects cachés de grands événements historiques ou de rendre une place aux facettes que la grande histoire ignore, il séduit largement un lectorat de culture moyenne. Ce qui explique qu'il soit, aujourd'hui, sous ce titre ou sous des appellations voisines (souvenirs, carnets, témoignage...) une des catégories les plus prolifiques et les plus ouvertes de la production textuelle et littéraire, surtout depuis que la fin de l'Ancien Régime l'a ouverte aux souvenirs des gens de condition modeste ou humble.

▶ BRIOT F., *Usage du monde, usage de soi. Enquête sur les mémorialistes d'Ancien Régime*, Paris, Le Seuil 1994. — GUSDORF G., « Autobiographie et Mémoires : le moi et le monde », in *Lignes de vie, 1. Les Écritures du moi*, Paris, Odile Jacob, 1990, p. 239-274. — KUPERTY-TSUR N., *Se dire à la Renaissance*, Paris, Vrin, 1997. —NORA P., « Les mémoires d'État de Commynes à De Gaulle », *Les Lieux de mémoire, 2*, Paris, Gallimard, 1986. — Coll. : *Les valeurs chez les mémorialistes français du XVIIe siècle*, Paris, Klincksieck, 1979.

Annie CANTIN, Alain VIALA

→ *Apologie ; Autobiographie ; Biographie ; Histoire ; Personnelle (Littérature) ; Portrait ; Roman.*

MERVEILLEUX

L'étymologie, le latin *mirabilia* (du verbe *miror*), implique un étonnement nuancé de crainte ou d'admiration, mais elle est peu explicative. Opposée aux concepts de réalité et de normalité, l'idée de merveilleux croise l'ontologie et l'épistémique. Elle implique en effet, du côté des objets, l'intrusion de faits qui paraissent transgresser les lois empiriques régissant le monde des êtres et, d'autre part, du côté du sujet, elle implique des capacités (croyances, affects) et incapacités (connaissances, rationalité) à interpréter cette intrusion.

Premier texte théorisant le merveilleux, la *Poétique* d'Aristote s'intéresse surtout aux sources du *thaumaston*, terme connotant la « surprise ». Naît-il du pur hasard, d'un hasard arrivant à dessein ou d'une intervention divine ? Le merveilleux est en effet une question longtemps centrale en littérature. En Occident, la culture du Moyen Âge étincelle des *merveilles* de la nature ou de celles qui ponctuent les aventures narratives. La chevalerie des XIIe et XIIIe s. l'utilise comme une arme culturelle face à la grande aristocratie et aux milieux ecclésiastiques cultivés. Introduisant la figure de l'autre – saint(e), créature venue de l'Autre

Monde, géant ou fée –, le merveilleux englobe le *magicus* et le *miraculum* et acquiert une grande densité anthropologique. Car les motifs merveilleux, fécondés par l'imagination religieuse, épique, antique, celtique, ésotérique (Mélusine, ou la dame à la licorne à la fin du Moyen Âge), proclament une esthétique nourrie d'emprunts à des traditions diverses.

La Renaissance resserre l'éventail autour du merveilleux païen. Le siècle de Louis XIV, au nom de la raison et de la vraisemblance, se querelle autour du merveilleux chrétien. Dans ses préfaces de *Clovis* (1657), dans sa *Défense du poème héroïque* (1674), Desmarets de Saint-Sorlin affirme la supériorité du merveilleux chrétien sur le merveilleux païen tandis que Boileau (*Art poétique*, chant III, 1674), Corneille, Saint-Evremond protestent contre l'impiété qui réduirait les mystères du christianisme à des ornements divertissants. En dépit du développement du merveilleux féerique qui se répand depuis le XVIIe s. (*Contes* de Perrault, Fénelon, Mme d'Aulnoy, Mme de Murat), Voltaire peut attribuer le retrait poétique du merveilleux à l'esprit de géométrie qui s'est emparé des Belles-Lettres au siècle précédent. Il regrette que le goût du vrai et de la méthode fasse des « cornes et des queues de diable des sujets de raillerie » (*Essai sur la poésie épique*, ch. 9, 1727). Le retour foisonnant du merveilleux à la période romantique débute avec Chateaubriand. Sur les pas de Voltaire (séjour en Angleterre, enthousiasme pour Milton), l'auteur du *Génie du Christianisme* place le merveilleux au cœur de la poétique du christianisme (livre VI : *Du merveilleux*). Le roman historique redécouvre le Moyen Âge et ses motifs merveilleux (*La Chronique du règne de Charles IX* de Mérimée, 1829 ; *Notre-Dame de Paris* de Hugo, 1831 ; *Salammbô*, 1862, *La Tentation de saint Antoine*, 1874, et la *Légende de saint Julien l'Hospitalier*, 1877, de Flaubert). Nodier tente de réveiller le merveilleux naïf (*Smarra*, 1821).

Au XXe s., cette réhabilitation trouve son apogée dans l'esthétique surréaliste. Le *Manifeste du Surréalisme* (1924) fait justice de la haine bourgeoise du merveilleux. Seul ce dernier peut, selon Breton, accéder à la beauté car il féconde de son souffle tout ce que menace l'anecdotique. *Peau d'âne* ou *Le moine* de Lewis en sont pour lui des preuves admirables. Le merveilleux scientifique s'est glissé dans les évolutions de la science-fiction et même dans le discours scientifique, où parfois l'invraisemblable est expliqué rationnellement mais à partir de lois que la science contemporaine ignore encore.

Objet d'interprétation, le merveilleux relève-t-il de l'émerveillement, comme le terme semble l'indiquer, ou de l'évidence (comme le pense R. Caillois dans *Obliques*, 1967), de la convention et de la croyance, qui supposent la familiarité (merveilleux chrétien) ou de l'incertain, de l'altérité et de la transgression ? Dans le fil de cette problématique centrale apparaît la question du référent du merveilleux. Comment penser cette surnature ou cette « culture autre » ? Pour T. Todorov, l'entrée dans le genre merveilleux suppose l'acceptation de nouvelles lois empiriques. U. Eco situe cette interrogation dans le cadre plus large des « mondes possibles ». La vraisemblance n'y est qu'une question d'encyclopédie : pour le lecteur ou l'auditeur ancien, l'avalement d'un homme par une baleine de laquelle il sort indemne n'est pas contradictoire avec son encyclopédie. Le merveilleux conduit donc à interroger notre capacité à objectiver, à connaître et à exprimer les lois du monde réel.

▶ ECO U., *Lector in fabula. Le rôle du lecteur*, Paris, Grasset, 1985. — MATTHEY H., *Essai sur le merveilleux dans la littérature française depuis 1800.* Lausanne, Payot, 1915. — POIRION D., *Résurgences. Mythe et littérature à l'âge du symbole.* Paris, PUF, 1986. — TODOROV T., *Introduction à la littérature fantastique.* Paris, Le Seuil, 1970.

Jean-Jacques VINCENSINI

→ *Conte ; Épopée ; Fantastique ; Imaginaire et imagination ; Miracles ; Roman ; Science-fiction ; Surréalisme.*

MÉTAPHORE → Figure ; Image ; Rhétorique

MÉTONYMIE → Figure ; Rhétorique

MÉTRIQUE → Rythme ; Vers ; versification

MIGRANTE (Littérature)

À côté de la littérature de l'exil (voir ce mot), s'est développée une littérature que l'on désigne comme « littérature migrante », « littérature de l'émigration » ou « littérature des émigrés ». Elle comprend les auteurs et les thèmes qui traduisent les vastes déplacements de population encouragés par le développement capitaliste occidental. Cette littérature largement acculturée dans le pays d'accueil et qui développe une interrogation identitaire spécifique est produite par les migrants eux-mêmes, mais également par la deuxième ou la troisième génération de leurs descendants.

La littérature de l'émigration connaît des moments forts au cours de l'histoire : durant la période de la Révolution française, durant le peuplement du Nouveau Monde au XIXe... Mais ce qu'on désigne en fait comme « littérature migrante » concerne un phénomène récent. Le monde capitaliste occidental a connu, dans le courant du XXe s. principalement, une série de vagues d'immigrations successives. En Amérique du Nord, la capacité intégrative des anglo-saxons a puisé dans un très vaste vivier centre-européen, sud-américain, asiatique et indo-pakistanais notamment. Dans le monde francophone européen, en revanche, les immigrations ont d'abord concerné le sud de l'Europe (Italie, Espagne, Portugal principalement) entre les deux guerres, puis, notamment dans les années 1960, l'Afrique du Nord et, dans une moindre mesure, l'est du bassin méditerranéen. La majorité des textes littéraires produits dans ce contexte sont publiés après 1970, même si *Du thé au harem d'Archimède* de Mehdi Charef (1963) ou la revue *Souffles* (1966-1970) à laquelle collaborent T. Ben Jelloun et A. Laabi paraissent plus tôt. L'Italo-Suisse A. Pasquali montre dans *Passons à l'ouvrage, portrait de l'artiste en jeune tisserin* (1989) les richesses de la tension linguistique qui l'habite. *Rue des Italiens*, de G. Santacono (1987), témoignage autobiographique issu d'émissions radiophoniques en Belgique, insiste également sur cette dimension. Bien des récits se déroulent sur un arrière-plan tragique (comme *Le regard blessé* de R. Belamri, 1987), mais, loin de se complaire dans la déploration, la littérature migrante insiste aussi sur les aspects burlesques de la confrontation entre cultures : Dany Laferrière, au Québec, a rencontré un grand succès avec un texte de dérision (*Comment faire l'amour avec un nègre sans se fatiguer*, 1985) et, de même, Azouz Begag avec son *Gone de Chaaba* (1984). Parce qu'elle émerge à un moment où croît le nombre de femmes qui publient, et sans doute aussi parce qu'elle met en jeu une interrogation identitaire aiguë, la littérature migrante est particulièrement nourrie par l'écriture des femmes (R. Robin, *La Québecoite*, 1983 ; L. Sebbar, *Shéhérazade*, 1982).

La littérature migrante met en présence des agents inscrits dans deux réalités culturelles qui se différencient généralement par la langue et par les traditions historiques et religieuses. Parce qu'elle implique des groupes sociaux et non des individus isolés, elle met en jeu des relations identitaires fortes. Elle pose donc moins aux écrivains la question de leur intégration dans une nouvelle culture que celle d'une véritable « transculturation » (F. Ortiz). C'est pourquoi le thème du retour éphémère au pays d'origine y est si fréquent : le voyage permet notamment au jeune immigré de se rendre compte que le pays de ses pères (et mères), souvent mythifié par la mémoire collective, ne lui est pas plus ouvert ou familier que le pays d'accueil. C'est aussi pourquoi la littérature migrante force les écrivains à s'interroger sur la langue qu'ils utilisent : nombreux sont ceux qui essaient d'y inscrire les tensions qu'ils ont vécues entre les pratiques allophones ou dialectales de leur milieu familial et la norme française dans laquelle ils sont scolarisés.

La littérature migrante fait surgir de nombreuses tensions avec la littérature nationale. Pour une part, elle lui est étrangère, et cette « étrangéité » forme son terrain spécifique, mais, de l'autre, elle ne dispose pas des appareils éditoriaux et du pouvoir symbolique lui permettant d'imposer ses auteurs dans une littérature mondiale qui reste encore dépendante des espaces nationaux, et elle doit donc s'y insérer. On peut décrire ces tensions sur le modèle du centre et de la périphérie, mais il importe de les référer surtout au contexte précis dans lequel elles s'insèrent. Le mode d'intégration est très différent, selon que l'on envisage des pays qui admettent la catégorie de l'ethnicité, comme en Amérique du Nord, ou ceux qui la rejettent, comme en France. Une série d'appellations qui définissent des frontières ou des catégories sont ainsi vivement discutées (comme la littérature des « Beurs ») ; c'est pourquoi certains préfèrent également parler d'« écriture migrante » pour en souligner la dimension transnationale : une écriture du hors-lieu, ni exil ni déracinement (Robin). La littérature migrante ne dispose pas nécessairement d'un territoire de repli : dans ce cas, sa problématique diffère de celle de la littérature postcoloniale ou des différentes littératures francophones, même si les problèmes d'intégration et d'identité qui se posent à elle peuvent sembler proches.

▶ MOISAN C., & RENATE H. (éd.), *Ces étrangers du dedans. Une histoire de l'écriture migrante au Québec (1937-1997)*, Québec, Éditions Nota bene, 2001. — ROBIN R., *Le roman mémoriel*, Montréal, Le Préambule, 1990. — TODOROV T., *Nous et les autres*, Paris, Le Seuil, 1989. — Coll. : *Métamorphoses d'une utopie*, textes recueillis par J.-M. Lacroix et F. Caccia, Paris, Presses de la Sorbonne nouvelle / Éditions Triptyque, 1992.

Paul ARON

→ *Centre et périphérie ; Exil ; Femmes (Littérature des) ; Francophonie ; Identitaire ; Voyage.*

MIMÉSIS

La mimésis est, au sens premier, conservée dans le mot « mime », l'imitation du réel que produit une œuvre d'art, en particulier la poésie. Le mot a été employé au cours de l'histoire de la culture occidentale soit avec ce sens, soit pour désigner la fiction, soit en un sens technique restreint pour distinguer ce qui représente, donne à voir (ce qui fait une « scène ») par opposition à ce qui n'est que raconté (*diégèsis*).

L'idée de mimésis est largement développée par Platon, notamment dans *La République :* il considère que le fondement des arts tient à leur capacité de représenter le réel. Les réalités qu'il envisage peuvent être aussi bien des objets matériels que la nature ou des personnes, ou enfin des idées et des croyances. Il souligne le pouvoir d'illusion des arts, de la poésie notamment, et se méfie des poètes en ce qu'ils sont détenteurs et potentiellement manipulateurs de ce pouvoir. Aristote pour sa part considère que l'homme trouve son plaisir dans la connaissance (début de sa *Métaphysique*), que l'imitation ou faculté de représentation est inhérente à la nature humaine et qu'elle est un moyen de communiquer les connaissances. Il fait à ce titre de la mimésis – qu'il entend, pour sa part, aussi bien comme récit que comme « scène » – le fondement de sa *Poétique*. Il n'y traite pas en effet de toutes les productions poétiques et littéraires, mais seulement des genres qui recourent à l'imitation par les mots et instaurent ainsi des fictions vraisemblables (en pratique, il traite de l'épopée et de la tragédie). Le principe de la mimésis est celui d'une illusion : ce qui est représenté doit être semblable au vrai (vrai-semblance) et la mimésis parfaite est réalisée quand le spectateur ou l'auditeur peut reconnaître et s'identifier à ce qui lui est (re)présenté, le croire authentique. Mais il spécifie que le Vrai n'est pas tant ce qui est effectivement advenu (l'historique, le contingent) que ce qui correspond à une vérité partageable par tous les hommes. De là, selon lui, la supériorité de la poésie (ou fiction) sur l'histoire : en peignant le vraisemblable – le possible – elle accède à des vérités plus générales que l'historique – le vrai effectif, mais contingent, limité à une situation donnée.

Sur une telle base, deux séries de considérations distinctes prennent forme : l'une concerne les techniques qui permettent de réaliser l'illusion mimétique, l'autre concerne ce qu'est le « réel vrai » qui doit être représenté. Le premier ensemble de questions donne au fil de l'histoire matière à débats et ouvre sur des propositions de réponses qui ont pu être appliquées et érigées en doxa ; le second consiste en questions indéfiniment ouvertes, puisque relevant d'options idéologiques. Le débat sur la mimésis a été assez longtemps occulté par l'emprise religieuse, qui, selon le dogme que le monde a été créé par Dieu, et l'homme à son image, manifestait de la méfiance, voire de l'hostilité à l'égard des créations mimétiques, actes d'orgueil à ses yeux. Il prend forme au début du XVIIe s. avec l'essor du théâtre et la question de l'« *Illusion comique* » (Corneille). S'opposent alors la liberté d'invention incarnée par un genre comme la tragi-comédie (plusieurs lieux, plusieurs temps, plusieurs aventures) et les partisans d'un vraisemblable réglé. Ces derniers sont lecteurs de la *Poétique* d'Aristote – ou de ses compilateurs – et définissent le vraisemblable en fonction du crédible. Ainsi, il leur paraît que l'esprit ne peut admettre qu'un même lieu – la scène de théâtre – représente plusieurs lieux à la fois, ni qu'une durée de deux ou trois heures représente plusieurs années. Les règles d'unité de temps et de lieux, ainsi que l'unité d'action qui en découle, s'imposent peu à peu dans le théâtre. Un genre comme le roman, qui ne relevait pas des mêmes contraintes, se trouvait plus libre. Il a été le lieu de deux mouvements contradictoires à cet égard. L'un consiste à rapprocher le plus possible la fiction du vrai, si possible à l'effacer en la donnant pour une vérité attestée. Les moyens à cette fin peuvent être l'appel à des garanties de vérité historique, comme le fait la nouvelle historique et galante avec *La Princesse de Clèves* notamment, ou bien la présentation du texte de fiction comme un document authentique, comme le font les *Lettres portugaises*, et, à leur suite, la veine prolixe du roman épistolaire. Un versant opposé du rapport mimétique, au lieu d'effacer le narrateur sous les masques de l'historien ou de l'éditeur de documents authentiques, lui donne place entière, l'incarne en interlocuteur du lecteur. Cette voie est explorée dès le *Roman comique* de Scarron, et surtout dans *Jacques le fataliste* de Diderot. Ce n'est pas tant le principe de la mimésis qui est là mis en cause que la prétention à l'omniscience du narrateur. Le devenir des deux genres, roman et théâtre, a ensuite été très différent. Le théâtre, en essor constant, admet les conventions et modifie les façons de les traiter, avec le passage au drame, sans que l'idée même de représentation soit évacuée ; la question de la mimésis accompagne donc toute son histoire. Le roman, en revanche, est longtemps un genre en mal de légitimation et son développement au XIXe s. est tributaire de sa crédibilité. Ainsi Stendhal en revendique la légitimité en en faisant un genre de la vérité, un « miroir » que l'auteur promène sur les chemins de la société. Balzac se pose en secrétaire des mœurs. Zola, ensuite, revendique une vérité d'ordre scientifique. Mais dans l'évolution du genre, l'interrogation ne cesse : au réalisme du narrateur omniscient ou du moins précisément informé, s'opposent les recherches des romanciers donnant voix au flux de langage de la conscience ou du subconscient (de Joyce et Proust à Faulkner), de ceux qui injectent une première personne valant signe d'authenticité dans la trame romanesque (Vallès, Proust encore, Céline), enfin de ceux qui font du roman le récit même de sa gestation (de Gide à – avec Proust une fois de plus – Valéry, des *Faux-monnayeurs* à *Paludes* et *M. Teste*). Après la Seconde Guerre mondiale, deux directions nouvelles sont explorées : l'écriture simultanée de plusieurs actions en plusieurs lieux mais un même temps (Sartre, *Les chemins de la liberté*) ou, à l'opposé, l'abandon des prétentions du narrateur et la soumission à la contrainte de la description ou du compte rendu (le Nouveau Roman). Mais le roman, devenu prépondérant au XXe s., est devenu en même temps davantage une appellation qu'un genre à proprement parler ; aussi, dans la production contemporaine, à côté de récits qui continuent à user des procédés classiques de l'illusion mimétique (références historiques, jeu sur des prétendus documents vrais, dimension autobiographique), la question de la vérité des faits et objets est, dans bien des récits, secondaire en regard des jeux de langage ou des offres d'évasion et de rêverie. Le théâtre, de son côté, a remis en cause les conventions de la théâtralité : avec Pirandello, puis Beckett ou Duras, il réduit les fictions usuelles et donne à voir les tâtonnements d'un langage qui se cherche. Dans les deux cas, la mimésis se trouve ainsi remise en question dans la littérature de recherche avancée.

Les débats sur la mimésis se sont trouvés centrés, à l'époque contemporaine, sur deux questions. L'une, d'ordre linguistique, concerne la distinction entre récit et discours (narration d'une part, dialogues et description d'autre part). Pertinente, certes, elle réduit cependant la mimésis à un de ses aspects techniques. L'autre porte sur la représentation en général, sur la littérature comme représentation. Elle concerne surtout la littérature théâtrale et la littérature romanesque, qui ont fait l'objet au XXe s. de débats aussi abondants que le théâtre en avait suscités auparavant. Ils ont donné lieu à des propositions nombreuses et contrastées. Une lignée d'obédience marxiste, liée au réalisme socialiste, a vu dans le roman d'illusion référentielle une réalisation de la théorie du reflet qui lui permettait d'assigner à la littérature un rôle de peinture militante (Lukacs, *Théorie du roman*) ; elle a, dans le domaine théâtral, cherché également les voies d'une représentation non aristotélicienne (Brecht). D'autres ont fait de la mimésis le fondement de l'usage de la littérature en Occident, de façon très générale (Auebach, *Mimésis*), et du narratif en particulier. D'autres encore, en revanche, ont critiqué le recours à l'omniscience apparente du narrateur (Sartre critiquant Mauriac notamment) et à l'illusion référentielle (Barthes), et analysé les procédés qu'elle utilise (Hamon), y compris en les intégrant à la narratologie (ainsi de la distinction entre diégèse et mimésis chez Genette). La richesse des recherches en ce domaine ne doit pas masquer pour autant leur relative restriction au domaine narratif, et romanesque avant tout. Mais il est sans doute utile, et probablement nécessaire à ce jour, de réinscrire cette interrogation sur l'imitation ou « représentation » du réel dans une perspective plus large. L'imitation a longtemps été envisagée comme le « principe » de tous les arts (ainsi au XVIIIe s. Batteux liait l'étude de la littérature à la réflexion sur ce principe) à plus forte raison, de tous les genres littéraires. D'autre part, la conception de l'imitation est tributaire de ce qu'on tient pour le réel « vrai », donc des conditions de crédibilité et de lisibilité (en ce sens, Barthes distinguait ce qui est « scriptible » de ce qui est « lisible », recevable). Dès lors, il importe de relier les procédés de représentation aux façons de penser et aux croyances. Ricœur (*Temps et récit*) a ainsi entrepris d'analyser comment les représentations de la durée révèlent des modes d'appréhension du monde, et ce, aussi bien dans le récit historique que dans le récit de fiction. La mimésis apparaît alors non comme représentation du réel, comme production d'un texte référentiel plus ou moins bien assuré et plus ou moins bien agencé, mais comme l'exploration des espaces dont un état de culture peut et désire se donner la représentation (le moi, l'histoire, le privé...), donc de ses univers de « crédibilité ». De fait, la question de la mimésis, tant théâtrale que romanesque, suppose une prise de position sur le « reconnaissable » (ou ressemblant). Celui-ci peut consister en images usuelles, mais aussi en intuitions que la vérité est au-delà de l'apparence usuelle. Ce sont alors des images inattendues qui sont révélatrices du vrai, fût-ce, dans le constat que sous les apparences il n'y a que vanité, rien, comme le suggère le théâtre de Beckett.

▶ AUERBACH E., *Mimésis. La représentation de la réalité dans la littérature occidentale*, [1946], Paris, Gallimard, 1968. — GENETTE G., *Figures, II* et *III*, Paris, Le Seuil, [1969], 1972. — KIBEDI-VARGA A. (dir.), *Théorie de la littérature*, Paris, Picard, 1981. — RICŒUR P., *Temps et récit*, Paris, Le Seuil, 1983.

Alain VIALA

→ *Cognitif, connaissance ; Fiction ; Image ; Récit (Théories du) ; Référent ; Théâtre ; Vraisemblance.*

MIRACLES

Dans son acception littéraire, « miracle » désigne des recueils narratifs, puis des pièces de théâtre évoquant l'intervention salvatrice de Jésus, de la Vierge Marie ou d'un saint dans la vie d'un malheureux, pécheur invétéré ou victime innocente.

Inaugurés par Grégoire de Tours au VIe s. avec le *De virtutibus Sancti Martini*, hommage au saint de la ville dont il est évêque, les recueils narratifs de miracles présentent les hauts faits miraculeux du patron d'un lieu : ainsi à Fleury, on réunit des *Miracles de saint Benoît* du IXe au XIIe s. Mais à Cluny, Pierre le Vénérable écrit un *De Miraculis* sans se référer à un saint particulier. Ensuite, le miracle hérite du développement de la dévotion mariale, dans les *Miracles de Nostre Dame* de Gautier de Coinci puis sous sa forme théâtrale, qui domine à partir du XIIIe s. Rutebeuf compose vers 1260 le *Miracle de Théophile :* un évêque vend son âme au diable, se repent et obtient l'intervention de Notre Dame, qui rachète le pacte imprudemment signé avec le Malin. Le miracle épouse un schéma mis en place par Jean Bodel dans le *Jeu de saint Nicolas* où, dans un contexte de croisades, le saint punissait un vol et conduisait des païens réticents à la conversion. Les meilleures réalisations du genre sont les *Miracles de Nostre Dame par personnages* réunis dans le manuscrit Cangé (BN, fr. 819820). Ses 40 pièces constituent la principale trace du théâtre médiéval français au XIVᵉ s. Dramatisations de structures narrées, religieuses ou profanes, elles se caractérisent par les interventions de Notre-Dame qui modifient le cours tragique des événements. Appelée par un sermon et des prières, la Vierge se rend auprès de Dieu, puis descend sur la terre en compagnie des anges pour consoler la victime dans ses épreuves, ou inciter le coupable à la méditation qui le replace sur la voie du salut. Le ressort dramatique du miracle se réduit donc à un « jeu de conversions » (W. Noomen). Les pièces recueillies dans le recueil du manuscrit Cangé ont donné lieu à des représentations quasi-annuelles de 1339 à 1382, organisées par la Confrérie de saint Éloi pour la fête de la Corporation des Orfèvres à Paris. Le miracle est aussi marqué par un réalisme qui annonce celui des Mystères du XVᵉ s.

L'intitulé « miracle » a été repris aux XIXᵉ et XXᵉ s., notamment par Michel de Ghelderode ou Jean Genêt - le *Miracle de la rose*, 1946 -, soucieux de lier leur production à la tradition spirituelle et mystique du théâtre médiéval, que ravivent pour la scène les Copiaus de Jacques Copeau dans des adaptations de miracles médiévaux - le *Miracle du Pain Doré* à Beaune en 1943.

Le miracle reflète la familiarité de la mentalité médiévale avec le merveilleux ; mais les ressources du récit et de la dramaturgie permettent un approfondissement spécifique de valeurs théologiques, morales et politiques. Rutebeuf est sensible aux théologies de la responsabilité, de même que Gautier de Coinci, qui s'intéresse aux degrés de peccabilité et donne toute sa chance au repentir. Dans les miracles du manuscrit Cangé, la puissance dramatique repose souvent sur l'évaluation de la légitimité du pardon ; inespéré pour *l'abbesse grosse*, où la miséricorde de la Vierge accorde à une religieuse la réparation du péché de chair, il paraît justifié pour la jeune mère tuant incidemment son enfant dans le *Miracle de l'enfant* ressuscité. Majestueuse lorsqu'elle apparaît aux pécheurs, habile rhétoricienne face à Dieu, Marie suscite aussi des pages d'un érotisme saisissant : ainsi, le *Miracle d'un clerc grief malade que Nostre Dame sana* de Gautier de Coinci s'achève par une lactation équivoque. Dans les miracles théâtraux, si, comme dans l'ensemble du théâtre religieux médiéval, l'action conduit à réfléchir sur les rapports du Bien et du Mal, c'est en tant qu'individus, réfractaires à une typologie trop stricte, que les personnages réagissent à l'intervention miraculeuse. Comme la noblesse et le clergé sont plus souvent sujets au péché que la bourgeoisie, on peut lire ces miracles comme une peinture politique offrant le crime des grands au jugement des bourgeois (E. Konigson). Plus généralement, l'intrigue répond à la question du péché par un ensemble de règles souples plutôt que par un discours idéologique trop rigoureux, qui aurait refroidi le public populaire du miracle, généralement plus porté par l'enthousiasme que par la réflexion.

▶ KONIGSON E., « Structures élémentaires de quelques fictions dramatiques dans *les Miracles par personnages* du manuscrit. Cangé », *RHT*, 1977, 29, p. 105-127. — NOOMEN W., « Pour une typologie des personnages des *Miracles de Nostre Dame* », in *Mélanges. L. Geschire*, Amsterdam, 1975, p. 71-89. — LALANDE D., « De la "chartre" de Théophile à la 'lettre commune' de Satan. *Le Miracle de Théophile* de Rutebeuf », *Romania*, 1987, t. 108, p. 548-58. — SLAWINSKA I., « Le théâtre liturgique au XXᵉ siècle (genres et formes) », in *Problèmes, interférences des genres au théâtre et les fêtes en Europe*, Mamczarz I. (éd.), Paris, PUF, 1985, p. 217-234. — Coll. : *Gautier de Coinci, Médiévales t. 6*, Publ. de l'Université de Paris VIII, 1982.

Véronique DOMINGUEZ

→ *Christianisme ; Didactique (Littérature) ; Lyrisme ; Médiévale (Littérature) ; Merveilleux ; Mystères ; Religion ; Théâtre.*

MISCELLANÉES → Mélanges ; Variété

MODÈLE

L'étymon latin *modulus* désigne à la fois une « mesure, une manière d'agir » et un « moule ». La notion de modèle garde trace de ces deux sens. Dans la création littéraire, elle peut désigner un idéal esthétique, un exemple qu'on essaye d'imiter. On peut également considérer que l'œuvre d'art livre un « modèle » réduit du monde, et donc étudier les formes de cette modélisation sémiotique. Enfin l'analyse littéraire opère à l'aide de constructions théoriques (des « modèles formels ») chargées de rendre compte de différents aspects des œuvres ou de l'histoire des œuvres.

L'esthétique occidentale est née de la conception platonicienne de l'Idée, modèle inaccessible et abstrait de la perfection toujours désirée et référence à un idéal que l'artiste doit chercher à approcher. Les textes remis au goût du jour par Pétrarque et la Renaissance italienne promeuvent l'interprétation cicéronienne de ce modèle (incarné dans *De Oratore* et dans l'atticisme). Pendant trois siècles, l'humanisme cherche à orienter la rhétorique en associant les conceptions aristotélicienne et cicéronienne. M. Fumaroli voit dans les siècles de Louis XIII et Louis XIV le moment d'une double renaissance, fusionnant ces deux sources. Dans de nombreux « arts poétiques » inspirés d'Aristote et d'Horace, des normes régissant l'écriture littéraire sont données en modèles, généralement tirées d'auteurs ayant statut de classiques, c'est-à-dire de modèles à imiter, répondant à un certain idéal (le Beau, le Vrai, la Raison) dont les Anciens auraient donné les meilleurs exemples. Par exemple, la *règle de trois unités* est observée comme « modèle formel » par le théâtre français au XVIIe s., en référence aux impératifs de « vraisemblance », d'« ordre » et de « bienséance », critères de validité externe référant à des « modèles socioculturels » (l'honnête homme, la raison) et des modèles littéraires antiques. Un tel usage de la notion de modèle appelle en retour des modèles de lecture : modèles fantasmatiques – ainsi les classiques se demandaient « que diraient les auteurs de l'Antiquité s'il lisaient ce texte ? » – qui, à l'École, deviennent des « lectures modèles ». Modèle, en ce sens, participe du processus de création et de canonisation, en relation étroite avec l'imitation.

Depuis le XIXe s., la recherche de modèles est aussi devenue un fondement de l'interprétation des faits littéraires. Ces modèles ont été tout d'abord analogiques, « organicistes », fondés sur l'observation comme dans les sciences naturelles ou humaines. Ainsi, des auteurs nourrissent leur création par des théories scientifiques ou pseudoscientifiques qu'ils convoquent comme modèles : Balzac et la physiognomonie, Zola et la physiologie. Et la critique, de son côté, recourt à des modèles du même ordre. Ainsi Taine emprunte au positivisme un système de déterminations par « la race, le milieu, le moment ». S'amorce ainsi une démarche qui, selon Michel Serres, par la fascination des écrivains pour le grand intertexte du savoir de leur époque, fait de leurs œuvres « des échangeurs de modèles » qui « traduisent » la situation de la science moderne. Au XXe s., les études littéraires empruntent largement des modèles interprétatifs aux sciences voisines. Notamment, avec le rôle marquant du structuralisme, c'est contre la subjectivité, les hasards de l'empirie et la part intuitive des interprétations que l'on cherche des modèles formels. Sous la pression du structuralisme linguistique (F. de Saussure), anthropologique (C. Lévi-Strauss) et avec le formalisme (R. Jakobson), la recherche littéraire postule que le texte littéraire « modélise » (symbolise) à la fois le monde extérieur et lui-même dans la complexité de ses relations internes, et que, par rapport aux langues naturelles (« système modélisant premier »), la littérature représente un « système modélisant secondaire » (Lotman, 1973). Le recours aux propositions de la linguistique, de la psychanalyse, de la sociologie a ainsi été source de nombreux modèles interprétatifs. L'élaboration des modèles linguistiques a été cruciale pour les avancées de la sémantique structurale, de la narratologie et de la sémiotique littéraire. Elle a nourri en même temps tout un pan de la littérature expérimentale (R. Roussel, R. Queneau, G. Perec, J.-P. Faye, J. Roubaud, H. Meschonnic). Le concept de modèle a acquis une vaste portée méthodologique dans la recherche littéraire. La réflexion sur la langue a été la référence principale, y compris dans la relation aux théories psychanalytiques (ainsi Lacan part de Freud et du modèle saussurien) et de leurs applications à la littérature. Mais la multiplication des modèles dans des analyses formelles envisageant les œuvres dans leur immanence, en les détachant de leurs amarres (sociales ou historiques), a entraîné des réactions. A. Badiou a souligné le caractère stérile et répétitif des emprunts aux modèles scientifiques (1969). Bakhtine reproche à « l'objectivisme abstrait » des formalistes de se couper de ce qui a trait au contexte de l'œuvre. L'usage inconsidéré des modèles a été relevé, du côté de la création, par R. Barthes qui estime que les modèles assimilés à brûle-pourpoint par l'écrivain à message ne sont que des « emblèmes » de la science moderne et, du côté de la réception critique, par J. Baudrillard qui souligne le « fétichisme du signe », et J. Leenhardt qui insiste sur les implicites idéologiques de la « réduction sémiologique ». Dans *S/Z* (1970), R. Barthes parle du texte comme au contraire infiniment « pluriel », traversé par de multiples codes culturels. De fait, au lieu d'abandonner tout à fait ce concept, la critique continue à y recourir mais en évitant de postuler l'unicité d'un modèle.

▶ BADIOU A., *Le concept de modèle*, Paris, Maspéro, 1969. — BAKHTINE M., *Le marxisme et la philosophie du langage*, tr. Paris, Minuit, [1929], 1977. — LEENHARDT J., « Modèles littéraires et idéologie dominante », *Littérature*, décembre 1973, 12, p. 12-20. — LOTMAN J., *La structure du texte artistique*, [1970], trad., Paris, Gallimard, 1973.

Józef KWATERKO

→ *Antiquité ; Arts poétiques ; Classicisme ; Imitation ; Linguistique ; Norme ; Sciences et lettres.*

MODERNES → Modernités ; Querelles

MODERNITÉS

Le moderne se définit de manière relative, par opposition avec une tradition perçue comme conservatrice. Le moderne affiche son appartenance au camp de la nouveauté, de l'innovation, de l'invention. Le mot relève donc presque toujours du registre polémique ou, au moins, d'un classement en termes de valeur. Les termes dérivés (modernité, modernisme, moderniste, et la série formée sur le mot « postmoderne ») caractérisent également des positions esthétiques ou axiologiques et sont à mettre en relation avec les débats du monde culturel et littéraire.

La première manifestation des Modernes, en tant que tels, en littérature remonte au XVIe s., lorsque

Érasme, Ramus et d'autres humanistes commencent à mettre en doute le principe d'imitation au profit d'une émulation entre créateurs. Pendant trois siècles, ce débat cristallise les positions esthétiques. Il atteint son apogée dans la longue Querelle des Anciens et des Modernes (XVIIe-XVIIIe s.), qui voit la victoire de ceux-ci. Mais ces Modernes sont eux-mêmes promoteurs des « classiques » français, c'est-à-dire des partisans des « Anciens ». On ne saurait pourtant réduire toute la question du moderne à la question de l'imitation car, d'une part, les débats sur l'*inventio* du poète remontent à l'Antiquité, et ils ont pris une tournure polémique dès le XIVe s., et, d'autre part, la désaffection des doctrines classiques est loin de supprimer toute opposition entre traditionalistes et progressistes en art. Au XIXe s., la question de la modernité ressurgit dans le contexte de l'émergence du romantisme puis de l'art pour l'art : l'opposition entre partisans et adversaires des innovations formelles s'impose comme une donnée structurante du champ littéraire. Les manifestes, les querelles entre cénacles et groupes littéraires (romantiques contre classiques, puis parnassiens contre romantiques) renforcent l'acuité de ces conflits. Balzac définit cette seconde modernité dès 1823, et Baudelaire l'impose comme un terme clé du débat esthétique. À la fin du siècle, le modernisme caractérise à la fois le mouvement des arts, et de l'architecture en particulier, et les luttes de tendance dans les institutions sociales (le Renouveau catholique en fait son cheval de bataille). Les avant-gardes du XXe s. rivalisent d'innovations et portent le moderne au sommet des valeurs légitimes du monde artistique. Importé du domaine architectural dans les années 1960, le postmodernisme surgit d'abord dans la critique littéraire anglo-américaine (Ihab Hassan) pour caractériser la métafiction de John Barth, Donald Barthelme et d'autres auteurs américains. Le terme émigre ensuite vers d'autres domaines artistiques – les arts visuels, le cinéma, la musique, la photographie –, tout en se développant davantage dans le champ littéraire. Ce n'est que dans les années 1980 que la notion de postmoderne commence à s'imposer en langue française, à la suite de la publication de *La condition postmoderne* de Lyotard (1979) et de *L'impureté* de Scarpetta (1985). Elle a, en gros, deux significations : elle désigne les conditions socio-économiques inhérentes à la mondialisation du régime capitaliste et au développement de la technologie et de l'informatique, ainsi que des productions culturelles et artistiques, moins hermétiques que celles de la modernité et caractérisées par des stratégies diverses (ironie, parodie, citation, jeux langagiers, autoréflexivité).

La notion de modernité est devenue un enjeu important du débat historique lorsque le structuralisme a imposé l'idée que l'histoire était faite de ruptures plus que de continuités. La notion d'« épistèmè » de Foucault ou celle de « sauts épistémologiques » de Bachelard et d'Althusser insistent ainsi sur la « crise du sujet » qui commence à la fin du XVIIIe s. D'après Habermas, l'idéal de perfection du XVIIIe s., accompagné de la notion de progrès, inaugure la modernité, ère de mutations scientifiques ou technologiques, de la révolution industrielle et du capitalisme. Elle prend appui sur le rationalisme des Lumières pour construire une meilleure société, un meilleur être humain, l'émancipation étant à réaliser par un consensus ultime. Adorno observe les premiers signes de la modernité culturelle autour de 1850, en particulier dans l'œuvre de Baudelaire, mais selon lui elle n'atteint son apogée que dans les premières décennies du XXe s., dans la coexistence du cubisme français, de l'expressionnisme allemand, du futurisme italien, du cubo-futurisme russe, de l'imagisme anglo-américain, de l'écriture de Kafka et de Rilke et du dodécaphonisme de Schönberg. Dans cette perspective, les œuvres modernes rassemblent plusieurs traits : la rupture par rapport aux traditions ; le thème récurrent de la crise du sens ; l'accent sur le présent, le nouveau et le sujet ; la non-unité de l'unité (le collage, le montage) ; le rapport avec la ville, l'industrie et la technologie. Les modernes sont aussi bien des individus indépendants (Rimbaud, Apollinaire, Kafka) que des membres de groupes avant-gardes (Dada, surréalisme, etc.). Les écrits des modernes (comme Musil, Valéry, Benn, Mallarmé, Broch ou Stein) et des modernistes (comme Woolf, Eliot, Pound ou Joyce) témoignent tous d'une recherche poétique formelle.

Le postmodernisme culturel présente, en regard de cela, deux tendances principales selon Bertens : la réintroduction de la représentation et du narratif, mais aussi une « autoréflexivité antireprésentationnelle », le facteur commun étant une crise de la représentation, un manque de foi en la capacité de représenter le réel. En littérature, cela donne lieu à une littérature de « l'épuisement » ou du « renouvellement » (Barth), caractérisée par la combinaison paradoxale de l'autotextualité et de la référence historique (C. Simon, *Les géorgiques* ; D. M. Thomas, *The White Hotel*) ; par le recyclage et la subversion des conventions (H. Aquin, *Trou de mémoire*, 1968) ; et par l'essor des voix marginalisées (des femmes – comme chez N. Brossard –, des personnes de couleur – chez I. Reed). D'autres traits des œuvres postmodernes comprennent l'hybridité (générique et autre), une intertextualité très poussée, la parodie, des jeux temporels, un accent sur la multiplicité de petits récits et la déconstruction des oppositions binaires rigides.

Ces traits reflètent la condition postmoderne, que Lyotard conçoit comme celle de l'époque où les grands récits sous-tendant la civilisation occidentale sont remplacés par une pluralité de petits récits locaux et par des jeux de langage où des valeurs sont sans cesse recréées discursivement, faute d'un consensus universel. F. Jameson et J. Baudrillard établissent une relation causale entre l'émergence du capitalisme multinational depuis 1945 et l'essor du postmoderne. Pour le premier, la réalité se transforme en images, le temps se fragmente en un présent perpétuel. Pour le second, la publicité et la télévision ont envahi l'espace public et le contact avec le réel est perdu dans ce monde hyperréel de simulations, sujet à la technologie électronique. Cette vision négative est pondérée par G. Vattimo pour qui la disparition des instances fondatrices de la modernité permettrait un nouveau commencement positif.

▶ BAUDRILLARD J., *Simulacres et simulations*, Paris, Galilée, 1981. — BERTENS H., *The Idea of the Postmodern : A History*, New York, Routledge, 1995. — CALINESCU M., *Faces of Modernity : Avant-Garde, Decadence, Kitsch*, Bloomington, Indiana University Press, 1977. — LYOTARD J.-F., *La condition postmoderne*, Paris, Minuit, 1979. — MESCHONNIC H., *Modernité Modernité*, Paris, Gallimard, [1988], 1993.

Barbara HAVERCROFT

→ *Art pour l'art ; Déconstruction ; Innovation ; Querelles ; Romantisme ; Structuralisme.*

MONDIALE (Littérature)

« Littérature mondiale » désigne, depuis le XIXe s., la somme des littératures nationales, et, plus particulièrement, les faits littéraires qui mettent en liaison plusieurs littératures nationales. À la fin du XXe s., l'expression recouvre plutôt les phénomènes liés à la création d'un marché littéraire à l'échelle de la planète, voire à l'émergence d'un champ littéraire supra ou transnational.

La formation d'un premier espace littéraire international remonte à l'empire romain. Dans la période moderne, aux XVe et XVIe s., face à une République des Lettres réunissant, par-dessus les frontières, les clercs qui utilisaient tous le latin, se dessinent les premières luttes menées en faveur de la reconnaissance des langues vernaculaires et de la diversité des littératures européennes. Le mouvement s'amorce en Italie (à la faveur des revendications toscanes contre le monopole du latin) et gagne rapidement la France (Du Bellay et l'École de la Pléiade contestant l'hégémonie latine et toscane), puis d'autres pays européens, dont l'Espagne et l'Angleterre. Les luttes de concurrence auxquelles se livrent ces pays créent les premiers contours d'un espace littéraire fondé sur la concurrence des langues. Le processus se poursuit et s'affirme au XVIIe s., en France, où nombre d'auteurs (Boileau, Bouhours, Desmarets de Saint-Sorlin...) affirment que la langue française est l'héritière des langues anciennes, et donc supérieure aux autres langues modernes, de même que la monarchie française est la première du monde. Il se confirme aux XVIIIe et XIXe s. : en France, la prééminence de la langue et la littérature françaises continue à être revendiquée (Rivarol, *De l'universalité de la langue française*, 1784). L'esthétique romantique, principalement d'origine germanique (Herder, Heine...) voit dans la vie littéraire le reflet d'un peuple ou d'une nation. Et c'est au moment où naît la notion de littérature nationale que Goethe propose dans son article *Ferneres über Weltliteratur* (1827) l'idée polémique d'une littérature mondiale qui mise sur la rapidité des communications pour échapper au carcan d'une production littéraire nationaliste.

La littérature comparée a souvent débattu de la pertinence du concept. La notion posait clairement la question de savoir s'il est pertinent de lier la production littéraire à la langue ou à la nation, ou s'il faut, au contraire, insister sur les valeurs universelles promues par la littérature. Dans ce dernier cas, ne valait-il pas mieux remplacer « littérature mondiale » par « littérature » tout court ? Au sens que lui donnait Goethe, la notion a un temps pratiquement disparu du débat littéraire. Mais la réalité de la mondialisation économique à la fin du XXe s., particulièrement sensible dans l'achat et la vente des droits des best-sellers internationaux, lui donne une nouvelle vigueur. On peut alors parler (P. Casanova) d'un champ littéraire mondial qui résulte de la concurrence à laquelle se livrent les diverses cultures nationales. Il s'incarne dans des institutions (par exemple le Prix Nobel, depuis le début du XXe s.) reconnues comme sources de légitimité internationale. Il se traduit également par la capacité des différentes zones géographiques et politiques d'imposer leurs auteurs ou leurs valeurs.

De ce point de vue, la France, en particulier Paris, par un phénomène de cumul et de concentration de ressources (éditoriales notamment), a été longtemps un carrefour stratégique dans la consécration littéraire internationale : jusqu'aux années 1960, elle a incarné, en littérature comme dans d'autres domaines (peinture, politique), un pôle de référence. Des écrivains issus de littératures qui n'avaient pas atteint le même degré de prestige y ont cherché un « foyer » intellectuel : par exemple James Joyce, E. Hemingway, Octavio Paz, Samuel Beckett, Milan Kundera...). Aujourd'hui, même si son prestige a décliné et qu'elle doit partager avec d'autres grandes capitales culturelles (telles Francfort, Londres ou New York) ses anciens privilèges, Paris continue d'occuper, dans les esprits et dans les faits, une position stratégique dans la diffusion internationale des œuvres et des réputations, qui est sans commune mesure avec son poids politique ou économique actuel.

La notion de littérature mondiale ne va pas sans difficultés. Il n'est pas manifeste que les pratiques internationales offrent le même degré d'institution que les champs littéraires nationaux. D'autre part, les phénomènes qui ont pu concerner l'Occident seul (du XVe au XIXe s.) ont été quelquefois regardés un peu vite comme mondiaux. L'hypothèse heuristique de la « littérature mondiale » est contestée par ceux qui voient dans les phénomènes littéraire la résultante d'une multiplicité de facteurs moins hiérarchisés, à envisager en termes de polysystèmes. De surcroît, une littérature mondiale suppose une anthropologie, sinon une ontologie, dont l'unification n'est pas à ce jour établie.

Cependant, l'idée de littérature mondiale permet de prendre en compte des phénomènes importants, entre autres pour les productions de grande diffusion qui tendent à l'uniformité : des lieux comme la Foire de Francfort et des pratiques comme les co-éditions attestent une extension supranationale du marché littéraire. Sa problématique est plus complexe quand il s'agit des œuvres de la littérature légitime. En effet, la position d'un écrivain dans l'espace littéraire mondial dépend d'abord de la position qu'occupent, sur l'échiquier littéraire mondial, la langue et la littérature auxquelles il appartient. Intervient ensuite la position qu'il occupe lui-même dans son espace national. Une telle notion permet donc de mettre en relation les littératures dominantes et les littératures périphériques. Elle renvoie également à la question des transferts culturels. Les enjeux de la traduction sont à cet égard particulièrement forts. Mais sont décisifs aussi les choix que font certains auteurs de changer de langue dans leur création littéraire : Conrad, Beckett ou Kundera constituent des exemples frappants qui font surgir l'interrogation de la part respective de l'exil et de la mondialisation.

▶ CASANOVA P., *La République mondiale des lettres*, Paris, Le Seuil, 1999. — ESPAGNE M. & WERNER M. (dir.), *Philologiques III*, Paris, Éditions de la MSH, 1994. — FUMAROLI M., *L'âge de l'éloquence*, Paris, Droz, 1970. — Coll. : *Atlas des littératures*, Paris, Encyclopédia Universalis, 1990.

Marie-Andrée BEAUDET

→ *Canon, canonisation ; Champ littéraire ; Cosmopolitisme ; Édition ; Géographie littéraire ; Nationale (Littérature) ; Polysystème ; République des Lettres ; Traduction ; Valeurs.*

MONOLOGUE

Il y a monologue lorsqu'une personne ou un personnage parle à voix haute et pour soi-même. Le monologue est employé en littérature pour donner accès à ce qui est généralement ignoré, à la pensée intime. On peut distinguer trois sortes d'usages. Dans le théâtre médiéval, le monologue a constitué un genre, qui survit ensuite. Dans le théâtre en général, le monologue est une convention admise pour faire connaître au public les pensées d'un personnage. Dans le roman, le *monologue intérieur* désigne, depuis le début du XXe s., un procédé visant à exprimer le flux de la pensée. En outre, la forme du monologue est aussi celle d'une grande partie de la poésie lyrique.

Le monologue existe dans les pièces en langue française dès le XIIIe s. Rutebeuf l'emploie dans son *Miracle de Théophile*, pour rythmer l'évolution intérieure du personnage. Il retraduit ainsi les conseils des traités sur la pénitence, qui engagent à pratiquer la méditation murmurée. À partir de là, on peut distinguer deux courants. Le monologue dramatique, souvent parodique, se développe dans la lignée des dits et des sermons joyeux, et s'affirme comme un genre à succès au XVe s. Un des plus célèbres reste *Le franc archer de Bagnolet* (1468), dont le courage, uniquement verbal, s'effondre complètement devant un épouvantail. Le genre traverse toute l'histoire du théâtre, depuis les baraques de la Foire, aux XVIIe-XVIIIe s., où il fut à un moment la seule forme d'expression autorisée – les dialogues ayant été interdits – jusqu'aux écrivains contemporains qui parfois sont allés jusqu'à le privilégier de manière exclusive, dans le comique (Susskind, *La contrebasse*, 1981) ou le dérisoire tragique (Beckett, *Oh ! les beaux jours*, 1963 ; *Premier amour*, 1970). Une autre voie est celle du monologue usuel comme moment spécifique, scène à elle seule à l'intérieur d'une pièce à plusieurs personnages. Il figure largement dans le théâtre classique et encore chez les romantiques. Certains sont célèbres, comme les *Stances* du *Cid* et, chez Shakespeare, le monologue d'Hamlet. Il s'agit alors de donner au spectateur la perception des débats intérieurs d'un personnage clé, par un procédé conventionnel, mais propice à des « morceaux de bravoure » de la part des acteurs.

Le monologue théâtral a eu des transpositions romanesques : dans le roman par lettres comme les *Lettres portugaises* attribuées à Guilleragues (1669) ou encore, de façon frappante, dans *La chute* (1956) d'Albert Camus, qui consiste tout entier dans la transcription des paroles d'un seul personnage. Dans de tels cas, les propos de l'interlocuteur ne sont pas donnés, mais suggérés à travers les réactions et les enchaînements de celui / celle qui monologue. Le procédé pousse ainsi le lecteur à occuper la place de l'absent.

Mais surtout, dans le roman, Edouard Dujardin avec *Les lauriers sont coupés* (1887) a ouvert la réflexion sur un procédé qui « a pour objet d'évoquer le flux ininterrompu des pensées qui traversent l'âme du personnage au fur et à mesure qu'elles naissent sans en expliquer l'enchaînement logique » (*Le monologue intérieur*, 1931). Il s'agit de donner une impression de « tout venant » en livrant en vrac les pensées des protagonistes. Le procédé s'efforce de rendre le *stream of consciousness* (courant de conscience). Le monologue intérieur a servi en particulier aux romanciers qui, vers 1900, réagissent contre le naturalisme et s'efforcent de décrire les profondeurs de la psyché. Les romans anglo-saxons inspirés par Henri James en ont fait grand usage (V. Woolf, W. Faulkner), et par la « sous-conversation » chez des romanciers comme Nathalie Sarraute et Samuel Beckett, la tradition du monologue intérieur se poursuit jusqu'à nos jours.

Au-delà de la convention, nécessaire pour qu'il soit recevable, le monologue soulève des problèmes d'écriture et d'esthétique. Si le monologue théâtral, destiné à l'audition immédiate, respecte en général la syntaxe usuelle, le monologue intérieur romanesque se caractérise, lui, par l'emploi de phrases nominales et de verbes à l'infinitif ; l'articulation des idées est souvent brutale ; la ponctuation est toujours significative soit parce qu'elle fait défaut – monologue de Molly Bloom dans *Ulysse* (1922) de J. Joyce – soit parce qu'elle accumule les signes typographiques qui suggèrent un non-dit persistant. Le monologue institue donc la nécessité de renoncer aux chemins les plus usuels de la langue. En même temps, il a pour effet d'impliquer le spectateur et le lecteur, placés en situation de voyeurs ou d'interlocuteurs implicites. Ces deux raisons font que, sans être un genre proprement dit, le monologue constitue une forme littéraire très productive.

▶ AUBAILLY J.-C., *Le monologue, le dialogue et la sotie*, Paris, Champion, 1976. — COHN D., *La transparence intérieure. Modes de représentation de la vie psychique dans le roman*, Paris, Le Seuil, 1981. — DANAN J., *Le théâtre de la pensée*, Rouen, Éd. médianes, 1995. — DUJARDIN É., *Le monologue intérieur*, Paris, Messein, 1931. — WEISMAN F., *Du monologue intérieur à la sous-conversation*, Paris, Nizet, 1979.

Pierre SCHOENTJES

→ *Dialogue ; Épistolaire ; Narration ; Oralité ; Théâtre.*

MORALISTES

Ce terme désigne des auteurs qui écrivent sur le comportement et les valeurs de l'homme en société. À la fin du XVIe et au XVIIe s., sans pour autant en revendiquer l'appellation, une série d'écrivains, de Montaigne à La Bruyère, forment un courant mi-littéraire mi-philosophique qui décrit les mœurs de façon souvent critique et peu didactique. À leur image, mais dans un contexte différent, d'autres auteurs ont poursuivi dans les siècles ultérieurs une réflexion morale souvent entée sur des formes brèves (aphorismes, maximes, sentences). Cette caractéristique formelle relie des propos aux contenus différents, mais qui ont en commun de s'interroger sur les possibilités et les limites d'une écriture de la morale.

La sécularisation progressive de la vie civile, à la Renaissance, conduit à repenser l'homme et le monde dans un cadre intellectuel nouveau. Sans rompre avec la cohérence chrétienne, mais dans le contexte tragique des guerres de Religion, des auteurs cherchent le chemin d'un nouvel art de vivre en société qui passe par une meilleure connaissance de soi et par l'adoption de conduites ajustées au monde réel. On s'inspire alors de l'*Éthique* d'Aristote et des auteurs latins ayant traité de la morale, notamment stoïcienne, comme Sénèque dans ses *Lettres à Lucilius*. Dès le début du XVIIe s., la philosophie morale cesse d'être l'apanage des collèges pour devenir une préoccupation mondaine, liée à l'essor des salons et de la civilité. De là procèdent les écrits des moralistes critiques qui font le procès des mœurs (Montaigne, Pascal, La Rochefoucauld, La Bruyère) mais également celui d'une morale contraignante ou trop abstraite. En parallèle toutefois, de nombreux autres textes, rarement qualifiés de littéraires lorsqu'ils sont prescriptifs, font état des préoccupations sociales en matière de comportement : traités de savoir-vivre, de conversation, de bonnes manières. Ceux-ci sont publiés sans interruption depuis le XVIe s., mais avec une insistance particulière à certaines périodes (comme au XIXe s, lorsque la bourgeoisie tente de s'inventer des codes de comportement).

L'œuvre de Montaigne (*Essais*, 1580-1592) fonde un genre (l'essai) et une écriture (le fragment). Leur contenu intellectuel influence en particulier le stoïcisme chrétien de la fin du XVIe s., pour dominer le champ des études morales pendant toute la première partie du XVIIe. Dans *De la sainte philosophie* (1585), Guillaume du Vair fait de la raison l'auxiliaire privilégié de la foi en même temps qu'un frein aux passions qui agitent l'homme. Pierre Charron, disciple de Montaigne et qui doit beaucoup à du Vair, jouit d'une grande popularité tout au long du XVIIe s. Ses *Trois livres de la sagesse* (1601) marquent d'ailleurs les travaux de Descartes, moraliste avec *Les passions de l'âme* (1649), son dernier ouvrage, qui unit la morale et la psychologie et tente de fonder rationnellement la moralité à l'intérieur de l'homme plutôt qu'en dehors de lui. Par ailleurs, les *Essais* de Montaigne servent de forme matricielle à l'écriture des moralistes dès le XVIIe s.. Un courant épicurien s'en nourrit. Même si ce courant n'est pas très puissant, il alimente cependant les auteurs libertins. Ils revendiquent volontiers les moralistes antiques contre les modèles chrétiens (La Mothe Le Vayer, *De la vertu des païens*, 1642). Les deux sont en conflit autour du machiavélisme. D'autre part, un courant augustinien – anti-humaniste et antistoïcien – s'impose comme une forte influence au XVIIe s. Les jansénistes, fréquemment nommés « moralistes », s'opposent à la pensée centrale de la Renaissance quand elle s'efforce de concilier tradition classique et morale chrétienne ou exprime son admiration pour le héros et le sage. Avec Arnauld, Nicole et Pascal, Port-Royal développe une morale qui fait porter à l'homme le poids de la corruption originelle. Les *Réflexions ou sentences et maximes morales* (1664) de La Rochefoucauld diffusent les conceptions des jansénistes en recourant à des formules brèves et incisives. Il critique l'amour de soi qui écarte l'homme de Dieu et de la pratique de la charité. On ignore la cohérence que Pascal entendait donner à ses *Pensées* qui paraissent à partir de 1666, mais il est probable qu'elles n'étaient pas destinées à un traité dogmatique (« L'éloquence continue ennuie » souligne-t-il). À la fin du siècle, le triomphe de La Bruyère, dont les *Caractères* (1688-1696) connaîtront neuf rééditions du vivant même de l'auteur, confirme l'engouement de l'époque pour cette forme d'études morales. Ce succès est celui d'une description souvent pessimiste des comportements – qui souligne la discordance entre l'être et le paraître –, mais également d'une observation aiguë de l'individu en société, par quoi le moraliste se fait sociologue ou anthropologue. Ces tableaux concrets disparaissent ensuite, la littérature morale se repliant sur l'individu abstrait, avec Vauvenargues (*Introduction à la connaissance de l'esprit humain*, 1747) et Chamfort (*Maximes et pensées, caractères et anecdotes*, 1795). Au siècle suivant, le genre connaît une moindre notoriété et son projet est repris par une voie plus philosophique, ou passe par la fiction chez les romantiques. L'art pour l'art s'écarte des prescriptions morales. Mais elles constituent bien sûr un des contenus de l'enseignement. Et Stendhal donne à son œuvre une dimension moraliste dans son traité *De l'amour* (1822) ; le « beylisme » mêle épicurisme et individualisme (culminant dans l'« égotisme ») et recourt volontiers à la maxime. Au XXe s., l'écriture moraliste se manifeste chez des écrivains (par-delà les questions éthiques de l'engagement), notamment dans le genre de l'essai. Valéry est regardé, pour une part de son œuvre, comme moraliste par certains critiques de son temps, notamment pour *Tel Quel* (1941). Plus encore les *Propos* (1904-1940) du philosophe Alain, qui emploie surtout la forme aphoristique. Gide et Camus ont une dimension moraliste (par exemple Gide, *Voyage au Congo*, 1927 ; Camus, *L'homme révolté*, 1951). Cette veine se poursuit jusque chez R. Vaneigem (*Petit traité de savoir-vivre à l'usage des jeunes générations*, 1966) mais aussi chez Cioran ou même R. Barthes. Mais les questions éthiques sont davantage présentes chez les philosophes, y compris dans des ouvrages à succès, de même qu'elles sont présentes – et en débat – dans l'enseignement.

Lorsqu'ils connaissent un grand succès, aux XVIIe et XVIIIe s., les moralistes ne sont pas des auteurs de traités de morale. Leur public est avant tout mondain (ce sont les « honnêtes gens ») et la forme qu'ils adoptent mime la souplesse et le discontinu de la conversation de salon. Parce qu'ils tentent de s'écarter de l'abstraction dogmatique et de la logique de l'*exemplum*, ils explorent les ressources de l'anecdote concrète. Par là, leur recherche est parallèle à celle du genre romanesque qui, après une période où les points d'intersection sont nombreux (chez Diderot par exemple), reprend dans son espace propre la peinture de types et des caractères sociaux. Le « moment des moralistes » est donc à la fois un révélateur de la demande sociale mondaine à l'égard de la littérature et un terrain d'expérience pour une écriture, encore ressentie comme moderne à la fin du XXe s., qui use surtout des formes brèves et fragmentaires pour frapper l'esprit en variant les effets.

▶ BÉNICHOU P., *Morales du Grand Siècle*, Paris, Gallimard, 1948. — COSTE C., *Roland Barthes moraliste*, Lille, PU Septentrion, 1998. — FRASER P. & KOPP R., *The moralist tradition in France*, Madison, Associated fac. Press, 1982. — LAFOND J., *Moralistes du XVIIe siècle*, Paris, Laffont, 1992. — PARMENTIER B., *Le siècle des moralistes*, Paris, Le Seuil, 2000.

Pierre SCHOENTJES

→ *Caractères ; Essai ; Formes brèves et sententiales ; Fragment ; Maxime ; Proverbe ; Traité.*

MORALITÉS

Attestée à partir de la fin du XIVe s., la moralité est un genre dramatique à visée didactique dont les protagonistes sont le plus souvent des personnages allégoriques. Il reste productif jusqu'à la fin du XVIe s.

Les moralités traitent un unique sujet : l'antagonisme entre le Bien et le Mal. De longueur variable, elles se caractérisent par une grande variété thématique : elles proposent une représentation des vertus et des vices dans les domaines religieux, social et politique. En quelques centaines de vers, les *Enfants de maintenant* évoquent les aléas de l'éducation du jeune bourgeois, *Piramus et Tisbee*, une légende mythologique issue de *l'Ovide moralisé*. Sur des milliers de vers, les grandes moralités du XVe s. – *de Bien Advisé, Mal Advisé* ; *de L'Homme Juste et l'Homme Mondain* ; *de L'Homme Pécheur* – présentent des allégories de la condition humaine, dans une perspective didactique soulignée par l'organisation de l'action et le système des personnages. C'est au gré de voyages sur des chemins hasardeux, ou de conflits parfois réels, parfois rhétoriques, que les protagonistes font un choix entre le Bien et le Mal : on suit la progression difficile et les rencontres de l'Homme Pécheur, de Bien ou Mal Advisé, et une véritable bataille est organisée pour gagner l'âme du genre humain dans *The Castle Of Perseverance*. Les protagonistes sont des personnifications de qualités abstraites – Vices et Vertus –, de parties ou de collectifs humains – le *Cœur et les Cinq Sens*, Jeunesse, le Riche – ou de l'universel humain tout entier – L'Homme Pécheur ou *Everyman*. Leurs choix sont parfois liés à l'actualité : *l'Homme obstiné* de Pierre Gringore défend Louis XII contre le Pape Jules II. La moralité manifeste des liens à la prédication populaire : le sens allégorique est soit explicite, soit dégagé dans des digressions, *disputationes* à la versification virtuose qui témoignent aussi de l'influence des Rhétoriqueurs. Elle égaye parfois son didactisme de parodie ou d'humour : Nicolas de la Chesnaye prône plaisamment dans la *Condamnation de Banquet* l'usage modéré de la nourriture et de la boisson.

Souvent organisée dans des milieux scolaires ou savants comme le Collège de Navarre, la représentation des moralités peut aussi être confiée à l'ensemble des habitants d'une ville et faire appel à des comédiens amateurs ou professionnels. C'est alors une manifestation théâtrale de grande ampleur qui s'apparente au Mystère, comme le suggèrent l'abondance et la précision des didascalies de *Bien Advisé, Mal Advisé*, et les schémas de théâtre en rond qui accompagnent le manuscrit du *Castle of Perseverance*, inspirant peut-être les mises en scènes d'*Everyman* qui se déroulent encore aujourd'hui en Angleterre.

La moralité est une forme inclassable : est-elle l'ancêtre de la tragédie classique, de la comédie de mœurs, bref, un genre composite sans identité propre ? Elle témoigne pourtant d'une utilisation complexe de l'allégorie, notion théologique et stylistique capitale pour le Moyen Âge finissant, et joue un rôle important dans l'épanouissement du théâtre à la même époque. Figure rhétorique, l'allégorie donne aux personnages de la moralité leurs caractéristiques principales ; figure scripturaire, elle fournit une dimension exégétique à l'action. Forme savante, l'allégorie dans la moralité n'exclut pourtant pas un réalisme saisissant, présent dans des personnages farcesques ou infernaux particulièrement bien exploités. C'est probablement dans le délicat équilibre du réalisme et de l'abstraction allégorique que la moralité se définit. Le didactisme et la rhétorique ludique du propos confèrent à la moralité un aspect satirique qui la rapproche de la sotie, tandis que le réalisme et le comique des personnages et des situations tissent des liens étroits avec la farce. Mais le système de représentation de la moralité fait triompher sur le monde des réalités contingentes celui des Idées immuables. Elle s'oppose à l'historicité des Mystères et des Passions, mais livre le même message, réduit à un fort dualisme chrétien sous forme de règles de conduite morale.

▶ HELMICH W., *Die Allegorie in fi,anzôsischen Theater des 15 und 16 Jahrhundert*, Tübingen, 1976 ; « La moralité : genre dramatique à redécouvrir » in *Le théâtre médiéval au Moyen Âge : actes du deuxième Colloque International sur le théâtre médiéval*, 1977, Gari R. Muller (éd.), Montreal, L'Aurore / Univers, 1981, p. 205-239 — KNIGHT A. E., « The Condemnation of Pleasure in Late Medieval French Morality Play », *The French Review*, t. 57, 1983, p. 1-9. — Coll.: *Aspects of genre in late Medieval French Draim*, Manchester University Press, 1983.

Véronique DOMINGUEZ

→ Allégorie ; Comique ; Didactique (Littérature) ; Farce ; Mystères ; Passion (Genre de la) ; Réalisme ; Rhétoriqueurs ; Sotie ; Théâtre.

MOTIF → Narration

MOUVEMENT → École

MUSIQUE

En musique comme en littérature, l'oralité scandée et modulée a un caractère fondateur. Aussi elle ne cesse de poser la question de leurs rapports, même au-delà leur autonomie réciproque. En effet, la musique se distingue de la littérature en ce qu'elle s'est progressivement construit un langage formé de signes sans référent obligé. Mais elle continue d'être associée à la littérature dans l'opéra, voire la tragédie, à propose du vers, du rythme et de la mélodie, de la poésie et du lyrisme, des paroles et de la chanson, etc.

Depuis l'Antiquité, musique et littérature ont partie liée de diverses manières. Dès l'origine, la poésie est surtout un texte chanté, avec ou sans accompagnement instrumental. En Grèce, l'épopée homérique s'accompagne de musique, et la poésie lyrique, comme son nom l'indique, se chante. La tragédie entremêle sans doute parties déclamées et chantées. Il en va de même au Moyen ge, où l'alliance entre musique et littérature s'exprime dans les chansons de geste et la poésie lyrique des troubadours. Au XVIe s., sous les Valois, une Académie royale de poésie et de musique réunit, autour d'Antoine de Baïf, des musiciens et des poètes cherchant à renouer avec l'accord parfait qu'ils attribuaient à leurs prédécesseurs de l'Antiquité grecque. Dès le début du XVIIe s. apparaît un genre nouveau, l'opéra, dont le projet de « réciter en chantant » (*recitar cantando*) a été d'abord formulé par les Académies florentines. Musique parlante destinée à une représentation éloquente des passions, l'opéra devait bientôt s'illustrer avec l'*Orfeo* (1607) de Monteverdi. En France, avec des œuvres comme *Alceste* (1674), J.-B. Lully et Ph. Quinault, son librettiste, furent les premiers à mettre « la Tragédie en apprentissage sous la musique » (Guy de Chabanon, *De la musique*, 1785). Suivant les inflexions les plus diverses, le *stile rappresentativo* de l'opéra italien et la « tragédie en musique » française sont au fondement de l'évolution musicale des deux siècles suivants où l'opéra s'établit comme le genre culturel socialement le plus prestigieux. Les rapports entre musique et littérature présentent aussi un second aspect, avec des œuvres instrumentales sans texte qui peuvent prendre la forme exemplaire du « poème symphonique » inventé par Liszt, puis illustré par Debussy. Enfin, musique et littérature sont intimement liées dans la longue tradition de la chanson et de la mélodie.

En retour, la musique peut aussi venir féconder l'imaginaire littéraire. Innombrables sont les ouvrages qui mettent en scène des musiciens, décrivent des œuvres musicales ou entendent se structurer par référence à des formes musicales fixes, depuis un roman comme *Massimilla Doni* (1839) de Balzac ou *La symphonie pastorale* (1919) de Gide jusqu'à *Tous les matins du monde* (1991) de Quignard. Enfin, la musique est susceptible de susciter une émulation qui invite la littérature à incorporer à sa pratique des codes ou des consignes propres à la musique. C'est le cas du roman (Proust, *À la recherche du temps perdu*) ou, de manière exemplaire, de la poésie lyrique depuis Baudelaire, Verlaine et Mallarmé, où le vers et la prosodie participent d'une esthétique fondée sur des notions apparentées à la théorie musicale, qu'il s'agisse de la mélodie, de l'harmonie ou du rythme. Ainsi Verlaine préconise-t-il dans son *Art poétique* l'usage du vers impair pour procurer en poésie « de la musique avant tout chose ».

Pour Aristote, l'art « de la flûte et de la cithare » présente un trait commun avec « l'épopée et la poésie tragique » : tous, dit-il, « sont des *représentations* ». Cette remarque sur laquelle s'ouvre la *Poétique* constitue la référence essentielle de toute une tradition qui, depuis l'Antiquité jusqu'à nos jours, cherche à penser les relations entre musique et littérature. « Toute musique doit avoir un sens », observe l'abbé Batteux dans *Les Beaux-Arts réduits à un même principe* (1746). Ce sens, poursuit-il, il convient de le saisir dans « l'imitation des sentiments et des passions ». Le principe auquel Batteux entend « réduire » tous les Beaux-Arts soumet pourtant le champ de la théorie musicale à un impératif de représentation d'abord destiné à servir une réflexion sur la littérature. Ce dernier ne manque pas de faire problème comme en témoigne, dès le XVIIIe s., Guy de Chabanon, pour lequel « un son musical ne porte avec soi aucune signification » (*ibid.*), l'œuvre musicale devenant dès lors une totalité autonome se signifiant elle-même hors de toute visée imitative. Toutefois si la musique peut atteindre à cette indépendance, elle peut tout aussi bien maintenir son pouvoir de représentation dans ses rapports avec la littérature. Et en retour, la poésie moderne a cherché, à la fin du XIXe s., à se déprendre du sens pour privilégier le rythme, donc la musicalité.

▶ BACKÈS J.-L., *Musique et littérature. Essai de poétique comparée*, Paris, PUF, 1994. — BRUNEL P., *Les arpèges composés : musique et littérature*, Paris, Klincksieck, 1997. — LÉVI-STRAUSS C., *Regarder, écouter, lire*, Paris, Plon, 1993. — Coll. : *Littérature et musique. Revue de littérature comparée*, tome LXI, juill.-sept 1987, n° 3. — *Musique et procès de sens. Protée*, vol. 25, aut. 1997, n° 2.

Marc André BERNIER, Denis SAINT-JACQUES

→ *Arts poètiques ; Ballet ; Cantique ; Chanson ; Courtoise (Littérature) ; Épopée ; Hymne ; Ode ; Psaumes ; Rythme ; Théâtre lyrique ; Vers, versification.*

MYSTÈRES

Le terme de mystère vient de *ministerium*, « office religieux », devenu *misterium* par contraction, puis *mysterium* par fausse étymologie. En son usage littéraire, il désigne aux XVe et XVIe s. des pièces exposant la vie d'un saint ou de Jésus, ainsi que les scènes mimées qui animent les fêtes urbaines. Au pluriel, « Mystères » est un titre générique au XIXe s. pour les romans feuilletons racontant les tréfonds de la grande ville.

Au Moyen Âge, le mystère est d'abord une série de tableaux mimés sur des échafauds, ou « pageants » en Angleterre. Si cette forme continue ensuite à exister dans toute l'Europe, se constitue un genre dramatique abouti, au XVe s., le mystère joué. Les exemples les plus connus en sont les versions du *Mystère de la Passion* d'Eustache Mercadé, d'Arnoul Gréban et de Jehan Michel. Ces spectacles sont un phénomène urbain, qui va de pair avec la reconstruction économique. Célébrant la naissance de l'Église, la Passion, la Rédemption ou le patron d'une ville, le mystère est composé à partir de la Bible, des évangiles apocryphes et de la prédication populaire. C'est un spectacle payant, très long – la représentation du *Mystère des Actes de Apôtres* des frères Gréban à Paris en 1541 dure 35 jours –, qui se joue en plein air, dans un décor construit pour l'occasion. Des centaines d'acteurs amateurs y participent, et se divisent en groupes ou « maisnies » correspondant aux « mansions » ou lieux théâtraux. Un « meneur de jeu » assure le bon déroulement de l'ensemble. Le mystère est une pièce à « machines spectaculaires ». On fait appel à des compétences professionnelles pour les « secretz », effets techniques qui, figurant le Déluge, les feux de l'enfer ou les tortures, constituent avec les diableries le clou du spectacle. Les mystères religieux sont interdits par le Parlement à Paris en 1548, sous la pression des élites lettrées et de la Réforme ; mais des représentations du même type perdurent en province et dans toute l'Europe jusqu'au XVIIe s. Plus tard, à la fin du XIXe s., le mystère revit en partie ou en totalité dans le cadre de tentatives variées. En 1895, Maurice Pottecher propose à la société vosgienne une image de ses origines mythiques dans son *Théâtre du Peuple*. Dans l'entre-deux guerres, le théâtre politique reprend l'esprit de communion du mystère avec les « chœurs parlés » socialistes et communistes, forme également adoptée par les catholiques au Québec et en Belgique. Pour illustrer leur recherche, les Copiaus, élèves de Copeau, adaptent des mystères, que reconstituent dans un esprit savant les Théophiliens, une troupe étudiante dirigée par Gustave Cohen en Sorbonne. Certaines œuvres de Péguy, de Ghéon ou de Ghelderode – *D'un diable qui prêcha merveilles, mystère pour marionnettes*, 1941 – renouent avec le mystère et son registre mystique.

Chez les feuilletonistes du XIXe s., le mystère fait encore allusion au grouillement populaire du spectacle médiéval, puisqu'il transpose dans l'espace urbain une part de l'atmosphère mystérieuse du roman gothique.

Spectacle populaire, le mystère médiéval est-il un « théâtre populaire », lieu d'une fusion des classes sociales devant le spectacle de leur salut commun ? L'échafaud serait un espace sacré où la communauté chrétienne se remémore ses origines en représentant ses sacrifices fondateurs. Mais il est difficile d'ignorer que le mystère constitue la démonstration de puissance et de richesse de la classe dominante, même si les humbles participent au spectacle. Cette grande fête civique ne contient pas les ferments d'une réflexion politique et sociale subversive. Les effets spectaculaires, le développement du personnage au détriment du type, font du mystère un spectacle qui oscille entre réalisme et merveilleux. Dans le cercle de la représentation, se reflète une mentalité qui cultive l'exhibition et l'identification à la souffrance permettant la formation d'une conscience de soi individuelle. Le rapport du spectateur à la scène dépasse largement le sentiment rituel de l'appartenance à une communauté. La communion a bien lieu, mais elle prend sens dans une esthétique de l'excès, qui interroge de façon nouvelle la relation au divin. Ce sont autant ses traits esthétiques que son lien profond et complexe à la société qui valent au mystère sa survivance dans le théâtre contemporain.

▶ AUBAILLY J.-C. & DU BRUCK E. (dir.), *Le théâtre et la cité dans l'Europe médiévale*, Stuttgart, 1988 (Fifteenth Century Studies 15). — COHEN G., *Études d'histoire du théâtre en France au Moyen Âge et à la Renaissance, Paris, Gallimard*, 1956. — REY-FLAUD H., *Le cercle magique. Essai sur le théâtre en rond à la fin du Moyen Âge*, Paris, Gallimard, 1973. — RUNNALLS G. A., « When is a "Mystère" not a "Mystère?" Titles and genres in medieval French religious Dram », *Tréteaux*, décembre 1980, n° 2.

Véronique DOMINGUEZ

→ *Chœur ; Dramaturgie ; Feuilleton ; Jeu ; Médiévale (Littérature) ; Merveilleux ; Miracles ; Mysticisme ; Moralités ; Passion (Genre de la) ; Théâtre populaire.*

MYSTICISME

Indissociable de la tradition religieuse, culturelle et sociale dans laquelle il s'est formé, le mysticisme représente un courant particulier de l'histoire religieuse. Il se distingue par l'affirmation d'une expérience vécue et intuitive du divin, de l'éternel, de l'infini et trouve à s'incarner dans des courants diversement constitués (Quiétisme, Illuminisme).

Le mysticisme est très marquant dans la tradition érémitique des premiers siècles du christianisme (*Vie d'Antoine* par Athanase, *Vie de Paul de Thèbes* par saint Jérôme, *Entretiens avec les pères d'Égypte* de Cassien) et il a aussi inspiré de nombreux écrivains dans les traditions orientales.

Au Moyen Âge, et encore au XVIe s. en Espagne, le mysticisme faisait naturellement partie de la vie religieuse et il a inspiré de grandes œuvres qui s'efforcent d'approcher l'indicible (saint Bernard, saint Jean de la Croix, sainte Thérèse d'Avila ont marqué la vie monastique et laissé une œuvre mystique et poétique). À partir de la Renaissance, tandis que se développe une culture plus indépendante de la religion, qui favorise l'esprit critique, la hiérarchie religieuse et même le pouvoir politique se montrent de plus en plus méfiants à l'égard du mysticisme car ils voient la possibilité de dissentiments individualistes dans cette expérience émotionnelle et individuelle d'un contact direct avec le divin. La querelle sur le quiétisme au XVIIe s. témoigne de cette évolution.

La mise en cause des croyances à partir du XVIIIe s., l'anticléricalisme et la laïcisation progressive de la société française après la Révolution ont contribué à transformer le rapport au religieux, à le libérer d'une inféodation à l'Église.

Ces changements ont favorisé une approche plus individuelle. *La profession de foi du vicaire savoyard* de Rousseau (1762) qui représente une religion du cœur plus intériorisée est déjà caractéristique d'une réorientation. Au XIXe s. Balzac se dit davantage attiré par le mysticisme ou par l'illuminisme que par la religion dogmatique et ses romans (*Louis Lambert*, 1832 ; *Le lys dans la vallée*, 1835) puisent des idées mystiques dans les chants de Saint-Martin (*L'homme de désir*, 1790) et surtout dans la pensée de Swedenborg (*Séraphita*, 1835). Nerval, qui raconte dans *Aurélia* (1865) le récit d'une descente aux enfers de la folie et une quête mystique, s'intéresse aux illuminés du XVIIIe s. et perçoit le lien possible entre pensée mystique et dissidence politique (*Les illuminés ou les précurseurs du socialisme*, 1852).

À partir du XIXe s., dans une période où la déchristianisation prend des formes variées, allant d'une méfiance à l'égard des institutions religieuses à l'athéisme, la littérature revendique un rôle spirituel soit parce que le poète affirme avoir une perception intuitive de l'invisible (Hugo, « La pente de la rêverie » dans *Les feuilles d'automne*, 1831, ou *Dieu*, poème inachevé, publié en 1891), soit parce que l'écrivain agnostique défend un « mysticisme esthétique » (Flaubert).

Quelques années après la « vague de conversions » de la fin de siècle, l'abbé Henri Brémond rapproche le mysticisme de la poésie (*Prière et poésie*) et défend *La poésie pure* (1926) qui se fonde sur une perception intuitive de l'univers « inaccessible à la conscience claire » ; il explique ainsi la fascination de certains écrivains envers une expérience plus personnelle de l'au-delà, comme le Durtal de Huysmans qui, en dépit de sa méfiance à l'égard de l'Église, est finalement amené à Dieu par le chant grégorien et les textes mystiques (*En route*, 1895).

Avant la psychanalyse, les études psychiatriques du XIXe siècle (de Lelut, Baillarger, Moreau de Tours, Charcot) commencent à interpréter le mysticisme et son langage corporel (stigmates, etc.) en termes psychosomatiques ; *Salammbô* (1862) ou *La tentation de saint Antoine* (1849-1874) de Flaubert mettent en œuvre ce nouveau savoir. Mais la montée du rationalisme n'atténue guère une tendance mystique, nourrie d'ailleurs par les découvertes de la pensée orientale, qui survit dans la littérature du XXe s. sous la forme nouvelle d'une expérience extatique sans Dieu : c'est par exemple le « sentiment océanique » que Romain Rolland considère comme universel, *L'expérience intérieure* de Bataille, ou la présence au monde chez Yves Bonnefoy qui, après les réflexions de l'*Anti-Platon* (1946), s'est attaché « aux épiphanies de la finitude », ou encore l'expérience de *L'infini turbulent* (1957) chez Henri Michaux qui n'hésite pas à recourir aux drogues. À côté de ces expériences nouvelles subsiste également une poésie chrétienne (Jean Grosjean, Jean-Pierre Lemaire, Jean-Claude Renard) qui tente un dialogue avec le mystère. La littérature a donc un rôle important dans la survie du mysticisme même s'il s'éloigne parfois radicalement de ses origines religieuses et s'il faudrait peut-être plutôt lui réserver l'expression plus profane d'expérience intérieure ou d'expérience des limites.

▶ BORDET L., *La mystique*, Paris, PUF, 1981. — LE GOFF J. & RÉMOND R., *Histoire de la France religieuse*, Paris, Le Seuil, 1988. — JOSSUA J.-P., *Pour une histoire religieuse de l'expérience littéraire*, Paris, Beauchesne, [1985], 1994. — RAVIER A. (dir.), *La mystique et les mystiques*, Paris, Desclée de Brouwer, 1965.

Gisèle SÉGINGER

→ *Ascèse ; Illuminisme ; Poésie pure ; Quiétisme ; Religion.*

MYSTIFICATION

La mystification littéraire fait passer l'œuvre d'un auteur pour celle d'un autre, tantôt plus prestigieux, ou susceptible de l'être, tantôt inconnu et, pour cela même, apte à piquer la curiosité des lecteurs. D'une manière générale, la « mystification » détermine, dans un groupe social, deux ensembles d'individus dont l'un dispose d'une information tenue secrète à l'autre qui, du fait de son ignorance, « tourne en bourrique ». Diderot, E. Poe ont relaté ce jeu dans des contes qu'ils intitulent chacun « Mystification » (voir, pour le premier, *Œuvres*, R. Laffont « Bouquins », t. 2, p. 435 ; et pour le second, *Œuvres*, *ibid.*, p. 353). Cette complicité, réelle ou possible, d'une partie du lectorat oppose la mystification à la falsification.

Les *Lettres portugaises traduites en français* (1669) font figure de prototype. Écrites par le diplomate écrivain Guilleragues, elles sont censées être rédigées par une religieuse, depuis son couvent, à destination de son amant, et ont longtemps été considérées comme un « chef-d'œuvre d'écriture spontanée ». Au siècle suivant, *La religieuse* de Diderot passa, un temps, pour un document authentique. Ainsi, ce genre d'écrits relevant, selon les cas, de la production anonyme, du pastiche ou du faux, fait souvent événement. D'autant que le public voue, à partir du XVIIIe s., un culte particulier à l'originalité des écrivains. Plusieurs de ces entreprises sont passées à la postérité : le poète écossais James Macpherson présente comme des traductions d'un barde du IIIe s., dénommé Ossian, ses *Fragments of Ancient Poetry collected in the Highlands of Scotland* (1760) qui ont connu une audience européenne et qui ont contribué à modeler la sensibilité « romantique ». En 1825, en publiant le *Théâtre de Clara Gazul*, Mérimée use d'une attribution fallacieuse (il se présente comme le traducteur des œuvres d'une jeune Espagnole) pour appliquer à la scène les théories du drame moderne. Au XXe s. les exemples abondent. Ainsi, deux comédiens (qui se vengeaient de critiques défavorables) déclarèrent avoir retrouvé un manuscrit disparu de Rimbaud, que le Mercure de France édita à grands frais : *La Chasse spirituelle* (1949) ; Boris Vian prétend avoir traduit de l'américain un roman noir dont la violence provoque le scandale (*J'irai cracher sur vos tombes* – 1956 – attribué à Vernon Sullivan) ; un écrivain connu, Romain Gary, qui avait déjà reçu le Prix Goncourt, se l'est fait attribuer de nouveau, en usant d'un prête-nom (Émile Ajar), ce qui lui permit de changer de manière (*La vie devant soi*, 1975).

Quel que soit leur motif – vengeance, facétie, goût du sacrilège, plaisir de brouiller les cartes, recherche de notoriété et de profit, moquerie à l'égard de l'institution – les mystifications littéraires éveillent la curiosité des connaisseurs, qui prennent plaisir à voir leur compétence mise à l'épreuve. En pointant le problème de l'authenticité d'une production artistique, elles posent sur la scène publique le problème du statut de l'auteur et de la valeur de l'œuvre. Si on admet une attribution, l'ensemble des écrits d'un auteur sont mis en question...

Il faut aussi rattacher à la mystification les cas où un écrivain n'agit pas en simulateur, par supercherie, mais concerte une énigme ou une provocation par feinte. Ainsi Jarry proposait des chroniques paradoxales (« Des viols légaux »), sybillines (« Les mœurs des noyés ») ou des spéculations « pataphysiques » fondées sur une « science des solutions imaginaires », en vertu de laquelle il calcule « la surface de Dieu » (*Gestes et opinions du Docteur Faustroll, pataphysicien*, ch. XLI ; posth. 1911). Les manifestations des fumistes, les expositions d'« Art incohérent » qui ont lieu à la fin du siècle dernier, les œuvres d'écrivains et artistes dadaïstes puis surréalistes, par une « activité terroriste de l'esprit », élèvent la mystification « à la hauteur d'un art » (formule qu'A. Breton applique à A. Allais dans l'*Anthologie de l'humour noir* [1940], J.-J. Pauvert, 1966, p. 292). Celle-ci participe dès lors à des effets textuels, non pas frauduleux mais esthétiques, qui s'adressent, le plus souvent, à un public d'initiés.

▶ GROJNOWSKI D., « La mystification, catégorie de l'esthétique », in *Aux commencements du rire moderne. L'esprit fumiste*, Paris, J. Corti, 1997. — JEANDILLOU J.-F., *Esthétique de la mystification. Tactique et stratégie littéraires*, Paris, Minuit, 1994. — *Les mystifications littéraires*, J.-J. Lefrère & M. Pierssens (éd.), Tusson, Éd. du Lérot, 2001. — MORRISSETTE B., *La bataille Rimbaud : l'affaire de La Chasse spirituelle*, Paris, Nizet, 1959. — QUÉRARD J.-M., *Les supercheries littéraires dévoilées*, 7 volumes, Paris, 1869-1880.

Daniel GROJNOWSKI

→ *Hermétisme ; Œuvre ; Parodie ; Pastiche ; Signature.*

MYTHE

Mythe vient du grec « mythos » qui signifie « récit », « fable » et, plus en amont « parole » : le mythe est donc « une histoire fabuleuse qui 'se raconte' ». Ces histoires établies en tradition offrent en général, sous une forme allégorique, des explications de l'inexplicable. Au sens restreint, les spécialistes conçoivent le mythe comme un récit se rapportant à un état du monde antérieur à l'état présent et destiné à donner une cause à l'ordre des choses : le mythe est, en ce sens, récit des origines. Au sens plus courant il désigne tout récit fondé sur des croyances fabuleuses, et qui éclaire un trait fondamental des conduites humaines.

Les mythes sont présents dans toutes les cultures ; on se bornera bien sûr ici à l'Occident. La principale source mythique en est la culture grecque, et en son sein la *Théogonie* d'Hésiode qui relate la généalogie et les conflits des dieux et par là, donne des explications du monde. La littérature grecque, particulièrement la tragédie, a souvent pris pour héros des figures mythiques : les Atrides et la Guerre de Troie, Héraklès, Thésée, Œdipe... Mais la philosophie ne dédaigne pas de recourir au mythe comme moyen d'exemplum : ainsi le mythe de la caverne chez Platon. À Rome, les mythes grecs sont largement repris, Ovide leur consacre ses *Métamorphoses* et *L'Énéide* de Virgile recours au mythe troyen. Et la littérature romaine invente aussi des mythes, ou acclimate des mythes orientaux : ainsi *L'âne d'Or* d'Apulée rend célèbre le mythe de Psyché. La tradition judéo-chrétienne, de son côté, offre aussi un ensemble de récits qui se donnent comme vrais, mais dont certains sont similaires de mythes enregistrés par Ovide (par exemple le déluge). Le Moyen Âge européen adapte les mythes antiques (ainsi la reprise du mythe troyen dans le *Roman de Troie*, ou celui de Pyrame et Thisbée), mais donne place aussi à d'autres sources : ainsi les récits celtiques qui fondent le cycle des romans de la Table Ronde de Chrétien de Troie. Se produisent dès lors des alliages entre mythes d'origine païenne et mythes chrétiens : ainsi, l'héritage latin et les légendes celtiques se combinent dans le mythe de Tristan, associé à l'héritage des *Métamorphoses* par Marie de France dans le *Lai du chèvrefeuille*, et les récits de la Table Ronde font d'un côté appel à la fée Morgane, l'enchanteur Merlin et l'épée merveilleuse Excalibur, mais aussi, de l'autre côté, à la légende du Graal ; l'univers ainsi créé est à la fois épique et pétri de « merveilles » chrétiennes.

Dans la première modernité (XVIe-XVIIIe s.), quoique le rationalisme aille croissant, les mythes fournissent les personnages de nombre d'œuvres théâtrales (Corneille, *Médée*, Racine, *Phèdre*, Molière, *Amphitryon*, par exemple) et des images pour la célébration des Grands (Henri IV a été associé à une figure d'« Hercule gaulois »), fût-ce au prix d'une mythification de personnages historiques (Alexandre le Grand pris comme représentation allégorique pour Louis XIV). La mythification y est un moyen de l'épidictique : ainsi Louis XIV danse dans des ballets de cour en personnage d'Apollon, et l'image du « roi-soleil » est une construction mythique de propagande. Mais s'amorcent aussi deux courants neufs : l'usage burlesque des mythes, dont Rabelais est un représentant majeur et qu'on retrouve dans l'*Ovide en belle humeur* de d'Assoucy (1653) ou dans le *Virgile travesti* de Scarron (1648-53), et, à l'opposé – ou en symétrique – la réflexion sur l'interprétation des mythes, dont *La sagesse des Anciens* de Bacon (1609) est l'exemple sans doute le plus remarquable. Surtout, cette période voit l'essor de deux grands mythes modernes : celui de Don Juan, né en Espagne (à partir d'un schème antique, celui de la statue de Mythis, mais avec une matière sociale et chrétienne toute moderne), et celui de Faust en Allemagne (héritier des traditions de l'âme vendue au diable et de l'alchimie). Dans d'autres cas, on assiste à une modernisation d'éléments anciens qui est d'une force telle que le mythe qu'elle dessine recouvre et occulte le schéma premier : *Roméo et Juliette* accède à une célébrité que Pyrame et Thisbée n'a plus. Le désir de composer des épopées nationales qui court au long de cette période mythifie des figures de l'histoire (telle Jeanne d'Arc). Au même moment, et au temps des Lumières en particulier, l'essor des voyages fournit d'autres sources, exotiques : *Les mille et une nuits* traduites par Galland (1704-1712) manifestent la curiosité pour des mythes orientaux. Mais la tradition classique reste forte, et à la fin du XVIIIe s., le néoclassicisme, en particulier sa version « révolutionnaire » atteste de la présence des mythes anciens, et de leur usage pour dire les enjeux du présent en les adaptant ou les réinventant au besoin (par exemple l'usage du bonnet phrygien comme symbole de la république). La Restauration voit un second moment où les mythes antiques et d'autres, venus des horizons germaniques notamment, interfèrent. Le mythe est présent dans la fiction narrative en prose (Balzac, *La peau de chagrin*, 1831) comme dans la poésie épique (avec la vaste fresque de *La légende des siècles* de Hugo, 1859-1883). Et les auteurs de toute tendance subissent et nourrissent les mythes nés de l'histoire récente, en particulier celui de Napoléon. Réactivation des mythes aussi dans la façon de représenter l'activité littéraire, soit dans la figure du « mage » chez Hugo, soit – comme critique – par l'Erato inspiratrice (Verlaine, *Épilogue* des *Poèmes saturniens*, 1866). La philosophie positiviste n'enraye pas cette efflorescence (d'ailleurs elle-même se fonde sur une représentation de trois « âges » de l'humanité) et des quêtes neuves font entrer les mythologies populaires du terroir en littérature (ainsi G. Sand joint à *La mare au diable*, 1846, les mythes berrichons du mariage qu'elle a collectés en préparant son roman). Même les naturalistes sont attirés par le mythique, à la fin du siècle où les décadents et les symbolistes en sont passionnés. Au même moment se fait sentir une forte influence de l'Allemagne avec Wagner et sa tétralogie d'Opéra des *Niebelungen* et Nieztsche qui, après avoir donné une lecture « mythique » de *La naissance de la tragédie* (1872), avec Zaratoustra et le mythe de « l'éternel retour » remet en honneur l'usage du mythe en philosophie. L'apparition de la psychanalyse constitue, à l'orée du XXe s., un autre investissement des mythes : l'anthropologie freudienne non seulement se dit, mais se construit au moyen de mythes, celui d'Œdipe tout particulièrement. Plus globalement, toutes les formes de la relation au mythe abondent au long du XXe s. Ses usages burlesques ne cessent pas, dans la lignée de Jarry (*Le surmâle*, 1902) ou de Queneau (*Les fleurs bleues*, 1965). La culture de grande consommation est envahie de figures mythiques, en reprise des modèles anciens (les aventures d'Ulysse adaptées en science-fiction par exemple, ou les « péplums » au cinéma), en construction de modèles de jeux (« livres dont vous êtes le héros », jeux informatiques...) et en fabrication de nouveaux types. La littérature légitime en fourmille, tant par reprise des grands modèles antiques (*Antigone* par exemple, ou les Atrides dans *Les mouches, 1943*, de Sartre, etc.) que modernes (Don Juan...) et la réactivation de modèles nationaux à des fins politiques (Jeanne d'Arc, de Péguy à Claudel). La philosophie y recourt comme moyen d'analyser l'absurde du monde moderne (Camus, *Le mythe de Sisyphe*, 1942). L'anthropologie, et pour partie la sémiologie structurale, fondent leurs enquêtes sur l'analyse des mythes (Lévi-Strauss, Propp). Enfin, une forme littéraire d'investigation du monde présent ressource l'écriture moraliste dans l'analyse des *Mythologies* du quotidien (R. Barthes, 1953). En même temps, la critique littéraire et l'essayisme anthropologique constituent le mythe en objet d'étude privilégié (Éliade, D. de Rougemont) et mythocritique.

Présent dans toutes les cultures et dans tous les arts, le mythe constitue un phénomène universel. À l'échelon d'une aire large – la tradition occidentale ici – il est possible d'observer des constantes, et donc de considérer que les mythes fournissent un substrat de croyances et de représentations qui relève d'une anthropologie culturelle. Les mythes sont ainsi un des réservoirs de sens les plus importants pour la littérature : sur ces schémas profonds, elle ne cesse d'opérer des relectures, des transpositions, des remodelages. Il serait aisé de considérer qu'ils constituent l'expression de croyances universelles, transcendant variations de cultures et de situations historiques, et que les œuvres en seraient des « habillages » divers, ou des exploitations selon les besoins du discours du moment. Mais on ne peut ramener les mythes seulement à des thèmes, ni à un réservoir de structures diversement (ré)activées : leur histoire suppose l'analyse de leurs variations, mais aussi de leur invention. D'une part, les mythes se prêtent à des transformations, allant jusqu'à modifier leur signification : par exemple une tradition représente Phèdre comme désirante, dévoreuse et coupable, mais Racine en fait une « coupable malgré elle » et donc change l'ethos du personnage. Mais d'autre part, des mythes neufs se forment : ainsi les figurations de l'amour dans l'antiquité grecque ne supposaient pas les mêmes interrogations que dans l'Occident moderne, et l'invention du mythe de Dom Juan répond aux inquiétudes liées aux dispositifs nouveaux du mariage et du rôle croissant qui y est dévolu à l'amour-désir. Les similitudes entre mythes de diverses croyances et la production sans cesse renouvelée de mythes neufs appellent à plutôt regarder les mythes comme des interrogations premières, et leurs réinvestissements par la création littéraire, comme l'invention de représentations nécessaires à chaque état de culture face à ces questions. Ainsi se révèlent deux rôles conjoints du littéraire : maintenir, conserver des croyances et des modes de représentation, et innover, créer des représentations. De sorte qu'objets, non pas seulement de répétition – dont le sens ne serait pas fondamentalement affecté par les variations de leur mise en texte – mais de réinventions et inventions, les mythes ont une fonction d'exploration, de voie de connaissance : le mythe de la caverne chez Platon explore par l'imaginaire ce qui résiste à l'analyse rationnelle, et à l'époque moderne, les *Mythologies* de Barthes saisissent par la figuration en mots ce qui résiste aux enquêtes et mises en série statistiques du sociologue.

Enfin, l'histoire abonde de « mythes de la littérature ». La poésie a été représentée par Orphée, mythe persistant dans les conceptions de la littérature comme inspiration venue de l'au-delà et affrontement de l'homme avec la mort. Mais le mythe de Prométhée, qui fait du poète un « voleur de feu » qui tente de libérer les hommes au prix de son propre sacrifice, n'est pas moins présent. Le mythe de la tour de Babel est aussi un des plus obsédants : la division de l'humanité en groupes, donc en cultures et littératures, de langues différentes est représentée là comme à la fois le signe de l'impossibilité d'une vraie communication totale – donc d'accéder à l'universel – et de l'imperfection de chaque langue – donc d'accéder au vrai. De tels mythes disent l'héroïsme de l'entreprise littéraire comme entreprise de connaissance (Prométhée) et son désespoir inéluctable (Orphée, Babel).

▶ ALBOUY P., *Mythes et mythologie dans la littérature française*, Paris, A. Colin, 1968. — BRUNEL P., *Le mythe d'Électre*, Paris, A. Colin, [1971], 1995 ; *Dictionnaire des mythes littéraires*, Monaco, Le Rocher, 1988. — CAILLOIS R., *Le mythe et l'homme*, Paris, Gallimard, 1972. — TROUSSON R., *Thèmes et mythes*, Bruxelles, Éd. de l'U. de Bruxelles, 1981. — Coll. : *Le mythe en littérature* (textes réunis par Y. Chevrel et Y Dumoulier), Paris, PUF, 2000.

Eric BORDAS

→ *Anthropologie ; Antiquité ; Classicisme ; Culture ; Épopée ; Imaginaire et imagination ; Inspiration ; Mythocritique ; Psychanalyse ; Structuralisme.*

MYTHOCRITIQUE

La mythocritique a été définie par Gilbert Durand (1979) comme une recherche visant à « dévoiler un système pertinent de dynamismes imaginaires ». Son domaine privilégié est la littérature. Elle consiste à analyser les mythes, ou grandes structures figuratives, d'une culture à un moment donné. Elle est donc une hypothèse d'étude anthropologique du littéraire, ou d'inclusion de la littérature dans l'anthropologie.

Les liens entre mythe et littérature sont manifestes, nombreux et étroits. Ils ont fait l'objet de nombreuses études (ainsi en France les travaux de P. Brunel, ou aux États-Unis ceux de Northop Frye – voir par exemple *Myth and metaphor*, Charlottesville, UVP, 1990). La mythocritique en constitue un projet formalisé. Durand considère la littérature, et spécialement le récit romanesque, comme « un département du mythe ». Sa mythocritique procède de la psychocritique de Charles Mauron, élaborée dans les années 1950 et empruntant à Freud. Mauron fondait ses analyses sur l'hypothèse qu'on peut déceler la présence, dans l'œuvre de chaque écrivain, d'un « mythe personnel » propre à l'auteur, fantasme persistant mais dynamique, qui « dure, à sa façon, au-dessous de la conscience ». Ce mythe personnel, découvert grâce aux réseaux d'associations et aux groupements d'images, Mauron l'interprétait comme « l'expression de la personnalité inconsciente et de son évolution ». La psychocritique se distingue ainsi de la psychanalyse en ce qu'elle n'a nulle ambition thérapeutique. Encore en amont, Jung, étudiant l'inconscient collectif, y intégrait l'étude des mythes, en supposant que le mythe dépassait sa fonction collective et religieuse pour marquer la psyché individuelle. L'investigation de la *psyché* collective avait été illustrée aussi par Denis de Rougemont, à travers sa lecture des mythes occidentaux de l'amour-passion, notamment de Phèdre et de Tristan. Au carrefour de ces influences, la mythocritique, se situant à l'échelon d'une culture, étudie des ensembles d'œuvres plutôt que des œuvres individuelles. Elle les aborde selon la perspective d'un mythe, plutôt que selon une unité factuelle – de date, de forme ou de genre. Elle suppose donc une définition préalable des mythes qui fondent l'enquête, et de leurs significations et fonctions. Elle déboucherait, selon Durand, sur une mythanalyse, ou

« méthode d'analyse scientifique des mythes afin d'en tirer non seulement le sens psychologique, mais le sens sociologique ». La mythanalyse permettrait alors d'élargir le champ individuel de la psychanalyse.

La mythocritique a des liens complexes avec la psychanalyse qui constitue sa source première. À ce titre, elle a donné lieu à des divergences et des discussions entre ses promoteurs.

Durand reprend les travaux de Mauron, mais lui reproche ses attaches avec une psychanalyse individuelle : à ses yeux, la notion de « mythe personnel » est un monstre terminologique et une aberration conceptuelle. Car, estime-t-il, « le mythe passe de loin, et de beaucoup, la personne, ses comportements et ses idéologies ». On comprend l'élargissement radical du champ analytique sur lequel repose la mythocritique. Celle-ci « prend pour postulat de base qu'une "image obsédante", un symbole moyen, peut être non seulement intégré à une œuvre, mais encore être intégrant », c'est-à-dire être un élément fondamental d'organisation de l'ensemble de l'œuvre d'un auteur ; pour cela, il « doit s'ancrer dans un fonds anthropologique plus profond que l'aventure personnelle enregistrée dans les strates de l'inconscient biographique » (Durand). La mythocritique s'interroge donc sur les mythes primordiaux, tout imprégnés d'héritage culturel, qui viennent intégrer les obsessions individuelles et le mythe personnel lui-même. C'est en ce sens qu'elle est retenue par P. Brunel notamment, qui estime que Durand, pour sa part, va trop loin en allant au-delà. En effet, Durand substituerait volontiers au « mythe personnel » la notion de « complexe personnel », réservant le nom de mythe à une « surculture par rapport à une culture donnée, surnature humaine par rapport à la Nature humaine en général ». S'ouvre ainsi le champ d'une mythanalyse, qui prend ses distances avec toute inscription historique ou sociologique précise de l'œuvre, en dehors du vécu sensible du sujet écrivant – à moins de considérer les révélations du texte comme symptômes généraux d'une institution sociale, ce que la critique des mythes réprouve fortement. Pour Durand, Rougemont a le tort de faire ressurgir, à la dimension collective, l'ambition thérapeutique de la psychanalyse, confondant ainsi les discours et les fins, mais sa démarche est néanmoins un exemple d'attention aux éléments *autres*, implicites agissants dans les textes, à un inconscient collectif. Le discours critique doit alors savoir les prendre en charge, en décelant les indices textuels révélateurs d'un mythe. Ainsi la mythanalyse, critique, commencerait où la mythocritique, analytique, s'arrête.

▶ BRUNEL P., *Mythocritique. Théorie et parcours*, Paris, PUF, 1992. — DURAND G., *Figures mythiques et visages de l'œuvre : de la mythocritique à la mythanalyse*, Paris, Berg international, 1979. — MAURON Ch., *Des métaphores obsédantes au mythe personnel. Introduction à la psychocritique*, Paris, José Corti, 1962. — ROUGEMONT D. de, *Les mythes de l'amour*, [1939], Paris, Albin Michel, 1961.

Éric BORDAS

→ *Anthropologie ; Critique psychologique et psychanalytique ; Image, imagologie ; Mythe ; Psychanalyse.*

N

NARRATION

Souvent donnée comme un équivalent technique du récit, la narration se définit à la fois comme l'acte de raconter et comme le produit de cet acte. En tant que produit, elle se présente comme la relation écrite ou orale de faits, d'événements, fictifs ou réels. Elle se soumet alors à des règles d'organisation qui font intervenir la chronologie (antériorité, concomitance, postérité) et la logique (causalité, parallélisme, contradiction). En tant qu'acte, elle suppose la présence d'un narrateur et d'un narrataire, ce qui lui confère une valeur discursive et pragmatique.

Sans doute l'étymologie du verbe « narrer » explique-t-elle l'ambivalence du terme : *narrare*, qui signifie « faire connaître, raconter » est selon le *Dictionnaire historique de la langue française*, dérivé de *gnarus*, « qui connaît ». La narration se présente donc à la fois comme un acte de connaissance, en ce qu'elle rend compte d'événements, et comme une création. C'est peut-être pour cette raison que l'éloquence telle que la définissait Cicéron donnait la part belle à la *narratio*. Située juste après l'exorde, elle avait pour fonction de présenter le récit des faits en cause, et donc d'informer, mais elle nécessitait aussi une sélection de ce qui serait ensuite utile à l'orateur pour développer ses preuves et infléchir le jugement du public, ce qui lui conférait donc une fonction argumentative. Aussi la *narratio* est-elle un exercice d'écriture fortement recommandé par les rhétoriciens, depuis Quintilien (*L'institution oratoire*) et elle l'est restée dans les usages scolaires français jusqu'au XXe s.

L'étude de la narration devient un point fort des recherches littéraires modernes à partir du moment où les formalistes russes engagent leur travail sur les structures du récit. Ils empruntent à Platon et Aristote leurs réflexions sur la *mimésis*. Selon Platon, au IIIe livre de la *République*, seule la poésie dramatique représente directement, par imitation simple. Les dialogues au sein d'un récit relèvent aussi, par exception, de la représentation directe. Le récit lui-même est une représentation indirecte. Pour Aristote, poésie dramatique et poésie narrative (*diègèsis*) sont deux formes de la *mimésis* : la représentation peut être de façon égale directe ou indirecte. Ricœur souligne (*Temps et récit*, I, 2) que pour Aristote, *mimésis* et *mythos* forment un couple indissociable : en tant qu'« agencement des faits en système » (*è ton pragmatôn sustasis*), le *mythos* est la mise en intrigue qui permet la représentation de l'action, aussi bien pour la poésie dramatique que pour la poésie narrative.

Dans ce cadre, une distinction fondamentale est établie par les analystes de la narration, entre l'histoire (ou la « fable » selon le terme choisi par Tomachevski), c'est-à-dire les événements rapportés et la manière dont ils sont racontés. T. Todorov renvoie cette opposition à la répartition que la rhétorique classique proposait entre *inventio* et *dispositio* (« Les catégories du récit littéraire », *Communications*, 8, 1969). Le terme de narration est alors employé pour renvoyer au « code à travers lequel narrateur et lecteurs sont signifiés » (R. Barthes, « Introduction à l'analyse structurale des récits », *Ibid.*). On constate néanmoins des oscillations terminologiques qui favorisent la confusion entre narration et récit. Par souci de clarté, G. Genette propose de réserver le terme de « narration » à « l'acte narratif producteur », et d'en distinguer le « récit », en tant qu'il est « le signifiant, l'énoncé, le discours, le texte narratif luimême », et l'« histoire » qui désigne le « signifié ou contenu narratif » (« Introduction au discours du récit », *Ibid.*).

À ces problèmes qui, depuis les formalistes, concernent les structures narratives du récit, s'ajoutent depuis les années 1980, une série de questions concernant l'activité narrative comme telle. La pragmatique s'intéresse ainsi aux modalités d'insertion de la narration dans un discours plus vaste qui lui donne son sens et articule la narration aux circonstances particulières de son énonciation, par l'étude du sujet narrant et du contexte dans lequel s'effectue la narration. De l'analyse de la conversation jusqu'aux travaux de sémiotique théâtrale, se pose ainsi le problème des rapports entre dialogue et narration. L'historiographie contemporaine soulève celui de la narration comme modalité particulière de l'argumentation. Plus largement, l'idée de narration (comme acte ou objet clos) tend à être remplacée par celle de narrativité, comme principe ouvert et virtuel, générateur d'un ensemble de discours. Ainsi, selon Ricœur, la narrativité serait la caractéristique distincte de l'histoire dans le champ des sciences sociales (*Temps et récit*, 1, p. 133).

La relation établie entre narration et mimésis suppose qu'on s'interroge sur le rapport entre narration et description qu'on oppose souvent depuis Marmontel (XVIIIe s.). Elles sont pourtant dans leur fonction, comme dans leur nature, indissociables : les éléments de description confirment l'impression de réalité des faits narrés dans la mesure où la description, comme la narration, se veut re-présentation. Une narration, même minimale, comporte des indications de description ; une description comporte (par métonymie, ou par métaphore) des indications sur ce qui détermine les personnages, elle présente des signes dont l'apparition ou la disparition renvoient à des événements.

Le même lien entre narration et mimésis engage les relations entre le discours et les événements rapportés. Que ces événements se révèlent être fictifs ou réels, la manière de les raconter ne varie pas : l'organisation des différents éléments qui la constituent tend à former une « unité d'action » (et ce, même dans les productions romanesques contemporaines qui peuvent chercher à mimer l'incohérence du réel). Les temps employés sont généralement ceux du passé, ils viennent cautionner l'existence des faits relatés, plutôt qu'ils ne renvoient à une temporalité définie (c'est ainsi le cas de l'usage des temps du passé dans les œuvres de science-fiction). L'emploi du présent « de narration », utilisé pour exprimer une action passée mais dont la dimension dramatique est remarquable, souligne à quel point l'usage dépasse la simple question de la temporalité. Raconter c'est, ainsi, faire exister « un événement absent de la scène de la narration » (J. Bres, *Autour de la narration*, p. 8). L'effet de réel est obtenu par une série de mécanismes formels qui ne permettent pas de distinguer en soi les narrations de faits réels et les narrations de faits fictifs. La réflexion sur la narration permet donc d'engager celle sur la performativité des discours.

La narration suppose la présence d'un narrateur (qui n'est pas nécessairement identifiable à l'auteur) ; ce narrateur organise les éléments dont il fait état, il les met en « intrigue », ce qui revient à dire qu'il établit des liens (chronologiques ou logiques) et donc impose, au sens strict du terme, un « point de vue » sur ce qu'il raconte. Il a plein pouvoir sur le temps, aussi bien en termes de chronologie qu'en termes de durée. Il peut inverser l'ordre des événements (analepse – ou *flash back* – et prolepse – ou anticipation – dans la terminologie de Genette) afin de donner à l'avance le sens d'un épisode ou de le laisser en suspens. Il peut insister sur telle ou telle partie du récit. Ainsi Genette définit-il les notions de scène (moment privilégié par le narrateur qui lui consacre un nombre de pages important en regard de la durée de l'épisode rapporté), de sommaire (nombre de pages réduit en regard de la durée évoquée, présentation d'actions qui se reproduisent régulièrement) et d'ellipse (oblitération d'éléments en raison de leur aspect anecdotique, en vue de préserver le suspense...).

Mais encore, le narrateur peut marquer plus ou moins sa présence : soit qu'il figure expressément dans la narration comme personnage, soit qu'il s'immisce pour juger, pour pénétrer les consciences (omniscience), soit qu'il s'efface derrière le point de vue du ou des personnages qu'il adopte. Selon Todorov, nous disposons donc d'une quantité de renseignements sur lui, ce qui devrait nous permettre de le situer avec précision, « mais cette image fugitive ne se laisse pas approcher, et elle revêt constamment des masques contradictoires, allant de celle d'un auteur en chair et en os à celle d'un personnage quelconque » (*art. cit.*, p. 152).

Le narrataire ne s'identifie pas non plus au lecteur. Partenaire du narrateur dans la communication narrative, il peut figurer expressément dans la narration lui aussi, soit sous la forme d'un personnage (telle Nathalie de Manerville dans *Le lys de la vallée*), soit par une interpellation directe (« le lecteur croira que... ») ou rester sous-entendu. Sa figuration en tant que personnage caractérise les jeux d'enchâssements, particulièrement fréquents dans le roman épistolaire. On pourra évoquer la célèbre lettre 48 des *Liaisons dangereuses* qui signe l'arrêt de Valmont dans la mesure où il commet l'erreur de se donner comme narrataire non seulement Madame de Tourvel, mais aussi Émilie, la courtisane de Madame de Merteuil, signifiant par là qu'il ne voit pas de différence entre ces femmes. Toutefois, l'exemple du roman de Laclos, pour être bien saisi, exige que soit prise en compte, plus encore que la seule structure narrative, l'activité narrative comme telle et que soient analysées tant les règles sociales en jeu dans l'interaction entre les personnages que la compétence narrative proprement dite des deux destinataires, compétence dont dépend l'issue du roman.

▶ BRES J., *La narrativité*, Louvain-la-Neuve, Duculot, 1994. — GENETTE G., *Nouveau discours du récit*, Paris, Le Seuil, 1983. — LAFORET M. (dir.), *Autour de la narration. Les abords du récit conversationnel*, Québec, Nuit blanche, 1996. — ORTEMANN M.-J., *Le narratif, le poétique, l'argu-*

mentatif, Nantes, Université de Nantes, 1997. — RICŒUR P., *Temps et récit*, 3 vol, Paris, Le Seuil, 1983.

Isabelle MIMOUNI, Lucie ROBERT

→ *Argumentation ; Conte ; Description ; Fable ; Fiction ; Mimésis ; Réalisme ; Roman ; Théories de la narration.*

NATIONALE (Littérature)

Le terme « littérature nationale » sert à désigner l'ensemble des traits thématiques et linguistiques qui permettent de rattacher un corpus d'œuvres et de pratiques à un groupe ou une communauté historiquement et politiquement constitués.

La Deffence et Illustration de la langue françoyse de Du Bellay (1549) est un des textes significatifs de la constitution de l'espace littéraire européen en domaines nationaux : ce texte exprime le double souhait que le français, et donc la France, s'émancipe de l'hégémonie du latin, mais aussi de la prépondérance culturelle de l'Italie à cette époque. À l'âge classique, l'affirmation de cette double suprématie, de la langue mais aussi de la France en tant que puissance politique, place ce pays en tête des mouvements d'affirmation identitaire nationale. Les Modernes en particulier (ainsi Desmarets de Saint-Sorlin, *Défense de la langue française*, 1675), mais aussi des jésuites comme Bouhours (*Entretiens*, 1671) expriment très clairement les termes de ce mouvement. On voit ainsi se dessiner l'espace culturel comme espace de luttes y compris entre communautés qui se forment progressivement en nations. La prépondérance de la France et du français perdure aux siècles suivants. Aussi est-ce en Allemagne, autour de Goethe, et contre le « classicisme » français, que s'affirme une revendication d'identité culturelle qui, si elle n'est pas encore nationale au sens politique du terme – l'Allemagne est divisée et son unité politique point encore envisagée – l'est du moins pour la langue et la littérature (Stenzel). Ainsi, inspiré des idées émancipatrices des Lumières, s'amorce un mouvement qui prend d'abord appui sur l'invention et l'exaltation de traditions culturelles populaires (de longue durée) ressortissant principalement au domaine littéraire, et se transpose ensuite sur un plan politique en opposant la figure du peuple à celle de la grande aristocratie. La publication en 1761 par l'écossais James Macpherson des chants d'une épopée nordique du IIIe s. attribuée à un barde, Ossian, manifeste les aspirations politiques de la nation. En Allemagne, Herder s'appuie sur ce mouvement pour donner une réflexion sur le rôle dévolu à la langue et à la littérature dans la constitution et l'unification de la nation, de même que dans « l'amélioration du Peuple ». Le mouvement politique des « nationalités », qui anime la vie politique européenne au XIXe s., contribue à promouvoir la notion de « littérature nationale » comme celle de « langue nationale » qui lui est concomitante, tant en Amérique qu'en Europe.

L'enseignement des lettres contribue fortement à ce résultat. En effet, progressivement les littératures classiques anciennes qui formaient le couronnement de la formation dans le secondaire se voient concurrencées, en France notamment dans les années 1880, par la littérature française. La littérature et son enseignement sont alors, explicitement dans des discours politiques, présentés comme des moyens de forger un esprit, un « génie », français. Progressivement, dans certains pays francophones, au Québec en particulier, en Suisse, à un moindre degré en Belgique, s'élaborent des littératures propres qui manifestent les identités plus ou moins politiquement affirmées de leurs collectivités francophones. Au XIXe s., en Belgique et au Canada, le recours à la tradition légendaire est utilisé pour fonder les littératures nationales tant chez De Coster (*La légende d'Ulenspiegel*, 1867) que Casgrain (*Légendes canadiennes*, 1861) ou Fréchette (*La Légende d'un peuple*, 1887). Au XXe s., dans la mouvance de la décolonisation, puis des revendications indépendantistes, certains écrivains d'Afrique, des Antilles (Césaire, Glissant) et du Québec (Miron, Aquin) associent ouvertement leur pratique littéraire à la constitution politique de la nation.

À la fin du XXe s., la dénomination « littérature nationale » est exposée à une profonde réévaluation. Entre autres facteurs, les vagues migratoires que connaît l'Occident rendent de plus en plus difficile le classement des écrivains et des œuvres sur une base nationale traditionnelle, c'est-à-dire en faisant coïncider culture, langue et nation (ainsi Gao Xingjian, prix Nobel 2001 est-il de langue chinoise, mais vivant en France). À l'aube du XXIe s., ce réexamen semble porté par deux tendances contradictoires. D'un côté, l'accroissement des échanges internationaux, le renforcement de l'Union Européenne et une forte tendance à la globalisation déstabilisent, sur le plan politique comme culturel, la validité du modèle national tel que l'a construit le XIXe s. D'un autre côté, les aspirations à l'existence politique des petites nations ainsi que la réaction au processus de mondialisation en cours concourent à maintenir la diversité culturelle du monde et plaident de fait pour le maintien de littératures nationales. Ces deux tendances, qui semblent partagées dans les pratiques, suscitent des ré-interrogations – non sans polémiques – dans les études sur la question et contribuent par la tension qu'elles provoquent à une réflexion sur les fondements de l'histoire littéraire, généralement établie sur une base nationale.

▶ ANDERSON B. *L'imaginaire national. Réflexions sur l'origine et l'essor du nationalisme*, [1983], Paris, La découverte, 1996. — CASANOVA P., *La république mondiale des lettres*,

Paris, Le Seuil, 1999. — LEMIRE M. & Saint-Jacques D. (dir.), *La vie littéraire au Québec*, t. III et IV (1840-1869), (1870-1894), Québec, PUL. — MAGETTI D., *L'invention de la littérature romande, 1830-1910*, Lausanne, Payot, 1995. — THIESSE A.-M. *La création des identités nationales. Europe XVIIIe-XXe siècle*, Paris, Le Seuil, 1999.

Marie-Andrée BEAUDET

→ *Enseignement de la littérature ; Histoire littéraire ; Idéologie ; Identitaire ; Langue française (Histoire de la) ; Littérature générale.*

NATURALISME

Le naturalisme, terme employé au XIXe s. pour désigner l'imitation de la nature dans les arts, est le nom qu'adoptent en 1877 Émile Zola, les frères Goncourt puis autour d'eux les écrivains du Groupe de Médan (1880) pour caractériser l'inflexion qu'ils entendent donner au roman réaliste. Ils insistent alors sur la dimension stylistique de leur travail, sur les sujets nouveaux qu'ils vont traiter (le social notamment), et, de manière moins partagée, sur leur ambition scientifique (la méthode expérimentale). En tant que telle, l'École naturaliste se dissout dès le Manifeste des Cinq contre *La terre* (1887), mais Zola, qui publie un roman par an entre 1871 et 1893, en assure la pérennité.

La parution en 1880 des *Soirées de Médan*, recueil de nouvelles signées par P. Alexis, H. Céard, G. de Maupassant, L. Hennique, J.-K. Huysmans et Zola, s'impose comme le manifeste d'une nouvelle école littéraire. Réuni autour d'un chef de file plus âgé (Zola est né en 1840, les autres 7 à 11 ans plus tard), le groupe se caractérise par une origine sociale plus modeste que celle des parnassiens et par les genres qu'il investit, le roman et la nouvelle, bien moins dotés que la poésie (ce qui rejoint aussi des motifs économiques, puisqu'ils sont davantage objets de forts tirages). Dans *Le roman expérimental* (1880), Zola développe la figure du « savant », inspiré par la méthode de Claude Bernard, qui rompt avec les mythologies romantiques de l'écrivain prophète. Il entend ainsi récuser l'image d'un « chef d'école » littéraire, tout en assumant ce rôle en pratique par l'importance de sa production d'écrivain, de critique d'art, et de journaliste. Mais très vite ses disciples s'opposent à lui, précisément parce qu'ils n'ont rien à gagner à se tenir dans l'ombre d'un auteur de plus en plus populaire. *À rebours* de Huysmans (1884), le *Manifeste des Cinq* et *Un caractère* de Hennique (1889) rythment leur désaffection. Seuls quelques écrivains moins cotés (comme Alexis) et d'origine provinciale ou étrangère (comme le Belge C. Lemonnier) restent, pendant un temps au moins, fidèles à Zola. En 1891, au moment de l'*Enquête sur l'évolution littéraire* de Jules Huret, Zola et Alexis apparaissent comme les derniers partisans du naturalisme. Le roman, promu à une nouvelle notoriété, est investi par l'avant-garde (Gide), par les romanciers psychologues (Bourget) qui sont des prosateurs d'une tout autre origine sociale. En parallèle, Zola risque sa réputation dans un manifeste éthique et politique (*J'accuse*, 1898) et il adapte huit romans pour le théâtre, genre rentable auquel s'intéressent également Céard, Alexis, Maupassant et, surtout, H. Becque (*Les corbeaux*, 1882) et O. Mirbeau (*Les affaires sont les affaires*, 1903). Au même moment, la fortune européenne du naturalisme (en Norvège, avec Ibsen, en Allemagne avec Hauptmann ou en Suède avec Björsen) fait du mouvement un des vecteurs de la révolution de la mise en scène (avec le Théâtre libre d'Antoine), liée à un changement de la composition du public.

L'histoire du naturalisme est faite d'une succession de paradoxes dont les chercheurs n'ont pas fini de démêler les fils. Sa constitution est celle d'un groupe littéraire d'un type nouveau, où les disciples ont renié leur chef de file pour des motifs liés aux chances de chacun d'acquérir une notoriété particulière. Son discours se veut scientifique, vise à l'objectivité et procède d'une documentation exemplaire, mais il forme contraste avec le développement d'une « écriture artiste » volontiers métaphorique, voire proche des thèmes de la décadence dans ses dernières productions. Ces tensions sont celles d'écrivains à la fois soucieux d'être reconnus par leurs pairs et les institutions (Zola se présente vainement à 24 reprises à l'Académie française) et qui ont besoin de tirages élevés pour vivre de leur plume. Ils cherchent à se déprendre du piège de la popularité, par quoi ils risquent de se confondre avec les feuilletonistes, mais ils en ont également besoin sur le plan économique. De même, la place, nouvelle dans l'histoire de la littérature française, qu'ils accordent au peuple, et au peuple qui travaille (*Germinie Lacerteux* des frères Goncourt, 1865 ; *Germinal*, 1885), représente une « marque » typiquement naturaliste (au point que la poésie de Verhaeren, parce qu'elle aborde les mêmes thèmes, sera rapprochée du mouvement), mais cette position est difficile à tenir au plan littéraire par les enjeux sociaux qu'elle comporte. Contemporain de l'émergence politique du prolétariat, le naturalisme a pris le risque d'être intégré dans le combat politique, tout en réaffirmant sans cesse sa nature exclusivement littéraire. Toutes ces raisons ont fait du naturalisme un objet d'étude particulièrement prisé par la sociologie de la littérature (Charle) et par la sociocritique (Mitterand).

▶ BECKER C. et al., *Dictionnaire d'Émile Zola*, Paris, Laffont, 1993. — CHARLE C., *La crise littéraire à l'époque du naturalisme*, Paris, PENS, 1979. — PONTON R., « Naissance du roman psychologique », *Actes de la recherche en sciences sociales*, juillet 1975, 4, p. 66-81. — MITTERRAND H., *Le discours du roman*, Paris, PUF, 1980. — Coll. : *Les cahiers naturalistes*, revue.

Paul ARON

→ *Didactique (Littérature) ; Écoles littéraires ; Écriture ; Expérimentale (Littérature) ; Positivisme ; Réalisme ; Roman ; Roman familial ; Sciences et lettres ; Style ; Théâtre populaire.*

NÈGRE → Écrivain

NÉGRITUDE → Afrique subsaharienne ; Caraïbe ; Coloniale (Littérature) ; Engagée (Littérature) ; Postcolonialisme

NÉO-CLASSICISME

Le néo-classicisme désigne dans les arts plastiques et en architecture un mouvement des formes et des idées apparu dans la seconde moitié du XVIIIe s., qui se caractérise par un retour à l'Antiquité grecque et romaine. Dans le domaine littéraire, on l'utilise d'une part pour regrouper une série de textes contemporains de ce mouvement et, d'autre part, pour marquer la tendance d'œuvres ultérieures à célébrer les formes et les valeurs attribuées au classicisme français et à l'héritage ancien.

La réaction contre les fastes baroques est contemporaine de la fermeture des collèges jésuites (1764) qui en avaient fait leur esthétique de prédilection. Le retour aux sources anciennes, perçu comme un retour au naturel et à la simplicité, va de pair avec ce que Diderot, reprenant une expression de Roger de Piles à propos de la statuaire antique, appelle le « grand goût ». Cette esthétique de l'imitation est également liée aux valeurs que les Lumières accordent généralement à la démocratie athénienne ou à la république romaine. André Chénier, dont l'œuvre ne sera diffusée qu'à partir de 1819, valorise ainsi le métier de l'écrivain, mais il n'y réduit pas l'inspiration (en quoi il participe déjà du romantisme) et prône des « pensers nouveaux » qui sont ceux des Philosophes. La nature, pour Jacques Delille (*Les jardins*, 1782), est également le lieu d'un enseignement (Guitton). Le théâtre républicain (par exemple G. Legouvé, *Quintus Fabius ou la discipline romaine*, 1795) se sert de la référence antique pour dénoncer les abus de l'Ancien Régime et vanter les vertus, mais aussi blâmer les excès, de la Révolution.

Au XIXe s., la référence à l'Antiquité, qui demeure constante, notamment dans l'enseignement, alimente des œuvres comme celles de Chateaubriand (qui, dit-il, donne à *Atala* « les formes les plus antiques »), le théâtre et la poésie du début du siècle (C. Delavigne, *Messéniennes*, 1815 ou Delrieu, *Artaxerce*, 1808) et, plus tard, M. de Guérin (*Le centaure*, 1840), ou, dans le domaine théâtral, Ponsard (*Lucrèce*, 1843), jusqu'aux *Poèmes antiques* (1852) et *barbares* de Leconte de Lisle (1862). Mais, comme l'indique le cas de Baudelaire, qualifié par un de ses détracteurs de « Boileau hystérique » (A. Dusolier, *Nos gens de lettres*, 1864), cette référence ne fait pas sytème, et elle ne s'accompagne pas d'un appel au renouveau du classicisme.

En revanche, au début du XXe s., quelques revues et groupes littéraires réagisssant contre les derniers feux du symbolisme prétendent revenir aux traditions « naturelles » du génie français. L'« École romane » fondée par J. Moréas, puis *La phalange* (1907-1908) ou *Les guêpes* (1909-1912) de Ch. Derennes, E. Marsan, ou J.-M. Bernard qui en relayent les propositions, orientent la réaction dans deux directions qui ne se recouvrent pas nécessairement. L'une est celle de l'Action française défendue par Léon Daudet ou Charles Maurras ; l'autre, cantonnée au registre esthétique, peut être illustrée par l'évolution poétique de P. Valéry (*Eupalinos ou l'architecte*, 1921) ou encore de Gide, qui recherche une écriture classique. Après la Seconde Guerre mondiale, l'œuvre de Montherlant peut encore être rattachée à ces tendances, et M. Yourcenar, pour sa part, manifeste un attrait soutenu pour les modèles et sujets antiques. En Belgique, le théâtre de S. Lilar ou celui de Ch. Bertin ont voulu marquer par l'usage de formes classiques et l'intérêt pour une humanité abstraite qu'ils entendaient échapper à l'ancrage local.

Comme le classicisme, le néo-classicisme est un concept forgé au XIXe s. Il était censé désigner les œuvres produites dans la période qui sépare le rococo du romantisme. Cet emprunt au vocabulaire de l'histoire de l'art a souvent été critiqué, parce que, comme nombre de termes formés sur les préfixes *néo* ou *post*, il tend à créer des continuités artificielles et des traditions qui n'ont pas été revendiquées par les créateurs. Il s'est toutefois imposé dans l'usage. Mais sa double acception ne contribue pas à lui donner un contenu clair. D'une part, il est synonyme de « retour à l'antique », et c'est en ce sens qu'il peut s'appliquer à des œuvres aussi différentes que celles de Chénier, de Baudelaire ou de Valéry. Mais, d'autre part, son usage est rarement disjoint d'une fonction polémique. Est néo-classique celui qui s'oppose à la modernité des formes. Et cette réaction est souvent liée à une acception politique. La « clarté » est présentée par ses tenants comme le propre du « génie français », la sauvegarde des « unités » ou de la métrique régulière comme celle de la langue elle-même. Le néo-classicisme se retrouve donc dans toutes les tendances qui ont réagi contre des mouvements littéraires ressentis par leurs adversaires comme nouveaux ou inhabituels : le symbolisme, l'esprit baroque voire l'existentialisme. Certains y voient le « mouvement de balancier » propre aux modes littéraires, d'autres, avec raison croyons-nous, une prise de position conservatrice.

▶ DECAUDIN M., *La crise des valeurs symbolistes*, Genève-Paris, Slatkine, 1981. — GUITTON E., *Jacques Delille et le poème de la nature en France de 1750 à 1820*, Klincksieck, 1974. — MENANT S., *La chute d'Icare*, Genève, Droz, 1980. — Coll. : « Le néo-classicisme », *Cahier de l'association internationale des études françaises*, B. Didier (dir.), mai 1998, n° 50. — *Der Thetralische Neoklassizismus um 1800 : ein europaïsches Phänomen ?*, hrsg. R. Bauer, Berne / Francfort-sur-le-Main, P. Lang, 1986.

Paul ARON

→ *Antiquité ; Classicisme ; Goût ; Modernités ; Nationale (Littérature) ; Querelles.*

NEW CRITICISM

L'expression « New Criticism » désigne un groupe de critiques anglo-saxons qui, depuis les années 1930, conçoivent l'œuvre littéraire comme un tout structuré dont ils proposent une analyse immanente. Réaffirmant l'autonomie de l'œuvre littéraire, la distinction entre le langage pratique et le langage poétique ainsi que la primauté de la structure du poème, le New Criticism s'apparente aux formalismes russe et tchèque. Il s'en distingue en ce qu'il vise une lecture détachée de tout ancrage historique.

Né aux États-Unis, le « New Criticism » tire son nom de l'ouvrage de John Crowe Ransom, *The New Criticism* (1941). Outre Ransom, son collaborateur Allen Tate et leur disciple Cleanth Brooks, l'appellation « New Critics » désigne les travaux d'un certain nombre d'universitaires qui s'opposent aux approches traditionnelles de l'analyse littéraire qu'étaient l'histoire et la biographie, mais aussi à la sociologie, l'anthropologie culturelle, la psychanalyse et la psychologisation des personnages ou des lecteurs.

Sans former un mouvement organisé, ces critiques partagent une conception de la littérature qu'ils empruntent en particulier à T. S. Eliot (*Selected Essays*, 1932) quant à ses propos sur la poésie, qui s'opposent à la conception romantique du poème comme reflet d'une personnalité exceptionnelle, et sur la critique, qui doit renoncer à la lecture impressionniste et à la curiosité historico-biographique pour tendre à l'objectivité scientifique et « se signaler par l'exactitude, la précision et la netteté dans la description » (trad. Cohen, 219). C'est cette précision dans la description que pratiqueront T. E. Hulme et Ezra Pound, deux poètes-critiques (posture que privilégie Eliot), et que partagent tous les *New Critics* dans leur approche du texte.

Du britannique Richards (*The Principle of Literary Criticism*, 1924, et *Practical Criticism*, 1929), ils retiennent la définition du poème comme structure organique et une pratique de lecture immanente, voire « microscopique », du texte (*close reading*), qui exige que chaque mot soit analysé en détail (dénotation et connotation) avant que n'intervienne l'interprétation. Les réactions du lecteur au cours de sa lecture d'un poème sont ensuite prises en compte dans le but d'expliciter l'inscription de l'émotion dans le texte lui-même, séparant par le fait même les fonctions émotive et référentielle du langage. Critiquant cette séparation entre les fonctions, W. Empson propose en retour une lecture de l'ambiguïté par le biais de la rhétorique, formalisant certains concepts essentiels au New Criticism, tels que l'ironie et la tension (*Seven Types of Ambiguity*, 1930).

Ce type de lecture (le *close reading*) est au fondement des analyses proposées par la revue *Scrutiny* fondée en 1932 par F. R. Leavis. Il a connu une popularité croissante, notamment à travers l'ouvrage de René Wellek et Austin Warren, *Théorie de la littérature* (1949), qui tente d'unir la poétique et la critique avec l'érudition et l'histoire littéraire, et qui a été utilisé comme manuel dans les universités britanniques et américaines jusqu'aux années 1960.

Selon Wellek, ce qui relie ces nouveaux critiques est le rejet commun de quatre illusions : l'illusion du vouloir-dire qui confond le texte avec ses origines et qui encourage la lecture historique et biographique ; l'illusion psychologique qui confond le texte et son impact sur le lecteur ; l'illusion du mimétisme et de l'expressivité de la forme, qui consiste à croire que le texte peut imiter un phénomène, un objet ou une expérience ; l'illusion du message selon laquelle le texte transmet un contenu particulier qu'il s'agit de décoder. Ils affirment au contraire qu'« un poème ne devrait pas signifier / Mais être », selon le vers d'Archibald Mac Leish. Par-delà ces rejets, les *New Critics* se rejoignent dans leur intérêt pour une analyse détaillée dont le texte seul est appelé à fournir les éléments. L'œuvre doit être perçue dans sa globalité et elle est conçue comme une structure qui prescrit une réaction juste. Enfin, depuis les travaux de W. Empson, l'ironie, tenue pour l'essence même du poème, se trouve au centre de leur problématique.

Dans la critique littéraire américaine, l'École de Chicago a pris le relais du *New Criticism*, rejetant l'analyse proprement linguistique des poèmes au profit d'une approche rhétorique qualifiée de néo-aristotélicienne. La primauté accordée à la poésie au détriment des autres genres littéraires, dont le *close reading* ne parvient pas à bien rendre compte, a été critiquée. Marxistes et féministes ont aussi mis en cause une approche qui dénie la réalité socio-politique de la littérature. En France, la Nouvelle Critique, qui intervient plus tard, offre des paramètres en partie semblables mais aussi en partie différents.

▶ COHEN K., « Le *New Criticism* aux États-Unis », *Poétique*, 1972, vol. 3, n° 10, p. 217-243. — RANSOM J.-C., *The New Criticism*, Norfolk, New Directions, 1941. — TATE A., The Present Function of Criticism, *Essays of Four Decades*, Chicago, Swallow Press, 1968, p. 197-210. — WELLEK R., *A History of Modern Criticism : 1750-1950. Volume 6 American Criticism, 1900-1950*, New Haven / Londres, Yale University Press, 1986. — WELLEK R. & WARREN A., *La théorie littéraire*, [1949], trad. de l'anglais, Paris, Le Seuil, 1971

Martine DELVAUX, Pascal CARON

→ *Formalistes ; Nouvelle Critique ; Structuralisme ; Texte ; Textualité.*

NIVEAUX DE LANGUE

L'expression « niveaux de langue » désigne un des axes de variation de la langue. Celle-ci varie en effet, dans tous les composants de sa grammaire (phonétique, syntaxe, pragmatique..) mais aussi dans son vocabulaire, selon trois grands axes en étroite relation les uns avec les autres : le temps (variation dite diachronique), l'espace (variation diatopique) et la société. C'est sur ce dernier axe que l'on situera deux types de variation : la variation diastratique, correspondant aux différents statuts (économique, social, culturel) des locuteurs et au contexte (social, référentiel, instrumental) de l'énonciation, et la variation stylistique, ou diaphasique, qui correspond au choix entre les différentes variables possibles opéré dans un échange précis. Les niveaux – ou registres – de langue correspondent aux différences de statut (de « strates ») et de contexte sociaux. Le classement le plus traditionnel distingue trois niveaux : bas ou familier, moyen et soutenu.

Ces distinctions sont empiriquement perceptibles mais, radicalisant les attitudes et les représentations linguistiques dominantes dans une culture, la plupart des manuels scolaires, des dictionnaires et des grammaires établissent des niveaux de variation linguistique, en rapportant fréquemment les variétés à des échelles morales (style « bas », « élevé »), sociales (termes ou tours « familiers », « vulgaires », « populaires »), génériques (termes ou tours « littéraires », « techniques ») voire chronologique (« archaïsme », « néologisme ») ou géographique (« emprunt »), prévoyant donc l'effet que produira leur apparition dans un énoncé. Les « niveaux de langue » hiérarchisent ainsi des modes d'expression (vocabulaire, tours syntaxique comme le respect ou le non respect des constructions complètes de la négation, des inversions interrogatives, etc.) par rapport à la norme (respect, non-respect, hyper-respect). Scolairement, ils servent à l'inculcation de la norme langagière. Ces systèmes de conformité linguistique peuvent toutefois laisser à l'usager une certaine latitude dans l'exécution du code. La résultante des choix qu'il opère parmi les diverses réalisations possibles d'un même fait constitue alors le style de son énoncé. Linguistiquement parlant, la littérature filtre l'actualisation des variations linguistiques. Une histoire linguistique de la littérature, encore à écrire, consisterait donc à décrire et à expliquer les exclusions, et les légitimations des différentes variétés du langage, et les mécanismes de leur distinction et de leur hiérarchisation. Elle étudierait aussi l'évolution de leurs combinaisons avec les genres et les thèmes, et celle de leurs systèmes de fonctionnement interne au sein des textes.

Depuis toujours, les arts poétiques relaient ces classifications. Par exemple la « roue de Virgile », au Moyen Âge, théorisait l'affinité entre certains registres de vocabulaire, certains genres littéraires et certains sujets : style soutenu et personnages et sujets nobles pour l'épopée, style moyen et sujets ordinaires pour le didactique bucolique, style familier et personnages populaires et sujets divertissants pour l'idylle. C'est un type de corrélation analogue qu'a développé l'époque classique, en reprenant les termes aristotéliciens (personnages nobles et langage soutenu dans la tragédie et l'épopée, personnages et langage moyens pour la comédie, et « bas » pour la farce) et en proscrivant le mélange des genres. À certains autres moments de l'histoire littéraire, ces systèmes de classement ont été remis en question et réorganisés, dans la poétique, mais aussi dans les implications stylistiques. Ainsi la révolution romantique se manifeste, chez Hugo notamment, par le mélange du grotesque et du sublime, qui stylistiquement s'exprime par la présence d'éléments de diction populaire aux côtés d'éléments « soutenus ». Le réalisme et le naturalisme introduisent des termes techniques et de l'argot (Balzac, Zola). Plus tard, Céline et Queneau modifient les codes romanesques en recourant à la syntaxe et au lexique de l'oralité. Les écrivains de la périphérie, en particulier en francophonie, jouent abondamment de ces niveaux, soit pour marquer une identité (comme M. Tremblay dans son théâtre), soit pour faire dysfonctionner une norme (comme Ramuz ou Verheggen).

▶ BRUNOT F. BRUNEAU Ch., *Histoire de la langue française des origines à nos jours*, 13 vol., Paris, A. Colin, 2e. éd., 1966-1979. — GRANGER G. G., *Essai d'une philosophie du style*, Paris, A. Colin, 1969.

Jean-Marie KLINKENBERG

→ *Dictionnaire ; Genres littéraires ; Grammaire ; Langue française (Histoire de la) ; Norme ; Oral ; Registres ; Style ; Vocabulaire.*

NORME

En son sens le plus général, le mot « norme » désigne un état de choses qui apparaît comme une règle aux yeux du corps social. En matière de comportements humains, il faut distinguer deux types de norme, dérivant chacune de deux sens que l'on peut donner à l'adjectif « régulier » : la norme objective et la norme évaluative. La première fournit la mesure des pratiques réelles : elle décrit l'état le plus fréquemment observé d'un système ou d'un processus. La norme évaluative est produite par une attitude sociale : celle qui consiste à étalonner les variétés de systèmes ou de processus sur une échelle de légitimité. C'est celle-ci qui constitue un critère fondamental en littérature.

Dès qu'une société s'établit et se complexifie, elle a besoin de normes de tous types, y compris sémiotiques. Les sémiotiques standard naissent ainsi dans des situations où une société éprouve la nécessité d'un fonctionnement langagier le plus commun possible à tous ses membres, situations dans lesquelles la question de l'interprétation des variétés se pose le moins possible (ainsi l'établissement d'une langue nationale commune contre les langues et dialectes régionaux). Si la normalisation répond en premier lieu à des besoins communicatifs, elle correspond aussi à d'autres besoins moins explicites, comme celui d'assurer la domination d'une classe sur les autres. Car les variétés constituent des critères de démarcation entre groupes sociaux : si elles servent de signe de reconnaissance entre leurs membres, elles excluent également de ces groupes certaines catégories d'usagers. Et non seulement les variétés distinguent-elles les groupes, mais encore elles les hiérarchisent : le style, par exemple, pourra être « haut » ou « bas », un système de valeurs donné pourra être considéré comme central ou périphérique, une variété aura le monopole de la légitimité et sera, dès lors, érigée en norme (évaluative).

En matière de littérature, la notion de norme s'applique particulièrement à trois types de réalités : l'échelle des variétés linguistiques utilisables – à laquelle on se restreindra dans le reste de cet article –, celle des formes et celle des thèmes. Ce sont de tels choix qui fondent l'action des instances de légitimation et d'évaluation, produisent les doxa et sont à l'origine de phénomènes comme la censure, la reconnaissance et l'adhésion que suscite la littérature. Parfois explicités dans les Arts poétiques ou dans les programmes des écoles littéraires, ces choix restent le plus souvent implicites.

En matière de langue française, la norme a eu une prégnance variable au long de l'histoire. Contrairement à une idée fort répandue, elle est bien présente dès les origines de la langue écrite. Mais il reste vrai que la norme est alors polynomique : il n'y a pas un mais plusieurs modèles de langue. Au Moyen Âge, ceux-ci varient selon les régions d'origine des auteurs et des textes (variétés comme le picard, le champenois, l'anglo-normand) et selon les genres – littéraires ou non – envisagés. Préparée au XVIe s. par l'imposition du français dans la vie administrative (édit de Villers-Cotterêts, 1539), une hiérarchisation stable des normes langagières s'opère en France au XVIIe s. (via l'Académie notamment). Elle établit le « Bon usage », défini par l'académicien grammairien Vaugelas comme étant la manière de parler « de la partie la plus saine de la Ville [Paris] et de la Cour conformément à la façon d'écrire des meilleurs auteurs » (*Remarques sur la langue française*, 1647). La révolution romantique d'abord, puis les divers mouvements sociaux de la fin du XIXe et du XXe s. ainsi que les forces centrifuges animant la francophonie auront pour résultat la réhabilitation d'une certaine polynomie.

Au cours des trois derniers siècles, le « bon usage » a pu être défini par des critères très différents, mais que l'on ramène aisément à six types. 1. Définition selon des critères sociaux, comme dans la définition de Vaugelas. 2. Définition selon des critères éthiques, souvent proche de la précédente. 3. Définition selon des critères géographiques (par exemple, le meilleur français se parlerait en Touraine et le « bon anglais » à Oxford). 4. Définition selon des critères logiques ou communicationnels. Si chaque code possède sa structure interne, cette structure sous-jacente est souvent largement fantasmée (c'est ce que, pour une langue donnée, on nomme son « génie »), et dès lors, les énoncés légitimes seront ceux qui sont conformes à cette structure, les autres étant décrétés illégitimes. 5. Définition selon des critères esthétiques : certaines variétés seraient belles, ou dures, ou douces, ou laides. De tels jugements sont évidemment formulés à partir d'une position particulière qui est le fait de disposer soi-même d'une variété donnée, et biaisés par le jugement global que l'on porte sur la culture, la société et l'histoire véhiculées par cette variété. 6. Le dernier avatar de la norme se définit par une conformité à « l'usage ». Ici, subtilement, la norme objective est transformée en norme évaluative, au prix d'une vision fantasmatique de la réalité linguistique : ce dernier discours normatif néglige en effet de préciser quel corpus a été observé, dans quelles circonstances et avec quelle méthodologie. Ces critères sont toujours utilisés d'une manière idéologique. C'est-à-dire qu'un discours non scientifique vient ici donner une certaine forme de rationalité à des jugements où il s'agit bien de sélectionner une variété et de l'imposer à l'ensemble des usagers, et d'assurer de la sorte le pouvoir symbolique d'une fraction du corps social. Quelle que soit la manière dont on la définit, la norme linguistique a partie liée avec la langue d'écriture. En matière littéraire, en effet, les arts poétiques et les théories de la littérature visent à définir une norme et à établir la prééminence de cette définition, et donc d'une conception de la littérature, dans un processus constant de concurrence. La norme linguistique, la norme esthétique et la norme idéologique ont donc des liens forts. Ainsi, la conception classique des « unités » correspondait, selon Chapelain (*Lettre sur la règle des 24 heures*, 1630) au goût des « gens de bien », tandis que Hugo, en donnant place au mélange des genres et au vocabulaire populaire dans ses textes revendique d'avoir donné par là même la parole au peuple.

Le code sémiotique standard est la variété de sémiotique à laquelle tous les membres d'une communauté acceptent de reconnaître une forte légitimité. Car la communauté sémiotique ne peut être définie seulement comme celle des usagers qui pratiqueraient effectivement et régulièrement la même variété (à ce compte, l'écrivain québécois ou l'auteur issu des banlieues d'Ile-de-France et le Secrétaire perpétuel de l'Académie française ne seraient pas membres de la communauté des francophones, puisque les différences entre les variétés dont ils usent effectivement sont importantes). Mais ce qui les réunit, c'est de pouvoir se reporter à un même modèle idéalisé de langue, qu'ils nomment « le français » (ce que le bon sens commun désigne comme étant « le français » dans des énoncés du genre « parler de telle manière, ce n'est pas du français », c'est la variété standard de la langue).

La forte hiérarchisation des normes linguistiques produit un phénomène social important, qui n'est pas sans répercussion sur la pratique littéraire : l'insécurité linguistique. Celle-ci provient d'un rapport particulier entre norme évaluative et norme objective. Il y a en effet insécurité dès que l'usager a d'une part une certaine représentation de l'éventail des variétés légitimes et non légitimes (norme évaluative) mais que, d'autre part, il a conscience de ce que ses propres pratiques (norme objective) ne sont pas conformes à la norme. Il existe une corrélation entre insécurité et stratification sociale : l'insécurité est maximale dans les groupes qui ont des pratiques non conformes mais dont l'ascension sociale est liée à la maîtrise de la norme, et elle est fortement liée à certaines institutions, comme la scolarisation. Dans nombre de cas, cette dernière introduit à la connaissance de la norme évaluative, mais sans pour autant donner la maîtrise effective de cette norme, donne une idée de ce que peut être « le bon langage », ou « les belles manières », mais sans en assurer la maîtrise effective.

Les réactions à l'insécurité sont potentiellement nombreuses. Toutes proviennent de son pendant psychologique : l'auto-dépréciation. La réaction extrême est le mutisme. Mais en dehors de ce cas, les réactions peuvent aller soit vers l'hypercorrection, soit vers la compensation. L'insécurité linguistique est le lot de toutes les collectivités francophones périphériques, au point qu'on peut y voir une des conditions majeures de la production de leurs littératures. Comme dans certains genres paralittéraires, dans les littératures francophones, le classicisme de la langue va fréquemment de pair avec le classicisme des formes : par exemple la fidélité des poètes belges aux structures et aux vers réguliers et leur surévaluation du modèle français. La compensation, qui va en direction inverse de ce que recommande la norme évaluative, manifeste l'impuissance à se conformer à cette norme ou le dépit de ne le pouvoir par le renforcement des traits illégitimes. Ainsi dans les communautés francophones périphériques, le recours au joual dans la littérature québécoise, ou, dans la belge, un baroquisme stylistique tel que des critiques ont pu rassembler de nombreux écrivains en une vaste famille « d'irréguliers du langage ». Et plus globalement, en littérature, l'usage de formes non conformes de la langue produit une remise en cause des codes normés : irruption de l'argot ou de l'oral, par exemple, pour mettre en question l'esthétique « régulière ».

▶ BÉDARD É. & MAURAIS J. (dir.), *La norme linguistique*, Québec, Conseil de la langue française / Paris, Le Robert, 1983. — FRANCARD M. et al. (éd.), « L'insécurité linguistique dans les communautés francophones périphériques », Louvain-la-neuve, n° des *Cahiers de l'Institut de linguistique de Louvain*, t. XIX, 1993. — GAUVIN L. (dir.), *Les langues du roman. Du plurilinguisme comme stratégie textuelle*, Montréal, Presses de l'université de Montréal, 1999. — QUAGHEBEUR M., JAGO V. & VERHEGGEN J.-P. (éd.), *Un pays d'irréguliers*, Bruxelles, Labor, 1990.

Jean-Marie KLINKENBERG

→ *Arts poétiques ; Catégories linguistiques ; Centre et périphérie ; Francophonie ; Grammaire ; Oralité ; Style ; Vocabulaire.*

NOUVEAU ROMAN

Le « Nouveau Roman » est une appellation qui s'impose en France à la fin des années 1950 pour désigner une nébuleuse d'écrivains se référant aux innovations techniques des grands romanciers de la modernité (Proust, Joyce, Faulkner, Kafka, Woolf...). N. Sarraute (*L'ère du soupçon*, 1956) et A. Robbe-Grillet (*Pour un nouveau roman*, 1963) ont exposé quelques-uns des enjeux essentiels de cette entreprise caractérisée par la contestation des catégories romanesques traditionnelles : le personnage, l'intrigue, la description... Cependant, le Nouveau Roman regroupe au cours de son existence un ensemble d'écrivains (M. Butor, C. Simon, R. Pinget, M. Duras, S. Beckett...) aux styles différents, dans un mouvement sans coordination concrète. Après avoir marqué la réflexion théorique sur la nature de l'activité romanesque, il s'essouffle dans les années 1970, au moment même où sa fortune critique s'affirme.

Dans les années 1950, la critique sent poindre dans la littérature française des tendances qu'elle nomme : « école du regard », « nouveau réalisme », « jeune roman »... Avec une certaine influence sartrienne, à laquelle les catégories existentialistes utilisées par les premiers com- [illegible] M. Blanchot, B. Dort, [illegible] ché ces romanciers, un [illegible] qui vise les non-dits du [illegible] te) et refuse les techni- [illegible] s. Il rejette le narrateur [illegible] et l'intrigue, brouille la [illegible] retour de fragments ob- [illegible] Simon) et la description [illegible] Il tend ainsi à chasser [illegible] et à interroger le lan- [illegible] de de l'homme dans un monde qu'il ne peut plus avoir la prétention de maîtriser. Il s'agit là d'un mouvement au sein de la littérature restreinte, d'une avant-garde : une décennie plus tard, elle est proclamée comme école littéraire majeure par certains de ses auteurs (ainsi A. Robbe-Grillet dans *Pour un nouveau roman* en 1963) et par les commentateurs, même s'ils ne s'accordent ni sur sa nature ni sur son extension exactes. L'adhésion de disciples déclarés (C. Ollier et J. Ricardou) et la multiplication des études critiques (L. Goldmann, L. Janvier, J. Ricardou...) confirment cette représentation. À la fin des années 1960, les Nouveaux Romanciers s'allient pour un temps avec le groupe *Tel Quel*, chez qui la recherche formaliste culmine. En 1971, un colloque international à Cerisy, animé par Ricardou, fait le point sur le *Nouveau roman : hier, aujourd'hui*. À ce moment, les écrivains qui relèvent (activement ou passivement) de ce courant radicalisent leur propos : leurs fictions s'inscrivent dans une construction formelle qui souligne la réflexivité de l'écriture et tend à opacifier encore plus l'illusion référentielle. L'histoire du Nouveau Roman connaît ainsi une seconde étape, qualifiée de *sémiologique* (N. Wolf). Le Nouveau Roman a reçu ultérieurement une consécration avec le prix Nobel attribué à C. Simon (1998).

L'histoire du Nouveau Roman est liée à celle d'autres instances qui, au cours des années 1950-1970, jouèrent un rôle capital dans le paysage intellectuel français. On ne peut la dissocier des hypothèses structuralistes et de la Nouvelle Critique, qui fournira une justification *a posteriori* aux recherches néo-romanesques (N. Wolf, p. 75). Sur le plan éditorial, le mouvement est surtout lié aux Éditions de Minuit, où furent publiés la majorité de ces textes. S'y élabora un nouveau modèle d'intellectuel, séparant expression des combats politiques et recherches littéraires, en rupture avec la figure sartrienne de l'écrivain engagé et avec celle du « compagnon de route » du parti communiste (A. Simonin, p. 470-471). Le Nouveau Roman a joué un rôle novateur dans le champ littéraire français des années 1960-1970 et influencé des écrivains qui ne participèrent pas au mouvement : J.-M. G. Le Clézio, P. Modiano, G. Pérec, D. Rolin... Cette influence a franchi les frontières de l'Hexagone pour atteindre J.-G. Linze en Belgique, Y. Velan en Suisse romande ou J. Godbout au Québec. Cependant, en aucun de ces pays le Nouveau Roman n'a donné naissance à un mouvement calqué sur l'exemple français. Si l'évolution des techniques a touché de nombreux écrivains francophones, la situation des champs culturels des différents pays n'a pas suscité leur désinvestissement social ou politique : ainsi *Prochain épisode* d'H. Aquin (1965) est formellement un nouveau roman et socialement une œuvre engagée.

▶ RICARDOU J., VAN ROSSUM-GUYON Fr. (éd.), *Nouveau Roman : hier, aujourd'hui* [colloque de Cerisy, 1971], U. G. E. « 10/18 », 2 vol., 1972. — RICARDOU J., *Pour une théorie du Nouveau Roman*, Paris, Le Seuil, 1971. — SIMONIN A., *Les Éditions de Minuit 1942-1955*, Paris, IMEC, 1994. — WOLF N., *Une littérature sans histoire : essai sur le Nouveau Roman*, Genève, Droz, 1995.

Damien GRAWEZ

→ *Écoles littéraires ; Engagée (Littérature) ; Nouvelle critique ; Personnage ; Roman ; Structuralisme.*

NOUVEAU THÉÂTRE

On a appelé Nouveau Théâtre, dans les années 1950-1970, un théâtre qu'on ne peut classer comme ni « absurde », ni « engagé », ni « de boulevard », et dit « nouveau » parce qu'il entend rompre avec les traditions et créer un langage dramatique où les jeux de la parole et la matérialité de la scène tiennent un rôle prépondérant.

Le Nouveau Théâtre apparaît en France après la Seconde Guerre mondiale. Il a ses antécédents dans la dramaturgie d'Artaud et de Brecht et chez les surréalistes (en particulier Vitrac), et son éclosion a été favorisée par la traduction des pièces d'avant-garde, notamment de Pirandello, et par l'œuvre du dramaturge belge M. de Ghelderode – écrite avant 1940 mais découverte en France après la guerre.

En 1946, *Quoat-Quoat* de J. Audiberti inaugure, par ses jeux de langage inscrits dans une dramaturgie qui emprunte à la fête et au carnaval, ce qu'on a appelé le théâtre d'avant-garde de tendance poétique. En 1948, *Akara* de R. Weingarten offre un univers insolite, marqué par l'humour noir et proche du conte fantastique. Ces dramaturges influencent aussi le théâtre de l'absurde qui apparaît à la même époque. Jean Genet, auteur atypique – ses pièces ont tardé à s'imposer sur scène – mêle, dans *Les bonnes* (1947), *Le balcon* (1956), *Les nègres* (1959) et *Les paravents* (1965) le rituel, la fête et le cérémonial et multiplie les situations de théâtre dans le théâtre. Souvent jugées amorales, ses œuvres font scandale, tout comme celles de Fernando Arrabal, qui crée un « théâtre panique », empruntant aux théories d'Artaud l'idée d'un spectacle réunissant acteurs et spectateurs dans un même rite (*Le cimetière des voitures*, 1958 ; *L'architecte et l'empereur d'Assyrie*, 1967). On rattache parfois au Nouveau Théâtre Adamov – à partir de *Ping-Pong* (1955) – ou M. Vinaver (*Les coréens*, 1956) et A. Gatti (*La vie imaginaire de l'éboueur Auguste Geai*, 1962) – qui se situent plutôt dans la lignée de l'engagement. Au Québec le Nouveau Théâtre s'affirme avec les *Belles-sœurs* (1968) de M. Tremblay, qui bouleverse les codes sociopolitiques et linguistiques, en particulier par l'utilisation du joual. Enfin, l'exploration poétique du matériau linguistique comme lieu des passions humaines, de la solitude et de l'incommunicabilité traverse les pièces de J. Vauthier (*Capitaine Bada*, 1952), de F. Billetdoux (*Va donc chez Törpe*, 1961), de R. Dubillard (*Naïves hirondelles*, 1961), de N. Sarraute (*Le silence*, 1964) et de M. Duras (*Le théâtre de l'amante anglaise*, 1968).

Si le travail sur le langage verbal s'impose comme une nouvelle règle de l'écriture dramatique, le même souci s'étend au langage scénique. Des auteurs et metteurs en scène, rejetant la tradition d'une dramaturgie inféodée au texte, élaborent une relation directe avec le public et placent l'acteur au centre de l'activité théâtrale. Il en est ainsi du travail scénique de Gatti, des productions de Mnouchkine au Théâtre du Soleil, du « théâtre pauvre » de Grotowski et des happenings du Living Theatre.

Le nom de Nouveau théâtre n'a jamais été revendiqué par les auteurs concernés – contrairement au Nouveau Roman et à la Nouvelle Vague au cinéma qui lui sont contemporains ; aussi la notion est-elle extensible et désigne des œuvres aux styles, univers et sujets très divers. L'essor de cette tendance a été favorisé par la volonté de l'État et du milieu théâtral, après 1945, de réaliser une « décentralisation » en créant des salles en marge des lieux institutionnels et en favorisant l'émergence de jeunes compagnies. En France, s'ouvrent ainsi plusieurs petites salles à Paris sur la Rive gauche, mais aussi des centres culturels en banlieue ou en province, qui accueillent un théâtre intellectuel souvent expérimental. Ailleurs, comme aux États-Unis, le mouvement participe de la contre-culture.

Le Nouveau Théâtre désigne d'abord le renouvellement de l'écriture dramatique ; ce n'est que par analogie et après-coup que l'expression en est venue à désigner le renouvellement de la mise en scène. Il reste que des metteurs en scène comme Barrault, Blin, Vitez, Planchon, ont joué un rôle déterminant dans son succès. Certains des auteurs, des œuvres mais aussi des metteurs en scène et de cette mouvance sont devenus des classiques, désormais joués sur les scènes consacrées (Audiberti, Planchon...).

▶ BÉLAIR M., *Le nouveau théâtre québécois*, Montréal, Leméac, 1973. — CORVIN M., *Le théâtre nouveau en France*, Paris, PUF, 1980. — JOTTERAND F., *Le nouveau théâtre américain*, Paris, Le Seuil, 1970. — MIGNON P.-L., *Le théâtre en France*, Paris, Gallimard, 1986. — SERREAU G., *Histoire du "nouveau théâtre"*, Paris, Gallimard, 1966.

Pascal RIENDEAU

→ *Absurde (Théâtre de l') ; Avant-garde ; Boulevard (Théâtre de) ; Dramaturgie ; Engagement ; Nouveau Roman ; Théâtre.*

NOUVELLE

Le terme « nouvelle » est attesté en français dès le XIIe s. Selon son étymologie (du latin *novus*, « nouveau »), il renvoie à l'idée d'information neuve et, au-delà, de jamais vu, d'inouï ; la nouvelle raconte un fait extraordinaire mais donné pour vrai. De cette origine, la nouvelle a gardé ses caractéristiques essentielles – un récit fictif bref relatant un fait remarquable – tout en constituant un genre plastique et multiforme.

À l'origine, la nouvelle est une manière de fabliau en prose traitant d'un sujet limité et plaisant. Le *Décaméron* (1350-1353) de Boccace, recueil de récits de tons et de styles variés mais unifié par une histoire-cadre, élargit les ressources du genre et fonde son prestige. Jusqu'au XVIe s., ce modèle a été abondamment imité, entre autres dans les *Cent nouvelles nouvelles* (anonyme, 1462) et dans *L'Heptaméron* (1559) de Marguerite de Navarre. Au XVIIe s., le succès de la nouvelle est considérable : traduction des *Novelas ejemplares* de Cervantes, *Nouvelles françaises* de Segrais, *Contes et nouvelles* en vers de La Fontaine, nouvelles insérées dans les romans... ; Madeleine de Scudéry se voue à la nouvelle après ses romans-fleuves, et *La Princesse de Clèves* (1678) est en son temps définie comme une « nouvelle galante ». À la différence des « romans romanesques » qui se multiplient alors, la nouvelle fait figure d'histoire vraie, quoique insolite et plus surprenante que l'historiette et l'anecdote. Cette époque connaît aussi l'usage des « nouvelles à la main », sorte de journaux relatant des faits notables, dont un héritage se trouve dans des titres de périodiques, comme *Les nouvelles de la République des Lettres* de Bayle. Après un relatif déclin au XVIIIe s., où elle tend à se confondre avec de petits romans galants ou historiques, la nouvelle revient en force au siècle suivant avec Stendhal, Mérimée, Maupassant, Barbey d'Aurévilly ou Villiers de l'Isle-Adam en France, Hoffmann et Storm en Allemagne, Tchekhov et Tourgueniev en Russie, Melville, H. James et Poe dans le domaine anglo-saxon. La publication dans la grande presse (et plus tard dans des périodiques spécialisés : *novel magazines, pulp magazines*) l'introduit dans un circuit de large diffusion. Elle doit alors rivaliser avec le reportage et le fait-divers. Pour cela, elle a recours à des mises en scène énonciatives vraisemblables, sur lesquelles viennent s'appuyer aussi bien le fantastique que le réalisme. Le modèle ainsi constitué est celui d'un récit resserré comportant une chute inattendue.

Au XXe s., ce modèle semble avoir cédé la place à l'évocation d'un instant clé, décisif ou absurde, comme chez Böll, Lenz, mais aussi Hemingway, William et Joyce ; l'intrigue a également laissé place à un retour sur soi du protagoniste. La conjoncture éditoriale, en France, ne joue pas en faveur du récit bref ; mais il a été créé un festival de la nouvelle, à Saint-Quentin, et des auteurs s'illustrent dans ce genre (D. Boulanger par exemple) ; au Québec et en Belgique, des institutions plus dynamiques (éditeurs, revues, prix) ont favorisé sa croissance. Les dernières décennies ont vu la nouvelle devenir une sorte de laboratoire d'écriture (chez Borges et Calvino, par exemple) propice aux expériences de condensation, de fragmentation et de discontinuité. Le renouvellement du genre se joue aussi dans un effort d'unification des recueils : la nouvelle a donné lieu à la construction d'ensembles centrés sur des récurrences thématiques, au détriment de l'événement, délaissé au même titre que la chute finale (par exemple, Le Clézio, *La ronde et autres faits divers*, 1982).

Le nom « nouvelle » ne désigne donc pas un type de texte historiquement stable et, selon les époques et les pays, il a pu recouper des appellations génériques voisines (conte, histoire, anecdote, ou encore *novella, Kurzgeschichte, short story*). Aussi, les tentatives de définition du genre sont-elles nombreuses, mais souvent contradictoires parce que chacune se centre sur une dimension particulière : sa pratique et son mode de publication (B. Monfort), son essence (R. Godenne), sa poétique formelle (D. Grojnowski), etc. Dans un souci de synthèse, on peut retenir en premier lieu l'idée de nouveauté, qui la distingue de cet autre récit bref qu'est le conte : celui-ci relate les événements d'un lointain passé, tandis que le terme « nouvelle », s'appliquant autant à ce qui est raconté qu'au récit lui-même, suppose un événement vrai et récent. En deuxième lieu, la nouvelle renvoie souvent à la situation orale de récit. Troisièmement, la brièveté revient dans l'ensemble des définitions du genre. Ainsi, Baudelaire note que « [la nouvelle] a sur le roman à vastes proportions cet immense avantage que sa brièveté ajoute à l'intensité de l'effet » (*Notes nouvelles sur Edgar Poe* [1859], *Œuvres complètes*, Paris, Le Seuil, 1968, p. 350). Cette remarque souligne que l'esthétique de la nouvelle, plus que par la tension vers une chute, tient à son caractère resserré, qui la rapproche du poème.

▶ ALLUIN B. & SUARD F. (dir.), *La nouvelle. Définitions, transformations*, Lille, Presses universitaires de Lille, 1991. — GALLAYS F. & VIGNEAULT R. (dir.), *La nouvelle au Québec*, Montréal, Fides, 1996. — GODENNE R., *La nouvelle française*, Paris, Presses universitaires de France, 1974. — MONFORT B., « La Nouvelle et son mode de publication. Le Cas américain », *Poétique*, avril 1992, n° 90, p. 153-171. — OZWALD T., *La nouvelle*, Paris, Hachette, 1996.

Robert DION

→ *Anecdote ; Conte ; Fabliau ; Fait divers ; Genres littéraires ; Histoire ; Recueil ; Roman.*

NOUVELLE CRITIQUE

En France, dès les années 1950, de nouvelles perspectives en matière de critique littéraire proposent de repenser le littéraire à partir des « grandes idéologies du moment, existentialisme, marxisme, psychanalyse, phénoménologie » (Barthes, 1964, p. 246). Représentée par J.-P. Sartre, L. Goldmann, G. Bachelard et J.-P. Richard, par C. Mauron, M. Robert, G. Poulet et J. Starobinski, cette critique d'interprétation se développe contre la tradition universitaire de l'histoire littéraire, et de son érudition. Mais ce n'est qu'à l'issue d'une violente querelle, déclenchée dans les années 1960, qu'une partie de la Sorbonne, Raymond Picard en tête, fera figure d'*ancienne critique* au regard d'une modernité structuraliste, éclairée par la linguistique comme nouvelle discipline-phare, et représentée emblématiquement par Roland Barthes.

Au cours des années 1960 (essentiellement entre 1963 et 1966), sous le vocable de *nouvelle critique*, se trouvent réunis dans leur diversité, et parfois malgré eux, des critiques littéraires (en général universitaires) à qui l'on reproche d'élaborer une critique extérieure à leur objet, soumise aux sciences humaines et à la philosophie, dépendante de leurs préoccupations et de leurs catégories. Face à eux, une autre critique universitaire (également sans unité), affirme la spécificité de la littérature et défend une histoire littéraire dont les adversaires prétendent réduire l'historicité à celle qu'offre une suite de chroniques où s'illustrent la vie et l'œuvre des grands écrivains. Quand, en 1963, Barthes, avec *Sur Racine*, commente la plus haute figure du classicisme français, un combat s'engage. Avec les armes du pamphlet, et au nom de la « vérité de Racine », Picard pourfend chez son opposant l'« impressionnisme idéologique, d'essence dogmatique » (p. 69 et 76). Les Nouveaux critiques – et particulièrement Doubrovsky – n'ont pas de mal à récuser la neutralité revendiquée par leurs adversaires en y décelant une pensée aveugle sur ses présupposés idéologiques. En 1966, la réponse de Barthes consacre la victoire médiatique du camp de la nouveauté ; son essai *Critique et vérité* ouvre une voie où, pendant dix ans, sur le terrain du formalisme chemine la critique, tandis que les tenants de l'histoire littéraire renouvellent leur discipline (notamment au contact de la sociologie marxiste). Cette nouvelle critique française dont on ne peut pas dire qu'elle soit la répercussion directe du *New Criticism* anglo-saxon, apparu dès les années 1930, rejette aussi cependant l'ordre des causalités historiques comme principe explicatif de l'œuvre. L'Université francophone, quant à elle, modifie après 1968 son enseignement et ses structures en tenant compte de ces nouvelles orientations. L'Université de Vincennes, cette anti-Sorbonne qui ouvre ses portes en 1968, met en place un département de lettres où sont recrutés, sous la férule de J.-P. Richard, des acteurs de la nouvelle critique. Toutefois, dans l'enseignement même, la coexistence entre critique d'interprétation (littérature et sciences humaines), critique érudite (littérature et histoire littéraire) et théorie formaliste (littérature et linguistique) a mis plusieurs décennies à se réaliser.

Critique et vérité affiche le débat dans les termes de la nouvelle critique. D'une part, le titre choisi par Barthes, en renvoyant, par un décalque peut-être involontaire, à *Histoire et vérité* de Ricœur (1955), donne la mesure du déplacement souhaité. Si le critique n'est plus uniquement un historien (de la littérature), la critique est cependant élevée à la dignité de science, mais à la manière dont l'anthropologie historique issue de l'École des *Annales* l'entend (avec M. Bloch, et L. Febvre souvent cité en référence par Barthes). D'autre part, avec Ricœur, pour qui « est objectif ce que la pensée méthodique a élaboré » (p. 23), Barthes soutient que l'objectivité du critique tient « non au choix du code, mais à la rigueur avec laquelle il appliquera à l'œuvre le modèle qu'il aura choisi » (1966, p. 20), et certes pas, à des « évidences » (Picard) devant lesquelles la subjectivité du critique s'efface. Pour la critique d'interprétation, l'important est de confronter la cohérence de son propre langage à la pluralité symbolique de l'œuvre à l'intérieur d'une visée méthodique que Barthes situe entre science (pas une « science des contenus », mais des « *conditions* du contenu, c'est-à-dire des formes », p. 57) et lecture (dont les buts critiques, différents de ceux poursuivis par une lecture ordinaire, consistent à « donner à l'œuvre une certaine intelligence, c'est-à-dire une certaine distance », p. 77). Si l'appellation « nouvelle critique » a fait son temps, elle a cependant modifié de façon durable et significative le paysage de la recherche en études littéraires.

▶ BARTHES R., *Sur Racine*, Paris, Le Seuil, 1963 ; « Les Deux critiques », *Essais critiques* (1964), Paris, Le Seuil « Points », 1971 ; *Critique et vérité*, Paris, Le Seuil, 1966. — DOUBROVSKY S., *Pourquoi la nouvelle critique ?*, Paris, Mercure de France, 1966. — PICARD R., *Nouvelle critique, nouvelle imposture*, Paris, J.-J. Pauvert, 1965. — STAROBINSKI J., « La Relation critique » (1967), *L'œil vivant* II, Paris, Gallimard, 1970.

Florence DE CHALONGE

→ *Critique littéraire ; Critique psychologique et psychanalytique ; Herméneutique ; Idéologie ; Marxisme ; New Criticism ; Structuralisme.*

O

OC (Langue d') → France ; Régionalisme

OCCULTISME

L'occultisme renvoie à une série de pratiques diverses (magie, alchimie, kabbale, nécromancie, astrologie, etc.) qui ont en commun d'être ésotériques, c'est-à-dire inaccessibles au vulgaire non initié. La littérature de l'occultisme est d'abord constituée par les textes qui se rapportent à ces pratiques, manuels ou descriptions d'expériences magiques. D'autre part, il existe aussi une littérature *sur* l'occultisme, qui va des romans racontant des expériences alchimiques ou magiques comme *La recherche de l'absolu* ou la *Peau de chagrin* de Balzac aux descriptions par les surréalistes de leurs pratiques médiumniques, ou encore aux « poésies pour pouvoir » d'Henri Michaux qui se présentent comme des formules d'envoûtement et de désenvoûtement.

Au premier abord, l'histoire de l'occultisme paraît se diviser en deux époques. La première comprend l'Antiquité et le Moyen Âge et prend fin avec la Renaissance et l'apparition de la science moderne. On y pratique réellement les différentes disciplines occultes. La seconde est celle où l'occultisme est essentiellement un motif littéraire. La première période pourrait être symbolisée par *L'âne d'or* d'Apulée dans l'Antiquité, le traité d'Alchimie du Grand Albert au Moyen Âge et le livre de Corneille Agrippa, *De Occulta Philosophia* (1533), la deuxième par la collection d'ouvrages de magie et d'alchimie entreprise par des Esseintes dans *À rebours* d'Huysmans (1884). Si des Esseintes collectionne ces livres, ce n'est pas pour devenir magicien, ni même pour acquérir un savoir sur la magie : assimilés à une forme particulièrement raffinée de littérature, ces livres sont déconnectés de la pratique. Le terme « occultisme » lui-même est très tardif : il date de la fin du XIXe s., où il apparaît dans l'œuvre de Joséphin Peladan. Son équivalent plus ancien, « sciences occultes », apparaît dans le *Dictionnaire universel* de Furetière (1690), où il est assorti d'un commentaire significatif : pour Furetière, non seulement les sciences occultes sont interdites par l'Église, mais ce sont des sciences « vaines », c'est-à-dire de fausses sciences, par opposition à la science rationnelle et expérimentale moderne. Tout se passe donc comme si pour pouvoir parler d'occultisme, c'est-à-dire réunir sous cette désignation des pratiques et des textes en réalité très différenciés, il fallait ne plus y croire, être passé à un autre régime de rationalité. La mise en place d'une définition restreinte de la littérature comme écriture à but esthétique et l'exclusion de la magie hors de la connaissance légitime suscitent un réinvestissement de ce territoire par les écrivains, avec des effets et dans des buts divers : l'occultisme peut fournir un décor ou un support thématique codifié aux auteurs de romans fantastiques, servir de référence et de modèle à la subversion poétique de la rationalité chez les surréalistes (*Arcane 17*) ou constituer une voie d'initiation analogue à celle de la littérature (voir l'œuvre de R. Guénon, au XXe s.).

L'étude des rapports entre littérature et occultisme fait surgir, en particulier quand elle a pour objet des textes de l'Antiquité, du Moyen Âge ou de l'époque moderne, ou encore les textes issus d'autres cultures, un problème de classement qui rencontre celui plus général de la définition de la littérature : où finit l'occultisme, où commence la littérature ? Doit-on parler de littérature ou de magie, par exemple, à propos de *L'âne d'or* d'Apulée ? L'effet des codes et les habitudes de lecture est ici particulièrement repérable. À partir du moment où un ouvrage de magie ou d'astrologie n'est plus pris au sérieux, il peut non seulement servir de source à l'œuvre d'un écrivain, mais encore être lui-même lu comme une œuvre littéraire. De même, la dimension alchimique de la poésie de la Renaissance apparaît surtout comme une thématique littéraire, et le fait que Hugo ait cru au spiritisme n'empêche pas que les textes où il en parle soient reçus et analysés selon des critères esthétiques et non selon leurs dimensions « magiques ». Mieux encore, personne (pas même eux, probablement) ne croit que les surréalistes voulaient faire autre chose que de la poésie en faisant appel aux médiums ou à des techniques d'oniromancie. Un choix de lecture inverse semble pathologique : le lecteur qui croit à la magie contenue dans les grimoires qu'il consulte et par là même la fait agir est du reste devenu un *topos* de la littérature fantastique.

▶ BÉHAR P., *Les langues occultes de la Renaissance*, Paris, Desjonquères, 1996. — RENAUD A., « L'hermétisme. En quête d'une définition, le paradoxe de la réception », *Œuvres et critiques*, XI, 1, Tübingen / Paris, 1986, p. 11-20. — VADÉ Y., *L'enchantement littéraire. Écriture et magie de Chateaubriand à Rimbaud*, Paris, Gallimard, 1990.

Dinah RIBARD

→ *Décadence ; Fantastique ; Hermétisme ; Illuminisme ; Médiévale (Littérature) ; Réception.*

ODE

La « matière » de l'ode est définie par Horace (*Art poétique*, p. 83-85) comme la louange des dieux et des hommes vertueux et la méditation philosophique, ou la célébration de l'amour et de la bonne chère. Sa forme est strophique, sans contraintes rigides, mais doit se prêter à la mise en musique. C'est donc une forme poétique lyrique ambitieuse, érudite, qui vise à séduire par un style orné, grave et volontiers sentencieux.

L'ode a été pratiquée en Grèce par Pindare, et illustrée à Rome par Horace. Le mot est attesté en français dès 1488 mais Ronsard le premier l'utilise contre la tradition « vulgaire » de la chanson.

Cette première réalisation en français est illustrée par Du Bellay (*Vers lyriques* et *Recueil de poésie*, 1549) et par Ronsard (*Quatre premiers livres des Odes*, 1550), qui font du genre le domaine par excellence de l'éloge du roi Henri II et des princes du sang. Du Bellay imite surtout Horace, Ronsard cultive l'ode pindarique (de structure ternaire : strophe, antistrophe, épode) et son style est sublime, impersonnel, proche de celui de l'épopée, délibérément obscur par l'accumulation des « vestiges de rare et antique érudition » (*Défense*, II, 4). Mais cette veine héroïque mise en avant au risque de choquer le goût de la cour n'exclut pas un lyrisme tempéré, moins tendu, la « naïve douceur » qui s'épanouit par la suite dans les « odelettes » du *Bocage* ou des *Mélanges* (1554-1555). Cette diversification se confirme quand l'humaniste Henri Estienne édite les odes légères du pseudo-Anacréon, bientôt traduites en vers « mignards » par Rémi Belleau (1556). La séduction du style anacréontique tempère ainsi l'aspiration au sublime dont les premières odes de la Pléiade avaient donné l'impulsion, mais l'ode restera le plus souvent un genre noble, encore vanté par Boileau pour son éclat, son ambition, son énergie impétueuse (*Art poétique*, 1674, II, 58-81).

Abondamment pratiquée de la Renaissance à l'âge classique, avec une grande variété de formes et de registres, l'ode est souvent mise en musique à l'occasion de fêtes de cour. Elle reste l'une des formes privilégiées de la louange du prince. Le modèle d'ode héroïque ou encomiastique est mis au point par Malherbe, puis adapté par Chapelain, Racine (*Ode à la Nymphe de la Seine*, 1660) et Boileau (*Ode sur la prise de Namur* avec un *Discours sur l'ode*, 1693). Il influence aussi l'ode sacrée telle que la pratique Racan (1651-1660) et plus tard Voltaire. Le style s'en perpétue dans les épithalames et les cantates de Jean-Baptiste Rousseau comme dans les dithyrambes de Delille.

À la génération romantique Hugo crée « l'ode moderne », en bannissant les « faux ornements » pour y verser « tous les secrets du cœur, tous les rêves de l'imagination et toutes les sublimités de la philosophie » (*Odes et poésies diverses*, 1822 ; *Nouvelles Odes*, 1824 ; reprises dans *Odes et Ballades*, 1826). « L'ode moderne » perpétue dans la libre variété de ses formes et de son inspiration les tendances les plus anciennes du genre : humour et fantaisie légère de l'ode anacréontique (Nerval, *Odelettes*, 1853 ; Banville, *Odes funambulesques*, 1857), enthousiasme religieux ou métaphysique (*Cinq grandes odes*, de Claudel, 1910 ; *Odes* posthumes de Ségalen, 1926), lyrisme de l'éloge et de l'admiration (Breton, *Ode à Ch. Fourier*, 1947 ; *Ode à Salvador Dali* de Lorca, 1926, traduite par Eluard en 1938 ; F. Boquentin, *Cinq odes pour J.-J. Rousseau*, 1995).

En l'absence de règles précises léguées par les poéticiens de l'Antiquité, l'ode paraît un genre grand ouvert, varié mais aussi controversé. Autour de 1550, la Pléiade l'oppose à la tradition populaire et marotique de la chanson. La Querelle des Anciens et des Modernes est l'occasion de nouveaux débats : les Modernes prétendent soumettre l'ode aux lois du bon sens et de l'art, Boileau prend contre Perrault la défense de Pindare, prône le « beau désordre » et fait du poète lyrique un être à part, « plutôt entraîné du démon de la poésie que guidé par la raison ». C'est cette vision du genre qui prévaudra, associant au mot l'idée de transport et d'enthousiasme, ce qui explique son succès maintenu chez les romantiques et au XXe s. La vocation musicale de l'ode a été vite abandonnée.

▶ ROUGET Fr., *L'apothéose d'Orphée. L'esthétique de l'ode en France au XVIe siècle*, Genève, Droz, 1994.

Jean VIGNES

→ *Cantique ; Chanson ; Épidictique ; Héros et anti-héros ; Lyrisme ; Musique.*

ŒUVRE

Du latin *opus*, *opera*, « œuvre » désigne « ce qui est fait, le produit d'un travail délibéré ». En ce sens premier, le mot peut s'appliquer à divers objets fabriqués. Mais en son emploi absolu, qui est le plus usuel, il renvoie à l'idée d'« œuvre d'art », d'objet créé dans une intention esthétique. Reste que même en cette acception spécifique, il reçoit des contenus et des connotations variables, qui en font, dans le domaine littéraire, un terme apparemment clair et en pratique objet d'incessantes dérivations.

Œuvre renvoie à l'idée d'une totalité, d'une globalité. Ainsi, on parle d'une œuvre de Molière ou de Shakespeare ou d'Hugo... pour renvoyer à un livre complet, par opposition avec l'idée de texte ou de poème qui peut s'appliquer à une partie seulement (*Les fleurs du mal* sont l'œuvre, et *La chevelure* est un poème, partie de celle-ci). En un sens plus restreint, « œuvre » peut désigner l'ensemble de la production d'un auteur (l'œuvre d'Hugo) ; en ce cas, on éprouve souvent, par habitude prise dans l'édition, le besoin de préciser par le pluriel et un adjectif : les « œuvres complètes » ; la critique d'art utilise une forme rare, le masculin, pour signifier la même chose : l'œuvre peint de Michel Ange renvoie à l'ensemble de ses créations picturales. En de tels usages, le nom d'œuvre porte sur l'objet. Mais « œuvre » appelle aussi l'idée de l'acte créateur, perceptible dans chacun de ses résultats, fût-il partiel ou incomplet (« La chevelure » est une œuvre de Baudelaire). Ces deux usages font surgir la double question de l'intention et de la complétude. L'idée d'œuvre d'art, d'œuvre littéraire appelle une volonté (l'art, au sens premier, est mise en travail délibérée d'un savoir-faire). Aussi le sens commun considère-t-il que cette volonté, émanant d'un même sujet, s'exerce de façon cohérente : chaque texte, chaque œuvre au sens 1 d'un auteur serait partie intégrante et constitutive de son œuvre (complète) au sens 2. Et en retour, chaque élément prendrait sens en fonction de sa place dans la grande œuvre (ainsi, qui ne lit que l'*Épilogue* des *Poèmes saturniens* de Verlaine constate que celui-ci est parnassien, qui lit l'ensemble du recueil constate que ses positions sont plus ambiguës, qui lit tous les écrits de Verlaine voit qu'il a évolué et que la tendance parnassienne n'est pas une caractéristique exclusive de son œuvre). De sorte que le sens exact du terme, en chacun de ses emplois, est tributaire à la fois d'un implicite (il n'est d'œuvre que d'art) et d'un acte empirique de découpage du corpus (un poème, un livre, l'ensemble des écrits...). À ces incertitudes des emplois s'ajoutent, dans le cas de la littérature, deux autres sources d'ambiguïté. La première vient de l'idée que si l'œuvre forme un tout résultant d'une intentionnalité, ce vouloir de l'auteur s'accomplit dans le tout seulement, mais que chacune de ses parties en témoigne, mais de façon plus ou moins exactement ajustée aux propriétés du tout. On parle ainsi de chef-d'œuvre pour les ouvrages qui paraissent représenter le mieux l'intention de l'auteur, les mieux aboutis, et d'œuvres secondaires pour les autres. Cette attitude est confortée par le fait que des auteurs peuvent juger que certains de leurs ouvrages ne correspondent pas à l'image qu'ils veulent donner de leur « œuvre », et donc peuvent les modifier (ainsi Corneille en 1660 a fortement retouché ses premières œuvres) voire les renier et supprimer (comme fit à la fin du XIXe s. P.-J. Jouve pour certains de ses livres). Dès lors, l'incertitude s'établit pour définir ce qui est à recevoir et analyser. La suppression ou la modification de certaines parties impliquent une modification de la structure de l'ensemble, et donc de sa signification. Le cas extrême est celui de la découverte d'une part inédite et inconnue de l'œuvre d'un auteur, qui peut modifier la vision établie de son esthétique et de ses idées. Une seconde source d'ambiguïté tient à l'usage assez souvent synonyme qui est fait, pour la littérature, des termes d'« œuvre » et de « texte ». Les deux se recoupent souvent, mais ne peuvent être superposés. Une œuvre peut avoir, et a souvent, plusieurs textes : les variantes en sont le cas flagrant. D'autre part, un texte au sens strict est un objet verbal écrit, qui ne suppose pas nécessairement un auteur (il peut être collectif, anonyme, etc.) ni une intention esthétique. On peut dire que l'emploi de texte correspond au sens large et ancien de littérature (tout le corpus des écrits) et celui d'œuvre au sens moderne et plus limité (les productions textuelles à visée esthétique). Aussi, théoriser à partir du texte ou des textes, ou bien à partir de l'œuvre ou des œuvres, n'engage pas les mêmes conséquences. Des données fondamentales de la textualité (par exemple les relations avec d'autres textes) n'entraînent nullement une nécessaire appartenance à l'art verbal, donc une application de l'idée d'œuvre.

La notion d'œuvre a été constituée en fondement de la réflexion sur la littérature, tant du côté de la création que de celui de la réception. Pour la réception, on vient de le voir, elle constitue une unité de réflexion et d'interprétation. Elle constitue aussi une unité de conservation, dans l'usage d'éditer des œuvres complètes aussi complètes qu'il se peut, brouillons et correspondance privée y compris. Elle constitue enfin une catégorie de classement et de sélection : l'usage de publier des œuvres choisies s'associe avec l'idée de chef-d'œuvre pour délimiter la part de la création d'un auteur qui est estimée la plus réussie et importante. Du côté de la création, l'affirmation de l'idée d'auteur, liée au prestige accru de l'écrivain et au développement de l'image positive du sujet individuel, induit chez les créateurs la représentation de chacun de leurs écrits comme éléments d'un monument faisant un tout, faisant l'« œuvre » proprement dite. Ce qui induit des choix esthétiques et stylistiques. Ce qui induit aussi, chez certains, le choix de jouer sur deux ou plusieurs signatures, de façon à ce que la part la plus commerciale de leurs ouvrages ne porte pas ombre au prestige de la part ancrée dans la littérature de diffusion restreinte (ou réciproquement). Face à cet ensemble de questions, l'œuvre est souvent à considérer dans sa relation à l'acte de création, et pas seulement à travers l'objet – tributaire de l'état des connaissances et des disponibilités des textes – qui le constitue.

L'histoire des applications de la notion d'œuvre traduit les variations de sens du terme. La première étape est liée à l'identification de l'auteur, qui se manifeste dès l'Antiquité et, après un temps de relative éclipse, le Moyen Âge. Elle est liée à l'histoire de l'écrit : l'œuvre orale, ouverte aux mémorisations et récitations diverses, qui la transforment, est à la fois instable et mal attribuable. L'apparition de l'imprimerie et l'essor du marché littéraire entraînent la publication d'œuvres complètes – y compris du vivant des auteurs et par leurs propres soins, comme l'inaugurent à l'âge classique Corneille, puis Racine. Se constitue alors une représentation de la littérature qui lie l'œuvre et l'auteur, voire l'« œuvre et l'homme », qui tend à privilégier l'intentionnalité, voire à ne chercher dans l'œuvre que l'expression de l'homme (ce qui implique que si l'œuvre est jugée belle, l'homme qui l'a faite serait « bon »). Face à cela, et face aux abondances de confidences lyriques du romantisme, les tendances de l'Art pour l'Art réagirent en faisant passer l'œuvre avant l'auteur, en en faisant une fin en soi. Advint alors l'emploi d'« œuvre » en construction absolue (chez Gautier par exemple). Au XXe s., ces différentes attitudes coexistent, parfois conflictuellement. La notion d'œuvre y a fait l'objet d'une critique serrée, liée à la critique du « sujet » et à l'idée de crise de celui-ci. Avec les formalistes s'est amorcée une théorisation qui désigne comme objet propre de la littérature ni les œuvres (les livres ou les textes) ni l'œuvre (l'ensemble des écrits d'un auteur) ni même l'ensemble des œuvres littéraires (la « littérature »), mais les propriétés qui font que ces textes sont différents des autres, la littérarité. Ce déplacement a été accentué par une part du structuralisme. L'étude des structures peut se faire à l'échelon d'une œuvre (un livre, un texte) mais se détourne de l'auteur et de l'intentionnalité associée pour envisager la textualité seule, dans son immanence. Les théories du « texte » et, corrélativement, de la « mort de l'auteur » amenaient la dissolution du concept d'œuvre en tant qu'outil d'interprétation. Mais cette mise en cause du concept d'œuvre s'est accomplie aussi du côté des créateurs. Elle a été plus radicale dans les arts plastique que dans la littérature. Mais en celle-ci, le recours à l'automatisme mettait en cause et l'auteur et l'œuvre, qui devenait « soluble ». D'autre part, sous l'influence de la phénoménologie, l'attention s'est déplacée du projet vers le phénomène : ainsi pour des théoriciens comme Blanchot (mais en amont de celui-ci, cette voie avait été explorée par Mallarmé), chaque texte n'est pas une étape ou une pierre d'un œuvre à bâtir par l'auteur, mais la tentative de capter un fragment d'un discours transcendant ; l'objet ultime n'est plus un objet créé et beau et signifiant, mais un espace métaphysique auquel le langage donne parfois accès. La déconstruction et les thèses radicales sur l'intertextualité généralisée ont poussé cette façon de voir à l'extrême. En retour, l'idée d'œuvre, associée à celles d'auteur et d'écrivain – ou d'artiste – fait, sinon un retour, du moins un chemin continu.

▶ BLANCHOT M., *L'espace littéraire*, Paris, Gallimard, 1955. — DERRIDA J., *L'écriture et la différence*, Paris, Gallimard, 1967. — FRAISSE E. & MOURALIS B., *Questions de littérature*, Paris, Le Seuil, 2001. — MCKENZIE D. F., *La bibliographie et la sociologie des textes* [1986], trad. Paris, Cercle de la Librairie, 1991. — MARTIN H-J. & Chartier R., *Histoire de l'édition francaise*, Paris, Promodis, 1984. — Coll. : *The New Historicism*, New York-Londres, 1989.

Alain VIALA

→ *Auteur ; Chef-d'œuvre ; Création littéraire ; Écrivain ; Esthétique ; Philologie ; Texte.*

OFFICIELLE (Littérature)

La littérature officielle, ce sont des textes produits à l'intention et parfois à la demande ou avec la caution d'une autorité reconnue (le ou les maîtres du pouvoir, leur entourage, la Cité, l'État ou la nation), pour célébrer la gloire de cette autorité. Certains genres sont particulièrement mobilisés à cet usage, comme la poésie didactique ou la littérature encomiastique.

L'adjectif *officiel*, du latin *officium* : « service, fonction », s'est introduit en français par l'intermédiaire de l'anglais à la fin du XVIIIe s. Stendhal l'emploie pour la première fois dans le domaine littéraire, en 1825, avec un sens péjoratif. Depuis l'époque romantique il est mal vu de mettre son art au service de l'ordre établi.

Cependant, la littérature est née dans les parages du pouvoir spirituel et temporel. Dans la Grèce antique, la production poétique et théâtrale est fortement liée à la vie politique et religieuse de la cité. À l'occasion de la fête des Grandes Dionysies, à Athènes, se déroulaient des concours de dithyrambes, chœurs chantés en l'honneur de

Dionysos, suivis de concours de comédies et de tragédies. Pindare écrivit des dithyrambes, mais aussi des péans en l'honneur d'Apollon et de nombreuses *épinicies*, odes à la gloire des athlètes vainqueurs aux jeux panhelléniques. Isocrate composa un célèbre *Panégyrique d'Athènes*, dans lequel il fait l'éloge de sa cité.

À Rome, l'empereur Auguste, secondé par Mécène, aide de nombreux poètes, dont Horace, Virgile et Properce. Virgile lui offre *L'Énéide*, épopée qui inscrit le lignage du prince et celui de la ville dans la légende troyenne. Pline le Jeune écrit un *Panégyrique de l'empereur Trajan*, pour remercier celui-ci d'avoir permis son accession au consulat. Dans la partie orientale de l'empire, des collèges d'« Hymnodes » composent des hymnes en l'honneur des empereurs divinisés.

En France, au XVe s. les « Grands Rhétoriqueurs » sont poètes de cour et chantent la gloire de leurs protecteurs. Tradition qui se perpétue ensuite. Ainsi au XVIe s., Charles IX donne le prieuré de Saint-Cosme à Ronsard, qui entreprend en échange de composer *La Franciade*, épopée – restée inachevée – qui attribue à la manière de *L'Énéide* des origines troyennes à la France et célèbre les ancêtres du roi. Sous Louis XIV se développe le système du mécénat visant à célébrer sa gloire. Racine – par exemple dans l'*Ode sur la convalescence du Roi*, puis *La renommée aux Muses* (1664) où il compare Louis XIV à Auguste et Colbert à Mécène –, Boileau, Molière, entre autres, y participent, et des poèmes, des pièces, des fêtes et des ballets marquent avec éclat les événements qui concernent le roi ou son entourage.

Les écrivains des « Lumières » laissent cet emploi de service du roi de France, mais l'avènement des discours de célébration des grands hommes à l'Académie oriente la veine officielle dans une nouvelle voie que la Révolution et le premier Empire ont exploitée.

Au XIXe s., le champ littéraire tend à affirmer son autonomie contre les autorités officielles. Toutefois une littérature de circonstance se poursuit, liée aux institutions religieuses ou civiles, comme, par exemple, les cantates jouées chaque année à l'occasion de la fête de Napoléon III. Sur un autre mode, Hugo, à qui l'on fit des funérailles nationales, fut regardé après sa mort comme le poète officiel de la Troisième République et ses œuvres prirent une place importante dans l'enseignement. De même, Anatole France, Maurice Barrès ou, plus tard, Valéry contribuèrent aussi à modeler une pensée, une sensibilité et un style qui convenaient à l'idéologie dominante. Émile Verhaeren, en Belgique, ou Louis Fréchette, au Canada français, ont été également consacrés poètes nationaux. Le service de la nation remplace alors celui du monarque. Mais les interventions des écrivains qui s'y consacrent ne relèvent plus vraiment de la littérature officielle, car ceux-ci s'engagent librement, ils n'officient pas.

Au XXe s., tandis que la littérature officielle connaît un développement très important dans de nombreux pays avec la littérature de propagande des pays totalitaires, elle devient moins fréquente ailleurs, sauf lors des crises de l'identité nationale (les périodes de guerre par exemple). Toutefois, Aragon et Claudel se placent dans cette tradition quand ils donnent leurs *Odes* à Staline ou au Maréchal Pétain. Avec la fin du XXe s., la littérature officielle n'a plus vraiment d'existence ailleurs que dans les discours de réception académique.

La littérature officielle existe dans les situations où la subordination du champ à une autorité religieuse ou politique s'impose (Antiquité, féodalité, monarchie absolue). La montée de la démocratie et l'autonomisation du champ la rendent progressivement caduque. Aussi ses tentatives de réappropriation par des pouvoirs totalitaires au XXe s. n'ont-elles pas eu de lendemain. Le discours de réception académique maintient encore son statut de littérature officielle dans la mesure où il célèbre non le pouvoir politique dont il relève mais la littérature même comme part constituante de la nation.

▶ BONNET J.-C., *Naissance du Panthéon : essais sur le culte des grands hommes*, Paris, Fayard, 1998. — MESNARD J. (dir.), *L'âge d'or du mécénat*, Paris, CNRS, 1983. — POIRION D., *Le poète et le prince*, Paris, PUF, 1965. — VIALA A., *Naissance de l'écrivain*, Paris, Minuit, 1985. — Coll. : *Le pouvoir monarchique et ses supports idéologiques*, Paris, PSN, 1988.

Michèle BENOIST, Denis SAINT-JACQUES

→ *Académies ; Cour (Littérature de) ; Engagement ; Épidictique ; Mécénat ; Nationale (Littérature) ; Rhétorique ; Rhétoriqueurs.*

OPÉRA, OPÉRETTE → Comédie-ballet ; Musique ; Théâtre lyrique

ORAISON FUNÈBRE

L'oraison funèbre est la forme la plus instituée des discours sur la mort : discours religieux devant la communauté croyante, elle fait l'éloge d'un défunt en utilisant le pathétique pour une didactique de la conversion. Après avoir constitué un des grands genres ecclésiastiques du XVIe au XVIIIe s., elle trouve des héritiers laïques et religieux dans des formes rhétoriques variées et sur des supports publics très diversifiés.

Terme ambigu, comme sa source latine *oratio*, oraison sert jusqu'au XVIIe s. à désigner le discours en général, juridique ou grammatical, puis subit une double spécialisation : d'abord pour désigner la prière, puis le discours d'oraison funèbre. *Oratio* désigne la prière dès la patristique ancienne, qui la décrit toujours comme un discours articulé, vocalement formulé, organisé : la prière proprement dite est un discours de demande. Ainsi l'oraison ressortit en fait à la rhétorique, mais sa pragmatique est inversée : elle ne peut prétendre à transformer l'opinion de Dieu, mais à réaliser, par une juste analyse de soi, une transformation de l'orant qui devient ainsi plus conforme au vouloir de Dieu et se purifie.

Par une sorte de mixte entre discours public et prière, l'oraison funèbre se situe dans la tradition civique des discours d'éloge des morts prononcés dans l'Antiquité (éloge des soldats athéniens prononcé par Périclès ; célèbre discours d'éloge de César par Marc Antoine). Le christianisme leur ajoute explicitement une dimension didactique et spirituelle : chez les Pères de l'Église Ambroise, Grégoire de Nysse, Grégoire de Naziance, l'éloge du mort vaut comme commémoration et honneur, mais aussi comme incitation à l'imitation de ses vertus. Apparentée au panégyrique et à l'apologétique, l'oraison funèbre (qui se différencie des sermons en ce qu'elle se prononce hors de la messe et parfois des obsèques, dans un contexte spectaculaire), du XVIe s. au XVIIIe s., est un des grands genres de l'éloquence sacrée, illustré par Bossuet et Massillon notamment, une sorte de double discours social et religieux marqué par l'apparat de façon croissante et par le message de la Réforme catholique sur la pédagogie de la Mort. Déploration, éloge du défunt à travers sa biographie, élévation vers le salut en sont des étapes obligées et théorisées par les traités d'éloquence religieuse. Exceptions remarquables, les oraisons funèbres ont été un genre public oral, publié avec succès, et sont un genre religieux dont l'école laïque a fait grand cas.

Hormis des morts royales ou présidentielles (où la communauté se rassemble), l'oraison funèbre est de nos jours redevenue un genre privé lié aux obsèques et non publié, mais elle est relayée par des substituts médiatiques : éloges, rétrospectives, phrases officielles de condoléances. Elle a retrouvé ses fonctions originelles dans le Discours aux morts prononcé par Malraux lors du transfert des cendres de Jean Moulin au Panthéon.

L'oraison funèbre est un genre de la mort parmi d'autres. Elle s'oppose aux formes qui héritent de la *deploratio* ou de l'ancienne *naenie*, qui pleurent la perte d'un être : déploration, complainte, élégie, lamentations. L'oraison funèbre organise un sens et un héroïsme de la mort, et dépasse le panégyrique ou la biographie d'éloge par son didactisme. Genre destiné à rassembler une communauté, elle fait du deuil un principe d'union sur des valeurs communes qui sont l'héritage du défunt. Aussi devient-elle explicitement un fait idéologique de première importance, utilisant le pathos et le choc émotif pour une action qui est aussi politique (publication groupée des oraisons funèbres d'Henri IV dès 1613) et qui doit frapper les imaginations (Bossuet, *Oraison funèbre de Condé*, aux accents épiques, ou *d'Henriette d'Angleterre*, fondée sur le pathétique de la mort inattendue). Il lui arrive de devoir masquer la réalité (d'où la locution figée : « menteur comme une oraison funèbre » !) ou de lui donner une lecture très orientée (Sorbin de Sainte-Foy, *Oraison funèbre de Charles IX*) ou de composer avec des circonstances mondaines (oraisons funèbres de Bossuet, Fléchier, Massillon, Lacordaire). *Nihil mortuis nisi bonum* : cet art de la rectification du réel est sans doute ce qui a le mieux survécu dans les discours privés et publics dont le deuil est souvent absent dans les médias, et qui n'ont plus la dimension religieuse et didactique qui définit l'oraison funèbre. Retour du refoulé, il existe quelques inversions parodiques et dénonciatrices, qui en sont l'antiphrase institutionnelle (*Un cadavre*, de Breton, sur la mort d'Anatole France).

▶ BOSSUET, *Oraisons funèbres*, [1669-], Paris, Garnier-Flammarion, 1961. — LORAUX N., *L'invention d'Athènes : histoire de l'oraison funèbre dans la « cité classique »*, Paris, Payot & Rivages, 1993. — TRUCHET H., *La prédication de Bossuet*, Paris, Le Cerf, 1960. — Coll. : *Dictionnaire de Théologie catholique*, articles *Prière* et *Méditation*, Paris, Letouzy, 1923 et sq.

Marie-Madeleine FRAGONARD

→ *Apologie ; Biographie ; Discours funèbres ; École ; Éloquence ; Épidictique ; Idéologie ; Passions ; Réforme catholique ; Religion.*

ORALITÉ

Par opposition à l'écriture, l'oralité est un mode de communication fondé sur la parole humaine et sans autre moyen de conservation que la mémoire individuelle. Par extension, l'oralité désigne ce qui, dans le texte écrit, témoigne de la parole et de la tradition orale.

Aussi loin que peut remonter la mémoire humaine, la récitation des mythes, l'accomplissement de rituels, la généalogie et les coutumes ont été des dispositifs de transmission des savoirs. Cette tradition orale repose sur une chaîne de répétition, formée d'individus choisis, et elle est soumise au fonctionnement de la mémoire qui peut sélectionner des souvenirs, modifier les catégories d'interprétation ou enjoliver l'anecdote. Seul le récitant peut attester l'authenticité du message dont l'origine s'est perdue dans le temps. L'apparition de l'écriture n'élimine pas la tradition orale, mais elle réduit son espace et sa fonction sociale.

Dès son origine, la littérature participe de l'oralité. Contes, poèmes sont récités et, souvent, mémorisés et transmis oralement. L'écrit représente fréquemment une étape de stabilisation des textes. La littérature écrite puise abondamment dans ce fonds traditionnel. Depuis la Bible, la littérature épico-héroïque prend sa source dans des chansons et des légendes et elle utilise des techniques de composition propres à la tradition orale (notamment les généalogies). Au Moyen Âge, les racines des chansons de geste, chansons lyriques voire de la littérature courtoise plongent en grande partie dans le folklore. Rabelais construit le comique par l'hybridation des langues ou traditions populaires et savantes. Genre porté d'abord par la tradition orale, le théâtre utilise toujours le fonds des farces et comédies populaires.

D'autre part, la prononciation, l'action et la mémoire font partie de la rhétorique et codifient un usage efficace de la parole. Tout au long de la première modernité (XVIIe-XVIIIe s.), oralité et recours à l'écrit (notes, canevas) se mêlent dans les genres qui relèvent de l'éloquence (oraison, sermon, éloge), tandis que les formes poétiques brèves prisées dans les salons (chansons, proverbes, impromptus, bouts rimés) dissimulent les traces de leur préparation écrite.

Contre la rhétorique se pose toutefois le problème d'une langue littéraire plus « naturelle », par imitation de la langue parlée. L'élimination du vers et le recours à la prose dans le roman et la comédie participent de ce phénomène. La transcription de la variation linguistique (niveaux de langue, accents, rythme, ton) propre à certains personnages est d'abord réservée au valet ou au paysan de la comédie classique puis elle s'étend au dialogue de roman avec George Sand.

Dans la seconde modernité, l'oralité est devenue un des paradigmes de la création littéraire. Elle prend plusieurs formes comme le rappel de motifs ou genres de la tradition orale (saga, conte, légende), la mise en scène de personnages qui racontent (Barbey d'Aurevilly, Maupassant), l'utilisation des « mots ordinaires » (Mallarmé), le recours aux expressions populaires et à l'argot dans la narration romanesque (Céline), le travail sur le rythme et la prosodie imitant la conversation (Aragon), le bavardage (Queneau) ou le cri politique (Miron). Elle caractérise également les systèmes linguistique mixtes servant à l'affirmation littéraire des différences nationales : sabirs maghrébins, français créolisé, joual québécois.

Il n'existe pas de théorie unifiée de l'oralité dont l'étude est dispersée entre plusieurs disciplines (ethnologie, linguistique, histoire). La thématique des littératures orales a été l'objet de deux grandes entreprises : la morphologie des contes par Vladimir Propp et l'anthropologie structurale de Claude Lévi-Strauss. Le transfert de ces approches vers les littératures écrites, fécond pour la théorie des genres et l'analyse structurale du récit, laisse pendante la question du caractère proprement littéraire des ces productions, issues de la tradition orale et caractérisées par la variation et par la fusion des deux moments de la *compositio* et de la *recitatio*. Depuis Parry (*The Making of Homeric Verse*, 1971), certains suggèrent toutefois que la présence d'un canevas narratif inscrit dans un ensemble de contraintes métriques et prosodiques peut réunir les formes orales et écrites de la littérature.

Dans les années 1930, l'étude de l'oralité dans la littérature écrite émerge chez Bakhtine, autour des notions de plurilinguisme et de carnavalisation, avant d'être reprise par les poéticiens préoccupés de la matérialité physique du langage qui se manifeste dans la voix (Zumthor) ou le rythme (Meschonnic) ; leurs approfondissements théoriques sont contemporains de la recherche des écrivains sur la transposition du langage populaire dans le texte (Céline, Aragon, Ramuz). Plus généralement, toute entreprise stylistique qui vise à donner un sentiment de présence sensible du texte suscite une quête de l'oralité à travers l'écrit. On notera pourtant que la lecture littéraire à voix haute (celle que pratique Gide par exemple), l'improvisation, la mémorisation et les rapports de communication propres au récit public, à la conversation ou au dialogue (bienséances, règles de procédures, rapports de pouvoir) restent des territoires peu explorés hors des théories linguistiques de l'énonciation.

▶ BAKHTINE M., *Esthétique et théorie du roman*, trad. du russe D. Olivier, Paris, Gallimard, 1978. — COSNIER J. & KERBRAT-ORECCHIONI C. (dir.), *Décrire la conversation*, Lyon, Presses universitaires de Lyon, 1987. — LANE-MERCIER G., *La parole romanesque*, Ottawa, Presses de l'université d'Ottawa, 1989. — MESCHONNIC H., *Poétique du rythme ; politique du sujet*, Lagrasse, Verdier, 1995. — ZUMTHOR P., *Introduction à la poésie orale*, Paris, Le Seuil, 1983.

Lucie ROBERT

→ *Corps ; Dialogisme ; Ethnologie ; Folklore ; Orateurs ; Poésie ; Populaire (Littérature) ; Rhétorique ; Rythme ; Théâtre.*

ORATEURS

L'orateur est celui qui maîtrise l'éloquence, l'art de la parole. Pour persuader, l'orateur doit posséder les règles de la rhétorique, qui lui permettent d'organiser les arguments du discours et de savoir manier les passions, afin d'émouvoir son auditoire. Mais il doit aussi, selon la tradition latine, posséder l'éthos, les qualités morales (Quintilien le définit comme « *vir bonus dicendi peritus* ») qui légitiment sa prétention à dire la vérité.

Dans la Grèce antique du Ve s. avant J.-C., l'orateur est le sophiste, rhéteur de métier donnant des exhibitions publiques ou des leçons d'art oratoire. Platon (*Sophiste, Gorgias*) lui reproche de séduire par un discours orné, privilégiant la dimension esthétique de la parole, et capable de défendre également le pour et le contre, au détriment de la vérité. Il oppose ainsi le philosophe au sophiste, établissant une séparation entre art de bien dire et art de penser. Mais ensuite, Aristote légitime la rhétorique. C'est qu'à Athènes la démocratie place au premier plan l'orateur politique. Démosthène en est le plus fameux : engagé dans la lutte contre Philippe de Macédoine, il use de l'art oratoire comme d'un véritable moyen d'action.

À Rome, Cicéron pense l'orateur dans sa vocation sociale de citoyen au service de la politique et de la justice. Il ne rejette pas le secours de l'art : la nouveauté du modèle cicéronien tient, pour une part, à l'importance qu'il accorde à l'*actio* (voix et geste) et à l'*elocutio* (le style et les ornements du discours) qui lui confèrent une dimension littéraire : jusqu'au XIXe s., l'orateur cicéronien sera ainsi un modèle pour l'écrivain. En outre, par la rédaction de ses traités sous forme d'entretiens, Cicéron promeut le dialogue comme genre dérivé de l'art oratoire.

Pendant le Moyen Âge, apparaît la figure du prédicateur chrétien, porte-parole du verbe divin sur le modèle de Jésus-Christ. Sous l'influence des ordres prêcheurs franciscain et dominicain, la place du prédicateur va croissant jusqu'à l'âge classique, où s'engage, dans les rhétoriques jésuites notamment, une réflexion sur l'expressivité de la voix et du geste (« miroirs de l'âme ») et sur l'efficacité de l'action oratoire sur les passions de l'auditoire. Se multiplient donc les traités (P. de Cresolles, V. Conrart et M. Le Faucheur) visant à tracer un art de la voix et du geste, débouchant sur une ritualisation de l'éloquence de la chaire (voir : Oraison), ainsi que du barreau.

Avec la Révolution, on assiste au retour du tribun dans les assemblées. La situation historique redonne une efficacité à la parole directement engagée dans l'action politique. D'où une pleine exploitation des ressources de l'oralité par l'orateur révolutionnaire, des accents pathétiques aux effets d'emphase en passant par la résonance sonore de la voix – oralité encore renforcée par la pratique fréquente de l'improvisation. Si une tradition oratoire se maintient dans les assemblées de la IIIe République (Jaurès) et jusqu'au début de la Ve, après A. Malraux et le général de Gaulle, le temps des grands mouvements oratoires est révolu, laissant place aujourd'hui aux petites phrases à effet médiatique et à la technicité, même si certains tribuns populaires ou syndicaux renouent avec une éloquence plus véhémente.

L'orateur est un artiste de la parole : il donne d'abord son discours à entendre. C'est cependant par les textes que l'on a gardé trace de la production oratoire des siècles passés : cette publication imprimée pose la question, dans le passage de la forme orale à la forme écrite, d'un travail de réécriture (mise en forme rédigée de notes, retouches, effets de sens induits par une organisation en recueil) qui favorise l'entrée de ces textes dans le corpus « littéraire ». Aujourd'hui, cependant, il semble qu'on lise moins d'orateurs, même si l'on publie encore les leçons inaugurales au Collège de France, et dans la presse, les discours de réception à l'Académie française ou les discours politiques.

Mais de l'Antiquité au XIXe s., le but principal de l'éducation était la formation de l'orateur, et l'étude de la rhétorique reste parfois vivante dans les réseaux d'enseignement libre, en particulier en Belgique ou au Canada français. C'est que la question de l'orateur est étroitement liée à celle du statut social de la parole publique, des professions de l'éloquence (prédicateurs, avocats) et de la place qu'elle a dans la vie politique.

▶ BLANCHARD M. E., *Saint Just et Cie. La Révolution et les mots*, Paris, Nizet, 1980. — FUMAROLI M., « Rhétorique du geste et de la voix à l'âge classique », *XVIIe siècle*, 1981, n° 132. — KAPP V. « Le corps éloquent et ses ambiguïtés. L'action oratoire et le débat sur la communication non verbale à la fin du XVIIe siècle », in *Le corps au XVIIe siècle*, R. W. Tobin (éd.), Paris-Seattle-Tübingen, Papers on French Seventeenth Century Literature, 1995, p. 87-99. — PARMENTIER B., « Entre l'écrit et l'oral », *XVIIe siècle*, 202, 1999, p. 135-146. — SALAZAR P.-J., *Le culte de la voix au XVIIe siècle. Formes esthétiques de la parole à l'âge de l'imprimé*, Paris, Champion, 1995.

Claire CAZANAVE

→ *Corps ; Éloquence ; Ethos ; Oralité ; Rhétorique ; Sermon ; Sophistique.*

ORIENTALISME

On appelle orientalisme les représentations développées dans des récits orientalisants ou à cadre oriental. Mais plutôt que l'Orient en général, l'orientalisme a pour domaine géographique de référence le bassin méditerranéen et le Moyen-Orient, donc, pour l'essentiel, l'ancien l'Empire ottoman, qui recouvrait approximativement l'ancien monde hellénistique et l'Empire romain d'Orient. Ces territoires excentriques du point de vue de l'Europe occidentale n'en représentent pas moins sa matrice historique. L'orientalisme instaure donc un rapport à l'altérité, mais complexe et ambigu, puisque, par le rôle de ces sources culturelles, la relation à l'autre y est indissociable de la définition identitaire.

L'orientalisme littéraire se rattache à la tradition des pèlerinages en Terre Sainte ; il n'est pas abusif de le faire remonter au Moyen Âge, bien que les Sarasins des chansons de geste ne soient pas présentés en ce qu'ils ont d'oriental. Mais il se développe surtout ensuite, après l'ouvrage inaugural de Marco Polo. Au XVIIe s. se multiplient les expéditions scientifiques et commerciales aux pays dits « du Levant ». La guerre entre Turcs et empires chrétiens entretient à la fois méfiance et curiosité. Ainsi fleurissent au XVIIIe s. des récits de voyage, des « turqueries » littéraires (*Le bourgeois gentilhomme, Scapin*), puis musicales et artistiques, suivies par la traduction des *Mille et une nuits* par Galland (1704-1717). Au XVIIIe s., un Orient fantasmatique (*Les lettres persanes*, 1721) cohabite avec un Orient scientifique : les rubriques orientales de l'*Encyclopédie* inventorient des informations historiques, philosophiques et astronomiques.

L'« orientalisme » proprement dit apparaît avec le romantisme. La tradition du voyage en Italie s'étend, en un « Grand Tour », au bassin méditerranéen, au voyage en Grèce notamment, et vers Jérusalem. Ainsi Chateaubriand, dont *L'itinéraire de Paris à Jérusalem* (1811), s'impose comme le modèle d'un périple où le christianisme se confronte sans cesse au paganisme. Le « Voyage en Orient » devient un genre (Lamartine, Nerval, Flaubert, Gautier, Gobineau, Renan et plus tard Barrès) comme la solidarité avec les Grecs insurgés contre les Turcs a été un mot d'ordre (Hugo, *Orientales*, 1829). Dans ces récits, le ressourcement initiatique est contrarié autant que pimenté par l'exotisme et la couleur locale. Tout au long du siècle, d'innombrables échos s'en font entendre en littérature comme dans la peinture (Delacroix).

L'accumulation de telles références suscite une multiplication des écarts par rapport à l'itinéraire canonique et finit par troubler la définition de l'Orient. Ainsi, le *Dictionnaire universel* de Larousse (1874) écrit : « Rien de plus mal défini que la contrée à laquelle on applique ce nom ». En 1909, Louis Bertrand consacre à la désintégration de l'Orient imaginaire un livre qu'il intitule *Le mirage oriental*, et l'orientalisme décline à la suite de la guerre de 14-18 et de la chute de l'empire turc. Les travaux de Louis Mardrus, qui retraduit *Les Mille et une nuits* (1899-1904), ceux de Louis Massignon sur la Perse à partir de 1922, prennent le relais des évocations littéraires, même si Pierre Benoit (*L'atlantide*, 1920) lui doit encore de nombreux lecteurs. L'Orient échappe aux écrivains pour passer aux philologues, aux traducteurs et aux chercheurs. Le discours érudit investit un terrain occupé pendant des siècles par la subjectivité.

Edward Saïd voit dans l'Orient tel qu'il a été représenté par l'Occident une fiction plus qu'une peinture, et une représentation pratiquement colonialiste. L'Orient apparaît comme le lieu par excellence du fantasme : politique lorsqu'il suscitait la figure du Despote oriental, érotique depuis Crébillon. Cependant, on doit distinguer l'orientalisme dans le genre du récit de voyage, véhicule privilégié de l'imaginaire oriental depuis le XIXe s., où au moins les descriptions sont nourries d'observations, sinon de compréhension, et l'emploi de références orientales comme moyen commode d'exotisme dans des fictions. De même, l'Orient chrétien et l'Orient musulman n'induisent pas les mêmes regards. Reste qu'en effet le voyage en Orient a constitué dans la littérature française davantage le lieu d'une quête de soi que de la découverte des autres.

▶ BERCHET J.-C., *Le voyage en Orient. Anthologie des voyageurs français dans le Levant au XIXe siècle*, Paris, Laffont (Bouquins), 1985. — HENTSCH T., *L'Orient imaginaire. La vision politique occidentale de l'Est méditerranéen*, Paris, Minuit, 1988. — MARTINO P., *L'Orient dans la littérature française au XVIIe et au XVIIIe siècle*, Paris, Hachette, 1906. — MOUSSA S., *La relation orientale*, Paris, Klincksieck, 1995. — SAÏD E., *L'orientalisme*, Paris, Le Seuil, 1980.

Sophie BASCH

→ *Archéologie ; Colonialisme ; Exotisme ; Voyage.*

ORIGINALITÉ

Le mot « original » comporte deux sens : il désigne d'abord ce qui est premier ou primitif et, donc, ce qui n'a pas été conçu suivant un modèle, par opposition à la copie. En littérature, il désigne de la sorte le manuscrit ou l'édition qui constitue l'« original » d'un texte, sa version authentique. Il s'emploie aussi pour indiquer ce qui n'est ni faux ni emprunté. Enfin, il désigne ce qui constitue une nouveauté. L'originalité est devenue une valeur esthétique dès la fin du XVIIIe s.

Pendant des siècles, la création littéraire a été dominée par la valeur attachée à l'imitation des Anciens. La Renaissance et l'âge classique en sont tout imprégnés. Et un « original » y est avant tout vu comme un « bizarre ». Dans ces mêmes périodes, cependant, des formes de valorisation de l'innovation se manifestent. Montaigne dans ses *Essais* (1560-1595) dessine un mode d'écriture neuf, Corneille revendique sa part de création dans son *Excuse à Ariste* (1637), et plus globalement, les Modernes se détachent de l'obligation d'imitation. L'idée alors s'établit que même dans l'imitation, il doit entrer une part de création neuve, et que cette nouveauté est une valeur. Le basculement des valeurs se réalise entre 1740 et 1770 aussi bien en Angleterre qu'en France et en Allemagne. L'autonomisation accrue de la littérature au XIXe s. s'accompagne d'une exaltation de l'originalité. Baudelaire exprime le rêve de plonger « au fond de l'inconnu pour trouver du nouveau », après la volonté des romantiques et de Hugo de faire la révolution en poésie aussi. Au XXe s., l'originalité est devenue valeur dominante dans la création littéraire, et dans la critique. Elle s'applique aux contenus, mais plus encore aux formes et au style.

La notion d'originalité intervient donc en littérature, le plus souvent dans des textes critiques, pour marquer une *mesure* d'indépendance par rapport à des modèles donnés. Ainsi les jugements de Lanson, dans son *Histoire de la littérature française* (1895-1912), qui ne cesse d'apprécier les mérites des grands écrivains selon « l'originalité » de leur tempérament – non sans réticence parfois, tant, de l'originalité à la bizarrerie burlesque, il peut sembler n'y avoir qu'un pas. L'institution a toujours maintenu l'ambiguïté du compliment, et certains auteurs longtemps jugés mineurs (George Sand en est un exemple notoire) étaient invariablement salués comme des « esprits originaux » à connaître. Mais dans la plupart des emplois du terme en critique, derrière la figure de l'auteur, et par une personnalisation non dissimulée, un texte est jugé original en ce qu'il est ressenti comme « nouveau », « inattendu », « intempestif », voire « impertinent » : la réception est bien le lieu de perception de l'originalité. Mais toute la question de l'originalité tient à la double acception du terme. En son sens strict, « original » suppose une création personnelle et neuve, et s'oppose à copie et plagiat ; mais il n'implique pas forcément une idée de qualité esthétique supérieure. Tout texte littéraire, d'une façon ou d'une autre, est tenu d'être « authentique ». En revanche, le sens dérivé, et qui implique une distinction qualitative, suppose que l'œuvre cherche à se mesurer à ce critère, que ce soit pour faire apparaître une personnalité remarquable, ou pour laisser entendre une capacité à se distinguer des discours antérieurs. Ainsi dans les cas de réécriture, le texte second doit se démarquer du modèle par des qualités, subversives ou non, qui feront oublier le texte premier. Le problème est de savoir comment s'évalue lui-même ce critère de mesure qualitative. La stylistique a longtemps eu recours à la notion d'originalité pour envisager l'intérêt d'un énoncé. La valeur d'un texte y a été envisagée selon sa capacité à produire des variations, plus ou moins nettes, plus ou moins riches, plus ou moins porteuses de sens, par rapport à un certain degré zéro – hypothétique – de la langue. Longtemps la stylistique littéraire s'est fondée sur la stylistique de la langue. Dans la perspective ouverte par le romantisme, et suivie de Karl Vossler à Henri Morier en passant même par Léo Spitzer, la relation entre l'esprit individuel de l'écrivain et le style est mise en avant, et dans cette perspective, toute analyse peut toujours se ramener à la notion d'originalité pour désigner son objet. Mais pour une telle stylistique, avec ce critère d'originalité discriminatoire, le maniérisme tient lieu de style et Jean Lorrain est le plus grand écrivain du monde. C'est dire que l'idée d'originalité est tributaire des références de celui qui la fait intervenir, donc des modèles dominants dans une culture, et qu'elle ne peut être considérée comme un en-soi.

▶ CONTAT M. (dir.), *L'auteur et le manuscrit*, Paris, PUF, 1991. — LANSON G., *Histoire de la littérature française*, Paris, Hachette, 1895. — MORIER H., *La psychologie des styles*, Genève, Georg, 1959. — MORTIER R., *L'originalité, Une nouvelle catégorie esthétique au siècle des Lumières*, Genève, Droz, 1982. — SPITZER L., *Études de style*, trad. fr. de E. Kaufholz, A. Coulon, M. Foucault, Paris, Gallimard, 1970.

Éric BORDAS

→ *Authenticité ; Génie ; Imitation ; Innovation ; Récriture, Réécriture ; Style ; Stylistique ; Valeurs.*

OULIPO → Avant-garde ; Expérimentale (Littérature) ; Rhétoriqueurs

OUVRIÈRE (Littérature)

On désigne sous le terme générique de littérature ouvrière les textes rédigés par des artisans ou des ouvriers qui sont souvent, mais pas toujours, des témoignages sur le monde du travail. Ceux-ci apparaissent dès le XVe s., lorsque, dans les villes, les compagnons et artisans doivent développer des techniques plus poussées et acquérir une formation intellectuelle appropriée, mais la littérature ouvrière proprement dite prend son essor au XIXe s. Au XXe s., pour des raisons idéologiques, ces textes ressortissent au corpus de la littérature prolétarienne.

L'émergence des ouvriers qui écrivent forme une phase méconnue de l'histoire de la littérature française. Des auteurs d'origine modeste commencent à être vraiment connus comme tels dès la fin du premier Empire. Ils sont nombreux sous la Restauration, se font connaître de 1830 à 1848 pour s'effacer progressivement sous le Second Empire. Leurs œuvres sont principalement des poésies et des chansons, mais également des mémoires, des critiques, de la correspondance – en particulier dans la sphère d'influence du socialisme utopique. Les disciples du comte de Saint-Simon tenaient la poésie en haute estime. Elle intervenait dans leurs cérémonies, leurs chants de travail et de propagande ainsi que dans les chants d'avant et d'après les repas et les nombreux hymnes de circonstance qui rythmaient leur vie sociale. Aussi est-ce dans leur mouvance que les poètes-ouvriers ont souvent été reconnus. Un Pierre Lachambeaudie, paysan périgourdin puis employé aux chemins de fer, dont les *Fables* eurent un certain succès, doit leur publication aux organes de la secte. Dans le même contexte, les ouvriers qui écrivent ont bénéficié de publications comme *La ruche populaire* (1839-1842), puis *L'union* (1843-1846) ou *L'atelier* (1840-1850). C'est d'ailleurs Olinde Rodrigues, un des responsables du mouvement, qui publie la première anthologie de *Poésies sociales des ouvriers* (1841). Les thématiques de la fraternité et de l'unité sociale retrouvée gagneront ensuite d'autres cercles, bourgeois ou socialistes, en particulier chez les disciples de Fourier et de Leroux.

On peut rattacher à ce mouvement les mémoires d'ouvriers instruits comme Agricol Perdiguier (*Mémoires d'un compagnon*, 1854) ainsi que, mieux connus, les chansonniers Pierre-Jean de Béranger, ancien ouvrier typographe, Vinçard et ultérieurement Jules Jouy et les quelques anarchistes de la fin du siècle.

Nombre de poètes paysans, artisans, ou se disant hommes du peuple apparaîtront par la suite, mais de manière isolée. Il faut attendre le mouvement de la littérature prolétarienne au début du XXe s. pour que, dans son ensemble, leur pratique connaisse une certaine reconnaissance institutionnelle. La littérature des « établis » vers 1968 (dont le récit homonyme de R. Linhardt est emblématique) s'inscrit également dans cette tradition.

La littérature des ouvriers n'est pas concentrée à Paris. De nombreuses sociétés provinciales offraient un auditoire et une tradition réceptive aux œuvres populaires. Certains auteurs appartiennent d'ailleurs de plein droit à l'histoire du régionalisme ou des littératures dialectales.

Au XIXe s., rares sont ceux qui y voient une poésie originale. On a plutôt tendance à se féliciter de la diffusion acquise par la sensibilité romantique dans les classes populaires et, de fait, les thèmes et les rythmes sont souvent issus en droite ligne des modèles des grands auteurs comme Delille, Lamartine et Hugo ou bien encore de la tradition des chansons de Béranger. Mais outre un message idéologique humanitaire souvent véhément, et parfois encore chargé d'émotion pour le lecteur moderne, cette poésie affirme aussi l'utopie d'une autre condition sociale et ambitionne de fonder une nouvelle relation au temps du travail, à la communauté et aux relations humaines. Comme l'a montré Jacques Rancière, la voix qu'elle fait entendre ne se réduit pas à l'imitation des genres en vogue ; elle dit ce que nul autre poète ne prétend chanter : un rêve collectif d'émancipation. Cette part de la littérature suscite donc inévitablement une lecture idéologique et politique.

Cette production ne se situe pas nécessairement à l'écart des enjeux du champ littéraire : la présence de « couples » formés par un intellectuel bourgeois progressiste et un ouvrier (George Sand et le tisserand Magne ou le maçon Charles Poncy ; Hugo et Antoinette Quarré ou Savinien Lapointe ; Charles Potvin et Félix Fresnay en Belgique) prouve l'existence de stratégies concertées, mais celles-ci n'ôtent rien à l'existence d'une tradition ouvrière spécifique.

▶ PICARD R., *Le romantisme social*, New York, Brentano's, 1944. — RANCIÈRE J., *La nuit des prolétaires*, Paris, Hachette/Pluriel, [1981], 1997. — VIOLLET A., *Les poètes du peuple au XIXe siècle*, préf. de Michel Ragon, Genève, Slatkine, [1846], 1980.

Paul ARON

→ *Chanson ; Prolétarienne (Littérature) ; Populaire (Littérature) ; Régionalisme ; Romantisme.*

P

PACTE DE LECTURE

La notion de pacte (ou contrat) de lecture est utilisée par les narratologues et les théoriciens de la lecture, notamment, pour décrire la relation entre le narrateur et le narrataire et entre l'auteur, le texte et le lecteur. Il s'agit, en définition globale, d'une entente tacite établie à partir et à l'égard d'un texte ; elle met en jeu les concordances entre, d'une part, la matière et les visées du texte et, d'autre part, les connaissances et les visées du lecteur.

L'incipit « Il était une fois » indique que le texte qui suit relève du genre du conte et peut donc présenter des événements féeriques ou fantastiques, peu vraisemblables ou tout à fait invraisemblables, mais que le lecteur est invité à admettre pour que le texte puisse se dérouler. Cet exemple résume le principe du « pacte de lecture ». Mais lorsque Le Clézio commence *Le Procès-verbal* par « Il était une petite fois », ou lorsque Laclos joue sur des *Préfaces* à ses *Liaisons dangereuses* qui se contredisent l'une l'autre, il apparaît tout autant que les déclarations d'intention explicites des auteurs, ou les conventions qui fondent un accord implicite peuvent être soumises à toutes sortes de complications et distorsions. Aussi convient-il de distinguer plusieurs plans sur lesquels peut se jouer le contrat de lecture. Sur le plan économique, la relation est explicite : l'achat d'un texte (sous forme de livre, de revue, de place de théâtre, d'abonnement à une bibliothèque...) apparaît comme manifestation d'intention, d'attentes, de la part du lecteur. L'établissement d'un pacte de lecture vient d'abord, comme l'a résumé A. Goldschläger des aspects matériels du livre et des indications du péritexte. Les catégories génériques et leurs mentions sont alors souvent déterminantes. Sur le plan textuel, le contrat postule l'adoption de conventions d'ordre linguistique et symbolique. Il peut s'agir de conventions institutionnalisées ou novatrices et singulières, pour autant qu'elles soient identifiables. Ainsi, pour la fiction romanesque plus particulièrement, le pacte de lecture se manifeste dans les relations entre un narrateur et son destinataire présumé qui est appelé narrataire : G. Prince a montré qu'il exerce une fonction de relais entre le narrateur et le lecteur. Pour les genres autobiographiques, P. Lejeune (1973) a introduit la notion de « pacte autobiographique ». Il le définit comme l'affirmation d'une identité entre l'auteur réel et le personnage principal. L'adéquation entre l'auteur et le personnage doit entraîner la confiance du lecteur et l'investir, en quelque sorte, d'un rôle de confident. Le « pacte romanesque » s'y oppose en principe, puisqu'il récuse l'identité entre l'auteur et le personnage et qu'il s'inscrit dans la fiction. Mais les frontières entre les deux peuvent être floues (par exemple Vallès, Proust ou Céline). Enfin, sur le plan de la lecture, toutes les théories confrontent la façon dont le lecteur remplit des fonctions prévues par le texte et sa liberté d'action, son travail inférentiel, ses connaissances et expériences personnelles. Ainsi de la notion d'horizon d'attente (Jauss), ou de la rhétorique du lecteur, qui, face à la rhétorique du texte, fait que le pacte proposé par celui-ci s'accomplit ou non, ou se transforme (Viala). Or la réalisation idéale du pacte de lecture prévu par le texte apparaît comme la condition de sa « bonne » lecture. Ainsi la parodie ou l'ironie, par exemple, définissent les termes d'un contrat (d'une connivence) sans lequel la signification du texte peut se trouver altérée.

La notion de pacte de lecture s'applique aux textes de toutes sortes et de toutes époques. Mais les différences génériques entraînent des pactes de lecture différents, et, en conséquence, le changement de statut d'un texte : les *Lettres* de Mme de Sévigné, passant du privé au public, n'ont ni les mêmes lecteurs ni donc les mêmes pactes que quand elles étaient adressées à ses seuls proches. On voit par là combien la notion a d'usages pour déterminer les significations des textes : ainsi dans ce cas – comme dans celui de Laclos plus haut – il convient de prendre en compte et le pacte initialement supposé par les lettres et celui qu'instaure la publication. Et comme on voit aussi les auteurs en jouer, le pacte désigne bien une réalité le plus souvent implicite, mais effective dans les pratiques. Descartes ne dit-il pas de son *Discours de la Méthode* (1637) qu'il ne « propose cet écrit que comme une histoire ou si vous l'aimez mieux comme une fable » ? C'est assez dire que le jeu est bien dans l'implicite et dans l'invention, et qu'on ne saurait ni éviter la notion, ni en faire un usage mécaniste. En revanche, les recherches menées jusqu'ici sur le sujet n'ont guère abordé deux questions importantes : les antécédents rhétoriques évidents de cette notion (la *captatio benevolentiae* est, en rhétorique, l'établissement d'un pacte) et la nécessaire extension de la notion en concept apte à rendre compte des différents modes de réception (ainsi l'audition et le spectacle pour les œuvres théâtrales).

▶ GOLDSCHLÄGER A., « Le contrat de lecture ; Stendhal et le livre », *Canadian Review of Comparative Literature*, 19, n° 1-2, 1992. — JAUSS H. R., *Pour une herméneutique littéraire* [1982], Paris, Gallimard, 1988. — LEJEUNE P., *Le Pacte autobiographique*, Paris, Le Seuil, 1975. — MOLINIÉ G. & VIALA A., *Approches de la réception*, Paris, PUF, 1993. — PRINCE G., « Introduction à l'étude du narrataire », *Poétique*, 1973, 14.

Max ROY

→ *Genres ; Incipit ; Lecture ; Narration ; Péritexte ; Réception ; Rhétorique ; Théories de la narration.*

PALIMPSESTE → Réécriture

PAMPHLET

Le pamphlet est un écrit, souvent bref, qui relève du genre polémique. Souvent rédigé « à chaud », sur le mode de l'urgence, il peut s'inscrire dans différentes formes argumentatives (prière, lettre, hymne, conte, argumentaire, essais, dialogues, caricature) et revêtir des aspects aussi variés que le tract, l'affiche, le livre, l'article de presse.

Emprunté à l'anglais *pampflet* au XVIIe s., peut-être d'ailleurs lui-même formé par dérivation de pamphilet, terme désignant une comédie satirique en latin au XIIe s., le pamphlet recouvre également le domaine de la diatribe : il met en scène la défense agressive d'une position par les moyens de la satire, de la charge, de l'ironie ou, au moins, de la violence verbale.

Il est difficile de dater l'existence des pamphlets, puisqu'ils se confondent avec les origines mêmes de la polémique. Les poésies satiriques de Rutebeuf au XIIIe s. (*Dit du pharisien*) ou celles de Villon peuvent leur être rattachées. Mais c'est dans le contexte des guerres civiles qu'apparaissent des écrits plus nettement partisans qui semblent inaugurer le genre. Ainsi, durant la guerre de Cent Ans, le *Pastoralet*, vers 1422, détourne le genre de la pastorale au profit de la cause des Bourguignons. Un siècle plus tard, avec une portée que démultiplie l'invention de l'imprimerie, les pamphlets sont un moyen privilégié qu'utilisent partisans et adversaires de la Réforme. Les écrits d'Érasme (*Julius exclusus*, 1511) ou de Calvin (*Les reliques*, 1543) circulent dans toute l'Europe. Au *Cymbalum mundi* (1537) catholique de Bonaventure des Périers s'opposent les écrits d'H. Estienne (*Apologie pour Hérodote*, 1566) ou les *Tragiques* d'Agrippa d'Aubigné (1616).

Durant la Fronde, les mazarinades révèlent toute la portée du genre que désigne le terme qui fait alors son apparition en français : des milliers d'écrits circulent alors, aux risques et périls de leurs auteurs, pour dénoncer les agissements du Cardinal. Si les guerres civiles et les grandes crises, où la rupture des convenances sociales ordinaires lèvent toute inhibition, sont le terrain d'élection des pamphlets, ils peuvent également prendre des cibles plus précises, comme ceux qui suivent l'*École des femmes* de Molière ou les querelles religieuses (*Les Provinciales*, 1656-1657). Une part importante de la littérature d'idées du XVIIIe s. prend cette forme, comme chez Voltaire (*Diatribe du docteur Akakia, médecin du pape*, 1752), avec des implications politiques parfois immédiates, comme chez l'Abbé Sieyès, dont le *Qu'est-ce que le tiers état ?* précède de peu la Révolution.

Au XIXe s., lorsque l'opinion publique devient une donnée fondamentale du débat politique, le pamphlet s'impose comme une modalité spécialement agressive et rédigée avec brio de l'essai. Paul-Louis Courrier lui donne ses lettres de noblesse (*Le pamphlet des pamphlets*, 1824), Chateaubriand dénonce Napoléon Ier (*De Buonaparte et des Bourbons*, 1814), Hugo, Napoléon III (*Napoléon le petit*, 1852), L. Veuillot défend le régime dans *Les libre-penseurs* (1848), Drumont dénonce *La France juive* (1886) et Zola révèle la puissance grandissante du pouvoir intellectuel dans *J'accuse* (1898). Encore virulent jusqu'en 1940 (avec notamment les *Cahiers de la Quinzaine* de Péguy, *Un cadavre* de Breton, *La trahison des clercs* de Benda, *La république des camarades* de R. de Jouvenel, *La lanterne canadienne* d'Arthur Buies ou *Bagatelles pour un massacre* de Céline), le genre semble perdre de son autonomie au fur et à mesure que la presse s'impose comme le relais privilégié des débats d'opinion, mais il résiste sous la forme de la « lettre ouverte ».

Expression du temps de crise, le pamphlet reste mal étudié parce qu'il relève de l'histoire des idées autant que de l'histoire littéraire. Fortement passionnelle, l'argumentation y relève de l'épidictique.

Ce type d'écrit est par ailleurs entouré de problèmes critiques, qui tiennent à ses conditions même d'écriture et de réception : si l'on tient que la littérature joue un rôle de sublimation, on aimerait le reléguer comme genre mineur, voisin des libelles diffamatoires. Or c'est un genre agissant, de grande diffusion et parfois de valeur. La rédaction des pamphlets, souvent imputée à des libellistes à gages qui vengent leur manque de talent, peut émaner d'auteurs notoires.

Le partage institutionnel entre polémique légitime et pamphlet se fait sur la rationalité ou l'obscénité des arguments, les attaques contre la personne. Mais la difficulté pratique est autre : le pamphlet oblige le critique à faire la part de l'éthique et de l'esthétique ; l'appréciation des réussites stylistiques peut créer une complicité implicite avec ce qui est énoncé. Les enjeux dépassés (pour ou contre la monarchie absolue par exemple) peuvent motiver l'entrée dans le domaine neutre du débat de style, en revanche la lecture ou la relecture de textes avec des enjeux actuels comme les pamphlets antisémites de Céline ne saurait relever de la pure appréciation esthétique. La littérature a un impact, le pamphlet, comme forme extrême, le rappelle aux sceptiques et aux tenants d'une appréciation uniquement autotélique du texte.

▶ ANGENOT M., *La parole pamphlétaire. Typologie des discours modernes*, Paris, Payot, 1982. — JOUHAUD C., *La fronde des mots*, Paris, Aubier, 1985. — SAWYER J., *Printed Poison. pamphlets ; propaganda, faction politics, and the public sphere in early XVIIth c.*, Berkeley, University of California, 1990.

Marie-Madeleine FRAGONARD, Paul ARON

→ *Burlesque ; Censure ; Discours politique et littéraire ; Engagement ; Idéologie ; Intellectuel ; Manifeste ; Polémique ; Propagande ; Satire.*

PANÉGYRIQUE → Éloge ; Épidictique ; Inventaire

PANTOUM → Formes fixes

PARADOXE

On donne généralement deux sens à « paradoxe ». Dans l'acception courante, le paradoxe s'assimile à un énoncé qui heurte le sens commun, qui va à l'encontre de l'opinion reçue, de la doxa : il s'agit alors du sens étymologique (*para :* « à côté de », « contraire à » ; doxa : « opinion »). Dans un sens plus strict, qui ressortit à la logique, le paradoxe procède d'« un raisonnement parvenant à des résultats notoirement faux ou absurdes, ou bien encore contradictoires entre eux ou avec les prémisses du raisonnement, en dépit d'une absence réelle ou apparente de faute logique dans le raisonnement » (Y. Barel, *Le paradoxe et le système. Essai sur le fantastique social*, Grenoble, PUG, 2e éd., 1989, p. 20).

On peut encore, à l'instar de Michael Riffaterre, introduire une distinction supplémentaire entre paradoxe logique et paradoxe littéraire ; ce dernier a pour particularité de surprendre en contredisant l'opinion commune mais aussi de faire entrevoir une vérité profonde sous le couvert d'une absurdité, alors que le paradoxe logique, à l'inverse, part de prémisses acceptables pour aboutir à une conclusion inattendue et inacceptable.

Entre les Ve et IIe s. avant J.-C., la Grèce s'est intéressée aux paradoxes et à leur résolution : c'est de cette époque que datent notamment les paradoxes bien connus du menteur, d'Achille et la tortue, etc. À côté de ces paradoxes philosophiques, se développe également le genre littéraire de l'éloge paradoxal. Le sophiste Gorgias, à qui Philostrate attribue la paternité de la *paradoxologia*, est l'auteur d'un éloge d'Hélène de Troie qui est à la fois une parodie des éloges rhétoriques traditionnels et un renversement des traits négatifs généralement attribués à celle dont le rapt déclencha la guerre de Troie. Dans la même veine, Platon fait proférer à Alcibiade l'éloge paradoxal de Socrate (*Le banquet*) où le Sage est comparé à un Silène, et nombre d'auteurs s'amusent à faire l'éloge de la mouche (Lucien), de la calvitie (Synésios de Cyrène) ou, plus tard, l'apologie de la noix (attribuée à Ovide). C'est de ce double héritage, philosophique et littéraire, que procèdent les éloges paradoxaux qui apparaissent dès le Moyen Âge, et dont la Renaissance humaniste fait un usage intensif.

Renouant avec l'héritage antique, la Renaissance a été fascinée par les jeux philosophiques, les éloges improbables (voir *L'Éloge de la Folie* d'Érasme, vers 1509, où la Folie, plaidant sa propre cause, produit un discours qui concourt à sa propre désagrégation), les paradoxes sceptiques et, plus largement, par toutes les formes de l'oxymoron. Erasme apporte au genre une légitimité ancrée dans l'histoire (il en retrace les étapes antérieures) tout en révélant sa portée philosophique et satirique. La résonance de ce texte est immense chez les humanistes de l'Europe néolatine : éloges de la vieillesse (Dolet), de l'âne (J. Passerat) ou du fromage (Mélanchton). Montaigne multiplie également les formules paradoxales dans les *Essais* (1580-1595) où il « ne traite à point nommé de rien que du rien, ni d'aucune science que de celle de l'inscience » (III ; XII). Dès lors le pseudo-éloge devient inséparable de la rhétorique polémique et philosophique (des *Provinciales*, 1656-57, de Pascal à la *Lettre sur les aveugles* de Diderot, 1749, par exemple), mais également de la poésie grotesque (Saint-Amant, « Le fumeur »). Pour P. Dandrey, le *Dom Juan* de Molière (1665) et ses éloges du tabac, de l'émétique ou du mariage à répétition, est incompréhensible en dehors de la tradition de l'éloge paradoxal. La force philosophique du paradoxe appliqué à l'art dramatique est affirmée par le *Paradoxe sur le comédien* de Diderot (1773) : pour bien représenter les passions, l'acteur ne doit pas les éprouver – or la contagion de l'émotion représentée, chez l'acteur et delà chez les spectateurs, était un des arguments de l'Église contre le théâtre.

De la fin du XIXe s. à nos jours, la littérature et les arts ont été fertiles en paradoxes : Lewis Carroll, Alphonse Allais, Alfred Jarry, les surréalistes – le célèbre tableau de Magritte montrant une pipe avec l'inscription « Ceci n'est pas une pipe » illustre le paradoxe de la représentation en art. C'est également de la seconde modernité – au moment où l'on invente la photographie, cette réplique paradoxale de la réalité – que date un autre genre littéraire qui fait un usage presque constant du paradoxe : le roman ou la nouvelle policière. Le *Double assassinat dans la rue Morgue* (E. Poe, 1841) ou *Le mystère de la chambre jaune* (G. Leroux, 1907) dépassent l'entendement de la déduction commune. La résolution de l'énigme appelle des qualités logiques (qui se manifestent lorsqu'elle se dénoue) mais aussi un esprit original (c'est ainsi que se définit le héros). Portée à son paroxysme, cette dualité des héros qui dénouent les énigmes les assimile d'ailleurs souvent à des « originaux » (Hercule Poirot, Miss Marple ou Sherlock Holmès), c'est-à-dire à des êtres humains paradoxaux.

La science-fiction, parce qu'elle ouvre par nature à des situations de pure logique conceptuelle, a aussi exploité les paradoxes temporels (ainsi R. Barjavel montre un *Voyageur imprudent* réduit à n'être qu'un paradoxe logique, puisqu'il a tué son propre ancêtre) ou ceux qui sont liés aux « lois de la robotique » proposées par I. Asimov (« ne pas faire mal à un être humain » permet-il de faire son bonheur malgré lui ?).

L'énoncé paradoxal est lié à un apprentissage (parce qu'il exige une compétence rhétorique) et à des rituels sociaux (comme ceux de l'éloge et l'encomiastique). Affirmation de deux sens à la fois, il présente, même réduit à un simple topos (du type « Les premiers seront les derniers »), un défi à la pensée. Le paradoxe prend donc en écharpe le discours établi et en désigne le caractère doxique par le seul fait de le renverser. Il « convoque [...] *deux univers de croyance :* l'un, U1, *potentiel, réel* ou *véritatif ;* l'autre, U2, *contrefactuel, irréel* » (M. Tutescu, « Paradoxe, univers de croyance et pertinence argumentative », dans R. Landheer et P. J. Smith, p. 80). Le paradoxe est donc un *discours contre* (*contraire à* et *à côté de* : contre la doxa – qu'il ne combat d'ailleurs pas de front –, contre les faits admis, auxquels il oppose des contre-faits ironiques. Il semble bien que l'efficace critique du paradoxe tienne à son caractère souvent saugrenu, à sa capacité de s'opposer sans se laisser enfermer dans une logique de la contestation terme à terme.

▶ DANDREY P., *L'éloge paradoxal de Gorgias à Molière*, Paris, PUF, 1997. — LEHMAN P., *Die Parodie im Mittelalter*, Stuttgart, Hiersemann, 1963 (2e éd.) — MARGOLIN J.-C., « Le Paradoxe est-il une figure de rhétorique ? », *Nouvelle revue du Seizième siècle*, 1988, no 6, p. 5-14. — RIGOLOT F., *Les langages de Rabelais*, Genève, Droz, 1972. — Coll. : *Le paradoxe en linguistique et en littérature*, R. Landheer et P. J. Smith (éd.), Genève, Droz, 1996.

Robert DION

→ *Doxa ; Folie ; Idéologie ; Norme ; Rhétorique ; Roman policier ; Satire.*

PARALITTÉRATURE

Le terme « paralittérature » sert aujourd'hui à désigner des productions imprimées destinées à la consommation de loisir et qui sont dépréciées par l'institution littéraire. On emploie également à cet égard « littérature populaire », « littérature de masse », « littérature industrielle » ou « littérature de grande consommation », parfois « contre-littérature ». Il s'agit principalement de romans et de bandes dessinées, mais aussi, par extension, de chansons, de textes de théâtre de boulevard ou de scénarios de films et de dramatiques télévisuelles.

En 1967, des « entretiens sur la paralittérature » à Cerisy-la-Salle ont consacré l'usage de ce terme et manifesté que l'importance historique et actuelle du phénomène ne permet plus d'éluder son analyse.

Il existe des formes populaires écrites ou représentées avant le XIXe s. – miracles et farces, littérature de colportage, chansons. Mais le sentiment d'une bipartition de l'espace des lettres s'est manifesté plus fortement au XIXe s. avec la révolution de la presse à gros tirages : les gens instruits s'insurgent alors contre le développement de ce que Sainte-Beuve appelle « la littérature industrielle ». Le mélodrame, illustré par Pixerécourt, ou la chanson populaire, par Béranger, en sont des fleurons, mais c'est surtout le roman-feuilleton dont la fortune s'impose vers les années 1840 qui conduit à cette réaction de rejet.

Dans la paralittérature, le genre romanesque est dominant, sous les grandes formes du roman-feuilleton, du roman sériel, du roman-photo, et du best-seller. Le roman-feuilleton, qui a connu sa période de succès dans les périodiques de 1840 aux années 1930, ne compte plus aujourd'hui sauf dans son avatar télévisuel. À partir de la seconde moitié du XIXe s. le roman sériel oppose à la longue trame filée des feuilletons une structure plus ramassée, convenant à la publication en livre bon marché. Il délimite au tournant du XXe s. les genres de base de la paralittérature contemporaine : le sentimental (Delly), le policier (Conan Doyle), le western (série Eichler de *Buffalo Bill*), l'espionnage (Buchan) et la science-fiction (Verne).

La bande dessinée qui naît avec Rodolphe Töppfer à la fin des années 1820 devient un genre important dans la littérature enfantine vers les années 1890 dans une veine soit humoristique soit réaliste. À partir de la fin des années 1940, s'y ajoute une production destinée au public adulte féminin sous le nom de « roman dessiné ». Le roman-photo naît au même moment dans le prolongement du ciné-roman de l'entre-deux-guerres et vise le même public. Il exploite un filon sentimental mélodramatique. Vers les années 1960 apparaît une bande dessinée « adulte » tant d'humour que d'aventures et de sexe. Enfin, les best-sellers s'imposent en France à partir des années 1950.

Les recherches sur le paralittéraire ne se préoccupent qu'accessoirement des formes populaires du théâtre, de la chanson, des scénarios de films et de la littérature enfantine. C'est sur le roman que porte aujourd'hui l'enjeu majeur du conflit pour l'exclusion ou l'apologie de la paralittérature. Ce qui éclaire le fait que les textes tenus pour paralittéraires se trouvent exclus du champ littéraire, mais jugés selon les normes qui ont cours dans celui-ci. En effet, en dépit de quelques appréciations isolées – le goût des surréalistes pour *Fantômas*, celui de Sartre pour la *Série noire* –, qui distinguent plus les écrivains qui les affichent qu'elles ne confèrent de valeur légitime aux œuvres en cause, il a fallu attendre les années 1960 pour que des chercheurs en France s'intéressent au phénomène autrement que pour l'encadrer ou le censurer, avec les *Entretiens* de Cerisy et le changement de perspective qu'ils manifestent. Et depuis lors, une discussion nourrie sur cette appellation et le domaine qu'elle désigne ne cesse de mettre en question le paradoxe qu'il y a à considérer en fonction de critères littéraires traditionnels des textes qui visiblement relèvent d'autres principes, ceux du champ de la culture médiatique. Fait révélateur, ni les producteurs ni les consommateurs de telles œuvres ne se reconnaissent dans ce terme. Reste que la question du roman fait voir que les formes et les pratiques – la lecture en l'occurrence – sont similaires, alors même que les valeurs sont différentes.

▶ BLETON P., *Ça se lit comme un roman policier*, Québec, Nota Bene, 1999. — BOYER A.-M., *La paralittérature*. Paris, PUF, 1992. — COUÉGNAS D., *Introduction à la paralittérature*, Paris, Le Seuil, 1992. — SAINT-JACQUES D., « Les institutions du champ de grande production culturelle », in *L'institution du texte, pour Jacques Dubois*, Bruxelles, Labor, 1999, p. 11-34. — Coll. : *Entretiens sur la paralittérature*, Paris, Plon, 1970.

Denis SAINT-JACQUES

→ *Bande dessinée ; Best-seller ; Chanson ; Colportage ; Fantastique ; Feuilleton ; Médias ; Mélodrame ; Populaire (Littérature) ; Roman-photo ; Roman policier ; Science-fiction ; Vaudeville.*

PARATEXTE → Péritexte

PARNASSE

Montagne de Grèce dont un des sommets était consacré aux Muses, le Parnasse est devenu synonyme de poésie. Le terme a été utilisé pour désigner un monument élevé à la gloire des poètes, un dictionnaire de rimes (*Gradus ad Parnassum*), un recueil de vers parfois satirique (*Le parnasse satyrique*, Théophile de Viau, 1622 ; *Le parnassiculet contemporain*, 1872). Repris par Leconte de Lisle, le mot s'applique à un mouvement poétique du XIXe s.

Placée sous la triple tutelle d'un chef de file charismatique (Leconte de Lisle), d'une revue (*Le parnasse contemporain*, fascicules périodiques rassemblés en trois volumes, 1866, 1871, 1876) et d'un libraire-éditeur spécialisé (Lemerre), l'école parnassienne émerge en France au cours du second Empire et domine le champ poétique jusqu'aux années 1880. On peut la considérer historiquement comme l'institutionnalisation, sous la forme d'un groupe structuré et doté d'une esthétique définie, du principe de l'Art pour l'Art, dont les premières manifestations remontent aux années 1830 et dont Théophile Gautier s'était fait le principal promoteur en proclamant dans sa préface à *Mlle de Maupin* (1834), en réaction au courant « utilitaire » d'inspiration saint-simonienne qui s'était développé dans les rangs du romantisme, qu'« il n'y a de vraiment beau que ce qui ne sert à rien ».

En 1852, Leconte de Lisle emboîte le pas à Gautier en faisant précéder ses *Poèmes antiques* d'une préface-manifeste à forte dimension prophétique. Il y dénonce d'un côté l'infatuation lyrique des romantiques et leur relâchement formel, de l'autre les platitudes de l'École du Bon Sens, et appelle à une « régénération des formes ». Un système doctrinal prend corps, empruntant ses métaphores théoriques à la statuaire et à l'orfèvrerie : refus du lyrisme personnel, neutralité morale et politique, impassibilité, culte rigoureux du vers strict, thématiques marquées par l'obsession du néant, l'exotisme et le passéisme (deux formes d'éloignement à l'égard du monde moderne, ostensiblement méprisé). Après 1860, un réseau de cénacles et de revues se met en place, base d'une conquête du pouvoir symbolique, couronnée par la parution du premier *Parnasse contemporain* (1866). De l'aimable virtuosité d'un Banville (*Odes funambulesques*, 1857) à l'historicisme décoratif d'un Heredia (*Les trophées*, 1893), en passant par le réalisme compassionnel d'un Coppée (*Les humbles*, 1872), ceux qui se reconnaissent dans l'austère doctrine professée par Leconte communient dans un même culte de la forme. Tous partagent également un même refus de l'utilitarisme bourgeois ; mais ce refus reste général et abstrait, et laisse indemnes les normes dominantes (au reste, le mépris du siècle n'exclut pas certains accommodements : Leconte, à partir de 1864, est subventionné en secret par Napoléon III et les principaux Parnassiens finiront à l'Académie).

Nombre de débutants (dont Alphonse Daudet ou Anatole France) font leurs premiers pas à l'enseigne d'une école dont l'unité et la domination sur-le-champ littéraire paraissent inébranlables jusqu'en 1875, premier moment de fracture. Les deux premières séries du *Parnasse contemporain* s'étaient signalées par un grand éclectisme, la troisième accuse un net raidissement. Son comité de sélection fait barrage aux textes proposés par Charles Cros, Verlaine et Mallarmé. L'exclusion de ces deux derniers crée à terme les conditions d'une relève esthétique, qui se profile, au début des années 1880, lorsqu'une nouvelle génération de poètes se tournera vers eux comme vers deux chefs de file potentiels, porteurs d'un credo alternatif, dont naîtra la double école de la décadence et du symbolisme. Le prestige du Parnasse n'en reste pas moins durable alors : ses auteurs sont lus et imités d'abondance en France, en Belgique (Albert Giraud, Max Waller) et jusqu'au Québec (*Le paon d'émail* de Paul Morin, 1911).

Le Parnasse est désormais la victime de ce qui a fait, en son temps, sa force. À d'aucuns, sa rigueur doctrinale paraît doctrinaire, sa virtuosité, clinquante, sa foi dans les vertus de la langue et de la prosodie, naïvement positiviste, sa hauteur de vue, sans vraie grandeur. La plupart de ses adeptes sont tombés dans l'oubli (Bouilhet, Dierx, Mérat, Valade, Glatigny, etc.). Seuls demeurent, mais réduits à des morceaux pour anthologie scolaire, Leconte, Hérédia, Sully-Prudhomme et, dans une moindre mesure, Coppée ou Banville. On omet de rappeler que Mallarmé et Verlaine ont été, à leurs débuts, d'authentiques parnassiens. Cette disqualification, dictée par l'argumentaire des symbolistes, n'est pas seulement injuste : elle porte préjudice à la saisie des enjeux et des facteurs qui ont présidé à l'émergence d'expériences poétiques plus radicales. De l'impassibilité professée par Leconte de Lisle à l'impersonnalité mallarméenne, du souci des formes impeccables à l'exploration formaliste des ressources du langage, il n'y a pas solution de continuité, mais passage à la limite. Le rappel à la discipline d'airain du vers, à la distinction froide, au respect de la langue, à la clarté discursive, n'a pas peu contribué, par contrecoup, à l'effraction du vers libre, à l'audace parodique d'un Lautréamont, aux « dérèglements » d'un Rimbaud ou à l'opaque réflexivité d'un Mallarmé. En réaction aux engagements politiques ou moraux des romantiques, le culte parnassien du Beau, affirmation d'une valeur intrinsèque au travail des formes, a fortement contribué à promouvoir l'autonomie de la littérature.

▶ BADESCO L., *La génération poétique de 1860*, 2 vol., Paris, Nizet, 1971. — GRIVEL Ch., « Matériaux pour servir à l'examen sociologique de la poésie à la fin du second Empire », *Neophilologus*, janvier 1966, p. 44-58. — MARTINO P., *Parnasse et symbolisme*, Paris, Armand Colin, 1967. — PONTON R., « Programme esthétique et accumulation de capital symbolique. L'exemple du Parnasse », *Revue française de sociologie*, XIV, 1973, p. 202-220.

Pascal DURAND

→ *Art pour l'Art ; Autonomie ; Champ littéraire ; Décadence ; Écoles littéraires ; Engagement ; Naturalisme ; Poésie ; Romantisme ; Symbolisme.*

PARODIE

La parodie est l'imitation d'un modèle détourné de son sens initial et, plus généralement, une transformation de texte(s) à des fins généralement comiques ou satiriques. Elle s'applique à tous les éléments qui font sens dans le matériau littéraire : la diction ou le geste du théâtre, le rythme, les styles ou sujets d'un texte, l'organisation ou les conventions d'un genre. Elle désigne une forme de travestissement qu'il peut être utile de distinguer du pastiche, de la satire ou d'une série d'autres termes : mystification, falsification, travestissement, burlesque, grotesque, ironie, blague, farce, plagiat ou imitation. La parodie met également en jeu une relation institutionnelle puisque les institutions – littéraires ou non – imposent souvent des rituels dont le caractère stéréotypé autorise le détournement.

Très présente de nos jours dans le journalisme ou la publicité, la parodie a toujours coexisté avec les formes canoniques de la littérature. Les parodies de langages spécialisés (administratif, religieux, juridique, rituel) abondent dans les textes anciens (Aristophane) et elles forment autant de modalités de la contestation des secteurs d'autorité que ces langages représentent. Dans le domaine littéraire, les écrivains s'en prennent au style sublime dans la tradition de la satire : les « à la manière de... » font le succès du théâtre comique grec et latin. Le domaine du parodiable s'étend aux mythes, aux grands textes, aux contes, aux fables, aux centons. Dans le monde chrétien, les formes bibliques alimentent la littérature facétieuse, comme en témoigne, depuis le Moyen Âge, la tradition des sermons parodiques ou les plaisanteries des Goliards. Les Noëls comiques du XVIe s. ou les faux protocoles notariés témoignent également d'une vogue que catalyse l'œuvre de Rabelais. Il faut lier à la parodie la tradition de « l'anti-roman », inventé au XVIIe s. par Charles Sorel (*Le berger extravagant : l'Anti-roman ou l'histoire du berger Lysis*, 1633) en réaction contre la multiplication des récits trop romanesques comme l'*Astrée*, mais qui renoue avec une tradition déjà active dans l'Antiquité.

Le monde du spectacle multiplie les prétextes à parodies. Au XVIIe s., le travestissement burlesque et le poème héroïco-comique désignent les pièces modifiant le niveau des styles (haut *vs* bas). Le XVIIIe s. connaît une étonnante floraison de parodies dramatiques : *Le Cid* est une des pièces le plus souvent parodiée. Le Nouveau Théâtre italien ou le Théâtre de la Foire, qui concurrencent les salles reconnues, caricaturent les genres nobles, en détournant titres et registres de jeu. Le public suit avec ferveur ce mélange habile de procédés comiques éprouvés et d'allusions plus ou moins fines. Au siècle suivant, il n'est pas une pièce à succès qui n'ait eu son pendant comique, au point qu'un auteur avisé comme l'était Dumas n'hésitait pas à communiquer le texte encore inédit de *Henri III* à ceux qui en souhaitaient faire la parodie. Tous les genres où alternent texte et musique usent également du procédé, en particulier le vaudeville et les revues. Ils plaisent particulièrement au public du Second Empire qui aime ridiculiser les genres nobles et les sentiments élevés, comme si le bourgeois ne pouvait se reconnaître que dans le charivari des valeurs anciennes. L'opéra-comique d'Offenbach s'impose comme un des sommets du genre. La parodie reste également vivante au XXe s. dans le domaine littéraire comme dans les médias de large diffusion, comme le cinéma ou la bande dessinée.

La parodie a longtemps été considérée comme une simple opération rhétorique, et non pas comme une pratique de création. Pour Cicéron comme pour Quintilien et Du Marsais, elle désigne avant tout un procédé comique et, comme tel, elle se voit dévaluée. Renouant avec Aristote, la poétique contemporaine tente de distinguer les formes diverses du détournement textuel (G. Genette). Les théories issues du formalisme russe développent à l'inverse l'aspect intertextuel de la parodie (Chklovski). Celle-ci organise une relation entre deux (ou plusieurs) textes ; elle met l'accent sur l'usure des formes et participe par là même à leur renouvellement. La sémiotique culturelle de l'école de Tartu (I. Lotman) insiste sur l'effet de la juxtaposition (du montage) d'éléments hétérogènes dans le texte artistique qui permettent à l'artiste d'effectuer des choix, et qui constituent donc un facteur d'évolution de l'art. Cette perspective a notamment été réactualisée par les travaux de Margaret A. Rose.

On lie aussi la parodie aux catégories anthropologiques de l'inversion et du déplacement contextuel. Elle constitue en ce sens un élément nodal du dialogisme de Bakhtine, mais également de la revitalisation post-moderne des traces du passé (Linda Hutcheon). Elle est, en ce sens, une catégorie centrale de la création depuis la fin du XIXe s. M. A. Rose a donné une liste des définitions en cours depuis la Renaissance qui montre bien et la fortune du concept et ses différentes définitions.

Il faut insister sur l'ambivalence de la parodie. Parce qu'elle présuppose une connaissance et une reconnaissance des modèles initiaux, la parodie peut contribuer, auprès d'un public averti, à valoriser ce dont elle s'inspire. Sa réception est fondamentale parce qu'elle implique toujours une compétence interprétative : lorsque celle-ci fait défaut, le statut parodique du texte se voit parfois complètement ignoré.

▶ ABASTADO C., « Situation de la parodie », *Cahiers du XXe siècle*, 1976, n° 6. — GENETTE G., *Palimpsestes. La littérature au second degré*, Paris, Le Seuil, [1982] 1992. — HUTCHEON L., *A Theory of Parody. The teachings of Twentieth Century Arts Forms*, New York and Londres, Methuen, 1985. — ROSE M. A., *Parody : Ancient, Modern, and Post-modern*, Cambridge University Press, 1993. — SANGSUE D., *La parodie*, Paris, Hachette, 1994.

Paul ARON

→ *Autorité ; Burlesque ; Comique ; Dialogisme ; Fatrasie ; Grotesque ; Imitation ; Intertextualité ; Ironie ; Modèle ; Pastiche ; Revue théâtrale.*

PARTIES DU DISCOURS → Rhétorique

PASSION (Genre de la)

Du point de vue littéraire, le terme de « Passion » désigne au Moyen Âge des formes dramatiques, en latin puis en français. Ces pièces didactiques exposent d'abord la Passion du Christ – d'où leur nom – puis sa Vie en partie ou en totalité – Incarnation, Vie publique, Passion, Résurrection – pour éclairer ses liens à la Rédemption. Au XVe s., la Passion devient une forme, la plus appréciée, des Mystères.

On considère le tropaire du IXᵉ s. de l'abbaye de Saint-Gall contenant le *Quem Quaeritis* comme l'origine de la première forme du genre, la Passion liturgique. Il s'agit d'un dialogue en latin, à la tombe du Christ, entre l'ange et les Trois Marie, support d'une mise en scène de la Résurrection. Héritage du *Quem Quaeritis :* les *Ludi Paschales* du XIIIᵉ s. À cette date, la Passion en langue vernaculaire s'affirme, avec des sources et un mode de composition indépendants de la liturgie. Toujours fondés sur la Bible et les apocryphes, des textes comme les Passions de Sion, du *Palatinus* et d'Autun utilisent aussi des poèmes narratifs comme la *Passion des Jongleurs*. La Passion est alors une œuvre théâtrale « jouée par personnages » (Grace Frank, éd. Champion, 1972) mais jusqu'au XIVᵉ siècle, elle contient des vers narratifs « adventices ». D'abord cantonnée aux derniers épisodes de la vie du Christ, des Rameaux à la Résurrection – *Palatinus* –, l'action devient cyclique aux XVᵉ et XVIᵉ s. Elle réunit l'Ancien et le Nouveau Testament dans la *Passion de Semur*, et suscite de longs spectacles : les Passions de Valenciennes se jouent sur 20 et 25 journées. Les œuvres s'inspirent alors les unes des autres, par reprises de textes ou par influence des représentations. Au XVᵉ s., des grandes Passions d'Eustache Mercadé, Arnoul Gréban et Jean Michel justifient la forme cyclique avec le Procès de Paradis, qui présente l'Incarnation et la Passion comme un consensus des filles de Dieu : Miséricorde demande le salut de l'humanité, que Justice n'accorde qu'au prix des souffrances du Dieu fait homme. Ces pièces reflètent la conception nouvelle du parcours christique, née du *Cur Deus Homo* de saint Anselme au XIᵉ s., développée par Bernard de Clairvaux au siècle suivant, et popularisée par les franciscains. Elle met en valeur dans la Passion la souffrance d'un homme et de ceux qui l'entourent. La *Passio* du Fils provoque la *compassio* de sa Mère, mais aussi celle du public devant les tourments infligés par des bourreaux sadiques, personnages marquants d'un spectacle haut en couleur, animé comme tout Mystère par des « secretz » (effets de machinerie) et des diableries qui créent avec la grossièreté, le comique et le merveilleux une grande variété de tons.

S'il est possible de montrer des liens, entre Passions liturgiques et théâtrales – comme les *Planctus*, plaintes de Marie au pied de la Croix –, il n'existe pas de continuité globale entre elles, exceptée l'illustration des grands principes de la foi chrétienne. Ouvrages au contenu souvent abstrait, aux objets de manuscrits parfois luxueux, les Passions théâtrales sont cependant moins destinées à la lecture qu'au jeu, où elles trouvent leur pleine mesure. Leur progression dramatique semble parfois entravée par des épisodes comme le Procès de Paradis, les sermons interminables de Jésus ou Jean-Baptiste ou les défilés de prophètes demandant la venue du Sauveur.

Ces lourdeurs apparentes restituent en fait un souci d'exactitude théologique : ainsi le *Prologue Capital* de Jean Michel reçoit l'influence du nominalisme, Gréban se réclame du thomisme. En insistant sur la nécessité de la souffrance du Christ, en lui donnant un contexte idéologique et humain large et complexe, les Passions redéfinissent les rapports de l'homme à Dieu, qui sont alors ceux du public chrétien à la scène théâtrale. Face aux apôtres et aux Saintes femmes, Juifs, bourreaux, diables et pécheurs lui permettent de mener une réflexion globale sur les rapports du Bien et du Mal, de l'action et de la méditation. La Passion est donc une forme allégorique qui exploite les ressources de la scène pour explorer les particularités de l'âme humaine pécheresse à la recherche du salut.

▶ ACCARIE M., *Le théâtre sacré de la fin du Moyen Âge : étude sur le sens moral de la Passion de Jean Michel*, Genève, Droz, 1979. — BORDIER J.-P., *Le jeu de la Passion : le message chrétien et le théâtre français (XIIIᵉ-XVIᵉ s.)*, Paris, Champion ; Genève, Slatkine, 1998. — STICCA S., *The Latin Passion Play : its Origins and Developments*, Albany, 1970.

Véronique DOMINGUEZ

→ *Bible ; Didactique ; Mystère ; Miracles ; Philosophie ; Religion.*

PASSIONS

Le terme « passions » vient de *pathos* qui signifie douleur, souffrance. Il désigne les états affectifs ou « mouvements de l'âme », tels l'amour, la haine, la colère, l'envie ou la tristesse. Comprendre le jeu des passions, en les distinguant les unes des autres et en les décrivant selon le prisme des rapports complexes qui unissent l'âme et le corps, a été l'objet des traités des passions, qui abondent dans l'histoire. En littérature, les passions sont à la fois un objet central des poétiques définissant le caractère des personnages, mais aussi de la rhétorique qui s'attache aux effets que produisent les œuvres chez les lecteurs ou les spectateurs (voir : Rhétorique ; Éloquence).

Le premier objet de la littérature occidentale est celui de la passion : dans l'*Iliade*, Homère chante la colère d'Achille. La colère est d'ailleurs la première des passions dont traite Aristote dans sa *Rhétorique*. Pour lui, les passions sont l'instrument privilégié de la persuasion, car elles impliquent davantage un rapport à autrui qu'un mouvement instinctif purement individuel (voir : Rhétorique ; Éloquence). Par ailleurs, il en fait l'enjeu de l'esthétique dans sa *Poétique*, en envisageant la purgation des passions ou catharsis comme finalité de la tragédie. Pour les Stoïciens, les passions sont *perturbatio animi*, état de trouble intérieur, néfaste à la quiétude de l'âme. Le christianisme prolonge et modifie cette conception. Les passions y sont le fardeau de l'homme déchu ; mais elles peuvent être la source de son rachat, s'il s'élève à l'amour de Dieu. L'analyse médicale, elle, les rattache aux mouvements et déséquilibres des humeurs. Au cours des XVIe et XVIIe s. fleurissent des traités, souvent marqués par l'augustinisme ou le néo-stoïcisme, qui en décrivent les effets, les dangers et les moyens de les contrôler. Fleurissent aussi les œuvres de fiction qui, en peignant un « caractère », montrent et critiquent une passion dominante : par exemple *L'Avare*, ou *Le Misanthrope*, sous-titré *L'Atrabilaire amoureux*. Les passions ou « transports », et leurs excès, ou *hybris*, sont aussi le moteur de la tragédie. Le traité des passions le plus célèbre demeure *Les passions de l'âme* de Descartes (1649). Pour lui, les passions, liées à l'intérêt que les hommes se portent, sont des sources possibles d'énergie et d'action et donc peuvent être des moyens à utiliser. Après lui, Spinoza et les philosophes du XVIIIe s. ne les considèrent plus comme des modes de passivité du corps ou de l'âme, mais comme des actions. Au XIXe s., elles deviennent les attributs nécessaires d'une subjectivité sensible et il semble moins utile d'en discourir que de les ressentir. À partir du romantisme, si la littérature en condamne encore certaines figures, ce n'est que sous la forme de leur mauvais emploi, car la passion, surtout sous l'aspect suprême de l'amour, est liée au mouvement même de la vie. Parallèlement, les passions quittent le domaine de la morale : devenues émotions, elles intéressent l'anthropologie et la psychologie, depuis Darwin et les travaux, plus récents, de P. Ekman sur la communication non-verbale, jusqu'à la psychanalyse qui en réinterroge les fondements. De nos jours, s'amorce un retour à une physiologie du passionnel, voire à une biologie des passions. La production littéraire et cinématographique continue à être nourrie de la problématique des passions (par exemple *Passion simple* d'A. Ernaux, ou la *Passion de Jeanne d'Arc...*).

Ce dernier exemple est lié à un autre sens du terme : « passion » désigne aussi un genre dramatique, imitant la Passion du Christ (voir Passion).

Tantôt tenues pour condamnables, parce qu'elles limitent la liberté humaine et l'exercice de la raison, tantôt pour aménageables, voire utiles, parce qu'elles alimentent les relations aux autres, les passions ont été une matière privilégiée de la littérature. Proposer leur contrôle était le but de la « philosophie politique et morale », (qui engloba longtemps les Belles-Lettres et qui connut un regain à la Renaissance) et l'« utilité » de la littérature. Les théories de la catharsis s'inscrivaient aisément dans ce cadre. Mais le jeu même de la mimésis suscitait l'embarras sur leur représentation : l'expression des passions est-elle toujours authentique et naturelle ou factice et artificieuse ? Ainsi Diderot dans son *Paradoxe du comédien* (1773) souligne que pour bien les représenter, il convient de ne pas les ressentir. Cette tension entre la passion valorisée et la défiance caractérise la modernité : contre le romantisme passionnel et l'essor de l'autobiographie qui privilégie la sincérité, l'art pour l'art prône l'impassibilité. Dans le champ littéraire actuel, les thématiques traditionnelles des passions (amour, jalousie, ambition...) abondent dans les ouvrages de grande diffusion, tandis que l'idée d'une passion de la forme reste un signe de la recherche de l'art littéraire. Ce qui, en dernière instance, rappelle que les « passions » sont constitutives de l'effet esthétique même.

▶ AUERBACH E., *Le culte des passions. Essais sur le XVIIe siècle français*, Paris, Macula, 1998. — BODEI R., *Géométrie des passions : peur, espoir, bonheur : de la philosophie à l'usage du politique*, Paris, PUF, 1997. — DESJARDINS L., *Le corps parlant. Savoirs et représentation des passions au XVIIe siècle*, Paris-Québec, L'Harmattan-PUL, 2001. — MEYER M., *Le philosophe et les passions*, Paris, Librairie générale française, 1991. — VINCENT J.-D., *Biologie des passions*, Paris, Odile Jacob, 1986.

Éric MÉCHOULAN, Lucie DESJARDINS

→ *Anthropologie ; Catharsis ; Corps ; Humeurs ; Mélancolie ; Personnage ; Romantisme ; Utilité.*

PASTICHE

Le pastiche désigne l'imitation d'un style pour l'appliquer à un autre objet (Genette). On en cerne l'usage selon trois paramètres : il s'agit d'une reprise exclusivement d'ordre stylistique (on ne pastiche pas une œuvre, mais un style d'auteur ou d'époque), qui n'est pas nécessairement comique (ce qui le distingue de la parodie) et qui suppose une distance génératrice d'ironie (il peut être un hommage dans certains cas). Cette littérature « au second degré » (Mortier), est une activité ludique, supposant à la fois une solide culture et une haute virtuosité.

La langue actuelle distingue pastiche et parodie. Il n'en a pas toujours été ainsi. *L'encyclopédie*, au XVIIIe s., attribuait à la Parodie l'ensemble des valeurs sémantiques que l'usage sépare aujourd'hui, et elle réservait le terme de pastiche au seul domaine de la peinture, conformément à l'étymologie de l'italien *pasticcio* (un mélange de morceaux d'origines diverses). Larousse, un siècle plus tard, faisait de la parodie une catégorie musicale et dramatique, et il reliait le pastiche à la série du grotesque et du burlesque.

Cette hésitation révèle les limites d'une définition trop formelle. En fait, tout produit codé, spécialisé, c'est-à-dire requérant un savoir et une compétence qui en ferment l'accès au grand nombre, permet l'émergence d'une moquerie de complicité, émanant de ceux qui sont en train de s'initier au code, comme de ceux qui prétendent le faire évoluer. Lorsqu'il s'agit de productions perçues comme littéraires débute l'ère du pastiche proprement dit. C'est au moment où le langage littéraire s'impose comme un langage spécialisé que le pastiche littéraire se développe de manière autonome, à côté de la parodie, des travestis ou des mystifications. Il oriente le détournement ironique vers les formes même que prend le nouveau produit distinctif : le style, soit donc l'ensemble des signes par lesquels un auteur ou un groupe d'auteurs définit sa position dans le champ. Le pastiche devient le signe de la maîtrise par le pasticheur de ce code particulier au sein du code littéraire en général. Au sens strict, il n'est donc de pastiche qu'institutionnel.

Dès le début du XIXe s., le pastiche s'affirme aux côtés de la parodie comme un genre propre : tandis que celui-ci se tourne vers les initiés, parce qu'il suppose une connaissance intime de l'œuvre originale, celle-là s'ouvre à un large public qui se contente des effets comiques ou satiriques produits par une transposition approximative des références ou par une représentation des effets les plus extérieurs de codes. Les premiers recueils de pastiches paraissent vers 1830. Ils tiennent de la critique littéraire, de l'exercice de style autant que de la caricature.

Lorsque les signes du langage spécialisé de la littérature commencent à être exhibés pour eux-mêmes, avec le symbolisme et les courants décadents, le pastiche devient indissociable du geste créateur et nombre d'écrivains reconnus s'y adonnent (Verlaine, *À la manière de... Paul Verlaine*, plus tard, Proust, *Pastiches et mélanges*). La distinction entre moquerie et production d'un langage spécifique s'atténue jusqu'à devenir imperceptible.

La parution, et en grand nombre, de recueils de pastiches comiques au XXe s. transforme le statut du pastiche. Devenu un genre comique à part entière, il s'ouvre à des auteurs plus éloignés des cercles avant-gardistes. L'imitation stylistique devient alors un simple exercice de connivence pour le public cultivé. La vogue des *À la manière de...* (Reboux et Muller, 1907) répond à la scolarisation massive d'un lectorat censé maîtriser au moins en partie les codes littéraires autant qu'à l'épuisement progressif des stratégies de distinction littéraires fondées sur la création d'un langage singulier.

▶ ARON P., « Le pastiche littéraire », in *Regards sociologiques*, 1999, 17-18, p. 85-100. — BILOUS D., *Mallarméides : les réécritures de l'œuvre de Mallarmé, poétique et critique*, Université de Nice, 1991. — GENETTE G., *Palimpsestes. La littérature au second degré*, Paris, Le Seuil [1982] 1992. — MORTIER R., « Pour une histoire du Pastiche littéraire au XVIIIe siècle », *Beiträge zur Französischen Aufklärung und zur spanischen Literatur*, Berlin, Academie Verlag, 1971.

Paul ARON

→ *Burlesque ; Création littéraire ; Imitation ; Intertextualité ; Ironie ; Parodie ; Récriture, Réécriture ; Sources.*

PASTORALE

Au sens large, « pastorale » peut désigner toute sorte d'ouvrages dont les personnages sont des bergers (en ce sens, il est synonyme de « Bucolique »). Au sens restreint, le mot renvoie à un genre circonscrit, la pastorale dramatique, sorte de tragi-comédie à cadre champêtre, souvent agrémentée de chœurs, qui fleurit en Italie puis en France aux XVIe et XVIIe s.

La tradition antique de la bucolique virgilienne inspire aux poètes italiens des XIVe et XVe s. (Dante, Pétrarque, Boccace, Spagnuoli, Sannazar...) de nombreuses bucoliques ou églogues, mais qui ne sont pas conçues en vue d'une représentation. À la fin du XVe s., après la redécouverte du drame grec, apparaissent les premiers essais de théâtralisation de l'univers pastoral antique. Date clé dans l'essor du théâtre profane en Europe, la *Fabula di Orfeo*, drame pastoral et mythologique de l'humaniste Ange Politien, jouée à Mantoue en 1480, est suivie à Ferrare du *Cefalo* de Niccolo da Correggio (1486). À la même époque, l'usage s'impose à Ferrare de danser, entre les actes de la *commedia*, des intermèdes mythologiques ou pastoraux, bientôt si longs et si somptueux qu'ils en viennent à éclipser la comédie qui leur sert de prétexte. Le recul provisoire de la comédie puis de la tragédie laisse enfin place aux premières véritables pastorales en cinq actes. Après *Il sacrificio* de Beccari (Ferrare, 1554), prototype du genre, celui-ci atteint son apogée avec l'*Aminta* commandé au Tasse par le duc Alphonse II d'Este, représenté en 1573. Un succès comparable accueille *Il Pastor fido* de Guarini (1590) et la *Filli di Sciro* de Bonarelli (1607).

En France, plusieurs fêtes de cour manifestent dès le règne de Charles IX le goût du spectacle pastoral (*Genèvre* – anonyme – 1564 ; Ronsard, *Bergerie*, 1564 ; N. Filleul, *La comédie des Ombres*, 1566 ; Belleau, *Bergerie*, 1567 ; Beaujoyeulx, *Balet comique de la Royne*, 1581). Tandis que se multiplient les traductions des grandes pastorales italiennes, les *Bergeries de Juliette* (1585), roman pastoral de Nicolas de Montreux, sont suivies de petites comédies de bergers. Le triomphe de *L'Astrée* (1607-1627) stimule le genre : après le succès des *Bergeries* de Racan (jouées à la cour en 1624 ou 1625), Honoré d'Urfé compose lui-même une *Sylvanire* (1627), avec laquelle rivalise Mairet (1631). Hardy ne compose pas moins de cinq pastorales (par exemple *L'amour victorieux et vengé*, 1628), et plusieurs sont jouées sur la scène de l'Hôtel de Bourgogne jusqu'en 1630. Le genre s'éclipse alors devant la résurrection de la tragédie et de la comédie, mais survit dans les intermèdes (chez Molière notamment) avant de se transformer en opéra. En son sens large, la pastorale subsiste dans la longue durée comme tonalité du romanesque (par exemple Gide, *La symphonie pastorale*, 1919).

Proposant un idéal de simplicité et d'innocence pour fuir ou dénoncer l'aliénation et la corruption des villes et des cours, la pastorale remplit-elle une fonction « d'opposition morale et sociale », voire politique ? « Dès l'Antiquité classique, mais surtout de la Renaissance à nos jours, le genre pastoral s'est opposé aux valeurs dominantes », estime ainsi Étiemble (1968). Cependant, divertissement princier dès l'origine, répondant souvent à une commande expresse des puissants, la pastorale participe d'abord du rituel courtisan et sert une théâtralisation du pouvoir, d'autant plus sensible en France quand les grands se plaisent à jouer eux-mêmes les bergers. Ainsi elle propose à l'aristocratie une forme d'évasion ou de rêve utopique et lui renvoie une image idéale d'elle-même qui la conforte dans ses valeurs : chargées d'allusions aux événements de la vie de cour et de louanges aux grands, les pastorales sont lues comme des œuvres à clés par un public accoutumé à l'expression allégorique. Ainsi, malgré le déguisement rustique, le décor champêtre et l'apparente indétermination spatiale, le genre paraît transposer la réalité de la cour, qui se reconnaît volontiers dans ce reflet idéalisé, et trouve dans les conversations des bergers amoureux un modèle de sentimentalité et d'urbanité, nullement opposé aux valeurs morales et religieuses dominantes. La pastorale substitue seulement aux valeurs de l'héroïsme guerrier véhiculées à la même époque par l'épopée un idéal non moins chevaleresque mais plus pacifique de loyauté amoureuse et civile. Quant au message politique, la *Pastorelle sur la victoire obtenue contre les* [...] *rebelles à Dieu et au Roy* représentée à Montbrisson en 1588, ou la *Bergerie* de Montchrestien (1601) exaltant comme un nouvel âge d'or le règne d'Henri IV, disent assez la contribution du genre à la propagande royale.

▶ DALLA VALLE D., *Aspects de la pastorale dans l'italianisme du XVIIe siècle*, Paris, Champion, 1995. — GERHARDT M.-I., *La pastorale, Essai d'analyse littéraire*, Assen, Van Gorcum, 1950. — GIAVARINI L., *La pastorale dramatique*, Thèse, 1997. — MAURI D., *Voyage en Arcadie. Sur les origines italiennes du théâtre pastoral français à l'âge baroque*, Paris, Champion, 1996. — Coll. : *Le genre pastoral en Europe du XVe au XVIIe siècle*, Actes du colloque de Saint-Étienne (1978), Université de Saint Etienne, 1980.

Jean VIGNES

→ *Ballet ; Bucolique ; Comédie-Ballet ; Poésie ; Roman ; Théâtre.*

PATAPHYSIQUE

Pseudo-science proposée par Alfred Jarry et ainsi définie de façon parodique dans *Gestes et opinions du docteur Faustroll, pataphysicien* (1911) : « Science des solutions imaginaires qui accorde symboliquement aux linéaments les propriétés des objets décrits par leur virtualité ».

Collège de « pataphysique »: assemblée d'artistes et écrivains post-surréalistes (Queneau, Prévert, Ionesco, Vian, Dubuffet, etc.) créée en 1948.

À l'origine de la pataphysique, on trouve bien sûr Jarry, pris à la fois comme personnage provocateur et comme auteur de *Faustroll* et surtout du cycle de Ubu, mais les pataphysiciens prétendent faire coïncider les origines de leur aventure avec les débuts de la pensée humaine. La doctrine pataphysique est entre autres élaborée et vécue au sein du Collège de 'Pataphysique (noter la minute au début du mot, « pour distinguer la pataphysique consciente d'elle-même de la pataphysique inconsciente, qui affecte toute chose »). S'ajoutant au modèle donné par Jarry, il y a d'autres sources : le surréalisme, en certaines de ses hypostases et notamment celles qui récusent l'automatisme ; le surréalisme tardif, et singulièrement le surréalisme belge (Nougé, Scutenaire, Colinet), mais surtout Dada (de Pansaers à Schwitters).

La théorie pataphysique est volontiers totalitaire (« la pataphysique est la science », *Faustroll*), puisque deux faits opposés peuvent y prouver la même chose, que le tout y est équivalent à ses parties. Lieu où s'abolissent toutes les différences, elle couvre ainsi la totalité du possible (« La Pataphysique est inexhaustible »). La tendance à la contestation de l'ordre y est antiphrastiquement signifiée par l'hyperbole de l'ordre même (le Collège de 'Pataphysique a une hiérarchie complexe - du Satrape au Co-Vice-Rogateur - et l'inventivité du calendrier pataphysique vaut bien celle du calendrier révolutionnaire).

Sur le plan littéraire, cette sensibilité s'est manifestée en France, chez Vian ou Torma, mais aussi internationalement, tant chez un Calvino que chez un Matthews. Elle a engendré une lignée de textes dans lesquels le didactisme (comme dans *Les enfants du Limon*, de Raymond Queneau, 1952 ou *Occupe-toi d'homélies* d'André Blavier, 1976) peut parfaitement voisiner avec l'humour décapant et le jeu de langage, démarches qui permettent d'affirmer les structures tout en les transcendant. On ne s'étonnera pas d'y voir favorisés le collage, le style carnavalesque mais aussi et surtout les constructions complexes (comme chez Perec) et toutes les formes contraintes cultivées par l'OuLiPo.

▶ ARNAUD N., *Alfred Jarry : d'Ubu roi au Docteur Faustroll*, Paris, La Table ronde, 1974. — JARRY A., *Gestes et opinions du docteur Faustroll, pataphysicien, roman néo-scientifique, suivi de Spéculations*, Paris, Fasquelle, 1911. — Launoir R., *Clefs pour la pataphysique*, Paris, Seghers, 1969. — Coll. : *La pataphysique. Histoire d'une société très secrète*, dossier spécial du *Magazine littéraire*, juin 2000, n° 388. — *Les très riches heures du collège de pataphysique*, Paris, Fayard, 2000.

Jean-Marie KLINKENBERG

→ *Automatisme ; Comique ; Formes fixes ; Humour ; Surréalisme.*

PATRISTIQUE

Le terme patristique désigne les œuvres des Pères (*Patres*) de l'Église, mais aussi l'étude de leur doctrine. Dans ce second usage, il entre en concurrence avec le mot « patrologie », qui s'applique aussi aux collections éditoriales rassemblant les œuvres des plus anciens auteurs chrétiens. L'importance des écrits patristiques a été reconnue très tôt, avec le soin de garder la mémoire de ceux qui ont contribué à affermir la doctrine chrétienne.

Les écrivains qui, du IIe s. au VIIe s., ont jeté les bases d'une théologie chrétienne font indéniablement figure de pères fondateurs. Ces penseurs chrétiens voulaient maintenir l'unité de la doctrine et en formaliser l'expression dans un langage capable de rivaliser avec les exigences intellectuelles de la philosophie grecque. La théologie chrétienne doit en effet sa naissance à la nécessité d'adapter la prédication évangélique aux habitudes de pensée du monde hellénisé. S'emparant des outils conceptuels des philosophes, mais aussi des grammairiens et des rhéteurs, les Pères de l'Église ont ouvert un immense chantier intellectuel.

Cette intense activité s'est développée avant tout dans les deux grandes langues de culture du monde antique, le grec et le latin. Clément d'Alexandrie, Origène, Eusèbe de Césarée, Grégoire de Naziance, Grégoire de Nysse et Jean Chrysostome figurent parmi les représentants les plus célèbres de la tradition grecque. Chez les latins, à côté d'Augustin et de Jérôme (au Ve s.), dont le *De viris illustribus* inaugure la tradition, on retiendra les noms d'Ambroise de Milan, de Lactance, de Tertullien ou de Prudence. Le Moyen Âge s'est appliqué à tracer une généalogie de la pensée théologique. À partir du XVIIe s., l'étude des Pères de l'Église adopte les méthodes de la philologie (travaux de Richard Simon notamment). Le XIXe s. voit la naissance des grandes collections de textes patristiques, dont la publication se continue de nos jours encore : *Corpus christianorum, series latina* et *series graeca*, Turnhout, Brépols, depuis 1953. – *Corpus scriptorum ecclesiasticorum latinorum*, Holder-Pichler-Tempsky, Vienne, depuis 1866. – *Patrologia graeca*, éd. J.-P. Migne,, Paris, 1857-66, 161 vol., 1 vol. de tables. – *Patrologia latina*, J.-P. Migne (éd.), Paris, 1844-1864, 217 vol., 4 vol. de tables.

Il n'y a pas de liste canonique des Pères, l'extension de la notion de patristique varie d'ailleurs selon que l'on considère les auteurs dans une perspective d'histoire littéraire ou en fonction de leur plus ou moins grande orthodoxie théologique.

La littérature patristique embrasse un vaste horizon générique. De nombreux traités doctrinaux (du *Péri Archôn* d'Origène à la *Cité de Dieu* d'Augustin, 420) côtoient des témoignages épistolaires comme les *Lettres* de Jérôme, des commentaires, des biographies, des autobiographies (les *Confessions* de saint Augustin, 393-401), des récits historiques (*Histoire ecclésiastique* d'Eusèbe de Césarée, IVe s.), des œuvres lyriques (Prudence). Ce foisonnement littéraire porte témoignage de l'ambition des Pères de l'Église. Ils ont eu à cœur de marier, non sans polémique, les épîtres de Paul et les lettres de Sénèque, l'éloquence des apôtres et la rhétorique chère à Cicéron, les commentaires des grammairiens et l'exégèse d'inspiration judaïque, la tradition des historiens antiques et celle des chroniqueurs bibliques, l'inspiration du psalmiste et les charmes des poètes latins ou alexandrins. Leurs textes, dont certains restent très lus – saint Augustin – ont ainsi une influence littéraire en même temps que religieuse.

▶ CAMPENHAUSEN H. von, *Griechische Kirchenväter* ; trad. fr. O. Marbach, *Les Pères grecs*, Paris, Éd. de l'Orante, 1963. — CAMPENHAUSEN H. von, *Lateinische Kirchenväte*, trad. fr. C. A. Moreau, *Les Pères latins*, Éd. de l'Orante, 1967. — *Dizionario patristico e di antichità cristiane*, Angelo Di Berardino (dir.) [1983] ; adapt. fr. F. Vial (dir.), *Dictionnaire encyclopédique du christianisme ancien*, Paris, Le Cerf, 1990, 2 vol.

Yasmina FOEHR-JANSSENS

→ *Bible ; Christianisme ; Hagiographie ; Latine et néo-latine (Littératures) ; Religion.*

PEINTURE

Peinture et littérature entretiennent des liens étroits, élaborés par les philosophes, les auteurs ou les peintres eux-mêmes, et sans cesse discutés : assujettis l'un à l'autre dans la tradition antique, ces deux arts tendent dès le XVIIe s. à une certaine autonomie, qui bouleverse leurs rapports et suscite des pratiques nouvelles, tant artistiques que littéraires.

Dès l'Antiquité, les philosophes soulignent la parenté des deux arts. Alors que Platon condamne tous les arts d'imitation, Aristote les admet au rang des sciences « poïétiques », mais place la poésie, art libéral, avant la peinture, art mécanique : c'est ce jugement normatif qui détermine des siècles de concurrence entre les deux arts.

On les oppose d'abord selon qu'ils s'adressent à l'ouïe ou à la vue. Simonide (VIe s. av. J.-C.) le premier aurait établi cette comparaison, qui nous est parvenue par Horace (Ier s.) : « L'esprit est moins vivement frappé de ce que l'auteur confie l'oreille, que de ce qu'il met sous son œil », ce qui se traduit par la célèbre formule : *Ut pictura poesis*, un poème est comme un tableau (*Épitre aux Pisons*). Le discours efficace doit se faire tableau : les écoles de rhétorique l'érigent en principe à travers la pratique de *l'ekphrasis*.

Les arts du langage et de l'image entretiennent donc une concurrence dynamique, à l'œuvre dans les textes et les représentations jusqu'à la fin de la période médiévale, où les enjeux de la comparaison se déplacent. Les théoriciens de la Renaissance italienne reprennent en effet à leur compte la formule d'Horace, mais ils en inversent le sens. Désormais, le référent n'est plus l'image, mais le langage : le tableau est comme un poème. Ce contresens permet de donner une dignité « libérale » à un trait jusque-là considéré comme technique, en le comparant aux arts du langage, qui bénéficient, eux, d'une reconnaissance esthétique et sociale. Cette légitimation sociale de la peinture se double d'une légitimation théorique : les règles qui régissent la rhétorique et la poétique vont s'appliquer pour plusieurs siècles à la peinture, comblant par cette analogie le vide laissé par la tradition antique en matière de théorie esthétique. Les tableaux se plient eux aussi à *l'inventio* et à la *dispositio* pour, comme les poèmes dramatiques, raconter une histoire.

Le langage impose ses codes à la peinture, ce qui favorise l'émergence d'instances normatives comme les académies de peinture, où l'on établit une hiérarchie des genres picturaux sur le modèle de la hiérarchie des genres littéraires. Félibien, l'un des principaux artisans de cette classification, place ainsi la peinture d'histoire (religieuse et héroïque) au sommet des arts de l'image (Préface aux *Conférences* de 1667). Ainsi légitimée, la peinture entre en société, mais aussi en littérature puisque différents types d'ouvrages consacrés à la peinture apparaissent : après les livres d'images (les recueils d'emblèmes ou les iconologies, comme celle de Ripa [1593]), les traités de peinture, qui en définissent les principes (Alberti, Vinci...), les débats littéraires sur la peinture : des textes de fiction qui mettent en scène la comparaison des arts (La Fontaine, *Le songe de Vaux*, 1661, éd. 1671) ou des textes polémiques qui renvoient à des querelles artistiques publiques (Molière, *La gloire du Val de Grâce*, 1669), et qui témoignent d'une circulation littéraire et sociale très dense autour des deux arts toujours plus étroitement liés.

Les textes montrent l'importance prise par la peinture dans la littérature : non plus réservée aux peintres, elle devient un sujet littéraire qui tend à l'autonomie. Peut-être est-ce là la naissance de la critique artistique, qui se constitue en genre au siècle suivant, au moment même où les peintres et les théoriciens commencent à rejeter la doctrine de l'*ut pictura poesis*.

Au XVIIIe s., en effet, le lien jusque-là sacré des deux arts est pour la première fois remis en cause. Si Du Bos (*Réflexions sur la poésie et la peinture*, 1719) et Batteux maintiennent le parallèle, Lessing, dans le *Laocoon* (1766) s'élève contre l'interprétation rigide et fausse des préceptes antiques par des critiques, laquelle, dit-il, a « induit en erreur les artistes eux-mêmes. Elle a donné naissance, dans la poésie, au genre descriptif, dans la peinture, à la manie de l'allégorie » (*Avant-propos*). Sans nier les analogies de la peinture et de la poésie, il leur donne des principes et des champs d'action indépendants : la valeur de la peinture n'est pas dans l'histoire qu'elle raconte, mais dans le pouvoir d'expression qui lui est propre. Ce qui reflète d'ailleurs l'évolution artistique en cours puisque la noblesse du sujet, héritée des préceptes antiques, cède peu à peu du terrain aux scènes de genre et aux divertissements galants (Watteau, Chardin, Fragonard).

Premier pas dans la séparation des deux arts, cette autonomisation de la peinture semble appeler celle de la critique artistique : c'est l'apparition des comptes-rendus littéraires des tableaux exposés aux salons officiels qui se tiennent chaque année. Cette pratique sociale, artistique et littéraire, initiée par Diderot en 1759, impose au genre de la critique artistique un statut dans le champ littéraire.

Le point de départ social (les salons académiques) de ce nouveau genre littéraire aurait pu en faire le lieu d'expression du discours artistique dominant ; or c'est le contraire qui se produit : ce genre accompagne, légitime, voire favorise les révolutions esthétiques en cours. Comme si, en sortant de son carcan poétique, la peinture trouvait un témoin littéraire en même temps qu'un soutien : enfin distingués dans leurs principes esthétiques et idéologiques, les deux arts engagent une collaboration féconde. Ainsi les écrits esthétiques dépassent vite le cadre circonstanciel des « salons » et investissent d'autres formes littéraires (écrits sur l'art, essais, correspondance...) jusqu'aux romans et aux poèmes, auxquels ils peuvent, forts de leur récente autonomie, revenir sans risque de confusion (les écrits esthétiques de Baudelaire par exemple doivent autant à ses *Salons* qu'à ses poèmes). Et à ces écrits s'ajoutent ceux des peintres eux-mêmes, qui pour la première fois disposent, d'un espace d'expression spécifique, ouvert par les auteurs, ce qui confirme la circularité et la fécondité du croisement des deux arts (Delacroix, Fromentin, Rops, Ensor, Somville...).

Deux pôles distincts se dessinent alors : les écrits esthétiques, issus d'un exercice critique institutionnalisé (les salons), deviennent un espace d'expression des avant-gardes, investi tant par des auteurs que par des artistes. À l'opposé se développe une critique d'art officielle, prise en charge par les représentants des institutions, et liée à l'expansion de ces institutions, presse en tête. C'est dans ce sens que les échanges entre littérature et peinture se poursuivent et s'enrichissent jusqu'à aujourd'hui. Du côté des textes, la distinction entre critique institutionnalisée et écrits d'artistes reste valable, mais il faut y ajouter une troisième tendance, née à peu près en même temps, mais qui s'est considérablement développée tout au long du XXe s. : l'étude critique des genres plastiques. Les deux premières accompagnaient la création artistique : les théoriciens de l'art, eux, en font un objet d'étude historique, sociologique ou philosophique (Wölflin, Panofsky, Francastel, Pächt...).

La fin de l'« ut pictura poesis » permet des appuis stratégiques pour la promotion d'esthétiques communes. La « bataille réaliste » menée par Courbet, Champfleury et Duranty, la défense de Manet par Zola ou de Gustave Moreau par Huysmans, du cubisme par Apollinaire, comme aussi la collaboration entre Blaise Cendrars et Sonia Delaunay pour la création d'un « livre simultané », ou encore les communautés tissées entre les peintres et les poètes surréalistes (et automatistes au Québec : *Refus Global*, 1948) témoignent d'un principe d'alliance qui durera jusqu'au milieu du XXe s. : malgré l'autonomie affirmée de leur domaine, les peintres voient chez les écrivains des porte-parole efficaces pour la promotion d'un art nouveau ; romanciers et poètes trouvent dans la fréquentation de la peinture l'occasion d'une réflexion de nature esthétique (par exemple Valéry, Claudel, Malraux) pour un art, la littérature, dont le matériau est le « parent pauvre » du passage, amorcé à la fin du XVIIIe s., de la poétique à l'esthétique comme critère premier de définition des arts. Cet échange des particularités et des prestiges – prestige institutionnel pour la littérature, prestige de matériau pour la peinture – se distend à partir de la seconde moitié du XXe s., chacun des deux arts entreprenant ses propres recherches formelles et la peinture puisant son discours accompagnateur du côté des théories de l'art (souvent anglo-saxonnes : Clement Greenberg, Nelson Goodman, Arthur Danto). Les liens entre la littérature et la peinture prennent alors surtout la forme de projets ponctuels communs qui se présentent moins comme la rencontre de deux arts que comme la rencontre de deux œuvres (nombreux livres d'artistes) : de même qu'un certain nombre d'auteurs donnent à l'aspect visuel de leurs textes une place essentielle (Apollinaire, Claudel...), maints artistes insèrent des fragments de texte dans leurs œuvres (depuis l'introduction des « papiers collés » dans les peintures cubistes jusqu'aux textes marouflés utilisés par Alechinsky comme support à la matière picturale). Cette dernière pratique montre bien montre bien le dynamisme créatif du croisement des deux arts, qui leur permet à chacun de se renouveler et de développer de nouvelles formes renouveler et de développer de nouvelles formes (Michaux, Dotremont).

▶ LEE R. W., *Ut pictura poesis, humanisme et théorie de la peinture, XVe-XVIIIe siècles, Paris*, Macula, 1991. — VOUILLOUX B., *La peinture dans le texte. XVIIIe-XXe siècles*, Paris, CNRS Éditions, 1994. — Coll. : *La peinture*, sous la direction de J. Lichtenstein, Paris, Larousse, 1995. — *Poésure et Peintrie : d'un art à l'autre*, Marseille, 1993.

Karine LANINI

→ *Automatisme ; Collage ; Correspondance des arts ; Critique d'art ; Espace ; Genres littéraires ; Image ; Poétique ; Salons littéraires.*

PÉRIODISATION

La périodisation consiste en un découpage du continuum historique, afin de dégager des ensembles temporels relativement unifiés et cohérents, nommés « périodes », « époques » ou « âges ». La particularité de la périodisation en histoire littéraire est qu'elle doit articuler l'histoire de la littérature, considérée comme une activité spécifique et, de ce fait, caractérisée par une temporalité autonome, et l'histoire générale.

Dans l'enseignement comme dans la recherche, le schéma de périodisation dominant est le découpage par siècles. Ce mot signifie d'abord : temps, période (c'est ainsi qu'est entendue à l'origine une expression comme « siècle de Louis XIV »). À travers cette notion s'exprime dès le XVIIe s. l'idée d'une influence déterminante des règnes politiques sur le développement intellectuel national. Ainsi le « siècle de Louis XIV » a été présenté dès cette époque comme une période d'apogée, comparable aux temps de Périclès, puis d'Auguste. Desmarets, Boileau, Perrault, notamment, l'affirment comme tel, et Voltaire reprend l'idée. À partir du XVIIIe s., « siècle » est pris au sens de « période de cent ans », et est appliqué en ce sens à l'histoire littéraire au XIXe. La périodisation séculaire s'est imposée dans l'enseignement comme le mode de segmentation le plus commode (M. Jey, 1998). De façon concomitante, le développement de l'histoire littéraire a progressivement installé une répartition encore utilisée aujourd'hui. Les travaux de Sainte-Beuve sur la littérature de la Renaissance (1827-1828), sur Port-Royal (1840-1859) ou sur *Chateaubriand et son groupe littéraire* (1861) avaient balisé le champ de cette discipline naissante. Avec Gustave Lanson et sa monumentale *Histoire de la littérature française*

(1894) s'est imposée une périodisation qui associe périodes ou siècles et jugement sur un devenir national. Le Moyen Âge y constitue un ensemble rarement segmenté, présenté comme l'enfance de la littérature nationale. La Renaissance, ou XVIe s., en est l'adolescence. Pour les périodes suivantes, les siècles sont des unités, elles-mêmes divisées en deux époques ou âges. Ainsi le XVIIe s. est baroque (1580-1640), puis classique (1640-1715) et la littérature aurait alors atteint sa pleine force. Le XVIIIe s. se partage entre Lumières (1715-1760) et Sensibilité (1760-1790), et amorcerait le temps des incertitudes. Le XIXe s., après une période de transition relativement floue (1790-1820), voit se succéder le romantisme (1820-1850) et le réalisme-naturalisme, et est lu comme un temps de redistribution des idées et des Lettres. Quant au XXe s., sa proximité ne semble pas avoir encore permis de dégager de grands ensembles, les deux guerres mondiales constituant couramment les axes de partage de la période.

Cette organisation de l'histoire des lettres mêle des données de comptage (les siècles) et des notions littéraires (les mouvements). Ce défaut a amené divers critiques, soucieux de trouver des critères plus proprement littéraires, à proposer de nouvelles catégories fondées sur des critères plus « autonomes » : époques pour F. Brunetière, générations pour A. Thibaudet et H. Peyre ou encore périodisation selon l'état du champ littéraire, voire histoire de chaque genre ou forme.

La périodisation est nécessaire à l'intelligibilité de l'Histoire : elle substitue à une succession événementielle ininterrompue des entités plus ou moins stables et homogènes. Mais parce que tout découpage procède d'un choix à quelque degré arbitraire, toute forme de périodisation est vouée à être contestée. Car les problèmes que pose la segmentation de l'histoire littéraire en périodes sont d'autant plus nombreux, que ce qui fonde la périodisation est rarement discuté et théorisé : les divisions proposées sont souvent empiriques et, plus généralement encore, s'essentialisent avec la fausse évidence de l'habitude ou de la chose instituée ; ainsi on finit par doter d'unité apparente des segments de temps qui n'en avaient pas.

Le point d'achoppement principal concerne la manière dont sont articulées les séries historiques à partir desquelles se construit une histoire de la littérature. La périodisation « externe », fondée sur l'histoire politique et sociale, présente le défaut de ne pas tenir compte de la temporalité spécifique du littéraire et tend de la sorte à concevoir la relation entre le littéraire et le social en termes de reflet, ce qui s'avère insuffisant pour penser la complexité des déterminations qui affectent l'évolution littéraire. Mais une périodisation purement « interne » ne présente pas plus de chances d'atteindre son objet : appliquée à un domaine qui a ses logiques propres, elle se confond souvent avec une vision mécaniste de l'histoire identifiée à la simple succession des écoles. On risque dès lors d'aboutir à la constitution de grandes alternances binaires (romantisme / réalisme, art social / art pur), qui induisent une logique pendulaire. Cette difficulté à trouver un juste mode d'articulation entre histoire sociale et politique et histoire de la littérature explique en partie pourquoi le découpage par siècles a été si couramment usité. Il n'est pourtant pas neutre, puisqu'il tend à constituer des unités, là où les données politiques et littéraires ne les attestent pas. Les problèmes que suscite son arbitraire sont visibles notamment dans le choix des dates qui marquent les débuts et les fins de périodes. Ainsi, le XVIIe s. littéraire est tantôt présenté comme s'achevant dans les années 1680 avec la querelle des Anciens et des Modernes, tantôt en 1715 avec la mort de Louis XIV, et le XVIIIe cesse-t-il, selon les auteurs, en 1789 ou en 1815. Pour le XXe s., il est usuel, et d'ailleurs opératoire, de ne le faire débuter avec la Guerre de 14-18 et la révolution d'Octobre. Ces questions sont plus flagrantes encore hors de France. La Belgique littéraire commence-t-elle en 1830, avec la fondation politique du pays, ou a-t-elle une histoire antérieure ? Au Québec, il est certain que la fin du Duplessisme (1960) compte beaucoup, de même que l'accession à l'indépendance pour nombre de pays africains, alors que les « guerres mondiales » ne sont, là, que d'importance secondaire.

Enfin, il convient de souligner que la périodisation en histoire littéraire trahit souvent l'impensé de cette discipline, à savoir sa propension à reproduire une doxa et, de la sorte, à donner pour science ce qui est fondamentalement de l'idéologie. En effet, les divisions de l'histoire de la littérature s'effectuent presque toujours à partir des genres et esthétiques jugés dominants, à postériori, en fonction des auteurs et œuvres consacrés, ce qui tend à renforcer les classements et hiérarchies institués sans interroger la logique de leur constitution. De là le privilège accordé par l'histoire littéraire aux notions de crise et de rupture : dans un champ qui a institué au XIXe siècle la distinction en mode de détermination de la valeur littéraire, fonder la périodisation sur les manifestations les plus marquées de la novation et du changement, c'est hypostasier les règles du jeu littéraire et leur donner les apparences de l'évidence naturelle. Cela explique également le sort habituellement réservé aux formes précoces d'une esthétique : celles-ci, moyennant une mythologie du sujet créateur et prophétique, sont généralement traitées comme des anticipations géniales, tandis que la permanence et la perpétuation dans certaines zones du champ d'esthétiques passées de mode dans la sphère de plus grande légitimité prennent les apparences du retard ou de la dégradation. De sorte que pour limiter les effets pervers d'une périodisation naïvement calquée sur les hiérarchies instituées et peu soucieuses d'en objectiver les fondements, il apparaît nécessaire d'interroger les téléologies qui y sont à l'œuvre.

L'enjeu en fait est de pouvoir déterminer sur quoi porte le découpage : se fait-il en fonction des producteurs, *i. e.* des écrivains, mouvements et écoles ? Auquel cas il faut encore déterminer s'il repose sur la perception que les contemporains avaient des tournants de leur histoire ou sur base de catégories constituées à posteriori, telles que les étiquettes de « baroque » ou de « classique ». En fonction des modes de production et de consommation de la chose littéraire, *i. e.* des états successifs de l'institution littéraire ? En fonction des esthétiques ou, plus précisément, en termes de formes, de genres ou de styles ? Une histoire littéraire soucieuse de respecter la spécificité du fait littéraire et de penser son rapport à l'histoire générale devrait parvenir à articuler dans la périodisation ces diverses strates ou dimensions du fait littéraire. Il serait alors possible d'opérer la périodisation à partir de la notion souple de problématique : il s'agirait dans cette perspective d'identifier un ensemble de questions, interdépendantes, tout à la fois idéologiques, institutionnelles et formelles, qui orientent l'activité littéraire à une époque donnée.

▶ DUBOIS J. & al., *Analyse de la périodisation littéraire*, Paris, Éditions universitaires, 1972. — JEY M., *La littérature au lycée : invention d'une discipline (1880-1925)*, Paris, Klincksieck, 1998. — LANSON G., *Essais de méthode, de critique et d'histoire littéraires* [textes réunis par H. Peyre], Paris, Hachette, 1965. — Coll. : *Littératures Classiques*, 1998, 38.

Benoît DENIS

→ *Écoles littéraires ; Enseignement de la littérature ; Esthétique ; Génération ; Histoire ; Histoire littéraire ; Politique.*

PÉRITEXTE

Le péritexte, que l'on appelle aussi paratexte, désigne aujourd'hui l'ensemble des dispositifs qui entourent un texte publié, en ce compris les signes typographiques et iconographiques qui le constituent. Cette catégorie comprend donc les titres, sous-titres, préfaces, dédicaces, exergues, postfaces, notes infrapaginales, commentaires de tous ordres mais aussi illustrations et choix typographiques, tous les signes et signaux pouvant être le fait de l'auteur ou de l'éditeur, voire du diffuseur. Elle matérialise l'usage social du texte, dont elle oriente la réception.

Lorsque dans l'Antiquité, un aède, un herméneute, un poète disait des (ses) œuvres, il les enrichissait souvent de commentaires. Les tragédies antiques étaient également accompagnées de prologues qui en constituaient une forme de péritexte auctorial. Mais on peut considérer que c'est au Moyen Âge qu'en Europe se constitue – outre les signes gestuels de la récitation orale, qui se poursuit – un premier ensemble d'usages péritextuels écrits : ce sont les « gloses » de textes religieux, et les compilations assorties de gloses et commentaires des textes anciens. À la Renaissance, avec l'essor de la publication imprimée, le péritexte devient courant, voire nécessaire. D'une part, le péritexte commentatif (c'est-à-dire à fonction méta-textuelle) se développe au point de se systématiser avec les éditions annotées et commentées de textes anciens. D'autre part, la législation impose dès le XVIe s. que les noms d'auteurs et d'éditeurs, et l'adresse éditoriale (ce que l'on appelle le « colophon »), figurent sur les livres. Enfin, se répand alors l'usage de la préface, de l'avertissement ou avis au lecteur, et de la dédicace. La présence de définitions pour ces éléments paratextuels (assorties de commentaires critiques et d'exemples contemporains déviants ou parodiques) dans le *Dictionnaire* de Furetière (1690), témoigne d'ailleurs de leur importance ainsi que de l'enjeu stratégique qu'ils constituent pour les auteurs dès cette époque. Le développement d'ouvrages en plusieurs volumes (dans le roman notamment) conduit à rédiger des préfaces aux différentes parties d'une même œuvre, en les incluant donc au fil de son déroulement. Par ailleurs, le renforcement de la législation impose la reproduction des privilèges d'édition (en début ou en fin de volume) : or souvent ces privilèges exposent leur considérant avec beaucoup de prolixité (le texte en est parfois préparé, du moins proposé, par les auteurs ou les éditeurs eux-mêmes) pour devenir des sortes de préfaces à eux seuls. En outre, les rééditions et l'apparition des « œuvres complètes » amènent les auteurs à s'auto-commenter. Corneille, dans son édition de ses *Œuvres complètes* en 1660, donne des *Discours et Examens* de ses pièces qui constituent un péritexte non seulement explicatif mais aussi théorique. L'usage des préfaces accède parfois à une sorte d'autonomie : le *Discours de la méthode* de Descartes (1637) a ainsi été composé pour servir de préface aux *Essais de physique :* il devient une œuvre maîtresse de son auteur. Par la suite, Descartes a accompagné son texte édité d'*Objections* qu'avaient formulées ses premiers lecteurs, et de *Réponses aux objections*, qui fournissent non seulement une orientation de la lecture, mais aussi une explication et une justification du propos de l'auteur.

Le jeu avec le péritexte peut ainsi devenir une composante majeure des œuvres : les parodies de péritexte commencent avec Rabelais et n'ont cessé de se poursuivre. À la fin du XVIIe s., Bayle jongle avec les notes de bas de page de son *Dictionnaire historique* : si le corps même des articles est relativement orthodoxe, les notes contiennent toutes les critiques déviantes qu'il ne peut se permettre sans risquer la censure – qu'il encourt de toute façon – mais aussi des poursuites religieuses. Ce jeu atteint son apogée avec *Le chef-d'œuvre d'un inconnu*, de Saint-Hyacinthe (1715) : sur un texte populaire mince, cette fiction greffe des gloses, commentaires et discussions qui parodient les péritextes érudits et qui donnent toute sa puissance critique à l'ouvrage. Ces mécanismes se répètent tout au long de l'histoire de l'imprimé. Ainsi, la *Préface* de *Cromwell* de Hugo (1827) est plus lue et célèbre que la pièce elle-même. Avec le développement de la scolarisation et de l'enseignement de la littérature française, les productions péritextuelles didactiques sont surabondantes dans les éditions à usage scolaire et universitaire, comme dans les grandes éditions « savantes » avec un apparat critique copieux. On notera en particulier qu'avec cet usage est née l'habitude de publier des « vies » des écrivains et aussi des lettres de leur plume, qui ont fini par devenir des genres à part entière.

Montaigne, dans les *Essais*, s'est le premier interrogé sur la complexité des rapports entre texte et péritexte. Mais cette catégorie n'est entrée dans la critique que de façon récente, contemporaine de la promotion du « texte » au rang d'objet privilégié de l'analyse littéraire : au début des années 1970 des chercheurs comme C. Duchet, A. Compagnon ou G. Genette réintroduisent par ce biais une dimension historique concrète dans des études influencées par le structuralisme. Leur intervention a contribué à cerner un lieu d'échange entre auteur et lecteur, un espace pour la transaction (Genette, *Seuils*) littéraire, en découvrant à quel point le paratexte détermine l'usage des textes, et la dimension fonctionnelle d'un appareil jusqu'alors peu analysé, réduit à un rôle de transmission insignifiante. Les études littéraires ont ainsi pris en compte les préfaces, titres, etc., à la fois dans une perspective argumentative (« comment c'est fait ? ») et stratégique (« à quoi cela sert ? »).

Les éléments usuels qui « accompagnent » un texte publié sont la préface, la table des matières le cas échéant, mais aussi les indications de la page de titre et de la couverture (le nom du genre, notamment) et de la quatrième de couverture. Mais cette énumération ne saurait suffire : en effet, le titre, le sous-titre, le nom d'auteur (authentique ou pseudonymique), les indications de dédicace ou d'épigraphe participent du même ensemble, et par ailleurs il est usuel aussi qu'apparaissent des indications éditoriales (l'achevé d'imprimer, l'adresse de l'éditeur, le numéro d'identification ISBN, ou ISSN pour les revues, éventuellement le nom d'une collection ou d'une série dans laquelle s'inscrit le texte). Or si certains de ces éléments sont le fait de l'auteur, d'autres lui échappent. Quand il s'agit de réédition de textes anciens, les introductions, notes de bas de page ou de fin de volume, les variantes éventuelles, ainsi que les dossiers documentaires, les index, des illustrations ajoutées, etc., peuvent occuper un volume aussi copieux, ou davantage, que le texte de l'œuvre lui-même. On voit alors apparaître souvent l'indication d'un « éditeur du texte », qui est reconnu comme auteur du péritexte, du moins de sa partie la plus massive.

Ces questions de délimitation rejoignent celle de l'appellation. G. Genette (*Seuils*) emploie le terme « paratexte » pour désigner l'ensemble des éléments qui accompagnent et présentent le texte de l'œuvre, mais il distingue le *péritexte* – éléments qui entourent le texte dans le livre – de l'*épitexte*, regroupant l'ensemble des productions sur le texte absentes de la matérialité du livre (interviews, lettres...). Genette utilise « para » dans un sens étymologique (« à côté »), mais la connotation péjorative attachée d'ordinaire à ce préfixe, corroborée par le caractère facultatif lié à ce type de production (un texte peut se lire sans l'appareil paratextuel qui l'escorte), peut donner à penser que ces textes-là ne sont pas du (« vrai ») texte. Les commentaires des auteurs sur le péritexte et, plus encore, l'usage (souvent détourné) qu'ils en font, montrent pourtant bien qu'il n'en est rien. Au contraire, il est fréquent que des écrivains jouent de la confusion des plans ; ainsi les *Liaisons dangereuses* de Laclos sont assorties d'une « Préface de l'éditeur » qui ne dit pas les mêmes choses que le texte des lettres lui-même, mais qui est due à Laclos. Certains éléments du péritexte vont ainsi jusqu'à briser la frontière entre texte et non-texte, fiction et réalité. De sorte que la place des textes dans le livre et leur origine (auctoriale, éditoriale, allographe) ne sauraient constituer des critères discriminants. Il paraît donc préférable de parler de péritexte pour identifier certains de ces éléments par leur emplacement seulement, sans préjuger de leur statut.

De tels textes participent de ce que Genette nomme des « seuils », c'est-à-dire des points par lesquels s'instaure la pragmatique d'une œuvre. Leur fonction est toujours d'établir une liaison entre l'œuvre et le public. Dans le public, on inclura pour une part les lecteurs effectifs : en déployant un protocole de lecture, le péritexte participe des indications qui établissent le pacte de lecture et qui visent à orienter la « rhétorique du lecteur ». Espace idéal pour formuler une théorie littéraire, il inscrit le texte dans une idéologie à la recherche de l'adhésion du lecteur : la préface se transforme alors (à l'instar de certaines préfaces de Maupassant) en manifeste littéraire. Mais certaines de ces indications ont aussi une fonction à l'égard des règles de l'espace public : les mentions éditoriales manifestent ainsi que le texte est conforme aux lois en vigueur, donc a le droit de circuler, sans préjuger d'une lecture effective.

Parce qu'il conduit à découvrir comment un texte circule, concrètement, à un moment donné de son histoire, le péritexte apparaît comme une composante fonctionnelle essentielle de la publication littéraire. Il constitue un discours d'escorte qui influence celle-ci : ainsi lire *Bruges la morte* (1892) de G. Rodenbach sans les photographies qui accompagnent l'édition originale, c'est s'interdire de comprendre l'avant-propos de l'auteur, et le savant dysfonctionnement générique (ni roman, ni poésie) dont l'ouvrage est porteur, et qui n'a pas peu contribué à sa notoriété. Le péritexte contribue aux évolutions liées à l'instabilité même du texte, donc il matérialise l'évolution des interprétations proposées ou développées dans chaque état de société ou de culture.

▶ COMPAGNON A., *La seconde main ou le travail de la citation*, Paris, Le Seuil, 1979. — CHARTIER R. (éd), *Histoires de la lecture. Un bilan des recherches*, Paris, 1995. — GENETTE G., *Seuils*, Paris, Le Seuil, 1987. — HOEK L., *La marque du titre*, La Haye, Mouton, 1981. — LELOUCH C., « Le péritexte au service de la formation des esprits : l'exemple du *Chef-d'œuvre d'un inconnu* de Saint-Hyacinthe (1715) », *Littératures classiques*, 1999, 37.

Paul ARON, Claire LELOUCH

→ *Adhésion ; Biographie ; Commentaire ; Contextualisation ; Correspondance ; Dédicace ; Espace ; Manifeste ; Pacte de lecture ; Publication ; Pragmatique littéraire ; Texte ; Titre.*

PERSONNAGE

Un personnage est d'abord la représentation d'une personne dans une fiction. Le terme, apparu en français au XVᵉ s., dérive du latin *persona* qui désignait le masque que les acteurs portaient sur scène. Il s'emploie par extension à propos de personnes réelles ayant joué un rôle dans l'histoire, et qui sont donc devenues des figures dans le récit de celle-ci (des « personnages historiques »). Le mot « personnage » a été longtemps en concurrence avec « acteur » pour désigner les « êtres fictifs » qui font l'action d'une œuvre littéraire ; il l'a emporté au XVIIᵉ s.

Depuis les origines, que ce soit sur la scène d'un théâtre ou dans un récit, le personnage multiplie les figures sous lesquelles il paraît. Dans l'épopée et le roman français du Moyen Âge, il correspond en général avec un type idéal, tantôt celui du héros obéissant à son devoir et se couvrant de gloire par ses hauts faits (*La chanson de Roland*), tantôt celui du preux chevalier, épris d'une dame et en quête d'aventure (Chrétien de Troyes, *Lancelot*). Dans le théâtre médiéval, les traits typiques sont encore plus marqués et les figures plus schématiques. Aussi le terme d'« acteur » semblait-il approprié. À la Renaissance, les personnages s'individualisent davantage, en devenant sujets d'une expérience et d'un désir. Au XVIIᵉ s., la reprise de la *Poétique* d'Aristote et de la question des « caractères » leur assigne un rôle essentiel dans la théorie des genres. Le rang des personnages identifie les genres (tragédie pour les grands, comédie pour les gens ordinaires), mais surtout, l'action s'intériorise, tant au théâtre que dans le roman (*La Princesse de Clèves, 1678*). Avec le drame bourgeois que Diderot introduit sur la scène au XVIIIᵉ s., de caractère, le personnage devient individu. Le roman réaliste et naturaliste du siècle suivant confirme cette évolution. Longtemps caractérisé par un simple prénom (Pantagruel, Candide), un surnom (le *Tartuffe*), un « caractère » psychologique (*Le misanthrope*) ou social (*Le bourgeois gentilhomme*), il acquiert un statut et une identité de plus en plus complexes et évolutifs. Le personnage « typique » participe ainsi d'une dynamique réaliste de l'exploration sociale, chez Balzac ou Stendhal, chez Zola ou Sartre. À la fin du XIXᵉ s., les auteurs russes (Tourgueniev, Dostoïevski, etc.) se tournent vers le monde intérieur « psychologique » de leurs héros et cette voie est largement suivie (Gide, Proust, Bernanos). Plus radicalement, Pirandello, Joyce, Kafka et Faulkner assimilent le personnage à un point de vue sur le monde et à une conscience éclatée que détermine la perception toujours fluctuante d'autrui. Le Nouveau Roman (Beckett, Sarraute, Robbe-Grillet) manifeste, pour sa part, une crise du personnage. Le refus de le caractériser en fonction d'un état civil ou d'une forte passion, lié à la remise en cause des catégories du roman réaliste, laisse place à une écriture retraçant une expérience perceptive assumée à la limite par un simple pronom, comme l'illustre *Personnes* de Jean-Louis Baudry (1967). Cette contestation reste cependant circonscrite, même dans la sphère de la littérature restreinte, et après Giono, Malraux ou Yourcenar à l'époque, Modiano, Tournier, Tremblay ou Échenoz mettent en récit des personnages dotés d'autant d'épaisseur que dans la mimésis réaliste. Mais c'est alors le langage qui procure cette densité, autant que l'état civil fictif.

On note par ailleurs que l'essor des genres biographiques a contribué à la vogue des personnages historiques comme sujets d'œuvres littéraires, aux frontières entre histoire et fiction.

Les personnages sont toujours un élément majeur du récit : à titre d'agent et de support de l'enchaînement des actions, ils en constituent des « actants » (notion qu'on distinguera de celle d'« acteurs », liée aux propriétés dont l'auteur les dote), que le récit ou la pièce soient historiques ou de pure fiction. À titre d'êtres fictifs, ils en constituent les « héros », notion certes ambiguë mais qui désigne au moins le fait que les lecteurs ou spectateurs peuvent peu ou prou s'identifier aux protagonistes : ils sont alors la source principale de l'illusion littéraire. De fait, des figures de personnages littéraires ont passé en noms communs (un don juan, un tartuffe) ou emblématiques (un Rastignac, un Julien Sorel). Certains personnages imposent ainsi leur existence comme celle de personnes virtuellement réelles, en particulier dans le roman réaliste et historique, dans les œuvres « à clefs » et, bien sûr, dans les formes du biographique. Cela étant, le personnage est toujours construction de mots et de signes, et même les textes historiques et autobiographiques ne peuvent réduire cette distance. Si fines que soient leurs constructions et leurs analyses psychologiques, le personnage est toujours une illusion de « moi », tributaire de la médiation d'un narrateur et des choix d'un auteur (que le texte peut tendre à confondre avec lui, mais que l'analyse doit distinguer). La critique universitaire contemporaine a souligné cette « illusion réaliste ». Le pacte de lecture réaliste implique la reconnaissance du personnage comme personne virtuelle, et l'efficacité propre du texte, son effet esthétique, reposent alors sur cette adhésion. La dialectique du personnage comme donnée sémiotique - il est toujours une construction de signes, non une vraie personne, donc on ne peut le doter des arrière-plans psychiques de celle-ci - et de son possible rôle d'illusion pour les lecteurs - si le jeu de l'illusion est bien accompli, la confusion du personnage et de la personne est le lieu d'un investissement affectif - est fondatrice de la richesse même de cette figure littéraire.

▶ ABIRACHED R., *La crise du personnage dans le théâtre moderne*, Paris, Grasset, 1978. — HAMON P., *Poétique du récit*, Paris, Le Seuil, 1977. — JOUVE V., *L'effet-personnage dans le roman*, Paris, PUF, 1992. — ZÉRAFFA M., *Personne et personnage*, Paris, Klincksieck, 1969. — Coll. : *Personnage et histoire littéraire. Actes du colloque de Toulouse*, Toulouse, Presses universitaires du Mirail, 1991.

Marc André BERNIER, Denis SAINT-JACQUES

→ *Affects ; Caractères ; Héros et Anti-héros ; Humeurs ; Mimésis ; Narration ; Récit (Théories du) ; Stéréotype ; Type.*

PERSONNELLE (Littérature)

« Littérature personnelle » est un terme générique désignant toutes les formes que peut prendre le « récit de soi ». Il recouvre des pratiques variées, plus ou moins rétrospectives (souvenirs ou journal intime), plus ou moins attentives au contexte (mémoires ou autobiographie), plus ou moins fictionnelles (confession ou roman mémoriel), plus ou moins privées (correspondance ou journal), qui, toutes, présentent les événements vécus ou les réflexions faites par un individu à la fois rédacteur et acteur du récit.

Même si le terme est d'origine récente - il semble être apparu sous la plume de Ferdinand Brunetière (*Questions de critique*, 1897) -, la notion de littérature personnelle recouvre un très vaste domaine d'activités, qui est à l'origine même de la littérature écrite. Se connaître et se faire connaître, soit par la fiction, soit dans des formes non fictives, est déjà le souhait de nombreux auteurs de l'Antiquité. Les *Commentaires* de César ou les éléments autobiographiques disséminés par Horace dans ses *Odes*, par exemple, marquent le développement parallèle des notions de personne et de littérature.

La littérature religieuse et mystique, dès le Moyen Âge, encourage le témoignage personnel, sur le mode de la confession (saint Augustin) ou de la révélation (sainte Thérèse d'Avila). L'examen de conscience, popularisé par la Réforme, accentue cette tendance. Mais, en parallèle, et dans des formes laïques, chroniqueurs (Froissart), diaristes (P. de L'Estoile, *Journal pour le règne d'Henri IV*, éd. Paris, Gallimard, 1948), mémorialistes (Saint-Simon), épistoliers (Madame de Sévigné) ou essayistes (Montaigne) forgent une image du « je » sujet du récit. Les *Confessions* de Rousseau (1782-1789, posth.) montrent que dans la seconde moitié du XVIIIe s. l'analyse publique d'un écrivain par lui-même devient un fait littéraire admis et reconnu. Dès lors se multiplient les journaux intimes, les mémoires et les témoignages autobiographiques liés aux guerres, à la maladie, aux faits politiques et sociaux ou aux événements vécus comme exceptionnels. Au XXe s., avec l'effacement des distinctions génériques, des jeux littéraires savants abolissent les frontières entre fiction et histoire (auto-fiction de S. Doubrovski, *Le livre brisé*, 1991 ; R. Robin, *Le roman mémoriel*, 1989) tandis que la transposition du vécu personnel motive pour une part la prolifération des textes littéraires dans le grand public.

Objet d'un questionnement rhématique (quelles sont les formes de la littérature personnelle et ses caractériques narratologiques ?) et axiologique (quelle valeur peut-on leur accorder ?), la littérature personnelle pose nécessairement une série de questions qui concernent les délimitations du littéraire. Malgré toute la curiosité des lecteurs pour les écrivains, qui commence à s'avouer à travers la popularité de journaux plus ou moins intimes (tel celui des frères Goncourt), ou peut-être à cause d'elle, un discours se met en place qui, dès la fin du XIXe s. et tout au long du XXe, ridiculise le narcissisme de ce que Barrès qualifia de « culte du moi » et dénonce cette « illusion biographique, qui consiste à croire qu'une vie vécue peut ressembler à une vie racontée » (Sartre, *Carnets de la drôle de guerre*, éd. 1995). Les réactions aux revendications des auteurs prétendant lier la valeur à l'authenticité, au vécu, au biographique est un enjeu majeur des luttes symboliques depuis le milieu du XIXe s. Symétriquement, la maîtrise affichée par certains auteurs des ambiguïtés de leur pratique littéraire – tel Gide, lorsqu'il rédige et publie de concert les *Faux Monnayeurs* et le *Journal des Faux Monnayeurs* (1925-1927) – montrent l'importance de ces questions dans l'histoire littéraire contemporaine.

▶ BRUNET M. & GAGNON S. (dir.), *Discours et pratiques de l'intime*, Québec, IQRC, 1993 — GIRARD A., *Le Journal intime*, Paris, PUF, 1963. — VAN ROEY-ROUX F., *La littérature intime au Québec*, Montréal, Boréal Express, 1983. — Coll. : *Entre l'Histoire et le roman : la littérature personnelle*, M. Frédéric (éd.), Bruxelles, Université libre de Bruxelles, 1992.

Annie CANTIN, Paul ARON

→ *Autobiographie ; Épistolaire (Littérature) ; Mémoires ; Prolétarienne (Littérature).*

PHÉNOMÉNOLOGIE

La phénoménologie – à la lettre, « science des phénomènes » – désigne un courant de pensée majeur dans l'histoire de la philosophie au XXe s. Née des *Recherches logiques* (1900) d'Husserl, elle reprend l'ensemble des questions philosophiques à partir du primat de l'expérience, par un « retour aux choses mêmes » (Husserl), en tant qu'elles apparaissent à la conscience (vue comme *intentionnalité*), mais aussi relativement à la faculté de la conscience de se saisir elle-même (à travers la *réduction*). Heidegger, Sartre, Merleau-Ponty et Levinas sont, après Husserl, les grandes figures de cette philosophie de l'apparaître. La phénoménologie rencontre le littéraire de manière indirecte, soit à travers les questions de logique, et de langage, soit dans le cadre d'une réflexion plus générale menée sur le statut de l'œuvre d'art. Cependant, par son courant herméneutique, représentée par H.-G. Gadamer et P. Ricœur, elle exerce une influence sur l'analyse littéraire en modifiant l'attitude interprétative.

Husserl comme Heidegger ne se sont pas directement préoccupés du littéraire. Toutefois le philosophe polonais Roman Ingarden (*L'œuvre d'art littéraire*, 1931), dans le sillage d'Husserl, interroge en véritable précurseur les fondements ontiques de l'œuvre littéraire, pour préciser sa nature intentionnelle. Heidegger, quant à lui, dans une conception de l'œuvre d'art en rupture avec l'esthétique (*L'origine de l'œuvre d'art*, 1935), puis, à travers sa théorie générale de l'interprétation ouvre la voie aux perspectives herméneutiques de la critique. C'est par l'intermédiaire de H.-G. Gadamer (*Vérité et méthode*, 1960), que les théories de la lecture proposées, dans les années 1970, par l'École de Constance lui sont redevables. En France, alors que Sartre élabore une réflexion consacrée à la « conscience imageante » (*L'imagination* et *L'imaginaire*, 1936 et 1940) – dans ses rapports avec la néantisation – il ne l'applique pas à la question littéraire. Il prendra en compte la littérature plus tardivement, du côté de la fonction sociale de l'œuvre, et de l'engagement de son auteur, dans une perspective devenue celle de l'existentialisme. Dans les années 1940, c'est Bachelard qui, avec la phénoménologie de l'imaginaire, féconde une critique thématique, influencée par l'École de Genève, et représentée dans les années 1950 par G. Poulet, J.-P. Richard, J. Rousset, J. Starobinski. Cette orientation critique est également à rapporter, au début des années 1960, à l'influence de Merleau-Ponty qui porte son attention sur le langage littéraire (*Signes*, 1960), dans le cours d'une œuvre dont l'écriture même emprunte de plus en plus à l'expérience poétique. Ensuite, Paul Ricœur, dès *La métaphore vive* (1975), organise sa réflexion autour de l'*innovation sémantique*, et plus particulièrement de la narration. Il envisage les questions du temps et de l'identité à partir d'une interrogation de la poétique et de l'historiographie selon les perspectives de la phénoménologie herméneutique.

L'apport de la phénoménologie à la littérature a pris des formes contrastées. Si certaines œuvres du XXe témoignent des affinités que la littérature entretient avec la phénoménologie – on peut exemplairement penser à Proust –, il ne s'agit pas d'une influence philosophique à proprement parler. Celle-ci est perceptible, en revanche, sur plusieurs courants de la critique. En France – où il faut parler d'ascendance et non d'allégeance à un ordre philosophique –, la critique thématique porte son attention sur les catégories de la perception et la réalité sensible de l'œuvre ; elle met au jour les thèmes et les schèmes susceptibles de dévoiler les formes qu'une conscience d'écrivain donne de sa relation au monde. Ainsi en-est il des interprétations proposées par J.-P. Richard (*Littérature et sensation*, 1954 ; *Poésie et profondeur*, 1955). Différemment, à travers l'herméneutique allemande, la phénoménologie apporte ses propres réponses à la question de la lecture de l'œuvre littéraire. Dans la lignée de R. Ingarden, cette esthétique de la lecture (dite aussi de « la réception ») s'appuie sur l'idée que le texte littéraire est toujours inachevé, en attente de l'acte de lecture qui vient le réaliser – non sans affecter en retour celui qui lit. On reconnaît là les travaux de W. Iser sur le lecteur individuel (*L'acte de lecture : théorie de l'effet esthétique*, 1976) et ceux de Jauss sur l'« horizon d'attente » (Husserl) collectif (*Pour une esthétique de la réception*, 1972-1975).

▶ DERRIDA J., *L'écriture et la différence*, Paris, Le Seuil, 1967. — GADAMER H.-G., *Vérité et méthode* : *les grandes lignes d'une herméneutique philosophique*, Paris, Le Seuil, [1960], 1973. — HUSSERL E., *Recherches logiques* (1900-1901), 3 vol., PUF, 1962. — INGARDEN R., *L'œuvre d'art littéraire*, Lausanne, L'Âge d'homme, [1931], 1983. — RICŒUR P., *La métaphore vive*, Paris, Le Seuil, 1975 ;

Temps et récit, 3 t., Points-Le Seuil, [1983-1985], 1991 ; *Soi-même comme un autre*, Points-Le Seuil, [1990], 1996.

Florence DE CHALONGE

→ *Herméneutique ; Image ; Imaginaire et imagination ; Lecture, Lecteur ; Nouvelle critique, Philosophie ; Temps ; Thématique (critique).*

PHILOLOGIE

Dans la tradition antique, *philologia* désigne l'activité qui, au sein des variantes et des gloses suscitées par leur transmission, s'attache à découvrir la forme authentique des textes littéraires et à en produire le commentaire (information sur l'auteur ; circonstances et genèse de l'œuvre ; explication des mots et des choses devenues incompréhensibles ; jugement qualitatif ; etc.). Elle peut aujourd'hui se définir comme une critique dont l'objet essentiel est l'établissement et le rétablissement des textes originaux à partir d'états éditorialement hétérogènes, et la reconstruction de leur signification (à travers l'interprétation grammaticale, stylistique, historique, etc.). Elle recouvre largement le domaine de la critique génétique et de l'histoire littéraire.

L'étude philologique, qui représente l'un des aspects fondamentaux de la culture gréco-latine, naît sous l'impulsion des sophistes, suivis par les lettrés et par les grammairiens de l'Antiquité. Après une longue période de désuétude, elle connaît un nouvel essor grâce au travail des rhétoriciens et des techniciens de la langue médiévale. Avec les humanistes de la Renaissance, le mot se fond à l'intérieur des arts libéraux et d'une science composite de la critique et de l'exégèse des auteurs, en premier lieu classiques. Parmi ses représentants de la période suivante, il convient de signaler le Napolitain Giambattista Vico (1668-1744), pour l'importance de son œuvre dans le développement des sciences historiques et cognitives en général et, notamment, de la philologie en tant que discipline collective, unissant érudition, grammaire et poésie. Au début du XIXe s., sous l'influence allemande, elle se définit – en concurrence avec *linguistique* – comme une science universelle des langues et de la littérature (sens conservé par exemple en anglais). Du fait de l'atomisation de sa matière, la philologie a ensuite éclaté en une pluralité de pratiques autonomes. Seul l'établissement du texte exact, dont le travail incombe à une pratique désignée plus spécifiquement par le terme d'ecdotique, est demeuré propre à son domaine.

Comme le souligne P. Zumthor dans son article de l'*Encyclopædia universalis*, il est difficile, compte tenu de la variété des attributions recueillies par cette praxis au cours de son histoire, de donner au concept de philologie un sens rigoureux et précis. En raison de la multiplicité des contingences intellectuelles, académiques, historiques, qui ont affecté la philologie et son domaine d'application, aucune trace d'une notion logiquement articulée et stable de la discipline n'apparaît. Les valeurs mises en place par la tradition érudite durant la seconde moitié du XIXe et le commencement du XXe s., soit le moment où tend à s'opérer une plus nette distinction entre ce qui ressortit à l'étude de la langue comme telle et ce qui appartient à la littérature comme expression, seront retenues ici. Dans la pratique effective, cette démarcation ramène la philologie à l'interprétation textuelle et à l'édition des écrits d'appartenance littéraire avant tout.

De ce point de vue, la philologie se caractérise essentiellement comme une herméneutique et une pragmatique, par son activité d'interrogation mais aussi de réduction à l'état d'archétype, de modèle virtuel ou de canon, des vestiges de la tradition écrite. Elle entretient ainsi un rapport constitutif au travail de l'écriture et à ses traces, étudie ce qui concerne tant le contenu que l'expression de documents, et leur transmission physique. À la différence toutefois de la linguistique (dont elle se distingue aussi par l'accent mis sur la teneur historique et socioculturelle de ses analyses), ce n'est pas la langue qui constitue son objet spécifique – elle tend plutôt à englober cette dernière –, mais les textes. Dans la mesure où tout écrit, du moins ancien, est à ses yeux porteur d'une interrogation possible sur son identité, la philologie paraît inséparable d'un questionnement sur la notion même de texte et, donc, de son édition.

Même si son champ d'application ne se confond pas avec la production littéraire, philologie et littérature ont partie étroitement liée dès l'origine de la tradition textuelle. Le besoin d'authentifier, de mettre en valeur et d'expliquer les œuvres, d'en faciliter l'accès grâce aux techniques du savoir humain, apparaît en effet dans le même élan qui voit la création verbale se fixer matériellement, au VIe s. avant J.-C., avec les épopées d'Homère. La conception qui en résulte ne cessera d'ailleurs de dépendre de vues où l'étude et la connaissance restent associées à une culture manuscrite ou livresque. Même si très vite, les travaux philologiques tendront à une compilation savante indépendante dans ses modalités et ses fonctions des œuvres elles-mêmes, il existe donc une nette coïncidence entre l'apparition d'une diffusion écrite de la littérature et de la poésie, et le développement de cette pratique.

Loin cependant de postuler ou de privilégier un lien créateur – esthétiquement parlant – à son objet, ou encore théorique, en cherchant à définir ce qu'est en fait un texte dans une culture donnée de l'écrit et la mise en œuvre d'un ensemble de formes littéraires, la philologie se caractérise par une prédilection pour des critères de vérité immanente. Au cœur de la critique formelle qui en assure la méthode – établissement des filiations par le *stemma*, ou « arbre généalogique » des versions ou générations successives d'une œuvre ; recherche d'un état « original » ou de la « bonne » leçon par la comparaison de variantes –, elle marque une forte tendance au repliement sur les « faits ». Pour elle, le texte représente une donnée d'étude objective des réalités mentales ou linguistiques que chacun de ses états traduit. Dominée, historiquement et pratiquement, par l'idéologie positiviste issue au XIXe s. de l'érudition antique, la philologie s'inscrit jusque dans certains aspects des recherches modernes en génétique textuelle mais aussi d'histoire du livre, en passant par l'édition médiévale, dans la continuité d'une pensée réaliste et puriste.

Sans cesse attentive aux déviances que l'éparpillement des copies ou des reproductions inflige à son objet, elle apparaît comme une tentative de maîtrise sur l'inquiétude que suscite tout flottement dans les indices qui fondent l'autorité du texte. Son effort consiste à réduire la complexité et les contingences résultant de la genèse, de la diffusion et de la réception d'une œuvre littéraire, à l'unique et au vrai, à forger un être singulier et « authentique » susceptible de dompter la mobilité de ses représentations, en ramenant la part insaisissable, fuyante ou incertaine d'une tradition, au principe d'écart ou de faute par rapport à son référent imaginaire. La philologie s'attache ainsi à identifier le texte à un modèle univoque dont les variations ne seraient que formes divergentes et fortuites qu'elle repousse en marge – en bas de pages, en notes. Elle n'admet qu'avec peine l'irréductibilité à un principe fondateur, à une intention précise du créateur et à son autorité consciente. C'est dire combien elle se montre aussi prudente au regard de tout ce qui, « en aval » de la création, participe de la transmission non littérale de l'œuvre mais des avatars de sa survie, d'une conception dynamique de celle-ci – faits de hasard, liés par exemple aux contingences matérielles de sa circulation (songeons entre mille cas à la fortune célèbre des *Pensées* de Pascal) ; aléas de la diffusion, extrêmement importants avant l'apparition de moyens de vulgarisation et de sauvegarde efficaces et la cristallisation de l'idée moderne de propriété intellectuelle ; mais surtout, exception faite de l'attention portée à ce problème par la dernière génération des grands philologues allemands, comme E. Auerbach, E. R. Curtius et L. Spitzer, elle ignore le plus souvent les conditions de sa réception et ce qui en fait la part la plus insaisissable, notamment la jouissance artistique, le plaisir du texte.

Face à la marche incessante de l'écriture (que les techniques informatiques d'aujourd'hui sont loin d'abolir !), la philologie apparaît ainsi comme une tentative de saisir à distance le passé humain et un aspect particulier de ses productions culturelles. À cette fin, elle procède toujours dans le sens d'un retour à un état révolu de l'objet dont elle ne connaît que les transformations. Forte du sentiment que l'éloignement temporel engendre pour le texte un décalage, voire une rupture avec son origine, la philologie attache aux œuvres l'idée anxieuse d'une perte et d'une dégradation. Elle se nourrit de l'impression d'usure que crée l'écoulement des siècles, dont elle cherche à opérer la remontée vers une cause intacte et porteuse d'une information sûre, non altérée.

Fondamentalement historique dans la mesure où elle ancre sa justification dans l'écart chronologique qui caractérise son objet – elle nourrit d'ailleurs des liens complexes avec la littérature moderne et, a fortiori, avec la littérature contemporaine –, sociologique dès lors que s'inscrit dans son horizon le sentiment des cultures que traverse le texte, la philologie relève également d'un postulat ontologique : elle attribue au passé comme tel une vérité en soi.

▶ ENGELS J., « Philologie romane – linguistique – études littéraires », *Neophilologus*, t. 37, 1953, p. 14-24. — HUMMEL P., *Histoire de l'histoire de la philologie : étude d'un genre épistémologique et bibliographique*, Genève, Droz, 2000. — ZUMTHOR P., « Philologie », *Encyclopædia universalis*, Paris, vol. 14, 1985, p. 459-461. — Coll. : *Romance Philology*, 1991, vol. 45, 1. — *Speculum*, 1990, vol. 65, 1, « The New Philology ».

Bernard CERQUIGLINI, Olivier COLLET

→ *Auteur ; Authenticité ; Édition ; Érudition ; Génétique (critique) ; Herméneutique ; Histoire littéraire ; Langue française (Histoire de la) ; Linguistique ; Manuscrit ; Œuvre ; Texte ; Variante.*

PHILOSOPHIE

Les rapports entre philosophie et littérature posent avant tout un problème de définition. En son sens ancien, la littérature englobait l'ensemble des savoirs, donc la philosophie ; mais si la philosophie est une « quête de la sagesse », elle se distingue de la littérature de divertissement, et serait liée seulement à la littérature morale, métaphysique et scientifique, en un mot au didactique. Entre ces deux pôles, les relations des deux disciplines sont en fait celles d'une tension permanente.

La tension ou plutôt le conflit est originel. Platon, dans *La République* exclut les poètes de la cité, les considérant comme des maîtres d'erreur et des provocateurs de passions. Tout en reconnaissant le charme de son œuvre, il n'épargne pas Homère qui, au lieu de raconter des exploits légendaires, aurait dû réfléchir sur les lois et les enseignements à apporter à ses compatriotes. Opposition donc, entre une philosophie qui s'occupe de la vérité et du bien, et la poésie et l'art, suspects de frivolité. Mais à l'inverse, Aristote intègre dans la philosophie la totalité du savoir humain et écrit donc des études sur la création et les genres littéraires (*La poétique*, *La rhétorique*).

Néanmoins la méfiance des penseurs à l'égard de l'expression littéraire a longtemps duré, même si Rome voit avec le *De natura rerum* de Lucrèce naître un des grands poèmes scientifiques, nourri de philosophie épicurienne. La philosophie garde une spécificité bien marquée par sa forme spéculative, sa force de conceptualisation et d'organisation qui tend au système, se situant ainsi davantage du côté de l'épistémologie, donc de la science que de la littérature, qu'elle laisse plutôt à la rhétorique.

Cependant malgré les différences qui continuent à séparer les deux disciplines, dès l'humanisme s'est manifesté un refus du clivage. Les humanistes défendent une connaissance encyclopédique et reconnaissent un rôle important à la littérature dans la formation intellectuelle et morale. Rabelais, outre qu'il reconnaît sa fonction pédagogique, invite le lecteur dans le prologue de *Gargantua* (1632) se référant à la fois à Platon et Homère, à « rompre l'os et sucer la substantifique moëlle » : la fiction peut donc avoir une vérité et une portée philosophique. C'est encore de ce point de vue qu'elle sera légitimée par Lenglet-Dusfresnoy (*De l'usage des romans*, 1734) et par Diderot qui défend la vérité du roman (*Éloge de Richardson*, 1761) en des termes platoniciens (le romancier « porte le flambeau au fond de la caverne »). De fait, malgré les différences ou les rivalités qui se maintiennent entre les deux disciplines, dans la pratique, de la Renaissance au XVIIIe s., la philosophie a pris de plus en plus souvent une forme littéraire. Elle le fait pour se communiquer sous forme familière (Montaigne) ou pour déjouer la censure, à l'âge classique, aussi bien chez Descartes (*Discours de la méthode*, 1637) que chez le libertin Cyrano de Bergerac (*L'autre monde*, 1657). Elle le fait aussi pour atteindre l'audience des non-spécialistes, comme Pascal dans ses *Pensées ;* on doit noter à cet égard que les tenants de la doxa, les jésuites en particulier, considéraient pour leur part que la littérature pouvait être un moyen de diffusion de leurs idées et doctrines (par le théâtre religieux des collèges par exemple). Le siècle des Lumières constitue en France un moment majeur de conjonction de la philosophie et de la littérature. Montesquieu, Voltaire pratiquent le roman, la poésie, et Rousseau réconcilie rêverie et pensée.

Pourtant, c'est au XVIIIe s., que s'accentue de plus en plus une distinction (le mot « littérature » au sens moderne passe tout à fait dans l'usage courant vers 1750) sur laquelle la réflexion philosophique fait retour. Diderot déplore cette nouvelle situation (« Un sage était autrefois un philosophe, un poète, un musicien », *Entretiens sur le fils naturel*, 1757), tandis qu'un débat s'engage sur la hiérarchie de ces deux modes de rapport au langage et à la pensée. Kant donne la primauté au vrai sur le beau, et affirme même que la beauté trouble le jugement (*Observations sur le sentiment du beau et du sublime*, 1764).

Reste que dans les années 1750 à 1830 la littérature connaît une promotion comme nouveau pouvoir intellectuel et elle le doit souvent à sa valeur philosophique, grâce à des écrivains-penseurs (Madame de Staël, Benjamin Constant, Jouffroy). Au même moment, les romantiques allemands (Goethe, Schelling, Novalis, Schlegel) sont indissociablement penseurs et écrivains. En France Victor Cousin (*Cours de philosophie de 1818 : du fondement des idées absolues du Vrai, du Beau et du Bien*) tente comme eux de concevoir la place de l'art dans un ensemble, à la fois par rapport à la philosophie et à la religion. Dans sa philosophie de l'art, Schelling donne d'abord à l'art la primauté. À l'inverse Hegel (*Esthétique*, 1832) voit dans la philosophie l'avenir de l'art et l'aboutissement de l'histoire : la littérature romantique serait la dernière étape avant le retour de l'esprit sur lui-même dans la philosophie idéaliste. Mais dès lors, la recherche d'une conjonction entre philosophie et littérature a été un projet constamment repris. Philosophie en acte irréductible à la philosophie, la poésie revendique d'explorer une authenticité que seul le langage fonde : pour Mallarmé, il est parfois une philosophie antérieure à tout concept, incluse et latente. La conjonction est ensuite envisagée d'une toute autre manière par les « intellectuels » engagés, philosophes et écrivains, écrivains parce que philosophes et manifestant dans leurs œuvres les enjeux de leur réflexion philosophique : l'existentialisme, et Sartre tout particulièrement, en sont les figures de proue. La philosophie contemporaine est aussi souvent une pensée de l'art (Maurice Blanchot, Jean-Luc Nancy, Philippe Lacoue-Labarthe, Jacques Rancière). Dans son livre sur *Raymond Roussel*, Michel Foucault reconnaît que les jeux de langage constituent une expérience de pensée et Pierre Macherey insiste sur la particularité de la « philosophie littéraire » : il s'agit souvent d'« une pensée sans concepts » (*À quoi pense la littérature ?*, 1990).

Sans nier les différences, les conflits et les luttes d'hégémonie, il faut donc bien constater que les frontières entre les deux disciplines sont souvent floues, et que plutôt que d'étudier leurs relations en termes d'influence – des systèmes philosophiques sur la littérature – il semble nécessaire de les envisager en termes d'échanges. Certaines pensées philosophiques s'expriment plus aisément dans des formes littéraires comme la philosophie morale et le scepticisme de Montaigne, qui évite le dogmatisme d'une pensée systématique grâce aux *Essais*. Mais la littérature peut aussi donner une force polémique aux doctrines, grâce à l'ironie, comme dans *Les Provinciales* de Pascal (1656-1657). Elle diffuse des idées condamnées chez Cyrano de Bergerac. Enfin, elle a souvent servi à une propagation plus large des idées philosophiques au XVIIIe s. et encore au XXe s. (Camus, Sartre). De son côté, la philosophie a souvent contribué à l'élaboration d'une forme-sens en apportant à la littérature des modèles d'intelligibilité. Le rationalisme cartésien et le *cogito* inaugurent une philosophie du Sujet qui devait marquer durablement la littérature. Plus ponctuellement tel philosophe peut fournir un modèle de compréhension du monde qui oriente l'écrivain vers une nouvelle forme littéraire, comme la philosophie de Bergson pour Proust. Enfin, la philosophie peut fournir à l'analyse littéraire des schémas d'investigation : ainsi, partir d'une philosophie marxiste, Lukacs, Bakhtine et la sociocritique étudient l'idéologie impliquée dans l'œuvre.

Les liens entre littérature et philosophie dépendent aussi de la finalité que se donne la philosophie. Si Platon s'en est pris aux poètes, il est l'un des premiers à leur avoir emprunté la métaphore, le récit mythique et des allégories comme celle de la Caverne, recourant ainsi à l'imagination à des fins spéculatives. Au XVIIIe s., l'utilisation de formes littéraires tient à la particularité du nouvel objet que se donne la philosophie, désormais moins métaphysique et réorientée vers une pensée de l'homme, de l'action, vers une réflexion critique et concrète sur l'existence. Elle met ses idées à l'épreuve des situations (Diderot, *Jacques le Fataliste*), adopte, grâce au dialogue une forme ouverte (*Le neveu de Rameau*), ou encore, prudemment, la forme de l'hypothèse (*Le rêve de d'Alembert*). Loin de revendiquer une supériorité pour raison de cohérence spéculative et de rationalité, la philosophie a donc su parfois mettre à profit la narrativité propre à la littérature, une poétique de l'incertitude, des possibilités de discontinuité et d'ouverture.

D'autre part, l'œuvre littéraire pense à sa manière, par une écriture. Ainsi, selon Ricœur, le récit construit la perception du temps. Et cette capacité du littéraire s'accentue dans la seconde moitié du XIXe s. Flaubert oppose à la philosophie (et plus largement à toute pensée) le pouvoir critique de la représentation littéraire qui réinterroge les idées reçues, et renoue ainsi avec ce qui est de l'ordre de la pensée, tout en s'efforçant de déjouer les entreprises herméneutiques qui tenteraient de transformer cette pensée à l'œuvre dans le texte en une œuvre de pensée. Ainsi, tandis que la philosophie a parfois renoncé à la logique argumentative pour utiliser les genres littéraires (par exemple Nietzsche, *Ainsi parlait Zarathoustra*, 1883-1885), avec *Ulysse* (1922) de Joyce, avec les récits de Borges, la littérature devient parfois, au XXe s., un gai savoir qui danse sur la pensée occidentale.

▶ BÉNICHOU P., *Le sacre de l'écrivain*, Corti, 1973 ; *Le temps des prophètes*, Paris, Gallimard, 1977 ; *Les mages romantiques*, Paris, Gallimard, 1988. — BLANCHOT M., *L'espace littéraire* [1955], Paris, Gallimard, 1988 ; *Le livre à venir*, Paris, Gallimard, [1959], 1986. — LACOUE-LABARTHE P. & NANCY J. L., *L'absolu littéraire*, Paris, Le Seuil, 1978. — MACHEREY P., *À quoi pense la littérature ?*, Paris, PUF, 1990.

Gisèle SÉGINGER

→ *Analyse ; Déconstruction ; Dialogue ; Discours ; Essai ; Esthétique ; Existentialisme ; Herméneutique ; Libertinage ; Logique, Logos ; Lumières ; Rationalisme ; Marxisme ; Temps.*

PICARESQUE

Au sens propre le picaresque est un sous-genre du roman qui met en scène un décalage d'ordre social : d'origines incertaines et voyageant pour se soustraire à sa mauvaise condition sociale, le « picaro », est un antihéros ; il décrit un itinéraire circulaire qui le ramène à son point de départ.

Au sens large, le picaresque désigne les œuvres où domine le thème du marginal rusé qui, face à une société hostile, a recours à différents masques pour s'adapter aux situations auxquelles sa vie itinérante le confronte.

Les origines lointaines du picaresque comme thème remontent aux romans satiriques de l'Antiquité, de Pétrone (*Satyricon*) et d'Apulée (*L'âne d'or*). La littérature arabe médiévale (IXe-XIIe s.) connaît le personnage du mukaddî, équivalent du « picaro », qui fait son apparition au milieu du XVIe s. en Espagne. Sa naissance a été liée à la crise économique qui frappe le pays après le règne de Charles Quint : des hordes de pauvres, d'étudiants, de commerçants ou d'artisans sans emplois, de moines défroqués ou d'anciens soldats rôdent le long des routes et dans les villes. Ces « picaros » (dont l'étymologie probable ramène à un terme argotique signifiant « affamés ») ont constitué les modèles de l'anonyme *Lazarillo de Tormes* (1554), premier roman du genre. L'apparition de romanciers picaresques peut être associée à une autre injustice sociale, celle où se trouvaient plongés les nouveaux chrétiens, les juifs convertis, comme Mateo Aleman, auteur du *Guzmán d'Alfarache* (1599). Au début du XVIIe s., le roman picaresque connaît sa véritable maturité, avec Aleman et le *Buscón* (écrit en 1604 et publié en 1626) de Quevedo. Le *Guzmán* en particulier a suscité une vogue d'imitations et de traductions dans toute l'Europe. En Allemagne, l'influence espagnole se fait sentir un demi-siècle plus tard, avec *Les aventures de Simplicius Simplicissimus* (1669) de Grimmelhausen, qui confronte le picaro aux affres de la guerre de Trente Ans. En France, le roman picaresque exerce une influence sur la veine du roman comique qu'illustrent Sorel et

Scarron. Il faudra pourtant attendre le XVIIIe s. pour voir paraître les chefs-d'œuvre que sont *Gil Blas de Santillane* (1715-1735) de Lesage et, en Angleterre, *Moll Flanders* de D. Defoe. L'héroïne de Defoe présente le plus bel exemple de la *picara*. À la même époque, le roman picaresque rejoint la vague quichottesque. Lesage par exemple, à qui l'on doit une traduction du *Quichotte* apocryphe d'Avellaneda, est en même temps adaptateur de romans picaresques (*Guzman*, 1732) et auteur de récits de la même veine (*Gil Blas*). Entre-temps le ton et l'esprit ont changé. Avec *Gil Blas*, la critique sociale se fait plus claire. Le picaro abandonne son pessimisme et croit à la possibilité de briser le cercle vicieux où l'enferment sa basse naissance et sa situation sociale. Avec *Le paysan parvenu* (1735-36) de Marivaux, le picaresque rejoint le roman d'ascension sociale. Dans la seconde moitié du XVIIIe s., le genre reçoit un nouveau souffle, devenant une forme accueillant les idées nouvelles, celles qu'échangent Jacques et son maître par exemple, dans *Jacques le Fataliste* de Diderot (1792-1796). En Angleterre, l'apparition tardive d'un pastiche, *Barry Lindon* (1844), dont l'aventure se déroule au XVIIIe s., marque bien que le genre disparaît avec l'Ancien Régime.

La dénomination « picaresque » pose un problème de terminologie. Depuis les années 1960, les hispanistes réservent le terme à la seule « variante » espagnole tandis que les comparatistes en usent plus largement. D'autre part, le qualificatif de picaro est pris dans un sens tantôt restreint, tantôt général.

Le roman picaresque véhicule un certain nombre de *topoi*, qui en constituent la structure architextuelle : la naissance incertaine, le départ du foyer familial, l'errance qui se transforme en une série d'épreuves au service d'un maître, le retour au point de départ... Il met donc en scène (peut-être dans la lignée de certaines Moralités du théâtre médiéval), une quête (le long de laquelle se posent les questions du libre-arbitre et de la prédestination), une quête de la conscience individuelle qui fait écho, sur le plan métaphysique, aux thèmes du *theatrum mundi* et de la société fortement hiérarchisée de l'Ancien Régime. Il survit pourtant en tant que thème littéraire et connaît même un renouveau au XXe s. avec des auteurs tels que Kafka, Céline, Beckett, Gombrowicz et Nabokov, tous particulièrement sensibles au climat social de leur époque et désireux de dénoncer l'aliénation à laquelle la société moderne est en butte.

▶ GUILLEN C., *The Anatomies of Roguery : A comparative Study in the History of the Novel. Part I. The picaresque Novel in Spain*, New York, Garland, 1987. — HAAN T., *Postérité du picaresque au XXe siècle*, Assen, Van Gorcum, 1995. — SOUILLER D., *Le roman picaresque*, Paris, PUF, 1989. — Coll. : « Aspects du picaresque en Angleterre et aux États-Unis », *Caliban* n° XX, 1983. — « Le récit picaresque », *Littérature*, 14, 1986.

Jan HERMAN

→ *Adaptation ; Autobiographie ; Influence ; Roman de formation ; Satire ; Topique.*

PLAGIAT

Le plagiat est l'emprunt par un auteur d'un fragment significatif du texte ou de la pensée d'un autre auteur. Contrairement à la citation, au pastiche ou à la parodie, il est défini en droit et punissable. Il relève à ce titre de la propriété intellectuelle, même si l'identification précise du plagiat pose généralement de nombreux problèmes pratiques. Contrairement à la supercherie et à la mystification, il postule l'existence de deux auteurs réels, le plagié et le plagiaire.

L'auteur latin Martial dénonce dans une de ses *Épigrammes* (53, Livre I) le *plagiarus*, le larron de la littérature qui s'approprie les livres d'autrui. Mais cette appellation a un sens essentiellement polémique. Sa pertinence est limitée dans un contexte où l'imitation est licite. Nul ne reproche à Virgile de puiser dans l'œuvre d'Ennius – qui est, dit-il, son « fumier » – pour écrire l'*Énéide*. L'invention n'est pas le critère discriminant de la valeur littéraire avant le XVIIe s., même si la signature de l'auteur – et donc la conscience de son apport personnel – apparaît dès le Moyen Âge. Il est cependant des degrés dans l'emprunt : emprunt d'un style, d'une pensée ou de la lettre d'un texte, et l'examen des différents types d'imitation occupe les rhétoriciens du XIVe au XVIIe s. puis fait l'objet de la Querelle des Anciens et des Modernes. En 1667, Richesource invente le « plagianisme », mais il s'agit en fait d'une technique d'amplification visant à permettre aux auteurs peu imaginatifs de reprendre des textes existants en dissimulant leurs sources (*Le masque des orateurs*). Dans le courant du XVIIe s. toutefois, on élabore des catégories plus fines. Thomasius rédige son *De plagio litterario* (1673-1679) et Bayle, qui reprend ses thèses dans son *Dictionnaire*, estime qu'un auteur doit citer ses sources et fait l'éloge de la référence érudite en marge du texte. En parallèle, paraissent de nombreux ouvrages dénonçant les plagiats et des emprunts considérés comme illicites (Adrien Baillet, *Les auteurs déguisés*, 1690) Mais dans le cas de la fiction, le problème reste entier. Le *Cid* de Corneille (1636) est accusé de plagiat, et l'originalité de l'œuvre est le sujet d'une violente querelle arbitrée par Chapelain au nom de l'Académie française. Au XVIIIe s., Marmontel distingue les degrés de légitimité qu'il y a à imiter des auteurs modernes ou des anciens, et des auteurs français ou des auteurs étrangers, et il reproche aux critiques de tenter d'« humilier » les grands auteurs en faisant la chasse aux plagiats. Nodier reprend cette idée dans ses *Questions de littérature légale* (1812, revu et développé en 1828) en soulignant également le caractère inévitable des emprunts. Mais J.-M. Quérard (*Les supercheries littéraires dévoilées*, 1847-1853) et ses successeurs tentent de repérer tous les emprunts. À ce moment le débat a pris une tournure nouvelle, parce qu'il est statutairement lié à la législation sur la propriété littéraire (en 1793 le code civil établit le droit viager des auteurs sur leurs œuvres). De nombreux procès ont lieu, qui tentent de fonder une jurisprudence.

À partir du XIXe s., le plagiat suscite deux types de polémiques. Dans le monde littéraire, le plagiaire est dénoncé comme celui qui ne respecte pas la convention d'originalité que le romantisme a placé au centre des valeurs littéraires. Les tribunaux, quant à eux, sont censés estimer le dommage moral et économique que subit l'auteur plagié.

Déterminer la nature d'un plagiat n'est pas chose aisée. On peut plagier le tout ou la partie, la manière ou la pensée. Rares sont les auteurs qui se sont bornés à signer une œuvre entièrement empruntée (mais ils existent!). Le plagiat est donc avant tout une question de degré, et son appréciation dépend à la fois du contexte esthétique et du contexte légal. Ce dernier en fait une question débordant largement le cadre du littéraire puisqu'il concerne tous les domaines où une personne peut être lésée par le vol de son travail intellectuel (sciences, arts, inventions en tous genres). La loi considère que les idées sont libres, mais qu'en revanche la forme est personnelle, et apprécie le plagiat selon la reprise – abusive et inavouée – exacte d'un texte autre dans la rédaction même, ou dans l'ensemble des structures manifestes.

En littérature, on peut également distinguer les registres du plagiat : ironique, humoristique, critique. Mais, comme la citation ou le pastiche, le plagiat est une catégorie intertextuelle et donc un moteur, plus ou moins avoué, de la création : ainsi Isidore Ducasse en fait-il le principe même des *Poésies :* « Le plagiat est nécessaire. Le progrès l'implique » (1870). L'OuLiPo a même proposé la notion de « Plagiat par anticipation » pour désigner le paradoxe qu'exprime Borges : « Tout grand esprit crée ses précurseurs ».

▶ CHAUDENAY R. de, *Les plagiaires, le nouveau Dictionnaire*, Paris, Perrin, [1re éd. *Dictionnaire*, 1990], 2001. — JEANDILLOU J. F., *Esthétique de la mystification. Tactique et stratégie littéraires*, Paris, Minuit, 1994. — MAUREL-INDART H., *Du plagiat*, Paris, PUF, 1999. — SCHNEIDER M., *Voleurs de mots*, Paris, Gallimard, 1985. — Coll. : *Le plagiat : actes du colloque tenu à l'Université d'Ottawa, du 26 au 28 septembre 1991*, ss la dir de Christian Vandendorpe, Ottawa, Les Presses de l'Université d'Ottawa, 1992.

Paul ARON

→ *Auteur ; Citation ; Imitation ; Intertextualité ; Mystification ; Originalité ; Propriété littéraire ; Signature ; Sources.*

PLAISIR LITTÉRAIRE

Le plaisir est une sensation agréable, sensation de satisfaction associée d'abord au corps. Or le plaisir littéraire est en soi problématique en ce qu'il relève des plaisirs de l'esprit – sauf dans le cas du théâtre et de la littérature déclamée ou chantée, depuis longtemps minoritaire – et non de celui des sens. Aujourd'hui, ce terme s'emploie souvent au singulier (« plaisir de lire », « plaisir du texte »), et le plaisir se trouve en ce cas lié à l'émotion esthétique. Mais il y a plusieurs sortes de plaisirs, et leur définition met en jeu la définition même de ce que l'on appelle « littérature » (indépendamment de la littérature représentant le plaisir érotique).

Le plaisir littéraire est problématique en sa nature 1), en sa finalité 2) et en sa légitimité 3).

1. Associé au désir, le plaisir relève de la libido et de la satisfaction libidinale, même lorsqu'il s'agit de plaisir mental. Ce constat suscite deux réactions principales. L'une est de défiance à l'égard du plaisir. Elle se fonde sur un idéalisme radical, et apparaît comme telle chez Platon déjà. Selon lui, la poésie et la rhétorique sont dangereuses parce qu'elles sollicitent dans l'esprit des auditeurs (par le *pathos :* toucher et plaire) des impressions agréables et non des vérités, souvent désagréables en elles-mêmes puisque contraires aux pulsions ou difficiles à atteindre. Cette façon de considérer le plaisir littéraire avec méfiance, voire de le condamner, est ensuite fréquente, sinon constante, chez les épicuriens, chez les stoïciens et chez des philosophes chrétiens comme Augustin (*La cité de Dieu*, Ve s.). Tous condamnent le plaisir des sens comme attribut de l'animalité en l'homme, et les plaisirs de la littérature parce qu'ils s'adressent à l'imagination et non à la raison ; en revanche, le plaisir de savoir et la recherche de l'harmonie sont envisagés comme des biens supérieurs, et des plaisirs de même. La philosophie ou la foi distinguent alors les adeptes des plaisirs vulgaires, et ceux de ces formes supérieures de satisfaction. Le plaisir supérieur, dans cette vue, est celui qui associe le Vrai et donc le Bien à leur expression parfaite, le Beau ; et cette aspiration échappe à l'ordre des désirs de l'homme en tant qu'être charnel, le tourne vers la part d'idéalité qui est en lui.

2. Platon, en réfléchissant sur la mimésis, considère que la poésie et l'art peuvent, par le plaisir qu'ils donnent aux hommes, contribuer à faire entendre à ceux-ci des messages moraux (*La République*, III et VI). Aristote reprend cette idée, mais à partir d'un fondement différent. Pour lui

le plaisir essentiel de l'homme est le plaisir de connaître, la satisfaction du désir de curiosité qui est constitutif et distinctif de la nature humaine. Ce postulat se trouve au point de départ de sa *Métaphysique* aussi bien que de sa *Poétique*. Pour lui, la mimésis est source de plaisir parce qu'elle donne à (re)connaître. Dès lors, il envisage le plaisir littéraire comme un bienfait, comme une dynamique à la fois agréable et utile, agréable parce qu'utile. Le plaisir suscité par les fictions peut ainsi devenir un moyen de mobiliser les passions pour les corriger dans leur exercice même, selon le principe de la catharsis. Par ailleurs, la poésie épidictique et le dialogue d'idées entrent naturellement dans un plaisir positif, puisqu'ils éveillent, pour l'un le plaisir d'admirer, pour l'autre, celui d'apprendre. Les trois libido (*sciendi, dominandi, amandi* ou *sentiendi*) sont ainsi mises en œuvre et à profit, au sein d'un art raisonné, qu'aborde la *Poétique*. Elle permet de prendre en compte la diversité des plaisirs, y compris celui, sans doute paradoxal *a priori*, qui consiste à « se faire peur », tel le plaisir des larmes, comme dans le cas de la tragédie. Cette lutte entre l'acceptation du plaisir ou son rejet est un des fondements de tous les débats sur l'art et la littérature, puisque l'une des finalités même de la création de fictions réside dans l'impression qu'elles suscitent, l'*aiesthesis*. La seconde strate du débat porte sur le statut du plaisir. Est-il délassement, divertissement au sens relatif – ce qui éloigne un moment des soucis – qui a son utilité comme temps de repos en même temps qu'il offre place à des œuvres qui peuvent porter en elles des vérités utiles ? Ou bien est-il divertissement au sens absolu, donc séduction, détournement de l'attention qui devrait être tout entière vouée à la réflexion sur la mort et à la recherche du souverain bien. De la sorte, considérer le plaisir comme une fin en soi ou un moyen pour une finalité située au-delà est une opposition constante.

3. À l'époque moderne, la définition de l'esthétique comme valeur en soi (non tant chez Kant que chez Hegel) instaure le plaisir comme une fin en soi. Mais il est entendu en ce cas comme la contemplation de la beauté, et exclut, explicitement ou implicitement, les plaisirs du jeu, de la satire, de la transgression, ou simplement celui de la connaissance, renvoyés au rang de divertissements malsains ou sujets à dédain pour les premiers, et comme « utilitaires » pour le second. De sorte que la combinaison du « plaire » et de l'« instruire », qui légitimait le plaisir dans l'esthétique classique, s'en trouve disjointe au profit du seul « plaire ».

La difficulté de l'usage de ce terme, si fréquent aujourd'hui dans les discours sur la littérature – chez les auteurs, et encore plus chez les interprètes – tient à son emploi au singulier. Un emploi conséquent, donc pluriel, signale que le plaisir peut résider dans le fait d'apprendre ou dans celui de ressentir des émotions inhabituelles, ou plus fortes que l'ordinaire, ou encore dans la découverte d'une forme belle ; et que les trois existent en littérature, peuvent se conjuguer, et peuvent aussi chacun se subdiviser. Le singulier implique qu'il y aurait un plaisir légitime et un seul, et des plaisirs dégradés voire dégradants. L'évidence est pourtant qu'il y a plusieurs sortes de plaisirs : ils diffèrent selon les registres qu'ils mettent en jeu, ils diffèrent donc selon les finalités des œuvres (distraire, instruire, inquiéter...). La difficulté des débats incessants sur la nature du littéraire tient à ce que le sens du terme de plaisir y est en général occulté sous des apparences d'absolu, et que par là, c'est la sensation que chaque théoricien (fut-il improvisé) désire faire partager qui est érigée en absolu. La définition du plaisir littéraire constitue ainsi un lieu commun de luttes constantes pour la définition des modèles culturels légitimes.

Si la méfiance platonicienne a été une constante, la théorie aristotélicienne du plaisir utile a constitué historiquement le courant dominant. À Rome, elle est reprise dans l'idée de l'*otium studiosus* (le loisir studieux) qui est un bien en lui-même, source d'*utile dulci* (d'un agrément utile). Ce principe de l'instruire et plaire est ensuite largement dominant, affiché comme tel à l'âge classique (« En ces sortes de feintes, il faut instruire et plaire » dit par exemple La Fontaine à propos des fables). L'idée que « le conte fait passer le précepte avec lui », et l'image selon laquelle le plaisir offert par les textes est comme le sucre que les médecins mettent sur le bord de la coupe où ils ont versé un remède amer, sont des lieux communs venus de l'Antiquité. Le didactique est ainsi une mise en belle forme du savoir, et la fiction, un vecteur déguisé de la morale. Cependant le plaisir d'admiration, et celui de se voir admirer sont, sans ambages, tenus pour légitimes dans la littérature épidictique. Depuis l'Antiquité, la rhétorique considère que le *docere* (instruire) recourt, pour persuader, au *movere* (émouvoir) et au *delectare* (donner du plaisir). Dès lors elle peut se résumer en « instruire et plaire ». Pour la poétique de la fiction, où le *docere*, l'instruction, ne peut plus être revendiquée comme première, puisqu'il y a « mensonge » fictif, elle devient « instruire par le plaisir » même. La conception du plaisir est alors liée à l'idée de convenance, d'adéquation, de partage d'un même plaisir, garant de l'adhésion aux mêmes valeurs. Cette idée de l'adéquation est généralement présentée comme une valeur universelle, mais elle exprime parfois aussi une discrimination entre les plaisirs de ceux qui sont en position sociale dominante et les autres. Ainsi Chapelain, dans sa *Lettre sur la règle des vingt-quatre heures* (1630) dans la tragédie, dit que l'unité de temps correspond au goût, et donc au plaisir, des

« gens de bien », alors que le non-respect des unités ne répond qu'au plaisir de la « canaille »...

La conception de la littérature comme plaisir a été combattue par la partie la plus rigoriste des théoriciens chrétiens, qui tiennent le plaisir pour expression de la nature corrompue de l'homme. D'où, de saint Augustin à Nicole (*Traité de la comédie*, 1666) et même au Rousseau de la *Lettre à d'Alembert*, la condamnation répétée de la littérature autre qu'édifiante. Et la lecture a été longtemps tenue, dès lors qu'elle n'était pas édifiante, pour un vice caché : par exemple *L'école des femmes* de Molière met en scène le barbon prônant un tel clivage entre lecture d'obligation ennuyeuse, et lecture de plaisir, futile et possiblement immorale. Mais un autre courant chrétien a largement employé le « plaire et instruire ». Les Jésuites ont ainsi cultivé la poésie et aussi le théâtre dans leurs collèges. Mieux même, dans sa *Défense de la poésie française* (1675), Desmarets de Saint-Sorlin ressource ce principe en se référant aux Evangiles : Jésus, dit-il a parlé par paraboles pour mieux faire entendre la vérité en sollicitant l'imagination de ses auditeurs là où leur raison n'aurait pu atteindre à la portée cachée des paradoxes apparents qu'il énonçait, usé donc de leur plaisir pour les mener vers la vérité. Mais une telle argumentation se retourne lorsque des œuvres prétendent avoir valeur morale par parabole, alors qu'elles offrent des images libertines, transgressent les lois morales en s'adonnant à l'érotisme : ainsi la préface des *Liaisons dangereuses* (1782) joue ironiquement de la volonté d'instruire - de moraliser - pour un livre qui donne à voir les abus du libertinage, par exemple

Une distribution nouvelle du débat advient avec l'Art pour l'Art. Cette attitude considère comme seul plaisir littéraire légitime la contemplation de la beauté, et rabroue toute forme de divertissement, ou même toute prétention à vouloir faire passer un message, qui dégrade l'émotion esthétique en simple plaisir facile. Cette position est prolongée ensuite par les tenants d'une littérature ésotérique, qui récusent aussi bien la littérature de divertissement que la littérature engagée. Pour eux, le plaisir est une fausse voie. Roland Barthes a repris cette problématique du point de vue du lecteur, dans *Le plaisir du texte*. Il distingue le texte « de plaisir », qui offre un univers et un langage familiers, sans difficulté ni secousses, et la « jouissance », qui advient lorsque l'œuvre suscite par une image inédite une sensation de rupture avec tout univers familier, et qui est la marque de la « vraie » littérature.

À l'heure actuelle, les critiques et les programmes d'enseignement revendiquent, en tout pays, la formation du goût des lecteurs pour le « plaisir de lire ». Mais sous cet apparent consensus, le débat se poursuit : d'aucuns dénoncent les plaisirs de divertissement de la littérature destinée au large public, au nom d'un « vrai » plaisir formateur vue comme fin en soi ; ainsi le plaisir de lire peut être prôné d'une façon qui peut conduire à récuser un plaisir (pris) du texte. Signe que les débats sur le plaisir littéraire sont toujours, en fait, débats sur la définition de la littérature et, sous ce couvert, sur le plaisir et ses formes.

▶ BARTHES R., *Le plaisir du texte*, Paris, Le Seuil, 1971. — COMPAGNON A., *Le démon de la théorie*, Paris, Seuils, 1999. — DANDREY P., *Molière et la maladie imaginaire, ou De la mélancolie hypocondriaque, t. I*, Paris, Klincksieck, 1998. — RANCIÈRE J., *Le partage du sensible*, Paris, La Fabrique, 2000. — RICŒUR P., *La métaphore vive*, Paris, Le Seuil, 1975 ; *Temps et récit*, *id.*, 1983.

Alain VIALA

→ *Adhésion ; Affects ; Didactique ; Divertissement ; Esthétique, Érotisme ; Goût ; Lecture, lecteur ; Mimésis ; Rhétorique ; Réception ; Religion, Utilité.*

PLANH → Discours funèbre ; Complainte

PLÉIADE (LA) → Écoles littéraires ; Humanisme ; Renaissance

PLURILINGUISME → Bilinguisme

POÈME EN PROSE

Le poème en prose est une forme poétique débarrassée de la contrainte du vers : la création d'un rythme s'y accomplit par l'exploration des ressources du langage « usuel ». Il s'est affirmé comme un genre majeur de la littérature moderne, à partir du milieu du XIXe s.

En France, Baudelaire apparaît comme le promoteur du poème en prose, avec le *Spleen de Paris* (1855-1862). Mais il n'est pas l'inventeur du genre. Son prédécesseur avoué est Aloysius Bertrand qui dans *Gaspard de la Nuit* (1842) s'est ingénié à peindre en prose des « fantaisies à la manière de Rembrandt et de Callot » (sous-titre du recueil). A. Rabbe, P. Borel, X. Forneret, M. de Guérin ont aussi pratiqué le poème en prose, pour contester le grand vers lyrique des romantiques. Baudelaire dote cette forme de lettres de noblesse, en la faisant passer du statut de « fantaisie » à celui de genre moderne par excellence.

En fait, le débat entre vers et prose est ancien. Il est un enjeu au XVIIe s. de la querelle des anciens et des modernes, notamment autour de la traduction des Grecs et des Latins. Par exemple, faut-il, comme Mme Dacier l'a fait en 1699, traduire *l'Iliade* en prose ou transposer l'œuvre en vers français ? L'opposition du vers et de la prose recouvre une distinction de valeurs : pour les traditionalistes, la prose ne peut avoir les vertus poétiques du vers. L'esthétique galante mettait déjà en doute cette opposition, en mêlant vers et prose dans les mêmes textes. Au XVIIIe s. ces conceptions évoluent. Fénelon, Du Bos et l'abbé Prévost affirment les beautés de la prose poétique, notamment pour la traduction d'œuvres étrangères. Houdar de la Motte propose en 1730 une version prosée de *Mithridate* de Racine, afin de montrer que « la prose peut dire exactement tout ce que disent les vers [...] ». C'est en prose que Mme Necker traduit de l'anglais *Le cimetière de campagne* de Thomas Gray en 1765, et on en vient à adopter le « non-vers » pour écrire des textes poétiques, comme Parny qui écrit en prose ses *Chansons madécasses* (1787) et *Le torrent* (1802). Le poème en prose bénéficie aussi du succès de la prose poétique qui pare les meilleures pages des romans et des essais, de Rousseau et de Chateaubriand tout particulièrement.

Genre ou forme mineure sous l'Ancien Régime, le poème en prose à cristallise la rupture moderne. Baudelaire voit dans le choix de la prose pour ses poèmes bien davantage qu'une simple contestation du vers. D'après sa lettre-préface au *Spleen de Paris*, le poème en prose est avant tout liberté – pour l'auteur, le lecteur et même l'éditeur ; « [sans] queue ni tête. Tout [...] tête et queue », le genre est doté d'une étrange autonomie qui permet de le couper où l'on veut, en conformité avec les pratiques de lectures modernes liées au développement de la presse – c'est effectivement sous forme de feuilleton que les « Petits poèmes en prose » paraissent dans *La presse* d'A. Houssaye, en septembre 1862. Il a par ailleurs la faculté subversive de décloisonner les classes de texte et d'introduire l'hybride dans des formes canoniquement étanches. Lautréamont l'emploie dans ses *Chants de Maldoror* (1868-1869), Rimbaud dans ses *Illuminations* (1886) et Mallarmé le pratique volontiers (*Pages, Divagations*). Le poème en prose apparaît ainsi comme le genre de tous les possibles. Huysmans entre en littérature avec un recueil de proses (*Le drageoir aux épices*, 1874), puis fait dire à son héros des Esseintes (*À rebours*, 1884, ch. XIV) que le genre « représent[e] le suc concret, l'osmazôme de la littérature, l'huile essentielle de l'art ». De près ou de loin tous les symbolistes ont expérimenté cette forme qui offre une visée émancipatrice semblable à celle du vers libre. Avec l'Esprit Nouveau et le modernisme, le poème en prose s'impose définitivement au début du XXe s. : Saint-Pol Roux, Reverdy et Max Jacob (*Le cornet à dés*, 1916) en font la modalité essentielle de leur écriture, ainsi que les surréalistes qui abandonnent presque totalement le vers, à partir de la publication des *Champs magnétiques* de Breton et Soupault en 1919. Francis Ponge essaie – sans grand succès – de rebaptiser cette forme par l'expression « Proème » (titre d'un recueil de 1948). Après 1945, la poésie ne s'embarrasse plus du débat vers / prose, le poème en prose étant établi comme une pratique normale.

Le poème en prose est une forme littéraire dont l'essor est lié à l'autonomisation du champ littéraire dont il est une manifestation textuelle idéale et emblématique. Ce sont les écrivains les plus en rupture avec les traditions qui se sont montrés les plus prompts à le valoriser : Baudelaire, Lautréamont, Rimbaud, Mallarmé, Verhaeren, à leur manière, ont ainsi exploré une forme inédite, paradoxale, qui se fonde sur absence de règles et donc apparaît comme la forme typique de la recherche dans le style et l'exploration de la langue.

▶ BERNARD S., *Le poème en prose de Baudelaire à nos jours*, Paris, Nizet, 1959. — JOHNSON B., *Défigurations du langage poétique*, Paris, Flammarion, 1979. — VADÉ Y., *Le poème en prose et ses territoires*, Paris, Belin, 1996.

Jean-Pierre BERTRAND

→ *Automatisme ; Fantaisie ; Galanterie ; Modernité ; Poésie ; Prose ; Vers, Versification.*

POÉSIE

Du grec *poeïen* (fabriquer, produire), le mot « poésie » a désigné l'art du langage « fabriqué », c'est-à-dire différent, et de ce fait, rythmé. En ce sens, la poésie s'oppose à la prose. On a pu la lier, à travers les siècles, tantôt au rôle quasi démiurgique du créateur, tantôt au travail artisanal du poète. La poésie est ainsi considérée comme l'expression de l'irrationnel (« enthousiasme » chez Platon, « prophétie » chez les romantiques « voyance » chez Rimbaud), ou comme remise en cause, voire « meurtre » (R. Barthes) du langage. Elle a pu aussi être scientifique ou didactique (au XVIe s. notamment). Par ailleurs, la « poésie » et surtout le « poétique » évoquent souvent le sentiment que procure une perception inhabituelle et touchante du monde. On parle ainsi de « vision poétique » ou de « paysage poétique » pour exprimer la charge émotionnelle qu'ils véhiculent.

Dans la mythologie grecque, la poésie se rattache à deux figures, les Muses et Orphée. Les Muses représentent chacune l'excellence d'un domaine du savoir ou de l'art – qui n'est pas nécessairement « poétique » – (Calliope, la poésie épique ; Clio, l'histoire ; Polhymnie, la pantomime ; Euterpe, la flûte, Terpsychore, la danse ; Erato, la poésie lyrique ; Melpomène, la tragédie ; Thalie, la comédie ; Uranie, l'astronomie) ; ainsi la poésie est liée au savoir, donc au signifié. Orphée, lui, incarne les pouvoirs du rythme et de la musicalité : il est le joueur de flûte qui enchante par sa musique ; ainsi, la poésie est liée à la musicalité, à l'art des sonorités, donc au signifiant. Les Muses et Orphée confèrent à la poésie les deux sortes d'attributs qui peu ou prou lui ont été reconnus dans la tradition occidentale, de l'Antiquité à nos jours.

Orphique, la poésie est musique et inspiration divine : elle dit et suscite des sentiments passionnels ; aussi Platon, dans la *République*, manifeste-t-il une extrême méfiance à l'égard du poète. Aristote, de son côté, réhabilite la poésie dans sa *Poétique*, du moins la poésie mimétique de l'épopée et du théâtre (par opposition à la poésie lyrique de Sapho ou de Pindare), et il institue la valeur et le statut hautement légitimés, voire sacrés, du genre dont ne se départira pas la tradition occidentale. Selon lui, le poème mimétique se distingue des autres productions de la pensée, fussent-elles en vers, en ce qu'il est embellissement et imitation par le moyen du rythme et de la musique, consubstantiels à l'homme. Face au langage du vrai (la logique et la dialectique) et au sein des discours du vraisemblable (la rhétorique), la poésie mimétique apporte une capacité d'atteindre au général par sa faculté de faire des fictions crédibles, qui suscitent l'émotion. Il s'institue de la sorte une distinction entre la poésie mimétique (et de fiction) et la lyrique (de confidence vraie), qui a duré ensuite. La poésie latine, en gardant cette distinction, a cependant accordé une place accrue à la poésie lyrique (Ovide) et à la poésie didactique (voir les registres et la « roue de Virgile »). Au Moyen Âge, la littérature épique se distingue nettement de la poésie lyrique. La première se présente sous forme de chansons de geste qui narrent, selon des rythmes strophiques et mélodiques, des hauts-faits d'arme ; la poésie lyrique, elle, a pour matière, chez le troubadour provençal ou le trouvère du Nord de la France, le sentiment amoureux. Dans l'épopée et la lyrique médiévales, la poésie est avant tout structure mélodique au service d'un message, même si elle peut, avec Rutebeuf et Villon notamment, accorder la plus grande attention au signifiant. La Renaissance, puis l'émergence des grands rhétoriqueurs, entre 1450 et 1535, font du langage un lieu d'investissement poétique essentiel. Molinet et Marot surenchérissent dans la voltige verbale, formelle et rhétorique, au plus grand plaisir des seigneurs qui paient leur talent, tandis que Du Bellay et les poètes de la Pléiade renouent avec les origines orphiques du poème antique. Au XVIIe s., Malherbe, puis Boileau opèrent un retour à Horace et à la poésie latine, fondée sur la raison. L'*Art poétique* (1674) fait valoir, au nom de l'imitation, la sobriété, la mesure, l'harmonie ; dans les sujets évoqués comme dans les formes utilisées, « Il faut que chaque chose y soit mise en son lieu » (I, p. 177). Ainsi prône-t-il l'adéquation du mot et de l'idée ou de la chose, selon un précepte qui aura lui aussi fait recette : « ce qui se conçoit bien s'énonce clairement ». Dans cette perspective, le poète est moins transporté d'enthousiasme qu'artisan du vers, qui sait brider sa fantaisie personnelle au profit d'un travail patient : « vingt fois sur le métier remettez votre ouvrage » ; le précepte aura permis à des générations d'élèves de s'exercer à la poésie. Selon cette doctrine, la poésie a un rôle civilisateur : parole fondatrice qui apprivoise les passions et la sauvagerie primitives, elle se doit d'unifier l'État dans un sentiment identitaire, en entretenant glorieusement la mémoire des hommes, sur le mode légendaire de la poésie homérique. Les poètes baroques, fantaisistes ou libertins de l'époque, entre autres Viau, Saint-Amant, Voiture ou La Fontaine, ne se plient cependant pas tous à cette norme stricte. Mais, après Boileau, la doctrine « classique » règne durant plus d'un siècle. Sous la plume de Voltaire ou de Dellile et jusqu'à Chénier, la poésie est avant tout vecteur d'idées philosophiques, religieuses ou politiques. Avec Houdar de La Motte, Jean-Baptiste Rousseau et l'abbé de Chaulieu, elle cherche pourtant à se dégager du rationnel, en privilégiant le lyrisme et l'imagination (Houdar, Rousseau) ou une sensibilité du quotidien familier (Chaulieu).

Les Lumières et la Révolution française ont préparé de grands bouleversements poétiques. Le romantisme, avec Hugo, Lamartine, Vigny et Musset, met à mal le classicisme en inventant de nouvelles règles métriques (le trimètre, par exemple) et en laissant libre cours aux débordements du Moi. Baudelaire, puis Mallarmé et Rimbaud poussent ce mode d'écriture dans ses derniers retranchements : avec la nouvelle modernité qu'instaurent *Les fleurs du Mal* (1857)et surtout les *Petits poèmes en prose* (1869), le poème, tout en s'autorisant à parler de sujets jusqu'alors jugés indignes (la ville, la foule, le quotidien sublime de l'expérience), se replie sur lui-même en se dénonçant comme dispositif rhétorique, en se revendiquant comme pure matière langagière. Ainsi, paradoxalement, la poésie a de moins en moins de place dans la société (évincée qu'elle est par le roman, le théâtre et les autres formes de littérature industrielle ou de loisir) mais prétend à une sorte de sacralité absolue. Mélancolique et oppositionnelle (R. Chambers), elle traverse le siècle sur le mode de la résistance aux valeurs bourgeoises, en ravivant sa mythique fonction visionnaire, avec Hugo et Rimbaud, ou en se donnant comme art pur, des parnassiens à Mallarmé, comme exploration du monde dans et par l'exploration du langage. Le surréalisme poursuit cette histoire poético-révolutionnaire. Il entend dépasser les limites littéraires du genre : avec Breton et les surréalistes, la poésie et la vie sont inséparablement intriqués ; la poésie devient dès lors une attitude de vie, et par là une option politique, qui fait droit aux fonctions inconscientes et à l'imaginaire. La poésie contemporaine, avec Ponge et Char, ne se départit pas de la révolution mallarméenne, rimbaldienne et surréaliste, même si elle donne à entendre à la fois, chez certains, la recherche de la musique et l'expression d'idées (G. Miron). Elle peut, en ce sens, continuer de servir des engagements, comme ceux de Césaire ou de Dib contre la colonisation ou d'Aragon contre l'occupation nazie. Mais il serait erroné de ne prendre en compte que la poésie d'avant-garde pour comprendre l'évolution et le statut du genre. À côté des grandes convulsions qui sont restées d'ailleurs la plupart du temps confinées aux cercles étroits des poètes écrivant pour leurs pairs, perdure une poésie plus populaire et plus scolaire – celle qui assure la conservation du patrimoine, et qu'incarnent des poètes plus ou moins oubliés de nos jours, mais qui volaient la vedette aux Rimbaud et consorts : ainsi Béranger (*Chansons*, 1821) pour l'époque romantique, Théodore de Banville (*Odes*, 1857 ; *Petit traité de poésie française*, 1872) et Maxime Du Camp (*Les chants modernes*, 1855) contemporains de Baudelaire, François Coppée (*Intimités*, 1869) et Sully-Prudhomme (*Le bonheur*, 1888) qui divulguent (y compris dans les collèges et les lycées où ils sont étudiés) les modèles poétiques, en ce compris, dans le cas d'un Verhaeren par exemple, les valeurs patriotiques. De la même manière, au XXe s., à côté des grands noms de la poésie que sont Ponge, Follain, Jaccottet, Roche, Norge, Michaux, existe une pratique développée mais peu diffusée du genre : une poésie souvent publiée à compte d'auteur, ou même écrite et récitée pour le seul plaisir, sans relation avec les modes littéraires nouvelles. Et existe aussi une poésie plus populaire encore, avec Prévert, ou avec les « chanteurs poètes » (Brassens, Leclerc...). De la sorte, à la fin du XXe s., la poésie reste d'une part le domaine des formes littéraires qui multiplie le plus les signes de sa sacralité et, d'autre part, la fonction qu'elle incarne s'est déplacée dans des messages sociaux plus vulgarisés comme la chanson.

Dans *Qu'est-ce que la littérature ?* (1948), pris dans les contraintes du combat pour la littérature engagée, Sartre est amené à chercher les spécificités du poétique, et il souligne que la poésie est avant tout retour sur le langage, donc forme de connaissance par celui-ci. De fait, d'Aristote et Horace à Breton et Ponge, même s'il lui est arrivé de mettre sa structure formelle au service de la doxa, la poésie offre au langage littéraire une forme de résistance dans ses rapports au social et à l'histoire. Alors que le roman ou le théâtre imposent une transparence variable dans leurs relations à la mimésis, elle oppose une opacité tantôt langagière tantôt imaginaire dans nos visions du monde dont elle déjoue les codes en transgressant l'institution fondamentale des rapports sociaux, à savoir le langage. Lieu d'invention plutôt que d'expression du monde, elle affirme ainsi sa puissance critique et ses pouvoirs de subversion historique, lors même qu'elle ne se dit pas explicitement telle dans ses contenus. Si cette spécificité de la poésie semble établie, il faut en revanche mesurer ce qu'elle implique dans les acceptions du terme. Longtemps, en effet, « poésie » a désigné toute production versifiée, mais aussi toute fiction (le mot a qualifié ainsi la tragédie et la comédie mais aussi parfois, à l'âge classique, le roman !). « Poésie » entendue comme retour du langage sur lui-même est donc une acception moderne plus restreinte, liée à l'essor des genres de la fiction en prose : si le terme n'a jamais pu être restreint à la versification, si l'opposition « prose *vs* poésie » est caduque depuis longtemps, la spécification de l'attention au signifiant est une sorte de triomphe historique de la conception orphique, et, en partie, du poétique, entendu comme le registre de l'attention à l'inattendu du monde.

▶ FRIEDRICH H., *Structure de la poésie moderne*, trad. franç., Le Livre de Poche, [1960], 1999. — GLEIZE J.-M., *Poésie et figuration*, Le Seuil, 1983. — JACKSON J. E., *La poésie et son autre. Essai sur la modernité*, Corti, 1998. — KRISTEVA J., *La révolution du langage poétique*, Le Seuil, 1974. — Coll. : « Sociocritique de la poésie », *Études françaises*, printemps 1991, 27-1.

Jean-Pierre BERTRAND

→ *Fiction ; Genres littéraires ; Inspiration ; Musique ; Poésie pure ; Poète ; Rythme ; Vers, versification.*

POÉSIE PURE

Apparue au XIXe s., l'expression « poésie pure » vise à qualifier une « essence du poétique ». Par elle se trouvent répudiées les fonctions non esthétiques du texte en vers.

C'est sous la plume de Baudelaire, à la fin de ses *Notes nouvelles sur Edgar Poe* (1857), que l'expression « poésie pure » fait son entrée dans l'idiome critique des poètes modernes : « toute âme éprise de poésie pure me comprendra quand je dirai que, parmi notre race antipoétique, Victor Hugo serait moins admiré s'il était parfait ». Sans doute désigne-t-elle en l'occurrence l'idéal de rigueur et de beauté toute formelle dont Baudelaire voit en Poe le héros exemplaire. Mais la tournure polémique de son énoncé en fait aussi bien une sorte de mot d'ordre esthétique. Contre « les hérésies de l'enseignement, de la passion, de la vérité et de la morale », dont les poètes se rendent coupables à céder aux demandes des lecteurs bourgeois, Baudelaire soutient que la beauté n'est pas un ornement du discours poétique, mais qu'elle constitue à la fois l'« essence » et l'enjeu de ce discours : « La poésie ne peut pas, sous peine de mort ou de défaillance, s'assimiler à la science ou la morale ; elle n'a pas la Vérité pour objet, elle n'a qu'Elle-même ». Se dessine ainsi la définition moderne du poète comme professionnel de la beauté verbale, en attendant que la « poésie pure » soit institué en paradigme du littéraire – et le poète en modèle de l'écrivain, chargé de mettre en jeu toutes les ressources du langage. Mallarmé, après 1880, théorise en ce sens l'esthétique de « l'œuvre pure » (dans laquelle l'auteur « cède l'initiative aux mots ») et définit la « littérature », par exclusion du récit et du discours d'information, comme « exception » au régime de « l'universel *reportage* » : pure orchestration verbale, libérée de toute autre fonction que d'assurer, par « le jeu de la parole », la « [transposition] d'un fait de nature en sa presque disparition vibratoire [...] pour qu'en émane, sans la gêne d'un proche ou concret rappel, la notion pure » (*Crise de vers*, 1886-1896). Relayée par Valéry – « la poésie n'est que la littérature réduite à l'essentiel de son principe actif [...], purgée des *idoles* de toute espèce et des illusions réalistes » (*Tel Quel*, 1941/43), la métaphysique mallarméenne du verbe est infléchie en poétique religieuse chez l'abbé Bremond, qui, dans une conférence très débattue sur *La poésie pure* (1926), entend assimiler l'écriture et la lecture poétiques à une expérience mystique. Ultime avatar d'un modèle désormais épuisé, et contre lequel se dresseront tour à tour les poétiques avant-gardistes (appelant à une politisation de l'activité esthétique), la dénonciation par Julien Benda du « triomphe de la littérature pure » (dans *La France byzantine*, 1945) et la théorie sartrienne de l'engagement.

Le discours d'essence développé par Baudelaire masque assez mal ce qu'il refoule, à savoir tout le travail d'épuration auquel la poésie a dû se prêter pour s'affirmer durablement en tant que discours sans objet et trouvant dans sa « pureté » non seulement la marque la plus forte de sa spécificité, mais encore l'élément susceptible de fonder sa position dominante sur l'échelle des genres. Toute nimbée qu'elle soit de connotations religieuses, cette « pureté » est en effet historiquement construite. Elle correspond à l'opposition au romantisme de la doctrine parnassienne et son culte d'un art impeccable, impassible, voué à « la contemplation des formes éternelles » (Leconte de Lisle). En ce sens, la « poésie pure » n'est qu'une formulation ramassée du principe de l'Art pour l'Art, tel qu'il s'impose sous le Second Empire. Elle s'inscrit d'autre part dans le cadre plus large d'une poétique d'opposition à l'idéologie dominante et à la demande bourgeoise d'une littérature de représentation, utile et divertissante, moralement saine, conforme à l'image lénifiante que la classe au pouvoir entend qu'on lui donne d'elle-même (ainsi l'« École du Bon sens »). Reste que, dans l'esprit de ceux qui s'en réclament, la « poésie pure » n'est pas seulement l'une des espèces, la plus élaborée, du genre poétique : il n'y a pour eux de poésie véritable que « pure ». Sous cet aspect, elle porte à sa limite le processus de spécialisation qui, depuis l'âge classique, tend à réduire le champ référentiel et le répertoire générique du texte en vers, par exclusion, marginalisation ou disqualification successives de la poésie mondaine, didactique, narrative, dramatique, etc. Cette spécialisation ne peut être séparée de la double logique d'autonomisation et de différenciation constitutive du champ littéraire moderne. Autonomisation portant les écrivains à fonctionner en cercle clos, à l'abri des contraintes politiques ou sociales, et à n'accepter pour juges de leur travail que leurs confrères, experts des formes et, à ce titre, seuls détenteurs des critères légitimes d'appréciation. Et différenciation les conduisant, par une sorte de division du travail esthétique, à se définir un territoire spécifique, selon le genre qu'ils pratiquent, et par conséquent à spécifier fortement, à « purifier », les lois de ce genre (les poètes se démarquant ainsi des romanciers, asservis au récit et à la représentation du réel).

▶ BENDA J., *La France byzantine ou le triomphe de la littérature pure*, Paris, Gallimard, 1945. — BOURDIEU P., *Les règles de l'art*, Paris, Le Seuil, 1992. — COMBE D., *Poésie et récit. Une rhétorique des genres*, Paris, Corti, 1989. — SARTRE J.-P., « Qu'est-ce que la littérature ? », *Situations II*, Paris, Gallimard, 1948.

Pascal DURAND

→ *Art pour l'Art, Autonomie ; Esthétique ; Forme ; Littérarité ; Poésie ; Rythme ; Musique ; Valeurs.*

POÈTE

Introduit dans la langue française au XIIe s., le mot « poète » s'applique à l'écrivain qui compose des vers, mais aussi, au-delà, à tout auteur de poésie, même en prose. Et la poésie impliquant la fiction, par la fable générale ou par images, poète, en français, a longtemps désigné tous les auteurs de fictions. Par héritage de ce sens, poète renvoie aussi, plus largement, à la faculté de « poétiser » l'expérience du monde, à transposer le vécu en discours du beau, à percevoir des sens inattendus ou ignorés du langage commun.

En grec, où *poïen* signifie « faire, fabriquer », *poïétès* (le « fabricateur ») désignait celui qui produit des textes de célébration et d'éloge, par opposition avec l'*histor* (le témoin, qui a donné « historien »), avec l'orateur et avec l'aède (l'inspiré, messager des dieux). La célébration des héros et des vainqueurs se faisant en vers, *poïétès* en est venu à désigner celui qui écrit en vers, par opposition à la prose de l'historien et de l'orateur. Platon, dans *Ion*, présente le poète comme un inspiré des dieux, et donc, en tant que tel, porteur d'images incontrôlables, sources de mouvements passionnels violents. Aussi préconise-t-il, dans *La République*, de chasser les poètes – fauteurs de désordre potentiels – de sa cité idéale, ou du moins de les faire contrôler par les philosophes. Avec Aristote, qui considère l'état des pratiques et non une théorie utopique, le poète retrouve une place dans la cité : il le considère comme un inspiré, mais aussi comme un artiste du langage. Aristote théorise ainsi la *Poétique*, qu'il consacre à la fiction théâtrale et à l'épopée – en précisant, dès le début, qu'il choisit de laisser à part la poésie lyrique, qui inclut des fictions partielles, les images, mais ne constitue pas une production de mimésis. S'est donc instaurée, dès l'origine, une dualité d'image : d'un côté un artiste-artisan du langage, un « fabricateur » de fictions et de textes, et de l'autre, un poète-prophète, un inspiré des dieux. *L'Art poétique* d'Horace, à Rome, reprend cette opposition (au bénéfice de l'artisan travaillant sous l'égide de la raison), et la répartition des registres selon le modèle de Virgile distingue les poèmes exigeant la haute inspiration (l'épopée) et ceux qui appellent davantage le savoir et la raison (le didactique et le bucolique).

En France, au Moyen Âge, le poète désigne l'auteur de fictions. Ce peut être, comme avec certains troubadours et trouvères, un noble qui se livre au plaisir de l'écriture et de la création (comme Charles d'Orléans, Marie de France...). Mais le poète de métier est un clerc, qui exerce son art dans l'entourage et sous l'égide ou les ordres d'un grand, voire du prince, qu'il a charge de distraire et de célébrer. Il peut aussi être, comme auteur de théâtre, au service des confréries, des troupes et des villes qui organisent les spectacles. Cette situation se prolonge jusqu'à la Renaissance, où les règnes commandent largement les poétiques. Au milieu du XVIe s., le groupe de la Pléiade, Ronsard notamment, est partagé entre cette inféodation et l'aspiration à une plus grande liberté. Liberté de statut et de propos qui est assumée par le groupe « lyonnais » (Maurice Scève...), plus bourgeois et pratiquant une poésie plus liée à l'échange individuel, et par A. d'Aubigné, qui, avec *Les tragiques*, fait de l'art des vers un moyen puissant de défendre son parti protestant dans les guerres de religion. Mais s'il est vrai que la soumission à l'autorité est assumée sinon par vocation du moins par métier, les poètes ont aussi conscience de mettre leur talent au service de la *dignitas hominis*. Le poète loue le pouvoir tout en fédérant la communauté dont il sert à exprimer l'unité. À ce titre, Ronsard instaure une distinction forte entre le simple « versificateur » et le véritable poète, dépositaire de la « fureur divine » ainsi que d'un savoir dense. Au XVIIe s., un changement capital est lié au développement de l'espace culturel. Les « poètes de théâtre » commencent à bénéficier des revenus de leur plume auprès du public. L'essor du roman fait que les romanciers, qui bénéficient eux aussi d'une audience élargie, sont de plus en plus distingués du poète. La poésie, de son côté, a le prestige le plus haut, mais déjà le public le moins nombreux : elle reste davantage tributaire du mécénat. Dès lors, le terme général pour désigner ceux qui écrivent avec art devient, dès cette époque, celui d'écrivain. Et, comme le souligne Boileau, estimant que la librairie instaure une nouvelle forme de dépendance (par exemple : « Dès que l'impression fait éclore un poète, / Il est esclave né de quiconque l'achète », *Satire* IX), le prestige du nom de « poète » est menacé. Aussi il tend à se restreindre aux auteurs qui associent le travail du langage et l'inspiration, tenus pour les seuls « vrais »poètes, et les simples producteurs de vers ne le méritent pas vraiment. Un mythe moderne du poète – amorcé par Ronsard – prend ainsi forme. Pour Diderot, le poète relève du génie, don de la nature, et est un « enthousiaste », c'est-à-dire sensible aux passions au point d'être proche de la folie. Chénier traduit cette idée par un précepte qui a eu une grande fortune auprès de la première génération romantique : « L'art ne fait que des vers ; le cœur seul est poète. » De Diderot à Chateaubriand, cette conception circule en France, mais aussi en Allemagne (Schlegel, Herder) et en Angleterre (Young). Ainsi, pour Novalis, « le sens poétique a une étroite parenté avec le sens prophétique, le sens religieux, le délire en général » (*Fragments*). Avec les romantiques français, la figure de poète se teinte de mysticisme et d'ésotérisme. Hugo le voit en « mage » ; Nerval, Nodier, puis Baudelaire même, subissent les influences de Swedenborg, de Lavater et de Mesmer. Balzac (dans la trilogie du *Livre mystique* : *Les proscrits, Louis Lambert, Séraphita*, 1831-1835) classe le poète aux côtés du savant et du mystique, chacun de ces esprits supérieurs étant en quête de la vérité, du beau et de la béatitude. Doué de cette intuition qui peut bouleverser le monde, le poète romantique est exposé à la souffrance, à l'incompréhension. Ainsi Vigny, dans la préface de *Chatterton* (1835), reprenant la distinction entre « l'homme de lettres », technicien de la littérature, le « véritable écrivain », homme de savoir et de pensée supérieurs, et le Poète, détenteur d'un don, le voit, du coup, comme un « héros du malheur » (Abastado). Les échecs des utopies sociales, dont les poètes romantiques ont pu se croire inspirateurs, accentuent ce sentiment : Musset représente le poète en « pélican », dont les souffrances ont une utilité ; mais cette image devient, chez Baudelaire, celle de l'« albatros », être incompris et impuissant dans la société. Les parnassiens transforment cette impuissance en choix, dans leur vision de l'Art pour l'Art, et récusent, à proportion, l'image de l'inspiration (voir par exemple l'*Épilogue* des *Poèmes saturniens* de Verlaine, 1866). Après 1870, Rimbaud, Corbière, Lautréamont, Verlaine insistent sur l'image du poète « maudit ». En même temps, le langage poétique se coupe des échanges sociaux (« l'universel reportage », disait Mallarmé). Mais en parallèle à cette veine, une autre redonne au poète le rôle de porte-parole du peuple, voire de la nation entière : les funérailles nationales de Hugo symbolisent ce prestige.

Au XXe s., la figure du poète se trouve ainsi partagée entre plusieurs images. Avec Apollinaire et l'Esprit Nouveau, puis Breton et le Surréalisme, le poète scrute la part de sur-réalité de l'existence, et, par l'automatisme, une forme nouvelle de l'inspiration se prolonge. La lignée du poète « porte-parole » se poursuit aussi, notamment dans la poésie de la résistance. Enfin, la voie de l'art-artisanat, du travail au cœur du langage, est la plus explorée : ainsi Ponge, et ses « ateliers », ou l'OuLiPo. La figure romantique du poète inspiré a trouvé refuge, pour sa part, dans l'imaginaire populaire. La chanson est aussi, pour une part de ses productions, devenue un lieu de la poésie, lui-même divisé en ces trois tendances ; la mise en chanson de Hugo ou Aragon y joue un rôle important. Enfin, un réseau dense de revues, en général de diffusion restreinte, entretient, dans nombre de pays francophones, une vie intense de la poésie.

Contrairement à celles du dramaturge et du romancier, la figure du poète n'est pas réductible à la seule pratique d'un genre. Aussi l'idée de poète se rapporte à une attitude éthique et esthétique : il apparaît comme le dépositaire et l'explorateur du langage. Peut-on « engager » la poésie ? se demandait Sartre au lendemain de la Seconde Guerre mondiale (« Qu'est-ce que la littérature ? », *Situations, II*, 1948) : il répondait que l'engagement propre de la poésie est dans sa relation à la langue, que sans cesse elle ré-interroge et enrichit. Il traçait ainsi pour le poète le rôle qui, dans l'histoire de ses statuts et représentations, semble s'imposer comme le plus invariant. Il rapproche le poète du philosophe, en ce que l'exploration du langage est une méditation sur l'homme. De ce fait, le poète incarne à la fois un idéal littéraire et la « part maudite » de la littérature : l'audience de la poésie est restreinte et vivre de ses poèmes est impossible. Aussi le poète, ainsi attaché à la valeur symbolique de l'écriture, s'inscrit plutôt dans la sphère restreinte du champ littéraire. On note cependant que dans d'autres aires culturelles (en Europe du Nord par exemple, ou – au Québec pour les poètes-chanteurs) et pour certains auteurs (Carême, Norge, Prévert, par exemple) l'attention d'un public plus large est possible.

▶ ABASTADO C., *Mythes et rituels de l'écriture*, Bruxelles, Complexe, 1979. — GLEIZE J.-M., *Poésie et Figuration*, Paris, Le Seuil, 1983. — SVENBRO J., *Phrasikleia : anthropologie de la lecture en Grèce ancienne*, Paris, Ed. la Découverte, 1988. — VIALA A., *Naissance de l'écrivain*, Paris, Minuit, 1985. — *Textuel*, « Figures de l'écrivain », 1989, 22.

Jean-Pierre BERTRAND

→ *Création littéraire ; Fiction ; Génie ; Inspiration ; Langue française (Histoire de la) ; Vers, versification.*

POÈTE MAUDIT

Le poète maudit est une représentation de la condition marginale du poète au XIXe s. Proposée par les contemporains, elle est perçue comme valorisante. Par contre, la figure du « poète crotté », qui peut être considérée comme son antécédent, au XVIIe s., était entendue, à l'époque, de manière péjorative.

« Poète crotté » est une expression courante au XVIIe s. Elle reprend un lieu commun de l'*Art poétique* d'Horace, qui, dans sa dernière partie, se moque des poètes « hirsutes » et dépenaillés, qui veulent se faire passer pour des inspirés en donnant des signes extérieurs de désordre. Ainsi Saint-Amant compose un *Poète crotté* (*Œuvres*, éd. 1650) où il raille un gascon venu chercher fortune littéraire à Paris et qui doit renoncer (le poème est un Congé burlesque). Cette figure est distincte – en dépit de certaines légendes de l'histoire littéraire – de celle des poètes « grotesques » (comme Saint-Amant et Théophile de Viau), qui ont de la littérature une conception ludique, et composent volontiers des « délices satiriques » et autres « muses gaillardes », sans être des marginaux pour autant. C'est à la même époque que se dessine, sous la plume de Cyrano de Bergerac (*Voyage dans la lune*, 1657) l'image d'un poète méconnu, injustement méprisé par les riches (il évoque Tristan) : sa haute conception de l'art littéraire ne pourrait rencontrer les attentes des mondains en quête de divertissement. Cette figure ressurgit bien plus tard sous le nom de « poète maudit », chez Verlaine. Dans la revue *Lutèce* en 1883 puis en volume en 1884, il donne un recueil-anthologie des *Poètes maudits*, rassemblant des écrivains aussi divers que Tristan Corbière, Rimbaud et Mallarmé, auxquels sont joints Marceline Desbordes-Valmore, Villiers-de l'Isle-Adam et lui-même (sous le pseudonyme de Pauvre Lélian). Dans son avant-propos, Verlaine sacralise cette famille de poètes, en les présentant comme des « poètes absolus », mais ignorés de leur époque (comme avait fait Cyrano à propos de Tristan). Son entreprise consiste ainsi à valoriser les ruptures poétiques qu'ont accomplies ces « maudits ». Dans *À rebours* de Huysmans (1884, chap. XIV), des Esseintes fait l'éloge des mêmes écrivains (sauf Desbordes-Valmore) qui, selon ses mots, « dans un siècle de suffrage universel et dans un temps de lucre, viv[ent] à l'écart des lettres, abrités de la sottise environnante [...] ».

L'image du poète maudit exprime le revers du statut du poète, incompris de la société et non-reconnu par l'institution littéraire. L'intuition de Verlaine a donc pu être appliquée au-delà de la liste qu'il a donnée. Accusé de libertinage, d'incorrection langagière, de rébellion – et le plus souvent la « malédiction » vient de tout cela ensemble – le poète maudit est marginal parce qu'à la fois génial et incompris (Tristan se représente déjà ainsi). Souvent, il affiche sa mélancolie (Tristan, Baudelaire, Verlaine). Il peut ainsi être figure pathétique chez les romantiques (*Chatterton*, 1835, de Vigny), angoissée chez Baudelaire, ou davantage bohême, puis ironique avec les poètes de la fin du XIXe s. Plus généralement encore, les écrivains « maudits » sont ceux qui subissent une censure : Sade, Lautréamont, Roussel, Artaud, Bataille, voire Céline ont ainsi été l'objet d'exclusions des institutions littéraires, exclusions qui dans la plupart des cas, ainsi que l'a montré Adorno, représentent « le prix social de l'autonomie esthétique » (*Théorie esthétique*, p. 303).

▶ ABASTADO C., *Mythes et rituels de l'écriture*, Bruxelles, Complexe, 1972. — ADORNO T. W., *Théorie esthétique*, trad., Paris, Klincksieck, 1974. — ARESSY L., *La dernière Bohème, Verlaine et son milieu*, Paris, Jouve, 1933. — GOULEMOT J., OSTER D., *Gens de lettres, écrivains et bohèmes*, Paris, Minerve, 1992. — LABRACHERIE P., *La vie quotidienne de la bohème littéraire au XIXe siècle*, Paris, Hachette, 1967.

Jean-Pierre BERTRAND

→ *Bohème ; Congé ; Décadence ; Grotesque ; Marginalité ; Mélancolie ; Symbolisme.*

POÉTIQUE

Ce mot désigne deux réalités distinctes. 1. L'ensemble de règles présidant à l'élaboration des œuvres poétiques, et donc les traités à usage des auteurs, tels la *Poétique* d'Aristote ou l'*Art poétique* de Boileau. 2. Toute théorie générale de la poésie ; aujourd'hui l'objet de la théorie s'est étendu à l'ensemble des genres, ou plutôt à la caractéristique abstraite qui fait d'un texte donné un texte littéraire : la littérarité. C'est ce second sens qui est principalement examiné ici.

La poétique a été de longue date une préoccupation de la recherche et de la théorie littéraires. Les arts poétiques incluent nécessairement une théorie des genres et de la poésie ; mais elle y est en règle générale partielle, voire implicite. Partielle, elle l'est depuis la *Poétique* d'Aristote, et, en France, à fortiori, chez des auteurs qui donnent des poétiques vouées uniquement au théâtre (comme La Mesnardière au XVIIe s., parmi tant d'autres). La poétique s'est faite plus globale en se faisant descriptive et historique, chez l'abbé Batteux, avec son *Cours de Belles-Lettres* (1747). Mais elle y reste incomplète. Aussi l'essor de la poétique comme discipline de recherche a-t-il été le fait du XXe s. La poétique y a d'abord été une discipline virtuelle : postulée avant d'avoir été illustrée. Postulée, elle l'a été dès les années 1920 par les Formalistes russes, et spécialement par Roman Jakobson. À la fin des années 1950, le même Jakobson réactualise le programme des formalistes en assignant à la poétique une définition et un programme marqués par l'influence de la linguistique. La poétique ne se veut alors pas dans le champ des études littéraires un simple accommodement des préoccupations antérieures de la critique ou de l'herméneutique. En effet, son objet n'est pas l'œuvre, ni même la littérature en tant que collection d'œuvres, mais la littérarité. Ces recherches s'élaborent à partir de trois influences principales. La première est celle du formalisme russe, mais aussi celle du New Criticism. La seconde, celle de certains écrivains ou critiques qui ont engagé la quête d'un discours rigoureux sur la littérature. Des auteurs, comme Mallarmé et Valéry, mais aussi comme Ion Barbu – qui avait rapproché mathématique et poésie, l'une et l'autre ayant une exigence de concentration des moyens d'expression – ou encore comme Paulhan – à qui la résurrection de la rhétorique doit beaucoup –, avaient attaché leur attention au problème général du langage poétique, au-delà de son actualisation dans les œuvres particulières. Des philosophes comme Merleau-Ponty cherchent dans le texte même les raisons de son existence. Des esthéticiens comme Pius Servien ou Matila C. Ghyka élaborent des théories mathématiques de la forme visant à rendre compte de symétries se manifestant à la fois dans la nature et dans les divers langages artistiques. À ces aînés s'ajoute Queneau, qui dès les années 1930, énonce des préoccupations structurales. Les années 1960 enfin voient la mise en place de nouvelles formes littéraires, s'exprimant dans des lieux aussi différents que l'OuLiPo et le Nouveau Roman, qui réclament de nouvelles approches critiques. La troisième influence fut le développement de la linguistique et de la sémiotique : phonologie praguoise (qui reprend à Saussure les idées de systèmes de différences et de modèles), glossématique (qui réintroduit la sémantique et suggère des distinctions comme forme/substance, sémiotique dénotative / sémiotique connotative), anthropologie structurale de Claude Lévi-Strauss, pour qui les formes sociales sont articulées comme un langage. Ces influences se conjuguent pour faire de la poétique contemporaine une théorie du langage littéraire, plus qu'une théorie des genres.

Un ouvrage marque clairement, dans le domaine français, le début des travaux sur les unités textuelles : la *Structure du langage poétique* de Jean Cohen (1966). Analysant les multiples distorsions que la littérature fait subir à l'usage courant du langage, cet ouvrage s'inscrit dans la lignée de la tradition rhétorique. La poétique atteint presque le stade de l'axiomatisation avec la *Poetica matematica* de Salomon Marcus (1970). En une série de théorèmes, le mathématicien modélise la sémantique poétique : ainsi le langage lyrique se caractérise par la tendance à l'infinité des significations de chacune des propositions qui le constituent. Un tel modèle intègre de nombreux critères jusque-là proposés comme définitoires de la poésie : autotélisme et remotivation du signe, notamment. Un autre type de recherche au niveau des éléments du texte concerne les motifs et les thèmes, abordant ainsi les questions : qu'est-ce que la fiction, le réalisme, le vraisemblable ? Se trouve alors reprise la question des classes de textes, et donc des genres. Une autre famille de travaux étudie les relations entre les éléments du texte : cela va de l'examen des styles direct et indirect jusqu'à la description de systèmes plus complexes, comme le discours. L'hypothèse que les textes observables ne sont que les fragments d'un tissu plus vaste conduit à étudier les relations entre ce qui est manifesté et ce qui ne l'est pas, en les regardant comme un jeu d'oppositions, de rappels et de parallélismes : intervient alors la problématique de l'intertextualité, qui autorise à reprendre les concepts de genres et d'écoles. C'est surtout dans le cas du récit que ces relations ont été étudiées : dans la voie ouverte par Étienne Souriau et Vladimir Propp, puis Lévi-Strauss, la poétique a ainsi pu féconder des théories de la narration.

En 1960, Jakobson donne un texte fameux *Closing Statement : Linguistics and Poetics.* En France, une collection de *Poétique* est fondée au Seuil, qui accueille des ouvrages de cette veine en vogue, et T. Todorov, qui la dirige, définit à plusieurs reprises la poétique comme discipline linguistique (1972). Mais quelques années après, il formule lui-même une condamnation de ce qui fondait la poétique et qui ne lui apparaît plus alors que comme un leurre : une définition exclusivement linguistique de la littérarité. Dans cette définition, dit Todorov, « le discours littéraire est celui qu'on perçoit en lui-même, par la force de son organisation systématique. Mais si l'on précise le sens des mots formant cette définition, on la découvre [...] ou trop large ou trop étroite : en un sens, tout discours est organisé et systématique ; en un autre, le langage romanesque n'est pas à percevoir “en lui-même”. Toute propriété des œuvres littéraires peut se rencontrer également en dehors d'elles » (1978).

Les méandres de l'histoire de la recherche en poétique sont révélateurs des enjeux de la définition initiale. La poétique est-elle la théorie du langage littéraire ou celle des genres ? Et si elle est celle des genres, alors il faut préciser si elle est la théorie de tous les genres, ou la théorie des genres littéraires seulement. Le choix opéré par Jakobson, à la suite des Formalistes russes, mais aussi, en amont, des habitudes établies dès *La poétique* d'Aristote – sans doute par un effet de lecture qui oubliait que celle-ci se déclare incomplète dès son début – a été de donner pour objet à la poétique l'étude des genres littéraires. Ce qui implique une définition de la spécificité du littéraire. Longtemps, des repères commodes ont été donnés par la présence de la mimésis et le caractère versifié des textes concernés : la distinction entre l'éloquence et l'histoire, qui disent le vrai, et la poésie, qui est représentation ouverte à la fiction (au vrai-semblable) correspondait bien à la distinction entre les vers et la prose. La poétique était donc la théorie de la poésie, au sens où elle théorise, chez Aristote, la facture de textes de ce domaine. Mais l'évolution des pratiques a fait sentir que cette distinction était insuffisante. Le roman est représentation fictive et il use de la prose ; or il est devenu un genre majeur, et on ne peut transférer sur lui ce qu'Aristote dit de l'épopée, puisqu'il est ouvert à toute sorte de sujets. Dès lors, la quête s'est tournée vers un critère plus transversal, applicable à tous les textes quelle qu'en soit leur forme : telle est la raison d'être du concept de littérarité. Cette caractéristique abstraite qui ferait d'un énoncé donné un texte littéraire devrait être cherchée dans le matériau de l'œuvre : la langue. Mais une telle définition reste problématique : si pour les Formalistes la littérarité consiste en un repli du texte sur lui-même, peu soucieux qu'il est de transmettre un message, alors le sens même devient secondaire. Or les pratiques littéraires font certes intervenir des éléments formels – qui signalent l'usage littéraire du langage, comme le vers ou le « il était une fois » des contes – mais aussi des éléments de contenu. De sorte que la poétique aujourd'hui est revenue vers une pratique conjointe de l'examen des genres et des spécificités du langage et des formes littéraires au sein de ceux-ci. Évolution qu'illustre bien la voie suivie part la revue *Poétique* : partie sur des bases théoricistes, elle a progressivement rendu sa place à une perspective plus empiriste. Ce qui sans doute correspond mieux aux variations historiques constantes des pratiques littéraires, mais répond aussi à une nécessité : les genres sont des éléments essentiels de la réception – et de la recevabilité – des œuvres, et des textes en général.

Reste qu'une question est sans cesse éludée. La poétique, comme théorie des genres, suppose, comme le signale la réflexion de Todorov citée plus haut, la prise en compte de l'ensemble des genres. Or nombre d'entre eux s'actualisent indifféremment dans la littérature et hors de celle-ci : la lettre, par exemple, a un usage littéraire, mais sans doute plus d'usages non-littéraires encore. D'autre part, des genres nouveaux adviennent, que la poétique ne prend pas tous en compte. Ainsi pour le biographique, dont les diverses réalisations constituent un pan important de la littérature moderne. Ici encore, la différence entre littéraire et non littéraire n'est que dans les usages qui sont faits de formes (journal, récit de vie) qui les transcendent. La poétique tente certes de définir des critères pour certains de ces genres (comme l'autobiographie) mais se révèle peu capable d'intégrer les autres. Et surtout, la question des liens de similitude et de différences entre ces genres nouveaux et ceux qui sont de longue date regardés comme littéraires subsiste. Ainsi, la poétique en tant qu'étude des genres littéraires est une nécessité, son empirisme une sagesse pratique, mais elle ne saurait renoncer plus longtemps à une étude ouverte sur la poétique résolument « générale » (description et analyse) de tous les genres ; le terrain de réflexion et recherche est là particulièrement vaste et riche.

► GENETTE G., *Fiction et diction*, Paris, Le Seuil, 1991. — JAKOBSON R., *Questions de poétique*, Paris, Le Seuil, 1973. — KLINKENBERG J.-M., *Le sens rhétorique. Essais de sémantique littéraire*, Toronto, GREF-Bruxelles, Les Éperonniers 1990. — TODOROV T., *Poétique*, Paris, Le Seuil, 1973 ; *Les genres du discours*, Paris, Le Seuil, 1978.

Jean-Marie KLINKENBERG

→ *Arts poétiques ; Critique littéraire ; Fiction ; Genres littéraires ; Littérarité ; Poésie ; Recherche ; Rhétorique ; Stylistique ; Théories de la littérature.*

POLÉMIQUE

Le substantif « polémique » désigne un affrontement ou une dispute violente (le terme grec *pólemos* signifie la « guerre »). L'adjectif « polémique » apparaît au XVIe s. pour qualifier une chanson guerrière. En littérature, *la* polémique est le domaine des affrontements, qui peuvent porter sur tout domaine, mais principalement la politique, la religion, l'esthétique ou la science. *Le* polémique est le registre correspondant.

La polémique est une constante de la production langagière en général, de la production textuelle en particulier, et de la littérature notamment. Elle peut en être le moyen - ainsi *Les provinciales* de Pascal (1656-58), écrit polémique contre les jésuites - mais aussi en être l'objet même - et le cas est fréquent : ainsi la « bataille d'*Hernani* » (1827), entre autres. Souvent, la polémique littéraire et la polémique militaire sont deux versants des mêmes conflits, comme les guerres de religion ou encore la Résistance en offrent foule d'exemples. Aussi il n'est pas possible de tracer un historique de la littérature polémique, dont seul un *passim* peut rendre compte. La polémique, écrite ou orale, peut être personnelle ou engager des groupes ou des collectivités au-delà des chefs de file et opposer des adversaires contemporains ou séparés par les siècles. Quand le cardinal de Polignac attaque la philosophie de Lucrèce, Voltaire le jansénisme de Pascal, ils ne font qu'enrichir un débat passionné qui perdure à travers le temps. Lorsque Rousseau répond, par sa *Lettre à D'Alembert sur les spectacles* à l'article « Genève » de l'*Encyclopédie* (rédigé par D'Alembert), il ravive une polémique ancienne sur l'utilité du théâtre. Les dictionnaires eux-mêmes (Bayle, *Dictionnaire historique* ; Voltaire, *Dictionnaire philosophique*, Flaubert, *Dictionnaire des idées reçues...*) sont un genre propice aux polémiques. Mais l'affrontement peut être particulièrement vif lorsque les polémistes échangent des lettres et des libelles, voire des invectives. Ainsi quand éclate en 1752 la « Querelle des Bouffons », opposant les admirateurs de la musique lyrique italienne (Rousseau, Diderot...) aux partisans de la musique française (Rameau, d'Alembert...), la polémique est si violente que le roi ordonne aux comédiens italiens de quitter Paris (mars 1754). Dans ses *Lettres à M. de Voltaire sur la Nouvelle Héloïse*, Voltaire ridiculise Rousseau, qui affirmait que la musique française ne connaissait ni mesure, ni mélodie (*Lettres sur la musique française*). Le but du polémiste est de dévaloriser les thèses adverses par tous les moyens possibles, allant de l'insinuation à la parodie. Pour parvenir à ses fins, il manie souvent l'art de la surprise puisqu'il doit trouver l'argument ou la formulation auquel son adversaire ne s'attendait pas. Ce discours de la véhémence nécessite souvent l'outrance et met les artifices de la rhétorique au service de son projet de dénigrement.

La polémique relève avant tout du domaine judiciaire puisque son dessein est d'emporter l'adhésion des témoins ou juges en disqualifiant la partie adverse. Mais les deux autres domaines oratoires (délibératif et épidictique) prennent parfois des aspects polémiques puisque la délibération ou le blâme peuvent engendrer une certaine violence. Il s'agit moins d'exposer ses pensées pour les faire admettre que de montrer à quel point celles des autres sont inconcevables, ridicules ou dangereuses. Même si la polémique n'implique pas nécessairement le mensonge, souvent le polémiste grossit les traits de l'adversaire jusqu'à la caricature, accumule les portraits-charges, les attaques diffamatoires, voire les injures, pour mettre l'adversaire à terre de façon à ce qu'il ne puisse plus jamais se relever. Les formes littéraires en sont multiples. Si le pamphlet, la lettre ouverte, l'épigramme, la satire s'y rattachent explicitement, les formes peuvent se multiplier à l'infini selon l'inventivité des auteurs. La polémique est souvent politique (comme dans les mazarinades par exemple) ; dans le domaine littéraire, les querelles en sont un lieu privilégié (ainsi notamment la querelle des Anciens et des Modernes). La polémique peut être un simple jeu littéraire où chacun fait assaut de verve pour faire preuve de virtuosité mais, plus généralement, un texte polémique est un discours à la conviction passionnée. Le registre polémique est en effet celui qui correspond à l'expression de la colère et des sentiments associés, du dédain à la haine. Le risque est alors que la polémique, en transgressant les bornes ultimes, passe du débat d'idées à l'agression contre les personnes : les exemples abondent. L'injure met fin au débat, puisqu'elle engendre le cercle vicieux des invectives, où la polémique devient enlisement des idées.

▶ KERBRAT-ORECCHIONI C. & GELAS N., *Le discours polémique*, PUL, 1980. — MARCELLESI J.-B., « Éléments pour une analyse contrastive du discours politique », *Langages*, septembre 1971, n° 23. — ROELLENBLECK G., *Le discours polémique : aspects théoriques et interprétations*, Tübingen, G. Narr et Paris, J.-M. Place, 1985.

Jean-Frédéric CHEVALIER

→ *Discours politique et littéraire ; Engagement ; Enthymème ; Épidictique ; Pamphlet ; Politique ; Querelles ; Rhétorique.*

POLITIQUE

On distingue communément *le* politique, qui est l'espace social de la confrontation des opinions et des intérêts des citoyens, de *la* politique, qui est l'art de gouverner la cité. Le domaine littéraire ne peut être pensé à l'écart de ces deux acceptions. Il est, pour une part, un lieu d'intégration « civile » des citoyens dans la vie sociale, parce qu'il permet de maîtriser la langue, les discours, les savoirs et les représentations, et parce qu'il offre un moyen d'invention et de divertissement ; d'autre part, il peut être un vecteur d'opinions et d'intérêts. La place et les missions qu'on lui accorde dépendent donc de choix (du) « politique(s) ».

L'histoire de la littérature est marquée par trois grandes phases où politique et littérature nouent des relations différenciées. 1. La tradition platonicienne faisait du langage un instrument de l'ordre social chargé d'assurer l'harmonie des relations entre les hommes, à l'image de la volonté divine. La création « indépendante » était considérée avec méfiance (Platon chassait le poète de la cité idéale ou le soumettait au Philosophe). De l'Antiquité à la Renaissance, le débat a donc surtout porté sur les modalités de cet ordre, et sur les moyens de l'assurer. 2. L'absolutisme monarchique transforme cet état de choses car, s'il conserve la référence divine, c'est également en référence au pouvoir terrestre du Roi que la littérature s'organise désormais. Dès ce moment, l'intervention du pouvoir politique devient massive : aux éloges répondent des gratifications et des charges honorifiques. Colbert inaugure ce que l'on peut appeler une véritable « politique littéraire » (impliquant également l'usage de la censure). La question de la place de l'écrivain dans les jeux du pouvoir est posée notamment par le machiavélisme, puis par le statut que les philosophes des Lumières entendent conquérir. 3. Le milieu du XIXe s. voit s'affirmer l'autonomie de l'écrivain. Le champ littéraire, relativement plus indépendant du reste du monde social, revendique l'Art pour l'Art et, par conséquent, tend à dissocier la création littéraire, dans la sphère restreinte, des finalités socialement utiles de la littérature. Dès ce moment, les relations entre politique et littérature deviennent un lieu de tension permanente, scandé par les questions de l'art social, de l'engagement des écrivains, de leur relation à l'idéologie ou du rejet de l'utilité. En parallèle, la démocratisation de la lecture, et donc de l'accès à la maîtrise de l'écriture, a pour effet que la politique mobilise ce relais privilégié.

À la fin du XXe s., l'apparition d'autres médias et le prestige moindre de la littérature dans la formation générale des citoyens transforme les enjeux de ce débat. Si la tendance autonomiste perdure souvent comme idéologie spécifique du monde littéraire, la question de l'utilité de la littérature dans la vie collective se pose toujours.

Les relations entre politique et littérature forment la matière de nombreuses études aux différentes phases de leur histoire. Celles-ci posent des questions touchant aussi bien la poétique des formes et des genres que la formation des auteurs et le rôle de l'État. En soi, aucune forme littéraire n'est étrangère à la fonction politique. Les genres agonistiques et épidictiques semblent naturellement privilégiés, mais, de l'*Ode au roi pour M Fouquet* (1662) de La Fontaine aux *Iambes* (1832) de Barbier et au *Chant des partisans* (1943) de Druon et Kessel, les genres poétiques sont mobilisables autant que le roman (Zola) la nouvelle (*Faux Passeports* de C. Plisnier, 1937) ou le théâtre (Brecht). La recherche s'est attachée à la présence de certaines « idées politiques » ou à celle des échos d'un événement politique dans l'œuvre d'un écrivain (sur le mode « le socialisme de Zola » ou « l'influence de l'affaire Dreyfus sur la littérature »). Mais elle a également pris en compte une analyse idéologique, fondée non pas à partir des opinions politiques de l'auteur, mais sur la base d'une analyse détaillée des œuvres et du travail que l'écriture exerce sur les représentations, le langage, les valeurs et les discours rapportés. De manière extrême, l'idée que « tout est politique » conduit à la dissection systématique du patrimoine à laquelle se livrent les études culturelles.

Une autre tendance de la recherche étudie concrètement les relations de la littérature avec des partis et groupes d'intérêts. Il y a, à ce titre, une histoire républicaine de la littérature, une tradition catholique, socialiste, libérale, communiste ou anarchiste qui se transmet, se modifie et se repère dans et par les textes. Particulièrement attentif aux effets de rupture et de contestation, ce courant a été moins intéressé par la fonction normalisante, voire conservatrice, de la littérature.

Enfin, l'analyse comparée de l'histoire des intellectuels met en avant la différence de traitement du littéraire dans les valeurs du monde politique.

Le passage du monde des écrivains à celui du pouvoir est ainsi plus fréquent en France (Hugo, Lamartine, voire Aragon) et dans ses anciennes colonies (Césaire et Senghor) qu'en Allemagne et l'idée qu'un Président de la République se sente obligé de faire état de ses préférences littéraires est caractéristique de la relation qui unit politique et littérature dans la tradition française. On notera que les différentes zones de la francophonie offrent à cet égard des situations très contrastées.

▶ BONNET, *La carmagnole des Muses : l'homme de lettres et l'artiste dans la Révolution*, Paris, A. Colin, 1988. — DENIS B., *Littérature et engagement*, Paris, Le Seuil, 2000. — JOUHAUD C., *Les pouvoirs de la littérature*, Paris, Gallimard, 2000. — MOPIN M., *Littérature et politique*, Paris, La Documentation française, 1996. — Coll. : *Actes de la recherche en sciences sociales*, mars 1996, 111/112.

Paul ARON

→ Art pour l'art ; Censure ; Discours politique et littéraire ; Éloquence ; Engagement ; État ; Officielle (Littérature) ; Machiavélisme, Mécénat ; Polémique ; Postcolonialisme ; Résistance ; Utilité.

POLYGRAPHE → Auteur ; Belles-Lettres ; Essai ; Écrivain

POLYSÉMIE

La polysémie désigne le cas où un même mot a plusieurs sens - contrairement à l'homonymie, qui caractérise des mots radicalement distincts dont la forme est « accidentellement » la même. Par extension, la polysémie est ce qui permet à un texte de recevoir plusieurs lectures ou interprétations. Elle s'oppose alors à monosémie et à univocité.

Objet d'étude des diverses théories linguistiques, la polysémie est un phénomène de la langue naturelle qui se prête bien à des effets dans la création littéraire. La tradition d'y recourir est ancienne et constante, à travers le mot d'esprit, le calembour ou l'équivoque. Rabelais cultivait ainsi les ambiguïtés sémantiques : « C'est pourquoy fault ouvrir le livre et soigneusement peser ce que y est deduict. Lors congnoistrez que la drogue dedans contenue est bien d'aultre valeur que ne promettoit la boite, c'est à dire que les matieres icy traictées ne sont tant folastres comme le titre au dessus pretendoit. Et, posé le cas qu'au sens litteral vous trouvez matieres assez joyeuses et bien correspondentes au nom, toutesfois pas demourer là ne fault, comme au chant de Sirenes, ains à plus hault sens interpreter ce que par adventure cuidiez dict en gayeté de cueur » (*Gartangua*, prologue). Il suggère ainsi des lectures à plusieurs ententes pour des textes eux-mêmes à plusieurs sens.

Inversement, la polysémie a été combattue à l'âge classique, notamment par Boileau (Satire XII, *Contre l'équivoque*). Le purisme, le rationalisme et le souci de l'ordre y voyaient en effet une source de troubles. La production littéraire abonde, de fait, en cas d'ambiguïtés, d'ambivalences et de duplicité ; ainsi les libertins y recourent pour masquer leurs audaces. Et Molière, dans *L'école des femmes* par exemple, en fait une source forte de comique. Les jeux de langage en offrent foule d'emplois, et l'esthétique galante ne les dédaignait pas. L'ironie est un cas typique de polysémie de situation, très fréquent en littérature. L'usage n'a pas cessé depuis, et au XXᵉ s., de Raymond Roussel à l'OuLiPo, l'écriture explore constamment les ressources du double langage et s'oppose à la tyrannie du mot juste. Dans une perspective différente, le Nouveau Roman exploite le caractère générateur de la polysémie. Ricardou détaille le phénomène en exposant comment la polysémie permet l'auto-engendrement du texte : « Quelquefois, ce qui travaille, c'est le même mot, mais indiquant, d'une séquence à l'autre, divers aspects de son champ sémantique. Dans *La bataille de Pharsale* de Claude Simon, par exemple, telle phrase passe du révolu au stagnant : (Latin langue *morte* / Eaux *mortes*) [...] Cette polysémie se disperse aussi dans l'espace des séquences et provoque des transferts virtuels » (*Le nouveau roman*, 1973, 79). La polysémie ne joue plus ici le jeu de l'équivoque mais témoigne d'une prise de position : elle s'avance à découvert pour contester l'euphorie du récit, où domine d'ordinaire la référence, en soulignant l'épaisseur même des mots.

Il faut noter par ailleurs que la polysémie ne concerne pas seulement les diverses valeurs sémantiques d'un terme. Ainsi, un article de M. Noailly, « Dans le sens du fleuve : syntaxe et polysémie » (*in* Fall, Léard et Siblot, 1996) montre que la polysémie du mot *fleuve* dépend aussi de critères syntaxiques, à partir d'exemples tirés d'un large corpus littéraire (Hugo, Bonnefoy, Maupassant, Zola, Giono, Bobin, Green, Madame de Sévigné, Corneille, Baudelaire, Valéry et Gide). Preuve de la permanence et de la richesse d'un phénomène majeur de l'invention poétique.

La première occurrence du terme se retrouve dans l'article « L'histoire des mots » écrit par Michel Bréal en 1887 : « Il n'a pas été donné de nom, jusqu'à présent, à la faculté que possèdent les mots de se présenter sous tant de faces. On pourrait l'appeler polysémie. » L'inventeur du terme (comme du terme « sémantique ») précise dans son *Essai de sémantique (science des significations)*, paru en 1897, que « le sens nouveau, quel qu'il soit, ne met pas fin à l'ancien. Ils existent tous les deux l'un à côté de l'autre. Le même terme peut s'employer tour à tour au sens propre ou au sens métaphorique, au sens restreint ou au sens étendu, au sens abstrait ou au sens concret... À mesure qu'une signification nouvelle est donnée au mot, il a l'air de se multiplier et de produire des exemplaires nouveaux, semblables de forme, mais différents de valeur. Nous appellerons ce phénomène de multiplication la *polysémie* » (p. 143). Cette conception s'oppose à celle de Saussure. Selon Paul Siblot (« La polysémie en question : une question mal posée ? », 1996), ce n'est donc nullement un hasard si le *Cours de linguistique générale* ne s'arrête pas à la notion de polysémie, alors que l'*Essai de sémantique* lui accorde une place centrale. Cette disparité flagrante est l'effet d'options épistémologiques opposées. Saussure choisit de construire un modèle de la langue qui ait la rigueur idéale d'une « algèbre » et doit pour cela l'abstraire de la parole et de toutes les conditions effectives de son fonctionnement. Il est ainsi conduit à un idéalisme linguistique. Bréal au contraire opte pour une appréhension des discours tels qu'ils sont, dans leurs cadres sociaux et historiques, et se trouve par là immédiatement confronté dans son entreprise sémantique à la variabilité du sens et à la polysémie. Il dessine une compréhension pragmatique du langage. Dès lors Robert Martin propose de distinguer une polysémie interne, liée au mot seul, de la polysémie externe, liée à la situation d'énonciation (1983, 63s). Benveniste précisait que « ce que l'on appelle la polysémie n'est que la somme institutionnalisée, si l'on peut dire, de ces valeurs contextuelles, toujours instantanées, aptes continuellement à s'enrichir, à disparaître, bref, sans permanence, sans valeur constante » (*Problèmes de linguistique générale*, 1974, tome II, 227). L'ouvrage de B. Victorri et C. Fuchs, *La polysémie. Construction dynamique du sens* (Paris, Hermès, 1996), propose une synthèse des principales méthodes qui ont été utilisées pour décrire la polysémie. La question s'est ouverte aussi des études proprement linguistiques aux analyses littéraires, notamment avec les études de Bakhtine sur Rabelais. L'enjeu est alors double : d'un côté, l'inventivité des auteurs et le travail du langage, de l'autre, les compétences de lecture, le seuil d'instruction mais aussi de connivence, qui unit ou divise les lectorats. La question passe de la polysémie d'un mot à celle qui joue à l'échelon d'une œuvre tout entière. Il est banal, au moins depuis les déclarations explicites de Rabelais, que des lecteurs de niveaux culturels différents découvrent différents sens d'un même texte. Est-il pour autant polysémique, ou bien s'agit-il d'un seul et même ensemble de sens que chacun s'approprierait plus ou moins complètement selon sa perspicacité ? Ou encore, faut-il, dans la perspective des théories de la réception mais aussi de certaines conceptions de l'intertextualité (comme celle d'Eco qui forge l'expression d'« œuvre ouverte » pour la désigner), admettre que la lecture induit une polysémie indéfinie voire infinie, selon ce que les lecteurs apportent et investissent dans leur acte de saisie du texte ? Le risque serait alors que le texte même se dissolve, et le sens avec lui. Si bien que dans un cas il y aurait un sens, univoque, mais des capacités différentes et inégales de le comprendre, dans l'autre, il y aurait des sens donnés à la lecture, tous peut-être différents, mais aussi tous peut-être faux, et inégaux en fonction des compétences culturelles des lecteurs et commentateurs. Et pourtant, le fait existe ; l'usage ne serait-ce que de l'ironie l'atteste ; il alimente une part essentielle du travail d'exégèse et d'interprétation. Dès lors, il appelle deux distinctions. La première porte sur les différences entre les textes délibérément polysémiques et eux qui le sont par « accident », voire qui tendent à réduire cette polysémie, fût-ce en recourant à un système de signification hiérarchisé (ainsi au Moyen Âge la distinction des sens littéral, figuré, allégorique, anagogique). L'autre distinction porte sur les différences entre le discours du texte lors de sa création, et les significations qu'il a pu prendre dans différents contextes de réception. Le rôle de la recherche est alors, pour une bonne part, de tracer l'histoire de ces variations de significations.

▶ BRÉAL M., *Essai de sémantique (science des significations)*, Brionne, Gérard Monfort [1897], 1983. — ECO U., *L'œuvre ouverte*, [1962], trad. C. Roux de Bézieux, Paris, Le Seuil, 1979. — FALL K., LÉARD J. M. & SIBLOT P., *Polysémie et construction du sens*, Montpellier, Praxiling, 1996. — MARTIN R., *Pour une logique du sens*, Paris, PUF, 1983. — PERGNIER M., *Du sémantique au poétique, avec Baudelaire, Cocteau, Magritte*, Paris / Montréal, L'Harmattan, 1997.

Frances FORTIER

→ *Dialogisme ; Discours ; Herméneutique ; Réception ; Sémantique ; Signification ; Texte.*

POLYSYSTÈME

Dérivée de la notion de système, celle de polysystème désigne un ensemble complexe, cohérent et structuré comme un tout, de systèmes autonomes, hétérogènes et au développement parallèle, mais interdépendants. La théorie des polysystèmes offre un modèle sémiotique pour la description de la vie littéraire, qui est utilisé par des chercheurs en littérature comparée.

La théorie des polysystèmes a été développée à la fin des années 1960 par Itamar Even-Zohar et poursuivie par ses disciples et collègues du Porter Institute for Poetics and Semiotics de l'Université de Tel-Aviv (G. Toury, Z. Shavit, S. Yahalom), pour résoudre certains problèmes liés à l'histoire de la littérature hébraïque. Elle prend sa source dans les travaux des Formalistes russes (Tynianov, Eikhenbaum et Roman Jakobson), des membres du Cercle de Prague (Bogatyrev, Mukarovsky et Vodicka) et des sémioticiens soviétiques contemporains (Popovic, Durisin et Lotman). Dès ses premiers ouvrages, *Dynamic Functionalism* (1968) et *Introduction to a Theory of Literary Translation* (1971), Even-Zohar définit la littérature non comme une activité sociale isolée, mais comme le facteur essentiel qui unifie diverses activités humaines. Le premier énoncé intégral de la théorie paraît en 1979 dans la revue *Poetics Today* avec un bilan des travaux réalisés sur la traduction littéraire, la théorie des genres et les systèmes normatifs. Even-Zohar y conçoit la littérature comme un ensemble de systèmes hétérogènes et ouverts, se développant selon leurs lois propres, autonomes et qui, par cette autonomie même, peuvent se combiner en ensembles variés. Pour cette raison, la littérature est définie comme un polysystème (un agrégat de systèmes dont la combinaison varie dans le temps et dans l'espace) et non comme un système simple (c'est-à-dire un ensemble stable formé de sous-systèmes).

La théorie des polysystèmes est utilisée dans des recherches en littérature comparée où la notion d'interférence inter-systémique sous-tend l'étude des contacts entre systèmes adjacents (littératures étrangères ou autres formes culturelles) ainsi que par des travaux portant sur la traduction (Lambert, Toury) et les littératures émergentes et multilingues d'origine postcoloniale (Canada, Indes). Elle joue également un rôle dans la théorie et la hiérarchie des genres (Shavit, D'hulst) et dans certains aspects de l'histoire littéraire (Moisan). Plus largement, elle englobe diverses formes de langages (cinéma, comportements sociaux, systèmes culturels en général) et s'oriente de plus en plus vers une théorie générale des interférences et des transferts.

La théorie des polysystèmes postule que le phénomène littéraire est non pas une substance, mais un tissu de relations régies par un nombre limité de lois simples et observables. Le modèle proposé par Even-Zohar est adapté du schéma de l'activité linguistique de Jakobson et désigne les différents systèmes en interaction : producteur – institution, répertoire, marché, produit – consommateur. Chacun de ces systèmes offre à l'observateur une manifestation partielle de la littérature et n'a de sens que par sa fonction dans la structure, la stratification et l'évolution de l'ensemble. Les travaux les plus récents adoptent une perspective résolument historique, postulant une « polychronie dynamique », c'est-à-dire une instabilité permanente mais normale du polysystème. La théorie des polysystèmes rend compte des phénomènes de contacts, transferts et interférences entre plusieurs systèmes agissant dans un macro-système donné (notamment, le cas des sociétés multilingues). Elle fait une place aux phénomènes périphériques et marginaux (littérature orale, littérature populaire et de masse, paralittérature) dont elle analyse les interactions avec le noyau littéraire central. Les textes ou des classes de textes forment des échantillons d'où sont dégagés les systèmes régents (répertoires, modèles, genres). Les connaissances ainsi dégagées sont organisées à partir d'une série d'oppositions binaires : périphérie-centre, innovation-conservatisme, textes canoniques-non-canoniques, stabilité-instabilité qui permet de décrire l'état général du polysystème.

▶ D'HULST L., *L'évolution de la poésie en France (1780-1830). Introduction à une analyse des interférences systémiques*, Louvain, Presses de l'Université de Louvain, Symbolæ series D Litteraria, 1987, n° 1. — EVEN-ZOHAR I. (dir.), Polysystems studies, *Poetics Today*, XI, 1, 1990. — LAMBERT J., *Un modèle descriptif pour l'étude de la littérature. La littérature comme polysystème*, Louvain, Université catholique de Louvain, 1983. — MOISAN C., *Qu'est-ce que l'histoire littéraire ?*, Paris, PUF, 1987. — TOURY G., *In search of a theory of translation*, Tel Aviv, Porter Institute, 1980.

Lucie ROBERT

→ *Histoire littéraire ; Littérature comparée ; Sociologie de la littérature ; Sémiotique ; Système.*

PONCTUATION

La ponctuation désigne l'ensemble des signes typographiques qui marquent, dans un texte, les ruptures de rythme que l'auteur entend accentuer soit pour des raisons grammaticales, soit pour respecter une intonation, soit encore pour faciliter la compréhension du lecteur. Ces signes conventionnels, qui ont peu varié depuis l'invention de l'imprimerie, sont en revanche appliqués de manière souvent variable par les auteurs et les typographes.

Les premiers signes de ponctuation datent du IIe s. avant J.-C, en grec ; les Latins les utilisent occasionnellement mais l'usage de séparer les textes écrits en minuscules ne se généralise qu'au VIIe s. Et ce n'est qu'à la Renaissance, avec la diffusion des textes imprimés, qu'il s'impose comme une nécessité générale. Son évolution coïncide avec la possibilité de ne plus lire les textes à voix haute. Les principaux signes typographiques sont déjà bien fixés au XVIe s. : blanc, point, virgule, tiret notamment. Mais la ponctuation reste soumise au jugement des auteurs et de leurs imprimeurs. La valeur grammaticale du point est généralement admise par tous ; en revanche, la virgule et le tiret sont souvent utilisés selon le sens, ou en fonction de la « respiration » du texte, c'est-à-dire de manière très subjective. Cet usage se complique encore lorsque deux codes typographiques se superposent pour organiser le rythme, comme c'est le cas dans le vers. Ainsi, les tragédies de Racine dans leur typographie d'origine sont ponctuées d'une façon qui répond à des effets de rythme et de diction peu ou mal respectés par de nombreuses éditions ultérieures.

Au milieu du XIXe s., les typographes tentent d'organiser davantage la ponctuation, d'autant que les auteurs la notent de manière souvent peu lisible. Mais il faut attendre le tournant du XXe s. pour que la logique grammaticale prenne le pas sur l'organisation émotionnelle. Cette seconde grande évolution, qui correspond d'ailleurs à la généralisation de la lecture muette, amène une relative uniformisation des règles. Celle-ci se manifeste dans l'usage des auteurs, qui reste néanmoins très variable, mais elle a également des effets rétrospectifs : de nombreuses éditions « modernisent » la ponctuation ancienne au détriment du rythme que marquait la typographie originale. Les conventions philologiques les plus récentes vont dans le sens du rétablissement de la ponctuation dans l'état le plus fidèle aux consignes de l'auteur ou des premières éditions.

La ponctuation est généralement considérée comme une convention d'imprimerie d'une importance secondaire, à l'instar des polices typographiques ou du choix du papier. Mais dans l'écriture même, elle est étroitement liée au sens, soit par son rapport avec la syntaxe, dont elle indique les unités, soit par son rapport au rythme. Du côté de la syntaxe, elle assure la manifestation des hiérarchies entre les segments du texte. Elle peut aussi marquer des liens logiques (ainsi les deux points de conséquence) et, plus encore, elle est indispensable pour signaler la parataxe. Du côté de la rythmique, elle assume le souffle du texte. Aussi a-t-elle été employée à cette fin dans des textes de théâtre autrefois ; à l'époque moderne, des poètes l'ont investie d'une importance manifeste en proposant, de manière paradoxale, de rédiger des textes dépourvus de signes de ponctuation (Mallarmé, *Un coup de dés...*, 1897). Quelques expériences romanesques sont également allées en ce sens (Sollers, *Paradis*, 1981). C'est que, comme tous les autres éléments matériels de la composition d'un ouvrage littéraire, la ponctuation révèle des choix, qui sont porteurs de significations. Certains signes sont des marques de style : la phrase « orale » de Stendhal suppose ainsi un usage singulier du point virgule, le « troisième personnage » du théâtre de Maeterlinck se manifeste par les points de suspension et le pamphlet de Céline requiert le point d'exclamation autant que les points de suspension. On observe ces effets notamment dans les formes les plus expérimentales de la création littéraire : la ligne de points est utilisée par Xavier de Maistre (*Voyage autour de ma chambre*, 1795) comme par les avant-gardes au XXe s. Elle témoigne également d'une certaine créativité. Ainsi, devant la difficulté de percevoir l'ironie, dès 1668 John Wilkins propose de la marquer par un signe typographique (un point d'exclamation renversé), qui deviendra en 1899 le « point d'ironie » proposé par Alcanter de Brahm dans son *Ostensoir des Ironies* (une sorte de point d'interrogation inverse).

De fait, liée à la grammaire elle-même, la ponctuation apparaît comme une norme, qu'on a parfois tenté de rattacher à l'oral ; mais les usages littéraires sont aussi variables que ceux de la diction : elle est donc, comme tous les codes qu'emploie un écrivain, le lieu de choix qu'il s'agit, dans l'édition, de respecter, et, dans l'interprétation, de comprendre.

▶ ALCANTER DE BRAHM, *L'ostensoir des ironies*, précédé de *Le point sur l'ironie* par P. Schoentjes, La Rochelle, Rumeur des Ages, 1996. — DRILLON J., *Traité de ponctuation française*, Paris, Tel / Gallimard, 1991. — FORESTIER G. (éd.), Racine, *Théâtre*, Paris, Gallimard, 1999. — Coll. : *Code typographique*, Paris, Fédération CGC de la communication, 1989. — « La ponctuation », *Langue française*, 1980, 45.

Paul ARON, Alain VIALA

→ *Code ; Grammaire ; Livre (Histoire du) ; Péritexte, Rythme ; Typographie.*

POPULAIRE (Littérature)

La définition de la littérature populaire est objet de controverses. S'agit-il d'une littérature dont le peuple est le producteur, le destinataire ou le consommateur ? Le peuple désigne-t-il une catégorie sociale, une population déterminée selon des références ethniques ou nationales, ou est-il synonyme de masse ? En fait, l'expression « littérature populaire » a été appliquée aux épopées orales des peuples sans écriture, aux romans-feuilletons du XIXe s., aux poésies d'amateurs, aux collections des usines à romans contemporaines, aux autobiographies ouvrières, aux productions réalistes-socialistes, aux œuvres de Hugo, Shakespeare ou Tolstoï, voire à la Bible. L'usage du terme littérature populaire est généralement stratégique, visant à dévaloriser ou à promouvoir telle ou telle catégorie de la production littéraire. La définition sans doute la moins erronée consisterait à considérer que l'expression qualifie tout ce qui n'est pas tenu pour littérature légitime (canonique).

A priori, parler de littérature populaire suppose qu'existe une littérature savante, légitime, ou socialement valorisée, dont elle se distingue. Mais toute approche historique met en évidence la perméabilité de la frontière entre littérature légitime et littérature populaire et la labilité de leurs positions respectives. La culture et la littérature populaires sont étroitement mêlées aux références savantes dans l'œuvre de Rabelais. Ce qu'on a pu considérer comme la littérature populaire des XVIIe et XVIIIe s., les livrets de colportage, est nourri de thématiques et de récits littéraires issus des productions lettrées de la même période ou d'époques antérieures ; au demeurant, son lectorat n'est pas socialement homogène et recoupe partiellement celui de la littérature savante. Des renouvellements thématiques ou stylistiques ont été opérés à maintes reprises dans la littérature légitime par des emprunts à la littérature populaire, depuis les *Contes* de Perrault jusqu'à la poésie surréaliste. Le vieillissement de la littérature légitime se traduit souvent par son glissement dans la littérature populaire, soit directement, soit par transposition (adaptation sous forme de films ou de spectacles musicaux d'œuvres littéraires classiques, par exemple). À l'inverse, la littérature populaire ancienne, Bibliothèque bleue ou romans-feuilletons de la Belle Époque, n'attire plus guère aujourd'hui que le lectorat académique.

On peut cependant distinguer deux grandes phases historiques. Durant la première, la majeure partie de la population est analphabète ou très éloignée de l'accès aux livres. Par littérature populaire, on entend alors la littérature orale. La seconde phase correspond à l'alphabétisation massive et à l'abaissement des coûts de l'imprimé, au XIXe s. Par « littérature populaire » on désigne alors essentiellement une littérature produite pour un vaste public (romans de grande diffusion, mélodrames).

Les usages communs de l'expression « littérature populaire » ne se comprennent que par référence à des polémiques idéologiques, ou morales. Généralement, l'expression « littérature populaire » a valeur positive quand elle renvoie à la culture orale, et valeur négative quand elle se réfère à la culture de masse. Dans le premier cas, « populaire » a une connotation de fraîcheur et d'authenticité et peut servir des opérations de subversion, au sein de la littérature légitime, contre des normes d'évaluation jugées sclérosées. Le Romantisme, notamment, l'a fortement valorisé. Dans le cadre de la formation des nations au début de l'époque contemporaine, la littérature orale traditionnelle, adaptée et transposée par des écrivains sous forme de ballades ou épopées a même été promue comme fondement des véritables cultures nationales. La littérature de masse, en revanche, a été continûment vilipendée comme facteur de dégénérescence esthétique et morale de ses lecteurs (mise en accusation des « mauvais livres » longtemps bannis des bibliothèques publiques). Le discours sur la mauvaise littérature populaire est actuellement transposé sur la production audiovisuelle. Des tentatives ont été faites aussi pour créer des œuvres exprimant les valeurs, le langage et le mode de vie des classes populaires (littérature régionaliste ou littérature prolétarienne des années 1930) ou proposer au public populaire une littérature d'identification à des fins politiques (réalisme-socialiste).

Longtemps négligée dans les études littéraires, la littérature populaire a fait l'objet de nombreuses investigations depuis les années 1970. Les recherches menées en histoire culturelle et en sociologie de la littérature ont permis d'enrichir les connaissances sur la production, la diffusion et les usages de la littérature populaire.

▶ CHARTIER R., *Lectures et lecteurs dans la France d'Ancien Régime*, Paris, Le Seuil, 1987 ; *Culture écrite et société. L'ordre des livres (XIVe-XVIIIe siècle)*, Paris, Albin Michel, 1996. — HÉBRARD J., « Les nouveaux lecteurs », *dans Histoire de l'édition française*, tome 3, *Le temps des éditeurs*, H.-J. Martin et Roger Chartier (dir.), Paris, Promodis, 1985, p. 471-507. — MUCHEMBLED R., *Culture populaire et culture des élites dans la France moderne, XVe-XVIIIe siècles*, Paris, Flammarion, 1978. — SAINT-JACQUES D., DE LA GARDE R. (dir.), *Les pratiques culturelles de grande consommation. Le marché francophone*, Québec, Nuit blanche, 1992. — Coll. : « Littérature populaire », *Romantisme*, 3e trimestre 1986, n° 53.

Anne-Marie THIESSE

→ *Best-seller ; Colportage ; Feuilleton ; Folklore ; Nationale (Littérature) ; Prolétarienne (Littérature) ; Paralittérature ; Roman policier.*

POPULISME

Une part de la tradition littéraire peut être qualifiée de populiste lorsqu'elle se donne pour thème central la vie et les mœurs des gens du peuple. Issue du naturalisme de Zola, et forte du souvenir d'écrivains humanistes comme Hugo ou George Sand, elle se caractérise par un mouvement du haut vers le bas, du clerc vers l'ouvrier ou vers les humbles.

Elle a marqué de son empreinte une époque (l'entre-deux-guerres) et une maison d'édition (Rieder). Elle s'est également incarnée dans le mouvement littéraire fondé en 1929 autour d'André Thérive (pseudonyme de Roger Puthoste) et Léon Lemonnier, qui souhaitait recueillir l'héritage de Zola mais en l'épurant des traits les plus caractéristiques du naturalisme scientifique, déterministe et socialement provocateur.

Le Prix du roman populiste est fondé par la femme de lettres Antonine Coullet-Tessier et décerné pour la première fois en 1931. Le jury, présidé par Pierre Mille, comptait plusieurs membres prestigieux, comme Lemonnier, Thérive, Georges Duhamel, Daniel Halévy, Edmond Jaloux, Robert Kemp ou Frédéric Lefèvre (*Guide des prix littéraires*, 1966 et 1971). L'attribution du prix, cette année-là, à Eugène Dabit pour *Hôtel du Nord* a donné au groupe populiste une notoriété que ne lui a valu ni son manifeste, ni ses œuvres propres.

Le manifeste publié dans les premiers jours de 1930 (*Manifeste du roman populiste*, Paris, La Centaine, 1929) réagit contre « les jeunes bourgeois qui, rejetés dans leur vie plate après une période d'action brutale et de danger quotidien, cherchaient à se chatouiller l'âme pour se faire frissonner ». L'ambition des populistes se situe dans le cadre d'un renouveau du roman réaliste. Ils rêvent d'un Zola épuré de ce qui chez lui choque par « on ne sait quelle simplicité grossière ». La littérature qu'ils appellent de leurs vœux valorise le « peuple », mot rarement défini, mais que l'on peut entendre comme un synonyme de « petites gens », gage d'un pittoresque inédit. Pour autant, ce n'est pas pour ce peuple qu'ils écrivent car « il faudrait réformer ses goûts, refaire son éducation, prendre cette attitude politique et sociale dont nous nous gardons comme d'une peste » (*Manifeste*, p. 72-73).

Lemonnier et Thérive ont rédigé des romans qui mettaient consciencieusement leur programme en œuvre. Ce sont des écrivains professionnels, polygraphes peu enclins aux audaces formelles, et ils n'ont guère bénéficié de la reconnaissance littéraire. Mais le courant populiste a également entraîné dans son sillage des auteurs plus renommés, comme André Baillon (*Histoire d'une Marie*, 1920), Eugène Dabit (*Hôtel du Nord*, 1929) et influencé Louis-Ferdinand Céline (*Voyage au bout de la nuit*, 1932).

Entre les deux guerres, le prix a successivement été accordé à Jules Romains (qui refusa la récompense, laquelle fut attribuée à Jean Pallu), Henri Pollès, Marie Gevers, Henri Troyat, Tristan Rémy et Jean-Paul Sartre (*Le Mur*, 1940). Il ne fut pas attribué de 1937 à 1939 mais continua à être régulièrement décerné après-guerre jusque dans les années 70. La récompense s'était, à cette date, fortement dévaluée et le jury n'avait plus le prestige du groupe initial.

Les écrivains populistes publient leur manifeste au moment où le champ littéraire français réagit au débat sur la légitimité de la littérature prolétarienne lancé en 1929 par la revue *Monde* d'Henri Barbusse. Leur intervention a donc été interprétée comme une prise de position dans ce débat, celle d'auteurs qui se réclament du peuple tout en rejetant la politisation de l'activité littéraire, alors que leur manifeste semblait plutôt entretenir un dialogue avec le groupe de la NRF, Drieu, Gide ou même Proust, mais en aucun cas avec une littérature prolétarienne encore balbutiante.

Par ailleurs, et les deux aspects sont intimement liés, de nombreux écrivains s'efforcent au même moment d'inventer un nouveau rapport entre le « peuple » et la littérature, notamment par le biais d'une oralisation de la langue écrite. Céline, Eugène Dabit, Louis-Ferdinand Ramuz ou Louis Guilloux, mais également Aragon (*Les beaux quartiers*, 1936) ou Simenon ont lié des thèmes réalistes-populaires, une confrontation des langages sociaux et des stratégies d'émergence axées sur le « populaire ». L'acuité des discussions et des enjeux littéraires du moment a assuré une certaine pérennité au mouvement populiste. Ultérieurement, les clercs-ouvriers ou, vers 1968, les « établis » ont renoué, souvent de manière éphémère, avec l'ambition « d'épouser la condition ouvrière ».

▶ GRIGNON C. & PASSERON J.-C., *Le savant et le populaire*, Paris, Gallimard-Le Seuil, 1989. — LEMONNIER L., *Populisme*, Paris, La Renaissance du livre, 1931. — PÉRU J. M., « Une crise du champ littéraire français », *ARSS*, sept. 1991, 89, p. 47-65. — Coll. : *Le roman populaire en question (s)*, B. J. Migozzi (dir.), Limoges, PULIM, 1997.

Paul ARON

→ *Oralité ; Ouvrière (Littérature) ; Populaire (Littérature) ; Prolétarienne (Littérature) ; Naturalisme ; Réalisme ; Prix littéraires.*

PORNOGRAPHIQUE (Littérature) → Érotisme

PORTRAIT

Le « portrait » littéraire peut être la description physique d'un être (prosopographie) ou sa représentation morale et psychologique (éthopée). Il est tantôt une forme fixe, voire un genre littéraire propre, tantôt un fragment de texte autonome, détachable, et présentant la description physique et/ou morale d'un individu, le plus souvent vivant ; il s'apparente alors à un type particulier de description.

L'art du portrait littéraire provient des traités d'éloquence antiques. Les théoriciens de la rhétorique judiciaire, puis les spécialistes de l'éloge d'apparat avaient mis au point des schémas précis codifiant la description des êtres animés. Chez les historiens ou les moralistes de l'Antiquité, le portrait revêtait souvent aussi une valeur argumentative et épidictique, comme lorsque Thucydide (Vᵉ s. av. J.-C.) peignait les vertus de Thémistocle pour convaincre les Grecs qu'ils lui devaient leur victoire sur les Perses. Les historiens en firent un lieu d'exposition des ressorts psychologiques des personnages dont ils écrivaient l'histoire, de façon à expliquer leurs actions par leur personnalité. Plutarque (Iᵉʳ s.) présente, dans ses *Vies parallèles*, une galerie d'hommes illustres qui exercera une influence considérable sur la postérité. Lucien de Samosate (IIᵉ s.) réalise, dans son dialogue *Les images* ou *Les portraits*, le premier portrait mondain et expose, dans *Pour la défense des images*, la première réflexion critique touchant au portrait (Plantié). Quant aux moralistes tels que Théophraste (IVᵉ s. av. J.-C.) ou Sidoine Apollinaire (Vᵉ s), ils auront une immense influence sur les arts poétiques médiévaux, où la description a également pour but de susciter l'admiration ou la répulsion (Faral).

Pour les théoriciens du Moyen Âge la description de personne suit souvent un ordre conforme aux modèles de la création de l'homme dans la bible (tête, tronc, jambes, vêtements) ; les traits bien individualisés y sont plutôt rares, mais les formules, même stéréotypées, favorisent l'évocation et la reconstruction d'objets parfois complexes par leurs connotations. La tendance à l'individualisation se développe à partir du XIIe s., où le portrait individuel fait son apparition en peinture, la poésie lyrique s'ouvre à l'expression des émotions, et la littérature au portrait personnalisé. Au XVIe s., le blason propose la description détaillée (louangeuse ou satirique) d'une personne ou d'un objet. On voit aussi émerger le prototype de l'autoportrait littéraire, celui de Montaigne, qui, dans les *Essais*, prétend se livrer avec une totale sincérité. L'héritage des rhéteurs, des historiens et des moralistes de l'Antiquité est aussi recueilli par les historiens humanistes, les mémorialistes et les portraitistes du XVIIe s., y compris par les historiens-portraitistes, tels que Strada, de Thou, Mézeray.

Après les romans à clés de Georges et Madeleine de Scudéry, surtout entre 1656 et 1660, Mlle de Montpensier lance une mode qui consiste à rédiger son propre portrait ou celui de ses amis. Cette mode est source de multiples ouvrages, d'où se détache son *Recueil des portraits et éloges*. Quoique bref, cet engouement permet aux mondains de constituer le portrait en genre littéraire autonome. Ils en proposent alors une poétique et une rhétorique que les mémorialistes reprennent à leur compte. Retz, La Rochefoucauld, La Bruyère, Saint-Simon procurent cependant des descriptions plus précises et plus réalistes que celles des portraits mondains. Malgré certaines remises en cause, l'art du portrait est activement pratiqué tout au long du XVIIIe s., mais reperd son autonomie, à nouveau annexé par la peinture moraliste.

Au siècle suivant, le portrait occupe une place privilégiée dans les romans noirs, réalistes et historiques. Il est, de même, largement cultivé dans le genre des mémoires. Par ailleurs, il se maintient en tant que genre autonome (les libelles et portraits révolutionnaires en avaient relancé la vogue) et connaît même une recrudescence, tandis que se développent la science de la physiognomie (sur laquelle s'appuie Balzac), la presse, les techniques de reproduction, les portraits peints et la photographie. Dans la critique, Sainte-Beuve met au point progressivement le portrait littéraire, portrait d'un écrivain à travers son œuvre, dont la mode culmine à la fin du siècle et se développe dans le roman psychologique (Proust, Mauriac). Au XXe s., le portrait peut s'inscrire dans le mouvement du texte (Nouveau Roman), ou bien il s'en tient au répertoire lexical conventionnel, ou encore il voit ses caractéristiques se diluer (Beckett). Les médias, sous la pression du vedettariat, l'ouvrent au plus grand nombre.

Par nature, le portrait est un lieu où se dit l'humain, et donc il révèle la « vision de l'homme » d'un auteur ou d'une époque, leur capacité à individualiser les êtres, ou à les caractériser, le type, la psychologie ou la sociologie. Le portrait relève toujours de l'épidictique. Par là, le portrait littéraire entre en concurrence avec d'autres genres de représentations, notamment le portrait pictural (l'élégie de Ronsard à Janet, tel poème de Théophile de Viau, ou l'autoportrait de Scarron se plaisent à exploiter habilement la peinture et simuler une collaboration).

L'étude formelle du portrait est largement tributaire des travaux critiques sur la description et ses rapports à la narration. Des approches récentes insistent sur l'importance de critères tels que le statisme, la plurifonctionalité, la présence d'éléments non descriptifs et de signaux démarcatifs, le décompte des informations : tout passage fournissant plus d'informations que la dénomination pourrait, en ce sens, être considéré comme portrait (Kars). Enfin le portrait, comme la description – et plus qu'elle – est toujours empreint de jugement : il rejoint l'éloge ou le blâme. Il allie donc un effet rhétorique inévitable – faire un portrait, c'est choisir un être – à une pratique très élaborée.

▶ PLANTIÉ J., *La mode du portrait littéraire en France (1641-1681)*, Paris, Champion, 1994.

Jean LEBEL

→ *Blason ; Description ; Épidictique ; Moralistes ; Personnage ; Peinture.*

POSITIVISME

Le positivisme, doctrine puis système de pensée, a cherché au cours du XIXe s. à se fonder comme science à partir de l'observation de « faits matériels et palpables », en opposition aux conceptions théologiques ou métaphysiques du monde. Des écrivains et des critiques s'inspirent de ses apports dans le domaine historique et sociologique.

Père fondateur de la philosophie positive, Auguste Comte (1798-1857) a identifié le positivisme au « réel ». Dans son *Discours sur l'esprit positif* (1844), il considère que la véritable observation serait la seule base possible des connaissances « sagement adaptées aux besoins réels ». Il en déduit une règle fondamentale : « toute proposition qui n'est pas strictement réductible à la simple énonciation d'un fait ne peut offrir aucun sens intelligible ». Ce qui l'autorise à proposer la définition suivante : « Considéré d'abord dans son acception la plus ancienne et la plus commune, le mot positif désigne le réel par opposition au mot chimérique. »

Auguste Comte se réclame à la fois de Newton et de Condorcet. La science positive – ou, plus précisément, l'esprit positif – ne peut se concevoir hors de l'histoire qui apporte l'éclairage de l'expérience, débarrassé du flou de la métaphysique et des approximations de l'imagination. La recherche historique doit atteindre un degré de précision compatible avec les lois de la nature, car l'ordre naturel résulterait de l'ensemble des lois réelles. « Quant au progrès, il trouve aujourd'hui, dans l'ensemble des études scientifiques, sa plus incontestable manifestation ». Ce que la métaphysique et la théologie, en raison de « leur nature absolue », ne peuvent apporter.

Fort de cette certitude, en quête des lois susceptibles de révéler la marche continue et inéluctable des connaissances, Auguste Comte lie « la règle » et « le progrès ». Il voit « le milieu comme régulateur principal de l'organisme ». Preuves, faits, réalité sont les maîtres mots du positivisme qui privilégie la recherche du comment au détriment du pourquoi. Les proches comme Stuart Mill, les disciples et les héritiers comme Taine (*Introduction à l'histoire de la littérature anglaise*, 1863-64), tout en nuançant ou critiquant les excès ou errements de l'initiateur, ont assuré la quasi-hégémonie de la philosophie positive, à la fin du XIXᵉ s., sur toutes les sciences, particulièrement les sciences sociales. Littré fut le plus éminent et le plus écouté des propagandistes de la philosophie positive. Il affirme le triomphe de « l'esprit positif » qui a fermé toutes les issues à l'esprit théologique et métaphysique « en dévoilant successivement la condition d'existence de tous les phénomènes accessibles et l'impossibilité de rien atteindre au-delà ». De ce fait « la science sociale » serait « l'aboutissement de toutes les autres et d'où partent les directions » (*Dictionnaire du XIXᵉ siècle*).

Ce message optimiste nourrit une large part de l'histoire littéraire au tournant des XIXᵉ et XXᵉ s. (Lanson), au moment où celle-ci revendique son statut de discipline légitime. Mais elle influence d'abord les écrivains qui poursuivent le projet balzacien de faire du roman une méthode d'investigation sociale. La préface de *Germinie Lacerteux* (1865) des frères Goncourt prétend étudier une héroïne issue des plus basses couches de la société avec la rigueur du clinicien ou du biologiste. *Thérèse Raquin* (1867) d'Émile Zola se réclame également de la phrase de Taine pour qui « Le vice et la vertu sont des produits comme le vitriol et le sucre ». Le roman naturaliste se définit comme un roman expérimental et il s'inspire de la méthode du docteur Cl. Bernard (*La médecine expérimentale*, 1865).

Identifiée à la preuve par les faits, la méthode positiviste a largement contribué à faire croire à la vérité de ses découvertes. En privilégiant le donné, elle valorise la description au détriment de l'analyse des conditions de possibilités d'un événement historique ou d'une expérience. Très tôt dans le XXᵉ s., le positivisme subit les critiques des scientifiques et des historiens au point d'être assimilé à une idéologie. En littérature, Valéry et les formalistes en combattent les raisons avant que la critique structuraliste n'en sape la légitimité académique. Le plus offensif fut sans doute l'historien Marc Bloch : « En vain le positivisme a prétendu éliminer de la science, l'idée de cause. Bon gré, mal gré, tout physicien, tout biologiste pense par "pourquoi" et "parce que". Pour tout dire d'un mot, les causes en histoire ne se postulent pas. Elles se cherchent » (*Apologie pour l'histoire ou le métier d'historien*, 1974). Dans la recherche littéraire, encore moins dans la création, à l'aube du XXIᵉ s. et malgré les volontés récurrentes de restaurer des certitudes factuelles, le positivisme ne guide plus guère les contemporains.

▶ COMTE A., *Discours sur L'esprit positif*, présentation Annie Petit, Paris, Librairie J. Vrin, 1995. — KREMER-MARIETTI A., *Le positivisme*, Paris, PUF, 1982. — MULLER M., *De Descartes à Proust*, Neuchâtel, À la Baconnière, 1947.

Michèle RIOT-SARCEY, Paul ARON

→ *Fait littéraire ; Idéologie ; Médecine ; Naturalisme ; Sciences et lettres.*

POSTCOLONIALISME

La critique du discours colonial et l'analyse des littératures produites à l'intérieur d'anciennes colonies ou de territoires se trouvant toujours sous le pouvoir ou l'influence des métropoles (particulièrement française et britannique) ont fait l'objet des productions littéraires anticoloniales, et sont l'objet des recherches dites « postcoloniales ». Elles se sont développées dans la seconde moitié du XXᵉ s., surtout dans les pays anglo-saxons.

Après quelques textes isolés, mais importants (comme l'*Histoire philosophique et politique des Etablissements et du Commerce des Européens dans les deux Indes* de l'abbé Raynal, publiée en 1770 avant d'être considérablement augmentée par Diderot), la première vague d'écrits théoriques dénonçant le colonialisme est issue des luttes de décolonisation qui ont eu cours au milieu du XXᵉ s. Les ouvrages de Frantz Fanon, *Peau noire masques blancs* (1952), d'Aimé Césaire, *Cahier d'un retour au pays natal (1956*) et d'Albert Memmi, *Portrait du colonisé* précédé du *Portrait du colonisateur* (1957) analysent et dénoncent les effets déshumanisants, à la fois physiques et psychiques, de la colonisation. Étudiant les « attitudes » du Noir dans un monde blanc, Fanon tente une explication à la fois psychopathologique et philosophique de l'aliénation : « Pour le Noir, il n'y a qu'un destin. Et il est blanc », écrit-il (p. 8), de sorte que, aliéné par son identification à un stéréotype raciste, le colonisé se voit interdire l'accès à la subjectivité et, en conséquence, à toute conscience révolutionnaire. Césaire et Memmi développent ces propositions séminales, le premier en élaborant la notion de « négritude », et le second celle de « conscience douloureuse ». Pour eux, l'identité du colonisé n'est, somme toute, que l'invention du colonisateur, selon une attitude profondément raciste. Transposant la célèbre phrase de Simone de Beauvoir, l'auteur québécois haïtien Dany Laferrière écrit, dans la même veine : « On ne naît pas nègre, on le devient ».

L'orientalisme (1978) du Palestinien Edward W. Said lance la critique postcoloniale. Dans la filiation des travaux de Michel Foucault et Raymond Williams, il lit l'Orient comme une construction discursive et le voit comme un écran sur lequel se projettent les fantasmes de l'Occident (fantasmes qui servent d'alibi aux puissances occidentales qui entreprennent de l'exploiter). Il conclut que l'Occident a *produit* l'Orient plutôt qu'il ne l'a *décrit*. Dans *Culture et impérialisme* (1992), il élargit la perspective et met au jour l'« impensé colonial » qui traverse les romans produits dans les grands empires coloniaux des XIXᵉ et XXᵉ s., et qui se présente comme un essentialisme eurocentriste, emblématique de la pensée coloniale que les critiques postcoloniaux cherchent à dénoncer. Pour sa part, Gayatri Chakravorty Spivak (*In Other Worlds. Essays in Cultural Politics*, 1987), s'inspirant de la déconstruction derridienne, s'attaque à la dichotomie opposant la marge et le centre. Elle s'intéresse aux *Subaltern studies* et allie l'étude des rapports sociaux de sexe (*gender*) au post-colonialisme.

Enfin, au cours des années 1990, Homi Bhabha s'oppose à l'essentialisme de Said (qui, malgré son approche post-structuraliste, perçoit l'Occident et l'Orient comme des entités homogènes) ainsi qu'aux structures binaires (qui sous-tendent la pensée de Fanon) pour proposer une lecture de l'ambivalence, c'est-à-dire de la non-transparence, des discours colonial et post-colonial. D'après lui, on ne peut supposer que le pouvoir colonial soit le seul fait du colonisateur. Il refuse ainsi l'opposition entre pouvoir et absence de pouvoir, une telle structure excluant toute pratique de négociation ou de résistance, et propose plutôt, à l'aide des notions d'hybridité, de différence et d'imitation (*mimicry*), de raffiner l'analyse des rapports entre colonisateur et colonisé, en mettant en lumière l'ambivalence qui leur est fondamentale. Ainsi, par sa relecture de textes coloniaux, Bhabha suggère que le discours colonial est fondé sur une anxiété et que le pouvoir colonial lui-même est sujet à une économie conflictuelle qui manifeste autant d'anxiété que d'assurance.

Le postcolonialisme cherche à provoquer un décentrement de l'eurocentrisme en reprenant la marginalisation du « colonisé » et en lui rendant la part de pouvoir oppositionnel qui lui revient. Au cours des vingt dernières années, ces travaux se sont efforcés de repenser les rapports entre les colonies et la métropole afin de les voir non plus comme un voyage à sens unique (de la seconde vers les premières), mais comme des allers-retours constants qui produisent un métissage (racial mais surtout culturel) perpétuel. Ils ont ainsi appelé à l'adaptation du canon littéraire en fonction des notions de Francophonie et de Commonwealth. Dans *The Empire Strikes Back. Theory and Practice in Post-colonial Literatures* (1989), de B. Ashcroft, G. Griffiths et H. Tiffin envisagent les littératures africaine, canadienne, australienne, indienne... comme des littératures postcoloniales par le fait qu'elles se sont définies et affirmées à la fois par rapport à la métropole et en se distinguant d'elle. Il ne s'agit plus de concevoir les cultures comme différentes et hermétiquement séparées les unes des autres mais plutôt de considérer que la métropole occidentale doit être confrontée à son histoire postcoloniale, telle que racontée par le flot d'immigrants et de réfugiés, comme un récit indigène qui fait partie de son identité même. Dans la même veine, B. Anderson, décrit la « nation » comme une « communauté imaginée », et non comme une association d'ordre naturel, racial ou géographique, une communauté qui est construite et dont le récit doit être fait (*Imagined Communities. Reflection on the Origins and Spread of Nationalism*, 1991).

Le contact colonial, en raison de ses implications psychiques, transforme les sujets qui s'y trouvent mis en relation et crée un « tiers espace », lieu de traduction et d'hybridité. La lecture des littératures postcoloniales depuis la perspective de ce « tiers espace », a pour objet de déceler une hybridité textuelle, une ambivalence idéologique, une ironie tissée de tactiques de résistance au moyen desquelles le sujet de l'énonciation, qu'il soit colonisateur ou colonisé, tient un discours qui se révèle un carrefour de significations paradoxales, mais participant toutes de la « texture » discursive. Le « post » de « postcolonialisme » est-il le même que le « post » de « postmoderne » demande Kwame Anthony Appiah ? Ces deux perspectives se rejoignent, répond-il, dans leur mise en cause des récits de légitimation des grands récits qui les précèdent.

Dans le domaine francophone, la critique postcoloniale, étudiant les littératures québécoise, maghrébine, acadienne, antillaise, « beur » ou vietnamienne, a fait surgir les notions d'hybridité, de métissage, de créolité et de migrance, notions qui ont été la pierre de touche de maintes réflexions sur la culture et l'identité. De fait, des écrivains comme Amadou Kourouma, Patrick Chamoiseau, Tahar Ben Jelloun, Azouz Begag ont fortement contribué à des catégories critiques comme le métissage des genres et des identités, ou la créolisation des langues, etc. L'auteur postcolonial jouerait ainsi « des instances de légitimation que sont les genres et les formes européens pour parvenir à exprimer son originalité » (Moura, p. 67). La critique postcoloniale a aussi permis la résurgence et la reconnaissance, en particulier, de deux littératures minoritaires : celle des autochtones (ou des « premières nations », comme c'est le cas de la littérature amérindienne en Amérique), et celle des femmes, ces dernières ayant parfois trouvé dans l'écriture et dans la langue de l'Autre le moyen d'exprimer leur révolte propre (Assia Djébar décrit ainsi le français comme la langue de « sortie du harem »). L'écriture des femmes pose alors sur la colonisation un regard original (perceptible chez Djébar, mais aussi chez Marguerite Duras, Maryse Condé, Leïla Sebbar et Marie-Claire Blais) et l'intégration des rapports de sexe ajoute aux études postcoloniales une dimension supplémentaire.

▶ ASHCROFT B., GRIFFITHS G. & TIFFIN H., *Key Concepts in Post-Colonial Studies*, Londres, Routledge, 1998. — BHABHA H. K., *The Location of Culture*, Londres / New York, Routledge, 1994. — MEMMI A., *Portrait du colonisé* précédé du *Portrait du colonisateur*, Paris, Gallimard, 1957. — MOURA J. M., *Littératures francophones et théories postcoloniales*, Paris, PUF, 1999.

Martine DELVAUX, Pascal CARON

→ *Canon, canonisation ; Centre et périphérie ; Coloniale (Littérature) ; Féministe (Critique) ; Études culturelles (Cultural studies) ; Exotisme ; Francophonie ; Orientalisme.*

POSTMODERNITÉ → Modernités

PRAGMATIQUE LITTÉRAIRE

Le vocable pragmatique (de l'anglais *pragmatics*), attribué à Charles W. Morris, est issu de deux termes voisins, le pragmatisme (*pragmatism*, 1898) de William James et le pragmaticisme (*pragmaticism*, 1905) terme forgé par Charles S. Peirce. La pragmatique désigne d'abord l'étude des actes de langage, des performatifs (où « dire, c'est faire ») et plus généralement les actions produites par les discours sur les interlocuteurs, et par les textes sur leurs lecteurs.

Peirce a abordé la pragmatique comme étude des actes de langage. Carnap et Morris, à la fin des années 1930, ont proposé une systématisation de son héritage : avec la syntaxe – qui traite de la relation des signes entre eux –, et la sémantique – qui traite de la relation des signes aux choses –, la pragmatique – qui traite de la relations des signes aux interlocuteurs – serait une des composantes de la *semiosis* générale (C. W. Morris, *Foundations of the Theory of Signs*, 1938). Cette répartition triadique a ensuite été reconsidérée dans un ouvrage (*Signs, Language, and Behavior*, 1946) qui marque la volonté de « généraliser la dimension pragmatique à la totalité de l'étude du langage » (Latraverse, 1987, p. 74). La pragmatique était ainsi devenue l'étude des signes en situation, du discours. Les travaux d'Austin (*Quand dire c'est faire*, 1970) portent sur le performatif et, globalement, sur l'acte social, défini par la relation qui s'établit entre le locuteur et l'auditeur, que constitue le langage dans le discours.

En s'intéressant au langage en action, la pragmatique permet de dépasser le clivage saussurien entre langue et parole, de déborder les limites linguistiques de la phrase mais aussi la clôture du texte. Dans le domaine francophone, au cours des années 1970, des revues font paraître des numéros intitulés « L'énonciation » (*Langages* 17, 1970), « La pragmatique » (*Langue française* 42, 1979) et « La mise en discours » (*Langages*, 70, 1983). Les années 1980 ont vu la parution d'ouvrages qui précisent diverses interpénétrations disciplinaires (Récanati F., *La transparence et l'énonciation. Pour introduire à la pragmatique*, 1979 et Parret H. et al., *Le langage en contexte. Études philosophiques et linguistiques de pragmatique*, 1980). Si, un temps, la pragmatique pouvait apparaître comme une composante de la sémiotique, elle est aujourd'hui devenue une discipline autonome, comme le montre par exemple l'ouvrage de J. Fisette, *Pour une pragmatique de la signification* (Montréal, XYZ, 1996). Elle recouvre ainsi un vaste répertoire de problématiques, issues tant de la philosophie du langage que de la linguistique, enfin de la littérature. Le *Dictionnaire encyclopédique de pragmatique* de Mœschler et Reboul (1996), en présentant à la fois les ensembles théoriques où l'accord des chercheurs est établi (théorie des actes de langage, analyse conversationnelle) et des voies en cours d'exploration (pragmatique psycho-sociale, formes de la narration) montre la vitalité de ce domaine de recherche foisonnant et parfois contradictoire. De fait, comprendre l'action que l'on fait en parlant ou en écrivant implique d'une part la mise au jour des positions et des intentions du sujet parlant, l'inventaire des actes de langage qu'il produit ou reproduit, et d'autre part l'étude de l'efficacité de ces actes de parole, les effets sur les destinataires, et l'interprétation de ces effets. Engagée dans une redéfinition des actes de discours, la pragmatique s'est intéressée à la singularité de la parole littéraire. Faisant appel à des apports interdisciplinaires, elle envisage la littérature en ce qu'elle constitue un acte de langage. Pour Teun A. Van Dijk (« Pragmatics and Poetics », 1976), la spécificité pragmatique du discours littéraire est que le locuteur n'y a pas l'intention de dialoguer avec le lecteur, mais plutôt de construire un objet linguistique que ce dernier est supposé reconstruire. La reconnaissance de ce « contrat » de lecture informe les tendances actuelles de la pragmatique littéraire. Empruntant une perspective générique, Genette cherche à départager les divers types d'actes illocutoires de la littérature. Il range la fiction narrative en première personne du côté des illocutions sérieuses (véridiques ou non) et l'associe à la littérature non fictionnelle (autobiographie, journal, essais, aphorismes, etc.), et « dont le statut pragmatique [lui] semble sans mystère » (« Le statut pragmatique de la fiction narrative », *Poétique*, 1989, n° 78, p. 247). Il estime « que l'énoncé de fiction [...] est une assertion feinte » et « que produire une fiction [écrire un roman] n'est pas un acte illocutoire spécifique » (p. 239). Lorsqu'elle s'intéresse à l'objet littéraire, la pragmatique cherche à décrire les interactions, en « faisant la part du contexte et en appréciant la littérarité elle-même comme un enjeu » (A. Jaubert, *La lecture pragmatique*, 1990). De fait, d'un point de vue pragmatique, le texte littéraire « s'insère dans une situation particulière, étant produit par un auteur, en un certain lieu et à une certaine époque, en vue d'une lecture probable, ce qu'on appelle la situation externe de réception. Mais, grâce à la fiction, se superpose une autre situation d'énonciation, interne cette fois, où interviennent des participants, personnages, narrateur, et parfois l'auteur lui-même. Ils interagissent avec un ou plusieurs destinataires, personnages ou lecteurs » (*Études littéraires*, 1992, p. 7). L'ambition théorique de la pragmatique est de dégager ainsi des modèles de saisie des diverses strates de l'énoncé littéraire. Par là même, elle touche aux enjeux d'esthétique. Car, en prenant en considération la situation, elle pose la question de l'effet du discours. Les études sur l'ironie ou sur la parodie connaissent bien ce problème, car leur objet n'a de sens qu'en relation avec un contexte d'énonciation particulier (Berrendonner A., *Eléments de pragmatique linguistique*, Paris, Minuit, 1982). Ainsi, A. Whitfield (1987) propose une lecture du je(u) illocutoire à l'œuvre dans cinq romans contemporains, et montre l'impact contestataire, dans la littérature québécoise, de la distorsion des formes traditionnelles du roman autobiographique. Sa conclusion affirme que la contestation formelle entraîne une redéfinition des rapports discursifs entre le JE et la collectivité, notamment par la transformation radicale du rôle du lecteur, non plus témoin de l'introspection du JE mais partie prenante du processus interprétatif. La pragmatique rejoint ainsi les interrogations des études de réception.

De la linguistique à la sémiotique, puis à la théorie littéraire, l'importation des concepts pragmatiques ne va pas sans débats. Ainsi, l'adaptation de la notion d'acte illocutoire au langage littéraire oblige à gommer la distinction entre la parole et l'écriture. Aussi les pragmaticiens considèrent-ils avec une attention particulière les questions que suscitent les genres littéraires. Ainsi, le sujet et la prise en considération de ses intentions sont manifestes dans les genres rhétoriques, dans les formes de la « littérature d'idées », dans l'écriture de l'intime, spécialement marquée par le vouloir-dire d'un JE : par exemple l'autobiographie, par la singularité du pacte qui la sous-tend, revendique l'affirmation d'identité, de vérité et la représentation d'un univers de référence authentique. Mais les textes fictifs constituent-ils linguistiquement des catégories spécifiques ? Il semble que non. C'est ainsi que Genette, cherchant à départager les divers types d'actes illocutoires de la littérature, est amené à constater que la fiction narrative en première personne se range à côté des actes de langage qui, véridiques ou non, se donnent pour vrais, et donc à l'associer à la littérature non fictionnelle (autobiographie, journal, essais, aphorismes, etc.) et à conclure « que produire une fiction (« écrire un roman ») n'est pas un acte illocutoire spécifique ». Sur un autre plan, interne celui-là, le littéraire fictif met en scène des actes de langage, et donc certaines données pragmatiques fondamentales : ainsi en est-il du théâtre, du roman épistolaire ... Se pose alors la question du rapport aux spectateurs ou aux lecteurs de fictions : dans le théâtre classique, par exemple, les maximes ou sentences qui y abondent peuvent résonner comme des discours adressés au public autant qu'aux personnages qui les entendent, l'effet satirique de la comédie peut être vu comme un acte de discours à l'échelon de l'ensemble de la pièce. Mais la catharsis tragique l'est-elle aussi ? Elle peut l'être si on l'envisage comme un acte de discours indirect. Dans le roman et la poésie, on peut opérer la même distinction entre texte à thèse et textes de recherche formelle. Ainsi, entre les diverses catégories de textes littéraires, une même question subsiste : la littérature est une communication différée, aléatoire (les destinataires ne peuvent jamais être précisément identifiés à l'avance par l'auteur), et dès lors, les codes esthétiques (les genres) apparaissent comme des moyens de surmonter ou limiter ces aléas et cette distance, et leur mise en œuvre, comme un acte de pragmatique indirecte ou seconde.

▶ LATRAVERSE F., *La pragmatique. Histoire et critique*, Bruxelles, Pierre Mardaga, 1987. — MAINGUENEAU D., *Le contexte de l'œuvre littéraire*, Paris, Bordas, 1993. — MŒSCHLER J. & REBOUL A., *Dictionnaire encyclopédique de pragmatique*, Paris, Le Seuil, 1996. — WHITFIELD A., *Le Je(u) illocutoire. Forme et contestation dans le nouveau roman québécois.* Sainte-Foy, Les Presses de l'Université Laval, 1987. — Coll. : *La pragmatique. Discours et action*, D. Forget (dir.), *Études littéraires*, vol. XXV, 1992, n° 1-2.

Frances FORTIER

→ *Adhésion ; Contexte ; Discours ; Énonciation et Énoncé ; Esthétique ; Ironie ; Linguistique ; Réception ; Théories de la narration.*

PRÉCIOSITÉ

« Précieuses » (adjectif substantivé) désigne un ensemble de femmes du monde et de femmes de lettres du milieu du XVIIe s., et évoque d'emblée une valeur de distinction. La préciosité est le courant littéraire correspondant.

Le premier usage de l'adjectif figure dans une lettre du chevalier de Sévigné en 1654 – et il est, d'emblée, polémique. Deux lieux ont été considérés comme emblématiques de la préciosité : l'hôtel de Rambouillet de Catherine de Vivonne, salon aristocratique et littéraire (1620-1665), et le cercle réuni autour de la Grande Mademoiselle, dans son château de Saint-Fargeau, où elle se tint en semi-exil aux lendemains de la Fronde ; c'est là que le terme de « précieuse » fut employé avec une valeur positive revendiquée. L'histoire littéraire a pris l'habitude de rattacher aussi à ce courant le salon de Madeleine de Scudéry, souvent imaginée comme la reine des Précieuses – mais elle n'utilise pas le terme, contrairement à celui de « galanterie ». Dans de tels lieux se sont élaborés, par le biais de la conversation et d'une écriture volontiers collective : un savoir-vivre mondain défini par la délicatesse, un idéal esthétique de distinction, le raffinement de relations amoureuses spiritualisées, des revendications sur la place de la femme (refus de la dépendance conjugale et accès à la culture), enfin un souci du langage châtié. Autour de Mademoiselle, on pratique notamment le genre du portrait. Somaize, donne dès 1661 un *Dictionnaire des Précieuses* – qui ratisse très large. Les contrefaçons du modèle proposé par les Précieuses sont blâmées par les salons précieux eux-mêmes. Mais d'autre part, une polémique anti-précieuse s'est largement développée, nourrie par l'hostilité aux désirs d'émancipation des femmes. Molière, avec ses *Précieuses ridicules* (1659) renchérit sur ces polémiques. La vogue précieuse s'éteint au début des années 1660.

Le crédit à accorder à la notion divise la recherche récente. Selon une première acception, la préciosité, concept flou, recouvrirait une esthétique maniériste transhistorique : ainsi certains critiques (Deloffre) ont-ils parlé de la préciosité de Marivaux, d'autres de celle de Giraudoux et Cioran écrit – en un sens péjoratif – : « La préciosité est l'écriture de l'écriture : un style qui se dédouble, et qui devient l'objet de sa propre quête » (*Exercices d'admiration*, 1986). Selon une seconde acception, il faudrait considérer au contraire qu'il n'y a pas eu de spécificité littéraire et envisager seulement la réalité historique des Précieuses : femmes de l'aristocratie revendiquant une plus grande autonomie, et imitées, par effet de mode, par des bourgeoises, elles auraient influé sur les manières et le langage, mais très peu sur la littérature. Une troisième hypothèse, plus pertinente, reconnaît le phénomène dans sa réalité historique et dans ses dimensions littéraires. Les chercheurs s'accordent sur les dimensions mondaines, la spécificité féminine, la relation à l'héritage de l'amour courtois idéalisé, ainsi que sur un augustinisme discret. Mais la question des relations entre « honnêteté », galanterie et préciosité fait difficulté. L'équivalence irait à l'encontre de la distinction entre des notions passées dans le langage ordinaire, et ne rendrait pas compte de la teneur hétérogène des polémiques contre la préciosité et contre la galanterie. Or dès le XVIIe s., si on reproche à la préciosité l'excès d'artifice et de raffinement dans le langage, la pruderie, l'affèterie, la galanterie, elle, est taxée de superficialité et de libertinage. Les ennemis des galants les qualifient de précieux pour les disqualifier ; c'est à ce titre qu'ils rattachent le cercle de Melle de Scudéry aux Précieuses – aujourd'hui, certains chercheurs l'y rattachent de même, mais c'est à l'inverse dans un effort pour légitimer la préciosité, pour en étendre le rôle et l'influence. On trouve donc chez les spécialistes récents de la période une valorisation contrastée des deux notions. Certains défendent une acception positive de la « galanterie » et regardent la « préciosité », soit comme comme relevant d'une autre problématique (D. Denis), soit comme le nom donné à ses défauts (M. Fumaroli) ; d'autres au contraire défendent le contenu positif de la seconde (Ph. Sellier, M. Maître, P. Dandrey, J. Chupeau). Chacune des notions peut à l'occasion être définie comme quintessence de l'autre. De fait, c'est le caractère polémique même de la notion qui en constitue l'enjeu central.

▶ DENIS D., *La muse galante*, Paris, Champion, 1997. — LATHUILLÈRE R., *La préciosité : étude historique et linguistique*, Genève, Droz, 1966. — MAÎTRE M., *Les précieuses. Naissance des femmes de lettres en France au XVIIe siècle*, Paris, Champion, 2000. — PELOUS J.-M., *Amour précieux, amour galant* (1654-1675), Paris, Klincksieck, 1978. — TIMMERMANS L., *L'accès des femmes à la culture (1598-1715)*, Paris, Champion, 1992.

Alain VIALA

→ *Galanterie ; Femmes (Littérature des) ; Goût ; Honnête (homme) ; Maniérisme ; Salons littéraires.*

PRESSE

La presse désigne l'ensemble des publications périodiques. Au sens strict, elle est écrite (« presse » renvoie à l'imprimerie), mais l'emploi usuel étend le terme aux moyens audio-visuels et informatiques. Elle comprend la grande presse, destinée à tous les publics, les périodiques d'information spécialisés (revues notamment).

La transmission des nouvelles a d'abord été verbale puis, dans les cultures de l'écrit, elle a pris la forme de feuilles éphémères. Ainsi les Romains ont utilisé les *Acta diurna*, sortes d'affiches diffusées aux quatre coins de l'empire. Avec l'arrivée de l'imprimerie, sont apparus les occasionnels, les almanachs (*Kalendrier des bergers*, 1491), suivis au XVIe s. par les canards, les pamphlets et les libelles. Ont été utilisés aussi des « nouvelles à la main » (circulant en copies manuscrites) et des « factums » (version imprimée des éléments d'un procès ou d'une polémique). En France, la première publication périodique est la *Gazette* de Théophraste Renaudot (1631), soutenue par l'État qui en fait une tribune de propagande. Des périodiques spécialisés apparaissent peu après : *Le journal des savants* (de l'Académie des Sciences, 1666), *Le mercure galant* (mondain et littéraire, 1672). Cette presse est contrôlée, mais des périodiques d'opposition, imprimés à l'étranger circulent clandestinement (*Nouvelles de la République des lettres*, de Bayle, à la fin du XVIIe s.). Le temps des Lumières voit se multiplier les périodiques (y compris le puissant *Journal de Trévoux* des Jésuites, à partir de 1704). La presse est cependant très surveillée. La période révolutionnaire amène une brève libéralisation, puis le contrôle se rétablit, et la liberté n'est que progressive, à partir du milieu du XIXe s. La censure (surnommée « Anastasie ») s'impose à nouveau pendant les guerres. L'Occupation, puis la Libération modifient profondément la répartition des titres, les journaux et revues coupables de collaboration étant supprimés, et des titres nouveaux apparaissent, qui subsistent pour l'essentiel aujourd'hui. Le XXe s. est surtout le temps où la presse radiophonique et télévisuelle prend une place immense ; elle capte l'essentiel de l'information rapide, la presse écrite étant de plus en plus support de commentaires. En Belgique, la liberté de la presse est garantie par la constitution de 1830. Elle est loin d'être également aboutie dans tous les pays francophones.

Pour la littérature, la presse a d'abord été un vecteur de la critique. Mais elle est aussi un lieu de création : ainsi les « recueils périodiques » de poésie du XVIIe s. ont été des ancêtres des revues de poésie. Au XIXe s., deux faits dus à l'industrialisation de la presse modifient le champ littéraire. À partir des années 1830, le roman-feuilleton constitue un genre nouveau. Après le roman découpé en feuilleton (*La vieille fille* de Balzac lancé par Émile de Girardin dans *La presse* en 1836) apparaît le roman écrit pour le feuilleton (Eugène Sue, *Les mystères de Paris*, 1842-1843, y obtinrent du succès, et de nombreux romans parurent ainsi avant d'être repris en volume). La formule du feuilleton – qui peut être œuvre de fiction ou de critique– suscita partout, du second Empire à la Première Guerre mondiale, un fort engouement : les journaux-romans et magazines de lecture contribuèrent à la constitution d'un circuit populaire de production et de diffusion, avec ses propres auteurs (Paul Féval, Xavier de Montépin, Ponson du Terrail) et ses collections (« Modern-Bibliothèque » de Fayard, « Select-Collection » de Flammarion, ancêtres des collections populaires d'aujourd'hui). Dans les colonies (Canada, Québec, Australie), le journal, présenté comme le « livre du peuple », devint au XIXe s. le lieu presque exclusif de publication des écrivains locaux. La même époque voit naître aussi, à l'opposé, des revues à petit tirage, organes des écoles poétiques d'avant-garde. Au XXe s., *La nouvelle revue française* est, dans l'entre-deux-guerres, un pôle de référence pour la vie littéraire. Ensuite, en dépit de l'essor des nouveaux médias, qui consacrent au total peu de leur temps d'émission à la littérature – encore qu'elle ait une place non négligeable sur les radios de service public –, les périodiques spécialisés – suppléments hebdomadaires des quotidiens nationaux, notamment – jouent un rôle important dans la critique, comme certaines revues pour la création neuve – surtout en poésie. Très variée et nombreuse de 1830 à 1930, la presse quotidienne connaît une nette régression ensuite. De fusions en rationalisations, le paysage médiatique se resserre, au moins jusqu'à l'explosion des ressources du net.

La presse est avant tout un lieu de diffusion pour la littérature, par la critique, mais aussi par la publicité. La littérature de grande consommation emprunte le réseau de distribution de la presse périodique à laquelle elle est apparentée tant par le contenu que par la facture matérielle : l'Office de Publicité en Belgique dès la fin du XIXe s., la maison Hachette en France incarnent, parmi d'autres, l'interaction entre presse et littérature. Publicité, communiqués et services de presse alimentent l'information littéraire des journaux. Le développement de la critique littéraire dans les cahiers hebdomadaires de la grande presse (*Le Figaro littéraire*, *Le Monde des livres*, *Libération*) est constitutif du circuit de diffusion moyenne. Certains éditeurs offrent également dans des revues (par exemple *Revue des Deux mondes*) ou des magazines (*Lire*) des extraits d'ouvrages à paraître. Internet procure désormais des « premières pages » de nouveautés littéraires (sur le site de *Libération* par exemple). Mais la presse est aussi, depuis le XIXe s., un lieu de débats littéraires et de discrimination des productions. Le roman-feuilleton est peu prestigieux, et le journalisme, s'il est un « second métier » – souvent le premier, en fait – pour nombre d'écrivains, apparaît souvent comme un modèle négatif aux yeux des auteurs soucieux de la qualité et de l'indépendance de leur art : Balzac, dès *Illusions perdues*, 1837-1843, a tracé l'opposition entre ces deux formes d'écriture, et cette tension est constitutive de l'histoire du champ littéraire depuis un siècle et demi. Il reste que même la grande presse a joué et continue sans doute de jouer un rôle important dans la vie littéraire : Maeterlinck doit sa reconnaissance à un article de Mirbeau dans le *Figaro* (1892) et les chroniques théâtrales ou littéraires des quotidiens n'ont pas moins d'autorité que celles qui paraissent dans des revues confidentielles. En revanche, les petites revues sont un support essentiel pour l'expression des groupes et auteurs nouveaux. C'est pourquoi la recherche littéraire tend à utiliser systématiquement les informations que ces médias ont diffusées, même si les conditions de conservation posent de grands problèmes.

▶ BELLANGER C. et al (dir.), *Histoire générale de la presse française*, Paris, PUF, 1969-1976. — DUDEK L, *Literature and the Press*, Toronto, The Ryerson Press / Contact Press, 1960. — LEPAPE P., *La presse*, Paris, Denoël, 1972. — THIESSE A.-M., *Le roman du quotidien, lecteurs et lecture populaire à la Belle Époque*, Paris, Le Seuil, 2000. — Coll. : « Presse et littérature », *Études françaises*, 2000, 36, 3.

Jacques MICHON

→ *Critique ; Chronique ; Édition ; Journalisme ; Feuilleton ; Médias ; Revue.*

PRIVILÈGE D'IMPRIMERIE

Sous l'ancien Régime, le « privilège d'imprimerie » - on devrait dire : de publication - était un droit d'exclusivité de production et de vente des livres, accordé par le pouvoir royal à un libraire-imprimeur, plus rarement à un auteur, pour une période limitée (qui pouvait aller de six mois à dix ans). Ces droits sont apparus en France au début du XVIe s. : la multiplication des ouvrages imprimés imposait qu'une réglementation protégeât les libraires et les auteurs des contrefaçons, qui pullulaient. Jusqu'à la Révolution, le privilège tint ce rôle, mais servit aussi au contrôle de la production imprimée.

L'usage des privilèges commence à se répandre en France vers 1510. Ils sont alors délivrés par la Chancellerie royale, mais aussi par le Parlement ou le prévôt de Paris, ou par les autorités municipales dans les autres villes. Garantie d'exclusivité, donc instrument économique, le privilège ne protège pas le libraire contre les poursuites de la censure : des ouvrages nantis de privilège ont été par la suite censurés à la suite de pressions politiques ou religieuses et des livres « privilégiés » par la Chancellerie royale refusés par le Parlement. Ces conflits d'autorités furent virulents dans les périodes de troubles de religions. Par une série de mesures (lettres de cachet d'août 1561, ordonnance de Moulins de février 1566), le pouvoir royal soumit la publication d'un ouvrage à sa seule autorité, et imposa l'obligation de faire figurer dans le livre l'adresse éditoriale et la mention du privilège. Ainsi, pour obtenir un privilège, les libraires-imprimeurs devaient-ils déclarer leurs projets de publication, et le privilège fut associé à la demande officielle d'autorisation de publier (édit de Châteaubriant, 27 juin 1551). De sorte que, sans se confondre avec la censure préalable, le privilège en constituait un complément d'ordre économique, donc très efficace : la protection des intérêts de la profession éditoriale allait de pair avec sa soumission. En juin 1618, des Lettres royales réaffirment l'obligation d'imprimer le texte du privilège au début ou à la fin des ouvrages ; une ordonnance de 1629 impose d'y joindre le nom de l'auteur et de l'imprimeur ainsi que la reproduction de la permission d'imprimer. Sous le règne de Louis XIV, les privilèges sont parcimonieusement accordés en même temps que le nombre d'ateliers typographiques est limité. Lorsqu'un privilège était expiré, le livre tombait dans le domaine public. Aussi les grands libraires s'employaient-ils à obtenir des continuations des privilèges qu'ils détenaient, et les petits éditeurs combattaient ce monopole. L'usage s'établit de justifier les prolongations de privilège au nom des éditions « augmentées », des « suites » ou « continuations », etc., toutes formes qui, du coup, pullulent à l'âge classique. D'autre part, le système du privilège n'empêcha ni les contrefaçons, ni les ouvrages interdits, livres publiés à l'étranger (notamment à Amsterdam et Genève) et introduits clandestinement en France, ou prétendus tels. Inversement, les ouvrages publiés en France sont librement réédités à l'étranger au détriment des droits du libraire qui avait obtenu le privilège. La Révolution française mit fin à ce système.

L'abandon du système des privilèges d'imprimerie à la Révolution tient à son lien avec la censure, mais aussi à la question de la propriété littéraire. Longtemps le privilège en fut la seule forme d'attestation officielle, et il constitue à cet égard une sorte de « préhistoire du droit d'auteur ». En effet, les auteurs ont aussitôt agité la question de leur droit et demandé des privilèges en leur nom propre ; ils pouvaient ensuite les céder par contrat à un éditeur. Corneille fut un des plus actifs en la matière et voulait étendre ce droit aux représentations de ses pièces. La Révolution supprima les privilèges d'imprimerie dans le mouvement général d'abolition des privilèges, dans le désir de supprimer un moyen de contrôle de l'opinion, mais aussi et surtout en instaurant, par les lois de 1791 et 1793, la propriété intellectuelle comme droit de propriété privée de plein exercice (la contrefaçon devenant alors punissable selon le régime général).

▶ FEBVRE L. et MARTIN H.-J., *L'apparition du livre*, Paris, 1971. — GUILLEMINOT-CHRÉTIEN G., « Le Contrôle de l'édition en France dans les années 1560 : la genèse de l'édit de Moulins », *Le Livre dans l'Europe de la Renaissance, Actes du XXVIIIe Colloque international d'Études humanistes de Tours (1985)*, Paris, Promodis, 1988, p. 378-385. — Coll. : *Histoire de l'édition française*, 4 vol., R. Chartier, H.-J. Martin (dir.), Paris, Promodis, 1982-1986.

Jean-Frédéric CHEVALIER

→ *Auteur ; Censure ; Marché littéraire ; Édition ; Imprimerie ; Librairie ; Nouvelle ; Propriété littéraire ; Publication.*

PRIX LITTÉRAIRES

Un prix littéraire est une récompense financière et symbolique accordée à un écrivain pour un ouvrage ou pour couronner l'ensemble de son œuvre. La pratique est multiforme et ancienne. Au XXe s. – où elle s'est étendue à de nombreux domaines (festival du film à Cannes par exemple, ou « Molières » pour les acteurs et metteurs en scène de théâtre) – les prix littéraires ont un rôle important dans la promotion et le commerce de la littérature.

L'attribution de prix et de récompenses aux écrivains et aux poètes est une coutume bien établie depuis l'Antiquité. En France, des concours littéraires existent dès le XIVe s. (ainsi les Jeux Floraux toulousains, concours annuel de poésie). L'essor des académies a favorisé cette pratique. Dès le XVIIe s., l'Académie française crée un prix d'éloquence, et au XVIII e s., où les académies abondent, les concours et les prix sont légion : ainsi Rousseau fut-il primé par celle de Dijon en 1750 pour son *Discours sur les sciences et les arts*. La plupart des grands prix actuellement connus ont été créés au début du XXe s. : prix Goncourt (1903) et Femina (1904), prix du roman de l'Académie (1914), prix Théophraste-Renaudot (1926), prix Interallié (1930), prix Médicis (1958). Certains prix sont attribués par les pouvoirs publics (Prix David au Québec, 1922 ; prix du Gouverneur général au Canada 1937 ; grand prix national des Lettres en France, 1951 ; prix de la Ville de Paris, 1970 ; Grand Prix de la francophonie ; prix triennaux et quinquennaux en Belgique depuis le XIXe s.), d'autres par les représentants du commerce du livre (prix des Libraires, 1955 ; prix des Maisons de la presse, 1969 ; prix Rossel). Le phénomène est international (National Book Awards aux États-Unis, 1979, par exemple) et le prix le plus illustre est le prix Nobel de littérature (1901) décerné par l'Académie royale de Suède sans distinction de nationalité. Les prix peuvent concerner un domaine particulier de la création (ex. : le prix Max-Jacob pour la poésie, 1951), mais le roman, genre aujourd'hui dominant de la production littéraire, reçoit la plupart des récompenses.

Les prix littéraires sont devenus une institution littéraire des plus actives au XXe s., et ils donnent lieu à de fréquentes polémiques. La plus usuelle est la dispute sur leur caractère commercial. Ainsi, en France, chaque automne, le rituel des sélections et élections des prix nationaux célèbres (Femina, Médicis... et, par-dessus tout, Goncourt) suscite un tapage médiatique. En général, les membres des jurys concernés sont attachés à des maisons d'édition, comme auteurs, membres de comité de lecture ou directeurs littéraires, et ont tendance à voter selon les intérêts de leur éditeur. Les prix font en effet partie de la stratégie des éditeurs. Leur battage publicitaire peut avoir une incidence considérable sur les ventes (des centaines de milliers d'exemplaires pour le Goncourt), il n'est donc pas étonnant que trois grandes maisons d'édition (Grasset, Gallimard, Le Seuil) captent la quasi-totalité des grandes récompenses annuelles. Aussi reproche-t-on souvent au prix de couronner, selon les intérêts d'un clan ou un engouement passager, des œuvres médiocres et d'ignorer les œuvres novatrices ou significatives. De fait, les représentants des grands courants esthétiques du siècle, surréalisme, existentialisme, nouveau roman ont rarement été primés, tandis que les jugements des jurys n'ont pas toujours résisté à l'épreuve du temps : pour un Proust ou un Malraux (lauréats des prix Goncourt de 1919 et de 1933) combien d'illustres inconnus ?

Mais il ne s'agit là que de la partie la plus visible du phénomène. L'institution des prix met en jeu la constitution de la valeur littéraire. Dans le principe, ils sont conçus comme une forme de mécénat (l'un des objectifs des fondateurs du Goncourt était d'assurer à un jeune romancier une indépendance financière pour qu'il puisse mieux développer son œuvre). La valeur qu'ils constituent est donc tributaire des principes qui les définissent et de la composition de leurs jurys. Certains jurys, composés d'auteurs, sont censés exprimer la reconnaissance par les pairs, l'approbation de la sphère restreinte du champ littéraire. D'autres (comme celui du prix du Livre Inter, ou du Goncourt des Lycéens), composés de lecteurs, sont censés rendre compte des goûts du public. D'autre part, il est des prix et des jurys spécialisés : par exemple le Renaudot est attribué par un jury de journalistes, le Femina, de femmes..., certains vont à un ouvrage, d'autres à l'ensemble d'une œuvre, comme le Nobel. Ainsi, si tous les prix en appellent à la qualité esthétique, l'évaluation de celle-ci subit des variations très déterminées. Dès lors, l'ensemble peut être analysé selon une échelle, entre les prix valorisants sur le plan symbolique et les prix commerciaux et médiatiques. Reste enfin que les prix en eux-mêmes ont été récusés par des écrivains parfois illustres, qui refusèrent de présenter leur candidature ou récusèrent le prix qui leur était décerné (Sartre).

▶ DUCAS S., *La reconnaissance littéraire, littérature et prix littéraires : les exemples du Goncourt et du Femina*, thèse de doctorat, Université de Paris-VII, 1998. — HAMON H. & ROTMAN P., *Les intellocrates. Expédition en haute intelligentsia*, Paris, Ramsay, 1981. — HEINICH N., *L'épreuve de la grandeur, prix littéraires et reconnaissance*, Paris, La Découverte, 1999. — Coll. : *Les prix littéraires. Programmes, valeurs, dates, jurys, historiques*, nouvelle édition, Paris, Jouve & Cie éditeurs, 1934.

Jacques MICHON

→ *Champ littéraire ; Édition ; Institutions ; Marché ; Roman ; Stratégie littéraire ; Succès ; Valeurs.*

PROCÈS → Censure

PROLÉTARIENNE (Littérature)

La littérature prolétarienne rassemble des activités et des textes littéraires dont les auteurs sont des ouvriers, principalement issus de l'industrie lourde. L'expression apparaît en Europe entre les deux guerres mondiales au moment où le mouvement communiste commence à réévaluer des auteurs méconnus et à faire connaître de nouveaux écrivains ouvriers et paysans. Le vécu biographique de ces auteurs constitue l'élément central de leur identité littéraire.

Dans le domaine francophone européen, la littérature prolétarienne recouvre deux courants successifs. Peu après 1900, se développe en France un petit groupe d'auteurs, emmenés par Charles-Louis Philippe, qui connaissent un certain succès : Émile Guillaumin (*La vie d'un simple*, 1904), Léon Frapié (*La maternelle*, prix Goncourt 1904), Marguerite Audoux (*Marie-Claire*, prix Femina 1910) etc. Bénéficiant de l'appui des découvreurs professionnels que sont André Gide et Octave Mirbeau, ces auteurs livrent des textes souvent autobiographiques, rédigés de manière dépouillée. Marcel Martinet, promoteur dès 1914, d'un « art de classe » se situe dans la même ligne.

Vingt ans plus tard, le retentissement mondial des thèses du *Proletkult* russe, relayées par l'Internationale communiste, débouche sur un vaste débat engagé par la revue *Monde* d'Henri Barbusse et d'Augustin Habaru où interviennent surréalistes et populistes, communistes, écrivains et intellectuels engagés. Surgissent alors, pêle-mêle, un courant organisé de correspondants ouvriers (*L'humanité* lance des concours à ce sujet), un débat sur la légitimité d'auteurs définis par leur origine sociale plutôt que par leur discours littéraire et sur la possibilité d'une intervention du monde communiste dans les querelles littéraires. À partir de 1928, *Monde* révèle ainsi des écrivains totalement marginaux comme l'ouvrier mineur belge Constant Malva (*Ma nuit au jour le jour* écrit en 1937-1938, et publié en 1954) tandis que Henri Poulaille publie chez Valois et chez Bernard Grasset la plupart des auteurs prolétariens significatifs (*Nouvel Âge littéraire*, Paris, Valois, 1930). Vers 1928-1932, le champ littéraire français se passionne pour ce débat politico-littéraire – dont il accepte dès lors la légitimité –, avant de se tourner vers celui de l'engagement antifasciste, qui relève d'une autre logique, celle de la mobilisation des grands intellectuels contre le fascisme (les « compagnons de route » du parti communiste). Pour l'essentiel, le mouvement de la littérature prolétarienne perd à ce moment sa raison d'être.

L'intérêt pour les écrivains ouvriers subsiste néanmoins chez tous ceux qui seront attentifs aux « voix d'en bas », en particulier dans les deux décennies qui suivent 1968. C'est à cette époque que l'audience du mouvement franchit le cercle étroit des premiers défenseurs de la littérature prolétarienne pour gagner, fût-ce brièvement, un public plus vaste, notamment dans les milieux de l'enseignement et de l'animation culturelle.

La littérature prolétarienne s'inscrit dans la continuité de l'art social du XIXe s., mais elle en déplace les critères. Aux ouvriers poètes, souvent issus de la petite-bourgeoisie, qui prétendaient s'imposer par la convocation de sujets populaires et de thématiques édifiantes, aux ouvriers et aux petits artisans qui rêvent d'un monde meilleur dans les parages du saint-simonisme et du fouriérisme, le mouvement prolétarien substitue des témoins directs de la misère ouvrière et paysanne. Cette perspective fait surgir un nouveau regard sur les événements. Tel est en tous cas le souhait de C.-L. Philippe (« J'ai une impression de classe. Les écrivains qui m'ont précédé sont tous de classe bourgeoise. Les choses qui m'intéressent ne sont pas les leurs... », cité par Émile Guillaumin, *Mon compatriote C. L. Philippe*, Paris, Grasset, 1942, p. 120) et de ses successeurs, en Belgique et en France.

L'ambition de ces écrivains peut sembler paradoxale. Ils veulent en effet dire la vérité du monde du travail tout en s'écartant du documentaire ou du reportage direct. Ils se défient également des pièges du style et de l'imaginaire perçus comme bourgeois. Ils s'inscrivent par là dans une recherche d'un « degré zéro de l'écriture » (Barthes) qui prend la forme d'un défi : inventer des formes littéraires grâce auxquelles leur irrécusable témoignage puisse à la fois préserver sa différence et conquérir son public.

▶ AMBROISE J.-C., *Henry Poulaille et le mouvement français pour la littérature prolétarienne*. Thèse de doctorat, Université de Rennes I, 1998. — ARON P., *La littérature prolétarienne en Belgique francophone depuis 1900*, Bruxelles, Labor, 1995. — MOREL J.-P., *Le roman insupportable. L'Internationale littéraire et la France (1920-1932)*, Paris, Gallimard, 1985. — PÉRU J.-M., « Une crise du champ littéraire français », *ARSS*, sept. 1991, 89, p. 47-65. —

RAGON M., *Histoire de la littérature prolétarienne en France*, Paris, Albin Michel, [1953], 1986.

Paul ARON

→ *Art social ; Écriture ; Engagement ; Ouvrière (Littérature) ; Populisme ; Réalisme socialiste.*

PROPAGANDE

La littérature de propagande se définit par son objet : propager ou conforter une relation de confiance et de foi à l'égard du pouvoir, des corps ou des institutions (l'Église, l'État) qui l'appuient, ou bien à l'égard d'un parti, d'un mouvement, d'une secte. Elle se donne donc sous les aspects d'une littérature d'idées et d'une littérature engagée et ses moyens sont ceux de la rhétorique persuasive. De la chanson au pamphlet et de l'essai au roman, tous les genres peuvent se plier à la visée du propagandiste, du placard au livre et aux périodiques, tous les supports de diffusion peuvent être mobilisés.

La littérature de propagande apparaît dès l'Antiquité, aussitôt que l'homme de lettres se place sous la protection d'un mécène dont il épouse la cause et use à son égard de l'épidictique. Elle se développe surtout dans les contextes où la légitimité des pouvoirs est combattue, et où l'écrivain sert de relais aux convictions d'un groupe. Les conflits religieux (*Les tragiques* d'Agrippa d'Aubigné en 1616 ou *Les provinciales* de Pascal en 1656), la Fronde (les mazarinades), l'émergence des Lumières sont autant de moments où s'affrontent des écrits de propagande. À mesure que le propagandiste dispose de supports facilement accessibles à un large public (presse quotidienne, brochures à bas prix...) et que les systèmes de diffusion de l'imprimé se structurent, sa production est cependant prise en charge par des organes ou par des éditeurs spécialisés de sorte qu'à l'image des romans catholiques ou des brûlots anarchistes du tournant du XIXe s., elle ne s'adresse souvent qu'à des lecteurs déjà convaincus. À l'image de *J'accuse* (1898) de Zola, moment-clé d'une campagne de presse, elle contribue cependant à rassembler des forces jusqu'alors dispersées autour d'une cause donnée et permet de relancer un débat dans l'opinion publique. Au XXe s., les nationalismes militants en France et au Canada-français, les mouvements régionalistes, les idéologies de droite comme de gauche ont donné lieu à une abondante production de propagande qui s'est cependant étiolée après la désintégration de l'empire soviétique.

Un texte de propagande répond souvent à un autre texte de propagande tandis que son auteur peut être, d'une manière ou d'une autre, attaché à un protecteur ou, dans la période contemporaine, inféodé aux directives d'un parti ou d'une organisation. Aussi la littérature de propagande est-elle méprisée de tous ceux qui pensent que les sphères de l'art et du politique sont radicalement séparées, le propagandiste passant à leurs yeux pour le vulgarisateur d'un discours manipulateur et mensonger, dépourvu de prétentions esthétiques. Mais entre ces deux sphères, la frontière est floue. Le texte de propagande ne peut être pleinement compris que si sa lecture tient compte de l'événement qui lui donne naissance, de la configuration discursive dans laquelle il s'inscrit et de la position de son signataire dans le champ littéraire. Si, à l'exemple des contes de Voltaire, de la pornographie militante de beaucoup d'écrits libertins, l'œuvre de propagande (l'anti-propagande rejoignant la propagande) investit volontiers des formes tenues pour mineures, elle contribue toutefois à les légitimer. Caractérisé par une importante dimension dialogique, par le jeu de registres différents lui permettant de s'adresser à un public qu'elle envisage dans sa diversité culturelle, son travail d'écriture l'amène en effet à se prêter, aux dépens de ses intentions, à des lectures plurielles. Par la production de textes de propagande, l'homme de lettres définit donc sa position vis-à-vis du pouvoir et de ses représentants aussi bien que vis-à-vis de ses pairs : lorsqu'il se définit comme écrivain engagé, il affirme qu'il a vocation à exercer une responsabilité sociale et historique.

▶ CHARLE C., *Naissance des intellectuels (1880-1900)*, Paris, Minuit, 1990. — JOUHAUD C., *Mazarinades : la Fronde des mots*, Paris, Aubier, 1985. — MARX J., « Catéchisme philosophique et propagande éclairée au XVIIIe siècle », *Problèmes d'histoire du christianisme*, 1987, n° 17, p. 121-44. — MOREL J.-P., *Le roman insupportable. L'internationale littéraire et la France (1920-1932)*, Paris, Gallimard, 1985.

Denis PERNOT

→ *Adhésion ; Apologie ; Doxa ; Engagée (Littérature) ; Épidictique ; Idéologie ; Pamphlet ; Polémique ; Réalisme socialiste ; Religion.*

PROPRIÉTÉ LITTÉRAIRE

La propriété littéraire est une partie de la propriété intellectuelle et artistique. Elle réside non seulement dans les « droits d'auteur », revenus qu'un écrivain tire de ses ouvrages, à quoi la réduit souvent l'usage courant, mais dans un ensemble complexe de droits matériels et moraux.

La propriété littéraire est une propriété d'auteur : c'est à dire qu'elle repose non sur un bien transmis par héritage ou acquis par achat, mais sur la reconnaissance d'un travail ayant produit une œuvre. C'est à ce titre qu'elle participe de la propriété intellectuelle et artistique : une invention ou une œuvre sont des fruits du travail de l'esprit. Mais ils ne sont tangibles que par leur matérialisation en un objet : un « brevet » pour les inventions, un texte ou un tableau ou une sculpture pour les œuvres. Aussi la propriété littéraire repose-t-elle sur l'originalité de la forme du texte : d'une part, pour justifier l'attribution de propriété, il faut qu'il y ait un travail spécifique – donc un texte recopié d'un autre auteur ne justifie pas l'attribution de propriété ; d'autre part, les « idées » sont « à tout le monde », ou dans l'air du temps, et seule la façon de les « mettre en forme » est identifiable dans sa singularité, son « originalité » au sens premier du terme. La conséquence en est un lien intrinsèque entre l'originalité et l'écriture : c'est la fixation par l'écrit qui permet de stabiliser un texte comme forme spécifique et de pouvoir l'attribuer à un auteur.

À partir de ces fondements, cette propriété se traduit par des droits « moraux ». Le premier est le droit de paternité, c'est à dire la reconnaissance que tel texte est bien « de » tel auteur. Il s'exprime, du côté de l'auteur, par la signature, du côté de la société, par la protection contre le plagiat. Le second est le droit de publication (ou divulgation, ou diffusion) : il réserve à l'auteur la décision de rendre ou non son texte public, et les façons de le faire (sans quoi un texte montré en manuscrit à quelques personnes, ou prononcé devant un auditoire limité, pourrait être édité par quiconque l'aurait ainsi capté). Le troisième est le droit de repentir : un auteur peut modifier, voire supprimer, son texte, même après l'avoir rendu public. Le quatrième est le droit au respect : un texte, s'il est reproduit (par édition ou par citation) doit l'être sans altération (sans quoi, ou pourrait faire imputer à l'auteur des propos interdits ou simplement contraires à ses vues, ou encore faire perdre au texte ses qualités formelles). Ces droits fondamentaux se traduisent en des droits pratiques (ou patrimoniaux, ou « matériels »). Le premier est le droit de transmission, de donner son texte par lecture, par copie, ou par transfert de droits (ce qui se passe dans un contrat éditorial), y compris à des héritiers ou des légataires. Le second est le droit de rétribution, de tirer des revenus de son œuvre (les « droits d'auteur » au sens banal de cette expression). Le troisième est celui de « suite » (ou de « droits dérivés ») : une traduction, une adaptation à la scène ou à l'écran, peuvent modifier la « langue » du texte mais en conserver les structures (personnages, intrigue, etc.), donc un élément essentiel de sa forme ; l'auteur a droit de regard (d'accepter ou non l'adaptation ou la traduction) et de rétribution. Ces droits appellent en retour des obligations. Notamment, la propriété littéraire est soumise à l'observation des lois : les idéologies proscrites dans le droit politique sont opposables aux textes, comme aussi les lois civiles (contre la calomnie, la diffamation, l'injure et la menace). Ainsi la signature, fondatrice de la propriété, l'est aussi de la responsabilité de l'auteur.

La propriété littéraire est indissociable de l'auteur, et liée à l'écrit, la forme et l'originalité, éléments constitutifs de la valeur littéraire. Mais ces éléments s'appliquent à toute espèce de textes : littérature est entendu dans cet emploi de « littéraire » en son sens ancien et général. L'idée d'originalité de la forme y est conçue comme une valeur vérifiable (l'opposé du plagiat), non comme celle d'une « littérarité ». Ce substrat manifeste que si la propriété littéraire est une valeur dans les lois, la « valeur de cette valeur », sa valeur symbolique, la qualification d'un texte comme relevant de la littérature (au sens moderne du terme), appartient au domaine des opinions et non à celui des codifications juridiques. Cet argument a permis en retour, depuis les années 1850, à des écrivains accusés d'immoralité dans leurs œuvres (ainsi Flaubert ou Baudelaire), de plaider l'incompétence des juges (« une œuvre littéraire ne peut pas se juger à l'aune de la morale ordinaire »).

L'habitude d'attacher un texte à un auteur et de reconnaître son travail est antique, mais non la reconnaissance légale de la propriété littéraire. Ainsi, dans la Grèce classique, les poètes de théâtre recevaient des prix décernés par la Cité, mais le financement des spectacles était en général à la charge d'aristocrates évergètes, qui, aux yeux du public étaient autant auteurs (du spectacle) que les écrivains (auteurs du texte). Au Moyen Âge, l'idée de propriété n'est pas établie, d'autant que souvent les textes n'étaient pas signés. Une modification fondamentale advint avec l'imprimerie et la communication différée généralisée qu'elle permet. Dès lors, la publication fit appel à des entrepreneurs spécialisés et le livre devint un objet commercial, ce qui entraîna une réglementation – que les libraires-imprimeurs réclamaient, et que les pouvoirs souhaitaient pour contrôler le mouvement des idées. Peu à peu se mit en place le système des privilèges et des permissions d'imprimer. Dans ce cadre légal embryonnaire, la propriété littéraire était pour partie imposée (il fallait que le nom de l'imprimeur figurât sur les ouvrages) et pour une autre part possible à réclamer (le commerce du livre ou du spectacle procurait des revenus). Aussi on vit dès le XVIe s. des procès et revendications de propriété littéraire. Cependant, de grands personnages faisaient rédiger des pamphlets par des gens de lettres à leur service et en étaient considérés comme les auteurs ; de même, si des membres d'une communauté religieuse rédigeaient des textes pour celleci, elle en était propriétaire autant ou plus qu'eux-mêmes ; et les « poètes » de théâtre écrivaient sur commande pour la troupe dont ils faisaient partie, qui s'appropriait leurs œuvres. De plus, nombre d'auteurs préféraient ou devaient rester anonymes. De sorte que l'idée de propriété littéraire restait confuse. Au XVIIe s., le succès du théâtre donna aux auteurs un moyen de pression sur les troupes et les éditeurs. Ainsi Corneille fut le premier sans doute à affirmer ses droits, à prendre des privilèges à son nom et à les négocier par contrat. Peu à peu, la rétribution de l'écrivain dramaturge au pourcentage des recettes entra dans les usages, de même que la lutte (par Cyrano de Bergerac par exemple) contre le plagiat, pratique alors courante. La légitimité accrue des écrivains, attestée notamment par l'essor des académies, appelait une reconnaissance juridique proportionnée. Mais les plagiats, contrefaçons, et éditions pirates n'en pullulaient pas moins. Aussi, la tension entre dénégation et reconnaissance partielle de la propriété littéraire fut constante un siècle durant. La fondation de la société des auteurs de théâtre autour de Beaumarchais (1777) marqua une étape importante. La Révolution, abolissant les privilèges d'édition en même temps que les autres, instaura (lois de 1791 et 1793) la propriété intellectuelle et littéraire sur le modèle de la propriété individuelle qui constitue un de ses fondements idéologiques. Les écrivains s'organisèrent ensuite en sociétés, et les deux siècles suivants ont vu un progressif renforcement des lois. L'apparition de nouveaux médias (presse industrielle, radio, cinéma, télévision), où les formes dérivées (droits d'adaptation) abondent et représentent des sommes importantes y contribua largement. En même temps, le métier d'auteur a reçu un statut, tant fiscal (exonération partielle d'impôts sur les revenus littéraires) que légal. Une mise à jour législative a été réalisée en France en 1957. Le foisonnement des traductions et adaptations a exigé aussi une harmonisation internationale des lois en la matière. En effet, selon les pays, les règles (ainsi le *copyright* anglo-saxon ne porte pas la même attention aux droits moraux) et les durées (avant que les textes ne tombent dans le « domaine public ») varient. Aussi de longue date ont été établis des conventions internationales (Berne, 1882, Genève, 1952, 1991). À l'orée du XXIe s., la pratique du « photocopillage » affecte les ventes de livres. Aussi, au principe déjà établi de limiter les droits de citation à quelques lignes, s'est ajouté celui d'une taxe sur les photocopies, qui alimente un fond d'aide aux auteurs. L'essor des emprunts en bibliothèque amène des auteurs et des éditeurs à réclamer (en France ; dans d'autres pays, la règle est établie) que le prêt en bibliothèque soit payant, et que les recettes soient affectées aussi à un fond social pour les auteurs. Enfin, l'internet permet la diffusion massive de textes, sans considération des territoires nationaux, donc des aires d'application des lois. Les États envisagent une taxation sur ces usages. Mais des sociétés privées envisagent, elles, des logiciels capables de relever tout emploi d'un texte, et proposent d'assurer le suivi des droits des auteurs, contre une part des revenus concernés. Surgit alors la question d'une uniformisation mondiale de la législation qui, dans un monde capitaliste, serait sans doute propice aux droits matériels des auteurs, mais risque en contrepartie d'éroder les droits moraux et les libertés littéraires ou les possibilités d'aides à la création.

▶ COLOMBET C., *Propriété littéraire et artistique et droits voisins*, 9e éd., Paris, Dalloz, 1999. — DESBOIS H., *Le droit d'auteur en France* : propriété littéraire et artistique, Paris, Dalloz, [1963] 1978. — GAUTIER P.-Y., *Propriété littéraire et artistique*, 3e éd., Paris, PUF, 1999. — FAULTRIER-TRAVERS A. de, *Le sujet de l'écriture*, Presses Universitaires de Caen, 1994. — VIALA A., *Naissance de l'écrivain*, Paris, Minuit, 1985.

Alain VIALA

→ *Auteur ; Écrivain ; Édition ; État ; Littérature ; Originalité ; Plagiat ; Privilège d'imprimerie ; Publication ; Signature ; Sociétés d'auteurs ; Style ; Valeur.*

PROSE

« Tout ce qui n'est point vers est prose », disait M. Jourdain, et cette définition est sans doute la plus parlante : la prose est la forme usuelle de l'expression langagière. Elle a pourtant de longue date place dans l'art du langage.

Dans les variations des définitions de la littérature au fil du temps, la prose occupe une part considérable de l'art littéraire dès lors qu'on ne réduit pas celui-ci à la seule poésie versifiée. La prose constitue par excellence la forme appropriée pour les propos de « vérité » : dans les Belles-Lettres, elle correspond à l'histoire et à l'éloquence (et au sein de celle-ci, non seulement à l'art oratoire, mais aussi à l'essai et aux formes du dialogue, depuis Platon). Cette opposition entre prose et poésie a longtemps été une structure majeure de la représentation du littéraire. Mais elle a aussi été très tôt mise en questions. Ainsi Montaigne dit dans les *Essais* qu'il sème des citations de la prose de Platon comme de la « première poésie ». Au XVIIe s., Pellisson (*Vers en prose, prose en vers*) joue à exhiber les risques de prosaïsme en poésie et les ressources poétiques de la prose, même s'il admet que les vers sont le procédé convenable à marquer les temps de langage délibérément distinct. Mais il s'inscrit la lignée de Guez de Balzac, tenu alors, pour ses *Lettres* (1624) notamment, pour le maître de la prose d'art en France. De fait l'opposition entre prose et poésie s'est ensuite progressivement réduite, jusqu'à ce que le poème en prose abolisse la frontière et que soit admis que le signifiant langagier peut être littérarisé en prose comme en vers.

Si les critères de mesure et de définition de l'énoncé poétique sont multiples et incontestables (formels : rythme, unités métriques, sonorités, etc. ; sémantiques : lyrisme, métaphore, etc.), la prose offre, quant à elle, l'originalité de ne se donner à percevoir et à définir que dans ce qu'elle n'est pas. Le problème de la prose est celui du prosaïsme utilitaire de son énonciation. La prose, c'est l'énoncé brut ou immédiat, servile et transparent – au service de la pensée –, fondamentalement in-signifiant en soi : par la prose, « il s'agit d'obtenir l'adéquation de la forme et du fond, de réaliser le groupement de signes qui correspondra, sans déchet ni supplément, au tissu des idées » (Lanson). C'est ainsi qu'il y a des vers derrière lesquels se reconnaît la prose de l'intention. Morale et usage se retrouvent très vite dans le discours sur l'énoncé prosaïque, qui peut cependant devenir digne d'intérêt si l'énonciation s'inscrit dans une perspective esthétique affichée, comme dans l'éloquence ou l'oraison. La prose est alors l'outil d'un discours, d'un traité, d'une lettre, à codage rhétorique fort : car elle est historiquement la forme fondamentale de l'éloquence, donc de l'art verbal rhétorique. Elle devient un instrument envisageable dans sa matérialité verbale dans la mesure où la finalité de l'énonciation qui la prend en charge relève d'une pratique sociale respectée et fondée en autorité par les règles antiques de « l'Art du discours ». Réalité fondamentalement inexistante en elle-même, puisque partout et toujours énoncée au-delà d'elle-même, la prose pose alors le défi de sa conceptualisation. Les analyses rhétoriques antiques et classiques envisageaient les cadences oratoires, les périodes et les structures propres à la prose pour en rechercher l'expressivité, donc tirer la prose du côté de la poésie pour lui assurer, non seulement une respectabilité esthétique, mais une existence conceptuelle. Ainsi le *Cours de Belles-Lettres* de l'abbé Batteux (1763[1747]) envisage les rythmes et sonorités comme effets propres du discours en prose pour frapper l'esprit des auditeurs. De fait, pendant longtemps toute « stylistique de la prose » ne faisait que rechercher et retrouver les fantômes des unités strophes, vers, rythmes et sonorités sous les découpages grammaticaux de la phrase et de la proposition ou du paragraphe. Un auteur dont la prose n'avait pas le bon goût d'offrir de tels angles d'analyse était jugé « écrivain détestable » : Balzac ou Stendhal se voyaient refuser la qualité d'un style qui n'était jugé inexistant que parce que l'outil d'analyse qui devait en rendre compte avouait de la sorte son aporie ; en revanche, Bossuet ou Fénelon, puis Rousseau, Chateaubriand, et surtout Flaubert mais aussi Céline plus tard, prosateurs d'une écriture qui regarde (et écoute) fortement du côté du rythme, voire des vers (blancs), ont été tôt sacrés brillants stylistes. L'habitude de mettre la prose à la remorque de la poésie a pourtant commencé à changer en France au XVIIIe s. avec Buffon : la prose, estime-t-il, peut peindre mieux que la poésie, parce qu'elle est dégagée d'une série de contraintes métriques et formelles. Dans la première moitié du siècle suivant, avec les articles de Stendhal, de Balzac, de Hugo, de Nodier surtout qui apporte sa caution scientifique de linguiste et de philologue (« De la prose française et de Diderot », *Revue de Paris*, 1830), une réflexion s'engage sur la nature de l'énoncé prosaïque. La question de la poésie y est encore essentielle. Ainsi Balzac s'interroge sur la possible incomplétude esthétique de l'œuvre nouvelle : « La poésie sans la mesure est peut-être une impuissance? peut-être n'a-t-il [l'auteur] fait qu'indiquer le sujet à quelque grand poète, humble prosateur qu'il est! Peut-être le Mysticisme y gagnera-t-il en se trouvant dans la langue si positive de notre pays, obligé de courir droit, comme un wagon sur le rail de son chemin de fer » (*Préface du Livre mystique*, 1835-1836). L'image prosaïque du chemin de fer résume cet impératif de l'allant qui est celui-là même qui conduit l'énoncé en prose ; et elle bouscule les hiérarchies traditionnelles du noble et du commun en littérature. L'excuse de Balzac, de ne pas avoir su rythmer sa phrase, et son appel à un poète supérieur, ne doivent pas leurrer : il y a dans ces lignes la consécration d'une forme dont Michelet dira peu après qu'elle est « le grand genre du siècle ». Et, parallèlement, Baudelaire utilise les ressources déstabilisantes et subversives de la prose dans la poésie, rendant vain tout clivage catégorique. Ce bouleversement s'est produit au XIXe s. parce que cette période est une charnière dans le renouvellement du champ épistémologique occidental, dont l'élargissement et le renouvellement appellent un langage autre. Jusqu'alors, seule la poésie ou la prose éloquente, énoncés ennoblissants, avaient droit à véhiculer les valeurs de la raison et de la science. Le discours philosophique avait – outre des tentatives de poésie didactique – évité par la démonstration irréfutable de la pensée transcrite par la prose la zone de suspicion où la critique se fait en termes de qualité de l'expression et non de justesse de la pensée. Au XIXe s., si les discours scientifiques, politiques ou religieux et bien sûr philosophiques continuent à utiliser la prose comme un vêtement utilitaire au service d'une vérité qui en légitime l'emploi (« la prose du monde », selon Foucault), une révolution advient dans l'usage des savoirs que s'annexe à son profit la prose narrative romanesque. En s'arrogeant le droit d'énoncer la multitude des discours politiques, psychiques, esthétiques, la prose romanesque fait alors éclater les catégories ontologiques préexistantes. Tel fut le tour de force des grands romanciers. Ils utilisent un énoncé qui n'existe pas en tant que tel comme forme, insignifiant et invisible, pour prendre en charge des discours opaques et responsabilisants : discours de la science, discours de la morale, discours de la polémique, etc. ; or leur réunion fait sens et les sort des chemins élitistes d'une énonciation doctrinale, pour les mettre au service d'une prose elle-même au service d'une fiction. Ils matérialisaient la démocratisation ambiguë de ces discours : seule l'universalité de la prose, du fait de la liberté formelle et théorique dont elle jouit, rendait possible cette démocratisation. Elle devint la langue du réalisme (Auerbach), et du fait de ce prosaïsme énonciatif, le réalisme fut souvent lu comme trivialité a-poétique. Mais le XIXe s. subit lui aussi une évolution rapide, reproduisant sur soixante années environ le combat qui avait opposé pendant plusieurs siècles la prose vulgaire à la poésie noble, et les prosateurs des années 1870-1900 ne cessent de rechercher une forme qui réunirait les qualités inhérentes aux deux modes d'énonciation : ainsi la prose de l'écriture-artiste des Goncourt. Lanson rédige alors un traité de l'art de la prose contre cette prétention à ne pas assujettir la prose à ses impératifs de « propriété, clarté, brièveté, netteté, ordre ». Il fait resurgir le primat de l'utilitaire et de la transparence. Le point de vue de Lanson n'est pas une caricature ; il témoigne, simplement, de la résistance à penser la prose autrement que sur le mode d'un dédoublement graduel : première étape, énoncé référentiel, seconde étape, énoncé « poétique », cette hiérarchie dit la valeur. Le fait que les discours théoriques sur le vers et la poésie se soient multipliés tout au long du XXe s., quand les analyses de la prose se consacraient à des réalisations génériques particulières (roman, récit, conversations) en négligeant la matrice énonciative fondatrice, atteste du malaise non résolu à définir la prose dans un sens qui ne soit pas normatif-prescriptif. Le phénomène linguistique du primat d'une parole prosaïque sur une parole poétique en termes de hiérarchie des usages mais renversé par les valeurs esthétiques (poésie plus et mieux que prose), problématisé historiquement au XIXe s., est la conséquence en est cette difficulté d'approche définitionnelle d'une réalité toujours en deçà ou au-delà de ce qu'elle véhicule comme un support.

▶ AUERBACH E., *Mimesis. Dargestellte Wirklichkeit in der abendländischen Literatur*, Bern, Francke AG Verlag, 1946 ; trad. fr. C. Heim, *Mimésis. La représentation de la réalité dans la littérature occidentale*, Paris, Gallimard, 1968. — FOUCAULT M., *Les mots et les choses*, Paris, Gallimard, 1966. — LANSON G., *L'art de la prose* [1908], Paris, La table ronde, 1996 (avec une présentation de M. Sandras). — MALLARMÉ S., *La musique et les Lettres* (1895), *in Œuvres complètes*, H. Mondor & G. Jean-Aubry (éd.), Paris, Gallimard, « La Pléiade », 1945.

Éric BORDAS

→ *Belles-Lettres ; Discours ; Éloquence ; Essai, Dialogue ; Histoire ; Poème en prose ; Poésie ; Rhétorique ; Style ; Vers, versification.*

PROSODIE

La linguistique contemporaine a désigné par prosodie l'étude des phénomènes phoniques ne relevant pas de l'analyse en phonèmes et constituants immédiats. Issue de la conception quantitative de la syllabe, la prosodie prend pour objet le timbre, la hauteur, l'intensité, la durée, les données physiques des « fonctions prosodiques » (ou *prosodèmes*) que sont le ton, l'intonation et l'accent. L'opposition du phonématique, dimension segmentée, discontinue, du langage, et du prosodique, composante suprasegmentale (continue, non discrète), avait réduit la fonction du prosodique en français, mais les linguistiques de l'énonciation l'ont réévaluée (Ducrot et Todorov, 1972).

Formé à partir du grec ancien *prosôdia* (chant accompagné d'un instrument, puis variations de hauteur de la voix, et réalisation de l'accentuation de mot), le terme prosodie désigne, dans les métriques grecque et latine, les oppositions de longueur entre les syllabes. La métrique organise le discours en fonction des schémas combinant ces syllabes, sur la base d'une équivalence, une syllabe longue valant deux syllabes brèves ; on parlait en ce cas de « pied » pour désigner ces unités sonores.

La prosodie française s'est d'abord inspirée de la latine. Un abus de langage a fait confondre le pied et la syllabe dans la versification française. En se dégageant peu à peu du latin, langue à syllabes quantitativement contrastées, le français a changé aussi de métrique. C'est ce qui explique que les tentatives pour restituer arbitrairement des pieds dans les vers français (Jean-Antoine de Baïf, 1574) aient échoué. Une tradition peu regardante a cependant continué à assimiler les deux notions. Un pied a donc d'abord désigné un groupe de deux syllabes (on a considéré que l'alexandrin était un vers de six pieds), puis une seule syllabe (on lit encore parfois, à tort, que l'alexandrin est un vers de douze syllabes ou douze pieds). Or, la syllabe n'est pas une unité métrique du français, mais une unité linguistique, entrant dans la composition des vers métriques français, lesquels sont caractérisés par le regroupement d'un certain nombre de syllabes sous un accent final (mètres simples) ou sous deux accents, un final et un médian, la césure (mètres complexes). Le pied est donc une notion inadéquate pour la métrique du vers français.

En littérature moderne la prosodie regroupe des phénomènes linguistiques marqués : la versification, l'allitération (répétition d'une même consonne sur plusieurs mots), l'assonance (répétition, à la fin de plusieurs vers, d'une voyelle finale sans consonne semblable, comme dans la laisse épique), et la rime (répétition de la dernière voyelle accentuée et des phonèmes qui la suivent ou précédent).

La nature et la valeur de la prosodie dans les textes littéraires est une donnée théorique et historique. Pour la rhétorique, l'assonance et l'allitération étaient des figures, des effets locaux, discontinus, à valeur expressive et mimétique. On connaît l'exemple de Racine : « Pour qui sont ces serpents qui sifflent sur vos têtes » (*Andromaque*), et la valeur d'harmonie imitative conférée traditionnellement à l'allitération des *s*. Actuellement, la prosodie est un élément essentiel pour l'analyse poétique. Meschonnic (1982) désigne par ce mot la composition consonantique et vocalique des mots, réservant l'accent à la constitution du rythme (qui n'est plus assimilé à la métrique). Par leur répétition, et la mise en relation des signifiants entre eux, ces phonèmes constituent des chaînes de signifiance. La prosodie ainsi définie, bien que distincte du rythme, en est cependant indissociable, par l'effet d'accentuation consonantique qui s'ajoute au rythme accentuel de groupe de syllabes, et, pour les vers métriques, à l'accent de fin de vers et à l'accent de césure. Ainsi conçus, la prosodie et le rythme sont les marques d'une oralité spécifique, c'est-à-dire de la manière dont une subjectivité, qui n'est pas d'ordre psychologique mais poétique, organise la signifiance du texte littéraire.

▶ DESSONS G., MESCHONNIC H., *Traité du rythme, des vers et des proses*, Paris, Dunod, 1998. — DUCROT O. & TODOROV T., *Dictionnaire encyclopédique des sciences du langage*, Le Seuil, 1972. — DURAND M., « Le bon roi Dagobert », *Le français moderne*, 1950, p. 203-215. — MESCHONNIC H., *Critique du rythme, anthropologie historique du langage*, Grasse, Verdier, 1982. — Coll. : Article *Rising and falling rhythm* dans *The New Princeton Encyclopedia of Pœtry and Pœtics*, Alex Preminger & T. V. F. Brogan (éd.), Princeton University Press, 1993.

Gérard DESSONS

→ *Linguistique ; Oral ; Poème en prose ; Poésie ; Prose ; Rythme ; Vers, versification.*

PROTESTANTISME → Réforme

PROVERBE

Le proverbe consiste, en un premier sens, en une forme populaire brève, qui énonce de façon métaphorique une vérité d'expérience ou un conseil de sagesse. Il est alors proche du dicton et de l'adage, autres formes lapidaires de même fonction (mais en principe non-métaphoriques). Dans une acception dérivée, il désigne aussi une forme de comédie brève, en vogue aux XVIIIe et XIXe s.

Le mot apparaît à la fin du XIIe s. dans l'*Ysopet* de Marie de France, à l'époque où des clercs forment des listes de proverbes, parfois assortis de traductions latines (*Proverbes au vilain, Proverbes communs, Proverbes ruraux et vulgaux*). Le caractère populaire de ces énoncés fait toutefois difficulté : non seulement leur provenance exacte n'est pas précisée, mais certains présentent en fait une origine savante (Bible, Caton, etc.), et le terme proverbe désigne alors aussi des sentences tirées de la littérature antique (*Proverbes des sages*). La fonction de ces recueils est également mal connue, mais leur nombre atteste la séduction exercée par le genre sur les lettrés : le proverbe, dans sa double fonction d'ornement rhétorique et d'argument est abondamment sollicité dans la prédication et dans tous les genres littéraires du XIIe au XVe s. La tradition des proverbes en rimes puis la mode de l'épiphonème (clôture proverbiale de la strophe) font du proverbe l'un des ornements privilégiés de la poésie.

À la Renaissance, les humanistes collectionnent les proverbes antiques : le succès européen des *Adages* réunis et commentés par Erasme entre 1500 et 1536 suscite rapidement des émules. Leur curiosité s'étend au proverbe populaire, objet de compilations diverses, parfois versifiées (*Notables, enseignemens, adages et proverbes*, de P. Gringore, 1527) ou commentées (*Proverbiorum vulgarium Libri Tres*, de Ch. de Bovelles, 1531). Prosateurs et poètes recourent encore volontiers à l'ornement ou à l'autorité de l'adage : Rabelais, Du Bellay, Montaigne semblent nourris du recueil d'Erasme, que Baïf transpose en vers dans ses *Mimes* de 1581. À partir du XVIIe s. en revanche, les doctes se détournent de cette « monnoye trop vieille et trop décriée » (G. Guéret). La *Comédie des proverbes* d'A. de Montluc (1616) les accumule pour en railler l'abus ; le Père Bouhours les juge roturiers, et Molière s'en amuse dans le sermon en proverbes de Sganarelle dans l'acte V de *Dom Juan* (1665). Ce mépris n'exclut pourtant pas l'emploi distancié qu'affectionnent La Fontaine ou Voltaire, détournant le proverbe de son usage commun ou forgeant des dictons de fantaisie. Dès le milieu du XVIIe s. se développe dans les salons le « jeu des proverbes figurés » ou des « proverbes par personnages » (*La maison des jeux académiques*, 1668) : c'est l'ancêtre du proverbe dramatique, petite comédie de mœurs qui illustre un proverbe sans l'employer, invitant les spectateurs à le deviner. Abondamment pratiqué par Carmontelle au XVIIIe s., ce divertissement mondain inspire encore au siècle suivant les *Proverbes* de Musset et les *Comédies et proverbes* de la comtesse de Ségur. L'usage plaisant ou ironique du proverbe triomphe dans la littérature moderne avec les *152 Proverbes* réécrits par Éluard (« La métrite adoucit les flirts »), tandis que Prévert ou Boris Vian font de la Sagesse des Nations un « réservoir inépuisable de matière pataphysique » (Vian, *Lettres au Collège de Pataphysique*, 1955).

▶ DAVIS N.-Z., *Les cultures du peuple*, trad., Paris, Aubier, 1979, p. 366-400.— RODEGEM F., « Un problème de terminologie : les locutions sentencieuses », *Cahiers de l'Institut de Linguistique*, 1972, I, 5, p. 677-703. — SAULNIER V.-L., « Proverbe et paradoxe du XVe au XVIe siècle », dans *Pensée humaniste et tradition chrétienne aux XVe et XVIe siècles*, Paris, CNRS, 1950, p. 87-104. — Coll. : *Rhétorique du proverbe*, *Revue des sciences humaines*, t. XLI, 1976, n° 163. — *Richesse du Proverbe*, actes du colloque de l'Université de Lille III (1981) réunis par F. Suard et C. Buridant, P. U. de Lille, 1984.

Jean VIGNES

→ *Comédie ; Doxa ; Formes brèves et sententiales ; Idéologie ; Populaire (Littérature) ; Théâtre ; Théâtre de société.*

PSAUMES

Les psaumes sont des pièces poétiques destinées au chant liturgique et communautaire ainsi qu'à la louange individuelle. Les modèles premiers sont les 150 textes du livre des Psaumes qui ouvre la troisième partie de la Bible hébraïque. Ils sont caractérisés par une structure rythmique où les membres de la phrase s'articulent autour d'une symétrie formelle destinée à mettre en valeur les lignes de faîte de la pensée. Des répétitions de phrases contribuent aussi à renforcer l'expressivité du poème, qui utilise des jeux de sonorités tels qu'allitérations et assonances.

Le recueil biblique des psaumes a été rassemblé peu à peu au cours de l'histoire du peuple d'Israël. Le livre que nous connaissons aujourd'hui reflète l'état de la collection canonique qui fut traduite en grec au IIe s. avant J.-C. dans la version dite des Septante. Il regroupe des textes d'origines diverses. On y distingue des hymnes de louange communautaire, composés pour le service liturgique, parmi lesquels tout un groupe des poèmes dits « royaux », consacrés à l'exaltation de la dignité du trône de David. Cependant les psaumes sont aussi l'expression d'une prière individuelle, chant de reconnaissance ou appel à la délivrance. La coexistence, au sein d'un même livre, de ces deux sources d'inspiration a contribué à faire du psautier un répertoire poétique du sentiment religieux.

La réception chrétienne des psaumes reste marquée par cette double vocation. Le Nouveau Testament emprunte de nombreux versets aux psaumes. Les paroles prononcées par le Christ en croix, empruntées aux psaumes 22 et 31 (Math. 27, 46 et Luc 23, 46) témoignent de cette continuité. Le rôle des psaumes dans la spiritualité a été reconnu et commenté par les Pères de l'Église. Le *Miserere* (Ps. 50) et le *De profundis* (Ps. 129) comptent parmi les prières liturgiques fondatrices de la culture chrétienne. Tant et si bien que ce recueil de textes poétiques fut le premier et le seul livre de la Bible a connaître une véritable diffusion indépendante. Durant tout le Moyen Âge, le psautier est le livre de piété personnelle par excellence.

À la Réforme, c'est encore vers les psaumes que les réformateurs, à commencer par Luther, se tournent pour élaborer une liturgie conforme à leurs principes. Théodore de Bèze et Clément Marot élaborent, en une langue accessible à chacun, des paraphrases rimées que Goudimel et Lejeune mettent en musique. Ainsi prend naissance le psautier huguenot, qui joue un rôle important pour la cristallisation d'une identité spirituelle et confessionnelle. À la même époque, Thomas Sébillet théorise un « Cantique françois », forme poétique qui se rapproche également des psaumes. Plus tard, quelques poètes, notamment symbolistes, reprennent la formule dans leurs recherches d'une poésie sacrée (l'eumolpée définie par Péladan en est un exemple).

Le psaume est, parmi les formes poétiques, celle où l'empreinte religieuse est la plus manifeste et constitutive. Contrairement aux hymnes et aux cantiques, il n'y a pas de psaumes modernes qui ne soient des paraphrases ou des transpositions de la poésie biblique. Le psaume se fait le porte-parole d'une détresse ou d'une joie, il cristallise les effets d'une expérience vécue, mais il prend aussi en charge un événement pour le porter à une dimension exemplaire. Dans une célébration liturgique, la voix du psalmiste est assumée dans sa généralité par la communauté des croyants. De plus, les traditions juive et chrétienne attribuent aux psaumes des énonciateurs éminents : les psaumes sont lus tantôt comme la prière de David, tantôt comme celle du Christ. Roi éminent, mais aussi pécheur impénitent, David incarne à la fois la faiblesse et la gloire de l'humanité. En prenant à son compte les louanges ou les plaintes qu'il attribue au grand roi, le croyant conjugue son destin avec celui du genre humain. De même, en modulant sa prière selon les accents du psaume, le chrétien se met à l'école de la prière du Christ. L'énonciation si particulière du psaume se tient à la limite instable entre l'anecdotique et l'universel. En chaque point de son trajet séculaire, le psaume transmue une parole singulière en oraison polyphonique. En cela, il est un modèle matriciel présent jusque dans la lyrique profane.

▶ ALETTI J.-N. & TRUBLET J., *Approche poétique et théologique des psaumes*, Paris, 1983. — BEAUCHAMP P., *Psaumes, nuit et jour*, Paris, 1980. — CLAUDEL P., *Les psaumes, traductions 1918-1959*, R. Nantet et J. Petit (éd.), Paris, 1986. — Coll. : *Les psaumes*, trad. et présentés par A. Chouraqui, Paris, 1970. — *Les psaumes commentés par les Pères*, trad. sœur Baptista Landry, OSB, introd. par A. G. Hamman, Paris, 1983.

Yasmina FOEHR-JANSSENS

→ *Bible ; Christianisme ; Cantique ; Hymne ; Musique ; Réforme ; Religion.*

PSEUDONYME

Signature qui diffère du patronyme légal, le pseudonyme a pour fonction et effet premiers de masquer, avec plus ou moins d'opacité, l'identité civile d'un auteur, allant parfois même jusqu'à la supplanter (ainsi Molière, Stendhal, Lautréamont). De circonstance ou permanent, de fantaisie ou obligé, le pseudonyme se présente sous diverses formes, des plus simples (anagramme, polynyme, aristonyme, astérisme, pseudandrie, supposition d'auteur), jusqu'aux plus complexes (comme l'hétéronyme où le nom d'emprunt se voit doté d'une existence, d'une biographie et d'une œuvre distinctes de celles de l'auteur).

L'usage du pseudonyme remonte sans doute aux Latins, bien que des historiens préfèrent en rapprocher les premières manifestations des débuts de l'imprimerie et font alors coïncider son origine avec celle du mot attestée par les dictionnaires, vers la fin du XVIIe s. (« Qui porte un nom faux », Furetière). Quoiqu'il en soit, le choix d'un nom d'emprunt apparaît comme une pratique ancienne courante si l'on en croit l'emploi diffus chez les savants et érudits du XVIe s. qui latinisent ou grécisent un patronyme jugé parfois mal sonnant ou qui, dans le contexte des crises de religion, usent de pseudonymes comme autant de moyens de diversion, de provocation ou de protection. C'est, de même, pour se protéger de la répression et de la censure que Voltaire recourt à quelque deux cents pseudonymes pour signer une production largement satirique. Ainsi, le pseudonymat s'est répandu chez les auteurs modernes où sa pratique, bien que parfois mal reçue et assimilée à l'imposture ou à la pleutrerie, est tolérée voire instituée. Dès le XVIIe s., Baillet répertorie les *Auteurs déguisés* (1677). Plus tard, les dictionnaires de Barbier (1806-1809) et de Quérard (1845-1853), puis, de de le Court (1960) pour la Belgique, identifient, après des entreprises allemandes similaires, plus de dix mille auteurs anonymes et pseudonymes qui ont choisi de marquer une distinction entre leur moi social et leur(s) moi littéraire(s). L'usage est toujours fréquent, comme par exemple lorsqu'un écrivain reconnu veut masquer sa production dans la littérature de grande diffusion (Jacques Laurent / Cecil Saint-Laurent).

Les raisons du pseudonymat sont multiples et varient selon les époques et les codes sociaux, moraux ou littéraires en vigueur. Ainsi retrouve-t-on des pseudonymes fonctionnels ou alimentaires, ceux, par exemple, d'hommes de lettres appelés dans l'explosion journalistique du XIXe s. à prêter leur plume à différentes formes d'écriture. Existent aussi des pseudonymes rhétoriques ou de circonstance qui soulignent le parti-pris idéologique d'un texte tout en permettant de préserver la réputation ou la crédibilité associée au nom, au rang ou à la fonction civile de son auteur. On use aussi de pseudonymes préventifs ou de bienséance, pour échapper à la censure, ou quand la pratique littéraire subit des conventions hégémoniques (esthétique, éthique, générique, linguistique, etc.). Le pseudonyme permet alors à l'écrivain d'échapper aux sanctions légales ou institutionnelles ou encore de brouiller les traces l'associant à une pratique d'écriture illégitime (telle l'*Histoire d'O* de Pauline Réage) ou le reliant à un groupe littérairement discriminé (c'est souvent le cas des femmes écrivains : Aurore Dupin et Marie d'Agoult deviennent George Sand et Daniel Stern). Parfois ludique, le pseudonymat est aussi parodique ou cynique pour l'auteur qui veut se jouer des valeurs mêmes de l'institution littéraire en remettant en question le prestige associé à la figure de l'écrivain et à sa signature (comme Romain Kacew qui, sous les pseudonymes de Romain Gary et Émile Ajar a obtenu deux fois le Goncourt). Jamais gratuit, le pseudonyme participe au sens de l'œuvre (rapport entre le nom et le texte que se charge d'étudier l'onomastique), allant même jusqu'à en constituer l'enjeu et le motif premiers (comme chez Pessoa qui multiplie les identités pour signer une production aux formes, aux propos et aux styles variés). Il est enfin des noms de plume choisis comme des noms de scène en raison de leur résonance (Guillaume de Kostrowitzky qui devient Apollinaire) ou de l'impression qu'ils créent (comme chez Saint John Perse ou Saint-Pol-Roux).

La pratique du pseudonyme, étroitement liée au degré de reconnaissance accordé au statut même de l'écrivain, est révélatrice de la tension entre pratiques littéraires et statuts sociaux.

▶ GENETTE G., « Le nom d'auteur », *Seuils*, Paris, Le Seuil, 1987, p. 38-53. — JEANDILLOU J.-F., *Esthétique de la mystification. Tactique et stratégie littéraire*. Paris, Minuit, 1994. — LAUGAA M., *La pensée du pseudonyme*, Paris, PUF, 1990. — Coll. : *Le nom*, n° spécial de *Corps écrit*, Paris, PUF, 1983.

Annie CANTIN

→ *Anonymat ; Auteur ; Censure ; Mystification ; Propriété littéraire ; Signature.*

PSYCHANALYSE

Selon Freud, puis Lacan, la littérature et la psychanalyse se rencontrent en ce point où toutes les deux interrogent, l'une par les moyens de l'art, l'autre par ceux du concept, le tissu signifiant dans lequel est pris le destin de l'homme, et cernent ces lieux d'impossible à dire où cesse la langue.

L'interprétation des rêves (1900) confirme les *Études sur l'hystérie*, dans lesquelles Freud découvrait l'inconscient – qui existait évidemment avant lui, sans qu'on l'isole sous la forme d'un système représentatif et énergétique. La psychanalyse (son invention) considère que les symptômes de la souffrance morale et physique non traitables par la médecine et les sciences naturelles sont un message crypté, et propose dès lors un dispositif d'écoute. Là se situe la rupture épistémologique qu'elle opère : elle postule chez l'homme un autre corps, arraché aux lois de la nature par la puissance du langage. Freud fonde alors une clinique du déchiffrage : rêves, actes manqués, symptômes qui déterminent la dialectique du désir sont des « formations de l'inconscient », structurées notamment selon les lois de la condensation et du déplacement ; elles se déchiffrent donc comme un langage. L'affinité – de ce point de vue – du symptôme et du mot d'esprit en appelle à un analyste lettré. Il saisit par ailleurs, dans sa recherche sur la pulsion de mort, que la dialectique du désir et des identifications, sensible au déchiffrage parce que construite selon les lois langagières, n'a pas une relance infinie mais gravite autour d'un *réel traumatique* qui, s'il échappe aux formations de l'inconscient, peut être cerné par le « bien dire » du patient.

Ainsi, l'objet des études freudiennes réside dans les implications de la prise du *logos* sur la vie, la pensée et la sexualité humaines. Il n'est donc pas étonnant qu'il se soit toujours intéressé à la littérature, à partir de questions issues de l'expérience psychanalytique.

Freud a cependant précisé les conditions d'une étude pertinente de l'œuvre littéraire : les poètes et les romanciers, écrit-il, [...] « connaissent une foule de choses entre le ciel et la terre dont notre sagesse d'école n'a pas encore la moindre idée » (1986, p. 141). Jacques Lacan, fidèle à l'orientation freudienne, surenchérit : « le seul avantage qu'un psychanalyste ait le droit de prendre de sa position [...] est de se rappeler avec Freud qu'en sa matière, l'artiste toujours le précède, et qu'il n'a donc pas à faire le psychologue là où l'artiste lui fraie la voie » (1985, p. 8-9). Il critique la psychanalyse post-freudienne dite « appliquée à la littérature », qui selon lui commet l'erreur « d'attribuer la technique avouée d'un auteur à quelque névrose : goujaterie, et de le démontrer comme l'adoption explicite des mécanismes qui en font l'édifice inconscient : sottise » (1985, p. 8).

Si la psychanalyse appliquée ne se trouve pas dans les conditions nécessaires pour produire le noyau inconscient moteur de la création, dit-il dans ses *Écrits*, c'est que « la psychanalyse ne s'applique, au sens propre, que comme traitement, et donc à un sujet qui parle et qui entend » (1966, p. 747). En outre, Lacan, comme Freud, considère que les œuvres littéraires sont des constructions elles-mêmes analytiques. C'est l'œuvre qui tient la place de l'analyste et qui met au travail le lecteur et le critique. Freud, dans ses études sur Goethe, Dostoievsky, Schnitzler, Jensen, Shakespeare..., est avant tout intéressé à saisir par quels moyens ces auteurs produisent des effets (1971, 9). Lacan construit pour sa part la logique du désir, de la métaphore paternelle, du moi, du tragique, du comique, du symptôme..., dans des ouvres comme *Antigone* (de Sophocle), *Hamlet*, la trilogie de Claudel (*L'otage, Le pain dur, Le Père humilié*), le *Balcon* de Genet, *l'Amphitryon* de Molière, la première scène d'*Athalie, La lettre volée* de Poe, Duras... : « ce qui nous intéresse, c'est l'ensemble de l'œuvre, son articulation, sa machinerie, ses portants pour ainsi dire, qui lui donnent sa profondeur, qui instaurent cette superposition de plans à l'intérieur de quoi peut trouver place la dimension propre de la subjectivité humaine, le problème du désir [...] » (1981, p. 15-16).

Ces logiques que les œuvres littéraires lui permettent de construire, il les applique ensuite non à l'auteur, mais au cas par cas de la clinique psychanalytique. L'analyse élaborée à partir d'une œuvre ne fait donc pas retour à celle-ci pour en livrer les clés. Aussi il ne s'agit plus tant de situer une œuvre dans l'histoire que de saisir comment l'histoire elle-même surgit d'un nouveau rapport du discours avec le réel, dont l'œuvre témoigne.

▶ FREUD S., *Le délire et les rêves dans « La Gradiva » de Jensen*, [1912], traductions nouvelles, Paris, Gallimard, 1986 ; *Essais de psychanalyse appliquée*, Paris, Gallimard, 1971. — LACAN J., « Hommage fait à Marguerite Duras, du "Ravissement de Lol. V. Stein" » [1985], in *Autres écrits*, Paris, Le Seuil, 2001 ; *Sept leçons sur Hamlet*, in *Ornicar ?, Revue du Champ freudien*, Paris, Navarin. Leçons 1 et 2, automne 1981, n° 24, p. 7-31 ; leçons 2 et 3, automne 1982, n° 25, p. 13-36 ; leçons 4 à 7, été 1983, n° 26-27, p. 7-44 ; *Le séminaire, Livre VII, L'éthique de la psychanalyse*, Paris, Le Seuil, 1986.

Ginette MICHAUX

→ *Affects ; Anthropologie ; Corps ; Critique psychologique et psychanalytique ; œuvre ; Logique, logos.*

PUBLIC

Le terme de « publics » désigne l'ensemble des personnes touchées par une œuvre, *via* l'écrit ou l'oral. Mais à l'origine, le mot servait à nommer l'espace public (d'après le latin *res publica*). À partir de la fin du XVIe s. et de la première moitié du XVIIe s., il renvoie à « la communauté des amateurs des lettres », plus spécifiquement à l'ensemble de ceux qui sont réunis pour assister à une représentation théâtrale ou à un spectacle, puis, plus largement, aux destinataires potentiels des productions culturelles.

L'histoire des publics est liée aux modes de publication et de diffusion des œuvres, et aux compétences culturelles des différentes couches de la population. Trois étapes majeures peuvent être distinguées dans l'évolution des publics : une première période allant de l'Antiquité à l'invention de l'imprimerie, marquée par la coexistence d'une minorité lettrée et d'un public plus large dont la relation aux œuvres passe essentiellement par la communication orale ; une seconde, qui, du XVIe s. à la fin du XVIIIe s., voit s'accroître le nombre de personnes susceptibles de former un public littéraire, du fait de la diffusion croissante de l'imprimé ; et une troisième, du XIXe s. à nos jours, où la généralisation de l'alphabétisation grossit le public potentiel en même temps qu'elle donne lieu à de nouvelles différenciations socio-culturelles entre ses composantes.

Dès les toutes premières théories de la littérature, le public est au centre des réflexions sur la rhétorique et la poétique qui se définissent avant tout comme des arts de l'effet sur un auditoire donné. Aristote et, à sa suite, les rhéteurs romains, font dépendre la réussite d'un discours, ou, pour le théâtre, d'une pièce, du succès qu'ils rencontrent auprès de leurs spectateurs ou auditeurs. Pour les tragédies grecques au Ve s., ceux-ci sont les citoyens (donc ni les femmes, ni ceux qui ne possèdent pas un bien suffisant pour faire partie des électeurs dans la cité). Le banquet, pratique mi-cultuelle, mi-littéraire, est destiné à un public très limité. Par contre, les chants poétiques rituels et surtout, dans le monde romain les exercices de *declamatio* (entraînement qui précède la prononciation du véritable discours) des orateurs les plus fameux, drainent une foule nombreuse, où se mêlent publics lettrés et populaires. À Rome, la lecture est le fait d'une minorité éduquée et même parmi ceux qui la maîtrisent, rares sont les lecteurs individuels : les publics d'une œuvre sont le plus souvent constitués d'une petite société choisie, rassemblée dans une maison ou sur une place publique, parfois autour de l'auteur lui-même, pour assister à la *recitatio*, ou lecture à haute voix, du texte choisi. Durant le Moyen Âge, le clivage ne fait que s'accentuer entre une culture écrite latine réservée à un public lettré de clercs, et une culture marquée par la prédominance de l'oralité, où les performances verbales s'inscrivent dans les rites des communautés populaires tels les jeux floraux, fêtes ou mystères, même si, à partir du XIIIe s., un public intermédiaire se dessine à la cour des princes mécènes pour les œuvres en langue vernaculaire.

Dans les siècles suivants, l'invention de l'imprimerie, mais aussi des facteurs culturels tels que la Réforme et la Contre-Réforme catholique, mettent l'imprimé sous toutes ses formes (du livre à la feuille volante) à la disposition d'un public qui est loin de se réduire aux lecteurs proprement dits. De fait, si la distinction entre public lettré d'un côté et public populaire de l'autre reste pour une part valide, les contacts et circulations des biens culturels entre les deux s'accroissent : dans le monde rural, le colportage et les éditions à bon marché qu'il diffuse (la « Bibliothèque bleue ») donnent lieu à des lectures collectives, tandis qu'en ville, les nombreuses occasions de lire et d'entendre amènent à la création d'un public dépassant les seuls alphabétisés (Chartier). Cette fin du monopole des lettrés sur la culture écrite entraîne une fragmentation des publics en communautés aux goûts et aux usages des biens culturels distincts. Autant que l'éducation, ce sont la presse, relais des écrivains, les œuvres elles-mêmes, ainsi que les diverses formes de la sociabilité littéraire de l'époque (salons, académies et cabinets de lecture), qui contribuent à former ces publics. Trois strates en peuvent être distinguées : aux deux extrêmes, un public populaire consommateurs des livres bleus, et un public restreint de lettrés, fréquentant cercles érudits et académies ; entre les deux, un « public élargi » de petits nobles et de bourgeois, y compris des femmes et des jeunes gens. Un public mondain urbain se forme donc, pour qui l'appropriation des œuvres reste avant tout une affaire collective parce que la lecture est encore souvent oralisation, et que les œuvres donnent lieu à des jeux, discussions et réflexions collectives contribuant à la structuration d'une opinion critique littéraire (Merlin). La seconde moitié du XVIIIe s. voit le développement, à partir de ce public intermédiaire urbain, d'une conscience publique littéraire qui tend à se politiser, et dont l'homogénéité est assurée par la lecture d'une presse en plein essor, par des lieux de sociabilité tels que les cafés, les clubs de lecture dans le monde anglo-saxon, les académies et les salons en France, ou encore les représentations théâtrales, nouveau forum patriotique (Ravel).

Une autre étape est franchie au XIXe s., sous le coup d'une part, de l'expansion du nombre potentiel de lecteurs (développement de l'instruction primaire et du temps de loisir) et, d'autre part, du développement d'un mode capitaliste de production et de diffusion des produits culturels, qui met fin aux structures traditionnelles de circulation des œuvres (mise à bas du système des corporations et extinction progressive du colportage dans la seconde moitié du siècle). Ces deux facteurs combinés concourent à « l'avènement d'une culture littéraire de masse » (Lyons) portée par les romans feuilletons et autres productions standardisées à destination d'un public toujours plus large. La réduction des clivages élémentaires (alphabétisés / non alphabétisés, lecteurs / non lecteurs etc.) entraîne toutefois de nouveaux modes de hiérarchisation des publics et des appropriations des biens culturels : elle aboutit à la structuration duelle du marché des biens symboliques qui prévaut encore aujourd'hui, entre un grand public, identifié à un marché de consommateurs, et une sphère restreinte composé d'un public de pairs, de critiques professionnels et d'initiés.

Cette structuration des publics littéraires restreint et élargi se complique au XXe s. à la suite de la prolifération des médias (cinéma, disque, radio, télévision, internet). L'évolution technologique rapide et l'internationalisation du marché de ces nouveaux médias exposent la littérature à une désacralisation de son statut et à une dissolution de son public dans la catégorie générale des consommateurs culturels, ou au mieux des « lecteurs », qui semblent seuls exister pour les enquêtes sociologiques contemporaines.

Si les réflexions sur la relation des œuvres à leurs lecteurs sont riches dans la théorie littéraire (esthétique de la réception, théories de la lecture...), elles se limitent toutefois souvent à considérer le public comme une donnée abstraite, confondue avec le destinataire idéal construit par l'œuvre. Dans les années 1950, de premières tentatives furent faites pour définir sociologiquement les publics culturels (R. Escarpit, *Sociologie de la littérature*, 1958), mais les catégories sociales mobilisées (emploi, niveau de revenus...) ne prenaient pas totalement en compte les facteurs du sexe, de la génération, de l'appartenance communautaire, religieuse, ou géographique, des traditions familiales, etc. L'histoire culturelle tend à l'inverse aujourd'hui à préférer aux données quantitatives et aux clivages traditionnels (tel celui entre alphabétisé et non alphabétisé, entre savant et populaire) une prise en compte des usages singuliers par lesquels une « communauté de lecteurs » (Chartier), d'auditeurs ou de spectateurs s'approprie une œuvre. La correspondance entre identité sociale et pratique culturelle se trouve ainsi remise en question pour faire place à des modèles plus complexes de relation entre l'œuvre et ses publics, relation non plus seulement d'adéquation et de formation réciproque mais aussi de décalage ou d'interprétations imprévisibles, de rhétorique d'écriture et de « rhétorique des lecteurs », ainsi que des auditeurs et spectateurs, trop souvent négligés dans l'analyse des publics littéraires. En retour, ces perspectives permettent de prendre en compte la catégorie du public dans la réflexion sur la création littéraire elle-même, en confrontant les réceptions effectives et les images du destinataire telle que l'auteur les imagine et que l'œuvre les implique. Par ces analyses, le lien entre public littéraire et « opinion publique » est réactivé, la littérature étant un espace d'expression – y compris sous formes imaginaires – mais aussi de formation des goûts, des sensibilités, des idéologies : c'est donc la question du lien entre publics effectifs (récepteur des œuvres), publication et espace public qui est aujourd'hui mise en lumière.

► CHARTIER R., *Culture écrite et Société. L'ordre des livres*, Paris, Albin Michel, 1996. — MERLIN H., *Public et littérature en France au XVIIe s.*, Paris, Les Belles Lettres, 1994. — LYONS M., *Le Triomphe du livre, Une histoire sociologique de la lecture dans la France du XIXe s.*, Paris, Promodis, 1990. — RAVEL S. Jeffrey, *The Contested Parterre. Public Theater and French political culture (1680-1791)*, Cornell University Press, 1999. —ROBINE N. *Lire des livres en France des années 1930 à 2000*, Paris, Éd. du Cercle de la librairie, 2000.

Mathilde BOMBART

→ *Adhésion ; Goût ; Idéologie ; Lecture, lecteur ; Norme ; Publication ; Réception ; Valeurs.*

PUBLICATION

La publication est l'acte de rendre public un texte ou un objet, et, par dérivation, le résultat de cet acte – ce qui est le sens aujourd'hui le plus courant : on parle ainsi des publications d'un auteur ou d'un groupe pour désigner leurs ouvrages ou leurs revues.

Si les mots « publier » et « publication » sont de longue date d'usage courant, le phénomène n'est qu'au début de son étude méthodique. Aussi la saisie de son histoire passe-t-elle d'abord par ce que l'on peut savoir de la publication de textes, ou par les textes. Mais il est de nombreuses autres formes de publication : ainsi les différences vestimentaires ont-elles longtemps « publié » les statuts sociaux – et elles le font encore en partie aujourd'hui. Leur histoire reste encore largement à faire.

La publication des textes a été longtemps dominée par l'oral. L'art littéraire, des aèdes grecs au jongleurs médiévaux comme aussi dans l'éloquence, est d'abord un art de la voix et du dire. Le théâtre en participe aussi, associant le spectacle aux mots, au point que même sans paroles, ou dans une langue inconnue ou inintelligible (tel l'usage du « grommelot » dans la *commedia dell'arte*) il peut garder sens. Et au-delà de l'art littéraire, la publication orale concernait aussi les lois et règlements : ils étaient « publiés à son de trompe », comme longtemps les « avis à la population » l'ont été « à roulements de tambours ». L'adage selon lequel « nul n'est censé ignorer la loi » a pour contrepartie l'obligation faite à ceux qui la fixent de la publier. Dans l'Antiquité et au Moyen Âge, l'écrit, manuscrit, est autant une façon de conserver les textes que de les rendre publics. L'écrit n'a réellement pris un rôle majeur en la matière qu'avec l'apparition de l'imprimerie. Mais encore n'a-t-elle pas éradiqué l'usage de l'oral, ni celui du manuscrit. Ainsi du XVIe au XVIIIe s. circulent des « nouvelles à la main », ou bien des copies manuscrites de lettres dans des groupes d'amis ou des salons. De même, dans l'art oratoire, il a été banal que des auditeurs notent des sermons et les publient par imprimé contre le gré même de leurs auteurs. Et de nos jours encore, les déclarations et discours politiques, mais aussi nombre de débats littéraires, et enfin une part considérable des productions théâtrales, voire poétiques dans le cas de la « poésie sonore », se font par oral, et n'aboutissent pas toujours à des publications imprimées. Reste que l'écrit imprimé est devenu une forme majeure ; à tel point que publication peut aujourd'hui être employée comme quasi-synonyme d'« édition », voire de « livre »

La double définition de la publication impose une ambivalence qui, dans le domaine littéraire, fait la richesse mais aussi la difficulté de la notion. La notion est liée à celle de « public ». Ainsi la publication est l'acte par lequel un fait, une idée ou un texte entre dans l'espace des « affaires collectives », des choses qui concernent tous les citoyens (les « *rei publicae* »). La notion est donc politique – au sens entier du terme – dans son principe. De fait, la publication peut porter sur toutes sortes de matières (une décision politique, une appartenance idéologique, etc.). Cette notion renvoie donc, pour la littérature, à une propriété première de celle-ci : ce qui est littérature est « dans l'espace public », donc a subi une volonté de publication. Le lien entre l'idée de publication et celle de « public » est dialectique : chaque acte de publication subit des contraintes dues à la configuration des publics qu'il peut toucher, mais en retour, chaque publication, par ses formes et démarches, tend à désigner un public privilégié, voire à le construire. Souvent même, le texte ou son péritexte mettent en scène cette entrée dans l'espace public. Aussi la question de la publication est-elle insécable de celle de la réception : le spectacle théâtral, l'oral, le manuscrit, l'impression en livres, en affiches, en périodiques, etc., agissent sur la réception et donc sur les significations. D'ailleurs, il est fréquent que le texte subisse des variations selon les formes de publication : par exemple, les comédies-ballets de Molière dans leur forme initiale de spectacles donnent la priorité à la danse et à la musique, alors que dans leur forme imprimée, ces dernières perdent l'essentiel de leur place. L'évolution des conceptions de la littérature tient, pour partie, aux moyens et conditions de publication. Au total, la publication constitue un des critères qui permet d'inscrire le littéraire dans les pratiques collectives des échanges de discours et de biens symboliques, donc de le contextualiser. À partir de l'analyse du « comment » on publie, elle amène à examiner aussi ce qui est ainsi publié et qui intervient dans cet acte (l'auteur, son commanditaire éventuel, un groupe, l'État...), donc les enjeux de l'acte public de la littérature.

► CHARTIER R., *Culture écrite et société : l'ordre des livres, XIVe-XVIIIe s.*, Paris, A. Michel, 1996. — MERLIN H., *Public et littérature en France au XVIIe s.*, Paris, Les Belles Lettres, 1996. — Coll. : « La littérature comme objet social », *Social Discourse / Discours social*, Montréal, 1995, n°7-3/4. — GRIHL, *La Publication*, Paris, Fayard, 2002.

GRIHL

→ *Contexte ; Contextualisation ; Discours ; Édition ; Littérature ; Oralité ; Public.*

PUBLICITÉ

Au sens premier, « publicité » désigne le fait de rendre publique une information (ainsi la « publicité des actes » d'état civil). En un sens dérivé, depuis le XIXe s. la publicité est une forme de communication qui vise à convaincre un public des mérites d'un produit ou d'un service et répond à une commande. On peut y distinguer deux types de rédactions, l'une qui n'a pas de prétentions esthétiques, et l'autre qui a des modes d'expression qui rejoignent l'expression littéraire.

Les origines de la publicité remontent aux sources mêmes de l'activité commerciale. À Pompéi notamment, les archéologues ont retrouvé de nombreuses enseignes qui annonçaient des ventes ou des représentations théâtrales. Mais ce type d'annonces prend un essor tout particulier avec l'avènement de la société capitaliste, lorsque s'impose le soin de conquérir une clientèle de plus en plus nombreuse, et que l'essor de la presse quotidienne en donne les moyens. Dès ce moment, la « réclame » envahit les journaux et les brochures. Des rédacteurs plus ou moins spécialisés vantent les miracles opérés par l'eau de Jouvence, les pastilles Gévaudan, les remèdes contre les toux ou les « maladies féminines », les lotions capillaires. En même temps, les livres nouveaux sont annoncés en termes élogieux, et des auteurs, tel Balzac, apprennent à rédiger l'annonce qui fera vendre leur dernier roman. Inséparable de la vie en ville, la publicité fait alors son entrée dans les descriptions de la vie quotidienne, dans les « physiologies » ou les caricatures qui sont en vogue. Balzac s'amuse à rédiger le prospectus de la « Double pâte des sultanes et eau carminative » dans le roman qui raconte l'ascension sociale de *César Birotteau* (1838). Jérôme Paturot, le héros de Louis Reybaud (1843), qui est à la recherche d'une position sociale, devient, lui, « publiciste » et consulte les prospectus de prétendus médecins ou l'*Épitre au Vésicatoire* :

> Pour qui le pharmacien, nommé Leperdriel,
> Créa des serre-bras plus légers qu'Ariel.

Dans les années 1880, on publie tous les jours un poème à la gloire du Savon du Congo. Ces textes commerciaux s'introduisent dans les textes littéraires de la fin du siècle : par la parodie ou le détournement de sens, par le collage et la citation, ils alimentent les recherches les plus audacieuses d'une avant-garde qui lutte contre la littérature traditionnelle. Dès l'apparition des affiches lithographiques, les firmes engagent de grands dessinateurs comme Mucha ou Toulouse-Lautrec pour illustrer leurs productions. La publicité devient un symbole de la modernité. Apollinaire, les dadaïstes et les surréalistes, au début du XXe s., n'hésitent plus à insérer des publicités existantes dans leurs œuvres. Paul Nougé et ses amis surréalistes belges rédigent des slogans poétiques destinés à être exposés dans la ville sur le dos d'hommes-sandwichs (*La publicité transfigurée, ca.* 1925). Au XXe s., la publicité connaît une expansion sans précédent. Elle devient, selon la formule de Walter Benjamin, « la ruse qui permet au rêve de s'imposer à l'industrie ». Mais elle se professionnalise également, et les rapprochements féconds qui liaient les créateurs aux firmes dans les années 1930 font place à de grands groupes spécialisés dans la communication. Ceux-ci développent leurs propres instances de consécration, les prix et les concours dans lesquels se distinguent de véritables « auteurs », singuliers et collectifs, récompensés pour leur ingéniosité. Il n'est pas rare qu'un auteur puisse passer aujourd'hui du monde de la publicité à celui de la création « gratuite ».

Indépendamment de cette dimension commerciale, par les slogans, manifestes et affiches, les écrivains ont produit également une autre forme de publicité, plus idéologique, qui est liée aux débats politiques. Dans ce domaine, les techniques d'expression et d'argumentation sont évidemment mobilisées, mais, au moins dans la période récente, le domaine de la propagande politique utilise des techniques semblables à celles des publicitaires. De là la présence d'artistes photographes, de cinéastes ou d'écrivains dans les campagnes de masse, de là également la présence, sur les murs de Paris en 1968, de phrases de l'écrivain situationniste belge Raoul Vaneigem, ou de slogans empruntés à la dialectique d'un Brecht (« le bruit des bottes est moins à craindre que le silence des pantoufles »).

Écriture de commande et de circonstance, l'écriture publicitaire mobilise toutes les ressources d'une argumentation en situation. Elle use et abuse des images verbales, des mimologismes et des détournements parodiques. Elle fait son profit de toutes les découvertes stylistiques de la littérature contemporaine. Si elle n'a pas de légitimité aux yeux des instances du champ littéraire, elle recherche néanmoins ses lettres de noblesse à mesure qu'elle se constitue elle-même en un champ plus autonome.

▶ ANGENOT M., *L'œuvre poétique du savon du Congo*, Paris, Édition des cendres, 1992. — DAVOINE J.-P., « Calembour surréaliste et calembour publicitaire », *Studi francesi*, 1975, 57, p. 481-487.

Paul ARON

→ *Citation ; Collage ; Communication ; Médias ; Public ; Publication.*

Q

QUÉBEC

Longtemps considérée, par les autres et par elle-même, comme une extension du domaine de la littérature mère, une « branche » ou un « rameau » du grand arbre français, la littérature « canadienne » au XIXe s., puis « canadienne française » à partir du tournant du XXe, construit progressivement son autonomisation sur des bases nationales. Ce n'est qu'avec les années de la « Révolution tranquille » qu'elle s'affirme comme « québécoise » (1965).

Comme dans le cas des autres littératures américaines, l'émergence de la littérature canadienne a été tributaire d'une part de la constitution d'un espace public grâce à la presse et d'autre part des impératifs de survivance nationale. Les premiers textes publiés pour des lecteurs de langue française le furent dès l'établissement de l'imprimerie après la conquête britannique dans la seconde moitié du XVIIIe s. Le mouvement d'institutionnalisation nationale s'affirme chez un groupe d'écrivains de Québec en 1860 sous l'impulsion de l'*Histoire du Canada* de F.-X. Garneau. Durant le siècle qui suit, les contours de cette littérature très dépendante des grands courants de la littérature française (romantisme, symbolisme et régionalisme) se précisent et s'affermissent. Dans les premières années du XXe s., l'École littéraire de Montréal, autour de la figure du poète Émile Nelligan, donne lieu aux premières luttes pour la constitution d'une avant-garde ; une configuration moderne se met en place. Ce n'est toutefois qu'entre 1934 et 1953, grâce à la multiplication des revues et des maisons d'édition, que cette modernité trouve de véritables assises à ses aspirations.

Le passage de la littérature « canadienne-française » à la « littérature québécoise » se fait dans la seconde moitié des années 1960. Il coïncide avec une véritable explosion de l'activité littéraire. C'est la poésie qui a appelé et marqué l'avènement de l'identité et de la modernité québécoise (G. Hénault, P.-M. Lapointe, R. Giguère, G. Miron, etc.). Le roman et le théâtre s'en sont également fait les porte-parole avec M.-C. Blais, R. Ducharme, H. Aquin, J. Godbout, V.-L. Beaulieu, M. Tremblay qui publient au cours de cette décennie leurs premières œuvres. À travers entre autres l'exploration des particularités linguistiques – celles du français face à l'anglais (*Speak white !* de M. Lalonde), du *joual*, parler populaire montréalais littérarisé par Tremblay – se révèle un nouvel imaginaire, libre et audacieux, qui a su séduire la critique et élargir le lectorat. Aujourd'hui des écrivains nés et formés à Haïti (É. Ollivier, D. Laferrière), au Brésil (S. Kokis) ou en Chine (Y. Chen) illustrent ce que l'on dénomme « littérature migrante ». Celle-ci a profondément modifié la physionomie de la littérature québécoise et contribué à élargir ses horizons et ses problématiques.

La littérature québécoise a pris forme, à l'instar des autres littératures du continent américain, en participant à la construction et la défense de l'identité nationale, mais aussi, et c'est une de ses spécificités, comme porteuse d'une identité culturelle de langue française dans un environnement qui est devenu majoritairement anglophone. Mais elle a aussi élaboré une identité propre en regard de la France. Dotée d'une production abondante et d'infrastructures institutionnelles nombreuses et solides (édition, prix, enseignement), elle apparaît, parmi les diverses littératures francophones, comme la plus autonome à l'égard du centre parisien. Plusieurs facteurs y concourent : une distance géographique plus grande que celle de la Belgique ou de la Suisse, l'absence de sujétion politique actuelle ou récente, comme dans les autres ex-colonies francophones, l'indépendance économique à l'endroit du marché européen, en particulier une moins grande dépendance du marché de l'édition envers celui de Paris, enfin un attachement plus faible au canon littéraire de l'enseignement classique français. Dans le champ littéraire québécois, la consécration des œuvres et des auteurs s'acquiert sur place par les médias, les prix, les succès de librairie et la place obtenue dans l'enseignement ; Paris n'y apporte le cas échéant qu'un surcroît pour quelques-uns – comme Hollywood, pour les cinéastes français.

▶ CHARTIER D., *Guide de culture et de littérature québécoises*, Québec, Nota Bene, 1999. — JOUBERT J.-L. et al., « Québec et Canada français », *Les littératures francophones depuis 1945*, Paris, Bordas,1986. — LEMIRE M. (dir.), *Dictionnaire des œuvres littéraires du Québec*, Montréal, Fides, 1980 sq. — LEMIRE M. & SAINT-JACQUES (dir.), *La vie littéraire au Québec*, Québec, Presses de l'Université Laval, 1991 et suiv. — MAILHOT L., *La littérature québécoise*, Montréal, Typo, 1997.

Marie-Andrée BEAUDET

→ *Canada français ; Centre et périphérie ; Exil ; Identitaire ; Nationale (Littérature).*

QUERELLES

On appelle « querelles littéraires » des conflits théoriques, parfois de grande ampleur, qui touchent à des débats d'idées sur les conceptions de la littérature et qui donnent matière à des échanges de publications polémiques. L'expression a surtout été utilisée de la Renaissance à la fin du XVIIIe s.

Si le Moyen Âge est traversé par la Querelle philosophique des Universaux, les premières grandes querelles enregistrées par l'histoire de la littérature remontent au début du XVe s. Ainsi, la seconde partie du *Roman de la rose* de Jean de Meun (1277) est un des livres les plus réputés à la fin du Moyen Âge, parce que son auteur, théologien notoire, y donne un traité sur l'amour et les passions. Christine de Pisan (*La cité des dames*, 1404) dénonce sa misogynie, et déclenche un débat sur la question du mariage. Ce débat s'élargit à tel point qu'il provoque une véritable « querelle des femmes », qui vise certains types de fabliaux ou la satire cléricale. Dans les années 1530, la querelle rebondit à l'occasion de la traduction du *Libro del Cortigiano* de B. Castiglione. Le *Parfait Courtisan* propose en effet un modèle où la femme n'est que médiatrice de la transcendance spirituelle. Les disciples de Marot prennent parti : Bertrand de la Borderie dresse dans *L'amye de Court*, un portrait cynique de la femme. Antoine Héroët, proche de Marguerite de Navarre, lui répond avec *La parfaicte Amye* (1542), qui suscite, en 1543, la *Contr'Amye de court* de Charles Fontaine. Tous ces textes témoignent de la place que les femmes ont conquise dans les cours et la vie publique, à Lyon ou à Paris.

À la fin du XVe s., une querelle du cicéronianisme, s'ouvre par une polémique entre Ange Politien et Paolo Cortesi et pose la question, essentielle pour l'esthétique européenne, de l'imitation d'un modèle unique, jugé indépassable (Cicéron lui-même), ou de la nécessité de composer avec plusieurs modèles antiques de manière à laisser plus de place à la créativité personnelle. Ce débat traverse toute l'histoire de la littérature néo-latine et française, du XVe au début du XIXe s. Il nourrit la Querelle des Anciens et des Modernes, et se prolonge encore au XIXe s. dans les conflits autour du classicisme et de l'originalité.

Au XVIe s., le développement d'une littérature érudite sous le patronage de François Ier vise à s'opposer à l'hégémonie humaniste italienne. Mais cette promotion du savoir en langue française, qui engage la politique et l'identité de la nation, amène aussi à rivaliser avec les Anciens. Paraissent de nombreux ouvrages de Mélanchton, Ramus, Dolet, Du Bellay ou Peletier du Mans, qui discutent les modes et les moyens de l'*imitatio*. Comment prolonger le phrasé latin ? Quel corpus d'auteurs antiques faut-il prendre pour modèles ? Quels sont les termes admissibles dans le langage « noble » de la poésie ou de la tragédie ?

Au XVIIe s., l'intervention de plus en plus sensible de l'État dans le débat littéraire contribue à multiplier les conflits. Une première grande querelle est celle des *Lettres* de Balzac (1624) où ressurgit la question de l'imitation et de l'innovation. Suivent des querelles sur la Poétique et les règles, avec en acmé la « querelle du *Cid* » (1637) et en même temps, des conflits à propos de l'Académie et de son rôle. Puis la « querelle du merveilleux chrétien », vers 1650, naît des tentatives de certains poètes tragiques et épiques de s'inspirer de la religion chrétienne, et non plus des mythes païens, on retiendra l'exemple de Desmarets de Saint-Sorlin, auteur d'un poème « chrétien » *Clovis* (1657), qui vise aussi à célébrer la monarchie française. Contre Desmarets, Boileau (*Art poétique*, 1674) réaffirme l'excellence des lettres anciennes. Le débat évolue à la suite des désaccords sur la langue à employer dans les inscriptions des monuments publics : le français – langue de la Cour – ou le latin – langue de la tradition ? À l'Académie, Charpentier se prononce en faveur de l'*Excellence de la langue française* (1683). Tous ces débats forment une longue « querelle des Anciens et des Modernes » qui traverse le siècle, et qui retentit jusque dans des querelles localisées (par exemple, Racine contre Perrault dans sa préface d'*Iphigénie*, 1674). En même temps, les polémiques dues aux rivalités entre auteurs (par exemple cabale contre *Britannicus*, querelle de *Phèdre*) et des affrontements qui ne concernent que pour partie le champ littéraire (notamment les querelles entre jésuites et jansénistes – hostiles aux fictions – dont *Les provinciales* (1656-58) de Pascal disent la virulence, mais aussi la querelle des « précieuses ») se mêlent à des querelles du théâtre, où s'opposent les dévots et les dramaturges (par exemple querelle du *Tartuffe*, condamnation du théâtre par Conti et Nicole, puis en 1694 par Bossuet). Aussi la troisième phase de la Querelle des Anciens et des Modernes cristallise un ensemble de tensions. En 1687, Charles Perrault lit à l'Académie son poème *Le siècle de Louis le Grand*, où il défend la supériorité des écrivains modernes sur les anciens, ce qui suscite une riposte de Boileau. Le débat rebondit au début du XVIIIe s. où s'opposent deux traducteurs de *L'iliade* : l'helléniste Anne Dacier et le poète « moderne » Houdar de La Motte. La polémique se prolonge, mais le public est majoritairement favorable aux Modernes.

Les modernes sont aussi du côté des Lumières, qui subissent ensuite les affrontements entre Philosophes et anti-philosophes, ou – selon l'injure dont ceux-ci usent dans leurs pamphlets – « querelle des Cacouacs ». Mais il est des affrontements au sein du courant philosophique, en particulier entre Rousseau et ses alliés d'un moment, Voltaire, d'Alembert et Diderot. La querelle du théâtre reprend là, et la *Lettre à d'Alembert sur les spectacles* (1758) réaffirme le clivage entre les partisans du théâtre et ceux (comme Rousseau) qui l'estiment corrupteur. Dans le domaine de l'opéra, la « Querelle des Bouffons » divise, entre 1752 et 1754, philosophes et amateurs de musique sur les mérites respectifs de l'opéra français et italien. Avec l'arrivée à Paris de la troupe italienne des « Bouffons », dont le répertoire empruntait à l'*opera buffa*, les partisans de la musique française prônent le maintien des sujets mythologiques et l'emploi de récitatifs faisant entendre le détail du texte, tandis que les admirateurs des Bouffons, tels que Rousseau et Grimm, retrouvent dans l'opéra italien leur exigence de simplicité dans la musique et de vérité dans les sentiments. Gluck cherche ensuite à réconcilier les deux tendances par une fusion entre le texte poétique et la musique : se déchaîne alors la « guerre des gluckistes et des piccinistes ».

Au XIXe s., le romantisme suscite bien des querelles, qui se cristallisent également dans le domaine théâtral, lorsque Hugo et ses partisans organisent le succès de la « bataille d'*Hernani* » (1830). Par la suite, toutefois, la plupart des conflits littéraires se jouent dans le champ clos des polémiques entre écoles ou groupes littéraires, et sont rarement appelées « querelles ». L'Affaire Dreyfus, ressentie comme plus éthique et politique que littéraire, est bien désignée comme « affaire ». Le terme de « querelle » réapparaît de manière exceptionnelle dans les années 1960 à l'occasion de la « querelle de la Nouvelle Critique ».

Les querelles ne sont pas réservées au monde de la littérature : philosophes et artistes, savants et théologiens, s'y adonnent tout autant. Mais les principales querelles littéraires semblent se caractériser par l'abondance des publications qu'elles suscitent ; de fait, il y a « querelle » lorsqu'une série de textes antagonistes sont publiés. Le mot, par son origine même (« querella » = plainte) signale que souvent un des partis estime qu'il est, ou que les valeurs qu'il défend, sont lésées. Les valeurs ainsi mises en jeu sont d'abord d'ordre esthétique (distinction des genres, respect des règles, etc.). Mais elles ne sont jamais tout à fait coupées des enjeux politiques et idéologiques, et relèvent parfois très explicitement de cet ordre. La chose est évidente lorsqu'il y va de questions religieuses (querelle du quiétisme par exemple, ou querelles entre jésuites et jansénistes). La querelle du *Cid*, par exemple, porte sur l'invention, les règles, mais aussi sur la bienséance ; par là, elle touche aux normes de comportement (interdiction des duels, pouvoir de pardon du roi, sacrifice des enfants aux intérêts des familles...). Aussi a-t-elle éveillé l'attention de l'État (Richelieu et l'Académie), et elle pose la question du public du théâtre autant que celle de l'autonomie de l'espace public où se mène la polémique. La querelle des Bouffons est marquée par des prises de position plus politiques que musicales et littéraires au point de devenir presque une affaire d'État. L'implication du théâtre dans les querelles littéraires confirme ces imbrications. Cependant, la plupart d'entre elles, avant d'atteindre un public large, ou relativement élargi, sont d'abord des affrontements au sein du champ littéraire, où le conflit porte sur les façon de concevoir et définir l'art verbal et ses enjeux. De ce fait, les querelles, sous ce nom ou sous un autre (même si la différence d'appellation n'est pas indifférente), sont un phénomène permanent et structurant de la vie littéraire.

▶ LAZARD M., *Images littéraires de la femme à la Renaissance*, Paris, PUF, 1985. — LIBERA A. de, *La querelle des universaux : de Platon à la fin du Moyen Âge*, Paris, Le Seuil, 1996. — Coll. : *La querelle des Bouffons*, textes réunis par D. Launay, Genève, Minkoff, 1973. — *D'un siècle à l'autre : Anciens et Modernes, Actes du XVIe colloque du C. M. R. 17*, publ. L. Godard de Donville, R. Duchène (dir.), Marseille, CMR 17, 1986.

Stefania MARZO

→ *Académies ; Champ littéraire ; Écoles littéraires ; Féminine (Littérature) ; Jansénisme ; Jésuites ; Lumières ; Nouvelle critique ; Polémique ; Quiétisme ; Théâtre.*

QUIÉTISME

Mouvement religieux du XVIIe s., taxé d'hérésie, le quiétisme est fondé sur la tradition du « Pur amour ». Celle-ci est ancienne et orthodoxe : elle soutient que sans crainte de punition ni espoir de récompense, l'âme doit chercher son repos en Dieu – forme d'ataraxie chrétienne. Pour y atteindre, elle doit rester dans l'inaction, le contact non-verbal, voire la passivité, et ne vivre ou décider que selon l'inspiration divine.

Le quiétisme naît ou renaît après la condamnation en 1687 de Miguel de Molinos, prêtre espagnol de Rome, directeur de conscience réputé dont la *Guide spirituelle* connaît un succès considérable en plusieurs pays. Les autorités font preuve d'une réaction anti-mystique croissante. En France, elle suscite querelles et condamnation autour de Mme Guyon (*Le moyen court et facile de faire oraison*, 1684) et de Fénelon, dans une certaine atmosphère de scandale ecclésiastico-mondain. Plusieurs ouvrages antérieurs appartiennent à ce courant, dont la traduction du traité de Gagliardi par Bérulle (1597), puis J.-P. Camus, ou les *Délices de l'Esprit* de Desmarets de Saint-Sorlin (1658). Les poésies de dévotion, particulièrement inspirées (comme Hopil, Malaval) de la « théologie négative » des mystiques rhénans (Tauler, Suso, maître Eckhardt), s'en font souvent l'écho.

Les doctrines de l'abandon spirituel sont suspectes à l'Église parce qu'elles peuvent inspirer des déviances (attribuées successivement aux hérésies antiques, médiévales comme les béghards et les sectateurs du Libre-Esprit, ou modernes comme les anabaptistes, puis les Alumbrados espagnols), entre autres la confusion totale du sens de la responsabilité morale, au nom d'une « impeccabilité » des inspirés, et le détachement des pratiques sacramentelles. Une vive suspicion à l'égard de la mystique, quelle qu'elle soit, traverse le XVIIe s., à l'affût de signes concrets de conduite atypique. L'influence de Mme Guyon sur Fénelon et un certain nombre de grandes dames (comme Mme de Maintenon, à laquelle elle est présentée en 1691) finit par inquiéter. L'Église de France, déjà divisée sur le jansénisme, se voit confrontée là à un phénomène beaucoup moins répandu qui peut servir de bouc émissaire. Les jansénistes ne sont pas les derniers à crier haro (Jurieu, Quesnel), soutenant la *Relation sur le Quiétisme* (1698) de Bossuet. Le terme de Quiétiste devient une accusation. Mme Guyon, d'abord jugée orthodoxe, est condamnée et embastillée (1696-1703). La défense de Fénelon, qui rédige les *Maximes des saints* pour prouver que la patristique atteste la doctrine du Pur amour, achoppe contre une volonté de le faire condamner par le Pape (1699). Fénelon se soumet. L'idéal du Pur amour et du repos en Dieu demeure : Mme Guyon influence ainsi, via le chevalier Ramsay, qui fut son secrétaire et celui de Fénelon, les origines de la maçonnerie écossaise, le mouvement quaker (G. Fox), les piétistes (Wesley) et la mystique du XIXe s (Claude de Saint-Martin, E. Lévy).

La Contre-Réforme (ou Réforme catholique) a induit un double mouvement contradictoire : attiser chez les croyants un sentiment religieux plus intime (d'où la tentation mystique) et mieux contrôler les débordements par une ferme discipline ecclésiastique. Chaque texte un peu vif est aussi, en contrepartie, un risque de troubles. La question du pouvoir des ecclésiastiques sur les laïcs est posée, mais aussi celle de la hantise de la simulation et du trouble social. Car la transformation de la dévotion en rite social mène à un usage mal contrôlé sans doute des phénomènes spirituels : ce qui déclenche le scandale est peut-être moins le lyrisme des *Torrents spirituels* de madame Guyon (1682), qui aurait pu être une sainte patentée, que l'alliance d'un évêque, précepteur du duc de Bourgogne, avec une mystique, puis le comportement des demoiselles de Saint-Cyr, gagnées au Pur Amour comme à une mode, et confondant dévotion, hystérie et comédie. Dès lors au nom de l'ordre social comme au nom des orthodoxies, l'institution ecclésiastique entreprend de réduire ces anomalies, et d'éradiquer les causes, donc de réévaluer rétrospectivement la dangerosité de doctrines innocentes. La crise suscite une sorte de réécriture de l'histoire religieuse.

La crise du quiétisme témoigne aussi de la fascination exercée sur les intellectuels désireux de mystique par des gens qui semblent y atteindre sans effort, et presque sans culture parfois (sinon les livrets de dévotion, ou les sermons) : ce couplage de fascination réciproque a existé auparavant dans le XVIIe s. entre St Jean Eudes et Marie des Vallées, par exemple (ou, dans le démoniaque, entre Sœur Marie des Anges et le RP Surin).

▶ BREMOND H., *Histoire littéraire du sentiment religieux en France depuis la fin des guerres de religion*, Paris, Armand Colin, [1916], 1971. — COGNET L., *Le crépuscule des mystiques. Le conflit Fénelon-Bossuet*, Tournai-Paris, Desclée, [1958], 1991. — MALLET-JORIS F., *Jeanne Guyon*, Paris, Flammarion, 1977. — MASSON M., *Fénelon et Mme Guyon, Documents nouveaux et inédits, (autobiographie, correspondance)*, Paris, Hachette, 1907. — VARILLON F., *Fénelon et le pur amour*, Paris, Le Seuil 1977.

Marie-Madeleine FRAGONARD

→ *Catholicisme ; Hagiographie ; Méditation ; Mystique ; Polémique ; Réforme catholique ; Religion.*

R

RAPPORTS SOCIAUX DE SEXE

L'expression « rapports sociaux de sexe » traduit le concept anglophone de *gender* ou « genre sexué ». Au genre purement grammatical (le féminin et le masculin), elle ajoute l'idée d'une « identité sexuée », fondée sur des différences (réelles ou perçues) entre les sexes, constitutive des rapports sociaux et inscrite dans des rapports de pouvoir. Dans les études littéraires, elle rejoint le domaine des études culturelles (*Cultural studies*).

Inspirée de la phrase désormais célèbre de Simone de Beauvoir, « On ne naît pas femme, on le devient » (*Le deuxième sexe*, 1949), la notion de rapports sociaux de sexe est de construction récente. En France, dans les années 1970, apparaît d'abord la définition d'une classe de femmes réunies par une condition sociale commune plutôt que par un déterminisme biologique : « le genre [...] n'est pas construit sur la catégorie (apparemment) naturelle du sexe [...] au contraire le sexe est devenu pertinent [...] à partir de la création de la catégorie de genre, c'est-à-dire de la division de l'humanité en deux groupes antagonistes dont l'un opprime l'autre, les hommes et les femmes » (Delphy, 1981, 65). Dans la même veine, M. Wittig s'attaque non pas au masculin mais à l'économie hétérosexuelle de reproduction (biologique et symbolique), qu'elle identifie comme un lieu de contrôle et d'oppression des femmes, et que C. Guillaumin critique l'économie masculine de la représentation (des femmes en particulier) : « nous sommes différentes en effet. *Mais* nous ne sommes pas tant différentes DES hommes [...] *que nous ne sommes différentes* DE CE QUE *les hommes prétendent que nous sommes* » (1992, p. 96). Dans « Le Temps des femmes », J. Kristeva repère une troisième sphère d'activité, non plus un temps mais un espace où opérerait une « dédramatisation de la lutte à mort » entre les sexes. Le troisième temps, qui est aussi une tierce position, rejoint les théories de l'identité sexuée apparues depuis les années 1980, en particulier aux États-Unis, où la notion de « rapports sociaux de sexe » tend à remplacer celle de « classe de femmes ». Ces théories, en particulier chez J. Butler et D. Fuss, s'inspirent du post-structuralisme de Foucault et de Derrida, et cherchent à déconstruire l'ordre soi-disant naturel d'une sexuation binaire, soulignant que toute nature est déjà, en tant qu'objet et produit de discours, un fait de culture. Dans le monde anglo-saxon, la notion de « rapports sociaux de sexe » fonde ainsi un important courant des recherches sur la culture (les *Gender Studies*) qui déborde du champ particulier des études sur les femmes et postule que toute production culturelle (qu'elle soit l'œuvre d'un homme ou d'une femme) est marquée par une identité sexuée qu'il convient d'analyser.

À la base de la notion de rapports sociaux de sexe se trouve l'opposition entre l'essentialisme, selon lequel l'identité sexuelle et les rapports entre les sexes sont déterminés biologiquement, et le constructivisme, qui montre que le sexe, l'identité sexuée et la sexualité résultent de la culture, d'un ensemble d'injonctions, d'un apprentissage. L'étude du genre sexué a pour objectif de cerner dans quelle mesure les divers champs de la culture participent de la conception du genre, en tant qu'« imposition d'une catégorie sociale sur un corps sexué » (Scott, 1988, 129) plutôt que comme détermination d'ordre naturel.

Il n'est pas indifférent, par exemple, que le personnage d'Antigone, dans la tragédie de Sophocle, soit une femme, ce qui superpose aux conflits politiques qui traversent la Cité un autre conflit visant au maintien de l'ordre patriarcal. Aussi les réécritures d'Antigone, nombreuses au XXe s., tendent-elles à scinder ce double conflit, les auteurs féminins mettant en avant la résistance d'Antigone en tant que femme (V. Woolf, *The Voyage Out*, 1928) et les auteurs masculins privilégiant l'image de la résistance civique (Brecht, Cocteau, Anouilh). En outre, les Antigone féminines renoncent au genre dramatique pour adopter une forme proprement romanesque. Apparaît ainsi un autre aspect de la manière dont les rapports sociaux de sexe traversent la littérature, dans la relation entre le genre sexué et le genre littéraire. Déjà mise de l'avant par Derrida (« La loi du genre », *Parages*, 1986), cette hypothèse tend à se confirmer dans l'analyse des œuvres. Là où les écrivains masculins réfèrent à la tradition canonique, les auteurs féminins empruntent plutôt aux genres intimes traditionnellement privés (correspondance, journaux, mémoires) dont dérivent notamment le roman épistolaire, l'autobiographie et l'autofiction, toutes formes narratives hybrides privilégiées par la littérature des femmes (on peut aussi y voir l'effet de la situation sociale dominée des femmes, qui les pousse vers les genres de moindre légitimité).

Les concepts d'androgynie et d'hermaphrodisme de même que la pratique du travestisme et l'expérience de la transexualité servent de points d'ancrage à la redéfinition du genre sexué. Ces « cas-limites » imprègnent en particulier la littérature homosexuelle contemporaine (de Bernard-Marie Koltès jusqu'à Michel-Marc Bouchard) et obligent à distinguer, comme le propose J. Butler, entre le sexe, – biologique –, la sexualité – en tant qu'orientation sexuelle – et l'identité sexuelle, c'est-à-dire l'ensemble des caractéristiques apprises à l'intérieur d'un contexte socioculturel, mais aussi la mise en scène, la représentation qu'opère un individu donné aux fins de sa sexuation propre. Aussi, les études sur l'identité sexuée (*gender studies*) tendent-elles à englober non seulement les études sur les femmes (et éventuellement sur les hommes), mais également les études homosexuelles (*gay*, *lesbian* et *queer studies*), domaines en forte expansion aux États-Unis.

▶ DELPHY C., « Le patriarcat, le féminisme et leurs intellectuelles », *Nouvelles questions féministes*, 1981, n° 2, p. 59-74. — GUILLAUMIN C., *Sexe, race et pratique du Pouvoir. L'idée de nature*, Paris, Côté-femmes, 1992. — HURTIG M.-C., KAIL M., ROUCH H. (dir.), *Sexe et genre. De la hiérarchie entre les sexes*, Paris, CNRS, 1991. — KRISTEVA J., « Le Temps des femmes », *Les Nouvelles Maladies de l'âme*, Paris, Fayard, [1979], 1992, p. 297-331. — SCOTT J., « Genre : une catégorie utile d'analyse historique », *Les Cahiers du GRIF*, 1988, n° 37-38, p. 125-153.

Martine DELVAUX, Michel FOURNIER

→ *Coloniale (Littérature) ; Déconstruction ; Études culturelles ; Féministe (Critique) ; Femmes (Littérature des) ; Postcolonialisme.*

RAPSODIE

Rapsodie ou rhapsodie (du grec *raptein* : coudre, et *ôdè* : chant) signifie « acte de coudre ensemble des chants ». On peut considérer ce terme comme le prototype de ceux qui désignent des textes fabriqués à partir d'éléments empruntés à des œuvres déjà existantes. C'est le cas des compilations et des centons.

Le rapsode était, dans la Grèce antique, un parfait connaisseur des poèmes d'Homère ou d'Hésiode, qui récitait des passages de ces textes en les recomposant dans un ordre nouveau, voire en improvisant à partir de tel ou tel épisode. Platon oppose cependant l'aède inspiré au rapsode dépourvu d'inventivité personnelle. Le terme prend donc une valeur péjorative qu'il conserve dans son apparition en français à la fin du XVIe s. Pour le *Dictionnaire de Trévoux*, au début du XVIIIe s., la rapsodie n'est « qu'une collection de passages, de pensées, d'autorités rassemblés de différents auteurs ». Cependant, au XIXe s., le mot retrouve une valeur positive, peut-être à cause de l'image du rhapsode inspiré déclamant devant la foule. Pétrus Borel intitule *Rhapsodies* son premier recueil de poèmes, qu'il présente comme « de la bave et de la scorie [...] un ensemble corollairement juxtaposé de cris de douleur et de joie » (préface) et Nerval rassemble sous le titre *Rhapsodies* ses *odelettes et études dramatiques*. Mais c'est dans le domaine musical que le titre de *Rhapsodie* connaît la plus grande fortune, dès le début du XIXe s., avec le compositeur tchèque Vaclav Jan Tomasehek, puis les *Rapsodies hongroises* de Liszt, très librement inspirées par la musique tzigane et au XXe s., la *Rapsodie espagnole* de Ravel, les *Rhapsodies roumaines* de Georges Enesco, puis la *Rhapsody in blue* de Georges Gershwin.

Compilation qui vient du latin *compilatio* : « pillage », introduit en français au XIIIe s., ainsi que le verbe *compiler*, n'avait pas, au Moyen Âge, de valeur péjorative car il s'agissait, en recopiant des textes, de reconstituer un savoir perdu. Aux XVIIe et XVIIIe s., les moines bénédictins font de longues compilations, tel le *Recueil des historiens de la France*. L'élaboration d'encyclopédies ou de manuels spécialisés nécessite un travail de compilation. Compilation nous est récemment revenu de l'anglo-américain, sous la forme abrégée *compil*, pour désigner une série de pièces musicales mises bout à bout qui forment une sorte d'anthologie.

Le mot centon vient du latin *cento* (du. grec *kentrôn*), désignant un morceau d'étoffe rapiécé mais aussi, au sens figuré, à partir du IIe s., une pièce de vers qui traite un sujet nouveau en utilisant uniquement des vers ou des portions de vers d'un poète célèbre. Il y eut d'abord des centons homériques puis de nombreux centons virgiliens, le plus ancien étant une *Médée* d'Hosidius Géta. Au XVIIe s., on cultive le genre du centon, surtout à la gloire de l'Église et pour réunir, par cette très formelle synthèse, la culture païenne antique et la culture chrétienne. Puis le centon tombe peu à peu en désuétude, mais on rencontre encore, au début du XIXe s., des centons de caractère politique, comme celui que Beuchot fabriqua en 1814 contre Napoléon, en utilisant des fragments de textes écrits par d'anciens panégyristes de l'empereur. Les bibliophiles rassemblent et commentent ce genre de recueils (Delepierre).

Au XXe s., si les travaux de compilation n'ont pas disparu, l'art du rhapsode ou du fabricant de centons ne peut plus être pratiqué dans sa forme ancienne qui suppose, chez l'auteur et même chez le lecteur, la connaissance parfaite du texte de référence. Cependant, on peut trouver une relation entre l'art du centon et certaines recherches de l'OuLiPo. Ainsi, la méthode « S+7 », qui consiste à remplacer, dans des textes célèbres, un substantif par le septième qui le suit dans un dictionnaire, permet d'engendrer un texte nouveau en prenant l'ancien comme support. Les *Cent mille milliards de poèmes* (1961) de Raymond Queneau se fabriquent en déplaçant des bandelettes de papier où sont écrits les vers des dix premiers sonnets. C'est donc à partir de sa propre création que l'auteur permet au lecteur de fabriquer sans effort un nombre considérable de « centons ».

Rapsodie, compilation et centon sont des productions littéraires dont les auteurs ne prétendent pas à un travail de création totalement original, puisqu'ils se réfèrent plus ou moins explicitement à des œuvres déjà produites. Toutefois, alors que le compilateur cherche à rassembler et à mettre en forme des connaissances pour les transmettre, le rapsode et l'auteur de centons se livrent à un travail de création à partir d'œuvres qu'ils recomposent. Bien qu'il conserve scrupuleusement la lettre du texte, le centon en détourne le sens et il peut s'apparenter à la parodie, même s'il constitue souvent un hommage respectueux à l'œuvre qui lui sert de matière première.

▶ CAZES H., *Le livre et la lyre : grandeur et décadence du centon virgilien au Moyen Âge et à la Renaissance*, Thèse Paris X-Nanterre, 1998. — DELEPIERRE O. et VAN DE WEYER S., *Revue analytique des ouvrages écrits en centons depuis les temps anciens jusqu'au XIXe siècle*, Genève, Slatkine, [1868], 1968. — JEANDILLOU J.-F., *Esthétique de la mystification. Tactique et stratégie littéraire*, Paris, Minuit, 1994.

Michèle BENOIST

→ *Anthologie ; Chanson ; Citation ; Lieu commun ; Mélanges ; Parodie ; Récriture, Réécriture ; Recueil ; Variété.*

RATIONALISME

Conception selon laquelle tout ce qui existe a des causes accessibles à la raison humaine, le rationalisme caractérise certaines doctrines philosophiques, certaines positions théologiques opposées au mysticisme, ou en général la science, en particulier la science moderne qui ne reconnaît pas de limites à son enquête. Le rationalisme est canoniquement opposé à toutes les doctrines spiritualistes du sentiment et de l'intuition, et plus spécialement à la religion.

On a parlé de rationalistes avant de parler, au XIXe s. seulement, de rationalisme. Ce décalage montre que ces termes renvoient en fait à une opposition dans un champ intellectuel donné, et désignent, en l'affectant d'une valeur positive ou négative, l'un des pôles de cette opposition, qui elle-même varie dans le temps et selon les circonstances. L'opposition la plus ancienne (XVIIe s.) est médicale : les médecins rationalistes, à la différence des médecins empiristes qui ne se préoccupent que des remèdes, recherchent les causes des maladies. Par exemple, les médecins dont Molière se moque sont des rationalistes : c'était de fait à sa capacité à raisonner sur les maladies, non à les soigner, que se mesurait la valeur d'un docteur en médecine, et par là qu'il se distinguait des rebouteux et autres vendeurs de remèdes miracles. En philosophie, l'usage du mot « rationaliste » est à peu près contemporain de la mathématisation de la physique et des systèmes mécanistes de Galilée, Kepler ou Descartes ; il renvoie aux philosophes et savants qui entendent chercher la cause mécanique de tous les phénomènes, sans se tenir dans les limites posées par l'Église à l'investigation humaine. Les critiques d'inspiration empiriste de Descartes, en France celles de Voltaire ou de Diderot, reprennent l'opposition rationaliste / empiriste en distribuant différemment les valeurs. Le « rationalisme » cartésien est alors critiqué parce qu'il prétend qu'on peut accéder à la connaissance des choses par la raison seule, alors que selon les empiristes elle ne peut être produite que par l'expérience. L'opposition est à nouveau renversée lorsque les romantiques et les spiritualistes critiquent le rationalisme des Lumières, c'est-à-dire l'excessive confiance des philosophes du XVIIIe s. dans la raison, qui selon eux a mené à la Révolution. On quitte à ce moment le domaine de la philosophie et de la science pour celui des valeurs esthétiques, morales et politiques : ainsi, dans le *Génie du christianisme* (1802) Chateaubriand défend le sentiment chrétien et ses effets sociaux et artistiques contre l'esprit des Lumières. La structure ainsi constituée a servi aux XIXe et XXe s. non seulement aux intellectuels ou aux hommes politiques mais aussi aux écrivains et aux critiques littéraires pour se classer et classer les autres : d'un côté la spiritualité, le sentiment, la foi (Huysmans, Claudel), de l'autre le rationalisme (Renan, Valéry). Le cas des Surréalistes montre la solidité de cette structure, au sein même d'un mouvement qui prétend la dépasser : les conflits réitérés qui émaillent l'histoire du groupe surréaliste font resurgir la polarisation morale et politique entre irrationalisme et rationalisme.

Les variations de ce que le « rationalisme » a désigné au cours du temps montrent qu'il s'agit d'un terme polémique. Il porte avec lui une représentation elle-même historiquement construite de l'histoire de la culture comme l'histoire d'un conflit d'idées et de valeurs. Or le rationalisme ne se confond pas avec la rationalité, comme le montre l'histoire des sciences, ou plus largement l'histoire culturelle, dès qu'elle ne se cantonne pas géographiquement à l'Europe occidentale et chronologiquement à l'époque moderne et contemporaine. Identifier histoire de la rationalité et progression du rationalisme ou encore déclin du spiritualisme, comme l'implique l'hypothèse de la sécularisation, c'est prendre le risque de classer et de comprendre les auteurs en fonction de leur plus ou moins grande participation à ce mouvement historique reconstitué *a posteriori*, et c'est aussi s'interdire d'examiner précisément les conditions d'exercice de la pensée et du discours dans une société donnée.

▶ BACHELARD G., *La Formation de l'esprit scientifique* [1938], 12ème éd., Paris, Vrin, 1983. — CANGUILHEM G., *Idéologie et rationalité dans l'histoire des sciences de la vie*, Paris, Vrin, 1977. — GAUCHET M., *Le Désenchantement du monde*, Paris, Gallimard, 1985. — FOUCAULT M., *Folie et déraison. Histoire de la folie à l'âge classique*, Paris, Plon, 1961. — LALOUETTE J., *La Libre pensée en France, 1848-1940*, Paris, Albin Michel, 1997.

Dinah RIBARD

→ *Laïcité ; Lumières ; Positivisme ; Périodisation ; Philosophie ; Sciences et Lettres.*

RÉALISME

Le terme de « réalisme » renvoie, au sens strict, à une école littéraire du milieu du XIXe s. ; en un sens large, il désigne la prétention de dire le réel dans sa vérité, qui constituait l'idée centrale de cette école. Cette idée a été reprise, en un sens plus général encore : dans le domaine littéraire, on appelle réaliste toute œuvre qui semble reproduire assez fidèlement la réalité à laquelle elle se réfère ; le mot s'applique alors également à la peinture ou au cinéma.

En 1856, Louis Duranty lance la revue *Réalisme*. Duranty reproche aux romantiques d'avoir rénové l'art dans sa seule forme, sans toucher réellement au sens. Influencé par les idées de Proudhon, il appelle à « étudier non seulement l'homme, mais son état social ». Il cherche donc à transposer l'idéal politique de la démocratie socialiste en réflexion esthétique en élevant la vie du peuple – d'un peuple capable de comprendre une littérature d'inspiration réaliste – à la dignité littéraire. Aussi, le romancier nouveau doit-il, selon lui, produire des œuvres qui ne se contentent pas de divertir les masses nouvelles de lecteurs plus populaires qui apparaissent alors, mais qui leur soit utile. Cet idéal d'une représentation de la réalité sociale, et en particulier des classes défavorisées, relève d'un projet sociologique autant que socialiste et vise à faire converger l'avant-garde littéraire avec l'avant-garde politique. Duranty est appuyé par le romancier Champfleury et le peintre Courbet. Le terme de réalisme n'est cependant pas de leur invention. Il est attesté pour la première fois dans *Le Mercure de France* en 1826, pour désigner déjà « la littérature du vrai ». L'idée que la littérature constitue un reflet de la société est bien établie au début du XIXe s., et par exemple en 1830, Stendhal utilise la métaphore du miroir pour rendre compte de la fonction mimétique de son esthétique romanesque (« un roman est un miroir que l'on promène sur une grande route », *Le Rouge et le Noir*). Le cycle de la *Comédie humaine* de Balzac (1842-48) est généralement considéré comme le premier projet « réaliste » achevé, qui puise sa force dans une figuration systématique des divers secteurs de la société et des diverses faces de l'activité humaine. Mais les réalistes considèrent que les romantiques n'ont pas accompli cette tâche jusqu'au bout, et face au « bon sens » qui domine alors, ils radicalisent le projet. En choisissant ce terme, ils font acte d'opposition à la doxa bourgeoise qui l'emporte après 1848 : le mot est en effet chargé à ce moment d'une forte connotation péjorative qui l'assimile à une écriture de basse vulgarité, comme le prouvent les procès littéraires intentés à Flaubert et à Baudelaire, accusés de pratiquer un « réalisme grossier et offensant pour la pudeur ». Et de fait, l'école de Duranty et Champfleury aurait pu trouver dans le Flaubert de *Madame Bovary* (1857) son véritable chef de file. Mais elle récusait l'esthétisme de ce dernier, qui lui-même ne pouvait adhérer à un programme d'inspiration démocratique. Aussi cette école n'a pas réussi à s'imposer comme un courant majeur à cette époque. Pourtant, avec l'écriture réaliste semble en fait s'affirmer, bien plus qu'un nième mouvement littéraire en -isme, une vision du monde qui, impliquant la prise en compte des réalités matérielles et la sympathie pour les exploités, correspond à l'antagonisme croissant entre les classes sociales et à l'évolution capitaliste de la production culturelle. C'est en fait le Naturalisme qui fut l'accomplissement du projet. Dès 1846, Arsène Houssaye (*Histoire de la peinture flamande et hollandaise*) utilisait comme synonymes « réalisme » et « naturalisme ». Zola, dans sa brève étude « Le réalisme », parue dans *Le Bien Public* le 22 avril 1878, reprend quelques-unes des idées exprimées par Duranty et fait de Balzac et de Stendhal les précurseurs de la « grande poussée naturaliste ». Mais il dénonce en même temps le caractère trop populiste de la revendication réaliste. Les frères Goncourt plaidaient quant à eux pour un « réalisme de l'élégance » (Préface aux *Frères Zemganno*, 1879), cherchant à concilier, par le recours à « l'écriture artiste », l'exigence du style et la description du monde réel dans sa trivialité matérielle.

Au début du XXe s., le réalisme connaît une évolution contradictoire. En France, si les historiens de la littérature emploient le terme en référence aux romanciers des années 1850, la critique l'applique de façon plus vague à toute la production romanesque qui présente des traits du même ordre. Plus généralement, tout un courant marxiste se réclame du réalisme en littérature, et le réalisme socialiste devient la doctrine littéraire officielle de l'Union soviétique en 1934. Des penseurs comme Brecht ou Lukacs tentent de donner à la notion un contenu plus problématique. C'est ainsi que Lukacs voit le réalisme comme un effort pour saisir la totalité sociale comme l'ont fait Balzac ou Tolstoï, et le roman réaliste comme « l'épopée d'un temps où la totalité extensive de la vie n'est plus donnée de manière immédiate, d'un temps pour lequel l'immanence du sens et de la vie est devenue un problème, sans néanmoins cesser de viser de la totalité » (*La théorie du roman*, 1920, trad fr. 1963). Si le réalisme socialiste continue à peu près seul à revendiquer l'expression, de nombreux romanciers poursuivent le projet tracé par le roman du XIXe s., comme Simenon ou, dans des genres plus légitimés, les auteurs des grands romans-fleuve de l'entre deux guerres (Martin du Gard, Duhamel, Plisnier). Mais à l'opposé, le modernisme et les avant-gardes récusent le réalisme. Les surréalistes dénoncent « l'attitude réaliste », accusée d'être « hostile à tout effort intellectuel et moral » et faite seulement de « médiocrité, de haine et de plate suffisance » (Breton, *Manifestes du surréalisme*). Cette dépréciation caractérise aussi le regard que portent sur lui les formalistes russes. Dans un article de 1921, Roman Jakobson rappelle que le réalisme fut un moyen permettant à une génération littéraire de se distinguer de la précédente, et, en tant que tel, une convention. Il poursuit cependant en accordant à la notion des valeurs diverses et en y décelant une tendance à surmotiver les relations causales dans le récit. Le refus du réalisme balzacien affiché par le Nouveau Roman jalonne une évolution qui souligne la force de l'interférence du Sujet et du monde et la recherche d'une écriture intransitive.

Force est de constater l'actualité du débat sur la ré-interrogation historique du courant réaliste. Étroitement lié à l'établissement de régimes démocratiques et aux mouvements sociaux naissants, le réalisme littéraire se conçoit, dans la foulée du siècle des Lumières et dès les années 1820, en opposition à la tradition idéaliste héritée de l'Ancien Régime qui souscrivait à une conception anhistorique et métaphysique de la littérature. Aussi la question se pose de la présence d'un « réalisme avant le réalisme ». Le concept de réalisme constitue, dans la philosophie scolastique, une catégorie universelle qui désigne la réalité des universaux extérieurs à la pensée. Elle trouve son concept majeur, depuis Platon et Aristote, dans l'expression de la mimésis. La fonction de l'art et de la littérature y est définie d'après leur capacité à imiter la réalité. La volonté mimétique est une exigence que connaît la littérature occidentale depuis Homère. Ainsi, Auerbach (*Mimesis. Dargestellte Wirklichkeit in der abendländischen Literatur*, 1946) la retrouve à différentes époques de l'histoire : pour lui, des écrivains aussi divers que Villon, Rabelais, Boileau ou Diderot méritent d'être tenus pour « réalistes » aussi bien que Balzac, Flaubert, Dickens ou Tolstoï, et participent de la même conquête progressive de territoires nouveaux pour la littérature. On peut ainsi reprendre sous cette rubrique les récits de Gautier d'Arras, auteur entre 1176 et 1184 de *Eracle* et *Ille et Galeron*, parce que ses romans se déroulent dans un monde contemporain et dans un décor quotidien. En ce sens, le réalisme devient une catégorie universelle de la littérature, un mode fondamental de son rapport au monde, et tend à se confondre avec l'application du « vrai-semblable vrai ».

Mais cette interrogation appelle aussi une réflexion plus proprement théorique et stylistique. Roland Barthes a donné une nouvelle impulsion à l'analyse du réalisme, en mettant l'accent sur *l'effet de réel*. Dans cette conception, le texte littéraire ne saurait être pur reflet mais il contient des ressemblances avec le réel, sous forme de petits « détails concrets ». Ils produisent l'illusion qui fonde l'esthétique de la vraisemblance. De son côté, Philippe Hamon, rappelant que ce n'est jamais le réel que l'on atteint dans un roman réaliste mais sa textualisation, tente d'établir le catalogue des procédés et conventions qui assurent au texte réaliste sa cohérence et sa vraisemblance, depuis les formes diverses de la redondance jusqu'à différentes mises en scène du pacte de lecture conclu entre auteur et lecteur. Le thème de l'effet de réel est repris par Pierre Bourdieu dans son analyse de l'*Éducation sentimentale*. Pour lui, la littérature génère un simulacre de réalité qui suscite une « forme très particulière de croyance que la fiction littéraire produit à travers une référence déniée au réel désigné qui permet de savoir tout en refusant de savoir ce qu'il en est vraiment » (*Les Règles de l'art*, 1992). Le réalisme, dans cette logique, apparaît comme une transformation de l'épique : comme l'épique, il entretient une illusion, mais il la donne comme objet de croyance. Ces différentes analyses peuvent être envisagées en ce qu'elles ont de complémentaire. Elles incitent alors à circonscrire le champ de définition du réalisme à l'époque moderne, et à le considérer, dès lors, comme un idéal d'écriture qui cherche à représenter la vie de l'homme dans son contexte socio-économique.

▶ BARTHES R., BERSANI L., HAMON P., RIFFATERRE M., WATT I., *Littérature et réalité*, Paris, Le Seuil, 1982. — BECKER C., *Lire le Réalisme et le Naturalisme*, Paris, Nathan, 2000. — DUBOIS J., *Les romanciers du réel*, Paris, Le Seuil, 2000. — DUFOUR P., *Le réalisme de Balzac à Proust*, Paris, PUF, 1998. — MITTERAND H., *L'illusion réaliste de Balzac à Aragon*, Paris, PUF, 1994.

Constanze BAETHGE

→ *Marxisme ; Mimésis, ; Naturalisme ; Réalisme socialiste ; Réel ; Reflet (Théorie du) ; Roman.*

RÉALISME MAGIQUE → Fantastique

RÉALISME SOCIALISTE

Le réalisme socialiste est la consigne de création artistique et littéraire proposée par le monde communiste de la fin des années 1930 jusqu'aux années 1950. Il succède à l'art prolétarien. Le 1er Congrès de l'Union des écrivains soviétique définit le réalisme socialiste comme la « méthode de base de la littérature soviétique » qui « exige de l'écrivain sincère une présentation historiquement concrète de la réalité dans son développement révolutionnaire ». Cette méthode se réalise toutefois avec des formes et des nuances considérables selon les pays et les traditions nationales, ce qui interdit de la considérer comme un corps doctrinal achevé.

Les premiers théoriciens du mouvement ouvrier ont exprimé leur préférence pour un mode, le réalisme, qui offrait à leurs yeux le double intérêt de s'inscrire dans la tradition littéraire contemporaine et de présenter des descriptions concrètes de la réalité sociale. Karl Marx, entre autres considérations, souhaite que les écrivains, à l'instar de Balzac, reflètent dans leurs œuvres le mouvement social et économique. Engels développe pour sa part une théorie de l'engagement social en littérature dans laquelle il énonce une série de concepts : le « type », la « tendance », le « héros-positif ». Ceux-ci forment la base de l'intervention de Lénine sur les missions des écrivains membres du parti. De cet ensemble de réflexions procèdent les thèses sur lesquelles s'appuiera, de manière dogmatique, le pouvoir soviétique pour imposer un canon éthico-moral aux œuvres d'art et tenter d'interdire celles qui ne s'y soumettent pas.

En France, le réalisme socialiste s'impose dans le contexte du Front populaire. Peintres et sculpteurs en débattent autour de 1936. Louis Aragon se défend d'importer une consigne soviétique : il relie le réalisme à la tradition révolutionnaire de la bourgeoisie française et inscrit l'école nouvelle dans le sillage du réalisme critique de Stendhal (*Pour un réalisme socialiste*, Paris, Denoël et Steele, 1935). La notion influence les débats d'après-guerre, et stimule plusieurs créateurs (André Wurmser, André Stil, Pierre Courtade par exemple) mais elle ne survivra pas à la déstalinisation des années 1950.

Le caractère réducteur de la consigne réaliste socialiste a souvent été dénoncé, parce qu'elle reconduirait une vision dépassée de « l'art utile » du XIXe s. ou parce qu'elle n'engendrerait que des œuvres monologiques.

Replacé en son contexte, le réalisme socialiste ne se laisse cependant pas réduire à la seule intervention d'un parti politique dans le monde littéraire. Son esthétique n'était pas un monopole communiste. Le courant socialiste en partage souvent les prémisses et la formule de l'art « socialiste dans la forme et national par le fond » se lit dès 1908 chez Camille Huysmans, président de l'Internationale socialiste, avant de devenir un mot d'ordre stalinien. Par ailleurs, l'académisme des grandes réalisations monumentales et symboliques soviétiques n'était guère différent des formes de l'art officiel produit depuis la fin du XIXe s. par les démocraties autant que par les pays soumis à des dictatures.

Lié aux partis communistes, le réalisme socialiste a engendré de nombreux textes littéraires en France ou en Belgique. Des écrivains comme Aragon (*Les Communistes*), André Stil (*Le premier choc*) et leurs imitateurs s'en sont fait les propagandistes. Il a également contribué à mettre en place un véritable contre-pouvoir littéraire, bénéficiant de ses propres réseaux de diffusion, de ses prix, de ses hiérarchies et de ses codes d'appréciation. Comme le monde catholique a pu le faire dans certains pays où il bénéficiait de zones d'hégémonie (Québec, Belgique...), le PCF a ainsi voulu réaliser un modèle réduit et autonome de consécration et de légitimation artistique. Dans cette acception, le réalisme socialiste est moins une théorie qu'un système d'intervention culturelle, et il demande à être étudié dans sa capacité à promouvoir des réputations, à réaliser le transfert des valeurs qu'il prône vers l'extérieur de sa sphère comme à récupérer à son profit des réputations acquise par ailleurs. De nombreux jeunes auteurs lui doivent leur éphémère existence littéraire (p. ex. Simone Téry). En revanche, Louis Aragon, qui bénéficie des atouts d'une consécration « bourgeoise », a su à la fois la conserver et livrer sa caution aux cercles communistes.

▶ ANGENOT M., *La critique au service de la révolution*, Montréal, CIADEST, 1996. — BERNARD J.-P., *Le Parti communiste et la question littéraire 1921-1939*, Paris, Presses universitaires de Grenoble, 1972. — MOREL J.-P., *Le Roman insupportable. L'Internationale littéraire et la France (1920-1932)*, Paris, Gallimard, 1985. — ROBIN R., *Le Réalisme socialiste, une esthétique impossible*, Paris, Payot, 1986. — VERDÈS-LEROUX J., *Au service du parti. Le parti communiste, les intellectuels et la culture (1944-1956)*, Paris, Fayard/Minuit, 1983.

Paul ARON

→ *Engagement ; Marxisme ; Officielle (Littérature) ; Politique ; Prolétarienne (Littérature) ; Réalisme ; Reflet (Théorie du).*

RÉCEPTION

Les théories de la réception rassemblent plusieurs propositions et points de vue critiques, développés dans la seconde moitié du XXe s., sur l'activité de lecture et d'interprétation des textes. La plus connue est « l'esthétique de la réception » dont H.-R. Jauss a été l'initiateur. Traditionnellement, deux grandes orientations se dégagent, soit l'étude des effets de lecture inscrits dans les textes, soit l'étude des pratiques effectives de la réception. Mais il est possible de considérer d'autres perspectives de recherche, liant les deux.

Dans les années 1960, les travaux de Jauss soulignent que l'herméneutique ancienne posait déjà le problème de la réception à travers l'interprétation grammaticale et l'exégèse allégorique, mais c'est avec l'herméneutique moderne et l'importance reconnue de l'action du sujet que ce problème est devenu crucial. L'adoption de la perspective historique au XIXe s., certaines idées de Poe et de Valéry, mais aussi de Hegel, puis de Heidegger, de Thibaudet, de Benjamin et de Sartre, entre autres, auraient contribué à attirer l'attention sur les questions de réception. Les thèses d'Ingarden sur *L'œuvre d'art littéraire* (éd. orig. 1930) et l'herméneutique réhabilitée par Gadamer (*Vérité et méthode*, éd. orig. 1960) ont inspiré le projet d'une « esthétique de la réception ». Selon Jauss, celle-ci vise un renouvellement de l'histoire littéraire, laquelle était alors l'objet de sévères critiques. Ce programme apparaît au moment où triomphent le formalisme et les théories du texte, le structuralisme et la thèse de l'immanence (le sens considéré comme une propriété textuelle). Jauss, influencé par Heidegger et la phénoménologie, s'écarte de telles démarches, comme aussi de la sociologie d'inspiration marxiste. En reformulant une idée de Gadamer, il envisage le dialogue entre les œuvres et les lecteurs : « [l]'effet de l'œuvre et sa réception s'articulent en un dialogue entre un sujet présent et un discours passé », ce qui suppose que « le sujet présent découvre la réponse implicite contenue dans le discours passé et la perçoit comme une réponse à une question qu'il lui appartient, à lui, de poser maintenant » (Jauss, 1978, p. 247). Pour rendre compte de cette dimension historique, il propose le concept d'« horizon d'attente ». L'étude de la réception consiste à reconstituer l'horizon d'attente du premier lectorat d'une œuvre, puis à comparer les situations des lecteurs successifs. Elle met ainsi en relation les attentes ou opinions du lecteur et les valeurs ou normes esthétiques et sociales. Selon Jauss, les grandes œuvres se distinguent par des écarts à l'égard d'une norme, des ruptures par rapport à un horizon d'attente. Face à une histoire littéraire conçue surtout comme une histoire des auteurs et des œuvres, Jauss insiste sur l'histoire de la fonction et de l'influence du lecteur sur la création littéraire. W. Iser et quelques autres chercheurs se sont engagés dans la même problématique. Ce courant a reçu le nom d'« École de Constanz » (université où enseignaient ses chefs de file). Pour Iser aussi, le sens est le résultat d'un échange entre le texte et le lecteur : il est ainsi dynamique, pragmatique, et non simplement le reflet des conditions d'émergence du texte ou des valeurs dominantes à l'époque de la création. Par ses structures, ses conventions et ses références, le texte réclame la participation du lecteur, interpellé, en particulier, par les indéterminations – dont parlait aussi Ingarden –, c'est-à-dire les vides ou les « blancs » du texte. Privilégiant une perspective phénoménologique, Iser envisage le « rôle de lecteur imposé dans le texte », le « lecteur implicite », qui « circonscrit un processus de transfert des structures textuelles via les actes de représentation dans la somme des expériences du lecteur » (Iser, 1985, p. 75).

La théorie allemande de la réception a obtenu un large succès dans le monde. Pourtant, aux États-Unis, elle a paru plus traditionnelle et conservatrice que le post-structuralisme et la déconstruction. Traduit le premier, Iser a été associé au courant américain appelé « reader-response criticism », caractérisé par une perspective textuelle et l'étude de lecteurs individuels. Le courant du « reader-response » s'intéresse au lecteur implicite tandis que la théorie de la réception s'intéresse au lecteur historique théorique. Selon Jauss, les deux approches sont complémentaires. Mais en fait, le courant américain ne constitue pas une école : il désigne un ensemble de théories et de pratiques qui remontent à la même époque, la fin des années 1960 et la décennie suivante. On considère comme ses précurseurs I. A. Richards (*Practical Criticism*, 1929) et Louise Rosenblatt (*Literature as exploration*, 1938). Parmi ses représentants, Jonathan Culler a proposé les notions de « compétence littéraire » et de « lecteur compétent » (*Structuralist Poetics : Structuralism, Linguistics and the Study of Literature*, 1975). Pour sa part, Stanley Fish a fait ressortir le caractère individuel de la lecture mais également l'existence de « communautés interprétatives » (*Is There a Text in This Class? The Autority of interpretive Communities*, 1980). Dans des travaux faisant appel à la psychologie et à la psychanalyse, Norman Holland a placé l'identité du sujet lecteur au centre de sa théorie et de sa pratique de lecture (*The Dynamics of Literary Response*, 1968 ; *The Critical I*, 1992). Il faut noter, enfin, que le « reader-response » se prolonge parfois dans le courant de la « déconstruction ».

On peut associer aux théories de la réception plusieurs autres conceptions et avenues de recherche, par exemple : la notion d'« archilecteur » de Michael Riffaterre (*Essais de stylistique structurale*, 1971) et son étude sur *l'Illusion référentielle* (1982) ; les travaux en herméneutique de Paul Ricoeur (*Du texte à l'action*, 1986) ; les études de Michel Charles (*Rhétorique de la lecture*, 1977 ; *Introduction à l'étude des textes*, 1995) et les essais critiques de Paul de Man (*Allégories de la lecture : le langage figuré chez Rousseau, Nietzsche, Rilke et Proust*, 1989). Signalons, au moins, parmi les théories de la lecture appuyées sur l'étude des textes, celle que Umberto Eco a formulée dans *Lector in fabula* (éd. orig. : 1979), qui introduit ou reprend des notions telles que « Lecteur Modèle », « encyclopédie », « inférence », « topic » et « monde possible » pour étudier l'activité du lecteur prévue sinon commandée par le texte narratif. Dans une perspective sémiotique, également, Bertrand Gervais a décrit deux régimes de lecture correspondant à la tension entre la progression dans le texte et sa compréhension (*À l'écoute de la lecture*, 1993).

L'autre perspective, qui met l'accent sur les déterminations externes de la réception, ressortit principalement à la sociologie de la culture et de la littérature. Elle a nourri de nombreux travaux, depuis les études de Robert Escarpit (*Le littéraire et le social. Éléments pour une sociologie de la littérature*, 1970), et les enquêtes de Jacques Leenhardt sur les réactions des lecteurs, qui montrent que celles-ci se distribuent selon des modalités et des systèmes de lecture types (*Lire la lecture...*, 1982), jusqu'aux recherches dirigées par Martine Burgos, par Martine Poulain, par Nicole Robine et par Denis Saint-Jacques, souvent influencées par la sociologie de Pierre Bourdieu. Les études historiques sur les pratiques de lecture (par exemple Chartier, Darnton) dialoguent avec cette perspective, au sein d'une histoire culturelle générale.

Les recherches sur la réception ont été longtemps et largement des analyses portant avant tout sur la lecture. Or celle-ci ne constitue qu'une part de l'ensemble : l'audition, le spectacle théâtral y sont aussi à prendre en compte, et les enquêtes en ces domaines sont encore minces. D'autre part, la relation entre le lecteur et le texte, les protocoles que celui-ci impose et les attitudes qu'il suppose, si elle a été surtout envisagée à propos de textes littéraires, ne définit pas ce qu'est une réception proprement littéraire – qui peut s'appliquer à des textes littéraires mais aussi annexer à la littérature des textes non littéraires à l'origine (les *Lettres* de Mme de Sévigné par exemple). De plus, l'interrogation du dialogue du texte et du lecteur exige que l'on tienne compte de toutes les pratiques de lecture « irrespectueuses » (par exemple lire tout de suite la fin d'un roman). Enfin, le concept d'« horizon d'attente » est, dans la démarche de Jauss, construit par l'interprète et non issu des textes eux-mêmes. Il pourrait sans doute être lié à celui de champ littéraire, puisque ce dernier définit l'espace des lectures possibles. L'ensemble de ces questions n'implique pas que l'analyse de la réception ne soit pas pertinente, au contraire (Molinié et Viala, 1993). Il appelle un élargissement des analyses, en particulier la prise en compte d'habitus de lecture, mais aussi de dimensions anthropologiques, qui permettent que les textes soient lisibles même hors de leur contexte culturel de création, fût-ce au prix de « contresens créateurs », qui trouvent à les investir de significations neuves. Au-delà, la question est posée des liens entre réception et création : souvent, les réactions de lecteurs amènent des écrivains à infléchir leur texte – par des variantes éditoriales – et, plus encore, les étapes du processus de publication constituent autant d'espaces où création et réception sont en interaction (lecture dans des salons avant édition, consultation d'amis ou de maîtres, etc.).

▶ ECO U., *Lector in fabula. Le rôle du lecteur ou la Coopération interprétative dans les textes narratifs* [1979], Paris, Grasset, Le livre de poche, 1985. — ISER W, *L'acte de lecture. Théorie de l'effet esthétique* [1976], Bruxelles, Mardaga, 1985 — JAUSS H. R., *Pour une esthétique de la réception* [1972], Paris, Gallimard, 1978. — LEENHARDT P., JÓZSA P. (en coll. avec M. Burgos), *Lire la lecture : essai de sociologie de la lecture*, Paris, Le Sycomore, 1982. — VIALA A. et MOLINIÉ G., *Approches de la réception*, Paris, PUF, 1993.

Max ROY

→ *Herméneutique ; Habitus ; Interprétation ; Lecture, Lecteur ; Publication ; Public ; Signification.*

RECHERCHE EN LITTÉRATURE

Dans les études littéraires, le terme de « recherche » désigne les travaux scientifiques qui visent à la découverte de connaissances nouvelles sur la littérature et sur ses lois de fonctionnement. Il n'existe pas de terme précis pour désigner le chercheur en littérature (contrairement à l'historien, au linguiste, au physicien, etc.) L'appellatif de « littéraire » prête à confusion : il ne faut pas confondre les « littéraires » comme écrivains et essayistes (ceux qui *font de la littérature*) et les chercheurs qui se donnent la littérature comme objet d'étude. De même, il n'existe pas de terme pour désigner la littérature en ce qu'elle peut être en elle-même acte de connaissance (voir : Cognitif, connaissance).

Le début du XXᵉ s. a vu s'institutionnaliser la recherche en littérature, à partir d'une discipline née au XIXᵉ s. et particulièrement favorisée en Allemagne, la philologie – qui est elle-même l'héritière de l'érudition et de l'herméneutique. Les universités allemandes créent des séminaires de recherche et se livrent à un travail minutieux qui comprend l'étude des manuscrits et l'élaboration de concordances grecques et latines. En France s'impose une discipline nouvelle introduite par G. Lanson, l'histoire littéraire, dérivée de la seule branche des sciences humaines qui jouisse alors d'un statut scientifique : l'Histoire.

Inspirée du positivisme régnant à l'époque, l'histoire littéraire promeut une recherche centrée sur l'observation des faits et des données objectivables. Elle se distingue de la critique en ce qu'elle construit un savoir factuel, à l'exclusion de tout jugement ou commentaire personnel. Émile Faguet, en 1912, insiste sur l'opposition entre le critique littéraire qui doit donner sa pensée et ses impressions sur un ouvrage, et l'historien de la littérature qui doit rester aussi impersonnel que possible. Gustave Lanson, dans un article de 1910, « La méthode de l'histoire littéraire », fixe le programme de recherche qui va longtemps prévaloir dans l'université francophone : l'établissement du texte ; l'étude de sa genèse ; l'établissement du sens littéral, puis du sens littéraire où le sentiment subjectif peut intervenir mais de façon contrôlée. L'insistance mise sur le rapport de l'homme et de l'œuvre donne une place de prédilection à la biographie.

Cependant un groupe de chercheurs russes définissent dès 1915 un programme de recherche très différent, centré sur la description de ce qui fait la spécificité du texte littéraire comme tel, ou selon le terme de R. Jakobson, la littérarité. Appelés « Formalistes », ils précisent que leur particularité ne tient pas à l'examen des formes, mais au désir de parvenir à une conscience théorique et historique de leur objet, c'est-à-dire de créer une « science littéraire autonome à partir des qualités intrinsèques des matériaux littéraires » (B. Eikhenbaum, 1925). Ils réagissent ainsi à la fois contre l'histoire littéraire qui mène ses investigations scientifiques aux alentours du texte, et contre la critique purement impressionniste qui ne constitue pas une recherche scientifique digne de ce nom.

À leur suite, les chercheurs français des années 1960 se déclarent en faveur d'une théorie de la littérature qui a pris le nom de Poétique. La poétique contemporaine marquée en France par les noms de T. Todorov et G. Genette, prend soin de se distinguer de la critique en notant que le critique se voue à l'interprétation d'œuvres particulières et vise donc à nommer le sens d'un texte, tandis que le poéticien cherche à connaître les lois générales qui président à la naissance des œuvres. Élargissant le champ des recherches, la sémiologie entendue comme la science qui étudie les systèmes de signes englobe à partir des années 1970 l'investigation de la littérature dans un cadre qui inclut les médias, la bande dessinée, les représentations théâtrales, le cinéma.

C'est également à partir des années 1960 que les recherches sur la littérature se sont inspirées des cadres conceptuels et des méthodes des sciences humaines. Contrairement aux poéticiens qui entendaient explorer ce qui est spécifique à la littérature comme telle, de nombreux chercheurs ont entrepris une investigation fondée sur tel ou tel courant de la sociologie, de la psychologie ou de la psychanalyse. Ces recherches, qui se poursuivent jusqu'à ce jour, sont souvent rattachées au domaine de la critique (ainsi, on parle de critique psychanalytique ou de sociocritique), ce qui n'enlève rien à leur qualité de recherche dans le sens défini ci-dessus. Par ailleurs, la littérature a été choisie comme objet d'investigation par des chercheurs venus d'autres disciplines, qui ont contribué au développement des études littéraires, et en particulier par des psychanalystes, des linguistes (R. Jakobson, N. Ruwet), des philosophes (G. Deleuze, J. Derrida, M. Foucault), des historiens (A. Corbin) et des sociologues (P. Bourdieu).

La recherche, qui peut relever de théories et de méthodologies fort différentes, veut se distinguer de la critique journalistique et « d'humeur » dans la mesure où celle-ci propose une évaluation des œuvres. Cependant dans une partie de la critique universitaire également, le déchiffrement des textes ne se laisse pas toujours dissocier de la subjectivité de l'interprète. L'idée d'estimation positive ou négative, de goût personnel ou de lecture subjective attaché à la critique, fait que différentes disciplines comme l'histoire littéraire, la poétique et la sociologie de la littérature ont choisi de s'en distinguer nettement pour se définir comme recherche scientifique.

Il n'en faut pas conclure pour autant que la critique psychanalytique, la sociocritique ou d'autres types de critique pratiqués dans les établissements d'enseignement supérieur ne relèvent pas de la recherche. Fort éloignées d'une lecture purement personnelle et subjective des œuvres, elles proposent des questionnements sur la création littéraire dans son rapport au fonctionnement général de la psyché, sur la relation du littéraire et du social, sur la singularité d'une œuvre dans son époque, etc. qui relèvent d'un travail systématique s'appuyant sur des connaissances qu'elles contribuent à mettre en place, et sur des outils conceptuels qu'elles se doivent d'élaborer et d'éprouver.

La recherche en littérature est institutionnalisée selon des normes qui peuvent varier de pays à pays. Néanmoins dans la majorité des cas les chercheurs se répartissent entre : (1) chercheurs attitrés travaillant dans des instituts de recherche (par exemple le Centre National de la Recherche Scientifique en France, le Fonds National de la Recherche Scientifique en Belgique) ;

(2) chercheurs-enseignants dans les universités ; (3) jeunes chercheurs qui poursuivent une thèse de doctorat dans un établissement autorisé. Le cursus du chercheur en littérature consiste en plusieurs étapes obligées, selon des modalités qui sont sujettes à modification et qui comprennent généralement plusieurs cycles d'études dont le doctorat, où le doctorant prépare une thèse sur un sujet bien délimité avec un directeur de recherches.

Les résultats de la recherche en littérature, discutés dans le cadre de colloques scientifiques et diffusés par des actes de colloques, par des collections chez des éditeurs spécialisés et par des revues scientifiques, font l'objet d'une vulgarisation dans des ouvrages à buts pédagogiques et des manuels : la recherche retentit donc sur les publications, la notoriété, les carrières des chercheurs, ce qui contribue à en faire un enjeu de discussions portant jusque sur son statut même. L'idée d'une recherche de type scientifique en littérature a ainsi longtemps fait l'objet d'un débat entre les tenants d'une démarche rigoureuse calquée sur celle des autres sciences, et les partisans de la sensibilité littéraire pure qui considèrent que la littérature échappe par définition à toute prise scientifique. La conception des études littéraires comme de « la littérature sur la littérature », ou au contraire comme recherche scientifique, peut se traduire notamment dans des choix d'écriture (travail du style *vs* emploi d'une terminologie rigoureuse).

La validité de la recherche se fonde, selon le processus ordinaire, sur l'élaboration, à partir d'éventuelles intuitions, d'hypothèses qui donnent lieu à un travail menant à des énoncés tenus (au moins momentanément) pour vrais dans la mesure où ils sont vérifiables et résistent à la critique. La question de l'évaluation des énoncés valables est néanmoins problématique. Les critères qui permettent de décider si une proposition est correcte sont généralement de trois sortes (du moins peut-on appeler de ses vœux, comme D. Fokkema, une telle légitimation tripartite pour garantir la validité des résultats de la recherche) : un énoncé est considéré comme valable s'il correspond aux faits, en vertu de sa cohérence, ou compatibilité avec des théories tenues pour fondées, et en vertu du consensus qui se crée autour de lui dans un groupe de chercheurs.

▶ CHEVREL Y. *L'étudiant-chercheur en littérature. Guide pratique*, Paris, Hachette, 1993. — FOKKEMA D. « Questions épistémologiques », dans Angenot M., Bessière J,. Fokkema D., Kushner E. (éds), *Théorie littéraire*, Paris, PUF, 1989.

Ruth AMOSSY

→ *Bibliophilie ; Critique littéraire ; Herméneutique ; Histoire littéraire ; Philologie ; Sciences et Lettres ; Théories de la littérature.*

RÉCIT (Théories du)

Au sens que lui confère la théorie littéraire du XXe s., le récit se donne à penser essentiellement à partir des deux orientations qui correspondent peu ou prou aux grandes deux acceptions du terme. D'un côté, et parce que le récit relève d'une spécificité modale qui le distingue du dramatique, font récits les contes, les légendes et les mythes, les mémoires et les chroniques, les faits divers et les nouvelles, les épopées et les romans.., la vraie vie comme les destins fictifs. En tant qu'énonciation narrative, le récit est analysé au travers des voix, chargées de sa conduite et convoquées pour sa réception ; il est un discours, et se trouve analysé comme tel. Pour la France, c'est l'option de Genette et de la linguistique de l'énonciation intéressée par les questions narratives (avec Benveniste et Ducrot, et à partir des travaux de Culioli). D'une façon autre, mais tout aussi impérative, le récit est histoire. Ni éloge, ni harangue, il ne se confond pas davantage avec la comptine ou le sermon. Préoccupé de soumettre à son ordre les actions qu'il expose, il se donne comme une totalité où, entre début et fin, s'éprouve la conversion du sens. Cette fois, c'est la schématisation narrative qui mobilise l'intérêt théorique – et au nom de l'histoire, une telle narratologie s'approprie jusqu'au registre dramatique. On reconnaît là les projets hérités de Propp, à travers la sémiotique narrative de Greimas et les études de Barthes, Bremond et Todorov, comme à travers les grammaires du récit.

L'analyse des formes littéraires trouve un point de départ dans la *République* de Platon, mais c'est Aristote qui, avec la *Poétique*, donne à la théorie son ouvrage fondateur. Il va sans dire que l'étude s'applique alors indirectement au récit puisqu'Aristote se donne pour objet la *mimésis* et décrit les « objets », les « modes » et les « moyens » (1447a 15) par lesquels les actions humaines sont représentées dans toutes les œuvres relevant de la *poïèsis* (écrites en vers). Cependant, si la tragédie est mise au premier plan, l'épopée, qui répond elle aussi au critère mimétique de la fable (*mythos*), s'impose comme l'autre grand genre étudié par Aristote. Ensuite, et après un Moyen Âge occupé par la rhétorique latine où le récit est cantonné à l'étude de cas porté par la *narratio*, l'âge classique accentue les aspects prescriptifs et normatifs de la pensée aristotélicienne réveillée par la Renaissance. À travers une conception très hiérarchisée des genres, le classicisme, dans la seconde moitié du XVIIe s., s'affiche avant tout soucieux des questions de vraisemblance ; quant à l'agencement des faits, il impose des critères de clarté et d'équilibre : « [le] sujet de soi-même et s'arrange et s'explique » (Boileau, *Art poétique*, III, v. 304, 1674). Dans ce contexte, le poème épique devient le seul genre narratif recevable, à côté d'un roman totalement déprécié pour sa frivolité, ses invraisemblances, et ses innombrables détours ; il reste toutefois aux récits la charge de raconter les épisodes de la tragédie, notamment ceux qu'il faut « reculer des yeux » (III, 54) du spectateur au nom des règles de bienséance. Après le siècle classique, le récit en tant que tel est peu théorisé, car l'esthétique, prenant au XVIIIe s. la place de la réflexion poétique, se met à la recherche d'une unité des arts et situe sa réflexion sur la forme – avec Lessing et Kant – du côté de la sensibilité. L'intérêt se déplace peu à peu vers les expressions du génie créateur et annonce un XIXe s. où les conceptions romantiques font de l'œuvre un absolu, tandis que la promotion du grand genre narratif qu'est désormais le roman s'effectue à travers la question de la représentation de l'Histoire. Si en Russie, les formalistes, dès le début du XXe siècle, se tournent vers l'étude du langage littéraire, en France, il faut attendre la création d'une chaire de Poétique à l'intention de Valéry au Collège de France en 1937 pour que le XXe s. redonne une autonomie à la réflexion poétique. C'est cette fois une approche interne et descriptive de la littérature, devenue langage par le passage au Symbolisme, qui est prônée. Jakobson poursuit dans cette voie et la plupart des théories du récit qui, à partir des années 1960, connaissent en France dans le contexte du structuralisme un réel développement, prennent effectivement appui sur les catégories de la linguistique de la phrase, puis sur celles du discours. Ainsi, la théorie proprement dite s'élabore à partir de l'ouvrage de Vladimir Propp, *Morphologie du conte* (*Morfologija skazki*), publié en russe en 1928. Lévi-Strauss, le premier, fait connaître en 1960 les analyses du folkloriste, avant qu'un véritable « état de l'art » associe en 1966 sous le titre « L'Analyse structurale du récit », dans la revue *Communications*, les contributions de Barthes, Bremond, Eco, Genette, Greimas, Metz et Todorov. À ce moment, les options structuralistes – au moins chez Barthes et Todorov – affichent la complémentarité des deux axes d'étude. Cela ne durera pas. De son côté, la sémiotique de Greimas, avec les tomes du *Dictionnaire* publiés en 1979 et 1986, élabore une théorie systématique fondée sur une conception large du récit : la narrativité y devient le principe même de l'engendrement du sens. En matière littéraire, cette approche sémio-narrative, en dépit de son évidente volonté de se déprendre des genres, se révèle essentiellement opérante pour les « formes simples » (Jolles), en raison précisément de leur faible investissement discursif. De l'autre côté, le « Discours du récit » (1972) de Genette, puis sa relecture, le *Nouveau discours du récit* (1983), représentent la méthode la mieux formée d'une théorisation qui part cette fois de la narration, et de ses instances, dans leurs rapports avec l'histoire et le récit (vu comme produit de la narration), pour déboucher sur une étude du point de vue. Liée dès sa conception à l'œuvre de Proust, l'entreprise apparaît quant à elle immédiatement propre à décrire la complexité de la discursivité narrative. Dans ses évolutions, la théorie du récit est restée inséparable des modifications du paradigme linguistique lequel, à partir des années 1980, ne conçoit plus le texte dans et pour sa clôture fonctionnelle et aménage la question de l'immanence au contact de la pragmatique. Est symptomatique à cet égard chez Genette l'ouverture aux paratextes avec *Introduction à l'architexte* (1979), *Palimpsestes* (1982) et *Seuils* (1987), tandis que d'autres grammaires du récit voient le jour, comme celle de J.-M. Adam (*Le texte narratif*, 1985), pour lesquelles, dans la perspective d'une pragmatique textuelle, l'ambition est d'intégrer le lecteur à la schématisation narrative, à la manière dont Eco (*Lector in fabula*, 1979) voyait déjà en lui un « coopérant ».

Le récit n'est pas à proprement parler un genre. Le problème n'est pas tant qu'il déborde le domaine littéraire pour concerner aussi bien l'historiographie, l'oral et le non-verbal, car en matière de théorie, c'est bien le récit littéraire qui a longtemps servi de modèle à toute narratologie. Genette le rappelle en préambule à *Fiction et diction* (1991) avec l'ambition de réexaminer ses propres catégories narratives selon le partage fictionnel/factuel. Il trouve ainsi manière de préciser les modalités de ce discours du récit dont L. Marin disait à quel point, en amont même de cette distinction, le narrateur sait prendre le lecteur à son « piège ». Mais plus fondamentalement, et comme l'a vu Ricœur (*Temps et récit*, 1983-1985) au sujet d'Aristote, l'ascendant exercé par le narratif a déterminé l'édification même des genres. On reconnaît d'ailleurs cette emprise jusque dans la réflexion de J.-P. Faye sur les langages totalitaires (*Théorie du récit*, 1978), dont le postulat impose à toute théorie de la connaissance une théorie de la narration. En réalité, du point de vue méthodologique, ce privilège du narratif a surtout conduit à un primat de l'action. De Greimas à Todorov, les orientations structuralistes se sont en effet directement appuyées sur une logique des actions en proposant une schématisation narrative homologue aux structures prédicatives élémentaires (de type prédicat-fonction/arguments). Dans ce cadre, la difficulté à penser la transformation au cœur de la dynamique narrative, autrement que comme une série de règles dérivées, est restée patente. C'est pourquoi Ricœur, fidèle en cela à son option herméneutique, a choisi de remonter jusqu'à l'« intelligence du récit », celle forgée à la faveur de la familiarité du lecteur avec les intrigues types, dans le but de faire de la configuration narrative une question temporelle.

▶ BREMOND C., *Logique du récit*, Paris, Le Seuil, 1973. — GENETTE G., « Discours du récit », *Figures III*, Paris, Le Seuil, 1972 ; *Nouveau discours du récit*, Paris, Le Seuil, 1983 ; « Récit fictionnel, récit factuel », *Fiction et diction*, Paris, Le Seuil, 1991. — LÉVI-STRAUSS C., « La Structure et la forme », *Anthropologie structurale*, t. 2, Paris, Plon, 1973. — MARIN L., *Le récit est un piège*, Paris, Minuit, 1978. — RICŒUR P., *Temps et récit*, t. 1 (1983), t. 2 (1984), t. 3 (1985), Paris, Le Seuil, 1991. — TODOROV T., *Poétique de la prose*, Paris, Le Seuil, 1971.

Florence DE CHALONGE

→ *Discours ; Genres littéraires ; Narration ; Poétique ; Sémiotique.*

RÉCIT INITIATIQUE

Le récit d'initiation (à un art, un savoir ou un mystère) comprend deux catégories de textes qui peuvent, dans certains cas, se rejoindre : les uns suivent les étapes de la formation d'un personnage, les autres racontent une histoire qui est destinée à la formation du lecteur. Si les contenus de l'initiation sont potentiellement infinis, l'usage réduit souvent la notion à sa dimension éthique.

De très nombreux récits peuvent se ranger sous le qualificatif d'initiatique. Nombre de discours non littéraires se présentent comme des voies d'accès à un savoir qui veut être réservé à des initiés : rituels religieux ou maçonniques, alchimie... Et plus largement, quasi tous les récits à consonance morale ou tous les textes qui diffusent un savoir peuvent être lus de ce point de vue. On privilégiera par conséquent ceux qui obéissent à un projet concerté. Se pose alors la question des limites de la notion, qui croise celles de roman d'apprentissage, de récit d'aventures et d'épreuves, de roman de formation, voire de gnose et d'ésotérisme. Dans tous ces cas, un schéma narratif récurrent semble se manifester. Il met en scène un héros jeune (souvent de sexe masculin), et un Mentor, une série de séquences d'apprentissage, et une phase de transition vers une conscience supérieure. On peut ainsi parler d'une grammaire du récit initiatique, qui a beaucoup intéressé la mythocritique. La question plus essentielle est donc de savoir comment et pourquoi, à certains moments, des récits initiatiques s'inscrivent dans la littérature. Cet échange renvoie, pour une part fondamentale, à la dimension anthropologique du fait littéraire, qui donne un espace pour des propos qui échappent à la doxa et qui exprime les désirs des hommes d'échapper aux contraintes du monde tel qu'il va. Car le récit initiatique mobilise le rêve et les mystères et postule souvent qu'échapper à la réalité quotidienne, c'est pénétrer dans le non-rationnel.

Le principe de l'initiation est lié aux pratiques sociales d'accès à l'âge adulte et d'entrée dans des groupes restreints. Ainsi, dans l'Antiquité, *L'âne d'or* d'Apulée peut être considéré comme le premier roman initiatique, lié à l'héritage des pratiques religieuses à « mystères ». En Europe, le roman arthurien, et particulièrement l'aventure de Perceval, met en scène un héros qui passe par une série d'épreuves dont la réussite complète est symbolisée par la conquête du Graal. Dans le vocabulaire de l'époque, cette « matière » (sujet, personnages, décors et événements merveilleux) sert à dégager une « conjointure » (schéma initiatique) d'où éclot un « sen » (une signification) mythique. Très largement diffusés dans toute l'Europe, ces récits alimentent à la fois une immense production que diffuse le colportage et des parodies plus ambitieuses, comme le *Don Quichotte* (1605-15) de Cervantès. À la Renaissance, la fréquentation des *Métamorphoses* d'Ovide, fournit un schéma d'aventures et d'épreuves dont l'effet se conjugue à celui des contes populaires et à la matière de Bretagne. Les auteurs s'en emparent à des fins diverses, politique et philosophique comme dans le poème *Athys* (1653) de Jean Segrais, ou didactique, comme dans le *Télémaque* (1699) que Fénélon rédige pour servir à l'éducation du Dauphin, et qui servira de livre de lecture aux enfants jusqu'au milieu du XXe s. La réécriture des contes populaires (Perrault, Grimm, Mme d'Aulnoye) permet également de préparer les enfants à la vie adulte en métaphorisant les étapes et les interdits (par exemple, l'inceste).

Parce qu'il est très populaire, le schéma du roman dit « grec » (Bahktine) alimente la parodie qu'en donne Voltaire dans *Candide*. Mais il nourrit également l'imaginaire romantique : *L'homme qui rit* de Victor Hugo (1869), *Consuelo* de Georges Sand (1843), *Aurélia* de Nerval (1855). Souvent, l'intervention d'un Maître transforme le hasard en destinée. Les tentations ésotériques du symbolisme conduisent aux *Grands Initiés* de Schuré et à l'éthopée du Sâr Peladan. Mais même le roman didactique de la science positive n'échappe pas au schéma initiatique dont l'œuvre de Jules Verne offre de nombreux exemples. Le surréalisme a été attentif à la *Dialectique du hasard au service du désir* selon le titre d'un ouvrage du surréaliste belge Fernand Dumont (écrit vers 1935 et publié en 1979). Sur un mode plus individualiste, la fascination pour le Tao et sa maïeutique initiatrice attire des auteurs en quête d'une connaissance de soi (Michaux) et ceux qui s'intéressent à une prise de conscience sociale (Brecht). La littérature populaire (notamment à travers la science-fiction) diffuse par ailleurs massivement des schémas initiatiques (ainsi *Stars War*).

▶ CELLIER L., *Parcours initiatiques*, Neuchâtel, À la Baconnière, 1977. — FAIVRE A., *Les contes de Grimm. Mythe et initiation*, Paris, Circé, 1978. — MARX J., *La légende arthurienne et le Graal*, Genève, Slatkine, [1952], 1996 ; *Nouvelles recherches sur la littérature arthurienne*, Paris,

Klincksieck, 1965. — VIERNE S., *Rite, roman, initiation*, Grenoble, PUG, 1987.

Paul ARON

→ *Didactique (Littérature) ; Hermétisme ; Merveilleux ; Mythe ; Mythocritique ; Roman de formation.*

RÉCRITURE, RÉÉCRITURE

La réécriture est l'action par laquelle un auteur écrit une nouvelle version d'un de ses textes, et, par métonymie, cette version elle-même. Mais la réécriture désigne aussi de façon générale, et plus vague, plus instable, toute reprise d'une œuvre antérieure, quelle qu'elle soit, par un texte qui l'imite, la transforme, s'y réfère, explicitement ou implicitement (dans ce cas, certains critiques proposent d'employer le terme de « récriture » pour spécifier un usage de création littéraire par re-travail d'un énoncé masqué).

La réécriture est une pratique constante de la création littéraire, et plus généralement, culturelle. Il serait tentant de distinguer les époques où l'imitation constituait un procédé canonique et préconisé comme tel, et l'époque où le désir d'originalité s'allie avec des formes plus complexes et masquées de réécriture. Mais l'usage de celle-ci, en son sens large, est omniprésent. Ainsi lorsque, par exemple, les Goliards au Moyen Âge reprennent les modèles des textes religieux pour les parodier (*Carmina burana*, XIIe-XIIIe s.), il y a bien là un usage de réécriture ; à fortiori lorsque Villon compose un « Grand Testament » après un « Petit » (1461-1462). Et dans *l'Art poétique* de Boileau (1674), le « vingt fois sur le métier remettez votre ouvrage » appelle à une pratique constante de la réécriture avant la version achevée, mais aussi une fois celle-ci déjà publiée, dans les éditions successives. Ainsi Montaigne retouchant sans cesse ses *Essais* (1re éd., 1580) Corneille révisant ses œuvres composées depuis 1630 en de nombreuses variantes pour l'édition de 1660, etc., et la prolifération du phénomène à l'époque moderne. Mieux vaut donc admettre la permanence du fait, et en considérer les variétés.

La théorisation critique de la récriture ou réécriture remonte aux années 1980. Elle résulte de la prise de conscience des processus de l'intertextualité, et des critiques comme Jean Ricardou ont voulu en faire l'argument d'une réflexion généralisée de l'écriture seconde. Elle désignerait ainsi le procès inachevé qui est au principe de l'acte même d'écrire. La référence, littéraire et non critique, à laquelle se réfèrent ceux qui l'utilisent a souvent été la nouvelle de Borgès, « Pierre Ménard auteur du Quichotte », récit d'une récriture littérale, et pourtant différente, du texte de Cervantès (dans *Fictions*, [1956], trad. franç. 1957).

La réécriture peut être distinguée selon qu'elle est réécriture de soi (cas des brouillons, variantes, reprises) ou réécriture d'autrui (usage de sources et emprunts). Dans le premier cas, elle relève de la philologie ou de la génétique textuelle. Dans le second, ses usages varient de l'aménagement ou de la remise d'un texte au goût d'une époque à toutes les reprises de l'ordre de la citation. Elle peut alors être distinguée selon qu'elle est avouée, explicite, comme dans le cas de la parodie et du pastiche, ou masquée, implicite, et pas forcément décelable comme telle par tous les lecteurs (comme dans la mystification).

Le flou théorique qui entoure la notion de réécriture n'a pas permis qu'elle se constitue en catégorie critique opératoire. Mais elle rappelle utilement les questions fondamentales que sont, pour l'art, l'appel à la mémoire, à la tradition et à l'imitation.

Gérard Genette a analysé le phénomène énonciatif qu'est la récriture, assimilée par lui à une hypertextualité : la récriture se décrit comme une relation unissant un texte B (hypertexte) à un texte antérieur A (hypotexte) sur lequel il se greffe d'une manière qui n'est pas un simple commentaire ou une copie, mais une appropriation et un détournement. Les modalités de cette greffe sont innombrables, et, sans doute, impossibles à organiser rationnellement ou structuralement, tant les glissements sont nombreux, et les situations d'énonciation, diverses. Mais ce qui compte, c'est que la conscience de la récriture généralisée nourrisse l'acte de lecture – et c'est d'ailleurs en ce sens qu'elle est un enjeu d'enseignement. *Les Chants de Maldoror* (1868) de Lautréamont, par exemple, développent une écriture de la révolte et de la transgression, contre la littérature académique : la réécriture désordonnée des références historiques (Shakespeare, Baudelaire, etc.) s'inscrit dans une perspective de renversement des valeurs et de détournement des sens codés qui empruntent les discours des autres pour en souligner les apories. Remarquer ce processus, c'est acquérir une compétence de lecture qui est requise non seulement par les textes qui, jusqu'à la fin du XVIIIe s. s'inscrivent dans la tradition de l'imitation, mais également par les autres qui, depuis le Romantisme, se revendiquent de l'esthétique de l'originalité. La récriture en ce sens est le matériau même sur lequel travaillent, chacun pour leur part, l'écrivain et son lecteur.

▶ BEUGNOT B., « La récriture : entre histoire et théorie », dans *Jean Giraudoux. L'écriture palimpseste*, L. Gauvin (éd.), Montréal, Paragraphes, 1997, p. 277-287. — COMPAGNON A., *La seconde main. Le travail de la citation*, Paris, Le Seuil, 1979. — GENETTE G., *Palimpsestes. La littérature au second degré*, Paris, Le Seuil, 1982. — RIFFATERRE M., *La production du texte*, Paris, Le Seuil, 1979. — Coll. : « La récriture au XVIIe s. », *Dix-septième siècle*, 186, janv.-mars 1995.

Éric BORDAS

→ *Génétique (Critique) ; Intertextualité ; Imitation ; Modèle ; Originalité ; Parodie ; Pastiche ; Philologie ; Sources ; Texte.*

RECUEIL

« Recueil » désigne une sélection et un rassemblement de textes, par un ou plusieurs auteurs, ou un éditeur. Le mot renvoie ainsi à une pratique éditoriale voire commerciale, qui relève de l'histoire du livre, à un acte créateur de l'écrivain dans la constitution de son œuvre, qui relève alors de la poétique, ou au résultat concerté d'une production collective, qui relève de l'histoire des mouvements littéraires. Ce n'est donc que dans certains cas qu'intervient la question d'une cohérence interne du recueil, qui se trouve ainsi parfois semblable et parfois différents des collections, anthologies, florilèges, albums, mélanges.

Si le recueil de poèmes est peut-être l'espèce noble du genre, la pratique est surabondante et multiforme. Ce sont, évidemment les formes brèves qui s'y prêtent le mieux. Ainsi dès l'Antiquité l'habitude s'est établie de considérer ensemble des séries de poèmes relevant d'une même inspiration ou d'une même forme chez un même auteur (les *Tristes* d'Ovide par exemple), mais aussi des séries de lettres ou de plaidoyers (Sénèque, Cicéron). Dans l'Antiquité tardive, l'usage des compilations de fragments, sentences ou passages notables des grands auteurs constitue une autre forme de recueils. Au Moyen Âge ont été formés des « chansonniers » et des recueils de diversités, curiosités, histoires mémorables, dont l'usage s'est longtemps poursuivi. La pratique éditoriale du recueil poétique individuel se développe à partir de la Renaissance (*Antiquités*, 1558, et *Regrets*, 1557, de Du Bellay ; *Amours* de Ronsard, 1552-53, p. ex. ; les *Essais* de Montaigne, 1580-95, peuvent être regardés comme une forme connexe). Les recueils de vers collectif sont au XVIe et XVIIe s. (parfois unifiés par le mode poétique, burlesque, libertin ou galant), une pratique éditoriale en essor. Ils commencent à marquer des tendances esthétiques, donc à constituer des courants littéraires comme tels (par exemple les *Recueils de pièces galantes*). Au XIXe s., la publication collective concertée, comme celle du *Parnasse contemporain* (1866, 1871, 1876), suscite la floraison des recueils avant-gardistes émanant d'une école ou d'un groupe de poètes. Mais c'est alors le recueil poétique individuel qui devient la forme canonique de cet usage (Hugo, Baudelaire, Verlaine, etc.) ; le recueil de nouvelles en est une variante fréquente. Le XXe s. la prolonge, mais voit s'étendre aussi la pratique du recueil d'articles théoriques ou critiques, et celle des anthologies.

Dans cette pratique multiforme, les recueils individuels amènent à spéculer sur leur composition, chronologique ou reposant sur une ordonnance formelle ou thématique, c'est-à-dire à analyser à la fois la genèse et la structure de l'œuvre. Du Bellay, Ronsard, Hugo, Baudelaire, Mallarmé, ont donné lieu à ce type d'interrogations. Ainsi pour les *Regrets* la critique est passée d'une idée de disparate à celle d'une recherche de l'unité des parts élégiaque, satirique et encomiastique ; de même les *Contemplations* (1856) de Hugo font hésiter entre construction symétrique et cheminement biographique. Le geste poétique de la composition, variante élargie de la *dispositio* rhétorique, donne valeur aux blancs et à l'interaction des différentes pièces, selon le rêve mallarméen d'un « rythme total » auxquels concourent les diverses unités, du mot au vers, à la strophe, au poème et au Livre. Aussi bien le recueil est-il souvent présenté par son auteur comme collecte des vestiges ou fragments d'une « œuvre » inaccessible (papiers de Mallarmé « chus du Livre », par exemple). L'autre acception, péjorative, d'assemblage contraire à l'organicité supposée d'une œuvre reste une sanction possible de tout recueil, à quoi répondent à l'opposé le prestige post-romantique du fragmentaire et les modalités contemporaines du discontinu. La visibilité même du travail de composition de l'ouvrage est indissociable d'une attention au mouvement singulier de la lecture : Montaigne est l'exemple d'un geste de composition (la « farcissure » du recueil des *Essais*) qui entraîne un mode de lecture lui aussi instable. Le recueil peut en effet accueillir, voire susciter, une lecture moins prévisible dans son ordre, lecture qu'orchestre en partie seulement le péritexte, mais qui, par opposition avec l'œuvre continue, distribue à parts égales la qualité d'« œuvre » aux deux échelles du tout et de l'unité constitutive, poème ou nouvelle isolée.

Et de fait, il semble nécessaire de limiter, en termes de poétique, l'emploi de « recueil » aux ouvrages de formes brèves ; sans quoi, les romans par lettres s'y trouveraient inclus à leur tour. En revanche, on ne saurait trop souligner l'abondance des recueils à vocation didactique (manuels, anthologies...). Enfin la question économique et juridique de l'auteur ou des auteurs prend un relief particulier avec les recueils collectifs. Assez simple dans le cas des anthologies, elle devient cruciale pour les recueils collectifs où l'écriture à plusieurs mains soulève le problème de la fusion de plusieurs en un : d'où le rôle des recueils dans la constitution des écoles littéraires, qui équilibrent l'individualité et l'appartenance au groupe.

▶ CHARTIER R., *L'ordre des livres*, Aix en Provence, Alinéa, 1992.. — FOUCAULT M., « Qu'est-ce qu'un auteur ? » (1969), *Dits et Écrits*, Paris, Gallimard, 1994. — GENETTE G., *Seuils*, Paris, Le Seuil, 1987. — LEVAILLANT J., *Le manuscrit inachevé*, Paris, CNRS, 1989. — *Penser, classer, écrire*, P. U. V., 1990. — « Poétique du recueil », *Études littéraires*, Québec, vol. 30, n°2, hiver 1998.

Alain VIALA

→ *Anthologie ; Auteur ; Écoles littéraires ; Édition ; Encyclopédie ; Histoire du livre ; Œuvre ; Texte ; Titre.*

RÉEL

Si le réel est généralement défini comme ce qui existe ou a existé, dans le cadre des études littéraires, il est pensé comme l'univers d'expérience (objets, êtres, manières d'être, valeurs...) auquel un texte renvoie. Partie prenante du réel, les lettres entretiennent avec le monde extralangagier une série de relations complexes. Elles participent de sa connaissance, par leurs fonctions cognitives, didactiques et modélisantes, mais elles dépendent également de lui, parce qu'elles forment une activité sociale et institutionnelle. Elles peuvent donc chercher à en rendre compte explicitement, ce qui met en jeu les faits littéraires de la vraisemblance et de l'effet de réel dans les textes, mais également en modifier les données (par l'épidictique, l'engagement, etc.). Les textes fictionnels ont le pouvoir de problématiser des modèles de réalité admis et d'en proposer d'autres, qu'il s'agisse de modèles alternatifs (le fantastique...) ou de modèles correctifs (la satire...), et de provoquer des réactions qui peuvent pousser leur lecteur à agir dans le monde qui l'entoure.

La représentation du réel dans des œuvres est multiforme selon qu'il s'agit de textes rhétoriques, qui prétendent dire le vrai et agir sur la réalité, ou de fictions. Dans ce second cas, la représentation du réel suscite la question de la mimésis, présente dans la réflexion sur la littérature depuis Platon, puis Aristote. Or celui-ci, en consacrant sa *Poétique* à deux genres nobles – tragédie et épopée – a posé les fondements d'une hiérarchie des genres qui a conduit ses successeurs à rejeter hors de la sphère des écritures valorisées les œuvres qui représentent le réel sous ses aspects les moins nobles, qu'il s'agisse de farces mettant en scène le corps et ses fonctions ou de textes narratifs qui prennent pour héros des personnages d'humanité ordinaire et racontent des scènes de leur vie privée ou de leur vie quotidienne. La saisie explicite du réel est devenue ainsi le propre du « style bas ». Le réalisme peut être dès lors considéré comme une catégorie esthétique que l'on retrouve à toutes les époques : il est présent dans le picaresque, le burlesque, la satire sociale ou la comédie.

Les écrivains qui prétendent peindre le réel privilégient les genres les moins reconnus et les moins soumis à de fortes contraintes rhétoriques (le roman, la nouvelle...), genres que les « histoires comiques » au XVIIe s. déjà, puis Hugo (*Les Misérables*, 1862-81), Stendhal (*Le Rouge et le Noir*, 1830), Balzac et le Réalisme – comme courant littéraire historiquement situé – et le Naturalisme ont contribué à légitimer au cours du XIXe s. Le roman s'impose alors comme un lieu privilégié de la connaissance du monde : les œuvres de Balzac – *La Comédie Humaine* (1842-48) – ou de Zola – *Les Rougon-Macquart, histoire naturelle et sociale d'une famille sous le second Empire*, 1870-72– scandent ainsi le dessein romanesque de rendre compte de la totalité du monde social.

Cependant la relation au réel n'est pas moins effective si elle est davantage médiatisée. Le développement d'une littérature énigmatique peut traduire le statut complexe de la communication entre les êtres à une période donnée : c'est ainsi qu'Adorno interprète le symbolisme. Les romanciers psychologues, Proust en particulier, insistent sur le fait que le réel ne se réduit pas au social : il comprend également les données de la conscience des personnages et des motifs cachés qui les font agir. Néanmoins, depuis le milieu du XIXe s., la question du réalisme s'impose comme la forme principale du rapport entre texte et réel. Elle a connu des résolutions diverses et contradictoires qui en font un des grands débats de l'esthétique des arts de la représentation au XXe s. (nouvelle objectivité, réalisme socialiste, néo-réalisme ou Nouveau Roman..).

La relation du texte au réel a été longtemps pensée à travers la théorie du reflet. Mais les textes ne disent le réel qu'à travers un certain nombre de médiations, en adoptant un code générique et linguistique et en fonction de ce que les structures du champ littéraire autorisent ou interdisent. La question des relations de la littérature et du réel est donc liée aux problèmes que pose le travail de la mimésis ainsi qu'à un jeu de facteurs complexes (la vraisemblance, la bienséance, la hiérarchie des genres et des styles...). L'importance des médiations qui jouent entre l'œuvre et le réel invite donc à considérer de pair l'inscription du réel dans le texte et l'inscription du texte dans le réel et à substituer une analyse des effets de prismes à une théorie de l'effet de réel.

▶ AUERBACH E., *Mimésis. La Représentation de la réalité dans la littérature occidentale* [1946], Paris, Gallimard, 1968. — DUBOIS J., *Les romanciers du réel*, Paris, Le Seuil, 2000. — VIALA A., « Effets de champ, effets de prismes », *Littérature*, 1988, n° 70, p. 64-71. — Coll. : *La Littérature et le réel, Littératures classiques*, (G. Forestier dir.), 1989, n° 11. — *Littérature et réalité* (dir. G. Genette et T. Todorov), Paris, Le Seuil, 1982.

Denis PERNOT

→ *Cognitif, connaissance ; Fiction ; Mimésis ; Réalisme ; Reflet (Théorie du) ; Vraisemblance.*

RÉFÉRENT, RÉFÉRENCE

Au sens le plus général du terme, la référence est un phénomène de renvoi : celui qui a ou qui fait des références se situe par leur biais dans l'ordre de l'expérience ou dans celui de la compétence. En linguistique et en littérature, le référent est défini comme l'objet, réel ou imaginaire, du monde extralinguistique à quoi un signe ou un texte renvoie et, corrélativement, la référence comme ce qu'un ensemble de signes dit du monde.

Dans le domaine littéraire, il convient d'introduire une distinction fondamentale entre les genres non-fictionnels (l'essai, le récit de voyage...) et les genres fictionnels (le roman, le conte...), c'est-à-dire entre les fonctionnements d'une littérature qui analyse ou commente l'univers d'expérience auquel elle fait référence et ceux d'une littérature qui fictionalise la référence pour construire un simulacre cohérent et crédible du monde. Ainsi posées, les notions de référent et de référence donnent matière à différents débats qui soulèvent les questions de la mimésis, du vraisemblable et du réalisme et se développent autour d'un problème fondamental : le texte littéraire a-t-il un référent ?

Répondre par la négative à cette question, comme le font certains linguistes et les théories du texte intéressées par les seuls aspects formels d'une écriture, c'est contredire la leçon de toute lecture. De même que le texte non-fictionnel analyse des fragments du monde, l'œuvre de fiction renvoie à un monde posé hors langage, et elle n'est rendue intelligible que par la perception des mises en relation qu'elle fait jouer entre le monde qu'elle représente et le savoir que le lecteur possède du monde où il vit. À l'image de celui de la vraisemblance, le fonctionnement de l'impression référentielle peut donc être réduit à un ensemble de techniques narratologiques et stylistiques assurant la lisibilité d'un texte. Il tient alors à la multiplication de procédés de référentialisation, anaphores et jeux de redondances assurant la consistance crédibilisante du représenté. En décrivant des paysages, des objets ou des scènes en focalisation interne, l'œuvre de fiction se donne en effet les moyens de les référer au regard d'un héros qui est lui-même référé par ce qu'il voit et la manière dont il voit. L'introduction de présents de cautionnement dans un cadre descriptif présente par ailleurs une information comme vérifiable, et établit le contact entre l'univers représenté et celui du lecteur. Les écritures qui obéissent aux règles de la vraisemblance instituent ainsi un espace de référence : les lieux qu'elles décrivent, les paroles qu'elles rapportent, les personnages qu'elles font agir ne sont en effet rendus crédibles que pour autant qu'ils entrent en relation avec une certaine pratique du social. Le travail de la référence fait ainsi appel au savoir social du lecteur. Tandis que, privées de référent, les œuvres de science-fiction obligent le lecteur à retrouver les lois qui régissent le fonctionnement des univers représentés, la lecture d'un texte fictionnel à visée réaliste est orientée par une connaissance préalable des règles déterminant la logique d'une succession d'événements. Ainsi envisagée, la référence peut donc être assimilée au discours social (M. Angenot) et aux stéréotypes qu'il véhicule, à la doxa. Elle est donc moins l'en-dehors d'une production discursive (un contexte) que le co-texte sur lequel elle se fonde, co-texte dont elle peut conforter la cohérence, signaler les contradictions et où elle peut introduire de nouvelles images.

Le monde que le texte évoque étant parcouru de discours qui le parlent, la référence renvoie moins à ce monde qu'aux propos qui le médiatisent. Diffuse, elle n'est jamais donnée de manière univoque, mais se construit et circule. La question de la référence ne peut donc être dissociée de celle de l'autorité. D'une part parce que la référence travaille sur des normes empruntées à un univers discursif où elles font autorité, d'autre part parce qu'elle est génératrice d'effets probatoires qui sont autant d'effets d'autorité. En produisant l'impression référentielle, l'écrivain met en effet en évidence son savoir social et son savoir dire.

▶ ANGENOT M., « Le Paradigme absent. Éléments d'une sémiotique de la science-fiction », *Poétique*, 1978, n° 33, pp. 74-89. — DUCHET C., « Une écriture de la socialité », *Poétique*, 1973, n° 16, p. 446-454 ; « Positions et perspectives », *Sociocritique*, (dir. C. Duchet), Paris, Nathan, 1979, p. 3-8. — HAMON P., « Note sur la référence », *Fabula*, 1983, n° 2, p. 139-148 ; *texte et idéologie*, Paris, PUF, 1984. — KERBRAT-ORECCHIONI C., « Le Statut référentiel des textes de fiction », *Fabula*, 1983, n° 2, p. 131-38.

Denis PERNOT

→ *Discours social ; Doxa ; Fiction ; Réalisme ; Réel ; Sémiotique ; Signe ; Stéréotype ; Vraisemblance.*

REFLET (Théorie du)

L'idée du reflet désigne la manière dont une œuvre d'art reproduit les réalités sociales (ce qui est lié à une conception de la mimésis). Elle est surtout connue par l'usage qu'en ont fait les romanciers réalistes au XIXe s., et les théories marxistes de la littérature.

La théorie du reflet est liée à la problématique du réalisme ou à celle, bien plus ancienne, de la mimésis, en ce qu'elle considère la littérature comme une représentation. Elle peut donc répondre à une conception large, où la littérature est une peinture (de témoignage ou de satire). Mais, lorsqu'elle s'inscrit dans une référence au marxisme, elle se fonde sur une conception spécifique de l'histoire. Pour Marx en effet, l'histoire humaine ne peut être pensée à partir des actions et des événements réalisés par les individus. Elle est, au contraire, relativement indépendante des volontés individuelles, parce qu'elle met avant tout en jeu des rapports sociaux et des formes de développement économique. Selon ce schéma, l'idéologie dépend « en dernière instance » des réalités matérielles et sociales, qu'elle « reflète » d'une manière ou d'une autre.

L'art et la littérature sont conçus, dans cette perspective, comme des productions idéologiques. On peut dès lors analyser la valeur du reflet qu'ils donnent des conflits sociaux ou des réalités économiques. Toutefois, le reflet ne saurait être mécanique. Il est le résultat d'un travail, d'une élaboration idéologique, et, par là même, il est un lieu de distorsion de la réalité complexe et mouvante. Dans la critique marxiste, le reflet n'est pas une transposition mimétique ou photographique et un texte littéraire ne peut être le simple « miroir » de la réalité. Il s'agit dans tous les cas d'un procès en mouvement : toute *réflexion* n'a lieu qu'à l'intérieur d'une pratique (de caractère banal ou de caractère scientifique), qui demande à être construite intellectuellement et inscrite dans le jeu des contradictions, produit lui-même de la lutte des classes.

L'idée de reflet est usuelle sous les images de l'écrivain « peintre » de la société – elle fut revendiqué par Corneille par exemple pour ses comédies, et appliquée dès son temps à Molière – et de l'œuvre comme « miroir » (comme Stendhal le revendique pour son roman dans *Le Rouge et le noir*, 1830). Mais la théorisation du « reflet » a été surtout le fait des thèses critiques marxistes. Pour Marx et Engels, comme pour Plékhanov ou pour Lénine, la littérature peut, indépendamment des opinions des écrivains, donner à lire un savoir sur le monde qui rejoint celui de l'analyse marxiste. Plus tard, Lukacs et Goldmann infléchissent cette conception du « reflet objectif ». Pour eux, l'œuvre peut rendre cohérente la vision du monde diffuse d'un groupe social. Mais, dès les années 1930, d'Adorno à Brecht, les opposants à la conception lukacsienne insistent sur les médiations qui s'interposent entre la société et le travail de l'écrivain ainsi que sur le pouvoir de transformation du sens qui tient à la forme de l'œuvre d'art. La critique marxiste devait accepter que l'opération réflexive implique différentes retraductions (psychologique, stylistique, etc.).

Dans les années 1960, sous l'influence des travaux de Gramsci et de L. Althusser, Pierre Macherey considère que l'œuvre littéraire véritable peut aussi redessiner les contours de l'idéologie et en révéler les points aveugles : « Pour reprendre la distinction classique entre forme et contenu, dont l'emploi ne saurait pourtant être généralisé, on peut dire que l'œuvre a un contenu idéologique, mais qu'elle donne à ce contenu une forme spécifique. Même si cette forme est elle-même idéologique, il y a, par la vertu de ce *redoublement*, un déplacement de l'idéologie à l'intérieur d'elle-même ; ce n'est pas l'idéologie qui réfléchit sur elle-même, mais par l'effet du miroir, en elle est introduit un manque révélateur, qui fait apparaître différences et discordances, ou une disparité significative » (*Pour une théorie de la production littéraire*, p. 156). Il est dès lors permis de dire que les grands textes littéraires arrivent à dévoiler les contradictions de la formation sociale à travers leurs propres contradictions, qui sont pourtant d'un autre ordre. Macherey propose l'exemple d'œuvres de Balzac, Verne ou Borgès, où pareille disjonction se produit : ces auteurs se livrent à un véritable travail d'expression dans lequel l'imaginaire avec son substrat inconscient a largement sa part.

Le développement ultérieur de la sociologie littéraire, même d'inspiration marxiste, et de la critique en général, a progressivement contesté et délaissé la catégorie du reflet au profit de manifestations plus éclatées et plus diverses du « réel dans le texte ». Plus qu'un « miroir », l'œuvre est envisagée comme un espace ayant ses propres structures, comme un « prisme » en quelque sorte.

▶ MACHEREY P., *Pour une théorie de la production littéraire*, Paris, Maspero, 1966. — SCHÖNING U., *Literatur als Spiegel : zur Geschichte eines kunsttheorestischen Topos in Frankreich von 1800 bis 1860*, Heidelberg, C. Winter, 1984. — TROTSKY L., *Littérature et Révolution*, Paris, Union Générale d'Edition, 10/18, 1974. — VIALA A, « Effets de champ, effets de prisme », *Littérature*, n° 70, 1988. — ZIMA P. V., *Manuel de sociocritique*, Paris, Picard, 1985.

Constanze BAETHGE

→ *Idéologie ; Médiation ; Mimésis ; Marxisme ; Réel ; Réalisme ; Société.*

RÉFORME

Mouvement religieux du XVIe s. qui se traduit par un schisme, lui-même suivi d'un éparpillement des doctrines et des églises, et qui est aussi nommé protestantisme, la Réforme s'achève au XVIIe s., et le terme flou de « protestantisme » désigne dès lors l'ensemble chrétien non-catholique sans préciser d'unité doctrinale. La Réforme conteste l'Église catholique au nom d'un retour aux sources bibliques, ce qui engage la réflexion politique (sur le rôle temporel de l'Église) autant que la vie religieuse et culturelle. Elle a été prompte à utiliser les moyens de large diffusion pour enseigner et convertir, ce qui en littérature a révélé des tensions et accéléré des mutations, plus que créé des nouveautés formelles.

La Réforme part de phénomènes théologiques d'abord latents et restreints et les transforme en un bouleversement de la chrétienté. Des auteurs comme Luther et Ulrich Von Hutten lancent le mouvement et, grâce aussi à un réseau intense de correspondances, promeuvent l'idée de renoncer au latin pour s'adresser directement aux croyants (du moins à l'élite urbaine et à la noblesse) en langue vulgaire. Les écrits de Luther atteignent en deux ans toute l'Europe malgré la censure et les poursuites judiciaires. Devant l'accusation d'hérésie, les lettrés, clercs ou laïcs, souvent marqués par la pensée d'Erasme, sont obligés de choisir leur camp.

Dans ce contexte, l'influence littéraire de la Réforme est d'abord d'ordre linguistique. Le français sert de langue de communication principale et des écrits comme ceux de Calvin (*L'institution*, 1541) s'imposent par la clarté et la rigueur de leur argumentation.

Les premiers ouvrages diffusés massivement sont des livres de piété, des catéchismes (dont les protestants « inventent » la forme), et des polémiques virulentes contre le pape, doublés d'une propagande par le pamphlet où tous les genres sont sollicités (Berquin, *Farce des théologastres*, 1529, C. Badius, *Satire chrétienne de la cuisine papale* ...) et l'image très employée. La mise en place d'un corps de doctrine, lié à la transformation des mouvements en Églises, leur succède.

La multiplication de ces Églises et les guerres de Religion en Allemagne, France et Pays Bas, orientent la littérature réformée vers deux grandes fonctions : l'action politique et la constitution d'une mémoire. Politique, parce que la Réforme ne peut s'accomplir sans que les Princes choisissent leur camp : bien que Luther et Calvin soient convaincus qu'ils faut obéir aux rois donnés par Dieu, même aux rois iniques, les nobles réformés assument la révolte armée, et une réévaluation du rapport des sujets aux rois. Mémoire parce que la constitution d'une mémoire aux XVIe et XVIIe s. est un des supports indispensable de l'identité des réformés qui sont minoritaires : c'est ainsi que le souvenir des Martyrs, transmis par le *Martyrologe* de J. Crespin (1554), accompagne l'histoire immédiate et que la mémoire est mise en témoignage (La Popelinière, Du Haillan, Aubigné), rassemblée en recueils (*Mémoires de Condé, Mémoires de l'État de France sous Charles IX, Henri III*) et sublimée en poèmes (*Cantique sur la Bataille d'Ivry*, *Tragiques* de d'Aubigné). Ces publications ont leurs parallèles catholiques avec lesquels elles polémiquent, souvent violemment, et en recourant de plus en plus à l'érudition (par exemple *les Centuries de Magdebourg* contre les *Annales* de Baronius). Et pour cause, les deux camps ont les mêmes registres de réflexion (voir : Réforme catholique).

Le souci de l'éducation des croyants se marque dans une littérature de commentaire de la Bible (méditations, psaumes, sermons) et l'encadrement des jeunes gens dans des Académies (par exemple celle de Saumur). La dévotion privée stimule également le répertoire d'une chanson spirituelle (par exemple Paschal de l'Estocart, *Octonaires de la vanité et inconstance du monde*...).

Après un temps de conciliation par l'Édit de Nantes (1598), sa Révocation (1685) rejette vers l'exil ou la guerre les réformés français, ressuscite les drames et donc les pamphlets, dans le sentiment tragique d'une apocalypse imminente. Mais les réformés se réclament également d'une nouvelle liberté de penser dont témoigne le *Dictionnaire historique et critique* de P. Bayle (1696-97). Par ailleurs, l'une des clés spirituelles de la Réforme, est la pratique de l'examen de conscience, qui a marqué durablement les écrivains qui vivaient sous son influence. Le mouvement de la confession laïcisée et littéraire, initié par Rousseau, marque les amis de Madame de Staël et Benjamin Constant (*Adolphe*, 1816) comme, un siècle plus tard, les écrivains issus du protestantisme français qui forment le noyau de la *Nouvelle revue française* (Gide, *La porte étroite*, 1909). La littérature suisse de langue française en a été imprégnée (*Journal* d'H. F. Amiel, 1883, posth.).

La diffusion rapide, et à l'échelle européenne, des écrits, de la propagande par le pamphlet, par le théâtre et par l'image atteste de la part des réformés une compréhension aiguë des actions culturelles permises par l'édition : ils y ont vu un moyen de faire participer le peuple ou, du moins ses élites laïques, aux domaines jusque-là réservés aux théologiens. L'influence culturelle de la Réforme contribue à la diffusion des langues vulgaires dans leur usage religieux et à la référence constante à la Bible. La littérature dévote pour les laïcs de moindre éducation, la traduction de la Bible en langue vulgaire, l'usage des Psaumes, en particulier, sont dans le droit fil de l'humanisme mais ils montrent un changement radical dans la manière d'agir sur les lecteurs dans un but de propagande (la Contre-Réforme a fait de même à son tour).

La crise de la Réforme sert de révélateur à de multiples thèmes de la pensée religieuse : la grande peur de l'apocalypse, la crise épistémologique qui mène au « désenchantement » du monde, la naissance du libre-examen et le retour à la responsabilité personnelle. Les conséquences littéraires en sont également multiples : explosion de l'écriture polémique, capacité de refuser l'art du passé, abandon du système médiéval de l'analogie, où le monde était comme un ensemble de signes de la volonté divine. La Réforme a ainsi une part lointaine dans les progrès du rationalisme, en tout cas en matière de philologie, de critique biblique et de conception de l'histoire.

▶ CROUZET D., *Les guerriers de Dieu : la violence au temps des troubles de religion*, Paris, Champ-vallon, 1989. — MILLET O., *Calvin et la dynamique de la Parole. Étude de rhétorique réformée*, Paris, Champion, 1992. — PINEAUX J., *La poésie des Protestants de langue française*, 1559-1598, Paris, Klincksieck, 1971. — Coll. : *Encyclopédie du protestantisme*, Paris-Genève, Paris, Le Cerf-Labor et Fides, 1995. — *Histoire et dictionnaire des guerres de religion*, éd. A. Jouanna et al., Paris, Laffont, 1999.

Marie-Madeleine FRAGONARD

→ *Bible ; Discours politique et littéraire ; Humanisme ; Méditation ; Polémique ; Propagande ; Psaumes ; Réforme catholique ; Religion.*

RÉFORME CATHOLIQUE

Un mouvement de Réforme catholique touche tous les pays européens durant les XVIe et XVIIe s. ; l'appellation usuelle de « Contre-Réforme » sert à désigner les inévitables aspects polémiques de cette Réforme catholique. En effet, ce mouvement spirituel, quoique antérieur à la Réforme protestante, se trouve accéléré par celle-ci et par le besoin de remise en ordre consécutif aux guerres de religion. L'expansion de la Contre-Réforme tient à l'utilisation consciente des moyens esthétiques et culturels pour le maintien des Églises et des États : l'art et l'éducation sont ses domaines de prédilection.

Bien des efforts de rénovation de l'Église sont antérieurs à la Réforme : *Devotio moderna* du XVe s, implication des laïcs, intériorisation de la piété, lutte contre les abus dans l'organisation matérielle et politique de l'Église, retour humaniste à des textes de la piété originelle. D'autres sont accélérés et durcis par le besoin de réfuter le schisme protestant. Au milieu du XVIe s, le Concile de Trente organise la remise en ordre. Il définit les dogmes, appuyés sur des signes visibles : Saint-Sacrement, culte des saints (hagiographie rénovée par Surius), usage des images. Il en organise la didactique : promulgation successive de catéchismes qui touchent des publics différenciés, fixation définitive de la Vulgate biblique, multiplication des collèges et des modes d'enseignement par la parole et le livre, formation des prédicateurs. La fondation des séminaires, les grandes entreprises de publication (Mauristes, Bollandistes, Oratoriens) prennent le relais des personnalités érudites de l'humanisme. La polémique, puis la controverse, la surveillance de l'imprimerie, la censure, l'expurgation des ouvrages, la création d'un *Index* des livres interdits visent à freiner la diffusion des idées adverses : la construction ordonnée des exposés, les réfutations organisées (Bellarmin) et une forte relance de l'Histoire ecclésiastique (Baronius), essentielle pour prouver la validité de la Tradition, complètent un renouveau de l'exégèse, le travail d'édition des Pères de l'Église (par Maguerin de la Bigne par exemple), la traduction et la vulgarisation relative de la théologie. La reconquête spirituelle des terres protestantes en Europe centrale, la diminution progressive des libertés accordées aux protestants dans le cadre des Édits sont le résultat de ces efforts concertés. Comme Contre-Réforme, elle aboutit à la Révocation de l'Édit de Nantes en 1685.

Pour convaincre les fidèles, elle allie l'appel au savoir et l'adresse à la sensibilité. Le culte s'efforce d'endiguer la demande émotionnelle du public dans des formes admises : Enfance et Passion du Christ (Bérulle), piété mariale, figures de la Conversion (culte de Marie-Madeleine), sont des symboliques particulièrement privilégiées. On développe de nouveaux moyens d'expression proches de la littérature mondaine : livrets de dévotion, poésie religieuse, romans édifiants (J. P. Camus notamment), littérature de méditation, théâtre religieux dans les collèges. Les nouvelles formes d'art sont très souvent liées à une implication de la sensualité : les arts visuels, gestuels, musicaux, dramatiques participent ainsi du courant baroque de la démonstration ostensible du divin par la décoration.

Pour encadrer les esprits, la maîtrise de l'éducation est essentielle. Les Jésuites, véritables promoteurs et maîtres de cette Réforme catholique, en réalisent le programme. Fondé en 1540 par Ignace de Loyola pour lutter contre l'hérésie, cet ordre militant en expansion (150 établissements en 1566, 550 en 1660, 1600 en 1773 et plus de 3000 actuellement), ne relevant que du Pape, haï par conséquent par les Églises nationales, entre très tôt aussi dans l'imaginaire collectif (même catholique) comme l'Ordre à abattre, ce qui lui vaudra, à étapes régulières, des expulsions, puis sa dissolution de 1773 à 1815. C'est à lui que revient l'essentiel des processus d'éducation et d'acculturation (missions, correspondances) : il est l'héritier de l'humanisme dont il prolonge l'herméneutique néo-platonicienne, l'optimisme et le goût de la découverte, de l'érudition et des arts. Dans ses collèges, il dispense une formation générale apte à former d'honnêtes hommes, mise en forme par la *Ratio studiorum* du R. P. Possevin en 1585 et du R. P. de Jouvency en 1695. L'apprentissage des langues anciennes domine, mais n'est pas exclusif. L'enseignement des lettres françaises apparaît peu à peu vers 1720, après les sciences (le Collège de Rome a enseigné Galilée au moment même de sa condamnation). Les jésuites fondent deux institutions capitales du XVIIIe s. : le *Dictionnaire de Trévoux*, et les *Mémoires de Trévoux*, revue de lettres et de philosophie (même si elle n'est pas toujours bien vue des Philosophes). Ils développent particulièrement la littérature de spiritualité fondée sur l'émotion, l'alliance de l'image et du texte. Les *Exercices spirituels* de Loyola (méthode de méditation des religieux) trouvent une application qui influence même leurs ennemis : utiliser l'imagination et la capacité d'émotion pour aider à croire, en composant une scène et en s'efforçant de la revivre sensuellement (méditation sur la Passion du Christ en particulier). Malgré les tenants de la sobriété (jansénistes) ou du dépouillement sublime, en accentuant la rhétorique de l'*ornatus*, les jésuites adoptent consciemment une pragmatique du bouleversement par les sens, une esthétique de l'excès, qui fait de la faiblesse humaine (passions et sensualité) un instrument du progrès spirituel. Ils ont engagé la littérature vers l'efficacité pragmatique clairement calculée, la jouissance du texte et l'abondance des figures, et surtout vers une finesse critique : les théoriciens jésuites constituent les vrais rhétoriques et arts poétiques de l'âge dit « classique » (Rapin, Bouhours) et sont partisans des « Modernes ».

La mutation des Temps modernes remet en cause le lien entre le monde et le sacré. La Réforme catholique s'efforce du moins de construire un lien fort entre le monde (social et intellectuel) et la religion et d'assurer à l'Église une emprise solide unifiée qui dépasse les forces centrifuges (identités nationales, individualisme, recul critique, émancipation du politique, rationalisme).

La question des rapports du religieux au politique est fondamentale et génère de nombreux textes. L'Église est elle dans l'État, ou l'État est-il dans l'Église ? La Réforme catholique, soutenue d'ailleurs par les souverains, accepte avec réalisme de prendre sa part d'un maintien de l'ordre mondain, auxiliaire défensif de la raison d'État (Botero) et de l'absolutisme (il est vrai que la Réforme fait de même), malgré des dissensions graves (conspirations contre les princes protestants, question du tyrannicide ou du pouvoir du Pape sur les royaume). Elle questionne ainsi la notion même d'unité humaine, des nouveaux mondes acculturés et des anciens mondes supposés devenir une communauté esthétique et spirituelle

La Réforme catholique s'adresse à ses lecteurs avec une grande idée novatrice et même « révolutionnaire » : l'acceptation du salut dans le monde, que traduisent l'*Introduction à la vie dévote* de François de Sales (1609) ou la *Cour Sainte* du Père Caussin (1624). Cette négociation semble parfois prendre la forme de compromis et de compromissions (chez les casuistes), alors que sous l'impulsion de grands prélats (comme Charles Borromée), elle reprend le monde en main. Le développement de la direction de conscience et l'encadrement collectif dans les confréries dévotionnelles, et l'acceptation relative de la femme comme instrument privilégié de l'éducation des enfants, assurent une emprise nuancée. À chacun de ces objectifs correspond un type de livre, dévotion, enseignement, forme littéraire mondaine. Mais les croyants, mieux formés, en tirent aussi l'avantage d'une meilleure conscience de soi et du développement de leurs capacités critiques.

La formation presque identique des élites européennes facilite l'établissement des liens entre auteurs et public et stabilise les normes d'une littérature institutionalisable qui va s'émanciper de ses fondateurs. L'acceptation relative des passions et de la liberté permet d'utiliser sans brutalité toutes les ressources de la séduction, *ad majorem Dei gloriam*, dans tous les circuits maîtrisés de la communication par la parole, le livre, l'image, dans un style qui vise l'efficacité, fut-ce par la redondance et la profusion (ce qui donne un lien fondateur avec le Baroque). La reconnaissance du rôle du plaisir et de la jouissance symbolique, qui situe l'art en général et la littérature en particulier au centre de tout processus collectif ou personnel de connaissance, font qu'un tel mouvement, globalement réactionnaire, participe de fait aux mutations de la modernité.

▶ CAVE T., *Devotional Poetry*, Cambridge, U. P., 1969. — CHATELLIER L., *L'Europe des dévots*, Paris, Flammarion, 1987. — DAINVILLE F. de, *L'éducation des Jésuites*, [1940], Paris, Minuit, 1978. — DELUMEAU J., *Le Catholicisme entre Luther et Voltaire*, PUF, 1979. — DESGRAVES L., *Répertoire des ouvrages de controverse*, Genève, Droz, 1984.

Marie-Madeleine FRAGONARD

→ *Adhésion ; Baroque ; Bible ; Discours politique et littéraire ; Éloquence ; Enseignement de la littérature ; Hagiographie ; Humanisme ; Religion ; Rhétorique.*

RÉGIONALISME

Dans le domaine linguistique, le terme régionalisme est utilisé pour qualifier une expression, un mot ou une tournure syntaxique qui n'appartiennent pas à la langue nationale codifiée et dont l'usage est caractéristique d'un espace plus ou moins restreint. La critique littéraire l'applique à des œuvres pour lesquelles la référence à un territoire circonscrit semble déterminante. Dans le champ littéraire francophone, marqué par une forte centralisation, le régionalisme est souvent tenu pour synonyme de production périphérique et il a généralement une connotation péjorative. Cependant, des mouvements contestataires de cette centralisation se sont réclamés, au cours du XXe s., du régionalisme, opposé alors à la catégorie disqualifiante du « parisianisme ».

Les œuvres s'inscrivant dans un espace local précis sont nombreuses tout au long de l'histoire littéraire française. Les descriptions de paysages, en vers ou en prose, abondent au XIXe s. tandis que se développent les romans « ruralistes » ou « provincialistes » (George Sand, Erckmann-Chatrian, Ferdinand Fabre, Léon Cladel). Se constituent aussi des mouvements consacrés à la défense et illustration de langues autres que le français, particulièrement en Bretagne et dans les pays d'Oc (Félibrige en Provence, à partir de 1854, autour de F. Mistral). Toutefois, les termes régionalisme et régionaliste n'apparaissent dans la langue française qu'à la toute fin du XIXe s. (le *Dictionnaire* de l'Académie française a une entrée « régionalisme » à partir de 1934 seulement). Ils marquent l'émergence d'un mouvement à la fois politique et culturel qui, dans la France de la Troisième République, dénonce la centralisation excessive et l'hégémonie de la capitale. C'est à Paris que sont concentrés les pouvoirs politiques, administratifs mais aussi culturels : les éditeurs qui comptent, les journaux influents, les critiques et les salons. S'inscrivant dans le discours fin de siècle hanté par la décadence nationale, imputée en l'occurrence à l'effet débilitant de l'hypertrophie parisienne, ce mouvement propose une régénération de la France grâce au vivier des énergies provinciales. Il se manifeste initialement par la création de multiples petites revues locales et de maisons d'édition associées, portées par la jeune génération intellectuelle de province. Des réseaux entre ces groupes se constituent, qui esquissent une organisation fédérative provinciale. Des « enquêtes sur la décentralisation littéraire » sont lancées par des directeurs de journaux provinciaux. Dans ces échanges s'élabore un argumentaire idéologique et esthétique contre la domination parisienne. De l'aveu même de ses promoteurs, le régionalisme n'a pas de définition précise, mais le mouvement veut rassembler toutes les bonnes volontés désireuses de valoriser ce qui serait les forces vives de la nation, à savoir le Peuple (paysan) et ses traditions, les particularités authentiques des « petites patries » et des provinces. Politiquement, le régionalisme est donné comme le véritable patriotisme permettant d'œuvrer au salut de la France ; culturellement, comme le remède à la sclérose et à la dégénérescence dont serait frappée la production parisienne. En 1900 est fondée la Fédération Régionaliste Française, animée par un jeune agrégé de lettres, membre du Félibrige, Jean Charles-Brun. Théoricien du régionalisme politique et administratif, il consacre aussi un livre (*Les littératures provinciales*, 1908) et d'innombrables articles au régionalisme littéraire. Les effectifs de la Fédération seront toujours modestes, mais elle exerce une forte influence dans la bourgeoisie des professions libérales et culturelles. Alors que les revendications régionalistes restent sans effet en matière politique et administrative, le régionalisme culturel connaît un large succès sous la Troisième République.

À partir de 1900 et jusqu'à la Seconde Guerre mondiale, la production littéraire régionaliste connaît un essor considérable et un succès certain. Une bonne partie des romans régionalistes s'inscrivent dans le sillage du réalisme et du naturalisme, reprenant ce qui a fait le succès de ces courants : l'exploration du monde social, ici provincial et surtout rural. La description souvent précise des usages ruraux et provinciaux, les notations de type ethnographique nombreuses, confèrent un intérêt tout particulier à ces romans dont les intrigues sont généralement fort simples. Le véritable ressort dramatique est l'opposition entre ville et campagne. L'univers villageois, représenté souvent en termes noirs, notamment sous la plume des instituteurs, apparaît *in fine* comme moins redoutable que la ville corruptrice. La référence au parler régional est souvent discrète, limitée à quelques vocables spécifiques. Mais certains écrivains régionalistes, comme l'instituteur auvergnat Lucien Gachon, recourant aux possibilités offertes par le style indirect libre, explorent les pistes d'une écriture au plus près de l'oralité populaire locale.

Le champ littéraire français étant quasiment fermé aux couches sociales populaires, les paysans sont rares parmi les écrivains régionalistes. Le Bourbonnais Emile Guillaumin et le Picard Philéas Lebesgue sont à peu près les seuls à pouvoir publier, au prix de grandes difficultés, une œuvre disqualifiée par la critique littéraire mais ayant une certaine audience auprès de responsables syndicaux ou d'instituteurs. La plupart des écrivains régionalistes français appartiennent à la petite et moyenne bourgeoisie. Provinciaux ayant été souvent stigmatisés comme « paysans » dans le milieu littéraire parisien lorsqu'ils ont voulu s'y faire reconnaître, ils retournent l'étiquette injurieuse en identité revendiquée et se présentent comme représentants du « véritable peuple français ». C'est la trajectoire suivie notamment par l'instituteur franc-comtois Louis Pergaud, lourdement raillé pour sa rusticité à Paris et finissant par illustrer dans son œuvre une trivialité rurale qu'il avait initialement fui.

Le succès du régionalisme tient aussi à l'adoption d'une stratégie de groupe. Le régionalisme ne sera jamais une école, n'aura jamais de véritable théorie. Mais l'effet de nombre, la création d'associations (une Société des Écrivains de Province est fondée après la Première Guerre mondiale), l'instauration de réseaux de conseils et d'entraide permettent une grande visibilité du régionalisme et la conquête de positions. Le Prix Goncourt débutant récompense fréquemment des romans régionalistes : *Terres lorraines* d'Emile Moselly en 1907, *Monsieur des Lourdines* d'Alphonse de Chateaubriant en 1911, *Filles de la Pluie*, d'André Savignon en 1912, jusqu'à *Nêne*, d'Ernest Pérochon en 1920. Les prix Femina et Renaudot, dans les années 1920, couronneront plusieurs fois des œuvres régionalistes.

Le gouvernement pétainiste se saisit du régionalisme, terme à succès de la Troisième République et à contenu idéologique flou, pour en faire un mot d'ordre de sa propagande. Le ruralisme et le folklorisme sont promus culture officielle de la France vichyste. Le régime multiplie les célébrations régionalistes, fait de l'Auvergnat Henri Pourrat une gloire nationale, mais la production littéraire régionaliste est très réduite sous l'Occupation. Le terme régionalisme, à la Libération, est discrédité par son utilisation dans l'État français.

Même si le régionalisme politique réapparaît dans les années 1960 comme mouvement d'extrême-gauche, même si la production littéraire de type régionaliste reste abondante et connaît de beaux succès de librairies, la qualification de régionaliste n'a plus dès lors qu'une valeur dépréciative.

Le régionalisme suscite un vif intérêt dans les autres pays d'expression française. Principal critique littéraire du *Bulletin du parler français au Canada*, Adjutor Rivard entreprend dès 1903 de faire connaître le mouvement, donné comme modèle pour le développement d'une littérature canadienne-française. Le ruralisme, la célébration du terroir et des valeurs traditionnelles de la paysannerie s'accordent bien avec la perspective cléricale ; de surcroît, l'argumentaire régionaliste permet d'échapper au statut de production parfaitement excentrée et mineure dans laquelle était cantonnée la production du Québec. La « nationalisation » de la littérature canadienne-française prônée par Camille Roy se fait d'abord sous le signe du régionalisme. La dimension linguistique (le statut d'une langue qui soit spécifique sans être disqualifiée comme français dégradé) y tient une place importante. La situation est différente en Suisse romande, déjà pourvue d'institutions littéraires propres et d'un espace éditorial actif et diversifié quand le régionalisme français prend son essor. En recourant délibérément à la référence régionaliste, le Vaudois Charles-Ferdinand Ramuz prend position -provisoirement- dans le champ littéraire français, récuse radicalement les instances légitimantes du champ littéraire suisse et s'y place en position d'avant-garde. La stratégie, appuyée par la fondation des *Cahiers vaudois* autour desquels un groupe littéraire s'organise, permet de disqualifier la production locale antérieure et de prendre une position dominante. Inversement, c'est en s'opposant au régionalisme que le Groupe du Lundi prétend en Belgique, dans les mêmes années, accéder à la légitimité.

La définition de la littérature française par la référence à l'universalisme, conséquence de la constitution précoce et centralisée du champ littéraire national ainsi que d'une longue position hégémonique, implique la disqualification constante du particularisme. La littérature régionaliste, bien qu'elle soit quantitativement importante et ait souvent connu des succès de librairie, est donc généralement absente des Histoires de la littérature française contemporaine. Elle n'a pu obtenir une reconnaissance provisoire, durant la première moitié du XXe s., que dans le cadre d'une stratégie collective forte contestant la structure du champ littéraire.

▶ BEAUDET M.-A., *Langue et littérature au Québec (1895-1914)*, Montréal, L'Hexagone, 1991. — MAGGETTI D., *L'invention de la Littérature Suisse romande (1830-1910)*, Lausanne, Payot, 1995. — THIESSE A.-M., *Ecrire la France, Le Régionalisme littéraire de langue française de la Belle Epoque à la Libération*, Paris, PUF, 1991. — Coll. : « Régionalismes », *Ethnologie française*, 1988, n° 3. — « Les régionalismes littéraires de la francophonie », *Tangence*, (sous la direction de Marie-Andrée Beaudet), mai 1993, n° 40.

Anne-Marie THIESSE

→ *Canada français ; Centre et périphérie ; Géographie littéraire ; Norme ; Suisse.*

REGISTRES

On appelle ici « registres » les catégories de représentation et de perception du monde que la littérature exprime, et qui correspondent à des attitudes en face de l'existence, à des émotions fondamentales : ainsi au sentiment qui naît de la conscience de la condition mortelle et au désespoir qu'elle engendre, le registre tragique ; à l'admiration, l'épidictique ; à la colère, le polémique, etc. Il s'agit donc d'une notion qui engage une dimension anthropologique de la littérature. Les registres littéraires et les registres – ou niveaux – de langage ont historiquement partie liée mais sont distincts.

La notion de registre est efficiente dans l'Antiquité grecque, quoiqu'elle ne soit pas théorisée en tant que telle dans la *Poétique* d'Aristote – elle y est plutôt considérée comme allant de soi. Elle y était d'autant plus opératoire que les différents genres utilisaient des dialectes différents : oriental pour l'épopée, attique pour la tragédie, koinè pour la comédie. Elle unissait donc une indication de registres de langage (des dialectes anciens et nobles opposés au dialecte commun, donc plus « vulgaire »), des sujets, et des catégories d'émotions proposées au public : langage noble pour des histoires « sérieuses » impliquant des personnages eux-mêmes nobles dans l'épopée et la tragédie, langage ordinaire pour des personnages et des sujets ordinaires dans la comédie. Les émotions proposées étaient elles-mêmes distinctes et hiérarchisées : admiration pour l'épopée, qui faisait place au merveilleux, désespoir et compassion (« terreur et pitié ») pour la tragédie – qui permet la catharsis –, gaieté pour la comédie. Ainsi s'unissaient une conception des affects et une poétique. Un même principe de distinction est repris chez Virgile puis, au Moyen Âge, chez ses premiers glossateurs, mais avec des différences liées au corpus pris pour référence. Ce système est représenté par un schéma appelé « la roue de Virgile ». Il distingue : l'épique ou héroïque pour parler de héros dans un style soutenu (modèle : l'*Énéide*), le didactique, pour parler des travaux des hommes libres, dans un style « moyen » (modèle : les *Géorgiques*), le bucolique pour parler des divertissements de bergers, en style familier (modèle : les *Bucoliques*). Ce système de correspondances s'est maintenu dans les arts poétiques à la Renaissance et à l'âge classique. De sorte que les genres et les registres peuvent paraître s'y superposer, au prix de quelques aménagements (par exemple la comédie est censée avoir le même rôle que la satire – corriger les mœurs par le rire – et donc les deux relèvent du registre comique, sous des formes différentes). Mais dans les pratiques, le jeu des relations entre genres et registres s'est constamment complexifié, à proportion de l'évolution des genres, notamment du roman : on voit paraître, par exemple, des *Histoires tragiques* (Rosset, 1614), des *Histoires comiques* (Sorel, *Francion*, 1623). En poésie, la grande œuvre de D'Aubigné sur les guerres de Religion s'intitule *Les tragiques* (1616). D'autre part, la théorie des affects (les « passions ») elle-même évoluait. Longtemps les passions ont été considérées comme des sortes de maladies inévitables, et les arts auraient eu mission de limiter leurs méfaits en leur concédant un défoulement orienté vers le bien, donc nécessairement bien organisé : d'où la recherche de correspondances entre genres et registres, dans une distinction claire des genres et des émotions (et, en corollaire, une concordance entre les registres de contenu et les registres de langage – au tragique une langue soutenue, au comique, la familière – selon un schéma qui se disjoint ensuite). Mais, avec le *Traité* de Descartes (1649), les passions commencent à être regardée comme des sources d'énergie ni bonnes ni mauvaises en elles-mêmes, qui appellent des modes de représentation sans cesse réinventés pour les exprimer et en tirer parti. Le système de correspondances ne parvenant plus à rendre compte des pratiques, Hugo, dans la Préface de *Cromwell* (1827), refait une lecture de l'histoire de l'humanité et de ses modes d'expression en distinguant trois ères : celle du lyrique aux temps bibliques, celle de l'épique des temps anciens, celle du dramatique aux temps modernes. Le registre dramatique mêle, selon, lui le grotesque et le sublime (donc le rire et le sentiment du tragique) et de même, il mêle le registre de langage soutenu et le trivial. La relativisation, puis la transgression des genres dans la littérature moderne a fait que les liens entre formes et émotions fondamentales se sont de plus en plus compliqués : ainsi par exemple chez Beckett l'absurde se manifeste par une inversion des schèmes usuels, la dérision comique devenant un moyen de suggérer le sentiment tragique de l'existence.

La notion de registre soulève ainsi des questions de classification, donc de poétique, et Genette (1991) a été amené à la ré-interroger en constatant les limites des classements génériques.

Genre et registre ne se superposent pas : le premier est une catégorie plus formelle que sémantique, le second, renvoyant à une émotion, implique un « sens ». Le registre ne peut non plus être pris pour synonyme de « vision du monde », qui implique un ensemble mêlé de sentiments dans un groupe social donné à un moment historique précis, alors que les registres s'inscrivent dans l'ordre général des affects. Enfin, la notion ne peut être réduite à la simple idée de « tonalité » : un « ton » est une inflexion que donnée à un propos mais ne constitue qu'un effet superficiel. Mais la terminologie littéraire a sans cesse varié entre des termes tels que « styles », « genres », « registres », « tons »... De plus, elle a distingué des catégories pour la rhétorique et d'autres pour la poétique, alors que les registres peuvent être présents dans l'une aussi bien que dans l'autre. Enfin, les différents états de culture mettent en avant des registres ou des combinaisons de registres différents.

Cette complexité fait que les registres ont été laissés dans une certaine pénombre théorique. Ils constituent cependant une dimension anthropologique de la littérature et, comme tels, une catégorie-clef de l'esthétique. Des études modernes reprennent – fût-ce sans le terme lui-même – cette problématique. Par exemple Duval et Martinez (2000) discernent, à propos de la satire, le genre et son histoire (2e partie), le « mode satirique » (la sémantique, 3e partie) à partir d'une perspective anthropologique (1ere partie). Ainsi les registres dépassent les critères formels : de fait, une œuvre traduite peut perdre une part de ses traits stylistiques (par exemple une traduction en prose d'une œuvre versifiée à l'origine) sans perdre pour autant sa puissance émotionnelle, que la notion de registre désigne.

Un premier travail consiste donc à esquisser une liste des registres. On peut retenir, pour l'essentiel : le tragique, lié à la conscience de la mort inéluctable, le comique, lié à la joie et au rire, l'épique, lié à la fascination devant ce qui dépasse la nature humaine, l'épidictique, associé à l'admiration, l'élégiaque, à la plainte, le polémique, à la colère, le lyrique, à l'épanchement attendri, le pathétique, à la pitié, le délibératif, associé à l'exercice de la raison sur les passions, le didactique, à la curiosité, au désir de savoir, le satirique, à l'indignation et au blâme. Mais il est des spécifications plus détaillées. Ainsi on peut distinguer dans le comique, des « sous-registres » comme l'ironique et même le « satirique » (puisque l'indignation emprunte la voie du rire pour se faire entendre). D'autre part, comment considérer, dans les modes d'écriture la part d'une figure d'expression et celle d'une émotion : le « réalisme » est-il un registre, ou bien une dérivation de l'épique en même temps qu'une spécification du didactique ? De même, le burlesque ? De telles questions n'ont pas de réponse stable possible : la littérature invente sans cesse des nuances et mises en forme diverses des registres. Car ceux-ci, parce qu'ils relèvent d'une perspective anthropologique, s'inscrivent dans l'histoire, et sont différemment présents selon les époques, les cultures et les milieux. Les esthétiques de caractère qu'on peut dire « classiques » mettent en avant la concordance entre genre, « style » (soutenu, moyen et familier) et sujet, répartissant ainsi les œuvres en registres repérables : par exemple, la tragédie dit le tragique en disant l'illusion de l'homme qui croit pouvoir maîtriser sa condition, l'élégie dit l'élégiaque en faisant de la mort inéluctable la matière à un propos de déploration sans illusion. Mais le brouillage de ces catégories est un phénomène répété au fil du temps : par exemple le rire a pu résonner tragiquement chez Villon au Moyen Âge aussi bien que chez Beckett au XXe s. L'alternance des périodes où domine la tendance à des correspondances claires et de celles où les mixités semblent prépondérantes est un moyen de décrire l'histoire de la littérature. Une telle problématique peut être envisagée comme l'espace d'une histoire littéraire inscrite dans une histoire des mentalités. Elle appelle en ce cas une mise en relation des émotions et des motifs et thèmes : devant quoi adviennent le rire ou la compassion ou l'indignation, etc. ? et de la part de qui ? Elle appelle alors une histoire sociale du littéraire. Mais elle peut être considérée aussi en ce qu'elle fournit des éléments pour une esthétique générale, donc une anthropologie littéraire historique. Elle permet alors d'éclairer aussi la réception des œuvres dans le temps et l'espace, le maintien de leur retentissement au-delà de leur époque ou de leur culture d'origine. Son analyse relève donc de la littérature générale. Dans tous les cas, l'un des enjeux majeurs de la notion de registre tient à la place qu'on lui donne dans l'analyse des œuvres. Son usage est fonction des finalités assignées à la littérature et à son étude. S'il s'agit de gloser les textes, le registre devient une spécification parmi d'autres (dès lors, selon certains, la notion de « tonalité » peut suffire). En revanche, si le but retenu est de faire du littéraire une voie de connaissance de l'humain, les affects mis en jeu en jeu constituent un éléments crucial de la signification des œuvres. Aussi, notion problématique mais nécessaire et productive, les registres sont sans doute un des domaines de recherche appelés à un développement important.

▶ BRÈS Y., *La souffrance et le tragique*, Paris, PUF, 1992. — DUVAL S. et MARTINEZ M., *La satire*, Paris, A. Colin, 2000. — GENETTE G., *Fiction et diction*, Paris, Le Seuil, 1991 ; *La relation esthétique*, Paris, Le Seuil, 1997. — OUELLET P., *Voir et savoir*, Candiac, Ed. Balzac, 1992. — RANCIÈRE J., *Le partage du sensible*, Paris, La Fabrique, 2000.

Alain VIALA

→ *Affects ; Anthropologie ; Cognitif, connaissance ; Esthétique ; Genres littéraires ; Histoire littéraire ; Niveaux de langue ; Sémantique ; Style.*

RÈGLES

La littérature est un art, et comme tel, elle implique des « règles », des manières de procéder appropriées à son but, la production d'une œuvre répondant aux critères d'appréciation esthétique. Ces règles sont l'objet des arts poétiques. Elles se sont surtout développées à propos du théâtre classique et de la poésie.

La *Poétique* d'Aristote peut être regardée comme le premier recueil de règles de l'art littéraire constitué dans la culture occidentale. Elle propose en effet des critères et des principes pour le choix des sujets de tragédie et d'épopée, pour la constitution de l'intrigue et pour la manière de composer les diverses parties de l'œuvre. La *Rhétorique* du même auteur contient aussi des règles pour la composition et la conduite des textes relevant de l'éloquence. L'histoire des règles pourrait ensuite se confondre avec celle des arts poétiques (voir cet article). Au long de la latinité et du Moyen Âge, des ouvrages récapitulent les procédures à observer pour la composition des vers (ainsi le traité : *Les règles de la seconde rhétorique*, *ca.* 1411-32). Mais ce ne sont là que des considérations très techniques. Le débat sur les règles prend une autre ampleur après la Renaissance, notamment à propos du théâtre. À partir d'une relecture de la *Poétique* d'Aristote, une théorie de l'art dramatique prend forme qui associe la production de l'effet théâtral à l'observation d'un certain nombre de principes. Ces « règles » deviennent la doxa à la suite d'une querelle des années 1628-1630. Elle oppose les « Irréguliers », partisans de la tragicomédie dont la fiction donne à voir plusieurs lieux et une durée longue, ainsi éventuellement que plusieurs intrigues, aux « Réguliers » partisans des trois unités de temps (24 heures), de lieu et d'action, et tenants de la tragédie comme genre majeur. Ces derniers sont représentés notamment par Chapelain, auteur d'une *Lettre sur la règle des 24 heures* (1630) qui constitue un texte de référence pour les adeptes de la régularité. Après cette querelle, les règles deviennent l'usage. Non sans rebondissements parfois. Corneille ne s'y plie qu'avec réticence, et une part de la Querelle du *Cid* (1637) porte sur le fait qu'il aurait mal observé les unités de temps et de lieu. Il illustre remarquablement les paradoxes de tels débats par une pièce comme l'*Illusion Comique* (saison 1635-36). L'intrigue y suppose qu'un père à la recherche de son fils consulte un magicien pour savoir ce qu'il est devenu, et que le magicien lui montre, dans sa grotte, divers tableaux représentant les aventures du fils. Les unités sont ainsi parfaitement respectées : tout se passe en un seul lieu (la grotte) et dans une durée qui correspond à celle de la représentation (la visite chez le magicien) ; mais elles sont aussi parfaitement bafouées : les aventures du fils s'étalent sur une longue durée, se déroulent en plusieurs lieux, et, comme il devient comédien, l'acte V donne à voir trois intrigues en une (celle de la pièce qu'il joue, celle du devenir des comédiens et celle de la pièce cadre). Par son exubérance calculée, cette œuvre manifeste de façon extrême les tensions entre les deux conceptions. Par la suite, les règles s'imposent dans les genres institués, et de Molière et Racine à Voltaire, les dramaturges les respectent – avec des exceptions toutefois, comme *Dom Juan* (1665). Les règles des « trois unités » portent avec elles un corollaire, la distinction des genres. Aussi commencent-elles à être remises en question dans des genres peu codifiés selon la tradition antique, comme l'opéra, puis le drame. Et le drame romantique les récuse tout à fait. Elles n'ont ensuite pas repris le devant dans la production théâtrale.

Dans le domaine poétique, les débats sur les règles n'ont pas eu de moments historiques de même intensité. Pourtant, la versification et les formes fixes (voir ces mots) sont par excellence un lieu de règles strictes. Mais elles offrent une multiplicité de choix, donc permettent que les prises de position se fassent par changement de forme et non par conflit à propos d'une même forme. Le débat le plus important semble, de fait, être celui qui advient au XIXe s. pour ou contre les règles. Hugo et les romantiques bousculent les codes classiques, admettant des mots jusque-là bannis de la (grande) poésie, et transgressant les interdits sur l'hiatus comme les habitudes de coupe à l'hémistiche (recours à l'alexandrin « trimètre », c'est à dire réparti en trois fois quatre syllabes). Mais c'est surtout Baudelaire qui, s'appuyant sur les schémas classiques (le sonnet en particulier), les remet en cause, soit par irruption d'autres formes fixes (tel le pantoum), soit, davantage, par le passage au poème en prose. Par la suite, la poésie explore constamment la réinvention de règles propres à chaque entreprise, voire à chaque auteur (comme avec le verset claudélien).

À l'image de cette remise en question des règles poétiques, le roman connaît aussi au XIXe s. un changement de manières. Genre jusque-là très peu codifié, il se charge d'un enjeu nouveau avec les efforts de Flaubert, et des Goncourt, pour une « écriture artiste » (pas de rimes intérieures à une phrase, pas de vers blancs dans la prose, recherche d'un rythme propre). Mais l'écriture romanesque ne cesse de se remettre en question, comme aussi les genres de la prose d'idées ou d'éloquence. En fait, dès la seconde moitié du XIXe s., après Baudelaire et Rimbaud, c'est l'idée même de genre qui est sujette à déstabilisation ; et sans ce support générique, l'idée de « règles » perd son point d'appui principal. Aussi elle subsiste davantage dans l'usage du commentaire et les études scolaires et universitaires que dans la création littéraire.

Si l'idée d'art implique celle de « règles » de cet art, ces règles peuvent intervenir à plusieurs niveaux différents. Le plus manifeste est celui qui correspond, comme on vient de le voir, aux codifications génériques. Mais les règles d'un genre sont plus des effet d'usage que de lois scientifiquement argumentées. Un second niveau est celui des formes d'écriture : il est alors d'ordre très technique, et se confond largement avec les questions de métrique et de versification. Un troisième niveau se situe à l'échelon d'une doxa culturelle. C'est de ce point de vue que les règles des « unités » classiques sont significatives. Elles se fondent, dans certains des argumentaires du temps, sur l'autorité des modèles antiques. Mais elles se fondent bien davantage sur des arguments de raison et de goût. Ainsi les unités de lieu et surtout de temps ont-elles été revendiquées au nom de l'illusion que le théâtre doit produire. En effet, devant un spectacle renvoyant à des événements qui, dans la fiction, s'étalent sur une longue durée, le spectateur ne peut, selon Chapelain, oublier qu'il est au théâtre et que la représentation en dure que quelques heures au plus. Dès lors, pour assurer la vraisemblance (externe : voir Vraisemblance), il convient de rapprocher autant que possible la durée de la fiction de celle de la représentation. Ainsi les règles techniques des unités répondent à des règles d'un enjeu plus profond, celle de la crédibilité, de la recevabilité de la fiction. De même, au nom de la bienséance (externe), pour ne pas choquer l'esprit des spectateurs et le rendre rebelle à l'histoire représentée, la règle s'était établie, dans la tragédie, de rejeter dans les récits les événements violents que la tragi-comédie montrait sur scène. Dans les deux cas, les règles sont donc autant liées au souci de susciter l'adhésion du public qu'à une spéculation sur un beau en soi. Et en retour, la réception peut elle-même être incluse dans les objet de régulations conjointement avec la rédaction, comme lorsque le P. Bouhours propose une *Manière de bien penser dans les ouvrages d'esprit* (1687 ; rééd. Toulouse, SLC, 1988). Règles, jugement et goût se rejoignent alors. Et un quatrième niveau d'analyse concerne le lien entre règles et changements de règles dans les genres, ou changements de genres. Alors la question est liée à celle des modernités, et par là, des évolutions des goûts et de l'esthétique. La première modernité se construit par un regard sur les modèles antiques – du moins à ce qui est alors conçu comme tel – contre les habitudes médiévales, taxées de désordre et de laisser aller populaire. La seconde modernité, en revanche, se construit sur un principe de variation, qui est en fait un rejet des principes classiques parce que ceux-ci sont tenus, au XIXe s., comme manifestation du goût bourgeois. Une telle opposition, sans doute recevable, peut cependant présenter l'inconvénient de faire voir une « doctrine classique » là où il n'y a eu qu'une tendance, et une loi générale là où il s'agit peut-être d'un cas à dimension nationales limitées. Car – en un autre et dernier niveau d'analyse – une dimension nationale entre aussi en ligne de compte. Dans l'Europe classique, la littérature française a été dominée par le souci de régularité alors que l'Espagne (où la *Comedia* est proche de la tragicomédie) et l'Angleterre (les tragédies de Shakespeare ne sont pas « régulières ») n'y déferent pas. Alors l'enjeu des règles peut apparaître corrélé à des traits de mentalités sociales et politiques : les « unités » diraient dans l'ordre esthétique le soin de l'ordre et de la mesure que l'État manifeste dans l'ordre politique, et le rejet de ces règles, en un temps où la solidité de l'État est assurée, manifesterait un besoin de liberté, « art » devenant alors un synonyme d'invention créative sans contraintes autres que celles que l'artiste se donne, et non plus de techniques maîtrisées.

▶ BRAY R., *La formation de la doctrine classique en France*, Paris, Hachette, 1927. — BOURDIEU P., *Les règles de l'art*, Paris, Le Seuil, 1992. — SCHERER J., *La dramaturgie classique en France* [1950], Paris, Nizet, 1973.

Alain VIALA

→ *Adhésion ; Antiquité ; Dramaturgie ; Esthétique ; Fiction ; Formes fixes ; Genres littéraires ; Mimésis ; Modernités ; Poétique ; Théâtre ; Tradition ; Tragicomédie ; Vers, versification ; Vraisemblance.*

RELIGION

Si la religion désigne la croyance de l'homme en une transcendance, donc la foi, et des pratiques associées, elle établit également, entre les hommes, des liens sociaux, une identité, un esprit communautaire, des règles de conduite et une symbolique qui tente de donner sens à leur vie et à représenter le sacré. Pour leur part, l'art et la littérature, dont les plus anciennes formes connues sont cultuelles, peuvent traduire certains aspects de ces fonctions soit dans le cadre organisé d'un rituel, soit, plus spontanément, comme expression de la foi personnelle ou collective. Ils peuvent même, dans certaines conditions, se substituer aux religions (dans leur fonction identitaire, par exemple) ou devenir un agent de leur contestation.

L'Occident est marqué par les trois grandes religions révélées (judaïsme, christianisme et islamisme), mais également par les grandes croyances et morales qui se sont développées ailleurs (le bouddhisme, par exemple). Il hérite de l'Antiquité des textes et des théories qui mêlent étroitement religion et littérature. L'*Iliade* et l'*Odyssée* d'Homère (IXe s. av. J.-C.) ou la *Théogonie* d'Hésiode (VIIIe s. av. J.-C.) transposent des mythes et une théogonie qui expliquent le monde et content les relations passionnelles entre dieux et humains. Platon et les néo-platoniciens (Plotin) voient l'art comme une inspiration divine et de ce fait, une médiation qui permet de transcender le visible et l'intelligible.

La religion catholique impose son hégémonie en Occident depuis le haut Moyen Âge jusqu'à l'époque moderne, même avec des schismes, des dissidences (Orthodoxie, Réforme, mysticisme) et, depuis la fin du XVIIIe s., un très net recul de l'emprise de l'Église sur la vie sociale. Le développement d'une littérature autonome est contemporain de la laïcisation de la société et aussi de l'élargissement des horizons religieux vers des références moins traditionnelles (hindouisme, confucianisme, sentiment religieux sans dieu). Qu'elle soit incarnée dans des institutions comme les Églises ou diffuse dans la culture, l'influence de cet héritage complexe reste donc un fait fondamental, dont les effets se font sentir dans les engagements en apparence les plus éloignés de la foi religieuse (le marxisme ou la laïcité par exemple).

Dans le domaine littéraire, l'influence du fait religieux est nettement différencié selon les périodes. La christianisation de l'Occident voit l'emporter la conception platonicienne de l'art. Le Moyen Âge y juxtapose la matière allégorique qu'il puise dans la Bible et les écrits des Pères de l'Église. L'œuvre fait corps avec la perspective théologique unitaire et hiérarchisée qui correspond à la vision du monde de l'homme médiéval. La littérature est essentiellement apologétique. Guidée par l'exemple des *Confessions* (393-401) où saint Augustin fournit une théorie du style religieux, prêches, poésies mystiques et liturgiques, hagiographies et jeux théâtraux sont écrits à la gloire de Dieu. Même quand elle ne se veut pas édifiante la littérature du Moyen Âge n'en contient pas moins des références bibliques symbolisées. À partir du XIIIe s., avec le retour à l'aristotélisme prôné par saint Thomas et une détente de la censure cléricale, le système symbolique s'atténue au profit d'une vision plus naturaliste de l'art et un retour à la dimension humaine. Ainsi, *La Divine comédie* de Dante (1321) donne une vision théologique de la condition humaine.

Le syncrétisme entre littérature et catholicisme est mis en cause avec les dissensions religieuses du XVIe s. qui mettent fin à l'hégémonie de l'institution sur les matières culturelles : Rabelais ridiculise l'Église dans *Pantagruel* (1532) et *Gargantua* (1534-35), les écrivains de la Pléiade redécouvrent les dieux de l'Antiquité et, surtout, une littérature apologétique protestante fait son apparition. Toutefois, l'Église – premier bénéficiaire de l'invention de l'imprimerie –, produit une littérature « orthodoxe » qui représente la majorité des livres édités.

Au XVIIe s., le clergé, catholique qui se mobilise pour contrer la Réforme et met en place une censure, peut s'appuyer sur les écrits apologétiques de François de Sales, de Fénelon et de Bossuet, et sur une foule d'auteurs jésuites. Les écrivains « déviants » (les jansénistes – Pascal –, les protestants – Jurieu) sont tout aussi actifs et convaincus. Si la suspicion règne envers la littérature profane et si Boileau rejette l'idée d'intégrer des thèmes religieux dans les œuvres, à l'inverse les Jésuites en usent largement.

Le siècle des Lumières, en même temps qu'il introduit les principes de l'État laïc et une conception anticléricale de la religion, accentue la séparation de la théologie et de la littérature. L'exégèse rigoureuse appliquée à la Bible – dont les traductions sont censurées par l'Église – affranchit le langage du système prescrit par l'Église depuis des siècles et l'examen de conscience ouvre la voie à la confession laïque (l'autobiographie).

La sécularisation des structures sociales due à la Révolution française ne s'accompagne pas d'une déchristianisation massive de la société, et donc de la littérature. Mais, sauf une petite poignée d'anti-révolutionnaires qui s'engagent dans une défense traditionnelle de l'Église (Veuillot, Lacordaire), le sentiment religieux se sépare des dogmes théologiques. Dans *Le génie du Christianisme* (1802) Chateaubriand combat l'antichristianisme, mais il ne s'attache pas à une démonstration rationaliste orthodoxe de cette religion ; il cherche à en prouver les bienfaits civilisateurs, esthétiques et littéraires. De manière générale, on assiste à une mutation des croyances, à une recherche d'une vérité également indépendante du dogme religieux et de la science positiviste. Nerval ou Baudelaire n'adhèrent pas à la doctrine catholique mais perçoivent leur poésie de manière platonicienne : une réification de la transcendance, une célébration du mystère.

À la fin du XIXe s., des ecclésiastiques, l'abbé Brémond en tête, tentent de rétablir le dialogue entre théologie et littérature. En même temps, se profile une renaissance des lettres catholiques.

En dépit de la sentence de Nietzsche : « Dieu est mort », la littérature du XXe s. est loin d'être devenue athée. Les convertis Bloy, Huysmans et Claudel, relayés par Mauriac et Bernanos, sont à la fois perçus comme fervents catholiques et acceptés comme de grands écrivains. Gide, Proust ou Bataille puisent dans les systèmes religieux des références qui appuient, illustrent ou expliquent leurs propositions axiologiques et ontologiques. En outre, la littérature francophone s'enrichit d'œuvres issues de traditions religieuses longtemps muselées par le monopole catholique : le bouddhisme (R. Rolland), l'esprit du zen (H. Michaux), le Judaïsme (E. Wiesel) et l'Islamisme (M. Dib, A. Djebar). Enfin, les succès de librairie d'œuvres explicitement spiritualistes (C. Bobin) témoignent d'une relation nouvelle au religieux.

La religion englobe deux ordres de réalités qui engendrent des rapports différents à la littérature. D'une part, elle concerne une communauté d'hommes qui acceptent les lois et les codes édictés dans une Église. La littérature, incluse dans ce fonctionnement, est un moyen de transmission ; subordonnée au dogme, elle est apologétique, militante et éducative. Dans ce cadre, la littérature religieuse désigne à la fois les hagiographies, les paraphrases de la Bible et des fictions. Le clergé lui-même a le souci de distinguer littérature profane et sacrée. Ce dernier qualificatif est rarement appliqué à la fiction : ses auteurs, souvent laïques, sont suspectés de chercher davantage à plaire au public et aux instances artistiques qu'à propager la foi. La poésie fait exception à cette habitude. Par sa musicalité, sa scansion, sa forte teneur lyrique métaphorique, elle est perçue comme parente de la prière. Mais, même dans ce cas, elle ne s'intègre pas sans peine dans le dogme : à la différence de l'expérience mystique, l'expérience littéraire a besoin de se dire, d'utiliser un langage séculier dont l'orthodoxie est toute relative. Reste que l'usage du littéraire dans les pratiques religieuses a été constant, en particulier lorsque la religion et l'État, comme dans les Cités grecques et dans l'Ancien Régime, n'étaient pas dissociés et que donc l'art public, notamment officiel, et l'art religieux n'étaient guère dissociables.

On peut également qualifier de religieuse l'expérience intérieure de l'individu qui, en écrivant, éprouve le besoin de témoigner de sa croyance mais n'en est pas pour autant soumis à une institution. Dans ce cas, c'est la relation avec la religion qu'il est malaisé d'apprécier. L'écrivain cherche à décrire et comprendre le monde ; son discours est dès lors comparable à celui des philosophes et théologiens avec lesquels il partage une même recherche de l'absolu. Il existe cependant des divergences déterminantes entre les desseins de l'écrit théologique et littéraire : l'écrivain cherche rarement à imposer une vérité universelle ou à faire Église ; il revendique surtout une complète liberté d'expression.

Pour l'époque moderne, il est légitime de parler d'une « religion de la littérature » : l'existence de l'objet littéraire dépend d'un système de croyances et de pratiques, elles-mêmes consacrées par des institutions. En outre, vis-à-vis de l'objet littéraire, l'écrivain pratique comme un sacerdoce et éprouve un sentiment de vénération et de respect – que nombre de lecteurs partagent. La confusion est d'autant plus importante que, depuis la Révolution française et l'avènement de la laïcité, l'écrivain a pu revendiquer un rôle de prophète (Hugo) et semble avoir pris la place des clercs dans la cité (P. Bénichou, *Le sacre de l'écrivain*, Corti, 1973).

Mais l'influence la plus durable tient au fait que la littérature puise dans la tradition religieuse nombre de ses sujets et, longtemps, de ses structures. Jusqu'au XVIIe s., le monde était envisagé selon un mode de pensée analogique (M. Foucault) : création de Dieu, il en donnait une image et offrait ainsi un réseau de symboles et de correspondances. Plus largement, à travers les âges, les mythes agissent comme des rapports : Œdipe, Job, le Christ même forment des références relativement indépendantes de la réflexion religieuse qui leur a donné vie.

Inversement, la littérature aborde des thèmes inhérents au questionnement humain, qui ont été codifiés par les religions : par exemple la culpabilité, la faute, le bien, le mal, le sacrifice, le salut. Loin d'être l'apanage des écrivains croyants, l'utilisation de ces références est le résultat de leur imprégnation profonde dans la culture occidentale.

▶ COURT R., « Style esthétique et lieu théologique », *Recherches de science religieuse*, 10-12/1997, p. 537-556. — JOSSUA J.-P., *Pour une histoire religieuse de l'expérience littéraire*, Paris, Beauchesne, 1985. — MINOIS G., *Censure et culture sous l'ancien régime*, Paris, Fayard, 1995.— SICHÈRE B., *Le Dieu des écrivains*, Paris, Gallimard, 1999. — Coll. : *Le sacré. Aspects et manifestations*, Tübingen-Paris, Gunter Narr Verlag-Jean Michel Place, Études littéraires françaises, 1982.

Cécile VANDERPELEN

→ *Adhésion ; Catholicisme ; Christianisme ; Judaïsme ; Laïcité ; Mystères ; Mysticisme ; Passion (Genre de la) ; Quiétisme ; Réforme ; Réforme catholique.*

RENAISSANCE

La Renaissance est un mouvement intellectuel et artistique, né en Italie vers 1300, qui, grâce à la redécouverte et la « résurrection » de la culture antique, cherche à séparer son époque du Moyen Âge, jugé décadent (« enténébré ») par rapport aux Anciens. On peut en situer l'apogée entre 1420 et 1520 en Italie, entre 1515 et 1559 en France et la fin vers 1600 en France et aux Pays-Bas.

On distingue un peu artificiellement « la Renaissance » ainsi définie d'autres périodes qui se sont également signalées par un intérêt revivifié pour l'Antiquité, ainsi qu'un renouvellement des arts et des lettres : la renaissance du VIe s., la *renovatio* carolingienne du IXe s., la renaissance ottonienne, impériale et monastique, ou la renaissance romane du XIIe s.

La Renaissance est en premier lieu un phénomène italien. La proximité des vestiges du monde antique ainsi que la conjoncture économique et géopolitique favorable des états-villes du Nord de l'Italie, la présence simultanée des clercs humanistes, des commanditaires – riches bourgeois et aristocrates puissants – et d'artisans spécialisés en peinture ou orfèvrerie et devenus des artistes, expliquent la primauté historique de la Renaissance italienne. Les motifs des commanditaires ne sont pas seulement financiers, mais souvent aussi religieux, parfois simplement esthétiques. Ensuite, la création d'ateliers d'imprimerie (Alde Manuce) et la présence de savants grecs fuyant Byzance devant le péril turc favorisent la diffusion des savoirs.

Les idéaux de la Renaissance italienne s'étendent à l'Europe (au XVIe s. surtout) au gré des échanges commerciaux, des voyages et des correspondances des artistes et des humanistes. Les lettrés voyagent, pour parfaire leur instruction personnelle ou pour accomplir des missions diplomatiques ou religieuses.

Mouvement artistique et intellectuel, la Renaissance reconnaît et proclame le pouvoir des lettres. L'indéniable ascendant de cette nouvelle force, qui infiltre le pouvoir et l'Église et se superpose à eux, n'a pas échappé à François Ier, promoteur d'une véritable politique culturelle en France. Aussi les tâches de ses diplomates à Venise ne se limitent-elles pas aux tractations ordinaires, mais incluent la recherche de manuscrits, d'artistes et d'œuvres susceptibles de constituer un art français rival de l'art italien tant admiré. Cette politique modifie la constitution traditionnelle du corps diplomatique, composé non plus d'hommes d'épée mais d'humanistes, familiers du latin et férus de grec. De plus, le Roi, épaulé par Guillaume Budé, qui a rédigé à son usage *L'institution du prince*, encourage les humanistes en créant le Collège Royal – aujourd'hui Collège de France –, en dotant la Bibliothèque royale d'un fonds très riche, et soutient les artistes par de multiples contrats.

Le rayonnement intellectuel et l'influence personnelle de l'helléniste Budé, entouré d'une équipe d'érudits, professeurs et imprimeurs, en relation épistolaire avec Erasme, Thomas More et Rabelais, assurent l'essor de l'humanisme. Traducteur d'Érasme et d'Ovide, adaptateur de Martial et valet de chambre du Roi, Clément Marot incarne le versant poétique de la première Renaissance française, en raison de son érudition – dont on commence à reconnaître l'étendue insoupçonnée – et de ses liens avec les humanistes et les poètes néo-latins, mais aussi par la grâce de sa poésie élégante et novatrice. Un disciple de Budé, Jean Dorat, professeur au collège Coqueret, influence, à la génération suivante, Ronsard, Baïf et Du Bellay. Dans la seconde moitié du siècle, la « Pléiade » prend le relais d'un humanisme épuisé par les luttes entre la Réforme et la Contre-Réforme. Ces poètes, rassemblés autour de Ronsard et Du Bellay, allient néo-platonisme, érudition et intérêt pour la culture néo-latine, à la volonté de faire naître une nouvelle poésie de langue française, capable de préserver les beautés érudites de l'Antiquité. Lorsqu'ils intègrent, comme Ronsard dans ses *Hymnes*, la cosmologie et la science à leur poésie, ils renouent avec la curiosité humaniste et la grande tradition philosophique italienne de Marsile Ficin et Pic de la Mirandole.

La Renaissance française et les valeurs humanistes dont elle était porteuse ne pouvaient que pâtir des guerres religieuses qui se répètent depuis le massacre de Vassy en 1562 jusqu'à l'Édit de Nantes en 1598. La fin du siècle est marquée surtout par Agrippa d'Aubigné et par Montaigne. Le premier, militant de la cause calviniste, se pose en admirateur du maniérisme de Ronsard, mais est amené, en cet âge d'incertitudes morales, religieuses, politiques et économiques, à lui superposer une sorte de sublime et macabre réalisme dans ses *Tragiques ;* le second nourrit des doutes de son temps le profond scepticisme qui sous-tend les *Essais.* Son œuvre, minée par ce doute philosophique, qui fit ensuite au contraire la pierre angulaire du système cartésien, marque une fin de la Renaissance.

En 1338, fasciné par la Rome païenne, Pétrarque appelait de ses vœux une nouvelle époque où, « les ténèbres » s'étant dissipées, les futures générations pourront à nouveau jouir de l'éclat du passé (*Africa*, IX). Il souhaitait que le processus d'imitation ne se limite pas à une reproduction fidèle des modèles antiques, mais engendre une entreprise créatrice, semblable au travail des abeilles qui transforment le nectar en cire et en miel. Tel sera l'esprit général de la Renaissance.

La relecture des théories littéraires antiques contenues dans les traités de Cicéron, l'*Institution oratoire* de Quintilien ou l'*Art poétique* d'Horace renouvelle la philosophie, les études littéraires et la théorie de la peinture. Dans son traité *De la peinture* (1435), Leon Battista Alberti emprunte à la rhétorique antique les outils intellectuels nécessaires pour repenser les arts plastiques.

La Renaissance est l'ère du décloisonnement des savoirs. Alberti n'est pas seulement un théoricien, il peint aussi ; il n'est ni philosophe, ni praticien, mais associe constamment les deux activités (Chastel). Ange Politien rédige le *Panepistemon*, courte et neuve classification des disciplines, qui relie à la « philosophie » les arts plastiques et même les arts mécaniques. Castiglione esquisse dans *Le courtisan* (1528) le portrait de l'homme idéal, capable de se battre et de danser, de peindre et de chanter, de composer des poésies et de conseiller le prince. Cette nouvelle civilité, à laquelle Erasme consacre un petit traité (1530) maintes fois réimprimé, caractérise la Renaissance (Elias).

Paradoxalement, c'est en étudiant les Anciens que la Renaissance découvre le gouffre qui la sépare de l'Antiquité. C'est en construisant son identité qu'elle découvre son altérité. Vasari souhaite que son époque soit celle de la *rinascita.* On retrouvera le mot sous la plume de Pierre Belon en 1553 : les hommes sortis « des ténèbres » assistent à « la renaissance » des disciplines. De l'avis de tous, la France de François Ier a accompli la *translatio studii et imperii* : le transfert de l'héritage d'Athènes et de Rome à Paris. La *Défense et illustration de la langue française* de Du Bellay (1549) n'est que le dernier maillon de l'apologie des langues vernaculaires, qui se fait sur le modèle de la défense, par Cicéron, de la culture romaine contre le grec, et sur l'exemple de l'humanisme italien. Dolet – qui publie un dialogue (1535) et un commentaire sur la langue latine (1538), qui marient cicéronianisme et défense de la langue vulgaire – et Rabelais ont déjà redonné au français le droit de cité. Mais cette émergence est également l'aboutissement d'une querelle des anciens et des modernes (querelle du cicéronianisme), les uns, champions d'une imitation puriste de Cicéron, voulant allier style et vérité (Bembo, par exemple) et les autres (Politien, Erasme) prônant l'adaptation du latin, puis du langage vernaculaire à la modernité, à l'expression individuelle. La Renaissance permet ainsi l'affirmation de l'individualité dans tous les domaines. La valorisation du style personnel de l'artiste, la récurrence des thèmes de l'émulation et de la gloire, ainsi que la floraison des biographies, des autobiographies (Cellini, Cardan) et des autoportraits (Léonard, Vasari, Titien) sont autant de manifestations de cet être humain, que Pic de La Mirandole a décrit dans le *De dignitate hominis* (1504) : comme Adam, il ne connaît nulle limite et, exerçant son libre-arbitre, il a pouvoir de se définir lui-même.

▶ BURKE P., *La Renaissance en Europe*, Paris, Le Seuil, 2000. — CROIX A., QUÉNIART J., *De la Renaissance à l'aube des Lumières*, Paris, Le Seuil, 1997. — FUMAROLI M., *L'âge de l'éloquence*, Genève, Droz, 1980. — GARIN E., *L'Uomo del Rinascimento*, Roma, Laterza, 1988 (trad. fr., *L'Homme de la Renaissance*, Paris, Le Seuil, 1990). — HALE J., *The Civilization of Europe in the Renaissance*, Londres, 1993 (trad. fr., *La civilisation de L'Europe à la Renaissance*, Paris, Perrin, 1998).

Alexander ROOSE

→ *Antiquité ; Bonnes Lettres ; Christianisme ; Didactique (Littérature) ; Humanisme ; Imitation ; Langue française (Histoire de la) ; Maniérisme ; Politique ; Réforme ; Réforme catholique.*

REPRÉSENTATION → Image ; Mimésis ; Théâtre

RÉPUBLIQUE DES LETTRES

Cette expression a désigné la communauté des lettrés humanistes, unis au-delà des frontières politiques par leurs habitudes intellectuelles (usage du latin, pratique du dialogue et de la correspondance), leur style de vie, et leurs valeurs morales (un bien commun : *res publica*), un idéal d'égalité et de tolérance. L'expression ensuite, dès la fin du

XVIIIe s., a servi à mettre l'accent – à l'optatif – sur la nécessaire unité des gens de lettres. Elle reste aujourd'hui utilisée dans un sens plus général, pour désigner, de manière archaïsante, l'ensemble des intellectuels liés à l'exercice de la littérature.

Sous sa première forme, la *Respublica literaria* est une création de la Renaissance italienne. Inconnue de l'Antiquité et du Moyen Âge, l'expression se trouve pour la première fois, en 1417, dans une lettre latine adressée par un jeune humaniste vénitien à Poggio Bracciolini, pour le féliciter, au nom de la communauté savante, de sa découverte du manuscrit de l'*Institution oratoire* de Quintilien. Selon Marc Fumaroli, cette expression s'est modelée primitivement sur l'expression augustinienne de *Respublica christiana*, l'*otium scribendi* devenant un exercice spirituel pour clercs sans église.

Cette première République des lettres est constituée de doctes, soit donc, au sens archaïque de l'expression, d'« hommes de lettres ». Ses membres ont le sens de la communauté savante qu'ils forment ; ils l'entretiennent par des voyages, des visites réciproques et des correspondances en latin, langue universelle des Bonnes Lettres. Pour mieux sceller leur pacte intellectuel, ils constituent un florilège d'éloges et de biographies de leurs maîtres. Si les premières manifestations de ce civisme littéraire sont les *Scuoles* vénitiennes et les académies, la République des lettres trouve un instrument essentiel dans l'imprimerie, avant qu'une presse érudite ne prenne le relais au siècle suivant (Pierre Bayle, *Nouvelles de la République des lettres*, 1684). Mais l'essor des littératures nationales divise cet univers lettré, et, au XVIIIe s., la République des lettres change de nature. Deux grandes mutations contribuent à la scinder : le recul du latin et la montée en puissance des langues nationales, d'une part ; d'autre part, l'autonomisation progressive de la littérature et sa séparation d'avec des savoirs scientifiques qui se spécialisent.

L'utopie d'une internationale des « intellectuels » subsiste, mais c'est dans un style plus revendicatif qu'elle s'écrit. Certes, la République des lettres se dissémine chez ces académiciens provinciaux en qui Daniel Roche a vu des « Républicains des lettres ». Pourtant, elle n'est plus constituée seulement de doctes, mais aussi d'amateurs et de littérateurs professionnels, plus remuants. Dès avant la Révolution française, la République des lettres a une conscience « oppositionnelle » de la force politique que constituerait le « corps des gens de lettres » (Sébastien Mercier) s'il prenait la mesure de son influence sur l'« opinion publique ».

Mais, parallèlement, l'expression s'affaiblit au point de finir par désigner de manière périphrastique l'ensemble du monde littéraire pris comme une entité autonome – et justiciable d'observations satiriques – ; ainsi dans l'*Essai critique sur l'état présent de la République des lettres* de Le Franc de Pompignan (1743) ou dans les *Réflexions sur l'état présent dans la République des Lettres* de d'Alembert (1760).

Au siècle suivant, la notion ne connaît plus que des usages sporadiques. Vigny reprend le terme pour dire son idéal d'une unité monarchique des gens de lettres, dont il fait aussi une « aristocratie de l'intelligence ». Autre évolution de la notion originaire, plus conforme aux transformations du champ littéraire : le fait que Catulle Mendès intitule *La République des lettres* une revue littéraire qui se pique d'art pour l'art (1875-1877). L'idéal parnassien d'autonomisation de la littérature se trouve ainsi emblématisé par une expression qui a longtemps servi à symboliser l'unité des diverses disciplines intellectuelles et de leurs desservants. La question d'une unité internationale des écrivains et des intellectuels subsiste pourtant. En 1999, P. Casanova intitule un ouvrage *La république mondiale des lettres*, elle y décrit le domaine mondial de la littérature comme un espace où une capitale, Paris, subordonne « des contrées qui en dépendent (littérairement) » et où « s'est instaurée une loi littéraire internationale, un mode de reconnaissance spécifique qui ne doit rien aux impositions, aux préjugés ou aux intérêts politiques ».

Au sens strict, la République des lettres est un phénomène essentiellement humaniste. Mais les emplois ultérieurs du terme signalent une constante dans les besoins et désir des gens de lettres, par-delà la formation des champs littéraires distincts. Rêve d'une unité des intellectuels conçue de façon démocratique. Parler de République des lettres revient en effet à réactiver la métaphore politique, la « république » supposant un « bien commun ». L'utopie d'une internationale des « intellectuels » subsiste. La République des lettres a correspondu, et correspond dans les reprises actuelles du terme, au désir que les savoirs aient leur indépendance et que les lettres permettent de distinguer une « aristocratie de l'intelligence ».

▶ BOTS H., WAQUET Fr., *La république des lettres*, Belin-De Boek, 1997. — CASANOVA P., *La république mondiale des lettres*, Le Seuil, 1999. — FUMAROLI M., « La République des lettres », *Diogène*, juillet-septembre 1988, n° 143, p. 131-150. — ROCHE D., *Les Républicains des lettres*, Fayard, 1988. —WAQUET Fr., « Qu'est-ce que la République des lettres. Essai de sémantique historique », *Bibliothèque de l'école des Chartres*, t. CXLVII (1989), p. 473-502.

José-Luis DIAZ

→ *Académies ; Bonnes Lettres ; Cénacle ; Biographie ; Champ littéraire ; Histoire du livre ; Humanisme ; Intellectuel ; Nationale (Littérature) ; Parnasse.*

RÉSISTANCE

La « résistance » désigne, à partir de l'armistice de juin 1940 et l'appel lancé par le général de Gaulle, l'opposition clandestine à l'occupant allemand. Elle concerne la littérature dans la mesure où certains auteurs ont participé à cette lutte par leurs écrits. On a pu appliquer l'idée de « résistance », par extension, aux formes diverses de contestation que les écrivains et les intellectuels opposent à un pouvoir totalitaire : de même a-t-on parlé, pour les pays dits de l'Est, de « dissidence ».

La première action significative d'une résistance intellectuelle, en France – en Belgique, autre pays francophone concerné, elle ne fut guère sensible – fut la « conjuration du Musée de l'homme », dont les membres réalisaient une revue ronéotée, *Résistance*, autour de Paulhan – qui fut arrêté –, cofondateur en 1941 des *Lettres françaises* et du C. N. E. (Comité National des Écrivains) pour la zone occupée. Aragon jouait le même rôle dans la zone sud non-occupée, et les deux collaborèrent ensemble aux *Lettres françaises* à partir de 1943. En 1942 parurent les premiers volumes, clandestins, des éditions de Minuit, dont *Le silence de la mer* de Vercors. Certains intellectuels résistèrent par leurs textes, d'autres passèrent de la résistance littéraire à l'action armée, comme le critique Jean Prévost, mort dans le maquis du Vercors ; d'autres, comme René Char, ont directement choisi l'action sur le terrain. En fait, la production littéraire sur fond de résistance et de lutte contre l'idéologie nazie et vichyssoise s'intensifia en 1942 après l'attaque allemande contre l'URSS, qui suscita l'action des communistes et des intellectuels proches du PCF. Elle se déroula dans le contexte nouveau du débarquement allié en Afrique du Nord, l'occupation de la zone sud et la perspective de la défaite allemande, mais également de la déportation des juifs. Nombre d'écrivains reconnus, de bords politiques divers, y ont participé (Eluard, Michaux, mais aussi Mauriac, Camus, Sartre, Druon). La poésie a joué un rôle important dans la diffusion de leurs idées : forme brève, transmissible par des moyens légers d'impression, voire par oral, elle est le lieu des cris de douleur (Eluard) comme de mobilisation (Druon, *Le chant des partisans*).

À la Libération, une « épuration » fut lancée contre les intellectuels accusés de collaboration. Si certains écrivains concernés firent l'objet de mansuétude, d'autres furent pourchassés – ce fut le cas, en France, de Robert Brasillach, condamné à la peine capitale ou, en, Belgique, de Robert Poulet, qui dut s'exiler après une peine de prison.

L'engagement d'un écrivain, surtout dans un contexte de violence, relève d'abord, certes, de ses convictions politiques et de sa morale personnelle. Mais il pose un problème, difficile et essentiel, quand l'autonomie du champ littéraire fait que les liens entre la littérature et la politique sont indirects et d'ordre symbolique. La « suspension d'autonomie » est-elle possible ? Et avec quelles conséquences ? Il est indéniable que les textes de résistance relèvent d'une prise de position idéologique plus que d'une recherche de l'effet esthétique pur. Mais ils ne perdent pas leur qualité proprement littéraire pour autant : en témoignent les poèmes d'Eluard et d'Aragon par exemple. En fait, la Résistance rejoint les formes historiques multiples de la littérature engagée. On peut donc l'envisager à la fois dans sa particularité historique et comme révélateur des enjeux politiques du littéraire dans les situations de crise.

Les clivages politiques jouèrent un rôle décisif pendant l'Occupation. Mais, situés d'un côté ou de l'autre de la ligne de démarcation, les écrivains réagirent également selon la place qu'ils occupaient dans le champ littéraire. Les écrivains reconnus furent, tendanciellement, plus opportunistes ou vichyssois, et les écrivains novateurs – dont nombre d'anciens surréalistes devenus communistes – et ceux qui étaient déjà impliqués dans les mouvements politiques et pacifistes avant la guerre, furent plutôt du côté des résistants. On note aussi que certains auteurs en mal de reconnaissance se laissèrent attirer par l'opportunisme, parfois jusqu'à collaborer, en profitant de l'absence de collègues exilés ou déportés pour pousser leur carrière. Ces questions furent agitées sur le mode polémique à la Libération (contre et par Céline par exemple). Enfin, on relève que la situation de crise faisait surgir au premier plan les implications sociales et politiques des choix esthétiques : ainsi les principes d'ordre et de distinction élitiste, dominants dans l'académisme notamment, correspondaient plus au respect de l'ordre établi, donc au rejet de la clandestinité et du « désordre » résistants ; de même, l'esthétique de « l'Art pour l'Art » suscite l'apolitisme plus que le choix de l'engagement.

Plus largement, du moins à l'époque moderne, les régimes répressifs ont presque toujours engendré une production littéraire remarquable, en nature sinon en quantité, souvent suivie, au moment de la Libération (ou de son équivalent), d'une brusque efflorescence accompagnée, un peu plus tard, d'un mouvement de désenchantement. Ce qui s'est manifesté pour la Résistance mais aussi plus tard sous les régimes totalitaires dans l'Europe de l'Est ou l'Amérique latine.

En fait, tout se passe comme si, dans une société où la liberté de la culture est devenue impossible, les écrivains bénéficiaient d'un surcroît de légitimité : ils apparaissent alors pleinement comme les porteurs, qu'ils sont, d'un discours public. Ils cumulent ainsi l'autonomie de leur art et le principe de citoyenneté. D'autre part, si l'industrie et le commerce du livre sont des moyens de contrôle du champ littéraire, leur contrainte joue bien moins pour la poésie, forme dense, brève et plus apte à une transmission par tracts, plaquette, ou par oral : aussi est-elle le mode d'expression privilégié de l'écrivain résistant. Au XXe s., le poète a ainsi reconquis, par périodes, le statut symbolique de « voix du peuple ». Reste que la poésie de la Résistance a souvent été orientée vers le souci d'une expression patriotique, donc à la fois nationale et populaire, plus que vers une ouverture à l'originalité et à l'universalisme.

▶ LINDENBERG D., *La littérature française sous l'Occupation*, Reims, Presses universitaires de Reims, 1989.— MICHEL H., *Les Courants de pensée de la Résistance*, Paris, PUF, 1962. — SAPIRO G., *La Guerre des écrivains (1940-1953)*, Paris, Fayard, 1999. — STEEL J., *Littératures de l'ombre*, Paris, Presses de la fondation nationale des sciences politiques, 1991. — Coll. : *Leurs occupations. L'impact de la Seconde Guerre mondiale sur la littérature en Belgique,* Aron P., De Geest D., Halen P. et Vanden Braembussche A. (éd.), Bruxelles, Textyles éditions, 1997.

Alain VAILLANT

→ *Engagée (Littérature) ; Guerre ; Poésie ; Politique ; Utilité.*

RÉUNION (Île de la) → Mascareignes

RÊVERIE

Activité psychique involontaire, la rêverie marque une rupture passagère du sujet avec le monde ambiant. C'est une méditation vagabonde – étymologiquement « rêver » signifie vagabonder – qui absorbe assez l'esprit pour qu'il oublie ce qui l'environne. En littérature, le thème de la rêverie donne lieu à des effusions de lyrisme qui l'instituent en point névralgique de l'école romantique. Cependant, la rêverie ne se limite ni au romantisme ni même à la poésie, ni à un thème, mais a pu être une sorte de genre.

Provenant du discours médical, où il désigne un délire, le terme garde jusqu'au XVIIIe s. une connotation péjorative, qui disparaît progressivement dans le discours littéraire. Aliénation de l'esprit, égarement aux confins de la folie – le Lancelot de Chrétien (XIIe s.) est comme atteint de maladie, et s'isole au sein de la collectivité qui le définit –, la rêverie ne devient propriété du « moi » qu'à partir du XVIe s., époque où l'homme, renouant avec certains courants antiques qui unissent imaginaire et créativité, se découvre individu. Chez Montaigne, un renversement décisif se produit : la rêverie est assimilée à une méditation libre, non soumise à la raison, et intimement liée à l'écriture des *Essais*, composés au gré de ce que l'auteur appela ses « rêvasseries ». Signe de l'introspection, la rêverie ne réussit pourtant pas encore à s'affranchir d'une nuance péjorative. Aux XVIIe et XVIIIe s., les deux registres antithétiques – péjoratif et valorisant – continuent à coexister. Renvoyant d'une part à une pathologie de la mélancolie (Descartes) et de l'amour, notamment dans le roman galant et libertin de Mme de Tencin à Crébillon (*Les égarements du cœur et de l'esprit*) et jusqu'à Laclos (les rêveries de Mme de Tourvel), la rêverie acquiert d'autre part le nouveau statut d'activité spécifique de la conscience qui enrichit l'affectivité (Viau, Saint-Amant) et apparaît comme source de plaisirs et de fécondité de l'esprit (Mme de Scudéry). Elle est également un artifice rhétorique permettant d'échapper aux lois de la vraisemblance. Cependant, ce sont surtout *Les rêveries du promeneur solitaire* de Rousseau (1776-1678, éd. posth. 1782) qui ont conféré définitivement à la rêverie une acception positive, que l'on retrouve chez Senancour, Lamartine et Hugo. La rêverie devient l'état privilégié de celui qui est à l'écoute de la vie intérieure, caractérisé par la communion de l'individu et de l'univers, source d'une jouissance passive, résolument hédoniste. Et « rêverie » est alors un équivalent, en termes de genres, de « méditation en prose ». L'écriture y progresse librement et souplement, selon les associations d'idées, mêlant récit, description, réflexions et introspection

Derrière les accents du tendre sentimentalisme apparaît de plus en plus, au XIXe s., l'envie de s'arracher, par la rêverie, à la condition humaine pour se sentir partie de la nature. Grâce aux influences des premières œuvres romantiques en anglais (les ballades d'*Ossian*) et surtout en allemand (Goethe, Jean-Paul, Hoffmann, introduits en France par Mme de Staël), ce besoin ouvre la voie à une révolte contre la civilisation. Pour les romantiques français, la rêverie, jugée fondamentale, donne accès à un arrière-monde qui est le vrai monde, un monde de l'Imagination – « reine des facultés », disait Baudelaire – comme lieu de la Vérité.

Vers 1830, la rêverie, libérée des données de la sensation, se voit attribuer une puissance occulte ; elle devient ouverture à un monde de l'Irréel (Gautier), montée extatique de l'inconscient (Nerval) ou principe même de la création poétique (Baudelaire).

Pour les surréalistes (Breton, Soupault), la rêverie n'a plus rien de l'état d'esprit passif, ni même du démenti du réel : sous l'influence notamment des théories de Freud, le rêve devient signe de la libération, et plus tard mode de l'action révolutionnaire, par exemple dans la vision de l'histoire de W. Benjamin.

S'inspirant de C. G. Jung, Bachelard définit la rêverie comme création évanescente d'un monde nouveau de repos et de douceur qui, contrairement au rêve, ne se raconterait pas, mais pourrait seulement s'écrire. Or, le rêve n'est-il pas lui aussi un état évanescent et reconstruit par l'acte de narration, tout comme la rêverie serait reconstruite par l'acte d'écriture ? Rêve et rêverie s'apparentent dans le geste littéraire, lorsque celui-ci se fait re-présentation d'une expérience recomposée par la narration, en quoi la rêverie est recherche d'une forme spécifique. La rêverie est apte au langage poétique, au rêve éveillé, mais elle ne détruit pas les liens logiques, et elle peut donc entrer dans les cadres langagiers établis. Elle apparaît ainsi comme une voie ouverte à l'imagination, sur un mode souvent mélancolique.

▶ BACHELARD G., *La poétique de la rêverie*, Paris, PUF, 1960. — BEUGNOT B., « Entre nature et culture : la rêverie classique », *Saggi e ricerche di letteratura francese*, 1985, 24, p. 85-118. — MORRISSEY M., *La rêverie jusqu'à Rousseau*, Lexington (Kentucky), French Forum Publishers, 1984. — RAYMOND M., *Romantisme et rêverie*, Paris, José Corti, 1978.

Kris PEETERS

→ *Fantastique ; Genres littéraires ; Imaginaire et Imagination ; Lyrisme ; Méditation ; Mélancolie ; Romantisme ; Surréalisme.*

REVUE

La revue (de l'anglais *review*) est une publication périodique au contenu variable. Sa périodicité la distingue du livre ou de la brochure. Depuis son apparition, à la fin du XVIIIe s., elle met en circulation des essais, des textes littéraires, des critiques et des comptes rendus. Elle est à la fois un relais éditorial et un lieu de consécration présentant l'intérêt de satisfaire avec souplesse aux moyens les plus divers que les auteurs peuvent investir dans une stratégie de reconnaissance (publication de textes brefs, prépublication de « bonnes feuilles » d'une œuvre, critiques, débats..).

Le passage en revue de l'actualité littéraire peut être le fait d'autres supports : le journal, la gazette ou le recueil périodique. Sous forme orale, la revue théâtrale ou les lieux de sociabilité (salons, cénacles, etc.) jouent également ce rôle.

Jusqu'au XVIIe s., l'information littéraire se transmet principalement par le bouche-à-oreille, relayé par les correspondances privées ou semi-privées, les « nouvelles à la main », les libelles, puis par l'édition de recueils collectifs. Les premiers journaux, gazettes ou recueils périodiques littéraires apparaissent avec la « naissance de l'écrivain » (Viala) et le développement d'une opinion publique qui commence à compter dans les stratégies du pouvoir. Leur spécialisation à l'intérieur le domaine culturel se renforce aux XVIIIe et XIXe s., et ce mouvement s'accentue pour atteindre son apogée entre 1870 et 1914, au moment où se constitue le champ restreint.

De nombreuses revues ont marqué leur temps comme, au XVIIe s., *La Gazette de France, Le Mercure galant*, devenu au XVIIIe s. *Le Mercure de France*, au XIXe, *La revue des deux mondes* ou au XXe s., *La Nouvelle Revue française, Les Cahiers vaudois* (Lausanne), *Le Disque vert* (Bruxelles-Paris), *Parti-Pris* (Montréal), *Tel Quel* ou *Change*, même si l'importance historique des revues ne se mesure pas nécessairement à leur tirage ou à leur longévité. La période la plus contemporaine voit ce média entrer en concurrence avec d'autres moyens de communication (émissions télévisées, internet). Malgré la transformation de leurs techniques de production et de financement, la permanence des revues confirme l'attachement des écrivains à cette forme de publication.

Support léger et souvent éphémère, la revue occupe une place singulière parmi les appareils du monde littéraire. Pour une mise de fonds relativement modeste, elle offre un profit de légitimité non négligeable surtout dans les périodes de difficultés de l'édition traditionnelle. La revue satisfait également aux besoins de distinction des groupes et des écoles littéraires, et en particulier à ceux des avant-gardes, par définition peu dotées et minoritaires. Le groupement d'auteurs autour d'un périodique de création manifeste un effet de réseau particulièrement important dans la sphère restreinte.

Par l'investissement souvent artisanal qu'elle demande et par la continuité qu'elle implique, la revue peut assurer une vie littéraire en des milieux ou en des contextes qui lui sont peu favorables. Une large part de la vie littéraire en province ou en francophonie est liée à la parution de périodiques. Leur dissémination et leur répartition géographique permettent un rapport de proximité avec des agents peu favorisés, marginaux ou d'origine périphérique qui confère aux revues un rôle déterminant quoique souvent discret dans la réussite des carrières. Elles sont particulièrement nombreuses - quoique de faible tirage - dans le domaine de la poésie. De ce point de vue, l'étude des revues littéraires offre un vaste champ de recherches qui commence à être balisé de nos jours aux frontières de l'histoire culturelle et de l'histoire littéraire.

▶ CAILLARD M., *Les revues d'avant-garde, 1870-1914, enquête*, Paris, J.-M. Place, 1990 (éd. or. 1925). — PLACE J.-M., VASSEUR A., *Bibliographie des revues et journaux littéraires des XIXe et XXe*, 3 t., Paris, 1973, 1974, 1977. — SGARD J., *Dictionnaire des journaux : 1600-1789*, Paris, Universitas, 1991. — Coll. : *La revue des revues*, Paris, Maison des sciences de l'homme, depuis 1986. — *Sociabilités intellectuelles. Lieux, milieux, réseaux, Cahiers de l'IHTP*, mars 1992.

Paul ARON

→ *Avant-garde ; Critique littéraire ; Écoles littéraires ; Édition ; Francophonie ; Poésie ; Publication ; Recueil ; Revue théâtrale.*

REVUE THÉÂTRALE

La revue théâtrale est une forme mixte mêlant texte et musique. À l'origine, comme son nom l'indique, elle offrait le panorama des spectacles de l'année. Mais, très rapidement, elle quitte l'inventaire satirique pour devenir une création à part entière qui atteint son apogée dans le courant du XIXe s. Elle comprend habituellement des couplets plus ou moins satiriques alternant avec des parties dialoguées. Un final en apothéose, chanté et chorégraphié, ferme rituellement la représentation.

En tant que spectacle d'actualité et de parodie, la forme de la revue remonte à l'Antiquité grecque et romaine (*satura*). Au Moyen Âge, le jeu, les congés ou les jongleries transmettent la tradition d'un théâtre populaire et satirique qui se retrouve dans la grande diversité des pièces proposés dès le XVIIe s. à Paris et dans les principales villes. Comme Molière l'avait fait dans *Les fâcheux* (1661) pour le public de la cour, les diverses formes du spectacle de la Foire, la pantomime ou la « pièce en écriteaux », passent en revue des types sociaux comiques reconnaissables. Mais le terme de revue apparaît lorsque les satires commencent à s'intéresser aux spectacles en vogue, et le genre prend véritablement son essor en reproduisant les techniques de l'Opéra Comique : alternance de vaudevilles ou fredons dont les airs étaient connus des spectateurs avec un dialogue vif où interviennent des représentants de toutes les classes sociales. Dès 1728, *La Revue des théâtres*, par Dominique fils et Romagnesi présente presque toutes les caractéristiques de la revue du XIXe s. : les personnages sont des types ou des abstractions ; on multiplie les allusions au théâtre à succès (la cible est *La surprise de l'amour* de Marivaux) ; un prologue et un finale encadrent le défilé des scènes référentielles. En 1758, *La soirée des boulevards*, jouée par la Comédie italienne, montre un décor représentant les Boulevards et donne ainsi à voir le théâtre dans le théâtre.

Sous la Restauration, le genre connaît un essor considérable. Son écriture ne cherche généralement pas un comique très élaboré ; c'est à gros traits qu'elle rappelle les événements du jour, caricature les personnages en vue ou montre des types populaires. On se gausse des découvertes technologiques, des moyens de transport, des transformations urbanistiques et des modes littéraires. On se sert abondamment des imaginations prophétiques (*Paris en 1880*, 1828) et on explore systématiquement tous les procédés, issus de la tradition satirique, du théâtre dans le théâtre. Devant un public rarement silencieux, qu'il faut amuser sans arrière-pensée, le jeu appuyé des comédiens-chanteurs ne recule jamais devant un effet facile. Il est d'ailleurs servi par des conventions parfaitement rodées : certains acteurs sont censés refléter le bon sens populaire (le *compère*) tandis que d'autres personnifient des institutions ou des entités abstraites qui n'exigent aucune finesse dans l'interprétation (la Police, la Ville de Paris, la Politique ou l'Éclairage urbain). Par dessus tout intervient la musique, qui lie les parties entre elles et rythme les effets. C'est parce qu'il reconnaît les airs que le spectateur se sent en connivence avec la représentation.

Par l'humour et par l'usage de mélodies faciles, le genre tient donc pour une part de l'opérette. Comme celle-ci, la revue table aussi sur des effets de scène parfois spectaculaires, et elle n'hésite pas à reprendre à son compte les techniques éprouvées du « Boulevard du crime ». Elle coexiste par ailleurs avec les parodies plus traditionnelles, au point qu'il n'est pas aisé, sauf lorsque le titre mentionne explicitement le genre auquel la pièce se rattache, de faire le partage entre les comédies satiriques et les revues. En Belgique, elle a connu une extension remarquable à la fin du XIXe s., lorsque Lucien Malpertuis et ses amis ont rénové les vieux airs et accentué la dimension satirique locale. Son immense succès n'est pas étranger à la popularité du *Mariage de Mlle Beulemans*, la pièce belge la plus jouée du XXe s.

À partir de la fin du XIXe siècle, la revue se fond progressivement dans le Music-hall, même si la tradition perdure au théâtre et dans certains milieux estudiantins ou professionnels. La télévision a également repris la formule dans des émissions satiriques et populaires.

▶ ARON P., *La mémoire en jeu. Une histoire du théâtre de langue française en Belgique*. Bruxelles, La Lettre volée-Théâtre National de la Communauté française de Belgique, 1995. — DREYFUS R., *Petite histoire de la revue de fin d'année*, Paris, Fasquelle, 1909.

Paul ARON

→ *Comique ; Parodie ; Satire ; Vaudeville.*

RHÉTORIQUE

Le mot « rhétorique » vient du grec *rhetor*, l'orateur. Elle est, au sens premier (*rhetoriké teknè*) « l'art du discours ». De cette origine découlent trois sortes d'emplois du terme. Dans l'usage courant moderne, il s'emploie surtout dans l'expression « figures de rhétorique ». En un sens plus traditionnel et plus large, la rhétorique est l'art du discours persuasif (comme la poétique celui de la poésie). Mais ces sens résultent eux-mêmes d'une histoire conflictuelle, au sein d'une troisième conception, plus globale, de la rhétorique entendue comme science des mises en œuvre du langage.

Même si le sens de « rhétorique » le plus valide scientifiquement semble être celui d'« art du discours », la multiplicité des acceptions du terme atteste du caractère ambivalent des réalités concernées. Ambivalence d'autant plus gênante que, depuis deux siècles, le mot est souvent employé avec une nuance péjorative. Il est donc indispensable de situer avant tout les objets mis en jeu. Le monde grec distinguait entre ce qui était matière à connaissances certaines, à énoncés scientifiques, assertant le vrai, et dont la logique pouvait rendre compte, ce qui était interrogation sur les conditions de vérité, espace propre de la philosophie, et dont l'énoncé relevait du dialectique, et enfin, l'espace immense des opinions et croyances, qui n'étaient pas des certitudes prouvées, mais relevaient du possible, du vraisemblable. Dans ce domaine, seule la discussion permet d'aboutir à des opinions « crédibles » ou d'élaborer des sentiments admissibles. C'est cet espace qu'investit l'art du discours, ou rhétorique. En son sein, on peut encore distinguer trois ordres de choses : d'abord ce qui appartient au passé, qui peut être attesté, qui relève du témoignage, donc du travail de l'*histor* (le témoin), de l'historien ; ensuite ce qui appartient au réel présent ou au futur, et qui est objet de débat, donc de l'éloquence proprement dite ; enfin ce qui appartient non au réel, mais au possible vraisemblable, qui est objet de fiction, et dès lors de « fabrication » (*poien*), de poésie. De ces distinctions, il résulte que le monde du littéraire (les textes à visée esthétique) appartiennent à l'espace du vraisemblable dans son ensemble, donc à une rhétorique générale, et que dans cet ensemble une spécification est possible entre la rhétorique proprement dite (l'art de l'orateur) et ce que durant des siècles on a appelé, au Moyen Âge, une « rhétorique seconde », qui cadastre l'espace des textes de fiction, et qui s'assimile ainsi à la « poétique ».

En matière d'éloquence, la théorie aristotélicienne (exprimée dans la *Rhétorique*) des trois discours, constitue un essai de typologie qui pose implicitement la question du lien entre rhétorique et littérature. Ces discours se caractérisent chacun par un type d'acte social, par la préférence pour une certaine temporalité et pour une technique discursive. Le judiciaire vise l'accusation et la défense, se rapporte aux actes passés et a l'enthymème pour mécanisme principal. Le délibératif vise la décision, il se rapporte au futur, et privilégie les exemples ; l'épidictique vise l'éloge ou la critique, se rapporte au présent et a l'amplification pour mécanisme principal.

Ainsi organisée, la rhétorique côtoie l'art littéraire, inscrit à l'origine dans l'épidictique. De sorte qu'à côté d'une rhétorique utilitaire, valable pour l'univers du quotidien, la pensée classique envisage une poétique, œuvrant dans le monde de l'imaginaire. Distinction mais non exclusion pure et simple : des concepts élaborés dans le cadre de *la techné rhetoriké* seront en effet sans difficultés transposés à la *techn poetik*. C'est ainsi que les trois « styles » (simple, sublime, moyen) ont été théorisés en rhétorique à Rome, par Cicéron, et transférés ensuite dans les usages littéraires.

C'est peut-être la fragilité de la distinction entre rhétorique de la persuasion et rhétorique poétique qui dynamise le plus toute l'histoire de la discipline : les uns tendant à maintenir intacte l'opposition, les autres à l'abolir.

La question qui se pose au présent est celle de la liquidation ou de reconnaissance de la rhétorique comme discipline à part entière. Elle connaît manifestement un regain depuis un demi-siècle, car, comme la sémiotique, qui tente d'en assumer le rôle, elle peut constituer la discipline unifiante de la réflexion sur les textes et discours. Mais son histoire est chargée de conflits qui font aussi planer sur elle le risque de se trouver récusée au nom d'un excès de technicité. En effet, la rhétorique a été, à la fois, une description des faits de discours et une prescription de moyens pour parvenir à la persuasion : côté utilitaire qui lui vaut de la suspicion. Mais l'immense domaine des textes « d'idées » et de l'argumentation indirecte (littérature à thèse, littérature engagée, apologue et apologétique, épidictique...), au moins, exige bien une perspective rhétorique.

La première rhétorique est née dans le monde hellénique au Ve s. avant Jésus-Christ, comme art d'abord surtout judiciaire : une forme de démocratisation avait en effet débouché sur un nouveau type de gestion des conflits d'intérêt, qui devaient dorénavant se régler devant une instance reconnue comme légitime par tous et non plus directement entre les personnes impliquées. À la force physique, qui prévaut dans le face-à-face, se substitue donc une force du discours, où la parole joue un rôle médiateur. La rhétorique devint ainsi un vaste corps de doctrine, qu'on situait entre dialectique – science du raisonnement – et grammaire. Mais très tôt aussi, elle fut objet de conflits. Des maîtres de l'art oratoire l'enseignaient, les Sophistes. Contre eux, des philosophes – Platon en premier lieu – revendiquèrent pour leur discipline le statut de seule science légitime de l'établissement du vrai. Ainsi le *Phèdre* étudie tout l'art du discours, mais contre la rhétorique. À la génération suivante, en revanche, Aristote compose un traité de *Rhétorique* qui légitime cette discipline (de même qu'il compose une *Poétique*). D'autres préoccupations que la judiciaire se manifestèrent donc tôt. Illustrée en Grèce par Démosthène, la rhétorique l'est à Rome par Cicéron et Quintilien, qui compose un traité longtemps pris comme base d'enseignement. C'est de là que provient notamment la théorie des cinq étapes de l'élaboration du discours : l'*inventio* ou recherche de la matière, la *dispositio* ou organisation du propos, l'*elocutio*, ou mise en phrases, l'*actio* enfin, le tout nourri par la *memoria*, ou culture acquise – on doit les distinguer des « parties du discours (*captatio benevolentiae*, exorde, *narratio*...). Au début de notre ère, la « seconde sophistique », qui privilégie la notion de style, réitère la fusion entre rhétorique et poétique. Au Moyen ge, l e rôl epdi t i qu e de la rhétorique s'étant perdu et l'éloquence sacrée ne s'avouant pas comme éloquence (puisqu'elle se veut transmission de la parole divine), la rhétorique se réduit, dans le cadre du *Trivium*, à l'étude des ornements relevant de l'*elocutio* (reproche fait aux Grands Rhétoriqueurs, poètes autant qu'orateurs).

Elle connaît un regain à la Renaissance, avec la découverte des modèles antiques dans le texte même. À l'âge classique, en France, le rêve d'une rhétorique moderne se traduit par le souhait d'une « rhétorique française » capable de contrebalancer le modèle latin. Demandée à l'Académie, qui ne la fit pas, elle fut tentée par divers auteurs (Bary, Lamy). Mais son expansion restait bornée sous un régime monarchique ; et dans l'enseignement, elle avait pour finalité l'éloquence judiciaire ou l'éloquence sacrée ; aussi était elle vouée à n'être guère qu'une étude formelle des procédés d'expression. Par la suite, au long de l'époque moderne, et surtout en France, la rhétorique, qui constituait la voie royale pour toute approche de la littérature, a vu son formalisme se renforcer encore. D'un côté en effet, les philosophes tendent à n'accorder droit de cité qu'à la démonstration fondée sur l'évidence, et d'un autre, les théoriciens de la rhétorique, à mesure qu'ils prenaient conscience de la notion de littérature, ont senti que pour l'écrivain moderne le commerce avec les figures primait, tandis que l'éloquence était rejetée du côté de la politique, de la justice et de la religion, donc dans les domaines de l'« utile ». Ainsi restreinte, enfermée dans une tradition sclérosée, tournée en ridicule par les littérateurs, récusée par les premiers linguistes, la rhétorique a vu au XIXe s. ses biens dispersés et revendiqués par d'autres disciplines : la stylistique – *Stylistik oder Rhetorik*, écrit Novalis, un des premiers à utiliser le terme – puis la psychanalyse qui, comme elle, a pour objet les sens implicites et indirects, et, dans l'enseignement, l'histoire littéraire.

La rhétorique a cependant connu une spectaculaire renaissance au milieu du XXe s. à la fois comme instrument théorique et comme objet de recherches historiques. Des philosophes du droit comme Ch. Perelman ont repris ainsi un terrain délaissé par la logique, qui s'était formalisée au point de perdre peu à peu le contact avec la réalité pratique : pour convaincre, il ne faut en effet pas seulement déduire et calculer, mais surtout argumenter. Il y allait, notamment, d'une remise à jour des arguments rationnels et de leur valeur après l'usage massif et néfaste de l'irrationnel dans les propagandes totalitaires et les génocides qu'elle ont suscités. D'autre part, la poétique contemporaine apparaît comme inséparable de la rhétorique : dès les années 1950, Jakobson remet à l'honneur le couple métaphore et métonymie ; et dès 1964 Barthes note que la rhétorique méritait d'être repensée en termes structuraux. La stylistique, qui avait été appelée à reprendre au XIXe s. un flambeau qui s'éteignait entre les mains d'une rhétorique alors moribonde (et qui s'est servie, sans toujours le dire, de concepts qu'elle avait pris à son aînée) s'est en partie réorganisée, dans la seconde moitié du XXe s., en une poétique sémiotique (Molinié), c'est-à-dire fécondée par le courant rhétorique. De sorte qu'il n'y a pas une « néo-rhétorique », mais deux : l'une a pour objet l'étude des mécanismes du discours social général et son efficacité pratique, et se confond largement avec la pragmatique, la deuxième s'est développée chez des linguistes (comme Jakobson ou le Groupe μ) attelés à l'élaboration de la poétique. Dans la première, les concepts centraux sont les schèmes, ou processus généraux de l'argumentation. Dans la deuxième, ce sont les figures, et surtout les figures sémantiques. La première se préoccupe d'objets communs ; elle s'intéresse donc à l'identique, et refoule hors de son champ d'intérêt ce qui est réputé être l'exceptionnel. La deuxième se préoccupe de ce qui apparaît comme l'exceptionnel : la littérature est en effet fréquemment présentée comme un lieu de ruptures, et la figure comme un écart par rapport à la manière réputée normale de s'exprimer. Si cette seconde néo-rhétorique refoule quelque chose, c'est donc le banal. Mais il n'y a pas de solution de continuité entre les deux rhétoriques. Ainsi, la rhétorique de l'argumentation étudie le rôle du raisonnement par analogie, ce qui l'amène à discuter le statut de la métaphore. À l'inverse, l'étude approfondie des figures ne peut aller sans une composante textuelle : une conception de la métaphore comme mot ne peut qu'aboutir à des apories, et doit nécessairement être remplacée par celle de la métaphore-énoncé. Sans compter que la disposition des figures le long d'un texte n'est jamais indifférente. Les deux branches de la rhétorique actuelle se fondent, toutes deux, sur une compétence encyclopédique partagée chez le récepteur. Toutes deux montrent que la construction d'une lecture, ou l'établissement des valeurs d'un énoncé, dépend d'une interaction entre un lecteur ou un auditoire et un *lectum*. Elles apparaissent ainsi appelées à se re-joindre.

▶ FUMAROLI M. (dir.), *Histoire de la rhétorique dans l'Europe moderne (1450-1950)*, Paris, P.U.F., 1999. — MEYER M. (dir.), *Histoire de la rhétorique des Grecs à nos jours*, Paris, Le livre de Poche, 1999. — PERELMAN Ch. & OLBRECHTS-TYTECA L., *Traité de l'argumentation. La nouvelle rhétorique*, Éd. de l'Université de Bruxelles et Vrin, 1976. — REBOUL E., *Introduction à la rhétorique*, Paris, PUF, 1991. — GROUPE μ, *Rhétorique générale*, Paris, Le Seuil, 1982.

Jean-Marie KLINKENBERG

→ *Adhésion ; Affects ; Argumentation ; Discours ; Éloquence ; Enthymème ; Épidictique ; Figure ; Poétique ; Pragmatique littéraire ; Rhétoriqueurs ; Style ; Vraisemblance.*

RHÉTORIQUEURS

Cette dénomination est utilisée pour la première fois par Guillaume Coquillart (*Droits nouveaux*, 1481) pour critiquer des poètes et des orateurs amateurs de raffinements langagiers et poétiques. L'histoire littéraire reprend l'expression pour désigner l'ensemble des pratiques versificatoires et oratoires d'une série de poètes de cour et historiographes, en Bourgogne et en France, à la fin du XVe et début du XVIe s.

Parmi les rhétoriqueurs les plus renommés, on compte, à la cour de Bourgogne, Jean Molinet et Jean Lemaire de Belges et, auprès de Charles VIII, Louis XII et François Ier, André de la Vigne, Octavien de Saint Gelais et Jean Marot. Au XVIIe s., certains auteurs cultivent encore jeux de mots et traits d'esprit, comme par exemple Etienne Tabourot qui reprend de nombreux exemples de « grammaire amusante » du XVIe s. (*Les bigarrures du seigneur des accords*, 1615).

L'art des rhétoriqueurs, inscrit dans la « rhétorique seconde » – autre désignation de la poétique – se caractérise par un jeu sur les structures formelles, les rimes et les tropes. Il affectionne aussi les rébus et idéogrammes destinés à amuser le public aristocratique. Il est méjugé par les membres du cercle de la Pléiade, soucieux d'élever la prosodie française à la hauteur de celle des anciens : ainsi Du Bellay décrit les techniques littéraires de ses prédécesseurs comme artificielles et forcées, manquant de mesure et d'harmonie. À la rhétorique des artifices, il préfère la langue cicéronienne cultivant le style harmonique basé sur le nombre et la simplicité de l'expression. Au XIXe s., certains romantiques reproduisent les mêmes préjugés en associant cette fois l'art des rhétoriqueurs à l'esprit de décadence fin de siècle (Sainte-Beuve, *Tableau historique et critique de la poésie française et du théâtre au seizième siècle,* 1828). On trouve cependant quelques exceptions dont Charles Nodier, qui dans son *Dictionnaire raisonné des onomatopées françaises* (1808) cite à de nombreuses reprises les vers des rhétoriqueurs.

L'art des rhétoriqueurs a été dévalorisé tout au long de l'histoire. Il faut attendre le XXe s. pour que des voix s'élèvent enfin en sa faveur. Une des étapes nécessaires à sa réhabilitation consiste à rattacher les rhétoriqueurs à l'humanisme par la mise en évidence de revendications communes aux deux programmes, dont celles d'une meilleure rétribution des charges de conseiller à la cour et de revalorisation du métier d'historiographe (Jodogne, 1970). Les recherches contemporaines démontrent l'importance de leur rôle dans l'établissement d'un art de la versification (Simone, 1961 ; Rigolot, 1982) et fournissent la preuve de leur originalité en matière de satire, d'éloge et de déploration funèbre.

L'art des rhétoriqueurs trouve une place de choix dans l'histoire des expérimentations « littéraires » pratiquées sur le langage, depuis la prosodie rythmique, les jeux de sonorité, jusqu'à la recherche de nouvelles structures textuelles.

Dans les années soixante, les rhétoriqueurs sont redécouverts par Raymond Queneau, Jacques Roubaud et l'OuLiPo qui les classent parmi les *Plagiaires par anticipation* (*OuLiPo I*, 1973). L'Anapoulisme (OuLiPo analytique) s'est alors chargé d'extraire des œuvres de la seconde rhétorique « des potentialités de structure inavouées ». En revalorisant l'art des rhétoriqueurs, l'Anapoulisme récuse les tentatives historiques de normalisation de la langue française qui, en opposant le style haut et le style bas, consacrent la langue classique marquée par le purisme. Raymond Queneau souhaite une « nouvelle défense et illustration de la langue française », optant cette fois pour une langue à « la fantaisie puérile », faite de « divertissements, de farces et supercheries qui lorsqu'ils sont le fait de poètes appartiennent encore à la poésie » (François le Lionnais, *OuLiPo I,* 1973).

▶ CORNILLIAT F., *« Or ne mens », couleurs de l'éloge et du blâme chez les grands rhétoriqueurs*, Paris, Champion, 1994. — JODOGNE P., « Les Rhétoriqueurs et l'humanisme », in *Humanism in France*, Manchester, Manch. Univ. Press, 1970, p. 150-175. — OULIPO I, *Bibliothèque oulipienne,* Paris, Seghers, 1990 [1973]. — RIGOLOT F., *Le texte de la Renaissance, des rhétoriqueurs à Montaigne*, Genève, Droz, 1982. — ZUMTHOR P., *Le masque et la lumière. La poétique des grands rhétoriqueurs,* Paris, Le Seuil, 1978.

Aline LOICQ

→ *Expérimentale (Littérature) ; Rhétorique ; Poétique ; Sophistique.*

RIME → Formes fixes ; Vers ; Versification

RÔLE → Personnage ; Théâtre ; Type

ROMAN

À l'origine, un roman est un récit en roman, c'est-à-dire en langue vulgaire et non en latin. La définition est d'emblée minimale ; et de fait, le roman est un genre protéiforme et instable : on ne peut donc ici en relever que quelques traits distinctifs. Formellement, il s'agit d'une fiction narrative de faits concrets, par opposition au récit historique (non fictionnel), à la fiction dramatique (le théâtre) et à ces fictions abstraites que sont les créations philosophiques ; en outre, il est en prose (même si les premiers romans médiévaux étaient versifiés). Ce genre protéiforme peut traiter de toute sorte de sujets, et est ainsi susceptible de recevoir toute sorte de sous-catégories spécialisées. L'indéfinition du roman est donc sa première caractéristique, et il a résisté aux classifications traditionnelles de la rhétorique et des Belles-Lettres.

L'Antiquité gréco-latine ne connaît pas – et pour cause – le roman. On peut cependant rattacher à ce genre, comme sa préhistoire, le récit grec de Théagène et Chariclée, voire le *Satyricon* de Pétrone. Mais l'histoire du roman proprement dit commence au XIIe s., d'abord avec des récits empruntés au fonds des épopées antiques (*Énéas*, le *Roman de Troie*), et, surtout, le cycle des romans de la Table Ronde de Chrétien de Troyes. Le genre s'enrichit progressivement, le plus souvent de textes encore versifiés. À la Renaissance, l'essor de la nouvelle, d'une part, et d'autre part des représentations parodiques des fictions médiévales, dans les romans de Rabelais et le *Don Quichotte* de Cervantès, contribuent à recentrer la fiction narrative sur plus de réalisme et sur la réflexion morale. Dans le même temps, l'émergence philosophique d'un sujet pensant distinct de la collectivité, ouvre au roman la voie de l'analyse psychologique sur fond de morale amoureuse et de travestissement pastoral (*L'astrée,* 1607-1627). De plus, la liberté formelle du genre permet qu'il soit ensuite investi par des formes de satire ou de contestation sociale ou religieuse, dans les « romans comiques » (Sorel, Cyrano, Scarron). Le roman bénéficie alors d'un large succès, comme en témoigne la vogue des grands romans héroïques et sentimentaux sur fond pseudo-historique, telle la *Clélie* (1654-60) de Madeleine de Scudéry. Il fait la critique du genre héroïque et pastoral, avec l'*Anti-roman* du *Berger extravagant* de Sorel (1627). Puis il dessine des formes neuves : roman d'analyse via la « nouvelle historique et galante » de *La Princesse de Clèves* (1678), récit épistolaire avec les *Lettres portugaises* (1669), retour à l'antique avec le *Télémaque* (1699). Le XVIIIe s. développe l'analyse des sentiments, le réalisme social et la contestation philosophico-politique, sans renoncer au plaisir de raconter des aventures. D'où une grande variété de tendances, allant du roman picaresque (Lesage) au roman sentimental (*La Nouvelle Héloïse*, 1762), en passant par la satire sociale (*Les lettres persanes*, 1721) le récit libertin et érotique (Crébillon). Le roman étant alors frappé de censure, il recourt à des formes subreptices, par l'apparence de mémoires (*La vie de Marianne*, 1731-41) ou par l'épistolaire alors à son apogée (ainsi Restif, Laclos, etc). *Jacques le fataliste* de Diderot constitue une sorte d'anti-roman, de mise en lumière des puissances et des apories du genre. Mais c'est au XIXe s. que le roman accède à la place dominante, au point que les termes « roman » et « littérature » paraissent parfois substituables. D'abord en Allemagne (*Wilhem Meister* de Goethe, 1776-85) puis en France (*René* de Chateaubriand, 1802, *Adolphe* de Benjamin Constant, 1816) se précise la formule du « roman de formation », qui sert encore de modèle à une bonne partie de la production romanesque : un jeune homme (plus rarement, une jeune femme) se lance dans la vie avec ses illusions sentimentales et ses ambitions, découvre que la réalité lui résiste, et en retire une sagesse plus ou moins désenchantée. Le siècle est aussi marqué par la floraison de toute sorte de sous-genres : roman noir, roman historique, roman fantastique, roman-feuilleton, roman édifiant, roman policier, roman pour la jeunesse, roman catholique, etc. Dans ce contexte, le roman prend des ambitions nouvelles. Il se veut discours de savoir, capable, par sa forme même de fiction, de produire et transmettre une connaissance originale. Il se veut surtout Histoire : ainsi Balzac, dans sa *Comédie humaine*, entreprend de donner à lire toute la société. Il se veut également science sociale, voire science exacte avec la physiologie positiviste qui inspire Zola. Mais il se veut aussi art à part entière. Le siècle est ainsi marqué par l'élaboration d'une poétique propre du roman. L'œuvre de Flaubert symbolise cet effort, et a été suivie d'une longue suite de réflexions théoriques où le premier objet du roman est le roman lui-même. Au début du XXe s., les œuvres de Proust, Joyce et Virginia Woolf marquent le point d'orgue de ce moment d'introspection générique. D'un certain point de vue, le XXe s. ne fait que revenir, en les aménageant ou en les adaptant, dans des chemins déjà tracés. En ce siècle le roman devient cette langue, universelle et polyglotte, de la littérature et s'impose en offrant au public la version fictionnelle de l'« universel reportage » que Mallarmé condamne dès 1897 et dont le journalisme est la forme documentaire. De 1914 à nos jours, il témoigne ainsi des guerres, des révolutions, des mutations nationales survenues sur tous les continents, avant de renvoyer aux sociétés industrielles l'image de leurs désarrois et de leurs nostalgies. Roman à thèse, roman « réaliste », sagas, le genre ne cesse de se diversifier. Ses formes populaires – roman policier, roman de science-fiction, roman sentimental – sont prolixes. Parallèlement, certains écrivains poursuivent, sous des formes variées, le procès du genre, en récusant les procédés hérités du XIXe s. : ainsi le roman-cri de Céline, le roman simultanéiste de Sartre, ou encore le Nouveau Roman. Mais, aux fictions de mots se substituent de plus en plus, dans la culture mondiale, les fictions d'images et les multiples formes que permet la technologie électronique : aussi l'idée d'une « crise de la littérature » revient-elle aujourd'hui dans le discours de la critique, lieu commun, dont la naissance remonte aux années 1830, c'est-à-dire au moment où le roman a commencé de conquérir sa position hégémonique. Comme si la littérature, en se pensant avant toute chose comme fiction, s'était condamnée à douter d'elle-même. Signe corrélatif : par l'autofiction, la biographie ou l'autobiographie masquées, le roman fait de plus en plus place à des référents « vrais ».

La plupart des propositions théoriques sur l'histoire du roman mettent l'accent sur la poétique du genre. Par exemple, Auerbach pose la question de la mimésis – de la représentation de la réalité –, Bakhtine insiste sur le dialogisme – cette parole plurielle des hommes que le roman aurait vocation à transformer en littérature. Tous insistent sur le lien historique entre ces caractéristiques formelles et l'évolution de la société européenne que la fiction offre à lire aux travers de ses avatars, de la culture héroïque et collective du roman courtois jusqu'à l'univers déshumanisé (« réifié ») du nouveau roman. Bien sûr, les âges classique et romantique, centrés sur la question du sujet et sur son rapport avec Dieu, lui-même ou l'Histoire, constituent le terrain privilégié de ces approches où domine la perspective philosophique – qu'on trouve chez Hegel, qui voyait dans le roman un effort de synthèse entre l'idéal de la poésie et la prose de la réalité sociale, et dont Lukacs reprend le schéma selon un point de vue marxiste, voyant dans le roman la forme propre au pouvoir bourgeois, comme l'épopée était celle de l'aristocratie. Mais pourquoi la fiction en prose serait-elle plus apte à exprimer ces préoccupations que le théâtre et la poésie, qui connaissent aussi, à partir du XIXe s., de profondes transformations ? La théorie du roman doit sans doute prendre ici en compte un fait simple mais essentiel. Le roman a la particularité d'être un texte donné à lire plutôt qu'une parole donnée à entendre – comme la poésie récitée, les pièces jouées ou toute forme d'éloquence. Aussi, il lui appartient d'accueillir ce qui n'est pas dicible, mais lisible : en particulier, tout ce qui, de l'homme, de ses pensées ou de ses actions, échappe au domaine de la pure socialité. Ainsi a-t-il plus que d'autres genres développé le discours amoureux, hors de voies que les discours plus institués (du prêtre, de la loi...) tenaient davantage en contrôle. De plus, le roman s'est défini sur un substrat relevant des « genres du discours » – et non, comme l'induit un anachronisme fréquent, des « genres littéraires ». Cette particularité explique les évolutions historiques du genre. Tant que la littérature se définissait par rapport à la tradition du discours héritée de l'Antiquité, le roman a reproduit dans la fiction les modes énonciatifs prévus par le code rhétorique : d'où les romans épistolaires, les récits à tiroir, les faux mémoires, les dialogues imaginaires. Dans ces conditions, quelle que soit sa vitalité, il venait en contrepoint des Belles-Lettres (éloquence, poésie, histoire), sauf à se faire passer pour « histoire » lui-même. En revanche, au XIXe s., la diffusion massive de l'imprimé lui a donné le moyen de fournir au lecteur ce qu'il cherchait, à la même époque, dans le journal : du texte pour se divertir et s'instruire – version moderne du *dulce et utile* des classiques. Il a fallu certes tout le siècle pour que s'affirme cette « rhétorique nouvelle » dont Zola a l'intuition dans le *Roman expérimental* et qui est faite de l'usage maîtrisé des stéréotypes fictionnels et des motifs narratifs. Mais toute rhétorique finit par apparaître comme duplication du même schéma : ainsi en est-il peut-être aujourd'hui du roman, qui cherche une redéfinition.

▶ AUERBACH E., *Mimésis*, Paris, Gallimard, 1968. — BAKHTINE M., *Esthétique et théorie du roman*, Paris, Gallimard, 1978. — CHARTIER P., *Introduction aux grandes théories du roman*, Paris, Bordas, 1990. — COULET H., *Le roman jusqu'à la révolution*, Paris, A. Colin, 1968. — HAMBURGER K., *Logique des genres littéraires*, Paris, Le Seuil, 1986.

Alain VAILLANT

→ *Fiction ; Genres littéraires ; Littérature ; Nouveau Roman ; Nouvelle ; Prose ; Réalisme ; Récit (Théories du) ; Référent, référence.*

ROMAN DE FORMATION

Le terme de *Bildungsroman* apparaît à la fin du XVIIIe s. sous la plume de l'universitaire allemand Karl von Morgenstern qui l'utilise pour désigner tantôt *Les années d'apprentissage de Wilhelm Meister* (1796) de Goethe, tantôt l'ensemble de la littérature romanesque. Posée dans une évidente confusion, la notion demeure peu utilisée avant le tournant du siècle dernier où Wilhelm Dilthey la reprend pour évoquer les œuvres qui racontent l'entrée dans la vie d'un jeune héros.

Renvoyant au même ensemble textuel, la notion de roman de formation ne devient d'emploi courant dans le discours critique français qu'au lendemain de la Seconde Guerre mondiale. S'il raconte l'apprentissage d'un jeune héros que guident différents mentors, le roman de formation a aussi vocation à enseigner. Il vise à donner des leçons à des adolescents et des conseils à leurs éducateurs, et se présente comme un roman de la relation pédagogique, relation qui lui sert d'armature, le héros écoutant les conseils de ses maîtres avant de prendre à son tour des responsabilités tutélaires.

À l'origine, le roman de formation se situe à la croisée de la tradition picaresque et de celle du roman éducatif. Il emprunte en effet aux écritures picaresques une thématique du voyage et de la rencontre qu'il travaille dans la lignée des romans pédagogiques des Lumières en s'inspirant notamment du modèle des *Aventures de Télémaque* (1699) de Fénelon. Le roman de formation prend toutefois une grande importance dans l'aire germanique où il contribue à imposer le modèle romanesque, de sorte qu'il est longtemps passé aux yeux du discours critique pour une forme de production narrative allemande par excellence. Suivant le modèle des *Années d'apprentissage de Wilhelm Meister*, il se présente alors comme un roman de l'artiste (*Künstler*) et de la formation culturelle (*Bildung*). Ce faisant, il s'éloigne des valeurs (le travail, l'amour) que le roman de Goethe mettait en avant et s'écrit en réaction contre le développement de la puissance de l'État en représentant le conflit qui oppose les artistes ou les penseurs aux bourgeois et aux philistins. À l'image de *Richard Feverel* (1859) de G. Meredith ou de *L'éducation sentimentale* (1869) de G. Flaubert, les romans de formation publiés en Angleterre et en France se donnent plus volontiers pour des romans de la désillusion. Ils sont en effet porteurs d'interrogations les amenant à décrire et à expliquer les fonctionnements d'une société dans laquelle se pose le problème de la transmission du savoir et du pouvoir entre les générations. Prétendant préparer ses lecteurs à l'univers social qui les attend, le roman de formation débat alors de toute la société, de ses structures comme de ses fractures. Parce qu'il est également temps de réflexions pédagogiques et de politiques éducatives, le XIXe s. est par excellence le moment du roman de formation. À l'image des *Déracinés* (1897) de Maurice Barrès, il se confond parfois avec le roman à thèse ou avec le roman-fleuve comme *Jean-Christophe* (1904-1912) de Romain Rolland. Parmi les plus importantes productions narratives du début du XXe s., les œuvres de Thomas Mann, de James Joyce ou de Marcel Proust reprennent sa thématique comme ses structures.

Littérature accessible et didactique, le roman de formation est devenu en France, à la fin du XIXe s. et au début du XXe s., sous l'influence des modèles scolaires, un mode d'expression que pratiquent surtout des romanciers du secteur moyen de la production (Maxime Du Camp, Paul Bourget...) et de tous jeunes écrivains. Encouragés par le succès du *Culte du moi* (1888-1891) de Barrès, des littérateurs débutants (Mauriac, Martin du Gard...) donnent en effet souvent les tours du roman de formation à leurs premiers écrits. Inversant à leur profit, les polarités de la relation pédagogique que le genre met en œuvre, ils s'adressent à ceux qui ont le même âge qu'eux autant qu'aux adultes qui ont peine à préparer l'intégration des jeunes à la société. Forme alors quasi-obligatoire de la reconnaissance littéraire, le roman de formation cède ainsi la parole à la jeunesse au moment où celle-ci se constitue en public.

▶ JOST F., « La tradition du Bildungsroman », *Comparative Littérature*, 1969, n° 21, p. 97-115. — LUKACS G., *Théorie du roman* [1917], Paris, Gallimard, 1989. — MONTANDON A., « Le roman romantique de la formation de l'artiste », *Romantisme*, 1986, n° 54, p. 24-36. — PERNOT D., « Du *Bildungsroman* au roman d'éducation : un malentendu créateur ? », *Romantisme*, 1992, n° 76, p. 105-19 ; *Le roman de socialisation (1889-1914)*, Paris, PUF, 1998.

Denis PERNOT

→ *Didactique (Littérature) ; Enfance et jeunesse ; Picaresque ; Roman ; Sociabilité.*

ROMAN ÉPISTOLAIRE → Épistolaire ; Correspondance

ROMAN FAMILIAL

Sous-genre du roman, le roman familial se caractérise par un sujet, le récit de l'évolution d'une famille sur plusieurs générations, et un mode d'écriture réaliste. Il accorde une grande importance aux rites familiaux et à ce qui fait du clan une communauté que des rapports conflictuels hautement symboliques menacent. Il connaît des variantes diverses à issue négative ou positive.

Les modèles du genre ont été créés en France, en Italie, en Allemagne et en Angleterre : Zola et *Les Rougon-Macquart* (1868-1894), le premier grand roman familial, G. Verga, *Les Malavoglia* (1881), Th. Mann, *Les Buddenbrook* (1901) et *La dynastie des Forsyte* de J. Galsworthy (1906-1921). En France, au XXe s., cette tradition a produit des œuvres de grande ampleur : *Les Thibault* de Martin du Gard (1922-1940), *Les hommes de bonne volonté* de J. Romains (1932-1947), les *Boussardel* de Ph. Hériat (1947-1968). Les littératures francophones de Suisse et surtout de Belgique ont abondamment pratiqué cette forme. En Suisse, M. Saint-Hélier, avec le cycle des Alérac (*Bois-Mort*, 1934, *Le cavalier de paille*, 1936, *Le martin-pêcheur*, 1953 et *L'arrosoir rouge* (1955) ; en Belgique, C. Lemonnier avec *La fin des bourgeois* (1892) et *L'hallali* (1906) ; Simenon, *Le testament Donadieu* (1937) ; *Mariages* (1936) et *Meurtres* (1939-1941) de C. Plisnier ; *Les marais* (1942), *Les deux sœurs* (1946) et *Le gardien* (1955) de D. Rolin. Au Québec, il paraît possible de considérer les *Chroniques du plateau Mont-Royal* de M. Tremblay (1978-) comme une œuvre en cours de ce modèle.

Cette forme a connu une grande fortune dans le circuit de large diffusion, et a par exemple été transposée en France en roman historique relatant le devenir d'une dynastie (Druon, *Les Rois maudits*, 1955). Mais c'est aux États-Unis qu'elle a fait ses plus vastes succès, avec entre autres *Racines* de Haley (1976), ou encore dans une variante noire avec la série du *Parrain* (1969), tous romans de l'immigration.

Une variante importante centre le récit sur des personnages de femmes : en Australie *Les oiseaux se cachent pour mourir* de C. McCullough ou aux États-Unis *L'espace d'une vie* de B. Taylor Bradford (1979), en France *Les gens de Mogador* de É. Barbier (1952-) ou *Les pérégrines* de J. Bourin (1989), au Québec, *Les filles de Caleb* de A. Cousture (1985-).

Le roman familial est aussi appelé parfois « saga » (du nom des légendes scandinaves qui relataient le devenir des familles de dieux) et il renvoie à ce titre autant à la tragédie antique qu'aux épopées et aux chroniques médiévales. L'appellation suggère un type d'interprétation qui convient assez bien aux plus belles réussites du domaine francophone dans cette catégorie de récits. En Europe, les sagas les plus célèbres constituent des tragédies familiales modernes. Critique sociale et valeurs humaines fondamentales bafouées y occupent le devant de la scène et le récit du déclin d'une famille symbolise une crise des valeurs. Par exemple, les Rassenfosse de Lemonnier, après s'être élevés dans la hiérarchie sociale par l'intelligence, le travail et le savoir-faire, connaissent à la troisième génération un déclin brutal. La richesse et le pouvoir mis à disposition ont conduit à la déchéance morale. Zola (mais aussi Galsworthy) avait conçu de la sorte un récit menant à une punition exemplaire de ses personnages, à la suite d'une sorte de faute première qui a donné le moyen à la famille de s'enrichir. On trouve là un schéma qui évoque celui du péché originel, mais aussi bien, dans le contexte de l'époque concernée, l'accumulation primitive du capital par un acte de violence. Ainsi, dans le *Testament Donadieu* de Simenon : à la mort du grand-père, il y a éclatement du noyau familial et la turpitude des Donadieu est révélée. Le schéma se reproduit jusqu'en milieu paysan chez Pagnol (*Ugolin* et *Manon des sources*, 1952). Ainsi, le genre inclut des récits de styles différents mais ayant une forte parenté thématique.

Cette évolution négative ne se retrouve pas nécessairement dans les productions de la littérature de grande consommation, plus enclines à célébrer les réussites de héros positifs (*Les Filles de Caleb* ou *Racines*). De fait la déchéance est normalement le sort des familles européennes aisées ou riches, mais l'immigration, et, dans un cas extrême la libération de l'esclavage, permettent une autre dynamique, positive celle-là, celle de l'émancipation des opprimés, entre autres des femmes. C'est là une manifestation caractéristique du rêve américain.

Les romans familiaux originels participaient des modes d'écriture et de la doxa de la culture légitime ; il semble bien que le succès des variantes « populaires » aient conduit aujourd'hui à une dévalorisation de ce sous-genre aux yeux du champ littéraire restreint.

▶ DRECHSEL T. P., *Time and the Novel : The Genealogical Imperative*, Princeton, Princeton University Press, 1978. — PREUMONT Y., « La technique du point de vue dans *Les Malavoglia* de Giovanni Verga, contribution à l'idéologie du déclin et structure narrative typique du roman familial européen » in *Cahiers d'histoire des littératures romanes – Romanistische Zeitschrift für Literaturgeschichte*, 1997, p. 451-457. — SAINT-JACQUES D. et al., *Ces livres que vous avez aimés. Les best-sellers au Québec de 1970 à aujourd'hui*, Québec, Nuit Blanche, 1994. — YI-LING R., *The family Novel*, New York, Peter Lang, 1992.

Yannic PREUMONT

→ *Best seller ; Champ littéraire ; Chronique ; Cycle ; Roman ; Succès.*

ROMAN-FEUILLETON → Feuilleton ; Populaire (Littérature)

ROMAN GOTHIQUE

Dans le contexte de la réhabilitation romantique de l'art médiéval, l'écrivain anglais Horace Walpole applique pour la première fois à un texte littéraire un terme d'architecture désignant le style des derniers siècles du Moyen Âge. Son *Château d'Otrante* (1764) est en effet sous-titré : « histoire gothique ». Cette œuvre fonde un genre fantastique et merveilleux, qui convoque une série de types littéraires terrifiants (revenants, vampires...) dans le décor immuable de châteaux ou d'abbayes en ruines.

Le roman gothique connaît un grand succès dans le monde anglo-saxon à la fin du XVIIIe s. et au début du XIXe (Maturin). Sa vogue pénètre en France dès la fin du XVIIIe siècle – l'œuvre de Sade s'élabore sur cette toile de fond – pour culminer vers 1820. Elle a engendré d'innombrables imitations, sérieuses ou parodiques, comme celles du jeune Balzac, mais peu d'œuvres originales reconnues. Toutefois, le « style » gothique influence toute une part de la production littéraire du début du XIXe s., à travers la vogue du roman historique, également d'origine anglaise (Walter Scott), du roman « frénétique » cher à Nodier (*Jean Sbogar*, 1818-1832) et à Pétrus Borel (*Madame Putiphar*, 1839), du mélodrame (*Robert le Diable*, 1831) et surtout du roman populaire (Eugène Sue, *Les mystères de Paris*, 1842-1843 ; F. Soulié, *Le château des Pyrénées*, 1843). Réactualisant la tradition de l'esthétique de la laideur (déjà présente chez Saint-Amant, *La solitude*, 1620), il est donc partiellement à l'origine du roman noir sous la Restauration, mais également, tout au long du siècle, de multiples occurrences du fantastique terrifiant. Le symbolisme et la décadence y puisent encore leurs mortes amoureuses, leurs goules ou les cris d'horreur de leurs cauchemars. Le surréalisme y voit un imaginaire en liberté – Artaud adapte *Le moine* de Lewis (1796) en 1930. Relayées par le cinéma (*Frankenstein*), les ambiances du roman gothique connaissent encore de tardives déclinaisons dans les œuvres violentes et sanglantes du nouveau roman noir, de l'anticipation ou du genre *gore*.

En France, le roman gothique s'impose au moment où le topos littéraire de la méditation sur les ruines antiques, si souvent mobilisé depuis la Renaissance par des auteurs comme Montaigne, Du Bellay ou Diderot, fait place à la découverte de vestiges plus éloignés du canon scolaire. Cette vogue se signale par l'abondance des traductions et des réimpressions. Celles-ci connaissent leur point culminant vers 1820, mais reprennent également dans les années 1880. Au Québec, les premiers récits, nouvelles et romans publiés appartiennent à cette veine.

Les lecteurs du roman gothique apprécient par ailleurs les parodies du genre, dont l'origine est également anglaise (W. Combe, *The Tour of Doctor Syntax*, 1813), et qui se répandent dans le roman feuilleton (Paul Féval en use à satiété) et sur les scènes du Boulevard du Crime. Mais malgré son assimilation en Europe continentale, le genre gothique n'abandonnera jamais son parfum d'outre-Manche (Jean Ray, *Harry Dickson*, *ca* 1930).

▶ LORD M., *En quête du roman gothique québecois, 1837-1860 : tradition littéraire et imaginaire romanesque*, Québec, CRELIQ-Université Laval, 1985. — MORTIER R., *La poétique des ruines en France : ses origines, ses variations, de la renaissance à Victor Hugo*, Genève, Droz, 1974. — MULVEY-ROBERTS M., *The Handbook to Gothic Literature*, London, Macmillan Press, 1998. — PRUNGNAUD J., *Gothique et décadence : recherches sur la continuité d'un mythe et d'un genre au XIXe siècle en Grande-Bretagne et en France*, Paris, H. Champion, 1997. — Revues *Europe*, mars 1984 ; *L'herne*, n° 34.

Paul ARON

→ *Fantastique ; Feuilleton ; Mélodrame ; Merveilleux ; Roman policier ; Traduction.*

ROMAN HISTORIQUE

Le roman historique forme un sous-genre du roman où des personnages et des événements historiques non seulement sont mêlés à la fiction mais jouent un rôle essentiel dans le déroulement du récit.

Le roman historique semble congénital du genre romanesque. Les premiers romans, apparus en France au XIIe s. (ainsi le *Roman d'Alexandre* ou celui de *Thèbes*) empruntent à l'histoire antique. Ils y puisent de quoi nourrir le registre épique dont ils relèvent (et ils se présentent comme forme modernisée de l'épopée) tout en affirmant les valeurs de la petite et moyenne noblesse – la chevalerie – à laquelle ils s'adressent. Cet emploi de l'histoire comme caution se prolonge jusqu'au XVIIe s. où abondent des récits-fleuves à cadre historique fantaisiste. Ils prétendent se situer dans le monde des Francs (*Pharamond*, de La Calprenède, 1661) ou dans l'histoire d'Angleterre (p. ex. *Le comte d'Essex*, 1638, du même), ou, plus souvent, dans l'Antiquité. Ainsi la *Clélie* de Melle de Scudéry (1654-1661) utilise le cadre des guerres civiles ayant abouti à la République de Rome pour évoquer en fait la société contemporaine. L'évolution des conceptions de l'histoire suscite ensuite un changement : ces récits se rapprochent des données effectives, se font plus brefs et plus « réalistes », dans le genre de la « nouvelle historique et galante » dont le grand succès est *La Princesse de Clèves* (1678). Malgré quelques tentatives, les Lumières, qui analysent davantage le fait historique et le transcrivent dans des biographies et des essais, ne le recréent pas par le roman. L'expérience de la Révolution française accroît en revanche l'intérêt pour l'histoire. Il se cristallise dans un engouement pour le roman historique qui, à partir de 1830, tend à s'instituer en genre propre. Le modèle est l'écossais Walter Scott (*Ivanhoe*, 1819). Il ressuscite le passé en des tableaux des mœurs et des croyances, et, pour donner un relief dramatique aux événements, il confronte des groupes sociaux personnifiés par des individus représentatifs y compris – c'est une nouveauté – appartenant au « menu » peuple. Ce modèle est adapté en France au gré des conceptions de l'histoire et de la politique des auteurs : nostalgie de l'Ancien Régime chez Vigny (*Cinq-Mars*, 1826), esthétique médiévale et valeurs morales sublimées chez Victor Hugo, (*Notre-Dame de Paris*, 1831) ; en Belgique (*La légende et les aventures d'Ulenpiegel...*, 1867) de De Coster fait l'apologie de la liberté nationale. Le scientisme de la fin du XIXe s. s'accommode mal des distorsions apportées à l'histoire par ce genre, qui perd une part de son prestige au XXe s. Cependant, tant la recherche d'évasion et de distraction que le désir de connaître le passé lui offrent une place considérable dans la littérature de grande diffusion. Les reconstitutions historiques passent du livre à l'adaptation télévisée (*Les Rois maudits* de M. Druon, 1955-1977 ; *La bicyclette bleue* de R. Desforges, 1981). Elles se font plus précises dans les œuvres de Zoé Oldenbourg, Françoise Chandernagor, Robert Merle. Des écrivains soucieux de reconnaissance s'éloignent des aspects du genre trop populaires et trop apparentés au réalisme dépassé, en donnant des méditations sur la déréliction et la précarité de la condition humaine en butte aux convulsions de l'histoire, comme Marguerite Yourcenar (*Les mémoires d'Hadrien*, 1951). Aragon, dans *La Semaine Sainte* (1958), modernise les procédés d'écriture (polyphonie, auteur-narrateur personnage du récit). Enfin, fait significatif, le prix Goncourt 1999 est attribué à un roman historique évoquant l'épopée napoléonienne : J. Rambaud, *La bataille*.

Genre neuf – il n'a guère de modèles antiques – et très longtemps peu prestigieux, le roman a durablement été classé sous la catégorie « histoire » dans les anciennes bibliographies. Cette conjonction originelle fait que le roman historique offre un cas exemplaire d'un rapport au passé tentant de concilier vérité et re-présentation. Si, selon Paul Ricoeur, « il ne serait de temps pensé que raconté » (*Temps et récit. Le temps raconté*, Paris, Le Seuil, 1981, p. 343), alors le roman historique joue un rôle complémentaire de l'histoire. En retour, l'une des particularités du genre est d'offrir une jonction aisée entre la rhétorique et la poétique. Par la mise en scène du passé, il est en effet toujours interprétation de l'Histoire, et ses auteurs y trouvent un moyen particulièrement efficace de diffuser leur conception du monde, leur lecture du passé valant comme justification de leur pensée.

▶ LUKACS G., *Le roman historique*, [1954] Paris, Petite Bibliothèque Payot, 2001. — PEYRACHE-LEBORGNE D. et COUÉGNAS D., *Le roman historique : récit et histoire*, Nantes, Pleins Feux, 2000. — VANOOSTHUYSE M., *Le roman historique : Mann, Brecht, Döblin*, Paris, PUF, 1996. — Coll. : *Le roman historique*, *NRF*, 1972, n° 238. — *Le Roman historique*, *R. H. L. F.*, mars-juin 1975.

Cécile VANDERPELEN

→ *Histoire ; Historiographie ; Réalisme ; Réel ; Référent, Référence ; Roman ; Temps.*

ROMAN-PHOTO

Le terme « roman-photo » (on trouve aussi « roman-photos », « photo-roman » et « photoroman ») désigne une narration photographique dont la disposition formelle s'apparente à celle de la bande dessinée et des « comic strips » américains. Les textes, dialogues ou monologues, sont brefs et surimprimés sur les photos, souvent sous forme de phylactères ou « bulles ». Entre les photos, un récit elliptique assure la continuité de la narration. Le roman-photo traditionnel, publié sous forme de feuilleton dans la presse et disponible intégralement dans des fascicules vendus en librairie ou par abonnement, est un genre narratif associé à la littérature sentimentale. Il fait l'éloge de l'amour dans le respect des conventions morales.

Les origines du roman-photo peuvent être discernées dans la littérature de colportage, le roman-feuilleton et les animations en stéréoscopie. Le genre est proche du cinéma qui, après la Première Guerre mondiale, a engendré des variantes imprimées, tel le ciné-roman, et suscité l'engouement d'un public n'ayant pas toujours accès à des salles de projection. L'ancêtre direct du roman-photo demeure néanmoins le « roman dessiné », inspiré de la bande dessinée au lavis de la fin des années 40. La naissance véritable du roman-photo a lieu en 1946, dans le contexte d'une Italie sinistrée par la guerre, alors que les frères Domenico et Alceo del Duca lancent un hebdomadaire nommé *Grand Hôtel* dans lequel ils publient des romans dessinés qui remportent un succès immédiat. Ils suivent un schéma simple : un titre éloquent, un homme et une femme en quête de l'amour véritable et confrontés à des épreuves qui leur révéleront l'amour absolu. L'idée de raconter des histoires avec des photos réalisées uniquement à cette fin revient à deux autres italiens : Stefano Reda et Damiano Damiani. La diffusion du roman-photo est une histoire de famille. En effet, Cino del Duca, frère aîné des précédents, fonde les *Éditions Mondiales* et permet l'explosion du genre et son succès. En 1947, il fait paraître *Nous Deux*, la version française de *Grand Hôtel*, qui reste le principal levier du photo-roman à l'échelle mondiale. Tiré de scénarios originaux ou adaptation de romans succès, le roman-photo connaît une diffusion rapide en Italie et, souvent par le biais de traductions de produits italiens, dans tous les pays de culture latine : en France et en Belgique d'abord, puis au Canada, en Espagne, et en Amérique Latine après qu'il se soit solidement implanté sur le pourtour méditerranéen. Le roman-photo traverse ses années de gloire de la fin des années 1940 au début des années 1970 ; l'arrivée des feuilletons télévisés entraîne sa perte d'audience et sa récupération par des genres marginaux tels le roman-photo satirique ou pornographique.

Malgré (ou en raison de) son grand succès, le roman-photo populaire s'est attiré le mépris des lettrés et a reçu une condamnation sans appel. Au cœur du débat : le statut de la littérature populaire et, pis encore, du récit sentimental visant un lectorat majoritairement féminin et farci de stéréotypes conformistes. Pourtant, les formes modernes du roman-photo explorent diverses possibilités formelles et pratiquent une mixité inédite des médias. Reste qu'à la différence de la bande dessinée, le roman-photo s'est enfermé dans un seul type de sujet, répété à l'infini, et sans variantes, à l'exception de quelques parodies.

▶ BAETENS J. & GONZÁLEZ A., *Actes du colloque de Caceite (Fondation NOESIS), 21-28 août 1993*, Amsterdam-Atlanta GA, Rodopi, 1996. — BAETENS J., *Du roman-photo*, Mannheim, Médusa-médias - Paris, les Impressions nouvelles, 1994. — BENSVY M. J., *Le roman-photo : étude d'un genre paralittéraire*, Thèse (Ph. D), Harvard University, UMI Dissertation Services, 1993. — CHIROLLET J.-C., *Esthétique du photoroman*, Paris, Edilig, 1983. — SAINT-MICHEL S., *Le roman-photo*, Paris, Larousse, 1979.

Nathalie ROXBOURGH

→ *Bande dessinée ; Feuilleton ; Image ; Paralittérature ; Roman.*

ROMAN POLICIER

Le roman policier est une fiction qui met en scène une enquête criminelle portant sur un ou des assassinats et dont le récit se fonde sur une narration régressive : l'enquête doit reconstituer l'histoire de ce qui s'est passé, à quoi ni l'enquêteur ni le lecteur n'ont assisté. La structure en repose sur quatre fonctions : la victime, l'enquêteur, le suspect et le coupable. Le développement du genre a réalisé des transgressions diverses de ces contraintes-types. La mise en place de nouvelles formules a généré des sous-genres dont le roman d'espionnage, le roman de suspense, le roman noir.

En France, le roman policier se forme à partir du roman-feuilleton criminel (E. Sue, P. Féval, Ponson du Terrail). Sous le Second Empire, les histoires judiciaires d'É. Gaboriau dégagent, mais encore partiellement, l'enquête de l'étude de mœurs. La formule du récit réduit à la seule enquête, inventée par E. Poe (1841), est expérimentée par E. Chavette (*La chambre du crime*, 1875) puis H. Cauvain (*Maximilien Heller*, 1886).

Mais à cette époque, les Britanniques imposent un modèle (*The Moonstone* de W. Collins dès 1868 ; surtout *Sherlock Holmes* de C. Doyle en 1888) suivi en France par G. Leroux, *Rouletabille* (1907). M. Leblanc expérimente avec un héros hors-la-loi, Arsène Lupin (1905), une version légère et élégante du génie du crime que sera le Fantômas de P. Souvestre et M. Allain (1911).

Dans les années 1930, le genre conquiert son autonomie. Il se retrouve en collections spécialisées. Celles-ci tendent à favoriser les traductions britanniques (« Le Masque », « L'empreinte »). Toutefois, des auteurs français et belges s'immiscent dans ces collections, C. Aveline, J. Decrest, J.-L. Sanciaume, P. Véry, S.-A. Steeman. Un second modèle, américain, s'annonce dès la guerre : le *thriller* et son narrateur dur-à-cuire. À cause de l'Occupation, des écrivains français (L. Malet, L. Chavance) signent d'abord de pseudonymes à consonance anglaise.

De la Guerre froide à Mai 68, le genre se répartit selon trois axes. D'abord, une spécialisation tend à distinguer les séries, ainsi « Série noire » pour le « polar » proprement dit, « Crime-Club » pour le suspense et l'énigme. Ensuite, on continue de recourir massivement aux traductions, la pratique du pseudonyme américain se maintient pour les auteurs français – notamment pour les premiers grands du roman noir, J. Amila, L. Malet, S. Arcouët. Enfin s'implante une tendance au réalisme (A. Simonin, A. Le Breton, J. Giovanni), parfois tempéré par un esprit ludique (Boileau-Narcejac, L.-C. Thomas, G. J. Arnaud, S. Japrisot).

Ces axes se perpétuent dans la période suivante, où s'affirment le réalisme critique du roman noir politisé (J.-P. Manchette, J. Vautrin, T. Jonquet, D. Daeninckx), le jeu souvent virtuose (Viard & Zacharias, puis R. Réouven, P. Siniac, J.-B. Pouy, J. Lahougue) ; des tentatives de synthèse (M. Lebrun, M. Villard, D. Pennac). On notera récemment un retour du roman d'énigme, l'émergence des femmes dans le roman noir et les traductions plus diversifiées (Italie, Espagne, Suède, Allemagne, etc.)

Dans la francophonie, des traditions se sont formées, propres au Québec (J.-M. Poupart, C. Brouillet) et à la Belgique (Steeman et Simenon surtout, qui ont eu de brillantes carrières dans l'édition française).

Le roman policier tend à être produit et consommé en série. Impossible de comprendre le phénomène sans faire ressortir, à côté des auteurs de talent, le rôle crucial des collections. Impossible également de ne pas le corréler au cinéma, aux téléfilms, aux séries télévisées et à la bande dessinée. Ces divers genres médiatiques exercent les uns sur les autres des influences réciproques et familiarisent les consommateurs avec leurs poncifs ou leurs inventions narratives. Le sexe et la violence y sont monnaie courante.

Ainsi, institutionnellement, l'appartenance à la culture médiatique et la propension à la sérialisation ont longtemps privé le genre de légitimité. Mais le roman noir a souvent aussi retenu l'attention et la faveur des intellectuels, Sartre ou Eco par exemple. En effet, il a l'efficacité du suspense pour fixer l'attention du lecteur et, parfois, il en profite pour faire la critique acérée des injustices, corruption et asservissement, du pouvoir social. Le genre policier intervient au reste fréquemment dans l'intertextualité littéraire (Robbe-Grillet, Auster, Échenoz).

▶ DUBOIS J., *Le roman policier ou la modernité*, Paris, Nathan, 1992. — EISENZWEIG U., *Le récit impossible*, Paris, Christian Bourgois, 1986. — LEBRUN M. & SCHWEIGHAEUSER J.-P., *Le guide du polar. Histoire du roman policier français*, Paris, Syros, 1987. — REUTER Y. (éd.), *Le roman policier et ses personnages*, Saint Denis, Presses de l'université de Vincennes, 1989. — VERDAGUER P., *La séduction policière*, Birmingham, Alabama, Summa Publications, 1999.

Jean-Maurice ROSIER, Paul BLETON

→ *Bande dessinée ; Feuilleton ; Populaire (Littérature) ; Roman.*

ROMANCE

Plus qu'à un genre précis, le mot « romance » renvoie à une catégorie de sujets, sentimentaux ou élégiaques. Une romance est une histoire d'amour, souvent une histoire d'amour tragique, mise en poème, en chanson ou en film. Le mot n'est pas nécessairement péjoratif, mais connote une qualification sociale : le goût de la romance est supposé populaire et féminin.

Au départ, le mot « romance » désigne des poèmes espagnols à sujet historique ou amoureux qui rencontrent un grand succès en France au début du XVIIe s. La matière du *Cid* (1637) est ainsi empruntée à un de ces poèmes, « romance » ou « romancero » du Cid, dont Corneille choisit d'accentuer la dimension amoureuse. Devenue un genre poétique français, la romance privilégie cette consonance élégiaque, assortie d'une connotation « naïve » ou « populaire » qui n'était pas présente au départ. À partir du XVIIIe s., elle est une chanson d'amour, mise ou non en musique ; l'histoire d'amour y est souvent située dans un cadre bucolique et / ou médiéval plus ou moins idéalisé, comme par exemple dans la romance de *Gabrielle de Vergy*. La romance de Chérubin dans le *Mariage de Figaro* (1784) de Beaumarchais (dont l'action se déroule d'ailleurs en Espagne) réunit tous ces traits caractéristiques. Cette chanson exprime les sentiments naissants de Chérubin pour la Comtesse dans un langage archaïsant censé imiter les tournures populaires. Par son caractère vertueux, la *Nouvelle Héloïse* (1761)se présente comme une « longue romance ». De la même manière, Nerval oppose dans *Sylvie* les « vieilles romances » provinciales « qui racontent toujours les malheurs d'une princesse » aux grands airs d'opéra. La connotation populaire demeure, avec ici une valeur positive, et la naturalisation d'un genre au départ exotique est achevée : il s'agit de vieilles chansons sans auteur connu qui expriment l'âme des habitants du Valois, lui-même cœur de la France. Aujourd'hui, le terme conserve de cette histoire essentiellement les sèmes « amour » et « populaire », la nuance passéiste et folklorique s'étant perdue en cours de route. Il peut servir à désigner les chansons réalistes d'Edith Piaf, ou encore, du fait de l'influence de l'anglais où le mot *romance* désigne des romans et des films à l'eau de rose, les récits à sujet sentimental, par exemple les productions des éditions Harlequin.

La romance renvoie à la question historique et sociologique de la littérature populaire. Historiquement, le passage d'un genre noble à tout un éventail de genres marqués comme populaires caractérise la littérature de colportage, censée s'adresser à un lectorat peu cultivé. À celui-ci, elle ne propose pas des productions spécialisées mais au contraire des ouvrages qui proviennent de la sphère légitime de production : le décalage entre littérature légitime et littérature de colportage est donc en réalité chronologique. Les romans de chevalerie, par exemple, continuent à être colportés jusqu'au XVIIIe s., ce qui peut expliquer la tonalité médiévale des romances écrites à cette époque-là pour imiter la littérature populaire. L'histoire de la romance obéit en effet à un double mouvement mis en lumière par l'histoire culturelle, de la littérature légitime à la culture populaire et de la culture populaire à la littérature légitime, qui peut réinvestir les formes populaires en les valorisant, au prix d'un nouveau décalage chronologique, comme « traditionnelles » ou « authentiques ». C'est ce que font Nerval mais aussi les « folkloristes » qui à partir du XIXe s. recueillent les chansons et les contes populaires à des fins politiques diverses. Contemporaines, les « romances » continuent en revanche à être dévaluées et sont souvent présentées comme des productions typiques de la culture de masse, stéréotypées et sans véritable créativité. La sociologie littéraire y repère à la fois la prégnance des modèles narratifs et idéologiques de la culture dominante et les mécanismes d'appropriation populaire, tandis que les études féminines y voient une trace et un moyen de l'imposition d'une « identité féminine ».

▶ ANGENOT M., *Le roman populaire. Recherches en paralittérature*, Québec, Presses Universitaires du Québec, 1975. — COSTE D., « Le genre du roman rose et la dissidence amoureuse », *Le récit amoureux*, Seyssel, Champ Vallon, 1984, p. 297-307. — HEINICH N., *États de femme. L'identité féminine dans la fiction occidentale*, Paris, Gallimard, 1996. — POLIAK C. F. et PAVIS F., « Romance et *ethos* populaire. La vie et l'œuvre de Denise Roux, auteur de la presse populaire féminine », *Actes de la recherche en sciences sociales*, 123, juin 98, p. 65-85. — THIESSE A.-M., *Le roman du quotidien. Lecteurs et lectures populaires à la Belle Époque*, Paris, Le Seuil, [1984], 2000.

Dinah RIBARD

→ *Chanson ; Colportage ; Féministe (critique) ; Influence ; Populaire (Littérature), Régionalisme.*

ROMANCIER

D'abord employé au Moyen Âge pour désigner les auteurs de romans de chevalerie en prose qui popularisèrent la matière épique des chansons de geste, le mot de romancier a pris au XVIIe s. son sens moderne d'auteur de roman(s). Mais si le sens du mot n'a pas évolué depuis lors, ses valeurs d'emploi, en revanche, ont varié en fonction de l'histoire du genre romanesque.

Comme le roman est longtemps resté un genre peu prisé, longtemps le « romancier » a été lui aussi tenu en piètre estime. Du Bellay traite de haut « ceux qui ne s'emploient qu'à orner et amplifier nos romans » et qui en font des livres « beaucoup plus propres à bien entretenir demoiselles qu'à doctement écrire » (*Deffence* ..., 1549). De même, au siècle suivant, l'hostilité d'un Nicole par exemple à l'égard des auteurs de fiction, « empoisonneurs publics », prend pour cible le

« faiseur de romans » autant que le théâtre. Au siècle des philosophes, Voltaire considère lui aussi que les romans sont « l'amusement de la jeunesse frivole » (1737), tandis que Mercier tient que les romans sont bons pour les « jolis écrivains », non pour les « écrivains philosophes ». De là sa mise en garde : « [...] sans la Philosophie, les Romanciers, les Poètes dégénéreront [...] en jolis arrangeurs de mots » (1778). Aussi paradoxal que cela puisse paraître, il était d'autant plus facile de mettre romanciers et poètes dans le même sac que le roman, quand on acceptait de lui faire place dans les Arts poétiques, était traité comme un genre *poétique* mineur ; ainsi Boileau le critiquait-il sévèrement. On comprend alors que Diderot répugne à considérer Richardson comme un « romancier », allant jusqu'à souhaiter qu'on trouve un autre mot pour désigner le genre qu'il pratique. De même, Mme de Staël se plaint que *Werther*, considéré comme un « roman », ne puisse pas, du coup, l'être comme un « ouvrage ». « Ceci n'est point un roman » : cette phrase de Nodier (Préface des *Proscrits*, 1802), dont on retrouve bien des équivalents entre 1780 et 1830, est un symptôme de l'illégitimité du genre. Sa légitimation intervient, à partir des années 30, où le roman devient « la forme la plus riche de la littérature actuelle » (H. Rabou, 1847). Mais le terme de « romancier » reste, lui, dévalué. Ni Stendhal, ni Balzac, ni Flaubert même ne s'en servent : écrivains de romans, ils biaisent par rapport à cette identité auctoriale trop restrictive. À l'époque des *Romans et contes philosophiques* (1831), Balzac préfère se donner pour un « conteur » : rappelant que le « talent du conteur » renferme tous les talents, et que « le narrateur est tout », il leur attribue les prestiges poétiques de la tente arabe. Plus tard, dans le souci qui est le sien de se représenter en historien, en penseur et en philosophe, il y a un refus tacite de la « casaque » de romancier. Octave Feuillet est le premier romancier élu à l'Académie française (1862), mais cette promotion ne conduit pas nécessairement à reconnaître tous les romanciers comme des créateurs à part entière. C'est pourtant à cette époque que, dans les parages de l'école réaliste, « des romanciers se constituent pour la première fois en école autonome et prennent collectivement la parole » (P. Chartier), ce qui était impossible tant que le romantisme imposait l'impérialisme du « poète ». De ce fait, les appellations valorisantes pour qui tient la plume étaient, jusqu'à ce moment : auteur, écrivain, et poète dans ses emplois propres, « romancier » restant dévalué. Mais dès lors, Edmond de Goncourt peut parler au nom des « romanciers », et les présenter comme « les ouvriers du genre littéraire triomphant au XIXe siècle » (1884).

Ce triomphe s'est confirmé au siècle suivant, où le nom de Goncourt s'est trouvé associé à l'« Académie » qui en a été le meilleur instrument. Donnant des lettres de noblesse au roman, allant jusqu'à faire graviter toute la vie littéraire autour de lui, le prix Goncourt et ses divers satellites ont permis à des écrivains de se revendiquer sans honte « romanciers ». Le romancier est devenu quelque chose comme l'identité standard du champ littéraire. Le romancier triomphe d'autant plus que le roman prétend, non sans quelque vraisemblance, être un genre polyphonique et universel. Mais c'est précisément parce que le roman domine le marché pour le grand public qu'un certain nombre d'auteurs veulent encore marquer leur attachement au circuit restreint doté d'une plus forte légitimité et préfèrent le titre d'« écrivain » à celui de « romancier ».

▶ CHARTIER P., *Introduction aux grandes théories du roman*, Paris, Bordas, 1990. — COULET H. (dir.), *Idées sur le roman. Textes critiques sur le roman français (XIIe-XXe siècle)*, Paris, Larousse, 1992. — IKNAYAN M., *The Idea of the novel in France : the critical reaction (1815-1848)*, Genève, Droz et Paris, Minard, 1961.

José-Luis DIAZ

→ *Conte ; Narration ; Poète ; Public ; Récit (Théories du) ; Roman ; Prix littéraires.*

ROMANTISME

Le qualificatif « romantique » évoque ce qui est « comme dans un roman » : il est employé dès le XVIIe s. comme synonyme dépréciatif de « romanesque ». Puis, depuis l'époque de Rousseau, il désigne la perception de paysages qui suscitent des sensations intimes, de l'ordre de la mélancolie. Le substantif « romantisme » n'entre dans l'usage courant qu'autour de 1820. Il désigne alors un mouvement littéraire novateur, couvrant tous les genres, et dont les choix stylistiques et thématiques s'écartent de façon délibérée du classicisme, mettent en avant la liberté des formes et l'expression du moi, perçu comme divisé et douloureux. Il a alors été quelquefois désigné comme « romanticisme » (Stendhal). Cette esthétique s'est imposée comme une référence majeure du XIXe s.

Le romantisme est un mouvement artistique européen qui naît en Allemagne (cercle d'Iéna) et en Angleterre (*Lyrical Ballads*) à la fin du XVIIIe s. en réaction contre l'hégémonie culturelle française des Lumières. Il se fonde sur l'exaltation des patrimoines nationaux contre l'universalisme rationaliste de la culture classique française. La défaite de l'Empire napoléonien en révèle l'opportunité aux écrivains et artistes en France. L'histoire littéraire a proposé, pour le seul domaine français, bien des dates butoir (1800-1830, 1802-1843...), assorties d'un cortège d'œuvres « inaugurales » (*De la littérature* de Madame de Staël, 1800 ; *Le génie du christianisme* de Chateaubriand, 1802 ; la « Préface » de *Cromwell* de Hugo, 1827, ...) et de manifestations « terminales » (le demi-échec des

Burgraves du même Victor Hugo en 1842-43). De même, elle a relevé bien des sources et des influences : en France, un « pré-romantisme » qui commence avec Rousseau ; en Europe, des auteurs allemands, Novalis, Brentano, Von Arnim, von Kleist, surtout Schlegel, ou même Gœthe pourtant anti-romantique, et des romantiques anglais tardifs, Scott et Byron. En France même, le succès des poésies de Lamartine et de Hugo, dans les années 1820, manifeste la force d'une tendance diffuse, qui prône, dans la lignée de la Restauration, la célébration des valeurs chrétiennes et du Moyen Âge national (les œuvres de Walter Scott commencent à être traduites en 1816), et la confidence lyrique des exaltations du « moi », dans une poétique et un style libres. Elle s'oppose ainsi à l'héritage classique, attaché aux modèles antiques et à la raison. Le cénacle de Nodier, à la bibliothèque de l'Arsenal, en constitue le foyer le plus actif. La préface de *Cromwell* (1827) de Hugo lui donne une base théorique reconnue par les jeunes littérateurs. Le théâtre devient le genre où le romantisme s'affirme comme école littéraire nouvelle. La « bataille » qui, lors de la première d'*Hernani*, le 21 février 1830, oppose les jeunes partisans du drame et les « vieux » tenants de la tragédie classique marque le clivage le plus net. Le romantisme conquiert dès lors le succès, et la consécration littéraire avec l'entrée à l'Académie française de Nodier en 1833 et de Hugo en 1841. Lamartine, Vigny, Mérimée, puis Balzac, Stendhal, Michelet, Musset, George Sand, Nerval participent de cette affirmation. Mais des divergences existaient au sein de ce mouvement tout en tensions. Ainsi, en termes politiques, les premiers romantiques se rangeaient du côté de la droite légitimiste, alors qu'après 1830, ils seront nombreux à prôner un engagement social progressiste. La propension au fantastique et les références à l'illuminisme ou à l'ésotérisme s'accroissent dans la seconde génération. Mais, quelle que soit l'extension du sens qu'on prête au terme, une constante s'impose, qui permet de circonscrire une spécificité capitale : la conscience, de la part des auteurs qui se réfèrent au romantisme, que les productions esthétiques sont unies à la société par des liens nécessaires, et qu'elles s'inscrivent dans un temps bien déterminé de l'Histoire. Cette conscience est le fruit de la coupure majeure que fut la Révolution française. Et, de même, lorsque la monarchie bourgeoise de Louis-Philippe eût confirmé l'échec du dialogue entre les classes sociales, mettant fin à l'idéal d'une fusion de la conscience artistique et de la conscience historique, le romantisme se délite, sous des avatars incarnés par diverses « générations ». Au lendemain de 1848, si des auteurs majeurs sont toujours actifs, le mouvement n'est plus discernable en tant que tel ; il est devenu le nouveau modèle contre lequel s'édifient les tendances nouvelles : le réalisme, le Parnasse et l'Art pour l'Art, mais aussi l'« école du bon sens » qui met en avant le goût bourgeois de la mesure. Enfin, son principe nationaliste permet au romantisme de stimuler l'émancipation des champs littéraires belge (De Coster), canadien-français (F. X. Garneau) et suisse (R. J. Töpffer, J. Olivier).

En France, la Révolution en vient à tenir lieu d'événement originel et fondateur, alors que le mouvement procède pourtant d'influences étrangères. L'événement national dissimule le mouvement pan-européen. Le changement radical que la Révolution a produit dans le tissu social et politique apparaît lié à une rupture irréversible dans l'univers des représentations. Tout d'abord, en se désignant à son tour comme vouée par essence à la quête de la nouveauté, en faisant table rase du passé, la Révolution semble avoir coupé les amarres des références et des modèles, et ouvert l'époque de la « révolution esthétique » toujours recommencée : il n'est dès lors pas étonnant que le mot « avant-garde » soit apparu avec les romantiques. Même si l'étude des œuvres révèle des modèles antérieurs et dément la conviction d'une création *ex nihilo* du mouvement romantique, cette croyance n'en demeure pas moins l'un des piliers de celui-ci. Le romantisme est persuadé que son siècle est à inventer, et que cette invention repose sur une refondation généralisée. Il croit à la nécessité de penser autrement le moi et sa relation au monde, mais aussi les catégories du politique, du religieux, du social ; ce qui va de pair, entre autres, avec l'interaction entre les disciplines artistiques (littérature, musique, peinture), avec la redéfinition des genres, le bouleversement du vocabulaire et des formes d'expression, le déplacement des repères qui balisent la place de l'artiste dans la société. Il est une réponse, aussi, aux changements survenus dans la composition du lectorat par l'accès à la culture d'un public récemment alphabétisé, et surtout dans l'univers de l'édition et des imprimés qui, grâce aux progrès technologiques, passent aux modes de production industriels.

Ainsi, à la fondation du sujet politique opérée par la Révolution, le romantisme répond par celle du sujet poétique. D'où l'essor du lyrisme et l'omniprésence du moi. Ils vont de pair avec la croyance au pouvoir du génie individuel, qui prend parfois la forme d'une affirmation que les grands artistes et poètes sont des « mages », dont l'intuition profonde annule les anciens schémas de pensée, et remplace, avec sa mystérieuse acuité, les claires sécheresses de la « raison » tant prisée par les Lumières. Le travail de l'écrivain romantique, simultanément héros et messie d'un monde qu'il devance et traverse tout à la fois, est donc assimilé à un sacerdoce (aussi cette vision a-t-elle pu aboutir ensuite à une véritable sacralisation de l'art). Et le personnage du héros romantique est un être ambitieux et inquiet à la fois, une figure divisée entre espoir et désenchantement. D'où un art débordant de promesses, d'abord, et par conséquent porteur d'un progrès espéré, qui appelle à réactiver des genres anciens (la ballade) et surtout à en forger de nouveaux (le drame, les méditations, le roman, l'autobiographie) ; puis un art gagné par le désenchantement, ensuite, et qui deviendra, pour ces prêtres-écrivains eux-mêmes, le dernier temple où se réfugier. Mais le caractère sacré de la création, et l'aura prophétique dont elle est nimbée pour les romantiques, s'expliquent aussi à la lumière d'une autre nécessité centrale de la période post-révolutionnaire : la recherche et la mise en place d'une nouvelle religion, indissociable de l'avènement de nouvelles structures politiques dans lesquelles le peuple joue un rôle primordial. La relation au peuple – ce dernier étant à la fois la justification et le destinataire de l'œuvre d'art – constitue un des points névralgiques du romantisme. Elle sous-tend une fascination pour les origines, celles des langues, des nations, des civilisations, cristallisées par le Moyen Âge et les peuplades barbares. Mais elle fonde aussi l'affirmation de modalités littéraires spécifiques, tel le légendaire, capable de souder le mythe et l'Histoire, la religion et la politique, et de fonder par là la communauté dans son unité – Napoléon, d'abord honni, est ensuite une figure épique obsédante chez Balzac et Hugo. À travers ces caractéristiques, le romantisme français rejoint les mouvements qui, en Allemagne et en Italie notamment, inspirent et soutiennent les « renaissances » nationales.

Parmi les retombées du romantisme, quelques-unes orientent encore les réflexions contemporaines. Par ailleurs, bien des aspects de la configuration actuelle du champ littéraire plongent leurs racines dans ce mouvement. La bataille d'*Hernani* est le prototype de l'attaque montée par un groupe d'avant-garde contre les modèles littéraires dominants. L'essor de genres comme le journal intime ou le récit de voyages sont étroitement liés au changement de perception survenu alors. La logique des avant-gardes, la constitution d'une sphère de production restreinte, le principe de l'autonomie de l'art et la sacralisation du créateur comptent aussi parmi les phénomènes nés avec ou contre le romantisme et auxquels nos catégories mentales continuent de se référer.

▶ BÉNICHOU P., *Les mages romantiques*, Paris, Gallimard, 1988. — BOWMAN F., *Le Christ des barricades, 1789-1848*, Paris, Cerf, 1987. — BRAY R., *Chronologie du romantisme (1804-1830)*, Paris, Nizet, 1963. — MILLET C., *L'esthétique romantique. Une anthologie*, Paris, Presses Pocket, 1994. — UBERSFELD A., *Le roi et le Bouffon*, Paris, José Corti, 1974.

Daniel MAGGETTI

→ *Autonomie ; Cénacle ; Classicisme ; Drame ; Écoles littéraires ; Génie ; Grotesque ; Lyrisme ; Mythe ; Nationale (Littérature) ; Poésie ; Roman gothique.*

RYTHME

Dans son acception courante, « rythme » désigne la répétition, le retour, à intervalles plus ou moins réguliers, d'un phénomène, par exemple le rythme des saisons. En littérature, il désigne l'organisation accentuelle et prosodique dans la phrase.

Jusqu'à la période attique, *rythmos* signifie « forme distinctive, figure proportionnée, disposition », mais dans une configuration toujours sujette à changer, un processus. Il s'oppose alors à *skèma* (schéma), qui désigne une forme fixe. Le sens de « rythme » comme retour régulier d'un phénomène apparaît chez Platon, qui, l'associant à la notion de *mètron* (mètre), l'assujettit au nombre et à la mesure. La conception occidentale du rythme a appliqué pendant près de vingt-quatre siècles ce point de vue aux œuvres artistiques. Elle a pu ainsi légitimer la confusion entre les domaines musical et littéraire. Or, on sait, depuis Eustache Deschamps (*L'art de dicter*, 1392), que les deux ordres ne se recouvrent pas.

On trouvait le rythme essentiellement dans le vers. Horace, dans son *Art poétique*, cherchait l'harmonie des vers dans les mètres grecs. Mais le rythme a également été senti dans certaines proses, dites « nombreuses » parce qu'on y perçoit le retour régulier de séquences syllabiques. Cicéron (*De l'orateur*) évoquait « une sorte de nombre » dans la prose oratoire.

En français, à son imitation, longtemps la notion de rythme est désignée par le mot « nombre », comme, encore, chez Étienne Dolet (1540). Du Bellay, dans la *Défense et illustration de la langue française* (1549) est le premier à avoir employé en français le mot rythme, qu'il confond d'ailleurs avec le mot rime, témoignant par là de la prégnance de l'idée de régularité, puisque la rime signale le retour du vers. Cette conception du retour plus ou moins régulier domine pendant l'âge classique, même quand les poètes recourent aux vers irréguliers. Et l'idée de la prose « nombreuse » persiste de même.

Mais à la fin du XIXe s., si l'association traditionnelle entre poésie et musique semble faire prendre pour une vérité universelle le mot de Verlaine : « De la musique avant toute chose », qui se réfère explicitement à la métrique : « Et pour cela préfère l'Impair » (*Art poétique*, 1885), pour Mallarmé (Préface au *Coup de dés*, 1897), la musique entendue au concert reste « étrangère » aux Lettres. Dans les années 1880-1890, la notion de rythme est l'objet d'un travail théorique profond, sous l'impulsion de l'abbé Rousselot, auteur des *Principes de phonétique expérimentale* (1897-1909), puis de ses héritiers, Robert de Souza (*Du rythme en français*, 1912), Georges Lote (*Études sur le vers français. L'alexandrin d'après la phonétique expérimen-*

tale, 1913) et Maurice Grammont (*Traité de phonétique*, 1933).

Ces recherches, pour être timides (on prône, alors, contre la symétrie classique, son contraire, la dissymétrie, comme principe rythmique), ont remis en question l'assimilation du rythme poétique avec le mètre. C'est à la même époque, et en relation parfois étroite avec les linguistes acousticiens (Robert de Souza est également poète), qu'on « invente » le vers-libre, affranchi du principe métrique.

En réaction aux recherches jugées « anarchistes » des vers-libristes, des poètes – quelques-uns regroupés sous le nom d'École française (1902) – pratiqueront un « vers libéré », forme de compromis introduisant un peu de souplesse dans un principe métrique maintenu. Dès lors, le rythme est libéré des repères métriques, et devient l'objet de recherches ouvertes, tant chez les poètes que chez les prosateurs.

Dans la recherche et la critique, après les travaux du tournant du siècle, les études sur le rythme ont été mises entre parenthèses pendant la période structuraliste, les notions de rythme et de structure souffrant d'une incompatibilité fondamentale (la structure relève non du *rythmos*, mais du *skèma* platonicien).

Les recherches sur le rythme ont repris dans les années 1980, à partir de perspectives différentes. Henri Meschonnic (1982), définit le rythme dans le langage non plus comme la manifestation d'une harmonie cosmique, ni comme la traduction d'un mouvement naturel ou psychologique, mais comme l'organisation d'un sujet dans son discours, qu'il soit en vers ou en prose ; donc non plus une composante esthétique, mais l'oralité, entendue comme l'inscription du corps dans le langage. À ce titre, il est la dynamique des textes, dont il organise la signifiance par l'accentuation des phrases – et non des mots – et la construction de séries prosodiques.

L'opposition entre la métrique et le rythme, depuis le XIXe s., a pu apparaître comme une opposition radicale – et idéologique, la métrique étant conservatrice, le rythme progressiste. Mais la métrique, organisation arbitraire du langage, s'intègre dans le rythme global du discours, à partir de là, on peut envisager une « métrique en discours » : son accentuation, fixe, s'ajoute à l'accentuation des groupes de syllabes et à l'accentuation prosodique.

▶ BENVENISTE E., « La notion de "rythme" dans son expression linguistique », [1951], *Problèmes de linguistique générale*, Paris, Gallimard, 1966. — DESSONS G., MESCHONNIC H., *Traité du rythme, des vers et des proses*, Paris, Dunod, 1998. — MESCHONNIC H., *Critique du rythme, anthropologie historique du langage*, Grasse, Verdier, 1982 ; *Politique du rythme, politique du sujet*, Grasse, Verdier, 1995.

Gérard DESSONS

→ *Musique ; Oralité ; Poème en prose ; Poésie ; Prose ; Prosodie ; Vers, versification.*

S

SAGA → Roman familial

SALONS LITTÉRAIRES

Le « salon » désigne ici un lieu de réunion et de conversation. Sous l'Ancien Régime, un phénomène social, culturel et littéraire majeur consiste en réunions mondaines régulières, en général tenues chez une dame de la haute société. À partir du XVIIIe s., le mot s'emploie aussi pour désigner des expositions périodiques de peinture, et les ouvrages qui en rendent compte. Il s'étend aujourd'hui à de telles manifestations en tous domaines, y compris celui de l'imprimé (salons du livre).

Le salon, comme institution littéraire, est né en parallèle aux usages de cour. Sous Henri IV, la marquise de Rambouillet crée dans son hôtel particulier des réunions mondaines propices à un savoir-vivre raffiné. Entre 1610 et 1660, son salon constitue un espace culturel de premier plan. La mondanité n'est pas exempte d'enjeux politiques, mais elle s'accompagne d'un essor de l'art de la conversation. L'élite littéraire et artistique (Voiture, Corneille, le jeune La Rochefoucauld...) y a ses entrées, et les jeux d'esprit et d'écriture y sont en vogue. D'autres salons se créent, en imitation et en rivalité de celui-ci, par exemple celui de la Vicomtesse d'Aulchy, protectrice de Malherbe. Après la Fronde (1648-1653), l'hôtel de Rambouillet décline. En revanche se développe le salon, plus bourgeois mais plus exclusivement littéraire, de Mlle de Scudéry, foyer de la galanterie.

Dans la première moitié du XVIIIe s., les salons de Mme Lambert et de la duchesse du Maine – qui est aussi un foyer politique pour le duc du Maine, fils de Louis XIV et de Mme de Montespan– perpétuent cette institution. Le salon de Madame de Tencin marque la transition vers la seconde moitié du siècle où ces lieux deviennent des foyers de l'esprit philosophique (salons d'Holbach, du Deffand, de Lespinasse, Necker). Après la coupure de la Révolution, les salons reprennent (Mme de Staël, après s'être réfugiée à Coppet), se maintenant parfois sous plusieurs régimes (Mme de Récamier). Ils se multiplient sous la Monarchie de Juillet, mais la relative unité de la « bonne société » d'ancien régime semble alors brisée : salons aristocratiques (Mme Rauzan) et bourgeois (Mme Hugo, Mme Girardin) soutiennent des causes politiques (monarchie ou libéralisme) et artistiques (classicisme ou romantisme) divergentes.

Très actifs sous le Second Empire, ils s'étiolent ensuite, enregistrant les fractures de l'espace social (ils sont dreyfusards ou anti-dreyfusards lors de l'« affaire » et Proust en décrit les manières) : ils disparaissent, comme institution de la vie littéraire, vers la Seconde Guerre mondiale.

Selon Norbert Elias, en France à partir du XVIIe s., ville et cour constituent deux espaces culturels complémentaires mais rivaux. La cour privilégie un art total, dans des genres (ballet, puis opéra) spectaculaires ; les salons, eux, se tournent surtout vers la parole, lue ou écoutée, dans des usages certes ritualisés mais non soumis à l'étiquette rigide de la cour. Cette souplesse permet aux salons de l'âge classique d'influer sur la vie littéraire de trois façons : ils contribuent à la promotion sociale des écrivains, en leur faisant rencontrer des mécènes et protecteurs, ils favorisent l'essor de genres propres à la littérature mondaine (poésie de salon, romans, lettres) et ils donnent des modèles du bel usage de la langue. Au XVIIe s., ils favorisent le purisme et les « Modernes », comme au XVIIIe s. l'esprit philosophique. Au XIXe s., selon Bourdieu (*Les règles de l'art*, 1992), via des salons comme celui de l'impératrice, celui de la princesse Mathilde et les salons bourgeois de Mme d'Agoult, de Mme Sabatier voire de Louise Colet, l'imbrication profonde du champ littéraire et du champ politique induit une subordination d'une partie de celui-là à celui-ci.

Le rôle des salons ne se borne donc pas à une pratique exclusivement artistique : ils sont au carrefour du mondain, du politique et du littéraire. Les détenteurs du pouvoir y imposent comme « naturellement » leurs façons de voir aux artistes en échange des générosités du mécénat qu'ils contrôlent. Mais les salons ont été aussi, à l'inverse, une source de développement et d'autonomie de la littérature et ont contribué à structurer le champ littéraire.

Le salon est un important thème narratif, de Furetière à Crébillon et de Marivaux à Balzac, Flaubert, Proust... Certains auteurs les représentent comme « faisant des élections » dans les Académies (Furetière, *Nouvelle allégorique*, 1658). Mais il était banal de se gausser des salons bourgeois imitant les nobles (*Roman bourgeois* du même Furetière, 1668, ou *À la recherche du temps perdu* de Proust, 1913-1927).

Dans le domaine de la critique d'art, le salon constitue à son tour un genre littéraire, qu'illustrent notamment Diderot avec ses comptes rendus des expositions de peinture entre 1759 et 1781 et Baudelaire avec ses *Curiosités esthétiques*, essais sur les « salons de peinture » parisiens du milieu du siècle. Zola, Huysmans, Verhaeren et bien d'autres écrivains de la fin du XIXe s. s'y sont également illustrés.

▶ ÉLIAS N., *La vie de cour*, Paris, Flammarion, [1969], 1985. — KIBEDI-VARGA A., « Réflexions sur le Classicisme français », *Revue d'histoire littéraire de la France*, 1996, 6, p. 1063-1068. — LOUGEE C. C., *Le paradis des femmes. Women, Salons and Social Stratification in XVIIth Century France*, Princeton University Press, 1976. — RIÈSE L., *Les salons littéraires parisiens du Second Empire à nos jours*, Toulouse, Privat, 1962. — VIALA A., *Naissance de l'écrivain*, Paris, Minuit, 1985.

Jan HERMAN

→ *Autonomie ; Champ littéraire ; Cour (Littérature de) ; Épistolaire ; Institution ; Galanterie ; Oralité ; Poésie ; Préciosité.*

SATIRE

La satire est un genre visant à dénoncer les vices et les folies des hommes dans une intention morale et didactique. Le ton de la satire varie selon une échelle qui va de l'ironie doucement moqueuse, sur le modèle d'Horace, à l'indignation injurieuse inspirée de Juvénal. Proche de la parodie et du pastiche par le procédé de dégradation comique, la satire s'en distingue du fait qu'elle n'est pas une imitation. Le pamphlet partage avec elle une dimension polémique et diffamatoire mais beaucoup plus bref, il est destiné à une circulation large et rapide. Par extension, le satirique désigne aussi un registre discursif dénotant une attitude critique et pouvant s'étendre à tous les genres de la littérature.

Même s'il y a des aspects satiriques dans les comédies d'Aristophane, la satire comme genre spécifique est d'origine latine. Issue de la *satura* – mélange en vers – pratiquée d'abord par Lucilius (IIe s. av. J.-C), elle combine goût de la réalité et vocation morale. Sous l'Empire, Horace lui donne la noblesse de l'hexamètre et le ton familier de la conversation, tandis que chez Perse et Juvénal la dénonciation se fait mordante. En France, le mot *satire* apparaît avec l'Humanisme. Il désigne alors un genre que Du Bellay, dans la *Défense et illustration de la langue française* (1549), s'attache à codifier par opposition à la pratique médiévale du registre satirique. Le Moyen Âge a développé celui-ci en dehors de toute contrainte générique et formelle : critique anticléricale des poèmes goliards, *Roman de Renart* et genres tels que la sotie, le fabliau, le fatras ou la folle chanson, auxquels s'ajoute au XVIe s. le coq-à-l'âne marotique. La verve rabelaisienne participe de ce courant d'esprit. La Pléiade prétend au contraire renouer avec la tradition latine, imposer la forme versifiée et bannir les dénonciations personnelles. Cet effort de théorisation, joint à la politisation de la poésie qui suit les guerres de religion, stimule l'essor de la satire dans la seconde moitié du XVIe s.

Sous le règne d'Henri IV, la satire s'autorise d'une fausse étymologie grecque (*Satyros*, le Satyre chèvre-pied) pour prendre un caractère licencieux et imprimer au rire un sens plus gratuit et bouffon que moral, débordement qui explique en partie le discrédit du genre après le procès de Théophile de Viau en 1623. Les images scabreuses et le langage pittoresque des *Cabinets satyriques, Délices satyriques, Parnasse satyrique* et autres recueils anime encore la verve de Vauquelin de la Fresnaye et de Mathurin Régnier, mais Boileau les bannit au profit de l'enjouement poli des *sermones* horaciens et d'un art de la raillerie inspiré par le nouvel idéal de civilité de la seconde moitié du siècle. Au cours du XVIIe s., la satire commence à s'épuiser en tant que forme poétique et se disperse dans des genres déjà existants comme la comédie (Molière), la fable (La Fontaine), la maxime (La Rochefoucauld) les caractères (La Bruyère) ou le dialogue hérité de Lucien (Fontenelle), ainsi que dans le conte philosophique au XVIIIe s. (Voltaire). La Révolution et le romantisme lui donnent une véhémence nouvelle, en rupture avec l'ironie spirituelle des Lumières, qui trouve à s'exprimer avec les *Iambes* (réd., 1794, éd. posth., 1819) d'André Chénier, d'Auguste Barbier et la violente diatribe hugolienne des *Châtiments* (1853). Si l'effort de Laurent Tailhade pour ressusciter la satire juvénalienne (*Au pays du mufle*, 1891), les poèmes de Benjamin Péret (*Je ne mange pas de ce pain-là*, 1936) ou de Jacques Prévert (*Tentative de description d'un dîner de têtes à Paris-France*, dans *Paroles*, 1946), illustrent encore le genre à la fin du XIXe s. et au XXe s., la satire devient alors essentiellement un registre discursif identifié à une attitude critique. Elle s'exerce particulièrement dans le roman (Flaubert, Villiers de l'Isle-Adam au XIXe, Céline, Gide au XXe s.) et au théâtre (Ionesco, Tardieu) mais aussi dans le conte et le monologue (A. Allais) et trouve une place dans la presse (*Le canard enchaîné*) notamment dans la caricature.

La tension propre à la satire se fait entre l'affirmation d'une voix individuelle et la vocation normative de cette parole. La dénonciation s'effectue à partir d'un sujet qui revendique sa singularité, sur la base d'un ethos fondé sur la sincérité et la liberté intérieure que lui assure sa lucidité critique, et prend paradoxalement autorisation de cette singularité même pour se poser en conscience morale de la collectivité. Ni absorbé dans le consensus comme le *je* encomiastique, ni s'affirmant dans son absolue singularité comme le *je* lyrique, le *je* satirique pose sa différence comme exemplaire d'une norme idéale. C'est par cette fonction que le registre satirique s'étend bien au-delà du genre canonique de la satire en vers.

▶ ANGENOT M., *La parole pamphlétaire. Typologie des discours modernes* Paris, Payot, 1982. — ARNOULD C., *La satire, une histoire dans l'histoire*, Paris, PUF, 1996. — JONES DAVIS M. T., *La satire au temps de la Renaissance*, Actes du 11e colloque du Centre de recherches sur la Renaissance, Paris, J. Touzot, 1986. — Coll. : *Irony and Satire in french Literature*, University of South Carolina, French literature series, 1987, n° 14. — « La satire en vers au XVIIe siècle », *Littératures classiques*, 1995, n° 24.

Claire CAZANAVE

→ *Apologie ; Épidictique ; Ethos ; Ironie ; Pamphlet ; Poésie ; Polémique.*

SCÉNARIO

D'origine italienne, le terme « scénario » (de *scena*, scène) a d'abord désigné la scène de théâtre au sens architectural du terme, avant de signifier le canevas d'un spectacle de *Commedia dell'Arte*. Au XIXe s. le mot prend le sens de l'argument d'une pièce de théâtre ou, chez Balzac, du plan détaillé d'un roman. Aujourd'hui, il désigne un texte rédigé préalablement au tournage d'un film (pour le cinéma ou la télévision) et qui en trace le récit (s'il s'agit d'un film de fiction) ou la structure (dans le cas d'un documentaire). En général, le scénario d'un film de fiction comporte les dialogues, la description (toujours au présent) des actions ainsi que quelques indications complémentaires relatives aux personnages, aux costumes, aux décors, aux effets visuels, aux bruits et à la musique.

Aux débuts du cinéma, les films se tournent sans scénario : les grandes firmes, comme Pathé et Gaumont, achètent de petites histoires à partir desquelles le metteur en scène improvise et l'histoire racontée par le film est éditée dans les catalogues remis aux exploitants. Méliès est probablement le premier cinéaste à évoquer, dans ses écrits, le scénario (c'est-à-dire, pour lui la « fable », le « conte »), mais il avoue ne s'en préoccuper qu'en dernier, après avoir trouvé les trucs, les effets, l'apothéose finale, après avoir habillé les personnages et dessiné les décors. Avec l'allongement de la durée des films (dès le début des années 1910), l'accroissement des coûts de production et l'application du principe de la division du travail, les firmes américaines conçoivent la nécessité d'un document préalable pouvant être budgétisé et auquel les divers participants à la réalisation puissent se référer. Le scénario est ainsi né d'une exigence comptable : il fallait écrire le film avant de le tourner pour savoir ce qu'il allait coûter.

En France, où le cinéma des débuts du parlant est dominé par la parole, dialoguistes (Henri Jeanson) et scénaristes réputés (Jacques Prévert, le Belge Charles Spaak) acquièrent le statut d'auteur à part entière. De nombreux écrivains ont eu une activité de scénariste et d'adaptateur (Jean Cocteau, Jean Anouilh, Jean-Paul Sartre...). Leur rapport avec le milieu du cinéma n'est pas toujours aisé, les vues de l'auteur s'accommodant mal des exigences de l'industrie (ainsi Artaud ou Brecht n'ont eu que des expériences inabouties). Les grands studios américains ont souvent embauché des romanciers, qui acceptaient ce contrat pour raisons alimentaires (William Faulkner, James Cain, Raymond Chandler, Dashiell Hammett). Certains écrivains ont collaboré activement avec un cinéaste privilégié (Prévert avec Carné, Harold Pinter avec Joseph Losey, Peter Handke avec Wim Wenders). D'autres, comme Graham Greene, ont adapté leurs propres romans, et certains sont passés directement derrière la caméra (Guitry, Pagnol, Malraux, Robbe-Grillet, Duras, Toussaint). Il arrive que des scénarios soient convertis en romans, si le film a eu du succès, ou que – notamment pour les « séries » télévisées –, une production dans les deux domaines soit prévue simultanément. Quelquefois un auteur publie comme livre le texte même d'un scénario : *La femme du Gange* de Duras, *Glissements progressifs du plaisir* et *l'Immortelle* de Robbe-Grillet sont à la fois des films et des romans quelque peu réécrits en vue de leur publication. Enfin, l'écriture de scénario est devenue une des formations à l'écriture la plus répandue dans les départements universitaires de cinéma.

Par essence toujours transitoire et inachevé, condamné à disparaître au profit d'autre chose que lui-même (un film), un scénario n'est pas un objet littéraire. Son écriture dépouillée, strictement descriptive, sans effet de style ni considérations réflexives, n'a de justification que fonctionnelle : le scénario, que les Anglo-saxons appellent « script », « screenplay » ou encore « story », est un document de travail que son auteur remet au producteur (chargé du montage financier), au réalisateur, aux acteurs et aux techniciens qui prennent ainsi connaissance de tous les éléments constitutifs du film qu'ils vont accomplir. Le scénario a été très vite normalisé. Les studios américains ont imposé le modèle aristotélicien du récit en trois étapes (exposition, confrontation, résolution) séparés par deux temps forts (*plot points*). Depuis 1915, cette structure charpente un très grand nombre de films et prévaut encore souvent aujourd'hui. L'originalité de l'histoire, la maîtrise des dialogues, l'impact du récit sur le spectateur constituent les principaux critères de sélection des scénarios classiques, qui se présentent souvent comme une simple continuité dialoguée, laissant au metteur en scène le soin d'élaborer les aspects visuels du film. L'importance accordée au scénario dans la création cinématographique a été fortement remise en cause dans les années 1950 par les cinéastes de la modernité, au premier rang desquels Roberto Rossellini et, en France, les représentants de la Nouvelle Vague. Rossellini expérimente le tournage sans scénario pour son film *Voyage en Italie* qu'il réalise en écrivant les scènes au jour le jour : il s'agit pour lui de renouer avec l'expérience du réel et la capacité du cinéma à saisir l'imprévisible, l'éphémère, l'aléatoire. François Truffaut, dans un article célèbre de 1954, s'en prend en réalité à l'adaptation littéraire et à l'idée que le scénariste puisse être l'auteur d'un film : il attribue au seul metteur en scène la véritable paternité d'une œuvre de cinéma. Cela ne l'empêchera pas d'écrire lui-même des scénarios très élaborés. Reconnus comme auteurs à part entière, les cinéastes de la modernité continuent néanmoins à travailler avec des scénaristes (ainsi Truffaut et Resnais avec Jean Gruault, Fellini et Antonioni avec Tonino Guerra, Buñuel avec Jean-Claude Carrière...). C'est que le scénario moderne, de simple continuité dialoguée, est devenu projet détaillé du film et participe ainsi déjà de la mise en scène, constituant avec le film une sorte d'intertexte nouveau. De fait, l'écriture de scénario constitue un des espaces de dialogues entre l'art cinématographique et l'art littéraire : découpages par plans, forte présence des dialogues, effets de zoom ont là un terrain d'intervention dans l'écrit.

▶ CARRIÈRE J.-C. & BONITZER P., *Exercice du scénario*, Paris, FEMIS, 1990. — CHION M., *Écrire un scénario*, Paris, Cahiers du cinéma-INA, 1985. — FIELD S., *Screenplay. The foundations of Screenwriting. A Step-by-Step Guide*, Delta Book, Dell Publising Co, New York, 1979. — PELLETIER E., *Écrire pour le cinéma*, Québec, Nuit blanche, 1995. — ROCHE A. & TARANGER M.-C., *L'atelier de scénario. Éléments d'analyse filmique*, Paris, Dunod, 1999. — VANOYE F., *Scénarios modèles, modèles de scénarios*, Paris, Nathan, 1991.

Marc-Emmanuel MÉLON

→ *Adaptation ; Cinéma ; Image ; Intertextualité.*

SCIENCES ET LETTRES

Entre la science, qui relève de l'ordre du vrai vérifiable et généralisable, et les Lettres qui relèvent du domaine des opinions (idées, croyances, images, goûts), la dissymétrie paraît telle que les secondes ne peuvent, depuis que « littérature » ne signifie plus « l'ensemble des savoirs », que subir une dépendance relative de la part de la première. En fait, leurs rapports évoluent selon une dialectique plus complexe.

Dans l'Antiquité grecque la science n'était pas dissociée de la philosophie. Philosophie, science et croyance (en la métempsychose en particulier) se mêlaient dans la pensée de Pythagore. L'alliance est encore indissociable dans l'œuvre philosophique et scientifique d'Aristote (la métempsychose en moins). La pensée scientifique des présocratiques passe dans la poésie latine. Ainsi l'atomisme de Démocrite se retrouve dans l'œuvre de Lucrèce ; *Le songe de Scipion* de Cicéron est marqué par la pensée pythagoricienne.

Un esprit nouveau naît dans les années 1180-1220 grâce à la redécouverte de la pensée aristotélicienne (par Thomas d'Aquin, par le relais de textes arabes) qui encourage l'étude des phénomènes de la nature et permet le développement d'un rationalisme. La séparation entre existence et essence qui est indissociable de la naissance d'un esprit scientifique a pour conséquence dans le domaine littéraire un déclin du symbole au profit de l'allégorie (*Roman de la rose*, *La quête du Graal*) : le monde peut avoir un autre sens mais celui-ci n'occulte pas de son mystère la réalité, désormais observable pour elle-même et plus intelligible. Les bestiaires évoluent : moins symboliques, les animaux sont désormais des bêtes vivantes que l'on peut étudier scientifiquement même s'ils entrent ensuite dans une zoologie morale au service d'une idéologie courtoise (*Bestiaire d'amour* de Richard de Fournival). Le développement d'un esprit scientifique a donc des conséquences littéraires mais elles sont plus structurelles que thématiques. En effet, au Moyen Âge, la littérature scientifique reste mineure. Toutefois, Bacon, au XIIIe s., défend l'idée selon laquelle science, morale et spiritualité ne doivent pas être dissociées.

À la Renaissance, les humanistes vont plus loin dans ce sens et prônent une connaissance encyclopédique, comme celle du *Gargantua* de Rabelais. Les connaissances scientifiques inspirent une poésie didactique, pratiquée comme un genre noble

(Scève, *Microcosme*, Jean Antoine de Baïf, *Les météores*, Rémy Belleau, *Nouveaux échanges de pierres précieuses*, Guillaume du Bartas, *La semaine ou création du monde*). Elles se mêlent à l'inspiration mythique des *Hymnes* de Ronsard.

Le développement scientifique inspire aussi des fictions d'aventures qui permettent la diffusion d'idées philosophiques. Dans la *Nouvelle Atlantide* (1626), Francis Bacon élabore le projet d'une cité gouvernée par les savants : faisant rêver à des mondes meilleurs, la science alimente une littérature de l'utopie et, en retour, la cité idéale lui réserve une bonne place. Le développement scientifique met peu à peu en cause l'anthropocentrisme, en modifiant la connaissance de l'univers, et suscite l'interrogation sur la pluralité des mondes habités (Cyrano, *Histoire comique des États et Empires de la Lune, et des États et Empires du soleil*, 1657 et 1662 ; Fontenelle, *Entretiens*, 1686). Cette évolution favorise, au XVIIIe s., un dépaysement philosophique (*Les Voyages de Gulliver* de Swift, 1726 ; *Micromégas* de Voltaire) propice à la critique de la société réelle.

Si les sciences constituent déjà un domaine particulier, dont les travaux sont souvent rédigés en latin et qui, en France, dispose face à l'Académie française d'une Académie des Sciences depuis 1666, néanmoins, en ce temps, les écrivains ont souvent été aussi des chercheurs. Pascal a eu la double activité, auteur des *Pensées* mais auparavant auteur de nombreux traités scientifiques et fondateur du calcul des probabilités. Les philosophes du XVIIIe s. s'intéressent à la science, Voltaire aux travaux de Newton (*Épître à Madame du Châtelet*), Diderot aux travaux des physiologistes (*Le rêve de d'Alembert*).

À la fin du siècle, les Idéologues, intellectuels à la fois écrivains et philosophes ou scientifiques (Condorcet, Maine de Biran, Destutt de Tracy, l'historien Volney, le mathématicien Laplace, les médecins Cabanis et Bichat), défendent les Lumières et sont unis par un refus de la métaphysique et une foi dans le progrès de l'esprit critique et scientifique.

Au XIXe siècle, l'évolution technologique (chemins de fer, télégraphe, photographie) et l'industrialisation rendent la science populaire et permettent de rêver à un avenir de progrès. Malgré une progressive séparation, due à la fois à l'autonomie conquise par chaque champ mais aussi au niveau de technicité croissant de la science, l'information scientifique est encore souvent diffusée dans le public cultivé grâce à des périodiques comme la *Revue des deux mondes*. En un siècle qui affirme sa foi en elle (Comte, Renan ou Zola), la science alimente une littérature d'aventures qui voit naître la science-fiction (Jules Verne) à la gloire de l'homme et de la rationalité scientifique. Mais, à la même époque, se dessine aussi un mouvement inverse, et qui se poursuit jusqu'au XXe s. : le développement des connaissances commence à inquiéter et, contre le culte positiviste de la science, la littérature montre les méfaits sociaux de l'industrialisation (Dickens), ou le danger des machines inquiétantes comme la locomotive, taureau de fer, de *La maison du berger* de Vigny, et, à rebours de l'utopie, des mondes inquiétants (*Frankenstein* de Mary Shelley, 1817 ; *Docteur Jekyll* de Stevenson, 1886 ; *L'Ève future* de Villiers de l'Ile-Adam, 1888 ; *Le meilleur des mondes* d'Huxley, 1952 ; *L'Invention de Morel*, de Bioy Casares, 1968).

Ainsi, lorsque se confirme de plus en plus la tendance à l'autonomisation du champ littéraire et que, de surcroît, le positivisme tend à décliner, la littérature commence à entretenir avec la science un rapport plus critique (*Bouvard et Pécuchet*, 1881) et même ludique, au XXe s. (Raymond Roussel) ou de dérision (Ph. Toussaint, *La salle de bain*, 1985), même si la littérature de grande consommation – comme le cinéma de même – fait large place à la science-fiction. Ce sont davantage les sciences humaines (psychanalyse, linguistique, sociologie, anthropologie) qui attirent la curiosité littéraire contemporaine, suscitent des thématiques ou nourrissent la recherche littéraire, même si un scientifique comme Bachelard (voir : Mythocritique) a pu renouveler certaines approches de la littérature et que l'une ou l'autre création poétique s'inspire de l'univers des mathématiques (Valéry, Roubaud, l'OuLiPo).

Les écrivains ont parfois involontairement suscité les recherches scientifiques (l'archéologue allemand Schliemann entreprend des fouilles en 1868 pour découvrir les sites décrits par Homère), mais la littérature contribue surtout à leur vulgarisation, après coup (littérature didactique, *Encyclopédie*...). Cependant, on ne peut la réduire à ce second rôle. Elle a, en effet, un rôle fondamental dans l'intégration de la science à l'ensemble culturel d'une époque. Elle travaille à résoudre des contradictions, conciliant, par exemple, la science et la croyance religieuse (Du Bartas) et elle résiste à la séparation des domaines de pensée (le matérialisme philosophique s'allie à une connaissance de la vie dans *Le rêve de d'Alembert* de Diderot). Elle met aussi parfois en question les théories scientifiques, participant ainsi à des débats d'actualité (ainsi dans les *Fables* de La Fontaine le « Discours à Mme de la Sablière » sur la théorie cartésienne des animaux-machines).

Mais la littérature a souvent un rapport créatif avec la science qui lui permet d'inventer de nouveaux thèmes, des personnages (le savant, le médecin), des mythes (Faust) et de nouvelles situations (science-fiction). Elle emprunte à la science des modèles d'intelligibilité et fait un usage fictionnel des connaissances scientifiques afin de donner une cohérence à son récit et une crédibilité à ses représentations par rapport aux savoirs d'époque (les romans réalistes et naturalistes utilisent des savoirs médicaux, sur l'hystérie chez Flaubert, sur l'hérédité chez Zola).

Ce sont plus souvent des savoirs que des systèmes scientifiques cohérents et bien constitués que la littérature met en œuvre selon des procédures qui relèvent de l'intertextualité au sens large, c'est-à-dire de la transposition d'un système de signes en un autre. Pour réussir la greffe du savoir sur la fiction et d'un savoir sur d'autres, la littérature a recours à des *opérateurs textuels* (images, mots polysémiques, structures logiques) qui assurent la conversion et la condensation des savoirs. L'épistémocritique veut expliquer ces greffes et les conséquences sur les possibles de la fiction.

Dans *L'archéologie du savoir* (1969), Michel Foucault incite à poser d'autres questions que celles de l'influence, de l'emprunt ou de la subordination de la littérature à la science. Il montre comment les mutations qui expliquent la naissance de nouveaux objets d'étude remanient fondamentalement la connaissance et organisent un nouvel espace mental qui définit les limites et les conditions de développement de l'ensemble des disciplines. Tout en conservant sa spécificité, la représentation littéraire est en rapport avec l'organisation de la pensée de son époque, et les transformations épistémologiques (que Foucault étudie de la Renaissance au XIXe s. dans *Les mots et les choses*, 1966).

▶ DEBRAY-GENETTE R., NEEFS J. (textes réunis par), *Romans d'archives*, Presses Universitaire de Lille, 1987. — FOUCAULT M., *Les mots et les choses*, Paris, Gallimard, 1966. — PIERSSENS M., *Savoirs à l'œuvre*, Presses Universitaires de Lille, 1990. — SERRES M., *Feux et signaux de brume, Zola*, Paris, Grasset, 1975. — VAILLANT A., *Écrire / Savoir. Littérature et connaissances à l'époque moderne*, Saint-Étienne, Éd. Printer, 1996.

Gisèle SÉGINGER

→ *Création littéraire ; Cognitif, Connaissance ; Didactique ; Document ; Imaginaire et Imagination ; Naturalisme ; Philosophie ; Positivisme ; Rationalisme ; Science-fiction.*

SCIENCE-FICTION

Le terme « science-fiction » (abrégé en SF) désigne des récits (romans ou nouvelles) où se combinent des extrapolations scientifiques ou techniques et une trame narrative axée sur une intrigue généralement située dans un ailleurs spatial ou temporel (généralement le futur). L'ouverture aux sciences humaines, le recul des prétentions futurologiques et l'intensification des préoccupations sociales et formelles ont amené à la fin du XXe s. certains spécialistes à proposer des appellations concurrentes, comme « fiction spéculative ». Malgré ses ambiguïtés, le terme science-fiction est toutefois demeuré et désigne aujourd'hui encore ce genre qui a essaimé vers le cinéma et la bande dessinée.

Comme bien d'autres genres, la SF n'est pas apparue de manière soudaine mais a connu une émergence progressive. Sa filiation avec des œuvres traitant de l'utopie (More), de voyages imaginaires (Cyrano, Swift) ainsi qu'avec le roman gothique (Shelley) est attestée. La première cristallisation significative s'est produite dans la seconde moitié du XIXe s. : Jules Verne et H. G. Wells ont alors réuni une part importante de leurs œuvres sous les appellations respectives de « Voyages extraordinaires » et de « *scientific romance* ». Ce n'est toutefois qu'en 1929 qu'Hugo Gernsback, éditeur du magazine *Amazing Stories*, forge le terme « science-fiction ». Reprenant des textes des « pères fondateurs » et sollicitant la production de récits originaux, Gernsback donne au genre une identité reconnaissable, malgré les mutations considérables qu'il a connues depuis.

La SF apparaît au moment où la littérature (Maurois, Zamiatine, Huxley, Capek...) commence à s'intéresser à l'extrapolation scientifique et sociale. Confinée dans des magazines de grande consommation, les *pulps*, elle subit un discrédit qui n'a pas complètement disparu aujourd'hui. De plus, la confiance absolue dans la science (dominante jusqu'aux années 1950 environ) a contribué à élargir le fossé qui la sépare de la littérature légitime, qui ne partage pas sa relation avec l'essor scientifique. Il en est résulté un « effet de ghetto » : celui-ci a rapproché ces écrivains de leur lectorat, mais il a provoqué une méfiance réciproque entre ceux-ci et le public lettré en général, malgré le rôle d'initiateurs joué en France par des écrivains comme Vian, Queneau ou Butor ; malgré aussi les incursions du nouveau roman (Ollier, Ricardou) et l'intérêt de plusieurs écrivains de SF (Drode, Jeury, Brussolo) pour l'expérimentation formelle.

Les transformations majeures du genre ont tenu, d'une part, au renouvellement de son répertoire thématique et formel (ouverture aux sciences humaines, ironie face aux clichés du genre, variations narratives, etc.) et, d'autre part, aux efforts de certains écrivains pour rapprocher la SF de l'avant-garde littéraire. Sporadiques en France (sauf dans la B. D., avec Druillet par exemple), ces tentatives ont pris un tour plus systématique dans les pays anglo-saxons, autour de la revue *New Worlds* (1964-1970) et de l'anthologie *Dangerous Visions* (1967). À la fin du XXe s., la SF semble avoir tiré la leçon des expériences passées, et viser un compromis entre les préoccupations formelles et l'intérêt de l'intrigue. Les premières études universitaires ont commencé à paraître sur ce sujet dans les années 1970.

Après une relative éclipse (alors que *Metropolis* de F. Lang, 1926, avait montré la voie), le cinéma de SF contribue largement à la popularité du genre dans les mêmes années. Il reprend souvent alors la formule du *space opera*, que la SF publiée avait délaissée depuis les années 1940. Au début des années 1980, on assiste à l'émergence du mouvement *cyberpunk*, marqué par une ouverture aux nouvelles technologies informatiques et un traitement inspiré du roman noir. Aujourd'hui encore, la SF demeure une « paralittérature de petite consommation » que le public connaît surtout à travers ses best-sellers et son versant cinématographique. Ceux-ci donnent une idée partielle de la diversité atteinte par le genre : la SF est dorénavant un domaine où cohabitent récits d'aventures, spéculations métaphysiques et – sur un mode parfois proche de l'apologue – réappropriations gauchistes ou féministes, expériences sur les formes du récit, euphorie et frayeurs devant les conséquences de la science.

▶ CLUTE J. et NICHOLLS P. (dir.), *The Encyclopedia of Science Fiction*, New York, St. Martin's Griffin, 1995. — GUIOT D., LAURIE A. & NICOT S., *Dictionnaire de la science-fiction*, Paris, Hachette, 1998. — KLEIN G., *Malaise dans la science-fiction*, Metz, H.-L. Planchat, 1977. — SAINT-GELAIS R., *L'empire du pseudo : modernités de la science-fiction*, Québec, Nota Bene, 1999. — VAN HERP J., *Panorama de la science-fiction*, Verviers, Marabout, 1973.

Richard SAINT-GELAIS

→ *Apologue, Best-seller, Conte ; Utopie, Paralittérature ; Populaire (Littérature) ; Sciences et Lettres ; Voyage.*

SCOLASTIQUE

Le terme de scolastique désigne une méthode d'analyse et d'enseignement de la philosophie et de la théologie relativement homogène qui s'est développée dans les universités médiévales d'Europe occidentale au Moyen Âge tardif. Dérivée de la didactique aristotélicienne et arabe, la méthode scolastique s'adapte à l'exercice du commentaire et de la discussion propre à l'univers pédagogique médiéval. On a par ailleurs employé le terme de « néo-scolastique » à la fin du XIXe s. et au début du XXe pour désigner une manière d'enseigner la théologie en référence aux principes de la scolastique.

La scolastique naît probablement dans les écoles de droit (à Bologne notamment) pour être ensuite transposée en philosophie et en théologie par des maîtres comme Abélard et Pierre Lombard. Le *Sic et Non* d'Abélard, le *Didascalion* de Hugues de Saint-Victor, sont pénétrés de dialectique : l'un distingue le commentaire de sa méditation, l'autre le structure en usant du *pro et contra*. Au XIIIe s., l'exégèse, qui dégageait les quatre sens de l'Écriture (herméneutique), fait place à un exposé synthétique du donné de la foi : la scolastique s'épanouit, d'abord dans une pratique universitaire, la *disputatio*. Devant une assemblée d'ecclésiastiques, un élève fait avec son maître le commentaire d'un texte (*lectio*), qui suscite une ou des questions (*quaestiones*). Il y répond dans un débat intégrant les objections du public (*disputatio*), et dont le maître fait la synthèse (*determinatio*) : celle-ci a pris son autonomie par rapport au texte initial. La méthode scolastique est pratiquée dans un type d'écrits, les Sommes, dont la *Somme théologique* de Thomas d'Aquin est le meilleur exemple. Pour ériger en système son examen des vérités révélées, Thomas ajoute aux outils de la tradition exégétique (Écritures, littérature patristique) les *Sentences* de Pierre Lombard, 1160, un commentaire de la théologie chrétienne déjà synthétique. Surtout, sous l'influence d'Avicenne et d'Averroès, il emprunte à l'aristotélisme ses procédés logiques de division et de distinction, ainsi que la tripartition de la réflexion en métaphysique, physique et morale. Mais une partie du milieu ecclésiastique craint que la systématisation des vérités révélées à l'aide de la philosophie grecque et arabe ne mette en danger la tradition chrétienne, l'exercice de la raison compromettant l'inconditionnalité de la foi : au XIVe s., le nominalisme de Duns Scot, puis de Guillaume d'Ockham pose des limites à la scolastique en distinguant la « puissance absolue » de Dieu, inaccessible à la raison, et la « puissance divine ordonnée », soumise aux lois de nature. Parfois prétexte à de subtiles arguties, la scolastique est décriée par les humanistes et les protestants, avant de subir l'assaut du cartésianisme et de l'*Aufklärung*, qui fixent à la raison d'autres buts que la compréhension du monde dans une perspective chrétienne. La néo-scolastique a été enseignée dans les universités catholiques d'Europe, notamment chez les jésuites. Ils se réfèrent surtout à l'œuvre thomiste, pour en retenir moins les conclusions que les procédés formels.

La scolastique constitue un fait culturel majeur au Moyen Âge. Au plan théologique, elle a permis de poser de manière nouvelle la relation entre la science et la croyance. Ses principes formels ont été rapprochés de ceux de l'architecture gothique (Panofsky) : servante de la théologie (*ancilla theologiae*), elle s'assimile au thomisme, qui établit la *concordia discordantium* (harmonie des contraires) de la raison et de la foi. Au plan herméneutique, elle apporte plus de scientificité et une méthode d'analyse externe au commentaire et à l'exégèse, disciplines qui sont déjà caractérisées par une tradition d'analyse (cercle herméneutique) et par une communauté de textes et de lectures. L'apport de nouvelles méthodes d'analyse a engendré de nouvelles interrogations qui sont susceptibles de remettre en question les assises traditionnelles de l'autorité des textes canoniques.

La scolastique a également favorisé l'adaptation de critères scientifiques à des textes relevant de la croyance partagée ou de la conviction personnelle. La rupture, qui s'est produite à la Renaissance au sein du champ religieux entre la méthode scolastique et la méthode exégétique grammaticale de l'Antiquité tardive, a précipité l'institution de la discipline littéraire au sein du champ universitaire. Contrairement à la scolastique, la discipline littéraire insistait sur un rapport de type consensuel et privé au texte canonique.

▶ CHENU M. D., *La théologie comme science au XIIIe siècle*, Paris, Vrin, 3e éd., 1957. — GRABMANN M., *Geschichte der scholastichen Methode*, Freiburg ; 1906-1911. — LE GOFF J., *Les intellectuels au Moyen Âge*, Paris, Le Seuil, 1957. — PANOFSKY E., *Architecture gothique et pensée scolastique*, 1951, Paris, trad. P. Bourdieu, Minuit, 1967. — VERGER J., *L'essor des universités au XIIIe siècle*, Paris, Le Cerf, 1997.

Véronique DOMINGUEZ

→ *Commentaire ; Exégèse ; Formalisme ; Réforme catholique ; Religion ; Rhétorique ; Tradition.*

SÉMANTIQUE

La sémantique est, dans le domaine de la sémiotique, et particulièrement dans l'importante subdivision de celle-ci qu'est la linguistique, la sous-discipline qui s'occupe du sens. Si dans les différents éléments qui constituent un signe, stimulus et signifiant constituent ensemble la « porte d'entrée » du signe – ce qu'on appelle le « plan de l'expression » – signifié et référent constituent ensemble le « plan du contenu », point d'aboutissement du signe. C'est donc ce plan du contenu qui constitue l'objet de la sémantique. Si l'objet le plus immédiat est le vocabulaire, les unités du plan du contenu sont évidemment d'extension variable : les atomes de sens que sont les sèmes (par exemple « animalité » dans « chat ») constituent ainsi de telles unités, mais une phrase, par exemple, a aussi un sens qui ne résulte pas de la simple addition du sens de ses composants, de sorte qu'une grammaire du texte et du discours doit avoir, elle aussi, un composant sémantique.

La question du sens est évidemment au cœur de la philosophie du langage, qui s'est développée depuis la plus haute Antiquité, se confondant souvent alors avec la grammaire et la rhétorique. On ne s'étonnera donc pas de le trouver non seulement chez les grammairiens hellénistiques, mais encore dans les premières métaphysiques médiévales, chez les scolastiques, et chez les « modistes » des XIIIe et XIVe s., et cette réflexion ne cesse de se prolonger, de nos jours, en phénoménologie et en herméneutique. Le sens est également un objet de préoccupation pour l'anthropologie, qui considère l'homme comme un « animal symbolique », ou pour la psychanalyse pour qui c'est bien dans l'énonciation que le moi se forme.

Dans le domaine de la linguistique, le sens est un objet à éclipses. Il est bien sûr très présent dans la linguistique pré-scientifique, habitée par l'esprit étymologique : connaître la vie des mots, c'est en effet accéder à leur sens véritable. Mais tout à l'établissement des lois de l'évolution linguistique, les néogrammairiens se sont penché sur la partie de la langue où cette formalisation est la plus aisée – la phonétique – au détriment de la sémantique. Quant à la linguistique générale moderne, quoique postulant nécessairement l'existence d'une sémantique, elle s'est longtemps méfiée de cet objet, faute de pouvoir l'observer de manière objective, sans passer par l'introspection. Dès lors, un bon nombre d'écoles linguistiques – le distributionnalisme, la grammaire transformationnelle – ont pu être considérées comme des formalismes. La question du sens est cependant revenue en force à partir des années 1960 (et notamment à la suite de la parution de la *Sémantique structurale*, de A.-J. Greimas, en 1966).

La sémantique se développe aujourd'hui dans trois directions. D'une part, elle propose des règles d'analyse fine, directement inspirées de la méthodologie structuraliste. Ces recherches ont de notables retombées technologiques en matière de traitement automatique des textes, d'intelligence artificielle ou en traduction assistée par ordinateur. Par ailleurs, elle permet d'envisager la langue comme un instrument d'action sociale – c'est alors la pragmatique. Dans le cadre de cette pragmatique, la sémantique est amenée à traiter du cas des sens implicites – présupposés, sous-entendus, figures – dont la littérature fait un usage tout particulier. Enfin, troisième évolution, la sémantique contemporaine considère également le sens comme une interface des sujets parlant avec le monde. Cette sémantique cognitive plonge ses racines dans l'hypothèse Sapir-Whorf, en l'inversant : selon cette hypothèse, ce sont les structures de la langue qui permettent de penser et d'organiser le monde ; mais la recherche nouvelle tente de montrer comment les façons de percevoir le réel forcent les systèmes de signes à s'organiser de telle manière plutôt que de telle autre. La sémantique devient ainsi inséparable de l'étude de la vision du monde que les cultures développent : elle aborde alors notamment la littérature, et dans celle-ci, autant que les mots, les topiques et les figures. Les *topoi*, en effet, constituent des « réservoirs de sens » et les figures poétiques peuvent susciter des configurations nouvelles, des images inédites offrant des sens inattendus.

▶ AUROUX S., *La philosophie du langage*, Paris, PUF, 1996. — GREIMAS A.-J., *Sémantique structurale*, Paris, Le

Seuil, 1966. — RICŒUR P., *La métaphore vive*, Paris, Le Seuil, 1975.

Jean-Marie KLINKENBERG

→ *Herméneutique ; Linguistique ; Grammaire ; Figure ; Philosophie ; Sémiotique ; Topique ; Vocabulaire.*

SÉMIOTIQUE

Science dont l'objet est l'ensemble des processus de signification – processus dont le signe est l'instrument –, la sémiotique constitue un lieu où viennent converger de nombreuses sciences : anthropologie, sociologie, psychologie sociale, psychologie de la perception et plus largement sciences cognitives, philosophie, et spécialement épistémologie, linguistique et disciplines de la communication. Cette discipline comporte différents niveaux de complexité. On peut parler de sémiotique générale quand son ambition est de rendre compte du point commun de tous les langages, humains ou non : le sens. En second lieu viennent les sémiotiques particulières, ou spécifiques : chacune d'entre elles fournit la description technique des règles particulières – ou grammaires – qui président au fonctionnement d'un langage particulier, langage considéré comme suffisamment distinct des autres pour que l'autonomie de sa description soit garantie ; ainsi le littéraire, l'image... Le troisième niveau d'étude est celui des sémiotiques qui appliquent les résultats obtenu au second niveau à des objets particuliers : telle œuvre littéraire, filmique...

Si ses sources remontent à l'Antiquité, qui s'était déjà souciée d'établir les grandes règles présidant à la communication en société, la sémiotique n'a fait que récemment son entrée parmi les disciplines reconnues dans le champ des sciences humaines et faisant l'objet d'un enseignement. C'est en effet à partir de 1960 seulement qu'elle a tendu à s'institutionnaliser. Toutefois, le domaine de compétence du sémioticien n'a jamais aussi peu fait qu'aujourd'hui l'objet d'un consensus explicite. Ces divergences remontent au début du siècle, au moment où l'existence de la sémiotique a été postulée par l'Américain Charles S. Peirce d'une part et par le genevois Ferdinand de Saussure de l'autre. Le second, utilisant le terme de « sémiologie », insistait sur le rôle des signes dans la communication, et rangeait la discipline parmi les sciences sociales tandis que le premier, utilisant le terme de « sémiotique », mettait l'accent sur son aspect cognitif et logique, et l'inscrivait davantage dans le champ des disciplines philosophiques. Les deux pères fondateurs convergeaient toutefois sur deux points importants : d'abord pour faire de ce qu'ils nommaient l'un et l'autre sémiotique la science des signes ; ensuite pour mettre en avant l'idée que ces derniers fonctionnent comme un système formel. Souligner ceci est suggérer que, puisant leur inspiration dans la tradition de la logique moderne, les études sémiotiques ont surtout trouvé leurs méthodes concurremment avec le développement de la linguistique générale au milieu du XXe s., lorsque cette dernière, avec Troubetzkoï, Hjelmslev, Jakobson, Martinet, s'est attachée à mettre en évidence le caractère structuré du langage. C'est l'application de la méthodologie structuraliste à d'autres domaines que celui de la langue qui a permis à la sémiotique de passer de l'état virtuel à celui de réalité : travaux de Claude Lévi-Strauss en anthropologie, de Roland Barthes ou d'Eliseo Verón en sémiotique sociologique, de Jacques Lacan en psychanalyse, de Christian Metz en sémiotique cinématographique... Rapidement, la sémiotique s'est ainsi présentée comme une science-carrefour, aux prétentions qui ont pu être taxées d'impérialistes, forçant le chercheur à l'interdisciplinarité vu la variété des domaines touchés, mais aussi produisant l'éclatement dont il a été question. Car on peut parler d'éclatement : après quelques tentatives de synthèse (dont le *Traité de sémiotique générale* de U. Eco), l'empire sémiotique en voie de constitution sous la bannière structuraliste s'est fragmenté en provinces.

Cette situation ne doit pas masquer qu'un accord tacite existe sur un point capital : la sémiotique n'a pas d'objet propre (pas plus d'ailleurs que la sociologie ou la psychologie), mais constitue une grille d'analyse des phénomènes affectant le vivant. Elle approche ces phénomènes en posant une question qui fait son originalité : quel est leur sens ? C'est ce noyau qui explique les grandes tendances de la sémiotique contemporaine. Car si elle n'a pas d'objet propre, la sémiotique a aujourd'hui un faible pour certains faits. Citons : les phénomènes visuels que l'on peut qualifier d'artistiques (peinture, photo, cinéma, vidéo...), ceux qui s'inscrivent dans l'espace (paysages, jardins, vitrines, architecture, sculpture...), les artefacts servant à la communication (signalisations routières ou autres, héraldique, gestualité, langage des sourds...), les phénomènes sociaux (le droit, les relations de pouvoir) et plus généralement ceux qui mobilisent l'intersubjectivité (l'amour, les passions...) ; parmi tous ces phénomènes, il faut pointer ceux qui transitent par le canal verbal : arts de la langue, comme la littérature, discours sociaux. Ce privilège donné à une classe hétérogène d'objets est accidentel, et non essentiel : si des phénomènes comme le récit ou l'image visuelle semblent aujourd'hui être de bons objets sémiotiques, c'est à la fois parce que les méthodes mises au point par la discipline se sont révélées particulièrement fécondes dans leur cas, mais aussi et surtout parce qu'ils n'avaient jusqu'ici pas fait l'objet d'approches parentes de celle de la sémiotique. Car les frontières entre les sciences sont souvent tracées par les hasards de l'histoire. Il y a ainsi une discipline solidement et depuis longtemps institutionnalisée, qui s'occupe d'une sémiotique particulière : la linguistique, qui étudie la langue. Or cette linguistique a mis au point des méthodes qui relèvent de plein droit de la sémiotique. Mais la priorité historique de leur discipline fait que peu de linguistes, même spécialistes en sémantique, accepteront de se dire sémioticiens. Il n'en va pas de même pour l'image visuelle, que l'on peut prendre pour exemple : cet objet, en effet, n'était jusque-là approché que par l'esthétique, la sociologie, ou l'histoire de l'art. Parentés qui n'a cessé de peser sur les travaux de Lyotard, Damisch, Marin, mais dont les sémiotiques visuelles contemporaines – J.-M. Floch, F. Thürlemann, J. Fontanille, F. Saint-Martin, G. Sonesson, le Groupe µ – tentent de se dégager. Ce mécanisme institutionnel fait qu'à un certain moment, la sémiotique a également pu se pencher sur divers objets linguistiques momentanément délaissés par la linguistique et qui n'avaient été envisagés que par la critique littéraire ou par la stylistique : il en va ainsi du récit linguistique, des mécanismes discursifs et textuels, ou encore des figures. Une sémiotique ou sémiologie littéraire, qui a pris le nom de « poétique », s'est ainsi constituée, qui a essaimé en diverses directions (narratologie, sémanalyse, néo-rhétorique...), et a pu faire avancer le savoir sur les structures du texte littéraire et proposer des techniques d'analyse très formalisées.

La réflexion linguistique s'est aujourd'hui engagée dans deux directions nouvelles : ayant brisé avec l'isolement du code conçu comme une structure autonome, elle envisage la langue comme un instrument d'action sociale – c'est alors la pragmatique –, mais aussi comme une interface des sujets parlant avec le monde – c'est la linguistique cognitive. La sémiotique contemporaine ne suit pas cette évolution avec servilité. Elle a en effet cessé de voir son modèle exclusif dans la linguistique. C'est en tout cas vrai pour les deux grandes écoles qui dominent l'univers sémiotique : l'école peircienne, qui s'est par tradition tenue assez loin de la linguistique, et la greimassienne, qui s'en est progressivement éloignée. Toutefois, certaines inflexions montrent que la sémiotique connaît une évolution parallèle, telle qu'elle pourra continuer à prendre du service dans les recherches littéraires : importance accordée au phénomène de l'interprétation dynamique des énoncés (U. Eco, F. Rastier), accent mis sur la dynamique sociale (E. Landowski), sur l'intersubjectivité (H. Parret, A. Hénault), ou sur les processus cognitifs (Groupe µ). Si les liens de la sémiotique avec la linguistique se distendent, il semblent par contre qu'ils se resserrent avec les disciplines dont elle procède plus lointainement, le long d'un fil qui court jusqu'à l'Antiquité : outre la linguistique, ses marraines sont en effet aussi la rhétorique et surtout la philosophie du langage. À l'instar de cette devancière, la sémiotique contemporaine se veut moins description technique des communications qu'interrogation – ou spéculation – sur la question du sens, ce sens qui est une donnée littéraire importante.

▶ ECO U., *Trattato di semiotica generale*, Milan, Bompiani, 1975. — KLINKENBERG J.-M., *Précis de sémiotique générale*, Paris, Le Seuil, 2000. — REY A. (dir.), *Théories du signe et du sens. Lectures*, Paris, Klincksieck, 2 vol., 1973 et 1976.

Jean-Marie KLINKENBERG

→ *Herméneutique ; Linguistique ; Poétique ; Recherche en littérature ; Rhétorique ; Sémantique ; Signe ; Signification ; Stylistique.*

SENS → Herméneutique ; Pragmatique ; Sémantique ; Signification

SENSUALISME

École ou courant philosophique du XVIIIe s. caractérisé par une théorie de la connaissance issue de Locke et opposée à la théorie cartésienne des idées innées. Le sensualisme postule que toutes nos connaissances et toutes nos idées proviennent des sens. Le représentant principal de ce courant est Condillac, qui propose dans le *Traité des sensations* (1754) une célèbre analogie entre l'homme et une statue progressivement sensible et intelligente ; on considère parfois les Idéologues (Cabanis, Destutt de Tracy) comme des sensualistes dans la filiation de Condillac. D'autre part, la plupart des Encyclopédistes, en particulier Diderot, sont souvent présentés comme des vulgarisateurs du sensualisme, ou comme des écrivains influencés par le sensualisme.

Le terme « sensualisme » (ou « sensualiste ») ne date pas du XVIIIe s. Il apparaît pour la première fois au début du XIXe s., et son succès est dû à Victor Cousin, qui fait du sensualisme le courant dominant du siècle précédent dans son *Cours d'histoire de la philosophie* (1829). Il s'agit donc d'un terme d'historien de la philosophie pour lequel le problème central et pérenne de la philosophie est celui de la connaissance. Selon Cousin, l'histoire de la philosophie est à la fois cyclique et orientée : les quatre réponses possibles à la question fondamentale de l'origine des idées et des connaissances ont alterné dans le temps en se corrigeant mutuellement, jusqu'au moment où la philosophie, en réfléchissant sur sa propre histoire, a pu enfin prendre à chaque doctrine ce qu'elle avait de bon. Le sensualisme, au fond, ne ferait que reprendre l'axiome scolastique *Nihil est in intellectu quod non prius fuerit in sensu* (il n'y a rien dans l'esprit qui n'ait d'abord été dans les sens), mais comme une réplique à l'idéalisme cartésien dont il permettrait de faire apparaître les failles. La formulation la plus claire de cette réplique est attribuée à Locke, dont les sensualistes français du XVIIIe s. n'auraient fait que diffuser les idées, ce qui permet également à Cousin, dans une perspective polémique, de présenter les matérialistes, La Mettrie ou d'Holbach, comme des disciples égarés de Locke, et non pas comme les représentants d'une véritable doctrine philosophique. Du système cousinien, l'usage actuel du terme « sensualisme », littéraire autant que philosophique, conserve la périodisation qu'il implique, qui sépare le XVIIe s. cartésien du XVIIIe s. lockien, c'est-à-dire aussi, pour la France, un siècle philosophiquement créateur d'un siècle de simple propagande philosophique prise en charge par des écrivains (qui ne sont pas censés être d'authentiques philosophes) comme Voltaire ou Diderot. En outre, parler de sensualisme à propos de Diderot revient à accorder à sa théorie de la connaissance une importance plus grande qu'à sa conception matérialiste de l'organisation de l'univers : il s'agit donc déjà d'un choix herméneutique.

L'usage du terme « sensualisme » pose deux problèmes indissociables. Il est d'abord difficile de faire de cette étiquette polémique une véritable désignation d'école, à la différence par exemple de l'Idéologie qui est une dénomination d'époque. Quand on y regarde de près, la plupart du temps seul Condillac est nommé quand il faut donner des noms. On se contente le plus souvent de parler d'une influence sensualiste, d'une tendance ou d'une attitude sensualiste qui serait perceptible chez la plupart des auteurs du XVIIIe s., même antérieurs à Condillac ou sans lien avec lui. Au fond, le mot renvoie moins à une doctrine philosophique précise qu'à un primat de la sensibilité supposé caractéristique des écrivains du siècle des Lumières, à une sorte d'esprit du siècle. En effet, le deuxième problème est la représentation du XVIIIe s. dont on hérite quand on utilise ce terme, c'est-à-dire pour commencer la conception même d'un « siècle » dont on est amené à chercher la spécificité du côté des « idées », forcément différentes de celles du « siècle » précédent. L'étude du « sensualisme » d'un auteur du XVIIIe s. conduit nécessairement à faire de l'histoire des idées, et à la fonder sur des lieux communs interprétatifs comme celui de la vulgarisation philosophique ou de l'esprit des Lumières.

▶ BLOCH O., « Sur l'image du matérialisme français du XVIIIe siècle dans l'historiographie philosophique de la première moitié du XIXe siècle : autour de Victor Cousin », *Images au XIXe siècle du matérialisme du XVIIIe siècle*, Paris, Desclée, 1979, p. 37-54. — CASSIRER E., *La Philosophie des Lumières*, trad. P. Quillet, Paris, Fayard, 1966. — DERRIDA J., *L'archéologie du frivole*, avant-propos à l'*Essai sur l'origine des connaissances humaines* de Condillac, Paris, Galilée, 1973.

Dinah RIBARD

→ *Influence ; Idéologues ; Lumières ; Périodisation.*

SERMON

Le mot « sermon » désigne à l'origine tout discours ordonné selon les lois de la rhétorique et composé en vue d'une présentation orale. Il a pourtant très tôt pris un sens spécialisé, lié aux pratiques de l'éloquence sacrée : on entend donc par sermon un discours prononcé en chaire par un prédicateur en vue de la conversion des mécréants ainsi que de l'instruction des croyants. Le sermon a pour but d'annoncer le salut offert par le Christ en puisant dans le témoignage de l'Écriture sainte les lignes de force de son exposé.

Deux épisodes du Nouveau Testament servent de modèles à la prédication chrétienne : le « Sermon sur la Montagne », qui inaugure le ministère de Jésus, et celui de l'apôtre Pierre, à l'occasion de la Pentecôte, rapporté dans les *Actes des Apôtres.* Adressés à un auditoire nombreux, ils se proposent d'éclairer les fondements de l'œuvre du Messie. Le Sermon sur la Montagne est le principal exposé de doctrine de la bouche du Christ, conservé par les évangiles. Le discours de Pierre tire son autorité de l'inspiration du Saint-Esprit qui donne son sens à la Pentecôte. À leur suite, le sermon est prononcé lors du prêche, dans une messe ; une série majeure en est donnée chaque année au moment du carême. Il a d'abord été fait en latin, mais la nécessité d'assurer l'édification spirituelle du plus grand nombre a conduit, dès le Moyen Âge, à l'abandon progressif du latin au profit des langues vernaculaires. À la Renaissance, des sermons de Calvin ont été consignés par des auditeurs bénévoles : signe que cette forme était prestigieuse et de grande influence. Au XVIIe s., l'éloquence de la chaire est un des lieux où se forge le prestige de la prose et le sermon est alors un des grands genre de la littérature, qu'illustrent des auteurs comme Bossuet, Bourdaloue, Massillon dont les sermons sont rapidement publiés. Cette pratique s'est poursuivie, même si après la Révolution le sermon apparaît comme un genre réservé à la pratique religieuse plus que comme un élément de la littérature générale.

Le sermon soulève trois questions : celle de sa structure, celle de sa publication, celle de sa place en littérature. Cette forme a toujours pour point de départ une référence biblique (appelée le « texte »), énoncée au début, et expliquée ensuite. Elle donne lieu à un commentaire exégétique et à une exhortation morale qui en découle. En théorie, le sermon se distingue de l'homélie : l'une propose un commentaire détaillé de l'évangile du jour alors que l'autre est plus libre dans sa référence scripturaire. Cependant les deux ont eu tendance à se confondre dès l'époque patristique.

Le sermon, comme la plaidoirie judiciaire, à laquelle il emprunte les enseignements des rhéteurs, est conçu en fonction d'une publication orale unique : il est fait pour être prononcé en une occasion particulière, devant un public déterminé. Pour autant, il ne constitue pas seulement une forme de la littérature orale. L'élaboration d'un sermon croise constamment les pratiques de la culture écrite, à commencer par la référence scripturaire qui en définit le thème. L'exégèse biblique, le travail sur les sources, qui informent l'interprétation du texte commenté, ressortissent aux habitudes intellectuelles des lettrés. L'écrit ne cesse de hanter ce discours, en amont et en aval de son énonciation. En ce sens, l'éloquence sacrée partage quelques traits avec le théâtre. Cependant la mise en écrit des sermons, leur édition et leur intégration au monde du livre ont suivi diverses voies suivant les circonstances et les époques. Les sermons médiévaux nous ont été conservés par les homéliaires qui sont des modèles fabriqués à l'avance à l'usage des prédicateurs. D'autres ont été notés par des auditeurs, comme ce fut le cas pour les sermons de Calvin au XVIe ou de Senault au XVIIe s. Enfin certains ont pu être conçus dès l'origine pour passer à la postérité par le biais de leur publication ou encore être publiées d'après les notes préparatoires de l'orateur, comme c'est le cas pour les grands prédicateurs du règne de Louis XIV, Bossuet ou Bourdaloue. Dès lors, ils entrent en littérature à plusieurs titres. Pour leur qualité textuelle, où le didactique se mêle souvent de souffle épique ou pathétique (Bossuet) pour traiter de la justice sociale (*Sermon sur l'éminente dignité des pauvres*) ou du salut (*Sermon sur la mort*). Mais aussi par leur diffusion orale, qui provoque souvent des émotions fortes dans l'auditoire ; par leur publication imprimée, qui en multiplie la lecture mais en fait aussi des « classiques » de la littérature : Bossuet ou Bourdaloue ont été longtemps des auteurs majeurs dans les programmes scolaires.

▶ BOSSUET J.-B., *Oraisons funèbres*, J. Truchet (éd.), nouvelle éd. mise à jour, Paris, Garnier, 1998. — FUMAROLI M., *L'âge de l'éloquence. Rhétorique et « res litteraria » de la Renaissance au seuil de l'époque classique*, Genève, Droz, 1980. — ZINK M., *La prédication en langue romane avant 1300*, Paris, Champion, 1982.

Yasmina FOEHR-JANSSENS

→ *Apologie ; Bible ; Christianisme ; Discours ; Éloquence ; Oralité ; Publication ; Rhétorique.*

SIGNATURE

Attesté dans les documents de l'École de Chartres depuis 1430, le vocable « signature » désigne le nom propre ou la marque qu'une personne appose à un écrit ou à une œuvre pour en garantir l'exactitude, en approuver le contenu et en assumer la responsabilité. Au figuré, la signature désigne l'ensemble des traits particuliers qui permettent de reconnaître la manière d'un auteur ou d'un artiste.

L'apparition de la signature sur les œuvres d'art et sur le livre est corrélative de celle du statut de l'artiste. Elle s'impose avec le prestige reconnu aux auteurs. Au Moyen Âge, pour les ouvrages en langue vulgaire (le français), l'usage le plus courant est que l'auteur reste anonyme, mais les textes présentent quelquefois une signature, y compris sous la forme d'une anagramme, d'une devise voire d'une anecdote. L'apparition de l'imprimé et de ses conséquences, le privilège d'édition et la censure systématisée impose l'usage du nom propre sur le livre. Le concile de Trente (1546), s'attaquant ainsi à la Réforme, exige que cesse l'impression de livres sans nom d'auteur. En 1566, l'ordonnance de Moulins oblige les libraires-imprimeurs à stipuler leur nom et adresse. La mention du nom légal de l'auteur est exigée cinq ans plus tard. À l'âge classique, la signature devient le meilleur moyen de faire opposition au plagiat. La loi du droit d'auteur de la Convention (1793) attribue la propriété artistique aux signataires, sauf dans le cas des femmes, toujours régies par des lois qui leur dénient la propriété, laquelle est transférée au mari ou au père. Au XIXe s., l'obligation de signer s'étend aux périodiques : signature du propriétaire ou du gérant au bas de chaque exemplaire du journal, puis, avec la loi de 1850, celle de l'auteur pour les articles de politique, philosophie et religion. La loi de 1957, confirme la relation entre la signature (nom propre ou pseudonyme déclaré) et la propriété littéraire.

Mais en un autre sens, au XIXe s., avec le développement de la science bibliographique et la philologie, la signature prend une valeur nouvelle : identification des écrits apocryphes, authentification des signatures, chasse aux supercheries et aux mystifications témoignent d'une volonté de classement qui fait de la signature le « signe » de l'auteur, un déterminant fondamental du sens d'une œuvre et, dans certains cas, amène à regarder le style comme la marque spécifique d'un auteur, sa « signature » esthétique.

Au sens strict, la signature fait référence au paraphe manuscrit apposé sur le contrat d'édition qui, seul, authentifie la propriété et la responsabilité de l'auteur. Juridiquement, la signature qui paraît sur le livre inclut le nom de l'auteur, mais aussi celui de l'éditeur voire de l'imprimeur. Aussi est-elle d'abord la représentation symbolique des acteurs, des conditions institutionnelles et des procédures qui assurent la transformation d'un écrit en texte et son inscription dans le marché littéraire.

Mais, parce qu'elle n'est pas autographe, la signature qui paraît sur le livre ne garantit pas l'authenticité. Son histoire se confond avec celles de la supercherie et de la mystification littéraires, apparues en même temps qu'elle, comme l'est celle de l'anonymat et du pseudonyme en tant que volonté de masquer l'auteur ou l'éditeur réel (par l'absence ou par une fausse signature). De même, l'écrivain « nègre », rétribué pour son travail, cède la signature à quelqu'un d'autre. Enfin, la signature peut être multiple, un même auteur pouvant utiliser plusieurs signatures, dont le nom propre n'est qu'un cas, initiales, référence (« par l'auteur de... »), pseudonyme y contribuant aussi.

Ces jeux de masque remettent en question l'homogénéité de l'œuvre ou de filiation entre textes que postule le nom d'auteur (Foucault). L'idée dominante est celle de l'équivalence entre une signature, une œuvre et une manière, un style. Mais les cas abondent de signature (affichée) et de styles différents pour un même auteur. Celui de Jacques Laurent / Cécil Saint-Laurent illustre la présence de deux œuvres autonomes, l'une dans le champ de production restreinte (signée Jacques Laurent), l'autre dans le champ de grande production (Cécil Saint-Laurent). De même, Émile Ajar / Romain Gary, mais pour le même champ de production. Ces doubles jeux attestent que la signature ne se borne pas à valider un texte, mais en devient ainsi un fragment, soit du texte lui-même (comme le propose Derrida), au moins du paratexte (comme l'affirme Genette).

▶ DERRIDA J., « Signature événement contexte », *Limited Inc.*, Paris, Galilée, 1990. — FOUCAULT M., « Qu'est-ce qu'un auteur ? », *Bulletin de la Société française de philosophie*, LXIV, 1969, p. 73-104. — FRAENKEL B., *La signature. Genèse d'un signe*, Paris, Gallimard, 1992. — KAMUF P., *Signatures, ou l'institution de l'auteur*, Paris, Galilée, 1991. — LEMELIN J.-M., « L'Institution littéraire et la signature (Notes pour une taxinomie) », *Voix et images*, VI, 3, printemps 1981, p. 409-433.

Lucie ROBERT

→ *Anonymat ; Auteur ; Écrivain ; Édition ; Mystification ; Propriété littéraire ; Pseudonyme ; Style.*

SIGNE

« Signe » est une adaptation du latin *signum*, qui, à côté de diverses acceptions dont plusieurs entrent dans le concept actuel du mot (emblème, signal, symptôme, présage, etc.), avait le sens général d'« empreinte, marque distinctive ». Dès ses premiers emplois en français, le terme désigne un élément qui représente une chose ou une idée absentes. Depuis la Renaissance, « signe » évoque un objet matériel simple, perceptible, qui est pris pour substitut d'une réalité complexe différente de lui-même, et tout particulièrement, les éléments de nature linguistique dont se compose toute forme d'énoncé.

La réflexion sur le signe semble apparaître pour la première fois dans l'aire culturelle occidentale avec les stoïciens. S'il existe donc une pensée sémiotique dès l'Antiquité, le Moyen Âge et, en particulier, la grammaire spéculative du XIVe s., entraînent d'importants changements dans ce domaine : en associant les idées générales aux mots, le nominalisme peut être considéré comme l'ancêtre de toutes les théories qui rapportent le sens au signe plutôt qu'au concept. Dès le XVIIIe s., l'intérêt s'étendra aux pratiques signifiantes telles que la poésie, le mythe, etc., et à d'autres qui n'empruntent pas le matériau verbal. Au XXe s., le linguiste Ferdinand de Saussure, père du structuralisme, et le philosophe américain Charles Sanders Peirce, donnent à la théorie du signe son indépendance et créent les fondements de la sémiotique en établissant que les signes font système et n'ont de sens qu'à l'intérieur de ce système.

Leurs travaux vont permettre un nouveau déploiement de l'explication des textes littéraires conçus comme des ensembles sémiotiques complexes.

Les études littéraires inspirées par l'analyse structurale se basent sur les acquis de la phonologie. Le signe, divisé en une face signifiée (l'idée de l'éléphant) et une face signifiante (le mot « éléphant »), y est clairement posé comme une unité qui peut être considérée en dehors de tout référent (le pachyderme réel). Le texte est un système complexe de signes. On peut donc postuler l'existence de parallélismes entre ses diverses unités simples, entre ses composantes sonores, métriques, grammaticales ou sémantiques. Tel est le principe de l'analyse de Jakobson et Levi-Strauss sur *Les chats* de Charles Baudelaire (1962, repris in *Questions de poétique*) : toutes les composantes du texte s'organisent les unes par rapport aux autres. Cette approche permettait de dépasser l'opposition, restée vivace dans les études littéraires, entre le fond et la forme. Elle prépare les grandes tendances de l'analyse structurale de la littérature : lecture tabulaire des textes et grammaire du récit. L'explication de texte en a été renouvelée. Toutefois si, comme le rappelle Paul Ricœur, l'exégèse ne saurait déboucher d'emblée sur une interprétation, il reste que l'analyse structurale avoue d'autant ses limites. L'œuvre littéraire n'est pas redevable du seul système linguistique. S'il est possible d'envisager chaque unité signifiante dans son lien structurel aux autres unités d'un message, le discours qui les englobe convoque nécessairement un univers référentiel.

Plusieurs démarches ont tenté de lever cet obstacle. La sémiotique a étendu le concept de texte, jusqu'à englober dans cette notion des phases entières de l'histoire culturelle. On peut ainsi parler du texte de *Germinal*, du texte zolien en général, ou du texte naturaliste. La notion d'intertextualité sert précisément cet élargissement : elle convoque dans les systèmes de signes étudiés le corpus illimité des productions littéraires.

Malgré cette extension du domaine de la sémiotique, l'interprétation peine néanmoins à s'exercer tant qu'elle dénie toute pertinence au référent. Dans le domaine linguistique, la pragmatique et ses développements récents, comme, par exemple, l'analyse conversationnelle, insistent sur l'idée que le sens d'un message ne peut être pleinement saisi sans la connaissance de son contexte de production. Il en va de même dans le domaine littéraire : par ses relations au réel d'une part, par l'historicité des valeurs qui lui sont données et par la variation de ses réceptions, de l'autre, le texte littéraire demande toujours que les signes qu'il dispose soient référés aux conditions concrètes de son écriture et de sa lecture.

▶ ECO U., *Le signe : Histoire et analyse d'un concept*, trad. J.-M. Klinkenberg, Bruxelles, Labor, [1973], 1988. — JAKOBSON R., *Questions de poétique*, Paris, Le Seuil, 1973. — PEIRCE C. S., *Écrits sur le signe*, rassemblés, traduits et commentés par G. Deladalle, Paris, Le Seuil, 1978. — RIFFATERRE M., *Sémiotique de la poésie*, tr. J.-J. Thomas, Paris, Le Seuil, [1978],1983. — SAUSSURE F. de, *Cours de linguistique générale*, [1916], Paris, Payot, 1972.

Olivier COLLET

→ *Code ; Herméneutique ; Intertexte ; Linguistique ; Polysémie ; Sémantique ; Sémiotique ; Signification ; Structuralisme ; Texte.*

SIGNIFICATION

Le concept de signification désigne la relation sémantique par laquelle un terme est associé à une entité. Il porte sur les façons variables dont le signifié est défini et compris ; il diffère donc de celui sens, qui désigne une relation stable entre un signifié et un signifiant.

Forgé dans le contexte de la logique médiévale (XIIe-XIVe s.), la notion de signification a sans cesse donné lieu à des débats. Il portait alors sur les mots et les signes, laissant les discours et textes à la charge de l'herméneutique. Selon la conception réaliste, le signifié d'un terme correspondait à une entité objective ; selon la conception nominaliste, à un concept. La logique de l'âge classique, ensuite, distingue les choses, les idées qui sont des images de choses, et les mots, qui sont des images des idées (*Logique* de Port-Royal, 1662). Au XXe s., la question de la signification, d'abord assumée par la philosophie logique, a ensuite été reprise par les sciences du langage. Le *Cours de linguistique générale* (1916) de F. de Saussure définit le signe linguistique comme une entité à double face, composé d'un signifiant (forme acoustique) et d'un signifié (concept). Cette conception de la langue affirme le caractère arbitraire (conventionnel) du signe et met à distance toute considération spéculative sur les rapports entre langue et pensée, langue et réalité. La signification y est envisagée par le jeu des différences entre signes. Mais subsiste alors le problème de la référence. Ogden et Richards (*The meaning of meaning*, 1928) envisagent que le signe ne renvoie pas directement à l'objet (ou le mot à la chose), mais le désigne par la médiation du signifié qui comporte l'idée du référent. E. Benveniste (1964), distingue des « niveaux de l'analyse linguistique », ce qui permet de rendre compte de la complexité de la signification : selon lui les unités s'agencent de la plus élémentaire (trait distinctif d'un signe) à la plus élaborée (la phrase). Ces principes fondamentaux ont été appliqués, au-delà du mot, à l'analyse d'unités phonologiques, lexicologiques, phrastiques, jusqu'aux textes mêmes. Benveniste (« La forme et le sens dans le langage », 1966) propose de distinguer deux plans d'organisation du langage : sémiologique (relatif aux rapports qu'entretiennent les signes dans le système) et sémantique (rapport avec un référent). Parallèlement, la « philosophie du langage ordinaire » – issue d'une critique du logicisme –, à partir de J. L. Austin, engage une réflexion sur les « usages du langage ». Le développement de la « pragmatique intégrée » (à la sémantique) pose l'hypothèse d'une « machinerie du sens » (O. Ducrot, *Le dire et le dit*, 1985). Ses vues se fondent sur une redéfinition du concept de langue, conçue non plus comme un « système de signes », mais comme une « panoplie de rôles ». Le domaine de la sémantique s'étend dès lors à l'étude des différents aspects de l'implicite (présupposés, sous-entendus, *topoi*) et fraye la voie à une théorie générale des stratégies de discours dans les textes. D'un autre côté prenait forme, au même moment, le projet d'une « sémiologie » caractérisée comme « science des signes au sein de la vie sociale » (R. Barthes *Mythologies*, 1957). Elle prend en charge, moins l'analyse des systèmes de dénotation, que les connotations, donc le langage investi par les idéologies. Benveniste de son côté forge le concept de signifiance (manières de signifier des systèmes de signes non-linguistiques), en identifiant les liens de dérivation liant entre eux les différents systèmes.

Les différentes sémiologies supposent la traductibilité relative des systèmes : pour l'École de Palo Alto (*La nouvelle communication*, 1981), on passe par contiguïté de l'analyse de la signification à celle des données de sens manifestées par une culture entière. Ces divers travaux réintègrent l'analyse des textes et de la littérature, et rejoignent l'autre héritage de l'étude de la signification, ou interprétation des textes, l'herméneutique. La réflexion actuelle inclut la question de la réception. F. Rastier (*Sens et textualité*, 1989) estime que le travail sur le texte, « objet à part entière de la linguistique », demeure indissociable d'une réflexion sur l'« entour » culturel,le contexte. La théorie de la signification est alors reprise dans une perspective d'herméneutique générale. Dès lors, la question centrale est celle de la variabilité des significations possibles selon les situations. Elle est assez clairement manifeste dans les énoncés à double entente : ainsi le « que tu es intelligent ! » ironique a un « sens » littéral, mais une double signification, selon que le destinataire discerne ou non l'effet d'ironie. La réflexion sur la signification, par-delà les éventuelles rivalités entre écoles et discipline (linguistique, critique littéraire...) est donc le point focal – et souvent aveugle – de toute entreprise interprétative.

▶ BERTRAND D., *Précis de sémiotique littéraire*, Paris, Nathan, 2000. — BENVENISTE E., *Problèmes de linguistique générale*, Paris, Gallimard, tome I, 1966 ; tome II, 1974. — COQUET J.-C., *La quête du sens. Le langage en question*, Paris, PUF, 1997. — RASTIER F., *Sens et textualité*, Paris, Hachette, 1989. — SZONDI, Peter, *Introduction à l'herméneutique littéraire*, traduit de l'allemand par Mayotte Bollack, Paris, Le Cerf, 1989.

Georges-Elia SARFATI

→ *Contexte ; Herméneutique ; Ironie ; Sémantique ; Sémiotique ; Signe ; Pragmatique ; Texte.*

SITUATION → Contexte ; Existentialisme

SITUATIONNISME → Internationale situationniste

SOCIABILITÉ LITTÉRAIRE

La sociabilité, disposition psychologique à se plaire dans la compagnie des autres, est aussi un mécanisme social important dans la vie intellectuelle. En matière de littérature, elle se manifeste dans des activités telles que les académies et les cénacles, les salons et les cafés. Elle fonde les réseaux grâce auxquels les auteurs se lient avec les autres auteurs et avec ceux qui les lisent, les soutiennent ou les critiquent : elle offre donc un élément d'équilibre à l'activité essentiellement solitaire qu'est la création littéraire, et un canal à la diffusion des idées et des modèles. En retour, la littérature est aussi un facteur de sociabilité.

La vie de l'esprit est inséparable des lieux où elle s'exerce. Au Moyen Âge, les monastères et certaines cours jouent le rôle de foyers intellectuels. Des académies sont créées dès la Renaissance, en Italie d'abord. Les universités, les librairies, mais également les cabarets (dans le quartier latin par exemple) servent de cadre aux rencontres et aux querelles de la vie littéraire. Les imprimeries-librairies ont été, à leurs débuts, des lieux de rencontre recherchés, où les humanistes se rencontraient, voire travaillaient (dans la période moderne, certaines librairies jouent encore ce rôle). Les salons deviennent une institution importante de la vie littéraire à partir du XVIIe s., et ils le restent jusqu'à la Seconde Guerre mondiale. Ils réalisent une certaine mixité sociale, en réunissant le monde des arts et des lettres avec celui de l'aristocratie, puis d'une partie de la bourgeoisie, de la politique et des affaires, et les écrivains d'origine modeste y trouvent souvent des leviers pour leur ascension sociale. Les cénacles et les cercles, puis les groupes littéraires apparaissent dans les années du XIXe s. où le champ littéraire affirme son autonomie. Ils se présentent comme des regroupements défendant des objectifs communs de recherche et d'expérimentation. La spéculation esthétique est quelquefois associée à des options révolutionnaires en matière morale et politique. Le rejet des standards de la vie courante peut conduire à une forme de marginalité, à l'image de la bohème qui apparaît vers 1830.

Les cafés, dont la fréquentation littéraire remonte à l'ouverture du Procope à Paris en 1686, prennent une importance accrue après 1880. Certains écrivains, comme Jean Moréas ou Verlaine, font de leur présence au café un élément central de leur mode de vie. Les petites revues, qui se multiplient après 1885, y organisent des banquets littéraires. Pour les avant-gardes du début du XXe s., le café est un quartier général, comme le montre bien l'évocation par P. Naville, dans *Le temps du surréel* (1977), du café le Cyrano, place Blanche, fréquenté par les surréalistes : les chefs du mouvement s'y rendaient quotidiennement et y pesaient sur les orientations du groupe qui, lui-même, reposait sur des cercles d'amitié antérieurement formés (condisciples de l'École alsacienne – Boiffard et Naville –, étudiants en philosophie de la Sorbonne – Naville et Queneau –, etc.) Une pratique parallèle est le dîner au restaurant. Elle concerne surtout les romanciers. Après 1870, un « dîner des auteurs sifflés » regroupe des écrivains qui n'ont pas trouvé le succès au théâtre, dont Flaubert et les frères Goncourt. Après 1885, l'école naturaliste se retrouve pour des repas littéraires au restaurant Trap, dans le quartier Saint-Lazare ; l'Académie Goncourt poursuit cette tradition. Dans la période plus récente, la sociabilité littéraire connaît une concentration autour des revues intellectuelles et des maisons d'édition. Le *Mercure de France*, fondé en 1889 comme revue mais qui devient aussi une maison d'édition, se rattache progressivement tout un milieu littéraire, dont témoignent encore en 1920 les réunions hebdomadaires du mardi que tient Rachilde, l'épouse du directeur, dans ses appartements situés au-dessus des locaux de la revue. Les hebdomadaires politico-littéraires, comme *Vendredi*, créé en 1935 par André Chamson et Jean Guéhenno, et des revues comme *Esprit*, fondée en 1932, ou *Les temps modernes*, fondée en 1945, dessinent un prolongement de tels usages. L'évolution de la sociabilité littéraire en relation avec les maisons d'édition tient aux changements de la profession. Des éditeurs engagent des écrivains en tant que directeurs de collections et membres de comités de lecture. Des personnalités qui occupent de telles positions d'influence (ainsi chez Gallimard, Paulhan durant l'entre-deux-guerres, Queneau après 1945) jouent alors un rôle moteur dans les réseaux de relations, qui constituent aussi des réseaux d'influence.

La concentration des activités littéraires en milieu urbain permet ainsi une proximité qui favorise les réunions physiques des gens de lettres quoi qu'il en soit des liens qu'ils peuvent aussi entretenir par correspondance. Cette concentration se redouble d'une polarisation progressive vers Paris qui devient prépondérante dès le XVIIe s. et hégémonique depuis le XIXe s. – ce que montrent les *Illusions perdues* de Balzac (1837-1843). Au XXe s., la situation se radicalise dans la mesure où les littératures francophones des ex-colonies existent largement grâce aux réseaux parisiens qui assurent édition, critique et diffusion de leur production. Les écrivains belges, québécois et suisses eux-mêmes, tout en maintenant des lieux de sociabilité qui leur sont propres, entretiennent des relations soutenues avec les milieux parisiens. Il est frappant de constater que la poste moderne, le téléphone, et, aujourd'hui, la toile n'entament aucunement cette centralisation. Socialement, la littérature reste affaire de contact, même si les individus peuvent tenter de s'en abstraire.

En histoire de la littérature, on a souvent parlé de milieu et d'influences. Mais si ces notions rappellent utilement que l'écrivain n'est pas un être coupé des autres, elles échouent à caractériser les processus à l'œuvre dans de tels échanges. La sociologie allemande des années trente a développé la notion d'« affinité élective » pour rendre compte des relations entre un milieu intellectuel et des valeurs de référence. La biographie d'auteur selon la sociologie des champs est attentive aux lieux d'accumulation du capital symbolique. Son analyse des groupes littéraires utilise des notions comme celle de « communauté émotionnelle ». L'histoire des intellectuels insiste pour sa part sur la distinction qu'il convient d'établir entre une sociabilité subie par les agents (un milieu social, des habitudes, des valeurs) et une sociabilité choisie et organisée (comme l'adhésion à un groupe). La sociabilité propre au monde littéraire exerce ses effets sur l'écriture et sur la réception des œuvres. Au fil de l'histoire, il apparaît que les formes de lien social privilégient certaines formes d'écriture. Ainsi les salons favorisent la poésie de circonstance, les académies l'éloge, les cafés, la poésie, alors que les romanciers semblent avoir davantage eu recours aux repas en commun. Il y a donc là un champ de recherches pour l'étude des réseaux de diffusion des modèles esthétiques en même temps que pour celle des idées. D'autant que l'analyse des œuvres et de leur réception montre que la littérature n'est pas seulement sous l'influence de la sociabilité des auteurs et des lecteurs, mais qu'elle constitue un ferment de sociabilité. Objet d'échanges, objet d'enseignement, la littérature a aujourd'hui cet usage de sociabilité dans ces pratiques. Mais depuis longtemps les écrivains soulignent que, par les idées mais aussi les images et les émotions qu'elle propose en partage, elle contribue à modeler les attitudes collectives, à socialiser l'individu : le théâtre de société en est un exemple parlant, tant par ses conditions que ses pièces, comme, par ses visées, le roman de formation. Plus largement, Boileau rappelait ce rôle historique de la poésie dans son *Art poétique* (1674) et Mme de Staël insistait sur l'importance des émotions littéraires dans l'ouverture vers autrui (*De la littérature*, 1800) : l'enjeu est l'utilité du littéraire, les implications des plaisirs littéraires et, pour reprendre un titre du philosophe J. Rancière, *Le partage du sensible* (2000).

▶ BANDIER N., *Sociologie du surréalisme*, Paris, La Dispute, 1999. — LÖWY M., *Rédemption et utopie. Le judaïsme libertaire en Europe centrale. Une étude d'affinité élective*, Paris, PUF, 1988. — SIRINELLI J.-F., *Génération intellectuelle*, Paris, Fayard, 1988. — Coll. : « Sociabilités intellectuelles, Lieux, Milieux, réseaux », N. Racine et M. Trébistch (dir.), *Les cahiers de l'IHTP*, 20, mars 1992.

Rémy PONTON, Paul ARON

→ *Académies ; Champ littéraire ; Écoles ; Enseignement de la littérature ; Histoire culturelle ; Plaisirs littéraires ; Réception ; Sociologie ; Utilité.*

SOCIÉTÉ

La littérature est une institution sociale et son moyen d'expression, le langage, est une création sociale. L'interrogation sur les liens entre littérature et société est aussi constante au long de l'histoire que complexe dans ses données.

Les cités grecques usaient des spectacles théâtraux et des chants poétiques comme moyen de divertissement mais en même temps de célébration de la collectivité, de ses dieux et de ses héros. Aussi les réflexions grecques sur la littérature sont pétries de considérations sociales. Platon voit dans la poésie un moyen d'éducation, mais aussi un danger de troubles en ce qu'elle excite les passions (la *République*). Aristote théorise la poésie imitative en lui reconnaissant une fonction de régulation des passions par la catharsis (*Poétique*). Par ailleurs, il théorise la part rhétorique des lettres, comme un des vecteurs majeurs de la vie collective (*Rhétorique*). Ce substrat d'intégration (Aristote) mais de suspicion (Platon) à l'égard du littéraire persiste au long de l'Antiquité. Rome développe la rhétorique et des genres multiples de la sociabilité par les lettres (de l'éloge du prince à l'art d'aimer en passant par les usages éthiques de l'épistolaire). Le Moyen Âge les conserve, et y joint une socialité intense du théâtre religieux. Ces cadres de pensée se conservent jusqu'à l'âge classique. Ainsi *L'Art poétique* de Boileau (1674) est tissé de définitions du statut social de la littérature, depuis le rappel du rôle civilisateur de la poésie jusqu'à l'appel à célébrer le monarque. Au siècle des Lumières, le rôle de socialisation de la littérature s'affirme plus encore, avec la figure du philosophe à la fois littérateur et engagé dans la vie collective, comme conseiller des despotes éclairés ou comme éducateur (ainsi l'*Encyclopédie*). Mais la figure du poète incompris et marginal est aussi une constante, en relation dialectique avec la doxa de l'intégration par les lettres. Drôlatique chez Saint-Amant ou mélancolique chez Tristan l'Hermite, elle prend un relief nouveau avec Rousseau. Celui-ci, en effet, associe dans son œuvre la volonté éducative (*L'Émile*, 1762) et réformatrice (*Le contrat social*, 1762), la méfiance envers le littéraire (*Lettre à d'Alembert*, 1758) et, dans des œuvres monumentales, l'affirmation du moi individuel contre l'intégration sociale impossible (*Les rêveries, Les confessions*, 1782, posth.) tout en la représentant dans un monde idéalisé (*La nouvelle Héloïse*, 1761). Les lieux communs de la littérature comme moyen de polir les mœurs, de l'écrivain honnête homme ou du poète incompris s'en trouvent redistribués. La Révolution, puis le romantisme ne font que renforcer cette redistribution.

Le génie du christianisme de Chateaubriand paru en 1800, *De la littérature* de Madame de Staël publié la même année et un article de Bonald en 1806 dans le *Mercure de France*, où il affirme que « la littérature est l'expression de la société » marquent cet essor de la problématique du littéraire et du social. Malgré leurs différences, les trois convergent vers l'idée que l'histoire, entendue comme l'évolution sociale, et la littérature deviennent inséparables. Madame de Staël cherche à expliquer la diversité des littératures dans le temps et l'espace en fonction des traits particuliers des sociétés humaines et de leurs variations. En écho, les thèses de Hugo (préface de *Cromwell, 1827*) et de Stendhal (dans *Le rouge et le noir 1830*, il affirme que le roman est un « miroir » du monde social) ou de Balzac, du côté de la création, plus tard celles de Taine du côté de la critique, développent l'idée de variation du littéraire en fonction du social. Taine, tenant du déterminisme scientifique, s'appuie sur les trois facteurs de la race (la nation), du milieu et du moment (historique) pour interpréter le littéraire. Si ses théories sont devenues désuètes, elles ont eu le mérite à leur époque de rejeter aussi bien l'impressionnisme que l'idéalisme qui dominaient alors. En revanche, les théories de l'art pour l'art refusent cet ancrage social et tournent l'idéal littéraire vers le culte de la forme.

Entre Madame de Staël et Taine, le XIXe s. a vu émerger les sciences humaines. Le développement de la sociologie joue, de ce point de vue, un rôle fondamental dans la réflexion théorique sur la détermination sociale des textes littéraires. Répondant à une invitation de Durkheim, Gustave Lanson prononce en 1904 une conférence aux Hautes Études sociales sur « L'histoire littéraire et la sociologie » où il affirme que l'objet d'étude de l'histoire littéraire et de la sociologie sont du même ordre, à savoir l'état de l'homme en société (*Essais de méthode de critique et d'histoire littéraire*, rassemblés pas H. Peyre, Hachette, 1965, p. 68). Or dans le même temps, la figure de l'intellectuel devient un point central de la vie culturelle, et avec elle l'engagement littéraire s'affirme plus explicitement. Le marxisme, à partir du début du XXe s., préconise une littérature vécue comme un acte social à part entière, et nourrit aussi une critique qui envisage la littérature comme reflet de la société. Pour la critique marxiste (ou marxisante), l'étude de la littérature met les textes en relation avec l'univers social qui les produit et les reçoit. La littérature, comme la culture de manière générale, doit être repensée en fonction d'un contexte socio-économique global. Le texte n'est pas le résultat d'une inspiration détachée du monde, mais d'un travail réalisé dans un univers social particulier, souvent conflictuel, qui au bout du compte impose sa marque sur la production. Cela touche tous les aspects du travail de l'écrivain. Ainsi Sartre souligne qu'on n'écrit plus au XXe s. comme au XVIIe, et que la langue de Racine et de Saint-Evremond ne se prête pas à parler des locomotives ou du prolétariat ([1948], p. 34). Cette affirmation de Sartre indique que la forme est également sociale. Georg Lukacs, dans sa *Théorie du roman* (1920) estime que le roman a pour mission d'opposer un univers de valeurs à un système social déterminé par des forces économiques, et la forme même du texte peut en rendre compte, comme il le démontre dans son analyse de *L'Éducation sentimentale* de Flaubert. Certains philosophes et sociologues apparentés à l'École de Francfort, à partir des années trente, se sont également penchés sur les rapports entre texte littéraire, culture et société. Adorno, Horkheimer, Marcuse, Löwenthal et Benjamin – un peu en marge du groupe – ont développé une théorie critique, s'attaquant à la culture de masse et à ses contenus stéréotypés et défendant une littérature critique face à la société.

Depuis le début des années 1970, avec le développement de la sociologie appliquée à la littérature, de l'analyse du discours et des critiques d'inspiration sociologique, la socialité de la littérature est largement analysée. Non seulement les questions du statut de la littérature et des lois qui la régissent comme fait social (les droits d'auteur, la censure) mais aussi la valeur sociale des genres et le statut de l'écrivain font désormais l'objet d'analyses multiples. Les thématiques sociales, quant à elles, sont devenues une interrogation usuelle dans la critique. La question de l'autonomie et de l'intervention sociale du littéraire est ainsi au centre des débats tant critiques que théoriques et de la création.

La question des liens entre littérature et société anime, bien évidemment, la réflexion de la sociologie littéraire, de l'histoire sociale du littéraire, et de l'histoire de l'édition, du livre et de la lecture (voir ces articles). Mais les données en sont singulièrement complexifiées par deux phénomènes. Le premier est l'existence, depuis le XIXe s., avec l'Art pour l'Art et le Parnasse, d'une conception de la littérature qui récuse toute implication sociale. De sorte que l'idée dominante dans le champ littéraire moderne est celle de l'autonomie du littéraire. Cela, alors même que la littérature est un élément fort de l'enseignement commun, donc un élément majeur de la socialisation. Entre la théorie d'un côté, la pratique de l'autre, il s'établit un paradoxe dont les tenants de l'autonomie radicale bénéficient dès qu'ils accèdent à la reconnaissance et au statut de classiques (tel est le cas pour Baudelaire et Flaubert, auteurs vedettes dans l'enseignement secondaire). Un second phénomène est le désaccord persistant, chez les écrivains comme chez les critiques, sur le seuil où se jouent les relations entre le littéraire et le social. Un malentendu – possiblement entretenu par profit paradoxal – s'instaure dès que l'on envisage le social dans les textes comme une des composantes qui les constituent. Une thématique sociale (la peinture du peuple chez Zola) ou une prise de position politique et sociale (dans la littérature engagée) apparaissent alors comme des dimensions secondaires face à la création et aux questions de forme. Or le fait premier est que, comme œuvre de langage et comme objet qui existe comme littéraire dans la mesure où il est mis dans l'espace public, la littérature est un fait social. Mais les modalités de sa réalisation et de sa participation aux échanges sociaux varient selon les temps et les lieux. Dès lors, autant qu'une sociologie nécessairement attachée à la synchronie, l'approche du littéraire comme fait social exige une histoire et même une anthropologie historique. Ces voies de réflexion ne sont encore qu'à leurs débuts. On doit noter d'ailleurs que la réticence à admettre la pleine socialité de la littérature est diversement sensible selon les pays. Forte en France, elle l'est moins en des situations où l'affirmation identitaire que constitue le seul fait d'écrire en français – au Québec, en Suisse – atteste l'évidence de cette socialité.

▶ ANGENOT M., SAINT-JACQUES D. & VIALA A. (dir.), *La littérature comme objet social* dans *Discours social*, vol 7 : 3-4 1995. — BARBÉRIS P., *Le Prince et le marchand*, Paris, Fayard, 1980. — LEPENIES W., *Die drei Kulturen : Soziologie zwischen Literatur und Wissenschaft*, Munich, Hanser, 1985, trad. fr. H. Plard, *Les trois cultures. Entre science et littérature l'avènement de la sociologie*, Paris, Maison des sciences de l'homme, 1990. — SARTRE J.-P., *Qu'est-ce que la littérature ?*, Paris, Gallimard, [1948], 1975. — ZÉRAFFA M., *Roman et société*, Paris, PUF, 1971.

Jean-François CHASSAY

→ *Autonomie ; Champ littéraire ; Études culturelles (Cultural Studies) ; Histoire littéraire ; Idéologie ; Institution ; Langue ; Marxisme ; Médiation ; Sociabilité ; Sociologie de la littérature.*

SOCIÉTÉS D'AUTEURS

De longue date, les auteurs ont trouvé intérêt intellectuel et pratique à se regrouper. À côté des groupes informels, des cercles, cénacles et écoles littéraires, leurs regroupements ont dans certains cas pris la forme de « sociétés » au sens strict du terme : associations organisées, régies par des statuts, pour défendre les droits des auteurs.

Les associations d'auteurs, en matière littéraire, commencent au XVIIe s. Fut alors instaurée, durant quelques années, à l'initiative de Richelieu, une « Société des Cinq auteurs » (Boisrobert, P. Corneille, Rotrou, Colletet, L'Estoile), qui avait en charge de rédiger des pièces sur des commandes du ministre, et qui les rédigeait et signait collectivement (par exemple *L'aveugle de Smyrne*, 1638). L'entreprise fut éphémère. Apparurent aussi, à la même époque, les académies et autres sociétés savantes, qui relèvent des instances de consécration. L'idée de société d'auteurs, elle, est plus exactement liée à la défense de la propriété littéraire. Sa première affirmation fut en 1777 la fondation, autour de Beaumarchais, de la Société des Auteurs dramatiques. Cette action fut menée avec l'accord des libraires-imprimeurs-éditeurs, et tournée surtout contre les troupes de théâtre, qui n'accordaient qu'une faible part des recettes aux auteurs, et qui prétendaient avoir droit sur leurs textes dramatiques. Après la Révolution et les lois de 1791 et 1793 établissant les bases de la propriété littéraire, cette Société se transforma en SACD (Société des Auteurs et Compositeurs Dramatiques) en 1837. La Société des Gens de Lettres, fondée à sa suite en 1838, concerne les auteurs en tous domaines. Elle constitue un lieu de dépôt et d'enregistrement des manuscrits originaux, pour les auteurs désireux de se prémunir contre les risques de plagiat. Sur le même modèle fut fondée en 1851 la SACEM (Société des Auteurs et Compositeurs de Musique, ce qui, pour les auteurs-paroliers, touche pour une part à la création textuelle aussi). Se sont ensuite créées diverses sociétés spécialisées : Société des poètes français (fondée en 1902 par Sully-Prud'homme et Hérédia), Société Française des Traducteurs (créée en 1947) Société des auteurs multimédia... Existent aussi des syndicats d'écrivains, une Union des écrivains de France (créée en 1968), une Association des écrivains de langue française, 1964, succédant à la Société des écrivains coloniaux fondée en 1922), une Fédération internationale des écrivains de langue française (1982)... Ces deux derniers cas révèlent les implications culturelles et politiques au-delà de la France, envers les anciennes colonies et la francophonie. En Belgique, la SACD est calquée sur son homologue française avec laquelle elle entretient des relations suivies. Mais par ailleurs, existent également de nombreuses associations regroupant les auteurs sur une base locale ou nationale (Association des écrivains belges), lesquelles sont cependant loin de fédérer l'ensemble des agents actifs. Au Québec, la fondation de l'Association des auteurs canadiens (1921) accompagne la revendication d'une loi sur le droit d'auteur qui sera adoptée la même année. Plusieurs associations sont de nos jours vouées à la promotion de l'écriture québécoise et à la défense des auteurs eux-mêmes (par exemple l'Union des écrivains québecois) ; elles coexistent avec des groupes plus spécialisés ou constitués sur une base régionale (Association des écrivains de la Mauricie notamment). La plupart des pays francophones présentent des situations analogues. Telle est aussi la mission que s'est donnée le « Parlement européen des écrivains » qui siège à Bruxelles.

Existent également des sociétés qui ont en charge des lieux et des aides aux écrivains : Maison de la poésie (fondée en 1928, reconnue d'utilité publique en 1929), Maison des écrivains (1986). Enfin, existent aussi des syndicats (par exemple le Syndicat professionnel des écrivains, fondé en 1936). Les adhésions à ces diverses sociétés sont volontaires, aussi leur nombre de membres sont-ils très variables. Par exemple, la SGDL compte un millier de membres, la Maison des écrivains plus de 600 (qui peuvent être les mêmes), les traducteurs sont un millier, la SACD gère 10000 compte d'auteurs (vivants ou décédés).

Les dates de création de plusieurs de ces sociétés (1936, 1947, 1968-69) indiquent que des moments de changements politiques ont été propices à la fondation d'instances propres aux auteurs. Le nom de certains de ces organismes (par exemple Syndicat professionnel des écrivains) en indiquent l'enjeu essentiel : la reconnaissance d'un statut social du créateur. Ces sociétés, reconnues par l'État, défendent la propriété littéraire et les droits des auteurs, revendiquent un statut spécifique pour celui-ci (par exemple un système d'imposition favorable aux revenus littéraires) avec des droits sociaux correspondants. Elles attestent ainsi, par leur développement aux XIXe et XXe s., de la professionnalisation des Lettres à l'ère industrielle. En même temps, elle visent à aider au développement de la création (par des prix notamment). En revanche, leurs définitions, si elles spécifient parfois un domaine (comme la littérature dramatique, la poésie, la traduction) ne distinguent pas ce qui fait les valeurs littéraires distinctives (auteurs de poésie de haute recherche ou de romans policiers ou d'essais de tous ordres, de manuels ou de livres pratiques peuvent ainsi se retrouver dans la Société des Gens de Lettres). Elles constituent donc autant ou davantage des infrastructures que des structures du champ littéraire.

Alain VIALA

→ *Auteur ; Champ littéraire ; Prix littéraires ; Propriété littéraire ; Québec ; Société ; Salons littéraires.*

SOCIOCRITIQUE → Sociologie de la littérature

SOCIOLOGIE

La sociologie se définit comme la science des faits sociaux. Comme toute science, elle vise le général et non le particulier. Or si les phénomènes artistiques et littéraires sont des faits collectifs, ils se caractérisent par un « vécu », une résonance qui diffère fortement selon les individus qui les produisent ou les reçoivent. C'est cette tension dans la nature de l'objet qui fonde le paradoxe – et donc aussi l'intérêt – de l'intervention sociologique en littérature.

Si la question de la place de la littérature dans la société est posée dès les premières réflexions sur la littérature, si, en France, des analyses comme celles de Montesquieu et plus encore de Mme de Staël (*De la littérature...*, 1800), constituent une forme de sociologie, on se bornera ici à la sociologie constituée en tant que science. Dans le cadre de la pensée positiviste, les premiers sociologues (A. Comte) ont tenté de décrire de manière systématique et ordonnée les « lois » régissant les phénomènes sociaux. L'esthétique ou la psychologie collective, considérées comme des sciences sociales, ont suscité des études comme *L'art au point de vue sociologique* (J.-M. Guyau, 1889) ou *La méthode scientifique de l'histoire littéraire* de G. Renard (1900). Toutefois, la rigueur introduite par E. Durkheim dans ses *Règles de la méthode sociologique* (1895) a à la fois contribué à donner des objets nouveaux à la science nouvelle en formation (le suicide par exemple), et à freiner l'expansion d'études trop vagues et trop peu fondées, comme celles qui traitaient de l'art en général. Ces dernières ont été reprises par une autre branche, mi-philosophique, mi-sociologique, l'Esthétique (Ph. Souriau, *La rêverie esthétique*, 1906). Entre 1937 et 1939, le Collège de sociologie (Georges Bataille, Michel Leiris, Roger Caillois, Raymond Queneau) s'intéressa à la notion de « sacré », et ses réflexions nourries par l'ethnologie ont alimenté la production littéraire de ses membres (Leiris, *L'âge d'homme*, 1939). Charles Lalo professa en Sorbonne, mais dans une relative solitude intellectuelle, des leçons perspicaces sur *L'art et la vie sociale* (1921) ou sur l'*Esthétique du rire* (1949). Il y développait notamment, surtout à propos de la musique, une sociologie de la dévaluation des formes, assez semblable en son principe à la théorie formaliste de l'usure, mais qui s'appliquait à l'espace social : des danses en vogue à la cour deviennent ainsi, après une longue période, des danses considérées comme populaires voire folkloriques. En Allemagne, la réaction sociologique aux travaux de la psychologie sociale a trouvé plusieurs ancrages importants, qui, à l'inverse de ce qui se passait alors dans l'université française de l'époque, ont pu s'articuler à la tradition marxiste. Les études de Max Weber sur *L'éthique protestante* (1904-05, puis 1920) relient finement les « images du monde », les « idées » et les « intérêts » des hommes pour décrire rationnellement des conduites en apparence irrationnelles. Les travaux de l'École de Francfort (Adorno, Horkheimer, Marcuse) et, en parallèle, ceux de W. Benjamin renouvellent l'approche de la sociologie littéraire héritée du marxisme (mais ils ne se présentent pas comme des travaux sociologiques). Les recherches solitaires de Norbert Elias, à la fin des années 1930, tentent de dépasser l'antagonisme traditionnel entre l'individu et le social qui freinait la sociologie des arts. Sa « théorie sociologique de l'interdépendance » voit dans le sujet, indissociablement, un « je » et un « nous ». Les comportements vécus sur le mode subjectif, les goûts et les dégoûts, deviennent dès lors passibles d'une enquête sur leur évolution dans et par l'histoire collective. En pensant le monde social comme un tissu de relations, Elias montre par ailleurs comment se forment des « habitus » propres à une nation (la conversation en France par exemple) ou à un milieu particulier (*La société de cour*, 1933 mais publiée en 1969). Par d'autres voies, la philosophie littéraire de Sartre, à travers la notion de médiation, développe également ce type d'interaction.

Dans le monde anglophone, la sociologie a été largement investie dans les « culturals studies » (études culturelles). Dans le monde francophone, la sociologie de la littérature a longtemps été pratiquée par des non-sociologues. Il faut attendre la décennie 1960-1970 pour que des sociologues fassent paraître des travaux qui renouvellent l'approche littéraire. Ils ont suivi deux voies distinctes, l'une statistique, l'autre compréhensive.

En 1958, R. Escarpit publie *Sociologie de la littérature*, où il analyse le « fait littéraire » à partir de « l'étude des données objectives exploitées systématiquement ». Il s'agit de données statistiques concernant aussi bien l'industrie et le commerce du livre que la lecture ; elles sont interprétées à la lumière de données relatives aux classes sociales, à l'organisation des loisirs, au degré d'analphabétisme, etc. Escarpit étudie ainsi la production : les générations littéraires, le financement des écrivains, les droits d'auteur ; la diffusion : la fonction éditoriale, les circuits de distribution lettrés et populaires ; la consommation : le succès et la survie littéraires, les publics,... Cette tendance s'est plus particulièrement intéressé à la littérature de masse, à l'édition en livre de poche, à la lecture en milieu populaire ou professionnel (*Le livre et le conscrit*, 1966). Elle permet de recueillir et d'analyser des données vérifiables sur la littérature comme phénomène social, sans explorer l'œuvre littéraire en elle-même (par exemple : M. Vessilier-Ressi, *Le métier d'auteur*, Dunod, 1982).

La sociologie des champs de P. Bourdieu vise à dépasser l'analyse quantitative, tout en réagissant contre les approches de l'art fondées sur une problématique du reflet.

Comme tout champ (politique, religieux, philosophique...), le champ littéraire est structuré selon l'état des rapports et des forces entre agents ou institutions qui y agissent et qui sont en concurrence pour y exercer leur domination. D'où des stratégies de subversion de la part de ceux qui sont moins munis de capital symbolique (en position dominée), et des stratégies de conservation mises de la part de ceux qui veulent continuer à monopoliser ce capital symbolique (en position dominante). Les stratégies ne dérivent pas d'une programmation consciente mais des exigences du champ et des habitus (des dispositions acquises par un apprentissage explicite ou implicite). Selon l'idée que les individus sont des agents socialement constitués, c'est en termes de position dans un état donné du champ qu'on peut comprendre la singularité d'un écrivain : ainsi Flaubert ne peut opérer ses choix et construire son projet artistique, « bien écrire le médiocre », que dans l'espace des possibles qui s'ouvre à lui (*Les règles de l'art*, 1992). P. Bourdieu analyse la division du champ littéraire en champ de grande production et champ de production restreinte, où les « créateurs » écrivent pour leurs pairs. Une logique de la distinction s'établit dans un espace où chacun veut s'affirmer en innovant dans le domaine de l'esthétique pure. Le champ littéraire comprend par ailleurs des instances qui remplissent une fonction de consécration comme les Académies, les revues et est en relation avec les instances sociales qui déterminent un usage de la littérature (l'École, par exemple).

Avec les travaux de Bourdieu, un sociologue professionnel forge pour la première fois une série de concepts heuristiques efficients pour le monde des arts et qui ont nourri des travaux de recherche sur le littéraire (Ponton, Charle, Sapiro...), ainsi que nombre de travaux sur la lecture. L'analyse en termes de champ a été reprise largement dans l'herméneutique littéraire. En même temps, Bourdieu a contribué à diffuser dans le monde francophone des recherches comme celles de E. Panofsky ou de E. Cassirer qui donnent une assise théorique et historique à l'étude des formes artistiques, ou celles de E. Goffman sur les rites de l'interaction et de la mise en scène de la vie quotidienne. D'autres sociologues insistent par ailleurs sur l'importance des réseaux dans lesquels s'inscrit un individu et la sociabilité qu'il y développe (B. Pudal, M. Trébitsch), ou, dans une sociologie empathique, sur la problématique identitaire des écrivains (comment se construisent les images sociales de l'écrivain ? Voir N. Heinich, *Etre écrivain*, La découverte, 2000). Enfin, par d'autres voies, en particulier celles d'une psycho-sociologie, certains chercheurs décrivent de manière pertinente les trajectoires sociales des écrivains (V. de Gaulejac, *La névrose de classe*, Hommes et groupes, 1987).

Divers quant à ses intentions et pluriel quant à ses méthodes, le projet sociologique n'a pas forgé de concepts au seul usage de l'art ou de la littérature. Mais, de manière constante, il a mis ses outils à l'épreuve de ces domaines. Ceux-ci lui offrent en effet un double défi : ils sont des lieux où le collectif se vit et se retraduit sur un mode très individualisé (l'artiste est un être singulier, qui tend à se définir par son irréductibilité à la pensée commune) et, d'autre part, ils mettent en jeu des croyances et des représentations identitaires très fortes (c'est la question de l'adhésion). La sociologie tente, sinon d'expliquer, au moins de décrire et d'expliciter ces faits. Elle met alors en œuvre un préalable méthodologique exigeant : elle suspend les jugements de valeur. Par là, elle se donne les moyens de surplomber les acteurs et de tenter d'objectiver leurs conduites. Mais cette suspension ne peut être que provisoire, puisque la valeur est au principe même des objets étudiés. Il lui faut donc naviguer du sociologique au singulier, et de la compréhension à la sympathie, de la règle à l'irrégularité. Ce va-et-vient forme sa richesse.

▶ BOURDIEU P., *Les règles de l'art*, Le Seuil, 1992. — ÉLIAS N., *La société des individus*, Paris, Fayard, 1990. — ESCARPIT R., *Le littéraire et le social*, Flammarion, 1970. — HEINICH N., *Ce que l'art fait à la sociologie*, Paris, Minuit, 1998.

Paul ARON

→ *Adhésion ; Champ littéraire ; Critique politique ; Études culturelles ; Idéologie ; Recherche en littérature ; Société (Littérature et) ; Sociologie de la littérature ; Valeurs.*

SOCIOLOGIE DE LA LITTÉRATURE

La sociologie de la littérature regroupe plusieurs approches critiques qui cherchent toutes à comprendre et à expliquer la signification des œuvres en envisageant la vie littéraire comme partie de la vie sociale. Elle peut être distinguée de l'entreprise des sociologues qui étudient la littérature de leur point de vue, d'autant que la sociologie de la littérature n'est pas nécessairement le fait de sociologues : la majorité des critiques concernés n'ont pas une telle formation, et en fait rares sont ceux qui ont la double compétence.

La question du social et du littéraire remonte à l'Antiquité (dès Platon, *République*). Toute tentative méthodique de comprendre le fait littéraire à partir de données sociales peut être considérée comme une sociologie de la littérature. Cependant, Montesquieu peut être considéré comme l'ancêtre d'une démarche raisonnée en la matière (*L'Esprit des lois*). À la fin du XVIIIe s., l'œuvre de Mme de Staël *De la littérature considérée dans ses rapports avec les institutions sociales* (1800) souligna l'importance des facteurs socio-historiques dans la constitution des littératures nationales. Dans la seconde moitié du XIXe s., Hippolyte Taine tente de créer une science positive de la littérature par l'explication des conditions qui la font naître : la race (entendue au sens de « nation »), le milieu (social), le moment (historique). À la fin du siècle, l'histoire littéraire, chez Lanson au moins, développe un programme largement sociologique – mais il sera rarement appliqué. Au début du XXe s., le formalisme russe également insiste sur la nécessité de ne pas dissocier analyse formelle et contexte socio-historique. En 1928, I. Tynianov, souligne la variabilité historique des éléments dits littéraires et la nécessité d'étudier dans une perspective systémique la corrélation de la littérature avec la vie sociale. Après lui, M. Bakhtine montre comment le texte littéraire se tisse en réfutant, absorbant, modulant les discours sociaux et littéraires antérieurs et contemporains. Mais ces thèses n'ont été connues dans le monde francophone qu'après 1970. Dans l'intervalle, vers 1950-1960, des concepts nouveaux sont fournis par la sociologie contemporaine : ainsi les travaux de l'École de Bordeaux autour de R. Escarpit ou, à un moindre degré, ceux de J. Duvignaud sur le théâtre. Parallèlement se développent divers courants d'inspiration marxiste : travaux de G. Lukacs, École de Francfort (Th. W. Adorno, L. Löwental...), critique idéologique et politique de R. Williams et T. Eagleton en Grande Bretagne. En France, L. Goldmann, sous l'influence du structuralisme, tente d'établir un rapport entre structures textuelles et structures sociales (*Pour une sociologie du roman*, Gallimard, 1964). Il contribue ainsi à une sociologie des genres qu'envisage aussi, sur d'autres prémisses, le médiéviste E. Köhler (*L'aventure chevaleresque*, 1956). Un autre courant se développe autour de P. Bourdieu, qui dès le début des années 1970, replace la question de l'œuvre dans la logique du champ littéraire (« Le marché des biens symboliques » *Revue française de sociologie*, mai 1971). Dans son sillage, on peut mentionner entre autres les travaux de A. Boschetti, de P. Aron, J. Dubois, R. Ponton, de C. Charle, G. Sapiro ou encore ceux d'A. Viala. Signalons enfin, avec le regain des études sur la réception, une sociologie empirique de la lecture qu'illustre l'ouvrage de J. Leenhardt et P. Jozsa (*Lire la lecture*, 1983).

À l'intérieur de cet espace de réflexion, divers courants ont tenté de structurer plus précisément l'analyse des œuvres. Tel est notamment le cas de la sociocritique, de la sociopoétique ou de l'analyse du discours social, voire de l'analyse des institutions littéraires. Fondée par C. Duchet, portée par la revue *Littérature*, la sociocritique s'est également développée autour d'H. Mitterand, d'E. Cros ou, à Montréal, autour du CIADEST. D'inspiration marxiste, la sociocritique entend s'approprier la notion de « littérarité ». Elle se subdivise bientôt en deux branches, celle qui se penche sur la spécificité du texte littéraire (C. Duchet, R. Robin), et celle qui associe étroitement la sociocritique à l'analyse du discours (M. Angenot). La tentative de décrire des fonctionnements discursifs en étudiant la façon dont les valeurs, la doxa, tout l'idéologique s'inscrivent dans le langage en situation, est relayée par la « sociopoétique » telle que l'envisage P. Hamon (1984). Le terme est repris par A. Viala pour désigner la nécessité d'allier l'analyse interne des textes et la sociologie des champs (1993). Des numéros spéciaux comme *Médiations du social* (*Littérature*, 1988) attestent de la collaboration qui s'établit entre ces différents courants, qu'on peut considérer comme autant de branches d'une sociologie du texte.

Comme la plupart des courants critiques, ces tentatives doivent être rapportées au contexte de leur apparition. Elles ont été marquées à l'origine par le moment où les études d'inspiration marxiste ont fait leur entrée dans l'université française tandis que l'histoire littéraire était remise en question par la querelle de la Nouvelle critique.

Contrairement à la sociologie, dont l'objet n'est généralement pas la littérature en tant que telle, la sociologie de la littérature n'exclut de son investigation aucun des éléments qui font la vie littéraire : les objets textuels (langage, codes, sujets, thématiques et traditions), le contexte (littéraire mais aussi social et culturel), les valeurs (génie, adhésion, art pour art...) ou les conditions de production et d'échange (marché littéraire, processus de reconnaissance...). En cela, elle se distingue souvent des études d'histoire littéraire conçues comme établissement d'une chronologie des seuls auteurs consacrés par une tradition ; mais elle postule une histoire littéraire globale et dialogue avec l'histoire culturelle.

Les propositions conceptuelles de la sociologie de la littérature ont rarement été élaborées de manière spécifique. Elles empruntent en effet à la sociologie (champs, institutions), à la linguistique (discours) et surtout à l'histoire littéraire (écoles, influences, réception...). Quelques grands ensembles notionnels nourrissent les travaux contemporains.

Un premier ensemble envisage la signification sociale du texte littéraire en analysant la manière dont il joue avec les pièges du déjà-dit et des idées reçues, ou les déjoue, mais aussi en étudiant les tensions et les apories qui transparaissent dans les réseaux métaphoriques, dans les structures actantielles, etc. Qu'elle soit dévoilement involontaire d'une contradiction ou dépassement novateur de la *doxa*, l'écriture littéraire se révèle production idéologique précisément en ce qu'elle est production esthétique. P. Zima, s'inspirant d'Adorno et de Bakhtine, avance la notion de *sociolecte* dans le sens de « langage idéologique qui articule, sur les plans lexical, sémantique et syntaxique, des intérêts collectifs particuliers » (*Sociocritique*, Picard, 1985). Le rapport aux sociolectes détermine pour Zima des programmes narratifs : écriture fragmentaire et essayiste de Musil, bipartition de *L'étranger*... C. Duchet et I. Tournier posent les notions de *sociotexte* (le texte doublé du *cotexte* ou ensemble des autres textes qui lui font écho, à distinguer du *hors-texte*) et de *sociogramme*, défini comme « ensemble flou, instable, conflictuel de représentations partielles centrées autour d'un noyau en interaction les unes avec les autres » (*Sociocritique*, Nathan, 1979) – ainsi, le sociogramme de la ville chez Zola. Ces ensembles sont incessamment retravaillés par le texte littéraire qui les redispose en configurations nouvelles.

Un deuxième courant, illustré par les travaux de M. Angenot (1989), privilégie la notion de *discours social*, entendu comme « tout ce qui se dit et s'écrit dans un état de société » avec ses thèmes, ses schèmes cognitifs, ses résistances (par exemple, le discours social pendant l'année 1889). Cette approche revendique sa parenté avec l'analyse du discours.

Troisièmement, une poétique qui traite des normes et des valeurs inscrites dans le texte est appelée « sociopoétique » par P. Hamon (1984), qui aborde la question de « l'effet-idéologie » incorporé à l'énoncé. L'analyse doit localiser les points où se manifeste l'évaluation des êtres et des objets par une instance subjective (narrateur ou personnage). L'évaluation implicite ou explicite passe par un regard, un langage, une vision du travail et de la relation sociale. Chacun de ces éléments fait l'objet dans le texte d'un commentaire évaluatif, dont le poéticien répertorie les formes : modalisation (croire, vouloir, pouvoir...), lexique de la loi, vocabulaire de la passion. L'inscription des normes doit être analysée au niveau paradigmatique (elles s'organisent dans un système de valeurs) et syntagmatique (elles se déploient dans des programmes narratifs). Dans cette perspective, la sociopoétique est l'étude des modalités selon lesquelles les normes et les valeurs s'inscrivent dans le texte.

Une autre part de la sociopoétique se penche sur l'étude des textes qui codifient les relations sociales (traités de civilité et de politesse, de danse, d'hospitalité...). À partir d'une analyse pluridisciplinaire nourrie d'anthropologie, de sociologie, d'histoire, de philosophie..., qu'illustrent les travaux publiés autour d'A. Montandon, elle prend en compte ces représentations sociales comme éléments dynamiques de la création littéraire.

Selon A. Viala, la sociopoétique doit associer deux principes essentiels. Tout d'abord, la poétique est définie comme une étude des formes dans leur histoire et dans leur statut de codes sociaux. La littérarité n'est donc pas une qualité intrinsèque du texte mais ce qui est considéré comme littéraire dans un état donné du champ. La poétique ainsi conçue s'articule sur une sociologie. En second lieu l'étude des œuvres s'appuie sur les catégories formelles privilégiées par les poéticiens : le genre, le péritexte (les titres), le point de vue narratif, l'intertexte (entre fictions et traités de civilité par exemple)... Elle les intègre dans une analyse de l'échange et de sa logique propre. C'est donc la scène d'énonciation, qui comprend l'inscription du destinataire dans le texte et les postures adoptées par l'auteur, qui est au centre de l'analyse socio-poétique. C'est la centralité accordée à l'échange qui permet d'articuler la sociologie et l'analyse textuelle. En effet, la sociologie des champs étudie la position des locuteurs (l'écrivain et le lecteur en tant qu'agents sociaux) dans l'échange symbolique ; la poétique étudie la relation qui se noue dans le discours entre l'énonciateur et le destinataire. L'image de soi que construit l'énonciateur, la façon dont il inscrit dans le discours les valeurs supposées du destinataire, le type de lien qu'il établit en se référant à des modèles connus, permet de dégager des « façons de penser et [...] de donner du sens aux phénomènes perçus » (1993). Dès lors les questions d'esthétique sont indissociables des questions d'idéologie (lesquelles sont à rapporter ensuite à une anthropologie historique).

Il faut souligner que ces recherches se réclament de la sociologie dans la mesure où elles prennent en compte dans l'analyse des textes les effets de champs, les influences institutionnelles et les questions de lecture. Axée sur les fonctionnements discursifs, attentive aux cadres d'énonciation, à l'ancrage générique, au retravail des *topoi* et des stéréotypes, cette perspective est aujourd'hui en prise sur la pragmatique et l'analyse du discours (Maingueneau 1993). Elle permet d'intégrer l'instance du lecteur et plus globalement, les enjeux de la réception – donc l'esthétique. La question reste ouverte de ces modes d'analyse comme « explications » des œuvres ou comme étape nécessaire, impliquant le dialogue avec d'autres approches.

▶ ANGENOT M., *1889. Un État du discours social*, Montréal, Le Préambule, 1989. — ANGENOT M., SAINT-JACQUES D. & VIALA A. (dir.), *La littérature comme objet social* dans *Discours social*, vol 7 : 3-4 1995. — DUBOIS J., *L'institution de la littérature*, Bruxelles, Labor, [1970], 1978. — DUCHET C. (dir), *Sociocritique*, Nathan. 1979— HAMON P., *Texte et Idéologie*, PUF, 1984. —MAINGUENEAU D., *Le contexte de l'œuvre littéraire*, Dunod, 1993. —VIALA A. & MOLINIÉ G., *Approches de la réception (II)*, PUF, 1993.

Ruth AMOSSY

→ *Champ littéraire ; Idéologie ; Lecture, lecteur ; Littérature ; Histoire littéraire ; Recherche en littérature ; Sociologie ; Valeurs.*

SONNET

Forme poétique fixe composée de quatre strophes, deux quatrains et deux tercets. Les combinaisons de rimes ont été diverses, mais la disposition abba/abba/ccdede a été considérée en France, au XVIIe s., comme la forme régulière. Elle permettait de mettre en valeur l'un des effets du sonnet : il se clôt, le plus souvent, par un dernier vers qui surprend et qui frappe (image forte, mot d'esprit, voire « pointe »).

Né en Sicile au milieu du XIIIe s. à la cour de Frédéric II, sous la plume de Giacomo da Lentino ou de Pier della Vigna, le sonnet se développe en Toscane au XIVe s. : les 317 sonnets de Pétrarque, composés à partir de 1327 en l'honneur de Laure de Noves, assurent la fortune du genre. Ce *Canzoniere* imprimé en 1470 inspire rapidement de nombreux imitateurs en Italie (on compte quelque 80 sonnettistes italiens entre 1500 et 1520 : Chariteo, Tebaldeo, Serafino dall'Aquila, Bembo...) puis en France, en Angleterre (Wyatt, Spenser, Shakespeare..), en Espagne (Góngora).

En France, c'est la prétendue découverte, en Avignon, du tombeau de Laure (1533) qui déclenche la mode pétrarquiste à Lyon puis à la cour : des sonnets italiens sont adaptés par Mellin de Saint-Gelais et Clément Marot, dont les « Six sonnets de Pétrarque » (1539) semblent les premiers sonnets français imprimés. En 1548, Vasquin Philieul de Carpentras propose avec *La Laure d'Avignon* un recueil de 195 sonnets traduits de Pétrarque et T. Sébillet juge déjà cette forme

« fort usitée » (*Art poétique français*, 1548, II, 2). Du Bellay la recommande dans sa *Défense et illustration de la langue française* et publie *L'olive* (1549-1550), premier recueil original composé exclusivement de sonnets. Les poètes lyonnais lui emboîtent le pas (P. de Tyard, *Erreurs amoureuses*, 1549-1551) ; Ronsard publie ses *Amours* (1552), dédiées à Cassandre, avec un « supplément musical » permettant de chanter les sonnets sur des airs de musiciens en renom. Réservé jusqu'alors aux sujets graves et au grand lyrisme amoureux, le sonnet s'ouvre dans les *Regrets* de Du Bellay (1558) à la satire et à un style plus familier. Il gagne ainsi son autonomie, hors du genre pétrarquiste du *canzoniere*, qui perdure néanmoins.

Convenant désormais à tous les sujets, le sonnet sert dès lors aussi bien la dévotion que la galanterie, l'éloge courtisan que la polémique. Il devient, malgré sa difficulté, l'une des formes les plus répandues, à laquelle tous les poètes, amateurs ou confirmés vont s'essayer pendant un siècle. L'art du sonnet passionne les salons : en 1648, en pleine Fronde, deux sonnets de Voiture et de Benserade déclenchent une longue querelle non dénuée d'enjeux politiques, lorsque princes, courtisans et doctes se partagent en « Uranistes » et « Jobelins ». Cependant, la caricature que fait Molière du sonnet précieux et le jugement sévère de Boileau (*Art poétique*, 1674, II, 89-98) signalent le déclin d'une forme, qui ne survit guère qu'en province, loin des cercles mondains (*Sonnets chrétiens* du pasteur niortais L. Drelincourt, 1677).

Au XIXe siècle, il revient en vogue avec la redécouverte de la Pléiade par Sainte-Beuve et Nerval : Gautier et Baudelaire le libèrent et lui offrent une seconde jeunesse ; dans le *Parnasse contemporain* ou la revue *L'Artiste*, toute la poésie parnassienne et symboliste l'emploie. Hérédia lui consacre encore ses *Trophées* (1893). Il est aussi l'objet de manipulations, transformations, qui jouent sur sa musicalité (Verlaine).

Au XXe s., malgré le prestige durable des sonnets de Rimbaud et de Mallarmé, la poésie moderne tend à préférer des formes plus ouvertes. Reste que la contrainte du sonnet, célébrée par Valéry ou Aragon (*Du Sonnet*, 1954), garde ses adeptes, venus de tous horizons (Jean Cassou, *Trente-trois sonnets composés au secret*, 1944 ; Guillevic, *Trente et un sonnets*, 1954 ; Boris Vian, *Cent sonnets*, publiés en 1984). Sa forme passionne encore les poéticiens (R. Jakobson, 1962) et les oulipiens tels Queneau, dont les *Cent mille milliards de poèmes* (1961) sont des sonnets, et J. Roubaud qui consacre au genre un recueil (∈, 1968), une savante étude (1990) et une anthologie (*Soleil du soleil*, 1990). Comment oublier enfin les innombrables poètes anonymes ou publiés à compte d'auteur qui restent fidèles au sonnet ?

▶ DUPERRAY E., *L'or des mots. Histoire du pétrarquisme en France*, Paris, Publications de la Sorbonne, 1997. — GENDRE A., *Évolution du sonnet français*, Paris, PUF, 1996 [avec bibliographie]. — NARDONNE J.-L., *Pétrarque et le pétrarquisme*, Paris, PUF, 1998. — ROUBAUD J., *Soleil du soleil : le sonnet français de Marot à Malherbe, une anthologie*, Paris, POL, 1990.

Jean VIGNES

→ *Formes fixes ; Poésie ; Renaissance ; Rime ; Vers, Versification.*

SOPHISTIQUE

Le terme de sophistique traduit le grec *sophistikos*, lui-même dérivé de *sophistes* (sophiste), qui désignait l'expert, le professionnel détenant la maîtrise d'un art ou d'une technique. La sophistique est aussi une branche de la rhétorique spécialement attentive aux formes de l'expression et aux techniques du récit fictif, indépendamment de la justesse des fins morales ou savantes. Elle s'est spécialisée dans l'étude des usages « gratuits » du langage, ceux du divertissement et de la fiction. Elle est au centre des préoccupations des théoriciens du langage, même si elle fait encore l'objet de critiques de la part de ceux qui s'interrogent sur la finalité et l'utilité sociale du langage.

L'art du faux ou de l'excès, c'est ainsi que l'on définit la sophistique pendant une bonne partie de l'Antiquité, du Moyen Âge et de l'Ancien Régime. Platon en fait un terme péjoratif (*Gorgias*, 455-454 avant J.-C.). Il l'associe à l'art de la rhétorique artificieuse et l'oppose à la philosophie. Au début de notre ère, émerge sous le nom de seconde sophistique une discipline très proche de la poétique et de la rhétorique de l'éloge, traitant de la description, de l'improvisation et du récit fictif (Philostrate, *Vie des sophistes*, 232-238). Du Moyen Âge à la Renaissance, le terme de sophistique se maintient dans le sens péjoratif d'art mensonger et artificieux. C'est ainsi que les humanistes et les membres du cercle de la Pléiade cataloguent l'art des rhétoriqueurs (J. Du Bellay, *Apologie pour la langue françoyse*, 1580). Au XVIIe s., la sophistique devient synonyme d'excès, d'abondance, d'irrationnel par opposition au style harmonique classique. Elle est présente dans tous les débats sur le statut de l'éloquence, l'opposition entre asianisme et atticisme et l'institution de la « chose littéraire » (la connotation péjorative associée à ce type d'emploi est encore fréquente dans l'usage courant aujourd'hui). Mais parallèlement, la sophistique est réhabilitée en même temps que la rhétorique de l'image que diffuse l'école jésuite. Les genres épidictiques (odes, éloges, vies des hommes illustres) et descriptifs (poésie picturale, emblèmes), ainsi que les jeux d'esprit (comme l'épigramme), font état de la virtuosité des auteurs et exhibent leur « savoir-faire ». Les éloges paradoxaux sont des jeux sophistiques par excellence. *L'éloge de la folie* d'Erasme (1515), *L'ode au fromage* ou *Le melon* de Saint Amant (1631) rappellent *L'éloge de la mouche* de Lucien (118-180). *Les vies des poètes français* de Guillaume Colletet ou encore *Les hommes illustres* de Perrault (1696) font écho aux *Vies des sophistes* de Philostrate et contribuent à l'institution de la littérature française à l'âge classique. L'attention portée à de petits sujets pour en démontrer la grandeur, la perception de l'art comme exercice de style ou d'imagination capable d'assurer l'autorité et l'immortalité de l'auteur attestent de l'influence sophistique. Elle est donc une des sources à l'origine de la littérature au sens moderne du mot.

La sophistique doit son succès à la maîtrise technique de la science du langage. Ce faisant, elle contribue à la formation d'un culte de l'auteur, à travers les deux genres des « Vies illustres » et des jeux d'esprit. Dès l'Antiquité, elle a collaboré aux grands recueils ou encyclopédies des « meilleurs » textes ou « des plus grands auteurs », conçus pour engager l'admiration du public. Enseignée au sein des collèges de Lettres dès la Renaissance, elle a permis que se constitue une somme des critères distinctifs de la valeur et de la qualité de la « chose littéraire » et qu'émerge une science de l'écriture et du discours, dont la poétique et la rhétorique contemporaines sont les héritières. En tant que science établissant les règles « universelles » de la persuasion, la sophistique est régulièrement confrontée aux exigences d'adaptation à la vie économique, politique et religieuse dans un contexte social donné. On remarque à ce titre qu'à l'époque contemporaine, la sophistique manifeste avec plus de rigueur qu'autrefois la gratuité des jeux de langage. La « sophistication » de l'objet littéraire, qui transparaît dans les valeurs de gratuité et d'indépendance de la forme par rapport au contenu, peut être perçue comme une stratégie d'autonomie des arts et de la littérature à l'époque moderne (Bourdieu, *Les règles de l'art*, 1992). À travers la longue histoire de la science du langage et du récit fictif, la sophistication apparaît comme la dernière, mais peut être pas l'ultime, stratégie d'autonomie et de conservation d'un savoir et de pratiques littéraires et artistiques universelles.

▶ ANDERSON G., *The Second sophistic, a cultural phenomenon in the Roman empire*, Londres, Routledge, 1993. — CASSIN B., *L'effet sophistique*, Paris, Gallimard, 1995. — KOLB D., *Postmodern sophistications : philosophy, architecture and tradition*, Chicago, Chicago Univ. Press, [1990], 1992. — PATILLON M., *Précis d'analyse littéraire : les structures de la fiction*, Paris, Nathan, 1995.

Aline LOICQ

→ *Bonnes Lettres ; Littérature ; Poétique ; Rhétoriqueurs ; Rhétorique ; Sujet.*

SOTIE

Forme théâtrale médiévale dont le nom dérive de ses personnages (les « Sots » ou fous), la sotie est une pièce brève (300-500 vers), comique et volontiers cocasse. Elle se joue généralement en ouverture de spectacle. Sur scène, un petit nombre de personnages (cinq en moyenne), renvoyant à des catégories plutôt qu'à des individus, compose un ensemble hétéroclite : aux Sots, coiffés d'un chapeau orné d'oreilles d'âne et de grelots, s'ajoutent des figures allégoriques (Monde, Temps, Ordre, Folle, Chacun), parfois un Badin. La quasi-absence d'action dramatique est contrebalancée par une agilité à la fois verbale et physique : incongruités et acrobaties motivées quelquefois par l'homophonie de « sot » et de « saut » (*Les sobresots*). Ce sont des confréries (les « Clercs de la Basoche » et les « Enfants sans Souci » à Paris, les « Conards » à Rouen) qui se chargent de ce genre de représentations selon le calendrier des fêtes locales.

Née en France, la sotie s'épanouit principalement entre 1450 et 1550. Elle ne semble pas avoir exercé une influence significative sur les théâtres étrangers. À la fin du Moyen Âge, aux Pays-Bas, on joue la « sotternie », mais c'est une farce qui clôture un spectacle. La plupart des soties qui nous sont parvenues sont anonymes ; quelques Signatures d'auteurs professionnels nous restent toutefois : André de la Vigne (v. 1468 - v. 1525), Pierre Gringoire (v. 1475 - v. 1538-39) et Jean de l'Espine, dit Jean du Pont Alais (mort v. 1540). Le genre s'essouffle au cours du XVIe siècle et sa postérité n'est pas assurée. André Gide a sans doute voulu suggérer uniquement une clé de lecture parodique et burlesque en qualifiant les *Caves du Vatican* (1914) de « sotie » - au moment où Émile Picot édite le *Recueil général des Soties* (Paris, 3 vol., 1902-1912).

Les limites et les caractéristiques du genre, aussi bien que ses origines, sont encore débattues. Parente de la farce au point de s'y confondre, mais proche également d'autres formes théâtrales médiévales (moralité, monologue, sermon joyeux), comme elle l'est aussi des fatrasies, la sotie semble résister à toute classification. C'est une pièce bâtarde, aux limites flottantes, où des personnages appartenant aussi à d'autres genres théâtraux se rencontrent pour se laisser aller à des conversations dont l'absurdité cache souvent des intentions satiriques. Au milieu de cette troupe disparate, le Sot se fait remarquer par une autonomie et une complexité particulières. S'il partage avec les autres personnages de la sotie la faculté d'évoluer à l'intérieur de l'espace théâtral et de figurer dans des représentations autrement sérieuses, comme les moralités et les mystères, il jouit du privilège exclusif de descendre des tréteaux pour se mêler à la foule pendant le Carnaval et la Fête des fous. Sous le costume biparti du Sot, le rôle théâtral se double d'une fonction sociale : celle des fous du roi qui, sous le nom « professionnel » de Triboulet, ont successivement amusé Louis XI, Louis XII et François Ier. Figé à jamais au croisement entre la vie et sa représentation, il incombe au Sot d'incarner de façon permanente la dimension carnavalesque de l'existence. La solitude du Sot ne prend fin que sur scène, lorsqu'il se fond et se confond dans une humanité de la sottise aussi variée qu'inépuisable. En témoignent les nombreux « cris » de Mère Sotte appelant ses innombrables sujets, et les deux cent huit espèces de sots énumérées par Panurge et Pantagruel (Rabelais, *Tiers Livre*, XXXVIII).

Une hiérarchie élémentaire structure parfois cette famille de sots : l'autorité souveraine (Le Prince de Sots, La Mère Sotte, Le Général), arbitraire, instable, domine des sujets très souvent démunis et voulant se sortir de leur pauvreté par tous les moyens que leur imagination et leur absence totale de sens moral leur suggèrent. À la fois grossier et décharné, le monde de la sotie est le double renversé de la société civile, tout comme la folie est, au moyen âge, l'envers de la raison. La satire des mœurs contemporaines et des allusions politiques précises (dans la *Sottie du Prince des Sots*, 1512, de Gringoire, la Mère Sotte représente le pape Jules II) rendent souvent plus explicite la portée polémique de la sotie, sans pour autant que sa dimension universelle en soit amoindrie.

▶ AUBAILLY J.-C., *Le monologue, le dialogue et la sotie. Essai sur quelques genres dramatiques de la fin du Moyen Âge et du début du XVIe siècle*, Paris, Champion, 1975. — DULL O. A., *Folie et rhétorique dans la sotie*, Genève, Droz, 1994. — KOOPMANS J., *Le théâtre des exclus*, Paris, Imago, 1997. — LEFEBVRE J., *Les fols et la folie. Étude sur les genres comiques et la création littéraire en Allemagne pendant la Renaissance*, Paris, Klincksieck, 1968.

Patrizia ROMAGNOLI

→ *Farce ; Fatrasie ; Folie ; Jeu ; Miracles ; Moralités ; Mystères ; Satire.*

SOURCES

Pour les sciences interprétatives, comme l'histoire, le commentaire littéraire ou l'exégèse, les sources réunissent l'ensemble des références identifiables dans un texte, soit directement par la reconnaissance d'emprunts, soit indirectement par un processus d'interprétation littéraire ou de reconstitution philologique. Mais « sources » peut aussi désigner des documents qui, intégrés au sein d'un vaste réseau d'inter-textualité, fondent une discipline, voire toute une culture à un moment donné de l'histoire.

Le commentaire de texte et la critique littéraire se sont très longtemps spécialisés dans l'identification et la reconstitution philologique des sources. La philologie, née au IIIe s. après J.-C., est pratiquée par des lettrés et des grammairiens soucieux de retrouver dans la masse des gloses et des variantes la forme authentique des textes. À la Renaissance, les humanistes reprennent le travail de restauration des sources en privilégiant la *lectio difficilior*. Après l'avènement d'une nouvelle science dont l'objet est la reconstitution historique (Vico, *La scienza nuova*, 1725), les philologues et latinistes du XIXe s. cherchent à établir l'histoire généalogique des manuscrits pour les Lettres Saintes (Lachmann, *Nouveau Testament grec*, 1842). La pratique s'adapte, aux XIXe s. et XXe s., au commentaire et à la critique littéraire. Dans la tradition de « l'homme et l'œuvre », après Lanson, une large part de la recherche littéraire s'est appliquée à détecter les sources utilisées par un auteur, pour exhiber l'authenticité et l'originalité de son travail. Critiquée pour sa myopie positiviste, cette méthode décline dans la seconde moitié du XXe s. ; les études d'intertextualité et de critique génétique ont repris la question sur nouveaux frais.

La question des sources se présente sur trois plans. Le premier est celui de l'ensemble des pratiques culturelles. La source y vaut comme preuve du bien-fondé. C'est ainsi que « citer ses sources » et « vérifier ses sources » sont les conditions nécessaires pour que, par exemple, le journaliste, le policier ou le notaire puisse établir et garantir la validité d'une information, d'une accusation ou d'un acte de propriété. L'historien en quête de documents authentiques pour établir des faits, et le philologue cherchant la version originale d'un texte à travers diverses copies, pratiquent une démarche scientifique du même type. Un autre plan est celui de la littérature canonique. Les sources y constituent un signe de légitimité. C'est, par exemple, Racine imitant Euripide, ou Boileau, dans son *Art poétique* (1674), Horace et Cicéron. La question des sources rejoint alors celle de l'imitation : elles sont des preuves non de validité mais de conformité avec l'orthodoxie culturelle. Mais entre ces deux plans, il en existe un troisième, lorsque la littérature puise dans la culture au sens large. Cette pratique est constante, et prend diverses formes : emprunts à la culture populaire par les clercs, du Moyen Âge au XXe siècle, aux pratiques carnavalesques chez Rabelais, mais aussi aux « modernes » italiens autant et plus qu'aux latins chez les auteurs de la Pléiade, aux contes populaires chez La Fontaine et Perrault, aux faits-divers chez Balzac, à l'argot chez Hugo ou Céline, au journalisme politique chez Vallès, etc.

La question se complique lorsqu'on traite de la compétence des lecteurs à discerner ces sources, et de leur disponibilité à les accepter. Au fil de l'histoire de la critique, on peut voir que des chercheurs en lettres françaises rompus aux lettres grecques et latines se sont intéressés surtout aux auteurs qui en usent, tandis que les emprunts à la culture populaire, souvent cités, sont analysés avec moins de précision. D'autre part, s'il est des sources avérées (citations, mentions, imitations manifestes), il est aussi des rapprochements plus aléatoires, fondés sur des similitudes que le lecteur perçoit sans qu'il soit attesté que l'auteur les ait effectivement accomplies. La même question est rendue plus complexe encore par la valeur reconnue aux diverses catégories de sources, qui est tout empreinte d'idéologie.

Reste que toute production littéraire participe des usages culturels établis, de l'imitation, de la réécriture autant que de l'originalité. Les études d'intertextualité ont substitué à la question des sources canoniques celle des relations multiples entre les discours, littéraires ou non. Au-delà, se pose aussi la question des relations entre différents arts (littérature et : musique, spectacle, peinture, cinéma..). On peut dès lors craindre que l'intertextualité soit un phénomène si général que chaque lecteur puisse y trouver les relations qu'il voit et veut voir. L'OuLiPo a humoristiquement évoqué cela en parlant de « plagiat par anticipation » (ainsi les Grands Rhétoriqueurs auraient fait de l'oulipisme..). Mais on peut aussi considérer que le choix de privilégier tel ou tel ordre de sources est significatif des différences idéologiques entre écoles et mouvements littéraires et, au-delà, entre catégories sociales et entre époques. Alors, l'étude des sources et de l'intertextualité ne doit plus avoir pour but un illusoire inventaire définitif de références, mais plutôt le repérage des ordres de sources dominants, indices des changements historiques et sociaux.

▶ CERQUIGLINI B., *Éloge de la variante*, Paris, Le Seuil, 1989. — DRAGONETTI R., *Le mirage des sources*, Paris, Le Seuil, 1987. — MARICHAL R., « La Critique des textes », *in* : Samaran C. éd., *L'histoire et ses méthodes*, Paris, Gallimard, 1961. — ZUMTHOR P., « Erich Auerbach ou l'éloge de la philologie », *Littérature*, n°5, 1972. — Coll. : « Décoder le texte - Text, reading and comprehension », *Revue Belge de Philologie et d'Histoire*, LXIX, v. 3, 1991.

Aline LOICQ

→ *Citation ; Génétique (Critique) ; Histoire ; Imitation ; Influence ; Intertextualité ; Parodie ; Pastiche ; Philologie.*

SPICILÈGE → Anthologie

STÉRÉOTYPE

Le terme de stéréotype appartient en premier lieu au domaine de l'imprimerie où, au début du XIXe s., l'usage du substantif désigne un cliché métallique en relief. Par métaphore (du procédé de reproduction et non de l'objet fini), il renvoie, depuis le début du XXe s., dans le domaine psychologique et sociologique où il s'impose, à une idée ou à une opinion, acceptée sans réflexion et largement répétée. Ainsi, le stéréotype se définit aussi bien par le manque d'originalité que par sa vocation à être partagé ; qu'il soit une pensée de convenance va naturellement de pair avec sa diffusion au sein des représentations collectives et des schémas culturels. De fait, il concerne tous types de discours, y compris le littéraire, qui - ne serait-ce que par l'héritage rhétorique du lieu commun - emprunte autant qu'il les forge les modèles conventionnels, s'imprègne de l'imaginaire social, et le façonne en retour.

L'idée, sinon le terme, de stéréotype s'impose au XIXe s., à un âge où, pour la littérature, il n'est pire péché que la convention : le recours aux idées toutes faites, aux procédés éprouvés, aux formes d'expression rebattues n'a plus sa place quand la personnalité de l'auteur est mise en avant, quand sa mission lui commande de faire œuvre originale. C'est Flaubert qui, après 1850, dans son *Dictionnaire des idées reçues*, manifeste l'une des intelligences les plus féroces de la stéréotypie et de son potentiel de dénigrement de la morale bourgeoise. À la suite de quoi, à l'orée du XXe s., chacun à leur manière, Léon Bloy et Remy de Gourmont témoignent avec dérision, violence, mais aussi esprit de méthode, d'une visée péjorative du lieu commun qui perdurera chez les romanciers-critiques ultérieurs. Il est symptomatique de retrouver dans les années 1950, chez Sarraute, au cœur d'une entreprise qui s'applique au renouvellement des formes et des matières romanesques, le besoin impérieux de dégager l'écriture de sa « gangue d'idées préconçues et d'images toutes faites » (*L'ère du soupçon*, 1956), pour mettre en scène, contre la stéréotypie de la parole en société, l'authenticité du tropisme corporel.

Dans la constellation lexicale de l'impensé, de l'implicite culturel, le stéréotype, apparu le dernier, bien après les lieu commun (*topos*), cliché, poncif, et autre idée reçue, possède une spécificité par défaut qui élargit son domaine d'intervention et lui donne une certaine plasticité. Selon R. Amossy (p. 22 et 33), il est un « schème connu d'avance », mais dont la particularité est d'être « toujours variable dans sa formulation » (par différence avec le cliché, perçu, nous dit Riffaterre, comme figure de style usée). C'est tenir compte du fait que les lieux du prêt-à-penser savent changer de décor ; mais plus encore c'est reconnaître qu'« en chaque signe dort ce monstre : un stéréotype ». Car, si l'on ne sait « parler qu'en ramassant ce qui traîne dans la langue » (R. Barthes, *Leçon*, Le Seuil, 1978, p. 15), au milieu de ce ramassis verbal, parmi ces déchets discursifs, prend racine la *doxa* d'une époque et de sa littérature.

Ainsi, le stéréotype est une réalité ambivalente. D'un côté, l'attitude générale (stéréotype du stéréotype) est celle du rejet : au mieux, en raison de ses contenus figés, il est vu comme naïf et stupide, au pire, il est considéré comme nocif, car on le soupçonne d'exercer une influence néfaste sur les esprits faibles ; dans les deux cas, il jette l'opprobre sur le sujet ou le discours qui en fait l'usage. De l'autre, et plus récemment, parce que le stéréotype emprunte au type son caractère classificatoire, il est envisagé comme un phénomène digne d'intérêt pour la place privilégiée qu'il occupe dans la sphère du sens commun. Fondé sur l'idée de croyance (et sur sa compagne, la crédulité), le stéréotype n'intervient pas en effet dans le domaine du vrai (et du vérifiable), mais construit ce sens partagé, exempt ni d'erreurs ni d'approximations, mais fécond, puisque socialement instituant, et toujours prêt à infiltrer ou à polariser les discours. Les études littéraires, qui ne séparent pas toutes le stéréotype du cliché, reconnaissent plus volontiers le premier comme support des représentations sociales et des formations idéologiques. Personnages, genres, catégories... deviennent alors autant de points d'appui pour une réflexion qui s'inscrit principalement dans les contextes critiques de la sociologie et de l'idéologie.

▶ AMOSSY R., *Les idées reçues : sémiologie du stéréotype*, Paris, Nathan, 1991. — BLOY L., *L'exégèse des lieux communs* (1902 et 1913), Paris, Gallimard, 1973. — FLAUBERT G., *Le dictionnaire des idées reçues* [1881, posth.], A. Herschberg-Pierrot (éd.), Paris, Le Livre de poche, 1997. — GOURMONT R. de, *La Culture des idées* [1900], Paris, UGE, 10/18, 1983. — HERSCHBERG-PIERROT A., « Problématiques du cliché : sur Flaubert », *Poétique*, sept. 1980, n° 43.

Florence DE CHALONGE

→ *Doxa ; Idéologie ; Lieu commun ; Topiques, Type.*

STOÏCISME

La doctrine stoïcienne de l'Antiquité, illustrée à Rome par Sénèque puis Epictète, couvre l'ensemble de la philosophie : la logique, la physique et la morale. Selon cette doctrine, les êtres vivants ont dès leur naissance une tendance à rechercher et à connaître ce qui est conforme à leur nature et ce qui s'y oppose, de sorte que vivre en accord avec sa nature et en accord avec la nature ne fait plus qu'un, et souligne la rationalité de l'approche du Bien ainsi réalisée. En même temps, les stoïciens, reconnaissant l'existence en l'homme de passions réfractaires à cette tendance ou orientées de manière désordonnée, s'appliquent à les surmonter en les soumettant à un examen critique : le sage, disent-ils, est sans passions (il atteint l'*ataraxie*). La morale stoïcienne a eu une forte influence sur la littérature des moralistes, mais aussi sur la représentation des personnages. Dans la France du XVIe s., les œuvres de Plutarque et de Sénèque trouvent un large écho. Le témoin primordial de cette émergence est Montaigne dont les deux premiers livres glosent avec profondeur les *Lettres à Lucilius* de Sénèque. Si, comme le dit le chapitre 39 du Livre I, « la plus grande chose du monde, c'est de sçavoir estre à soy », et que, d'autre part, « le goût des biens et des maux dépend de l'opinion que nous en avons », il découle logiquement de là que les « jugements faux sont les seules causes de nos passions, et qu'il suffit de les voir dans « leur vrai estre » pour s'en délivrer par le seul effet du discours » (J. Maurens) : position conforme à celle des stoïques. Le stoïcisme a été ensuite adapté par la morale chrétienne, et le stoïcisme chrétien est devenu une sorte de doxa à l'âge classique. Non sans difficultés, car deux considérations, toutefois, rendaient l'adhésion aux vues stoïciennes difficile. La première est leur sévérité, pour ne pas dire leur ascétisme. Poser que le sage est sans passions, c'est prêter à la volonté humaine un pouvoir que d'aucuns, et Montaigne le premier, estimèrent vite exorbitant. Le besoin de grandeur et d'intransigeance morale, sensible dans le volontarisme stoïcien a été dénoncé comme une forme d'orgueil (d'*hybris*) par ceux qui, tels Pascal, insistent au contraire sur la faiblesse constitutive de la nature humaine : « Je vous avoue, Monsieur, confie Pascal à M. de Saci, que je ne puis voir sans joie dans cet auteur [Montaigne] la superbe raison si invinciblement froissée par ses propres armes, et cette révolte si sanglante de l'homme contre l'homme, qui, de la société avec Dieu, où il s'élevait par les maximes, le précipite dans la nature des bêtes. » La critique janséniste, tout en reconnaissant aux disciples d'Epictète un souci du Souverain Bien comparable à la recherche chrétienne, dénonce la prétention à raisonner à partir d'un concept de nature envisagé indépendamment de la doctrine du péché originel et d'une volonté exorbitante de prétention au regard de la faiblesse humaine. La seconde réserve porte sur l'analyse des passions. Là où le stoïcisme voyait un mal, les modernes les regardent comme une énergie que seul l'usage qu'on en fait affecte d'un signe positif ou négatif, dans une perspective à laquelle l'ordre de l'Oratoire ou les Jésuites apportent leur appui. Aussi le stoïcisme, fort au moment de la Renaissance et à l'âge classique, diminue d'influence ensuite.

Outre les ouvrages des moralistes, des auteurs comme Corneille illustrent le caractère conflictuel que peut prendre cette morale. Il montre la grandeur de l'idéal stoïcien dans un personnage comme l'empereur Auguste (*Cinna*, 1641) s'écriant « Je suis maître de moi comme de l'univers ». Mais il montre aussi des personnages qui, comme sa Médée cherchent à soumettre la réalité à l'empire de leur volonté (« L'âme doit se roidir plus elle est menacée,/ Et contre la fortune aller tête baissée, ») et abandonnent par là même toute velléité de triompher des passions. Affaibli ensuite, le stoïcisme refait surface de manière intermittente. Ainsi notamment le Rousseau des *Rêveries* (1782) cherche l'idéal d'une ataraxie qui vienne faire barrage aux passions douloureuses qui renaissent au souvenir de la persécution qu'il a subie. Vigny, dans *La maison du berger* (1844) et *La mort du loup* (1843) exalte l'orgueil stoïque face aux désillusions du monde. Le stoïcisme apparaît, au total, comme une attitude aristocratique.

▶ BRUN J., *Le stoïcisme*, Paris, PUF, 1958. — GOLDSCHMIDT V., *Le système stoïcien et l'idée de temps*, Paris, Vrin, 1963. — ILDEFONSE F., *Les stoïciens*, Paris, Les Belles Lettres, 2000-2001. — MAURENS J., *La tragédie sans tragique. Le néo-stoïcisme dans l'œuvre de Pierre Corneille*, Paris, Armand Colin, 1966.

John E. JACKSON

→ *Affects ; Antiquité ; Ascèse ; Christianisme ; Classicisme ; Jansénisme ; Passions ; Philosophie ; Renaissance.*

STRATÉGIE LITTÉRAIRE

La stratégie désigne un ensemble d'actions coordonnées en vue d'un résultat déterminé. Ce mot emprunté au vocabulaire militaire s'emploie en sociologie pour indiquer les choix et les manœuvres que réalise, inconsciemment ou consciemment, un acteur social. Appliqué au domaine littéraire, il aide à décrire des réalités internes au champ (la carrière littéraire proprement dite), et externes à celui-ci (les effets de cette carrière sur la mobilité sociale des écrivains), mais aussi des façons de conduire la rédaction des œuvres.

La mise en place de stratégies de reconnaissance est aussi ancienne que l'art d'écrire. Dès l'Antiquité, l'activité littéraire comprend de la critique, des biographies de grands auteurs, des satires ou des éloges qui aboutissent à hiérarchiser les œuvres et à déterminer les critères de leur valeur. La notoriété, l'accès à la publication et à la mémoire collective étaient donc des enjeux perceptibles par les auteurs dont certains ont conduit des stratégies plus efficaces que d'autres pour s'imposer (Virgile consacré *vs* Ovide exilé). Toutefois, en France, au Moyen Âge et encore au XVIe s., la position sociale des écrivains n'est pas assez clairement identifiée pour servir à une carrière rapide. La naissance d'un champ littéraire modifie ce fait. Au XVIIe s. les lettres occupent de plus en plus le centre du système culturel. On attend des auteurs qu'ils disent les normes, à travers leur maîtrise de la langue et des codes de l'expression. Même s'il reste relativement inférieur à d'autres états (comme les armes, la prélature ou la magistrature), l'homme de lettres bénéficie d'une reconnaissance sociale (officielle, à travers les Académies ou le rôle d'historiographe par exemple, et publique, par le succès). Dès lors, la réussite dans ce domaine est une voie de promotion, d'autant qu'elle demande relativement peu de dotation sociale (pas de grande fortune par exemple). Entre la logique du pouvoir et celle des milieux mondains, entre salons et mécènes, les écrivains apprennent à organiser leur carrière : Chapelain, Boisrobert, mais aussi Saint-Amant, Scarron, Corneille ou Racine donnent des exemples de stratégies réussies, à la fois sociales et littéraires. La spécialisation dans un genre est alors une des formes privilégiées de la gloire littéraire : elle correspond au palmarès donné par Guéret dans la *Guerre des Autheurs anciens et modernes* (1671). Deux siècles plus tard, Balzac organise son parcours d'écrivain pour satisfaire ses impérieux besoins d'argent et de notoriété et il expose toutes les données de la carrière dans *Illusions perdues* (1837). Nerval constate également dans sa correspondance, en 1838, que « le mérite littéraire dispense de monter de grade en grade dans les positions politiques » (*Œuvres complètes, I*, Pléiade, 1989, p. 1310). L'intérêt que continue de susciter la carrière littéraire auprès d'individus d'origine modeste (comme les écrivains prolétariens) et les effets de la réussite littéraire concrétisés par des Prix ou les récompenses mondaines (invitations, vernissages, dîners par exemple) prouvent que ces enjeux restent actuels.

Les écrivains ont pris très rapidement conscience des stratégies littéraires. La lecture des préfaces, des manifestes, des critiques, de la presse spécialisée permet de suivre leurs prises de position en la matière. Ainsi en 1912, F. Divoire publie son *Introduction à l'étude de la stratégie littéraire* qui décrit sur le mode satirique le cursus idéal de l'écrivain en quête de reconnaissance, tourné vers les revues, les groupes, les genres littéraires. La sociologie littéraire, notamment à travers la théorie du champ, prend en compte ces données.

Mais considérer que la création d'une œuvre d'art participe plus ou moins d'un « plan de carrière » serait simplification abusive. D'où la nécessaire distinction entre stratégie objective (que certains auteurs et éditeurs pratiquent) et subjective. L'idée de stratégie ne postule aucunement une pleine conscience et un calcul froids des choix opérés ; au contraire, elle inclut toujours une part d'inconscient. La notion d'habitus, par exemple, permet de penser l'ajustement inconscient des choix aux possibilités offertes. Celle d'ethos, manifestation d'une figure d'auteur dans les façons d'écrire, en est un correspondant textuel. Le vocabulaire des Lettres avoue d'ailleurs ces enjeux : *capatatio benevolentiae* de la rhétorique et « le but est de plaire et de toucher » dans la poétique classique, par exemple, disent explicitement qu'écrire engage une stratégie de séduction (des destinataires), qui, si elle aboutit, suscite des gains de notoriété et parfois d'argent. Le style est un choix aussi bien qu'une marque de soi, et en tout état de cause, un choix d'éthos qui engage la relation à l'autre, le lecteur « semblable et frère ». L'idéologie du désintéressement, caractéristique de l'art pour l'art, n'empêche d'ailleurs ni le soin de capter le lecteur, ni la formation de profits symboliques ou matériels. L'étude des stratégies littéraires constitue donc un des liens forts entre l'histoire et de la sociologie du monde des écrivains et l'analyse des modes d'écriture.

▶ BOURDIEU P., *Les règles de l'art*, Paris, Fayard, 1992. — SAPIRO G., *La guerre des écrivains*, Paris, Fayard, 1999. — VIALA A., *Naissance de l'écrivain*, Paris, Minuit, 1985.

Paul ARON

→ *Écrivain ; Ethos ; Littérature ; Poétique ; Rhétorique ; Sociologie de la littérature.*

STRUCTURALISME

Issu de la confluence de plusieurs courants – formalismes russe et pragois, anthropologie et linguistique structurales – qui tous trouvent plus ou moins leur source dans les travaux de Ferdinand de Saussure, le structuralisme constitue une démarche scientifique qui, articulant une théorie du signe et de la signification à une méthode d'analyse commutative / substitutive, étudie les systèmes de relations – relativement – stables (les structures). Lorsqu'il prend la littérature pour objet, il envisage moins la diversité des œuvres littéraires réelles que les structures de pensée, les structures narratives et la littérarité (c'est-à-dire, pour reprendre les termes de Roman Jakobson, « ce qui fait d'une œuvre donnée une œuvre littéraire »).

Dans les années 1910 et 1920, les formalistes (Roman Jakobson, Iouri Tynianov, Boris Eikhenbaum, Victor Chklovski, etc.) développent, en réaction contre les symbolistes, une théorie de la « littérarité » fondée sur la perceptibilité de la forme. Pour eux, l'œuvre, sans cesse menacée par la routine et le poncif, tient sa littérarité de sa capacité à créer la surprise, à rafraîchir la perception esthétique, à mettre au premier plan ses traits formels. De sorte que l'évolution littéraire, plutôt que de se résumer à une succession d'œuvres et d'écoles, apparaît comme une constante autocréation de formes nouvelles.

L'attention portée en priorité aux formes vient de ce que ce sont elles qui, saisies dans la série (ou système) littéraire, se révèlent singulières, et non les contenus. Le formalisme valorise ainsi l'étude immanente du matériau littéraire ; considérant que la littérature est de nature avant tout langagière, il puise principalement ses références dans la linguistique structurale alors en émergence. D'abord rigoureusement synchronique, bornée à l'étude de l'œuvre dans le contexte contemporain des procédés littéraires neufs ou usés, la méthode formelle, sous l'influence de Tynianov, intègre plus tard la diachronie et, partant, tente d'inscrire la série littéraire dans la série historique.

Héritier du mouvement russe, le structuralisme défendu par les membres du Cercle de Prague (Roman Jakobson encore, Jan Mukarovsky, Vilem Mathesius, etc.), entre 1926 et 1939 surtout, insiste sur l'aspect dynamique de la structure, s'opposant par là au caractère statique d'un certain formalisme : Mukarovsky signale que « nous sommes amenés à reconnaître qu'une étude scientifique de la littérature appelle nécessairement une prise en considération du milieu social où l'œuvre a vu le jour et par rapport auquel elle fonctionne. L'œuvre littéraire est un fait historique » (trad. française in *Change 3*, p. 55). Ce structuralisme dynamique, avant tout axé sur la phonologie, sera toutefois délaissé, sous l'influence de la lecture de Saussure et, dans le domaine des études ethnographiques, Claude Lévi-Strauss.

Collègue de Jakobson à New York durant la Seconde Guerre mondiale, Lévi-Strauss s'initie à la linguistique structurale et en applique bientôt les principes à sa propre discipline. Fasciné par les avancées de la phonologie structurale (le modèle binaire, notamment) et, en amont, de la linguistique générale, il reprend dans ses recherches sur la parenté (*Les structures élémentaires de la parenté*, 1949) la réflexion sur le signe et plus spécialement les dyades saussuriennes fondatrices : signifiant / signifié, langue / parole, syntagme / paradigme, synchronie / diachronie, ainsi que la théorie de la valeur et la notion clé de système. Pour Lévi-Strauss, « les termes de parenté sont des éléments de signification ; [...] ils n'acquièrent cette signification qu'à la condition de s'intégrer en systèmes » (C. Lévi-Strauss, *Anthropologie structurale*, Paris, Plon, 1958, p. 40-41). En fait, selon lui, ce ne sont pas tant les termes d'une relation qui sont significatifs que la relation elle-même, c'est-à-dire la structure ; et ce ne sont pas les comportements individuels qui importent mais les règles de comportement inconscientes : est ainsi consommée l'éviction du sujet hors de la sphère du savoir, pierre angulaire de ce qu'on a appelé l'« idéologie structuraliste ».

À travers Lévi-Strauss, Jakobson et Hjelmslev, les idées formalistes et structuralistes gagnent progressivement le domaine des études littéraires. En France, Algirdas-Julien Greimas, Tzvetan Todorov, Roland Barthes, Gérard Genette, Claude Bremond et Jean Cohen sont parmi les premiers à s'y intéresser, pour des raisons et par des voies différentes. Malgré leurs divergences, ces chercheurs ont en commun la fidélité à la plupart des propositions saussuriennes : tous visent par exemple à se détacher de la parole littéraire (les œuvres) afin de parvenir à la description de la langue – du code – qui la sous-tend. Pour ce faire, ils s'autorisent des principes de formalisation, de pertinence sémantique et de pluralité (ou polysémie). Ils aspirent à instaurer une sémiologie de la connotation, étant entendu que la fonction poétique, au sens de Jakobson, met l'accent sur cet aspect ; ils s'attachent par conséquent au signifiant *et* au signifié (qui donne entre autres accès à l'idéologie). Les principaux chantiers des années 1960, alors que le mouvement se trouve à son apogée, sont l'analyse structurale des récits (voir la livraison éponyme de la revue *Communications*, 1966, n° 8) et l'étude du fonctionnement du langage poétique (J. Cohen, *Structures du langage poétique*, Paris, Flammarion, 1966). Ensuite, le structuralisme proprement dit décline, mais il imprègne durablement l'enseignement littéraire de la génération suivante, colonise des pans entiers de l'université. Par ailleurs, plusieurs chercheurs structuralistes sont toujours en activité (Genette, Riffaterre...).

En tentant de décrire les systèmes de signification que représentent les œuvres littéraires comme les réalisations spécifiques d'une « langue » dans un moment synchronique, les structuralistes français ont lié leur travail à deux contraintes dont le poids allait bientôt apparaître, dès la fin des années 1960. En premier lieu, l'exigence de synchronie leur a bloqué l'accès à une théorisation de l'évolution littéraire et du fonctionnement du système de la tradition ; sur cette question, ils ont dû revenir aux conceptions plus souples de Tynianov et ensuite des structuralistes de Prague. Ensuite, l'adoption du modèle d'une linguistique qui, en principe, ne prétendait pas dépasser les limites de la phrase, a conféré à leur conception du texte un autre type de statisme, en le coupant de la situation de discours et du phénomène énonciatif ; à cet égard, les travaux d'Émile Benveniste ont contribué à réintégrer le sujet parlant / écrivant dans l'expérience littéraire en permettant d'envisager l'œuvre littéraire non plus seulement comme un produit mais comme une production. Ces ouvertures seront particulièrement fécondes chez les chercheurs de la génération suivante (pragmatique et théorie de l'énonciation par exemple), dont certains se diront poststructuralistes.

Une autre contrainte de la démarche structuraliste résulte de son postulat sémiotique fondamental : elle définit la littérature comme un système cohérent de signes. Or il est impossible de fonder historiquement une définition de la littérarité qui soit applicable à ce que l'histoire a reconnu comme littérature, il n'y a pas une mais bien des littérarités, variables dans l'histoire et dans leurs moyens langagiers, que Genette essaie de théoriser (*Fiction et diction*, 1991). L'histoire et la sociologie voient dans la littérature l'institution de pratiques caractérisées par des fonctions sociales spécifiques qui débordent la simple signification des « textes ». Elles s'interrogent entre autres justement sur cet impensé de la sémiotique littéraire, la constitution de certains ensembles de discours en « textes littéraires », et sur l'effet de décontextualisation qui conduirait à n'y voir du sens sans situation. Ainsi, si l'idée de structure est pertinente et efficace, sa systématisation (que marque l'« -isme ») semble contrarier ses potentialités d'analyse.

▶ CULLER J., *Structuralist Poetics*, Londres, Routledge and Kegan Paul, 1975. — DION R., *Le structuralisme littéraire en France*, Candiac (Québec), Balzac, 1993. — DOSSE F., *Histoire du structuralisme*, Paris, La Découverte, 1991 (t. 1) et 1992 (t. 2). — PAVEL T., *Le mirage linguistique*, Paris, Minuit, 1988. — TODOROV T., *Qu'est-ce que le structuralisme? 2. Poétique*, Paris, Le Seuil, 1968.

Robert DION

→ *Formalistes ; Linguistique ; Littérarité ; Nouvelle critique ; Signe ; Système.*

STYLE

Le terme de style correspond à une notion ancienne, délicate et nécessaire. Par son origine, le stylet (qui servait à écrire sur les tablettes de cire), « style » contient l'idée de « marque ». Mais marque de quoi ? À partir de là, en effet, deux définitions ont été envisagées. La définition moderne courante, celle que par exemple reprend R. Barthes dans *Le degré zéro de l'écriture* (1953), fait du style la marque de l'individu qui écrit, sa manière personnelle. Une autre définition, plus ancienne mais encore sensible, voit dans le style, au contraire, la marque de schémas fondamentaux communs à un groupe, à un code, à un genre.

L'acception la plus traditionnelle rattache la pensée du style au domaine rhétorique, ce qui constitue certainement une position forte, précise et, à cet égard, limitée. Le style est alors lié à la question des niveaux, elle-même inséparable de la question des genres. Depuis l'Antiquité, on a distingué une hiérarchie de niveaux d'expression, qui sont des niveaux de langage définis par la sélection de certains termes et de certains tours de phrase. Cette distinction donne une tripartition : relâché – moyen – élevé. Cet ensemble a pu se subdiviser en diverses autres catégories analogues : populaire – relâché – bas – humble – familier – simple – moyen (médiocre) – élevé – sublime. Ce dispositif est constant dans l'histoire des lettres, jusqu'au moins au XVIIIe s. Parallèlement, s'est constituée une autre série, qui n'est pas superposable à la première (sauf pour la qualification du simple) et qui est moins une hiérarchie de niveaux qu'un répertoire de manières : asianiste – attique – rhodien – simple – bref (laconique) – soutenu – fleuri – noble – grand style. Ce sont donc là des « genres » de style qui s'établissent à partir du minimum de « simplicité », mais leur caractérisation en termes thématiques, et surtout le traitement différent qu'ils font des figures, les conduisent à en privilégier chacun certaines et en plus ou moins grande abondance.

De ces deux schémas émergent les deux inflexions de la pensée du style. Selon un certain radicalisme rhétorique, ces niveaux et ces genres de style, malgré l'ambiguïté de leur articulation, sont d'une certaine façon neutres vis-à-vis de toute praxis verbale. Le rôle de la réflexion rhétorique sur le style a été largement, en effet, de décrire les moyens et la mise en œuvre de quelque discours social qu'on puisse proférer, dans n'importe quelle circonstance, par rapport à tout type et toute taille de public. C'est là une conception du style très englobante à l'égard de toutes les composantes du discours, depuis la topique des sujets jusqu'à l'orientation argumentative, la pragmatique, en passant par la mise en jeu de tous les constituants du langage. Mais cette apparente neutralité rhétorique est grosse en fait d'une tout autre évolution, par le lien qui s'est dès l'origine établi avec les genres littéraires – il vaudrait d'ailleurs sans doute mieux parler de poétique, au sens des arts poétiques, comme celui de Boileau (1674) : à telle pratique générique du type élégie ou tragédie, correspond tel genre (et tel niveau) de style. Cette conception, dominante durant près de vingt-quatre siècles en Occident, et notamment en France, a donné souvent du littéraire une impression de drapé un peu funèbre.

Sous ce double horizon s'est développée également une double exigence d'adaptation. Adaptation au public : on s'adresse (on parle, on écrit) à quelqu'un, à quelques-unes, à tel milieu, et l'on adapte son style à ses destinataires. Et d'autre part, il y a l'adaptation à la matière dont on traite : cette adaptation est un trait définitoire du style jusque chez les lexicographes du XVIIe s. « Style » signifie alors, pour l'essentiel, « code » selon les niveaux (familier, moyen, élevé) et selon les manières (fleurie, attique etc.) ; la marque individuelle n'est guère rien que la juste adaptation au sujet et au public.

Un autre continent de l'appréhension du style se découvre un siècle plus tard avec l'idéalisme allemand. Selon ce courant de pensée, initié par les frères Schlegel, le style est le révélateur formel, dans la pratique scripturaire de chacun, d'une matrice créatrice dont il est consubstantiel. Cette espèce de source profonde se manifeste dans des traces verbales uniques, révélatrices d'une nature singulière ; elles sont une sorte de signature individuelle et même plus : une caractéristique signifiant le fond et le tout d'un auteur. Une telle conception fait du style non plus un « habillage », mais l'élément central de l'herméneutique. Elle explique aussi l'inflexion à la fois plus simple et plus systématique des études du style comme examen de la psychologie des auteurs. Mais, si cette démarche valorise les investigations de caractère individuel ou singulier, on ne voit pas pourquoi elle ne serait pas généralisable à l'analyse d'espaces collectifs de création ou de manifestations verbales, ce qui permet l'analyse des styles d'époque, des styles de groupes, des styles de tel ou tel aspect social, ou même des styles de vie. La tradition critique et académique française a plutôt procédé, jusqu'au milieu du XXe s., à un travail d'étiquetage et a eu tendance à réduire le style à la « forme de l'expression » : la sélection et la disposition des lexies et le jeu des figures (ce qui est peu). Centrant presque toujours les études sur les styles des individus, elle a eu du mal à établir une pensée des styles collectifs. Elle a privilégié la considération exclusive des styles littéraires, Enfin, elle a usé et abusé de la théorie du style comme « écart » : le repérage du style se ferait dans la perception d'un écart ; mais par rapport à quelle statistique de quel usage de quel état de quelle langue ? D'autant que ce type d'études s'occupe, en général, du style littéraire, ce qui renvoie à la question de la littérarité. La question s'est trouvée modifiée par la constitution de la stylistique en discipline propre, envisageant plus globalement les faits de style. Par ailleurs, en sens inverse des analyses trop consacrées à l'individuel, R. Barthes a proposé la notion d'« écriture », distinguant la langue, donnée générale, le style, fait individuel, et l'écriture, codification collective des manières de dire. Ce renversement d'orientation vise à appréhender un dynamisme, saisir une voix singulière gravée dans le tissu textuel. Mais cette proposition, qui n'a jamais bénéficié d'une forte progression conceptuelle, semble encore privilégier le scripturaire, et plus restrictivement, ce qu'on appelle le littéraire. Or, on ne voit pas pourquoi le style resterait ainsi cantonné, comme si style était forcément synonyme de littérarité – même si, en sens inverse, il y a forcément une caractéristique de style au littéraire.

L'histoire des pratiques fait donc ressortir que les sens de « style » ont varié, et qu'il convient en premier lieu de considérer les occurrences du terme et de la notion en situation, et non en transférant le sens aujourd'hui dominant sur le passé. Elle montre aussi que le style est une catégorie majeure dans la valeur littéraire reconnue aux œuvres, et pourtant, que cette notion est pertinente aussi en dehors de la littérature. Il est donc nécessaire de sortir de l'aporie des dilemmes littéraire / non littéraire, écrit / oral, singulier / collectif, qui pèsent de longue date sur les réflexions touchant le style. En l'état présent de la recherche, il apparaît cohérent de considérer qu'il n'existe pas d'en-soi du style (un mot n'est pas en lui-même poétique ou non, une métaphore n'est pas l'indice qu'un texte est littéraire...), mais qu'il se produit des combinaisons d'usages langagiers : elles créent des effets de réaction et de réception graduels et variables selon les circonstances et selon les milieux, sur une échelle qui s'étend des plus codées aux moins codées, des plus prévisibles aux moins prévisibles, du plus utilitairement et univoquement informatif et indicatif au moins informatif ou indicatif, des plus transitifs aux plus psycho-somatiquement pénétrants. Le style est donc plutôt un complexe de valeurs à réception. Une telle conception, à l'opposé d'autres, est extensive : des faits langagiers de quelque ordre que ce soit (depuis le phonème jusqu'au thème) forment des ensembles de variants et d'invariants dépendant des conditions elles-mêmes variables des énoncés en situation. C'est selon les points d'articulation des saisies dans un tel continuum que l'on peut caractériser le plus ou moins de singularité, de généricité, de typicité - de topicité - et d'artistisation des textes. Une telle démarche est généralisable aux langages autres que verbal. Dès lors, le style apparaît comme un choix et non comme une nature.

▶ CAHNÉ P. & MOLINIÉ G. (éd.), *Qu'est-ce que le style ?*, Paris, PUF, 1994. — COMBE D., *La pensée et le style*, Paris, Éditions universitaires, 1991. — GRANGER G. G., *Essai d'une philosophie du style,*, Paris, Odile Jacob, 1988. — MOLINIÉ G., *Éléments de stylistique française*, Paris, PUF, 1997 ; *Essais de sémiostylistique*, PUF, Paris, 1998.

Georges MOLINIÉ

→ *Écriture ; Genres littéraires ; Herméneutique ; Langue française (Histoire de la) ; Littérarité ; Originalité ; Poétique ; Registres ; Rhétorique ; Stylistique ; Valeurs.*

STYLISTIQUE

On doit distinguer le stylistique, c'est-à-dire les faits et conceptions du style, et la stylistique. Celle-ci peut être définie comme une discipline universitaire fondée en 1905 par C. Bally. Mais elle peut aussi être définie par la formule : la stylistique est une praxis. Cette affirmation fondamentale est en fait une thèse, mais relève de la prudence. Bien sûr, on peut dire que la stylistique est aussi une discipline et une théorie qui porte sur les faits de style. Encore convient-il de bien parcourir *le* stylistique, les conceptions du style, et de voir qu'à partir de celles-ci, il y a, et il y a eu, des stylistiques.

La stylistique a connu des avatars divers au cours du siècle écoulé. Elle a constitué une nouveauté et une modernité dans les études littéraires. Elle a aussi subi un fort déclassement avec l'essor des sciences du langage, qui prenaient en charge une partie de ses objets. Elle constitue aussi, en France, un répertoire d'exercices dans la formation à l'enseignement des Lettres. Dans la seconde moitié du siècle, elle a profité du reflux et de la décantation de la linguistique pour réapparaître, rénovée, dans la recomposition contemporaine des sciences humaines. Ces variations imposent des questions.

Un premier ensemble de questions est tributaire des liens entre la stylistique et la critique littéraire : la stylistique sert alors de discipline secondaire. Elle contribue à la philologie pour des attributions de textes lorsque celles-ci sont problématiques. Elle vise aussi à caractériser la marque particulière d'une manière d'écrire singulière et originale, le style d'un auteur. Elle touche alors à des valeurs littéraires essentielles : l'originalité d'un écrivain est avant tout évaluée dans la forme, dans la manière, en un mot, le style. Aussi ce vaste domaine est-il l'empire des études de style, illustré notamment par les *Études de style* (éd. fr. 1970) de Léo Spitzer. Si de telles études atteignent parfois ainsi à l'intuition de traits fondamentaux d'un écrivain, d'autres fois, elles réduisent l'objet de l'analyse au choix et à l'arrangement des mots, ainsi que de certains types de figures. L'implicite théorique de telles pratiques est qu'il existe un rapport d'affinité exclusive entre stylistique et littérature. Position rarement conscientisée, et qui n'est ni évidente, ni sûre.

Il a paru aussi opportun, peut-être à cause de telles apories théoriques possibles, d'envisager l'extension de la stylistique à un autre domaine, plus ancien, celui de l'empire rhétorique. On élargit ainsi l'analyse des constituants à l'ensemble des procédures de disposition et de composition, à la topique, à l'action, aux schémas de l'argumentation : c'est énorme (et fort ancien : mais le progrès consiste quelquefois en la reprise en compte éclairée de la tradition). Mais, en même temps, on décale, ou on révolutionne, le rapport au littéraire, à la fois pour l'englober dans une histoire beaucoup plus large et aussi en l'insérant dans l'ensemble des discours.

Cette double optique, qui définit déjà un programme de travail considérable, ne suffit pas pour baliser l'entreprise stylistique aujourd'hui. En effet, s'est imposée une connexion avec les sciences du langage. Pour certains, depuis les formalistes russes, la stylistique fait partie non des études littéraires, mais des sciences du langage. De fait, les sciences du langage déterminent pour la stylistique un magasin d'outils et de méthodes. Ainsi, pour en rester aux liens les plus sensibles, la linguistique de l'énonciation, dans le sillage des travaux de Benveniste, envisage ce qui touche aux systèmes concernant les questions *qui parle – à qui – de quoi – sous quelles formes et modalités* ; autant d'approches qui conditionnent, et en profondeur et en surface, les diverses proférations, et d'où l'on conclut que toutes celles-ci, quelles que soient leurs apparences, sont discours. La linguistique des actes de parole, la pragmatique, forme un autre continent majeur pour l'interrogation stylistique, avec l'attention apportée aux infiniment divers comportements verbaux ; s'y rattache le canton des études conversationnelles et, plus largement, des interactions verbales. De même, tout à fait considérable a été l'apport de ce que l'on appelle l'analyse du discours, notamment du point de vue plus sociolinguistique pour le décryptage des implicites génériques et idéologiques de tous types de discours – au point que l'on a pu dire que la stylistique, dans un sens restreint, est une branche de l'analyse de discours (c'est aussi le sens non moins restreint que précis de la linguistique textuelle). D'autre part, on a convoqué toutes les voies de la lexicologie : analyse des combinatoires de composantes, analyse sémantico-lexicale, analyse quantitative et fréquentielle (ce qui permet de beaux résultats sur les corpus fermés et à exploitation exhaustive). Enfin, c'est la sémiotique qui a le plus contribué à forger une stylistique efficace et moderne : sémiotique narrative, issue de l'étude structurale des récits, théories du descriptif, poétique des genres et des types de textes.

Le stylistique peut donc, avec cet ensemble de perspectives, s'appréhender d'un point de vue macro-discursif. Il peut aussi s'appréhender d'un point de vue micro-discursif, par l'étude des constituants plus élémentaires : les matériaux sonore et graphique, le vocabulaire, avec, dépendant des systèmes connotatifs, les faits de registre et de niveau (de langage), même si ceux-ci excèdent le constituant lexical ; l'ensemble du système de la caractérisation ; l'organisation phrastique ; les figures. Au-delà encore, la stylistique peut devenir interprétative, dans la mesure où, dans tout langage, les composantes que L. Hjelmslev étiquette comme forme et substance du contenu excèdent certes les grandes stratégies génériques (par exemple de l'argumentation *ou* d'une tragédie), mais emportent aussi, dans la composition la plus matérielle du langage en action, la portée sémantico-idéologique elle-même.

Parmi les voies les plus fécondes de la stylistique d'aujourd'hui, on signalera la stylistique sérielle, qui étudie les objet langagiers, de quelque taille ou nature qu'ils soient, de manière à édifier des séries de séries de faits langagiers pour faciliter le calcul de la représentativité et de la significativité. Existe aussi la stylistique actantielle, qui, considérant que l'objet de la stylistique est le discours, sous toutes formes, scrute les stratifications des niveaux d'énonciation et de réception de toute production verbale, avec tous les faits possibles de relations « obliques » (non homogènes entre les niveaux ou sous-niveaux) et de brouillage actantiel, ce qui rend bien compte de l'impression d'épaisseur énonciative des divers discours textuels. La stylistique des stylèmes essaie, relativement à quelque type de discours que ce soit, d'établir des corrélations entre des faits langagiers de divers ordres (par exemple syntaxique ou même thématique), selon des solidarités suivies dans des systèmes de variations / invariants : ces solidarités corrélatives – des stylèmes – définissant, par combinaisons abstraites, des styles. Un tel programme peut se qualifier de sémiostylistique. La sémiostylistique s'intéresse ainsi au *continuum* qui fait considérer les praxis discursives selon des régimes différents, dont l'un est appelé en Occident le régime de l'art. On a ainsi des degrés de littérarisation, que la sémiostylitique a en charge d'évaluer ; et l'on peut construire, d'arts à arts, l'inter-sémiotique (qu'est-ce qui, réellement, est transférable d'un art à un autre, matériellement distingué), ou une trans-sémiotique (comment tel affect, ou tel style, se trouvent traités à travers des arts à matériaux différents). Les stylistiques débouchent ainsi vers les analyses sociales.

▶ FRÉDÉRIC M., *La stylistique française en mutation?*, Bruxelles, ARLLF, 1997. — FROMILHAGUE C. & SANCIER-CHÂTEAU A., *Introduction à l'analyse stylistique*, Paris, Dunod, 1996. — GENETTE G., *Fiction et Diction*, Paris, Le Seuil, 1991. — HERSCHBERG-PIERROT A., *Stylistique de la prose*, Paris, Belin, 1993. — KLINKENBERG J.-M., *Le sens rhétorique*, Toronto-Bruxelles, GRAF-Les Éperonniers, 1990.

Georges MOLINIÉ

→ *Discours ; Figure ; Langue ; Originalité ; Sémiotique ; Style.*

SUBLIME

« Sublime » apparaît en français dans le langage de l'alchimie au Moyen Âge, pour désigner l'opération qui consiste à épurer une substance en la chauffant, jusqu'à la porter à son état gazeux ; il reprend le sens latin de « ce qui s'élève dans les airs ». Dès le XVe s., le mot est employé de façon plus générale pour désigner « ce qui est élevé », et de là, il en vient à signifier « ce qui est élevé au-dessus des autres » (Furetière, *Dictionnaire*, 1690) et « admirable », à propos des personnes comme des choses. En littérature, le sublime est d'abord au XVIIe s. une réflexion sur le style héroïque. Il devient ensuite, plus largement, le cœur d'un débat sur l'esthétique et ses valeurs de référence suprêmes.

À prendre pour critère les interventions explicites du terme, le Sublime est un sujet de réflexion attesté comme tel au XVIIe s., lorsque Boileau publie une traduction du *Traité du sublime* (1674). Ce traité, attribué au rhéteur grec Longin (IIIe s.) mais en fait dû à un auteur inconnu du Ier s., est une prise de position contre les idées de Cicéron et de Quintilien en matière de style : ceux-ci concevaient un style sublime comme fruit d'un ensemble de procédés ; le *Traité* affirme au contraire que le sublime est l'expression d'une « grande âme », et qu'il passe par-delà les techniques du style. Le texte latin était connu depuis la Renaissance, et intéressait les érudits, et la question était débattue depuis le début du XVIIe s. (à propos des *Lettres* –1624 – de Guez de Balzac par exemple). Mais avec la traduction de Boileau, elle vient au cœur des débats qui animent le champ littéraire sur les conceptions du Beau, et passe de l'ordre rhétorique à celui de la poétique. L'enjeu premier était de définir ce qu'était le propre des grands genres (l'oraison funèbre, l'ode, l'épopée et la tragédie). L'idée que défend Boileau, après Longin, est que le sublime est un dépassement de l'ordinaire, un extra-ordinaire : « c'est un merveilleux qui saisit, qui frappe et qui se fait sentir » (Boileau, *X^e réflexion sur Longin*). Il est donc lié au « je ne sais quoi », et une accumulation rhétorique et stylistique de figures « fortes » ne peut suffire à le susciter ; c'est souvent au contraire l'extrême simplicité qui est la meilleure voie, sinon la seule pour l'atteindre. Le sublime est ainsi conçu non comme l'accès au point le plus élevé possible du beau, mais comme ce qui permet de dépasser ce point, comme un instant d'accès à un au-delà. Il n'est donc plus évaluable sur une échelle définie des beautés, il est une dynamique. Ce débat, d'abord lié aux positions des Anciens contre les Modernes dans la longue Querelle qui les oppose, parcourt ensuite toute la réflexion esthétique au long des Lumières et jusqu'au Romantisme. Il est intense en France en particulier, mais en réalité, européen. Il anime ainsi les réflexions de Burke en Angleterre (*Recherches philosophiques sur l'origine des idées que nous avons du beau et du sublime*, 1757) ou, en Allemagne, de Mendelssohn (*Du sublime et du naïf dans les beaux-arts*, 1761), comme, en France, celles de Voltaire, de Du Bos, et plus encore de Diderot et de Rousseau. L'idée qui s'établit alors est que le beau est la sensation que procure un objet complet, perceptible en une même vision, tandis que le sublime est le sentiment que suggère un objet dépassant la portée des perceptions humaines. L'homme ne peut donc en avoir qu'une vision partielle, qui entraîne par là même le sentiment du Beau mais en même temps celui de l'inaccessible, donc une part de terreur. Ainsi le sublime conduit-il à une rupture avec les catégories usuelles du Beau. Cette réflexion est liée à l'idée que le monde est infini, donc incommensurable aux capacités humaines : l'homme peut avoir par fulgurances le sentiment de cet infini, mais c'est au prix de la conscience de ses propres limites. Elle trouve un aboutissement dans les thèses de Kant : *Analytique du sublime* et *Esthétique transcendentale*, qui fondent son traité de *La critique du jugement* (1790). La question du sublime a dès lors un cadre philosophique de référence, qui a été depuis constamment repris. Mais elle a animé ensuite la création littéraire en deux moments principaux. Le romantisme a conçu le sublime comme l'une des composantes du « héros problématique » de l'âge du « drame » : vulgaire et grotesque d'un côté, il est d'un autre côté capable de se dépasser, il accède au sublime (Hugo, *Préface* de *Cromwell*, 1827). De même, Stendhal emploie très souvent le terme. Dès lors, pour rendre compte de cette contradiction inhérente au monde et à l'histoire, la littérature doit mêler les genres et les registres. Au XXe s., les Surréalistes ont rêvé de découvrir un sublime dissimulé derrière les apparences, en laissant s'exprimer le subconscient et en donnant un sens fort aux hasards objectifs de la vie, qui en seraient des espaces de manifestation.

Le sublime est en soi une notion problématique. La distinction du beau et du sublime, qui est au centre de son analyse classique, peut être reprise en réinvestissant les notions de genre, de registre et de style. Le Beau, sentiment lié à la complétude et aux proportions d'un objet, s'inscrit alors dans une logique des genres, les « codes » et principes des genres définissant ces proportions dans la composition d'ensemble. Le sublime, pour sa part, réside en un sentiment situé au-delà du beau, donc échappe à toute règle. De plus, le Beau peut être évolutif selon les époques et les cultures, donc relatif ; tandis que le sublime est universel, donc absolu. Dès lors, certains registres seraient liés au sublime : le lyrique, l'épique, et surtout le tragique. En effet, en percevant le sublime, l'homme perçoit l'existence de l'infini et, comme il ne peut se représenter celui-ci que de façon partielle, il perçoit sa propre finitude, donc sa condition mortelle, tragique en soi. Sur cette base, Boileau, mais plus encore Diderot et Rousseau, ont souligné que ce qui donne une ouverture sur le sublime peut-être une harmonie de données très simples, un retour aux éléments de la conscience. Reste que – Kant l'a montré– le sublime est un sentiment éprouvé par qui voit, lit ou entend une œuvre. Ainsi la catégorie du sublime peut être un moteur de la création (éprouver ce sentiment et vouloir l'exprimer, le transmettre, le susciter chez autrui) mais reste, en dernière analyse, un enjeu de la réception des œuvres. Il est lié à un effet de fascination : le lecteur ou le spectateur est saisi par un sentiment qui ne peut être ramené à une explication, mais qui relève du « je ne sais quoi ». Aussi il y a loin de la conception littéraire du sublime à l'usage galvaudé qui est fait de ce mot, par un abus d'emploi qui l'attribue à tout ce que l'on veut mettre en valeur (en se dispensant d'expliciter le pourquoi, en jouant sur la seule connivence culturelle) : on l'emploie pour signifier admirable, ce qui est pertinent au sens premier de ce mot – ce qui surprend, stupéfie – mais non au sens second, socialement limité – ce qu'un groupe culturel trouve digne d'éloge. L'exemple classique – que Boileau cite le premier– du sublime est le « moi » de la *Médée* de Corneille : à sa suivante qui, devant le désastre qu'elle a subi lui demande ce qui lui reste, Médée, répond : « Moi ». De fait, Corneille recourt, pour théoriser la tragédie, à l'idée d'admiration au sens premier (ce qui dépasse les catégories humaines) donc équivalent à « sublime » au sens propre, et c'est bien pour signifier qu'une telle attitude est au-delà dire de toute « mesure » (et non pas seulement « remarquable »). Ainsi le sublime mène à une question anthropologique, puisqu'il engage des émotions dépassant les catégories culturelles socialement identifiables.

▶ BRODY J., *Boileau and Longinus*, Genève, Droz, 1958. — CRONK N., *The Classical sublime*, Rookwood, Charlottesville, 2001. — FUMAROLI M., « Rhétorique d'école et rhétorique adulte : remarques sur la réception européenne du Traité du Sublime aux XVIe et XVIIe siècles », *RHLF*, 1986, n° 1, p. 33-51. — GOYET F., « Le pseudo-sublime de Longin », *Études Littéraires*, 3, Québec, 1991-1992, 24. — PEYRACHE-LEBORGNE D., *La poétique du sublime de la fin des Lumières au romantisme. Diderot, Schiller, Wordsworth, Shelley, Hugo, Michelet*, Paris, Champion, 1997.

Alain VIALA

→ *Classicisme ; Esthétique ; Je ne sais quoi ; Registres ; Rhétorique ; Style ; Tragique.*

SUCCÈS

Au sens le plus général mais aujourd'hui vieilli, « succès » signifie : le résultat d'une opération, d'une entreprise (en français classique, on disait ainsi « bon ou mauvais succès »). S'agissant de littérature, on parle de « succès de librairie », ou succès de vente pour les « gros tirages », c'est-à-dire l'achat d'un ouvrage par un grand nombre de lecteurs. On parle de « succès d'estime » pour un livre qui a de bonnes critiques, mais assez peu de ventes. La « fortune » d'une œuvre ou d'un auteur se dit de l'estime qu'ils acquièrent sur une longue durée, y compris après la mort de l'auteur.

L'idée de succès commercial d'une œuvre littéraire ne prend forme qu'à partir du XVIIe s., à proportion de la pratique correspondante. Les tirages courants étaient alors de 1 500 à 3 000 exemplaires. Les succès concernaient surtout les ouvrages religieux et le théâtre. Les premiers correspondaient à l'usage dominant de l'imprimé. Le succès le plus fort du siècle fut la *Bible* dite « de Mons », c'est à dire la traduction de la Bible par le janséniste Le Maitre de Sacy (1667-1695). L'audience des ouvrages religieux entraîna aussi, par extension, le succès de certains ouvrages de polémique et controverse, ainsi des *Provinciales* de Pascal (1656-58). Du côté du théâtre, une pièce jouée vingt fois (ce qui correspond alors à un succès moyen) devant 500 spectateurs avait déjà une audience de 10 000 personnes ; l'édition suivait de près, et spectacle et lecture se confortaient en général réciproquement. *Le Cid* et *Andromaque* furent des succès remarqués ; mais *Timocrate* (1656), tragédie galante de Thomas Corneille, toucha plus de 50 000 personnes. Le roman est aussi à cet époque source de succès de librairie : le plus marquant semble avoir été celui de la traduction du *Guzman de Alafarache* avec 50 000 exemplaires. Au XVIIIe s., le théâtre continue à jouir d'une large audience, et le roman est en expansion : ainsi *La nouvelle Héloïse* eut 100 éditions entre 1761 et 1800. Au XIXe s., avec le développement de l'enseignement, les grands succès de vente sont ceux d'ouvrages scolaires : les manuels, à la fin du siècle, comptent leur audience en millions d'exemplaires. *Le Tour de France par deux enfants* (1898), livre « parascolaire », est le seul qui puisse rivaliser avec eux. Le champ littéraire moderne est structuré en deux sphères, les succès de vente se jouant dans celle de « large diffusion », tandis que celle de « diffusion restreinte » procure des succès d'estime. Un roman qui obtient le Goncourt est tiré à 80 000 exemplaires au moins, 300 000 souvent. *L'Amant* de Marguerite Duras (1981) atteignit le million d'exemplaires. De telles ventes rivalisent avec celles des manuels scolaires, et les dépassent. De plus en plus, les ouvrages à succès font l'objet d'une exploitation multimédias : édition (en format de luxe et format de poche), films, adaptations télévisuelles ou théâtrales... Divers journaux ou associations de libraires publient régulièrement des listes de titres qui font les meilleures ventes, ou best-sellers. Face à cela, les succès d'estime sont procurés par le jugement des pairs, et relèvent ainsi davantage de la sphère de diffusion restreinte. Avec l'émergence de cette sphère au XIXe s., la position éminente de Baudelaire, de Flaubert ou de Mallarmé ne doit rien à la réussite commerciale, mais bien à l'appréciation favorable de leurs pairs.

Parler d'un livre ou d'un auteur « à succès » est en général connoté péjorativement, pour signifier qu'ils sacrifient la qualité ou l'originalité à la recherche du bon accueil commercial. De même, on parle péjorativement de « succès de scandale » pour évoquer la large diffusion d'un livre non pour ses qualités mais parce qu'il a choqué ou provoqué. La catégorie du succès est donc un critère discriminant, mais en quelque sorte dans une inversion des valeurs littéraires instituées, le plus souvent. Aussi peut-on distinguer des « stratégies du succès » lorsque des auteurs ou éditeurs misent sur la recherche des plus grosses ventes possibles. Et leur opposer des « stratégies de la reconnaissance », qui visent l'estime des pairs et non les gros tirages, le succès d'estime et non le succès de librairie. Certains auteurs combinent les deux, y compris en publiant sous deux noms. Ainsi Jacques Laurent, romancier parmi les « Hussards » et académicien, publiait aussi des romans d'aventures sous le nom de Cécil Saint-Laurent (*Angélique marquise des Anges*). De tels cas sont révélateurs de la double nécessité qu'impose le champ littéraire : la vente pour garantir l'autonomie matérielle, et l'estime pour donner l'autonomie symbolique. Ainsi, la question du succès suppose une représentation des valeurs littéraires. Dans le cas idéal, l'originalité, voire l'avant-gardisme, qui s'éloignent du succès commercial immédiat, obtiennent celui-ci, par reconnaissance ensuite dans la fortune de l'œuvre : les « classiques » de la littérature sont, le plus souvent, des œuvres d'audience initialement assez limitée (encore que Molière, Corneille, ou Racine ou Rousseau, cités plus haut, aient eu de grands succès) mais qui, une fois consacrées, sont très largement rééditées et diffusées, notamment par l'École. Dans la « fortune » littéraire, en effet, le travail de la citation, du pastiche, de la parodie, de la glose et de la célébration assure une remémoration de certaines œuvres qui jouent alors un rôle de modèles dynamiques. Ce travail opère à toutes les époques et constitue progressivement le corpus canonique qui figure dans les ouvrages d'histoire littéraire et dans l'enseignement.

▶ MARTIN H. J., *Livre, pouvoirs et société à Paris au XVIIe siècle*, Genève, Droz, 1969. — SAINT-JACQUES D. (dir.), *Que vaut la littérature ?* Québec, Nota Bene, 2000. — VIALA A. (dir.), « Qu'est-ce qu'un classique ? », *Littératures classiques*, n° 19, 1993 ; *Naissance de l'écrivain*, Paris, Minuit, 1985.

Alain VIALA

→ *Best-seller ; Champ littéraire ; Édition ; Institutions ; Marché littéraire ; Originalité ; Publication ; Valeurs.*

SUISSE

Pays quadrilingue composé de vingt-trois cantons jouissant d'une assez grande autonomie, la Confédération helvétique est peuplée d'un peu plus de sept millions d'habitants en majorité germanophones. Ses frontières actuelles ont été fixées en 1815, et la Constitution qui régit son fonctionnement date de 1848. Les francophones constituent environ un cinquième de la population ; les autres minorités « nationales » (les immigrés de diverse provenance étant plus de 7 %) sont italophones (6 % environ) et romanches (moins de 1 %). À l'exception des membres de cette dernière communauté, dont la langue n'est parlée, avec des variantes, que dans quelques vallées du Nord de l'Italie, tous les Suisses ont donc comme référence culturelle un grand pays voisin, dont ils partagent la langue, mais non l'histoire.

Cette situation est devenue inconfortable au XIXe s., c'est-à-dire au moment où le critère linguistique a commencé à être considéré comme le premier signe d'appartenance à un groupe national. Confrontés aux mouvements d'unification de l'Allemagne et de l'Italie, les Suisses, soucieux de renforcer leur cohésion, ont tenté à leur tour de « nationaliser » la culture. Dans chaque région les élites, toutes tendances politiques confondues, concourent alors à cette helvétisation qui évite le terrain de la langue pour faire valoir d'une part, à travers la reprise de mythes fondateurs, la communauté d'un destin historique providentiel, et pour célébrer d'autre part, à travers les paysages alpestres, des éléments géographiques porteurs d'identité.

Au XIXe s., des écrivains (par exemple Rodolphe Töpffer ou Eugène Rambert) ont aussi contribué à répandre et à populariser des figures et des thèmes « typiques » ; plusieurs, dont Henri-Frédéric Amiel, ont élaboré des programmes à suivre pour constituer une littérature authentiquement nationale, digne de rivaliser avec celles des pays limitrophes. Pour les francophones, l'appartenance d'une majorité d'entre eux à la confession protestante a été un argument identitaire central, et la Réforme a joué à bien des égards, elle aussi, le rôle d'un mythe fondateur.

La volonté de créer une littérature nationale a présidé à la mise en place de discours et de stratégies de distinction ; elle a aussi été à l'origine de l'institutionnalisation du champ littéraire, peu à peu doté de structures propres, notamment éditoriales, à la fois moyens et garanties de son indépendance, qui est effective vers 1890 – du moins sur le plan concret, car la domination symbolique de la France n'est pas abolie.

Toujours en concurrence avec celui qui est réservé aux « grandes » littératures, cet espace dévolu à la « littérature nationale » ne s'est toutefois pas bâti à l'échelle du pays. Bien que fortement encouragés, les liens interculturels sont restés sporadiques, et aucune « école suisse » homogène n'a jamais vu le jour. Le XXe s. a ainsi vu le déclin de l'idéal de l'union patriotique, et connu l'indépendance progressive des quatre littératures helvétiques.

L'impossibilité d'une « harmonisation » est due à plusieurs facteurs. Le premier est, bien entendu, la langue : négligée dans les discours explicites, elle est un élément central dans les préoccupations des écrivains, qui se tournent par conséquent, dans leur quête de références ou de contre-modèles, du côté des métropoles culturelles voisines. Dès lors, dans chaque région linguistique suisse s'est constitué un champ littéraire en constante interaction avec celui du pays de même langue, et plus ou moins en décalage par rapport à ce dernier, selon le contexte historique. L'organisation politique de la Suisse accentue par ailleurs cet état des choses, dans la mesure où elle laisse aux cantons la gestion de l'instruction et de la culture. À cette absence de structures faîtières s'ajoute la différence quantitative entre les communautés, qui joue aussi un rôle : tandis que les Alémaniques majoritaires épousent (ou contestent) plus facilement les éléments constitutifs d'une identité suisse, les écrivains issus des groupes minoritaires se détournent plutôt de ces problématiques, et se placent soit au niveau de la région, soit à celui du continent, oscillant entre le repli et la fuite. D'où le fait que des auteurs de langue allemande (Max Frisch, Friedrich Dürrenmatt, Robert Walser), incarnant une certaine « suissitude », ont généralement connu hors des frontières nationales une meilleure réception que leurs confrères. Doublement minoritaires, les francophones – qui ont adopté vers 1830 la dénomination de *Romands* pour dire leur spécificité – pâtissent aussi de la forte centralisation du champ littéraire hexagonal : tandis qu'en Allemagne les livres édités en Suisse ne sont pas marginalisés, la production imprimée périphérique, quelle que soit sa qualité, est généralement négligée par les instances françaises dominantes. Victime de son indépendance, le champ littéraire romand n'a pratiquement que lui-même comme public ; les seuls écrivains francophones suisses connus hors des frontières sont ceux dont l'œuvre est publiée chez un éditeur parisien, comme Ramuz (*La grande peur dans la montagne*, 1926), Philippe Jaccottet (*Cristal et fumée*, 1993), Agota Kristof (*Le grand cahier*, 1986), Claude Delarue, Jean-Luc Benoziglio, Yves Laplace... Mais, comme elle l'a fait avec quelques « ancêtres » littéraires, tels Rousseau, Benjamin Constant et Madame de Staël, la France a si bien adopté ces auteurs qu'elle en a oublié leurs origines.

▶ FRANCILLON R., JAQUIER C. & PASQUALI A., *Filiations et filatures. Littérature et critique en Suisse romande*, Genève, Zoé, 1991. — FRANCILLON R. (dir.), *Histoire de la littérature en Suisse romande*, 4. vol., Lausanne, Payot, 1996-1999. — MAGGETTI D., *L'invention de la littérature romande, 1830-1910*, Lausanne, Payot, 1995. — WALZER P.-O. (dir.), *Dictionnaire des littératures suisses*, Lausanne, L'Aire, 1991.

Daniel MAGGETTI

→ *Centre et Périphérie ; Francophonie ; Identitaire ; Interculturel ; Nationale (Littérature) ; Régionalisme.*

SUJET

La littérature est concernée par les deux grandes acceptions du terme (sans compter le sens grammatical de « sujet »). D'un côté, le sujet est la matière d'une œuvre ; il est ce dont elle traite. Cette dénomination accueille un sens commun très général qui englobe intrigue, personnages, époques et lieux, en tant qu'ils sont les supports d'une œuvre ; elle renvoie aux notions de thème, de référent et d'imitation, mais aussi à celles de lieu commun et d'invention. D'une autre manière, dont l'application à la littérature est plus tardive et plus indirecte, le Sujet renvoie à l'individualité impliquée dans le processus de création. Le terme apparaît, à partir des années 1970, dans le cadre d'une réflexion où la place du sujet (de l'écriture) est interrogée : il n'implique pas alors simplement l'auteur ou l'écrivain, mais, à travers l'emprunt au vocabulaire philosophique, à un sujet sollicité par une théorie du texte. En outre, à partir de la notion linguistique de sujet (sujet de l'énoncé et sujet de l'énonciation), les sémiotiques narrative et discursive avancent une définition prédicative du sujet comme *actant* et *instance* dont les propositions ont des retentissements pour l'analyse littéraire.

Invenire quid dicas, trouver quoi dire ; la question du sujet se rattache à la tradition rhétorique qui, d'Aristote à Cicéron et Quintilien, a conçu l'*inventio* comme domaine premier de l'art du discours, attaché à la recherche (mais non à la pure création) des idées et des arguments. La situation est donnée de l'extérieur (parler pour ou contre la guerre, plaider pour ou contre Catilina, etc.), mais l'invention du propos reste à la charge de l'orateur. Or, il ne s'agit pas seulement de convaincre, mais aussi de plaire et de savoir toucher son public ; aussi à côté des raisons logiques interviennent des raisons psychologiques. En réalité, dans l'histoire de la rhétorique, l'*inventio* est tiraillée entre ces deux domaines. À la Renaissance, la grammaire et la logique s'emparent du premier quand la rhétorique, devenue art de l'éloquence, garde essentiellement l'*elocutio*, et perd la maîtrise du sujet comme contenu argumentatif. Dans la *Poétique* d'Aristote, le sujet (*logos*), qui n'est pas directement un critère du genre, renvoie à l'histoire (*mythos*) (5. 49b 8) – raison première de la *mimésis* –, dont il est en quelque sorte le schéma d'action retenu par le poète (17. 55 a34, b. 37). L'âge classique, relisant Aristote, reprend cette conception, mais dans un contexte normatif où le sujet, comme jonction entre un type d'intrigue et une catégorie de personnages, entérine la hiérarchie des genres. Le sujet de la tragédie, qui renvoie à l'argument, à l'action centrale de la pièce vue dans son unité, est aussi comme tel le lieu de l'imitation. Ainsi, du point de vue externe, un bon sujet gagne, s'il se peut, à emprunter aux Anciens, censés avoir traité tous les sujets importants, tandis que, d'un point de vue interne, il est fécond en tant qu'il entre dans la *convenientia*. Essentielle à l'Humanisme de la Renaissance, la convenance – que les Classiques appellent bienséance – vise une « exacte proportion entre le style adopté et les circonstances, le sujet, le public et la personne de l'orateur » (Fumaroli, p. 54). À l'âge romantique, l'*invention* devient le lieu de l'imagination et de l'expérience : « le Romantisme n'est ni dans le choix des sujets ni dans la vérité exacte, mais dans la manière de sentir » dit Baudelaire en 1846 (*Salons*). Aussi le sujet à traiter se trouve-t-il placé sous la domination d'un autre sujet, le Sujet créateur. Si la subjectivité romantique féconde une littérature du *moi* (retour à la poésie lyrique, renouveau des genres narratifs intimes, invention de l'egotisme), et fait de la création littéraire la quête d'une vérité logée en soi-même, elle donne surtout à la littérature « un statut spirituel sans précédent » (Bénichou, p. 534). C'est Flaubert qui met en évidence ce que la modernité, dans une conception autoréférentielle de l'œuvre, fait du sujet-matière. « Il n'y a ni beaux ni vilains sujets », écrit-il à Louise Colet, car le style est « à lui tout seul une manière absolue de voir les choses » (Lettre du 16 janvier 1852) : matière contre manière. Au milieu du XXe s., dans la mesure où l'écriture remplace – mais excède – la notion de style, elle devient le principe même d'un sujet, dont l'existence ne peut plus être que négative : « être sans sujet aucun de livre, [..] c'est se trouver, se retrouver [..] comme devant une écriture vivante et nue » (M. Duras, *Écrire*, 1993, p. 24). L'écriture donne désormais au livre son sujet, comme le résume la formule de J. Ricardou à propos du roman, passé selon lui, de « l'écriture d'une aventure à l'aventure d'une écriture ». Cette crise du sujet renvoie à une histoire du Sujet. La littérature, des *Essais* de Montaigne à la *Recherche du temps perdu* de Proust, s'est appliquée à portraiturer le sujet humain (jusque dans ses ambitions d'écrivain), mais dans les années 1960-70 s'est développée une réflexion qui inscrit la question de l'auteur dans l'histoire de la philosophie du sujet. Issue de la crise que la psychanalyse fait subir à la toute puissance du sujet cartésien, elle affirme la soumission du sujet au langage, et plus précisément au signifiant – « un signifiant, c'est ce qui représente un sujet pour un autre signifiant » (Lacan,1960). Cette conception est à rapprocher de la théorie du texte comme pratique signifiante (J. Kristeva) qui « déconstruit la langue de communication, de représentation ou d'expression (là où le sujet, individuel ou collectif, peut avoir l'illusion qu'il imite ou s'exprime) » (Barthes, « Texte », *Encyclopedia Universalis*, 1973, p. 815). Est ainsi remis en cause le Sujet, dont l'auteur – Barthes annonçait sa « mort » en 1967 –, comme fondement, et garant, du sens. Non pas tant parce que l'homme serait banni au profit de la structure, mais parce que son existence est désormais celle d'un « sujet clivé, déplacé sans cesse [par les jeux du signifiant] – et défait – par la présence-absence de son inconscient » (Barthes, *ibid.*, p. 822). Lacan avait été largement influencé par la linguistique structurale et c'est également sur le modèle d'une conception relationnelle du signe, et du sens, que la sémiotique, à partir des années 60, donne droit de cité au sujet, reconnu comme *actant*, en fonction de son mode prédicatif (vouloir, pouvoir, savoir). Appliquée à l'étude littéraire, la sémiotique narrative de Greimas fait du personnage une force agissante dans un schéma actantiel où le sujet, défini par l'objet de sa quête (vouloir), occupe la place du héros porteur de la dynamique de l'histoire. La sémiotique discursive (J.-C. Coquet), inscrite quant à elle dans la perspective des relations entre le discours (y compris littéraire) et son sujet, s'intéresse au statut de l'instance énonçante. Elle révise l'actant-sujet pour accorder une place au non-sujet (privé de vouloir), celui dont le corps propre définit la relation, première et immédiate, du sujet au monde. Les enjeux ainsi posés d'une rencontre entre sémiotique et phénoménologie dans l'histoire actuelle de la philosophie du sujet donnent à la littérature une place en tant que mode de signifier.

La question philosophique du sujet est une problématique en soi, dont on ne peut, à propos de littérature, qu'indiquer la présence et la dynamique historiques. Il y aurait d'autre part quelque artifice à penser que le Sujet créateur a pris dans la réflexion critique la place qu'a perdu celle du sujet de l'œuvre, car, en matière littéraire, cette première notion, dont l'assise théorique est mieux fondée que la seconde, est toutefois d'une ampleur beaucoup plus limitée. Entendu comme matière, le sujet est d'ordinaire pris en compte à travers les liens entre l'œuvre et le monde, entre œuvres (de même sujet), à propos de la conception de l'œuvre ou de ses effets produits, relativement au courant ou au genre qu'ainsi il définit. Il y a, dit le sens commun, les bons et les mauvais sujets, les sujets convenus, les sujets trop minces et ceux dont on peut exploiter les richesses, les sujets neufs et les sujets éculés, les sujets graves, plaisants ou scabreux... À cet égard, la question des sujets tabous demeure inexplorée et pourrait solliciter une sociologie de la littérature attentive à une esthétique des interdits sociaux. Il reste que ce sujet du livre n'est pas aujourd'hui un objet problématique traité pour lui-même (sauf à l'intérieur de rapprochements construits par l'histoire littéraire), car le renouveau critique a trouvé matière à une réflexion plus riche dans les notions proches de référent et de thème. Toutefois, le sujet se distingue du référent, entendu comme hors-texte : il ne porte pas en lui le vaste monde, dans sa diversité et ses imprévus chers à la représentation romanesque, mais différemment importe un événement déjà configuré – anecdote savoureuse, fait divers frappant ou histoire connue –, qui fait office de trouvaille. Aussi le sujet est-il réhabilité à propos des petits récits qu'actuellement on publie sous le vocable d'idée (« il y a là une formidable idée de livre », s'entendent dire les auteurs), quand l'essor de l'autobiographique appellerait pour sa part plutôt le terme de matière, dans la lignée des *Essais* de Montaigne (« Je suis moi-même la matière de mon livre »). Quant au thème, entendu par la critique thématique comme un « principe concret d'organisation, un schème ou un objet fixe » (J.-P. Richard) à l'origine du monde de l'œuvre, il se différencie du sujet, parce que sa portée est essentiellement intratextuelle (ou pour le moins limitée à l'ensemble d'une œuvre produite par un auteur). Mais lorsque le thème renvoie, selon une acception plus commune en littérature générale, au répertoire de motifs que chaque œuvre traite de façon singulière, il retrouve un sens proche de celui de *sujet*. Une question comme « Qu'en est-il des variations sur le thème de Faust dans la littérature romantique ? » retrouve la dimension totalisante – le mythe comme matrice – et transtextuelle – la traversée des œuvres et des genres – du sujet.

▶ BÉNICHOU P., *Les mages romantiques, Paris*, Gallimard, 1988. — COQUET J.-C., *La Quête du sens : le langage en question*, Paris, PUF, 1997. —FUMAROLI M., *L'âge de l'éloquence : rhétorique et « res literaria » de la Renaissance au seuil de l'époque classique* [1980], Albin Michel, 1994. — LACAN J., « Subversion du sujet et dialectique du désir dans l'inconscient freudien » (1960), *Écrits* II, Points-Le Seuil, 1971. — PIÉGAY-GROS N., « La Mort du sujet : impérialisme et décadence de l'invention dans la tradition critique », *Littérature*, n° 98, 1995, p. 84-96.

Florence DE CHALONGE

→ *Auteur ; Biographie ; Création littéraire ; Éthos ; Historiographie ; Phénoménologie ; Rhétorique.*

SUPERCHERIE → Mystification

SURRÉALISME

Mouvement d'avant-garde littéraire et artistique né après la Première Guerre et actif jusqu'au milieu des années soixante, le surréalisme a rassemblé des écrivains et des artistes désireux de rompre avec un rationalisme jugé réducteur, afin de libérer la « vie de l'esprit » et de capter le « merveilleux » de la vie quotidienne.

Le surréalisme peut apparaître comme une réaction au traumatisme de la Grande Guerre. À l'origine, un groupe composé de Breton, Aragon et Soupault – s'y adjoignent ensuite, entre autres, Péret, Desnos, Sadoul, Crevel, Éluard – est proche de Valéry et d'Apollinaire (qui avait forgé le terme en 1917 pour sa pièce *Les Mamelles de Tirésias*, « drame surréaliste »). Il s'exprime dans la revue *Littérature* (1919-1924). En 1920, Tristan Tzara, fondateur du mouvement Dada, s'installe à Paris : le groupe de Breton s'associe avec lui, radicalise ses positions, puis rompt (1923). Le premier *Manifeste du surréalisme* (1924) souligne la nouveauté subversive du mouvement, accueille avec enthousiasme l'idée freudienne de l'inconscient et prône l'« écriture automatique », illustrée dès 1919 par *Les Champs magnétiques* de Breton et Soupault. Quelques-uns des ouvrages majeurs du groupe suivent (*Les Pas perdus*, 1924 ; *Nadja*, 1927). Des dissensions internes (exclusion d'Artaud, Queneau, Bataille, Leiris, Desnos ; entrées de Ponge et Char) amènent un *Second Manifeste* (1930) : il précise les rapports entre surréalisme et communisme, en réaffirmant l'autonomie de la littérature et la possibilité pour elle de contribuer à la révolution sans s'inféoder au Parti. En 1932, Aragon et Sadoul se rallient au PCF et rompent avec Breton. Durant la Guerre, celui-ci s'exile à New-York, tandis que nombre de surréalistes s'engagent dans la Résistance (Ponge, Dumont). À la Libération, malgré quelques tentatives de relance (l'exposition « Le surréalisme en 1947 »), le mouvement perd la place prépondérante qui était la sienne au sein des avant-gardes des années trente. Le surréalisme historique s'éteint avec Breton en 1966.

Le surréalisme a eu un rayonnement international. Il a connu une implantation forte en Belgique, avec le surréalisme « en Hainaut » de Chavée et F. Dumont et le « groupe de Bruxelles » (Nougé, Magritte, etc.). Ce dernier a souvent exprimé des positions qui différaient de celles de Breton, quant à l'écriture automatique ou quant aux relations avec le parti communiste. À la Martinique, avec A. Césaire (revue *Tropiques*, 1941-1943), il participe pleinement de l'ambition du *Manifeste* de « changer la vie ». Au Québec, il est à l'origine du mouvement des Automatistes fondé par Borduas (manifeste *Refus Global*, 1948). Son influence est aussi sensible dans la suite de ce siècle.

Le surréalisme refuse d'être seulement un mouvement littéraire et artistique. Chez certains, comme Artaud, l'idée de voir la littérature se dissoudre dans une attitude plus générale a même été présente. C'est que ce « mouvement » se révolte contre la société bourgeoise, son rationalisme réducteur et sa morale étriquée de l'intérêt et du bon sens ; suivant le mot d'ordre de Rimbaud, il veut « changer la vie », en mobilisant les pouvoirs de l'imagination et en s'ouvrant au merveilleux que recèle le quotidien. La découverte de l'inconscient freudien a joué à cet égard un rôle de détonateur. Breton voit l'inconscient, accessible par les rêves – auxquels les surréalistes prêtent un même degré de réalité qu'à la veille –, comme un réservoir de forces capables de renouveler la perception du monde en bousculant les règles d'une logique simpliste. Aussi le surréalisme privilégie la poésie : l'écriture automatique restaure, par le libre jeu des associations, l'idéal d'une poésie essentielle. Cela, et le refus du roman, corollaire de celui du rationalisme, débouche sur l'écriture de textes inclassables, tel *Nadja* (1927), récit éclaté à mi-chemin du journal et de l'essai. Le surréalisme a également préconisé la redécouverte d'auteurs antérieurs mal famés (Sade, Lautréamont, Roussel, etc.) et de genres réputés populaires (feuilletons, récits gothiques ou merveilleux, humour noir, chanson, cinéma, voire fait-divers ou publicité) ; une de ses tendances s'est d'ailleurs tournée vers la production d'une littérature plus populaire (Prévert, Desnos, Delteil). Le surréalisme concerne aussi le cinéma (Bunuel) et suit l'innovation en peinture (de Chirico, Picasso), certains peintres lui ayant donné une formulation aboutie (Yves Tanguy, Man Ray, Dali, Victor Brauner, Magritte). Sa volonté de rupture s'est traduite par un déplacement des frontières du littéraire et le refus de la représentation dominante de l'artiste comme technicien lucide de la forme. En même temps, il a réussi à affirmer le rôle de l'avant-garde dans le champ littéraire : affichant une posture de rupture radicale (à grands renforts de manifestes, pamphlets « attentats » à répétition) contre l'académisme et la littérature bourgeoise, il a constitué dans l'entre-deux-guerres, face à la mouvance NRF de Gide, l'un des pôles de la vie littéraire française. Enfin, la position politique du surréalisme français repose sur l'idée une homologie entre rupture esthétique et révolution politique.

▶ ABASTADO C., *Introduction au surréalisme*, Paris, Bordas, 1971. — BANDIER N., *Sociologie du surréalisme, 1924-1929*, Paris, La Dispute, 1999. — NADEAU M., *Histoire du surréalisme*, Paris, Le Seuil, [1945], 1984. — PASSERON R. et BIRO A., *Dictionnaire général du surréalisme et de ses environs*, Paris, PUF, 1982. — Coll. : « Surréalismes de Belgique », *Textyles*, 8, 1991.

Benoît DENIS

→ *Automatisme ; Avant-garde ; Manifeste ; Peinture ; Politique.*

SYLVE → Mélanges

SYMBOLE

Symbole désignait, en Grèce, un objet coupé en deux pour permettre aux porteurs des fragments de s'identifier en les réunissant. En un sens plus large, le mot désigne un signe qui représente de manière sensible et par analogie une chose absente ou un signifié abstrait : par exemple la croix latine renvoie au christianisme, le sceptre au pouvoir monarchique. Le symbole n'est pas un signe arbitraire car il a un rapport motivé avec ce qu'il désigne.

Liés au rapport de l'homme avec le monde et l'au-delà, les symboles s'insèrent dans les traditions culturelle, religieuse ou politique, et sont très présents dans la littérature.

Au Moyen Âge, sous l'influence double du symbolisme biblique et de l'idéalisme platonicien s'élabore une conception cosmologique qui se fonde sur la croyance en une correspondance entre le macrocosme (sphères emboîtées autour de la terre) et le microcosme que constitue l'homme livré à la lutte des vices et vertus. La littérature médiévale est marquée par une pensée qui voit dans le monde une forêt de symboles divins au sein de laquelle l'âme doit se diriger pour remonter à son origine spirituelle. Miracles et mystères ont recours aux symboles religieux. Dans le roman, les symboles établissent une hiérarchie entre le temporel et le spirituel, comme dans *La quête du Graal.* Mais à partir du XIVᵉ s., le développement économique des villes, et l'affirmation de la souveraineté nationale et de l'indépendance des princes à l'égard de l'Église imposent peu à peu l'idée d'une nécessaire séparation entre le spirituel et le temporel. L'unité et la cohérence de la symbolique médiévale se défont alors progressivement.

Si la question du symbole ne disparaît pas à l'époque classique, elle alimente plutôt des débats sur l'organisation rhétorique de la représentation littéraire (est-elle un symbole des réalités ou leur copie ?) et son rapport aux modèles antérieurs (ainsi l'emblème). En revanche, Goethe puis le romantisme allemand développent une nouvelle réflexion sur le rapport du symbole avec l'art. L'allégorie, dont le symbole a eu pourtant souvent du mal à se distinguer, « transforme le phénomène en concept » alors que dans le symbole, écrit Goethe, « l'idée reste toujours infiniment active et inaccessible dans l'image ». Cette définition reprend en fait les caractéristiques attribuées par Kant à l'Idée esthétique, représentation de l'imagination « qui donne à penser en plus d'un concept bien des choses indicibles » (*Critique de la faculté de juger*, 1790). Dans un monde où les croyances sont en crise, les romantiques allemands défendent l'idée que le symbole donne à la littérature sa légitimité en ce qu'il laisse à penser. En 1802, dans la *Philosophie de l'art*, Schelling affirme que la beauté est toujours symbolique et que l'œuvre d'art comme le symbole doit permettre une interprétation toujours renouvelée.

En France, après la révolution qui a renversé les anciennes croyances, Madame de Staël dans *De l'Allemagne* (1810 et 1813), invite le lecteur à « considérer l'univers entier comme un symbole des émotions de l'âme ». Les poètes romantiques et plus encore Baudelaire évoquent les correspondances qui unissent le monde visible à l'invisible et l'homme au monde. À la fin du siècle, dans un monde « trop en désuétude » où décidément l'artiste ne peut être qu'un « hors-la-loi », le symbole est, pour Mallarmé et pour les Symbolistes, le moyen de fonder en elle-même la poésie. Le symbole ne disparaît pas de la littérature du XXe s., malgré une crise des valeurs religieuses, voire sociales. Bien au contraire, certaines œuvres, comme celle de Michel Tournier, s'efforcent de retrouver des symboles et de réinventer le sens du sacré dans un monde agnostique.

Indissociables de la vie de l'homme et d'une compréhension du monde, les symboles assurent la transmission d'un passé légendaire et légitiment des traditions (croyances, rites, comportements), assurant la cohésion d'un groupe social. La littérature s'en nourrit, bien au-delà du seul mouvement symboliste, et depuis deux siècles l'étude des symboles a donné lieu à des approches différentes, parmi lesquelles on notera les structuralistes (Levi-Strauss), les psychanalyses (celles de Freud, de Jung, mais surtout G. Bachelard qui l'applique directement au littéraire, à partir des quatre éléments pris comme objets symboliques), et l'anthropologie (G. Durand). La création et l'usage de symboles en littérature, souvent en liaison avec des mythes, se renouvelle sans cesse (par exemple Breton, Leiris, Cocteau).

▶ DECHARNEUX B. & NEFONTAINE L., *Le symbole*, PUF, 1998. — DURAND G., *L'imagination symbolique*, Paris, PUF, 1964. — PEYRE H., *Qu'est-ce que le symbolisme ?*, PUF, 1974. — SPERBER D., *Le symbolisme en général*, Paris, Hermann, 1974. — TODOROV T., *Théories du symbole*, Paris, Le Seuil, 1977.

Gisèle SÉGINGER

→ *Allégorie ; Anthropologie ; Archétype ; Emblème ; Hermétisme ; Mythe ; Occultisme ; Symbolisme.*

SYMBOLISME

Le symbolisme est un mouvement littéraire, principalement poétique, qui regroupe des écrivains belges et français qui se reconnaissaient dans l'art novateur, ésotérique et musical de Verlaine et de Mallarmé. À la fin du XIXe s., il a connu un rayonnement international en Europe et en Amérique.

En septembre 1886, Jean Moréas publie dans le supplément littéraire du *Figaro* « Un manifeste littéraire. Le Symbolisme ». Le symbolisme, selon lui, est un idéalisme : le poème doit traduire les « Idées primordiales » dont les phénomènes concrets ne sont que les manifestations extérieures et superficielles, et il doit le faire à l'aide du symbole, point de jonction entre l'Idée et le monde. Le symbolisme se place ainsi sous l'égide philosophique de l'idéalisme allemand, en particulier de Schopenhauer qui conçoit le monde comme « représentation », c'est-à-dire selon la vision subjective de l'agent qui le perçoit. Littérairement, il se constitue en référence à Baudelaire, mais aussi à Verlaine et Mallarmé (qui ne se réclament pas eux-mêmes du symbolisme, mais sont deux figures tutélaires autour desquelles se rassemblent de jeunes écrivains). À ces modèles s'ajoutent Rimbaud, Laforgue, Lautréamont et Villiers de l'Isle-Adam. En France, – outre Jean Moréas – Edouard Dujardin, René Ghil, Gustave Kahn, Stuart Merrill, Francis Vielé–Griffin, Adolphe Retté et Henri de Régnier, notamment, sont très actifs ; en Belgique, qui fut un foyer du mouvement, Maurice Maeterlinck, Georges Rodenbach, Charles Van Lerberghe et Émile Verhaeren. Les œuvres de ces auteurs ne correspondent que partiellement aux intentions de Moréas ou aux modèles offerts par les maîtres. Toutefois, des constantes sont manifestes. Ils valorisent évidemment le symbole, mais aussi l'ésotérisme, le mystère, la suggestion. Leurs textes affichent volontiers une tonalité languide et maladive, et un imaginaire exotique imprégné de mythologie. Dans le sillage de Wagner, ils rêvent d'un « art total » qui unirait l'écriture et la peinture, la danse et la musique. Ces œuvres sont aussi caractérisées par des procédés formels destinés à éloigner le verbe poétique de la parole commune, comme l'emploi de termes rares et de tournures recherchées. La quête de la musicalité rythmique y bouscule les contraintes de la versification, favorise le poème en prose et mène à l'invention du vers libre. Le symbolisme suscite un bouillonnement intellectuel, dont témoignent de nombreuses revues : *La revue indépendante*, fondée par Fénéon en 1884, la *Revue wagnérienne* d'E. Dujardin en 1885 et *La Wallonie* d'A. Mockel en 1886, auxquelles succèdent dans les années 1890 *La plume, L'ermitage, Le mercure de France* ou *La revue blanche* notamment où se croisent les membres de la seconde génération symboliste, plus dotée socialement : R. de Gourmont, A. Gide, P. Valéry, M. Schwob, P. Louÿs.

Le symbolisme côtoye le mouvement décadent, et les deux se réfèrent aux mêmes valeurs littéraires ; nombre d'écrivains circulent volontiers d'une obédience à l'autre, comme en témoignent les échanges au sein des principales revues. Cependant, à partir de 1885, le symbolisme se distingue de la décadence, qui se complaît dans une attitude d'opposition (parodique, satirique) aux normes, et affirme sa volonté de publier des œuvres fortes. Mais dès ce moment adviennent aussi des dissensions. En 1888, René Ghil s'éloigne de Mallarmé ; en 1891, Moréas prend à son tour ses distances et fonde l'« École romane » ; en 1895, Retté prend position contre les « mallarmistes » et pose les bases de ce qui deviendra le « naturisme ». Le symbolisme apparaît dès lors sans continuateurs, d'autant que la seconde génération de ses adeptes – Paul Valéry, André Gide ou Paul Claudel – s'écarte elle aussi d'un mouvement qui semble avoir vécu. Le surréalisme, dès 1920, le mettra définitivement à mal, après l'intermède de l'Esprit Nouveau qui l'avait mis en crise dans les années qui ont précédé la Grande Guerre (Décaudin, 1960).

Le champ littéraire des années 1880 est dominé, dans le domaine du roman par le naturalisme et le roman psychologique (Bourget), et dans celui de la poésie, par le Parnasse. Or, comme le montre *l'Enquête sur l'évolution littéraire* menée par J. Huret en 1891, ces écoles apparaissent alors usées : pour l'une, parce que sa formule romanesque est trop répétitive et trop tournée vers le grand public, pour l'autre, à cause de son formalisme exacerbé. Le symbolisme se présente comme une réponse et une réaction : il tente de rénover la poésie, mais aussi (plus timidement il est vrai) le roman (G. Rodenbach, *Bruges-la-morte*, 1892) et le théâtre (M. Maeterlinck, *Pelléas et Mélisande*, 1892). Il ne faut pas négliger la dimension sociale de sa révolte, Mallarmé exprimant sa sympathie pour l'anarchisme ou Verhaeren pour la Maison du peuple de Bruxelles. Mais cet « engagement » va de pair avec une position de marginalité avant-gardiste et un élitisme littéraire. Par volonté de créer des œuvres qui échappent au discours commun, les symbolistes considèrent que le poème doit être dégagé du poids de la référence au réel et n'obéir qu'à sa logique propre. Dès lors se dessine une « révolution du langage poétique » (Kristeva) qui, au-delà des œuvres parfois vieillies, constitue sans doute l'apport majeur du symbolisme au XXe s.

▶ DÉCAUDIN M., *La crise des valeurs symbolistes. Vingt ans de poésie française, 1895-1914*, Privat, 1960. — KRISTEVA J., *La révolution du langage poétique*, Paris, Le Seuil, 1974. — MICHAUD G., *Message poétique du symbolisme*, Paris, Nizet, 1947. — PAQUE J., *Le symbolisme belge*, Labor, 1989. — PONTON R., *Le champ littéraire en France, 1865-1905*, Thèse inédite, Paris, EHESS, 1977.

Jean-Pierre BERTRAND et Geneviève SICOTTE

→ *Décadence ; Naturalisme ; Parnasse ; Poésie ; Symbole ; Vers, Versification.*

SYNECDOQUE → Figure

SYNTAXE → Grammaire ; Linguistique ; Narratologie

SYSTÈME

Dans le langage scientifique, la notion de système désigne une construction théorique cohérente formée d'un ensemble de propositions, principes et conclusions découlant les uns des autres. Par extension, elle qualifie également un objet complexe, formé de composants distincts étroitement reliés entre eux, et qui possède des propriétés irréductibles à celles de ces composants.

La notion de système a été mise au point par Galilée, Descartes et Newton pour représenter l'univers de façon rationnelle : ils affirmaient ainsi l'intelligibilité de ses lois, ce qui allait à l'encontre de la métaphysique et de la doxa religieuse. Transposée dans le domaine politique dès le XVIIe s., la notion désigne des organismes (la Cour), des corps de doctrines (la Législation, la morale, les philosophies) ou même, chez Rousseau (*Du contrat social*, 1760), la société dans son ensemble. Par la suite, le mot de « système » a pris une extension telle qu'il finit par représenter, dans le langage courant, tout mode d'organisation, de pensée ou de vie dont les principes sont articulés les uns aux autres. Au XVIIIe s., Linné fait du concept de système un instrument de classification des espèces animales et végétales, et, ensuite, le modèle du « système de Linné » a été repris par N. Lemercier qui fonde son *Cours analytique de littérature générale* (1817) sur la taxinomie des genres. Il s'agit là d'un premier transfert de ce concept au domaine des Lettres. À la fin du siècle, Saussure (*Cours de linguistique générale*, publ. 1916) renouvelle la linguistique en définissant la langue comme « un système dont tous les termes sont solidaires et où la valeur de l'un ne résulte que de la présence simultanée des autres » (p. 159). À sa suite, les premiers formalistes conçoivent l'œuvre littéraire comme « un système de facteurs corrélatifs ». Toutefois, les structuralistes français préfèrent définir l'œuvre comme une « structure » et déplacer la notion de système vers l'ensemble des langages symboliques, tel le « système de la mode » étudié par R. Barthes. De même, I. Lotman définit la littérature, plutôt que l'œuvre, comme « système modélisant secondaire », c'est-à-dire comme un langage particulier qui se superpose à la langue naturelle.

Dans la seconde moitié du XXe s. émerge la « systémique », étude des propriétés générales des systèmes. Issue des sciences pures et appliquées, cette approche a été transférée sur les sciences de la gestion, les sciences de l'éducation, la psychologie et les sciences cognitives, mais aussi la pragmatique des communications, la théorie de l'information et la sémiologie. Elle contribue par là à réinterroger l'histoire littéraire et elle est à l'origine de la théorie des polysystèmes (I. Evan-Zohar) et de l'*Empirical Science of Literature* (T. Van Dijk et S. Schmidt).

De portée universelle, la notion de système est indissociable de celle de « structure ». Féconde pour l'étude des objets physiques, elle suscite une difficulté dans son application au comportement humain et aux phénomènes sociaux. Il existe en effet une différence essentielle entre les systèmes naturels ou mécaniques, déterminés par leurs lois internes, et les systèmes qui découlent de l'action humaine ou de la pratique sociale et qui sont déterminés par des conditions externes, de nature psychologique ou socio-historique. On peut ainsi dire que le contexte est un élément du système littéraire, de même que les codes par rapport au texte. Aussi, la notion de système convient-elle mal à l'étude des pratiques esthétiques proprement dites, que celles-ci soient individuelles ou collectives. Elle imprègne toutefois les approches plus globales (histoire, sociologie et sémiologie de la culture) où elle sert à définir les objets (la notion de littérature, par exemple) et à circonscrire des phénomènes d'ensemble ; mais son utilisation y fait l'objet de vives discussions.

▶ GUILLÉN C, *Literature as System. Essays toward the theory of literary history*, Princeton, Princeton University Press, 1971. — LESOURNE J. (dir.), *La notion de système dans les sciences contemporaines*, Aix-en-Provence, Librairie de l'Université, 1982, 2 vol. — LOTMAN I., *La structure du texte artistique*, trad. du russe H. Meschonnic (dir.), Paris, Gallimard, 1973. — TÖTÖSY DE ZEPETNEK S., « Systemic Approaches to Literature. An introduction with Selected Bibliography », *Revue canadienne de littérature comparée*, XIX, 1-2, 1992, p. 21-93.

Lucie ROBERT

→ *Communication ; Contexte ; Formalistes ; Information (théorie de l') ; Institution ; Polysystème ; Structuralisme.*

T

TABLEAU → Ballet ; Correspondance des arts ; Peinture ; Recueil

TÉLÉVISION → Adaptation ; Médias

TEMPS

Une catégorie aussi générale que le temps concerne la littérature à plusieurs titres. De manière très globale, dans la classification des beaux-arts forgée par l'esthétique au milieu du XVIIIe s. (Lessing), poésie et musique sont rangées du côté des arts du temps, par opposition à la peinture et la sculpture, déclarées arts de l'espace. Par son langage même, l'œuvre littéraire repose sur un déploiement que le temps maîtrise et quantifie ; son appréhension requiert une durée qui noue temps et lecture. Du point de vue plus spécifique de la poétique, le genre narratif entretient une relation privilégiée avec le temps : dans le récit, logique événementielle et chronologie se répondent (Ricœur). Plus intimement, à travers la temporalité verbale, le temps s'inscrit dans l'action, et marque la position de la voix narrative ; ces « jeux avec le temps » (Genette) élaborent ainsi pour une grande part le monde raconté. Enfin, parce que la littérature est un lieu de représentations culturelles, la sensibilité au temps apparaît comme un élément sémantique majeur de l'œuvre ; ce « temps humain » (Poulet) peut alors, plus spécifiquement, être rapporté à la conscience de l'auteur, vue comme raison créatrice.

La conception de l'intrigue défendue par Aristote dans la *Poétique* est indifférente à la question temporelle ; formant un « tout » organisé selon « un début, un milieu et une fin » (1450 b 25), la fable s'ordonne selon des critères de cohérence dont le modèle emprunte à l'unité du vivant. Ce que l'aristotélisme – cette relecture peu fidèle des propositions de la *Poétique* conçue par les commentateurs de la Renaissance et du Classicisme – retient en matière temporelle se rattache également à la question des unités. Mais appliquées à la tragédie, les exigences normatives du XVIIe font de l'unité de temps – « Qu'en un lieu, qu'en un jour, un seul fait accompli / Tienne jusqu'à la fin le théâtre rempli » (Boileau, *Art poétique*, III, 45-46, 1674) – plus encore qu'un garant de la simplicité et de l'efficacité de la fable, l'un des critères du vraisemblable. Pour que le spectateur croie le plus possible à l'action montrée, il faut calquer le *temps représenté*, cette durée de l'histoire, sur le *temps de la représentation*. Si, en l'espèce, Aristote n'a fait qu'établir une opposition entre la tragédie qui « essaie autant que possible de tenir dans une seule révolution du soleil », et l'épopée, « pas limitée dans le temps » (1449 b 12), les doctes ratiocinent sur la durée (12 ou 24 heures ?) à autoriser. Seuls les « récits » ont en définitive le droit d'*ouvrir* le temps de la tragédie, à la faveur d'un sujet où, comme *Œdipe*, « le nœud consiste en l'obscurité de [...] [la] naissance [du héros] qu'il faut éclaircir » (Corneille, 1660, p. 92). Mais les mêmes qui cherchent à abolir les distorsions entre le temps vécu du spectateur et le temps fictif de l'intrigue veulent maintenir la distance entre le présent du spectateur et le passé tragique. En 1676, Racine réaffirme « le respect que l'on a pour les héros augmente à mesure qu'ils s'éloignent de nous » ; dans *Bajazet*, c'est l'« éloignement de pays » qui « répare » cette « trop grande proximité des temps » (*Préface*), néfaste au nécessaire isolement du monde de la tragédie. C'est surtout ce dernier point que le XVIIIe, plus soucieux de réformer le contenu et les conventions de langage que les règles dramaturgiques, remet en cause. Diderot prône pour le drame – conçu comme « tragédie domestique et bourgeoise » (1757) – une étroite proximité entre les événements joués et le quotidien du spectateur. De son côté, le roman, dès les « histoires comiques » de la seconde moitié du XVIIe, avec Scarron, Sorel et Furetière, développe une temporalité, quoiqu'encore accidentée, plus proche de ses lecteurs. Quand, au XVIIIe, il se fait *roman de formation*, c'est en inscrivant une conscience individuelle dans un temps continu qu'il aménage l'intrigue sur le *temps de la vie*. Temps heureux d'une ascension sociale devenant au XIXe s. celui des désillusions. Autour de 1830, le drame romantique renoue avec la représentation du passé, mais ce recul dans le temps n'est en aucun cas retour aux Anciens comme modèle, reprise d'un temps « lointain », mais apparition d'un *temps historique*, dans sa dimension sociale, et pour la lecture du présent ainsi offerte. La mise en perspective historique suppose de fait l'abolition des unités : « l'action, encadrée de force dans les vingt-quatre heures, est aussi ridicule qu'encadrée dans le vestibule [...] ; c'est faire grimacer l'histoire » (Hugo, préface de *Cromwell*, 1827, p. 20). Ce mouvement qui concerne le romantisme dans son ensemble donne au roman une nouvelle dignité : le roman « historique » s'empare de l'Histoire ; le roman « réaliste » accorde au romanesque une actualité sociale. Dans la voix du poète romantique (Lamartine : « Ô temps suspends ton vol... », *Le Lac* ; Musset : « Regrettez-vous le temps où... », *Rolla*, 1833) résonnent les lointains accents du *topos* de la fuite du temps déjà sensible chez un Villon (« Je plains le temps de ma jeunesse ») ou un Ronsard (« Mignonne... »)... C'est la plainte du sujet lyrique qui énonce le plus directement cette vaste thématique temporelle du temps perdu. Toutefois, au XXe s., comme l'exemplifie l'œuvre de Proust, le temps devient le lieu d'une véritable recherche où il est autant une forme poétique qu'un enjeu spéculatif.

La question de la temporalité est prise en charge au XVIIIe par la classification des beaux-arts de Lessing, à la source de l'esthétique. Lessing oppose radicalement arts du temps et arts de l'espace, poésie et peinture, et conteste les rapprochements qui, au nom de l'*ut pictura poesis* (Horace), faisait jusqu'alors de la poésie une « peinture parlante » et de la peinture « une poésie muette » (Simonide de Céos). Comme « les signes doivent avoir une relation naturelle et simple avec l'objet signifié » (p. 120), Lessing condamne la poésie descriptive comme la peinture allégorique. Alors que le poète traduit des actions, qu'il présente en leur déroulement, le peintre montre des corps, qu'il exhibe côte à côte. Cette opposition s'applique dès lors aux tensions entre le narratif et le descriptif : la description menace la progression temporelle du récit en ralentissant à l'extrême son cours, car elle ouvre en son espace l'objet qu'elle construit. Cette question est reprise au XXe s. où J. Ricardou, théoricien du nouveau roman, se réfère aux analyses de Lessing pour valoriser l'« enlisement descriptif » capable, selon lui, de « dégager l'écriture du masque de la fiction » (p. 166). C'est toutefois Genette qui, à partir de l'analyse de l'œuvre de Proust, élabore une véritable méthodologie du temps du récit. Ce *temps du récit* « pseudo-temps » calculé en espace-pages – en temps de lecture – est confronté au *temps de l'histoire* en vertu de l'« ordre » (des retours en arrière et des anticipations), de la « durée » (de la régulation des vitesses, où l'on retrouve l'antagonisme narratif / descriptif) et de la « fréquence » (de l'unique relation des faits au ressassement infini). De son côté, la voix narrative affiche, par la temporalité verbale, un rapport d'antériorité, de simultanéité ou de postériorité : le *temps de la narration* est ainsi confronté au temps de l'histoire. Ce temps du verbe – différent du temps vécu –, exploré par les linguistes, dont G. Guillaume et É. Benveniste, est le support d'une réflexion sur le *temps fictif*. K. Hamburger fait du prétérit le signe de la fiction, tandis que H. Weinrich cherche à établir une systématique des temps, notamment selon l'opposition entre l'imparfait, réservé à l'arrière-plan de la description, ou de la réflexion, et le passé simple de l'« événement inouï » (Goethe). Avec la réflexion de M. Picard, on quitte une poétique temporelle fondée sur la sémantique verbale pour entrer dans une réflexion sur la lecture littéraire pour laquelle lire, c'est *lire le temps*. La question de la représentation du temps comme forme d'un *temps-espace* a été théorisée à la fin des années 1930 par Bakhtine, à la faveur du concept de « chronotope ». Utilisé comme moyen de retracer l'évolution du genre romanesque, du roman antique au roman russe, en passant par Dante, Rabelais, Cervantès, Rousseau et Goethe, ce « chronotope de l'existence humaine » illustre, dans l'optique du matérialisme historique, le mouvement d'une histoire en progrès. Différemment, une génération plus tard, G. Poulet examine le temps de l'œuvre comme « une variation de l'esprit qui la contient, la précède et la dépasse ». Du XVIe au XXe s., avec Montaigne, Racine, Rousseau, Balzac, Musset, Proust et Valéry, la sensibilité des écrivains à la *durée*, à l'*instant*, au *point de départ*, à ces abstractions du temps qui illustrent leur relation au monde et décident de leur œuvre. D'un point de vue plus proprement philosophique, c'est saint Augustin, dans le livre XI des *Confessions*, au début du Ve siècle avant notre ère, qui ouvre la longue histoire d'une phénoménologie du temps marquée, de Kant à Husserl, et au-delà même de l'ontologie heideggerienne, par l'aporétique. L'impossibilité d'une « phénoménologie pure » du temps, laissé à son invisibilité, aboutit au cercle herméneutique de Ricœur (*Temps et récit*) qui pose l'équivalence entre narrativité et temporalité. Pour lui, c'est le récit – récit historique ou récit de fiction – qui offre une médiation au temps, impossible à saisir directement : « la poétique de la narrativité répond et correspond à l'aporétique de la temporalité » (t. 1, p. 157).

▶ GENETTE G., « Discours du récit », *Figures III*, Paris, Le Seuil, 1972 ; *Nouveau discours du récit*, Paris, Le Seuil, 1983. — POULET G., *Études sur le temps humain*, Paris, Plon, I-IV, 1949-1964. — RICARDOU J., « Temps de la narration, temps de la fiction », p. 161-170 in *Problèmes du nouveau roman*, Le Seuil, 1966. —RICŒUR P., *Temps et récit*, t. 2, *La configuration dans le récit de fiction* (1984), Paris, Le Seuil, 1991. — WEINRICH H., *Le temps* (1964), trad. de l'allemand, Paris, Le Seuil, 1973.

Florence DE CHALONGE

→ *Dramaturgie ; Espace ; Esthétique ; Lecture, lecteur ; Narration ; Poétique ; Récit (théories du).*

TERMINOLOGIE

Une terminologie est l'ensemble des termes techniques qui appartiennent à un art ou à un domaine de connaissances. La terminologie littéraire est donc l'ensemble des mots qui désignent des usages, pratiques, méthodes ou principes de la littérature.

Tout domaine de connaissance a besoin de se forger un vocabulaire, par économie de mots : les périphrases descriptives de ce dont on parle deviennent vite trop longues et pesantes. En littérature, la poétique, pour les noms de genre, et la rhétorique, pour les noms de figures, constituent deux réservoirs considérables de termes spécialisés. Mais Paul Valéry notait que « la terminologie littéraire est des plus incertaines » (*Variétés*, [1924], 1944, I, 1). Cela tient à deux raisons conjuguées. L'une est que de nombreux termes qui servent à parler des techniques littéraires sont aussi des termes d'usage courant. De sorte que la terminologie littéraire est un métalangage qui souvent s'ignore lui-même comme tel. M. Jourdain est en quelque sort une figure exemplaire de cette pratique, lui qui « faisait de la prose sans le savoir » : des mots tels que « prose », en effet, et « poésie », ou « style », etc., ne sont pas perçus comme des termes spécialisés, techniques, et chacun peut croire que « personnage », mot relativement récent, désigne une réalité « intemporelle ». Cela est dû au fait que la littérature est à la fois un usage du langage commun et une spécialisation de ce langage. La seconde raison de l'incertitude (Valéry notait aussi que des mots comme « forme » ou « inspiration » par exemple ne sont clairs que dans la mesure où les personnes qui les emploient ont implicitement les mêmes références) est que l'idée même de littérature suppose une représentation fondée sur un corpus de référence, et que les variations de ce corpus sont nombreuses.

En d'autres termes, ce qui est passé dans la doxa n'est plus perçu comme une « terminologie » (un métalangage) et pourtant il s'agit en fait d'un métalangage, et il est inégalement assimilé – selon le niveau d'études, l'héritage culturel – : inégalités qui suscitent, sous une apparente unité, des variations, sources de confusions. Les deux phénomènes se sont trouvés aggravés, depuis une génération, par la floraison de courants critiques divers. Chacun d'eux tend à se doter de sa terminologie, et il en résulte un effet de surabondance, en même temps que les termes qui paraissent communs se trouvent lestés de la sorte de davantage encore d'ambiguïtés.

De sorte que la terminologie apparaît comme source de deux sortes de conflits, débats et polémiques. D'une part, le reproche de « jargon » s'abat aisément sur ceux qui essayent d'user de termes au sens précisément spécifiés, et qui pour cela recourent souvent soit à des mots rares, soit à des néologismes. Mais ceux-mêmes qui leur reprochent de jargonner utilisent eux-mêmes un vocabulaire marqué, sans conscience de sa part de convention et d'arbitraire. La seconde sorte de polémique tient à la diversité des disciplines de référence et des lexiques qu'elles portent avec elles. La linguistique a été largement mise à contribution au cours des années 1960 et 1970. Elle est aujourd'hui critiquée comme référent majeur, mais l'histoire littéraire, par exemple, en usant de termes tels que « école », « courant », « mouvement », « influences », « contexte », ou encore « champ » emploie tout autant une terminologie : ainsi distingue-t-on toujours bien une « école littéraire », qui suppose un groupe structuré et un programme, un « mouvement », plus large, et un « phénomène », qui est d'ampleur encore plus grande et en partie inconscient ? L'une des nécessités présente est donc le répertoriage des termes en usage et, si possible, une (relative) stabilisation de l'inventaire – en incluant dans l'inventaire les conflits qu'il comporte. Une autre nécessité est la reprise de conscience de l'historicité et de la relativité du lexique employé : « littérature » ou « roman », pour ne prendre que deux cas majeurs, ne sont pas des mots dont le sens tel qu'il est aujourd'hui usuel soit fixé de toujours, tant s'en faut. À ce double prix, l'objet littérature cessera d'être regardé comme relevant d'une illusoire clarté de langage, et les termes techniques, en retour, pour autre chose que ce qu'ils sont – des outils. Les terminologies littéraires sont, elles aussi, des objets d'histoire, un élément central dans la problématique de l'histoire littéraire et culturelle.

Le besoin d'un « discours d'escorte », explicatif, interprétatif mais aussi polémique est congénital à la littérature. Dès le Vᵉ s. avant J.-C., Platon, dans *Ion* et dans *La République*, analyse les enjeux de termes désignant l'inspiration, l'interprétation, la mimésis. Aristote, avec *La poétique* et *La rhétorique*, donne deux traités techniques qui fixent une terminologie : des noms de genres, de parties constitutives des œuvres, de relations entre auteur, œuvre et public. Ces deux ouvrages constituent des substrats largement repris et glosés ensuite. Mais à côté de textes théoriques de cet ordre, qui assument explicitement leur rôle d'établissement d'une terminologie, une foule de textes critiques d'usage courant ont sans cesse nourri celle-ci. Trois moments historiques majeurs semblent devoir être distingués ensuite. Le premier est, au XVIIe s., la fixation d'une série de propositions théoriques, concernant principalement le théâtre (unités, bienséance, vraisemblances, etc.). Au XVIIIe s., l'entrée de la littérature française dans les usages d'enseignement conduit à une reprise, récapitulation et réorganisation des données terminologiques : un ouvrage comme le *Cours de Belles-Lettres* de l'abbé Batteux (1747) inventorie ainsi les noms de genres, mais aussi de figures et de principes théoriques (dont celui de l'imitation ou mimésis en particulier). Cette expansion terminologique liée à l'enseignement se poursuit au XIXe s... Le XXe s. apporte un essor supplémentaire des recherches en littérature et, notamment, de l'appareillage descriptif des textes et des pratiques : l'influence du formalisme et de la linguistique, dans la conjoncture structuralisante des années 1960-1980, fait proliférer les termes. Sont alors apparus des essais ou projets d'inventaires, de dictionnaires. Ainsi R. Escarpit, « Projet d'un dictionnaire des termes littéraires », in : *Le littéraire et le social* (1971). De sorte qu'aujourd'hui, les études littéraires peuvent paraître consister en une étude des termes autant que des textes. C'est que l'augmentation massive du nombre d'enseignants et de chercheurs a suscité un effet de « milieu » où les mots techniques sont comme « naturalisés » (manifestation exemplaire d'un habitus). Dès lors, l'université cherche un point d'équilibre nouveau entre les composantes d'une culture commune (les mots que chacun connaît à propos de littérature) et la haute technicité des études spécialisées.

▶ BARTHES R., *Critique et vérité*, Paris, Le Seuil, 1966. — BRUNEL P., COUTY D. & MADÉLÉNAT D., *La critique littéraire*, Paris, PUF, 1977. — ESCARPIT R., « Le terme littérature », *Le littéraire et le social*, Paris, Flammarion, 1971. — VAN GORP H. et al., *Dictionnaire des termes littéraires*, Paris, Champion, 2001. — WILLIAMS R., *Keywords*, Londres, Fonana, [1967], 1988.

Alain VIALA

→ *Cognitif, connaissance ; Critique littéraire ; Histoire littéraire ; Littérature ; Recherche en littérature ; Théories de la littérature ; Vocabulaire.*

TESTAMENT → Discours funèbres

TEXTE

Du latin *textus* (tissé, comme dans le radical de « textile »), « texte » désigne tout assemblage de mots. Dans des sens dérivés et spécialisés, il désigne : le passage de la Bible qu'un prédicateur cite en début d'un sermon et qui lui donne son inspiration première ; le libellé exact d'un ouvrage ; un passage prélevé dans une œuvre (il équivaut alors à « extrait ») ; enfin, dans un emploi spécifique, certains théoriciens de la fin du XXe s. ont fait du « texte » le lieu de manifestation du langage et du sens et ont tendu à substituer le texte ainsi entendu à la littérature (en élaborant des « théories du texte »).

L'idée de « texte » est liée d'abord à celle de la trame d'un récit, par analogie avec la trame d'un tissu. Mais dans la tradition judéo-chétienne, l'idée de texte est aussi associée à la retranscription de la parole divine dans les Écritures. Longtemps, l'emploi du mot en construction absolue (généralement au pluriel : « les textes ») a désigné les textes sacrés. Dans le domaine social, le besoin de fixer les lois et les traités a suscité la stabilisation de leur énoncé dans la forme écrite : on dit aussi couramment en ce sens « les textes » pour dire les lois et règlements. Dans le domaine littéraire, le besoin de pouvoir reprendre et transmettre les récits, poèmes et morceaux d'éloquence a suscité très tôt leur stabilisation par écrit. Aussi la notion de texte s'est elle trouvée, au carrefour de ces diverses sources, tôt liée à la conservation par l'écrit et donc à l'exégèse et à la philologie. De là ont résulté les deux phénomènes majeurs qui en marquent l'histoire. L'un est la quête philologique : les œuvres qui font autorité (dans le domaine religieux, les textes sacrés et les écrits des Pères de l'Église, dans le domaine profane, les œuvres des auteurs anciens) ont fait l'objet de vastes entreprises de collationnement, de mise au point et d'édition de leur version tenue pour authentique, du moins pour la plus sûre possible. Le texte est donc l'enjeu premier de la philologie depuis l'Humanisme. L'autre phénomène, lié à la diffusion de plus en plus massive de l'écrit imprimé, est la quête des relations entre textes, au sein d'une représentation du monde comme un univers de langage, formant un vaste « texte » dont chaque œuvre, chaque texte particulier, serait une part. Cette façon de voir, développée au XXe s., est d'abord liée à une conception du langage et de la littérature comme manifestation de structures générales, voire de forces transcendantes (cette manière d'envisager le texte s'exprime notamment chez Blanchot). Mais elle a ensuite atteint un haut degré de théorisation et pris une orientation plus formaliste avec la sémiotique issue du formalisme russe et, en France, le groupe *Tel Quel*, notamment chez Julia Kristeva et R. Barthes. Ils conçoivent chaque œuvre comme le fruit de greffes et de dialogue avec d'autres textes. Cette vision de l'intertextualité suppose une « théorie du texte » qui voit en celui-ci non une mise en forme écrite d'une œuvre, mais un vaste processus de construction du sens. La notion de texte a été utilisée à partir de là dans divers domaines pour désigner soit ce qui est le propos à quoi un autre se réfère implicitement ou explicitement (son « hypotexte »), soit (sens utilisé en informatique) l'inclusion dans un ensemble plus vaste (l'« hypertexte »). La critique génétique a pour partie repris ces thèses. Face à ces emplois sophistiqués, demeure un usage courant du terme en pratique littéraire, la désignation scolaire des fragments que l'on étudie. On parle ainsi en France de « groupements de textes » pour désigner des séries constituées dans les pratiques de classe et d'examens autour d'un même sujet ou thème, ou d'une même question (de genre, de forme, d'idées).

L'usage actuel du terme peut être en partie complexifié par l'écho de la « théorie du texte » qui a connu une certaine vogue dans l'université au cours de la dernière génération. D'autre part, les notions de textualité et d'intertexte, qui lui sont corrélatives, sont d'emploi fréquent en critique et en recherche. Corrélative, par paradoxe, aussi, l'idée qu'un texte peut être un ensemble clos, c'est-à-dire qu'il porte en lui le tout de sa signification, qu'il peut devenir indépendant de sa situation d'énonciation et se construit dans la relation complexe qu'il entretient avec d'autres textes dont il porte la trace. Cette conception de la « clôture du texte » suppose un choix théorique et méthodologique, puisqu'elle exclut le contexte comme facteur décisif de la signification. D'où une tension entre les modes d'approche qui mettent en avant le texte ou qui le réinscrivent en contexte. Mais cette tension n'est que la manifestation visible d'une ambivalence plus profonde, qui engage les substrats mêmes du rapport au langage, et donc de la littérature. L'idée de texte est en effet, dans l'Occident moderne, étroitement liée à l'écrit. D'une certaine façon, il y a une équivalence implicite qui s'établit entre les deux (ainsi quand on parle des « textes » pour renvoyer aux écrits à caractère officiel, c'est que leur forme écrite est la garantie de stabilité). En cela, le langage courant rejoint des usages hérités de la sacralisation du texte dans le domaine religieux, puis dans les domaines juridiques (le droit romain est un droit écrit, fixé en textes) et littéraires. Mais la question de la stabilité du texte est bien une question fondamentale. Dans les pratiques littéraires, longtemps les textes n'ont été que des stabilisations relatives. Les œuvres ont pu être transmises oralement : leur mémorisation n'était jamais parfaitement exacte, et chaque interprète leur conférait sa marque propre. Même dans la transmission écrite par manuscrits, les copistes modifiaient ou simplement altéraient involontairement les « textes ». L'apparition de l'imprimé n'a pas fait disparaître ces difficultés. De la version manuscrite à la version imprimée, d'une édition à une autre, le texte d'une même œuvre varie, et l'étude des variantes peut aller jusqu'à des choix de signification lourds de conséquences : ainsi les premières pièces de Corneille ont eu d'abord une version assez exubérante, que lors de leur réédition en 1660 il corrige profondément, dans un sens bien plus académique. Mais au-delà, l'idée même du texte implique la prise en compte de la matérialité de l'énoncé dans son ensemble. La publication orale ou écrite d'un même énoncé constitue-t-elle un seul et même texte, ou bien un même énoncé en deux textes ? À l'évidence, dans le cas du théâtre, le texte écrit et lu et la pièce représentée et vue ne sont pas nantis des mêmes ensembles de signes, et peuvent produire des effets de sens et des effets esthétiques sensiblement différents. Mais même dans l'édition d'une œuvre uniquement verbale, des éléments viennent se greffer sur l'énoncé premier : la mise en page, la typographie, mais aussi des éléments de préface ou de « quatrième de couverture », etc. La critique prend aujourd'hui en compte ces données sous le concept de péritexte et l'histoire culturelle les étudie de plus en plus. De sorte qu'on peut retenir deux conséquences majeures. L'une, que le texte est un énoncé pris dans sa matérialité : la textualité est alors à envisager dans toutes ses dimensions de signifiant. L'autre que, comme tout signifiant, un texte est contingent, et représente une stabilisation momentanée d'un discours. Dès lors, l'idée de « clôture du texte » devient difficilement opératoire, et face à la sacralisation qu'elle implique, une réflexion s'impose sur la relativité des textes. L'usage de plus en plus fréquent et répandu de moyens de duplication, transmission et transformation des textes (le traitement informatique et Internet), y compris dans la pratique littéraire (littérature en ligne, en réseau, littérature interactive) atteste de ces enjeux. Mais puisqu'ils étaient, de toujours, présents dans la transmission orale, manuscrite et imprimée, toutes formes passibles de variations textuelles, ils suffisent à rappeler que toute sélection, découpage, mode de présentation d'un texte en engage les significations. La relativité des textes impose donc un élargissement des espaces de réflexion sur la réception et l'herméneutique ; le critique anglo-saxon S. Fish a pu ainsi mettre en questions certaines propositions de l'« esthétique de la réception » par un ouvrage au titre humoristiquement révélateur : *Is there a text in this class ?*

▶ Barthes R., « Texte », in : *Encyclopaedia Universalis*, Paris, 1973. — Cerquiglini B., *Éloge de la variante, Histoire critique de la philologie*, Paris, Le Seuil, 1989. — Chartier R., *Culture écrite et société*, Paris, 1996. — Fish S., *Is there a text in this class ?*, Cambridge-Londres, [1980], 1995. — Fraisse E., Mouralis B., *Questions générales de littérature*, Paris, Le Seuil, 2001. — Martin H.-J., *Histoire et pouvoirs de l'écrit*, Paris, 1988.

Alain Viala

→ *Auteur ; Canon, Canonisation ; Écriture ; Œuvre ; Philologie ; Publication ; Réception ; Style ; Textualité.*

TEXTUALITÉ

Notion située au carrefour de la linguistique, de la logique et de la stylistique, la textualité est ce qui fait qu'une suite (écrite ou orale) d'énoncés est un texte, lui-même défini, empiriquement, par ses limites – c'est-à-dire les pauses qui l'encadrent, et, théoriquement, par sa cohérence. Un texte formant un tout, la textualité, l'« effet-texte », sera repérable dans les marques de cette cohérence, qui ont des statuts linguistiques divers : ce sont aussi bien les particules que l'aspect ou le temps du verbe, les pronoms déictiques et en général les indices de la référence, ou encore les macro-unités thématiques ou sémantiques.

La notion de textualité est issue d'une évolution de la linguistique. Alors que la linguistique classique se donne la phrase comme limite ultime, différentes écoles se sont intéressées à des unités plus vastes, le discours selon la terminologie de la pragmatique (Rastier) ou le texte selon celle de la linguistique textuelle (Combettes). Linguistique textuelle et pragmatique partent donc d'une origine commune, la critique des présupposés de la linguistique structurale, en particulier la distinction langue / parole et la restriction du cadre d'analyse à la phrase, voire au morphème : toutes deux veulent étudier la production concrète, en situation, d'ensembles verbaux dotés d'un sens. De ce fait, elles ont souvent été amenées à se croiser, au point qu'on a pu parler, avec J.-M. Adam, de « pragmatique textuelle », et qu'il est parfois difficile de distinguer approche pragmatique et approche spécifique à la linguistique textuelle. Dans les deux cas, l'élargissement de la perspective a impliqué une véritable réflexion interdisciplinaire, la prise en compte par exemple des apports de la psychologie cognitive, de la théorie de la réception ou de la sociolinguistique, c'est-à-dire l'abandon de la prééminence du modèle linguistique. En fait, la différence entre pragmatique et linguistique textuelle tient d'abord au fait que les deux courants ont des lieux d'origine différents (pour la linguistique textuelle, l'École de Prague) et des développements parallèles, plutôt situés, dans le cas de la linguistique textuelle, dans l'espace germanique, en particulier les Pays-Bas. D'autre part, il y a entre les deux courants un véritable écart dans l'importance donnée à l'écrit en général et à l'écrit littéraire en particulier, plus grande dans le cas de la linguistique textuelle. Celle-ci, qui s'intéresse davantage au « co-texte » (l'environnement verbal du texte étudié) qu'au contexte énonciatif, paraît de ce fait particulièrement appropriée au texte littéraire, dont la cohérence thématique aussi bien que stylistique est traditionnellement donnée pour ce qui le distingue d'une simple série d'énoncés.

Les conséquences de l'application de la linguistique textuelle à la littérature sont plus visibles en France que dans d'autres pays où les traditions critiques et scolaires sont différentes. En définissant, comme le fait J.-M. Adam, le texte comme le discours sans le contexte, sans les éléments qui tiennent à l'énonciation, on est conduit à une lecture immanente qui peut n'être pas gênante quand on étudie sous l'angle linguistique des écrits publicitaires ou des énoncés oraux, mais qui revient dans le cas de la littérature à l'exercice français de l'explication de texte. De fait, la pratique scolaire et universitaire de l'explication de texte, dans la mesure même où depuis plus de trente ans elle s'appuie sur des modèles linguistiques, cherche les marques de la cohérence dans des objets prédécoupés précisément pour faire remarquer et juger favorablement leur cohérence. Le risque de rapprochement avec cet exercice canonique a d'ailleurs conduit certains représentants de la linguistique textuelle à élaborer une définition du texte comme objet théorique, non réductible à tel ou tel énoncé, donc à privilégier sur l'étude du texte celle de la textualité comme processus interprétatif, dans la lignée de l'esthétique de la réception mais toujours sans se préoccuper des conditions de l'interprétation elle-même.

▶ ADAM J.-M., « Textualité et séquentialité. L'exemple de la description », *Langue française*, 74. — COMBETTES B., *Pour une grammaire textuelle*, Bruxelles-Paris, de Boeck-Duculot, 1983. — DUCROT O. & TODOROV S., « Texte », dans *Dictionnaire encyclopédique des sciences du langage*, Paris, Le Seuil, 1972. — RASTIER F., *Sens et textualité*, Paris, Hachette, 1989. — VAN DIJK T. A., « Le texte : structure et fonctions. Introduction élémentaire à la science du texte », dans *Théorie de la littérature*, A. Kibédi Varga (dir.), Paris, Picard, 1981.

Dinah RIBARD

→ *Discours ; Explication de texte ; Intertextualité ; Linguistique ; Pragmatique littéraire ; Réception ; Texte.*

THÉÂTRE

« Théâtre » désigne d'abord le lieu où des acteurs se tiennent pour jouer (on dit aussi : la scène) ; le mot désigne ensuite le bâtiment ou le site où ce trouve ce lieu ; il désigne enfin les spectacles qui y sont donnés. Dans ce dernier sens, il spécifie des œuvres qui sont, le plus souvent, à la fois texte et spectacle. Il constitue donc un art, ainsi qu'un domaine – plutôt qu'un genre – de la littérature.

L'apparition du théâtre se situe dans le monde grec antique. Sa datation exacte est difficile, mais il est selon toute probabilité issu de fêtes religieuses, où des processions en l'honneur d'un dieu étaient accompagnées de chants et de danses.

La répartition des contenus et des voix du chant entre un soliste et un chœur a progressivement amené la fixation d'un lieu pour y donner à voir et entendre ce dialogue, la complexification progressive de ce dialogue, donc la multiplication des personnages, et la construction de structures destinées à faciliter la réalisation de ces spectacles. Un premier temps d'apogée advient dans l'Athènes du Vᵉ s. avant J.-C., avec les représentations données à l'occasion des fêtes de la Cité, où se tiennent des concours dramatiques. Les tragédies, jouées en général par trilogies, en constituent les pièces principales. Eschyle, puis Euripide et Sophocle, s'illustrent dans de telles créations. Ces spectacles comprennent aussi, le plus souvent, une comédie. Ils sont financés par des aristocrates riches (tel Périclès). Cet usage de l'évergétisme se maintient dans la civilisation hellénistique, qui dote de théâtres toutes les régions du bassin méditerranéen. Le modèle grec est, pour une part, repris à Rome. Les pièces y ont des auteurs illustres dans la tragédie (Sénèque) et plus encore dans la comédie (Plaute, Térence). Mais les spectacles incluent une large proportion d'autres arts (danse, musique), voire des combats ou des exhibitions de violences, et ce n'est que peu à peu que, selon F. Dupont, la dimension littéraire y conquiert ses droits propres. Le théâtre semble avoir connu un temps d'éclipse durant le haut Moyen Âge. La méfiance de l'Église chrétienne à son endroit, manifestée notamment dans la *Cité de Dieu* de saint Augustin (420) en est une des causes. L'Église, et en tout cas la religion, est cependant l'initiatrice sans doute principale de la résurgence de l'art théâtral. En effet, dès le Xᵉ s., des moments de la liturgie font l'objet de parties théâtralisées. Ainsi la *Visitatio Sepulchri* (visite au sépulcre) représente des épisodes de la résurrection de Jésus. Les réalisations du théâtre religieux, florissant au Moyen Âge (jeux, passions, mystères, moralités) en sont progressivement issues. Les formes profanes (farces, dits, monologues, soties) semblent être apparues ensuite. À partir de la Renaissance, deux phénomènes concomitants modifient profondément la vie théâtrale en Europe. D'une part, la méfiance de l'Église envers le théâtre se fait à nouveau plus forte, et les Mystères sont interdits à Paris en 1548. D'autre part, la redécouverte humaniste de l'héritage gréco-latin amène à un réveil des formes « classiques » de la tragédie et de la comédie. La relecture de la *Poétique* d'Aristote – via ses commentateurs italiens – suscite le réveil du genre tragique au XVIᵉ s., et il s'impose comme genre majeur au XVIIᵉ, nanti d'une théorie, et illustré en sa forme française (marquée par les bienséances et les unités) par Corneille et Racine. La comédie, moins théorisée, suit de près. La tragi-comédie est vite délaissée en France, un peu moins vite la pastorale, alors que ces formes prospèrent en Espagne et en Angleterre. L'opéra et le ballet, nés en Italie, deviennent à leur tour des genres reconnus. Avec la construction de théâtres permanents (Hôtel de Bourgogne, Marais, Petit Bourbon), la création de troupes professionnelles subventionnées, la reconnaissance du métier de comédien et enfin la fondation de la Comédie française (1680), puis de l'Opéra et de l'Opéra comique, l'institution du théâtre s'accomplit en France. Bruxelles, dès ce moment, s'affirme comme la seconde capitale du théâtre et de l'opéra en langue française. Au fil du XVIIIᵉ s., époque de théâtromanie, des salles se construisent dans les villes de province. Les genres dominants restent la tragédie (Voltaire) et la comédie, française ou italienne (Marivaux). Mais des formes nouvelles apparaissent du côté du théâtre populaire (Théâtre de la Foire, avec notamment le vaudeville) comme du côté des grands genres, par le renouvellement de la comédie (Beaumarchais) ou par l'invention du drame bourgeois (que théorise Diderot) et du mélodrame à la fin du siècle, tandis que l'opéra, en plein essor se constitue définitivement en domaine distinct. Apparaît aussi le culte des acteurs vedettes (comme Talma). La Révolution voit des tentatives de nouveau théâtre populaire, mais sans lendemain. La Restauration marque le retour à des genres bien établis auparavant, notamment la tragédie classique (plutôt privilégiée par les rationalistes libéraux, et dont *Germanicus*, en 1817, est un triomphe à la gloire de Napoléon), et le mélodrame. Celui-ci fleurit sur le Boulevard du Temple, ou « Boulevard du Crime », où se regroupent nombre de nouvelles salles. Il est le ferment d'un genre nouveau, que théorise V. Hugo, le drame romantique, qui connaît une brève période de succès entre 1827 et les années 1840. Mais la tragédie a continué son chemin – avant de décliner –, de même que le boulevard bourgeois, avec notamment les succès du vaudeville. La fin du siècle est marquée par les tentatives de théâtre naturaliste et symboliste, qui innovent par des scènes soit très réalistes, soit très dépouillées (pour le second), alors que l'essentiel de la production relève du théâtre commercial. Le même mouvement s'observe en Belgique tandis que la Suisse pratique un théâtre populaire sur une large échelle.

Le tournant du XXᵉ s. est le temps de deux innovations majeures. L'une tient à l'emploi de l'électricité pour l'éclairage : il permet de renouveler les moyens de la mise en scène. Le second est l'apparition du metteur en scène comme réalisateur des spectacles, et la place accrue qui est la sienne, qui en fait l'égal des acteurs vedettes et même de l'auteur. Ce mouvement initié par Antoine est illustré notamment, ensuite, par Copeau, Dullin et Jouvet (à la fois acteur, metteur en scène et directeur de salle) ainsi que, dans la lignée symboliste, par Lugné-Poe. Ils jouent les classiques et du boulevard en même temps qu'ils font découvrir les classiques étrangers et qu'ils donnent vie aux textes novateurs contemporains (Maeterlinck en particulier). Les tentatives d'innovations radicales, telles que celles des Surréalistes (Vitrac, Artaud) restent très minoritaires. La pénurie de grands textes ajustés aux exigences de ces metteurs en scène permet notamment aux Belges Michel de Ghelderode et Fernand Crommelynck de s'imposer entre les deux guerres comme les auteurs d'un Nouveau Théâtre. En revanche, au lendemain de la Seconde Guerre, une modification structurelle apparaît avec l'opération de « décentralisation » des théâtres subventionnés, leur multiplication et la création de Festivals, dont d'abord celui d'Avignon (par J. Vilar, en 1947). À Paris même, de nouveaux lieux, subventionnés, comme le Théâtre National Populaire, ou privés, comme les petites salles de la Rive Gauche, favorisent l'essor du théâtre engagé, pour les premiers, et du théâtre de l'absurde (Ionesco, Beckett), pour les seconds. Le mouvement de décentralisation se poursuit dans la seconde moitié du siècle, et facilite le théâtre de recherche, les reprises de classiques, les unes comme l'autre offrant aux metteurs en scène des espaces où explorer les ressources du langage scénique (Planchon, Chéreau...), tandis que le théâtre de boulevard continue sa carrière. Le Québec donne, dans les années 1980, un théâtre original et fortement critique (Tremblay) qui est ensuite repris et reconnu en France. En même temps, les spectacles de danse, de mime (Marceau) et d'opéra connaissent une audience accrue ; ils contribuent à mettre en question la relation privilégiée que le théâtre entretient avec le texte.

Le théâtre offre matière à réflexion concernant les genres qui s'y sont développés, mais il constitue une question en lui-même, par sa double nature – qui amène à le considérer comme un « domaine » du littéraire, plutôt que comme un « genre », terme inapproprié à cet échelon. Il est en effet à la fois spectacle et texte (le plus souvent, mais il est aussi du théâtre sans paroles). En tant que texte, il appartient à la littérature, et il a souvent joué un rôle de « moteur » dans le développement et l'évolution de celle-ci. En tant que spectacle, il induit des modes de création – collectif – et de réception – par la vue et l'ouïe, et dans l'instant – spécifiques. La temporalité et les données esthétiques en sont donc nécessairement celles de l'immédiateté. Or, par un double paradoxe, il offre un terrain privilégié pour l'exploration du langage (puisqu'il donne les mots et les gestes, les lieux – plus ou moins de convention) et il a souvent aussi fait l'objet d'un mode de réception par la lecture. Situation extrême : les classiques français par excellence (Molière, Corneille, Racine, plus tard Hugo) sont des auteurs de théâtre, mais ils ont été reçus dans l'institution scolaire par la lecture. La lecture du théâtre constitue ainsi un modèle majeur pour l'ensemble de la réception littéraire. Comme, de plus, longtemps la *Poétique* d'Aristote a constitué la référence théorique majeure et qu'elle porte surtout sur la tragédie, on peut dire que le théâtre constitue à tous égards le modèle canonique dominant en littérature. Or il est spectacle, et il constitue aussi une institution spécifique, par les moyens qu'il exige, par les revenus qu'il procure aussi, et que les acteurs et auteurs défendent fermement. De sorte qu'il forme au sein du champ littéraire une zone qui tend à s'autonomiser (et la multiplication des départements d'Études théâtrales dans les universités traduit, à cet échelon, cette autonomisation). La double nature du théâtre est donc redoublée, à la fois dans sa substance, et dans son statut et son rôle au sein de l'espace littéraire. Cela étant, il continue à faire partie de la littérature et en constitue une des zones de forte activité et d'inventivité.

Cette double nature fait par ailleurs comprendre que les rythmes peuvent diverger entre le jeu et la lecture, qu'un texte « écrit » n'est pas immédiatement jouable, et inversement, bref qu'il y a deux temporalités, celle de la représentation et celle de la lecture-écriture (l'exemple du *Prince de Hambourg*, longtemps considéré comme une œuvre injouable avant que Vilar et Gérard Philippe ne l'imposent, est révélateur de cette tension).

▶ ARON P., *La mémoire en jeu. Une histoire du théâtre de langue française en Belgique*, Bruxelles, La Lettre volée-Théâtre National de la Communauté française de Belgique, 1995. — CORVIN M. (dir.), *Dictionnaire encyclopédique du théâtre*, Paris, Le livre de Poche, 1995 [1991]. — JOMARON J. de (dir.), *Le théâtre en France*, Paris, A. Colin, 1988. — PAVIS P., *L'Analyse des spectacles*, Paris, Nathan, 1996. — VIALA A. (dir.), *Le théâtre en France des origines à nos jours*, Paris, PUF, 1997.

Alain VIALA

→ *Adaptation ; Dramaturgie ; Esthétique ; Genres littéraires ; Institution ; Lecture, lecteur ; Poétique ; Théâtre lyrique.*

THÉÂTRE DE SOCIÉTÉ

Le théâtre de société est un théâtre d'amateurs, joué, et parfois écrit, par un groupe amical ou un salon, pour son propre divertissement.

Le théâtre de société apparaît dans les salons au XVIIe s. Il se développe au siècle suivant. Plus qu'une mode, il est alors l'un des fondements de la vie mondaine. Pour le seul Paris, le nombre de théâtres de société dans la seconde moitié du siècle est estimé à 160. À côté d'un théâtre de cour, où les professionnels et les amateurs se mêlent et qui ne se différencie guère autrement du théâtre public, prospèrent les théâtres privés des princes du sang et autres grands personnages du royaume, comme celui de la duchesse du Maine à Sceaux au début du siècle, celui de Mme de Pompadour ou encore celui de Marie-Antoinette à Trianon. Voltaire eut le sien aux Délices et à Ferney, tandis que le duc d'Orléans se faisait construire une série de salles dont deux dans le château de Bagnolet. Mais la pratique existe aussi dans des milieux moins relevés où deux paravents suffisent bien souvent à constituer une scène. Par ailleurs, de nombreuses sociétés « bourgeoises », associations ou simples cercles, louent des salles pour des représentations. À la fin du siècle, ce théâtre se démocratise et, de ce fait, perd son prestige pour la haute société. Pour des raisons morales, mais aussi de concurrence, en 1768, un édit défend aux comédiens professionnels des théâtres nationaux de jouer ailleurs que dans leurs salles, alors que souvent ils apportaient – contre rétribution – leur aide aux spectacles privés.

Le théâtre de société retrouve sa vigueur au XIXe s. La haute société de l'Empire a ses théâtres. Sous la Restauration et la monarchie de Juillet, noblesse et bourgeoisie se donnent la comédie ou forment des troupes d'amateurs jouant dans des théâtres aménagés comme celui de Castellane au Faubourg Saint-Honoré. George Sand a son théâtre privé, comme, en Belgique, de nombreuses sociétés « bachiques » (ainsi les « Joyeux » de Charles De Coster). La théâtromanie fait rage sous le Second Empire. La cour lance la mode des « Compiègnes », du nom du château où se réunissaient pour une semaine à l'automne les invités de l'empereur ; l'hôtel Castellane, dès 1835, compte deux troupes principales de comédiens amateurs, gens du monde et gens de lettres. Les particuliers ont leurs soirées théâtrales, qu'immortalisèrent les caricatures de Daumier ; Charles de Rémusat ou Paul Deschanel, hommes politiques importants, furent de brillants comédiens de société. Les troupes d'amateurs prolongent jusqu'au XXe s. ces usages. Ces réunions obéissent à des motivations très variées, religieuses, politiques, amicales, ou de divertissement.

Le théâtre de société se différencie du théâtre professionnel public par le statut d'amateur des acteurs, même si, dans les milieux les plus favorisés, des comédiens de métier ont parfois aidé les amateurs. Les représentations sont privées, voire semi-clandestines parfois, au XVIIIe s., étant donné le caractère licencieux de certaines pièces. D'où un sentiment de complicité entre auteur, acteurs et public. Ce théâtre a joué un rôle de ciment social. Ce qui réunissait ce public autour d'une scène improvisée, c'était un même désir de se divertir à tout prix. Ce désir s'est doublé, chez les plus riches, au XVIIIe s. notamment, de la recherche du prestige. Ostentation et sentiment de libération sont alors allés de pair. Le théâtre de société a pu aussi remplir une fonction politique en favorisant des rencontres, et resserrer des liens entre les membres, sinon d'un parti, du moins d'une faction.

Son répertoire correspond, par sa diversité, aux origines sociales des participants. Seules en effet les grandes maisons pouvaient faire écrire des pièces sur mesure, par des écrivains à gages ou par certains des leurs : au XVIIIe s., le duc d'Orléans s'est assuré les services de Collé ou de Carmontelle ; au XIXe s, le marquis de Massa écrivait pour les invités de Napoléon III. La bourgeoisie s'est souvent bornée à emprunter au répertoire des théâtres publics, même si des cercles bohèmes ou des sociétés d'amateurs ont également eu leurs auteurs. Selon les usages, une typologie apparaît. Les privilégiés d'Ancien Régime ont opté pour des pièces courtes, faciles à apprendre comme à jouer, telles la parade, le proverbe dramatique ou la comédie en vaudevilles. Dans les sociétés « bourgeoises », on a davantage conçu le théâtre comme une activité instructive et on a joué tragédies et grandes comédies. La bourgeoisie salonnière du Second Empire a privilégié l'anecdotique, d'où le triomphe de la charade et du vaudeville. Au XXe s., un théâtre amateur – plutôt que de société – s'est développé, en relation avec l'essor de la vie associative, et pratique des types de pièces extrêmement variés.

▶ DU BLED V., *La comédie de société au XVIIIe siècle*, Paris, 1893. — CLARETIE L., *Histoire des théâtres de société*, Paris, Librairie Molière, 1906. — MARTIN-FUGIER A., *Comédienne*, Paris, Le Seuil, 2001. — ROUGEMONT M. de, *La vie théâtrale en France au XVIIIe siècle*, Paris-Genève, Champion-Slatkine, 1988.

Marie-Claude CANOVA-GREEN

→ *Cour (littérature de) ; Genres littéraires ; Public ; Sociabilité ; Théâtre.*

THÉÂTRE LYRIQUE

Au théâtre comme en poésie, le lyrisme est d'abord un registre exprimant les sentiments ou les émotions dans des formes rythmiques permettant le chant ou la déclamation. Mais plus spécifiquement, le « théâtre lyrique », apparu au milieu du XVIIIe s., désigne une œuvre dramatique qui combine le récitatif et le chant et, par extension, les salles spécialisées dans ce genre de spectacle.

Né en Italie et fixé par Monteverdi, l'opéra s'impose en France où, en 1669, une salle obtient le privilège de donner des spectacles alliant théâtre, musique et danse. Il s'agit d'abord de la « tragédie en musique », développée par Lully, qui s'adjoint comme librettistes Philippe Quinault et Thomas Corneille. Dans ces œuvres dominent l'effet spectaculaire des pièces à machines et les sujets empruntés à l'Antiquité. À la fin du siècle, Houdar de la Motte inaugure l'opéra-ballet, qui donne la plus grande place au divertissement.

L'opéra-comique apparaît au début du XVIIIe s., et dérive du vaudeville populaire. Il mêle d'abord dialogues parlés et pantomimes, danses et airs connus, dans une action inspirée de la comédie italienne. Ce nouveau mélange des genres heurte les privilèges de l'Opéra et de la Comédie-Française qui obtiennent son interdiction entre 1718 et 1724 puis entre 1745 et 1752. Sous l'influence de Pannard puis de Favart, l'opéra-comique délaisse peu à peu les sujets grivois et se tourne vers le goût de la pastorale (*Le devin de village* de J.-J. Rousseau, 1752) puis du drame lyrique (*On ne s'avise jamais de rien*, Sedaine et Monsigny, 1761). En 1762, il fusionne avec la Comédie-Italienne, puis s'installe à la salle Favart en 1783. Dès lors, tournant le dos aux Boulevards qui l'avaient vu naître, il s'embourgeoise, devenant un des quatre grands théâtres institutionnels de Paris.

Quelques maîtres de l'opéra-comique (Adam, Hervé et surtout Offenbach) ont créé l'opérette. Fondée sur l'alternance des scènes parlées et des scènes chantées sur des rythmes à la mode et dans un langage simple, l'opérette, destinée à un public large et diversifié, naît sur les Boulevards puis s'installe au Théâtre des Bouffes-Parisiens (1855). Au moment où Wagner tente une réforme de l'opéra, qu'il définit comme un drame musical, et ne rencontre qu'un succès d'estime, Offenbach, qui s'est adjoint les librettistes Meilhac et Halévy, domine la production lyrique. Il triomphe dans toute l'Europe, de Berlin à Londres, et jusqu'à New York où il est acclamé en 1876. À la fin du siècle, naît la comédie musicale, genre anglo-saxon qui remplace l'alternance du parlé et du chanté par une trame musicale continue. En France, où elle a été intoduite par Christiné, Yvain et Messager, elle ne suffit pas à renouveler le théâtre lyrique qui, à la même époque, disparaît presque de la scène, malgré le succès de *La belle de Cadix* (Lopez-Scotto, 1945).

Comme la comédie-ballet, le théâtre lyrique concrétise l'aspiration à un art total fédérant théâtre, danse et musique. Dans la querelle des Anciens et des Modernes, l'opéra est promu genre de la modernité (Perrault, *Critique de l'opéra, ou examen de la tragédie intitulée Alceste ou le triomphe d'Alcide*, 1674). En France, dans les deux siècles qui suivent, le système des Théâtres nationaux et les règles de leur gestion – qui imposent de distinguer le répertoire propre de chacun – obligent les auteurs et les compositeurs à redéfinir constamment le rapport entre le dramatique (le livret) et le musical (la partition) : l'équilibre de ce rapport distingue ceux des genres lyriques qui appartiennent au théâtre de ceux qui relèvent de la musique, ce qui ne facilite pas une évolution souple du genre. Alors que l'opéra perd tôt son lien avec la tragédie en musique, une Querelle dite « des Bouffons » (1752-1754) aboutit à affirmer le caractère dramatique de l'opéra-comique, selon le modèle italien (soutenu par Diderot, Grimm et Rousseau) et contre les partisans du modèle opératique français (Rameau).

Les premiers opéras et les opéras-comiques sont créés sur des livrets originaux. Par la suite, et jusqu'à Wagner, l'opéra tend plutôt à adapter des œuvres littéraires, tels *Le mariage de Figaro* de Beaumarchais mis en musique par Mozart ou *Carmen* de Mérimée dont s'inspire Bizet, ou à emprunter ses sujets au milieu littéraire comme *La bohème* de Puccini. Les compositeurs du XXe s. cherchent à revaloriser le livret en le confiant à des écrivains connus. Les musiciens du Groupe des Six font ainsi appel à Claudel (*Maximilien*), Soupault (*La petite sirène*), Cocteau (*Le pauvre matelot*) et Butor (*Votre* Faust) alors que Colette signe *L'enfant et les sortilèges* pour Ravel. De même, plusieurs librettistes d'opérette viennent du théâtre de Boulevard (Donnay, Achard, Guitry, Willy et Dorin). Malgré cela, dans le théâtre lyrique, c'est toujours la musique qui occupe la place prépondérante.

Le théâtre lyrique n'a guère profité du renouveau théâtral du XXe s., même si plusieurs metteurs en scène formés au théâtre s'intéressent à l'opéra (Chéreau, Brook, Lepage). Depuis les opéras de poche (*L'histoire du soldat* de Stravinski et Ramuz, 1918) ou les opéras didactiques de Brecht et Weill (*Mahagonny*, *Celui qui dit oui, celui qui dit non*, 1930), les metteurs en scène allient désormais les répertoires sans les réduire à un dénominateur commun. Théâtre musical, musique-théâtre sont les genres de cette nouvelle alliance qui n'appartient plus au registre du théâtre lyrique, mais le dépasse.

▶ ANCELIN D & PISTONE P. (dir.), *Le théâtre lyrique français, 1945-1985*, Paris, H. Champion, 1987. — COUVREUR M., *Jean-Baptiste Lully, musique et dramaturgie au service du Prince*, Bruxelles, Marc Vokaer, 1992. — DUMESNIL R., *Histoire illustrée du théâtre lyrique*, Paris, Éditions d'histoire et d'art, 1953. — DUTEURTRE B., *L'opérette en France*, Paris, Le Seuil, 1997. — Coll. : *La monnaie XVIIIe s. ; XIXe s. ; La Monnaie symboliste et al.*, M. Couvreur (dir.), Bruxelles, GRAM, 1996 *et sq.*

Lucie ROBERT

→ *Ballet ; Comédie-ballet ; Didactique (littérature) ; Lyrisme ; Musique.*

THÉÂTRE POPULAIRE

Le théâtre peut être dit « populaire » soit lorsque les acteurs et les thèmes sont issus de milieux culturels défavorisés, soit lorsque le public visé par le spectacle est le plus large possible. En une troisième acception, plus spécialisée, le « théâtre populaire » désigne les objectifs d'une partie des animateurs du théâtre progressiste à la fin du XIXe et au XXe s. L'expression renvoie donc aux contenus autant qu'aux destinataires de la représentation.

Le théâtre au Moyen Âge, sacré ou profane, s'adresse au public populaire qui se presse sur les places ou dans les rues lors des foires ou à l'occasion de fêtes théâtralisées (Entrées royales notamment, et période pascale). Le spectacle recouvre des genres très divers (Moralités, Mystères, Sermons joyeux, Soties), parmi lesquels, vers les XVe et XVIe s., la farce se distingue par sa capacité à faire rire un large public des défauts de personnages et de sujets populaires. La stabilisation progressive des troupes et l'utilisation pédagogique du théâtre, à partir du XVIe s., conduit à une spécialisation des lieux et, donc, des publics : la cour, les collèges, la ville. Au XVIIe s., trois types de publics fréquentent les salles de théâtre : aristocratie de cour, doctes et « honnêtes gens », mais l'apparition d'un théâtre de la Foire et de genres (la parade, la comédie poissarde...) destinés au public populaire, puis, à la fin du XVIIIe s., la construction de salles sur les Boulevards conduisent à une augmentation significative du nombre des spectateurs. La vie théâtrale est également active en province française ou à Bruxelles. Cette multiplication de l'offre va de pair avec une différenciation sociale des publics, même si les salles continuent de recevoir des milieux différents en instaurant une ségrégation topographique bien marquée. Le XIXe s. est l'âge d'or du spectacle théâtral, qui devient la première forme de loisir répondant aux attentes de tous les groupes sociaux. Le mélodrame, mais également le vaudeville et les grands spectacles forains (*Le tour du monde en 80 jours* d'après Jules Verne, 1876) rassemblent des foules considérables. Au XXe s., le théâtre privé de Boulevard, fidèle aux recettes éprouvées du comique (revues, vaudeville), ou les représentations mobilisant les techniques du grand spectacle (R. Hossein, *Les misérables*, 1980) continuent d'attirer une population nombreuse et socialement diversifiée.

Parallèlement, depuis la Révolution française, le théâtre est le lieu d'un investissement politique. Les Fêtes du Peuple mettent en scène des spectacles moraux ou édifiants dont les citoyens sont à la fois les acteurs et les destinataires. En Suisse, les Fêtes des vignerons et, surtout, le *Festspiel*, spectacle de masse souvent joué dans la nature, sont des genres populaires, et des éléments moteurs de l'unité nationale inspirés par la *Lettre à d'Alembert sur les spectacles* (1758) de Rousseau.

Lorsque le cinéma commence à supplanter le théâtre comme art de masse, ces exemples conduisent une série d'intellectuels à proposer de nouvelles formes de théâtre de masse, qui s'inspirent tout à la fois des mystères du Moyen Âge et des spectacles civiques. En 1895, Maurice Pottecher inaugure son Théâtre du peuple à Bussang (Vosges), qui présente chaque année des pièces originales ou de répertoire jouées par des comédiens amateurs ou professionnels. Le mouvement ouvrier communiste, socialiste et catholique développe également de vastes manifestations théâtralisées, utilisant la technique du « chœur parlé », qui mêlent propagande et émotion collective. En Belgique et au Québec, de grandes réunions en plein air battent ainsi tous les records d'affluence.

En 1911, Firmin Gémier anime le premier « Théâtre national ambulant » dont le projet démocratique est également à l'origine de la fondation en 1920 du Théâtre National populaire au palais du Trocadéro. La salle du Palais de Chaillot (1937), qui abrite le TNP, traduit ses intentions dans une architecture nouvelle : les spectateurs sont placés face à la scène et bénéficient tous d'une vision de qualité. Le nombre de sièges disponibles permet à un public socialement hétérogène de se mêler de manière égalitaire. Le Festival d'Avignon (1946) et la nouvelle salle de Chaillot permettent à Jean Vilar de concrétiser ces ambitions, qui président également au maillage du territoire par les Maisons de la culture.

D'autres formes de théâtre populaire se développent après 1968, lorsque des troupes investissent de nouveaux lieux (La Cartoucherie à Vincennes) ou décident de renouer avec la tradition itinérante (Grand Magic Circus).

Le débat sur le théâtre populaire, ce « grand théâtre de participation politique » (Dort), est lié à l'engagement social de ses animateurs, qui y voient tantôt le moyen d'une prise de conscience, tantôt le lieu d'un service public de qualité. La plupart des intervenants s'inspirent des théories et des pratiques qui se sont confrontées au cours du XXe s.

Né en Allemagne et en Russie vers 1920, en particulier dans les milieux communistes, le théâtre politique prend deux voies que l'on peut résumer en quelques traits. La première est celle d'un théâtre de rue, non professionnel, visant à l'agitation et à la propagande, qui est pratiqué par de petits groupes de militants. L'abréviation russe d'*agit prop* lui est restée, bien qu'il ait essaimé dans le monde entier. Le second est celui d'une refonte des codes traditionnels de la représentation au profit d'un spectacle avant-gardiste, fortement politisé lui aussi, mais réalisé par des professionnels qui y renouvellent leurs pratiques (Piscator, Brecht).

Ces deux formes de théâtre politique empruntent très largement aux moyens traditionnels du théâtre populaire (mime, danses, types et caractères marqués, organisation spatiale et rythmique variées). En Europe occidentale, le théâtre militant de l'entre-deux-guerres (comme le groupe *Octobre* des frères Prévert) hérite des ces deux tendances, mais il compose aussi avec une troisième, d'origine socialiste : la scène populaire allemande (*Volksbühne*) qui met, dès le début du siècle, les organisations ouvrières en contact avec le « grand répertoire » par un recours massif aux abonnements et aux grands spectacles. En France, des écrits de Romain Rolland (*Le théâtre du peuple*, 1913) aux réalisations de Firmin Gémier puis à celles de Jean Vilar, en Belgique au Théâtre National, ce théâtre de la démocratisation culturelle monte les classiques et, plus parcimonieusement, les modernes, dans le souci, parfois paradoxal, de donner satisfaction aux goûts du public tout en assurant son éducation culturelle. Dans ses meilleures réussites, il atteint au « théâtre élitaire pour tous » dont Vitez avait fait sa devise.

Le théâtre populaire a connu également dans la première moitié du XXe s. une version catholique (Ghéon, la troupe des *Copiaus*, Léon Chancerel), plus rurale, dont les pratiques sont souvent comparables.

▶ DORT B., *Théâtre réel*, Paris, Le Seuil, 1971. — TARIN R., *Le théâtre de la Constituante ou l'École du peuple*, Paris, Champion, 1998. — TOURANGEAU R., *Fêtes et spectacles du Québec*. Région du Saguenay-Lac Saint-Jean, Québec, Nuit Blanche, 1993. — VILAR J., *Le théâtre, service public*, Paris, Gallimard, 1975. — Coll. : Revue *Théâtre politique* (1953 et sq.). — *Aspects du théâtre populaire en Europe au XVIe siècle*, Paris, CDU-Sedes, 1990.

Paul ARON

→ *Chœur ; Farce ; Mélodrame ; Politique ; Populaire (Littérature) ; Public ; Théâtre.*

THÉMATIQUE (Critique)

Au sens large, on considère comme critique thématique des analyses qui rendent compte des *thèmes*, « choses dont l'œuvre traite de façon significative ou importante » (M. Brinker, *Poétique*, fév. 1985, n° 64). Mais plus spécifiquement on parle de « critique thématique » à propos de certains chercheurs, parfois présentés aussi comme « critiques de la conscience », et qui auraient formé « l'École de Genève », université d'attache de la plupart d'entre eux. Aux trois principaux essayistes que l'on a coutume de réunir sous cette étiquette, Georges Poulet, Jean-Pierre Richard et Jean Starobinski, on peut ajouter Marcel Raymond, Albert Béguin et Jean Rousset.

Au premier sens, la critique thématique est de tout temps et concerne toute réflexion un peu organisée sur les sujets que la littérature peut évoquer, aussi bien la recherche autrefois par les censeurs de thèmes immoraux ou séditieux qu'aujourd'hui la mise au jour de présupposés sexistes ou racistes. Les discussions sur le comportement familial de Chimène au moment de la querelle du *Cid* en sont tout autant que celles sur l'antisémitisme de Céline au XXe s. Au contraire, le domaine qui fait l'objet de l'attention de « l'École de Genève » reste très circonscrit. Il concerne des productions publiées des années 1950 aux années 1970. Au départ, dans les années 1950, ces auteurs, Poulet et Richard entre autres, fondent leur démarche sur une conception phénoménologique de la littérature et de l'existence, en accord avec les tendances philosophiques dominantes de l'époque, mais en retrait sur la problématique contemporaine de l'engagement politique. D'abord vue comme partie prenante de la « nouvelle critique », cette démarche ne s'organisera pas en mouvement structuré et perdra une bonne part de sa faveur devant la montée de la critique structuraliste au point que l'appellation de « critique thématique » paraît aujourd'hui datée. Elle a défini les thèmes en s'appuyant sur les catégories de l'imaginaire, et en recourant notamment aux apports de la psychanalyse (et Jean Starobinski, en ce domaine, est allé au-delà des autres membres de cette tendance en envisageant les processus de sens autant que les thèmes).

De la critique thématique au sens large, il y a lieu de constater qu'elle ne traite le discours des œuvres autrement qu'un autre. Ainsi on pourrait l'associer à l'« analyse de contenu » pratiquée dans l'étude des médias ainsi qu'à l'histoire des idées (R. Trousson). Ce manque d'attention aux contraintes du champ autonome des lettres la jette parfois dans le discrédit chez les « littéraires ». Elle reste pourtant une obligation pour une pratique critique qui inclut la sémantique comme une question explicite : l'analyse du jansénisme de Pascal, du scientisme de Zola ou de la revendication de « négritude » de Senghor impliquent nécessairement ce genre d'études (et l'autonomie du champ littéraire est toujours relative).

La conception de la critique thématique phénoménologique, elle, se fonde sur une spécification de la notion même de *thème*. Selon l'idée que la conscience met en rapport un sujet et le monde dans lequel il s'inscrit, le critique peut décrire la façon d'être au monde propre à un écrivain, sa saisie de la réalité sensible telle que la mise en texte l'opère. La lecture critique constitue alors des réseaux de convergences qui dégagent une architecture profonde, une cohérence, fondée sur le retour d'éléments actantiels et énonciatifs, ou thèmes. Cette critique peut être dite « thématique » plus dans le sens où l'on conçoit un thème musical (*i. e.* d'un motif récurrent qui fait *entendre* une cohérence architecturale structurante par son apparition et surtout sa reprise) que dans le sens d'un objet ponctuel. Enfin d'un critique à l'autre la notion de « thème » renvoie à des réalités très différentes : catégories identitaires de la perception pour G. Poulet ; objets, mouvements, gestes, substances et contacts pour J.-P. Richard ; schèmes mentaux et linguistiques pour J. Starobinski. C'est toute une cartographie de la conscience et de la perception par l'imaginaire que découvre la « critique thématique » telle qu'elle a été pratiquée par ces auteurs. Partant du *cogito* de l'écrivain, réassumé, le critique découvre les structures qu'informent et révèlent sa façon de penser et de sentir, et découvre ainsi également le sens d'une existence tel que cette conscience de soi l'organise.

▶ POULET G., *Études sur le temps humain* (quatre volumes), Paris, Plon, 1950-1968 ; *La conscience critique*, Paris, Corti, 1971. — RICHARD J.-P., *Littérature et sensation*, Paris, Le Seuil, 1954. — STAROBINSKI J., *La relation critique*, Paris, Gallimard, 1970. — TROUSSON, *Thème et mythes*, Bruxelles, Ed. de l'ULB, 1981. — Coll. : *Du thème en littérature, Poétique*, n° 64, février 1985.

Éric BORDAS, Denis SAINT-JACQUES

→ *Critique ; Herméneutique ; Imaginaire ; Nouvelle Critique ; Sémantique.*

THÉORIES DE LA LITTÉRATURE

S'agissant de littérature, l'idée de théorie implique deux distinctions. D'une part, la théorie se sépare de la pratique littéraire en la prenant pour objet : il y a théorie lorsqu'il y a discours sur cette activité et les produits qui en sont issus ; deux modes possibles pour cela, le mode normatif des traités de poétique et des manifestes lancés par les écoles littéraires, et le mode descriptif des ouvrages savants ou pédagogiques sur la littérature. D'autre part, la théorie se distingue également, comme pratique, d'autres pratiques réflexives sur la littérature : le commentaire, la critique et l'histoire. Le commentaire et la critique ont pour fonction d'expliquer et / ou de juger des objets particuliers (textes, livres, œuvre d'un auteur donné), tandis que la théorie consiste à proposer des manières de comprendre la littérature en général. De la même manière, la démarche théorique se distingue de la démarche historique par sa généralité : elle vise non pas seulement à décrire la succession des auteurs, des textes et des régimes de production littéraire, mais à interroger les lois qui y président ou les significations qui en résultent.

Le discours théorique s'actualise ainsi de manière variable en fonction des lieux où il est produit, des acteurs qui le produisent, et des objets (du corpus) sur lesquels ceux-ci réfléchissent. C'est pourquoi il est légitime de faire une histoire de ces variations, c'est-à-dire une histoire *des* théories de la littérature.

Du côté des objets offerts à la réflexion, cette histoire pourrait être celle de la constitution progressive, échelonnée du XVIIe au début du XIXe s., de l'objet « littérature » lui-même, c'est-à-dire celle du glissement des Belles-Lettres à un objet plus circonscrit, et des théories de la fiction représentative, aux théories de l'art à finalité esthétique.

Les théories de la fiction représentative ont en vue une catégorie de productions langagières caractérisées par un rapport à la vérité. Chez Platon, la fiction est un écart qui fait des productions des poètes des mensonges séduisants, tandis que chez Aristote, il constitue le domaine des représentations qui procurent du plaisir (un plaisir utile) aux hommes. Ce modèle représentatif de la fiction mimétique, plus exactement la version qu'en donne Horace qui y fait entrer la poésie lyrique (en tant que représentation des sentiments) ignorée par Aristote dont la *Poétique* ne prend en compte que la représentation (épique, tragique ou comique) des *actions*, a dominé jusqu'au XVIIIe s. Une tradition théorique symétrique sur la fiction, celle du rejet des « mensonges » des poètes, inspire des critiques d'inspiration augustinienne contre le théâtre au XVIIe s., comme celles de Rousseau un siècle plus tard. Aux XVIIe et XVIIIe s., le système des « Belles-Lettres » (Éloquence, Histoire et Poésie), dont le nom indique la part de finalité esthétique, se sont distinguées au sein de l'ensemble des savoirs livresques (la « littérature ») et des productions lettrées (les « bonnes lettres » humanistes) : c'est ce domaine, mais plus particulièrement celui des trois grands genres de la fiction (épopée, théâtre et poésie lyrique), que les théoriciens comme Boileau et l'abbé Batteux codifient, et dont Nicole et Rousseau dénoncent les dangers.

Le passage des « Belles-Lettres » à la « littérature » au sens restreint, à la fin du XVIIIe s. et au début du XIXe, poursuit l'autonomisation des œuvres à visée esthétique au sein de l'ensemble des productions scripturaires, mais correspond aussi à un changement profond du paradigme théorique et de son corpus : le roman y prend notamment une place de plus en plus importante tandis que l'épopée disparaît. Le modèle représentatif est récusé, notamment par les Romantiques, qui critiquent son caractère normatif et le rapport figé et hiérarchique qu'il instaure entre les sujets et les genres (aux grands la tragédie, aux petits la comédie). Les Romantiques, en particulier les romantiques allemands (Schlegel notamment) substituent à la théorie de la fiction une théorie de l'art, dont le genre-étalon n'est plus le théâtre mais la poésie, laquelle cesse ainsi d'être un « troisième genre » mais devient le caractère nécessaire de toute œuvre d'art. Ce qui implique de la définir comme expression ou comme signature du génie sur son œuvre, dans la lignée des conceptions de Diderot, et surtout comme usage extraordinaire du langage : est poésie, qui peut se rencontrer aussi bien dans le roman que dans le drame, tout travail du langage qui le détourne de sa fonction de communication et fait de lui l'objet même de l'écriture. Cette proposition est à la racine de la conception flaubertienne du roman (comme travail de l'écriture sur un sujet indifférent) aussi bien que de la quête mallarméenne d'un langage nouveau, pur de toute ressemblance avec l'ancien. Elle forme aussi le socle de la réflexion des Formalistes russes, qui porte essentiellement sur la poésie et le détournement du langage qui la caractérise, et d'une large part de la production théorique du XXe s., qui s'est appuyée sur les outils fournis par la linguistique pour traiter la question de la littérarité, c'est-à-dire précisément de la différence spécifique de l'usage littéraire (poétique) de l'écriture. Elle a été néanmoins critiquée, à travers les polémiques successives contre l'Art pour l'Art (les naturalistes), pour l'engagement (Sartre), ou, plus récemment, contre le structuralisme : à chaque fois, c'est la fermeture idéaliste de la littérature sur son langage qui est dénoncée, au nom de la réalité de l'insertion des écrivains dans la société et du mensonge que constituerait leur retraite dans la tour d'ivoire des problèmes de l'écriture. L'autre versant de la théorie romantique, celle de la poésie, ou de la littérature, comme expression du génie, a elle aussi durablement marqué les études littéraires, notamment l'histoire littéraire lansonienne. Mais elle a été contestée et surtout réinterprétée, au sein même du mouvement romantique mais aussi par la suite, de manière à produire des théories de la littérature comme expression (avec plus ou moins de médiations) d'une époque, d'un milieu, d'une classe sociale, ou des rapports de domination qui opposent les colonisés aux colonisateurs et les femmes aux hommes, par exemple.

Les théories de la littérature ont été, au fil de l'histoire, prises en charge par des figures différentes. La poétique normative était le fait de philosophes ou de littérateurs souvent spécialisés dans ce type d'ouvrages, la théorie littéraire descriptive est peu à peu devenue celui des chercheurs et des universitaires, ce qui explique en partie son caractère descriptif. Désormais, la théorie appartient pour une large part au monde de l'enseignement et de la recherche universitaires. La théorie du texte des années 1960-70 (Barthes, Kristeva...) y a trouvé les conditions de son succès – qui est cependant allé à l'encontre de son projet de dépasser la distinction entre pratique et théorie de la littérature. Les écrivains continuent, pour leur part, à produire des théories de la littérature dans les préfaces de leurs livres ou dans des revues. Après la vogue des thèses du Nouveau Roman, puis du groupe *Tel Quel* lié à la théorie du texte au second tiers du siècle, les dernières années sont marquées par une dispersion des propositions, de la Nouvelle Fiction – qui préconise un rejet des modèles du nouveau roman – à des formes multiples de « nouvel engagement » (on y note le groupe *Perpendiculaire*, qui préconise d'explorer tous les lieux et niveaux de langages), en passant par la théorisation de « l'auto-fiction », voire par une théorisation de ce que devrait être la réception de la littérature. Cette dispersion a pour effet que les théories universitaires peinent à suivre ces mouvements, difficiles à synthétiser et enseigner.

L'interrogation sur ce qu'est au fond la littérature (et les notions qui vont de pair, comme l'auteur, la valeur, le style...) semble définir l'approche théorique aujourd'hui, et lui donner pour but la mise en cause des fausses évidences de ce qu'Antoine Compagnon appelle « le sens commun » littéraire. Cette visée interrogative et critique prend son sens par rapport au monde scolaire et universitaire auquel appartiennent nombre de théoriciens, et sa force polémique s'exerce de ce fait moins contre d'autres théories que contre les préjugés de lecteurs des étudiants ou, à titre régulateur, contre le manque de rigueur des propositions des historiens de la littérature ou des spécialistes de tel ou tel auteur : le conflit (à la différence des conflits théoriques entre écrivains) n'y porte pas tant sur la production *littéraire* légitime que sur la production *critique* légitime. Ce qui apparaît avec d'autant plus de clarté, grâce à cette appartenance institutionnelle, c'est le fait que les théories, même les plus formalistes, renvoient toujours la littérature (comme auparavant elles renvoyaient la fiction) à quelque chose qui est audelà d'elle. S'il y a du sens à étudier et à faire étudier la littérature en tant que telle, c'est parce qu'en tant qu'art (donc en tant qu'indifférente à son sujet puisque capable de tout montrer et de tout transfigurer, aux yeux de tous), elle paraît porteuse de l'exigence démocratique. À ce titre, la littérature apparaît utile à la formation du citoyen, de même que pour Aristote et les poéticiens classiques il y avait du sens à réglementer la fiction, du fait de sa fonction d'instruction morale et de sa capacité égale à contribuer à l'ordre social (en le représentant à travers la hiérarchie des genres) et à susciter le désordre (en bouleversant le rapport nécessaire entre genres et sujets). Leur appartenance à l'École n'est à ce titre pas la preuve d'un échec des théoriciens de la seconde moitié du XXe s., mais celle de la solidarité de l'invention théorique et de la vision dominante de la communauté politique. À cette solidarité correspond un effet de corpus puisque s'interroger sur la littérature ne peut se faire qu'à partir d'un corpus défini comme littéraire. Or ce corpus est aujourd'hui avant tout celui que définit l'École (de là des différences selon les espaces nationaux), lequel correspond à peu près au corpus mis en place par les romantiques (roman, théâtre, poésie). Reste que l'écart entre ce corpus restreint qui fait l'objet des enseignements et des recherches théoriques, et la production théorique qui se veut généralisante, manifeste un autre trait des études littéraires contemporaines : on n'y apprend plus à produire des écrits, comme c'était le cas dans l'enseignement à dominante rhétorique de l'âge classique (lequel ne s'adressait pas à tous et pouvait sans risque apprendre à ceux qui le fréquentaient à produire des discours et des fictions) mais à les lire et à les commenter. Par là, la visée démocratique des conceptions esthétiques de la littérature se trouve rabattue sur la distribution socialement inégale des goûts.

▶ COMPAGNON A., *Le démon de la théorie. Littérature et sens commun*, Paris, Le Seuil, 1998. — MACHEREY P., *Pour une théorie de la production littéraire*, Paris, Maspero, 1966. — RANCIÈRE J., *La parole muette. Essai sur les contradictions de la littérature*, Paris, Hachette, 1998 ; *Le partage du sensible. Esthétique et politique*, Paris, La Fabrique, 2000. — WELLEK R. & WARREN A., *La théorie littéraire* [1949], trad., Paris, Le Seuil, 1971. — Coll. : « Où en est la théorie littéraire ? », *Textuel*, avril 2000, n° 37.

Dinah RIBARD

→ *Critique littéraire ; Écoles littéraires ; Littérature ; Littérarité ; Littérature générale ; Querelles ; Texte.*

THÉORIES DE LA NARRATION

L'appellation « Théories de la narration » réfère aux réflexions contemporaines qui se donnent pour but d'analyser de façon méthodique le fonctionnement des récits. Ces théories peuvent se diviser en trois grands groupes, selon qu'elles renvoient à une conception structuraliste (formalisme, narratologie, grammaire textuelle), une conception pragmatique ou une conception post-structuraliste.

Les théories modernes de la narration sont apparues avec les formalistes russes au début du XXe s. Refusant au personnage et à sa psychologie la place prépondérante, les formalistes reviennent à la *Poétique* d'Aristote qui soumet le personnage à l'action. « L'histoire, comme système de motifs, peut entièrement se passer du héros et de ses traits caractéristiques » écrit Tomachevski (*Théorie de la littérature. Textes des formalistes russes*, Paris, 1965, p. 296). Ils distinguent la fable (la *fabula*), c'est-à-dire les éléments matériels du récit, de la narration, c'est-à-dire de l'organisation du récit (la *sjuzhet*), laquelle adopterait une forme grammaticale. À leur suite, V. Propp (*Morphologie du conte*, 1928) propose la notion de fonction narrative pour décrire la place des actions dans le déroulement du récit. Il dresse le schéma de 31 fonctions fondamentales, et isole sept rôles dévolus aux personnages. Ces propositions inspirent ensuite l'anthropologie structurale de Lévi-Strauss et les premiers travaux sur l'analyse structurale des récits. Ainsi R. Barthes (*Communications*, 8, 1966, « Introduction ») insiste sur la primauté du « code narratif », de l'action narrative principale sur ses satellites ou événements secondaires. Dans cette voie, C. Bremond (*Logique du récit*, 1973) réduit les fonctions narratives à trois couples principaux : action initiée (ou non initiée), actualisée (ou non actualisée) et accomplie (ou non accomplie) et propose une typologie des rôles fondée sur la distinction entre l'agent (qui accomplit l'action) et le patient (qui la subit). Le modèle actantiel mis au point par A.-J. Greimas (*Sémantique structurale*, 1966) s'inspire des travaux de Lévi-Strauss pour analyser les actants, qu'il répartit en six fonctions formant trois couples : sujet et objet, destinateur et destinataire, adjuvant et opposant. T. Todorov élabore une grammaire narrative : il distingue la proposition (formée de l'agent et du prédicat), la qualification (formée de l'état, de la propriété et du statut) et des diverses combinaisons des séquences formant le récit (l'enchaînement, l'enchâssement et l'alternance). Il ouvre la voie à la *narratologie* (« science du récit »), mot qui apparaît dans sa *Grammaire du Décaméron* (1969). G. Genette (*Figures III*, 1973) recourt à des modèles grammaticaux simples pour appliquer au récit les catégories du verbe : le temps, le mode et la voix. Pour le temps, il établit les notions d'ordre (la chronologie des événements racontés), de durée et de fréquence (raconter une fois ce qui s'est passé une fois, ou raconter une fois ce qui s'est passé plusieurs fois, ou raconter plusieurs fois ce qui s'est passé une fois). Le mode renvoie à la distance que le narrateur entretient avec ce qu'il raconte : le terme de *focalisation* désigne le point de vue adopté, focalisation interne (point de vue d'un personnage) ou focalisation zéro (omniscience). Par le concept de *voix narrative*, il analyse les positions et les fonctions du narrateur qui, non content de raconter, organise, atteste et commente le récit, en relation avec un narrataire. La typologie des narrateurs est ainsi établie selon leurs relations au récit (intradiégétique ou extradiégétique) et au personnage (homodiégétique ou hétérodiégétique).

Les développements ultérieurs conservent la division originale entre les travaux sur le *narré* et sur le *narrant* bien que plusieurs (G. Prince, M. Bal) aient tenté la jonction entre ces deux problématiques. La *sémiotique narrative* emprunte la voie tracée par Greimas ; elle s'intéresse aux structures profondes du récit et au carré sémiotique (schéma édifié à partir des opérations de contradiction, de contrariété et d'implication). Inspirée des travaux de Lévi-Strauss, la démarche s'inscrit dans une visée anthropologique qui débouche sur une sémiologie de la culture. Parallèlement, la *poétique narrative* suit Genette et conserve une visée plus littéraire, orientée vers la description des récits singuliers. Les instruments conceptuels et méthodologiques de la narratologie sont mis à profit dans les sciences humaines pour l'analyse des récits non fictifs, notamment dans les travaux de P. Ricœur sur le récit historique (*Temps et action*, 1983) et ceux de J.-P. Faye sur les récits totalitaires (*La raison narrative*, 1990). Enfin, la grammaire textuelle (T. Pavel, G. Prince et T. A. van Dijk) partage avec la narratologie l'objectif de dégager les structures profondes du récit, mais elle s'inspire de la linguistique générative et représente la carte de la narration par des diagrammes en forme d'arbre.

Pour sa part, la pragmatique littéraire, s'inspirant des travaux sociolinguistiques de W. Labov sur le récit oral, étend l'objet de l'analyse vers les récits de vie et la narration conversationnelle et introduit la notion d'*activité narrative* pour prendre en compte le rôle des auditoires dans la construction du récit et les stratégies énonciatives des narrateurs. Dans cette optique, la narration apparaît comme le résultat d'une production conjointe entre le narrateur et le narrataire, déterminées par un ensemble de conventions, dits *pactes narratifs*, dont la nature est liée aux genres (par exemple le « pacte autobiographique » étudié par Ph. Lejeune).

E. Benveniste avait établi une hiérarchie entre *l'histoire* (l'argument), qui désigne l'organisation des actions et des personnages, et le *discours*, qui renvoie à la position de l'énonciateur par rapport à ce qu'il raconte, prenant comme critère la catégorie de la personne (la non-personne caractérisant l'histoire, la personne étant propre au discours). Les théories poststructuralistes de la narration inversent cette hiérarchie selon l'idée que le discours ne répète pas la fable, mais qu'au contraire, il la génère. Sous l'influence de Derrida, elles conçoivent la narration comme la métaphore de l'acte d'écrire et portent une attention particulière aux éléments auto-référentiels qui révèlent la position discursive de l'énonciateur. Elles observent que la fiction contemporaine tend à miner l'autorité du narrateur et elles remplacent cette dernière par l'autorité du récit lui-même. Aussi, à la reconstitution logique qui avait caractérisé la narratologie, les théories poststructuralistes substituent-elles l'idée de déchiffrer les diverses voix qui structurent les textes et elles reprennent à cet effet le travail de Bakhtine sur le récit comme énoncé polyphonique. À ces deux modèles, il faut ajouter le développement d'une narratologie féministe (M. Bal, S. Lanser) qui postule la sexuation de l'instance narrative, laquelle serait aussi déterminante pour l'organisation du récit que la focalisation et le point de vue.

On raconte des histoires oralement ou par écrit, en prose ou en vers, mais aussi dans le langage des signes et de l'image (la bande dessinée, le cinéma, la peinture narrative) voire sur la musique ; de plus, ces histoires peuvent être transposées d'un média à un autre, racontées de diverses manières, enchaînant les événements dans un ordre variable : de ce constat, la narratologie déduit une autonomie du *narré* au regard de son support et des conditions de son énonciation. L'introduction d'une réflexion sur le *narrant* ne remet pas en question ce postulat ; elle lui superpose un second plan qui intègre à l'analyse la temporalité et les modalités propres au récit singulier.

Les théories de la narration se sont définies comme sciences (ainsi Propp choisit le terme de « morphologie » par analogie avec la botanique de Linné et le modèle affiché par Barthes s'inspire de la linguistique saussurienne). Mais, à l'encontre des sciences expérimentales, leur démarche est déductive. Barthes propose ainsi « de concevoir d'abord un modèle hypothétique de descriptions [...] et de descendre ensuite, peu à peu, à partir de ce modèle, vers les espèces qui, à la fois, y participent et s'en écartent » (*Communications* 8, 1966, p. 8). En ce sens, la théorie devrait être remise en cause, si elle se révélait inapte à décrire la diversité de ses objets d'étude. On a cependant reproché à la narratologie de figer les cadres mis en place au titre de l'hypothèse et de couper l'œuvre du contexte. De même, on lui a reproché d'attribuer une fonction à tous les éléments d'un récit, selon le principe que « l'art ne connaît pas le "bruit" ». Ce postulat pose un tel problème que Barthes s'est senti obligé d'instituer une différence entre la narration dans les arts dits « analogiques » (le cinéma, la bande dessinée) et la littérature « où la liberté de notation (par suite du caractère abstrait du langage articulé) entraîne une responsabilité bien plus forte » (*ibid.*, p. 13). Enfin, plusieurs ont vu dans les théories de la narration une tentative de réduire la littérature à un *ars combinatoria* et d'étudier uniquement des « machines narratives ».

Il faut reconnaître que la narratologie considère le récit non comme une représentation fictionnelle du monde, mais comme une construction formelle dont elle entreprend la description plutôt que l'interprétation. De même, elle ne prétend offrir ni théorie générale du récit, ni même de véritable théorie de la narration. Ce sont ces limites que tentent de dépasser les théories pragmatiques et postructuralistes de la narration en inscrivant la démarche dans le cadre plus général des théories de l'énonciation et du discours, voire, comme chez Paul Ricoeur, dans celle d'une phénoménologie (*Temps et récit*, tome 2, Paris, 1983).

▶ BAL M., *Femmes imaginaires : l'Ancien Testament au risque d'une narratologie critique*, Paris, Nizet, 1986. — GENETTE G., *Nouveau discours du récit*, Paris, Le Seuil, 1983. — HÉNAULT A., *Narratologie. Sémiotique générale*, Paris, PUF, 1983. — VETTERS C., *Temps, aspect et narration*, Amterdam, Rodopi, 1996. — Coll. : *L'analyse structurale du récit*, Communication, 8, Paris, Le Seuil, [1966], 1981.

Isabelle MIMOUNI, Lucie ROBERT

→ *Fiction ; Narration ; Sémiotique ; Structuralisme ; Théories de la littérature.*

TITRE

On appelle communément « titre » l'ensemble des mots qui, placés en tête d'un texte, sont censés en indiquer le contenu. Élément central du péritexte, le titre peut aussi se détacher dans certaines circonstances : il est alors une synecdoque de son contenu (comme dans les bibliographies). C'est également le titre d'un ouvrage (et non le texte) qui est inscrit au contrat entre l'auteur et l'éditeur. Il est fréquemment associé à un « sous-titre » (en général, une indication de genre) et, dans l'édition moderne, répété en « titre courant » en haut de chaque page.

Dans l'Antiquité, avant l'arrivée du livre sous forme de codex, le *titulus* était un ruban attaché au rouleau et qui identifiait le nom de l'auteur ainsi que le contenu du *volumen.* Autrement dit, il se trouvait à l'extérieur de l'ouvrage ; ce n'est qu'avec la généralisation de l'imprimerie qu'on lui réserva une page entière, dite « titre ». Comme les livres étaient généralement reliés, leurs couvertures ne répétaient pas les mentions de cette page. Les couvertures imprimées n'apparaissent qu'après la Révolution française, quand le prix prohibitif du cuir oblige les éditeurs à se tourner vers d'autres matériaux. Depuis le XIXe s., le titre a littéralement envahi l'espace du livre : on le trouve sur la couverture, sur la page de titre et la page de faux titre, en haut de chaque page dans le titre courant. C'est dire qu'il s'est de plus en plus rapproché du texte, évolution qui s'est traduite par des changements formels : jadis long et descriptif, à la syntaxe parfois complexe, le titre prend de nos jours souvent la forme d'une phrase sans verbe voire d'un syntagme nominal.

Là où à l'origine, le titre servait principalement à identifier et à classer les ouvrages, son rôle dépasse aujourd'hui celui du simple catalogage. Du point de vue de la lecture, en effet, le titre constitue un premier élément du texte qu'il inaugure et dont il fait connaître le sujet. À cette fonction annonciatrice s'en ajoute une troisième, publicitaire celle-là : le titre met en valeur le livre en en faisant la réclame. Au fur et à mesure qu'il conquiert son propre espace, le titre voit ainsi se multiplier ses fonctions.

Empruntant aux linguistes l'opposition entre le *thème* (ce dont on parle) et le *rhème* (la façon d'en parler), Gérard Genette propose deux catégories. Les titres thématiques reprennent des éléments du contenu des textes, tandis que les titres rhématiques les désignent à l'aide de traits formels. Il existe bien entendu des chevauchements : le dernier recueil de Baudelaire a ainsi porté successivement un titre thématique (*Le spleen de Paris*, 1869) et un titre rhématique (*Les petits poèmes en prose*). Toujours selon Genette, la préférence des classiques allait aux titres rhématiques : *Odes, Satires, Épîtres, Fables, Poèmes, Contes, Nouvelles, Essais, Pensées, Maximes, Entretiens, Confessions*, et les titres de la première catégorie l'emportent dans la littérature moderne. Ils renvoient soit littéralement, soit par métonymie (*Le soulier de satin*, 1929), par métaphore (*Le rouge et le noir*, 1830) ou par antiphrase (*L'éducation sentimentale*, 1869), à des personnages, objets ou lieux du texte.

Le titre intervient aussi à l'intérieur des œuvres, soit comme moyen d'identifier une pièce dans un ensemble (titre d'un poème ou d'une nouvelle à l'intérieur d'un recueil), soit comme désignation d'un segment (titres de chapitres). Certains écrivains (Scarron, dans le *Roman comique*, 1655-57, Voltaire dans *Candide*, 1759-61 par exemple) en ont fait la matière de jeux sur les arguments des chapitres. De tels cas mettent particulièrement en évidence la fonction des titres : ils sont un lieu où se noue la relation avec le lecteur, où se conclut le « pacte de lecture » ; ils manifestent l'effort de l'auteur et du texte pour orienter la réception, et sont donc des points cruciaux de la pragmatique et de l'esthétique littéraires.

▶ BOKOBZA S., *Contribution à la titrologie romanesque : Variations sur le titre* Le rouge et le noir, Genève, Droz, 1986. — GENETTE G., *Seuils*. Paris, Le Seuil, 1987. — GRIVEL C., *La production de l'intérêt romanesque*, La Haye, Mouton, 1973. — HÉLIN M., « Les livres et leurs titres », *Marche romane*, 1956, vol. 6, n° 3-4. — HOEK L., *La marque du titre*, La Haye, Mouton, 1981.

Rainier GRUTMAN

→ *Genres littéraires ; Histoire du livre ; Incipit! ; Pacte de lecture ; Péritexte ; Poétique ; Signature.*

TOMBEAU → Discours funèbres

TOPIQUE

Du grec *topos*, « lieu », la topique est le réservoir des arguments pour la rhétorique. En un sens moderne plus large, la topique est l'ensemble des propositions communément admises dans une culture, et qui peuvent se manifester aussi bien dans la fiction que dans l'argumentation. Elle constitue, si l'on veut, le répertoire des « lieux communs » au sens premier de ce terme.

Aristote, dans sa *Rhétorique* et ses *Topiques*, a donné la première théorisation de cette notion. Selon lui, les idées et arguments ne surgissent jamais *ex nihilo* : il convient donc d'en avoir des répertoires (les *Topiques*), ou d'avoir une méthode permettant de les trouver. Cette méthode consiste à partir de prémisses généralement admises - donc relevant du vraisemblable - pour en déduire, par syllogisme et plus souvent par enthymême, des conclusions convaincantes. La topique, art de trouver des arguments, consiste donc en des sortes de « moyens mnémotechniques de découvrir les idées du discours » (J.-J. Robieux, *Éléments de rhétorique et d'argumentation*, Paris, Dunod, 1993, p. 19). Des catégories générales comme « le possible et l'impossible », « le réel et l'irréel », pour ne citer que celles-là, ne se rattachent à aucun thème particulier, mais conviennent à tous : aussi sont-ils des « lieux communs » au sens premier. À Rome, Cicéron (*De Oratore*) précise le système : pour lui, les « lieux » servent à distinguer parmi tous les arguments possibles, ceux qui sont « inhérents à la cause » dont on a à traiter. Dès lors, s'impose une différence entre les « lieux propres » à chaque espèce de discours, et les « lieux communs ». Chez Quintilien, le souci est davantage pédagogique et conduit à faire transiter le thème du discours par une série de lieux tels que *quis, quid, ubi, quibus auxiliis, cur, quomodo, quando?* (qui, quoi, où, par quels moyens, pourquoi, comment, quand ?), ce qui instaure une série de lieux communs fondamentaux. Ces topiques ne sont pas des « idées reçues », mais bien une méthode. L'usage médiéval de la topique s'inspire plutôt de la rhétorique latine tardive : E. R. Curtius, puis M. Angenot rappellent que le *topos* médiéval correspond à « certaines images-thèmes qui constituent les invariants obligés et conventionnels de genres littéraires particuliers. Il s'agit d'un répertoire de conventions, de développements-types et d'images, ensemble qui n'est *pas* relié à une fonction persuasive » (M. Angenot, p. 165) ; ainsi par exemple les *topoi* de la modestie de l'auteur ou de l'orateur ou encore du monde renversé. L'âge classique revient à la topique antique, et notamment à la version pédagogique inspirée de Quintilien : ainsi dans la *Rhétorique* de Bernard Lamy (1674). L'idée de « lieu commun », et par conséquent celle de topique, est ensuite progressivement perçue de façon de plus en plus péjorative. Mais la présence « d'images et de développements-types » est constante en littérature. Elle se manifeste notamment dans les proverbes et sentences, mais aussi dans des genres de diffusion large. Elle constitue un fond culturel sur lequel s'enlève tout effet d'originalité. Rabelais en avait fait la substance de ses caricatures. Montaigne en use sans les dédaigner mais sans les fétichiser. Et la littérature ne cesse d'en réactiver à mesure que certains s'usent : le topos du *locus amœnus* (le lieu privilégié) est présent aussi bien dans le vallon du Lignon de *L'astrée* (1607-1627) que dans le *Vallon* de Lamartine, et, sous des formes neuves, anime le sentiment de la nature chez Rousseau et chez Bernardin de Saint-Pierre, pour resurgir en imagerie rurale dans des textes modernes à succès (P. Delerm, *La première gorgée de bière et autres plaisirs minuscules*, 1998). Au sens large du terme, la topique est omniprésente, mais jamais avouée ; elle tisse un des faits majeurs de l'intertextualité. Après la Seconde Guerre mondiale, la rhétorique connaît un regain, qui se confirme à partir des années 1960. Dans ce cadre, comme dans celui de l'analyse de discours, la topique a recouvré une certaine pertinence : elle est reconnue comme l'espace privilégié de manifestation des valeurs et en particulier de la *doxa*.

Dès après Aristote, la topique a souvent glissé d'une méthode sans contenu préétabli vers un contenu sans méthode, de sorte que des listes hétéroclites de lieux communs sont apparues, arsenaux d'arguments rabâchés, de stéréotypes éculés, qui ont conduit à la ruine de tout l'édifice rhétorique. Si le langage commun contemporain l'envisage principalement sous sa forme réifiée (le « cliché »), le *topos* est une notion dont l'intérêt historique et social, mais aussi esthétique est important. Ainsi pour Angenot, dans son étude sur la parole pamphlétaire, la théorie des lieux est essentiellement une réflexion sur l'implicite du discours ; comme telle, elle dévoile la nature du non-dit, de « ce qui va de soi » (M. Angenot, *op. cit.*, p. 163), donc de l'idéologique. Plus largement, Bakhtine avait indiqué l'intérêt du repérage des intertextes et des lieux qui sont ainsi présents dans toute sorte de textes, notamment littéraires. Dans un essai récent sur l'art d'argumenter tel qu'il se manifeste dans la littérature, G. Declercq, de son côté, articule la topique à la question des valeurs : le lieu devient ainsi un point d'ancrage de la *doxa* au sein du texte littéraire, y compris de fiction. Et au-delà, la reprise de l'histoire des *topos* constitue une des voies de l'histoire littéraire, comme étude des thèmes et des idées dominants aux diverses époques.

▶ ANGENOT M., *La parole pamphlétaire. Typologie des discours modernes*, Paris, Payot, 1982. — BARTHES R., « L'Ancienne Rhétorique », *Communications*, 1970, n° 16, p. 172-223. — CURTIUS E. R., *La littérature européenne et le Moyen Âge latin*, Paris, PUF, 1956. — DECLERCQ G., *L'art d'argumenter. Structures rhétoriques et littéraires*, Paris, Éditions Universitaires, 1993. — KIBEDI-VARGA A., *Discours, récit, image*, Liège-Bruxelles, Mardaga, 1989.

Robert DION

→ *Argumentation ; Doxa ; Idéologie ; Imaginaire et imagination ; Intertextualité ; Lieu commun ; Rhétorique ; Stéréotype.*

TRADITION

La tradition désigne un ensemble de savoirs, de techniques et de valeurs qui sont transmis d'une génération à une autre. Elle joue un rôle essentiel dans un domaine, la littérature, qui se caractérise par sa double historicité, à la fois active au présent et susceptible d'avoir une vie par-delà. C'est pourquoi, outre une acception objective – la tradition du roman courtois, la tradition de l'alexandrin –, le mot s'entend le plus souvent dans un sens partisan, qu'il soit positif (la tradition littéraire est une part du patrimoine d'un pays) ou péjoratif (il faut changer telle ou telle tradition).

La conscience d'un héritage littéraire, avec ses valeurs et ses auteurs phares, remonte aux sources mêmes du discours sur la littérature. La *Poétique* d'Aristote vise, parmi d'autres objectifs, une analyse critique de la tradition épique (Homère) et tragique (Sophocle). La littérature latine se développe par l'imitation des genres qui s'étaient formés en Grèce. Et ce sont des fragments du vaste ensemble des connaissances de l'Antiquité qui viennent à leur tour grossir les grandes traditions médiévales centrées autour du corpus chrétien. La Renaissance, à cet égard, ne marque pas une rupture, mais l'imitation, jusqu'alors indiscutée, des Anciens devient l'objet de Querelles qui se prolongent jusqu'au XVIIIe s. entre héritage (les « Anciens ») et innovation (les « Modernes »). À partir du début du XIXe s., c'est en termes de plus en plus spécialisés dans le domaine littéraire que s'énoncent les oppositions entre tenants de la tradition et novateurs. Ainsi, si la notion de « tradition nationale » est défendue par les Romantiques, en référence à l'héritage culturel d'une région ou d'un pays (Sainte-Beuve, *Causeries du lundi*, t. XV, 1858), on voit au long du siècle et du suivant s'affronter des avant-gardes – par exemple le surréalisme – et la tradition, souvent assimilée à l'Académisme. Au XXe s., le débat s'étend aussi au domaine de la recherche et de la critique littéraires : dans les années 1960 une « Nouvelle Critique » s'oppose à l'approche traditionnelle de l'« homme et l'œuvre ».

Tradition et imitation semblent s'opposer à originalité et innovation. Mais, de manière générale, à l'échelle mondiale et sur la longue durée, les systèmes artistiques liant la valeur à l'originalité sont l'exception et non la règle. Et la tradition régit le folklore comme l'art médiéval, la commedia dell'arte comme le classicisme..., et de larges pans de la littérature la plus populaire. De surcroît, à travers les processus de la canonisation et de l'imitation, nombre de mouvements au départ conçus comme novateurs, jettent, volontairement ou non, les bases d'une tradition : le romantisme, réalisme, le naturalisme... ont connu ce phénomène. Le jeu constant de l'usure et de la réactivation est une dynamique essentielle de la littérature : ainsi, grâce à elle, la tragédie classique, combattue pendant longtemps, peut retrouver l'actualité brûlante que *Les Atrides* connaissent dans leur réinterprétation par le Théâtre du Soleil. Il en va de même pour les codes et les conventions littéraires, à travers les reprises ou les travestissements les plus divers. Par ailleurs, l'innovation est souvent en fait changement de tradition de référence : par exemple, le Romantisme mise sur la tradition médiévale contre celle de l'époque classique, comme le surréalisme s'invente une tradition dans laquelle Sade, Nerval ou Aloysius Bertrand jouent un rôle essentiel.

Parler de tradition dans le domaine littéraire amène donc à souligner l'importance de la notion de *déplacement* que celle-ci postule, le texte intervenant comme superposition ou prolongement d'un autre écrit absent mais toujours affleurant, qu'il rejoue. La tradition engendre « non point une connaissance, mais une reconnaissance » (P. Zumthor, p. 117) ; elle est productrice d'un surplus sémantique, la récurrence engendrant – comme aussi dans le vocabulaire – un cumul d'informations d'origine mémorielle et associative. « Elle signifie que la distance temporelle qui nous sépare du passé n'est pas un intervalle mort, mais une *transmission génératrice de sens*. Avant d'être un dépôt inerte, la tradition est une opération qui ne se comprend que dialectiquement dans l'échange entre le passé interprété et le présent interprétant » (P. Ricœur, p. 320).

La tradition littéraire se définit ainsi nécessairement au sein d'une démarche temporelle et interpersonnelle, caractérisée par la volonté de transmettre – idée que la littérature partage par exemple avec la traduction –, de conserver en renouvelant. Elle est une notion historique et sociologique, relative à un groupe, à une classe, à un ensemble, aux valeurs culturelles de ceux-ci et à leurs variations dans le temps, qui en sont d'autre part la condition même d'existence et de reconnaissance.

▶ GADAMER H.-G., *Vérité et méthode* [1976], éd. rev. p. P. Fruchon & al., Paris, Le Seuil, 1996. — JAUSS H.-R., *Pour une esthétique de la réception*, tr. fr. Cl. Maillard, Paris, Gallimard, 1972. — MASSON J.-Y., « Quelques réflexions sur le concept de tradition chez Hofmannsthal », *Austriaca*, 37, 1993. — RICŒUR P., *Temps et récit*, t. III, Paris, Le Seuil, 1985. — ZUMTHOR P., *Essai de poétique médiévale*, Paris, Le Seuil, 1972.

Olivier COLLET, Paul ARON

→ *Antiquité ; Autorité ; Classicisme ; Genres littéraires ; Imitation ; Innovation ; Intertextualité ; Modernités ; Querelles.*

TRADUCTION

Traduire signifie à la fois comprendre et interpréter, y compris en transférant un texte d'une langue naturelle dans une autre. C'est ce dernier sens qu'implique usuellement le mot de traduction. Le lien des deux significations ne manque cependant pas de ressurgir sans cesse dans les pratiques. Depuis la Renaissance, la production littéraire a souvent été de pair avec une activité de traduction, elle-même liée à la transmission des œuvres de la culture antique (*Translatio studii*).

L'héritage d'Homère et de Virgile, d'Horace et d'Ovide, des tragiques grecs et des théoriciens latins, place la traduction au cœur de la dynamique culturelle de l'Occident. Elle fut ensuite très largement appliquée aux littératures modernes. Elle concerne donc autant les questions de la tradition que celles des influences, de la création et de l'intertextualité.

Dès son origine la littérature française est liée à l'acte de traduire : au XIIe s., Marie de France avoue avoir songé à « traire » quelque « bone estoire » de « latin en romaunz » avant de s'arrêter aux « lais bretun ». De manière plus générale, la réécriture médiévale est sans cesse confrontée à la traduction, traduction entre les différents parlers vernaculaires en même temps que traduction du latin. Lorsque la Pléiade s'attache à la « defense et illustration de la langue française », elle s'appuie sur la traduction pour prouver que la langue vernaculaire est capable de faire aussi bien que ses modèles ; et de fait, il n'est guère de sonnet de Du Bellay ou de Ronsard qui ne provienne de quelque poème italien ou antique. Chez eux (surtout chez Ronsard), il s'agit d'imitation traduisante et une réaction qui naît à la fin du siècle leur reproche de trop calquer le français sur les langues sources. L'enjeu n'est pas seulement littéraire : d'un côté, les traductions du psautier, de Marot à Vigenère, engagent l'accès aux textes sacrés même par les gens peu instruits, et le débat religieux est alors central ; de l'autre, comme en témoigne l'importance de la traduction de Plutarque par Amyot – qu'il s'agisse des *Œuvres morales* ou des *Vies des hommes illustres* – tout un fond de la réflexion et de l'expérience antiques est ainsi reproposé à la conscience. De Montaigne à Diderot et à Rousseau en passant par La Bruyère, la tradition des écrivains moralistes s'en inspirera ensuite. Les poètes classiques ne cessent de traduire : Malherbe traduit des psaumes mais aussi Sénèque et Tite-Live, Boileau publie sa version du *Traité du sublime* du pseudo-Longin (1674), Racine et Corneille, des poésies religieuses. Plus encore, en ce temps la vogue des traductions, « belles infidèles », comme on les a nommées, attire l'attention non seulement sur les Anciens, mais encore sur les Italiens (Boccace, Arioste, Tasse, Machiavel, Castiglione, Guarini, Marino) ou Espagnols (religieux : sainte Thérèse, saint Jean de la Croix ou profanes : Montemayor, Cervantès), voire Anglais (Hobbes, Locke). Dans le domaine religieux, la traduction de la Bible par Lemaître de Sacy (1665-1693) eut un large et durable succès, précédée, en 1649, par celle qu'Arnauld d'Andilly avait procurée des *Confessions* de saint Augustin. Cet essor des traductions s'explique à la fois par les exercices scolaires et par les besoins d'un public de plus en plus nombreux peu ou pas rompu au latin, encore moins aux langues étrangères. D'une manière plus profonde encore, l'imitation n'est pas séparable de la traduction. Son importance se révèle jusque dans le burlesque : le *Virgile travesti* de Scarron (1648) est un hommage renversé à l'*Énéide*, plus largement aux Anciens. Ce rapport d'imitation est au cœur de la querelle des Anciens et des Modernes : elle se rallume à propos d'une polémique sur la traduction d'Homère par Mme Dacier puis par Houdar de la Motte (1699 et 1716 pour la première, 1714 pour le second). À l'inverse, l'essor de traductions de modernes bat son plein au XVIIIe s., la traduction par Antoine Galland des *Mille et une nuits* (1704-1711) relance une vogue orientalisante. Celle que Prévost fait de la *Clarisse Harlowe* de Richardson est à l'origine de la vogue du roman sentimental. L'idée même de *L'encyclopédie* est venue à Diderot de la traduction des deux volumes de la *Cyclopaedia* de Chambers. Plus tard dans le siècle, deux traductions contribuent à réorienter la littérature : les vingt volumes du *Shakespeare traduit de l'anglais* par Le Tourneur (1776-1782), et la traduction d'Ossian qui, relayant celle des *Nuits* de Young et celle de l'élégie de Thomas Gray, ouvrent la voie au romantisme. L'influence de la traduction de Shakespeare se constate dans le *Racine et Shakespeare* (1823 et 1825) de Stendhal, le *Lorenzaccio* (1834) de Musset et le *William Shakespeare* (1864) que Victor Hugo écrivit en préface au onzième volume de la traduction des *œuvres complètes* du dramaturge anglais par son fils François-Victor. De son côté, Mme de Staël avait contribué à la réévaluation de l'échelle des valeurs littéraires en insérant dans *De l'Allemagne* (1810/1814) des extraits d'écrivains allemands, et notamment *le Songe du Christ mort* de Jean-Paul qui inspira Vigny et Nerval. Le même contexte voit la traduction de la première partie du *Faust* de Goethe par Gérard de Nerval (1827). Du côté du roman, les traductions de Walter Scott ouvrent la voie au roman historique (*Cinq-Mars*, 1826, *Les chouans*, 1829, *Notre-Dame de Paris*, 1831). Puis Baudelaire impose De Quincey, dans *Les paradis artificiels* (1860), mais surtout Edgar Poe. Si Paris est bien, selon l'expression de Walter Benjamin, la « capitale du XIXe siècle », c'est en partie à l'abondance des traductions qui s'y publient qu'elle le doit. Plus tard, Proust a mis au point et sa réflexion esthétique et certaines données fondamentales de son style en traduisant Ruskin. De la même façon, le travail que Claudel opère sur *L'orestie* (1912-1920) nourrit la réflexion poétique et théâtrale qui le mène au *Soulier de satin* (1928). Durant l'entre-deux-guerres, des traductions de romans anglo-saxons de Conrad, James, Melville, l'*Ulysses* de Joyce, Dos Passos, Faulkner, ajoutées aux versions françaises de Dostoïevski et de Tolstoï, élargissent l'horizon des préoccupations et des modalités romanesques. De son côté, le romantisme allemand, qu'André Breton avait remis à l'honneur, est revenu hanter la poésie française, notamment par le biais de Friedrich Hölderlin auquel, beaucoup plus récemment, s'est associé la figure tragique de Paul Celan (tous deux sont traduits par André du Bouchet). Le cas le plus remarquable est sans doute celui de Beckett, chez qui l'acte de se traduire lui-même finit par se confondre avec l'acte d'écrire dans une sorte d'aller-retour où ne se décide rien de moins que le statut de la langue littéraire. La francophonie joue, dans le domaine de la traduction, le rôle d'une mise en contact parfois privilégiée entre littératures de langues différentes : l'expressionnisme allemand (Carl Einstein) et de nombreux écrivains flamands (Conscience) ou néérlandais (Multatuli) accèdent au monde français par le canal belge, de même qu'une partie de la littérature de langue anglaise est transmise par des écrivains-traducteurs québécois (ainsi Pamphile Le May traduisant l'*Évangéline* de Longfellow). Le bilinguisme y est souvent actif.

On peut dire que la traduction a innervé la tradition littéraire française. Mais elle est aussi source de problèmes qui forment des débats récurrents.

La question de la fidélité ou de l'infidélité – que l'adage *traduttore traditore* illustre à sa façon – met en évidence la difficulté de transférer des éléments d'une culture dans une autre. Se retrouve là le double sens du mot traduire : comprendre et interpréter. La traduction implique en effet de rendre les caractéristiques d'un texte (ponctuation, particules, syntaxe, rimes, rythmes, figures, style narratif, traits génériques, etc.) qui ne concordent pas exactement d'une langue à une autre. La réalité s'oppose ainsi à l'idée pourtant courante d'un rapport de transparence avec l'original. Au contraire, une suite de transformations à tous les niveaux s'opère, si bien qu'il convient d'aborder la traduction, non en termes de fidélité (d'écho), mais de « différence », d'« écart », ou encore de « discours rapporté » qui impose la présence du traducteur et le faisant à son tour auteur, ou co-auteur (ce que révèle parfois le terme d'« adaptation »). Cette présence, souvent difficile à discerner, se manifeste notamment lorsque le traducteur démultiplie les références intertextuelles et culturelles de l'original pour assurer au texte traduit une lisibilité satisfaisante, lorsqu'il recherche des moyens expressifs propres à la langue d'accueil ou encore choisit des signes surdéterminants comme dans le cas des noms propres à valeur marquée (l'exemple des traductions de la bande dessinée *Astérix* en est un cas célèbre).

Aussi la théorie de la traduction s'interroge-t-elle sur l'intervention spécifique du traducteur, saisie en ses deux versants, lecture et écriture. La nature et la durée de lecture d'un texte informatif par un traducteur ne diffèrent pas sensiblement de la saisie du même texte par un lecteur moyen. Mais si le texte a une structure plus complexe et met en œuvre un potentiel expressif plus riche et surtout plus original, le traducteur est obligé de faire plus d'interprétation. Les choix qu'il doit affronter ont alimenté deux grandes tendances de la traduction au cours de l'histoire, soit « littérale » (qui respecte au plus près l'original, mais provoque une « dé-familiarisation » du lecteur, donc une compréhension moindre), soit « littéraire » (qui « domestique » le texte traduit).

Toutefois, comme en témoigne le statut variable de sa signature, le traducteur a été le plus souvent maintenu dans un rôle second, bien différent de celui de l'écrivain, « libre », créateur et maître premier de l'art verbal selon la définition de *La poétique* d'Aristote.

▶ FOLKART B., *Le conflit des énonciations : traduction et discours rapporté*, Candiac, Les Éditions Balzac, 1991. — STEINER G. *Après Babel*, trad. franç., Paris, Albin Michel, [1972], 1978. — TOURY G. *Descriptive Translation Studies and beyond*, Amsterdam-Philadelphia, J. Benjamins, 1995. — Coll. : *La traduction dans le développement des littératures*, J. Lambert & A. Lefevere (éd.), Bern, Lang, 1993. — *La traduction en France à l'âge classique*, M. Ballard et L. D'hulst (éd.), Villeneuve d'Ascq, P. U. du Septentrion, 1996.

John E. JACKSON, Lieven D'HULST

→ *Adaptation ; Antiquité ; Création littéraire ; Imitation ; Influence ; Intertextualité ; Littérature comparée ; Modèle ; Récriture, réécriture ; Tradition.*

TRAGÉDIE

La tragédie est un genre dramatique caractérisé par la représentation d'événements tristes, sanglants ou déplorables advenant à des personnages de haut rang, par des situations engageant la collectivité et par un « style élevé » (d'où, en France, l'emploi de l'alexandrin dans le modèle classique du genre). Elle donne à voir le malheur des grands pour assumer plus lucidement la condition humaine. Elle relève du registre tragique.

La tragédie prend naissance en Grèce, à Athènes, au Vᵉ s. avant J.-C. Elle est un moment fort des fêtes civiques. Ses auteurs, dont les plus illustres sont Eschyle, Sophocle et Euripide, choisissent le plus souvent leurs sujets dans des épisodes mythiques : histoire des Atrides, d'Œdipe, etc. Le genre est théorisé par Aristote dans sa *Poétique* (IVᵉ s. avant J.-C.). Il connaît ensuite du succès à Rome (Sénèque) dans une version volontiers violente. La tragédie réapparaît en langue française au XVIᵉ s., avec l'humanisme (*Abraham sacrifiant* de Théodoire de Bèze, 1549, *Cléopâtre captive* de Jodelle, 1553). Ses sujets sont généralement tirés des dramaturges antiques et de la Bible. De rares pièces s'inspirent directement de l'actualité (*La guisiade* de P. Matthieu, 1589, sur l'assassinat des

Guise par Henri III par exemple). Apanage des doctes, la tragédie humaniste est peu jouée. Elle devient un genre utilisé à des fins éducatives dans les collèges jésuites. Elle reste, plus que la représentation d'une action, une *declamatio* faite de longues tirades de déploration. Au cours des années 1630 prend forme la tragédie classique régulière, à la suite de Montchrestien (*Hector*, 1604), de la *Sophonisbe* (1634) de Mairet et de l'*Hercule mourant* de Rotrou (1634) : *Médée* (1634) de Corneille et *La mort de César* (1636) de Scudéry affirment son succès. Dans le même temps, des théoriciens (Chapelain) en fixent les règles : unités de temps, de lieu et d'action, bienséance et vraisemblance rendent crédible la représentation des passions et l'effet de la catharsis. Conforme au type de la « grande pièce », elle est en cinq actes et en vers. Corneille, tout en résistant parfois à la doctrine, illustre la nouvelle dramaturgie de l'intériorisation des conflits (*Horace*, *Cinna*, *Rodogune*, etc.) Après la Fronde, cette tendance à l'intériorisation s'accentue dans les tragédies de Racine (d'*Andromaque*, 1667, à *Phèdre*, 1677). Dans ces réalisations, qui condensent à l'extrême toutes les possibilités de la forme, les événements comptent moins que l'intensité émotionnelle qu'ils suscitent : la tragédie s'efforce d'atteindre à l'essentiel du tragique, à la « tristesse majestueuse » (Préface de *Bérénice*, 1670). Les sujets modernes en sont exclus. Le modèle des cinq actes en alexandrins n'est pas discuté. Le succès inclut des variantes d'inspiration romanesque (Thomas Corneille, *Timocrate*, 1656), spectaculaire (tragédies à machines de Corneille) et galante (Quinault). Au XVIIIe s., la tragédie reste le grand genre par excellence (Crébillon, Voltaire – lequel lui donne toutefois un tour « philosophique »). Après la Révolution, le genre emprunte ses sujets à l'histoire nationale aussi bien qu'antique. Il concurrence avec succès le drame romantique. Mais il s'étiole ensuite, avant de chercher un nouveau souffle dans la relecture des œuvres anciennes (traductions d'Eschyle par Claudel) ou de définir un « tragique moderne » (les pièces de Maeterlinck et son essai sur *Le tragique quotidien*, 1896). En adoptant une forme nouvelle, Giraudoux (*La Guerre de Troie n'aura pas lieu*, 1935, *Électre*, 1937) et Anouilh (*Antigone*, 1944) redonnent vitalité à la tragédie avant la guerre, à quoi font écho ensuite Sartre (*Les mouches*, 1943) voire Beckett (*En attendant Godot*, 1952).

L'essor et le déclin de la tragédie peuvent être rapportés à ses conditions historiques et sociales de création. Genre didactique et moralisateur dans les collèges jésuites des XVIe-XVIIe s., la tragédie incarne dans le théâtre profane de l'époque les valeurs idéologiques et les interrogations de l'aristocratie. Au XXe s., l'interrogation philosophique se mèle aux réflexions sur la situation des responsables politiques. Dans tous les cas, au-delà des « règles », à quoi on borne trop souvent ce genre, son esthétique peut être envisagée selon trois dimensions. Dans sa dimension anthropologique, la représentation des excès, de la démesure humaine (l'*Hybris*), peut amener à en éprouver des passions de façon à les expulser (*catharsis*) par la fiction pour en être moins victime ensuite (à cette thèse classique les adversaires du théâtre opposent l'idée que la tragédie est au contraire le lieu d'une complaisance envers les faiblesses humaines). La tragédie a aussi une dimension politique : rois ou héros, les protagonistes mettent en jeu, par leurs décisions et leurs malheurs, le sort de la communauté qu'ils dirigent. Enfin, dimension ontologique, la tragédie exprime l'angoisse et la révolte devant la condition mortelle de l'homme, et participe de la perception du tragique.

▶ APOSTOLIDÈS J.-M., *Le Roi-Machine : spectacle et politique au temps de Louis XIV*, Paris, Minuit, 1981. — DELMAS C., *La tragédie de l'âge classique (1553-1770)*, Paris, Le Seuil, 1994. — JACQUOT J. (dir.), *Dramaturgie et société*, Paris, CNRS, 1968 — TRUCHET J., *La tragédie classique en France*, Paris, PUF, 1976.

Marc-André BERNIER, Lucie DESJARDINS

→ *Antiquité ; Catharsis ; Classicisme ; Dramaturgie ; Passions ; Théâtre ; Tragi-comédie.*

TRAGI-COMÉDIE

Mot composé formé sur *tragicocomœdia*, expression forgée par Plaute à l'occasion du prologue de son *Amphitryon*, la tragi-comédie apparaît dans le vocabulaire du théâtre français au XVIe s. pour désigner des pièces à sujets sérieux, dont les personnages sont allégoriques et le dénouement heureux. Au siècle suivant, la tragi-comédie est définie en tant que genre dramatique mixte : à la tragédie, elle emprunte alors la représentation d'une action sérieuse dont les protagonistes sont d'un rang social élevé, à la comédie, un dénouement presque toujours favorable et des personnages secondaires issus du peuple ; mais elle a pour trait spécifique de ne guère se plier aux règles des « unités ».

La tragi-comédie est un genre qui, en France, a duré environ un siècle et dont la vogue fut extrême entre 1620 et 1640.

Apparu dans la seconde moitié du XVIe s., le genre s'illustre d'abord avec la *Bradamante* (1582) de Robert Garnier, dont la fable touffue est tirée du *Roland furieux* de l'Arioste et déroule ses péripéties jusqu'à un double mariage marquant le triomphe final de l'amour. Au même moment, les *comedias* en Espagne, et les drames élizabéthains, en Angleterre, suivent la même esthétique. Au début du XVIIe s. et avec des pièces comme *La force du sang* inspirée des *Nouvelles* de Cervantès, Alexandre Hardy favorise l'essor d'un genre que cultivent à sa suite les meilleurs dramaturges de la génération de Corneille. Qu'il s'agisse du *Clitophon* (1628) de Du Ryer, de la *Généreuse Allemande* (1630) de Mareschal, des *Occasions perdues* (1633) de Rotrou ou du *Prince déguisé* (1634) de Scudéry, à chaque fois, l'intérêt d'un public souvent populaire et avide d'émotions fortes se trouve sollicité par des scènes où alternent meurtres et complots, rapts et viols, suicides et duels, tempêtes et naufrages, etc. Dans sa préface à *Silvanire* (1631), Jean Mairet définit d'abord la tragédie et la comédie, puis la tragi-comédie, genre mixte qui ne serait rien d'autre « qu'une composition de l'une et de l'autre ».

Dans cette veine, le genre favorise l'action et la surprise, sans s'imposer les unités de temps, de lieu et de ton. Mais dans les années 1628-1630, un débat violent divise les partisans des « Règles », favorables à la Tragédie, et les Irréguliers, favorables à la Tragi-Comédie, plus spectaculaire. Aussi le *Cid* (1636) marque-t-il une étape essentielle dans l'évolution du genre. D'abord conçu comme une tragi-comédie, à l'effet spectaculaire, il est ensuite revu par Corneille dans le sens d'une dramaturgie plus « régulière » et plus « classique » centrée sur la représentation d'un conflit intérieur et l'analyse des passions. Au lendemain de la Fronde, le genre a des échos dans la tragédie romanesque et galante avec le *Timocrate* (1656) de Thomas Corneille ; puis, revit chez Philippe Quinault qui, entre 1655 et 1660, publie sept tragi-comédies. Il disparaît ensuite ; selon l'*Encyclopédie*, au siècle suivant, dès que « le théâtre et le goût se sont rapprochés de la nature et du génie des Anciens, la tragi-comédie est absolument tombée ». Les formes du drame en reprennent certains éléments.

Le seul critère du mélange des genres ne suffit pas à définir la tragi-comédie. Indissociable d'une dramaturgie de l'exubérance, elle se signale de surcroît par des intrigues complexes tournées vers le spectaculaire et multipliant à plaisir épisodes et coups de théâtre, au mépris des unités de lieu, d'action et de temps. Surtout, elle met en scène des fables puisées dans la littérature romanesque et centrées sur des amours contrariés par une succession d'obstacles dont le dernier n'est surmonté qu'à l'issue de la pièce. On peut y décerner des liens avec la pastorale, dont elle serait comme la version pathétique, autant que des contrastes avec la tragédie. Au « bon goût » de celle-ci, la tragi-comédie oppose les charmes d'une luxuriance si souvent associée, de nos jours, au « baroque ». En 1628, quand Schélandre transforme son ancienne tragédie de *Tyr et Sidon* en une tragi-comédie, François Ogier fournit une préface aussi hostile aux règles des Anciens que favorable à l'irrégularité et à « la variété des événements ». De même, Mareschal fait précéder sa *Généreuse Allemande* de remarques où il soutient que « la fin de cette sorte de poème » est « d'agir ». À ce théâtre enclin à la profusion, les partisans de la régularité objectent, à l'exemple de Chapelain dans son *Discours de la poésie représentative* (1635), la nécessité de lier « imitation des actions humaines » et vraisemblance. Aussi la tragi-comédie implique-t-elle un débat essentiel sur la nature même de la représentation qui tient, pour les Irréguliers, à l'efficace d'un simulacre séduisant le regard par la diversité de ses objets ; et, pour les Réguliers, à une illusion convaincante de la vérité. Cette controverse est liée au nouveau public qui fait la fortune de la tragi-comédie : un public plus bourgeois, mais aussi un public de nobles désireux de divertissement.

▶ BABY-LITOT M., *La tragi-comédie*, Paris, Champion, 2001. — GUICHEMERRE R., *La tragi-comédie*, Paris, PUF, 1981. — ROUSSET J, *La littérature de l'âge baroque en France*, Paris, José Corti, 1954. — SCHERER J., *La dramaturgie classique en France*, Paris, Nizet, 1950.

Marc André BERNIER

→ *Baroque ; Classicisme ; Comique ; Dramaturgie ; Galanterie ; Pastorale ; Querelles ; Tragique.*

TRAGIQUE

En un sens courant, on appelle tragique une situation où la mort frappe. Mais plus précisément, on désigne comme tragique une phase où l'homme est dans l'obligation d'affronter une crise insurmontable où « l'impossible au nécessaire se joint » (Vladimir Jankélévitch, *L'Alternative*, 1938). Le tragique se manifeste dans la tragédie, mais dépasse aussi ce cadre, puisque ce type de situation peut se retrouver dans un grand nombre de genres ; le tragique constitue donc un registre littéraire et artistique.

La tragédie naît en Grèce antique, et connaît son premier apogée avec Eschyle, Sophocle et Euripide au Vᵉ s. avant J.-C. À l'origine de ce genre, il semble qu'il y ait eu des cérémonies sacrificielles, et l'expression tragique est dès lors liée à l'idée d'une mort ou d'une souffrance inéluctables et en partie inexplicables. En effet, ce n'est pas alors tant la mort elle-même qui est source du sentiment tragique que ce caractère inéluctable. Ainsi Florence Dupont a-t-elle montré que, dans les tragédies de Sénèque, le héros, en proie à une violente souffrance (*dolor*), perd conscience temporairement de ses actes (*furor*) et commet des crimes impies (*nefas*). Schéma qui correspond à une reprise du modèle grec d'origine : le *furor* du héros (en grec : *hybris*) est un temps de révolte contre la norme, de « démesure ». De la sorte le tragique est associé dès l'origine à l'exercice de la liberté de l'homme, et à l'usage approprié ou non qu'il en fait (qu'il croit pouvoir en faire). Ce schéma antique a modelé la représentation du tragique et persisté ensuite dans la culture occidentale. La religion chrétienne offre, avec la passion de Jésus, une figure de la souffrance tragique (il est humain en ce qu'il doit subir une mort injuste) et de la foi qui surmonte le sentiment tragique (il est divin et ressuscite).

Ce sentiment tragique peut prendre une double dimension, métaphysique et politique. La découverte des tragédies de Sénèque par des Padouans (Lovato Lovati et Albertino Mussato) au début du XIVe s. permet de redéfinir le tragique. Il n'est plus seulement synonyme de sang versé, mais traduit l'angoisse d'un monde soumis à la tyrannie. Les humanistes retiennent des intrigues de Sénèque les crimes commis par un pouvoir omnipotent et trouvent des correspondances entre le règne de Néron et leur propre situation politique. En effet, les communes perdent progressivement leur autonomie au profit des condottieres ou de potentats locaux. La tragédie, au début du XIVe s., devient un espace de revendication politique, puisqu'elle clame le droit à la liberté et rejette toute tentation du despotisme. Les tragédies de Robert Garnier, au XVIe s., reprendront cette même thématique anti-despotique, inspirée de Sénèque. Le tragique offre une esthétique propice à une réflexion sur le pouvoir et les risques de la dégénérescence de la royauté en tyrannie puisqu'il est une prise de conscience de la perte de la liberté.

Mais depuis la Renaissance et l'âge classique – où la tragédie triomphe – le tragique est devenu tout autant le lieu d'une rencontre (ou de l'absence de rencontre) entre l'homme et le divin. Le héros, oscillant entre révolte, culpabilité et désespoir, n'est plus seulement roi ou prince (qui pouvaient seuls détenir le statut de héros tragiques selon le modèle antique) mais il est l'incarnation de tout être humain, prisonnier de sa mortalité. Ainsi, dans la littérature moderne, Vladimir et Estragon (dans *En attendant Godot* de Beckett, 1953), ces antihéros, symbolisent-ils, par dérision, les angoisses humaines. Le silence divin confine l'homme dans sa solitude. Au *deus ex machina* des auteurs antiques, intervention finalement rassurante puisqu'elle apporte une solution, succède un dieu caché que l'on ne cesse d'attendre. Le tragique provient également, non de l'attente d'un événement, mais de la conviction que la liberté devient synonyme d'impuissance. Il réside dans la situation de l'homme incapable de modifier le cours des événements. Le travestissement des héros antiques dans le théâtre de Giraudoux ou d'Anouilh montre la parenté de situation entre l'Antiquité et l'époque contemporaine. La conséquence ultime de cette montée de l'angoisse peut déboucher sur la conscience que le temps n'existe plus, que le temps n'est qu'un présent irrémédiablement figé (*Huis clos* de Sartre, 1944). La perte de l'espoir, qui permet à l'homme d'échapper à l'oppression du temps, de l'espace et de la parole, offre alors à l'être humain un miroir dont la contemplation renvoie l'image de sa propre solitude.

Si le tragique est un sentiment né de la condition mortelle et faible de l'homme, il constitue, dans le domaine des arts, un registre en ce qu'il y est traité dans une forme spécifique, une esthétisation de cette émotion première. Que ce soit au théâtre, ou dans la poésie (*Les tragiques* d'Agrippa d'Aubigné par exemple, 1616), le récit (*Histoires tragiques* de Rosset, 1614) ou la peinture (les « vanités »), il se manifeste sous la forme d'une crise que doit affronter, sans chance de succès, le héros tragique.

Le héros tragique n'est pas seulement celui qui doit mourir ; il représente derrière son individualité un groupe, une cité, voire la condition humaine. Sa situation d'homme déchiré entre le désir d'un bonheur impossible et la réalité inexorable de sa misère a valeur d'*exemplum* pour l'humanité. L'aveuglement d'Œdipe (son interprétation erronée de ses origines, puis sa mutilation, hautement symbolique), son sacrifice pour sauver Thèbes, la détermination d'Antigone à mépriser les lois de la cité, la fureur de Médée assassinant ses enfants font de ces êtres tragiques des personnages d'exception incarnant des valeurs ou antivaleurs extrêmes. Le tragique se manifeste par une crise violente, brutale dans son surgissement et irrémédiable dans ses bouleversements.

L'espace tragique est celui du sacrifice : le héros devient la victime (ou le bouc émissaire) d'une société et de ses rites. La mort d'Iphigénie ou de Polyxène n'est qu'un tribut payé aux croyances de leur peuple. Aussi le ciel, la terre et l'enfer sont-ils souvent réunis, transformant l'univers en un vaste temple et faisant des hommes les marionnettes de puissances qui les dépassent.

Toute action tragique traduit ainsi la présence d'une transcendance. La *Moîra* des Grecs (Eschyle, Sophocle, Euripide), le *Fatum* des Latins (Sénèque), la Providence des chrétiens (explicite dans, par exemple, *Saül le Furieux* de Jean de la Taille, 1572, ou *Athalie* de Racine, 1691) définissent un au-delà auquel un héros est confronté. Chez Sénèque, l'apothéose finale de Médée et l'arrivée sur scène des dieux ou des damnés transforment même l'espace du quotidien en un lieu de l'effroi d'où les règles de la normalité sont momentanément bannies. Le héros tragique est à mi-chemin entre le ciel et le gouffre. Il est celui qui ne peut rester dans le monde des hommes parce que ce qu'il représente l'arrache à son humanité. La terre, pour lui, est devenue prison. Le temps tragique correspond à cette montée de l'angoisse. Il s'inscrit non dans la durée, mais dans l'éclat. Il est fulguration du *monstrum* (prodige). La crise doit se résoudre dans un temps très bref, mais elle est le plus souvent l'aboutissement d'une tension ou d'une malédiction, remontant aux origines d'une famille ou d'une société puisque les héros des tragédies grecques et latines sont souvent les victimes d'une faute originelle qui a entaché leur famille et qui se transmet comme un héritage infernal. La parole déclenche alors la crise tragique. L'aveu de Phèdre, le mensonge accusateur de la nourrice, la calomnie, la ruse transforment la parole en arme. Après un interrogatoire ou les révélations d'un devin (*Œdipe-Roi* de Sophocle, vers 425 av. J.-C.), la crise s'enclenche inexorablement. Le tragique repose sur cette parole fatale, dévoilant la vérité. Le héros, révélé à lui-même, pourra s'imposer un dépassement de soi mais sans parvenir à rétablir l'ordre de l'univers. Ainsi le tragique peut conduire au sublime. Le rôle de catharsis (purification par la terreur et la pitié) attribué par Aristote, dans la *Poétique* (vers 344 av. J.-C.), au spectacle tragique correspondrait alors à un moyen de sentir la structure du monde et de reconnaître et accepter la condition humaine.

▶ DUPONT F., *Le théâtre latin*, Paris, Armand Colin, 1988. — GIRARD R., *La violence et le sacré*, Paris, Hachette, [1972], 1998. — LARUE A., *Délire et tragédie*, Mont-de-Marsan, Ed. Interuniversitaires, 1995. — MONNEROT J., *Les lois du tragique*, Paris, PUF, 1969. — NIETZSCHE F., *La naissance de la tragédie* [1872], *Œuvres philosophiques complètes*, I, Paris, Gallimard, 1977.

Jean-Frédéric CHEVALIER

→ *Antiquité ; Catharsis ; Classicisme ; Héros et anti-héros ; Passions ; Registres ; Sublime ; Tragédie.*

TRAITÉ

Par son étymologie, le mot « traité » peut être rapproché du sens de « ce qui retrace » : il désigne donc, en littérature, un ouvrage à caractère didactique qui expose les connaissances et les préceptes correspondant à une question. Il est une des formes de la littérature scientifique, mais aussi de l'essai.

Le modèle du genre est dû aussi bien au mode d'exposition encyclopédique des différents aspects du savoir chez Aristote – chacune de ses œuvres constitue un « traité de... » – qu'à l'écriture religieuse, chez les Pères de l'Église, dans l'exégèse biblique ou dans les polémiques. Au Moyen Âge, la *Somme théologique* de Thomas d'Aquin (1266) en donne un exemple majeur pour la culture occidentale. Elle offre un exposé méthodique, et se distingue ainsi des *Commentaires*, autre versant de l'œuvre du même auteur : lecture et interprétation des textes premiers pour ceux-ci, récapitulation méthodique des savoirs et de la réflexion pour celle-là, le traité est ainsi assigné à un rôle de discours savant et systématique. Ainsi trouve-t-on chez F. de Sales un *Traité de l'amour de Dieu* (1616). Pour autant, ce genre ne reste pas enfermé dans le seul domaine de l'exposé savant ou théologique. Il devient l'instrument du débat scientifique, puis passe dans la littérature générale. Descartes avait initialement conçu de présenter son système comme un *Traité du monde*, puis, devant les risques de censure, il n'en publia que des fragments, nantis du *Discours de la méthode* comme préface (1637), mais il précise qu'il a choisi le terme de *Discours* plutôt que celui de « traité » pour éviter de laisser croire que sa préface serait l'exposé d'un système. Il publia ensuite le *Traité des passions de l'âme* (1649), où l'analyse scientifique se fait en même temps œuvre de diffusion, sinon de vulgarisation, des savoirs, puisqu'elle est adressée à une princesse curieuse de Lettres. Boileau traduit le *Traité du sublime* (1674) attribué à Longin, et fait ainsi de cette forme un genre de plein exercice dans la réflexion esthétique et littéraire. Par la suite, les traités abondent, foule d'ouvrages que l'on peut identifier par leurs titres sous la forme – héritée du modèle antique – « *De...* » (à entendre comme : « où il est traité de... »), ou explicites : *Tractatus politicus* de Spinoza (inachevé, posth. 1714), *Traité des sensations* de Condillac (1754), etc. Le genre est prolixe au siècle des Lumières, sur les frontières entre philosophie, science et littérature. Il aborde les questions d'éducation (Crousaz, *Traité de l'éducation des enfants*, 1722), le débat religieux (Vernet, *Traité de la vérité de la religion chrétienne*, 1730), la physique (D'Alembert, *Traité de dynamique*, 1741), la linguistique (De Brosses, *Traité de la formation des langues*, 1765), l'esthétique (Crouzac, *Traité du beau*, 1715) et en fait, sous ce titre ou non, il aborde tous les domaines. Il voisine avec les genres des *Considérations*, qui, comme les *Commentaires* chez Augustin, en sont le complément. Voltaire lui donne sa pleine place en littérature polémique avec – titre ironique – le *Traité sur la tolérance*, (1763). Le traité n'est pas un genre privilégié par les romantiques, et Stendhal, avec *De l'amour* (1822), donne un traité paradoxal puisque rédigé sous forme aphoristique. Mais il sert aussi, au XIXe s. finissant, à marquer un retour à une esthétique éloignée du romantisme (Gide, *Traité du Narcisse. Théorie du symbole*, 1892). Au XXe s., une forme dérivée s'affirme comme pleinement littéraire : les « petits traités ». Elle est employée aussi bien par des philosophes visant à diffuser des réflexions de morale (Comte-Sponville, *Petit Traité des grandes vertus* 1995) que pour des essais de critique littéraire ou de réflexion sur divers sujets : les *Petits Traités* de P. Quignard (t. I à III, 1984, t. I à VIII, 1990) équivalent, avec la part d'humour qu'implique le titre, à une modernisation de la forme première de l'essai.

Le cas du Traité fait apparaître de façon frappante les enjeux de la littérature d'idées et de la diffusion des opinions et des savoirs. Exposé systématique à l'origine, il est un genre de l'échange entre lettrés. Mais si le modèle aristotélicien le fait uniquement didactique, il est manifeste qu'ensuite didactique et polémique se rejoignent souvent. Alors, le traité peut apparaître soit comme un repoussoir pour les gens de culture moyenne – un modèle scolaire, pédant – soit, au contraire, être allégé et assoupli par des auteurs qui en conservent ainsi l'aspect sérieux, garant des connaissances et réflexions qui y sont exposées, mais le rendent accessible. Les productions récentes manifestent bien les enjeux de cette tension. Le *Petit traité* de Comte-Sponville propose une diffusion élargie de considérations d'abord universitaires ; les *Petits traités* de Quignard sont une forme assouplie, certes, mais plutôt adressée d'abord à la sphère restreinte du champ littéraire, un jeu pour ne pas dire « essais ». Cette plastique polymorphe d'un genre qui paraîtrait lié à un modèle rigide – l'exposé systématique – révèle ainsi la tension constante qui parcourt la littérature d'idées : exposé systématique et audience faible, ou exposé assoupli et audience élargie. D'où l'instabilité des genres qui participent à l'espace du débat, et par voie de conséquence, la difficulté d'en établir une poétique.

▶ GOYET F., *Traités de poétique et de rhétorique de la Renaissance*, Paris, Livre de poche, 1990. — MACHEREY P., *À quoi pense la littérature ?*, Paris, PUF, 1990.

Alain VIALA

→ *Didactique (Littérature) ; Essai ; Moralistes ; Philosophie ; Polémique ; Scolastique.*

TROUBADOUR ET TROUVÈRE → Ballade ; Congé ; Courtoise (Littérature) ; Formes fixes ; Lai ; Lyrisme ; Musique ; Poète

TUNISIE → Maghreb

TYPE

Issu du grec *tupos* (empreinte), et emprunté au latin *typus* (image, statue, modèle, caractère d'une maladie), le terme de type possède dans l'Antiquité de nombreux emplois en philosophie et dans le langage des arts. Platon lui donne le sens d'un modèle réunissant les traits essentiels d'une chose ou d'un être. Dans le domaine littéraire, type a été progressivement employé pour désigner un modèle et un personnage représentatif. L'adjectif dérivé, typique, a suivi la même évolution. Il qualifie une personne ou quelque chose qui présente les caractères accentués d'un type. De nombreux autres composés spécialisent cet emploi : prototype, archétype ou stéréotype.

L'exégèse médiévale désigne par type un personnage ou une réalité dont l'apparition dans l'Ancien Testament annonce le Nouveau. Parallèlement, son emploi commun dans le langage de la médecine hippocratique assimile le type à un tempérament déterminé (type sanguin, mélancolique...). La littérature tend à caractériser des personnages selon des emplois bien définis (la servante, le mari, la femme...), notamment dans les genres théâtraux comiques comme la farce ou la *Commedia dell'arte* (Matamore, Scapin...). Molière, au XVIIe s., exploite ainsi des types de personnages affectés par une manie ou une obsession (l'Avare, le Malade imaginaire...). Cette satire des ridicules d'un personnage fonde le modèle de la « grande comédie » qui se concentre sur la description d'un « caractère ». Une grande part de la création littéraire procède de cet esprit, qu'il s'agisse d'imposer des types nouveaux (Don Quichotte, Don Juan) ou de tourner en dérision des personnages emblématiques (La Bruyère, *Les caractères*, 1688-1696).

Ces différents types humains se réalisent dans des comportements, mais également sous des traits physiques. La peinture académique inscrit à son programme, en 1759, le concours des « têtes d'expression » (*L'admiration mêlée de joie*) qui offre un vaste répertoire de mimiques expressives dont le théâtre, le mimodrame et, bien plus tard, le cinéma muet, feront la base de leur vocabulaire. Dès la fin du XVIIIe s. et au moins jusqu'à l'avènement de la mise en scène moderne vers 1880, les acteurs de théâtre se spécialisent dans ces emplois, série de rôles qui sont autant de types. À la même époque, toutefois, la description des caractères s'infléchit vers celle des « conditions », qui insiste sur la dimension sociale du personnage (le monologue du héros dans *Le mariage de Figaro* [1785] de Beaumarchais caractérise cette évolution). Le genre des Physiologies, à la mode au début du XIXe s., campe également, en termes quasi médicaux, des individus identifiés par leur condition sociale (le bibliomane...). Balzac reprendra le procédé pour l'inscrire au cœur de la création romanesque (l'avare Gobseck...). Ses romans représentent le monde social en accentuant les traits caractéristiques des personnages et des situations. Ils tendent sans cesse à justifier un fait particulier par une loi générale. Le type prend alors son plein sens littéraire et la critique se plaît à discuter la vraisemblance de ce que l'auteur donne à lire comme typique. De cette catégorie de l'« universel singulier », Hegel, puis Marx et Engels, font une des notions centrales de leur esthétique. Lorsqu'elle abandonne cette ambition de saisir la complexité du social, la fiction moderne tend à revenir à une étude de caractères singuliers, ou même à privilégier l'exceptionnel. Toutefois, même des êtres sans qualités, des anti-héros qui se définissent paradoxalement par leur absence de traits caractéristiques, peuvent devenir des personnages typiques (ainsi chez Beckett).

Le typique s'impose au XIXe s. comme un des points d'ancrage du réalisme en littérature. Comme tel, il devient un des critères de l'évaluation des œuvres littéraires. Le positivisme en fait aussi un critère distinctif au sein des genres (comme le *Larousse du XIXe s.*, qui distingue une vingtaine de types de romans différents). Dans une acception sociologique, Engels dans une lettre à Miss Harkness (1888) définit le réalisme comme une représentation exacte de héros offrant des caractères typiques dans des circonstances typiques. Son éloge du modèle narratif des romans balzaciens procède du fait qu'ils sont particulièrement aptes à produire une analyse des mécanismes cachés du monde social qui reste indépendante des convictions réactionnaires de leur auteur. C'est en usant de la même théorie du reflet qu'une partie de la critique marxiste s'oppose à Stendhal (trop subjectif) ou à Zola (trop pessimiste). Le réalisme socialiste installe ainsi un typique idéalisé parce que les critères de la représentation vraisemblable obéissent à des mots d'ordre d'opportunité politique. Dans cette perspective, la catégorie du typique marque une des limites historiques de la critique d'inspiration marxiste, celle du moins qui affirme la prééminence du contenu sur la forme et suggère une hiérarchisation des œuvres littéraires selon leur capacité d'élaborer un modèle total du monde.

▶ BARBERIS P., *Le monde de Balzac*, Paris, Arthaud, 1973. — GENETTE G., *Figures II*, Paris, Le Seuil, 1969. — MARX K. & ENGELS F., *Sur la littérature et l'art*, textes choisis par J. Fréville, Paris, Éditions sociales, 1954.

Paul ARON, Jean-Maurice ROSIER

→ *Caractères ; Comédie ; Héros et anti-héros ; Marxisme ; Personnage ; Réalisme ; Roman.*

TYPOGRAPHIE

La typographie désignait, à l'origine, l'art d'assembler les caractères de plomb en vue de l'impression. Le sens du mot a ensuite été étendu à l'ensemble des techniques d'impression en relief, par opposition aux procédés d'impression à plat, dont l'offset. Aujourd'hui, il désigne surtout le travail de composition des textes : choix des polices de caractères et mise en page. Inscrivant le texte dans l'espace visuel, la typographie retentit sur sa matérialité et comme telle, engage la forme, le sens et la lecture.

L'objectif du typographe fut d'abord d'offrir un *fac simile* du livre manuscrit, donc de reproduire aussi fidèlement que possible la forme des lettres à la main, ainsi que les abréviations et ligatures (les liaisons entre les lettres) inventées pour alléger le travail des copistes. Mais les progrès de la typographie portèrent sur l'esthétique et la netteté des caractères ; aux « gothiques » du début succédèrent les « romains », de meilleure lisibilité : caractères du fondeur Griffo (fin du XVe s), utilisés par le célèbre éditeur humaniste de Venise, Alde Manuce, puis créations de Garamond (France, XVIe s.) pour l'éditeur Robert Estienne, Van Dyck (Hollande, XVIIe s.) pour les Elzevir, Fournier (France, XVIIIe s.), Firmin Didot (France, fin du XVIIIe s.).

À partir du XIXe s., l'essor de l'affiche et du journal, dont l'objectif est d'accrocher le regard autant que d'être lisibles, suscite l'invention de caractères de fantaisie et le développement des maquettes dynamiques. Au contraire, la typographie du livre entre dans une ère d'industrialisation qui standardise les formes. Par réaction contre cette banalisation, les bibliophiles s'intéressent au travail typographique des livres anciens – notamment grâce à la mise sur le marché des bibliothèques d'Ancien Régime – mais aussi à la création moderne qui mêle typographie, art de l'image et littérature. La création littéraire y trouve un terrain de recherche, lorsque Nodier utilise les caractères gothiques pour pasticher le roman du même nom (*Histoire du roi de Bohème...*, 1830), X. de Maistre les points de suspension pour « dessiner » un paysage (*Voyage autour de ma chambre*, 1795) ou Apollinaire avec les calligrammes, ainsi que les moyens, pour les auteurs qui visent le prestige plus que les gros tirages, d'éditions limitées mais de haute qualité (pour la poésie notamment). La typographie peut devenir un vecteur d'illustration à part entière (comme les culs-de-lampe dans R. de Gourmont, *Le château singulier*, Mercure de France, 1894). À la fin du XXe s., les possibilités offertes par l'informatique ont modifié en profondeur le travail typographique : elles apportent rapidité, diversité et surtout souplesse, ce qui transforme l'esthétique du livre en permettant des compositions plus personnalisées sur des petits tirages. Mais la typographie reste un facteur d'expression, par les choix qu'elle offre en matière de ponctuation (les points de suspension chez Céline), de mise en page (les blancs typographiques ou l'absence de ponctuation du Nouveau Roman) ou d'effets visuels (les énumérations de Pérec, par exemple).

Les innovations typographiques servent la création et elles suscitent même parfois de nouveaux genres (comme l'emblème). La variété des choix qu'elles offrent permet, au moins depuis le début du XIXe s., des pratiques de distinction. Les fontes acquièrent des connotations symboliques, dues à leur rareté ou aux conditions habituelles de leur emploi : Nodier était ainsi fasciné par l'Elzevir, et le Garamond, redessiné pour la collection, est devenu une des marques distinctives de la Bibliothèque de la Pléiade. En parallèle, la typographie suscite l'engouement des bibliophiles. Le développement d'une typographie artisanale répond aux attentes de poètes qui, comme Mallarmé, condamnent « les modernes épiceries ou les cordonneries du livre ». L'instrument de la communication (le langage pour l'écrivain, les caractères d'imprimerie pour le typographe) tend ainsi à devenir le matériau d'un travail artistique à part entière. Écrivains et typographes concourent alors, par le surcroît de légitimité esthétique qu'ils lui confèrent, à préserver le livre littéraire de l'économie du marché de masse. De nombreux auteurs se montrent particulièrement attentifs à l'aspect matériel de leurs textes imprimés ; quelques-uns, comme Max Elskamp à Anvers, s'adonnent d'ailleurs directement à l'art de la composition. Les avant-gardes, au XXe s., font d'ailleurs un usage systématique de la typographie conçue comme signe d'innovation (voir par exemple les collages de caractères).

Mais plus encore que ce détournement, ludique ou subversif, de la fonction médiatrice de l'imprimé, la manière dont la typographie a modifié la conception du texte depuis la Renaissance a été décisive et durable. Pendant des siècles, le texte manuscrit a tenté de prolonger le geste de la main et sa mise en page obéissait surtout à une logique de l'économie de fatigue et d'espace, hormis quelques aménagements décoratifs pour les livres de prestige. Mais lorsque le même texte est imprimé à des milliers d'exemplaires, il faut aux hommes du métier des normes, pour sa réalisation matérielle mais aussi pour sa « correction » formelle. Le travail entamé à partir du XVIIe s. sur la langue est ainsi lié à celui alors engagé sur le tracé des lettres et les règles orthographiques – qui constituent encore la matière principale des « codes typographiques ». Ces normes touchent à la conception même de l'écriture littéraire. Le souci « classique » de clarté est identique dans la langue et dans la mise en page. Le texte n'est plus la transcription, aussi ininterrompue que possible, d'une parole continue, mais la présentation claire et ordonnée d'une pensée au regard du lecteur. La standardisation des subdivisions (chapitres, paragraphes, alinéas – inventés pour le *Discours de la méthode*, 1637), la généralisation de l'usage de titres et sous-titres, le jeu sur les différents types de caractères sont autant de nouveaux outils dont dispose l'écrivain. Aussi par exemple Flaubert, adversaire déclaré de l'imprimé mais désireux de créer une prose d'art, emploie-t-il, même à son corps défendant, de la manière la plus esthétique les principes de modélisation de la prose écrite induits par le livre. La typographie est donc devenue une dimension importante de l'organisation intellectuelle de l'écrit.

▶ BARRIÈRE D., *Nodier l'homme du livre*, Brassac, Plein chant, 1989. — BAUDIN F., *L'effet Gutenberg*, Paris, Cercle de la librairie (éd.), 1994. — BERKELEY UPDIKE D., *Printing types, their history, forms and use. A study in survivals*, Cambridge (Massachussetts), 1962 (3e éd.). — CHATELAIN J.-M., *Livres d'emblèmes et de devises*, Paris, Klincksieck, 1993. — Coll. : Centre d'étude et de recherche typographiques, *De plomb, d'encre et de lumière. Essai sur la typographie et la communication écrite*, Paris, CERT, 1982.

Alain VAILLANT

→ *Calligramme ; Collage ; Emblème ; Illustration ; Imprimerie ; Livre ; Ponctuation ; Signe.*

U

UTILITÉ

Issu du latin *utilitas*, le terme d'utilité appliqué à la littérature désigne ses fonctions ou finalités morales, spirituelles, sociales ou politiques. En ce sens, le mot inclut la notion d'édification – de « bon exemple » ou bonne leçon. L'utilité a ainsi longtemps constitué une norme tant de la production des textes, que de leur réception, où les usages postulés des œuvres constituaient un des critères majeurs de leur évaluation.

Jusqu'au milieu du XVIIIe s., l'idée d'une fonctionnalité des arts a été dominante. *La République* de Platon (II, 376e-379e, III, 386b-398b, X, 595c-608c) affirmait l'idée d'un effet de la poésie sur l'esprit des récepteurs, et, par là, celle d'un possible usage moral ou politique des ouvrages des poètes. Pour cette raison, Socrate suggérait qu'elle soit contrôlée par les philosophes ou interdite. Posée comme un idéal irréalisé, voire irréalisable, cette idée d'une utilité de la poésie conduit cependant dans les *Lois* (817a-d notamment) à l'esquisse d'un gouvernement par la poésie. Dans les textes d'Aristote, la fonction morale et politique de la poésie est présentée comme effective. Elle se réaliserait notamment à travers la *catharsis* (*Poétique*, 1449 b 28), dont les implications politiques sont développées à la fin de la *Politique* (VIII, 7). Aristote étendait ainsi à la poésie une utilité que l'éloquence et l'histoire avaient pour lui d'évidence, en dépit de la condamnation que Platon avait fait peser sur la rhétorique des sophistes. L'idée d'une utilité morale et politique des arts fut également défendue par Cicéron (*Des Devoirs* ainsi que le *Pro Roscio* pour l'utilité du théâtre) et par Horace qui, dans l'*Épître aux Pisons* (ou *Art poétique*), affirme que *Omne punctum tullit qui miscuit utile dulci* (« il obtient tous les suffrages celui qui unit l'utile à l'agréable »). Ces fonctions ont été ensuite contestées par la pensée chrétienne la plus radicale qui voit dans la poésie l'occasion d'une perversion du rapport à l'Être (Tertullien puis saint Augustin), la mimésis singeant le créateur tout en détournant les hommes de la vérité des Écritures. Mais au Moyen Âge, saint Thomas estime qu'un divertissement pudique et honnête est nécessaire pour que le chrétien puisse détendre son esprit et tourner son âme vers Dieu (*Somme théologique*, II, 2, qu. 168, art. 2). Cette position tient peut-être à la lecture d'un interprète d'Aristote extérieur à la chrétienté, Averroës, qui rédigea en arabe au XIIe s. un commentaire de la *Poétique*. La traduction latine de ce texte (1256) eut en effet une influence considérable en Europe. Pour Averroës, qui prend appui sur les catégories de la rhétorique, la poésie relève fondamentalement de l'épidictique, et ne peut donc être séparée de l'éthique. C'est pourquoi sa finalité ne saurait être autre qu'éducative. Les paraphrases de la poétique aristotélicienne définissent ensuite, à la Renaissance et à l'âge classique, une poétique de l'utilité, fondée sur une lecture cicéronienne et horatienne des textes d'Aristote : la poésie doit instruire agréablement, pour renforcer, par le divertissement qu'elle propose, la cohésion du corps social. Le père Rapin écrit ainsi dans ses *Réflexions sur la poétique de ce temps* (1674) que « la fin principale de la poésie est de profiter, non seulement en délassant l'esprit pour le rendre plus capable des ses fonctions ordinaires, et en charmant les chagrins de l'âme par son harmonie et par toutes les grâces de l'expression : mais bien davantage encore en purifiant les mœurs, par les instructions salutaires, qu'elle fait profession de donner à l'homme ». Les poéticiens ne voient pas alors dans l'injonction de « plaire et instruire » une opposition de termes contradictoires, mais bien davantage l'association de notions complémentaires : l'instruction ne peut s'accomplir que par le moyen d'un plaisir, compris comme moral, parce que né de la contemplation des exemples que tout texte donne à méditer. Cette tradition fut combattue par les jansénistes, qui, s'appuyant sur des thèses d'origine augustinienne, dénoncèrent la nocivité des fictions. La critique fut reprise et amplifiée par J.-J. Rousseau dans sa *Lettre à d'Alembert sur les spectacles* (1758). Apparaissent simultanément des théories qui proposent cependant une finalité d'un autre type. La notion de « finalité simplement formelle, c'est-à-dire sans fin » (Kant, *Critique du jugement*, 1790) – *i. e.* sans finalité explicitement utilitaire – sous-tend ainsi, depuis l'idéalisme allemand, une esthétique comprise comme perception spécifique de la création artistique. Au XIXe s., deux attitudes s'opposent. Le romantisme, puis le naturalisme mais aussi le positivisme – Victor Cousin défend l'idée d'un « art utile » – ont continué à revendiquer une utilité de la littérature, comme voix donnée au peuple ou comme mode de connaissance. Mais le Parnasse et l'Art pour l'art ont mis en avant une finalité proprement esthétique. Cependant même Mallarmé tient à souligner la beauté de l'utile (*Pages diverses*, « Sur le Beau et l'Utile »). L'essor de l'enseignement de la littérature française avive ce débat, l'École assignant à la littérature une fonction éthique à travers l'esthétique, dans la lignée des usages jésuites des œuvres de l'Antiquité. Cette tension traverse tout le XXe s. D'un côté, certains auteurs et théoriciens conçoivent la littérature comme une transcendance esthétique absolue. Ainsi Blanchot défend-il une conception orphique de l'art verbal : dénonçant sous le nom de « littérature » des productions « utilitaires », il leur oppose la recherche de « l'œuvre », comme exploration par l'esthétique des moyens permettant de dépasser la finitude de l'existence humaine (*L'espace littéraire*, 1955). À l'opposé, nombre de mouvements littéraires assignent à la littérature une fonctionnalité éthique ou politique explicite : ainsi le réalisme socialiste ou la littérature engagée. Sartre a renouvelé l'interrogation sur l'utilité de la littérature en affirmant que les implications éthiques de celle-ci sont inéluctables : quiconque écrit, notamment en prose, est « embarqué » qu'il le veuille ou non, dans une logique de l'utile (« Qu'est-ce que la littérature? », *Situations*, II, 1948). Les choix esthétiques apparaissent, dès lors, comme des prises de position éthiques : prétendre que la littérature n'aurait d'autre fin qu'elle-même devient ainsi une manière implicite d'accepter de conforter les structures sociales en place. Les formes diverses de l'engagement confèrent à l'écriture une fin sociale, y compris hors de France : affirmation d'une littérature nationale et / ou identitaire dans la poésie pour les Antilles (Césaire) ou le Québec (Miron), comme dans le roman (Hubert Aquin). Certains genres littéraires continuent par ailleurs à se définir explicitement par leur volonté d'intervenir dans les débats d'idées (pamphlets, essais, lettres ouvertes, roman à thèse).

La notion d'utilité des lettres, et plus largement, de l'ensemble des arts, est liée à une conception de ces activités qui problématise leur autotélisme. Le développement de l'esthétique comme étude spécifique des œuvres d'art, et des modalités selon lesquelles elles sont perçues, a en effet eu tendance à poser l'œuvre comme un objet autonome. L'objet d'art perd ainsi sa place dans le monde, au sens où il n'aurait pas la capacité de transformer ni même de consolider, par les valeurs morales ou politiques qu'il véhiculerait. Mais l'histoire littéraire impose d'envisager les enjeux de l'utilité. Tout d'abord parce que les usages de la littérature ont été, durant vingt siècles, dominés par des théories telles que celles de la *catharsis*, de l'*exemplum* – dans les Moralités, les fables ou les satires – ou encore de la valeur patriotique ou religieuse des textes littéraires. Mais surtout parce que la question de l'utilité permet une réflexion sur les fonctionnalités de l'œuvre. De fait, il n'est pas jusqu'à l'exploration poétique du langage qui n'ait une fonction – subversive, aux yeux des surréalistes ou de réactivation aux yeux de Sartre. Les partisans de l'esthétique nient d'ailleurs rarement toute utilité : Mme de Staël soulignait ainsi que l'émotion esthétique ouvre au monde et « rend meilleur », plus sensible, plus compatissant (*De la littérature*, 1800) et Baudelaire lui-même soulignait que toute œuvre bien faite porte une leçon éthique, mais que celle-ci est l'affaire du lecteur (Lettre à Swinburne, 10 oct. 1863). En fait, la postulation esthétique s'est imposée historiquement lorsque la sphère restreinte du champ littéraire a pu affirmer que l'art du texte était une valeur en soi – mais cette affirmation avait alors une utilité pour ceux qui l'énonçaient. Elle paraît aujourd'hui, où le statut de la littérature est modifié par l'essor d'autres formes de publication, à nouveau reformulée : le choix de la lecture, de la lenteur que celle-ci impose face à l'audiovisuel, est une formation d'*habitus* qui constitue une prise de position contre le sensationnalisme. Certaines analyses contemporaines réaffirment aussi une fonction de la littérature comme mode de connaissance : selon Paul Ricœur, les textes élaborent et inculquent des schémas de représentation qui, à leur tour, modèlent l'*épistémè*. Ainsi pensé, le phénomène littéraire a la pleine complexité d'une pratique culturelle qu'informe un héritage pluriséculaire : ses fonctions s'éclairent tant par l'étude des contextes immédiats qu'à travers l'analyse des usages transmis par une tradition, qui – là même où elle est explicitement rejetée – n'en est peut-être en réalité que plus présente.

▶ ALLEN J. B., *The Ethical Poetic of the Later Middle Ages : A Decorum of Convenient Distinction*, University of Toronto Press, Toronto / Buffalo / Londres, 1982. — DENIS B., *Littérature et engagement de Pascal à Sartre*, Paris, Le Seuil, 2000. — LAZZERI C., *Introduction* à *De l'intérêt des princes et des États de la chrétienté* d'Henri de Rohan, Paris, PUF, 1995, p. 2-151. — Coll. : « L'Édification. Morales et cultures au XIXe s. », Michaud S. (dir.), Paris, Créaphis,

1993.— *Littératures classiques*, n° 37, 1999 (dir. A. Viala), « L'utilité de la littérature ».

Déborah BLOCKER

→ *Art pour l'Art ; Autotélisme ; Catharsis ; Engagement ; Esthétique ; Fiction ; Littérature ; Moralistes ; Moralité ; Théories de la littérature.*

UTOPIE

Le mot, apparu en 1516 comme titre d'un ouvrage de Thomas More publié en latin, a été construit à partir du grec *ou* (non) et *topos* (lieu). Cette « invention littéraire » se déroule dans une île conquise par *Utopus*, et dont les habitants (les utopiens) vivent en communauté, dans un gouvernement idéal et un bonheur parfait, en ignorant la propriété privée. Dès le début du XVIIIe s., le terme s'imposa pour désigner, y compris rétroactivement (en remontant jusqu'à *La République* de Platon, Ve s. avant J.-C.), les fictions politiques, réputées chimériques et inapplicables dans le réel. S'il est situé dans le temps et non dans l'espace, ce type de récit prend le nom d'uchronie et, dans certains cas, de science-fiction. Lorsqu'il critique un état de choses en lieu et place d'en proposer une description idyllique, il devient une anti-utopie.

Dans son principe, l'utopie recouvre des réalités différentes. Elle est, d'une part, une propension de l'esprit à construire des systèmes sociaux meilleurs (ce que le philosophe E. Bloch appelle, en 1954, le « principe espérance »). En ce sens, l'utopie a une longue histoire, qui relève de la philosophie, de la politique ou de la sociologie. Elle désigne également, d'autre part, une catégorie de textes littéraires, qui sont des récits fictionnels mettant en scène une organisation sociale située ailleurs ou au-delà du temps de leur énonciation.

Une série d'ouvrages a engendré les grandes traditions narratives de ce genre. L'*Utopie* de More (1516) installe une comparaison entre l'Angleterre et l'Ile d'Utopie, par la médiation d'un voyageur qui est le héros-narrateur. L'ailleurs est défini par la géographie dans la *Cité du soleil* de Campanella (1623) et dans *La nouvelle Atlantide* de Bacon (1621), au XVIIe s. Le *Télémaque* (1699) de Fénelon, le *Candide* (1761) de Voltaire, l'*Arcadie* de Bernardin de Saint-Pierre (*Paul et Virginie*, 1787), le *Supplément au voyage de Bougainville* (1796) de Diderot, comme, en Angleterre, les *Voyages de Gulliver* de Swift (1726), incluent des descriptions d'une communauté idéale, à la fois objet de désir et moyen de critique de la réalité sociale. Les voyages se diversifient largement, dans l'espace (*Les états et empires de la lune* de Cyrano de Bergerac, 1657) ou dans le temps (*L'An 2440* de Sébastien Mercier, 1771). La Révolution française, puis l'émergence des prolétaires sur la scène publique transforment le statut de l'utopie littéraire. Elle transpose désormais des espoirs qui, du point de vue politique, ont pris un tour concret. Les œuvres de Charles Fourier, celles de Henri de Saint-Simon, le *Voyage en Icarie* (1839) d'Etienne Cabet, scandent ces rencontres entre utopies politiques et littéraires. À la fin du XIXe s., et au siècle suivant, l'anti-utopie pose de nouvelles questions au pouvoir politique et à ses prétentions de coordonner la société. Elle est relayée par la science-fiction, qui explore également le futur et les valeurs de la communauté des hommes (p. ex. *1984* de G. Orwell, 1949).

Cette riche tradition littéraire comporte une très grande diversité de formes textuelles : cela va de la critique « de la morale et de la politique vulgaire » (le *Code de la nature* de Morelly, 1755) à la projection d'un futur, plus ou moins proche (*L'An 2440* de Sébastien Mercier, 1771). Ce peut être une fable : *Télémaque* de Fénelon ou un conte fantastique, *Les Voyages de Gulliver* de Swift, ou encore une espérance philosophique, *Esquisse d'un tableau historique des progrès de l'esprit humain* suivi de *Fragment sur l'Atlantide* de Condorcet (1793-1794).

L'utopie est sans doute un genre littéraire - mais cette notion est elle-même très contestée. Elle fixe en tous cas une tradition que l'on ne peut penser à partir de la seule fiction. Elle ne peut être distraite du présent. « C'est à l'intérieur de l'histoire que toutes les possibilités deviennent possibles, et là uniquement, *le nouveau* est lui aussi de nature historique » (Ernst Bloch). Une utopie semble toujours irréalisable du point de vue du présent et de l'ordre existant. « Un état d'esprit est utopique quand il est en désaccord avec l'état de réalité dans lequel il se produit » (Karl Mannheim, *Idéologie et utopie*, trad. de l'anglais, Paris, Rivière, 1956 [1952], p. 124). En d'autres termes, l'utopie a souvent condensé des idées subversives parce qu'elles tendaient à transformer des rapports sociaux. Si le mot utopie, par son étymologie, renvoie à l'impossible, l'esprit, le geste, la fonction critique de l'utopie ont une portée subversive. Mais souvent aussi, le voyageur qui découvre, dans la fiction, un pays utopique, y décèle, sous l'harmonie apparente, des sources de souffrance, et l'utopie porte avec elle la dystopie.

▶ BACZKO B., *Lumières de l'utopie*, Paris, Payot, 1978. — RACAUT J.-M., *L'Utopie narrative en France et en Angleterre, 1675-1751*, Oxford, The Voltaire Foundation at the Taylor Institution, 1991. — RONZEAUD P., *L'utopie hermaphrodite : « La Terre australe connue » de Gabriel de Foigny (1676)*, Marseille, C. M. R. 17, 1982. — TROUSSON R., *Voyages aux pays de nulle part*, Bruxelles, Éditions de l'ULB, 1979. — Coll. : *L'utopie en questions*, M. Riot-Sarcey (dir.), Paris, Presses universitaires de Vincennes, 2001.

Michèle RIOT-SARCEY, Paul ARON

→ *Espace ; Fable ; Fiction ; Histoire ; Idéologie ; Politique ; Satire.*

V

VAL D'AOSTE

Le Val d'Aoste est une région francophone d'Italie, située dans les Alpes, et qui au cours de son histoire a été tantôt autonome, tantôt en butte à la volonté italienne de réduire les particularismes régionaux. L'existence ancienne (dès le Moyen Âge) d'une littérature en langue française est un des arguments que les défenseurs de l'autonomie valdôtaine font valoir pour revendiquer, au-delà du régionalisme, l'appartenance à une communauté plus vaste, la francophonie.

L'histoire linguistique et littéraire du Val d'Aoste devient conflictuelle à partir du XVIIIe siècle, lorsque la région perd ses institutions autonomes. Vers la même époque, des contre-révolutionnaires français, par exemple Xavier de Maistre, choisissent d'émigrer dans le Val d'Aoste, ce qui donnera lieu chez les historiens italiens à l'idée que la littérature valdôtaine est en réalité une littérature française et en quelque sorte coloniale, un produit de l'émigration – d'autant plus qu'il s'agit pour l'essentiel, à partir du XIXe siècle, d'écrits historiques ou politiques. Par la suite, l'unification progressive du royaume d'Italie s'est accompagnée d'une italianisation volontariste, plus ou moins agressive suivant les moments, particulièrement sous le fascisme. Après la Seconde Guerre mondiale au contraire, une certaine autonomie institutionnelle a été concédée au Val d'Aoste. À partir des années 1960, la revendication culturelle s'en est trouvée accentuée et précisée. Les écrivains valdôtains contemporains dont le plus connu est Pierre Lexert, soutenus par le gouvernement autonome, se sont regroupés autour de revues comme les *Cahiers du Rû*, support essentiel de leur production, essentiellement poétique et militante. Dans le même temps, la naissance à la fois idéologique et institutionnelle de la francophonie leur a permis de rattacher leur discours à une cause plus large. C'est ainsi que Pierre Lexert compare la situation du Val d'Aoste à celle de la Wallonie et les poètes valdôtains « irréguliers » aux poètes belges, qui partagent selon lui le même goût concret des mots de la langue, oublié chez les auteurs français parce que ceux-ci n'ont rien à défendre.

Le cas du Val d'Aoste permet de poser un certain nombre de problèmes inhérents à la notion de francophonie. Le premier est celui du lien entre francophonie et institutions, d'une part les institutions françaises (l'administration de la francophonie), d'autre part les institutions propres aux régions francophones considérées. La plupart des initiatives culturelles et littéraires valdôtaines sont soutenues par le gouvernement local (voire les universités voisines du Nord de l'Italie, qui ont pris en charge la défense des cultures régionales), ce qui met en question leur spontanéité et incite à se demander ce qui existerait sans ce soutien politique, c'est-à-dire ce qui fait réellement partie de la vie culturelle des habitants du Val d'Aoste, plus bilingue ou multilingue que strictement francophone. Séparer ce qui s'écrit et se dit en langue française, pour protéger celle-ci, de ce qui s'écrit et se vit, dans le même espace, en italien ou en dialecte (il existe en effet un parler local, qui a accédé à l'imprimé au cours du XIXe siècle) risque de masquer la spécificité multi- et interculturelle du Val d'Aoste, qui n'est pas la même que celle de la Belgique ou du Québec. La deuxième question soulevée par le cas valdôtain est précisément la définition de la culture que suppose la défense d'une identité, ici à la fois régionale et internationale puisqu'il s'agit de l'identité francophone. Désigner par le mot culture les productions au prestige social élevé, comme la littérature, a des implications propres, tout comme la décision de prendre en compte les manifestations diverses de la culture populaire. Dans le cas du Val d'Aoste, le deuxième choix a pour conséquence nécessaire soit le retour à l'idée de spécificité régionale ou locale, soit la dissolution ou du moins la relativisation d'une identité francophone hautement revendiquée dans une pluralité de pratiques culturelles et linguistiques.

▶ COLLIARD L., *La culture valdôtaine au cours des siècles*, Aoste, 1976. — VIATTE A., *Histoire comparée des littératures francophones*, Paris, Nathan, 1980. — Coll. : *La littérature valdôtaine au fil de l'histoire*, établi par R. Gorris, Aoste, Imprimerie Valdôtaine, 1993. — *Les cahiers du Rû* (Aoste), P. Lexert (éd.)

Dinah RIBARD

→ *Centre et Périphérie ; Études culturelles (Cultural studies) ; Francophonie ; Régionalisme.*

VALEURS

S'agissant de littérature, le mot « valeur » peut s'entendre en deux sens différents, selon que l'on examine les questions éthiques soulevées par les textes, ou leur qualité formelle. Soit l'on envisage la manière dont un texte met en jeu des opinions : en cette acception, la question des valeurs en littérature est inscrite dans les débats sur la doxa et l'idéologie. Elle se manifeste à l'égard de la littérature par la sanction morale, la censure et la législation. Mais « valeur littéraire » désigne plus précisément l'appréciation des œuvres selon les jugements esthétiques, en fonction de critères qui font qu'on les classe comme belles ou non.

Pour Platon, le Beau, le Bien et le Bon étaient liés : la vraie esthétique (le Beau) était référable à une éthique (au titre de quoi, dans sa *République*, les poètes – qui composent sous l'effet de l'inspiration divine et sont donc « irresponsables » – doivent être soumis aux philosophes, juges du Bon et du Bien). Aristote, dans la *Poétique*, jette les bases d'une hiérarchie des genres littéraires, en considérant à la fois la réalisation (la qualité des œuvres) et la fonction (leur statut social), lié à des considérations sur l'efficacité de la catharsis, et donc à une évaluation en termes d'utilité. Longtemps, l'idée de la concordance entre le sujet et le registre a constitué ainsi une base de l'évaluation littéraire : l'idée de convenance entre sujet et forme est réitérée aussi bien par Horace dans l'antiquité latine qu'ensuite, dans la latinité tardive, par l'image de la « roue de Virgile ». Et corrélativement l'idée que la littérature, et les arts en général, ont une vocation éducative. Les deux sont aussi associées, dès Rome, avec l'idée d'imitation des grands prédécesseurs. Si les arts poétiques médiévaux font largement défaut, la doctrine aristotélicienne semble être restée dominante dans cette période et, de la Renaissance au milieu du XIXe s., la valeur littéraire se définit de manière certes variable, mais reste toujours liée à l'ethos (ce qui est bon pour l'homme) et à la doxa (ce qui est admis par le corps social) : ce qui se traduit par les recommandations de l'« instruire et plaire », de l'imitation des Anciens et de la distinction des genres. La période romantique propose un renversement de cette axiologie, et donc une transformation des genres et des codes d'écriture : l'originalité et l'invention de formes inédites sont alors valorisées. Au même moment, la littérature en langue française devient, en France, un objet légitimé par l'École et de plus en plus largement diffusé. L'autonomisation accrue du champ littéraire fait que pour les théoriciens de l'art pour l'art la littérature s'impose comme valeur en soi, indépendamment de son message moral. Dès lors, des formes et des contenus considérés comme incompréhensibles par la majorité du public peuvent se retrouver au faîte de la hiérarchie des valeurs : ainsi de l'hermétisme d'un Mallarmé. Le désancrage des codes de la doxa sociale fait aussi que l'immoralité d'un Marquis de Sade ou l'abjection d'un Céline peuvent être défendues comme les preuves mêmes de la distinction nécessaire entre jugement moral et jugement esthétique. En parallèle, les règlements imposés à la production littéraire (censure) se sont assouplis – sans disparaître. Mais la littérature engagée et les débats de la fin du XXe s., sur la « nouvelle fiction » par exemple, attestent que les tensions entre une valorisation d'ordre purement esthétique et un jugement fondé sur la portée morale des œuvres persistent.

Les valeurs peuvent être explicites, sous forme de prescriptions, de normes : les arts poétiques et la critique en sont le lieu par excellence pour les valeurs esthétiques, la législation sur la littérature pour les valeurs doxiques. Elles peuvent aussi être implicites, relevant alors des habitus et ethos, des usages, morales, voire de l'inconscient.

Si l'on considère que toute pratique relevant des échanges sociaux obéit à des finalités variées (politiques, religieuses, didactiques, polémiques, esthétiques ou commerciales...) et que chacune comporte un système axiologique (bon *vs* mauvais, beau *vs* laid, moral *vs* immoral...), tout texte se trouve évalué selon une éthique (dire le vrai...), une morale (dire le bien...) et une émotion esthétique qu'il procure ou non. Dès lors, ces pratiques peuvent également être évaluées en termes de moyens (l'adéquation des formes aux finalités). Les hiérarchies des valeurs varient ainsi historiquement, en fonction de ces critères, diversement mis en avant. On ne peut donc parler que de la relativité des valeurs, comme en atteste le panorama historique ci-dessus. Aussi, plutôt que d'évacuer la question dans une relativisation généralisée, il importe d'insister sur la diversité des réalités auxquelles conduit leur existence concrète : si certaines formes ont été temporairement valorisées (poésie épique, tragédie, puis roman...), si d'autres sont tombées en désuétude (la poésie didactique, la tragi-comédie...), si certains conflits entre niveaux de valeur ont émergé (un écrivain raciste peut-il être un grand écrivain ? l'avant-garde charrie-t-elle des anti-valeurs sociales ?), ces débats sont ceux-là même qui scandent toute l'histoire de ce que l'on appelle la littérature. Même l'affirmation de l'esthétique comme valeur en soi, donc de la valeur littéraire comme critère spécifique, s'inscrit en fait dans une part et dans un moment du champ littéraire. La question des valeurs ne peut donc dissocier les deux dimensions qui en sont constitutives, l'esthétique et l'éthique, sous peine de perdre de vue l'irréductible inscription du littéraire dans l'histoire.

▶ BOURDIEU P., *Les règles de l'art*, Paris, Le Seuil, 1992. — HAMON P., *Texte et idéologie. Valeurs, hiérarchies et évaluations dans l'œuvre littéraire*, Paris, PUF, 1984. — LAFARGE C., *La valeur littéraire. Figuration littéraire et usages sociaux des fictions*, Paris, Fayard, 1983. — MESURE S. (dir.), *La rationalité des valeurs*, Paris, PUF, 1998. — SAINT-JACQUES D., *Que vaut la littérature ? Littérature et conflits culturels*. Québec, Nota bene, 2000.

Józef KWATERKO, Paul ARON, Alain VIALA

→ *Adhésion ; Art pour l'art ; Arts poétiques ; Canon, canonisation ; Censure ; Champ littéraire ; Doxa ; Engagement ; Esthétique ; Éthos ; Idéologie ; Imitation ; Originalité ; Réception ; Registre ; Style ; Utilité.*

VARIANTE

Le terme de *variante* a été diffusé par la philologie allemande du XIXe s. Éditant des textes anciens ou médiévaux, celle-ci s'attachait à reconstruire le *Urtext*, version première de l'auteur, déformée ensuite par les copies successives des scribes. Tout ce qui s'éloignait de cette reconstruction était variante, classée dans un apparat critique annexe. Le terme a été repris par les diverses philologies européennes, souvent à propos d'œuvres modernes ; en compagnie de correction, repentir, etc., il désigne ce qui dans le manuscrit conduit, sous la plume de l'écrivain, à la version ultime confiée à l'imprimeur, ou, dans les éditions, les changements apportés par l'auteur, d'une impression à l'autre.

Ainsi couramment utilisé, le terme présente bien des inconvénients. Il est tout d'abord ponctuel et parcellaire. Héritier d'une pensée du mot, et non pas du texte, il voit le mouvement de l'écriture – remaniements d'un copiste, corrections de l'auteur – comme une accumulation de détails : interventions locales et sans ordre. C'est contre ce pointillisme que la *Critica delle varianti* italienne, au XXe s., a voulu réagir. Illustrée par de brillants érudits, jouissant d'un riche patrimoine de manuscrits autographes (depuis Pétrarque), fortement inspirée par la linguistique contemporaine, cette école a placé l'examen des variantes au centre d'une critique structuraliste des textes. Elle voit dans la comparaison entre deux versions préparatoires d'une œuvre l'analyse de deux systèmes. Étude synchronique, qui examine le tissu de relations qui organise chaque état ; étude diachronique qui, une fois précisés les états successifs, montre les poussées diverses qui ont favorisé ces mouvements.

Pour les écrits médiévaux, l'emploi courant du mot « variante » est fâcheusement péjoratif. La philologie voit souvent dans la copie une dégradation, dans le scribe une machine défectueuse, dans les manuscrits conservés un résidu trompeur. Une variante qui ne contribue pas à restaurer la leçon originale est considérée comme fautive. C'est oublier que les textes médiévaux de langue vulgaire n'étaient concernés ni par la propriété littéraire, ni par le respect auctorial. Toute copie est en fait un remaniement, une adaptation, la réception d'une œuvre qui n'existe que dans ses réalisations. La variation est intrinsèque à une littérature dont la création, la transmission et la jouissance doivent encore beaucoup à l'oralité. L'école de la Philologie matérielle considère au contraire le manuscrit (codex) comme une entreprise esthétique collective (copiste, rubricateur, illustrateur, etc.) qui réalise une œuvre en la conformant à un goût (commande, ou autre). La variation textuelle d'un codex à un autre, étudiée dans un espace non hiérarchisé, exprime les nuances de l'interprétation, les lieux d'innovation des œuvres, elle ouvre la voie à une herméneutique de leur réception.

Pour les textes modernes, on désigne par « variante » soit la différence entre deux états préparatoires (brouillons, carnets, tapuscrits etc.), soit celle entre deux éditions d'une œuvre ; cela suppose une version de référence (généralement, la version imprimée acceptée par l'auteur, qui l'a pourvue d'un « bon à tirer »), par rapport à laquelle on établit la comparaison avec les autres états. La critique génétique replace la variante dans le processus de révision, elle relie la variation textuelle à l'ensemble des éléments formels et commutables du manuscrit (orientations du graphisme, signes divers), considère de façon non téléologique les mouvements complexes, et qui peuvent être contradictoires, de la genèse d'un texte.

La variante, conçue de manière positive et systématique, peut être un bon observatoire pour mettre au jour, qu'il s'agisse de l'aval (dans les écrits anciens ou médiévaux) ou de l'amont (dans les écrits modernes) d'une œuvre, le mouvement d'une écriture, ainsi que les forces qui diversement l'animent. Elle montre aussi l'instabilité des textes comme objets. D'autre part, une catégorie plus englobante de la variante peut être envisagée à l'échelon des formes d'édition : par exemple entre une version en « feuilletons » et une en livre ; une sans préface et une autre avec, etc. C'est alors l'œuvre entière qui apparaît comme en mouvement.

▶ CERQUIGLINI B., *Éloge de la variante, Histoire critique de la philologie*, Paris, Le Seuil, 1989. — CONTINI G., *Varianti e altra linguistica. Una raccolta di saggi (1938-1968)*, Turin, Einaudi, 1970. — GRÉSILLON A., *Éléments de critique génétique*, Paris, PUF, 1994. — NICHOLS S. & WENZEL S. (éd.), *The Whole Book. Cultural Perspectives on the Medieval Miscellany*, Ann Arbor, Univ. of Michigan Press, 1996.

Bernard CERQUIGLINI, Olivier COLLET

→ *Auteur ; Édition ; Génétique (critique) ; Manuscrit ; Philologie ; Texte.*

VARIÉTÉ

La « variété » est une esthétique littéraire diffuse, caractérisée par le mélange, la recherche d'associations inattendues ou, plus simplement, par le désir de liberté de l'auteur. Elle se situe le plus souvent du côté des textes d'idées ou de critique, dans l'espace de l'essayisme, mais en y joignant volontiers le récit et la fiction. En ce sens, on la distingue bien sûr des « variétés » qui désignent les productions de chansons à la mode.

Le nom de « variété » figure dans les titres de diverses œuvres, dont la plus célèbre est le recueil de Paul Valéry, *Variétés* (1924-1944), qui consiste en notes, essais, articles, préfaces ; un volume intitulé Mélange s'intercale dans cette durée (1939), mêlant poèmes et proses. Mais la variété apparaît bien avant, souvent sous d'autres titres (Mélanges, Miscellanées...). Elle est en particulier représentée par les *Diversitez* de Jean-Pierre Camus (1610-14) : elle constitue un vaste recueil, où des anecdotes et des nouvelles, voire des récits de fiction, peuvent voisiner avec des essais et des textes édifiants. Le souci d'édification est d'ailleurs le ciment de l'ensemble. Ce type de recueils variés abonde à l'âge classique. Ainsi au début du XVIIIe s., un abbé auteur amateur décide de nommer le volume où il rassemble ses textes – anecdotes, pensées, récits, poèmes – *le Je ne sais quoi*, pour marquer nettement le refus, ou l'impossibilité, de les rattacher à un genre. Plus largement, on trouve dans cette période de nombreux recueils hétérogènes d'un même écrivain, souvent désignés sous le nom d'« œuvres meslées », parfois sous celui de « pensées mêlées » ou encore, plus banalement, d'œuvres « diverses » ou « variées ». Ainsi chez Guez de Balzac par exemple (1644) ou, à la fin du siècle, chez Saint-Evremond. Tristan l'Hermite donne pour sa part des *Lettres mêlées* (1642), qui correspondent à cette esthétique mais se cantonnent au seul domaine épistolaire. La pratique, en France, a un modèle parfois revendiqué comme tel, toujours présent au moins en filigrane, Montaigne, et son écriture « à saut et à gambades » dans les *Essais* (1580). Elle a connu un moment d'apogée avec l'esthétique galante. Celle-ci a pour genre de prédilection la lettre galante, où prose et vers se mêlent, permettant de passer ainsi du gai au sérieux, selon le sujet. Mais plus globalement, la variété y a été cultivée dans le goût des genres mixtes, et y compris dans des gros volumes. La Fontaine en revendique l'usage, et sa *Psyché* (1669) peut passer pour un autre modèle de cette manière, puisqu'elle associe des réflexions sur l'art littéraire et une fiction mythique et fantaisiste à la fois. La veine s'en maintient au siècle suivant (Prince de Ligne, *Mélanges*, 1795-1811). Et dès lors, la « variété » est une des formes les plus répandues dans la critique littéraire comme dans la critique sociale (essais, chroniques).

Paradoxalement, la variété ne semble pas avoir eu les faveurs des romantiques et des écoles qui leur succèdent au XIXe s., alors même qu'ils récusent le système classique de distinction des genres. Hugo parle bien de « mélange », mais c'est pour exposer sa théorie de l'union nécessaire du grotesque et du sublime dans la représentation de héros problématique, et non pour désigner une esthétique. C'est plutôt alors du côté de la Fantaisie (voir cet article) que cette esthétique se manifeste (« fantaisie » en venant même à désigner un genre journalistique de remarques variées sur les sujets les plus divers). En revanche, l'esthétique de la variété et la pratique du mélange des genres et des sujets dans un même recueil, voire dans un même texte, a connu un regain d'intérêt au XXe s. Proust, avec ses *Pastiches et mélanges* (1919), y a participé. Valéry en est sans doute la figure la plus marquante, puisque, outre ses *Variétés* proprement dites, des recueils comme *Rhumbs – Notes et regards* (1926), *Autres Rhumbs* (1927), *Regards sur le monde actuel* (1931-1945) en relèvent pour l'essentiel. Alors, la variété souligne l'imprécision des frontières des genres (essai, réflexions ou pensées selon un autre titre encore de Valéry : *Mauvaises pensées et autres*, 1941-42), et fait que les frontières de la littérature, de la critique et de la critique moraliste et éthique sont brouillées. C'est cette idée également que marque la réédition sous le titre de *Variétés* (envisagé par l'auteur lui-même) de *L'air du temps*, 1945-62, de Roger Nimier (1999).

La variété se conçoit dans une logique de connivence entre auteurs et lecteurs : refusant les codes des genres, elle exige une capacité à passer d'un sujet à un autre, d'un ton à un autre, de façon rapide et libre. Aussi est-elle bien une esthétique, en ce qu'elle appelle une réaction « à réception ». Elle a souvent été liée à la présence d'un public mondain, désireux de divertissement plus que de conformités aux règles traditionnelles. Un des usages les plus répandus qui en a été fait a consisté, de la part d'auteurs qui désiraient soutenir certaines idées, à jouer de la diversité, de son aspect divertissant, pour amener leurs lecteurs à les suivre, sous des formes diverses, dans leur propagation d'opinions. Ainsi les *Diversitez* de Jean-Pierre Camus tendent à l'édification de leurs lecteurs, et surtout d'un lectorat qu'elles postulent principalement féminin, en les menant vers la dévotion par le plaisir de lectures assez brèves prises séparément, mais au total copieuses : ce lectorat n'aurait peut-être pas accepté des textes longs et didactiques, mais se laisse entraîner davantage – si l'on en juge par le succès – par des textes de longueur moindre et de ton et formes changeants, acceptant dès lors, implicitement, les idées qui sous-tendent cet ensemble. Dans ses usages modernes, la variété est devenue aussi un dialogue du moi de l'écrivain et du monde, en même temps qu'un dialogue avec les lecteurs (une part de l'œuvre de Barthes est placée sous ces auspices). Sous des dehors de littérature « mondaine », la variété est donc une fausse futilité.

▶ COSTE C., *Roland Barthes moraliste*, Villeneuve d'Ascq, Presses du Septentrion, 1998. — ROBIC DE BAECQUE S., *Le salut par l'excès. Jean-Pierre Camus (1608-1652), la poétique d'un évêque romancier*, Paris, Champion, 1999. — ROUART-VALÉRY A., JARRETY M. & BASTET P., *Paul Valéry, l'Intime, l'Universel*, Arles, Actes Sud, 1995. — VIALA A. et al., *L'esthétique galante*, Toulouse, SLC, 1989.

Alain VIALA

→ *Essai ; Esthétique ; Fragment ; Galanterie ; Je ne sais quoi ; Mélanges ; Pacte de lecture.*

VAUDEVILLE

Le vaudeville est une comédie légère, d'abord mêlée de couplets chantés, avec une intrigue fantaisiste pleine de quiproquos et de coups de théâtre. Au XIXe s., il évolue et devient la « pièce bien faite », forme importante du théâtre de boulevard.

Au XVe s., le vaudeville était une chanson populaire, gaie et satirique, sur des airs connus. Originaire de Normandie, le « vaudevire » (du nom de la ville de Vire) se répandit dans toute la France, et au XVIe s. le terme fut utilisé pour désigner toute chanson populaire de circonstance. Modifié en « vaudeville » au XVIIe s., il prit alors le sens plus précis de chanson du peuple parisien. À la fin du XVIIe s., la Comédie française et l'Opéra-Comique, théâtres nationaux, avaient obtenu qu'interdiction soit faite aux théâtres populaires qui se tenaient sur des tréteaux de la Foire Saint-Germain d'avoir recours au langage parlé. Ces derniers imaginèrent d'introduire dans des saynètes muettes des vaudevilles, affichés sur des pancartes, et que les spectateurs chantaient : ce furent les pièces en écriteaux. Quand les acteurs obtinrent des pouvoir les chanter eux-mêmes, le genre, étoffé par l'adjonction d'un texte en prose entre les couplets, prit le nom de comédie en vaudevilles ou opéra-comique. Il alliait merveilleux et facéties bouffonnes à l'italienne. Au fil du XVIIIe s., il connaît le succès et acquiert une forme plus construite.

Sous la Révolution, il prolifère au point qu'un théâtre parisien en prend le nom en 1792. Au XIXe s., il profite de l'engouement pour le spectacle et est le principal bénéficiaire de la naissance du grand public bourgeois. Face à la comédie en cinq actes et en vers qui évoluait dans le sens du sérieux, deux tendances majeures s'affirment. D'une part, le vaudeville anecdotique emprunte à l'actualité des faits-divers, prétextes à de petits tableaux de mœurs souvent sentimentaux et moralisateurs (par exemple *Fanchon la Vielleuse* de Bouilly et Pain, 1803) ; en relèvent aussi le *vaudeville de circonstance*, qui flattait le régime du moment, et les revues de fin d'année. D'autre part, le vaudeville-farce, comme *L'ours et le pacha* de Scribe (1820), donne dans le bouffon et le loufoque. Scribe, à la fin des années 1820, introduit dans le vaudeville les techniques de la comédie d'intrigue. Ainsi naît la *comédie-vaudeville*, pièce comique mais « bien faite », où l'intrigue progresse à grand renfort de quiproquos et de coups de théâtre, et dont *Le chapeau de paille d'Italie* de Labiche (1851) donne l'exemple. Le franc comique n'exclut pas la présence de traits de mœurs. Scribe, à la fin du Second Empire, abandonne aussi les couplets. Le vaudeville n'est plus alors qu'une comédie gaie reposant sur le comique de situation, dont l'aboutissement est *La dame de chez Maxim's* (1899) de Feydeau : tempo frénétique d'une cascade de quiproquos et de rencontres intempestives multipliés jusqu'à l'absurde. Réduits à de simples marionnettes, les personnages y figurent des types sociaux ridicules. Au XXe s., le vaudeville est le versant divertissant du théâtre de Boulevard. Il use et abuse du comique de situation, des ménages à trois autour d'un lit, et des mots d'auteur. Il connaît des succès immenses auprès du grand public (par exemple *Boeing-Boeing* [1960] de Camoletti). Parallèlement, son style scénique met le personnage au service du comédien-vedette.

Malgré son instabilité formelle et alors qu'il n'était à l'origine qu'une composition disparate conçue pour tourner des interdictions, le vaudeville est devenu au XIXe s. un véritable genre, et une part essentielle du théâtre de grande diffusion. Mais il est resté un genre avant tout scénique, visuel. Son but est de divertir, aussi il recherche de l'accord avec le public. De ce fait, ce genre populaire, à l'origine subversif et à peine toléré, est devenu sous le second Empire et la Troisième République une forme conventionnelle et conservatrice de théâtre petit-bourgeois.

Comme tel il a fait courir les foules. Symbole de conformisme idéologique, il suscite donc une forme de comique qui manifeste alors la toute-puissance de la connivence, le rire qui ne dérange pas la doxa, mais conforte l'adhésion du large public.

▶ AUTRUSSEAU J., *Labiche et son théâtre*, Paris, L'Arche, 1971. — FONT A., *Favart, l'opéra-comique et la comédie-vaudeville aux XVIIe et XVIIIe siècles*, Paris, Fishbacher, 1894. — GIDEL H., *Le théâtre de Georges Feydeau*, Paris, Klincksieck, 1979 ; *Le vaudeville*, Paris, PUF, 1986. — SOUPAULT Ph., *Eugène Labiche*, Paris, Mercure de France, 1964.

Marie-Claude CANOVA-GREEN

→ *Boulevard (théâtre de) ; Comédie ; Comique ; Revue ; Théâtre ; Théâtre populaire.*

VERS, VERSIFICATION

Le vers est une unité rythmique fréquemment utilisée dans la poésie. La versification désigne la théorie et les règles de composition du vers. Elle comprend la métrique qui est l'étude de la quantité des unités de mesure du vers, lesquelles sont appelées pieds en prosodie gréco-latine et syllabes en prosodie française. La prosodie, quant à elle, déborde le genre poétique et étudie la manière de prononcer les syllabes selon leur accentuation, leur force articulatoire et leur longueur – en français, la prosodie relève donc de la phonétique, alors que dans la scansion des vers latins et grecs, elle génère les règles de la métrique.

La conception gréco-latine a lié la nature des vers au genre et au registre pratiqués. Ainsi, depuis *l'Iliade* et *l'Odyssée* (VIe s. avant J.-C.) jusqu'à l'apparition du lyrisme personnel (Anacréon, Pindare), chaque genre et chaque sous-genre étaient affectés d'un mètre et d'une forme spécifiques : l'élégie, la satire, l'ode, mais aussi la tragédie et la comédie s'écrivaient selon une prosodie qui les distingue les unes des autres. La littérature latine a transposé cette approche générique du vers, tout en l'adaptant, avec Virgile (*L'Éneide, les Georgiques, les Bucoliques*, Ier s. avant J.-C.) et Horace (*L'art poétique*, 14 avant J.-C.) entre l'héroïque, le didactique et le familier. Les langues grecque et latine étant accentuelles, elles généraient des types de vers fondés sur la longueur et l'accentuation des pieds, qui incluent plusieurs syllabes en fonction d'un accent d'intensité – (ainsi le dactyle : ë-uu ; l'iambe : u'- ; le spondée : ë- -). La langue française n'a pas le même système d'accents et ne compte donc que le nombre de syllabes par vers. Du point de vue de la versification, le vers français se définit selon : 1° le mètre, c'est-à-dire le nombre de ses syllabes (l'hexa-, l'octo-, le déca- et le dodécasyllabe ou alexandrin, étant les mètres les plus courants), 2° le rythme, c'est-à-dire l'apparition récurrente de phénomènes accentuels, 3° la rime, c'est-à-dire la répétition à la fin de deux vers au moins d'un phonème ou davantage. La versification inclut aussi l'analyse de la forme– qu'elle soit fixe (sonnet, pantoum, ballade...) ou non (le verset) – c'est-à-dire du cadre qui détermine le choix du mètre, des rimes et du rythme, à l'intérieur d'une ou de plusieurs strophes.

Le vers français, au Moyen Âge, est influencé par une transformation du mode de diffusion de la poésie : chantée chez les grecs et les latins, elle est désormais déclamée et lue en ancien français. Ce qui diversifie les règles de composition, ainsi qu'en témoignent la multiplication des traités et des arts poétiques. Celui de Molinet (*L'art de rhétorique*, 1477-1492) décrète par exemple que le douzain est la forme adéquate pour les « histoires et oraisons richement décorées » ou que le virelai est la forme idéale des « chansons rurales ». Plus fondamental est le passage, au Moyen Âge, de la poésie assonancée (dans les genres didactiques et épiques, comme *La chanson de Roland*, fin XIe s.) à la poésie rimée qui apparaît dans la lyrique, au sein de formes fixes destinées au chant ou à la danse (entre autres chez G. de Machaut, Rutebeuf, Ch. d'Orléans, Villon) ou imitant ceux-ci.

Au XVIe s., la Renaissance et l'humanisme renouent avec les formes antiques en abandonnant celles du Moyen Âge. Du Bellay, dans sa *Défense et illustration de la langue française* (1549), entend bien se débarrasser de « ces vieilles poésies Françoyses [...] comme rondeaux, ballades, vyrelaiz, chantz royaulz, chansons et autres episseries, qui corrumpent le goust de nostre langue ». Ainsi, inspirés par Pétrarque, les poètes de la Pléiade font de l'alexandrin et du sonnet une forme idéale et noble de la poésie nouvelle, tout entière dévouée au Beau – préoccupation néoplatonicienne absente de la poésie médiévale.

Au XVIIe s., dans un désir de purification du français, Malherbe a combattu les facilités purement métriques en empêchant que la poésie se réduise à un pur compte de syllabes. *L'art poétique* (1674) de Boileau, qui devient la vulgate de la doctrine classique, codifie de manière normative la technique du vers : outre le rejet des trivialités et des vocables trop recherchés, l'interdiction de l'enjambement, de l'hiatus, de la césure, le mode du compte des syllabes, etc. sont autant de prescriptions qui transforment, rythmiquement du moins, le vers en prose versifiée (A. Vaillant). Une telle doctrine – que les poètes grotesques et galants de l'époque ne suivent pas sans réticence, ni La Fontaine – est largement liée à l'essor du théâtre, puisque le vers régit la tragédie et aussi en partie la comédie chez Corneille, Racine et Molière. Liée aussi à la recherche de la perfection raisonnée, qui subordonne l'idiosyncrasie du Je créateur à la phrase et au vers envisagés comme des normes.

Le XVIIIe s. prolonge l'esprit classique. Mais, peu à peu, le vers subit la concurrence de la prose. Si Diderot, dans *De la poésie dramatique* (1759), sépare prose et poésie, la première étant réservée à la philosophie, la seconde aux passions, une prose poétique, plus souplement apte à l'expression des sentiments, se développe avec J.-J. Rousseau. À la fin du siècle, Chénier proclame que : « L'art ne fait que des vers, le cœur seul est poète », mais rêve d'un retour à la prosodie antique.

Le romantisme, des *Méditations* de Lamartine (1820) aux *Contes d'Espagne et d'Italie* de Musset (1830), en passant par les premiers recueils de Hugo et de Vigny (1822) et *Vie, poésies et pensées de Joseph Delorme* de Sainte-Beuve (1829), même s'il renverse le rationalisme du vers classique au nom du Moi, du sentiment et de l'imagination, s'est contenté, semble-t-il, d'un aménagement des règles classiques. Cependant, l'atténuation de la césure médiane dans l'alexandrin, la souplesse dans le choix des rimes, l'enjambement, la création du trimètre (alexandrin en trois mesures), attestent d'une versification fortement oratoire (voire déclamatoire), liée à la vocation prophétique du poète.

On a pu voir dans l'emphase et les libertés que se donne le vers romantique les prémisses de la modernité. À partir de là, deux courants sont en présence. Le Parnasse (Th. Gautier, Leconte de Lisle, Sully-Prudhomme) renoue avec la versification classique, par rejet du romantisme. Ce modèle se perpétue, notamment à l'usage des apprentis poètes : en 1872, Théodore de Banville publie un très populaire *Petit traité de poésie française* (rééd. 1894) qui fut l'art poétique de la IIIe République. Mais Baudelaire inaugure une autre tendance. Non seulement il ironise, à même le vers, sur les règles (classiques et romantiques) qu'il tourmente à souhait (entre autres par l'emploi dissymétrique de l'enjambement), mais surtout il inscrit dans le champ de la poésie le non-vers, *Les Fleurs du Mal* (1857-1868) trouvant une réplique dans *Les petits poèmes en prose* (*Le spleen de Paris*, 1869). C'est donc lui qui le premier a « touché au vers », selon le mot de Mallarmé, et ainsi donné un souffle nouveau à la poésie moderne qui, parallèlement à sa libération formelle, s'adjuge de nouveaux répertoires thématiques. Verlaine, Rimbaud, Corbière, Mallarmé, Laforgue continuent après lui de rimer des vers, mais en portant atteinte chacun à sa manière à la tradition. Claudel, au tournant du siècle, se moque de « l'accoutrement arithmétique » du vers à la faveur du souffle rythmique du verset. D'une certaine manière, ces poètes d'après 1870 sonnent le glas de la versification comme art poétique, même si le vers régulier ne disparaît pas pour autant (comme le montre Valéry au XXe s.) et que subsiste une sorte de vers mi-libre, mi contraint qui est une des marques du « poétique ».

Pour l'essentiel cependant, au XXe s., la versification cesse d'être liée aux enjeux idéologiques qui étaient ceux de la poésie jusqu'à Baudelaire. La libération du vers dont le XIXe s. a été le théâtre s'achève, en passant par l'Esprit Nouveau d'Apollinaire, avec le surréalisme pour qui la question du vers n'a plus de sens. Elle va de pair avec l'autonomisation du domaine poétique, le seul à s'être créé, fût-ce théoriquement, ses propres procédés d'engendrement – au-delà des règles et des prescriptions qui ont cependant fait toute son histoire : depuis l'écriture automatique des *Champs magnétiques* (1920), la poésie est hors vers et hors prose, d'autant plus qu'elle a multiplié ses sources de composition en dehors du langage verbal (poésie sonore, poésie lettriste, collages). C'est à coup sûr la notion de rythme, « facteur constructif du vers » comme l'avait montré Tynianov en 1924, qui résiste le plus à l'histoire de la versification moderne tout en échappant à toute théorisation normative (comme le montre H. Meschonnic).

L'histoire de la théorie du vers a donné lieu à deux approches. L'une est technique et normative : elle vise à l'élaboration des règles de composition formelles de la poésie et a pour modèle l'art poétique ; c'est le domaine de la versification. L'autre est interprétative : elle donne un sens historique à une sorte de grammaire évolutive de ces mêmes règles en regard des transformations esthétiques du genre ; elle s'occupe des théories du vers, dans une inspiration souvent formaliste. Depuis les travaux de B. de Cornulier, dans les années 1980, fondés sur des tests psychométriques, la versification renouvelle ses approches sans le souci didactique qui de longue date l'a marquée. La difficulté majeure, en la matière, est de donner du sens à de la forme. Aucune sémantique propre du vers n'est envisageable ; mais les marques formelles qui constituent ce dernier peuvent s'interpréter dans l'économie sémiotique générale du poème, puisqu'elles sont potentiellement douées d'effets de sens (de « signifiance ») comme n'importe quelle autre unité. Jakobson et Lévi-Strauss dans leur analyse des « Chats » de Baudelaire et plus tard les essais de sémiotique poétique de Greimas et de Riffaterre tentent de rendre compte de cette fonction de la versification.

▶ CORNULIER B. de, *Théorie du vers. Rimbaud, Verlaine, Mallarmé*, Paris, Le Seuil, 1982. — GREIMAS A. J. (dir.), *Essais de sémiotique poétique*, Paris, Larousse, 1972. — KIBEDI-VARGA A., *Les constantes du poème*, Paris, Picard, 1977. — RIFFATERRE M., *Sémiotique de la poésie* [1978], trad. J.-J. Thomas, Paris, Le Seuil, 1983. — ROUBAUD J., *La vieillesse d'Alexandre : essai sur quelques états récents du vers français*, Paris, Maspero, [1978], 1988. — TYNIANOV I., *Le vers lui-même* [1924], trad. J. Durin et al., Paris, UGE, 1977.

Jean-Pierre BERTRAND

→ *Arts poétiques ; Automatisme ; Modernité ; Poésie ; Poète ; Prose ; Romantisme ; Rythme.*

VILLANELLE → Formes fixes

VIRELAI → Formes fixes

VISION DU MONDE

Empruntée au vocabulaire de l'esthétique classique allemande (Kant, Goethe, Hegel) par la critique marxiste (G. Lukàcs et L. Goldmann), la notion de « vision du monde » (*Weltanschauung*) désigne la conscience d'un groupe ou d'une classe sociale. Une part de la critique marxiste y voit un concept explicatif intervenant comme médiation (une *homologie*) entre les structures de l'œuvre littéraire et l'espace mental d'un groupe social qui détermine sa genèse. Pour Goldmann, la vision du monde est une structure englobante (un ensemble d'intérêts, de valeurs sociales, de sentiments et d'aspirations, conscientes ou non) qui se manifeste sur un mode implicite dans l'imaginaire d'une collectivité et que seuls les grands textes philosophiques et littéraires peuvent dégager par « le maximum de conscience possible du groupe social qu'ils expriment » (Goldmann, 1959, p. 27).

Le terme de vision du monde comporte une connotation humaniste et idéaliste proche du sens le plus étendu de « philosophie ». En France, dans la décennie 1950-1960, son emploi dans la théorie marxiste de la société répond à une volonté de lutter à la fois contre le projet structuraliste et contre la sociologie empirique des faits littéraires. Sa conceptualisation par Goldmann doit autant à la catégorie de la totalité de Hegel (les phénomènes isolés renvoient à une totalité historique dans laquelle ils prennent sens) qu'à l'esthétique marxiste de Lukàcs (les catégories du « reflet » et du « typique », la dialectique de la forme et du contenu) et à la pensée de Max Weber (les notions de « type idéal » et de « possibilité objective »). Dans *Le Dieu caché* (1955), Goldmann montre que la même « vision tragique » (comprise comme un tout cohérent, englobant des valeurs et des normes) qui imprègne l'éthique de Pascal et l'esthétique de Racine structure la pensée du groupe janséniste de Port-Royal laquelle, plus globalement, correspond à l'idéologie de la noblesse de robe au XVIIe s., écartée du pouvoir, des privilèges et angoissée par l'idée d'un « Dieu » arbitraire. La vision du monde apparaît comme une « structure significative globale » qui permet au sociologue de la littérature de saisir une attitude face aux données sociales et économiques d'une société. Dans *Pour une sociologie du roman* (1964), Goldmann abandonne pourtant le concept de vision du monde comme critère de validation du sens (et de la valeur) de l'œuvre au profit de celui de médiatisation (emprunté à René Girard), plus apte à rendre compte des structures du roman moderne, liées à l'individualisme bourgeois, mais renfermant une critique de la réification des valeurs dans le monde capitaliste. En 1973, J. Leenhardt va reprendre le schéma explicatif goldmanien en rapprochant les structures sémantiques du Nouveau Roman non pas de la vision du monde d'une classe concrète, mais des mythes dégradés propres à l'idéologie bourgeoise de la IIIe et de la IVe République.

Le concept de vision du monde a eu un fort impact sur la lecture du texte littéraire comme objet esthétique et comme objet social. Pourtant l'idée qu'une œuvre soit la transposition littéraire d'une vision du monde collective a appelé plusieurs critiques à la fois sur le plan conceptuel (parce qu'elle en faisait un critère essentiel de la valeur esthétique et parce qu'elle ramenait directement la littérature à la structure des classes sociales) et sur le plan méthodologique (parce qu'elle privilégiait le seul « contenu » – idées, actions, thèmes , souvent à partir d'une série limitée d'œuvres, et qu'elle se révélait inapte à rendre compte des médiations linguistiques et institutionnelles des textes littéraires).

▶ GOLDMANN L., *Le Dieu caché*, Paris, Gallimard, 1955 ; *Recherches dialectiques*, Paris, Gallimard, 1959. — LEENHARDT J., *Lecture politique du roman. « La jalousie » d'Alain Robbe-Grillet*, Paris, Minuit, 1973. — ZIMA P.-V., *Manuel de sociocritique*, Paris, Picard, 1985.

Józef KWATERKO

→ *Idéologie ; Marxisme ; Médiation ; Reflet (théorie du) ; Sociologie de la Littérature ; Structuralisme.*

VOCABULAIRE

En français, il n'y a pas de vocabulaire littéraire spécifique – même si l'on entend parfois l'expression « c'est très littéraire ». Aussi il sera traité ici des usages littéraires du vocabulaire.

L'enjeu que constitue le vocabulaire apparaît, pour la langue française, quand celle-ci est traitée comme capable de rivaliser avec la langue savante, le latin : à la Renaissance, des hommes de Lettres, en particulier le groupe de la Pléiade, revendiquent la dignité de la langue française comme langue de culture et de littérature (Du Bellay, *Défense et illustration de la langue française*, 1547). Ces vues s'inscrivent dans un mouvement d'ordre politique, interne – avec l'imposition du français dans les textes administratifs et juridiques par l'Édit de Villers-Cotterêts en 1539 – et externe – dans l'affirmation des revendications françaises sur l'Italie. Les littérateurs s'efforcent alors d'enrichir la langue, en formant des mots par étymologie savante ou par composition, en ajoutant des préfixes et des suffixes – ainsi Ronsard use volontiers des diminutifs *-et*, *-ette*. Au début du XVIIe s. apparaît une attitude puriste inverse. Elle vise non à ajouter des mots, mais à chercher davantage de précision pour ceux qui existent, et à exclure les mots jugés trop « bas », trop vieillis, trop techniques ou trop pédants. Le rôle de premier animateur de ce mouvement est généralement reconnu à Malherbe. Boileau (*Art poétique*, 1674) insiste sur son apport : « Par ce sage écrivain, la langue reparée / N'offrit plus rien de rude à l'oreille épurée ». L'embellissement de la langue (« parée ») est conçu là comme un retour à l'essentiel (« re-parée »), en accord avec le goût du public (qui a « l'oreille épurée »). La fondation de l'Académie française (1635) attribue à celle-ci un rôle de législateur de la langue : ses Lettres patentes lui prescrivent de « rendre la langue pure et capable de traiter des arts et des sciences ». La rédaction d'un dictionnaire est à cet égard l'entreprise majeure. Il y a eu ainsi une conjonction objective entre le courant puriste, l'académisme et l'instauration de la norme linguistique.

Reste que la réalisation du dictionnaire fut difficile, longue (la première édition ne sort qu'en 1694), sujette à polémiques et aboutit à trois dictionnaires concurrents au lieu d'un (le *Richelet*, 1680, et le *Furetière*, 1690, ayant précédé celui de l'Académie). Au long de ce demi-siècle, les polémiques sur les mots vieux et nouveaux (par exemple sur le fait de savoir s'il valait mieux « car » ou « à cause que »), sur les mots bas ou d'euphonie mal venue (ainsi les précieux se défiaient des mots dont la sonorité pouvait évoquer des parties « basses » du corps) n'ont pas cessé.... Et les choix des dictionnaires manifestent des conceptions divergentes du vocabulaire. L'Académie et le Richelet ne retiennent qu'une part des mots français, ceux qui sont modernes et élégants ; Furetière, lui, enregistre aussi les mots vieillis et les mots techniques – et donc souvent populaires puisque relevant du lexique des métiers. La dominante s'est ainsi affirmée du côté de la réduction du vocabulaire légitime, donc du vocabulaire employé en littérature. Racine, qui utilise un nombre restreint de mots, est tenu comme le modèle de l'élégance d'expression. Cette restriction était renforcée en littérature par le fait que les contraintes de la versification excluaient certains mots à l'intérieur des vers, où ils auraient provoqué des hiatus (ainsi le mot « épée », par exemple, par son « e » final). Jointes aux figures passées en usages, ces limites imposées ont donné un lexique littéraire assez repérable, du moins dans les textes versifiés (ainsi « fer » pour remplacer « épée »). Ce mouvement est associé à l'idée qu'en effet des mots sont plus nobles que d'autres, mais aussi à celle que le français est une langue très aboutie, bénéficiant des qualités de clarté, de logique et de précision. Son vocabulaire est envisagée selon ces trois critères, et la condamnation des mots et expressions ambigus ou équivoques est maintes fois répétée (ainsi Boileau, *Satire XII*, 1709 dénonce l'équivoque dans le langage comme signe d'une duplicité dans l'ordre éthique).

La clarté et la supériorité de la langue française est un thème largement présent au temps des Lumières, jusqu'à *L'excellence de la langue française* de Rivarol (1784). Elle va de pair avec la suprématie politique et culturelle de la France, et le fait est que le français est alors la langue internationale des diplomates mais aussi des classes cultivées. De sorte que le vocabulaire ne reçoit alors que peu d'apports étrangers. La Révolution favorise encore la diffusion du français, par ses conquêtes militaires et par l'expansion des idées démocratiques. Sous la Restauration, les Romantiques réagissent contre le modèle restrictif, et Hugo se vante d'avoir « mis un bonnet rouge au dictionnaire » (« Réponse à un acte d'accusation », *Les contemplations*, 1856) : c'est à dire d'avoir rendu place dans la littérature aux mots populaires, et par là même, au peuple. Ces mots n'en avaient pas disparu, mais leur usage se bornait aux textes burlesques, puis libertins, incluant y compris de l'argot. Mais avec Hugo, puis Balzac, s'amorce une ouverture au langage populaire et argotique dans la littérature légitime même. Hugo le tente quelque peu dans la poésie, mais c'est surtout le roman qui en est le vecteur. De fait, tandis que le courant de l'art pour l'art tend à refermer le vocabulaire, les romanciers, Zola par exemple, accordent droit de cité au langage de la rue, du corps et des métiers – et sont souvent critiqués pour cela. En réaction, le Décadentisme (Huysmans, dans *À Rebours* par exemple) et le Symbolisme (ainsi Mallarmé) cultivent la quête du mot rare, pour les associations inattendues que ses sonorités procurent, et la suspension du sens que son étrangeté suscite. En cela, ils voisinent, sans se confondre pour autant avec sa tentative, avec Rimbaud qui rêvait de (re) « donner un sens plus pur aux mots de la tribu ». Ces deux voies, liberté de la prose et recherche de la poésie, dessinées depuis longtemps mais affirmées dans leur distinction au milieu du XIXe s., se prolongent ensuite. La langue orale, familière, populaire, remplie d'onomatopées, est le domaine qu'explorent par exemple les romans de Céline. L'argot se fait une large place dans le roman policier ; dans le domaine théâtral, l'écriture subversive de Jarry adopte des mots et expressions orduriers, en les déformant (« merdre »). La poésie surréaliste préfère les mots rares mais des surréalistes dissidents, engagés et « populaires » comme Prévert, donnent aux mots du quotidien une résonance poétique. Dans la production littéraire prolifique de la seconde moitié du XXe s., toutes les nuances sont ainsi présentes. On y note cependant que le roman a connu une tendance à la restriction, dans l'écriture dite « blanche » (chez Camus, ou chez A. Ernaux par exemple), pour affirmer sa dignité. En revanche, dans la même période, des écrivains des Antilles ou du Québec, pour affirmer leur identité culturelle, ont donné place à des vocables ou des variantes (ainsi du créole, du « joual », des « irréguliers » belges) qui marquent leur différence d'avec le modèle parisien. Mais une autre influence se fait sentir : les médias de grande diffusion, en particulier audiovisuels, usent d'un vocabulaire qui tend à se restreindre en même temps qu'à adopter des termes anglo-saxons à la mode : le littéraire se trouve alors amené à se situer soit dans le suivisme de cette tendance, soit comme pôle de vitalité spécifique de la langue (en quoi le Québec constitue un cas particulièrement significatif).

La syntaxe peut être torturée, soumise à inversions et ruptures, réduite à la parataxe élémentaire, mais en revanche, sans vocabulaire, la littérature ne dispose plus de sa matière même : il n'y a pas de littérature sans mots. Ce constat permet de repérer au moins trois sortes de difficultés.

La première tient à l'histoire même de la langue et de ses normes. Celles-ci ont été très tôt fondées sur la référence au littéraire. Le « bon usage », selon Vaugelas, correspond à « la façon de parler de la plus saine partie de la Ville [Paris] et de la Cour, conformément à la façon d'écrire de nos meilleurs écrivains » (*Remarques*, 1647). L'Académie qui fixe le premier état de la norme est une assemblée de littérateurs : elle s'est demandé, à ses débuts, si elle devait donner des citations d'auteurs pour fonder ses définitions, mais y a renoncé ; elle-même réunion d'auteurs, ses définitions étaient de fait l'expression de la langue des auteurs ; et elle est intervenue même dans des discussions qui se tenaient dans des salons. Cette référence littéraire de la norme a persisté. Ainsi au XIXe s., Littré explique que pour son *Dictionnaire* : « Le commencement était de rassembler force exemples pris dans nos classiques et dans les textes d'ancienne langue [*i. e.* l'ancien français] » (*Comment j'ai fait mon dictionnaire*, 1880). « Commencement » dit bien que les exemples ne viennent pas « illustrer » les définitions, mais les précèdent et les orientent. Dès lors, des mots relevant de la terminologie littéraire (« style » ou « genre » par exemple) paraissent d'usage « naturel » en français. Cet état de fait retentit sur l'apprentissage du vocabulaire par les enfants : l'École est tenue de leur donner accès à une norme qui peut ne pas avoir grand rapport avec celle de la vie familiale et quotidienne au sein de laquelle ils ont appris leur langue.

Une deuxième difficulté est celle de l'orthographe. Celle-ci, exigée par l'essor de l'imprimerie qui rendait indispensable un code commun stabilisé, a été fixée avec force références à l'étymologie, donc sur un modèle « lettré ». De sorte que l'orthographe lexicale en France est constamment objet de débats entre les tenants de sa simplification (pour qui les lettres qui ne s'entendent pas sont des complications inutiles) et les tenants de sa conservation (attentifs aux graphies qui évoquent les origines et donc l'histoire du mot) : la pratique de la dictée cristallise ce débat.

Enfin, en matière de langue, il existe une distorsion entre l'usage créatif du littéraire et son usage à réception, et à réception scolaire notamment. L'idée que « lire, c'est enrichir son vocabulaire » est certes vraie, à condition que l'on dispose déjà d'un certain vocabulaire pour entrer dans les textes. Mais la surdétermination littéraire du lexique légitime risque de freiner l'accès à la lecture, et de se retourner contre la littérature en limitant son audience possible. Du côté de la création en revanche, autant qu'en un « emploi » des mots, le rôle de la littérature consiste en leur interrogation, et par là leur réactivation. Les métaphores, le retour sur les valeurs étymologiques, les figures en général, supposent une réactivation du sémantisme. Sartre, notamment, a donné une synthèse de ce fait dans la première partie de « *Qu'est-ce que la littérature ?* » (*Situations II*, 1948) à propos de la poésie. Ainsi le projet de Rimbaud est un enjeu crucial de la littérature. Enjeu social et identitaire : au Québec par exemple, la lutte pour l'emploi de termes français contre les anglicismes est une lutte pour l'identité nationale. Mais aussi enjeu de pensée. Aujourd'hui, des auteurs en proposent une vue plus large encore, disant que la découverte du langage comme espace de connaissance du monde exige que l'on admette que *Tous les mots sont adultes* (F. Bon, 2000).

▶ BRUNOT F. (& al.), *Histoire de la langue française des origines à nos jours*, Paris, A. Colin, 13 tomes, [1905], 1953. — LITTRÉ E., *Comment j'ai fait mon dictionnaire*, [1880], Arles, Arléa, 1995. — MERLIN H., *L'excentricité académique*, Paris, Les Belles-Lettres, 2001. — PICOCHE J., MARCHELLO-NIZIA C., *Histoire de la langue française*, [1989], Paris, Nathan (3e éd. revue et corr.), 1994. — SARTRE J.-P., *Situations, II*, Paris, Gallimard, 1948.

Alain VIALA

→ *Académies ; Code ; Etymologie ; Figures ; Grammaire ; Identitaire ; Langue française (Histoire de la) ; Niveaux de langue ; Poésie ; Sémantique ; Style ; Terminologie.*

VOYAGE

La littérature de voyage comprend l'ensemble des écrits qui sont en relation avec le fait de voyager : formule qui n'est tautologique qu'en apparence, car la diversité de l'expérience du voyage, de ses buts et du sens qu'on lui prête a donné lieu à une production foisonnante. Des textes de nature et de formes différentes convergent ainsi dans une thématique, mais, au-delà, sont unis par une même problématique du « moi » et du monde.

Avec l'*Odyssée* d'Homère et les écrits d'Hérodote, voire avec l'Exode biblique, plusieurs textes fondateurs de la littérature occidentale relèvent du rapport avec le voyage. Celui-ci y est envisagé dans son acception concrète aussi bien que d'un point de vue symbolique. En France, les récits médiévaux de pèlerinages superposent ainsi à l'expérience vécue d'un « chemin » l'itinéraire spirituel de la vie de l'homme sur terre. Mais jusqu'à la fin du Moyen Âge, ces textes ne relèvent pas d'un genre littéraire déterminé ; ils sont placés sous le signe de la quête, avec de fortes connotations religieuses, et empruntent même la forme de l'allégorie. La réalité concrète devient plus présente dans la relation de voyage en Chine de Marco Polo (*Devisement du monde*, 1298). À la Renaissance, avec la découverte du Nouveau Monde, le voyage devient occasion d'interroger le connu à partir de l'inconnu. Les textes sont souvent ceux de missionnaires ; les jésuites, particulièrement actifs en ce domaine pendant deux siècles, donnent des *Relations* qui révèlent des parties inconnues du monde, et vantent l'expansion du modèle occidental et chrétien. Le récit de voyage devient, dès ce moment, à la fois support pédagogique et instrument d'interprétation. Comme on le voit chez Montaigne (chap. *Des coches, Des cannibales*), il offre alors l'occasion d'une démarche intellectuelle subjective qui peut déboucher sur une relativisation de la civilisation à laquelle on appartient. Celle-ci n'est plus envisagée que comme un cas parmi d'autres, et ses imperfections se dévoilent au contact de normes différentes. Ce genre de récit croise alors l'utopie, fondée sur un voyage imaginaire. Au XVIIe s., chez Cyrano de Bergerac (*L'autre Monde*, 1657) elle permet de façon détournée, sur un mode burlesque, de critiquer les usages occidentaux et d'affirmer la véracité de théories scientifiques contestées, comme le système copernicien. Une transformation du regard se manifeste : les narrateurs de nombreuses « relations » parcourent des terres imaginaires où ils projettent leurs désirs, leurs craintes ou leurs espoirs (Foigny, Veiras). Le voyage fictif peut alors atteindre, au sein du roman, au statut de motif autonome : au-delà du cliché des navigations et pérégrinations, une géographie imaginaire dessine des itinéraires représentant une utopie éthique et amoureuse (ainsi la *Carte de tendre* dans *Clélie* [1654-1661] de Melle de Scudéry), voire l'image du champ littéraire naissant (Furetière, *Nouvelle allégorique*, 1658). Cependant, le voyage offre surtout une voie d'exploration, ouvrant sur de nouvelles connaissances, ou un terrain de vérification de savoirs encore théoriques. Au XVIIIe s., cette opération se fait aux dépens du merveilleux ; les écrivains voyageurs sont soucieux de comprendre les phénomènes qu'ils retracent en bannissant, par la logique ou par la moquerie, d'anciennes explications fondées sur des croyances invérifiables. Le dialogue de Lahontan « avec un sauvage d'Amérique » – sans doute fictif – exalte ainsi le profit de se confronter à l'Autre. Le roman des *Lettres persanes* (1721) de Montesquieu porte à un apogée le processus critique : ses orientaux sont sans cesse étonnés, voire choqués, par les usages français. Plus que tout autre, l'univers du « sauvage » déstabilise les Européens : ainsi, chez Diderot ou l'abbé Raynal, le contact avec d'autres modes de pensée et de comportement impose de réviser les jugements et les croyances. Au XIXe s., deux enjeux dominent : le voyage en Orient, à la fois quête d'étrangeté et pèlerinage (Chateaubriand, Nerval), et la colonisation. Celle-ci produit une littérature abondante d'exotisme et d'héroïsme facile ; mais le regard porté sur les colonies aboutit également à des aveux d'incompréhension, voire d'impuissance. En sens inverse, du point de vue des colonies (Québec, Caraïbes, Maghreb), le voyage vers la métropole permet de prendre conscience d'une identité devenue distincte et il incite parfois à fonder une littérature nationale. Ces pratiques suscitent un élargissement de la palette des formes d'écriture du voyage. D'un côté, carnets, notes, lettres ou journaux, dont la volonté affichée est de réduire au minimum la distance entre l'événement et le texte ; de l'autre, des récits composites, qui tentent de synthétiser veine pittoresque et vocation pédagogique, en cumulant des aperçus littéraires, artistiques, historiques, politiques, voire allégoriques ou poétiques (*Le voyage d'Urien*, 1892, de Gide). Le récit de voyage remplit aussi bien une fonction de distraction – il se rapproche alors du roman d'exploration et d'aventures – que d'instruction – *Le tour du Monde en 80 jours* (1872) de Jules Verne associe les deux –, affichant souvent, dès le titre, les aspects qu'il privilégie (voyage « historique », « économique »...). Une floraison éditoriale de revues, de collections à large diffusion, de guides, répond à la curiosité provoquée par un monde encore en découverte. Au XXe s., la littérature de voyage connaît un déclin progressif, ou tout au moins une remise en question. Le développement des moyens de transport, du tourisme et des télécommunications restreint le sentiment de l'inconnu, et l'audio-visuel concurrence fortement la littérature en ce domaine. Si l'édition propose de multiples collections spécialisées : guides et publications thématiques, historiques, anthropologiques, elle diffuse aussi des récits de voyage « classiques » à lire en préparation à un projet touristique, ou à déguster « sur place ». Les écrivains voyageurs, dès lors, tiennent souvent à s'opposer à ceux qui les avaient précédés et accentuent le caractère subjectif de leur propre expérience. Il n'est pas rare qu'ils aboutissent à une contestation radicale du voyage lui-même. Les lieux du récit de voyage s'en trouvent bouleversés : les écrivains ne relatent plus, comme au XIXe s., leur passage dans des endroits symboliquement forts aux yeux de la culture occidentale, mais explorent volontiers des endroits méconnus et « sans histoire ». Apparaît ainsi une nouvelle forme du rôle contestataire de la littérature de voyage : avec la *beat generation*, notamment aux États-Unis, le récit de voyage fait en quelque sorte figure de « contre-genre » (Kérouac).

La littérature de voyage pose une triple question. Elle implique une interrogation anthropologique et philosophique, en ce qu'elle est relation d'un contact avec l'ailleurs et l'altérité. Elle suscite une interrogation sur les frontières assignées au littéraire : les journaux, carnets de bord, lettres ou relations rétrospectives de voyageurs peuvent constituer aussi bien des documents authentiques que des textes d'ordre esthétique. Le choix de les inscrire ou non en littérature peut relever de la volonté de leur auteur, mais bien souvent ne dépend que de la tradition : ainsi le *Voyage en la terre du Brésil* (1578) de Léry figure dans des programmes d'études littéraires alors que sa raison première n'est pas une intention esthétique (voir F. Lestringant, *Jean de Léry ou l'invention du récit de voyage*, Champion, 1999). La fiction n'est donc pas non plus un critère décisif en la matière. Du coup, et c'est la troisième interrogation, la littérature de voyage forme un ensemble de cohérence incertaine et pourtant perçu comme tel dans les pratiques. Dès lors, son unité réside dans l'expression du « moi » voyageur. Elle s'éclaire par l'histoire même de cette production. Alors qu'on l'a longtemps compris comme une épreuve à valeur morale, le voyage devient à la Renaissance, dans une perspective humaniste, un moyen de plaisir d'un individu cultivé et curieux qui, par la comparaison des coutumes d'autrui aux siennes, parvient à acquérir une sagesse nouvelle. Ce changement de perception confère au récit de voyage ses lettres de noblesse. Son statut reste néanmoins ambigu : il relève alors de la vaste catégorie humaniste de l'Histoire, au confluent de divers discours conjuguant description et narration. Toutefois, au XVIIe et au XVIIIe s., à mesure que le savoir scientifique s'autonomise, l'appartenance du genre à la sphère des Belles-Lettres se fait plus nette : soumise à des impératifs d'ordre esthétique, parce qu'elle doit séduire son lecteur, l'écriture du voyage apparaît dès lors comme indissociable non seulement de la capacité d'« enregistrer » fidèlement la réalité, mais aussi d'une aptitude sensible à percevoir le monde. Elle peut ainsi s'avouer comme une émanation de la subjectivité ; du même coup, elle se voit assigner une place particulière parmi les écrits de nature autobiographique – y compris dans sa part réflexive. Néanmoins, avec Nerval notamment, le récit reste concret, pouvant même rivaliser avec des guides touristiques comme ceux de Baedeker. Au XXe s., la littérature de voyage élargit ses perspectives en pratiquant tant la quête personnelle de « lointains intérieurs » (Michaux en Asie) que l'exploration de mœurs sur le mode ethnographique. Le XXe s. finissant, avec son trop-plein de connaissance, rejoint donc, dans une certaine mesure, la conception du Moyen Âge : même s'il ne recourt plus à l'allégorie, le récit de voyage dit une quête existentielle.

▶ MESNARD J., *Les récits de voyage*, Paris, Nizet, 1986. — MOUREAU F., *Métamorphoses du récit de voyage*, Paris-Genève, Champion-Slatkine, 1986. — PASQUALI A., *Le tour des horizons. Critique et récits de voyages*, Paris, Klincksieck, 1994. — RAJOTTE P. (dir.), *Le récit de voyage. Aux frontières du littéraire*, Montréal, Triptyque, 1997. — WOLFZETTEL F., *Le récit de voyage en France, du Moyen Âge au XVIIIe siècle*, Paris, PUF, 1996. — Coll. : « L'écrivain voyageur : le pèlerinage littéraire », R. Mortier (éd), *Revue de l'Institut de sociologie*, Bruxelles, 1999, 1/2.

Daniel MAGGETTI

→ *Anthropologie ; Autobiographie ; Coloniale (Littérature) ; Cosmopolitisme ; Ethnologie ; Orientalisme ; Postcolonialisme ; Utopie.*

VRAISEMBLANCE

Selon Aristote, le propre du poète n'est pas de raconter ce qui est arrivé, mais ce qui pourrait arriver, c'est-à-dire des événements imaginaires mais crédibles : ainsi le vrai-semblable, tel que *La poétique* le définit, est lié à la fois à la fiction, à la mimésis ou imitation du réel, et à un enjeu de réception, au « croyable ».

La vraisemblance postule une supériorité de l'œuvre de fiction sur l'histoire ou sur l'éloquence. Celles-ci en effet ne pourraient rendre compte que de faits vrais, qui sont toujours singuliers, tandis que par la vraisemblance la fiction atteint à des images plus générales. Dès lors, la poésie, fondée sur la fiction, serait une forme d'exploration d'un Vrai supérieur au réel ordinaire. Mais la vraisemblance peut être envisagée de deux points de vue. Interne : une œuvre est vraisemblable lorsque son intrigue ne laisse pas une place abusive au hasard, la vraisemblance étant liée alors à la prévisibilité logique du récit. Externe : une œuvre peut être perçue comme vraisemblable quand les lieux, faits et personnages qu'elle met en scène sont en conformité avec les règles en vigueur dans la société qui se les représente, la vraisemblance étant alors liée aux croyances et aux bienséances. De cette dualité de sens résulte que l'exigence de vraisemblance a été pensée dans une certaine confusion et a donné lieu à de multiples querelles. Querelles d'autant plus insolubles que la vraisemblance est plus tributaire des croyances et des bienséances, lesquelles varient selon les temps et les lieux. L'important est donc de conserver l'idée que la vraisemblance est un enjeu de crédibilité : elle fonde le « pacte de lecture » selon lequel le texte est jugé recevable, et réaliste ou fantaisiste. À partir de quoi, l'histoire de la littérature est nourrie de ses variations.

La vraisemblance a été une question majeure avec l'avènement des poétiques issues de la relecture des Anciens, en particulier dans les débats sur les genres dramatiques au XVIIe s. La querelle du *Cid* (1637) en est une manifestation exemplaire, et l'intervention de l'Académie française atteste de l'importance de l'enjeu. Une des critiques contre le *Cid* était qu'il n'est pas vraisemblable que Chimène épouse le meurtrier de son père. En ce cas, la notion de vraisemblance dépend des normes éthiques dominantes. Conçue comme un instrument devant garantir la valeur morale d'une œuvre dramatique, ou romanesque, elle est alors utilisée comme un outil de légitimation et sert à la valoriser ou à la dévaloriser, mais aussi à dessiner les frontières de la littérature. Une autre critique portait sur le nombre des actions qui adviennent dans une pièce censée se passer en 24 heures. En ce second cas, la vraisemblance mise en question est celle, interne, de la logique de l'intrigue. Mais les deux versants étaient en fait liés : une pièce qui ne respecte pas les règles morales ne respecte pas non plus, disait-on, les règles logiques. Ainsi la poétique « classique » donne un sens social à la notion de vraisemblance. Pour être accepté, le vraisemblable ne peut contrevenir aux attentes du public. Le critère de la vraisemblance n'est alors autre que l'opinion commune, la doxa. Le dramaturge et le romancier qui se soumettent à l'exigence de vraisemblance doivent donc brider leur pouvoir d'invention. Appliquée à des œuvres poétiques, la vraisemblance est pensée comme une idéalisation du vrai. Boileau le rappelle dans son *Art poétique* (1674) : « Le vrai peut quelquefois n'être pas vraisemblable », et prône la prépondérance du vraisemblable. Il apparaissait essentiel, en effet, que le spectateur « y croit » pour que la catharsis puisse advenir. La vraisemblance se trouvait de la sorte associée à l'utilité morale de la littérature. Mais les genres ne pouvaient pas être également soumis à l'exigence de vraisemblance. L'épopée et le roman ne s'y bornent pas. L'apparition du fantastique, d'autre part, récuse les codes mêmes du vraisemblable. Aussi Diderot a-t-il pu, dans *Jacques le Fataliste* (1778-1780), jouer avec les conventions et les décisions du narrateur qui seul établit la vraisemblance. Désireux de briser les carcans jugés stérilisants de l'esthétique classique, les écritures romantiques se libèrent des contraintes de la vraisemblance ainsi qu'en témoignent la production d'œuvres jouant de la démesure (sentiments extrêmes, folie...) et de l'irrationnel (fantômes, résurrections...) de même que l'intérêt qu'elles accordent au merveilleux, au grotesque ou à la laideur. Valorisant le vrai plutôt que le vraisemblable, les romanciers réalistes justifient l'immoralisme que leurs détracteurs leur reprochent au nom de leur prétention à peindre le monde tel qu'il est (ainsi Flaubert et *Madame Bovary*). Dans leurs écrits théoriques, ils utilisent donc peu la notion de vraisemblance alors même que nombre de critiques persistent à l'employer : sur des fondements conceptuels hérités de l'âge classique, la littérature réaliste et naturaliste est perçue comme une écriture de l'invraisemblable. Au XXe s., des débats similaires accompagnent la parution des premières œuvres de Nathalie Sarraute ou d'Alain Robbe-Grillet : le Nouveau Roman est en effet condamné par de nombreux critiques au nom de la vraisemblance. Mais lui-même, à la suite de Sartre qui critiquait le procédé de l'omniscience du narrateur, dénonce l'artificialité de la vraisemblance classique. La notion de vraisemblance est en fait souvent utilisée par les défenseurs d'une position critique qui associe la qualité esthétique d'une œuvre à sa valeur morale. Dans la « Querelle de la nouvelle critique » (1963-66) Roland Barthes dénonce le « vraisemblable critique » défendu par Raymond Picard, c'est-à-dire tout discours qui s'appuie sur des (prétendues) évidences normatives (l'objectivité, le goût, la clarté) pour juger une œuvre littéraire et montre que, ni discutées ni analysées, ces évidences viennent conforter le dogmatisme d'une parole critique qui impose en réalité une idéologie.

▶ BARTHES R., *Critique et vérité*, Paris, Le Seuil, 1966. — GENETTE G., *Figures II*, Paris, Le Seuil, 1969. — HAMON P., « Un discours contraint », *Littérature et réalité*, G. Genette et T. Todorov [dir.], Paris, Le Seuil, 1982, p. 119-81. — KIBÉDI-VARGA A., « La Vraisemblance : problèmes de terminologie, problèmes de poétique », *Critique et création littéraires en France au XVIIe siècle*, Paris, CNRS, 1977, p. 325-332 ; *Les poétiques du classicisme*, Paris, Aux amateurs de livres, 1990.

Denis PERNOT

→ *Adhésion ; Bienséance ; Cognitif, connaissance ; Doxa ; Fantastique ; Histoire ; Merveilleux ; Mimésis ; Réalisme ; Utilité.*

Index

Imprimé en France
Imprimerie des Presses Universitaires de France
73, avenue Ronsard, 41100 Vendôme
Avril 2002 – N° 49124

Composition : IGS-CP Angoulême
Reliure : AGM-RELIFAC 76440 Forges-les-Eaux